P9-ANZ-000

Duden Band 7

Der Duden in zwölf Bänden

Das Standardwerk zur deutschen Sprache

Herausgegeben vom Wissenschaftlichen Rat
der Dudenredaktion:
Dr. Matthias Wermke (Vorsitzender)
Dr. Kathrin Kunkel-Razum
Dr. Werner Scholze-Stubenrecht

1. Rechtschreibung
2. Stilwörterbuch
3. Bildwörterbuch
4. Grammatik
5. Fremdwörterbuch
6. Aussprachewörterbuch
7. **Herkunftswörterbuch**
8. Synonymwörterbuch
9. Richtiges und gutes Deutsch
10. Bedeutungswörterbuch
11. Redewendungen und sprichwörtliche Redensarten
12. Zitate und Aussprüche

Duden

Herkunftswörterbuch
Etymologie der deutschen Sprache

3., völlig neu bearbeitete und erweiterte Auflage

Herausgegeben von der Dudenredaktion

Auf der Grundlage der neuen amtlichen Rechtschreibregeln

Duden Band 7

Dudenverlag

Mannheim · Leipzig · Wien · Zürich

Redaktionelle Bearbeitung
Anette Auberle, Dr. Annette Klosa

Herstellung Monika Schoch
Typografisches Konzept Iris Farnschläder, Hamburg
Umschlaggestaltung Bender+Büwendt, Berlin

Bibliografische Information der Deutschen Bibliothek
Die Deutsche Bibliothek verzeichnet diese Publikation in der Deutschen Nationalbibliografie;
detaillierte bibliografische Daten sind im Internet über http://dnb.ddb.de abrufbar.

Satz A-Z Satztechnik GmbH, Mannheim
(PageOne, alfa Media Partner GmbH)
Druck und Bindearbeit Graphische Betriebe Langenscheidt, Berchtesgaden
Printed in Germany
ISBN 3-411-04073-4
www.duden.de

Vorwort

Wörter haben viel zu erzählen. Ihrer Geschichte und ihrem weiten Weg ins Deutsch der Gegenwart geht der vorliegende Dudenband nach. Das Duden-Herkunftswörterbuch bettet dabei die Geschichte der Einzelwörter in größere Zusammenhänge ein, arbeitet die Wortfamilien heraus und zeigt Verwandtschaften mit Wörtern anderer Sprachen. Anhand der Wortgeschichte wird auf diese Weise Kultur- und Geistesgeschichte erfahrbar. Sprache wird so zu einem faszinierenden Abenteuer.

Das Duden-Herkunftswörterbuch verzeichnet über 20 000 Wörter in mehr als 8 000 Artikeln. Dazu gehört neben dem Erb- und Lehnwortschatz und den traditionellen Fremdwörtern auch erstmals modernes Wortgut wie Ayurveda, Mobbing, Karaoke und booten. In Infokästen wird außerdem die Herkunft von über 300 Redewendungen erklärt.

Über die Erklärung einzelner Etymologien hinaus vermittelt das Duden-Herkunftswörterbuch in 29 Kapiteln zur Sprachgeschichte Hintergrundwissen über die Entwicklung des Deutschen von den rekonstruierten Formen des Indogermanischen bis in die Gegenwart.

Nicht erst heute üben die Sprache und ihr Wandel über die Zeiten hinweg Faszination auf die Menschen aus. Das Fragen nach der Herkunft und der eigentlichen Bedeutung der Wörter stand auch an der Wiege der abendländischen Sprachwissenschaft. Griechische Philosophen der Stoa fragten »Wie kommen die Dinge zu ihrem Namen?«, und ihre Beschäftigung mit dieser Frage nannten sie *etymología* »Lehre von der wahren Bedeutung der Wörter« (zu griech. *étymos* »wahr, echt« und *lógos* »Wort; Rede, Kunde; Vernunft«). Seit der Antike hat sich die Etymologie tief greifend gewandelt; sie ist von einer eher philosophischen Betrachtung und oftmals nur geistreichen Spielerei zu einem Forschungszweig der historisch-vergleichenden Sprachwissenschaft geworden. Begnügte sich diese im 19. Jh. zunächst damit, den Ausgangspunkt eines Wortes (rekonstruierte Wurzel und abstrakte Wurzel- oder Urbedeutung) zu ermitteln, dessen Entsprechungen in verwandten Sprachen aufzuzeigen und die lautlichen Veränderungen vorzuführen, so ging sie nunmehr dazu über, Wortgeschichte in Zusammenhang mit der kulturellen und gesellschaftlichen Entwicklung zu sehen und vor allem die Bedeutungsveränderungen aufzuzeigen. In der modernen etymologischen Forschung hat sich der Blick von der Vor- und Frühgeschichte immer mehr auf die Zeit nach dem

Einsetzen der schriftlichen Überlieferung verlagert, die Etymologie ist in starkem Maße zur Wortbiografie geworden.

Dieser Forschungstendenz trägt das Duden-Herkunftswörterbuch Rechnung. Im Vordergrund steht die inhaltliche Seite der Etymologie: das Motiv für die Benennung, die eigentliche Bedeutung und die Bedeutungsentwicklung der Wörter.

Aus der Fülle der alt-, mittel- und frühneuhochdeutschen sowie mundartlichen Formen und den Entsprechungen in verwandten Sprachen ist eine für die Darstellung relevante Auswahl getroffen worden; gewöhnlich stehen für die nordgermanischen Formen stellvertretend schwedische, für die ostgermanischen gotische und für die westgermanischen deutsche, niederländische und englische. Das Alter der Wörter wird für die Zeit bis zum Ende des Mittelalters mit indogermanisch, germanisch, althochdeutsch und mittelhochdeutsch angegeben, von 1500 an dann mit dem Jahrhundert, in dem das Wort nachweislich in Gebrauch kam.

Allen Wissenschaftlern und Fachleuten, die uns bei der Neubearbeitung mit ihrem Rat unterstützt haben, sagen wir an dieser Stelle unseren Dank. (Aus Platzgründen war es nicht möglich, diese Arbeiten in den Artikeln zu zitieren; eine Zusammenstellung grundlegender etymologischer Untersuchungen und Nachschlagewerke findet sich am Ende des Bandes.) Besonderer Dank gebührt Jürgen Folz, der die Kapitel zur Sprachgeschichte verfasst hat.

Mannheim, im Februar 2001
Die Dudenredaktion

Inhalt

Hinweise für den Benutzer

I. Das Auffinden eines Wortes

Hauptstichwörter stehen in alphabetischer Reihenfolge. Die dazugehörigen Ableitungen und Zusammensetzungen folgen in derselben Schriftart. Um das Auffinden zu erleichtern, sind außerdem alle Wörter, die innerhalb eines Artikels behandelt werden, an alphabetischer Stelle mit einem entsprechenden Verweis aufgeführt, z. B. **abflauen** ↑ flau; **Kuhle** ↑ Keule; **Zwiespalt** ↑ Spalt. Fremdsprachliche Wortangaben und Formen aus älteren Sprachzuständen wurden der besseren Übersichtlichkeit halber *kursiv* gedruckt.

II. Sprachangaben

Mit den Sprachangaben *ahd.*, *mhd.* und *nhd.* werden zeitliche Gliederungen bezeichnet: *ahd.*: 8. bis 11. Jh., *mhd.*: 12. bis 15. Jh., *nhd.*: 16. Jh. bis zur Gegenwart. Diese grobe zeitliche Gliederung ist aus praktischen Gründen beibehalten worden, obwohl heute häufig andere und genauere Periodisierungen vorgenommen werden (z. B. *ahd.*: 750 bis 1050, *mhd.*: 1050 bis 1350, *frühnhd.*: 1350 bis 1650, *nhd.*: 1650 bis zur Gegenwart). Bei allen Periodisierungen ist zu bedenken, dass sich sprachliche Veränderungen nicht einheitlich und schlagartig vollziehen und dass dementsprechend die Grenzen zwischen den Sprachperioden fließend sind.

Die Gliederung des germanischen Sprachraumes folgt der herkömmlichen Dreiteilung in Nordgermanisch (Schwedisch, Dänisch, Norwegisch, Isländisch), Ostgermanisch (Gotisch, Burgundisch und andere Sprachreste) und Westgermanisch (Deutsch, Friesisch, Niederländisch, Englisch).

Zusammenfassend stehen die Bezeichnungen *gemeingermanisch*, wenn ein Wort im Nord-, Ost- und Westgermanischen vorkommt, und *altgermanisch*, wenn ein Wort im West- und Ostgermanischen oder im West- und Nordgermanischen bezeugt ist. Alle diese Bezeichnungen verweisen lediglich auf das Vorkommen eines Wortes innerhalb des germanischen Sprachbereiches und nicht etwa auf eine zeitliche Gliederung.

Um eine Häufung von Sprachformen zu vermeiden, stehen meist für die nordgermanischen Formen stellvertretend schwedische, für die ostgermanischen gotische und für die westgermanischen deutsche, niederländische und englische. Die älteren Formen eines Wortes sind im Allgemeinen nur für das deutsche Wort genannt. Die verwandten Wörter im germanischen Sprachbereich werden gewöhnlich in der heute üblichen Form aufgeführt. Ist diese nicht mehr bewahrt, tritt eine ältere ein, und zwar die mittelniederländische für niederländische, die altenglische oder die mittelenglische für englische und die altisländische für die nordische.

Der Terminus *indogermanisch* bezeichnet einerseits Formen, die der erschlossenen Grundsprache der Indogermanen angehören, andererseits die Zugehörigkeit zum indogermanischen Sprachstamm. Zu diesem gehören folgende Sprachen: 1. Hethitisch, 2. Tocharisch, 3. Indisch, 4. Iranisch, 5. Armenisch, 6. Thrakisch, 7. Phrygisch, 8. Griechisch, 9. Albanisch, 10. Illyrisch, 11. Venetisch (?), 12. Italisch (vor allem Latein und seine romanischen Folgesprachen, wie z. B. Französisch, Spanisch, Italienisch), 13. Keltisch, 14. Germanisch, 15. Baltisch, 16. Slawisch.

Formen aus Sprachen, die nicht zum indogermanischen Sprachstamm gehören, treten nur bei Fremd- und Lehnwörtern auf.

Dabei erscheinen Entlehnungen aus dem Hebräischen, Arabischen und aus den Indianersprachen Mittel- und Südamerikas am häufigsten.

III. Redewendungen

Die Redewendungsartikel in den Infokästen bestehen jeweils aus vier Teilen: dem Artikelwort, unter dem sich die Redewendung nachschlagen lässt (z. B. »am seidenen Faden hängen« unter »Faden«), aus der Redewendung selbst, aus ihrer Bedeutungsangabe (z. T. mit einer stilistischen Wertung, wie z. B. »ugs.« für »umgangssprachlich«) und aus den Erläuterungen zu ihrer Herkunft.
Jede Redewendung ist unter dem Wort zu finden, das deren Hauptbedeutung trägt und auf das sich die Herleitung dieser Wendung folglich konzentriert. So findet sich »aufpassen wie ein Schießhund« unter dem Artikelwort »Schießhund«, weil dort die für das Verständnis der Redewendung wichtige jägersprachliche Bedeutung von »Schießhund« erläutert wird.

IV. Abkürzungen und Zeichen

Abkürzungen

Abk.	Abkürzung[en]
Abl.	Ableitung[en]
abulgar.	altbulgarisch
adj.	adjektivisch
Adj.	Adjektiv
adv.	adverbiell
Adv.	Adverb
aengl.	altenglisch
afghan.	afghanisch
aflām.	altflämisch
afränk.	altfränkisch
afries.	altfriesisch
afrik.	afrikanisch
afrz.	altfranzösisch
ägypt.	ägyptisch
ahd.	althochdeutsch
aind.	altindisch
air.	altirisch
aisl.	altisländisch
ait.	altitalienisch
Akk.	Akkusativ
akkad.	akkadisch
Akt.	Aktiv
alat.	altlateinisch
alban.	albanisch
aleman.	alemannisch
allg.	allgemein
altgerm.	altgermanisch
altgriech.	altgriechisch
altröm.	altrömisch
amerik.	amerikanisch
amtsspr.	amtssprachlich
angloamerik.	angloamerikanisch
angloind.	angloindisch
anglonorm.	anglonormannisch
anord.	altnordisch
apers.	altpersisch
apoln.	altpolnisch
apreuß.	altpreußisch
aprov.	altprovenzalisch
arab.	arabisch
aram.	aramäisch
armen.	armenisch
aruss.	altrussisch
asächs.	altsächsisch
aschwed.	altschwedisch
asiat.	asiatisch
aslaw.	altslawisch
assyr.	assyrisch
awest.	awestisch
bad.	badisch
balt.	baltisch
baltoslaw.	baltoslawisch
bask.	baskisch
bayr.	bayrisch
bed.	bedeutet, -en
Bed.	Bedeutung[en]
berlin.	berlinerisch
Bez.	Bezeichnung[en]

böhm.	böhmisch	illyr.	illyrisch
bret.	bretonisch	Imp.	Imperativ
bulgar.	bulgarisch	ind.	indisch
chin.	chinesisch	indian.	indianisch
dän.	dänisch	indoiran.	indoiranisch
Dat.	Dativ	Inf.	Infinitiv
dicht.	dichterisch	Interj.	Interjektion
dt.	deutsch	intr.	intransitiv
eigtl.	eigentlich	ir.	irisch
engl.	englisch	isl.	isländisch
entspr.	entsprechend; entspricht	it.	italienisch
etrusk.	etruskisch	jap.	japanisch
fachspr.	fachsprachlich	jidd.	jiddisch
finn.	finnisch	katalan.	katalanisch
finnougr.	finnougrisch	kelt.	keltisch
fläm.	flämisch	kirchenlat.	kirchenlateinisch
fränk.	fränkisch	kirchenslaw.	kirchenslawisch
fries.	friesisch	klass.	klassisch
frz.	französisch	klass.-lat.	klassisch-lateinisch
gäl.	gälisch	Konj.	Konjunktion
gall.	gallisch	kopt.	koptisch
galloroman.	galloromanisch	kreol.	kreolisch
gemeingerm.	gemeingermanisch	kret.	kretisch
Gen.	Genitiv	krimgot.	krimgotisch
germ.	germanisch	kroat.	kroatisch
Ggs.	Gegensatz	kymr.	kymrisch
gleichbed.	gleichbedeutend	landsch.	landschaftlich
got.	gotisch	langob.	langobardisch
griech.	griechisch	lapp.	lappisch
hait.	haitisch	lat.	lateinisch
hebr.	hebräisch	lett.	lettisch
hess.	hessisch	lit.	litauisch
hethit.	hethitisch	Lok.	Lokativ
hochdt.	hochdeutsch	malai.	malaiisch
hochsprachl.	hochsprachlich	mdal.	mundartlich
iber.	iberisch	mengl.	mittelenglisch
idg.	indogermanisch	mfrz.	mittelfranzösisch
		mgriech.	mittelgriechisch
		mhd.	mittelhochdeutsch
		militär.	militärisch

mind.	mittelindisch
mir.	mittelirisch
mitteld.	mitteldeutsch
mlat.	mittellateinisch
mnd.	mittelniederdeutsch
mniederl.	mittelniederländisch
mong.	mongolisch
mpers.	mittelpersisch
ngriech.	neugriechisch
nhd.	neuhochdeutsch
niederd.	niederdeutsch
niederl.	niederländisch
nlat.	neulateinisch
Nom.	Nominativ
nord.	nordisch
nordd.	norddeutsch
nordgerm.	nordgermanisch
norm.	normannisch
norw.	norwegisch
oberd.	oberdeutsch
osk.	oskisch
ostd.	ostdeutsch
österr.	österreichisch
ostgerm.	ostgermanisch
ostmitteld.	ostmitteldeutsch
ostpreuß.	ostpreußisch
Part.	Partizip
Pass.	Passiv
Perf.	Perfekt
pers.	persisch
Pers.	Person
peruan.	peruanisch
phryg.	phrygisch
pik.	pikardisch
Plur.	Plural
poln.	polnisch
polynes.	polynesisch
port.	portugiesisch
Präp.	Präposition
Präs.	Präsens
Prät.	Präteritum
preuß.	preußisch
Pron.	Pronomen
prov.	provenzalisch
refl.	reflexiv
rhein.	rheinisch
röm.	römisch
roman.	romanisch
rotw.	rotwelsch
rumän.	rumänisch
russ.	russisch
s.	siehe
sächs.	sächsisch
sanskr.	sanskrit
scherzh.	scherzhaft
schles.	schlesisch
schott.	schottisch
schwed.	schwedisch
schweiz.	schweizerisch
s. d.	siehe dies; siehe dort
semit.	semitisch
serb.	serbisch
serbokroat.	serbokroatisch
sibir.	sibirisch
Sing.	Singular
skand.	skandinavisch
slaw.	slawisch
slowak.	slowakisch
slowen.	slowenisch
s. o.	siehe oben
sorb.	sorbisch
span.	spanisch
stud.	studentisch
s. u.	siehe unten
subst.	substantivisch
Subst.	Substantiv
südd.	süddeutsch
südslaw.	südslawisch
südwestdt.	südwestdeutsch
sumer.	sumerisch
syr.	syrisch
tatar.	tatarisch
techn.	technisch
thrak.	thrakisch

tirol.	tirolisch
tochar.	tocharisch
tr.	transitiv
tschech.	tschechisch
türk.	türkisch
turkotat.	turkotatarisch
übertr.	übertragen
ugr.	ugrisch
ugs.	umgangssprachlich
ukrain.	ukrainisch
umbr.	umbrisch
ung.	ungarisch
urspr.	ursprünglich
urverw.	urverwandt
venez.	venezianisch
verw.	verwandt
vgl.	vergleiche
vlat.	vulgärlateinisch
westgerm.	westgermanisch
westmitteld.	westmitteldeutsch
westslaw.	westslawisch
wiener.	wienerisch
Wz.	Wurzel
Zus.	Zusammensetzung[en]

Zeichen

>	geworden zu
<	entstanden aus
↑	siehe!
*	erschlossene Form

A a

à »zu; zu je«: Die seit dem 16. Jh. bezeugte Präposition zur Angabe des Stückpreises und der Stückzahl ist aus frz. *à* »nach; zu; für« entlehnt, das auf gleichbedeutend lat. *ad* zurückgeht. Die Präposition ist aus der Kaufmannssprache in die Allgemeinsprache gedrungen.

¹a..., A... ↑ab..., Ab...

²a..., A..., (vor Vokalen meist:) an..., An...: Die Vorsilbe mit verneinender Bedeutung, die in Fremdwörtern wie ↑anonym und ↑Anekdote steckt, ist aus dem Griech. entlehnt. Griech. *a[n]...* (das so genannte ›Alpha privativum‹) hat Entsprechungen in anderen idg. Sprachen, so z. B. in lat. *in...* (vgl. *²in..., In...*) und dt. ↑un...

Aa: Der seit dem Beginn des 19. Jh.s bezeugte kindersprachliche Ausdruck für »feste menschliche Ausscheidung« ist aus der ankündigenden lautmalenden Interjektion a–a substantiviert.

Aal: Der Name des schlangenförmigen Fisches ist auf den germ. Sprachbereich beschränkt: mhd., ahd. *āl,* niederl. *aal,* engl. *eel,* schwed. *ål.* Welche Vorstellung dieser altgerm. Benennung zugrunde liegt, ist trotz aller Deutungsversuche unklar. – Abl.: **aalen,** sich, ugs. für »faulenzen, sich rekeln« (19. Jh.). – Zus.: **aalglatt** (19. Jh.).

Aar: Der alte idg. Vogelname wurde im Dt. schon früh durch die seit dem 12. Jh. bezeugte Zusammensetzung ↑Adler (mhd. *adelar[e],* eigentlich »Edelaar«) zurückgedrängt und hielt sich bis zum 18. Jh. lediglich in einigen Zusammensetzungen, wie z. B. ›Mausaar‹ und ›Fischaar‹. Dann wurde der Name wieder gebräuchlich, aber fast ausschließlich in dichterischer Sprache. – Die germ. Bezeichnungen mhd. *ar,* ahd. *aro,* daneben mhd., ahd. *arn,* got. *ara,* aengl. *earn,* schwed. *örn* sind z. B. verwandt mit air. *irar* »Adler«, russ. *orël* »Adler« und mit griech. *órnis* »Vogel« (beachte das Fachwort ›Ornithologie‹ »Vogelkunde«). Siehe auch den Artikel *Sperber.*

Aas »Fleisch eines toten Körpers, Kadaver«: In dem nhd. Wort ›Aas‹ sind zwei verschiedene Wörter zusammengefallen, nämlich mhd., ahd. *āʒ* »Essen, Speise, Futter« (vgl. den Artikel *Obst*) und mhd. *ās* »Futter, Fleisch zur Fütterung der Hunde und Falken; Fleisch eines toten Körpers«. Beide Wörter gehören im Sinne von »Essen, Fraß« zu der Wortgruppe von ↑essen und sind z. B. verwandt mit aengl. *ǣs* »Futter, Nahrung, Köder« und mit aengl. *ǣt* »Speise, Nahrung, Fleisch«, aisl. *āt* »Speise, Nahrung«. Zur Bedeutungsgeschichte und zur Verwendung von ›Aas‹ als Schimpfwort vgl. z. B. den Artikel *Luder.* – An die alte Bedeutung des Substantivs »Essen, Futter, Fleisch« schließen sich an die Ableitungen ↑äsen »fressen« (vom Wild) und das seit dem 18. Jh. bezeugte **aasen** »Fleisch von den Häuten schaben, fleischen« (Fachwort der Gerber und Kürschner), dann »in Speisen herumsudeln, Nahrung vergeuden«, worauf die ugs. Verwendung im Sinne von »verschwenden« beruht.

Aasgeier ↑Geier.

ab: Das gemeingerm. Wort (Adverb, Präposition) mhd. *ab[e],* ahd. *aba,* got. *af,* engl. *of, off,* schwed. *av* geht mit Entsprechungen in anderen idg. Sprachen auf idg. **apo-* »ab, weg« zurück. Verwandt sind z. B. griech. *apó* »von, ab« und lat. *ab* »von«, die in zahlreichen aus dem Griech. und Lat. entlehnten Wörtern als erster Bestandteil stecken (↑apo..., Apo... und ab..., Ab...). Zu dieser idg. Wurzel gehören auch die unter ↑aber und ↑Ebbe behandelten Wörter (s. ferner den Artikel *Ufer*). – Als Präposition ist ›ab‹ im Nhd. durch ›von‹ verdrängt worden (außer in schweiz. und südwestd. Mundarten; beachte auch **abhanden,** das aus der Präposition ab und dem alten Dativ Plural von ↑Hand zusammengerückt ist). Wendungen wie ›ab Bremen‹, ›ab Werk‹ und ›ab morgen‹ stammen aus der neueren Kaufmannssprache (19. Jh.). Das Adverb ›ab‹ bildet vor allem unfeste Zusammensetzungen mit Verben der Bewegung, des Hauens, Schneidens u. a.

ab..., Ab..., ¹a..., A... (vor b, f, p, v), abs..., Abs... (vor c, z, q, t) »weg..., fort..., ab..., ent...; miss...«: Das in zahlreichen Zusammensetzungen auftretende Bestimmungswort stammt aus gleichbed. lat. *ab...,* das mit dt. ↑ab urverwandt ist.

Abart, abarten, abartig ↑Art.

abbauen ↑bauen.

abblenden ↑blenden.

abblitzen ↑blitzen.

abbringen ↑bringen.

Abc, Abece: Die Abkürzung für ↑Alphabet mithilfe der ersten drei Buchstaben ist seit dem 13. Jh. üblich: mhd. *ābēcē,* auch: *abc* (vgl. kirchenlat. *abecedarius* »zum Alphabet gehörig«). Zus.: **Abc-Buch** »Fibel« (frühnhd.); **Abc-Schütze** (16. Jh., für älteres ›Schütze‹ »Schulanfänger«. ›Schütze‹ gibt hier lat. *tiro* »Rekrut, Neuling« wieder).

abdanken, Abdankung ↑Dank.

Abdecker ↑decken.

abdrehen ↑drehen.

abebben ↑Ebbe.

Abece ↑Abc.

Abend: Die germ. Bezeichnungen mhd. *ābent,* ahd. *āband,* niederl. *avond,* engl. *evening,* schwed. *afton* gehören wahrscheinlich zu der idg. Präposition **epi* »nahe hinzu, nach, hinter« (vgl. *After*). Der Abend ist demnach von den Germanen als »der hintere oder spätere Teil des Tages« benannt worden. In den älteren Sprachzuständen hatte

›Abend‹ auch die Bedeutung »Vorabend«, besonders »Abend vor Festtagen«, dann auch »Tag vor einem Fest« (beachte ›Feierabend, Heiligabend, Sonnabend‹). Dieser Wortgebrauch erklärt sich daraus, dass nach der früher üblichen Zeiteinteilung der Tag mit der Nacht begann. Die Verwendung des Wortes im Sinne von »Westen« findet sich zuerst in Luthers Bibelübersetzung. Abl.: **abendlich** (mhd. *ābentlich,* ahd. *ābandlīh*); **abends** (mhd. *ābendes;* adverbiell erstarrter Genitiv). Zus.: **Abendland** (16. Jh., zuerst im Plural *abendlender*); **Abendmahl** (mhd. *ābentmāl* »Abendessen«; von Luther für das Abschiedsessen Christi am Gründonnerstag und das dabei gestiftete Sakrament eingeführt).

Abenteuer »prickelndes Erlebnis; gewagtes Unternehmen«: Das Wort wurde Ende des 12. Jh.s (mhd. *ābentiure, āventiure* »Begebenheit; Erlebnis, Wagnis usw.«) aus gleichbed. afrz. *aventure* entlehnt. Dies geht auf ein vlat. **adventura* »Ereignis, Geschehnis« (eigentlich »das, was sich ereignen wird«) zurück, das zu lat. *ad-venire* »herankommen; sich ereignen« (vgl. *Advent*) gehört. – Das Wort hatte eine reiche Bedeutungsentfaltung und wurde früher auch im Sinne von »Geschick, Zufall; Risiko; Kunde, Bericht von einem außerordentlichen Ereignis; Betrug, Gaunerei, Trick; [falscher] Edelstein; Preis, Trophäe; Wettschießen« verwendet. – Abl.: **abenteuerlich** (spätmhd. *āventiurlich*); **abenteuern** »sich in Abenteuer begeben« (mhd. *āventiuren*); **Abenteurer** (mhd. *āventiurære*).

aber: Das als Adverb, Konjunktion und Gesprächspartikel verwendete Wort (mhd. *aber, aver,* ahd. *avur*) ist eine alte Komparativbildung zu der unter ↑ab dargestellten idg. Wurzel **apo-* »ab, weg«. Es bedeutete demnach, wie auch das z. B. verwandte got. *afar* »nach, nachher« und aind. *aparám* »später«, ursprünglich etwa »weiter weg«. Aus »weiter weg, (nachher, später)« entwickelte sich im Dt. die Bed. »wieder, noch einmal«, beachte z. B. ›tausend und abertausend‹ und ›abermals‹. Die Verwendung von ›aber‹ zum Ausdruck des Gegensatzes entwickelte sich aus der Verwendung des Wortes zum Ausdruck der Wiederholung. Bisweilen drückte ›aber‹ früher auch die Richtung auf das Verkehrte hin aus (↑Aberglaube und Aberwitz).

Aberglaube »in religiöser Scheu und in magischem Denken wurzelnder Glaube, Irrglaube«: Die Zusammensetzung (mhd. *abergloube*) enthält als ersten Bestandteil das unter ↑aber behandelte Wort im Sinne von »verkehrt« (vgl. *Aberwitz*). Abl.: **abergläubisch** (16. Jh.).

Aberwitz: Das heute nur noch selten gebrauchte Wort für »Wahnwitz, Unverstand« (mhd. *aberwitze*) enthält als ersten Bestandteil das unter ↑aber behandelte Wort im Sinne von »verkehrt« (vgl. *Aberglaube*).

abfinden, Abfindung ↑finden.

abflauen ↑flau.

Abgabe ↑geben.

Abgang ↑gehen.

abgeben ↑geben.

abgebrannt ↑brennen.

abgebrüht ↑brühen.

abgedroschen ↑dreschen.

abgefeimt »durchtrieben, listig, hinterhältig«: Das seit der 2. Hälfte des 15. Jh.s bezeugte Wort ist das in adjektivischen Gebrauch übergegangene 2. Partizip des heute veralteten Verbs ›abfeimen‹ »den unreinen Schaum von einer Flüssigkeit entfernen, reinigen«. Es bedeutet demnach eigentlich »abgeschäumt, gereinigt« und entspricht in der Bedeutungsentwicklung etwa dem Fremdwort ↑raffiniert »durchtrieben, schlau« (zu *raffinieren* »reinigen«). Das heute nicht mehr gebräuchliche Verb *feimen* »abschäumen, reinigen« (mhd. *veimen,* ahd. *feimōn*) ist abgeleitet von einem alten Wort für »Schaum«, das noch mdal. als *Feim, Faum* »unreiner Schaum; Bierschaum« bewahrt ist. Mhd. *veim,* ahd. *feim* »Schaum, Unreinigkeit«, engl. *foam* »Schaum« sind z. B. verwandt mit lat. *spuma* »Schaum« und beruhen auf idg. **[s]poimno-s* »Schaum« (vgl. *Bimsstein*).

abgehen ↑gehen.

abgeleiert ↑Leier.

abgeneigt ↑neigen.

abgeschmackt »fade, reizlos, platt, albern«: Das heute nur noch im übertragenen Sinne verwendete Adjektiv entstand im 17. Jh. aus älterem *abgeschmack* »geschmacklos, fade«, dessen zweiter Bestandteil frühnhd. *geschmack,* mhd. *gesmac* »[wohl]schmeckend« ist (vgl. *schmecken*). Frühnhd. *abgeschmack* – vielleicht nach frz. *dégoûtant* – trat an die Stelle von mhd. *ā-smec* »geschmacklos«.

abgespannt ↑spannen.

abgetakelt ↑Takel.

Abgott: Die dt. und niederl. Bezeichnung für »falscher Gott, Götze« (mhd., ahd. *abgot,* niederl. *afgod*) wurde im Rahmen der frühen christlichen Missionstätigkeit geschaffen. Sie ist wahrscheinlich eine Bildung zu einem alten christlichen Adjektiv für »gottlos«, beachte got. *afguÞs* »gottlos«, das griech. *asebḗs* »ohne Ehrfurcht, gottlos« wiedergibt. Abl.: **Abgötterei** (mhd. *abgötterīe*); **abgöttisch** »maßlos« (mhd. *abgötisch* »gottlos«).

abgreifen ↑greifen.

Abgrund: Der dt. und niederl. Ausdruck für »schauerliche Tiefe« (mhd., ahd. *abgrunt,* niederl. *afgrond*) ist aus den unter ↑ab und ↑Grund behandelten Wörtern gebildet und bedeutet eigentlich »abwärts gehender [Erd]boden«. Die nord. Sippe von schwed. *avgrund* ist aus dem Mnd. entlehnt. Abl.: **abgründig** »abgrundtief; unermesslich, unergründlich« (mhd. *abgründec;* ahd. dafür *abgrunti*).

abhalten ↑halten.

abhanden ↑ab und ↑Hand.

Abhandlung ↑handeln.
Abhang, abhängig ↑hängen.
abhauen ↑hauen.
Abiturient: Das Wort wurde im 17. Jh. aus nlat. *abituriens* »wer (von der Schule) abgehen wird« eingedeutscht. Dazu stellt sich das Substantiv **Abitur** »Reifeprüfung« (aus nlat. *abiturium*; 19. Jh.). Beiden Wörtern liegt ein von lat. *abire* »fortgehen« weitergebildetes nlat. Verb *abiturire* »fortgehen werden« zugrunde. Zu ›Abitur‹ stellt sich in neuerer Zeit ugs. häufig die Kurzform **Abi**. Über die lat. Vorsilbe *ab...* »weg, fort« vgl. *ab..., Ab...* Das Stammverb lat. *ire* »gehen«, das urverwandt ist mit dt. ↑eilen, ist noch in folgenden Fremdwörtern enthalten: ↑Ambition, ↑Initialen, ↑Initiative, ↑Koitus, ↑Präteritum, ↑Trance, ↑Transit, ↑transitiv.
abkanzeln ↑Kanzel.
abkapseln ↑Kapsel.
abkarten ↑Karte.
Abklatsch ↑klatschen.
abknöpfen ↑Knopf.
abkommen, Abkommen, abkömmlich ↑kommen.
abkratzen ↑kratzen.
abkühlen ↑kühl.
Abkunft ↑kommen.
abkupfern ↑Kupfer.
Ablass, ablassen ↑lassen.
Ablativ: Der Name des in den germanischen Sprachen nicht vorhandenen Kasus (des fünften in der lateinischen Deklination), der ursprünglich eine Trennung oder Entfernung zum Ausdruck bringt, beruht auf lat. *(casus) ablativus.* Dies gehört zu lat. *auferre (ablatum)* »forttragen, entfernen, wegnehmen, trennen usw.«.
ablaufen ↑laufen.

ablaufen
jmdn. ablaufen lassen (ugs.) »jmdn. kühl abweisen« Die Wendung stammt aus der Fechtersprache und meint eigentlich ›den Hieb des Gegners an der eigenen Klinge abgleiten lassen‹.

ableben ↑leben.
ablegen, Ableger ↑legen.
ablehnen ↑[1]lehnen.
ableiern ↑Leier.
ablösen ↑lösen.
abmachen ↑machen.
abmagern ↑mager.
abmergeln ↑ausmergeln.
abmurksen (ugs. für:) »umbringen«: Das seit dem Beginn des 19. Jh.s gebräuchliche Verb gehört zu niederd. *murken* »töten« (mnd. *morken* »zerdrücken«; vgl. *murksen*).
abnorm »nicht normal, krankhaft; ungewöhnlich«: Das Adjektiv wurde im 19. Jh. aus lat. *abnormis* »von der Regel abgehend; abweichend« (vgl. *ab..., Ab...* und *Norm*) entlehnt. Dazu stellen sich die Bildungen **abnormal** (Mitte 19. Jh., aus ↑ab... und *normal* ↑Norm gebildet) und **Abnormität** (lat. *abnormitas*).
abonnieren »(für eine bestimmte Zeit) im Voraus bestellen«: Das Verb wurde Mitte des 18. Jh.s aus frz. *s'abonner à* »sich etwas ausbedingen; eine periodisch wiederkehrende Leistung vereinbaren« entlehnt. Das vorausliegende Verb afrz. *abosner* »abgrenzen« gehört als Ableitung zu dem unter ↑borniert genannten Substantiv afrz. *bosne, bodne* »Grenzstein«. – Abl.: **Abonnement** »Vorausbestellung; Dauerkarte« (18. Jh., aus gleichbed. frz. *abonnement*), ugs. jetzt häufig abgekürzt als **Abo**; **Abonnent** »jemand, der auf etwas abonniert ist« (Ende des 18. Jh.s, nach gleichbed. frz. *abonné*).
[1]**Abort** »Toilette«: Das seit dem 18. Jh. bezeugte Wort war zunächst im Sinne von »abgelegener Ort« gebräuchlich. Es stammt wahrscheinlich aus dem Niederd., vgl. mnd. *af ōrt* »abgelegener Ort«. Bereits im 18. Jh. wurde es dann als verhüllender Ausdruck für »Abtritt« verwendet (beachte dazu die verhüllenden Ausdrücke ›Örtchen‹ und ›Lokus‹). Die Endbetonung beruht auf Vermischung mit ↑[2]Abort »Fehlgeburt«.
[2]**Abort** »Fehlgeburt«: Das seit dem Ende des 17. Jh.s bezeugte Wort (älter ist medizinisch-fachsprachliches ›Abortus‹) stammt aus gleichbed. lat. *abortus*, eigentlich »Abgang«, zu lat. *ab-oriri* »abgehen, verschwinden« (vgl. *Orient*).
abrechnen, Abrechnung ↑rechnen.
abreiben, Abreibung ↑reiben.
abreißen ↑reißen.
abrichten ↑richten.
Abriss ↑reißen.
abrupt »abgebrochen, zusammenhanglos, plötzlich«: Das Adjektiv wurde im 17. Jh. aus gleichbed. lat. *abruptus* (bzw. dem Adverb *abrupte*) »abgerissen« entlehnt, das zu lat. *ab-rumpere* »weg-, los-, abreißen«, einer Bildung aus lat. *ab...* »weg, los, ab« (vgl. *ab..., Ab...*) und lat. *rumpere* »zerbrechen, zerreißen« (vgl. das Lehnwort *Rotte*), gehört.
abrüsten ↑rüsten.
abs..., Abs... ↑ab..., Ab...
absacken ↑versacken.
Absage, absagen ↑sagen.
absatteln ↑Sattel.
Absatz ↑setzen.
abschaffen ↑schaffen.
Abschaum ↑Schaum.
Abscheu, abscheulich ↑scheu.
abscheuern ↑scheuern.
Abschied: Das seit spätmhd. Zeit bezeugte Substantiv (spätmhd. *abschid, abeschit, -scheit*) gehört zu dem heute nur noch fachsprachlich gebräuchlichen Verb **abscheiden** »entfernen«, mhd. *abescheiden* »lostrennen, entfernen; entlassen, verabschieden« (vgl. *scheiden*). Gebräuchlich ist dagegen noch das adjektivisch verwendete zwei-

te Partizip **abgeschieden** »zurückgezogen, einsam; tot«. – Das Substantiv ›Abschied‹ bedeutete früher außer »Weggang, Trennung« und »Entlassung« (beachte z.B. ›seinen Abschied nehmen oder erbitten‹) auch »Tod« und »[richterliche] Entscheidung, Beschluss«, daher älter nhd. ›Reichs-, Landtagsabschied‹.

abschlagen, abschlägig, Abschlagszahlung ↑schlagen.

abschneiden, Abschnitt ↑schneiden.

abschotten ↑Schott.

abschrecken ↑[1]schrecken.

abschreiben, Abschrift ↑schreiben.

abschweifen ↑schweifen.

absehbar, absehen, Absicht ↑sehen.

abseilen ↑Seil.

Absenker ↑senken.

absetzen, Absetzung ↑setzen.

Absicht, absichtlich ↑sehen.

absolut »unabhängig, uneingeschränkt; unbedingt«: Das seit dem Ende des 15. Jh.s bezeugte Adjektiv begegnet uns in zwei Bereichen, im philosophisch-allgemeinen und im politisch-staatsrechtlichen. Für jenen gilt unmittelbare Entlehnung aus lat. *absolutus* »losgelöst«, während in diesem seit Anfang des 17. Jh.s entsprechend frz. *absolu* auf das Wort eingewirkt hat. Das zugrunde liegende Verb lat. *ab-solvere (absolutum)* »loslösen« ist eine Bildung aus lat. *ab...* »weg, los, ab« (vgl. *ab..., Ab...*) und lat. *solvere* »lösen; befreien« (< **se-luere*). Über idg. Zusammenhänge vgl. den Artikel [2]*Lohe*. Beachte noch die verwandten Fremdwörter ↑Absolution, ↑Absolutismus, ↑absolvieren, ↑resolut, Resolution.

Absolution »Freisprechung«, insbesondere im Sinne von »Sündenvergebung«: Das Wort wurde im 14. Jh. als kirchlich-religiöser Terminus über gleichbed. mlat. *absolutio* aus lat. *absolutio* »Loslösung, Freisprechung (vor Gericht)« entlehnt. Es gehört zu lat. *ab-solvere* »loslösen; freisprechen« (vgl. *absolut*).

Absolutismus »uneingeschränkte Regierungsgewalt«: Das Wort wurde im späten 18. Jh. unter Einfluss von entsprechend frz. *absolutisme* mithilfe des Suffixes *-ismus* aus dem Adjektiv ↑absolut (zu lat. *absolutus* »losgelöst; unabhängig usw.« > frz. *absolu*) abgeleitet.

absolvieren »erledigen, ableisten; etwas zum Abschluss bringen«: Das Verb wurde schon in das Mhd. aus lat. *ab-solvere* »loslösen; vollenden« entlehnt (vgl. *absolut*). – Aus dem Part. Präs. lat. *absolvens* stammt das Substantiv **Absolvent** »jemand, der nach erfolgreicher Prüfung von einer Schule (u.a.) abgeht« (19. Jh.).

absondern ↑sonder.

absorbieren »aufsaugen; (übertragen:) gänzlich beanspruchen«: Das Verb wurde im 17. Jh. aus lat. *ab-sorbere* »hinunterschlürfen, verschlingen« entlehnt, einer Bildung aus lat. *ab...* »weg, fort« (vgl. *ab..., Ab...*) und lat. *sorbere* »schlürfen, verschlucken«. Dazu gehört das im 18. Jh. aus lat. *absorptio* entlehnte **Absorption** »das Absorbieren«. – Eine weitere Bildung zu lat. *sorbere* ist das lat. Verb *resorbere* »[wieder] einschlürfen« (zum 1. Bestandteil vgl. *re..., Re...*), aus dem unser Fremdwort **resorbieren** »flüssige oder gelöste Stoffe in die Blutbahn aufnehmen« (dazu das Substantiv **Resorption** »Aufnahme flüssiger oder gelöster Stoffe in die Blutbahn«) stammt.

abspeisen ↑Speise.

abspenstig: Das seit dem 16. Jh. bezeugte Adjektiv, das heute nur noch in der Wendung ›jemandem eine Person abspenstig machen‹ gebräuchlich ist, gehört zu frühnhd. *abspannen* »weglocken«, einer Zusammensetzung mit dem im Nhd. untergegangenen einfachen Verb mhd. *spanen*, ahd. *spanan* »locken« (vgl. *Gespenst*).

abspielen, sich ↑Spiel.

Absprache, absprechen, absprechend ↑sprechen.

abstammen, Abstammung ↑Stamm.

Abstand ↑stehen.

abstatten ↑Statt.

abstauben ↑Staub.

abstechen, Abstecher ↑stechen.

abstecken ↑stecken.

abstehen ↑stehen.

abstellen ↑stellen.

absterben ↑sterben.

abstimmen ↑Stimme.

Abstinenz »Enthaltsamkeit (besonders vom Alkoholgenuss)«: Das seit mhd. Zeit (mhd. *abstinen[t]z* »Mäßigung im Essen und Trinken«) gebräuchliche Substantiv ist aus gleichbed. lat. *abstinentia* entlehnt. Das lat. Wort gehört zu lat. *abstinere* »fern halten; fasten lassen; enthaltsam sein«, einer Bildung aus lat. *abs...* »ab..., ent...« (vgl. *ab..., Ab...*) und lat. *tenere* »halten« (vgl. *tendieren*). Auf das Part. Präs. *abs-tinens* (Genitiv *abs-tinentis*), geht das seit dem frühen 16. Jh. bezeugte Adjektiv **abstinent** »enthaltsam« zurück. Die Einengung auf »enthaltsam, Enthaltsamkeit im Alkoholgenuss« erfolgte im 19. Jh. evtl. unter dem Einfluss von engl. *(total) abstinence* und *abstinent*. – Abl.: **Abstinenzler** »Antialkoholiker« (Ende des 19. Jh.s).

abstoßen, abstoßend ↑stoßen.

abstottern ↑stottern.

abstrahieren »das Allgemeine aus dem zufälligen Einzelnen begrifflich heraussondern; verallgemeinern«: Das seit dem 16. Jh. bezeugte Fremdwort aus dem Bereich der Philosophie beruht auf lat. *abs-trahere (abstractum)* »abziehen, wegziehen«, einer Bildung aus lat. *ab...* »ab..., weg...« (vgl. *ab..., Ab...*) und lat. *trahere* »ziehen, schleppen usw.« (vgl. das Lehnwort *trachten*). – Dazu: **abstrakt** »vom Dinglichen gelöst, begrifflich; nur gedacht, unwirklich« (15. Jh., aus gleichbed. mlat. *abstractus*); **Abstraktion** »Begriffsbildung; Verallgemeinerung« (spätes 16. Jh., aus gleichbed. spätlat. *abstractio*) und das aus dem Engl. übernommene **Abstract** »kurze Inhaltsangabe eines Artikels oder Buches« (2. Hälfte des 20. Jh.s, aus gleichbed. engl. *abstract*).

abstreichen, Abstrich ↑streichen.

abstreifen ↑streifen.

abstreiten ↑Streit.

abstrus »schwer verständlich, verworren; absonderlich«: Das Adjektiv wurde im 17. Jh. aus lat. *abstrusus* »versteckt, verborgen«, dem Partizipialadjektiv von lat. *abs-trudere (abstrusum)* »wegstoßen; verbergen«, entlehnt. Das einfache Verb lat. *trudere* »stoßen« ist etymologisch verwandt mit dt. ↑verdrießen.

absurd »ungereimt, widersinnig«: Das Adjektiv wurde im 16. Jh. aus gleichbed. lat. *absurdus,* einer Kontamination aus *ab-sonus* »misstönend« und *surdus* »taub; nicht verstehend«, entlehnt. – Dazu gehört die Wendung ›ad absurdum führen‹ »die Widersinnigkeit einer Behauptung erweisen« (17. Jh.) und das Substantiv **Absurdität** »Ungereimtheit« (aus spätlat. *absurditas* »Missklang, Ungereimtheit«).

Abszess »[Eiter]geschwür«: Das Wort wurde im späten 16. Jh. als medizinischer Terminus aus gleichbed. lat. *abscessus* (eigentliche Bed.: »Fortgang, Entfernung«, danach: »Absonderung von eitrigem Sekret«) entlehnt. Das lat. Substantiv gehört zu lat. *abs-cedere* »weggehen; sich ablagern, sich absondern«, einer Bildung aus lat. *abs...,* »ab, weg« (vgl. *ab..., Ab...*) und lat. *cedere* »gehen; weichen« (vgl. das Fremdwort *Prozess*).

Abt »Kloster-, Stiftsvorsteher«: Das Substantiv gehört zu einer Gruppe von Lehnwörtern aus der römischen Kirchensprache (insbesondere des Klosterwesens) wie ↑Mönch, ↑Nonne, ↑Priester u. a., die früh in die germ. Sprachen gelangten. Mhd. *abbet, apt,* mnd. *ab[be]t,* ahd. *abbat* beruhen wie z. B. entsprechend engl. *abbot,* frz. *abbé,* it. *abate* auf kirchenlat. *abbatem,* dem Akkusativ von *abbas* »Abt«; dies aus spätgriech. *ábbas* »Vater« (nach der biblischen Gebetsanrede aram. *abạ'* »Vater!«). Das alte Lallwort ist zur ehrenden Anrede und zum Titel des geistlichen Vorgesetzten geworden. Zum gleichen Wort gehören ↑Abtei, ↑Äbtissin.

Abtei »von einem Abt geleitetes Stift«: Das Wort (mhd. *abbeteie,* ahd. *abbateia*) stammt aus gleichbed. kirchenlat. *abbatia,* das zu *abbas* (vgl. *Abt*) gehört. Gleicher Herkunft ist z. B. frz. *abbaye* (engl. *abbey* stammt selbst aus dem Afrz.).

Abteil, Abteilung ↑Teil.

Äbtissin »Vorsteherin eines Frauenstifts«: Bei dem Wort (spätmhd. *ebtissīn*) handelt es sich um eine verdeutlichende Bildung mit der weiblichen Endung -in zu mhd. *eppetisse,* ahd. *abbatissa,* das auf gleichbed. kirchenlat. *abbatissa,* die weibliche Form zu *abbas* (vgl. *Abt*), zurückgeht. Gleicher Herkunft ist z. B. entsprechend frz. *abbesse* (engl. *abbess* kommt aus dem Afrz.).

abtönen ↑[2]Ton.

abtöten ↑tot.

abtragen ↑tragen.

abtreiben, Abtreibung ↑treiben.

abtreten, Abtritt ↑treten.

abtrünnig: Die nur dt. Adjektivbildung mhd. *abetrünnec,* ahd. *ab[a]trunnīg* gehört zu der unter ↑trennen behandelten Sippe und bedeutet eigentlich »wer sich von etwas absondert«.

abtun ↑tun.

aburteilen ↑Urteil.

abwägen ↑wägen.

abwarten ↑warten.

abwechseln, Abwechslung ↑Wechsel.

Abwehr, abwehren ↑wehren.

abweichen, Abweichung ↑[2]weichen.

abwerfen ↑werfen.

abwerten ↑wert.

abwesend: Das seit dem 15. Jh. gebräuchliche Adjektiv ist eigentlich das erste Partizip von einem im Nhd. untergegangenen zusammengesetzten Verb mhd. *abewesen,* ahd. *ab[a]wesan* »fehlen, nicht da sein«. Ahd. *ab[a]wesan,* das zum starken Verb ahd. *wesan* »sein« (vgl. *Wesen*) gehört, ist eine Lehnübersetzung von lat. *abesse.* – Zu dem substantivierten Infinitiv des zusammengesetzten Verbs (beachte frühnhd. *Abwesen*) ist **Abwesenheit** (16. Jh.) gebildet. Sowohl ›abwesend‹ als auch ›Abwesenheit‹ sind zuerst in niederd. Lautung bezeugt.

abwickeln ↑wickeln.

abwiegeln ↑aufwiegeln.

abwracken ↑Wrack.

abwürgen ↑würgen.

Abzeichen ↑Zeichen.

abzeichnen ↑zeichnen.

abziehen, Abzug, abzüglich ↑ziehen.

abzirkeln ↑Zirkel.

abzweigen, Abzweigung ↑Zweig.

ac..., Ac... ↑ad..., Ad...

Ach »Leid, Klage«: Das seit mhd. Zeit gebräuchliche Wort (mhd. *ach*), das heute gewöhnlich nur noch in den Wendungen ›mit Ach und Krach‹ und ›mit Ach und Weh‹ verwendet wird, ist eine Substantivierung der Interjektion ›ach!‹ (mhd. *ach,* ahd. *ah*), Ausruf des Schmerzes, der Verwunderung u. Ä. – Siehe den Artikel *ächzen.*

Achat: Der Name des Halbedelsteins, mhd. *achāt[es],* beruht auf gleichbed. griech.-lat. *achā́tēs,* dessen weitere Herkunft nicht geklärt ist.

Achillesferse »wunder Punkt, schwache Seite«: Seit Anfang des 19. Jh.s nachgewiesen, bezieht sich der Ausdruck auf ein altgriechisches Sagenmotiv, das in ähnlicher Form auch in der Siegfriedsage wiederkehrt: Der altgriechische Held Achill hatte nur eine verwundbare Stelle an seinem Körper: seine Ferse. Ein Pfeilschuss in die Ferse soll ihn getötet haben.

Achse: Die altgerm. Bezeichnung der Radachse mhd. *achse,* ahd. *ahsa,* niederl. *as,* aengl. *eax,* schwed. (weitergebildet) *axel* beruht mit der un-

A

ter ↑Achsel behandelten Körperteilbezeichnung und mit verwandten Wörtern in anderen idg. Sprachen auf idg. **ages-* »Achsel; Achse«. Vgl. z. B. griech. *áxōn* »Achse« und lat. *axis* »Achse«. Das idg. Wort ist eine Bildung zu der Verbalwurzel **ag-* »[mit geschwungenen Armen] treiben« und bedeutete demnach ursprünglich etwa »Drehpunkt [der geschwungenen Arme]« oder »Schulter samt den geschwungenen Armen«. Als die Indogermanen den Wagenbau kennen lernten, übertrugen sie das Wort auf den Wagenteil, benannten also die Achse, genauer das Ende der Achse, als »Drehpunkt der den Wagen vorwärts treibenden Räder« (vgl. zu diesem Benennungsvorgang die Artikel *Nabel* und *Nabe*). – Zu der idg. Verbalwurzel **ag-* »[mit geschwungenen Armen] treiben« gehört aus dem germ. Sprachbereich auch das unter ↑Acker (wohl eigentlich »Viehtrift«) behandelte Wort. Aus anderen idg. Sprachen gehören zu dieser Wurzel z. B. griech. *ágein* »führen« (s. die Fremdwörter *Demagoge, Pädagoge, Synagoge* und *Stratege*), lat. *agere* »treiben; führen; handeln« (s. die Fremdwörtergruppe um *agieren*, zu der *Akt, Aktion, reagieren, redigieren, kaschieren* u. a. gehören) und gall. *amb-actus* »Diener«, eigentlich »Herumgeschickter« (↑Amt). Auf einem alten Bedeutungsübergang von »treiben, in Bewegung oder in Schwingung versetzen« zu »wiegen, wägen« beruhen z. B. griech. *áxios* »wert, würdig«, eigentlich »von angemessenem Gewicht« (↑Axiom) und lat. *exigere* »abwägen, abmessen«, *ex-actus* »genau abgewogen« (↑exakt), *examen* »Prüfung«, eigentlich »Ausschlag der Waage« (↑Examen). – Das Wort ›Achse‹ wurde bereits in ahd. Zeit – nach dem Vorbild von lat. *axis* – auch übertragen verwendet im Sinne von »Erdachse; Himmel[sgegend]«. An diesen Wortgebrauch schließt sich die fachsprachliche Verwendung des Wortes im Sinne von »ortsfeste Gerade inmitten eines Systems« an.

Achse

auf [der] Achse sein
(ugs.) »umherziehen, unterwegs sein«
Die Wendung bezieht sich darauf, dass ›Achse‹ früher auch im Sinne von »Wagen« verwendet wurde.

Achsel »Schulter[gelenk]«: Die altgerm. Körperteilbezeichnung mhd. *ahsel*, ahd. *ahsla*, niederl. (ablautend) *oksel*, aengl. *eaxl*, schwed. *axel* beruht mit dem unter ↑Achse behandelten Wort auf einer alten idg. Bildung zu der Verbalwurzel **ag-* »[mit geschwungenen Armen] treiben«. Die Achsel ist demnach etwa als »Drehpunkt [der geschwungenen Arme]« benannt worden. Eng verwandt ist z. B. lat. *ala* »Achsel; Flügel« (aus **agsla*, beachte dazu die Verkleinerungsbildung *axilla* »Achselhöhle; kleiner Flügel«).

acht: Das gemeingerm. Zahlwort mhd. *aht*, ahd. *ahto*, got. *ahtau*, engl. *eight*, schwed. *åtta* geht mit Entsprechungen in den meisten anderen idg. Sprachen auf idg. **ok̑tōu* »acht« zurück, vgl. z. B. griech. *oktṓ* »acht« und lat. *octo* »acht« (↑Oktave). Das idg. Zahlwort **ok̑tōu* ist eine Dualform und bedeutet wohl eigentlich »die beiden Viererspitzen«, nämlich der Hände ohne die Daumen (vgl. *Ecke*). Die alte Viererzählung lässt sich auch noch an den unter ↑neun behandelten Zahlwörtern erkennen. Abl.: **achte** Ordnungszahl (mhd. *ahte[de]*, ahd. *ahtodo*). Zus.: **Achtel** (mhd. *ahtel, ahtteil;* zum zweiten Bestandteil vgl. *Teil*); **achtzehn** (mhd. *ahzehen*, ahd. *ahtozehan*); **achtzig** (mhd. *ahzec*, ahd. *ahtozug;* zum zweiten Bestandteil vgl. *...zig*).

[1]**Acht** »Ausschluss aus der [weltlichen] Gemeinschaft«: Das westgerm. Wort für »[öffentlich gebotene] Verfolgung« mhd. *āhte*, ahd. *āhta*, mnd. *achte*, aengl. *ōht* ist verwandt mit air. *ēcht* »Totschlag aus Rache«. Die weitere Herkunft dieses den Kelten und Germanen gemeinsamen Wortes ist dunkel. – Nach germ. Recht konnte der in die Acht erklärte Verbrecher von jedem getötet werden. Im deutschen Mittelalter war die Acht als Reichs-, Landes- und Stadtacht eine häufig verhängte weltliche Strafe für Friedensbrecher und stand neben dem kirchlichen Bann (s. d.), daher die Formel ›in Acht und Bann tun‹. Abl.: **ächten** »in die Acht erklären, ausstoßen« (mhd. *æhten*, ahd. *āhten;* entsprechend aengl. *ǣhtan* »verfolgen«).

[2]**Acht** »Aufmerksamkeit, Beachtung, Fürsorge«: Das westgerm. Substantiv mhd. *ahte*, ahd. *ahta*, niederl. *acht*, aengl. *eaht* gehört mit got. *aha* »Sinn, Verstand«, *ahjan* »meinen« und anderen verwandten Wörtern im germ. Sprachbereich zu der idg. Wurzel **ok-* »nachdenken, überlegen«. Außergerm. ist z. B. verwandt die Sippe von griech. *óknos* »Zaudern«. – Im heutigen Sprachgebrauch ist ›Acht‹ nur noch in bestimmten Verbindungen und Zusammensetzungen bewahrt, beachte z. B. außer Acht lassen, sich in Acht nehmen, Acht geben, achtlos. – Vom Substantiv abgeleitet ist das Verb **achten** »aufpassen, beachten; für etwas halten; schätzen, hoch achten« (mhd. *ahten*, ahd. *ahtōn;* entspr. niederl. *achten*, aengl. *eahtian*). Dazu gebildet ist **Achtung** »Rücksicht, Wertschätzung, Anerkennung« (mhd. *ahtunge*, ahd. *ahtunga*). Um das Verb gruppieren sich die Präfixbildungen **beachten** (mhd. *beahten*, ahd. *biahtōn*), dazu **beachtlich** »bemerkenswert« (19. Jh.), **erachten** (mhd. *erahten*, ahd. *irahtōn*) und **verachten** (mhd. *verahten*), dazu **verächtlich** »geringschätzig, minderwertig« (15. Jh.). Abl.: **achtbar** »angesehen, anständig« (mhd. *ahtbære*); **achtsam** »aufmerksam, fürsorglich« (mhd. *in unahtsam*). Siehe auch *Obacht* unter [1]*ob*.

achter »hinter«: Das aus der nordd. Seemannssprache übernommene Wort (mnd. *achter*) ist die niederd. Entsprechung von hochd. *after* »hinter« (vgl. *After*).

achtzehn, achtzig ↑acht.

ächzen »stöhnen«: Das auf das dt. Sprachgebiet beschränkte Verb (mhd. *achzen, echzen*) ist eine Bildung zu der unter ↑Ach dargestellten Interjektion und bedeutet eigentlich »ach! sagen«.

Acker: Das gemeingerm. Wort mhd. *acker,* ahd. *ackar,* got. *akrs,* engl. *acre,* schwed. *åker* geht mit verwandten Wörtern in anderen idg. Sprachen zurück auf idg. **aĝro-s* »Feld, Ackerland«, eine Bildung zu der unter ↑Achse dargestellten Verbalwurzel **aĝ-* »[mit geschwungenen Armen] treiben«. Das idg. Wort bezeichnete demnach ursprünglich das Land außerhalb der Siedlungen, wohin das Vieh zum Weiden oder aber auch zum Düngen des Bodens getrieben wurde (vgl. dazu z. B. das zum Verb ›treiben‹ gebildete Substantiv ›Trift‹ »Weide, Flur«). In anderen idg. Sprachen sind z.B. verwandt aind. *ájra-ḥ* »Feld, Flur«, griech. *agrós* »Feld, Land« und lat. *ager* »Feld, Ackerland« (↑Agrar...). Abl.: **ackern** »pflügen, das Feld bestellen«, ugs. für »schwer arbeiten, schuften« (mhd. *ackern, eckern*). Zus.: **Ackerbau** (16. Jh.); **Gottesacker** (besonders südd. für:) »Friedhof« (spätmhd. *goczacker;* ursprünglich der in den Feldern liegende Begräbnisplatz, im Gegensatz zum Kirchhof). – Siehe auch den Artikel *Ecker.*

a conto ↑Konto.

Act ↑Akt.

Action ↑Aktion.

ad..., Ad..., (vor folgendem Konsonant häufig angeglichen zu:) ac..., af..., ag..., ak..., al..., an..., ap..., ar..., as..., at...: Die Vorsilbe von Fremdwörtern mit den Bedeutungen »zu, hinzu, bei, an, hin«, wie z.B. in ↑addieren, ↑Advent u.v.a., stammt aus gleichbed. lat. *ad* (Präfix und Präposition).

adagio »langsam, ruhig«: Die Vortragsanweisung in der Musik wurde im 17. Jh. aus gleichbed. it. *adagio* (eigentlich *ad agio* »auf bequeme Weise«, zu it. *agio* »Bequemlichkeit«) übernommen. Dazu: **Adagio** »langsames, ruhiges Musikstück«.

Adamsapfel: Die seit dem 18. Jh. bezeugte volkstümliche Bezeichnung für den vorstehenden Schildknorpel des Mannes beruht auf der Vorstellung, dass Adam ein Stück des verbotenen Apfels im Halse stecken geblieben sei. Diese Vorstellung ist bei den europäischen Völkern weit verbreitet – beachte z.B. engl. *Adam's apple,* schwed. *adamsäpple,* frz. *pomme d'Adam* – und ist wohl eine Umdeutung von hebr. *tappûaḥ ha ạdạm* »vorstehender Schildknorpel des Mannes«, weil hebr. *tappûaḥ* »Erhebung (am menschlichen Körper)« das Wort für »Apfel« ist und weil hebr. *ạdạm* »Mann, Mensch« zum Namen des ersten Mannes wurde.

adäquat »angemessen, entsprechend«: Das Adjektiv wurde im späten 17. Jh. aus gleichbed. lat. *adaequatus* entlehnt. Dies gehört zu lat. *adaequare* »gleichmachen, angleichen«. Stammwort ist lat. *aequus* »gleich« (vgl. hierüber das Fremdwort *egal*).

addieren »zusammenzählen« (Math.): Der mathematische Terminus wurde im 15. Jh. aus lat. *addere* »beitun, hinzufügen; addieren« entlehnt. Das lat. Verb gehört vermutlich mit einigen anderen Bildungen wie lat. *ab-dere* »wegtun, verbergen«, *con-dere* »zusammentun, gründen«, die in der Flexion mit den Präfixbildungen von lat. *dare* »geben« (↑Datum) zusammengefallen sind, zu den unter ↑tun genannten Wörtern der idg. Wurzel **dhē-* »setzen, stellen, legen«. Zum ersten Bestandteil vgl. *ad..., Ad...* – Abl.: **Addition** »Zusammenzählen« (15. Jh.; aus entsprechend lat. *additio*).

ade! ↑adieu!

Adel »vornehmes Geschlecht, edler Stand; edles Wesen«: Die Herkunft des altgerm. Wortes für »Abstammung, Sippe, Geschlecht« (mhd. *adel,* ahd. *adal,* mniederl. *adel-,* aengl. *æđel-,* aisl. *ađal*) ist nicht sicher geklärt. – Das Wort bezeichnete zunächst die alte Abstammung einer Sippe, dann die Sippe oder das Geschlecht selbst und schließlich speziell das vornehme Geschlecht und den edlen Stand. Im Ablaut zu diesem Wort, von dem das unter ↑edel behandelte Adjektiv abgeleitet ist, steht germ. **ōþela-* »Odal, Sippeneigentum an Grund und Boden, väterliches Erbgut« (ahd. *uodal,* asächs. *ōthil,* aengl. *ōđel,* aisl. *ōđal*). Abl.: **adeln** »in den Adelsstand erheben; edel machen« (16. Jh.); **ad[e]lig** »aus edlem Geschlecht stammend, vornehm« (mit Wechsel der Endung aus mhd. *adelich,* ahd. *adallīh*).

Adept »Anhänger einer Lehre; Eingeweihter, Jünger«: Das im 16. Jh. aus lat. *adeptus* »jemand, der etwas erreicht hat« entlehnte Wort bezeichnete ursprünglich denjenigen, der in die Geheimnisse der Alchimie eingedrungen ist, d.h. »der es (= den Stein der Weisen) erfasst hat«. Zugrunde liegt das lat. Verb *adipisci* »[geistig] erlangen«.

Ader: Das im heutigen Sprachgebrauch im Sinne von »Blutgefäß« verwendete Wort bezeichnete früher alle Gefäße und Stränge sowie auch innere Organe des menschlichen und tierischen Körpers. Die heute übliche Bedeutung setzte sich erst in nhd. Zeit durch, begünstigt durch die früher überaus wichtige Rolle des medizinischen Aderlasses. Seit ahd. Zeit wird das Wort auch übertragen gebraucht, beachte dazu die Zusammensetzungen ›Erzader‹ und ›Wasserader‹. Mhd. *āder,* ahd. *ād[e]ra* »Blutgefäß; Sehne; Nerv; Muskel; Darm«, Plural auch »Eingeweide«, niederl. *ader* »Ader«, aengl. *ǣdre* »Ader«, Plural auch »Nieren«, schwed. *åder* »Ader« sind verwandt mit griech. *ẽtor* »Herz«, *ẽtron* »Unterleib« und beruhen auf einer alten Bezeichnung für »Eingeweide«. – Zus.: **Aderlass** »Öffnung einer Ader zum Ablassen von Blut«, übertragen »große Einbuße,

finanzieller Verlust« (älter nhd. auch *Aderlässe,* mhd. *āderlāʒ, -læʒe;* vgl. *lassen*).

Ader

eine Ader haben
»eine Anlage, Veranlagung haben«
Die Wendung beruht auf dem alten Volksglauben, dass das Blut und damit auch die Adern, in denen es fließt, in irgendeiner Beziehung zum Wesen des Menschen stünden.

adieu! »lebe wohl!«: Die zu Anfang des 17. Jh.s aus frz. *adieu* »zu Gott, Gott befohlen!« übernommene Grußformel ist identisch mit ›ade‹, das schon in mhd. Zeit aus entspr. afrz. *adé* entlehnt worden war. Frz. *adieu* (= *à dieu*) geht zurück auf lat. *ad deum.* Über die idg. Zusammenhänge von lat. *deus* (alat. *deivos*) »Gott« und besonders über die Verwandtschaft mit lat. *dies* »Tag« unterrichtet der Artikel ↑Zier. – Zum gleichen Stamm gehört das Fremdwort ↑Diva. Vgl. auch den Artikel *tschüs!*

Adjektiv »Eigenschaftswort, Beiwort«: Der grammatische Ausdruck stammt aus lat. *[nomen] adiectivum* »hinzufügbares Wort« (Übersetzung von griech. *[ónoma] epítheton*). Er gehört zu lat. *ad-icere (adiectum)* »hinzuwerfen, hinzutun«, einer Bildung aus lat. *ad* »hinzu« (vgl. *ad..., Ad...*) und lat. *iacere* »werfen, schleudern« (vgl. hierüber das Fremdwort *Jeton*).

Adjutant »dem Kommandeur einer militärischen Einheit beigegebener Verbindungsoffizier«: Das im Verlauf des 30-jährigen Krieges (d. h. im frühen 17. Jh.) aufgenommene Fremdwort bedeutet wörtlich etwa »Hilfsoffizier«. Es ist aus gleichbed. span. *ayudante* (eigentlich »Helfer, Gehilfe«) entlehnt, auf das auch frz. *adjudant* (älter: *ajudant*) zurückgeht. Das dem Wort zugrunde liegende span. Verb *ayudar* »helfen« beruht wie entsprechend frz. *aider* »helfen« auf gleichbed. lat. *adiutare,* einem Iterativ von lat. *ad-iuvare* »helfen, unterstützen«.

Adler: Der Name des Raubvogels ist eine verdunkelte Zusammensetzung und bedeutet eigentlich »Edelaar« (vgl. *Aar*). Er geht zurück auf mhd. *adel-ar[e],* das im 12. Jh. in der aufblühenden Falknerei als Bezeichnung für den edlen Jagdvogel geschaffen wurde, da mhd. *ar* »Adler« auch unedle Jagdvögel wie Bussard und Sperber bezeichnete.

Administration, Administrator, administrativ, administrieren ↑Minister.

Administrator ↑Minister.

Admiral: Die Bezeichnung für »Seeoffizier im Generalsrang« wurde im 14./15. Jh. aus gleichbed. frz. *amiral, admiral* (im Afrz. allgemein »Oberhaupt«) entlehnt, das seinerseits aus arab. *amīr* »Befehlshaber« stammt.

Adonis »schöner Jüngling oder Mann«: Die im 18. Jh. aufkommende Bezeichnung beruht auf griech. *Ádōnis,* dem Namen eines von der altgriechischen Göttin Aphrodite wegen seiner Schönheit geliebten Jünglings. Der appellativische Gebrauch des Namens für den Typus des schönen Jünglings oder schönen Liebhabers war schon in der Antike üblich.

adoptieren »an Kindes statt annehmen«: Das Verb wurde im 16. Jh. aus gleichbed. lat. *ad-optare* (eigentlich »hinzuerwählen«) entlehnt, einer Bildung aus lat. *ad* »hinzu« (vgl. *ad..., Ad...*) und lat. *optare* »wählen; wünschen«. – Dazu: **Adoption** »Annahme an Kindes statt« (16. Jh., aus entsprechend lat. *adoptio*).

Adresse »Anschrift, Aufschrift, Wohnungsangabe«: Das Fremdwort wurde im 17. Jh. aus gleichbed. frz. *adresse* (eigentlich »Richtung, Bestimmungsrichtung«) entlehnt. Das zugrunde liegende Verb frz. *adresser* »etwas an jemanden richten; mit einer Anschrift versehen, einen Brief (u. a.) an jemanden schicken«, das seinerseits unser gleichbedeutendes Fremdwort **adressieren** (16. Jh.) lieferte, beruht auf vlat. **ad-directiare* »ausrichten«. Dies gehört seinerseits zu lat. *di-rigere (directum)* »gerade richten, ausrichten« (vgl. *dirigieren*). – Abl.: **Adressat** »Empfänger eines Briefs« (18. Jh., mit lat. Endung gebildet).

adrett »nett, hübsch; ordentlich, sauber, gefällig gekleidet«: Das seit dem 17. Jh. zunächst als ›adroitt‹ bezeugte Adjektiv ist aus frz. *adroit (adroite)* »geschickt, gewandt; richtig, ordentlich« entlehnt. Das frz. Wort beruht seinerseits auf vlat. **ad-directus* »ausgerichtet; wohl geleitet«. Zugrunde liegt lat. *di-rigere (directus)* »gerade richten, ausrichten« (vgl. *dirigieren*).

Advent »Zeit der Ankunft Christi«: Mhd. *advent[e]* ist aus lat. *adventus* »Ankunft« entlehnt, das zu *ad-venire* »ankommen« gehört. Das einfache Verb *venire* ist mit dt. ↑kommen urverwandt. Über die Vorsilbe vgl. ↑*ad..., Ad...* – Eine ganze Reihe von Fremdwörtern gehen daneben auf Zusammensetzungen von lat. *venire* »kommen« zurück. Unmittelbar zu *advenire* gehört noch das Lehnwort ↑Abenteuer. Weiterhin gehören: zu *con-venire* »zusammenkommen; übereinkommen; passen, sich schicken« ↑Konvent und Konvention; zu *in-venire* »hineinkommen, auf etwas stoßen, etwas vorfinden; etwas erwerben« ↑Inventar, Inventur; zu *inter-venire* »dazwischentreten, sich einmischen« ↑intervenieren, Intervention, Intervenient; zu *e-venire* »herauskommen, eintreffen, sich ereignen« ↑eventuell, Eventualitäten; zu *sub-venire* »[unterstützend] hinzukommen« über frz. *souvenir* »ins Gedächtnis kommen; erinnern« ↑Souvenir.

Adverb »Umstandswort«: Der grammatische Terminus wurde im 17. Jh. aus gleichbed. lat. *adverbium* (eigentlich »das zum Verb gehörende Wort«, Übersetzung von griech. *epírrhēma*) entlehnt. Dies gehört seinerseits zu lat. *verbum*

»Wort, Zeitwort« (vgl. *Verb*). – Abl.: **adverbial** »umstandswörtlich« (aus gleichbed. lat. *adverbialis*).

Advokat »[Rechts]anwalt«: Das Wort wurde im 14. Jh. aus gleichbed. lat. *advocatus* (eigentliche Bed.: »der Herbeigerufene«, nämlich zur Beratung in einen Rechtsstreit) entlehnt. Es gehört zu lat. *ad-vocare* »herbeirufen«, einer Bildung aus lat. *ad* »hinzu« (vgl. *ad..., Ad...*) und lat. *vocare* »rufen« (vgl. *Vokal*). Gleichen Ursprungs ist das Lehnwort ↑Vogt. – ›Advokat‹ wurde im 19. Jh. durch amtliche Sprachregelung als offizielle Berufsbezeichnung durch ›Rechtsanwalt‹ ersetzt.

aero..., Aero...: Das in zahlreichen Zusammensetzungen (Aerobus, aerodynamisch, Aeroplan, Aerosol usw.) auftretende Bestimmungswort mit der Bed. »Luft; Gas« gehört zu griech. *aḗr* »Luft«. und ist Anfang des 18. Jh.s ins Deutsche aufgenommen worden.

af..., Af... ↑ad..., Ad...

Affäre »Angelegenheit; [unangenehmer] Vorfall; Streitsache«: Das Fremdwort wurde im 17. Jh. aus gleichbed. frz. *affaire* entlehnt. Das frz. Wort selbst ist durch Zusammenrückung der Fügung ›[avoir] à faire‹ »zu tun [haben]« entstanden. Das zugrunde liegende Verb frz. *faire* »machen, tun« beruht auf gleichbed. lat. *facere* (vgl. *Fazit*).

Affe: Der altgerm. Tiername mhd. *affe*, ahd. *affo*, niederl. *aap*, engl. *ape*, schwed. *apa* ist ein altes Lehnwort aus einer unbekannten Sprache. Die Germanen lernten das Tier schon früh durch umherziehende Kaufleute kennen, die es aus dem Süden mitbrachten. – Die soldatensprachliche Verwendung von ›Affe‹ im Sinne von »Tornister« geht von dem Bild des Affen auf der Schulter des wandernden Schaustellers aus; vielleicht knüpft daran auch die ugs. Verwendung des Wortes im Sinne von »Rausch« an: Der Betrunkene bildet sich ein, ihm säße ein Affe auf der Schulter. In dieser Verwendung kann aber auch Einfluss von tschech. *opít se* »sich betrinken« (tschech. *opice* »Affe«) vorliegen. Abl.: **äffen** »nachahmen; narren« (mhd. *effen*); **affig** »gefallsüchtig, albern« (19. Jh.); **äffisch** »affenartig« (16. Jh.). Zus.: **Affenliebe** »übertriebene Liebe« (17. Jh.); (vgl. *Schlaraffe*).

Affe

einen Affen an jmdn. gefressen haben
(ugs.) »jmdn. im Übermaß mögen, gern haben«
Diese Wendung bezieht sich wahrscheinlich auf den Kobold, der manchmal wie ein ausgelassenes Äffchen in einem herumspukt, z. B. wenn man Alkohol getrunken hat oder wenn man nach jmdm. ganz närrisch ist. Auch die Beobachtung, dass die Affenmutter ihr Junges vor Zärtlichkeit fast erdrückt und auffrisst, kann dieser Wendung zugrunde liegen.

Affekt »Gemütsbewegung; stärkere Erregung«: Das Wort wurde im späten 15. Jh. aus lat. *affectus* »durch äußere Einflüsse bewirkte Verfassung, Gemütsbewegung, Leidenschaft« entlehnt. Es gehört zu lat. *af-ficere* »hinzutun; einwirken, Eindruck machen; stimmen, anregen, ergreifen«, einer Zusammensetzung von lat. *facere* »machen, tun; bewirken« (vgl. *Fazit*). – Dazu: **affektiert** »gemacht, erkünstelt; geziert, unnatürlich, gezwungen« (17. Jh.). Es handelt sich bei diesem Wort um das in adjektivischen Gebrauch übergegangene zweite Partizip des heute veralteten Zeitworts ›affektieren‹ »erkünsteln; sich zieren« (16. Jh.), das auf lat. *affectare* »sich an etwas machen; ergreifen; anstreben; sich etwas zurechtmachen, erkünsteln« zurückgeht.

Affront »Beleidigung«: Das Fremdwort wurde im 15. Jh. aus gleichbed. frz. *affront* entlehnt, das seinerseits ein postverbales Substantiv von frz. *affronter* »auf die Stirn schlagen; vor den Kopf stoßen, beschimpfen, beleidigen« ist. Dies gehört zu frz. *front* (< lat. *frons*, Genitiv *frontis*) »Stirn; Vorderseite« (vgl. *Front*).

After: Die Bezeichnung für das Ende des Mastdarms (mhd. *after*, ahd. *aftero*) ist eine Substantivierung des im Nhd. untergegangenen Adjektivs ahd. *aftero*, mhd. *after* »hinter; nachfolgend« und bedeutete dementsprechend zunächst »Hinterer« (vgl. die unter ↑hinter behandelte Substantivierung ›Hintern‹). Das Adjektiv gehört zu der Präposition und zum Adverb älter nhd., mhd. *after*, ahd. *aftar*, niederd. *achter* (↑achter), got. *aftra*, engl. *after*, schwed. *efter* »nach; hinter; gemäß«. Dieses gemeingerm. Wort beruht mit verwandten Wörtern in anderen idg. Sprachen auf idg. **epi-*, **opi-* »nahe hinzu, auf etwas hin, nach«, vgl. z. B. griech. *epí* »auf etwas hin« und lat. *ob* »auf etwas hin, nach«, die in zahlreichen aus dem Griech. und Lat. entlehnten Fremdwörtern als Präfix erscheinen (↑epi..., Epi.... und ↑ob..., Ob...). Zu dieser idg. Präposition gehört wahrscheinlich auch das unter ↑Abend behandelte Substantiv. – Älter nhd. *after* »hinter« kam wegen der anstößigen Bedeutung des Substantivs außer Gebrauch. Auch die Zusammensetzungen mit ›after‹, wie z. B. ›Aftermiete‹ »Untermiete«, sind heute nicht mehr gebräuchlich.

ag..., Ag... ↑ad..., Ad...

Agenda: Das Substantiv gehört zu der großen Gruppe von Fremdwörtern, die von lat. *agere* abstammen. *Agenda* bezeichnet im Lat. »Dinge, die zu tun sind«. Im Deutschen ist das Wort erstmals im 19. Jh. im Sinne von »Merkbuch« belegt. Seit der 2. Hälfte des 20. Jh.s steht ›Agenda‹ häufig auch für »Tagesordnung, Tagesordnungspunkte«; die Bedeutung wurde von dem engl. Substantiv *agenda* übernommen.

Agent: Das im 16. Jh. aus it. *agente* (= frz. *agent*) entlehnte Fremdwort bezeichnete ursprünglich einen »Geschäftsträger« im politischen Sinn.

Später entwickelte sich daraus die spezielle Bed. »in staatlichem Auftrag tätiger Spion«. Früh war das Wort auch in der Kaufmannssprache heimisch im Sinne von »[Handels]vertreter; Geschäftsvermittler« (beachte Zusammensetzungen wie ›Theateragent, Versicherungsagent‹ u. a.), was sich auch in der jungen, mit lat. Endung gebildeten Ableitung **Agentur** »Vermittlungsbüro, [Handels]vertretung« (19. Jh.) zeigt. – It. *agente* beruht auf lat. *agens (agentis)*, dem Part. Präs. von lat. *agere* »tun, treiben, ausführen, handeln usw.« (vgl. *agieren*).

Aggregat »Koppelung einer Kraftmaschine mit einer Arbeitsmaschine (Technik); mehrgliedrige Zahlengröße (Mathematik)«: Das Fremdwort wurde im späten 15. Jh. aus lat. *aggregatum* (substantiviertes Nomen des Partizips Perfekt von *aggregare* »anhäufen«) entlehnt; es bedeutet also eigentlich »Anhäufung«. Stammwort ist lat. *grex*, Genitiv *gregis* »Herde, Haufe, Schar«, das verwandt ist mit lat. *gremium* »Schoß; Bündel« (vgl. *Gremium*).

Aggression »kriegerischer Angriff«: Das Wort wurde im 18. Jh. aus gleichbed. lat. *aggressio* entlehnt. Das lat. Wort gehört zu lat. *ag-gredi* »heranschreiten; angreifen«, einer Bildung aus lat. *ad* »heran, hinzu« (vgl. *ad..., Ad...*) und lat. *gradi* »schreiten, gehen« (vgl. den Artikel *Grad*). – Dazu auch: **aggressiv** »angriffslustig, herausfordernd« (19. Jh., nlat. Bildung nach entsprechend frz. *agressif*); **Aggressor** »Angreifer« (17. Jh., aus gleichbed. spätlat. *aggressor*).

Ägide: Das vor allem aus der Verbindung ›unter jemandes Ägide‹ »unter jemandes Leitung und Verantwortung« bekannte Wort stammt aus lat. *aegis*, Genitiv *aegidis* »Schirm, Schutz; Schild«, das seinerseits aus griech. *aigís* »Schild des Zeus und der Athene« (eigentlich »Ziegenfell«, zu *aíx* »Ziege«) entlehnt ist. Ins Deutsche wurde das Substantiv im 18. Jh. entlehnt.

agieren »handeln, tätig sein; eine Rolle spielen«: Das seit dem Ende des 14. Jh.s bezeugte Verb geht auf gleichbed. lat. *agere (actum)* zurück. – Die Grundbedeutung von lat. *agere*, das urverwandt ist mit den unter ↑Achse genannten Wörtern, ist »treiben, antreiben«. Aus dieser Grundbedeutung haben das Verb und zahlreiche Ableitungen und Präfixbildungen eine Fülle von Bedeutungen entwickelt, die den verschiedensten Anwendungsbereichen zugeordnet sind. Unter diesen sind einige von besonderem Interesse, weil sie in Fremdwörtern der Sippe von lat. *agere* lebendig sind. Aus dem allgemeinen Sprachgebrauch seien davon erwähnt: »in Bewegung setzen; bewirken; in einer bestimmten inneren Verfassung sein« (in den Fremdwörtern ↑agil, ↑aktiv, Aktivität, aktivieren, ↑reagieren, Reaktion; in gewissem Sinne auch in ↑Akt und ↑Aktion). Auf wirtschaftlichem Gebiet sind es Bedeutungen wie »handeln, ein Geschäft betreiben; wirksam sein« (so in *Aktiva* ↑aktiv, ↑Aktie, Aktionär, ↑Transaktion). ›Aktie‹ und ›Aktionär‹ gehören ursprünglich allerdings mehr zur dritten Gruppe von Fachwörtern des Rechtswesens und der Verwaltungssprache (wie ↑Aktion und *Akten* ↑Akt); denn das dem Fremdwort ›Aktie‹ zugrunde liegende lat. Substantiv *actio* hat im altrömischen Recht die Bed. »klagbarer Anspruch«. – Mehr politischen Charakter haben die Wörter ↑Agent, Agenda ↑Agitation, Agitator, agitieren, *Reaktion, reaktionär* ↑reagieren. Die Bedeutungsentwicklung ist dabei zwar modern, aber doch schon im Lat. vorgebildet in der Bedeutung »eine Sache öffentlich (vor dem Volk oder Senat) betreiben«, die *agere* und noch schärfer das abgeleitete Intensivum *agitare* »etwas heftig betreiben; (das Volk) aufhetzen, aufwiegeln« entwickelt haben. – Auch in der Sprache des Schauspielers war lat. *agere* mit der Bedeutung »eine Rolle spielen« heimisch. Die Fremdwörter ↑Akt, ↑Akteur und auch ›agieren‹ bestätigen dies. – Ausschließlich modern ist die Bedeutungsentwicklung in Fremdwörtern aus Naturwissenschaft und Technik (wie in ↑reagieren, Reagenz, Reagenzglas, Reaktor) oder aus der Publizistik und dem Verlagswesen (wie in ↑redigieren, Redaktion, Redakteur; im gewissen Sinn auch in ↑aktuell, Aktualität). – Eine schon im Idg. erfolgte Sonderentwicklung in der Bedeutung liegt in den zum Stamm von lat. *agere* gehörenden Fremdwörtern ↑Examen, examinieren, ↑exakt vor (vgl. hierzu im Besonderen auch die Artikel *Achse* und *Axiom*).

agil »beweglich, geschäftig«: Das Adjektiv wurde im 17. Jh. aus lat. *agilis* »leicht zu führen, beweglich; geschäftig«, evtl. unter Einfluss von gleichbed. frz. *agile*, entlehnt. Lat. *agilis* ist eine Bildung zu lat. *agere* »treiben, führen; handeln usw.« (vgl. *agieren*).

Agitation »aufrührerische [politische] Hetze; politische Aufklärungsarbeit«: Das Wort wurde in der 1. Hälfte des 19. Jh.s als politisches Schlagwort zusammen mit dem dazugehörigen Substantiv **Agitator** »Aufwiegler; jemand, der Agitation betreibt« aus entsprechend engl. *agitation* (bzw. *agitator*) entlehnt. Die engl. Wörter beruhen ihrerseits formal auf entsprechend lat. *agitatio* »das In-Bewegung-Setzen, die Bewegung« bzw. lat. *agitator* »Treiber«, in der Bedeutungsentwicklung jedoch sind sie abhängig von dem zugrunde liegenden Verb lat. *agitare* »etwas heftig betreiben; schüren, aufpeitschen, aufwiegeln, aufhetzen«. Aus diesem Verb stammt engl. *to agitate*, unter dessen Einfluss dt. **agitieren** »aufrührerisch tätig sein; politisch aufklären, werben« (nach frz. *agiter*) – auch in der 1. Hälfte des 19. Jh.s – in Gebrauch kam. Über weitere etymologische Zusammenhänge vgl. den Artikel *agieren*.

Agonie: Der Ausdruck für »Todeskampf« wurde im frühen 16. Jh. aus kirchenlat. *agonia* entlehnt, das seinerseits aus griech. *agōnía* »Kampf; Anstrengung; Angst« (zu griech. *ágein;* vgl. *Achse*) stammt. Ins Dt. gelangte das Substantiv wohl auch unter Einfluss von gleichbed. frz. *agonie.*

Agrar...: Dem Bestimmungswort von Zusammensetzungen mit der Bedeutung »Landwirtschaft, Boden«, wie in ›Agrarprodukt‹ (20. Jh.) u. a., liegt das lat. Adjektiv *agrarius* »den Acker[bau] betreffend« zugrunde, das von lat. *ager* »Acker« (urverwandt mit dt. ↑Acker) abgeleitet ist. Es ist seit dem frühen 19. Jh. im Dt. belegt.

Ahle »Pfriem, Vorstecher«: Der altgerm. Werkzeugname mhd. *āle,* ahd. *āla,* älter niederl. *aal,* aengl. *ǣl,* aisl. (ablautend) *alr* ist verwandt mit aind. *ā́rā* »Ahle«. Es handelt sich also um eine uralte Bezeichnung eines schon für die Steinzeit nachgewiesenen spitzen Gerätes zum Vorstechen von Häuten oder dgl.

Ahn »Vorfahre«: Das im germ. Sprachbereich nur im Dt. gebräuchliche Wort ist ein Lallwort der Kindersprache für ältere Personen aus der Umgebung des Kindes. Mit mhd. *an[e],* ahd. *ano* »Vorfahre; Großvater« sind z. B. [elementar]verwandt griech. *annís* »Großmutter« und lat. *anus* »altes Weib«. – Eine Verkleinerungsbildung zu ›Ahn‹ ist das unter ↑Enkel behandelte Wort.

ahnden »rächen, [be]strafen«: Mhd. *anden* »Unwillen empfinden, rächen, strafen«, ahd. *antōn* »zornig oder wütend werden, sich ereifern, sich heftig für etwas einsetzen, rächen, strafen«, mniederl. *anden* »Unwillen empfinden, neidisch sein, seinen Ärger oder Zorn auslassen«, aengl. *andian* »eifersüchtig, neidisch sein« sind abgeleitet von dem westgerm. Substantiv mhd. *ande* »Kränkung, Unwille«, ahd. *anto* »das Eifern, Eifersucht, Missgunst, Ärger, Zorn, Ärgernis«, mniederl. *ande* »Eifer, Ärger, Zorn, Ärgernis«, aengl. *anda* »Groll, Feindschaft; Missgunst, Ärger, Zorn; Ärgernis«. Dieses westgerm. Substantiv ist wahrscheinlich eine Bildung zu der unter ↑an behandelten Präposition und bedeutet demnach eigentlich »das, was einen ankommt«.

ähneln ↑ähnlich.

ahnen »voraussehen, unmittelbar empfinden, vermuten«: Das nur dt. Verb (mhd. *anen*) ist wahrscheinlich von der unter ↑an behandelten Präposition abgeleitet und bedeutet demnach eigentlich »einen an- oder überkommen«. Es wurde zunächst unpersönlich gebraucht, beachte mhd. *es anet mir* (auch: *mich*) »es kommt mich an«, d. h., etwas Unbestimmtes rührt mich von außen her an. Abl.: **Ahnung** »unbestimmtes Gefühl, Vermutung« (17. Jh).

ähnlich: Die nhd. Form ›ähnlich‹ ist aus der Vermischung zweier verschiedener Wörter hervorgegangen: erstens mhd. *ane-, enlich* »ähnlich, gleich« (für ahd. *anagilīh,* vgl. *an* und *gleich*), zweitens ostmitteld. *enlich,* mhd. *einlich* »einheitlich« (Ableitung von mhd. *ein* »ein«, vgl. [1]*ein*). Abl.: **ähneln** »ähnlich sein« (17. Jh., für älteres ›ähnlichen‹, mhd. *anelīchen*).

Ahnung ↑ahnen.

Ahorn: Der im germ. Sprachbereich nur im Dt. gebräuchliche Baumname (mhd., ahd., mnd. *ahorn*) gehört mit verwandten Wörtern in anderen idg. Sprachen – vgl. z. B. lat. *acer* »Ahorn« – zu der unter ↑Ecke dargestellten idg. Wurzel **aḱ-* »spitz, scharf«. Der Ahorn ist folglich nach seinen auffällig spitz eingeschnittenen Blättern benannt.

Ähre: Das gemeingerm. Wort mhd. *eher,* ahd. *ehir,* got. *ahs,* engl. *ear,* schwed. *ax* gehört mit verwandten Wörtern in anderen idg. Sprachen – vgl. z. B. lat. *acus* »Granne, Spreu« – zu der unter ↑Ecke dargestellten idg. Wurzel **aḱ-* »spitz, scharf«. Die Ähre ist also nach ihren spitzen Grannen benannt.

Air...: Dem Bestimmungswort von Zusammensetzungen liegt das engl. Substantiv *air* »Luft« zugrunde. In den meist mit einem zweiten engl. Substantiv gebildeten Zusammensetzungen steht es für »Flugzeuge, Fluggesellschaften, den Luftverkehr betreffend«, wie etwa in ›Airbus, Airline, Airport‹. In Bildungen wie ›Airbag, Aircondition‹ bezeichnet es »Sachen, die mit Luft betrieben werden«.

ak..., Ak... ↑ad..., Ad...

Akademie »Forschungsstätte; Bildungsinstitution, Fachhochschule«: Das Wort wurde im 16. Jh. im Zusammenhang mit der humanistischen Bewegung aus lat. *Academia,* griech. *Akadḗmeia,* dem Namen der Lehrstätte Platons, entlehnt. Diese wiederum heißt nach einem dem Heros Akádēmos geweihten Hain, in dem sie sich befand. Im 17. Jh. entwickelte das Wort die Bed. »gelehrte Gesellschaft« (nach frz. *académie*). – Dazu die nlat. Bildung **akademisch** »an einer Universität oder Hochschule erworben; wissenschaftlich; trocken, theoretisch« (16. Jh.) u. **Akademiker** »jemand, der eine abgeschlossene Universitäts- oder Hochschulausbildung hat« (16. Jh.; aus lat. *Academicus*).

Akazie: Der in dt. Texten seit dem 18. Jh. bezeugte Name des [sub]tropischen Laubbaumes führt über entsprechend lat. *acacia* auf griech. *akakía* »Akazie; Ginster« zurück.

Akelei: Der Name der Zierpflanze aus der Familie der Hahnenfußgewächse, mhd. *ageleie, ackelei,* ahd. *agaleia,* mnd. *ak[e]leye,* beruht auf gleichbed. mlat. *aquile[g]ia.* Die weitere Herkunft des Wortes ist dunkel.

akklimatisieren, sich »sich (nach und nach) eingewöhnen, anpassen«: Das Wort ist eine Präfixbildung (wohl unter Einfluss von frz. *acclimater*) des 18. Jh.s zu ↑Klima. Dazu: **Akklimatisation** »Eingewöhnung« (19. Jh.).

[1]**Akkord** »Stücklohn[vertrag]«: Das Fremdwort erscheint seit dem 15. Jh. mit der allgemeinen Bed. »Vertrag, Abkommen, Vergleich«. Erst im 19. Jh.

A

kommt die heute übliche spezielle Bedeutung auf, an die sich Zusammensetzungen wie ›Akkordarbeit, Akkordlohn‹ und die Wendung ›im Akkord arbeiten‹ anschließen. Entlehnt ist das Fremdwort aus frz. *accord* »Übereinstimmung; Abkommen, Vertrag« (= it. *accordo*). Das zugrunde liegende Verb frz. *accorder* »in Übereinstimmung bringen; ein Abkommen treffen« beruht wie entsprechend it. *accordare* auf gleichbed. vlat. **ad-cordare*, einer denominativen Präfixbildung zu lat. *cor*, Genitiv *cordis* »Herz; Geist, Verstand; Gemüt; Stimmung, Gestimmtheit« (vgl. *Courage*).

[2]**Akkord** »Zusammenklang (mehrerer Töne)«: Der musikalische Terminus wurde zu Beginn des 18. Jh.s aus gleichbed. frz. *accord* entlehnt. Für das zugrunde liegende Verb frz. *accorder* »(die Instrumente) stimmen«, das wohl ursprünglich identisch ist mit frz. *accorder* »in Übereinstimmung bringen« (s. oben unter [1]*Akkord*), vermutet man sekundären Quereinfluss von lat. *chorda* (> frz. *corde*) »Saite«. – **Akkordeon:** Die Bezeichnung für »Handharmonika« ist eine künstliche Neubildung des 19. Jh.s zu [2]*Akkord* (s. oben).

akkreditieren »beglaubigen (insbesondere den diplomatischen Vertreter eines Landes)«: Das Verb wurde Ende des 17. Jh.s aus gleichbed. frz. *accréditer* entlehnt, einer Präfixbildung zu frz. *crédit* »Vertrauen; Kredit« (vgl. *Kredit*).

Akkumulator »Energiespeicher«: Das Wort ist eine Entlehnung des 19. Jh.s aus lat. *accumulator* »Anhäufer«, das zu lat. *ac-cumulare* »anhäufen« und weiter zu lat. *cumulus* »Haufe« gehört. Häufig ist auch die Kurzform **Akku** (20. Jh.).

akkurat: Das seit dem 15. Jh. zunächst als Adverb mit der Bed. »genau« bezeugte Fremdwort, das erst im 18. Jh. auch als Adjektiv »gewissenhaft, ordentlich« gebräuchlich wurde, ist aus lat. *accurate* »sorgfältig« entlehnt, dem Adverb zu gleichbed. lat. *accuratus*. Zugrunde liegt das lat. Verb *ac-curare* »mit Sorgfalt tun«. Über das Stammwort lat. *cura* »Sorge, Pflege usw.« vgl. den Artikel *Kur*.

Akkusativ »Wenfall« (Grammatik): Der grammatische Terminus stammt aus lat. *(casus) accusativus* »der die Anklage betreffende (vierte) Fall«. Der lat. Name beruht (ähnlich wie bei ↑Genitiv) auf einem Missverständnis bei der Übersetzung von griech. *(ptō̃sis) aitiatikḗ* »Ursache und Wirkung betreffender Fall«. Gemeint ist dabei einerseits das vom Verb gleichsam verursachte Objekt im vierten Fall, andererseits auch die an diesem Objekt auftretende Wirkung. Fälschlich wurde nun das unmittelbar zu griech. *aítion* »Ursache« gehörende Adj. *aitiatikós* auf *aitiā̃sthai* »beschuldigen, anklagen« bezogen und von den Lateinern mit dem von lat. *accusare* »beschuldigen, anklagen« abgeleiteten Adjektiv *accusativus* wiedergegeben.

Akontozahlung ↑Konto.

akquirieren »erwerben, anschaffen; Kunden werben«: Das Verb wurde im 16. Jh. aus lat. *acquirere* »erwerben« (< lat. *ad* und lat. *quaerere*, vgl. *requirieren*) entlehnt. – Dazu gehört das Substantiv **Akquisition** »Erwerbung, Anschaffung; Kundenwerbung« (16. Jh.; aus lat. *acquisitio* »Erwerbung«), das heute ugs. häufig in der Kurzform **Akquise** verwendet wird.

Akribie: Der bildungssprachliche Ausdruck für »höchste Genauigkeit, Sorgfalt« ist über kirchenlat. *acribia* aus gleichbed. griech. *akríbeia* (zu griech. *akribḗs* »genau, sorgfältig«) entlehnt. Im frühen 18. Jh. nur verzeinzelt, ist er erst seit dem 19. Jh. häufiger nachgewiesen.

Akrobat »Turnkünstler«: Das seit dem Anfang des 19. Jh.s zunächst nur im Sinne von »Seiltänzer« bezeugte Fremdwort, das im Bereich des Zirkuswesens seine heutige Bed. entwickelte, geht zurück auf griech. *akróbatos* »auf den Fußspitzen gehend«, das zu griech. *ákros* »äußerst, oberst; spitz« und griech. *batein* »gehen« (vgl. *Basis*) gehört.

Akt: Das Mitte des 15. Jh.s entlehnte Fremdwort, das auf lat. *actus* »Handlung; Geschehen; Darstellung; Vorgang usw.« zurückgeht (zu lat. *agere, actum* »treiben; handeln, tätig sein usw.«, vgl. *agieren*), erscheint zuerst mit der allgemeinen Bed. »[feierliche] Handlung«. Diese Bedeutung wird in Zusammensetzungen wie ›Gewaltakt‹ (19. Jh.), ›Willensakt‹ (19. Jh.), ›Gnadenakt‹ (19. Jh.) besonders deutlich. Ebenfalls schon im 16. Jh., jedoch anfangs meist noch in der Form ›actus‹, findet sich das Wort in der Bühnensprache mit der schon im Lat. vorgebildeten Bed. »Aufzug eines Theaterstücks«. Seit dem 18. Jh. ist ›Akt‹ auch als Fachwort der bildenden Kunst bezeugt. Es bezeichnet dort die Stellung des nackten Modells und die danach entworfene künstlerische Darstellung des nackten menschlichen Körpers (beachte auch die junge Zusammensetzung ›Aktfoto‹). – Seit dem 17. Jh. wird ›Akt‹ gelegentlich auch im Sinne von »Vorgang; über Personen oder Vorgänge angefertigter Schriftsatz« gebraucht. Es handelt sich dabei wohl um eine junge Rückbildung aus dem bereits in der Kanzleisprache des 15./16. Jh.s üblichen gleichbedeutenden Fremdwort **Akten,** das auf lat. *acta* »das Verhandelte, die Ausführungen, der Vorgang«, dem substantivierten Neutr. Plur. des Part. Perf. von *agere*, beruht. Häufiger als die Singularform ›Akt‹ begegnet der gleichfalls aus dem Plural rückgebildete Singular **Akte.** Das auf dieselbe Herkunft zurückgehende engl. *act* hat wie das deutsche ›Akt‹ zunächst die Bedeutung »Handlung«. In seiner weiteren Bedeutung »Großveranstaltung (in der Popmusik), Bühnenauftritt einer Musikgruppe« wurde **Act** mit engl. Aussprache ins Deutsche übernommen.

Akteur »handelnde Person; Schauspieler«: Das Wort wurde im 18. Jh. aus gleichbed. frz. *acteur* als Ersatzwort für das ältere, aber in der Bedeutung abgewertete ›Komödiant‹ übernommen. Das frz. Wort beruht seinerseits auf lat. *actor*, Genitiv *actoris* »handelnde Person [auf der Bühne]«, das zu lat. *agere (actum)* »treiben; handeln, tätig sein; eine Rolle spielen« (vgl. *agieren*) gehört.

Aktie: Die Bezeichnung für »Anteilschein, Urkunde über den Anteil am Grundkapital einer Aktiengesellschaft« wurde Mitte des 17. Jh.s aus gleichbed. niederl. *actie* (älter: *action*) entlehnt, das seinerseits wie entsprechend engl. *action* und frz. *action* auf lat. *actio* »Handlung, Tätigkeit; Tätigwerden vor Gericht« (↑Aktion) in dessen speziell juristischer Bed. »klagbarer Anspruch« zurückgeht (vgl. *agieren*). Der Inhaber einer Aktie heißt **Aktionär** (18. Jh., aus entsprechend frz. *actionnaire*).

Aktion »Handlung; Verfahren«: Das Substantiv wurde im 15. Jh. aus gleichbed. lat. *actio* entlehnt, das zu lat. *agere (actum)* »treiben; handeln usw.« (vgl. *agieren*) gehört. Siehe auch den Artikel *Aktie*. Das ebenfalls auf das Lat. zurückgehende engl. *action* wurde mit der engl. Aussprache in der Bedeutung »spannende (Film-)Handlung, lebhafter Betrieb« übernommen. Im Deutschen ist **Action** seit der 2. Hälfte des 20. Jh.s belegt.

aktiv »tätig, wirksam«: Das Adjektiv wurde im 16. Jh. aus gleichbed. lat. *activus* entlehnt, das zu lat. *agere (actum)* »treiben; handeln, tätig sein usw.« (vgl. *agieren*) gehört. – Substantiviert zu **Aktiv** (17. Jh.) bezeichnet das Wort als grammatischer Terminus (im Gegensatz zu *Passiv* [↑passiv]) die »tätige« Verhaltensrichtung des Zeitworts. – Auf dem substantivierten Neutr. Plur. (lat. *activa*) beruht das finanzwirtschaftliche Fachwort **Aktiva** »Guthaben, vorhandene [Vermögens]werte« (18. Jh.). Es bezeichnet gleichsam das »wirksame« Kapital, im Gegensatz zu ›Passiva‹ (↑passiv). – Zu ›aktiv‹ gehören weiter die folgenden Fremdwörter: **aktivieren** »in Tätigkeit setzen, in Gang bringen« (19. Jh., nach entsprechend frz. *activer* gebildet); **Aktivität** »Tatkraft; Unternehmungsgeist« (17. Jh., aus lat. *activitas*).

aktuell »zeitnah; zeitgemäß; vordringlich«: Das im 18. Jh. aufgekommene Fremdwort, das in neuester Zeit durch die Publizistik allgemein bekannt geworden ist, ist aus gleichbed. frz. *actuel* entlehnt. Das frz. Wort seinerseits beruht auf entsprechend spätlat. *actualis* »wirksam; wirklich, tatsächlich«. Dies gehört zu lat. *agere (actum)* »treiben, betreiben; handeln usw.« (vgl. *agieren*). – Dazu das Substantiv **Aktualität** »Tagesereignis; bedrängende Gegenwart« (im 19. Jh. aus gleichbed. frz. *actualité* entlehnt) und das Verb **aktualisieren** »für die Gegenwart verwirklichen; auf den neuesten Stand bringen« (19. Jh.; Entlehnung aus gleichbed. frz. *actualiser*).

Akupunktur: Die Bezeichnung für die aus China stammende [Heil]behandlung durch Einstiche mit feinen Nadeln in bestimmte Körperstellen ist eine gelehrte Bildung des 20. Jh.s aus lat. *acus* »Nadel« (vgl. *Ecke*) und lat. *punctura* »das Stechen; Stich« (vgl. *Punkt*).

akustisch »den Schall, das Gehör betreffend; klanglich«: Das Wort ist eine Entlehnung des 18. Jh.s aus griech. *akoustikós* »das Gehör betreffend« (zu griech. *akoúein* »hören«, wahrscheinlich urverwandt mit dt. ↑hören).

akut »heftig, dringend; unvermittelt auftretend (von Krankheiten)«: Das erst seit Ende des 18. Jh.s kontinuierlich belegte Adjektiv ist ein altes medizinisches Fachwort (Gegensatz: ↑chronisch). Es wurde als solches aus lat. *acutus* entlehnt, das eigentlich »geschärft, scharf, spitz« bedeutet. Das lat. Wort wurde aber schon von altrömischen Ärzten in einem speziell medizinischen Sinne zur Charakterisierung von unvermittelt auftretenden Krankheiten gebraucht, die einen kurzen und heftigen Verlauf haben (lat. *morbus acutus*, im Gegensatz zu *morbus longus* bzw. *morbus vetustus*). – Das dem lat. Wort zugrunde liegende Verb lat. *acuere (acutum)* »schärfen, spitzen« ist mit dt. ↑Ecke etymologisch verwandt.

Akzent: Der sprachwissenschaftliche Ausdruck für »Betonung; Tonfall« wurde im 15. Jh. aus gleichbed. lat. *ac-centus* (eigentlich »das An-, Beitönen«) entlehnt, das seinerseits Lehnübersetzung von entsprechend griech. *prosōidía* ist. Das zugrunde liegende Verb lat. *accinere* »dazu singen; dazu tönen« ist eine Bildung aus lat. *ad* »hinzu, dazu« (vgl. *ad..., Ad...*) und lat. *canere (cantum)* »singen; ertönen« (vgl. *Kantor*). – Dazu: **akzentuieren** »betonen; hervorheben« (18. Jh., aus entsprechend mlat. *accentuare*).

akzeptieren »annehmen; billigen«: Das Verb wurde im 15. Jh. aus gleichbed. lat. *ac-ceptare* entlehnt, einer Intensivbildung zu gleichbed. lat. *accipere* (vgl. *kapieren*). – Dazu das Adjektiv **akzeptabel** »annehmbar« (Mitte 17. Jh.; über entsprechend frz. *acceptable* aus gleichbed. spätlat. *acceptabilis*) und das Substantiv **Akzeptanz** »Bereitschaft, etw. [Neues] zu akzeptieren« (2. Hälfte 20. Jh.; aus gleichbed. engl-amerik. *acceptance*).

al..., Al... ↑ad..., Ad...

alaaf!: Der rheinische Karnevalsruf ist entstanden aus köln. *all-af* (= alles ab) und meint »alles weg[, Köln voran]«.

Alabaster: Der Name der feinkörnigen weißlichen Gipsart, mhd. *alabaster*, führt über entsprechend lat. *alabaster* auf griech. *alábast[r]os* »Gips; gipserne Salbenbüchse« zurück.

Alarm »Gefahrmeldung; Beunruhigung«: Das seit spätmhd. Zeit bezeugte Substantiv (spätmhd. *alerm*, frühnhd. *Alarm[a]*, *Alerman*, *Lerman*) stammt wie entspr. frz. *alarme* aus gleichbed. it. *allarme*. Das it. Wort selbst ist durch Zusammenziehung aus dem militär. Ruf *all'arme!* »zu den Waffen!« entstanden. Das zugrunde liegende Substantiv it. *arma* »Waffe« (Plural *arme* »Waffen«) beruht auf spätlat. *arma* »Waffe«, das sich

A

aus klass.-lat. *arma* (Neutr. Plur.) »Waffen« (vgl. *Armee*) entwickelt hat. – Dazu: **alarmieren** »Warnzeichen geben; beunruhigen« (17. Jh., nach gleichbed. frz. *alarmer*). – Vgl. auch den Artikel *Lärm*.

Alaun: Der Name des Bittersalzes (chem.: Kalium-Aluminium-Sulfat), mhd., mnd. *alūn*, geht zurück auf lat. *alumen* »bitteres Tonerdesalz, Alaun«. – Vgl. auch den Artikel *Aluminium*.

Alb (Albdrücken, Albtraum) ↑Elf.

Albatros: Der Name des auf den Meeren der südlichen Halbkugel beheimateten Sturmvogels ist aus niederl. *albatros* entlehnt. Das niederl. Wort stammt aus engl. *albatross*, das seinerseits – umgestaltet nach lat. *albus* »weiß« (wegen des weißen Gefieders des Vogels) – aus span. *alcatraz* entlehnt ist. Diese Benennung des Vogels gehört zu älter span. *alcaduz* (heute: *arcaduz*) »Brunnenrohr« (< arab. [mit Artikel] *al-qādūs* »Schöpfkrug«). Der Vogel ist also nach der hornigen Nasenröhre auf dem Schnabel benannt.

Alben ↑Elf.

albern: Das Adjektiv ist eine verdunkelte Zusammensetzung aus dem unter ↑all behandelten Wort und einem im Dt. untergegangenen Adjektiv **u̯āri-* »freundlich, hold, gütig« und bedeutete demnach ursprünglich »ganz freundlich«. Mhd. *alwǣre* »schlicht; einfältig, dumm«, ahd. *alawāri* »freundlich, wohlwollend« entspricht aisl. *ǫlværr* »freundlich, gastlich«, vgl. dazu got. *allawērei* »schlichte Güte«. Damit verwandt ist z. B. der 2. Bestandteil von lat. *severus* »streng« (eigtl. »ohne Freundlichkeit«). Entfernt verwandt sind damit auch die unter ↑gewähren und unter ↑wahr behandelten Wörter und wahrscheinlich auch die Sippe von ↑Wirt. – Das auslautende -n von ›albern‹ gegenüber mhd. *alwǣre* stammt aus den gebeugten Formen des Adjektivs. Abl.: **albern** »sich kindisch oder närrisch benehmen« (17. Jh.); **Albernheit** (17. Jh., in der Form *alberheit*).

Albino: Die Bezeichnung für »Mensch, Tier oder Pflanze mit fehlender Farbstoffbildung« ist eine Entlehnung des frühen 18. Jh.s aus span. *albino* »Albino«, einer Ableitung von span. *albo* < lat. *albus* »weiß« (vgl. *Album*).

Album »Sammel-, Gedenkbuch«: Das seit dem 16. Jh. bezeugte Fremdwort bezeichnete zunächst allgemein ein Buch mit weißen, d. h. leeren Blättern für Aufzeichnungen. Die seit dem 17. Jh. bezeugte Bedeutung »Sammel-, Gedenkbuch« wird seit dem 18. Jh. allein üblich. Seit der 2. Hälfte des 20. Jh.s wird das Substantiv vermutlich unter Einfluss von gleichbed. engl. *album* auch in der Bedeutung »Langspielplatte« verwendet. Das Wort geht zurück auf lat. *album* »weiße Tafel für Aufzeichnungen; öffentliche Liste, Verzeichnis«. Stammwort ist das lat. Adjektiv *albus* »weiß«, das auch dem Fremdwort ↑Albino zugrunde liegt.

Alchemie: Die Bezeichnung für die mittelalterliche Goldmacherkunst (spätmhd. *alchemie*, frühnhd. *alchimei*) führt über gleichbed. frz. *alchimie* und span. *alquimia* auf arab. (mit Artikel) *al-kīmiyā'* »Kunst der Metallverwandlung, der Legierung« zurück. – Abl.: **Alchemist** »Goldmacher, Schwarzkünstler« (spätmhd. *alchimiste*, aus entspr. mlat. *alchimista*). – Vgl. auch den Artikel *Chemie*.

Alge: Der Name der Wasserpflanze geht auf lat. *alga* »Seegras, Seetang« zurück.

Algebra »Buchstabenrechnung, Lehre von den mathematischen Gleichungen«: Der Fachausdruck der Mathematik wurde im 15. Jh. aus gleichbed. mlat. *algebra*, evtl. auch durch roman. Vermittlung (beachte entsprechend span., port. *álgebra*, it. *algebra*, frz. *algèbre*), entlehnt. Dieses geht zurück auf arab. (mit Artikel) *al-ğabr* (eigentlich »die Einrenkung [gebrochener Teile]«, dann »Wiederherstellung der normalen Gleichungsform ohne negative Glieder«).

alias »anders, sonst, auch« (Adverb): Das Wort wurde im 15. Jh. aus dem Lateinischen übernommen. Das lat. Adverb *alias* »ein anderes Mal; anders, sonst« gehört zu lat. *alius* »ein anderer« (urverwandt mit gleichbed. griech. *állos*; vgl. die Vorsilbe *allo..., Allo...*). – Zum gleichen Stamm, mit Komparativsuffix gebildet, stellt sich lat. *alter* »der eine von zweien, der andere« mit lat. *alternus* »abwechselnd« (in ↑Alternative). – Als Vorderglied erscheint der Stamm von lat. *alius* in dem lat. Adv. *alibi* »anderswo«, das unserem der Kriminalistik und der Rechtswissenschaft angehörenden Substantiv **Alibi** »Nachweis der Abwesenheit vom Tatort, Unschuldsbeweis« (18. Jh.; aus gleichbed. frz. *alibi*) zugrunde liegt.

Alimente: Der Ausdruck für »Unterhaltsbeiträge (besonders für uneheliche Kinder)« wurde im 15. Jh. aus lat. *alimenta* (Neutr. Plur. von *alimentum*) entlehnt. Seit der 1. Hälfte des 18. Jh.s wird das Wort in der Rechtssprache verwendet. Das lat. Wort bedeutet eigentlich »Nahrung[smittel]«. Es gehört zu dem mit dt. ↑alt etymologisch verwandten Verb lat. *alere (altum)* »[er]nähren; aufziehen«. – Zum gleichen Stamm gehören auch lat. *altus* »hoch; tief« (eigentlich »emporgewachsen«) in den Fremdwörtern ↑Alt, ↑Altan, ↑exaltiert und lat. *proles* »Sprössling, Nachkomme« im Fremdwort ↑Proletarier, ferner lat. *co-alescere* »zusammenwachsen« (↑Koalition).

Alkohol »Weingeist, Spiritus«: Das seit dem 16. Jh. bezeugte Fremdwort entstammt der Sprache der Alchimisten. Es erscheint dort zunächst mit der eigentlichen Bed. »feines, trockenes Pulver«, in der es über entsprechend span. *alcohol* aus arab. (mit Artikel) *al-kuḥl* »Antimon; daraus bereitete Salbe zum Schwarzfärben der Augenlider« entlehnt wurde. Die Alchimisten verwandten das Wort aber bereits im gleichen Jahrhundert in der übertragenen Bedeutung »Weingeist« (›alcohol vini‹). Sie bezieht sich auf die besonders feine Stofflichkeit und hohe Flüchtigkeit des Alkohols. – Abl.: **alkoholisch** »Alkohol enthaltend« (19. Jh.); **Alkoholiker** »Gewohnheitstrinker« (19. Jh.) und **Alkoholismus** »Trunksucht« (19. Jh.).

all: Das gemeingerm. Wort mhd., ahd. *al,* got. *alls,* engl. *all,* schwed. *all* gehört wahrscheinlich im Sinne von »ausgewachsen« zu der Wortgruppe von ↑alt. Das zugrunde liegende germ. **alla-* entstand demnach durch Angleichung von -ln- zu -ll- aus idg. **alnós* »ausgewachsen, vollständig, gesamt«, einer alten Partizipialbildung zu der unter ↑alt dargestellten idg. Wurzel **al-* »wachsen«. – Schon seit mhd. Zeit wird ›all‹ bei Voranstellung flexionslos gebraucht, beachte z. B. ›all der Schmerz‹, ›mit all seiner Habe‹. Seit dem 16. Jh. findet sich stattdessen auch ungebeugtes ›alle‹, das in ›[mit, von, aus usw.] alledem‹ bewahrt ist. Die in Nord- und Mitteldeutschland übliche Verwendung von ›alle‹ im Sinne von »nicht mehr vorhanden, zu Ende« – wie in ›alle sein, werden, machen‹ – beruht wahrscheinlich auf Ellipse, d. h., ›alle sein‹ steht für ›alle verbraucht, verzehrt oder dgl. sein‹. – Abl.: **All** (17. Jh., als Ersatzwort für das Fremdwort Universum; beachte die verdeutlichende Zusammensetzung ›Weltall‹, 18. Jh.). Zus.: **allein** (mhd. *alein[e],* entsprechend niederl. *alleen,* engl. *alone;* vgl. [1]*ein*), dazu **alleinig** (17. Jh., zunächst oberd.); **allenfalls** (17. Jh., entstanden aus ›[auf] allen Fall‹ »für jeden möglichen Fall« mit adverbiellem -s, vgl. *Fall* [↑fallen]); **allerdings** (16./17. Jh., mit adverbiellem -s, aus spätmhd. *allerdinge* »in jeder Hinsicht, gänzlich«, das aus mhd. *aller dinge* Genitiv Plural zusammengerückt ist, vgl. *Ding;* im Sinne von »zwar, freilich« ist ›allerdings‹ seit dem 19. Jh. gebräuchlich); **allerhand** (16. Jh., zusammengerückt aus mhd. *aller hande,* Genitiv Plural »von allen Arten«, eigentlich »von allen Seiten«, vgl. *Hand*); **Allerheiligen** (eigentlich Genitiv Plural, gekürzt aus ›aller Heiligen Tag‹, mhd. *aller heiligen tac* für kirchenlat. *omnium sanctorum dies* »allen Heiligen gewidmetes Fest der röm.-kath. Kirche«); **allerlei** (zusammengerückt aus der genitivischen Verbindung mhd. *aller lei[e]* »von aller Art«, vgl. *...lei;* beachte dazu ›Leipziger Allerlei‹ »Leipziger Mischgemüse«); **Allerseelen** »katholischer Totengedenktag am 2. November« (19. Jh., eigentlich Genitiv Plural; nach dem Muster von ›Allerheiligen‹ gekürzt aus ›aller Seelen Tag‹ für kirchenlat. *[omnium] animarum dies*); **allgemein** (mhd. *algemeine* [Adverb] »auf ganz gemeinsame Weise, insgesamt«; mit ›all‹ verstärktes ↑gemein in dessen alter Bed. »gemeinsam«); **allmächtig** (mhd. *almehtec,* ahd. *al[a]mahtig,* Lehnübersetzung von lat. *omnipotens*), dazu **Allmacht** (17. Jh., rückgebildet aus frühnhd. *allmächtigkeit,* mhd. *almehtecheit*); **allmählich** (mhd. *almechlich* »langsam«; der zweite Bestandteil gehört zu ↑gemach, vgl. mhd. *algemechlīche* Adv. »nach und nach« und älter nhd. *allgemach* »langsam«), **Alltag** (um 1800; junge Rückbildung aus Wörtern wie ›Alltagskleid, Alltagsmensch‹, in denen älteres ›alle Tage, alletag‹ »täglich; gewöhnlich« steckt; zu ›alletag‹ gehören auch **alltäglich,** 17. Jh., und **alltags,** 19. Jh.).

Allee »Baumstraße«: Das Fremdwort wurde im 16. Jh. aus gleichbed. frz. *allée* (eigentlich »Gang«, dann »Baumgang«) entlehnt. Das zugrunde liegende Verb frz. *aller* »gehen« beruht auf gleichbed. vlat. **alare,* das für klass.-lat. *ambulare* »umhergehen, gehen; spazieren« (vgl. *ambulant*) steht. – Siehe auch den Artikel *Allüren.*

Allegorie »sinnbildliche Darstellung, Gleichnis«: Das Wort wurde in frühnhd. Zeit aus griech.-lat. *allēgoría* entlehnt, das eigentlich »das Anderssagen« bedeutet. Gemeint ist die Darstellung eines abstrakten Begriffes durch ein konkretes Bild. Formal zugrunde liegen griech. *állos* »anderer« (*állon* »anderes«) – vgl. *allo..., Allo...* – und griech. *agoreúein* »sagen, sprechen« (vgl. *Kategorie*).

allegro: Der musikalisch-fachsprachliche Ausdruck für »lebhaft, munter« wurde im 17. Jh. mit anderen musikalischen Tempobezeichnungen (wie ↑andante usw.) aus gleichbed. it. *allegro* übernommen. Das it. Wort selbst beruht auf einem vlat. Adjektiv **alacrus,* das für klass.-lat. *alacer (alacris)* »lebhaft, munter« steht. – Dazu: **Allegro** »lebhafter, schneller Satz eines Musikstücks« (18. Jh.).

allenfalls, allerdings ↑all.

Allergie »Überempfindlichkeit (als krankhafte Reaktion des Körpers auf körperfremde Stoffe)«: Der medizinische Fachausdruck ist eine gelehrte Neubildung des 20. Jh.s zu griech. *állos* »anderer« (vgl. *allo..., Allo...*) und griech. *érgon* »Werk; Ding, Sache« (vgl. *Energie*), also etwa im Sinne von »Fremdeinwirkung« zu verstehen. Das Wort lehnt sich auch formal an das Fremdwort ↑Energie an. – Abl.: **allergisch** »überempfindlich« (20. Jh.); **Allergiker** (20. Jh.).

allerhand ↑all u. ↑Hand.

Allerheiligen, Allerseelen ↑all.

allerlei ↑all.

allesamt ↑samt.

allgemein ↑all.

Allianz: Die Bezeichnung für »Staatenbündnis« wurde im 17. Jh. aus frz. *alliance* »Verbindung, Bund; Staatenbündnis« entlehnt. Das frz. Substantiv gehört zu afrz. *aleier* (= frz. *allier*) »verbinden, vereinigen«, das seinerseits auf lat. *alligare* »anbinden; verbinden« beruht, einer Bildung aus lat. *ad* »an, hinzu« (vgl. *ad..., Ad...*) und lat. *ligare* »binden« (vgl. *legieren*). – Dazu auch das Fremdwort **Alliierte** »Verbündeter« (17. Jh.; nach entsprechend frz. *allié* »verbündet; Bundesgenosse« gebildet).

Alligator: Die seit dem 16. Jh. bezeugte Benennung für das v. a. in Sümpfen und Flüssen des tropischen und subtropischen Amerikas lebende krokodilähnliche Reptil ist über engl. bzw. frz. *alligator* aus span. *el lagarto* »die Eidechse (Amerikas)« entlehnt. Das span. Wort geht auf lat. *lacerta* »Eidechse« zurück.

Allmacht, allmächtig ↑all.

allmählich ↑all.

allo..., Allo...: Das Bestimmungswort von Zusammensetzungen mit der Bed. »anders, verschieden, fremd«, vgl. z. B. **Allopathie** »Heilverfahren, bei dem im Gegensatz zur ↑Homöopathie Krankheiten mit entgegengesetzt wirkenden Mitteln behandelt werden« stammt aus dem Griech. Das griech. Adjektiv *állos* »ein anderer«, das urverwandt ist mit gleichbed. lat. *alius* (vgl. *alias*), ist auch das Stammwort der Fremdwörter ↑Allotria und ↑parallel.

Allotria (meist als Singular empfunden) »Unfug; Narretei«: Das Fremdwort erscheint zuerst in der Gelehrtensprache des 17. Jh.s. Von dort drang es seit dem ausgehenden 18. Jh. in die Allgemeinsprache. Das Wort geht zurück auf griech. *allótria* »sachfremde, abwegige Dinge«, das seinerseits zu griech. *állos (állo)* »anderer; andersartig, verschieden« gehört (vgl. *allo..., Allo...*).

Alltag, alltäglich, alltags ↑all.

Allüren »aus dem Rahmen fallendes Benehmen; arrogantes Auftreten«: Das Wort wurde im 19. Jh. aus dem Plural von frz. *allure* »Gang; Benehmen« entlehnt, das zu frz. *aller* »gehen« gehört (vgl. *Allee*).

Alm ↑¹Alp.

Almanach »Kalender; [bebildertes] Jahrbuch«: Das Wort wurde im 15. Jh. durch niederl. Vermittlung (mniederl. *almanag*) aus entsprechend mlat. *almanachus* entlehnt. Die weitere Herkunft des Wortes ist unsicher.

Almosen »milde, barmherzige Gabe«: Griech. *eleēmosýnē* »Mitleid, Erbarmen«, das zu griech. *éleos* »Jammer, Klage; Mitleid« gehört, gelangte über kirchenlat. *eleemosyna* »Almosen« und über vlat. Zwischenformen mit anlautendem a- mit der Einführung des Christentums in die germ. Sprachen: mhd. *almuose*, ahd. *alamuosa*, vgl. niederl. *aalmoes*, engl. *alms*, schwed. *allmosa*. – Im Frz. erscheint das Wort als *aumône*.

¹Alp, Alpe: Der Ausdruck für »Bergweide« (mhd. *albe*, ahd. *alba*) geht mit den Gebirgsnamen ›Alb‹ und ›Alpen‹ (Plural) wahrscheinlich auf ein voridg. **alb-* »Berg« zurück, das aber schon früh an die Sippe von lat. *albus* »weiß« volksetymologisch angeschlossen wurde. Die seit dem 15./16. Jh. gebräuchliche Nebenform ›Alm‹ entstand durch Angleichung aus *alb[e]n*, dessen -n aus den gebeugten Formen von mhd. *albe* stammt.

²Alp (Alpdrücken, Alptraum) ↑Alb.

¹Alpaka: Der Name der südamerikanischen Lamaart gehört zu den wenigen Fremdwörtern (wie ↑Chinin, ↑Kautschuk, ↑Lama), die den Indianersprachen Perus entstammen. Grundwort ist peruan.-indian. *paco* »rötlich braun, hell glänzend« in *allpaca*, was etwa »Tier mit rötlich braunem Fell« bedeutet. Dies gelangte im 18. Jh. durch span. Vermittlung zu uns und bezeichnet auch eine seidenweiche, glänzende Wolle, die Alpakawolle. Nicht damit identisch ist **²Alpaka** »Neusilber«, dessen Herkunft unklar ist.

Alphabet »Abc«: Die seit mhd. Zeit bezeugte, aus der Schulsprache übernommene Bezeichnung führt über entsprechend kirchenlat. *alphabetum* auf gleichbed. griech. *alphábētos* zurück. Wie dt. *Abc* ist auch das griech. Wort aus den Anfangsbuchstaben des (griech.) Alphabets *(álpha* und *bēta)* gebildet, die ihrerseits (wie die Buchstabenschrift überhaupt) aus dem Semit. stammen und den Griechen durch die Phönizier vermittelt wurden (beachte: hebr. *ạlef* »a« und bêṯ »b«). – Abl.: **alphabetisch** »das Alphabet betreffend« (17. Jh.); **alphabetisieren** »alphabetisch einreihen, nach der Buchstabenfolge ordnen« (19. Jh.); **Analphabet** »jemand, der nicht lesen und schreiben gelernt hat« (Anfang 19. Jh., aus entsprechend griech. *an-alphábētos;* über das verneinende Präfix vgl. ²*a..., A...*).

Alraun, gewöhnlich **Alraune:** Der Name der als zauberkräftig angesehenen menschenähnlichen Wurzel der Alraunpflanze (Mandragora) lautete in den älteren Sprachzuständen mhd. *alrūne*, ahd. *alrūn[a]*. Diese Benennung ist wahrscheinlich durch Erleichterung der Drittkonsonanz -lbr- aus **albrūn[a]* entstanden und enthält demnach als Bestimmungswort ahd. *alb* »Kobold, Geist, Mahr« (vgl. *Elf*). Das Grundwort gehört zu ahd. *rūnēn* »heimlich reden, flüstern« (vgl. *raunen*). Da nach dem Volksglauben die Zauberkraft der Wurzel von einem Geist ausgeht, ist ahd. *alrūn[a]* wohl eigentlich der Name des in die Wurzel gebannten Geistes.

also: Die nhd. Form geht über mhd. *alsō* zurück auf ahd. *alsō̆*, das ein mit *al* (vgl. *all*) verstärktes *sō* (vgl. *so*) ist und demnach ursprünglich »ganz so« bedeutete. – Neben mhd. *alsō* findet sich die abgeschwächte Form *als[e]*, auf der die nhd. Konjunktion **als** beruht.

alt: Das gemeingerm. Adjektiv mhd., ahd. *alt*, got. (weitergebildet) *alþeis*, engl. *old*, schwed. (Komparativ) *äldre* bedeutet eigentlich »aufgewachsen« und ist das 2. Partizip zu einem im Dt. untergegangenen Verb mit der Bed. »wachsen; wachsen machen, aufziehen, ernähren«: got. *alan* »wachsen«, aengl. *alan* »nähren«, aisl. *ala* »nähren, hervorbringen«. Außergerm. entspricht z. B. lat. *altus* »hoch«, das eigentlich das 2. Partizip von lat. *alere* »nähren, großziehen« ist und ursprünglich »groß gewachsen« bedeutete (s. die Artikel *Alt, Alimente* u. *Proletarier*). Diese germ. und lat. Formen beruhen mit verwandten Wörtern in anderen idg. Sprachen auf der idg. Wurzel **al-*, »wachsen; wachsen machen, nähren«, zu der aus dem germ. Sprachbereich auch die unter ↑all, ↑Alter und ↑Welt behandelten Wörter gehören. Abl.: **veralten** (mhd. *veralten*, ahd. *firaltēn*

»zu alt werden«, Präfixbildung zu mhd. *alten,* ahd. *altēn* »alt werden«). – Zus.: **altbacken** (16. Jh.; ↑backen); **Altenteil** »Vorbehaltsteil der Eltern nach Übergabe eines Bauernhofs an die Kinder« (18. Jh., zunächst nordd.); **altklug** »klug wie ein Alter« (18. Jh.; tadelnd verwendet); **Altvordern** »Vorfahren« (mhd. *altvorder,* ahd. *altford[o]ro* »Vorfahr«, gewöhnlich Plural »Vorfahren, Voreltern«; eigentlich »der Altfrühere«, vgl. *vorder*); **Altweibersommer** »Spät-, Nachsommer; die im Spätsommer herumfliegenden Spinnenfäden« (Anfang des 19. Jh.s).

Alt »tiefe Frauenstimme«: Der seit dem 15./16. Jh. bezeugte musikalische Terminus, der letztlich auf lat. *altus* »hoch; tief« beruht (zum Stamm von lat. *alere* »[er]nähren; aufziehen«, vgl. *Alimente*), erscheint zunächst mit der Bed. »hohe Männerstimme«. In diesem Sinne setzt er gleichbed. lat. *vox alta* fort. Der Bedeutungsübergang von »hohe Männerstimme« zu »tiefe Frauenstimme« war erst möglich, als sich die Frau als Solistin in der Kirchenmusik und in der Oper durchgesetzt hatte und damit die vorher von Männern gesungene, für die natürliche männliche Stimmlage zu hohe Altstimme übernahm. Im Deutschen vollzog sich dieser Übergang in der Bedeutung wohl unmittelbar nach dem Vorbild von älter it. *alto* »hohe Männerstimme; tiefe Frauenstimme«.

Altan »Balkon; Söller«: Das seit dem 15. Jh. zuerst als ›Altane‹ bezeugte Fremdwort (die heute übliche männliche Form entwickelte sich nach dem Vorbild von ›Balkon‹) breitete sich von Österreich und Bayern auf das gesamte Sprachgebiet aus. Das Wort gehört zu einer Reihe anderer Fremdwörter, wie ↑Bastei und ↑Bastion, die seit dem Beginn der Renaissance als Fachwörter der italienischen Baukunst von Italien nach Deutschland gelangt sind. It. *altana* »hoher, vorspringender Teil eines Gebäudes; Altan« ist eine Bildung zu it. *alto* (< lat. *altus*) »hoch«. Über weitere etymologische Zusammenhänge vgl. den Artikel *Alimente.*

Altar: Die Bezeichnung des erhöhten Opfertisches (vor allem in christlichen Kirchen) geht auf lat. *altare* (klass.-lat. nur Plural *altaria*) »Aufsatz auf dem Opfertisch, Opferherd, Brandaltar« zurück. Das lat. Wort wurde im 8. Jh. im Rahmen der Christianisierung des germanischen Nordens entlehnt (ahd. *altāri, altār[e],* mhd. *altære,* altāre, entsprechend engl. *altar*).

altbacken ↑backen.

Altenteil ↑alt.

Alter: Das altgerm. Wort für »Lebensalter, Lebenszeit, Zeit« (mhd. *alter,* ahd. *altar,* niederl. *ouder[dom],* aengl. *ealdor,* schwed. *ålder*) gehört zu der Wortgruppe von ↑alt. Im heutigen Sprachgebrauch wird ›Alter‹ gewöhnlich im Sinne von »Lebensjahre, Lebensabschnitt« und als Gegenwort zu ›Jugend‹ verwendet. In Zusammensetzungen und in bestimmten Wendungen hat ›Alter‹ auch die Bed. »Zeit, langer [Zeit]abschnitt«, beachte z. B. ›von alters her‹ und ›Zeitalter, Weltalter‹. Abl.: **altern** »alt werden« (18. Jh.); **Altertum** (17. Jh., im Sinne von »Altsein«; seit dem 18. Jh. in der heute üblichen Bed. »alte Zeit der Geschichte«; beachte auch die Verwendung des Plurals ›Altertümer‹ im Sinne von »Realien, Gegenstände der Altertumskunde«).

Alternative »Entscheidung zwischen zwei Möglichkeiten; andere Möglichkeit; Möglichkeit, zwischen zwei oder mehreren Dingen zu wählen«: Das Substantiv wurde im 17. Jh. aus dem Französischen entlehnt. Das gleichbed. frz. *alternative* gehört zu frz. *alterne* (< lat. *alternus*) »abwechselnd; wechselweise« (vgl. *alias*). Im Gegensatz zu dem gebräuchlichen Substantiv hat das seit dem 18. Jh. bezeugte Adj. **alternativ** »wahlweise; zwischen zwei oder mehreren Möglichkeiten die Wahl lassend« (< gleichbed. frz. *alternatif*) in den vergangenen Jahrhunderten so gut wie gar keine Rolle gespielt. Es ist erst in der 2. Hälfte des 20. Jh.s allgemein üblich geworden, und zwar v. a. in der Bed. »eine andere Lebensweise vertretend; für als menschen- und umweltfreundlicher angesehene Formen des [Zusammen]lebens eintretend«.

altklug ↑alt.

altmodisch ↑Mode.

Altruismus »durch Rücksicht auf andere gekennzeichnete Denk- und Handelsweise, Selbstlosigkeit«: Das im 19. Jh. aus gleichbed. frz. *altruisme* entlehnte Fremdwort gehört zu lat. *alter* »der andere« (vgl. *Alternative*). Abl.: **altruistisch** »selbstlos« (19. Jh.).

Altvordern, Altweibersommer ↑alt.

Aluminium: Das im 19. Jh. entdeckte weiß glänzende Leichtmetall wurde nach seinem natürlichen Vorkommen in der »Alaunerde« benannt. Das Wort ist eine gelehrte nlat. Bildung zu lat. *alumen* »Alaun« (vgl. *Alaun*).

am..., Am... ↑amb..., Amb...

Amalgam: Das vor allem aus der Zahnmedizin durch die Amalgamfüllungen bekannte Wort für »Legierung eines Metalls mit Quecksilber« wurde im frühen 16. Jh. aus dem mittelalterlichen Alchimistenlatein entlehnt. Die weitere Herkunft von mlat. *amalgama* ist nicht sicher geklärt.

Amateur: Das seit dem 17. Jh. bezeugte Fremdwort bezeichnete zunächst den Kunstliebhaber und Kunstfreund, allerdings mit dem leicht verächtlichen Nebensinn des Dilettantischen. Erst von der Mitte des 19. Jh.s an kommt die heute (auch im Sport) übliche Bedeutung des Wortes »jemand, der eine Sache nicht berufsmäßig, sondern aus Liebhaberei betreibt« auf. Das Wort ist aus gleichbed. frz. *amateur* entlehnt, das seinerseits lat. *amator (-toris)* »Liebhaber, Verehrer; jemand, der einer Sache sehr zugetan ist« fortsetzt. Zugrunde liegt das lat. Verb *amare* »lieben, verehren; gern tun«, das wie lat. *amicus* »Freund«, lat.

amita »Vatersschwester, Tante« (↑Tante) von dem auch in ↑Amme vorliegenden kindersprachlichen Lallwort **am[m]a* ausgeht.

Amazone: Das schon im Mhd. vorkommende Fremdwort hat zunächst die historische Bed. »kriegerische Frau«. Es geht über entsprechend lat. *Amazoes* (Plural) auf griech. *Amāzones* (Plural; Singular *Amāzōn*) zurück, den Namen eines kriegerischen Frauenvolkes in Kleinasien. In der frz. Ritterpoesie tritt dann das Wort in der Bedeutung »kühne Reiterin« (frz. *amazone*) auf und wird so auch bei uns verwendet. Danach nennt man im modernen Reitsport die weiblichen Teilnehmer am Spring- oder Jagdreiten ›Amazonen‹.

amb..., Amb... (vor Vokalen), ambi..., Ambi..., am..., Am... (vor Konsonanten): Die aus dem Lat. stammende Vorsilbe mit der Bed. »um, herum, ringsum« in Fremdwörtern wie ↑Ambition und ↑ambulant stammt aus lat. *amb[i]-, am-* »um, herum, ringsum«, das etymologisch verwandt mit dt. ↑bei ist.

Ambiente »das Umgebende, Umwelt, Milieu«: Das im 20. Jh. aus gleichbed. it. *ambiente* entlehnte Wort geht zurück auf lat. *ambiens,* Genitiv *ambientis,* das 1. Partizip von *ambire* »herumgehen« (vgl. *Ambition*).

Ambition »[beruflicher] Ehrgeiz«: Das Substantiv ist im 16. Jh. über gleichbed. frz. *ambition* aus lat. *ambitio* entlehnt. Das lat. Substantiv bedeutet eigentlich »das Herumgehen«, dann im speziell politischen Sinn »das Herumgehen bei den Wählern in der Absicht, sich deren Gunst zu erschleichen«. Es gehört als Ableitung zu lat. *amb-ire* »herumgehen«, einer Bildung zu lat. *ire* »gehen« (vgl. *amb..., Amb...* und *Abiturient*).

Amboss »Unterlage bei der Metallbearbeitung, bes. beim Schmieden«: Das auf das dt. Sprachgebiet beschränkte Substantiv mhd. *anebōʒ,* ahd. *anabōʒ* bedeutet eigentlich »woran (worauf) man schlägt«. Der erste Bestandteil ist die unter ↑an behandelte Präposition, der zweite Bestandteil gehört zu dem im Nhd. untergegangenen Verb mhd. *bōʒen,* ahd. *bōʒan* »schlagen, stoßen, klopfen«. Das ahd. Wort *anabōʒ* ist wahrscheinlich eine Lehnbildung nach lat. *incus,* Genitiv *incudis* »Amboss« (zu lat. *in* »in, auf« und *cudere* »schlagen«) und bezeichnete demnach den römischen Amboss, den die Germanen durch die römische Schmiedekunst kennen gelernt und übernommen hatten.

ambulant »nicht ortsgebunden; nicht stationär«: Fügungen wie ›ambulantes Gewerbe‹ u. ›ambulante Behandlung‹ (Gegensatz: ›stationäre Behandlung‹) weisen dieses Fremdwort zwei Bereichen zu, dem kaufmännischen und medizinischen. Entlehnt wurde das Wort im 18. Jh. aus dem Französischen. Frz. *ambulant* geht zurück auf lat. *ambulans (ambulantis)* »herumgehend«, zu *ambulare* »herumgehen«, das vielleicht mit griech. *alāsthai* »umherirren« und *alýein* »außer sich sein, umherirren« (↑Halluzination, halluzinieren) unter einer idg. Wurzel **al* (erweitert: **aleu-*, **alu-*) »planlos umherirren« zu vereinigen ist. – Dazu das seit dem 19. Jh. bezeugte Substantiv **Ambulanz** »bewegliches Feldlazarett«, das aus frz. *ambulance* entlehnt ist. Beachte ferner das Fremdwort ↑Präambel, das lat. *ambulare* als Grundwort enthält. – Im Vlat. hat sich aus *ambulare* die Kurzform **alare* entwickelt, auf das frz. *aller* (↑Allee, Allüren) zurückgeht.

Ameise: Der westgerm. Insektenname mhd. *āmeiʒe,* ahd. *āmeiʒa,* mnd. *ēmete,* engl. *emmet, ant* gehört zu dem unter ↑Meißel behandelten Verb mhd. *meiʒen,* ahd. *meiʒan* »[ab]schneiden; hauen«. Die Vorsilbe mhd., ahd. *ā-* bedeutet »fort, weg« (vgl. *Ohnmacht*). Die Ameise ist wohl nach dem scharfen Einschnitt zwischen Vorder- und Hinterkörper als »Abgeschnittene« benannt (vgl. die Benennung ›Insekt‹).

amen: Das Schlusswort beim Gebet, mhd. *āmen,* beruht auf lat.-griech. *āmḗn,* hebr. *ạmen* »wahrlich; es geschehe!«

Amethyst: Der Name des veilchenblauen Schmucksteins (mhd. *ametiste*) ist aus lat. *amethystus* entlehnt, das seinerseits aus gleichbed. griech. *améthystos* stammt. Das griech. Wort bedeutet eigentlich »nicht trunken« (zu griech. *a-* »nicht, un-« [vgl. *a..., A...*] und griech. *methýein* »trunken, berauscht sein«); es bezieht sich darauf, dass man im Altertum glaubte, der Stein würde vor Trunkenheit schützen.

Amme: Das Wort für »Ziehmutter, Pflegemutter, Kinderfrau« (mhd. *amme,* ahd. *amma*) ist ein Lallwort aus der Kindersprache und ist z. B. [elementar]verwandt mit aisl. *amma* »Großmutter«, griech. *ámmia* »Mutter« und span. *ama* »Amme«. Von einem Lallwort **am[ma]-* geht vermutlich auch die lat. Sippe von *amare* »lieben« aus (vgl. das Fremdwort *Amateur*). Siehe auch den Artikel *Hebamme.*

Ammer: Der Name der Finkenart geht zurück auf ahd. *amaro,* das wahrscheinlich aus **amarofogal* gekürzt ist und eigentlich »Dinkelvogel« bedeutet. Das Bestimmungswort gehört zu ahd. *amar* »Dinkel« (eine heute kaum noch angebaute Weizenart), beachte südd. **Emmer** »Dinkel«, das auf gleichbed. ahd. *amari* zurückgeht. Der Vogel ist so benannt, weil er sich vorwiegend von Getreidekörnern ernährt (vgl. zur Benennung den Artikel *Hänfling*). Mit ahd. *amaro,* mhd. *amer* »Ammer« ist verwandt aengl. *amor[e], emer* »Ammer«.

Ammoniak: Der Name der stechend riechenden gasförmigen Stickstoff-Wasserstoff-Verbindung geht auf lat. *sal Ammoniacum* »Ammonssalz« zurück (nach der Ammonsoase [heute Siwa] in Ägypten, in der dieses Salz gefunden wurde).

Amnestie: Das Wort für »Begnadigung; Straferlass« wurde im 16. Jh. aus griech.(-lat.) *amnēstía* »Vergessen; Vergebung« entlehnt. Es ist gebildet mit ↑²a..., A... und griech. *mnãsthai* »sich erinnern«, das verwandt ist mit griech. *maínesthai* »rasen, toben usw.« (vgl. *Manie*).

Amöbe: Der Name des zur Klasse der Wurzelfüßer gehörenden Urtierchens beruht auf einer gelehrten Entlehnung aus griech. *amoibḗ* »Wechsel, Veränderung« (zu griech. *ameíbein* »wechseln«, das wohl zu der unter ↑Meineid dargestellten idg. Wortsippe gehört). Die Amöbe ist also nach ihrer Eigenschaft, ständig die Gestalt zu ›wechseln‹, benannt.

Amok »blindwütiges Rasen und Töten, krankhafte Angriffs- und Mordlust«: Das in bestimmten Fügungen und Zusammensetzungen (Amok laufen, fahren; Amokfahrer, -läufer, -schütze) vorkommende Wort wurde im 17. Jh. aus malai. *amuk* »wütend, rasend« entlehnt.

amortisieren »[Schulden] tilgen, abschreiben«: Das seit dem 18. Jh. – zunächst in der Bed. »eine [Schuld]urkunde für ungültig erklären« – bezeugte kaufmannssprachliche Wort ist mit Endungserweiterung aus frz. *amortir* »abtöten; abschwächen; abtragen, amortisieren« entlehnt. Das frz. Wort selbst beruht auf vlat. **ad-mortire* »totmachen, abtöten«, einem denominativen Präfixverb von lat. *mortuus* (vlat. *mortus*) »tot«. Stammwort ist das mit dt. ↑mürbe etymologisch verwandte Verb lat. *mori* »sterben«.

amourös »Liebschaften betreffend; Liebes...«: Das Adjektiv ist seit Anfang des 20. Jh.s kontinuierlich belegt, wurde aber schon Mitte des 16. Jh.s aus frz. *amoureux* entlehnt, das auf lat. *amorosus* (zu lat. *amor* »Liebe«, vgl. *Amateur*) zurückgeht.

Ampel: Mhd. *ampel, ampulle,* ahd. *amp[ul]la* gehen zurück auf lat. *ampulla* »kleine Flasche; Ölgefäß« (vgl. auch die Artikel *Ampulle* und *Pulle*). Bis ins 14. Jh. bezeichnete das Wort ›Ampel‹ ausschließlich die ewige Lampe (Glasgefäß mit Öl und Docht) über dem Altar in der Kirche. Erst von da an wurden auch Beleuchtungskörper im häuslichen Leben so benannt. Seit dem 16. Jh. wird das Wort jedoch immer mehr von dem Lehnwort ↑Lampe zurückgedrängt. Im modernen Sprachgebrauch hat sich ›Ampel‹ als Kurzform für ›Verkehrsampel‹ allgemein durchgesetzt. – Lat. *ampulla* (< **ampor-la*) ist eine Verkleinerungsbildung zu lat. *amp[h]ora* »zweihenk(e)liger Krug«, das seinerseits entlehnt ist aus griech. *amphoreús* (für *amphiphoreús*) »an beiden Seiten zu tragender (Krug)«, das zu griech. *amphí* »zu beiden Seiten; ringsum, um – herum« (vgl. *amphi..., Amphi...*) und griech. *phérein* »tragen« (vgl. *Peripherie*) gehört. – Vgl. auch den Artikel *Eimer.*

amphi..., Amphi...: Die aus dem Griech. stammende Vorsilbe mit der Bed. »ringsum, um – herum; beidseitig; zweifach«, z. B. im Fremdwort ↑Amphibie, stammt aus gleichbed. griech. *amphí* (Präposition u. Präfix), das etymologisch verwandt ist mit dt. ↑bei.

Amphibie »Tier, das sowohl im Wasser als auf dem Land leben kann; Lurch«: Das seit dem 16. Jh. bezeugte Fremdwort beruht auf einer gelehrten Entlehnung aus gleichbed. griech.-lat. *amphíbion.* Das zugrunde liegende Adjektiv griech. *amphí-bios* »doppellebig, auf dem Lande und im Wasser lebend« gehört zu griech. *amphí* »ringsum, um – herum; beidseitig; zweifach« (vgl. *amphi..., Amphi...*) und griech. *bíos* »Leben« (vgl. *bio..., Bio...*). – Im übertragenen Sinne erscheint das Fremdwort in der Zusammensetzung **Amphibienfahrzeug** »schwimmfähiges Landfahrzeug« (20. Jh.).

Ampulle: Die Bezeichnung für »bauchiges Gefäß; Glasröhrchen« wurde im 19. Jh. aus lat. *ampulla* »kleine Flasche; Ölgefäß« (vgl. *Ampel*) entlehnt. – Vgl. auch den Artikel *Pulle.*

amputieren »einen Körperteil operativ abtrennen« (Med.): Das Wort wurde im 17. Jh. als medizinischer Terminus aus gleichbed. lat. *am-putare* (eigentlich »ringsherum wegschneiden, abschneiden«) entlehnt, einer Bildung zu lat. *putare* »schneiden; reinigen, ordnen; berechnen, vermuten usw.« (über den 1. Bestandteil vgl. den Artikel *amb..., Amb...*). – Beachte in diesem Zusammenhang drei weitere Präfixverben von lat. *putare,* die einigen Fremdwörtern im Dt. zugrunde liegen: lat. *de-putare* »einem etwas zuschneiden, bestimmen« (in ↑deputieren, Deputat, Deputation), lat. *disputare* »nach allen Seiten erwägen« (in ↑Disput, disputieren), lat. *com-putare* »zusammenrechnen« (in ↑Computer, ↑Konto, ↑Kontor, Kontor[ist], ↑Diskont, ↑Skonto).

Amsel: Die Herkunft des westgerm. Vogelnamens (mhd. *amsel,* ahd. *ams[a]la,* engl. *ouzel*) ist nicht sicher geklärt. Entfernt verwandt ist vielleicht lat. *merula* »Amsel«.

Amt »Dienststellung; Dienstraum, Dienstgebäude; Dienstbereich, Verwaltungsbezirk«: Die germ. Substantivbildungen mhd. *amb[e]t, ambahte,* ahd. *ambaht[i],* got. *andbahti,* aengl. *ambeht,* schwed. *ämbete* gehören im Sinne von »Dienst, Dienstleistung« zu einem gemeingerm. Wort für »Diener, Gefolgsmann«: ahd. *ambaht,* got. *andbahts,* aengl. *ambeht* »Diener, Dienstmann, Bote«, vgl. die Femininbildung aisl. *ambātt* »Dienerin«. Dieses Wort ist – wie wahrscheinlich auch die unter ↑Eid, ↑Geisel und ↑Reich behandelten Wörter – aus dem Kelt. entlehnt, und zwar aus kelt. **amb[i]aktos* »Diener, Bote«, das gallolat. als *ambactus* überliefert ist und eigentlich »Herumgeschickter« bedeutet (vgl. *Achse*). Abl.: **amtlich** »dienstlich; von einer Amtsstelle ausgehend, offiziell« (mhd. *ambetlich,* ahd. *ambahtlīh*); **Beamte** »Inhaber eines öffentlichen Amtes« (17. Jh., Substantivierung von frühnhd. *beam[p]t* »mit einem Amt betraut, beamtet«).

Amtsschimmel: Der seit dem 19. Jh. gebräuchliche Ausdruck für »Bürokratie« enthält als Grundwort wahrscheinlich ein volksetymologisch umgestaltetes österr. *Simile* »Formular« (aus lat. *si-*

A

milis »ähnlich«). Das Simile war im alten Österreich ein Musterformular, nach dem bestimmte wiederkehrende Angelegenheiten schematisch erledigt wurden (im Juristenjargon wurde ›Schimmel‹ im Sinne von »Musterentscheid, Vorlage« gebraucht). Daher nannte man Beamte, die alles nach dem gleichen Schema erledigten, scherzhaft *Simile-* oder Schimmelreiter. – Andererseits könnte der Ausdruck von der Schweiz ausgegangen sein und sich darauf beziehen, dass die Schweizer Amtsboten früher auf Pferden (Schimmeln) Akten und Entscheidungen zu überbringen pflegten.

Amulett »kleiner, oft als Anhänger getragener Gegenstand als Talisman«: Das Wort wurde im 16. Jh. aus gleichbed. lat. *amuletum* entlehnt. Die weitere Zugehörigkeit des Wortes ist unsicher.

amüsieren »unterhalten, die Zeit vertreiben, erheitern, Vergnügen bereiten«, auch reflexiv gebraucht: Das Fremdwort ist seit dem frühen 17. Jh. als ›amusieren‹ »hinhalten, aufhalten; Maulaffen feilhalten« bezeugt. Seit dem 18. Jh. wird es in der heutigen Form und im heutigen Sinne allgemein üblich. Es ist entlehnt aus frz. *amuser* »das Maul aufreißen machen; Maulaffen feilhalten; foppen, belustigen« (für den reflexiven Gebrauch ist frz. *s'amuser* »sich vergnügen usw.« Vorbild). Das frz. Wort ist wohl eine Bildung (denominatives Präfixverb) zu vlat. **musus* »Schnauze, Maul« (in frz. *museau* »Schnauze«, it. *muso* »Schnauze«). – Dazu: **amüsant** »unterhaltsam, vergnüglich« (18. Jh., aus gleichbed. frz. *amusant*) und **Amüsement** »unterhaltsamer Zeitvertreib; Vergnügen« (17. Jh., aus gleichbed. frz. *amusement*).

an: Das gemeingerm. Wort (Präposition und Adverb) mhd. *an[e]*, ahd. *an[a]*, got. *ana*, engl. *on*, schwed. *å* beruht mit verwandten Wörtern in anderen idg. Sprachen auf idg. **an-* »an etwas hin oder entlang«, vgl. z. B. griech. *aná* »auf, hinan, entlang«, das in zahlreichen aus dem Griech. entlehnten Wörtern als erster Bestandteil steckt (↑ana..., Ana...). – Zu ›an‹ stellen sich im Dt. die Bildungen ↑ahnen und ↑ähnlich. Als Adverb ist ›an‹ durch ›heran‹ und ›hinan‹ ersetzt worden, steckt aber in unfest zusammengewachsenen Verben und in Wörtern wie ›bergan, hintenan, anbei‹.

an..., An... ↑ad..., Ad...

ana..., Ana...: Die aus dem Griech. stammende Vorsilbe mit den Bedeutungen »auf, hinauf; gemäß, entsprechend«, in Fremdwörtern wie ↑Analyse, ↑analog u. a. Griech. *aná* (Präposition und Präfix) »auf, hinauf; entlang; gemäß usw.« ist mit dt. ↑an urverwandt.

analog »entsprechend, ähnlich, gleichartig«: Das Adjektiv wurde im 18. Jh. über entsprechend frz. *analogue* aus gleichbed. griech.-lat. *análogos* (eigentlich »dem Logos, der Vernunft entsprechend«) entlehnt. Dies gehört zu griech. *aná* »gemäß« (vgl. *ana..., Ana...*) und griech. *lógos* »Wort, Rede; Satz, Maß; Denken, Vernunft« (vgl. *Logik*). – Das hierher gehörende Substantiv **Analogie** »Entsprechung, Gleichartigkeit, Übereinstimmung« erscheint als wissenschaftlicher Terminus bereits im 15. Jh. in unmittelbarer Übernahme von entsprechend griech.-lat. *analogía*.

Analphabet ↑Alphabet.

Analyse »Auflösung; Zergliederung, Untersuchung«: Der in dieser Form seit dem 18. Jh. bezeugte wissenschaftliche Terminus geht zurück auf griech.-mlat. *análysis* »Auflösung; Zergliederung«. Dies gehört zu griech. *ana-lýein* »auflösen«, eine Zusammensetzung von griech. *lýein* »lösen« (etymologisch verwandt mit den unter ↑los genannten Wörtern). – Dazu: **analysieren** »zergliedern, untersuchen; eine chemische Analyse vornehmen« (17. Jh.).

Ananas: Der seit dem 16. Jh. bezeugte Name der tropischen Südfrucht ist – vielleicht über span. *ananá(s)* – aus port. *ananás* entlehnt, dem das gleichbedeutende *naná* der südamerikanischen Indianersprache Guaraní zugrunde liegt.

Anarchie »[Zustand der] Herrschaftslosigkeit; Zustand, in dem die Staatsgewalt nicht ausgeübt wird; politisches, wirtschaftliches, soziales Chaos«: Das Wort wurde im 16. Jh. aus gleichbed. griech. *an-archía* entlehnt, das seinerseits von griech. *án-archos* »führerlos; zügellos« abgeleitet ist. Das griech. Wort ist mit verneinendem Präfix (vgl. [2]*a..., A...*) zu griech. *árchein* »vorangehen, Führer sein, herrschen« (vgl. *Archiv*) gebildet. – Zu ›Anarchie‹ stellen sich die Bildungen **Anarchismus** »Lehre, Anschauung, die jede Staatsgewalt und jeden gesetzlichen Zwang ablehnt« und **Anarchist** »Anhänger des Anarchismus«, die mit den Ende des 18. Jh.s/Anfang des 19. Jh.s aufkommenden politischen Anschauungen Verbreitung fanden.

Anästhesie: Der medizinische Fachausdruck für »Schmerzunempfindlichkeit; Schmerzbetäubung« ist eine gelehrte Entlehnung neuester Zeit aus griech. *an-aisthēsía* »Gefühlslosigkeit, Unempfindlichkeit«, einer Bildung aus griech. *a-* »un...« (vgl. [2]*a..., A...*) und griech. *aisthánesthai* »fühlen, empfinden; wahrnehmen« (vgl. *Ästhetik*).

Anatomie: Die medizinische Bezeichnung für »Lehre vom Körperbau der Lebewesen« wurde im 15. Jh. aus gleichbed. griech.-spätlat. *anatomía* entlehnt, das seinerseits zu griech. *ana-témnein* »aufschneiden, sezieren« gehört, einer Bildung aus griech. *aná* »auf« (vgl. [2]*a..., A...*) und griech. *témnein* »schneiden, zerteilen« (vgl. *Atom*).

anbahnen ↑Bahn.

anbändeln ↑Bändel.

anbelangen ↑belangen.

anberaumen »zeitlich festlegen, ansetzen«: Das aus der Kanzleisprache stammende Wort hat sich – unter Anlehnung an das unter ↑Raum behandelte Substantiv – aus älterem ›anberamen‹ entwickelt und gehört zu spätmhd. *berāmen* »als Ziel festsetzen«, mhd. *rāmen*, ahd. *rāmēn* »zielen, streben«, mhd. *rām* »Ziel« (vgl. *Arm*).

anbiedern, sich ↑bieder.

anbieten ↑bieten.

anbinden ↑binden.

anblaffen ↑blaffen.

anbringen ↑bringen.

Andacht: Die Bildung mhd. *andāht*, ahd. *anadāht* »Denken an etwas, Aufmerksamkeit, Hingabe« gehört zu dem unter ↑denken behandelten starken Verb, beachte die im Nhd. untergegangene Substantivbildung mhd., ahd. *dāht* »Denken, Gedanke«. Seit dem 12. Jh. wird ›Andacht‹ speziell im Sinne von »Denken an Gott; innige, religiöse Hingabe« verwendet. Im Nhd. wird das Wort auch im Sinne von »inniges Gebet, kurzer Gebetsgottesdienst« gebraucht, beachte z. B. die Zusammensetzung ›Morgenandacht‹.

andante »mäßig langsam«: Das Wort wurde als musikalische Tempobezeichnung im 18. Jh. aus gleichbed. it. *andante* (eigentlich »gehend«) übernommen. Das zugrunde liegende Verb it. *andare* »gehen« beruht auf vlat. *ambitare*, einer Intensivbildung zu lat. *ambire* (vgl. *Ambition*). – Dazu: **Andante** »langsamer, ruhiger Satz eines Musikstücks« (18. Jh.).

ander: Das gemeingerm. Für- und Zahlwort mhd., ahd. *ander*, got. *anþar*, engl. *other*, aisl. *annar* beruht mit verwandten Wörtern in anderen idg. Sprachen auf einer alten Komparativbildung, und zwar entweder zu der idg. Demonstrativpartikel **an-* »dort« oder aber zu dem unter ↑jener behandelten idg. Pronominalstamm. Außergerm. entsprechen z. B. aind. *ántara-ḥ* »anderer« und lit. *añtras* »anderer«. – Als Ordnungszahlwort ist ›ander‹ im Nhd. durch die junge Bildung ›zweite‹ (vgl. *zwei*) verdrängt worden. Von der alten Verwendung von ›ander‹ im Sinne von »der Zweite« gehen aus **anderthalb** »eineinhalb«, eigentlich »das zweite Halbe« (mhd. *anderhalp*, ahd. *anderhalb;* spätmhd. *anderthalp* mit dem -t- der Ordnungszahlwörter); **anderweit** veraltet für »in anderer Hinsicht, sonstwie« (mhd. *anderweide*, *anderweit* »zum zweiten Mal«; durch Anlehnung an das Adjektiv ›weit‹ seit dem 17. Jh. dann »anderwärts, anderswo, sonst«; zum Grundwort mhd. *weide* »Weide, Tagesreise, Weg« vgl. [2]*Weide*), dazu **anderweitig** (17. Jh.). Die alte Verwendung von ›ander‹ als Ordnungszahlwort lässt sich auch noch in der Gegenüberstellung mit ›ein‹ erkennen, beachte z. B. ›der eine – der andere‹, ›ein Wort gab das andere‹. Heute wird ›ander‹ zum Ausdruck der Verschiedenheit und zu unbestimmt unterscheidender Wertung verwendet. – Das Adverb **anders** (mhd. *anders*, ahd. *anderes*) ist der adverbiell erstarrte Genitiv Singular. Abl.: **ändern** »anders machen« (mhd. *endern*).

andeuten ↑deuten.

andocken ↑Dock.

andrehen ↑drehen.

anecken ↑Ecke.

Anekdote »knappe, pointierte, charakterisierende Geschichte«: Das Wort wurde im 18. Jh. aus gleichbed. frz. *anecdote* entlehnt. Das frz. Wort selbst geht zurück auf ›Anekdota‹ (zu griech. *an-ék-dota* »noch nicht Herausgegebenes, Unveröffentlichtes«), den Titel eines aus dem Nachlass des byzantinischen Geschichtsschreibers Prokop herausgegebenen Werkes, in welchem eine Fülle von Einzelheiten über die Begebenheiten und Personen aus dessen Lebenszeit zusammengetragen sind.

Anemone »Windröschen«: Der seit dem 16. Jh. zunächst in Zusammensetzungen wie ›Anemonenblume‹ bezeugte Blumenname geht auf griech.-lat. *anemṓnē* zurück. Schon im Altertum brachte man den Namen mit griech. *ánemos* »Wind« in Verbindung. Eine zwingende Erklärung für die Benennung dieser Blume als »Windblume« gibt es jedoch trotz vieler poetischer Versuche (u. a.: »weil sie vom Wind entblättert wird«) nicht.

anerkennen ↑erkennen.

Anfang

wehre/wehret den Anfängen!
(geh.) »etwas Schlechtes, das gerade entsteht, soll man sofort bekämpfen; einer unheilvollen Entwicklung soll man sofort entgegentreten« Diese Warnung geht auf den römischen Dichter Ovid in seinen ›Remedia amoris‹ (Heilmittel gegen die Liebe) zurück. Mit ›Principiis obsta!‹ warnt er vor den Gefahren des Sichverliebens.

anfangen: Die heute übliche Form ›anfangen‹ hat sich im Frühnhd. gegenüber der älteren Form *anfahen* (mhd. *an[e]vāhen*, ahd. *anafāhan*) durchgesetzt, wie auch beim einfachen Verb die jüngere Form *fangen* die ältere Form *fahen* verdrängt hat (vgl. *fangen*). Aus der ursprünglichen Bed. »anfassen, anpacken, in die Hand nehmen« entwickelte sich bereits im Ahd. die Bed. »beginnen«. Abl.: **Anfang** (mhd. *an[e]vanc*, ahd. *anafang*), dazu **anfänglich** und **anfangs; Anfänger** »Lernender, Lehrling« (16. Jh., in der Bed. »Urheber«).

anfechten ↑fechten.

anfeinden ↑Feind.

anfordern ↑fordern.

anfreunden ↑Freund.

anführen, Anführungsstriche, Anführungszeichen ↑führen.

Angeber ↑geben.

Angebinde ↑binden.

angeblich ↑geben.

Angebot ↑bieten.

angegossen ↑gießen und ↑wie angegossen sitzen/passen.

angeheitert ↑heiter.

Im Sprachmuseum

Fast in jeder größeren Stadt gibt es ein Museum. Da ist einmal das Heimatmuseum, in dem Urkunden, Bilder und die verschiedensten Gegenstände aus der Geschichte des Ortes aufbewahrt werden. Wir können hier also die Vergangenheit dieses Ortes betrachten, sie in unserer Gegenwart »nacherleben«. Andere Museen stellen Kunstwerke aus verschiedenen Epochen aus. Auch hier wird in den Gemälden und Plastiken der alten Meister die Vergangenheit vor unseren Augen lebendig. In Museen kann aber eines nicht gezeigt werden: die Entwicklung und Geschichte unserer Sprache. Wörter – das sind keine Gegenstände, die man in Glaskästen ausstellen kann.

Wenn wir uns mit der Vergangenheit der Wörter in unserer Sprache beschäftigen wollen, müssen wir ein Buch in die Hand nehmen, ein Herkunftswörterbuch oder eine Etymologie, wie der Fachausdruck lautet. Dieses Wort kommt von altgriechisch *étymon,* das »wahre Bedeutung eines Wortes« heißt.

Kulturgeschichtliche Entwicklung und Wortschatz

Wenn wir sprechen oder schreiben, so tun wir das, ohne groß über das einzelne Wort, das wir verwenden, nachzudenken. Wir brauchen nicht seine Herkunft zu kennen, es ist nicht nötig, zu wissen, wie es früher einmal lautete oder was es früher bedeutete. Wir müssen nur die gegenwärtige Bedeutung der Wörter kennen und die Regeln, nach denen sie gebraucht werden, damit wir von unseren Kommunikationspartnern richtig verstanden werden.

Wenn wir aber wissen wollen, warum ein Wort diese und keine andere Bedeutung hat, wie es gebildet worden ist und was es ursprünglich bedeutet hat, dann müssen wir seiner Geschichte nachgehen.

Was des Germanen »Wand«, war des Römers »Mauer«

Nehmen wir als Beispiel *Wand,* das heute »senkrecht stehende Fläche als Begrenzung eines Raumes oder eines Gebäudes« bedeutet. Beim Hausbau in altgermanischer Zeit wurden Holz und Zweige verwendet. Aus Balken wurde ein Gerüst errichtet, in dessen Zwischenräume Zweige geflochten und mit Lehm beschmiert wurden. Der Vorgang des Hineinflechtens war es, der dem Bauteil den Namen gab. *Wand* ist nämlich eine Bildung zu *winden* und bedeutet eigentlich »das Gewundene, Geflochtene«. Noch heute können wir diese Bauweise bei alten Fachwerkhäusern sehen. *Fach* bezeichnet hier den Raum zwischen den senkrecht stehenden Balken und den Querbalken des Gerüsts im Fachwerkbau. Erst von den Römern lernten unsere Vorfahren das Bauen mit Steinen kennen, und mit der neuen Bautechnik wurde auch das lateinische Wort für die »Wand« aus Stein übernommen, die bei den Römern *murus* hieß. Nur das weibliche Genus wurde beibehalten, und so wurde aus dem lateinischen Maskulinum unser Femininum »die Mauer«.

Technischer Fortschritt und Wortbedeutung

Die rasche Entwicklung der Technik in den letzten hundert Jahren hat uns eine große Zahl von Wörtern beschert. Viele dieser Wörter brauchen wir heute, ohne uns bewusst zu sein, dass das, was wir mit diesen Ausdrücken bezeichnen, überhaupt nicht mehr zu dieser Bezeichnung passt. So bestaunen wir bei Hafenrundfahrten immer noch *Dampfer,* obwohl diese Schiffe längst von starken Dieselmotoren angetrieben werden. Auch die *Windschutzscheibe* des Autos hat heute nicht mehr die Funktion, die noch in ihrem Namen steckt. Der Fachausdruck heißt deswegen auch *Frontscheibe* im Unterschied zur *Heckscheibe.*

Redensarten

Ohne einen Blick in die Vergangenheit lassen sich auch die meisten unserer Redensarten und festen Wendungen nicht erklären. Will man sich aber hier *kein X für ein U vormachen lassen,* so muss man wissen, dass diese Wendung etwas mit römischen Zahlzeichen zu tun hat. Im Mittelalter wurden beim Anschreiben in den Gasthäusern römische Zahlzeichen verwendet. X bedeutet dabei 10. Das U wurde als V geschrieben, das gleichzeitig als Zahlzeichen 5 bedeutet. Wer sich damals also ein X für ein V (U) vormachen ließ, dem passierte nichts anderes, als dass ein betrügerischer Gastwirt ihm zehn Glas Bier statt der nur getrunkenen fünf anschrieb, also genau das Doppelte. Dazu brauchte der Wirt nämlich nur beim Schreiben einer Fünf (V) unauffällig die Striche über ihren Schnittpunkt hinauszuziehen. Dann wurde leicht aus dem V ein X, aus der Fünf eine Zehn.

A

angehen ↑gehen.
Angehöriger ↑gehören.
angekränkelt ↑krank.
Angel: Das altgerm. Wort mhd. *angel,* ahd. *angul,* niederl. *angel,* engl. *angle,* schwed. *angel* ist eine Bildung zu einem im Nhd. untergegangenen altgerm. Substantiv mit der Bed. »Haken«: mhd. *ange,* ahd. *ango,* aengl. *anga,* aisl. *ange* »Haken; Stachel; Spitze«. Diese germ. Sippe gehört mit verwandten Wörtern in anderen idg. Sprachen zu der idg. Wurzel **ank-, *ang-,* »biegen, krümmen«, vgl. z. B. aind. *aṅkuśá-ḥ* »Haken; Angelhaken; Elefantenstachel«, griech. *agkýlos* »krumm, gebogen«, *ágkȳra* »Anker« (↑Anker) und lat. *angulus* »Winkel, Ecke«. Zu dieser Wurzel gehört ferner die unter ↑Anger (eigentlich »Biegung, Bucht, Tal«) behandelte Wortgruppe. – Das altgerm. Wort, das ursprünglich den aus Knochen geschnitzten oder aus Metall geschmiedeten, zum Fischfang dienenden Haken bezeichnete, ging später auf das ganze Fanggerät über (beachte die verdeutlichende Zusammensetzung ›Angelhaken‹). Schon früh bezeichnete es auch speziell den hölzernen oder metallenen Haken oder Stift, um den sich die Türflügel drehen. An diesen Wortgebrauch schließen sich an **Angelpunkt** »Dreh-, Kernpunkt« und **sperrangelweit** »weit offen stehend« (eigentlich »so weit offen, wie die Türangeln es zulassen«; s. auch *sperren*), beachte auch die Wendung ›aus den Angeln heben‹.
angelegen, Angelegenheit ↑liegen.
angemessen ↑messen.
angenehm ↑genehm.
Anger: Das veraltende Wort für »grasbewachsenes Land; Dorfplatz« (mhd. *anger,* ahd. *angar*) gehört im Sinne von »Biegung, Bucht« zu der unter ↑Angel dargestellten idg. Wortgruppe. Eng verwandt sind die nord. Sippe von schwed. *äng* »Wiese« und außergerm. z. B. lat. *ancrae* (Plural) »Bucht, bepflanzter Streifen an Flüssen« und griech. *ágkos* »Tal«.
angesäuselt ↑säuseln.
angesehen ↑sehen.
angespannt ↑spannen.
angestammt ↑Stamm.
Angestellter ↑stellen.

angießen

wie angegossen sitzen/passen
»sehr gut passen«
Der Vergleich stammt aus der Gießereitechnik und bezog sich ursprünglich auf die Gussmasse, die sich genau der Form anpasst.

Angina »Rachen-, Mandelentzündung«: Die Krankheitsbezeichnung ist aus gleichbed. lat. *angina* entlehnt. Das lat. Wort selbst beruht auf griech. *agchónē* »Erwürgen, Erdrosseln« (zu dem mit dt. ↑eng urverwandten Verb griech. *ágchein* »erwürgen, die Kehle zuschnüren«), das bei der Entlehnung dem etymologisch verwandten Verb lat. *angere* »beengen, würgen« lautlich angeglichen wurde. Der Name der Krankheit bezieht sich also auf die für die Angina charakteristische »Verengung« der Kehle (mit Schluckbeschwerden).
angreifen, Angreifer, Angriff ↑greifen.
angrenzen ↑Grenze.
Angst: Die auf das dt. und niederl. Sprachgebiet beschränkte Substantivbildung (mhd. *angest,* ahd. *angust,* niederl. *angst*) gehört im Sinne von »Enge, Beklemmung« zu der idg. Wortgruppe von ↑eng. Vgl. z. B. aus anderen idg. Sprachen lat. *angustus* »eng«, *angustiae* »Enge, Klemme, Schwierigkeiten«. Im Nhd. wird ›Angst‹ auch als Artangabe verwendet, beachte z. B. ›mir ist angst‹, ›jemandem Angst und Bange machen‹. Abl.: **ängstigen** »furchtsam, ängstlich machen« (abgeleitet von frühnhd. *engstig* »ängstlich«, für älteres, heute nur noch dichterisch verwendetes **ängsten,** mhd. *angesten,* ahd. *angusten*); **ängstlich** »furchtsam, bedrohlich« (mhd. *angestlich,* ahd. *angustlīh*).
anhalten, Anhalter, Anhaltspunkt ↑halten.
Anhang, Anhänger, anhänglich, Anhängsel ↑hängen.
anhauen ↑hauen.
anheim: Verdeutlichend für ›heim‹ »nach Hause« (vgl. *Heim*) kam in frühnhd. Zeit gleichbed. ›anheim‹ auf, das besonders in der Kanzleisprache gebraucht wurde und heute in Verbindung mit einigen Verben auftritt, beachte z. B. **anheim fallen** und **anheim stellen.**
anheimeln »heimatlich vorkommen, traulich anmuten«: Das ursprünglich nur südwestdt. Verb ist von dem unter ↑Heim behandelten Wort abgeleitet, beachte das in der Schweiz gebräuchliche einfache **heimeln.** Beachte auch das Adjektiv **heimelig** »anheimelnd«.
anheischig: Das nur noch in der Wendung ›sich anheischig machen‹ »sich erbieten« gebräuchliche Adjektiv ist durch Anlehnung an das Verb ↑heischen aus mhd. *antheiȥec* »verpflichtet, durch Versprechen gebunden« entstanden. Mhd. *antheiȥec* ist an die Stelle von gleichbed. mhd. *antheiȥe,* ahd. *antheiȥi* getreten, einer Ableitung von mhd., ahd. *antheiȥ* »Versprechen, Gelübde« (eigentlich »Entgegenrufen«, vgl. *ent..., Ent...* und heißen).
animalisch »tierisch«: Das Adjektiv ist eine gelehrte Neubildung des 16. Jh.s zu lat. *animal* »Tier«. Das lat. Wort gehört mit seiner ursprünglichen Bed. »beseeltes Geschöpf« zu lat. *animus* »Lebenshauch; Seele« (vgl. *animieren*).
animieren »anregen, ermuntern«: Das Verb wurde im 16. Jh. aus frz. *animer* (eigtl.: »beseelen, beleben«) entlehnt. Voraus liegt lat. *animare* »Leben einhauchen, beseelen«, das zu lat. *animus, anima* »Lebenshauch; Seele« (beachte ugs. ›Animus‹

»Ahnung«) gehört, ebenso wie *animal* »Tier« mit einer Grundbedeutung »beseeltes Geschöpf« (↑animalisch). – Es besteht Urverwandtschaft mit griech. *ánemos* »Wind[hauch]« (↑Anemone) und wohl auch mit griech. *āsthma* »schweres, kurzes Atmen, Keuchen« (↑Asthma) und lat. *halare* »hauchen« (dazu *in-halare* »einhauchen«, ↑inhalieren). Als gemeinsame idg. Wurzel gilt **an[ə]-* »hauchen, atmen«, die auch in anderen idg. Sprachen vertreten ist. Dabei ist für das mit unorganischem »h« gebildete lat. *halare* eine Grundform **an-slare* anzusetzen und entsprechend für griech. *āsthma* eine Form **án-sthma*. Zur selben Wortfamilie gehört das auf lat. *animatio* zurückgehende Substantiv **Animation.** Im Deutschen ist es ab dem 16. Jh. in der Bedeutung »Beseelung, Belebung« gebräuchlich, zunächst in seiner lat., ab dem 17. Jh. in seiner eingedeutschten Form. Seit dem 20. Jh. steht es, wahrscheinlich unter dem Einfluss von gleichbed. frz. *animation*, einerseits für »Trickfilmverfahren, das unbelebten Objekten Bewegung verleiht«, andererseits für »in Ferienzentren organisierte Freizeitvergnügen«. Zu dieser Bedeutung gehört die aus gleichbed. frz. *animateur* übernommene Berufsbezeichnung **Animateur** für »von einem Reiseunternehmen angestellter Spielleiter in einem Ferienzentrum«.

Anis: Der Name der am östlichen Mittelmeer beheimateten Gewürz- und Heilpflanze (mhd. *anīs*) führt über lat. *anisum* (Nebenform von lat. *anesum*) auf griech. *ánēs[s]on, ánēthon* »Dill« zurück. Die weitere Herkunft des Wortes liegt im Dunkeln.

Anker: Die germ. Bezeichnungen des Geräts zum Festlegen von Schiffen (mhd., spätahd. *anker*, niederl. *anker*, engl. *anchor*, schwed. *ankare*) beruhen auf einer frühen Entlehnung aus lat. *ancora* »Anker«. Als die Germanen, die ihre Schiffe mit schweren Steinen festzulegen pflegten, durch die Römer am Niederrhein und an der Nordsee den zweiarmigen Schiffsanker kennen lernten, übernahmen sie mit dem Gerät auch dessen Namen. Die Römer ihrerseits übernahmen den dreiarmigen Schiffsanker von den Griechen und entlehnten die griech. Bezeichnung *ágkȳra* (vgl. *Angel*). – Im Nhd. bezeichnet ›Anker‹ auch verschiedene technische Vorrichtungen (Bolzen, Hebel, Klammern) zur Festigung von Holz- und Steinbauten, zur Befestigung von Maschinenteilen od. dgl., beachte die Zusammensetzungen ›Ankerbalken, Maueranker, Uhranker‹. Abl.: **ankern** (mhd. *ankern*), dazu **verankern** (18. Jh., zuerst von Mauerankern gebraucht). Zus.: **Ankerspill** (↑Spindel).

anketten ↑²Kette.

anklagen ↑klagen.

Anklang ↑klingen.

Ankommen, Ankömmling, Ankunft ↑kommen.

ankotzen ↑kotzen.

Ankratz

Ankratz haben/finden

(landsch.; ugs.) »Chancen haben, umworben sein«

›Ankratz‹ bezieht sich wahrscheinlich darauf, dass Hunde und Katzen an der Kleidung kratzen, wenn sie auf den Schoß genommen werden wollen, oder dass sie an der Tür kratzen, wenn sie eingelassen werden wollen.

---

ankreiden ↑Kreide.

ankünden, ankündigen ↑kund.

Anlage ↑legen.

anlangen ↑lang.

Anlass, anlässlich ↑lassen.

anlassen, Anlasser ↑lassen.

Anlauf, anlaufen ↑laufen.

anlegen ↑legen.

anleiten, Anleitung ↑leiten.

anliegen, Anliegen, Anlieger ↑liegen.

anmaßen, Anmaßung ↑Maß.

anmerken, Anmerkung ↑merken.

Anmut: Das im germ. Sprachbereich nur im Dt. gebräuchliche Wort (mhd. *anemuot*) bedeutet eigentlich »der an etwas gesetzte Sinn« (vgl. *Mut*). Es wurde zunächst im Sinne von »Verlangen, Lust, Vergnügen« verwendet. Auf Anlehnung an die Bedeutung des Adjektivs ›anmutig‹ (s. u.) beruht der heutige Wortgebrauch im Sinne von »Liebreiz, anziehendes Wesen; Harmonie der Bewegungen«. Das seit dem 15. Jh. bezeugte Adjektiv **anmutig** bedeutete zunächst »Verlangen, Lust erweckend«. Aus diesem Wortgebrauch entwickelte sich die heute übliche Bed. »gefällig, liebreizend«.

anmuten ↑Mut.

Annahme ↑nehmen.

Annalen »[geschichtliche] Jahrbücher; chronologisch geordnete Aufzeichnungen, Geschichtswerke«: Das Wort wurde im 16. Jh. aus gleichbedeutend lat. *(libri) annales* entlehnt, das zu lat. *annus* »Jahr« gehört.

annehmen ↑nehmen.

annektieren »sich [gewaltsam] aneignen«: Das Verb wurde im 16. Jh. aus lat. *an-nectare (annexus)* »verknüpfen« entlehnt. Seit Mitte des 19. Jh.s liegt es mit der politischen Bedeutung unter Einfluss von gleichbed. frz. *annexer* (zu frz. *annexe* »Verknüpftes; Dazugehöriges; Anhang«) und gleichbed. engl. *to annex* vor. – Das Stammverb lat. *nectere (nexus)* »knüpfen, binden« ist etymologisch verwandt mit dt. ↑Netz. – Dazu **Annexion** »[gewaltsame] Aneignung fremden Gebiets« (19. Jh.; aus gleichbed. frz. *annexion* < lat. *annexio* »Verknüpfung«).

anno: Der Ausdruck für »im Jahre« wurde im 15. Jh. aus dem Ablativ von lat. *annus* »Jahr« (vgl. *Annalen*) in Datumsangaben mittelalterlicher Urkunden übernommen. Das Wort lebt nur in festen,

A

scherzhaften Wendungen wie ›anno dazumal‹ und ›anno Tobak‹ »in alter Zeit«, die nach dem Vorbild von ›anno Domini‹ »im Jahre des Herrn« entstanden sind.

annoncieren »eine Zeitungsanzeige aufgeben«: Das Verb wurde im 18. Jh. aus frz. *annoncer* »ankündigen, öffentlich bekannt machen« entlehnt. Das frz. Wort selbst beruht auf lat. *an-nuntiare* »an-, verkündigen«, das zu lat. *nuntius* »Botschaft; Bote« gehört. – Abl.: **Annonce** »Zeitungsanzeige« (18./19. Jh.; aus frz. *annonce* »Ankündigung; Anzeige, Bekanntmachung«).

annullieren »für ungültig, für nichtig erklären; vernichten«: Das Verb wurde im 16. Jh. als Rechtsterminus aus gleichbed. spätlat. *an-nullare* entlehnt. Das lat. Wort ist eine Bildung (denominatives Präfixverb) zu lat. *nullus* »keiner« (vgl. *null*).

Anode »positiv geladene Elektrode« (Phys.): Das im 19. Jh. aus gleichbed. engl. *anode* entlehnte Wort geht zurück auf griech. *án-odos* »Aufweg; Eingang« (zu griech. *hodós* »Weg«, vgl. *Periode*). Die Anode bezeichnet also die »Eintrittsstelle« der Elektronen in den geschlossenen Stromkreis. – Engl. *anode* wurde in Deutschland durch die Entdeckungen Faradays bekannt.

anonym »ungenannt, namenlos« (besonders von Schriftwerken, deren Verfasser nicht genannt sein will): Das seit dem 17. Jh. zuerst in der Form ›anonymisch‹ bezeugte Fremdwort geht auf griech.-lat. *an-ṓnymos* »namenlos; unbekannt« zurück. Dessen Stammwort ist griech. *ónoma* (bzw. eine Dialektform *ónyma*) »Name«, das urverwandt ist mit gleichbed. lat. *nomen* und dt. ↑Name. – Abl.: **Anonymität** (18. Jh.). – Griech. *ónyma* erscheint auch in den Fremdwörtern ↑Homonym, ↑Pseudonym und ↑Synonym.

Anorak »Windbluse, Schneejacke«: Der Name des Kleidungsstücks wurde im 20. Jh. aus eskim. *anorak* entlehnt, einer Bildung zu eskim. *anore* »Wind«.

anorganisch ↑Organ.

anormal ↑Norm.

anpacken ↑packen.

anpassen ↑passen.

anpfeifen, Anpfiff ↑pfeifen.

anprangern ↑Pranger.

anrainen, Anrainer ↑Rain.

anregen, Anregung ↑regen.

anreißen, Anreißer ↑reißen.

anrempeln ↑rempeln.

Anrichte, anrichten ↑richten.

anrotzen ↑Rotz.

anrüchig »übel beleumdet, verdächtig«: Die heute übliche Form ›anrüchig‹, die durch Anlehnung an ›riechen, Geruch‹ aus ›anrüchtig‹ entstanden ist, hat sich erst im 19. Jh. gegenüber der älteren Form durchgesetzt. Das seit dem 15. Jh. zunächst in hochd. Rechtstexten bezeugte ›anrüchtig‹ ist aus mnd. *anrüchtig* »von schlechtem Leumund, ehrlos« übernommen. Es gehört wie die unter ↑berüchtigt, ↑Gerücht und ↑ruchbar behandelten Wörter zu mnd. *ruchte* »Ruf, Leumund«, dem mhd. *ruoft* »Ruf, Leumund« entspricht (vgl. *rufen*). Zu niederd. -cht- statt hochd. -ft- s. den Artikel *Gracht*.

anrühren ↑rühren.

Ansage, ansagen, Ansager ↑sagen.

ansässig: Das seit dem 18. Jh. bezeugte Adjektiv gehört zu frühnhd. *ansess* »fester Wohnsitz«, *ansesse* »Alteingesessener, Hauseigentümer« (vgl. *sitzen*).

ansäuseln ↑säuseln.

anschaffen ↑schaffen.

anschauen, anschaulich, Anschauung ↑schauen.

anscheinend ↑scheinen.

anschicken ↑schicken.

Anschiss ↑scheißen.

Anschlag, anschlagen ↑schlagen.

anschmachten ↑schmachten.

anschmieren ↑schmieren.

anschnauzen (ugs. für:) »barsch zurechtweisen«: Das seit dem 16. Jh. bezeugte Verb, das im heutigen Sprachgefühl als zu ›Schnauze‹ gehörig empfunden wird, hat sich aus **anschnau[b]ezen* entwickelt, einer Intensivbildung zu dem im gleichen Sinne verwendeten ›anschnauben‹ (vgl. *schnauben*).

anschneiden ↑schneiden.

anschreiben, Anschreiben ↑schreiben.

anschreiben

bei jmdm. gut/schlecht angeschrieben sein
»bei jmdm. in gutem/schlechtem Ansehen stehen«
Die Wendung geht zurück auf das kaufmännische Anschreiben der Schulden und Guthaben.

anschuldigen ↑Schuld.

anschwärzen ↑schwarz.

ansehen, Ansehen, ansehnlich ↑sehen.

anseilen ↑Seil.

Ansicht, Ansichtskarte ↑sehen.

Ansinnen ↑sinnen.

anspielen, Anspielung ↑Spiel.

Ansporn, anspornen ↑Sporn.

Ansprache, ansprechen, ansprechend ↑sprechen.

Anspruch ↑sprechen.

Anstalt: Mhd. *anstalt* »Richtung, Beziehung; Aufschub« ist eine Bildung zum alten Präteritumstamm von mhd. *an[e]stellen* »einstellen, aufschieben« (vgl. *stellen* und den Artikel *Gestalt*). Im Nhd. schloss sich ›Anstalt‹ an die Verwendung des Verbs im Sinne von »anordnen, vorbereiten, einrichten« an. Darauf beruht der Wortgebrauch im Sinne von »Anordnung, Vorbereitung«, beachte die Wendung ›Anstalten treffen oder machen‹, und im Sinne von »Einrichtung, Organisation mit eigener Rechtspersönlichkeit« (18. Jh.), dann auch »Gebäude einer Einrichtung«, beachte

z. B. die Zusammensetzungen ›Blinden-, Lehranstalt‹. – Abl. **veranstalten** »unternehmen, machen, ins Werk setzen« (18. Jh.), dazu **Veranstaltung.**

Anstand »gutes Benehmen, Schicklichkeit; Einwand, Aufschub; Standort oder Hochsitz des Jägers«: Das seit mhd. Zeit gebräuchliche Wort (mhd. *anstant*) ist eine Bildung zu dem zusammengesetzten Verb ›anstehen‹ »stehen bleiben, warten; aufschieben; passen, geziemen« (mhd. *an[e]stēn,* ahd. *anastēn,* vgl. *stehen*). Das Substantiv schließt sich also eng an die verschiedenen, z. T. heute veralteten Bedeutungen des zusammengesetzten Verbs an. Von der Bed. »Einwand, Aufschub«, die in Wendungen wie ›Anstand nehmen‹ bewahrt ist, gehen aus **anstandslos** »ohne weiteres« (Anfang 20. Jh.) und **beanstanden** »Einwände erheben, bemängeln« (19. Jh.). Abl.: **anständig** »schicklich, geziemend, passend; gehörig, ordentlich« (17. Jh.).

anstatt ↑Statt.

anstechen, Anstich ↑stechen.

anstecken ↑stecken.

anstellen, anstellig, Anstellung ↑stellen.

anstiften ↑stiften.

anstimmen ↑Stimme.

Anstoß, anstoßen, anstößig ↑stoßen.

anstreichen, Anstreicher, Anstrich ↑streichen.

anstrengen ↑streng.

Ansturm ↑Sturm.

[1]**ant..., Ant...**: Die Vorsilbe mit der Bedeutung »entgegen« ist heute nur noch in ↑Antlitz und ↑Antwort und verdunkelt in ↑anheischig bewahrt. Sie war im Mhd. und Ahd. in Substantiven und Adjektiven ebenso verbreitet wie bei Verben die Vorsilbe ↑ent..., Ent..., die durch Abschwächung in unbetonter Stellung aus ›ant...‹ entstanden ist. Das gemeingerm. Präfix mhd., ahd. *ant-*, got. *and[a]-*, aengl. *and-*, aisl. *and-* ist z. B. verwandt mit griech. *antí* »angesichts, gegenüber« und lat. *ante* »vor«, die in zahlreichen aus dem Griech. und Lat. entlehnten Wörtern als erster Bestandteil stecken (vgl. *anti..., Anti...* und den Artikel *antik*). Diese Wörter beruhen auf erstarrten Kasusformen des idg. Substantivs **ant-s* »Vorderseite, Stirn, Gesicht«. Die Bed. »entgegen, gegenüber, vor« haben sich also aus »auf die Vorderseite zu, ins Gesicht, im Angesicht von« entwickelt. Verwandt ist auch das unter ↑Ende behandelte Wort.

[2]**ant..., Ant...** ↑anti..., Anti...

Antarktis ↑Arktis.

Anteil, Anteilnahme ↑Teil.

Antenne: Die Bezeichnung für die »[hoch aufragende] Vorrichtung zum Empfang und zur Ausstrahlung elektromagnetischer Wellen« wurde im 20. Jh. aus gleichbed. it. *antenna* neu entlehnt, nachdem im 15. Jh. das gleiche Wort in der Bedeutung »Segelstange; Rahe« schon einmal aus spätlat. *antenna* »Segelstange«, dann auch »Fühler«, entlehnt worden war.

Anthologie »Sammlung, Auswahl von Gedichten oder Prosastücken«: Das Wort ist eine gelehrte Entlehnung des 18. Jh.s aus gleichbed. griech. *anthología* (eigentlich »Blumensammeln, Blütenlese«), das zu griech. *ánthos* »Blume, Blüte« und griech. *légein* »sammeln; lesen« (vgl. *Lexikon*) gehört.

Anthrazit »harte, glänzende Steinkohle«: Das Wort ist eine gelehrte Entlehnung neuester Zeit aus lat. *anthracites* < griech. *anthrakī́tēs* »Kohlenstein« (Name eines Edelsteins), einer Bildung zu griech. *ánthrax,* Gen. *ánthrakos* »Kohle«.

anthropo..., Anthropo...: Das in mehreren Zusammensetzungen auftretende Bestimmungswort mit der Bed. »Mensch« (Anthropologie, Anthroposophie, anthropomorph usw.) geht zurück auf griech. *ánthrōpos* »Mensch«.

anti..., Anti..., (vor Vokalen und vor h:) [2]ant..., Ant...: Die Vorsilbe mit der Bed. »gegen, entgegen, wider; gegenüber; anstatt«, in Fremdwörtern wie ↑Antipathie, ↑Antipode u. a., stammt aus griech. *antí* (Präposition u. Präfix) »angesichts, gegenüber; anstatt; vor; gegen«, das etymologisch verwandt mit der dt. Vorsilbe ↑[1]ant..., Ant... ist.

antik »altertümlich«: Das im 17. Jh. aus gleichbed. frz. *antique* entlehnte Adjektiv geht zurück auf lat. *antiquus* »vorig; alt«, eine Nebenform von lat. *anticus* »der vordere«, die ihrerseits von lat. *ante* »vor« (urverwandt mit dt. ↑[1]ant..., Ant...) abgeleitet ist. Dazu das Substantiv **Antike** als Bezeichnung für das klassische Altertum (Ende 17. Jh.). – Auf die weibliche Form von lat. *antiquus (-a, -um)* geht **Antiqua** »Lateinschrift«, eigtl. »die alte Schrift«, zurück. Die *littera antiqua,* die karolingische Minuskel, wurde von den italienischen Humanisten statt der gotischen Schrift wieder verwendet. Zu lat. *antiquus* gehören auch die Fremdwörter ↑Antiquar, Antiquariat, antiquarisch, antiquiert und Antiquitäten.

Antilope: Der im Dt. seit dem 18./19. Jh. bezeugte Name des gehörnten Huftieres (Asiens und besonders Afrikas) geht zurück auf den Namen eines Fabeltiers mgriech. *anthólōps* (> mlat. *ant[h]alopus*), der wörtlich »Blumenauge« bedeutet (zu griech. *ánthos* »Blume« und griech. *ōps* »Auge«). In den europäischen Sprachen erscheint der Name zuerst im Engl. als *antelope* (Anfang 17. Jh.) u. wird von dort weitervermittelt. Uns erreicht er über gleichbed. frz.-niederl. *antilope.*

Antipathie »Abneigung, Widerwille« (im Gegensatz zu ↑Sympathie): Das Wort wurde im 16. Jh. über gleichbed. lat. *antipathia* aus gleichbed. griech. *anti-pátheia* entlehnt. Über das zugrunde liegende Substantiv griech. *páthos* »Leid; Leidenschaft; Gemütsstimmung« vgl. den Artikel *Pathos.*

Antipode »auf dem gegenüberliegenden Punkt der Erde lebender Mensch«, übertragen auch: »Ge-

A

genspieler«: Das Fremdwort ist seit dem 16. Jh. als geographischer Terminus bezeugt, anfänglich nur in der Pluralform ›Antipoden‹. Es geht zurück auf gleichbed. griech.-lat. *antípous* (Plural *antípodes*), das wörtlich »Gegenfüßler« bedeutet und zu griech. *antí* »gegenüber« (vgl. *anti..., Anti...*) und griech. *poús (podós)* »Fuß« (vgl. *Podium*) gehört.

Antiqua ↑antik.

Antiquar »Händler mit Altertümern, Altbuchhändler«: Das seit dem Ende des 16. Jh.s bezeugte Fremdwort geht zurück auf lat. *antiquarius* »Kenner und Anhänger des Alten (der alten Sprache, Literatur usw.)«, einer Bildung zu lat. *antiquus* »vorig; alt« (vgl. *antik*). – Abl.: **Antiquariat** »Geschäft eines Antiquars« (19. Jh., nlat. Bildung); **antiquarisch** »alt, gebraucht« (18. Jh.). – Zu lat. *antiquus* gehören auch die beiden folgenden Fremdwörter: **antiquiert** »veraltet« (Neubildung des 17. Jh.s); **Antiquitäten** »Altertümer, Denkmäler aus alter Zeit« (16. Jh., aus lat. *antiquitates* »Altertümer, alte Sagen, alte Geschichte usw.«).

Antlitz »Gesicht«: Das heute nur noch in gehobener Sprache gebräuchliche Wort bedeutet eigentlich »das Entgegenblickende«. Mhd. *antlitze*, ahd. *antlizzi* (Mischform aus **antliȥ* und gleichbed. *antlutti*), aengl. *andwlita*, schwed. *anlete* enthalten als ersten Bestandteil die unter ↑[1]ant..., Ant... »entgegen« behandelte Vorsilbe und als zweiten Bestandteil eine Bildung zu einem im Dt. untergegangenen Verb mit der Bed. »blicken, sehen«: aengl. *wlītan*, aisl. *līta* »blicken, schauen, sehen« (beachte got. *wlits* »Aussehen; Gestalt«, aengl. *wlite* »Blick; Gesicht; Aussehen; Gestalt, Erscheinung«, aisl. *litr* »Aussehen, Glanz«).

Antrag, antragen ↑tragen.

antreiben, Antrieb ↑treiben.

antreten, Antritt ↑treten.

antun ↑tun.

Antwort: Das gemeingerm. Substantiv mhd. *antwürte*, ahd. *antwurti*, got. *andawaúrdi*, aengl. *andwyrde*, aisl. *andyrði* bedeutet eigentlich »Gegenrede«. Das Grundwort ist eine Kollektivbildung zu dem unter ↑Wort behandelten Substantiv, das Bestimmungswort ist die unter ↑[1]ant..., Ant... »entgegen« behandelte Vorsilbe. Die nhd. Form ›Antwort‹ gegenüber mhd. *antwürte* ist durch Anlehnung an ›Wort‹ entstanden. – Davon abgeleitet ist das Verb **antworten** (mhd. *antwürten*, ahd. *antwurten*, got. *andwaúrdjan*, aengl. *andwyrdan*), um das sich die Präfixbildungen **beantworten, verantworten** (s. d.) und das zusammengesetzte Verb ↑überantworten gruppieren.

anvertrauen ↑trauen.

anvisieren ↑[2]Visier.

Anwalt: Die westgerm. Substantivbildung mhd. *anwalte*, ahd. *anawalto*, mnd. *anwalde*, aengl. *onwealda* gehört zu dem unter ↑walten behandelten Verb und bedeutet eigentlich »einer, der über etwas Gewalt hat«. Das Wort bezeichnete im Ahd. den Macht- oder Befehlshaber, im Mhd. dann gewöhnlich den bevollmächtigten Beamten oder Gesandten eines Fürsten oder einer Stadt und schließlich den Vertreter einer Partei vor Gericht. Im Sinne von »berufener Vertreter vor Gericht, Rechtsberater« hat es die Fremdwörter Prokurator, Konsulent und Advokat verdrängt. – Zus.: **Rechtsanwalt** (seit dem 19. Jh. amtliche Standesbezeichnung in Deutschland, in der Schweiz neben ›Fürsprech‹); **Staatsanwalt** (2. Hälfte des 19. Jh.s).

anwandeln ↑wandeln.

Anwärter: Das seit dem 16. Jh. bezeugte Wort gehört zu frühnhd. *anwarten* »auf etwas [mit Anspruch] warten« (mhd. *an[e]warten*, ahd. *anawartēn* »erwarten, ausschauen«; vgl. *warten*). Seit 1900 hat sich ›Anwärter‹ in der Beamtensprache gegenüber dem Fremdwort ↑Aspirant durchgesetzt. Zu frühnhd. *anwarten* ist auch **Anwartschaft** »Anspruch oder Aussicht auf ein Amt oder dgl.« (17. Jh.) gebildet.

anwenden, Anwender, Anwendung ↑wenden.

anwerfen ↑werfen.

Anwesen: Das vorwiegend im oberd. Sprachraum gebräuchliche Wort für »[bebautes] Grundstück« geht zurück auf mhd. *anewesen* »Anwesenheit«. Dies ist der substantivierte Infinitiv von mhd. *an[e]wesen*, ahd. *anawesan* »darin, dabei sein«, einer Lehnübersetzung von lat. *adesse* (vgl. *Wesen*). Von diesem Präfixverb ist im heutigen Sprachgebrauch noch das 1. Partizip **anwesend** »zugegen, gegenwärtig« bewahrt. – Aus der ursprünglichen Bed. »Anwesenheit«, die sich vereinzelt bis ins 18. Jh. hielt, entwickelte sich seit dem 15. Jh. die Bed. »Aufenthalt[sort], Wohnung«. Abl.: **Anwesenheit** (17. Jh.).

anwidern ↑wider.

Anwurf ↑werfen.

Anzahl ↑Zahl.

anzapfen ↑Zapfen.

Anzeichen ↑Zeichen.

Anzeige, anzeigen ↑zeigen.

anzetteln ↑[1]Zettel.

anziehen, Anzug, anzüglich ↑ziehen.

anzünden ↑zünden.

anzwecken ↑Zweck.

Aorta: Die medizinische Bezeichnung der Hauptkörperschlagader geht zurück auf gleichbed. griech. *aortḗ*. Das griech. Substantiv gehört zu griech. *aeírein* »zusammen-, anbinden« und bedeutet demnach ursprünglich »das Anbinden, Anhängen«, dann im konkreten Sinne »angebundener, angehängter Gegenstand; Anhängsel«. Die Aorta ist also danach benannt, dass sie gleichsam am Herzbeutel wie ein Schlauch ›angebunden‹ oder ›angehängt› ist. – Siehe auch den Artikel *Arterie*.

ap..., Ap... ↑ad..., Ad... und ↑apo..., Apo...

apart »von eigenartigem Reiz; geschmackvoll«:

Das seit dem 16. Jh. bezeugte Adjektiv ist durch Zusammenrückung entstanden, und zwar aus der frz. Fügung *à part* »beiseite, abgesondert; besonders; eigenartig«, wobei sich die ursprüngliche Bed. des Wortes zu »besonders schön usw.« verengt hat. Dem frz. *à part* entspricht im Italienischen *a parte* (lat. *ad partem;* vgl. *Part*), von dem *appartare* »trennen, absondern« abgeleitet ist. Dazu gehört it. *appartamento* »abgeteilte Wohnung« (↑Appartement). – Beachte auch das zu niederl. *apart* gehörende afrikaans *apartheid,* eigentlich »Gesondertheit«, aus dem **Apartheid** »Rassentrennung zwischen schwarzer und weißer Bevölkerung« (Mitte 20. Jh.) stammt.

Apartment ↑Appartement.

Apathie: Griech. *a-pátheia* »Schmerzlosigkeit, Unempfindlichkeit« (zu ↑²a..., A... »un...« und griech. *páthos* »Schmerz«, vgl. *Pathos*) gelangte als zentraler Begriff stoischer Philosophie (»völlige Absage an Lust und Unlust«) über entsprechend lat. *apathia* im 18. Jh. ins Deutsche. Mit dem Beginn des 19. Jh.s wurde das Wort (wohl nach gleichbed. frz. *apathie*) in die medizinische Fachsprache zur Bezeichnung des Krankheitsbildes der geistigen Erschöpfung und völligen Teilnahmslosigkeit übernommen. Daran schließt sich im gleichen Sinne das abgeleitete Adjektiv **apathisch** »teilnahmslos, geistig erschöpft« an (Anfang 19. Jh.).

Aperitif: Die Bezeichnung für ein appetitanregendes alkoholisches Getränk wurde im ausgehenden 19. Jh. aus dem Frz. übernommen. Frz. *apéritif* ist ursprünglich ein Adjektiv mit der Bed. »öffnend«; das Substantiv ist demnach eigentlich etwa als »Magenöffner« zu verstehen. Dem frz. Wort liegt ein mlat. Adjektiv *aperitivus* »öffnend« zugrunde, das von lat. *aperire* »öffnen« abgeleitet ist.

Apfel: Das gemeingerm. Wort mhd. *apfel,* ahd. *apful,* krimgot. *apel,* engl. *apple,* schwed. *äpple* ist verwandt mit der kelt. Sippe von air. *ubull* »Apfel« und mit der baltoslaw. Sippe von russ. *jabloko* »Apfel«, beachte auch den lat. Namen der kampanischen Stadt Abella, die wohl nach ihrer Apfelzucht benannt ist. Welche Vorstellung dieser den Germanen, Kelten, Balten und Slawen gemeinsamen Benennung der Frucht des Apfelbaums zugrunde liegt, ist dunkel. – Das gemeingerm. Wort bezeichnete ursprünglich wahrscheinlich den Holzapfel. Als die Germanen durch den römischen Obstanbau veredelte Apfelsorten kennen lernten, übertrugen sie die Bezeichnung für den wild wachsenden Apfel auf die veredelte Frucht, während sie sonst die lat. Namen der Früchte von den Römern übernahmen (vgl. z. B. die Artikel *Birne, Kirsche, Pflaume*). – Im übertragenen Gebrauch bezeichnet ›Apfel‹ im Dt. Dinge, die mit der Form eines Apfels Ähnlichkeit haben, beachte z. B. ›Augapfel‹ (vgl. *Auge*), ›Granatapfel‹ (s. d.), ›Reichsapfel‹ (vgl. *Reich*). Zus.: **Apfelbaum** (mhd. *apfelboum,* für die alte germ. Benennung mhd. *apfalter,* ahd. *affoltra,* aengl. *apulder,* aisl. *apaldr;* zum 2. Bestandteil vgl. *Teer*); **Apfelschimmel** (17. Jh.; nach den apfelförmigen Flecken benannt). Vgl. den Artikel *Apfelsine.*

Apfel

für einen Apfel/Appel und ein Ei
(ugs.) »spottbillig, fast umsonst«
Die Wendung erklärt sich wohl daraus, dass – in normalen Zeiten – auf jedem Bauernhof Äpfel und Eier reichlich vorhanden sind und keinen großen Wert darstellen. Man kann einen Apfel und ein Ei – wie auch ein Butterbrot – ruhig abgeben, ohne davon arm zu werden.

Apfelsine: Die Frucht wurde um 1500 von den Portugiesen aus Südchina eingeführt. Nach Norddeutschland gelangte sie um 1700 über die Nordseehäfen Amsterdam und Hamburg. Ihr nordd. Name beruht auf älter niederl. *appelsina* (noch mdal., im heutigen Niederl. gilt *sinaasappel*), niederd. *Appelsina,* was wörtlich so viel bedeutet wie »Apfel von China«. (›Sina‹ ist die alte Form des Ländernamens China.) Im 18. Jh. hieß die Frucht deshalb bei uns auch ›Chinaapfel‹. Die anderen Namen ↑Orange und ↑Pomeranze kamen aus Italien nach Deutschland.

aph..., Aph... ↑apo..., Apo...

Aphorismus »Gedankensplitter; geistreicher, prägnant formulierter Sinnspruch«: Das Wort wurde im 16. Jh. über mlat. *a(m)phorismus,* spätlat. *aphorismus* »kurzer Lehrsatz« entlehnt. Dieses stammt aus griech. *aph-orismós* »Abgrenzung, Bestimmung; kurzer Satz, der den Hauptgedanken einer Sache in gedrängter Form zusammenfasst«. Das griech. Substantiv gehört zu *aph-orízein* »abgrenzen, genau bestimmen« (vgl. *apo..., Apo...* u. Horizont). – Dazu das Adjektiv **aphoristisch** »im Stil des Aphorismus; prägnant, geistreich«.

apo..., Apo..., (vor Vokalen und vor h:) ap..., Ap... bzw. aph..., Aph...: Die Vorsilbe mit der Bed. »von – weg, ab«, in Fremdwörtern wie ↑Apostroph, ↑Aphorismus u. a., stammt aus griech. *apó* »von – weg, ab« (Präposition u. Präfix), die etymologisch verwandt mit dt. ↑ab ist.

Apokalypse »Offenbarung, prophetische Schrift über das Weltende; grauenvolles Ende, schrecklicher Untergang«: Das im Mittelalter aus kirchenlat. *apocalypsis* übernommene Wort geht zurück auf gleichbed. griech. *apokálypsis,* eigentlich »Enthüllung« (zu *apo-kalýptein* »enthüllen«; aus griech. *apó* »von – weg« [vgl. *apo..., Apo...*] und griech. *kalýptein* »verhüllen, bedecken«). – Dazu stellt sich das Adjektiv **apokalyptisch** »die Apokalypse betreffend; grauenvoll, schrecklich« (16. Jh.; nach griech. *apokalyptikós*). Die vier apokalyptischen Reiter, Sinnbilder für Pest, Krieg,

A

Hunger, Tod, entstammen der Apokalypse des Johannes.

Apostel »Sendbote« (insbesondere »Jünger Jesu«), auch übertragen gebraucht im Sinne von »Vertreter einer neuen [Glaubens]lehre«: Das aus der lat. Kirchensprache übernommene Wort (mhd. *apostel*, ahd. *apostolo;* entsprechend schon got. *apaústaúlus*), das jedoch erst durch Luthers Bibelübersetzung allgemein bekannt wurde, führt über kirchenlat. *apostolus* auf griech. *apó-stolos* »abgesandt; Bote; Apostel« zurück. Dies gehört zu griech. *apo-stéllein* »entsenden«, einer Bildung zu griech. *stéllein* »fertig machen, aufstellen, ausrüsten; senden« (vgl. *Stola* und zum 1. Bestandteil den Artikel *apo..., Apo...*).

Apostroph »Auslassungszeichen«: Das Fremdwort ist eine gelehrte Entlehnung des 17. Jh.s aus gleichbed. griech.-spätlat. *apó-strophos.* Das griech. Wort ist eigentlich ein Adjektiv mit der Bed. »abgewandt; abfallend« und gehört zu griech. *apostréphein* »abwenden«, einer Bildung zu griech. *stréphein* »wenden« (vgl. *Strophe* und zum 1. Bestandteil den Artikel *apo..., Apo...*).

Apotheke: Grundwort dieses seit dem Mittelalter bezeugten Lehnwortes (mhd. *apotēke*) ist das unter ↑Theke behandelte griech. Substantiv *thḗkē* »Behältnis«, das in Verbindung mit der Vorsilbe ↑apo..., Apo... (griech. *apothḗkē*) einen Ort bezeichnet, an dem man etwas abstellen und aufbewahren kann, also einen »Abstellraum, eine Vorratskammer, ein Magazin«. Deutlicher wird dies noch in dem daraus entlehnten lat. Substantiv *apotheca* und in den hieraus hervorgegangenen roman. Wörtern span. *bodega*, frz. *boutique*. So bezeichnete denn auch die Apotheke ursprünglich einen Vorratsraum, speziell den in alten Klöstern zur Versorgung der Kranken angelegten Raum für Heilkräuter. Entsprechend war der **Apotheker** ursprünglich der Lagerdiener oder Lagerverwalter (mhd. *apotēker* < lat.-mlat. *apothecarius*). – Interessant ist, dass diese Bezeichnungen im Frz. nicht gelten. Vielmehr stehen dort *pharmacie* für »Apotheke« u. *pharmacien* für »Apotheker«. Diese entsprechen unseren rein wissenschaftlichen Fachwörtern ↑Pharmazie, Pharmazeut, pharmazeutisch. – In den gleichen kulturgeschichtlichen Zusammenhang gehören noch Lehn- u. Fremdwörter wie ↑Arznei, ↑Pille; und aus jüngerer Zeit: ↑destillieren, ↑kondensieren, *filtrieren* ↑Filter, ↑Droge u. a.

Apparat »Gerät; Vorrichtung; Ausrüstung«: Das Fremdwort erscheint schon im 14. Jh. mit der Bed. »Zusammenstellung von Texterklärungen« und nimmt seit dem 15. Jh. die Bed. »Vorrat an Werkzeugen« an. Die heute übliche Bed. »Gerät; Vorrichtung; Ausrüstung« kommt erst im Anfang des 19. Jh.s auf. Quelle des Wortes ist lat. *apparatus* »Zubereitung, Zurüstung; Einrichtung; Werkzeuge«, das von lat. *ap-parare* »beschaffen; ausrüsten« (vgl. *parat*) abgeleitet ist. – Dazu die junge nlat. Bildung **Apparatur** »Gesamtanlage von Apparaten; Gerätschaft« (20. Jh.).

Appartement »komfortable Kleinwohnung; Zimmerflucht in einem luxuriösen Hotel«: Das Wort wurde im 17. Jh. entlehnt aus frz. *appartement* »(größere) abgeteilte und abgeschlossene Wohnung« (< it. *appartamento*, vgl. *apart*). Zugleich drang das frz. Wort in das Engl.-Amerik. *(apartment)*, von wo es im 20. Jh. ein zweites Mal ins Dt. als **Apartment** »Kleinwohnung in einem [komfortablen] Mietshaus« entlehnt wurde. – Das zugrunde liegende it. Verb *appartare* »abteilen« geht auf lat. *a parte* »zur Seite, abgetrennt« zurück, das seinerseits zu lat. *pars (partis)* »Teil« (vgl. *Partei*) gehört.

Appeal ↑Appell.

Appell »Aufruf; Mahnruf«: Das Fremdwort wurde im 17. Jh. zunächst als militärischer Fachausdruck aus frz. *appel* entlehnt (zu frz. *appeler* »[auf]rufen«). Voraus liegt eine zu lat. *pellere* »stoßen, treiben« (vgl. das Fremdwort *Puls*) gehörende Zusammensetzung, lat. *appellare* (< **adpellāre*) »um Hilfe ansprechen, anrufen«, das ursprünglich etwa »mit Worten antreiben, auffordern« bedeutete. Unmittelbar hieraus wurde in mhd. Zeit das Verb **appellieren** »anrufen; (mit Nachdruck) hinweisen« entlehnt. – Frz. *appel* wurde auch ins Engl. entlehnt (engl. *appeal*), von wo es im 20. Jh. als **Appeal** »Anziehungskraft, Wirkung« – zunächst in der Verbindung ›Sexappeal‹ – ins Deutsche gelangte.

Appetit: Das Wort mit der Bedeutung »Esslust, Hunger; Verlangen« wurde im 15. Jh. aus lat.-mlat. *appetitus (cibi)* »Verlangen (nach Speise)« entlehnt. Das zugrunde liegende Verb lat. *ap-petere* »nach etwas hinlangen; verlangen, begehren« ist eine Bildung zu lat. *petere* »zu erreichen suchen; begehren, verlangen«, das etymologisch mit dt. ↑Feder verwandt ist. Abl.: **appetitlich** »appetitanregend; sauber, nett« (16. Jh.). Aus dem engl. *appetite* wurde das Substantiv *appetizer* »Vorspeise, Appetitanreger« abgeleitet und in der 2. Hälfte des 20. Jh.s in dieser Bedeutung als **Appetizer** ins Deutsche übernommen. – Zum gleichen Stammwort (lat. *petere*) gehören auch die Fremdwörter ↑kompetent und ↑repetieren.

applaudieren »Beifall klatschen«: Das Verb wurde in der 2. Hälfte des 16. Jh.s aus gleichbed. lat. *applaudere (applausum)* entlehnt, einer Bildung zu lat. *plaudere (plausum)* »klatschen, schlagen; Beifall klatschen« (vgl. *plausibel*). – Dazu das Substantiv **Applaus** »Beifall« (1. Hälfte 17. Jh.; aus gleichbed. spätlat. *applausus*).

applizieren »anwenden; (Farben) auftragen; aufnähen, als modische Verzierung anbringen«: Das seit dem Anfang des 16. Jh.s bezeugte Verb ist entlehnt aus lat. *applicare* »anfügen; anwenden«, einer Bildung zu lat. *plicare* »falten, zusammenlegen« (vgl. *kompliziert*).

apportieren: Der Ausdruck für »etwas (besonders

erlegtes Wild) herbeibringen« ist seit dem 18. Jh. bezeugt. Er ist formal aus frz. *apporter* »herbeibringen« entlehnt, hat jedoch seinen besonderen Bezug auf den Hund von entsprechend frz. *rapporter* übernommen. Quelle des frz. Wortes ist lat. *ap-portare* »herbeibringen«, eine Bildung zu lat. *portare* »tragen« (vgl. den Artikel *Porto*).

Apposition »hauptwörtliche Beifügung; Beisatz«: Der grammatische Terminus ist aus lat. *appositio*, eigentlich »das Hinsetzen; der Zusatz«, entlehnt. Das lat. Substantiv gehört zu *ap-ponere* »hinstellen; hinzufügen«, einer Bildung zu lat. *ponere (positum)* »setzen, stellen, legen« (vgl. den Artikel *Position*).

appretieren »Geweben durch entsprechendes Bearbeiten ein besseres Aussehen, Glanz, Festigkeit geben«: Das Verb wurde im 18. Jh. aus gleichbed. frz. *apprêter* entlehnt, einer Bildung zu frz. *prêt* »bereit, fertig«. Dazu das Substantiv **Appretur** »das Appretieren; Glanz, Festigkeit eines Gewebes« (18. Jh.).

Approach »Art der Annäherung an ein Problem, besonders wirksame Werbezeile«: Das Fremdwort wurde in der 2. Hälfte des 20. Jh.s aus gleichbed. engl. *approach* übernommen, einer Substantivierung des Verbs *to approach* »sich nähern«, das über frz. *approcher* auf lat. *appropriare* zurückgeht.

approbiert »(nach bestandener Prüfung) als Arzt oder Apotheker bestätigt und zugelassen«: Das seit der 1. Hälfte des 16. Jh.s gebräuchliche Wort ist das in adjektivische Funktion übergegangene zweite Partizip des heute wenig gebräuchlichen Verbs **approbieren** »billigen, genehmigen«. Quelle des Wortes ist gleichbed. lat. *ap-probare*, eine Bildung zu lat. *probare* »billigen« (vgl. *prüfen*). – Dazu **Approbation** »staatliche Zulassung zur Berufsausübung (bei Ärzten u. Apothekern)«, aus lat. *approbatio* »Billigung, Genehmigung«.

Aprikose: Die seit dem 17. Jh. bei uns bekannte Steinfrucht trägt im Grunde einen lat. Namen, dessen ursprüngliche Gestalt auf den verschlungenen Pfaden seiner Entlehnung verstümmelt wurde. Zu dem unter ↑kochen behandelten lat. Verb *coquere* »kochen; zur Reife bringen« gehört ein Adjektiv *praecoquus* »vorzeitig Früchte tragend«, das in der Verbindung vlat. *(persica) praecocia* einen »frühreifen Pfirsich« bezeichnete. Name und Sache gelangten durch griech. Vermittlung (spätgriech. *praikókkion*) zu den Arabern (arab. [mit Artikel] *al-barqūq* »die Pflaume«) und von dort mit den Mauren nach Spanien (span. *albaricoque*) und Westeuropa. Uns erreichte der Name über Frankreich (frz. *abricot*, Plural *abricots*) und die Niederlande (niederl. *abrikoos*).

April: Der Name des vierten Monats des Kalenderjahres, ahd. *abrello*, mhd. *aberelle, abrille*, beruht wie z. B. entsprechend it. *aprile*, frz. *avril* und engl. *April* auf lat. *Aprilis (mensis)*. Die weitere Herkunft des lat. Wortes ist nicht sicher geklärt.

April

jmdn. in den April schicken
»jmdn. am 1. April zum Besten halten«
Die seit dem Beginn des 17. Jh.s bezeugte Wendung bezieht sich auf den Brauch der Aprilscherze, bei denen es meist darum geht, jmdn. etwas besorgen zu lassen, was es gar nicht gibt, oder etwas tun zu lassen, was er gar nicht tun soll. Auch in Holland, Frankreich und England ist es üblich, andere Menschen am 1. April zum Narren zu halten. Warum dieser Brauch am 1. April stattfindet, ist nicht sicher geklärt. Da er vermutlich von Frankreich nach Deutschland gelangte, könnte es damit zusammenhängen, dass Karl IX. im Jahr 1564 den Neujahrstag vom 1. April auf den 1. Januar verlegte. Wer das vergaß, traf seiner Vorbereitungen umsonst.

apropos »nebenbei bemerkt, übrigens«: Das seit dem 17. Jh. zunächst mit der Bed. »zur Sache, zum behandelten Gegenstand« bezeugte Adverb ist aus frz. *à propos* »der Sache, dem Gegenstand, dem Thema angemessen« (zu frz. *propos* »Gespräch«) entlehnt.

Aquamarin: Der Name des meerwasserblauen Edelsteins ist eine gelehrte Bildung aus lat. *aqua marina* »Meerwasser«, die in den roman. Sprachen bereits für das 16. Jh. bezeugt ist (beachte z. B. gleichbed. it. *acquamarina* und frz. *aigue-marine*).

Aquarell: Die im Dt. seit dem späten 18. Jh. gebräuchliche Bezeichnung für die Technik, in Wasserfarben zu malen, und konkret für das in Wasserfarbe gemalte Bild beruht wie entsprechend frz. *aquarelle* auf gleichbed. it. *acquerello* (älter: *acquerella*). Das frz. Wort mag dabei auf die Form unseres Fremdwortes eingewirkt haben. Das it. Substantiv selbst gehört als Ableitung zu it. *acqua* < lat. *aqua* »Wasser« (vgl. *Aquarium*).

Aquarium »Wasserbehälter zur Pflege und Zucht von Wassertieren und -pflanzen«: Das Wort ist eine gelehrte Neubildung des 19. Jh.s zu lat. *aquarius* »zum Wasser gehörig«. – Das zugrunde liegende Stammwort lat. *aqua* »Wasser«, das etymologisch mit dt. ↑Au, Aue verwandt ist, erscheint auch in den Fremdwörtern ↑Aquamarin, ↑Aquarell, ↑Aquavit.

Äquator: Die Bezeichnung für den größten Breitenkreis, der die Erdkugel in zwei »gleiche« Halbkugeln teilt, erscheint als geographischer Terminus seit dem 16. Jh. Es handelt sich bei diesem Fremdwort um eine gelehrte Entlehnung aus lat. *aequator* »Gleichmacher«, das zu lat. *aequare* »gleichmachen« und weiter zu lat. *aequus* »gleich« (vgl. *egal*) gehört.

Aquavit: Das Fremdwort kam im 16. Jh. in der Apothekersprache als gelehrte Bezeichnung für »Branntwein« auf. Es beruht auf lat. *aqua vitae* und bedeutet demnach eigentlich »Lebenswasser« (im Frz. entspricht *eau-de-vie*). Heute ver-

A

steht man unter ›Aquavit‹ einen bestimmten, charakteristisch gewürzten Trinkbranntwein.

Ar: Die Bezeichnung für das Flächenmaß von 100 m² wurde im 19. Jh. aus gleichbed. frz. *are* entlehnt. Das frz. Wort selbst beruht auf lat. *area* »freier Platz, Fläche«. – Siehe auch den Artikel *Hektar.*

ar..., Ar... ↑ad..., Ad...

Ära »Zeitabschnitt; Amtszeit«: Das Wort wurde im 17. Jh. aus spätlat. *aera* »gegebene Zahlengröße (als Ausgangspunkt einer Berechnung); Zeitabschnitt, Epoche« entlehnt. Das lat. Wort stellt einen alten Neutr. Plur. von lat. *aes (aeris)* »Erz, Kupfererz« (etymologisch verwandt mit dt. ↑ehern) dar, der als Femin. Sing. aufgefasst wurde.

Arabeske: Die Bezeichnung für »Ornament in arabischer Art, ranken-, blattförmige Verzierung« wurde im 18. Jh. als Terminus der bildenden Kunst und der Baukunst aus gleichbed. frz. *arabesque* entlehnt, das seinerseits aus entsprechend it. *arabesco,* einer Bildung zu it. *arabo* »arabisch«, stammt.

Arbeit: Das gemeingerm. Wort mhd. *ar[e]beit,* ahd. *ar[a]beit,* got. *arbaiþs,* aengl. *earfođe,* aisl. *erfiđi* ist wahrscheinlich eine Bildung zu einem im germ. Sprachbereich untergegangenen Verb mit der Bed. »verwaist sein, ein zu schwerer körperlicher Tätigkeit verdingtes Kind sein«, das von idg. **orbho-s* »verwaist; Waise« abgeleitet ist (vgl. [1]*Erbe*). Eng verwandt ist die slaw. Wortgruppe von poln. *robota* »Arbeit« (s. den Artikel *Roboter*). Das gemeingerm. Wort bedeutete ursprünglich im Deutschen noch bis in das Nhd. hinein »schwere körperliche Anstrengung, Mühsal, Plage«. Den sittlichen Wert der Arbeit als Beruf des Menschen in der Welt hat Luther mit seiner Lehre vom allgemeinen Priestertum ausgeprägt. Er folgte dabei Ansätzen zu einer Wertung der Arbeit, wie sie sich in der Ethik des Rittertums und in der mittelalterlichen Mystik finden. Dadurch verlor das Wort ›Arbeit‹ weitgehend den herabsetzenden Sinn »unwürdige, mühselige Tätigkeit«. Es bezeichnete nun die zweckmäßige Beschäftigung und das berufliche Tätigsein des Menschen. Das Wort bezeichnet außerdem das Produkt einer Arbeit. – Abl.: **arbeiten** (mhd. *ar[e]beiten,* ahd. *ar[a]beiten* »[sich] plagen, [sich] quälen, angestrengt tätig sein«, entsprechend got. *arbaidjan,* aisl. *erfiđa*), dazu – z. T. mit reicher Bedeutungsentfaltung – die Präfixbildungen ›be-, er-, verarbeiten‹ und die zusammengesetzten Verben ›ab-, auf-, aus-, durch-, ein-, mit- zusammenarbeiten‹, ferner die Bildung **Arbeiter** (mhd. *arbeiter* »Tagelöhner, Handwerker«; seit dem 19. Jh. besonders Standesbezeichnung des Lohnarbeiters in Industrie und Landwirtschaft); **arbeitsam** »fleißig; reich an Arbeit« (mhd., ahd. *arbeitsam* »mühsam, beschwerlich«). – Zus.: **Arbeitsessen** »bei einer Zusammenkunft von Verhandlungspartnern eingenommene Mahlzeit« (2. Hälfte des 20. Jh.s, Lehnübersetzung von engl. *working lunch*).

Archäologie »Altertumskunde (als Wissenschaft von den alten Kulturen und ihren Kunstdenkmälern)«: Das Wort ist eine gelehrte Entlehnung des 17. Jh.s aus griech. *archaiología* »Erzählungen aus der alten Geschichte«. Dies gehört zu griech. *archaĩos* »ursprünglich; altertümlich; alt« und griech. *lógos* »Wort, Rede; Kunde, Wissenschaft usw.« (vgl. *Logik*).

Arche: Das Wort gelangte früh mit den römischen Händlern zu den Germanen. Aus lat. *arca* »Kasten, Lade, Geldkasten« (zu lat. *arcanus* »verschlossen, geheim« u. *arcere* »verschließen, in Schranken halten«; ↑exerzieren, Exerzitien) wurde got. *arka,* ahd. *arka, archa,* mhd. *arke, arche,* mnd. *arke,* engl. *ark,* schwed. *ark.* Die Bedeutung »Geldkasten« hält sich bei dem Wort bis ins Mhd. Im Nhd. lebt es nur in der biblischen Bedeutung (Arche Noah) fort, die aus der Vulgata in die luthersche Bibel überging.

Architekt »Baumeister«: Das in dieser Form seit dem 16. Jh. bezeugte Fremdwort führt über gleichbed. lat. *architectus* auf griech. *archi-téktōn* »Baumeister« (eigentlich »Oberzimmermann«) zurück. Dessen Bestimmungswort *archi-* »Ober-, Haupt-« gehört zu griech. *árchein* »der Erste sein, Führer sein«, *archós* »Anführer, Oberhaupt« (vgl. *Archiv*). Über das Grundwort *téktōn* »Zimmermann, Zimmerer« vgl. den Artikel *Technik.* – Dazu: **Architektur** »Baukunst; Baustil« (16. Jh., aus gleichbed. lat. *architectura*); **architektonisch** »baulich, baukünstlerisch, den Gesetzen der Baukunst entsprechend« (16. Jh.; aus gleichbed. spätlat. *architectonicus* < griech. *archi-tektonikós*).

Archiv »Aufbewahrungsort für [amtliche] Dokumente, Akten; Urkundensammlung«: Das seit der 2. Hälfte des 15. Jh.s bezeugte Fremdwort wurde im Bereich der Kanzleisprache aus spätlat. *archivum* (Nebenform von *archium*) »Aufbewahrungsort für amtliche Urkunden und Dokumente« entlehnt. Das lat. Wort selbst beruht auf griech. *archeĩon* »Regierungs-, Amtsgebäude«. Stammwort ist das griech. Verb *árchein* »der Erste sein; anfangen, beginnen; regieren, herrschen« (dazu griech. *archḗ* »Anfang, Ursprung; Herrschaft, Macht; Regierung«), das u. a. auch im Bestimmungs- oder Grundwort von Fremdwörtern wie ↑Architekt, ↑Anarchie, ↑Hierarchie, ↑Monarch, Monarchie, ↑Patriarch erscheint, ferner verdunkelt in der Vorsilbe ↑Erz... und in den Lehnwörtern ↑Arzt und ↑Arznei. – Abl.: **Archivar** »Archivbeamter« (1. Hälfte 17. Jh.).

Arena: Die Bezeichnung für »Kampfbahn, Sportplatz; Manege« wurde am Ende des 16. Jh.s aus lat. *[h]arena* »Sand, Sandbahn; Kampfplatz im Amphitheater« entlehnt. Die Deutung des lat. Wortes ist unsicher.

arg »schlimm, böse, schlecht«: Das altgerm. Adjektiv mhd. *arc,* ahd. *arg,* niederl. *erg,* aengl. *earg,* schwed. *arg* wurde in den alten Sprachzuständen in den Bed. »ängstlich, feige; geil, wolllüstig; (moralisch) schlecht« verwendet. Es gehört wahrscheinlich im Sinne von »bebend, zitternd, erregt« zu der idg. Wurzelform **ergh-* »[sich] heftig bewegen, erregt sein, beben« und ist dann z. B. verwandt mit griech. *orcheīsthai* »beben; hüpfen, springen; tanzen« (↑Orchester). Die Substantivierung **Arg** (mhd. *arc*, ahd. *arg* »Böses, Schlechtigkeit«) ist heute nur noch in ›ohne Arg‹ und ›kein Arg‹ gebräuchlich, beachte dazu die Bildung **arglos** (18. Jh.). Abl.: **ärgern** (s. d.); **verargen** »übel nehmen« (mhd. *verargen* »arg werden«). Zus.: **Arglist** »Hinterlist, Hinterhältigkeit« (mhd. *arclist*), dazu **arglistig** (mhd. *arclistec*); **Argwohn** »Misstrauen« (mhd. *arcwān*, ahd. *argwān* »schlimme Vermutung, Verdacht«; zum zweiten Bestandteil vgl. *Wahn*), dazu **argwöhnen** (mhd. *arcwænen*, ahd. *argwānen*) und **argwöhnisch** (mhd. *arcwænec*, ahd. *argwānīg*).

ärgern »erzürnen, reizen«: Das Verb mhd. *ergern*, *argern*, ahd. *argorōn*, *ergirōn* ist von dem Komparativ des unter ↑arg behandelten Adjektivs abgeleitet und bedeutet demnach eigentlich »schlimmer, böser, schlechter machen«. Abl.: **Ärger** (18. Jh.); **ärgerlich** (mhd. *ergerlich*); **Ärgernis** (mhd. *ergernis*).

Arglist, arglistig; arglos ↑arg.

Argument »Beweisgrund, Beweismittel«: Das Fremdwort wurde schon im Mhd. aus gleichbed. lat. *argumentum* (eigentlich »was der Erhellung und Veranschaulichung dient«) entlehnt. Stammwort ist lat. *arguere* »erhellen; beweisen«. – Abl.: **argumentieren** »etwas als Argument anführen; beweisen, begründen« (nach gleichbed. lat. *argumentari*); **Argumentation** »Beweisführung« (aus gleichbed. lat. *argumentatio*).

Argwohn, argwöhnen, argwöhnisch ↑arg.

Arie »Sologesangstück mit Instrumentalbegleitung (bes. in Oper u. Oratorium)«: Das seit dem Anfang des 17. Jh.s bezeugte Fremdwort bedeutete zunächst allgemein »Weise, Melodie«. Die heutige spezielle Bedeutung bildete sich erst im 18. Jh. heraus. Das Wort beruht wie frz. *air* »Lied, Weise; Arie« auf gleichbed. it. *aria*.

Arier: Das Fremdwort wurde im Dt. vor allem in der nationalsozialistischen Rassenideologie zur Ausgrenzung des jüdischen Teils der Bevölkerung verwendet. Es wurde bereits Anfang des 18. Jh.s aus sanskr. *arya* »Edler« entlehnt. Zunächst wurde es in der ethnographischen Fachsprache in der Bedeutung »Inder, Angehöriger der indischen und iranischen Völker« verwendet, in der Sprachwissenschaft wurde es dann erweitert zu »Indogermane, Indoeuropäer«. Bereits im 19. Jh. lässt sich eine rassistische Umdeutung im Sinne von »Nichtjude, Nordeuropäer, Germane; Angehöriger einer angeblich geistig, kulturell und politisch überlegenen nordischen Menschengruppe« feststellen. – Abl.: **arisch** (19. Jh.).

Arithmetik »Zahlenlehre, das Rechnen mit Zahlen«: Die seit der Mitte des 14. Jh.s bezeugte Bezeichnung führt über lat. *arithmetica* auf griech. *arithmētikḗ (téchnē)* »Rechenkunst« zurück. Das zugrunde liegende Adjektiv griech. *arithmētikós* »zum Rechnen gehörig« gehört zu griech. *arithmeīn* »zählen, rechnen« und weiter zu griech. *arithmós* »Zahl«.

Arkade: Die Bezeichnung für »Bogen auf zwei Pfeilern oder Säulen«, meist im Plural gebraucht im Sinne von »fortlaufende Bogenreihe zwischen zwei Räumen, Bogengang«, wurde als Fachwort der Baukunst im 17. Jh. aus gleichbed. frz. *arcade* entlehnt, das seinerseits auf it. *arcata* »Arkade« beruht. Dies gehört zu it. *arco* (< lat. *arcus*) »Bogen, Schwibbogen; Bogengewölbe«.

Arktis: Die geographische Bezeichnung der Nordpolgegend ist eine gelehrte Neubildung zu lat. *arcticus* < griech. *arktikós* »arktisch«. Stammwort ist griech. *árktos* »Bär« (< idg. **ṛk̂-to-s*) in seiner speziellen Bed. »Großer Bär« (= Nordgestirn). – Die auf der Erdkugel »gegenüberliegende« Südpolgegend heißt entsprechend **Antarktis**, nach lat. *antarcticus* < griech. *antarktikós*; vgl. die Vorsilbe *anti..., Anti...*

arm: Das gemeingerm. Adjektiv mhd., ahd. *arm*, got. *arms*, aengl. *earm*, schwed. *arm* gehört wahrscheinlich im Sinne von »verwaist« zu der idg. Wortgruppe von ↑[1]Erbe. Das Adjektiv wurde zunächst im Sinne von »vereinsamt, bemitleidenswert, unglücklich« verwendet. An diese Bedeutung schließen sich an ↑barmherzig und ↑erbarmen; beachte auch die Verwendung von ›arm‹ im christlichen Sinne, z. B. ›arme Seele‹, ›armer Sünder‹. Im Sinne von »besitzlos« wurde ›arm‹ im Westgerm. Gegenwort zu ›reich‹. – Abl.: **verarmen** (mhd. *verarmen*, für älteres *armen*, ahd. *armēn* »arm werden oder sein«); **ärmlich** (mhd. *ermelich*, ahd. *armalīh* »dürftig; unglücklich«); **Armut** (mhd. *armuot[e]*, ahd. *armuotī*, mit dem Suffix, mit dem auch ↑Einöde und ↑Heimat gebildet sind); **armselig** (15. Jh., von einem im Nhd. untergegangenen Substantiv mhd. *armsal* »Armut, Elend«).

Arm: Die gemeingerm. Körperteilbezeichnung mhd., ahd. *arm*, got. *arms*, engl. *arm*, schwed. *arm* beruht mit verwandten Wörtern in anderen idg. Sprachen auf einer Bildung zu der idg. Wurzel **ar[ə]-* »fügen, zupassen«, vgl. z. B. lat. *armus* »Oberarm, Schulterblatt; Vorderbug bei Tieren« und aind. *īrmá-ḥ* »Arm; Vorderbug bei Tieren«. Die Bed. »Arm« hat sich demnach aus »Fügung, Gelenk, Glied« entwickelt. – Die vielfach weitergebildete und erweiterte idg. Wurzel **ar[ə]-*, **rē-* bezog sich ursprünglich wahrscheinlich auf das Stapeln, Zurechtlegen und Zusammenfügen der Bauhölzer, dann auch auf geistiges Zurechtlegen, Zählen und Berechnen. Zu ihr gehören ferner aus anderen idg. Sprachen z. B. griech. *ararískein* »zusammenfügen; verfertigen; einrichten«, *árthron*

»Gelenk, Glied« (↑Arthritis), *harmonía* »Fügung; Fuge; Bund; Ordnung« (↑Harmonie) und wohl auch *arithmós* »Zählung, [An]zahl« (↑Arithmetik), weiterhin lat. *arma* (Plural) »Ausrüstung, Gerätschaft, Waffen« (↑Armee), *artus* und *articulus* »Gelenk, Glied« (↑Artikel), *ars* (Genitiv *artis*) »Geschicklichkeit, Kunst« (↑Artist) und *ratus* »berechnet« (↑Rate), *ratio* »Berechnung« (↑Ration und rational), *ritus* »religiöser Brauch« (↑Ritus). Aus dem germ. Sprachbereich gehören zu dieser Wurzel außer ›Arm‹ die Sippen von ↑Rede (s. d. über *raten*, [1]*gerade*, *hundert*) und ↑Reim sowie die unter ↑anberaumen und ↑Art behandelten Wörter. – Von ›Arm‹ abgeleitet ist ↑Ärmel. Eine junge Bildung ist **umarmen** »in die Arme nehmen« (17. Jh.). An den übertragenen Gebrauch von ›Arm‹ schließen sich z. B. die Zusammensetzungen **Flussarm** und **Hebelarm** an.

Arm

jmdm. in den Arm fallen
»jmdn. an etw. hindern«
Die Wendung schließt an ›fallen‹ in der Bedeutung »eine schnelle Bewegung machen« an. Der Angegriffene stürzt auf den erhobenen Arm des Angreifers zu, um den Hieb oder Stich abzuwehren.

jmdm. [mit etw.] unter die Arme greifen
»jmdn. in einer Notlage [mit etw.] helfen«
In dieser Wendung ist das Bild von der Hilfeleistung noch recht deutlich erhalten. Man greift einem Menschen, der zu stürzen oder zusammenzubrechen droht, unter die Arme und fängt ihn auf. Auch verletzte Personen birgt man, indem man ihnen unter die Arme greift.

Armatur »Ausrüstung von technischen Anlagen, Maschinen und Fahrzeugen mit Bedienungs- und Messgeräten; der Bedienung und Überwachung dienendes Teil von technischen Anlagen; Vorrichtung zum Drosseln«: Das Wort ist Anfang des 16. Jh.s aus lat. *armatura* »Ausrüstung; Bewaffnung« entlehnt, das zu lat. *arma* »Gerätschaften; Waffen« (vgl. *Armee*) gehört.

Armbrust: Der Name der mittelalterlichen Schusswaffe geht zurück auf mhd. *armbrust*, das durch volksetymologische Umbildung nach ›Arm‹ und ›Brust‹ aus mlat. *arbalista* bzw. aprov. *arbalesta* entstand. (Mhd. *armbrust* kann zunächst an mhd. *berust* »Bewaffnung, Ausrüstung« angelehnt und als »Armwaffe« verstanden worden sein.) Das mlat. Wort geht zurück auf lat. *arcuballista*, eine Zusammensetzung aus lat. *arcus* »Bogen« (vgl. *Arkade*) und lat. *ballista* »Wurfmaschine« (vgl. *ballistisch*). Die ›arcuballista‹ war im Altertum eine Art Bogenschleuder, die als Handwaffe getragen oder auf Rädern fortbewegt werden konnte. Im Mittelalter setzte sie sich, obwohl zunächst vom Rittertum verpönt, als Waffe zum Schießen von Bolzen, Pfeilen, Stein- und Bleikugeln durch. Seit dem 15./16. Jh. wurde die Armbrust durch die Feuerwaffen verdrängt.

Armee »Streitmacht, Heer«: Das Fremdwort wurde in der 2. Hälfte des 16. Jh.s als militärischer Terminus aus gleichbed. frz. *armée* (eigtl. »bewaffnete Truppe«) entlehnt. Das zugrunde liegende Verb frz. *armer* »bewaffnen; ausrüsten«, aus dem unser Verb **armieren** »bewaffnen; ausrüsten; mit Armaturen versehen« stammt, beruht auf gleichbed. lat. *armare*. Stammwort ist das lat. Substantiv *arma* (Neutr. Plur.), das zunächst allgemein »Gerätschaften« bedeutet, dann im speziellen Sinne »Kriegsgerät, Waffen«. Mit beiden Bedeutungen spielt das mit dt. ↑Arm etymologisch verwandte Wort in Fremdwörtern eine Rolle, mit der ursprünglichen Bed. in ↑Armatur, mit der speziellen Bed. »Waffen« noch in ↑Alarm, ↑Lärm und ↑Gendarm.

Ärmel: Das westgerm. Substantiv mhd. *ermel* »Ärmel«, ahd. *armilo* »Armring; Armfessel«, mnd. *ermel* »Ärmel«, aengl. *earmella* »Ärmel« ist eine Bildung zu der unter ↑Arm behandelten Körperteilbezeichnung und bezeichnet also das, was den Arm bedeckt oder am Arm getragen wird. Anders gebildet ist die nord. Sippe um schwed. *ärm* »Arm«.

Ärmel

etw. im Ärmel haben/behalten
(ugs.) »etw. in Reserve haben«
Diese Wendung spielt wahrscheinlich auf das Repertoire des Falschspielers an, der Spielkarten im Ärmel versteckt hält.

etw. aus dem Ärmel schütteln
(ugs.) »etwas mit Leichtigkeit schaffen, besorgen«
Die Wendung erklärt sich daraus, dass die Ärmel der spätmittelalterlichen Kleidungsstücke oft sehr weit waren und als Taschen dienten. Man konnte also ohne weiteres Geldstücke, ein Schreiben o. dgl. regulär aus dem Ärmel schütteln. Bei der Entstehung der Wendung kann speziell die Vorstellung der weiten Ärmel der Taschenspieler und Zauberer mitgewirkt haben.

armieren ↑Armee.

ärmlich; armselig; Armut ↑arm.

Aroma, Arom »Wohlgeruch, -geschmack«: Das Fremdwort wurde im 17. Jh. aus griech.-lat. *árōma* »Gewürz« entlehnt. Die weitere Herkunft ist unsicher. – Die Bedeutungsentwicklung zu »Wohlgeruch« vollzog sich zuerst im abgeleiteten Adjektiv **aromatisch** »würzig, wohlriechend«, das schon im 16. Jh. aus lat. *aromaticus* < griech. *arōmatikós* übernommen wurde.

Arrak: Die seit dem 17. Jh. zuerst in Norddeutschland bekannte Bezeichnung für »Branntwein [aus Reis]« führt über gleichbed. frz. *arak (arac)* auf arab. *ʿaraq* »eine Art starken Branntweins« (eigentlich »Schweiß«) zurück. Die Araber bezeichneten mit diesem Wort ein aus Ostindien bekanntes, aus gegorenem Reis, Zucker und Kokosnüssen hergestelltes alkoholisches Getränk.

arrangieren »anordnen, zusammenstellen; vorbereiten«, auch im speziellen Sinne von »ein Musikstück für Instrumente bearbeiten«: Das Verb wurde Anfang des 18. Jh.s aus frz. *arranger* »in Ordnung bringen, einrichten, zurechtmachen« entlehnt, das zu frz. *ranger* »ordnungsgemäß aufstellen« (vgl. *Rang*) gehört. – Dazu: **Arrangement** »Anordnung, Zusammenstellung; Einrichtung eines Musikstücks, Instrumentierung« (18./19. Jh., aus gleichbed. frz. *arrangement*); **Arrangeur** »jemand, der ein Musikstück einrichtet« (1. Hälfte 19. Jh., aus gleichbed. frz. *arrangeur*).

Arrest »Haft; Nachsitzen«: Das Fremdwort (spätmhd. *arrest*) wurde zunächst als juristischer Terminus verwendet, später vorwiegend in der Militär- und Schulsprache. Es geht zurück auf mlat. *arrestum* »Verhaftung«, das zu mlat. *arrestare* (< **ad-restare*) »dableiben; dableiben machen« gehört (vgl. *ad..., Ad...* und *Rest*). Dieses Verb liegt frz. *arrêter* zugrunde, aus dem Ende des 17. Jh.s unser Verb **arretieren** »verhaften; feststellen, sperren« entlehnt wurde. Dazu wurde im 20. Jh. das technische Fachwort **Arretierung** »Sperrvorrichtung (an Geräten)« gebildet.

Arroganz »Anmaßung«: Das Substantiv ist eine seit dem 14. Jh. belegte Entlehnung aus gleichbed. lat. *arrogantia*. Das zugrunde liegende lat. Verb *ar-rogare* (< **ad-rogare*) bedeutet eigentlich etwa »(Fremdes) für sich beanspruchen«, dann übertragen »sich anmaßen«. – Dazu ist das Adjektiv **arrogant** um 1700 wohl unter Einfluss von gleichbed. frz. *arrogant* (zu lat. *arrogans [arrogantis]*) aufgekommen. Über weitere etymologische Zusammenhänge vgl. den Artikel *regieren*.

Arsch (derb für:) »Gesäß«: Das altgerm. Wort mhd., ahd. *ars*, niederl. *aars*, engl. *arse*, schwed. *ars* beruht mit verwandten Wörtern in anderen idg. Sprachen auf idg. **orso-s* »Hinterer« (eigentlich wohl »Erhebung, hervorragender Körperteil«), vgl. z. B. hethit. *arraš* »Hinterer« und griech. *órros* »Hinterer«. – In der niederen Umgangssprache wird das Wort ›Arsch‹ mit seinen Ableitungen und Zusammensetzungen überaus häufig verwendet, beachte z. B. die Zusammensetzungen **Arschbacke** derb für »Gesäßhälfte« (↑den Artikel [2]Backe), **Arschgeige** derb für »Mensch, der nichts leistet oder dumm ist, Versager«, **arschklar** derb für »ganz klar, völlig einleuchtend«, **Arschkriecher** derb für »liebedienernder, unterwürfiger Mensch«, **Arschlecker** derb für »Schmeichler«, **Arschpauker** derb für »Lehrer« (↑den Artikel Pauke) und die Ableitung **verarschen** derb für »sich mit jemandem einen Spaß erlauben«, ferner z. B. Wendungen wie ›Schütze Arsch‹ soldatensprachlich für »einfacher Soldat«, ›Arsch mit Ohren‹ derb für »ausdrucksloses oder hässliches Gesicht; widerlicher Mensch« und ›jemandem den Arsch aufreißen‹ derb für »jemandem Ordnung beibringen, ihn drillen, heftig zurechtweisen«.

Arsen: Der Name des chemischen Elementes ist aus der älteren Bezeichnung *arsenic* (15. Jh.) hervorgegangen. Diese Form lebt in dem Fremdwort ›Arsenik‹ unmittelbar fort, das im modernen Sprachgebrauch eine äußerst giftige Arsenverbindung bezeichnet. Der Name führt über spätlat. *arsenicum* (lat. *arrhenicum*) »Arsenik« auf griech. *arsenikón (arrhenikón)* »Arsenik« zurück, das selbst wohl ein orientalisches Lehnwort ist, aber im antiken Sprachgefühl als zu griech. *arsenikós* »männlich; stark« gehörig empfunden wurde (wegen der »starken« Giftwirkung des Stoffes).

Art: Die nhd. Form geht zurück auf mhd. *art* »Herkunft, Abstammung; angeborene Eigentümlichkeit, Natur, Wesen, Beschaffenheit; Art und Weise«, dessen weitere Herkunft nicht sicher ist. Einerseits kann mhd. *art* identisch sein mit mhd. *art* »Ackerbau; [Pflug]land; Ertrag« und auf ahd. *art* »Pflügen, Ackerbau« beruhen, vgl. ahd. *artōn* »pflügen, den Boden bestellen; wohnen; bleiben, dauern« und aengl. *eard* »[bebautes] Land, Wohnplatz, Heimat«, aisl. *ǫrđ* »Ertrag, Ernte«. Diese germ. Sippe ist z. B. verwandt mit lat. *arare* »pflügen« und griech. *aróein* »pflügen«. Andererseits kann mhd. *art* zu der unter ↑Arm dargestellten idg. Wurzel gehören und eng verwandt sein mit aengl. *eard* »Fügung, Schicksal; Lage« und norw. *einard* »einfach, unvermischt«. – Um ›Art‹ gruppieren sich die Bildungen **artig** »wohlerzogen«, früher auch »anmutig, hübsch; höflich« (mhd. *ertec* »angestammte gute Beschaffenheit habend«) und **arten** »in die Art schlagen, veranlagt sein« (mhd. *arten* »abstammen; eine Beschaffenheit haben oder annehmen; gedeihen«), beachte die zusammengesetzten Verben und Präfixbildungen **abarten** »aus der Art schlagen, abweichen« (Ende 16. Jh. für lat. *degenerare*), daraus rückgebildet **Abart** »abweichende Art« (18. Jh., in der Bed. »Entartetes«), dazu **abartig** »vom Normalen abweichend, krankhaft« (17. Jh.); **ausarten** »Maß und Form verlieren« (17. Jh., für lat. *degenerare*); **entarten** »seine Art verlieren, aus der Art schlagen« (mhd. *entarten*).

Arterie: Die medizinische Bezeichnung für »Schlagader« wurde Mitte des 14. Jh.s aus gleichbed. lat. *arteria* < griech. *artēría* (< **au̯ertēría*) entlehnt. Das griech. Wort gehört zu *aeírein* »anbinden, aufhängen«, mit einer ähnlichen Bedeutungsentwicklung wie im verwandten ↑Aorta.

Arthritis »Gelenkentzündung«: Die Krankheitsbezeichnung ist über lat. *arthritis* aus griech. *arthrī́tis (nósos)* »Gliederkrankheit; Gicht« entlehnt, das zu griech. *árthron* »Glied, Gelenk« (etymologisch verwandt mit dt. ↑Arm) gehört.

A

artig ↑Art.

Artikel: Lat. *articulus* »kleines Gelenk; Glied; Abschnitt; Teilchen«, eine Verkleinerungsbildung zu lat. *artus* »Gelenk; Glied« (vgl. hierüber das Fremdwort *Artist*), gelangte in spätmhd. Zeit in die deutsche Kanzleisprache mit der Bed. »Abschnitt eines Schriftstücks, eines Vertrages«. In der Kaufmannssprache entwickelte das Wort seit dem 17. Jh. nach entsprechend frz. *article* die neue Bed. »Handelsgegenstand, Ware«. In der Sprachlehre schließlich wurde ›Artikel‹ seit Mitte des 16. Jh.s zur festen Bezeichnung des Geschlechtswortes (etwa im Sinne von »Rede-, Satzteilchen«). – Aus einem von lat. *articulus* abgeleiteten Verb lat. *articulare* »gliedern; deutlich (gegliedert) aussprechen« stammt unser seit dem 15. Jh. bezeugtes Verb **artikulieren** »betont und deutlich aussprechen; zum Ausdruck bringen«. Dazu das Substantiv **Artikulation** »das Artikulieren; gegliederte Aussprache; Lautbildung« (nach spätlat. *articulatio* »gehörig gegliederter Vortrag«).

Artillerie: Das seit dem späten 15. Jh. bezeugte Fremdwort ist aus frz. *artillerie* »Gesamtheit der Geschütze, des schweren Kriegsmaterials; mit Geschützen ausgerüstete Truppe« entlehnt, das seinerseits von afrz. *artill[i]er* »mit Kriegsgerät bestücken, ausrüsten« abgeleitet ist. Dieses Verb ist wahrscheinlich unter dem Einfluss von afrz. *art* »Geschicklichkeit« aus afrz. *atilier* »schmücken; ausrüsten; bewaffnen« (< vlat. **apticulare*, zu lat. *aptare* »instand setzen, rüsten«, *aptus* »geeignet«) hervorgegangen.

Artischocke: Der seit dem 16. Jh. bezeugte Name der Zier- und Nutzpflanze, deren fleischiger Blütenboden als Feingemüse verwendet wird, beruht wie entsprechend frz. *artichaut* auf nordit. *articiocco* »Artischocke«, einer Nebenform von it. *carciofo*, das wahrscheinlich über älter span. *alcarchofa* aus arab. (mit Artikel) *al-ḫaršūf* entlehnt ist.

Artist »Künstler, der [mit Geschicklichkeitsübungen] im Zirkus oder Varieté auftritt«: Das Fremdwort erscheint zuerst im 16. Jh. mit der allgemeinen Bed. »Künstler«. Es ist in diesem Sinne unmittelbar aus gleichbed. mlat. *artista* entlehnt. Die heute vorherrschende spezielle Bedeutung des Wortes kommt erst im 19. Jh. unter dem Einfluss von entsprechend frz. *artiste* auf. – Mlat. *artista* gehört als Ableitung zu lat. *ars (artis)* »Geschicklichkeit; Kunst; Wissenschaft«, das ebenso wie lat. *artus* »Gelenk; Glied« (↑Artikel) urverwandt ist mit dt. ↑Art. – Abl.: **Artistik** »Varieté-, Zirkuskunst; größe körperliche Geschicklichkeit« (19. Jh.); **artistisch** »nach Art eines Artisten, von besonderer [körperlicher] Geschicklichkeit; hohes formalkünstlerisches Können zeigend« (19. Jh.).

Arznei: Zu dem Lehnwort ahd. *arzāt* (vgl. *Arzt*) gehören ahd. *gi-arzātōn* »ärztlich behandeln« und mhd. *arzātīe* »Heilmittel, Heilkunst«. Das von dem Lehnwort abgeleitete Verb geriet unter den Einfluss des heimischen Verbs für »heilen«: ahd. *lāchinōn*. Daraus entstanden die ahd. Formen *gi-arzinōn, erzinōn*, mhd. *erzenen* »heilen«. In Analogie hierzu wurde mhd. *arzātīe* von *arzenīe, erzenīe* abgelöst, woraus frühnhd. *arz[e]nei* wurde.

Arzt: Das Wort wurde im 9. Jh. als ahd. *arzāt* (mhd. *arzet, arzāt*) aus spätlat. *archiater* griech. < *archíātros* »Oberarzt« (vgl. zum Bestimmungswort *Archiv* und *...iater*) entlehnt. Es war Titel der Hofärzte antiker Fürsten, zuerst bei den Seleukiden in Antiochia. Mit den römischen Ärzten kam es zu den fränkischen Merowingern. Von den Königshöfen ging der Titel auf die Leibärzte geistlicher und weltlicher Persönlichkeiten über und wurde schon in ahd. Zeit allgemeine Berufsbezeichnung. Dadurch wurde die germ. Bezeichnung des Heilkundigen verdrängt: ahd. *lāchi*, got. *lēkeis*, eigentlich »Besprecher« (s. auch ahd. *lāchinōn* unter ↑Arznei). Volkstümlich ist das Wort ›Arzt‹ nicht geworden, wohl aber das im 15. Jh. entlehnte ↑Doktor. – Abl.: **ärztlich** (mhd. *arzātlich*); **verarzten** (mdal. und ugs. für:) »[als Arzt] behandeln, versorgen« (20. Jh.).

as..., As... ↑ad..., Ad...

Asbest »mineralischer, feuerfester Faserstoff«: Das Fremdwort ist eine mhd. Entlehnung aus griech.-lat. *á-sbestos (líthos)* »Asbeststein«. Das zugrunde liegende griech. Adjektiv *á-sbestos* »unauslöschlich, unzerstörbar« ist eine mit Alpha privativum (vgl. [2]*a..., A...*) gebildete Ableitung von griech. *sbénnȳmi* »ich lösche, lösche aus usw.«.

Asche: Das altgerm. Wort mhd. *asche*, ahd. *asca*, niederl. *as*, engl. *ash*, schwed. *aska* gehört mit dem anders gebildeten got. *azgō* »Asche« zu der unter ↑Esse dargestellten idg. Wortgruppe. – Abl.: **einäschern** »in Asche legen, verbrennen« (17. Jh., von der Nebenform Ascher, s. u. Aschermittwoch; seit etwa 1900 speziell für die Feuerbestattung gebraucht). Zus.: **Aschenbecher** (Ende des 19. Jh.s; nach der früher üblichen becherähnlichen Form des Gefäßes); **Aschenbrödel** (mhd. *aschenbrodele* »Küchenjunge«, eigentlich »einer, der in der Asche wühlt«, vgl. *brodeln*). Im Volksmärchen bezeichnet ›Aschenbrödel‹ den jüngsten von drei Brüdern, der untätig in der Herdasche liegt und sich später als der stärkste und klügste erweist; im grimmschen Märchen bezeichnet es die jüngste, zur Küchenarbeit gezwungene Tochter. – Landsch. ist auch **Aschenputtel** gebräuchlich (vgl. *buddeln*); **Aschermittwoch** (15. Jh., spätmhd. *aschermitwoche* für mhd. *aschtac*; das Bestimmungswort ist eine Nebenform des heute allein üblichen Plurals ›Aschen‹, s. o. ›einäschern‹ und vgl. mhd. *aschervar* »aschenfarben«. Der erste Tag des vorösterlichen Fastens ist so benannt, weil der Priester an diesem Tage den büßenden Gläubigen ein Aschenkreuz auf die Stirn zeichnet. Die Asche gilt als Sinnbild der Vergänglichkeit, Trauer und Buße.).

Asche

sich Asche aufs Haupt streuen; sein Haupt mit Asche bestreuen
(geh.) »demütig bereuen«
Die Wendung nimmt Bezug auf den Brauch, sich zum Zeichen der Trauer mit Asche oder Staub zu bestreuen, vgl. 2. Samuel, 13, 19: ›Thamar warf Asche auf ihr Haupt.‹

äsen »fressen« (vom Wild): Das Verb ist von dem unter ↑Aas behandelten Substantiv in dessen alter Bed. »Speise, Futter« abgeleitet.

Askese »streng enthaltsame Lebensweise; Bußübung«: Das Fremdwort ist eine gelehrte Entlehnung des 18. Jh.s aus griech. *áskēsis* »(körperliche und geistige) Übung; Lebensweise«, das zu griech. *askein* »sorgfältig tun; verehren; üben« gehört. – Dazu: **Asket** »in Askese lebender Mensch; Büßer« (18. Jh., aus griech. *askētḗs* > mlat. *asceta* »jemand, der sich in etwas übt«) mit dem abgeleiteten Adj. **asketisch** »entsagend, enthaltsam« (18. Jh.).

asozial ↑sozial.

Aspekt »Betrachtungsweise, Gesichtspunkt; Aussicht«: Das Fremdwort erscheint im 15. Jh. und ist zunächst als astronomischer Terminus (»Stellung der Gestirne am Himmel«) bezeugt. Es ist aus lat. *aspectus* »Anblick; Aussicht« (eigentlich »das Hinsehen«) entlehnt, das zu lat. *aspicere* (< **ad-specere*) »hinsehen« gehört. Das Grundwort lat. *specere* »schauen« ist urverwandt mit dt. ↑spähen. Vgl. im Übrigen das Lehnwort ↑*Spiegel*, unter dem die lat. Sippe dieses Stammes behandelt ist.

Asphalt: Die Bezeichnung wurde schon in der 2. Hälfte des 15. Jh.s mit der allgemeinen Bed. »abdichtendes Mineral« über spätlat. *asphaltus* aus lat. *asphaltus* entlehnt, das seinerseits aus griech. *ásphaltos* »Asphalt, Erdharz« stammt. Das griech. Wort ist ursprünglich ein substantiviertes, mit Alpha privativum (vgl. [2]*a..., A...*) gebildetes Verbaladjektiv von griech. *sphállesthai* »zu Fall kommen, beschädigt werden« und bedeutet demnach eigentlich »unzerstörbar«. Das ursprünglich vornehmlich im Mauerbau verwendete Material ist also nach seiner starken Bindeeigenschaft benannt. Die von Frankreich im 19. Jh. ausgehende Verwendung im Straßenbau hat unter Einfluss von gleichbed. frz. *asphalte* zu der modernen Bed. »Gemisch aus Bitumen und Mineralstoffen in der Verwendung als Straßenbelag« geführt.

Aspik: Der Ausdruck für »Gallert aus Gelatine oder Kalbsknochen« wurde im 19. Jh. aus gleichbed. frz. *aspic* entlehnt, dessen Herkunft unklar ist.

Aspirant »Bewerber, Anwärter«: Das Wort wurde im 18. Jh. aus gleichbed. frz. *aspirant* entlehnt. Das zugrunde liegende Verb frz. *aspirer* »anhauchen, einatmen; nach etwas streben, trachten; sich bewerben« beruht auf lat. *aspirare* (< **adspirare*) »hinhauchen, zuhauchen; (übertr.:) sich einer Person oder Sache nähern; etwas anstreben«, einer Bildung zu lat. *spirare* »hauchen, blasen« (vgl. *Spiritus*).

Ass: Das Wort bezeichnete ursprünglich die »Eins« auf Würfeln, später auch auf Spielkarten. Weil das Ass in den meisten Kartenspielen die höchste [Trumpf]karte ist, nennt man heute (nach engl. Vorbild) im übertragenen Gebrauch z. B. auch einen besonders gelungenen Aufschlagball im Tennis oder auch einen hervorragenden Spitzensportler ›Ass‹. Das Wort wurde in nhd. Zeit als Terminus des Würfelspiels aus frz. *as* übernommen, das seinerseits auf lat. *as (assis)* »das Ganze als Einheit« (als Münzname u. a.) beruht.

Assel: Die Herkunft des erst seit dem 16. Jh. bezeugten Namens des Krebstieres ist nicht sicher geklärt. Vielleicht beruht er auf lat. *asellus* »Eselchen«, einer Verkleinerungsbildung zu lat. *asinus* »Esel«, beachte it. *asello* »Assel«. Vgl. zu diesem Benennungsvorgang griech. *onískos* »Assel« zu griech. *ónos* »Esel«. Das Krebstier wäre dann nach seiner grauen Farbe als »Eselchen« benannt.

Assessor »Anwärter auf die höhere Beamtenlaufbahn«: Das Wort wurde im 15./16. Jh. zunächst als juristischer Terminus mit der Bed. »Beisitzer am Gericht« aus gleichbed. lat. *assessor* entlehnt, das zu lat. *assidere* »dabeisitzen« (< **ad-sedere*) gehört. – Das Stammwort lat. *sedere* »sitzen«, das urverwandt ist mit dt. ↑sitzen, liegt auch in den Fremdwörtern ↑possessiv und ↑präsidieren vor.

assimilieren »angleichen, anpassen«: Das Verb wurde gegen Ende des 17. Jh.s aus lat. *as-similare (assimulare)* »ähnlich machen, angleichen« entlehnt, einer Bildung aus lat. *ad* »an, zu« (vgl. *ad..., Ad...*) und lat. *simulare* (vgl. *simulieren*). Es wird wie das dazugehörige Substantiv **Assimilation** »Angleichung, Anpassung« (aus lat. *assimilatio* »Ähnlichmachung«) besonders fachsprachlich (Biologie, Sprachwissenschaft) verwendet.

assistieren »beistehen, unterstützen«: Das Verb wurde Ende des 16. Jh.s aus gleichbed. lat. *as-sistere* entlehnt, einer Bildung aus lat. *ad* »hinzu« (vgl. *ad..., Ad...*) und lat. *sistere* »hinstellen; sich hinstellen, sich stellen« (vgl. *stabil*). – Dazu: **Assistent** »Gehilfe, [wissenschaftlicher] Mitarbeiter« (16. Jh., zunächst im allgemeinen Sinne »Helfer, Freund«; aus lat. *assistens, -tentis*, dem Part. Präs. von *assistere*); **Assistenz** »Beistand, Mithilfe« (mlat. *assistentia*). – Lat. *sistere* erscheint auch in dem Fremdwort ↑existieren.

assoziieren »sich [genossenschaftlich] zusammenschließen, anschließen; eine gedankliche Vorstellung mit etwas verknüpfen«: Das Verb ist zunächst als kaufmännischer Ausdruck seit der Mitte des 16. Jh.s bezeugt. Es ist aus gleichbed. frz. *s'associer* entlehnt, das seinerseits auf lat. *associare* »beigesellen; vereinigen, verbinden« beruht, einer Bildung aus lat. *ad* »hinzu« (vgl. *ad..., Ad...*) und lat. *sociare* »verbinden« (vgl. *sozial*). Dazu: **Assoziation** »Vereinigung, [genossenschaftlicher] Zusammenschluss; Verknüpfung von Vorstellungen« (17. Jh.; aus gleichbed. frz. *association*) und **assoziativ** »verknüpfend; auf Assoziation beruhend« (aus gleichbed. frz. *associatif*).

Ast: Das altgerm. Wort mhd., ahd. *ast*, got. *asts*, mniederl. *ast* beruht mit verwandten Wörtern in anderen idg. Sprachen auf idg. **ozdo-s* »Ast, Zweig«, vgl. z. B. griech. *ózos* »Ast, Zweig« und armen. *ost* »Ast, Zweig«. Das idg. Wort ist eine alte Zusammensetzung und bedeutet eigentlich »was [am Stamm] ansitzt«. Der erste Bestandteil ist idg. **ŏ̄* »nahe an etwas heran, zusammen mit«, der zweite Bestandteil gehört zu der idg. Wurzel **sed-* »sitzen« (vgl. *sitzen;* s. auch den Artikel *Nest*). – Im heutigen Sprachgebrauch bezeichnet ›Ast‹ auch einen Knorren oder Auswuchs im Holz sowie einen Buckel auf dem Rücken.

Ast

auf dem absteigenden Ast sein/sich befinden
»über den Höhepunkt hinweg sein, in seinen Leistungen nachlassen«
Die Wendung knüpft an den fachsprachlichen Gebrauch von ›Ast‹ in der Mathematik und Physik an, z. B. ›Ast einer Hyperbel, Ast einer Geschossbahn‹.

sich einen Ast lachen
(ugs.) »sehr lachen«
In dieser Wendung hat ›Ast‹ die Bedeutung »verwachsener Rücken, Buckel«; ›sich einen Ast lachen‹ meint also »sich vor Lachen so krümmen, dass man eine Buckel bekommt«.

Aster: Die Zierpflanze ist nach ihrem »sternförmigen« Blütenstand benannt. Der Name kam im 18. Jh. als gelehrte Entlehnung aus griech.-lat. *astḗr* »Stern; Sternblume« auf. Griech. *astḗr* (daneben griech. *ástron* »Stern« in den Fremdwörtern ↑Astrologie, Astronomie) ist mit dt. ↑Stern urverwandt.

Ästhetik »Lehre vom Schönen«: Nlat. *Aesthetica*, um 1750 von dem deutschen Philosophen A. G. Baumgarten geprägt, ist eine gelehrte Bildung zu griech. *aisthētikós* »wahrnehmend«. Es meinte zunächst die »Wissenschaft vom sinnlich Wahrnehmbaren, von der sinnlichen Erkenntnis«, dann – verengt – die »Wissenschaft, Lehre vom sinnfällig Schönen«. Griech. *aisthētikós* »wahrnehmend« gehört zum Verb *aisthánesthai* »wahrnehmen« (vgl. den Artikel *Anästhesie*). Damit urverwandt ist lat. *audire* »hören« (↑Audienz). Als gemeinsame idg. Wurzel gilt **au̯-*, **au̯ēi-* »sinnlich wahrnehmen, auffassen«. – Abl.: **ästhetisch** »schön; die Ästhetik betreffend«, dazu **Ästhet** »Mensch mit ausgeprägtem Schönheitssinn«.

Asthma »erschwertes Atmen in Anfällen heftiger Atemnot«: Der medizinische Ausdruck ist eine gelehrte Entlehnung des 16. Jh.s aus griech. *ā̆sthma* »schweres, kurzes Atemholen; Beklemmung«. Das griech. Substantiv gehört wohl (als **ansthma*) zum Stamm **an[ə]-* »atmen, hauchen« in griech. *ánemos* »Wind« und in den unter ↑animieren genannten Wörtern. – Abl.: **asthmatisch** »an Asthma leidend, kurzatmig« (nach gleichbed. griech. *ā̆sthmatikós*).

Astrologie »Sternkunde (als Lehre vom Einfluss der Gestirne auf irdisches Geschehen)«: Das Wort ist eine gelehrte spätmhd. Entlehnung aus griech.-lat. *astro-logía*, zu griech. *ástron* »Stern« (vgl. *Aster*) u. griech. *lógos* »Wort; Kunde, Wissenschaft« (vgl. *Logik*). – Dazu: **Astrologe** »Sterndeuter« (16. Jh.; aus griech. *astro-lógos* > lat. *astrologus* »Sternkundiger; Sterndeuter«). – Gegenüber der Astrologie bezeichnet die **Astronomie** als »Stern- und Himmelskunde« die rein wissenschaftliche, mathematische Beschäftigung mit den Himmelskörpern. Das Fremdwort, das im 16. und 17. Jh. vielfach noch im Sinne von »Astrologie« gebraucht wurde, beruht auf griech.-lat. *astro-nomía* »Sternkunde« (über das Grundwort vgl. den Artikel *...nom*). Dazu: **astronomisch** »die Astronomie betreffend« (griech. *astro-nomikós* > spätlat. *astronomicus* »sternkundlich«), in der Umgangssprache häufig auch übertragen gebraucht im Sinne von »unermesslich groß, riesig«.

Astronaut: Die Bezeichung für »[Welt]raumfahrer« wurde Mitte des 20. Jh.s wohl unter Einfluss von älterem gleichbed. frz. *astronaute* und gleichbed. engl.-amerik. *astronaut* gebildet. Zugrunde liegen griech. Elemente (vgl. *Astrologie*). Vgl. auch den Artikel *Kosmonaut*.

Asyl »Zufluchtsstätte; Heim für Obdachlose«: Das Wort wurde im 15. Jh. aus lat. *asylum* < griech. *ásȳlon* »Freistätte, Zufluchtsort« (eigtl. »Unverletzliches«) entlehnt. Es gehört zu griech. *a-* »un-« (vgl. [2]*a..., A...*) und griech. *sȳ́lon* »Plünderung; Raub, Beute«.

at..., At... ↑ad..., Ad...

Atelier »Künstlerwerkstatt«: Das Fremdwort wurde Anfang des 18. Jh.s aus frz. *atelier* »Werkstatt« entlehnt. Das frz. Wort (afrz. *astelier*) bedeutete ursprünglich »Haufen von Holzspänen« und bezeichnete danach speziell den Arbeitsraum des Zimmermanns, in dem Holzspäne anfallen. Es handelt sich bei dem Wort um eine Ableitung von afrz. *astele* »Splitter, Span«, das auf gleichbed. spätlat. *astella* (für lat. *assula, astula*) beruht. Dies ist eine Verkleinerungsbildung zu lat. *asser* »Stange, Balken«.

Atem: Das westgerm. Wort mhd. *ātem*, ahd. *ātum*, niederl. *adem*, aengl. *ǣđm* ist verwandt mit aind. *ātmán-* »Hauch; Seele«. Die weiteren Beziehungen sind dunkel. – Die Nebenform (mit mdal. Lautung) **Odem**, die durch Luthers Bibelübersetzung Verbreitung fand, ist nur im religiösen Bereich üblich.

Atheismus »Gottesleugnung«: Das seit dem Ende des 16. Jh.s bezeugte Fremdwort ist eine nlat. Bildung zu griech. *á-theos* »ohne Gott, gottlos, Gott leugnend« (zu griech. *a-* »un-«, vgl. [2]*a...*, *A...*, und griech. *theós* »Gott«). – Der Anhänger des Atheismus heißt entsprechend **Atheist** (spätes 16. Jh.).

Äther »strahlender, blauer Himmel; farblose, als Narkose- und Lösungsmittel verwendete Flüssigkeit«: Nach altgriechischer Vorstellung bestand der Luftraum über der Erde aus zwei verschiedenen Luftzonen, aus einer unteren, niederen Schicht, die durch neblig-wolkige und dicke Luft gekennzeichnet ist (griech. *āḗr*, vgl. *aero...*, *Aero...*), und aus einer himmelsfernen, äußerst feinen und klaren Luftzone, die zugleich als Wohnsitz der unsterblichen Götter galt. Diese Letztere heißt nach dem in südlichen Gegenden besonders hell und strahlend erscheinenden Firmament, mit dem sie gleichgesetzt wird, griech. *aithḗr* (eigentlich »das Brennende, Glühende, Leuchtende«). Über lat. *aether* Anfang des 14. Jh.s ins Dt. entlehnt, wurde dieses Wort später oft poetisch als Synonym für »Sternenhimmel, Firmament« gebraucht. In etwas willkürlicher Übertragung benannte man damit auch ein »leicht flüchtiges« Betäubungsmittel. – Das abgeleitete Adjektiv **ätherisch** »ätherartig, flüchtig« verdankt seine Entstehung den Alchimisten, die es im ursprünglichen Sinne des Grundwortes verwendeten: ätherisches (d. i. »besonders fein glühendes«) Feuer. Von da gelangte es einerseits in die Dichtersprache im Sinne von »himmlisch«, andererseits in den theologischen Bereich in Fügungen wie ›ätherischer Leib‹ (d. i. »engelhaft, entrückt, nicht greifbar«). Entsprechend bedeutet es im heutigen Sprachgebrauch etwa »zart, gebrechlich«. – Das den Wörtern zugrunde liegende griech. Verb *aíthein* »brennen, glühen, leuchten« hat idg. Entsprechungen in lat. *aestus* »Glut, Hitze«, *aestas* »sommerlich warme Jahreszeit«. Als gemeinsame idg. Wurzel gilt **aidh-* »brennen, glühen«.

Athlet »Sportsmann, Wettkämpfer; Kraftmensch«: Das Fremdwort wurde im 16. Jh. über lat. *athleta* aus griech. *āthlētḗs* »Wettkämpfer« entlehnt. – Dazu stellen sich das Adjektiv **athletisch** »sportlich; durchtrainiert« (bereits im 16. Jh. mit der allgemeinen Bedeutung »kräftig, gesund« [aus lat. *athleticus* < griech. *āthlētikós* »athletisch«]) und das Substantiv **Athletik** »sportlicher Wettkampf« (aus gleichbed. lat. *athletica [ars]*), das jedoch nur noch in den Zusammensetzungen ›Leicht-, Schwerathletik‹ lebt.

Atlantik »Atlantischer Ozean«: Das nach dem altgriechischen Gott Atlās (vgl. unten [1]*Atlas*) benannte Gebirge Atlas in Afrika, auf dem nach antiken mythologischen Vorstellungen der Himmel ruhte, lieferte den Namen für das entlang der Westküste Afrikas sich erstreckende Meer, griech. *Atlantikón pélagos*, lat. *Atlanticum mare* (bzw. *Atlanticus oceanus*). Dieser Name wurde in die modernen Sprachen entlehnt (beachte entsprechend engl. *Atlantic*), und zwar nunmehr zur Bezeichnung für das gesamte zwischen Afrika, Europa und Amerika liegende Weltmeer.

[1]**Atlas** »Kartenwerk«: Die Bezeichnung begegnet zum ersten Mal als Titel eines im Jahre 1595 von dem Geographen Mercator herausgegebenen Landkartenwerkes. Sie ist vom Namen des griech. Gottes Atlās genommen, der nach antiken mythologischen Vorstellungen die Erdkugel auf seinen Schultern trug. – Siehe auch den Artikel *Atlantik*.

[2]**Atlas** »seidenartiges Gewebe mit hochglänzender Oberfläche«: Das Fremdwort erscheint im Dt. bereits im 15. Jh. Es geht zurück auf arab. *aṭlas* »kahl; glatt«, das in Verbindung mit Wörtern für Seidenstoffe eine glatte, minderwertige Seide bezeichnete und danach auch selbstständig in diesem Sinne gebraucht wurde.

Atmosphäre »Lufthülle«; übertragen: »Fluidum, Umwelt, Stimmung«; in der Physik Bezeichnung für die Einheit des Luftdrucks: Das Fremdwort ist eine gelehrte Neubildung des 17. Jh.s zu griech. *atmós* »Dunst« und griech. *sphaĩra* »Scheibe, Kugel; Erdkugel« (vgl. *Sphäre*).

Atoll: Die im Deutschen seit dem 19./20. Jh. übliche Bezeichnung für eine ringförmige Koralleninsel stammt vermutlich aus der südwestindischen Drawidasprache Malayalam, wo *aḍal* »verbindend« bedeutet. Ins Dt. gelangte das Wort durch Vermittlung von gleichbed. engl. *atoll*.

Atom »kleinste, nicht zerlegbare Einheit eines Elements, Grundteilchen der Materie«: Das Wort beruht auf einer gelehrten Entlehnung des 15. Jh.s aus griech. *átomos* > lat. *atomus* »der letzte unteilbare Urstoff der Materie«, dem substantivierten Femininum des griech. Adjektivs *á-tomos* »ungeschnitten; unteilbar«. Das Adjektiv ist eine ablautende Präfixbildung (vgl. [2]*a...*, *A...*) zu griech. *témnein* »schneiden« (etymologisch verwandt u. a. mit lat. *tondere* »scheren, abschneiden«). – Abl.: **atomar** »Atome, Atomwaffen betreffend« (20. Jh.).

Attaché »Gesandter ohne Botschafterrang«: Der Terminus der Diplomatensprache wurde im 19. Jh. aus gleichbed. frz. *attaché* übernommen. Das frz. Wort selbst ist das substantivierte Part. Perf. von frz. *attacher* »festmachen, anbinden, anknüpfen; zuweisen, zuordnen« und bezeichnet demnach eigentlich den einem Gesandten zugewiesenen Hilfsbeamten. Frz. *attacher* geht zurück auf gleichbed. afrz. *estachier*, das zu *estache* »Pfahl, Pfosten« (< fränk. **stakka* »Pfahl«, verwandt mit ↑Stecken) gehört.

A

attackieren »eine Attacke reiten; angreifen, zusetzen«: Das Verb wurde im 17. Jh. als militärischer Terminus aus frz. *attaquer* »angreifen« (< it. *attaccare* »Streit anfangen, mit jemandem anbinden«, eigentlich »festmachen«) entlehnt. Dazu gehört das etwa gleichzeitig übernommene Substantiv **Attacke** »Kavallerieangriff; Angriff, Anfall« (frz. *attaque*).

Attentat »Mordanschlag«: Das Fremdwort wurde in spätmhd. Zeit aus lat. *attentatum* »Versuchtes« entlehnt. Es wurde zunächst ganz allgemein im Sinne von »versuchtes Verbrechen« verwendet. Seit dem 18. Jh. hat es durch den Einfluss von frz. *attentat* nur noch die Bedeutung »Mordanschlag auf einen politischen Gegenspieler«. Das zugrunde liegende Verb lat. *attentare, attemptare* (< **ad-temptare*) »antasten« enthält die idg. Wurzel **temp-* »dehnen; (seine Aufmerksamkeit) anspannen«, eine Erweiterung von gleichbed. **ten-* (vgl. *tendieren*). – Dazu das abgeleitete Substantiv **Attentäter** (19. Jh.), das volksetymologisch an ›Täter‹ angelehnt ist.

Attest »[ärztliche] Bescheinigung; Zeugnis«: Das seit dem Anfang des 17. Jh.s bezeugte Wort ist eine Kurzform für älteres ›Attestat‹. Quelle des Fremdwortes ist lat. *attestatum,* das substantivierte Part. Perf. von lat. *at-testari* »bezeugen, bestätigen« (vgl. *Testament*).

Attraktion »zugkräftige Darbietung, Glanznummer; Anziehung, Anziehungskraft«: Das seit dem 19. Jh. bezeugte Fremdwort erscheint zuerst in der Sprache des Zirkuswesens und erlangt von dort her allgemeine Geltung. Es ist aus gleichbed. engl. *attraction* (eigentlich »Anziehung, Anziehungskraft«) entlehnt. Das engl. Wort selbst führt über frz. *attraction* »Anziehung, Anziehungskraft« auf spätlat. *attractio* »das Ansichziehen« zurück. Es gehört zu lat. *at-trahere* »an sich ziehen, anziehen«, einer Bildung aus lat. *ad* »an, hinzu« (vgl. *ad..., Ad...*) und lat. *trahere (tractum)* »ziehen, schleppen« (vgl. das Lehnwort *trachten*). – Zur gleichen Zusammensetzung (lat. *attrahere*) gehört das Fremdwort **attraktiv** »anziehend, hübsch, elegant«. Es erscheint im 16. Jh. mit der allgemeinen Bed. »anziehend« und ist aus gleichbed. spätlat. *attractivus* entlehnt. Seit dem frühen 19. Jh. wird das Adjektiv unter Einfluss von engl. *attractive* bzw. gleichbed. frz. *attractif* in der heutigen Bed. verwendet.

Attrappe »täuschend ähnliche Nachbildung (z. B. von Waren in Schaufenstern)«: Das Fremdwort wurde im späten 18. Jh. aus gleichbed. frz. *attrape* entlehnt. Das frz. Substantiv ist von frz. *attraper* »fangen; anführen, täuschen, foppen« abgeleitet und bedeutet demnach eigentlich »Falle«, dann »Scherz; täuschender Scherzartikel«. Frz. *at-traper* ist eine Bildung zu frz. *trappe* »Falle, Schlinge«, das seinerseits aus gleichbed. afränk. **trappa* stammt (↑trappen).

Attribut »Kennzeichen, charakteristische Beigabe (einer Person, besonders in der bildenden Kunst); Wesensmerkmal; Beifügung (in der Grammatik)«: Das Wort ist eine gelehrte Entlehnung des 17. Jh.s aus gleichbed. lat. *attributum,* dem substantivierten Part. Perf. von lat. *at-tribuere* »zuteilen, zuweisen, verleihen; beilegen, beifügen«, einer Bildung aus lat. *ad* »zu, hinzu« (vgl. *ad..., Ad...*) und lat. *tribuere* »teilen, zuteilen« (vgl. *Tribut*).

atzen (weidmännisch für:) »die Jungen füttern«, von Raubvögeln: Das heute nur noch in der Weidmannssprache gebräuchliche Verb (mhd. *atzen,* ahd. *āz[z]en* »speisen, füttern, nähren«) ist Veranlassungswort zu dem unter ↑essen behandelten Verb und bedeutet demnach eigentlich »essen machen«.

ätzen »durch Säuren oder Laugen auflösen, entfernen oder zerstören; durch Säure einzeichnen oder mustern«: Das gemeingerm. Verb mhd. *etzen,* ahd. *ezzen,* got. *[fra]atjan,* aengl. *ettan,* aisl. *etja* ist das Veranlassungswort zu dem unter ↑essen behandelten Verb und bedeutet demnach eigentlich »essen lassen«. Es wurde in den älteren germ. Sprachzuständen im Sinne von »verzehren lassen, füttern, grasen lassen, weiden« verwendet. Im Dt. wurde das Verb Ende des 15. Jh.s zum technischen Fachwort, wobei der fachsprachliche Gebrauch von der Anschauung ausgeht, dass sich die Säure gewissermaßen in das Metall hineinfrisst (vgl. den Artikel *beizen*). In der Jugend- und Umgangssprache (2. Hälfte des 20. Jh.s) wird das erste Partizip **ätzend** im Sinne von »sehr schlecht«, z. T. aber auch als Ausdruck der Anerkennung im Sinne von »sehr gut, hervorragend« verwendet. Eine nicht umgelautete Nebenform ist ↑atzen.

Au, Aue »Niederung, Flusslandschaft, Wiese«, (landsch. auch für:) »Insel«: Mhd. *ouwe,* ahd. *ouw[i]a* »Land im oder am Wasser, Halbinsel, Insel; Wasser«, afries. *ei-* »Insel-« (↑Eiland), aengl. *īeg* »Insel«, schwed. *ö* »Insel« beruhen auf der Substantivierung eines Adjektivs mit der Bed. »zum Wasser gehörig, am Wasser befindlich«. Das zugrunde liegende germ. **a[ʒ]wjō* »Insel, Au«, das also eigentlich »die zum Wasser Gehörige« bedeutet, ist abgeleitet von einem im Nhd. nur noch in Flussnamen bewahrten gemeingerm. Wort für »Wasser, Gewässer«: mhd. *ahe,* ahd. *aha,* got. *aƕa,* aengl. *ēa,* schwed. *å* »Wasser, Gewässer, Flusslauf« (vgl. die dt. Flussnamen Ach, Aach, Brigach, Salzach, Fulda). Damit ist außergerm. z. B. verwandt lat. *aqua* »Wasser, Gewässer, Fluss« (↑Aquarium und ↑Aquarell). – Das Wort ›Au[e]‹ kommt heute außer im dichterischen Sprachgebrauch gewöhnlich nur noch in Orts-, Landschafts- und Inselnamen vor, beachte z. B. Goldene Aue, Isarauen, Reichenau. – Eine Kollektivbildung zu ›Au[e]‹ ist vermutlich ↑Gau.

auch: In dem gemeingerm. Wort (Adverb und Konjunktion) mhd. *ouch,* ahd. *ouh,* got. *auk,* aengl.

ēac, schwed. *ock* sind wahrscheinlich zwei ursprünglich verschiedene Wörter zusammengefallen: 1. eine adverbiell erstarrte Kasusform eines im Dt. untergegangenen Substantivs mit der Bed. »Zunahme, [Ver]mehrung«, vgl. aengl. *ēaca* »Zunahme; Vermehrung; Vorteil; Wucher« aisl. *auki* »Vermehrung; Zuwachs; Nachkommen« und weiterhin got. *aukan* »vermehren«; 2. eine z. B. mit griech. *aū* »wieder, abermals, hingegen« und lat. *aut* »oder«, *autem* »aber« verwandte Partikel. Der doppelte Ursprung lässt sich noch an den verschiedenen Verwendungen des gemeingerm. Wortes in den alten Sprachzuständen erkennen, einerseits hinzufügend im Sinne von »und, auch«, andererseits begründend im Sinne von »denn, nämlich« und entgegensetzend im Sinne von »aber, dagegen«. Im heutigen dt. Sprachgebrauch wird ›auch‹ nur noch hinzufügend verwendet.

Audienz »feierlicher Empfang bei hohen politischen oder kirchlichen Würdenträgern«: Das seit dem frühen 15. Jh. in der Hof- und Regierungssprache übliche Fremdwort, das auf lat. *audientia* »Gehör, Aufmerksamkeit« zurückgeht, entwickelte seine spezielle Bedeutung aus Wendungen wie ›audientiam bitten bzw. geben‹. – Das dem lat. Substantiv zugrunde liegende Verb lat. *audire* (< **auis-dhire*) »hören« ist urverwandt u. a. mit griech. *aisthánesthai* »wahrnehmen« (vgl. *Ästhetik*).

Auditorium: Die bildungssprachliche Bezeichnung für »Hörsaal, Zuhörerschaft« wurde im 16. Jh. aus gleichbed. lat. *auditorium* entlehnt. Es gehört zu lat. *auditorius* »Zuhörer«, einer Bildung zu *audire* »hören« (vgl. *Audienz*).

Auerhahn: Die nhd. Form des Vogelnamens geht zurück auf mhd. *ūrhan,* das unter dem Einfluss von mhd. *ūr[e],* ahd. *ūro* »Auerochse« (vgl. *Auerochse*) aus mhd. *orhan* umgebildet worden ist. Das Bestimmungswort dieser verdeutlichenden Zusammensetzung mhd. *or-*, ahd. *orre-* (in *orrehuon* »Auerhenne«) entspricht schwed., norw. *orre,* aisl. *orri* »Birkhahn«. Dieser Vogelname ist z. B. verwandt mit griech. *ársēn* »männlich« und apers. *aršan-* »Mann, Männchen« und bedeutet – wie auch das eng verwandte schwed. *orne* »Zuchteber« – eigentlich »männliches Tier, Männchen«. Man benannte also zuerst den männlichen Vogel, weil sich dieser in der Größe und in der Farbe des Gefieders vom weiblichen Vogel unterscheidet und für den Jäger von größerem Interesse ist.

Auerochse: Die seit ahd. Zeit gebräuchliche Zusammensetzung mhd. *ūrochse,* ahd. *ūrohso* steht verdeutlichend für das im Nhd. untergegangene altgerm. Wort für »Auerochse«: mhd. *ūr[e],* ahd. *ūro,* aengl. *ūr,* aisl. *ūrr.* Gleichfalls verdeutlichende Zusammensetzungen sind z. B. ›Murmeltier‹ und ›Schmeißfliege‹ (s. d.). – Das altgerm. Wort ist wahrscheinlich im Sinne von »Befeuchter, [Samen]spritzer« mit der nord. Sippe von aisl. *ūr* »Feuchtigkeit, feiner Regen« und weiterhin z. B. mit lat. *urina* »Harn« (↑Urin) verwandt. Vgl. zu diesem Benennungsvorgang den Artikel *Ochse.* – Seit dem 18. Jh. ist neben der Bezeichnung ›Auerochse‹ auch eine erneuerte altdeutsche Form ›Ur‹ gebräuchlich.

auf: Das altgerm. Wort (Adverb und Präposition) mhd., ahd. *ūf,* niederl. *op,* engl. *up,* schwed. *upp* gehört mit ablautend got. *iup* »aufwärts« und den unter ↑[1]ob, ↑obere und ↑offen behandelten Wörtern zu idg. **up[o]-*, **eup-* »von unten an etwas heran oder hinauf«. In anderen idg. Sprachen sind z. B. verwandt griech. *hypó* »unten an etwas heran, unter« und lat. *sub* »unter«, die in zahlreichen aus dem Griech. und Lat. entlehnten Wörtern als erster Bestandteil stecken (↑hypo..., Hypo... und ↑sub..., Sub...). Im Sinne von »über das Maß hinausgehend« gehören hierher wahrscheinlich auch die unter ↑übel und ↑üppig behandelten Adjektive. Zu **up[o]* gehört ferner idg. **upér[i]* »über, oberhalb«, auf dem die Wortgruppe von ↑über beruht. – Als Adverb ist ›auf‹, das mit zahlreichen Verben unfeste Zusammensetzungen bildet, im heutigen dt. Sprachgebrauch durch ›hinauf‹, ›herauf‹ und ›aufwärts‹ zurückgedrängt. – Siehe auch den Artikel *Summe.*

aufbauen ↑bauen.

aufbäumen ↑Baum.

aufbauschen ↑Bausch.

aufbieten ↑bieten.

aufbinden ↑binden.

aufbrechen, Aufbruch ↑brechen.

aufbringen ↑bringen.

aufbrummen ↑brummen.

aufbürden ↑Bürde.

aufdringlich ↑Drang.

Aufenthalt »Bleiben, Verweilen; Ort des Verweilens, Wohnort; Unterbrechung, Verzögerung«: Die nhd. Form geht zurück auf mhd. *ūfenthalt* »Aufrechthaltung, Beistand; Unterhalt; Bleibe«, das zu mhd. *ūf-enthalten* »aufrecht halten, beistehen; Unterhalt gewähren; zurückhalten« gehört (vgl. *halten*).

auferstehen, Auferstehung ↑stehen.

auffallen, auffallend, auffällig ↑fallen.

auffassen ↑fassen.

auffordern ↑fordern.

auffrischen ↑frisch.

aufführen, Aufführung ↑führen.

Aufgabe ↑geben.

aufgabeln ↑Gabel.

Aufgang ↑gehen.

aufgeben ↑geben.

Aufgebot ↑bieten.

aufgedonnert ↑Donner.

aufgehen ↑gehen.

aufgeilen ↑geil.

aufgekratzt ↑kratzen.

aufgelegt ↑legen.

aufgeräumt ↑Raum.

aufhalsen ↑Hals.
aufhalten ↑halten.
aufheitern ↑heiter.
aufhören ↑hören.
aufklaren, aufklären, Aufklärer, Aufklärung ↑klar.
aufkommen ↑kommen.
aufkündigen ↑kund.
Auflage ↑legen.
Auflauf, auflaufen ↑laufen.
auflegen ↑legen.
auflehnen ↑[1]lehnen.
auflösen ↑lösen.
aufmachen ↑machen.
aufmerken, aufmerksam ↑merken.
aufmöbeln ↑Möbel.
aufmüpfig ↑muffeln.
aufpassen ↑passen.
aufplustern ↑plustern.
aufputschen ↑Putsch.
aufregen, Aufregung ↑regen.
aufreiben ↑reiben.
aufreißen ↑reißen.
aufrichten ↑richten.
aufrichtig ↑richtig.
Aufriss ↑reißen.
Aufruhr »Empörung, Tumult, Erhebung«: Die seit dem 15. Jh. bezeugte Zusammensetzung enthält als Grundwort das unter ↑Ruhr behandelte Substantiv in dessen älterer Bed. »heftige Bewegung«. Abl.: **Aufrührer** (15. Jh.); **aufrührerisch** (18. Jh., für älteres aufrührig, aufrührisch).
aufrüsten ↑rüsten.
aufsässig »widersetzlich, aufrührerisch«: Der zweite Bestandteil des seit dem 16. Jh. bezeugten Adjektivs gehört zu der Wortgruppe von ↑sitzen (vgl. mhd. *sāze* »Rast[ort], Wohnsitz; Lage, Stellung; Lauer, Nachstellung, Hinterhalt« und die heute veraltete Verwendung des zusammengesetzten Verbs ›aufsitzen‹ im Sinne von »sich widersetzen, feindlich sein«).
Aufsatz ↑setzen.
Aufschlag, aufschlagen ↑schlagen.
aufschlüsseln ↑Schlüssel.
aufschneiden, Aufschneider, Aufschnitt ↑schneiden.
aufschreiben, Aufschrift ↑schreiben.
aufschwemmen ↑schwemmen.
aufsehen, Aufsehen, Aufseher ↑sehen.
aufsetzen ↑setzen.
Aufsicht ↑sehen.
aufsitzen ↑aufsässig.
aufspielen, sich ↑Spiel.
Aufstand, aufständisch ↑stehen.
aufstecken ↑stecken.
aufstehen ↑stehen.
auftakeln ↑Takel.
auftischen ↑Tisch.
Auftrag, auftragen ↑tragen.
auftreiben ↑treiben.
auftreten ↑treten.
Auftrieb ↑treiben.
Auftritt ↑treten.
auftrumpfen ↑Trumpf.
auftürmen ↑Turm.
Aufwand ↑wenden.
aufwarten, Aufwärter ↑warten.
aufwärts ↑...wärts.
Aufwartung ↑warten.
aufwecken ↑wecken.
aufwenden ↑wenden.
aufwerfen ↑werfen.
aufwiegeln »zur Meuterei oder Empörung anstiften, verhetzen«: Das seit dem 16. Jh. bezeugte zusammengesetzte Verb, das sich von der Schweiz ausgebreitet hat, enthält als 2. Bestandteil eine Intensivbildung zu dem unter ↑[1]bewegen behandelten einfachen Verb (mhd. *wegen,* ahd. *wegan*), vgl. mhd. *wigelen* »schwanken«. Es bedeutet demnach eigentlich »heftig in Bewegung setzen«. Eine junge Gegenbildung ist **abwiegeln** »beschwichtigen; dämpfen« (20. Jh.).
aufzäumen ↑Zaum.
aufziehen, Aufzug ↑ziehen.
Auge: Das gemeingerm. Wort mhd. *ouge,* ahd. *ouga,* got. *augō,* engl. *eye,* schwed. *öga* gehört mit verwandten Wörtern in den meisten anderen idg. Sprachen zu der idg. Wurzel *$*ok^{u}$-* »sehen; Auge«, vgl. z. B. russ. *oko* »Auge«, lat. *oculus* »Auge« (↑okulieren und ↑Okular) und griech. *ópsesthai* »sehen werden«, *ómma* »Auge«, *optikós* »zum Sehen gehörig« (↑Optik). Falls die idg. Wurzel ursprünglich verbal war und »sehen« bedeutete, ist das Auge als »Seher« benannt worden. – Im übertragenen Gebrauch bezeichnet ›Auge‹ im Dt. Dinge, die mit der Form eines Auges Ähnlichkeit haben, speziell augenförmige Öffnungen und Tupfen, beachte z. B. die Zusammensetzungen ›Bullauge‹ (↑[1]Bulle), ›Hühnerauge‹ (s. d.), ›Pfauenauge‹ (↑Pfau). Vor allem wird es übertragen im Sinne von »[geschlossene] Pflanzenknospe, Keim«, »Punkt auf dem Würfel« und »Fetttropfen auf einer Flüssigkeit« verwendet. Die große Bedeutung des Gesichtssinnes für den Menschen spiegelt sich sprachlich in einer Fülle von Verbindungen und Redewendungen wider, beachte z. B. ›im Auge haben‹, ›unter die Augen kommen‹, ›ein Auge zudrücken‹, ›einem Sand in die Augen streuen‹. Abl.: **äugen** »vorsichtig oder scharf blicken«, gewöhnlich vom Wild (17. Jh.; dagegen mhd. *öugen* »vor Augen bringen, zeigen«, siehe dazu den Artikel ereignen). Zus.: **Augapfel** (mhd. *ougapfel,* ahd. *ougapful;* auch übertragen im Sinne von »Liebstes« gebraucht); **Augenblick** (mhd. *ougenblic* »[schneller] Blick der Augen«, seit dem 13. Jh. dann auch »ganz kurze Zeitspanne«); **Augenweide** (↑[2]Weide); **Augenwischerei** »Täuschung, Betrug« (20. Jh.; für älteres ›Augenauswischerei‹, das zu einer veralteten Wendung ›jemandem die Augen auswischen‹ »jemanden übervorteilen, betrügen« gehört).

Auge

das Auge des Gesetzes
(scherzh.) »die Polizei«
Dieser idiomatische Ausdruck ist allgemein bekannt durch Schillers ›Lied von der Glocke‹ (›... denn das Auge des Gesetzes wacht.‹). Schon bei antiken Autoren ist vom ›Auge der (strafenden) Gerechtigkeit‹ die Rede.

Auge um Auge, Zahn um Zahn
»Gleiches wird mit Gleichem vergolten«
Die Wendung stammt aus der Bibel, vgl. z. B. Moses 24, 19: ›Und wer seinen Nächsten verletzt, dem soll man tun, wie er getan hat. Schade um Schade, Auge um Auge, Zahn um Zahn.‹ Es handelt sich also eigentlich um Strafen, wie sie für die Rechtsprechung in den Bußkatalogen festgelegt waren.

jmdm. Sand in die Augen streuen
»jmdm. etw. vortäuschen, jmdn. täuschen«
Beim Fechten und bei anderen Zweikämpfen ist es ein alter Trick, dem Gegner Sand in die Augen zu werfen, um ihn in seiner Kampfkraft zu beeinträchtigen. Darauf geht diese Wendung zurück.

August: Der Name für den achten Monat des Kalenderjahres, ahd. *a[u]gusto,* mhd. *ougest[e],* beruht wie z. B. entsprechend frz. *août* auf gleichbed. lat. *(mensis) Augustus.* Der Monat wurde von den Römern zu Ehren des Kaisers Octavian nach dessen Beinamen Augustus »der Erhabene« benannt. Im Deutschen wurde der fremde Name gegenüber der einheimischen Bezeichnung ›Erntemond‹ von der Kanzleisprache des 16. Jh.s durchgesetzt.

Auktion »Versteigerung«: Das Fremdwort wurde im 16. Jh. als kaufmännischer Terminus aus gleichbed. lat. *auctio* (eigentlich »Vermehrung«, dann »Steigerung, nämlich des Preises«) entlehnt. Es gehört zu lat. *augere (auctum)* »wachsen machen; vergrößern, vermehren usw.« (vgl. *Autor*).

Aula: Die Bezeichnung für den Festsaal (in [Hoch]schulen) wurde im frühen 16. Jh. aus lat. *aula* »eingehegter Hofraum; bedeckte Halle (im röm. Haus)« entlehnt, das seinerseits aus griech. *aulḗ* »äußerer oder innerer Hof; Wohnung« stammt.

Aura: Das Fremdwort mit der Bedeutung »besondere Ausstrahlung« wurde im 17. Jh. aus lat. *áura* »Lufthauch, Dunst« entlehnt. Dieses geht zurück auf griech. *aura* »Luft, Hauch«. In dieser an das Lateinische und Griechische angelehnten Bedeutung ist es im Dt. seit dem 17. Jh. belegt, ab dem 18. Jh. findet es sich dann auch in lat. und latinisierenden Syntagmen wie *aura vitalis* »Lebenshauch, -kraft« und *aura sanguinis* »Blutdunst«. Von daher wurde es seit Ende des 19. Jh.s auch aufgefasst als »Gefühl, das wie ein Hauch aufsteigt (vor epileptischen Anfällen)« oder auch allgemein als »Krankheitsvorboten«. In der heute dominierenden Bedeutung »Ausstrahlung« ist es seit dem Ende des 19. Jh.s belegt.

aus: Das gemeingerm. Adverb mhd., ahd. *ūʒ,* got. *ūt,* engl. *out,* schwed. *ut* beruht mit verwandten Wörtern in anderen idg. Sprachen auf idg. **ŭ̄d-* »auf etwas hinauf, aus etwas hinaus«, vgl. z. B. aind. *úd-, út-* »empor, hinaus« und lit. *už-* »empor, hinauf, zu«. Auf ein weitergebildetes **ŭ̄d-s* geht die unter dem Präfix ↑ur..., Ur... behandelte germ. Wortgruppe zurück (siehe auch den Artikel *er...*). Im Westgerm. entwickelte sich das Adverb auch zur Präposition. Im heutigen dt. Sprachgebrauch ist das Adverb ›aus‹, das mit zahlreichen Verben unfeste Zusammensetzungen bildet, als selbstständiges Wort nur noch selten gebräuchlich, beachte z. B. ›aus und ein gehen‹. Das in der Sprache des Sports verwendete **Aus** »Raum außerhalb des Spielfeldes« (20. Jh.) ist Lehnübersetzung von engl. *out.* – Von ›aus‹ abgeleitet sind die unter ↑außen und ↑außer behandelten Wörter.

ausarten ↑Art.

ausbaden ↑Bad.

ausbaden

etw. ausbaden müssen
(ugs.) »die Folgen von etwas tragen müssen«
Die Wendung bezieht sich wahrscheinlich darauf, dass früher, wenn mehrere Personen nacheinander gebadet hatten, der Letzte das Wasser ausgießen und das Bad säubern musste (ausbaden bedeutet eigentlich »zu Ende baden«).

ausbaldowern (ugs. für:) »auskundschaften«: Das im 19. Jh. aus der Gaunersprache übernommene Wort gehört zu rotwelsch *Baldower* »Auskundschafter, Anführer bei einem Diebesunternehmen«, das jidd. *bal* »Herr, Mann« (hebr. *ba'al*) und *dowor* »Sache« (hebr. *dạvạr*) enthält und demnach eigentlich »Herr (Mann) der Sache« bedeutet.

ausbedingen ↑bedingen.

Ausbeute, ausbeuten, Ausbeuter ↑Beute.

ausbilden ↑bilden.

ausbomben ↑Bombe.

ausbooten ↑Boot.

ausbrechen ↑brechen.

ausbuchten, Ausbuchtung ↑Bucht.

Ausbund: Das seit dem 16. Jh. bezeugte Wort, das heute nur noch im übertragenen Sinne von »Höchstes, Bestes, Muster, Inbegriff« verwendet wird, stammt aus der Kaufmannssprache und bezeichnete ursprünglich das an einer Ware nach außen Gebundene, d. h. das beste Stück einer Ware, das dem Käufer zur Schau gestellt wird (vgl. *binden*).

ausbürgern ↑Bürger.

Ausdruck, ausdrücken, ausdrücklich ↑drücken.

ausdünsten ↑Dunst.
auserkoren ↑kiesen.
auserlesen ↑lesen.
auserwählen, auserwählt ↑wählen.
ausfallen, ausfallend werden, ausfällig werden ↑fallen.
ausfechten ↑fechten.
ausfindig ↑finden.
Ausflucht ↑[2]Flucht.
Ausflug ↑Flug.
ausführen, ausführlich, Ausführung ↑führen.
Ausgabe ↑geben.
Ausgang ↑gehen.
ausgeben ↑geben.
ausgebufft: Der im 20. Jh. aufgekommene ugs. Ausdruck für »raffiniert, gerissen« gehört zu ›buffen‹ »stoßen, schlagen«, einer landsch. Nebenform von *puffen* (↑Puff). Es bedeutet wohl eigentlich »durch Schläge, Püffe erfahren, gewitzt« (vgl. die Bedeutungsentwicklung von ›verschlagen‹ und ›verschmitzt‹).
ausgefuchst: Der seit dem 19. Jh. bezeugte ugs. Ausdruck für »listig, gerissen« gehört vielleicht zu einem veralteten Verb ›fuchsen‹ im Sinne von »Geschlechtsverkehr mit jemandem haben« und bedeutete dann etwa »im Geschlechtsverkehr erfahren«. Heute wird das Wort gewöhnlich auf ›Fuchs‹ als listiges Tier bezogen.
ausgehen ↑gehen.
ausgekocht: Der im 20. Jh. aufgekommene ugs. Ausdruck für »raffiniert, gerissen« ist vielleicht eine volksetymologische Umbildung von rotw. *kochem* »gescheit«.
ausgelassen ↑lassen.
ausgeleiert ↑Leier.
ausgesucht ↑suchen.
ausgezeichnet ↑zeichnen.
ausgiebig ↑geben.
ausgräten ↑Gräte.
ausgreifen ↑greifen.
aushalten ↑halten.
Aushang, Aushängeschild ↑hängen.
aushecken ↑hecken.
auskegeln ↑[1]Kegel.
ausklügeln ↑klug.
auskommen, auskömmlich ↑kommen.
auskotzen ↑kotzen.
auskundschaften ↑kund.
Auskunft, Auskunftei ↑kommen.
Auslage ↑legen.
Ausland, Ausländer, ausländisch ↑Land.
auslassen ↑lassen.
auslaugen ↑Lauge.
auslegen ↑legen.
ausleiern ↑Leier.
Auslese, auslesen ↑lesen.
ausloben ↑loben.
auslosen ↑Los.
auslösen, Auslöser ↑lösen.
ausmergeln »entkräften, schwächen«: Das seit dem 16. Jh. gebräuchliche Verb gehört zu dem unter ↑[3]Mark (mhd. *marc, -ges* »Innengewebe«) behandelten Substantiv und bedeutet demnach eigentlich »das Mark ausziehen«. Auf die Bedeutung des Verbs wirkte wahrscheinlich das medizinische Fachwort lat. *marcor* »Schlaffheit« ein. Später wurde ›ausmergeln‹ im Sprachgefühl mit dem unter ↑Mergel »Ton-Kalkstein« behandelten Wort verbunden. Diese Verknüpfung lag nahe, weil eine häufige Mergeldüngung den Boden allmählich auslaugt und verdirbt. – Neben ›ausmergeln‹ ist auch gleichbed. **abmergeln** (16. Jh.) gebräuchlich.
ausmerzen »als untauglich aussondern, beseitigen«: Die Herkunft des seit dem 16. Jh. gebräuchlichen Verbs ist unklar. Das Verb wurde ursprünglich in der Sprache der Schafzüchter gebraucht, und zwar im Sinne von »die zur Zucht untauglichen Schafe aus einer Herde aussondern«, wovon der übertragene Wortgebrauch ausgeht. – Durch volksetymologische Anlehnung an den Monatsnamen März wurde ›ausmerzen‹ früher als »die Schafe im März aussondern« verstanden.
ausposaunen ↑Posaune.
ausreißen ↑reißen.
ausrenken ↑renken.
ausrotten »völlig vernichten«: Das seit dem 15. Jh., zuerst in der Form *ausrutten* bezeugte zusammengesetzte Verb gehört zu dem heute nicht mehr gebräuchlichen einfachen Verb *rotten* »völlig vernichten«, das eigentlich »roden, mit der Wurzel beseitigen« bedeutet (vgl. *roden*).
aussagen ↑sagen.
Aussatz »Lepra«: Die nhd. Form geht auf gleichbed. mhd. *ūʒsaz* zurück, das aus dem Adjektiv mhd. *ūʒsetzic*, älter *ūʒsetze*, ahd. *ūʒsāzeo* »aussätzig« zurückgebildet ist. Das Adjektiv gehört zu dem unter ↑setzen behandelten Verb und bedeutet demnach eigentlich »ausgesetzt, abgesondert«. Die von der Lepra befallenen Kranken mussten abseits von den menschlichen Siedlungen wohnen. – Das Adjektiv **aussätzig** (mhd. *ūʒsetzic*, s. o.) wurde im Nhd. an die Schreibung des Substantivs angeglichen.
ausschachten ↑Schacht.
Ausschank ↑Schank.
ausscheren ↑[2]scheren.
ausschlachten ↑Schlacht.
Ausschlag, ausschlagen ↑schlagen.
ausschreiben ↑schreiben.
ausschreiten, Ausschreitung ↑schreiten.
Ausschuss: Das seit dem 15. Jh. bezeugte Substantiv ist eine Bildung zu dem heute nur noch sondersprachlich gebräuchlichen Verb ›ausschießen‹ »aussondern« (mhd. *ūʒschieʒen* »auswerfen; aussondern; ausschließen; keimen, knospen«, vgl. *schießen*). Es bezeichnete zunächst die aus einer größeren Versammlung ausgesonderte Anzahl von Menschen, seit dem 17. Jh. dann auch

die als minderwertig oder unbrauchbar ausgesonderte Ware.

ausschweifend, Ausschweifung ↑schweifen.

aussehen, Aussehen ↑sehen.

außen: Das gemeingerm. Wort (Adverb und Präposition) mhd. *ūʒen*, ahd. *ūʒan[a]*, got. *ūtana*, aengl. *ūtan[e]*, schwed. *utan* ist von dem unter ↑aus behandelten Wort abgeleitet. Zus.: **Außenseiter** (Ende des 19. Jh.s, Lehnübersetzung des engl. Sportausdrucks *outsider* »Pferd, auf das nicht gewettet wird«, dann auch »Sportler, der mit wenig Siegesaussichten an den Start geht« und »Abseitsstehender, Eigenbrötler«).

Außenstände ↑stehen.

außer: Das altgerman. Wort (Adverb und Präposition) mhd. *ūʒer*, ahd. *ūʒar*, asächs. *ūtar*, aengl. *ūtor*, aisl. *ūtar* ist von dem unter ↑aus behandelten Wort abgeleitet. Im heutigen Sprachgebrauch wird ›außer‹, das früher räumliche Geltung hatte und sowohl die Lage als auch die Richtung angab, gewöhnlich nur noch übertragen im Sinne von »abgesehen von, mit Ausnahme von« verwendet. Abl.: **äußere** (mhd. *ūʒer*, ahd. *ūʒaro*, vgl. engl. *outer, utter*, schwed. *yttre;* die Adjektivbildung hat sekundären Umlaut nach dem Superlativ ›äußerst‹), dazu **äußerlich** (mhd. *ūʒerlich*), beachte **Äußerlichkeit; äußern** [sich] »aussprechen, vortragen, [sich] zeigen« (mhd. *ūʒern* reflexiv »aus der Hand, aus dem Besitz geben, verzichten«, vgl. engl. *to utter* »äußern«), dazu **Äußerung** (mhd. *ūʒerunge* »Aussprache, Rede; Entfernung, Ausweisung«) und die Präfixbildungen **entäußern** und **veräußern**.

aussetzen ↑setzen.

Aussicht ↑sehen.

aussondern ↑sonder.

ausspannen ↑spannen.

aussprengen ↑sprengen.

ausstaffieren ↑staffieren.

Ausstand ↑stehen.

ausstatten »mit etwas versehen, ausrüsten, [groß] aufmachen«: Das seit dem 17. Jh. bezeugte zusammengesetzte Verb gehört zu dem in frühnhd. Zeit untergegangenen einfachen Verb *statten* (mhd. *staten* »wozu verhelfen, zufügen«), das – wie auch das unter ↑gestatten behandelte Verb – von mhd. *state*, ahd. *stata* »rechter Ort, Gelegenheit« abgeleitet ist (vgl. *Statt*).

ausstechen ↑stechen.

ausstehen ↑stehen.

ausstellen, Ausstellung ↑stellen.

aussterben ↑sterben.

Aussteuer, aussteuern ↑[1]Steuer.

ausstopfen ↑stopfen.

aussuchen ↑suchen.

Auster: Der im 16. Jh. vom Niederd. ins Hochdt. gelangte Name der essbaren Meeresmuschel (niederd. *ūster*, frühnhd. *Uster*) wurde aus dem Niederl. entlehnt. Das niederl. Wort selbst, (m)niederl. *oester*, führt wie entsprechend afrz. *oistre* > frz. *huître* (aus dem Afrz. stammt engl. *oyster*) über roman. *ostrea* < lat. *ostreum* »Auster« auf gleichbed. griech. *óstreon* zurück, das zum Stamm von griech. *ostéon* »Knochen, Bein«, griech. *óstrakon* »harte Schale; Scherbe« (↑Estrich) gehört. Die Auster ist also nach ihrer hartknochigen Schale benannt.

austilgen ↑tilgen.

austreten ↑treten.

austricksen ↑Trick.

Austritt ↑treten.

austrocknen ↑trocken.

austüfteln ↑tüfteln.

ausweichen ↑[2]weichen.

ausweiden ↑Eingeweide.

Ausweis, ausweisen ↑weisen.

auswendig ↑wenden.

auswerfen, Auswurf ↑werfen.

auszeichnen, Auszeichnung ↑zeichnen.

ausziehen, Auszug ↑ziehen.

Autarkie »Selbstgenügsamkeit«: Das Substantiv wurde bereits im 19. Jh. aus gleichbed. griech. *autárkeia* entlehnt. Dies gehört zu griech. *autós* »selbst« (vgl. *auto..., Auto...*) und griech. *arkeīn* »abwehren; helfen; ausreichen, genügen«. – Eine Rückbildung des 20. Jh.s ist das Adjektiv **autark** »[wirtschaftlich] unabhängig« (vgl. griech. *aut-árkēs* »sich selbst genügend; unabhängig«).

authentisch »(nach einem sicheren Gewährsmann) glaubwürdig u. zuverlässig verbürgt; echt«: Das Wort wurde in der Kanzleisprache des 16. Jh.s aus spätlat. *authenticus* »zuverlässig verbürgt; urschriftlich, eigenhändig (von Schriften)« entlehnt, das seinerseits aus griech. *authentikós* »zuverlässig verbürgt« stammt, das zu griech. *authéntēs* »Urheber, Ausführer« (ursprünglich vielleicht »jemand, der mit eigener Hand etwas vollbringt«) gehört. Dessen erstes Glied ist griech. *autós* »selbst; eigen« (vgl. *auto..., Auto....*). Das zweite Glied ist nicht sicher gedeutet.

Auto: Die alltagssprachliche Bezeichnung für »Kraftfahrzeug« ist eine Kurzform des frühen 20. Jh.s für das Ende des 19. Jh.s aus gleichbed. frz. *automobile* entlehnte Substantiv **Automobil.** Es bedeutet wörtlich »Selbstbeweger« und gehört zu griech. *autós* »selbst« (vgl. *auto..., Auto...*) und lat. *mobilis* »beweglich« (vgl. *mobil* und das Kapitel zur Sprachgeschichte *Die technische Entwicklung und ihr Wortschatz*).

auto..., Auto..., (vor Vokalen und vor h:) aut..., Aut...: Quelle für das Bestimmungswort von Zusammensetzungen mit der Bed. »selbst, eigen, persönlich, unmittelbar«, in Fremdwörtern wie ↑Autogramm, ↑autark, ↑authentisch u. a., ist griech. *autós* »selbst; eigen; persönlich«.

Autobus ↑Omnibus.

autogen »selbst hervorbringend«: Das Adjektiv tritt vornehmlich auf in den Fügungen ›autogenes Schweißen‹ (unmittelbare Verschweißung zweier Werkstücke ohne Zuhilfenahme artfremden Bindematerials), ›autogenes Training‹ (Beherrschung des Leibes durch Selbstversenkung, d. h. heilendes Wirkenlassen der körpereigenen Kräfte). Das Wort geht zurück auf griech. *autogenḗs* »selbst erzeugt, selbst hervorgebracht«, das seinerseits zu griech. *autós* »selbst« (vgl. *auto...*, *Auto...*) u. griech. *génos* »Geschlecht, Abstammung usw.« (vgl. *Genus*) gehört.

Autogramm »eigenhändig geschriebener Namenszug«: Das Wort ist eine gelehrte Neubildung der 2. Hälfte des 20. Jh.s aus griech. *autós* »selbst, eigen« (vgl. *auto...*, *Auto...*) und griech. *grámma* »das Geschriebene; der Buchstabe«, das zu griech. *gráphein* »schreiben« (vgl. *Grafik*) gehört.

Automat »selbsttätige Vorrichtung; Verkaufs-, Bearbeitungsapparat«: Das Fremdwort erscheint zuerst im 16. Jh. in der noch nicht eingedeutschten Pluralform *automata*, später auch im Singular als *Automaton*. Die eingedeutschte Form setzt sich erst im 18. Jh. unter dem Einfluss von entsprechend frz. *automate* durch. Das Wort ist substantiviert aus dem griech. Adjektiv *autó-matos* »sich selbst bewegend, aus eigenem Antrieb, von selbst«. Dessen Bestimmungswort ist griech. *autós* »selbst« (vgl. *auto...*, *Auto...*). Über das Grundwort vgl. den Artikel *Manie*. – Abl.: **automatisch** »selbsttätig; zwangsläufig« (18. Jh., nach gleichbed. frz. *automatique*); **automatisieren** »(einen Betrieb) auf vollautomatische Fabrikation umstellen« (20. Jh., nach gleichbed. frz. *automatiser*).

Automobil ↑ Auto.

autonom »nach eigenen Gesetzen lebend, selbstständig, unabhängig«: Das Adjektiv ist eine gelehrte Entlehnung der 2. Hälfte des 18. Jh.s aus gleichbed. griech. *autónomos* (vgl. *auto...*, *Auto...* und *...nom*). Das dazugehörige Substantiv **Autonomie** »Recht auf Unabhängigkeit, Selbstgesetzlichkeit« (aus gleichbed. griech. *auto-nomía*) erscheint vor dem Adjektiv im 18. Jh., in latinisierter Form als *Autonomia* schon am Ende des 16. Jh.s.

Autor »Urheber; Verfasser eines Werkes der Literatur, Musik, Kunst usw.«: Das seit dem 15. Jh. bezeugte, zunächst in der Form *Auctor* gebräuchliche Fremdwort geht auf lat. *auctor* »Urheber; Schöpfer, Autor« zurück, das wörtlich etwa »Mehrer, Förderer« bedeutet. Stammwort ist lat. *augere (auctum)* »wachsen machen, mehren, fördern; vergrößern; erhöhen, verherrlichen« (etymologisch verwandt mit dt. ↑ [2]wachsen). – Hierzu: **autorisieren** »ermächtigen, bevollmächtigen« (16. Jh., nach mlat. *auctorizare* »sich verbürgen; Vollmacht geben«); **autoritär** »totalitär, diktatorisch; unbedingten Gehorsam fordernd« (Ende 19. Jh. aus gleichbed. frz. *autoritaire*, einer Bildung zu frz. *auteur*, das wie dt. *Autor* auf lat. *auctor* beruht); **Autorität** »die zwingende Macht des Überlegenen; Ansehen; angesehene, maßgebliche Persönlichkeit« (15. Jh.; aus gleichbed. lat. *auctoritas*); **autoritativ**, (älter:) auctoritativ »auf Autorität beruhend; maßgebend, entscheidend« (Ende 19. Jh.). – Siehe auch die Artikel *Auktion* usw.

avancieren: Das Verb erscheint zuerst im 17. Jh. als militärischer Terminus mit der Bed. »vorrücken«. Die heute übliche übertragene Bed. »aufrücken; befördert werden« kam erst später auf. Entlehnt ist das Wort aus gleichbed. frz. *avancer*, das seinerseits auf einem vlat. Verb **abantiare* »vorwärts bringen« beruht. Dies gehört zu spätlat. *ab-ante* »vorweg« (daraus z. B. frz. *avant* »vor«, ↑ Avantgarde).

Avantgarde »Vorhut«: Das aus gleichbed. frz. *avant-garde* (aus frz. *avant* »vor«, vgl. *avancieren*, und frz. *garde* »Wache«, vgl. *Garde*) entlehnte Wort erscheint im Deutschen zunächst als militärischer Terminus im Verlauf des Dreißigjährigen Krieges. In diesem Sinne ist es heute veraltet. Es lebt jedoch noch im übertragenen Sinne als Bezeichnung für die Vorkämpfer einer Idee, einer Richtung usw.

Avatar: Das Fremdwort mit der Bedeutung »sich in einem virtuellen Raum bewegendes elektronisches Kunstwesen« wurde in der 2. Hälfte des 20. Jh.s aus dem Engl. entlehnt. Ursprünglich stammt das Wort aus dem religiösen Bereich. Es bezeichnet die »Verkörperungen eines Gottes auf auf Erden in den indischen Religionen«. In dieser Bedeutung ist es im 18 Jh. aus sanskr. *avatāra* ins Engl. übernommen worden.

Aversion »Abneigung«: Das Wort wurde im 17. Jh. aus gleichbed. frz. *aversion* entlehnt, das auf lat. *aversio* »das Abwenden; das Sichabwenden«; spätlat. »Abscheu« beruht. Es gehört zu lat. *a-vertere* »abwenden«, einer Bildung zu lat. *vertere (versum)* »wenden, drehen« (vgl. *Vers* und zum 1. Bestandteil *ab...*, *Ab...*).

Axiom »(ohne Beweis anerkannter, geforderter) Grundsatz«: Das Wort wurde im späteren 16. Jh. entlehnt aus gleichbed. lat. *axioma*, griech. *axíōma* (eigentlich »was für wichtig erachtet wird«), das seinerseits zu griech. *axióein* »würdigen; verlangen« gehört. Stammwort ist griech. *axiós* »würdig, wert«, das über eine Vorform **áktios* »ein entsprechendes Gewicht habend, wichtig« zu einer idg. Wurzel **ag-* »wiegen, wägen« gehört, einer Sonderentwicklung von **ag-* »treiben« (vgl. *Achse*), etwa im Sinne von »die Arme der Waage in Schwingung bringen«. Vgl. hierzu die Entsprechungen im Lat. unter den Fremdwörtern ↑ Examen, ↑ exakt.

Axt: Das gemeingerm. Wort mhd. *ackes*, *ax[t]*, ahd. *ackus*, got. *aqizi*, engl. *axe*, schwed. *yxa* hängt mit griech. *axínē* »Axt, Beil« und lat. *ascia* (aus **acsia*) »Zimmermannsaxt« zusammen. Wahrscheinlich handelt es sich um ein altes Wanderwort kleinasiatischen Ursprungs.

Axt
die Axt an etw. legen »sich anschicken, etwas (einen Missstand) zu beseitigen« Diese Redewendung hat ihren Ursprung in der Bußpredingt Johannes des Täufers (Matth. 3, 10): ›Es ist schon die Axt den Bäumen an die Wurzel gelegt. Darum, welcher Baum nicht gute Frucht bringt, wird abgehauen und ins Feuer geworfen.‹
wie eine/wie die Axt im Walde (ugs.) »ungehobelt« Diesem Vergleich liegt die Anschauung zugrunde, dass die Axt (eigentlich der Holzfäller mit seiner Axt) rücksichtslos alles umhaut.

Ayurveda »Sammlung der wichtigsten Lehrbücher der altindischen Medizin; Körperpflege und Gesundheitsvorsorge nach den Prinzipien der altindischen Medizin«: Das Fremdwort wurde in der 2. Hälfte des 20. Jh.s aus sankr. *āyurveda* »Heilkunst« (zu *āyu* »Leben(szeit)« und *véda* »Wissen (von der Verlängerung der Lebenszeit«) übernommen.

Azalee: Der Name der Zierpflanze ist eine gelehrte nlat. Bildung von Linné (1735) zu dem Femininum des griech. Adjektivs *azaléos* »trocken, dürr« (Femininum: *azaléē*). Die Pflanze ist vermutlich so benannt worden, weil sie ›trockenen‹ Nährboden bevorzugt.

Azur »Himmelsblau; hochblauer Farbton«: Das Wort wurde Ende des 17. Jh.s aus frz. *azur* »Lapislazuli; Himmelsblau; blauer Farbton« entlehnt. Das frz. Wort seinerseits führt über mlat. *azzurum* »[Himmels]blau« auf arab. *lāzaward* (< pers. *lāğward*) »Lasurstein; lasurfarben« zurück, das auch die Quelle für unser Fremdwort ↑Lasur ist. Das anlautende l- des arab. Wortes ist in den roman. Sprachen abgefallen (beachte entsprechend it. *azzurro* und span. *azul*), weil es fälschlich als arab. Artikel angesehen wurde.

B*b*

babbeln (ugs. für:) »schwatzen«: Das seit dem 16. Jh. bezeugte Verb ist (so auch niederl. *babbelen* »schwatzen, klatschen«, engl. *to babble* »stammeln; schnattern, schwatzen« und schwed. *babbla* »schwatzen, plappern«) lautnachahmenden Ursprungs. Elementarverwandt ist z. B. mlat. *babellare* »lallen, stammeln«. Ähnliche Lautnachahmungen oder kindersprachliche Lallwörter sind z. B. griech. *bárbaros* »ausländisch; (von der Sprache) unverständlich; roh, ungebildet«, eigtl. »stammelnd« (↑Barbar), lat. *balbus* »lallend, stammelnd«, russ. *balabólit‹* »schwatzen«. Siehe auch die Artikel *Baby*, [1]*Base*, *Bube* und *Buhle*.

Baby »Säugling; Kleinkind«: Das Wort wurde im 19. Jh. aus gleichbed. engl. *baby* entlehnt, das wahrscheinlich aus der Lallsprache der Kinder stammt (vgl. die Artikel *Bube* und *babbeln*). Zus.: **Babysitter** »jemand, der ein kleines Kind während der Abwesenheit der Eltern beaufsichtigt« (20. Jh.; aus gleichbed. engl. *baby-sitter* zu engl. *to sit* »sitzen«).

Babyboom ↑Boom.

Bach: Die Herkunft des altgerm. Wortes, das in zahlreichen Gewässer- und Siedlungsnamen steckt, ist unklar. Vielleicht sind mhd. *bach*, ahd. *bah*, niederl. *beek*, aengl. *bece*, schwed. (anders gebildet) *bäck* »kleines fließendes Gewässer« verwandt mit mir. *búal* »fließendes Wasser« (aus **bhog-lā*).

Bache »weibliches Wildschwein«: Frühnhd., mhd. *bache* »Schinken«, die ältere Form von ↑[2]Backe, wurde im 16. Jh. zur Bezeichnung des [gemästeten] Hausschweins und blieb in der Jägersprache als Bezeichnung für das weibliche Wildschwein vom 3. Lebensjahr an erhalten.

Bachstelze: Der seit dem 14. Jh. bezeugte Vogelname (mhd. *bachstelz*) ist etwa als »Bachschwanz« zu verstehen (vgl. die Artikel *Bach* und *Sterz*). Der zweite Bestandteil wird mit Blick auf die stelzende Gangart des Wasser liebenden Vogels heute auf ›stelzen‹ bezogen (vgl. *Stelze*). Entsprechendes gilt für den im oberd. Bereich auftretenden Namen **Wasserstelz[er]** (ahd. *wazzerstelza*). Dem im Niederd. heimischen Namen **Wippstert** (vgl. *wippen* und Sterz) liegt die Vorstellung vom ständig wippenden Schwanz des Vogels zugrunde.

Backbord »linke Schiffsseite (von hinten gesehen)«: Das Wort wurde im 18. Jh. aus niederd. (-mnd.) *ba[c]kbōrt* aufgenommen. Zum Bestimmungswort (niederd. *back* »Rücken«) vgl. [2]*Backe*. Zum Grundwort vgl. [2]*Bord*. In der alten Schifffahrt hatte der Mann am Steuerruder, das sich damals an der rechten hinteren Schiffsseite befand, diese Seite im Rücken.

[1]**Backe,** (südd.:) Backen »Wange, Kinnbacke«: Das nur dt. Wort lautet mhd. *backe*, mnd. *backe*, ahd. *backo*. Vielleicht ist griech. *phagónes* »Kinnbacken«, *phageīn* »essen« (zu idg. **bhag-* »zuteilen, als Anteil erhalten«) urverwandt, sodass die Kinnbacke als »Esser« benannt worden wäre.

[2]**Backe** »Gesäßhälfte« (in ›Hinter-, Arschbacke‹): Mhd. *[ars]backe*, *bache*, ahd. *bahho* »Schinken, Speckseite« ist eine Ableitung von ahd. *bah* »Rücken«, die an das unverwandte ↑[1]Backe angelehnt wurde. Die Herkunft des ahd. Substantivs *bah* (entsprechend gleichbed. engl. *back*, schwed. *bak*) ist ungeklärt. Vgl. auch den Artikel *Bache*.

Der Bedeutungswandel

Uns ist in alten mæren wunders vil geseit | von helden lobebæren, von grozer arebeit

Uns sind in alten Erzählungen viele Wunderdinge berichtet worden | von rühmenswerten Helden, von mühevollem Kampf

Wenn wir diese Zeilen – es sind die Anfangszeilen des Nibelungenliedes – betrachten und den mittelhochdeutschen Text mit der neuhochdeutschen Fassung vergleichen, fallen uns zwei Dinge besonders ins Auge:

Da ist einmal die etwas ungewöhnliche Gestalt der Wörter: Die Endung *-bære* (in *lobebære*) lautet heute *-bar* (z. B. *trag-bar*), und ein Wort wie *lobebære* kennen wir heute nicht mehr, wir sagen *lobenswert.*

Zum Zweiten müssen wir feststellen, dass sich nicht nur die äußere Form der Wörter verändert hat. Die »Übersetzung« des Textes zeigt uns, dass sich auch die Bedeutung mancher Wörter gewandelt hat.

Das mittelhochdeutsche Wort *mære* bedeutete »Erzählung, Bericht«. Wenn wir heute etwas als *Mär[e]* bezeichnen, so wollen wir ausdrücken, dass es sich hierbei um eine Kunde aus alter Zeit, um eine merkwürdige Geschichte handelt. Im Mittelhochdeutschen bedeutete *arebeit* »große Anstrengung, Mühsal« und auch »Kampf«. Die heutige Bedeutung »körperliche oder geistige Tätigkeit (als Aufgabe des Menschen auf dieser Erde)« entwickelte das Wort erst im 16. Jahrhundert.

Arten der Bedeutungsveränderung

Der Wandel, den eine Wortbedeutung zu verschiedenen Zeiten der Wortgeschichte durchmachen kann, vollzieht sich meistens auf die folgende Art und Weise:

1. Das Wort *Hochzeit* bezeichnete im Mittelhochdeutschen jedes große kirchliche und weltliche Fest. Heute versteht man darunter nur noch die Feier bei der Eheschließung. Die ursprüngliche Bedeutung ist also eingeengt worden, das Wort hat eine **Bedeutungsverengung** erfahren.
2. Das Wort *Nadel* ist eine Ableitung vom Verb *nähen* und bezeichnete ursprünglich nur das Gerät zum Nähen. Heute gebrauchen wir das Wort zur Bezeichnung vieler Gegenstände, die einer Nähnadel ähnlich sind oder wie eine Nähnadel benutzt werden, z. B. *Stecknadel, Stricknadel, Kompassnadel, Tachonadel.* Die Bedeutung des Wortes ist erweitert worden, es hat eine **Bedeutungserweiterung** stattgefunden.
3. Das Wort *Marschall* als Bezeichnung für einen sehr hohen militärischen Rang ist aus dem alten Wort *Mähre* »Pferd« und dem heute veralteten Wort *Schalk* »Knecht«

zusammengesetzt. Ein Marschall war also ursprünglich ein Pferdeknecht. Die Bedeutung des Wortes ist verbessert worden. Wir sprechen hier von einer **Bedeutungsverbesserung.**

4. In den älteren Sprachzuständen bedeutete *Gift* als Ableitung vom Verb *geben* »Gabe«, »Geschenk«, wie man noch an *Mitgift* erkennen kann. Später wurde es verhüllend für eine todbringende, schädliche Gabe gebraucht. Die Bedeutung des Wortes hat sich verschlechtert, es liegt eine **Bedeutungsverschlechterung** vor.

Ursachen des Bedeutungswandels

Es gibt viele Ursachen für einen solchen Bedeutungswandel; kulturgeschichtliche, politische, soziale und psychologische Faktoren können maßgeblich sein. Das Wort *Kopf* zum Beispiel ist als Bezeichnung für diesen Körperteil erst seit etwa dem 15. Jahrhundert allgemein gebräuchlich. Bis dahin war *Haupt* das übliche Wort. *Kopf* galt im mittelalterlichen Deutsch als Wort der unteren Sprachschicht. Es bedeutet eigentlich »Becher, Trinkschale«, denn es ist aus lateinisch *cuppa* »Becher« (daraus auch englisch *cup* und französisch *coupe*) entlehnt. Im Mittelalter wurde es dann im Sinne von »Hirnschale« als bildlicher Ausdruck für den Kopf gebraucht.

Wenn Gretchen in Goethes »Faust« sagt, sie sei »weder Fräulein, weder schön«, will sie Faust keineswegs andeuten, dass sie bereits verheiratet sei. Sie gibt ihm zu verstehen, dass sie ein einfaches bürgerliches Mädchen ist. Denn bis zum Anfang des 19. Jahrhunderts war *Fräulein* als Bezeichnung für eine nicht verheiratete junge Frau ausschließlich den Familien des Adels vorbehalten. Erst dann wurde das Wort auch auf unverheiratete Töchter vornehmer Bürgersfamilien ausgedehnt, und schließlich wurde es zur Anrede für die unverheiratete Frau ganz allgemein.

Das Adjektiv *billig* bedeutete ursprünglich »angemessen, richtig«. Aus der Bedeutung »dem Wert einer Ware angemessen« entwickelte sich »nicht teuer«. Da billige Ware aber oft von geringerer Qualität ist als teurere, konnte *billig* auch die Bedeutung »minderwertig« annehmen. Dies hat die findige Werbung schnell erkannt und spricht heute in vielen Bereichen lieber von »preiswerter« oder »preisgünstiger« Ware, die so bewusst von »Billigmarken« abgehoben wird.

B

backen: Das altgerm. Verb mhd. *bachen,* ahd. *bahhan, backan,* niederl. *bakken,* engl. *to bake,* schwed. *baka* ist eng verwandt mit griech. *phōgein* »rösten, braten« und gehört zu der Wortgruppe von ↑bähen. Das älteste Backen (↑Brot, ↑Fladen) war ein Rösten. Übertragen stand ›backen‹ früher landsch. für das Brennen von Ziegeln (Backstein, s. u.) und von der Töpferei (niederrhein. *Pottbäcker,* nassauisch *Kannenbäcker*), intransitiv bedeutet es auch »kleben« (›der Schnee backt‹; dazu wohl ↑Batzen). Abl.: **Bäcker** (mhd. *becker*); **Gebäck** (15. Jh., in der Bed. »auf einmal Gebackenes«; später »feines Backwerk«). Zus.: **Backfisch** (eigentlich der junge, nur zum Backen geeignete Fisch; seit dem 16. Jh. zeitweise der unreife Student [mit Anlehnung an nlat. *baccalaureus* »Gelehrter des untersten Grades«], besonders aber das halbwüchsige Mädchen); **Backstein** »Ziegelstein« (mnd. *backstēin*); **altbacken** »trocken«, von Gebäck (16. Jh.; das 2. Part. von ›backen‹ steht in der Zusammensetzung ohne ge-); **hausbacken** (auch für:) »bieder, schwunglos« (16. Jh., von grobem, hausgebackenem Brot); **Zwieback** (s. unter zwie..., Zwie...).

Backenstreich ↑Streich.

Background: Das Fremdwort mit der Bedeutung »Hintergrund; Milieu; musikalische Begleitung; Lebenserfahrung« wurde in der 2. Hälfte des 20. Jh.s aus gleichbed. engl. *background* entlehnt, aus *back* »zurück« und *ground* »[Hinter]grund«.

Bad: Die altgerm. Substantivbildung mhd. *bat,* ahd. *bad,* niederl. *bad,* engl. *bath,* schwed. *bad* gehört zu der Wortgruppe von ↑bähen »feucht erhitzen«. In Ortsnamen wie Baden, Wiesbaden steht der alte Dativ des Plurals »zu den Bädern« als Lehnübersetzung für lat. *Aquae.* Abl.: **baden** (ebenfalls altgerm.: mhd. *baden,* ahd. *badōn,* niederl. *baden,* engl. *to bathe,* schwed. *bada*), dazu: **Bader** veraltet für: »Barbier, Heilgehilfe« (mhd. *badǣre* bezeichnet den Inhaber einer Badestube, der auch zur Ader ließ, Schröpfköpfe setzte und die Haare schnitt).

Badminton: Das aus Indien stammende Federballspiel wurde benannt nach dem Landsitz *Badminton* des Duke of Beaufort of Gloucestershire, wo das Spiel 1872 zuerst nach festen Regeln gespielt wurde.

baff

baff sein
(ugs.) »verblüfft sein«
Das seit dem 17. Jh. bezeugte Wort, das nur in der vorliegenden Wendung gebräuchlich ist, ahmt wie die Interjektion paff! (vgl. *paffen*) den Schall eines Schusses nach. Die Wendung bezieht sich auf die Verblüffung, die durch den unvermuteten Schall eines Schusses ausgelöst wird.

Bagage: Das seit dem 16. Jh. bezeugte Fremdwort stammt aus der Soldatensprache und bedeutete ursprünglich »Gepäck, Tross«. Heute ist es veraltet und lebt eigentlich nur noch als Scheltwort für »Gesindel«, eine Bedeutungsentwicklung, die der von ↑Pack entspricht. Das vorausliegende frz. *bagage* ist von afrz. *bague* »Gepäck« abgeleitet, dessen weitere Herkunft unsicher ist.

Bagatelle »unbedeutende Kleinigkeit«: Das Fremdwort wurde Anfang des 17. Jh.s aus frz. *bagatelle* entlehnt, das seinerseits aus gleichbed. it. *bagatella* übernommen ist. Dies ist eine Verkleinerungsbildung zu lat. *baca* »Beere«, das wohl aus einer voridg. Mittelmeersprache stammt.

baggern »Erdreich mit einem Bagger abtragen«: Das Wort ist seit dem 18. Jh. bezeugt, und zwar zunächst im Niederd. Es wurde aus niederl. *baggeren* »[ein Wasserbett] ausschlammen« entlehnt, das seinerseits zu niederl. *bagger* »Bodenschlamm« gehört. Weiteres ist unsicher. – Abl.: **Bagger** (18. Jh.).

bähen »feucht erhitzen«, (südd., österr.:) »[Brot] leicht rösten«: Mhd. *bæhen,* ahd. *bāen* »wärmen, mit erweichenden Umschlägen heilen« gehört zur idg. Wurzel **bhē-, *bhō-* »wärmen, rösten«, die mit t-Suffix auch in ↑Bad und mit g erweitert in ↑backen (s. auch *Batzen*) fortwirkt.

Bahn: Das auf das dt. und niederl. Sprachgebiet beschränkte Wort (mhd. *ban[e],* mnd. *bāne,* niederl. *baan*) gehört wahrscheinlich zu der germ. Wortgruppe von got. *banja* »Schlag; Wunde« und bedeutete demnach ursprünglich etwa »Waldschlag, Durchhau im Walde«. Beachte dazu das zu ›schneiden‹ gehörige ›Schneise‹ und die Wendung ›[sich] Bahn brechen‹. Weiter bezeichnet ›Bahn‹ als »glatter, vorgezeichneter Weg« eine Lauf- oder Rennstrecke, den Weg der Gestirne oder eines Geschosses und dgl.; als »gerade Strecke« bezeichnet es breite Tuch- oder Papierstreifen (nach gleichbedeutendem niederl. *baan*). ›Bahn‹ heißt auch kurz die Eisen- und die Straßenbahn. Abl.: **bahnen** (besonders ›einen Weg bahnen‹; mhd. *banen*), dazu **anbahnen** (19. Jh.); Zus.: **Bahnhof** (Mitte des 19. Jh.s für älteres Eisenbahnhof); **Bahnsteig** (2. Hälfte des 19. Jh.s für das Fremdwort ›Perron‹); **Eisenbahn** (s. d.).

Bahnhof

[immer] nur Bahnhof verstehen
(ugs.) »nicht richtig, überhaupt nicht verstehen«
Der Ursprung dieser Wendung, die in den Zwanzigerjahren – vor allem in Berlin – modisch war, ist unklar. Vielleicht nimmt sie darauf Bezug, dass jemand, der den Bahnhof als Ausgangspunkt der Urlaubsreise im Sinn hat, an nichts anderes mehr denken kann und nicht aufmerksam zuhört.

Bahre: Das westgerm. Wort mhd. *bāre,* ahd. *bāra,* niederl. *baar,* engl. *bier* gehört zu dem im Nhd. untergegangenen gemeingerm. Verb ahd. *beran* »tragen« usw. (vgl. *gebären*). Es bedeutet also eigentlich »Trage«.

Bai »Meeresbucht«: Das Wort wurde im 15. Jh. durch niederl. Vermittlung aus frz. *baie* < span. *bahía* < spätlat. *baia* entlehnt. Es ist vermutlich iber. Ursprungs.

Bajonett: Die Bezeichnung für »auf das Gewehr aufsetzbare Hieb-, Stoß- und Stichwaffe mit Stahlklinge für den Nahkampf« wurde Ende des 17. Jh.s aus frz. *baïonnette* entlehnt. Das frz. Wort gehört zu Bayonne, dem Namen einer südfranzösischen Stadt, wo diese Waffe zuerst hergestellt wurde.

Bake »festes Seezeichen«: Ein fries. Wort (afries. *bāken*), das als Lehnwort im ganzen Nord- u. Ostseebereich auftritt: niederl. *baak,* norw. *båke,* finn. *paakku.* Die mnd. Form *bāke[n]* wurde im 17. Jh. ins Hochdt. übernommen. Gemeinsam ist allen Sprachen die Bed. »Seezeichen, Leuchtfeuer«. Verwandt sind asächs. *bōkan* (entsprechend afränk. **bōkan* in ↑Boje), ahd. *bouhhan,* mhd. *bouchen* »Zeichen« (in bad. mdal. *Bauche* »[Bodensee]boje«) u. engl. *beacon* »Zeichen, Leuchtturm«. Die weitere Herkunft des germ. Wortes ist ungeklärt.

Bakken ↑[1]Bank.

Bakterie »einzelliges Kleinstlebewesen, Spaltpilz (oft als Krankheitserreger)«: Das medizinische Fachwort wurde im 19. Jh. über lat. *bacterium* aus griech. *baktḗrion, baktēría* »Stab, Stock« entlehnt. Die Bakterie ist also nach ihrer Stabform benannt. – Das griech. Wort gehört zu einer idg. Wurzel **bak-* »Stab, Stock«, zu der auch lat. *baculum* (vgl. *Bazillus*) gehört.

Balance »Gleichgewicht«: Das Fremdwort wurde in der Artistensprache des 17. Jh.s aus frz. *balance* entlehnt, das wie ↑Bilanz auf vlat. **bilancia* zurückgeht. Abl.: **balancieren** »[sich] im Gleichgewicht halten« (17. Jh.; aus gleichbed. frz. *balancer*).

bald: Das westgerm. Adverb mhd. *balde,* ahd. *baldo,* mniederl. *boude,* aengl. *bealde* gehört zu einer germ. Adjektivbildung mit der Bedeutung »kühn« (vgl. mhd. *balt,* ahd. *bald* »kühn«, niederl. *boud* »dreist, verwegen, keck«, engl. *bold* »kühn«, schwed. *båld* »stolz, kühn«), die im Sinne von »aufgeschwellt, hochfahrend« zu der unter ↑[1]Ball genannten idg. Wurzel zu stellen ist. Zu der germ. Adjektivbildung gehören auch Personennamen wie Balduin, Leopold, Theobald, die ihrerseits zum Muster namenartiger Schelten wie ›Raufbold, Trunkenbold, Witzbold‹ wurden, wobei -bold zu einem leeren Suffix erstarrte. Der Bedeutungsübergang von »kühn« zu »schnell, eilig« fällt in die mhd. Zeit (vgl. die gleiche Entwicklung bei ↑schnell). Im Nhd. wandelt sich der Sinn zu »in kurzer Zeit, bald darauf«. – Abl.: **Bälde** (nur in: ›in Bälde‹, 17. Jh.); **baldig** (spätmhd. *baldec*).

Baldachin: Die Bezeichnung für »prunkvolle Überdachung aus Stoff, Thron-, Traghimmel« wurde Anfang des 17. Jh.s aus gleichbed. it. *baldacchino* entlehnt. Das it. Wort gehört zu *Baldacco,* einer älteren Form des it. Namens für Bagdad, das früher wegen seiner kostbaren [Seiden]stoffe berühmt war. ›Baldachin‹ bedeutet also »Stoff aus Bagdad«.

Balg: Das gemeingerm. Wort bezeichnete die als Ganzes abgezogene Haut kleinerer Säugetiere (nhd. auch von Vögeln), die als Lederbeutel, Luftsack u. a. diente. Mhd. *balc,* ahd. *balg,* got. *balgs,* aengl. *bielg* »Ledersack« (engl. *belly* »Bauch«, *bellows* »Blasebalg«), schwed. *bälg* »Balg« entsprechen außergerm. Wörtern wie gall. *bulga* »Ledersack« (↑Budget) und pers. *bāliš* »Kissen« (vgl. [1]*Ball*). Eng verwandt ist im germ. Sprachbereich das unter ↑Polster behandelte Wort. – Abwertend wird ›Balg‹ auch für »[unartiges, schlecht erzogenes] Kind« gebraucht (schon mhd. *balc* steht verächtlich für »Leib«, s. auch *Wechselbalg* unter ↑Wechsel; die Menschenhaut wird als etwas Verächtliches abgetan).

Balken: Das westgerm. Wort mhd. *balke,* ahd. *balko,* niederl. *balk,* engl. *balk* steht im Ablaut zu der nord. Sippe von schwed. *bjälke* »Balken«. Aus dem Germ. (Langobard.) entlehnt ist it. *balcone* »gestützter Gebäudevorbau« (↑Balkon). Außergerm. ist z. B. verwandt griech. *phálagx* »Balken; Stamm; Schlachtreihe« (↑Phalanx). Diese Wörter gehören wohl mit dem unter ↑Bohle behandelten Wort zu der idg. Wortgruppe von ↑[1]Ball. – Abl.: **Gebälk** (spätmhd. *gebelke* »Stockwerk im Fachwerkbau«).

Balkon »nicht überdachter Vorbau an einem Haus«: Das Substantiv wurde Ende des 17. Jh.s aus frz. *balcon* entlehnt, das seinerseits aus it. *balcone* stammt. Das it. Wort selbst ist germ. Ursprungs und gehört wohl im Sinne von »Balkengerüst« zu dem unter ↑Balken behandelten germ. Wort (ahd. *balko* = langobard. **balko*).

[1]Ball »kugelförmiger, meist mit Luft aufgeblasener Gegenstand«: Das Substantiv mhd., ahd. *bal* »Ball, Kugel«, niederl. *bal* »Ball« (engl. *ball* »Ball, Kugel« ist Lehnwort aus frz. *balle* »Kugel«, das selbst wieder aus dem Afränk. stammt) gehört mit dem anders gebildeten schwed. *boll* »Ball« und dem weitergebildeten engl. *ballock* »Hoden« (eigentlich »Bällchen«) zu der idg. Wurzel **bhel-* »schwellen, strotzen, [auf]blasen, quellen, sprudeln«; es bedeutet also eigentlich »Geschwollenes, Aufgeblasenes«. – Zu der vielfach weitergebildeten und erweiterten Wurzel **bhel-* gehören ferner die Wörter ↑bald (dessen zugehöriges Adjektiv die Grundbedeutung »aufgeschwellt, hochfahrend« hatte), ↑Balg (eigentlich abgezogene Haut, die durch Füllung prall wird), wohl auch ↑Balken »dickes, langes Vierkantholz«, das Fremdwort ↑Ballon (das zu der ins Roman. gelangten Sippe von [1]*Ball* gehört), sicher auch ↑Bohle »dickes Brett«, ↑[1]Bulle (der nach seinem Zeugungsglied benannt ist) und schließlich im außergerm. Bereich z. B. griech. *phallós* »männliches Glied«, aus dem unser gleichbedeutendes

Fremdwort **Phallus** entlehnt ist. Auf einem Bedeutungsübergang zu »knospen, sprießen« beruht die Wortgruppe um ↑blühen mit ↑Blume, Blüte (eigentlich »Zustand des Blühens«) und ↑Blatt (eigentlich [Aus]geblühtes) sowie lat. *flos* »Blume« (↑[1]Flor »Blumenfülle«) und lat. *folium* »Blatt« (↑Folie). Zur Bedeutung »blasen« stellt sich die Wortgruppe um ↑blähen mit ↑blasen und ↑Blatter »Pocke, Bläschen«, zur Bedeutung »quellen, sprudeln« ↑Blut (eigentlich »Fließendes«). Eine Nebenform zu ›Ball‹ ist ↑Ballen.

[2]Ball »Tanzfest«: Das Wort wurde im 17. Jh. aus frz. *bal* entlehnt. Das frz. Substantiv gehört zu einem ausgestorbenen Zeitwort afrz. *baller* »tanzen«, das über gleichbed. spätlat. *ballare* auf griech. *bállein* »werfen, schleudern« (vgl. *ballistisch*) zurückgeht. Auf spätlat. *ballare* beruht auch port. *bailar* »tanzen«; dazu gehört port. *bailadeira* »Tänzerin«, ferner it. *ballare* »tanzen«, zu dem *ballerina* »Tänzerin« – daraus entlehnt **Ballerina** »Balletttänzerin« – und die unter ↑Ballade und ↑Ballett behandelten Wörter gehören. Siehe auch den Artikel *Ballade.*

Ballade »episch-dramatisches Gedicht«: Das Wort wurde im 16. Jh. – zunächst in der Bed. »Tanzlied« – aus frz. *ballade* entlehnt, das seinerseits aus it. *ballata* stammt (zu it. *ballare* »tanzen«). Die seit dem 18. Jh. bezeugte heutige Bedeutung bildete sich unter dem Einfluss von engl. *ballad* (< frz. *ballade*) heraus, das eine volkstümliche Erzählung in Liedform bezeichnet. Über weitere Zusammenhänge vgl. den Artikel [2]*Ball.*

Ballast »tote Last; Überflüssiges«: Das im 17. Jh. aus dem Niederd. ins Hochd. aufgenommene Wort war ursprünglich ein Seefahrtsausdruck und bezeichnete die Sandlast, die zur Erhaltung des Gleichgewichts in den untersten Raum des Schiffes geladen wurde. Mnd. *ballast* (2. Hälfte des 14. Jh.s), niederl. *ballast,* engl. *ballast,* schwed. *ballast* gehen auf eine Zusammensetzung mit dem unter ↑Last behandelten Substantiv zurück, deren erstes Glied nicht sicher gedeutet ist. Die heutige Form des Wortes entstand vielleicht durch Lautangleichung aus der schwed. und älter dän. Form *barlast* (um 1400), deren erstes Glied mit dem Adjektiv ↑bar identisch sein könnte. Die ursprüngliche Bedeutung von ›Ballast‹ wäre dann »bloße, reine Last (ohne Handelswert)« gewesen.

Ballen: Das Wort mhd. *balle,* ahd. *ballo* ist die schwach gebeugte Nebenform von ↑[1]Ball, von dem es sich in der Bedeutung gelöst hat. Es wird heute gewöhnlich im Sinne von »Muskelpolster, Rundung und Schwielenpartie an Händen und Füßen« und im Sinne von »zusammengeschnürtes größeres Frachtstück, Packen« verwendet.

Ballerina ↑[2]Ball.

ballern ↑poltern.

Ballett »Bühnentanz; Tanzgruppe«: Das Wort wurde im 17. Jh. aus it. *balletto* entlehnt, das eine Verkleinerungsbildung zu it. *ballo* »rhythmische Körperbewegung, Tanz« ist. Das zugrunde liegende Verb it. *ballare* entspricht afrz. *baller* in ↑[2]Ball. – Abl.: **Balletteuse** »Balletttänzerin« (französierende Bildung des 20. Jh.s).

ballistisch »die Flugbahn eines Körpers betreffend«: Das Adjektiv ist eine seit Mitte des 19. Jh.s belegte gelehrte Bildung zu lat. *ballista* (< griech. **ballístēs*) »Wurf-, Schleudermaschine«. Dazu stellt sich das Substantiv **Ballistik** »Lehre von der Bewegung geschleuderter oder geschossener Körper«. – Zugrunde liegt das griech. Verb *bállein* »werfen, schleudern usw.«, dessen etymologische Zugehörigkeit nicht sicher zu ermitteln ist. – Die Wortfamilie von griech. *bállein* ist – außer den unter ↑[2]Ball behandelten Wörtern – in unserem Fremd- und Lehnwortschatz mit zahlreichen Ableitungen und Zusammensetzungen vertreten. Dazu gehören griech. *dia-bállein* »durcheinander werfen« in ↑diabolisch und im Lehnwort ↑Teufel (teuflisch usw.); griech. *em-bállein* »hineinwerfen« in ↑Emblem; griech. *para-bállein* »neben etwas hinwerfen; vergleichen; sich nähern« in ↑Parabel, ↑parlieren, ↑Parlament, Parlamentär, Parlamentarier, parlamentarisch, ↑Parole, ↑Polier, ↑Palaver, palavern; griech. *sym-bállein* »zusammenwerfen, vergleichen; übereinkommen, vereinbaren« (↑Symbol); griech. *pro-bállein* »vorwerfen, hinwerfen; aufwerfen« (↑Problem); schließlich noch die hybride Bildung lat. *arcu-ballista* »Bogenschleuder« im Lehnwort ↑Armbrust.

Ballon »mit Gas oder Luft gefüllter Ball; Glaskolben«: Das Wort wurde in der 2. Hälfte des 16. Jh.s aus it. *ballone, pallone* »großer Ball« entlehnt, einer Vergrößerungsbildung zu it. *palla* »Kugel, Ball«. Im späten 18. Jh. wurde das Wort noch einmal neu entlehnt aus gleichbed. frz. *ballon,* das seinerseits auf ital. *ballone* zurückgeht. Das Wort ist germ. Ursprungs (< langobard. **palla*) und gehört zu dem unter ↑[1]Ball behandelten germ. Wort.

Balsam »Linderung[smittel], Labsal«: Mhd. *balsam[e], balsem,* ahd. *balsamo* sind aus lat. *balsamum* »Balsamstrauch (bzw. der aus ihm gewonnene heilende, harzige Saft)« entlehnt. Das lat. Wort geht auf griech. *bálsamon,* hebr. *bośęm* »Balsamstaude; Wohlgeruch« zurück. Unmittelbar verwandt ist ↑Bisam.

Balz »Liebesspiele bestimmter Vögel während der Paarungszeit«: Das im germ. Sprachbereich nur im Dt. gebräuchliche Wort (mhd. *balz, valz*) ist dunklen Ursprungs. Abl.: **balzen** »um das Weibchen werben, sich paaren« (16. Jh., in der Form falzen).

Bambus »tropisches Rohrgras«: Das Wort wurde im 17. Jh. über niederl. *bamboes* aus malai. *bambu* entlehnt.

Bammel: Die Herkunft des ugs. Ausdrucks für »Angst« ist nicht sicher geklärt. Vielleicht gehört er im Sinne von »[inneres] Schwanken« zu dem unter ↑bammeln behandelten Verb.

bammeln (ugs. für:) »baumeln«: Das Verb (mnd. *bammeln,* mitteld. mdal. *bambeln, pampeln*) bezeichnet eigentlich die Bewegung des Glockenschwengels und gehört damit zu der lautmalenden Reihe bim, bam, bum!, die auch die Verben ↑bimmeln und ↑bummeln ergeben hat (vgl. den Artikel *Bombe*).

banal »alltäglich, unbedeutend«: Das Wort wurde Ende des 19. Jh.s aus frz. *banal* entlehnt. Dies ist eine Ableitung aus afrz. *ban* »Bann« und bedeutete zunächst so viel wie »gemeinnützig«, und zwar hinsichtlich der Sachen, die in einem Gerichtsbezirk allen gehörten. Aus der Bedeutung »allgemein« entwickelte sich über die Bedeutung »ohne besonderen Eigenwert« der heutige Sinn. Afrz. *ban* ist Lehnwort aus afränk. **ban,* der Entsprechung von ahd. *ban* in ↑Bann. Abl.: **Banalität** »Gemeinplatz« (19. Jh.; nach frz. *banalité*).

Banane: Der Name dieser tropischen Südfrucht entstammt der Sprache der Ureinwohner des ehemaligen Portugiesisch-Guineas in Westafrika und wurde durch die Portugiesen (port. *banana*) den anderen Europäern vermittelt. –Dazu **Bananenrepublik** als abwertende Bezeichnung für »kleines Land in den tropischen Gebieten Amerikas, das besonders vom Bananenexport lebt« (Mitte des 20. Jh.s, Lehnübersetzung von engl. *banana republic*).

Banause »Mensch ohne Verständnis für etwas Höheres, Geistiges, Künstlerisches«: Das Wort wurde im 19. Jh. aus griech. *bánausos* »Handwerker; gemein, niedrig« entlehnt, dessen Deutung unklar ist. Abl.: **banausisch.**

[1]**Band** (im Sinne von »[Gewebe]streifen« und »Fessel« Neutrum, im Sinne von »Buch« Maskulinum): Mhd., ahd. *bant* »Band, Fessel«, niederl. *band* »Streifen, [Ein]band, Reifen«, schwed. *band* »Streifen, Schlinge, [Ein]band« wie auch die anders gebildeten got. *bandi* »Band, Fessel« und aengl. *bend* »Band, Binde, Fessel« gehören zu dem unter ↑binden behandelten Verb. Außergerm. sind z. B. verwandt aind. *bandhá-ḥ* »Binden, Band« und awest. *banda-* »Fessel«. Für die Bed. »Fessel« und »Bindung, enge Beziehung« gilt der Plural ›Bande‹, sonst ist die Pluralform ›Bänder‹ gebräuchlich. Seit dem 17. Jh. ist ›Band‹ auch für »Einband«, dann für »Eingebundenes, Buch« bezeugt. In dieser Bedeutung hat es die Pluralform ›Bände‹. Zu ›Band‹ stellen sich die Ableitungen ↑Bändel und ↑bändigen.

[2]**Band:** Die Bezeichnung für »Gruppe von Musikern, die vorzugsweise moderne Musik, Jazz, Beat, Rock spielen«, wurde Mitte des 19. Jh.s aus gleichbed. engl.-amerik. *band* entlehnt, das eigentlich »Verbindung, Vereinigung (von Personen)« bedeutet und selbst auf frz. *bande* zurückgeht (vgl. [1]*Bande*). – Zus.: **Jazzband.**

[1]**Bande** »Rand, Einfassung«: Das Wort wurde im 18. Jh. aus gleichbed. frz. *bande* (afrz. *bende*) entlehnt, das eigentlich »Band, Binde« bedeutet und seinerseits aus einem westgerm. **binda* (zur Sippe von nhd. ↑binden) stammt.

[2]**Bande** »Gruppe von Kriminellen«: Das Wort wurde im 15. Jh. aus frz. *bande* »Truppe, Schar« (< aprov. *banda*) entlehnt, das vielleicht auf got. *bandwa* »Feldzeichen« zurückgeht. Es würde dann also eigentlich diejenigen bezeichnen, die sich unter einem gemeinsamen Zeichen (Fahne) zusammenrotten. Näher verwandt sind ↑Banner und ↑Banderole.

Bändel »schmales Bändchen, Schnur«: Mhd. *bendel,* ahd. *bentil* »Band, Binde« ist eine Verkleinerungsbildung zu dem unter ↑[1]Band behandelten Wort (zur Bildung beachte das Verhältnis von ›Stängel‹ zu ›Stange‹). Zu der besonders in der Schweiz schon länger gebräuchlichen Schreibung **Bändel** stellt sich **anbändeln** ugs. für »mit jemandem Streit oder eine Liebesbeziehung anfangen« (19. Jh.).

Banderole: Die Bezeichnung für »Klebe- oder Verschlussband mit einem Steuerzeichen« wurde Anfang des 17. Jh.s in der Bedeutung »Fähnchen« aus gleichbed. frz. *banderole* entlehnt. Das französische Wort geht zurück auf it. *banderuola,* eine Verkleinerungsform von *bandiera,* das zu dem unter ↑Banner genannten roman. **bandiere* gehört. Die heutige Bedeutung entwickelte sich durch falschen Anschluss an die Sippe des unverwandten Verbs ↑binden.

bändigen »zähmen, abrichten«: Das seit dem 17. Jh. bezeugte Verb ist abgeleitet von dem Adjektiv frühnhd. *bändig* »[am Bande] festgebunden, leitbar«, von Hunden (mhd. *bendec;* vgl. [1]*Band*). Dieses Adjektiv ist im heutigen Sprachgebrauch bewahrt in **unbändig** (mhd. *unbendec* »durch kein Band gehalten«, von Hunden).

Bandit: Der Ausdruck für »[Straßen]räuber, Gauner« wurde Anfang des 16. Jh.s aus it. *bandito* (eigentlich »Geächteter«) entlehnt, das zu it. *bandire* »verbannen« gehört, einer Kreuzung wohl von gleichbed. afränk. **bannjan* (zur Sippe von ↑Bann) und einem roman. Abkömmling des in ↑[2]Bande vorliegenden germ. **bandwōn,* got. *bandwa* »[Feld]zeichen«.

bang[e] »ängstlich«: Das Wort ist aus *be-ange* entstanden. Mhd. *ange,* ahd. *ango* ist altes Adverb zu dem unter ↑eng behandelten Adjektiv. ›Bang[e]‹ bedeutet also so viel wie »beengt«. Das Wort war ursprünglich nur im Niederd. und im Mitteld. beheimatet. Seit Luthers Bibelübersetzung geht es in die Schriftsprache ein, und zwar zunächst nur als Adverb, seit dem 17. Jh. auch als Adjektiv. – Abl.: **Bange** »Angst« (z. B. in: ›keine Bange haben‹; mhd. *bange*); **bangen** »ängstlich sein« (18. Jh.; zuvor schon mhd. *bangen* »ängstlich werden; in die Enge treiben«).

[1]**Bank:** Das altgerm. Wort für »[Sitz]bank« (mhd., ahd. *banc,* niederl. *bank,* engl. *bench,* schwed. *bänk*) ist eng verwandt mit der nord. Sippe von

B

aisl. *bakki* »Erhöhung, Hügel, Flussufer« und bedeutet demnach ursprünglich wahrscheinlich »Erhöhung«. Aus norweg. *bakken* »Hügel; Sprunghügel« ist unser **Bakken** »Sprungschanze« entlehnt. – Eine Ableitung von ›Bank‹ im Sinne von »Schlafbank« ist ↑Bankert. Siehe auch die Artikel [2]*Bank* und *Bänkelsänger.*

[2]**Bank** »Geldinstitut«: Italienische Geldwechsler und Kaufleute standen an der Wiege des modernen europäischen Bankwesens (vgl. hierzu das Kapitel zur Sprachgeschichte *Handel und Wirtschaft*). Die seit dem 15. Jh. von Italien eindringenden Fachwörter legen davon Zeugnis ab. Aus der großen Zahl dieser Fremdwörter seien genannt: ↑Kasse, ↑Prokura, ↑Konto, ↑Saldo, ↑Bilanz, ↑Diskont, ↑Skonto; ↑brutto, ↑netto. Auch unser Wort [2]Bank »Geldinstitut« gehört zu dieser Reihe. Es ist seinem Ursprung nach identisch mit ↑[1]Bank »Sitzbank«, dessen germ. Vorformen früh ins Roman. entlehnt wurden (it. *banca, banco*). Aus dem Italienischen wurde das Wort mit der dort entwickelten Bedeutung »langer Tisch des Geldwechslers« im 15. Jh. rückentlehnt, einer Bedeutung, die noch in mhd. *wehselbanc* vorliegt. Die Schreibung schwankte anfangs zwischen Formen wie ›banc, Bancho, Bancko‹. Erst im 17./18. Jh. bildete sich die endgültige Form heraus, nicht zuletzt unter dem Einfluss von frz. *banque* (woraus engl. *bank* entstand), das auch für den Genuswechsel des Wortes bestimmend war. – Frz. Einfluss zeigt auch die im 18. Jh. aufkommende Bedeutung »Spielbank«. – Zu ›Bank‹ gehören die Bildungen ↑Bankier, Banker und ↑Bankrott. Zus.: **Banknote** »von einer Notenbank ausgegebener Geldschein« (18. Jh.; zuerst im Engl. als *banknote* bezeugt). Unter engl. Einfluss tritt das Substantiv seit der Mitte des 20. Jh.s auch als Grundwort in Zusammensetzungen wie **Samenbank, Blutbank, Datenbank** mit der Bedeutung »Einrichtung, die der Lagerung, Sammlung von etw. dient« auf. Über weitere Zusammenhänge vgl. den Artikel [1]*Bank.*

Bank

etwas auf die lange Bank schieben
(ugs.) »etwas nicht gleich erledigen, aufschieben«
Die Wendung bezieht sich darauf, dass früher bei den Gerichten die Akten nicht in Schränken, sondern in langen bankähnlichen Truhen aufbewahrt wurden. Was dorthin kam, blieb lange unerledigt liegen, während die Akten, die auf dem Tisch des Richters blieben, schneller bearbeitet wurden.

durch die Bank
(ugs.) »durchweg, alle ohne Ausnahme«
Die Wendung drückte ursprünglich aus, dass alle, die auf einer Bank sitzen, sozial gleichgestellt sind und keiner irgendwelche Vorteile genießt.

Bänkelsänger: Das seit dem 18. Jh. gebräuchliche Wort enthält als 1. Bestandteil eine mdal. Verkleinerungsbildung zu [1]Bank (neben ›Bänkelsänger‹ war auch ›Bänkleinsänger‹ gebräuchlich). Es ist vielleicht eine Lehnbildung nach it. *cantambanco* (*canta in banco* »singe auf der Bank«) und bezieht sich darauf, dass umherziehende Sänger die ersten fliegenden Blätter, die Vorläufer unserer Zeitung, auf einer kleinen Bank stehend dem Publikum erläuterten.

Banker ↑Bankier.

Bankert (veraltet, noch verächtlich für:) »uneheliches Kind«: Frühnhd. *bankart,* mhd. *banchart* meint eigentlich das auf der Schlafbank der Magd (vgl. [1]*Bank*), nicht im Ehebett des Hausherrn gezeugte Kind. Der im Nhd. abgeschliffene zweite Wortteil ist das in vielen Personennamen auftretende Grundwort *-hard* (vgl. *hart*), das auch sonst als bloße Endung verwandt wird und hier wohl in Anlehnung an das Lehnwort ↑Bastard fest wurde.

[1]**Bankett** »Festmahl«: Das Fremdwort wurde Ende des 15. Jh.s aus it. *banchetto* entlehnt, das die kleinen Beisetztische bezeichnete, die bei einem festlichen Diner um die Tafel herum aufgestellt wurden und dem Festmahl selbst den Namen gaben. It. *banchetto* ist eine Verkleinerungsbildung zu dem unter ↑[2]Bank genannten it. *banco* und bedeutet eigentlich »kleine Bank«. Über weitere Zusammenhänge vgl. [1]*Bank.*

[2]**Bankett:** Die Bezeichnung für »erhöhter [befestigter] Randstreifen einer Straße« wurde im 17. Jh. aus frz. *banquette* »Fußsteig« entlehnt, einer zuerst im Norm. bezeugten Ableitung von frz. *banc* »Bank«. Die ursprüngliche Bedeutung von *banquette* ist demnach »bankartiger Erdaufwurf (als Einfassung)«. Frz. *banc* geht auf afränk. **bank* zurück, das mit ahd. *bank* in ↑[1]Bank »Sitzbank« identisch ist.

Bankier »Bankinhaber; Bankkaufmann«: Das Wort wurde im frühen 17. Jh. aus gleichbed. frz. *banquier* entlehnt. In der 1. Hälfte des 20. Jh.s wurde dann noch aus engl. *banker* (zu engl. *bank*) **Banker** »[hervorragender] Bankfachmann« entlehnt. Über weitere Zusammenhänge vgl. [2]*Bank.*

Banknote ↑[2]Bank.

Bankrott: Die Bezeichnung für »finanzieller Zusammenbruch, Zahlungsunfähigkeit« wurde Mitte des 15. Jh.s aus it. *banca rotta (banco rotto)* entlehnt, das eigentlich »zerbrochener Tisch (des Geldwechslers)« bedeutet, wohl aber eher bildlich als konkret zu verstehen ist (dass dem zahlungsunfähigen Geldwechsler der Wechseltisch öffentlich zerschlagen wurde, ist nirgends bezeugt). – Über it. *banca* vgl. [2]*Bank;* das Adjektiv it. *rotta (rotto)* geht auf lat. *rupta (ruptus)* zurück (vgl. *Rotte*).

Bann »Ausschluss aus der [kirchlichen] Gemeinschaft«, (früher auch:) »Gerichtsbarkeit, Rechtsbezirk«: Das altgerm. Wort (mhd., ahd. *ban* »Gebot, Aufgebot«, niederl. *ban,* engl. *ban,* schwed. *bann*) gehört zu dem starken Verb ahd. *bannan,* mhd. *bannen* »unter Strafandrohung ge- oder verbieten« (s. u.). Dies ist mit aind. *bhánati* »spricht«, mit griech. *phánai* und lat. *fari* »[feierlich] sagen, sprechen« verwandt. Zugrunde liegt die idg. Wurzel **bhā-* »sprechen«. Das im Ablaut zu griech. *phánai* (in ↑Prophet und ↑Blasphemie, blamieren) stehende Substantiv griech. *phōnḗ* »Stimme« ist Ausgangspunkt für die Fremdwörter um ↑Phonetik. Lat. *fari* erscheint in den Wortgruppen um ↑fatal (besonders famos, Fabel, Fee, infantil, Konfession, Professor). Auf dem germ. Wort wiederum beruhen die über das Frz. zu uns gekommenen Fremdwörter ↑banal und ↑Banner und das aus dem It. entliehene Fremdwort ↑Bandit. – Im dt. Mittelalter war ›Bann‹ ein wichtiges Rechtswort. Aus den Bedeutungen »Gebot« und »Verbot« entwickelte sich die des »Aufgebots« zu Gericht und Krieg (z. B. ›Heerbann‹), der »Gerichtsbarkeit« (z. B. ›Blutbann‹) und der »grundherrlichen Gewalt« in einem bestimmten Bezirk (z. B. ›Wildbann‹ »königliches Jagdrecht«); auch der Bezirk selbst konnte ›Bann‹ heißen. Von alledem ist in der Neuzeit fast allein der Begriff des Kirchenbanns übrig geblieben, der mit dem Wort seit ahd. Zeit verbunden ist. Er beruht auf der obrigkeitlichen Strafgewalt. Die Formel ›in Acht und Bann‹ (↑[1]Acht) bedeutet den vollständigen Ausschluss aus der weltlichen und kirchlichen Gemeinschaft. Die katholische Kirche hat das Wort ›Bann‹ jedoch durch ›Exkommunikation‹ (s. d.) ersetzt. Von den Zusammensetzungen sind heute noch wichtig: **Bannmeile** »Schutzbezirk um ein öffentliches Gebäude« (mhd. *banmīle* war der auf 1 Meile im Umkreis ausgedehnte Bezirk, in dem das Markt- und Zunftrecht einer Stadt galt; ↑Weichbild); **Bannwald** »Schutzwald gegen Lawinen« (in dem kein Holz geschlagen werden darf; mhd. *banwalt* war »Herrschaftswald«).

bannen: Das unter ↑Bann genannte früher starke Verb erscheint seit dem 15. Jh. in schwacher Beugung, weil es als Ableitung von ›Bann‹ empfunden wurde. Es bedeutete zunächst in rechtlichem Sinne »in den [Kirchen]bann tun«, dann »durch Zauberkraft vertreiben oder festhalten«; dabei wirkt die alte Bedeutung von ›Bann‹ »feierliches Gebot« nach. Dazu das Präfixverb **verbannen** (mhd. *verbannen* »ge- oder verbieten; durch Bann verstoßen, verfluchen«, ahd. *farbannan* »den Augen entziehen«; nhd. nur in der Bed. »verstoßen, des Landes verweisen«).

Banner »Heerfahne«: Mhd. *banier[e]* ist aus (a)frz. *bannière* entlehnt, das unter Einfluss von afrz. *banier* »öffentlich ankündigen« (zur Sippe von ↑Bann) über eine roman. Vorform **bandiere* »Ort, wo die Fahne aufgestellt wird« auf germ. **bandwōn* »[Feld]zeichen« (↑[2]Bande) zurückgeht. Als Nebenform von mhd. *banier[e]* kam im 15. Jh. *panier* auf, auf dem **Panier** »Banner, Heerzeichen; Wahlspruch« beruht. Seit jüngster Zeit findet sich ›Banner‹ auch im Sinne von »Werbung im Internet«; eine Bedeutung, die von engl. *banner* entlehnt wurde.

Bannmeile, Bannwald ↑Bann.

Baptist »Anhänger einer christlichen Sekte, die nur die Erwachsenentaufe zulässt«: Das Wort ist aus gleichbed. engl. *baptist* entlehnt, das über kirchenlat. *baptista* auf griech. *baptistḗs* »Täufer« zurückgeht. Das griech. Wort gehört zu griech. *baptízein* »taufen«, einer Bildung zu *báptein* »[ein]tauchen« (in der alten Christengemeinde wurde der Täufling noch mit seinem ganzen Körper ins Wasser getaucht).

bar »unbedeckt, bloß, nackt; offenkundig, deutlich; entblößt, frei von; sofort verfügbar (von Geld)«: Das altgerm. Adjektiv für »unbedeckt, nackt« mhd., ahd. *bar,* niederl. *ba[a]r,* engl. *bare,* schwed. *bar* beruht mit verwandten Wörtern in anderen idg. Sprachen auf idg. **bhoso-s* »nackt«, vgl. z. B. die baltoslaw. Sippe von russ. *bosoj* »barfüßig«. – Im Sinne von »sofort verfügbar; in Geldmünzen« wird das Adjektiv im Dt. seit mhd. Zeit verwendet. Diese Bedeutung, an die sich die Bildung **Barschaft** (14. Jh.) anschließt, ist wohl als »offen, frei daliegend« zu verstehen. – Zus.: **barfuß** (mhd. *barvuoẓ,* entsprechend engl. *barefoot;* eigentlich ein adjektivisch gebrauchtes Substantiv, das »bloße Füße besitzend« bedeutet; heute steht es nur aussagend), dazu die Ableitung **barfüßig** (spätmhd. *barvüeẓic*).

...bar: Zu ahd. *beran* »tragen, bringen« (vgl. *gebären*) gehört das nur in Zusammensetzungen vorkommende Adjektiv ahd. *-bāri,* mhd. *-bære* (adverbial *-bare*), dem aengl. *-bǣre* und das selbstständige aisl. *bǣrr* »tragfähig« entsprechen. Seine Grundbedeutung »tragend, fähig zu tragen« ließ es ursprünglich nur zu Substantiven treten (z. B. ›fruchtbar‹ »Frucht tragend«); es wurde aber bald Suffix (z. B. in ›offenbar, sonderbar‹) und bildet seit dem Spätmhd. vor allem Adjektive zu Verben (›hörbar‹ »was gehört werden kann«, ›ersetzbar‹ »was ersetzt werden kann«).

[1]Bar: Die Benennung der Maßeinheit des Luftdruckes ist eine gelehrte Bildung zu griech. *báros* »Schwere, Gewicht« (s. auch *baro..., Baro...*). Das zugrunde liegende Adjektiv griech. *barýs* »schwer«, das auch in ↑Bariton vorliegt, ist urverwandt mit lat. *gravis* »schwer« (vgl. *gravitätisch*).

[2]Bar »[Nacht]lokal, Räumlichkeit mit hohem Schanktisch und Barhockern«: Das Wort wurde im 19. Jh. aus engl. *bar* entlehnt, das wie das vorausliegende afrz. (= frz.) *barre* zunächst nur »Stange« bedeutete, dann eine aus mehreren Stangen bestehende »Schranke« bezeichnete, wie sie z. B. in Wirtsstuben charakteristisch war, um Gastraum und Schankraum zu trennen. Über afrz. *barre* vgl. den Artikel *Barre.*

Bär: Die germ. Bezeichnungen für den Bären mhd. *ber,* ahd. *bero,* niederl. *beer,* engl. *bear,* aisl. *bjǫrn,* schwed. *björn* (auch im norw. Ortsnamen Björndal »Bärental«), daneben aisl. *berin* der Zusammensetzung ↑Berserker bedeuten eigentlich »der Braune«. Vermutlich aus der Furcht heraus, das gefährliche Tier durch die Nennung seines wahren Namens zu reizen oder zum Erscheinen zu veranlassen, ersetzten die Germanen den alten idg. Bärennamen (↑Arktis) durch einen verhüllenden Ausdruck; vgl. hierzu das Kapitel zur Sprachgeschichte *Der indogermanische Erbwortschatz*. Die Häufigkeit des Bären in älteren Zeiten, seine Beliebtheit als Jagdbeute und seine Stellung als König der Wälder spiegeln sich sprachlich in zahlreichen Orts- und Personennamen wider. Auch im Volksglauben, im Märchen, in Sprichwörtern und Redensarten spielt der Bär eine Rolle. Im Tiermärchen heißt der Bär Braun, auch [Meister] Petz (Koseform des männlichen Personennamens Bernhard). Gemäß griech.-röm. Tradition wird das Wort ferner als Name des Sternbildes verwendet. – Zus.: **bärbeißig** »grimmig, verdrießlich« (17. Jh.; eigentlich »bissig wie der Bärenbeißer« [ein zur Bärenjagd gebrauchter Hund]); **Bärlapp** (eine Farnart; 16. Jh.; eigentlich »Bärentatze«; der zweite Wortteil geht auf ahd. *lappo* »flache Hand, Tatze« zurück; vgl. *Luv*).

Bär

da ist der Bär los/geht der Bär ab
(ugs.) »da ist etwas los, herrscht Stimmung, kann man viel erleben«
Die Wendung bezieht sich wohl auf den Tanzbären auf Jahrmärkten oder den Bären, der im Zirkus Kunststücke vollbringt.

jmdm. einen Bären aufbinden
»jmdm. mit heimlicher Freude etwas Unwahres so erzählen, dass er es auch glaubt; jmdm. etw. vormachen«
Die Wendung – früher auch in der Form ›jmdm. einen Bären anbinden‹ – entstand im 17. Jh. als Lehnbildung zu lat. *imponere* »weismachen«.

Baracke »behelfsmäßiger Holzbau«: Das Wort wurde im 17. Jh. als »Feldhütte der Soldaten« aus frz. *baraque*, span. *barraca* entlehnt. Es bezeichnete ursprünglich wohl eine Art »Lehmhütte« und gehört dann zu span. *barro* »Lehm«.

Barbar »ungesitteter Rohling«: Das Substantiv (spätmhd. *barbar*) ist aus lat. *barbarus* < griech. *bárbaros* entlehnt. Das griech. Wort ist mit aind. *barbara-ḥ* »stammelnd« identisch und bezeichnet ursprünglich den fremden Ausländer, der mit der einheimischen Sprache und Gesittung nicht vertraut war und darum als »roh und ungebildet« galt.

Barbe: Der Name des karpfenartigen Fisches (mhd. *barbe*, ahd. *barbo*) ist aus lat. *barbus* entlehnt, das zu lat. *barba* »Bart« gehört. Der Fisch ist nach den vier Bartfäden am Maul als »der Bärtige« benannt.

bärbeißig ↑Bär.

Barbier »Bartpfleger« (veralt.): Mhd. *barbier* (spätmhd. *barbierer*) wurde durch roman. Vermittlung (it. *barbiere*, frz. *barbier*) aus mlat. *barbarius* »Bartscherer« entlehnt, einer Ableitung von lat. *barba* »Bart« (urverwandt mit dt. ↑Bart).

Barde: Die Bezeichnung für den altkeltischen Sänger und Dichter wurde im 17. Jh. aus frz. *barde* entlehnt, das auf gleichbed. lat. *bardus* (< kelt. **bardo*) zurückgeht.

Bärendienst

jmdm. einen Bärendienst erweisen
(ugs.) »jmdm. einen schlechten Dienst erweisen, jmdm. mehr schaden als nutzen«
Die Wendung geht von der Fabel ›Der Bär und der Gartenliebhaber‹ von La Fontaine aus. In dieser Fabel zerschmettert der Bär, der dem Gärtner immer treue Dienste leistet, eine lästige Fliege, die sich auf der Nasenspitze seines Herrn niedergelassen hat, mit einem Stein. Zwar ist nun die Fliege tot, der Gärtner aber auch.

Barett: Die Bezeichnung für eine (besonders als Amtstracht getragene) flache Kopfbedeckung wurde im 15. Jh. aus mlat. *barretum, birretum* entlehnt. Es gehört zu lat. *birrus* »kurzer Umhang mit Kapuze«, das wahrscheinlich gall. Herkunft ist.

barfuß, barfüßig ↑bar.

Bariton: Die Bezeichnung für die »mittlere Männerstimme« wurde im 17. Jh. aus it. *baritono* entlehnt, das als substantiviertes Adjektiv auf griech. *barýtonos* »volltönend« zurückgeht und die Stimmlage zwischen Bass und Tenor bezeichnet. Griech. *barýtonos* gehört zu griech. *barýs* »schwer« und *tónos* »Spannung; Ton«; vgl. [1]*Bar* und [1]*Ton*.

Bark ↑Barke.

Barkarole ↑Barke.

Barkasse ↑Barke.

Barke »kleines Boot ohne Mast«: Mhd. *barke* geht über mniederl. *barke* und afrz., pik. *barque*, aprov. *barca* auf lat. *barca* zurück. Das lat. Wort (Vorform **barica*) stammt aus griech. *bāris*, das seinerseits aus kopt. *barī* »Nachen, Floß« entlehnt ist. In nhd. Zeit wird das Wort über engl.-niederl. *bark* als **Bark** neu entlehnt, und zwar diesmal als Bezeichnung für ein mehrmastiges Segelschiff. – Auf lat. *barca* beruht it. *barca*, zu dem als Vergrößerungsbildung *barcaccia* »großes, flaches Boot« gehört; auf dieses Wort geht über niederl. *barkas* und span. *barcaza* unser **Barkasse** »Beiboot auf Kriegsschiffen; kleines Hafenboot« (18. Jh.) zurück. Zu it. *barca* gehört auch *barcarolo* »Gondoliere«, zu dem sich it. *barcarola* »Gondellied« stellt, auf das über frz. *barcarole* unser **Barkarole** zurückgeht.

Bärlapp ↑Bär.

Bärme (nordd. für:) »[Bier]hefe«: Das im 17. Jh. aus dem Niederd. aufgenommene Wort ist ein westgerm. Substantiv (mnd. *berme, barm[e],* älter niederl. *berm[e],* engl. *barm* »Hefe«) und beruht wie lat. *fermentum* »Gärungsstoff, Sauerteig« (↑Ferment) auf einer Weiterbildung der idg. Wurzel **bher[ə]-* »quellen, [auf]wallen, sieden« (die Bärme wird zuerst als Schaum auf der gärenden Flüssigkeit sichtbar; s. auch *Hefe*). Zu dieser vielfach erweiterten und weitergebildeten Wurzel gehören zahlreiche weitere Ausdrücke im Bereich der Nahrungsmittelbereitung, die alle von der Beobachtung des Aufwallens und Brodelns beim quellenden oder siedenden Wasser ausgehen, so z. B. aus dem germ. Sprachbereich die unter ↑braten, ↑brühen und ↑Brei behandelten germ. Wörter sowie die Wortgruppe von ↑brauen (mit ↑brodeln und ↑Brot). Außergerm. sind z. B. verwandt griech. *phrýgein* »rösten, dörren, braten« und lat. *frigere* »rösten, dörren« (↑Frikadelle). Zu der vielfach erweiterten und weitergebildeten Wurzel gehören ferner aus dem germ. Sprachbereich die unter ↑Brunnen (eigentlich »quellendes Wasser«) und ↑brennen behandelten Sippen (die heftig bewegten Flammen wurden mit dem siedenden Wasser verglichen).

barmen ↑erbarmen.

barmherzig: Mhd. *barmherze[c],* ahd. *barmherzi* sind in Anlehnung an ahd. *ir-barmēn* (↑erbarmen) umgebildet aus ahd. *armherz[īg]* (vgl. *arm* und *Herz*). Dies stammt aus got. *armahaírts,* einer Lehnübersetzung der got. Kirchensprache von lat. *misericors* »mitleidig« (eigentlich »jemand, der ein Herz für die Unglücklichen hat«). Abl.: **Barmherzigkeit** (mhd. *barmherzekeit* für älteres *barmherze,* ahd. *armherzī,* got. *armahaírtei,* nach lat. *misericordia*).

Barmixer ↑mixen.

baro..., Baro...: Das in zahlreichen Zusammensetzungen auftretende Bestimmungswort mit der Bedeutung »Schwere« ist aus griech. *báros* »Schwere« gebildet, das zu griech. *barýs* »schwer« gehört; vgl. [1]*Bar.*

barock »von verschwenderisch gestalteter Formenfülle (den Kunststil des 17. und 18. Jh.s betreffend)«: Das Wort wurde im 18. Jh. aus gleichbed. frz. *baroque* (eigentlich »schief, unregelmäßig«) entlehnt. Das frz. Wort hat die Bedeutung »im Stil des Barocks« von dem it. Adjektiv *barocco* übernommen. Beide Wörter gehen auf port. *barroco* zurück, das ursprünglich nur zur Charakterisierung einer unregelmäßigen Perlenoberfläche diente. Von hier aus nahm es die allgemeine Bed. »schief, unregelmäßig« an. – Dazu stellt sich das seit dem 19. Jh. bezeugte Substantiv **Barock.** Vgl. auch das Kapitel zur Sprachgeschichte *Die Zeit des Barocks.*

Barometer: Die seit dem 18. Jh. bezeugte Bezeichnung für »Luftdruckmesser« ist aus engl. *barometer* entlehnt. Das engl. Wort ist eine gelehrte Neubildung (1665) des englischen Physikers R. Boyle (1627–1691) für das von Torricelli 1643 erfundene Gerät zu griech. *báros* »Schwere« (*barýs* »schwer«) und griech. *métron* »Maß« (vgl. [1]*Bar* und *Meter*).

Baron »Freiherr«: Der Adelstitel wurde im 16./17. Jh. aus frz. *baron* entlehnt, das auf afränk. **baro* »Lehnsmann, streitbarer Mann« zurückgeht. Dies gehört mit aisl. *berja* »schlagen, töten«, *berjask* »sich schlagen, kämpfen« zur germ. Sippe von ↑bohren. Abl.: **Baronesse** »Freifräulein« (aus frz. *baronnesse* »Baronin«, im 18. Jh. auch ›Baronessin‹); **Baronin** »Freifrau« (19. Jh.).

Barras: Der soldatensprachliche Ausdruck für »Militär; Militärdienst« ist seit dem 19. Jh. bezeugt, zunächst in der Bed. »Kommissbrot«. Seine Herkunft ist unklar.

Barre »[Quer]stange, Riegel«: Das seit mhd. Zeit bezeugte Substantiv stammt aus frz. *barre* und weiter aus galloroman. **barra* »Stange, Balken«, das auch den Fremdwörtern ↑Barriere, ↑Embargo zugrunde liegt. – Abl.: **Barren** (schon frühnhd. bezeugt mit der Bed. »Stange, Metallstange«, seit Jahn Name eines Turngerätes und später auch Bezeichnung der handelsüblichen Stangenform von Edelmetallen).

Barriere »Schranke, Sperre, Schlagbaum«: Das Fremdwort wurde Anfang des 18. Jh.s aus frz. *barrière,* einer Kollektivbildung zu *barre* »Stange«, entlehnt (vgl. *Barre*). Es bedeutet also eigentlich »Gestänge«.

Barrikade »[Straßen]sperre«: Das Wort wurde im 18. Jh. aus frz. *barricade* entlehnt, aber erst nach 1848 allgemein gebräuchlich. Frz. *barricade* ist eine Bildung zu frz. *barrique* »Fass, Tonne«, was sich daraus erklärt, dass für Straßensperren oft Fässer und Tonnen verwendet wurden.

Barrique: Das Wort mit der Bedeutung »früheres frz. Weinmaß; Weinfass aus Eichenholz« wurde in der 2. Hälfte des 20. Jh.s aus gleichbed. frz. *barrique* übernommen, vgl. *Barrikade.*

barsch: Das im 17. Jh. aus dem Niederd. ins Hochd. übernommene Adjektiv geht zurück auf mnd. *barsch* »scharf, streng (vom Geschmack), ranzig«, das im Sinne von »scharf, spitz« zu der Wortgruppe von ↑Barsch gehört. Seit dem 18. Jh. wird ›barsch‹ übertragen im Sinne von »unfreundlich, grob« verwendet.

Barsch: Der westgerm. Fischname mhd., ahd. *bars,* niederl. *baars,* engl. *barse* gehört mit verwandten Wörtern in anderen idg. Sprachen zu der vielfach weitergebildeten und erweiterten idg. Wurzel **bhar-* »Spitze, Stachel, Borste, starr Emporstehendes«. Der Raubfisch ist also nach seinen auffallend stachligen Flossen benannt. Zu dieser idg. Wurzel gehören auch die Sippen von ↑Borste und ↑Bürste und wahrscheinlich das unter ↑Bart behandelte Wort, ferner aus dem germ. Sprachbereich das Adjektiv ↑barsch, vgl. dazu aisl. *barr*

»rau, scharf« und ahd. *barrēnti* »starr aufgerichtet, eigensinnig«.

Barschaft ↑bar.

Bart: Das westgerm. Wort mhd., ahd. *bart*, niederl. *baard*, engl. *beard* ist verwandt mit lat. *barba* »Bart« (↑Barbier) und mit der baltoslaw. Sippe von russ. *boroda* »Bart, Kinn«. Es gehört wahrscheinlich im Sinne von »Borste[n]« zu der idg. Wortgruppe von ↑Barsch. – Im übertragenen Gebrauch bezeichnet das Wort Dinge, die mit einem Bart Ähnlichkeit haben, beachte z. B. die Zusammensetzung **Schlüsselbart** und die Ableitung [1]**Barte** »Beil« (mhd. *barte*, ahd. *barta*), die auch als Grundwort in ↑Hellebarde steckt. Auf die Ähnlichkeit der aus Fischbein bestehenden Hornplatten im Oberkiefer der Bartenwale mit Barthaaren bezieht sich [2]**Barte** »Fischbein«, das aber wahrscheinlich aus dem Niederl. stammt, vgl. niederl. *baard*, Plural *baarden* »Bart; Fischbein«. Abl.: **bärtig** (für älteres *bärticht*, mhd. *bartoht*).

Bart

jetzt ist der Bart [aber] ab!
(ugs.) »nun ist Schluss!; nun ists aber genug!«
Der Ursprung der Redensart ist nicht sicher geklärt. Sie kann Ende des 19. Jh.s aufgekommen sein, als auf den Vollbart Wilhelms I. und Friedrichs III. der Schnurrbart Wilhelms II. folgte; sie kann aber auch ursprünglich den abgebrochenen Bart des Schlüssels gemeint haben.

streiten/das ist ein Streit um Kaisers Bart
(ugs.) »um etw. Belangloses streiten/das ist ein überflüssiger Streit im Nichtigkeiten«
Des ›Kaisers Bart‹ ist vermutlich entstellt und umgedeutet aus ›Geiß(en)haar‹ (= Ziegenhaar), vgl. die lateinische Redensart ›de lana caprina rixari‹, eigentlich ›um Ziegenwolle, d. h. um nichts, streiten‹. Die Wendung wurde dann auf die Streitereien von Gelehrten bezogen, in denen es darum ging, ob bestimmte deutsche Kaiser einen Bart getragen hatten oder nicht, vgl. auch die Scherzfrage, ob Kaiser Barbarossas Bart inzwischen weiß geworden sei.

Basalt: Das Wort wurde im 18. Jh. aus lat. *basaltes* entlehnt, einer handschriftlich bezeugten Verschreibung für richtiges *basanites*. Dies stammt aus griech. *basanítēs* »[harter] Probierstein«. Zugrunde liegt gleichbed. griech. *básanos*, ein wohl ägyptisches Fremdwort (ägypt. *baḫan* bezeichnet ein sehr hartes und deshalb zur Goldprüfung verwendetes Schiefergestein), das den Griechen durch die Lyder vermittelt wurde.

Basar »Händlerviertel in orientalischen Städten; Warenverkauf auf Wohltätigkeitsveranstaltungen«: Das Wort wurde Ende des 16. Jh.s – wohl über gleichbed. frz. *bazar* – aus pers. *bāzār* »Markt« entlehnt.

[1]**Base** »Kusine«: Das auf das dt. Sprachgebiet beschränkte Wort (mhd. *base*, ahd. *basa*) stammt – wie auch gleichbed. mitteld., niederd. *wase* – wahrscheinlich aus der Lallsprache der Kinder. Zu der ursprünglichen Bedeutung »Vaterschwester« tritt im 15. Jh. »Mutterschwester«; später wird die Bezeichnung, ähnlich der Entwicklung bei Vetter (s. d.), auf alle entfernten weiblichen Verwandten ausgedehnt.

[2]**Base** ↑Basis.

basieren ↑Basis.

Basilika: Die Bezeichnung für »Kirche mit überhöhtem Mittelschiff« wurde im späten 15. Jh. aus lat. *basilica* »Hauptkirche; Markt-, Gerichtshalle« entlehnt, das seinerseits aus griech. *basilikḗ (stoá)* »Säulenhalle« stammt. Das griech. Wort bedeutet eigentlich »königliche (Halle)« und gehört zu griech. *basileús* »König«. Dazu stellt sich auch der Pflanzenname **Basilikum**, der aus mlat. *basilicum* entlehnt ist, einer Substantivierung von lat. *basilicus* (< griech. *basilikós*) »königlich, fürstlich«. Die Pflanze ist nach dem edlen Duft als »die Königliche« benannt.

Basis »Grundlage; Ausgangspunkt«: Das Wort, ursprünglich ein Terminus der Geometrie und der Baukunst, wurde im 15. Jh. aus lat. *basis* »Grundlinie; Sockel, Fundament« entlehnt. Griech. *básis* »Schritt; Gang; Grund, Boden« gehört als Substantiv zum Stamm des mit ↑kommen urverwandten Verbs griech. *baínein* »gehen, treten« und bedeutet eigentlich »etwas, auf das man treten kann, worauf etwas stehen kann«. Die früher (wohl unter dem Einfluss von frz. *base*) gebräuchliche Nebenform **Base** wird heute nur noch in der Fachsprache der Chemie als Bezeichnung für Metallhydroxide verwendet, die als die Grundlage für die Säuren bei der Bildung von Salzen angesehen wurden; dazu das Adjektiv **basisch** (19. Jh.). Abl.: **basieren** »sich gründen auf, beruhen auf« (19. Jh.; nach gleichbed. frz. *baser*). – Vgl. auch die hierher gehörende Zusammensetzung *Akrobat*. Über weitere Zusammenhänge vgl. *kommen*.

Basketball: Der Name des Mannschaftsspiels, das um 1920 von Amerika nach Europa gelangte und nach der Olympiade von 1936 in Deutschland an Bedeutung gewann, ist aus engl. *basketball* entlehnt, einer Zusammensetzung aus engl. *basket* »Korb« und *ball* »Ball«.

bass (veraltet für:) »besser, weiter; sehr«: Die Komparativbildung mhd., ahd. *baʒ* gehört zusammen mit aengl. *bet* und aisl. *betr* zu der idg. Wurzel **bhăd-* »gut« und ist der Form nach die umlautlose Adverbbildung zu dem ebenfalls komparativischen umgelauteten Adjektiv ↑besser. ›Bass‹ ist unregelmäßiger Komparativ zu dem Adverb ↑wohl, wie ›besser‹ unregelmäßiger Komparativ zu dem Adjektiv ↑gut ist. In den germ. Sprachen gibt es zahlreiche Verwandte unseres Wortes, z. B. aisl. *bati* »Besserung, Nutzen«, mnd. *bate* »Vorteil, Nutzen«, aengl. *batian* »besser werden, heilen«, niederl. *baten* »nützen«. Ablautend gehören ↑Buße und ↑büßen zur gleichen Familie.

Bass: Die musikalische Bezeichnung der »tiefsten Stimmlage« stammt wie ↑²Tenor, ↑Bariton, ↑Alt, ↑Sopran, ↑Falsett aus dem Italienischen. Sie wurde im frühen 16. Jh. aus it. *basso* »tief« übernommen, dem ein undurchsichtiges spätlat. Adjektiv *bassus* »dick; niedrig« vorausliegt. – Abl.: **Bassist** »Sänger mit Bassstimme« (16. Jh.).

Bassin »Wasserbecken«: Das seit Mitte des 17. Jh.s bezeugte Fremdwort gehört zu einer Reihe von Fachwörtern der Gartenbaukunst, die teils aus dem Frz. (wie ↑Fontäne, ↑Allee, ↑Kaskade), teils aus dem It. (wie ↑Grotte), teils auch durch niederl. Vermittlung (wie *Rabatte* [↑Rabatt]) entlehnt wurden. ›Bassin‹ stammt aus frz. *bassin* (< afrz. *bacin*), das seinerseits auf vlat. **baccinum* zurückgeht. Siehe auch den Artikel *Becken.*

Bast: Das altgerm. Substantiv mhd., ahd. *bast,* niederl. *bast,* engl. *bast,* schwed. *bast* ist dunklen Ursprungs. Der Bast ist die innere Schicht der Pflanzenrinde. In alter Zeit dienten besonders der Linden- und Ulmenbast zum Flechten und Nähen. In der Jägersprache bezeichnet ›Bast‹ die samtartige Haut um das werdende Hirschgeweih oder Rehgehörn.

basta: Der ugs. Ausdruck für »genug!, Schluss!« wurde im 17. Jh. aus it. *basta* »es ist genug« (zu it. *bastare* »genug sein, hinreichen«) entlehnt.

Bastard »uneheliches Kind«: Das seit mhd. Zeit belegte Substantiv (mhd. *bast[h]art*) beruht auf gleichbed. afrz. *bastard* (= frz. *bâtard*), das neben gleichbed. afrz. *fils* (bzw. *fille*) *de bast* steht. Das frz. Wort selbst, dessen weitere Herkunft nicht gesichert ist, war ursprünglich ein fester Terminus des Feudalwesens zur Bezeichnung für das von einem Adligen in außerehelicher Verbindung gezeugte, aber von ihm rechtlich anerkannte Kind.

Bastei »Bollwerk«: Der Ausdruck des Festungsbaus (spätmhd. *bastīe*) stammt aus gleichbed. it. *bastia,* zu dem als Vergrößerungsbildung it. *bastione* (↑Bastion) gehört. Quelle des it. Wortes ist vermutlich ein afrz. Substantiv **bastie,* das zu afrz. *bastir* »herrichten, fertig stellen« (= frz. *bâtir* »bauen«) gebildet ist.

basteln: Das Verb erscheint erst seit dem 18. Jh. in der Schriftsprache, ist aber in oberd. und mitteld. Mundarten seit langem verbreitet und zuerst im 15. Jh. als bayr. *pästlen* bezeugt. Es bedeutet »kleine Handarbeiten machen, ohne Handwerker zu sein« und meinte früher besonders die unzünftige Handwerksarbeit.

Bastion »Bollwerk«: Das Wort wurde in der 1. Hälfte des 16. Jh.s über frz. *bastion* aus it. *bastione* entlehnt, einer Vergrößerungsbildung zu it. *bastia* (↑Bastei).

Bataillon: Die Bezeichnung der militärischen Einheit wurde Ende des 16. Jh.s aus frz. *bataillon* entlehnt, das seinerseits aus it. *battaglione,* einer Vergrößerungsform von it. *battaglia* (= frz. *bataille*) »Schlacht; Schlachthaufen«, stammt. Voraus liegen vlat. *battalia,* lat. *battualia* »Fechtübungen«. Das zugrunde liegende Verb lat. *battuere (battere)* »schlagen, klopfen« gilt als gall. Lehnwort. Es ist noch in den Fremdwörtern ↑Batterie, ↑debattieren, ↑Rabatt (usw.) vertreten.

Batist: Die Bezeichnung für das feine [Baumwoll]gewebe wurde im 18. Jh. aus frz. *batiste* entlehnt. Das frz. Wort gehört wahrscheinlich im Sinne von »gewalktes (Tuch)« zu frz. *battre* »schlagen« (vgl. den Artikel *Batterie*).

Batterie: Das seit dem Anfang des 16. Jh.s bezeugte Wort hat die Bedeutung »mit mehreren Geschützen bestückte militärische Grundeinheit; aus mehreren zusammengeschalteten Elementen bestehende Stromquelle«. Es ist aus frz. *batterie* entlehnt, das eine Bildung zu frz. *battre* »schlagen« ist und eigentlich »Schlagen« bedeutet. Frz. *battre* geht über vlat. *battere* auf lat. *battuere* zurück (vgl. *Bataillon*). Aus frz. *batterie* stammt auch engl. *battery,* das von Benjamin Franklin als Bezeichnung für eine Kombination mehrerer Leydener Flaschen gebraucht wurde. Daher rührt die Bed. »Stromquelle«. Ebenfalls aus dem Engl. stammt die seit der 2. Hälfte des 20. Jh.s belegte Lehnbedeutung »große Anzahl von gleichartigen Dingen«, wie z. B. ›eine Batterie von Gläsern‹.

Batzen »Klumpen; frühere Münze, (schweiz. noch für:) Zehnrappenstück«: Das Substantiv frühnhd. *batze[n]* »Klumpen« ist eine Bildung zu dem heute veralteten Verb ›batzen‹ »klebrig, weich sein, zusammenkleben«. Es ist möglich, dass dieses Verb über **back[e]zen* aus ↑backen (in der Bed. »kleben«) entstanden ist. Der Name der Münze geht auf die Bezeichnung der Dickpfennige (↑Groschen) zurück, die zuerst im 15. Jh. in Salzburg und Bern geprägt und nach ihrem Aussehen benannt wurden. Abl.: **patzig** (s. d.).

Bau: Das altgerm. Wort mhd., ahd. *bū,* niederl. *bouw,* aengl. *bū,* schwed. *bo* »Bau, Nest, Horst« gehört zu der unter ↑bauen dargestellten idg. Wortgruppe. Die Grundbedeutung aller genannten Formen ist »Wohnung, Wohnstätte«, die heute noch in den Zusammensetzungen ›Fuchs-, Dachsbau‹ lebendig ist. Die Bed. »Feldbau, Bestellung« ist schon ahd., vgl. auch die Zusammensetzungen ›Ackerbau, Gartenbau, Weinbau‹. Seit mhd. Zeit wird es als Verbalsubstantiv des transitiven Verbums ↑bauen empfunden und bedeutet sowohl »das Bauen [eines Hauses]« wie das in Arbeit befindliche und fertige Gebäude; vgl. die Zusammensetzungen ›Einbau, Ausbau, Hausbau, Maschinenbau‹. Der Plural ›Bauten‹ (für älteres *Baue, Bäue*) gehört zu dem veralteten Kanzleiwort *Baute,* das im 18. Jh. aus niederd., mnd. *bū[we]te* »Bebauung; Bau« übernommen wurde. – Zus.: **Bergbau** (s. den Artikel *Berg*); **Raubbau** (s. den Artikel *Raub*).

Bauch: Die altgerm. Körperteilbezeichnung mhd.

B

būch, ahd. *būh*, niederl. *buik*, aengl. *būc*, schwed. *buk* gehört wahrscheinlich im Sinne von »Geschwollener« zu der unter ↑Beule dargestellten idg. Wortgruppe. Abl.: **bauchig** »bauchartig gewölbt« (17. Jh. für mhd. *bucheht*); **bäuchlings** »auf dem Bauch liegend« (mhd. *biuchelingen*).

bauen: Das altgerm. Verb mhd. *būwen*, ahd. *būan*, niederl. *bouwen*, aengl. *būan*, schwed. *bo* gehört mit dem ablautenden got. *bauan* und verwandten Wörtern in anderen idg. Sprachen zu der idg. Wurzel **bheu-* »wachsen, gedeihen, entstehen, werden, sein, wohnen«, vgl. z. B. griech. *phýesthai* »werden, wachsen«, griech. *phýsis* »Natur« (vgl. die Fremdwörter *Physik, physisch*), lat. *fuisse* »gewesen sein«, lat. *futurus* »künftig« (↑Futur), aind. *bhávati* »ist, wird«, lit. *būti* »sein«, russ. *byt'* »sein«. Im germ. Sprachbereich sind verwandt die unter ↑Bau, ↑²Bauer und ↑³Bauer (vgl. *Nachbar*) behandelten Substantive sowie die Einzahlformen ›bin‹ und ›bist‹ des Hilfszeitwortes ↑sein. Die oben genannte idg. Wurzel war ursprünglich wahrscheinlich identisch mit der unter ↑Beule dargestellten idg. Wurzel **b[h]eu-* »[auf]blasen, schwellen«. Die Bedeutungen »wachsen, gedeihen, entstehen, werden, sein, wohnen« haben sich demnach aus der Bedeutung »schwellen, strotzen« entwickelt. – Die alte Bed. »wohnen« reichte im Dt. zwar mit bestimmten Wendungen bis ins 18. Jh., wurde aber seit mhd. Zeit verdrängt durch die Bedeutungen »bestellen« (z. B. den Acker bauen), »anpflanzen, anbauen« (z. B. Korn, Gemüse, Wein bauen) und »errichten, anlegen« (z. B. Häuser, Brücken, Städte bauen). Dann konnten auch Schränke, Geigen, Schiffe, Maschinen u. a. ›gebaut‹ werden, und ugs. kann man heute auch sein Examen oder einen Unfall bauen. Die übertragenen Wendungen ›auf jemanden bauen‹, ›auf Sand bauen‹ sind biblischen Ursprungs. Um das einfache Verb gruppieren sich die Präfixverben ›be-, er-, verbauen‹ (vgl. den Artikel *erbauen*) und mehrere zusammengesetzte Verben, z. T. mit reicher Bedeutungsentfaltung wie **abbauen** »(Erze) fördern; senken, herabsetzen; (in der Leistung) nachlassen«, **aufbauen** »gestalten, schaffen, hervorbringen« bzw. »auf eine Aufgabe vorbereiten« (Lehnübersetzung von engl. *to build up*; 20. Jh.) oder **vorbauen** »Vorsorge treffen« (eigentlich »vor etwas zur Abwehr einen schützenden Bau errichten«). – Abl.: **¹Bauer** »Erbauer« (heute nur in Zusammensetzungen wie ›Ackerbauer, Geigenbauer‹; mhd. *būwære* »Pflüger; Erbauer«); **baulich** (spätmhd. *būlich* »zum Bauen geeignet«, *būwelich* »fest gebaut«; heute vom Sprachgefühl meist zu ↑Bau gezogen), dazu **Baulichkeit** »Gebäude« (um 1800); **Gebäude** (s. d.). Zus.: **Baumeister** (spätmhd. *būmeister* »beamteter Leiter der städtischen Bauten«).

¹Bauer ↑bauen.

²Bauer »Käfig«: Zu der unter ↑bauen dargestellten Wortgruppe gehört das altgerm. Substantiv mhd. *būr* »Vogelkäfig«, ahd. *būr* »Haus; Kammer; Zelle«, engl. *bower* »Laube; Gemach«, schwed. *bur* »Arrest[zelle]; Käfig; Kasten«. Es erscheint noch mit verschiedenen Nebenformen in dt. Ortsnamen wie Buren, Wesselburen, Benediktbeuren und ist auch in den Wörtern ↑³Bauer und ↑Nachbar enthalten. In mhd. *būr* »Vogelkäfig« ist das Substantiv bereits auf seine heutige Bedeutung eingeschränkt.

³Bauer »Landmann, Landwirt«: Das Substantiv ist nicht vom Zeitwort ›bauen‹ abgeleitet, sondern gehört zu ahd. *būr* »Haus« (vgl. ↑²*Bauer*). Mhd. *būr[e], gebūr[e]*, ahd. *gebūro* bedeuteten zunächst »Mitbewohner, Nachbar, Dorfgenosse« (vgl. den Artikel *Nachbar*). Erst die soziale Entwicklung im Mittelalter machte ›Bauer‹ zur Berufs- und Standesbezeichnung und ließ in der Anschauung der anderen Stände (besonders Adel und Bürgertum) den Nebensinn »grober, dummer Mensch« entstehen. In der ländlichen Sozialordnung bezeichnet ›Bauer‹ den vollberechtigten Hofbesitzer im Gegensatz zum Häusler oder Kätner. Abl.: **bäuerlich** (mhd. *gebiurlich, būrlich* »bauernmäßig«); **Bauernschaft** »Gesamtheit der Bauern« (mhd. *būrschaft*).

Bäuerchen: Der familiäre Ausdruck für »Rülpser« ist eine Verkleinerungsbildung zu ↑³Bauer und bedeutet eigtl. »kleiner Bauer«. Er geht von der Anschauung aus, dass sich Bauern unfein benehmen und aufstoßen.

baulich, Baulichkeit ↑bauen.

Baum: Das westgerm. Wort mhd., ahd. *boum*, niederl. *boom*, engl. *beam* bezeichnete sowohl das lebende Gewächs wie den zu mancherlei Zwecken (als Schranke, Deichsel, Stange am Webstuhl usw.) einzeln verwendeten Baumstamm. Die weitere Herkunft des Wortes ist ungeklärt. (Die idg. Bezeichnung für ›Baum‹ ist unter ↑Teer behandelt). – Abl.: **bäumen,** (auch:) **aufbäumen,** sich »sich aufrichten« (ursprünglich wohl als Jägerwort vom Bären, der sich am Baum aufrichtet, gebraucht, dann auch vom Pferd; so schon mhd. *sich boumen*). Zus.: **Baumkrone** (↑Krone); **Baumschule** »Pflanzgarten« (17. Jh.); **Baumwolle** (mhd. *boumwolle*; wohl nach der Überlieferung Herodots von Wolle tragenden indischen Bäumen; in Wirklichkeit ist die Pflanze ein Strauch; andere Namen s. unter *Bombast* und *Kattun*); **Schlagbaum** (mhd. *slahboum* »bewegliche Schranke«); **Stammbaum** (↑Stamm).

Baumeister ↑bauen.

baumeln: Das seit dem 17. Jh. bezeugte Verb ist entweder von ↑Baum abgeleitet und bedeutet dann eigentlich »an einem Baum hängend sich hin- und herbewegen«, oder es beruht auf der sächs.-thüring. Nebenform ›baumeln‹ des ursprünglich lautmalenden Verbs ↑bammeln ugs. für »schaukeln«.

Baumschule, Baumwolle ↑Baum.

Bausch »lockerer Knäuel, Wulstiges«: Mhd. *būsch*

»Knüttel, Knüttelschlag (der Beulen gibt); Wulst« gehört mit den unter ↑Busen, ↑böse, ↑Pausback und ↑pusten behandelten Wörtern zu der idg. Wortgruppe von ↑Beule. Abl.: **bauschen,** sich »aufschwellen« (mhd. *biuschen, būschen* »schlagen, klopfen«; in der jetzigen Bedeutung wohl durch das frühnhd., heute untergegangene Verb ›bausen‹ »schwellen« stark beeinflusst), dazu **aufbauschen** »aufblähen, übertreiben« (Anfang des 19. Jh.s); **bauschig** (19. Jh.; bauschecht).

Bausch

in Bausch und Bogen
»ganz und gar, im Ganzen genommen«
Die Wendung stammt aus der Rechts- und Kaufmannssprache. Sie meinte ursprünglich beim Kauf oder Verkauf von Grundstücken die Abmessung eines Grundstücks ohne Berücksichtigung einzelner Abweichungen im Grenzverlauf. ›Bausch‹ bezeichnete bei einer Grenze die nach außen gehende, ›Bogen‹ die nach innen gehende Biegung, dafür im 14. bis 18. Jh. ›im Bausch‹ »im Ganzen genommen« (vgl. den Artikel *Pauschale*).

Bazillus: Die häufig als Krankheitserreger auftretende Bakterie wurde im 19. Jh. nach ihrer Stabform mit lat. *bacillus (bacillum)* »Stäbchen« benannt, einer Verkleinerungsbildung zu lat. *baculum* »Stock, Stab«. Über weitere Zusammenhänge vgl. *Bakterie.*

be...: Mhd. *be-*, ahd. *bi-* sind die zum tonlosen Verbalpräfix gewordene Präposition ↑bei. Ihnen entsprechen got. *bi-*, niederl. *be-*, engl. *be-*. Daneben bestand ahd. ein betontes Präfix *bi-* bei Substantiven und Adjektiven (↑Beichte, ↑bieder). Das Verbalpräfix bezeichnete zunächst rein räumlich die Richtung eines Vorgangs, z. B. ›befallen‹ (ahd. *bifallan* bedeutet »hinfallen«), dann allgemeiner die (zeitlich begrenzte) Einwirkung auf eine Sache oder Person, z. B. ›begießen, bemalen, begeifern, beschimpfen, belachen‹. Diese kann bis zur vollen Bewältigung gehen, z. B. ›bedecken, besteigen‹. Damit wurde *be-* zu einem auch heute noch oft gebrauchten Präfix, aus intransitiven Verben transitive zu machen, vgl. z. B. ›beleuchten, bedrängen, bekämpfen‹. Ferner drückt *be-* das Versehen mit einer Sache oder das Zuwenden einer Fähigkeit aus, z. B. ›bekleiden, beaufsichtigen‹ (zu den Substantiven Kleid, Ampel, Aufsicht), auch das Bewirken eines Zustandes, z. B. ›beengen, bereichern, besänftigen‹ (zu den Adjektiven eng, reich, sanft). In vielen Fällen hat sich die Bedeutung der Verben von der ihrer Grundwörter stark entfernt; teilweise sind diese auch untergegangen (↑beginnen, ↑beleidigen u. a.). Einige Bildungen mit *be-* in der Form des 2. Partizips gehören zu Substantiven, z. B. ›begütert, bejahrt, bebrillt, behost‹. In ↑bleiben und ↑bang[e] ist der Vokal des Präfixes ausgefallen.

beabsichtigen ↑sehen.

beachten, beachtlich ↑²Acht.

Beamte ↑Amt.

beanstanden ↑Anstand.

beantragen ↑tragen.

beantworten ↑Antwort.

Beat: Die Bezeichnung ›Beat‹ wurde wie andere Namen für moderne Musikrichtungen, vgl. *Jazz, Rock, Pop,* aus dem Engl. übernommen. Sie geht zurück auf *beat* »Schlag« und bezeichnete zunächst im Jazz eine »gleichmäßige Reihenfolge betonter Taktteile«. Dieser gleichmäßige Grundschlag wurde namengebend für eine in den Sechzigerjahren in England entstandene Musikrichtung, der **Beatmusik;** auch kurz ›Beat‹ genannt.

beaufsichtigen ↑sehen.

beauftragen ↑tragen.

beben: Die germ. Verben mhd. *biben,* ahd. *bibēn,* asächs. *bibōn,* aengl. *bĭfian,* aisl. *bĭfa* beruhen auf einer reduplizierenden Bildung zu der idg. Wurzel **bhōi-, *bhī-* »zittern, sich fürchten«, vgl. aind. *bibhēti* und *bhayatē* »fürchtet sich«. Das e der nhd. Form dringt im 16. Jh. durch Luthers Bibelübersetzung durch; es ist vermutlich niederd. Ursprungs (mnd. *bēven*). Von den mdal., bes. niederd. Iterativbildungen *bebern, belbern, bibbern* ist **bibbern** in die hochd. Umgangssprache gedrungen (19. Jh.).

Becher: Das Wort (mhd. *becher,* ahd. *behhari*) ist wie auch andere Gefäßbezeichnungen, z. B. Bütte, Kanne, Kelch, ein Lehnwort. Es stammt aus mlat. *bicarium* »Becher, Kelch, Hohlmaß«, das auf griech. *bīkos* »Gefäß mit Henkeln« zurückgeht. Das griech. Wort ist wahrscheinlich aus dem Ägyptischen entlehnt. Abl.: **bechern** ugs. für »zechen« (18. Jh.).

Becken: Mhd. *becken,* ahd. *beckīn* ist aus vlat. **baccinum* »Becken« (s. *Bassin*) entlehnt. Das Wort bezeichnete zunächst ein flaches, offenes [Wasch]gefäß, dann das aus Messing geschlagene Handwerkszeug der Barbiere und das aus zwei tellerförmigen Metallscheiben bestehende Musikinstrument. In übertragenem Sinne heißt ›Becken‹ in der Erdkunde ein weites Tal (z. B. das Neuwieder Becken) und in der Anatomie der Knochengürtel im unteren Teil des Rumpfes. Siehe auch den Artikel *Pickelhaube.*

Beckmesser: Der Ausdruck für »kleinlicher Kritiker, Nörgler« geht auf den Nürnberger Meistersinger (Sixtus) Beckmesser zurück, der in Richard Wagners Oper »Die Meistersinger« als kleinlicher Kunstrichter dargestellt wird.

Bedacht »Bedenken, Überlegung«: Mhd. *bedāht* ist Verbalsubstantiv zu mhd. *bedenken* »über etwas nachdenken« (vgl. *denken*). Abl.: **bedächtig** »überlegend, langsam« (mhd. *bedæhtic*); **bedachtsam** (16. Jh.).

Bedarf ↑bedürfen.

bedauerlich, bedauern ↑²dauern.

bedenken, Bedenken, bedenklich ↑denken.

B

bedeppert: Der ugs. Ausdruck für »verwirrt, ratlos« gehört wohl als entrundete Form zu älter nhd. *betöbern* »betäuben, bedrücken« (vgl. den Artikel *taub*).

bedeuten, bedeutend, Bedeutung, ↑deuten.

bedienen, Bedienstete, Bedienung ↑dienen.

bedingen: Das Präfixverb hatte ursprünglich dieselbe Bedeutung wie das einfache Verb ↑dingen (vgl. *Ding;* mhd. *bedingen* »werben, durch Verhandlung gewinnen«), später die von »vereinbaren, bestimmen«, wofür heute ›sich ausbedingen‹ gilt (schon mhd. *ūzbedingen*). Aus der Rechtssprache gehört hierher noch die ›bedingte‹, d. h. durch rechtliche Bedingungen eingeschränkte Strafaussetzung; in übertragenem Sinne können auch Lob und Zustimmung ›bedingt‹ sein. Sonst aber bedeutet ›bedingen‹ »zur Folge haben« und ›bedingt sein‹ »von Voraussetzungen abhängig sein«; dieser zuerst in der philosophischen Fachsprache des 18. Jh.s auftretende Sinn ist von der entsprechenden Bedeutungsentwicklung bei ›Bedingung‹ beeinflusst. Dieses Verbalsubstantiv erscheint im 16. Jh. als »rechtliche Abmachung; Vereinbarung«, später auch als »Voraussetzung« und als »Gegebenheit, Umstand«. Auch **unbedingt** ist aus dem rechtlichen über den philosophischen in den allgemeinen Sprachgebrauch übergegangen, es bedeutete zunächst »ohne Vorbehalt, unangefochten«, dann »absolut, unbeschränkt«, schließlich »unter allen Umständen, auf jeden Fall«.

bedrücken ↑drücken.

bedürfen: Das Verb mhd. *bedürfen, bedurfen,* ahd. *bidurfan* »nötig haben« hat die Grundbedeutung des einfachen ↑dürfen bis heute bewahrt. – Abl.: **Bedürfnis** »Verlangen, Wunsch; Benötigtes« (15. Jh. *bedurfnusse*; es bedeutete früher auch »Mangel, Dürftigkeit« und wird wie ›Notdurft‹ [↑Not] auch verhüllend gebraucht); **bedürftig** »materielle Hilfe benötigend, arm« (spätmhd. *bedurftic,* Ableitung eines erst im 16. Jh. bezeugten Substantivs *bedurft* »Bedürfnis«); **Bedarf** »Benötigtes, Gewünschtes; Nachfrage« (im 17. Jh. aus mnd. *bedarf, bederf* »Notdurft, Mangel«, einer Bildung zum Präsensstamm von ›bedürfen‹). – Siehe auch die Artikel *bieder, unbedarft.*

beduselt ↑Dusel.

beeinträchtigen ↑tragen.

beenden, beendigen ↑Ende.

beengen ↑eng.

beerben ↑[1]Erbe.

beerdigen ↑Erde.

Beere: Mhd. *bere,* auf dem die nhd. Form beruht, ist eigentlich eine mitteld. starke Pluralform zu dem Singular *daz ber,* die im 16. Jh. nicht mehr als solche verstanden und – wie ↑Träne – als Singular aufgefasst wurde. Zu dieser Form wurde dann im 17. Jh. ein neuer schwacher Plural ›Beeren‹ gebildet. Mhd. *ber,* ahd. *beri,* engl. *berry,* schwed. *bär* zeigen r-Formen, die zu s-Formen wie got. *weinabasi* »Weinbeere«, niederl. *bes* »Beere«, niederd. mdal. *Besing* »Heidelbeere« in grammatischem Wechsel stehen. Diese germ. Wörter für »Beere« gehören vielleicht zu aengl. *basu* »purpurn«, das mit mir. *basc* »rot« verwandt ist. Demnach wäre die Beere als »die Rote« benannt worden.

Beet: Das Wort wird im Schriftdeutschen erst seit dem 17. Jh. formal von ↑Bett unterschieden, mit dem es ursprünglich identisch war: mhd. *bette,* ahd. *betti* bedeutet sowohl »Liegestatt« wie »Feld- oder Gartenbeet«. In oberd. Mundarten gilt ›Bett‹ bis heute für »Beet«. Auch niederl. *bed* und engl. *bed* vereinen beide Bedeutungen. Der Vergleich des aufgelockerten, erhöhten Landstückes mit einem Polsterlager war Anlass zu der Bedeutungsübertragung.

Beete ↑Bete.

befähigen ↑fähig.

befangen: Das 2. Partizip zu dem heute veralteten Präfixverb ›befangen‹ »umfassen, umzäunen, einengen« (mhd. *bevāhen,* ahd. *bifāhan;* vgl. *fangen*) wird in der mhd. Klassik als Adjektiv übertragen gebraucht für »in etwas verwickelt, unfrei, schüchtern«; in der neueren Rechtssprache bedeutet es danach »nicht frei, voreingenommen«. Dazu **Befangenheit** (18. Jh.); **unbefangen** »ungezwungen, unparteilich, frei« (18. Jh.); **Unbefangenheit** (18. Jh.).

befehlen: Das Präfixverb mhd. *bevelhen* »übergeben, anvertrauen, übertragen«, ahd. *bifelahan* »übergeben, anvertrauen, begraben« enthält ein heute untergegangenes einfaches Verb, das in got. *filhan* »verbergen« und aisl. *fela* »verbergen, übergeben« erhalten ist und auch dem Präfixverb ↑empfehlen zugrunde liegt. Es gehört zu der unter ↑Fell behandelten idg. Wurzel und bedeutete ursprünglich »der Erde übergeben, anvertrauen, begraben«, dann allgemeiner »zum Schutz anvertrauen, übergeben«. Aus mhd. Wendungen wie ›ein amt bevelhen‹ »ein Amt anvertrauen, übertragen« hat sich erst im Nhd. der heutige Sinn »gebieten« entwickelt, anfänglich in höflicher Sprache wie ›auftragen‹. Nur im religiösen Bereich ist der Sinn »anvertrauen« erhalten: ›seine Seele Gott befehlen‹. – Abl.: **Befehl** (spätmhd. *bevel[ch]* »Übergebung, Obhut« folgt der Bedeutungsentwicklung des Zeitwortes), dazu **befehligen** (18. Jh., nach obd. *befelch, befehlich* »Befehl«) und **Befehlshaber** (spätmhd. *bevelhhaber* »Bevollmächtigter«, so noch im 18. Jh. neben der jüngeren Bed. »Kommandeur«).

Beffchen »Halsbinde mit zwei steifen, schmalen Leinenstreifen vorn am Halsausschnitt von (geistlichen) Amtstrachten«: Das im 18. Jh. auftretende nordd. Wort, heute im ganzen dt. Sprachgebiet verbreitet, ist eine Verkleinerungsbildung zu mnd. *beffe* »Chorhut und Chorrock des Priesters«, das wohl aus mlat. *biffa* »Überwurf, Mantel« entlehnt ist. Eine ähnliche Bedeutungsentwicklung nahm ↑Kappe.

befinden: Das Präfixverb mhd. *bevinden,* ahd. *bifindan* wurde wie auch das einfache Verb ↑finden schon früh für geistiges Finden im Sinne von »erfahren, kennen lernen, [be]merken, wahrnehmen« gebraucht. Daran schließt sich die Verwendung im Sinne von »in bestimmter Weise einschätzen, für etwas halten« (›etwas für gut befinden‹) an. Reflexives ›sich befinden‹ bedeutet eigentlich »bemerken, dass man an einer Stelle ist«, jetzt nur noch »anwesend sein« (wie frz. *se trouver*).

befleißen, beflissen ↑Fleiß.

beflügeln ↑Flügel.

befolgen ↑folgen.

befördern ↑fördern.

befreien ↑frei.

befremden, Befremden, befremdlich ↑fremd.

befreunden ↑Freund.

befrieden, befriedigen ↑Friede[n].

befruchten ↑Frucht.

Befugnis, befugt ↑fügen.

befürworten: Das seit dem 19. Jh. bezeugte Wort ist eine kanzleisprachliche Bildung, die zu einem jetzt nicht mehr gebräuchlichen Substantiv ›Fürwort‹ »gutes Wort zu jemandes Gunsten« (17. Jh.; heute ›Fürsprache‹) gebildet wurde.

begaben, begabt, Begabung ↑Gabe.

begeben, Begebenheit ↑geben.

begegnen, Begegnung ↑gegen.

begehen ↑gehen.

begehren: Mhd. *[be]gern,* ahd. *gerōn* ist abgeleitet von dem Adjektiv mhd., ahd. *ger* »begehrend, verlangend« (vgl. *gern[e]* und *Gier*).

begeistern, Begeisterung ↑Geist.

Begier[de]: Die Substantivbildung mhd. *[be]girde,* ahd. *girida* gehört zu dem im Nhd. untergegangenen Adjektiv mhd., ahd. *ger,* daneben mhd. *gir,* ahd. *giri* »begehrend, verlangend« (vgl. *Gier* und weiterhin *gern[e]*).

beginnen: Die westgerm. Präfixbildung mhd. *beginnen,* ahd. *biginnan,* niederl. *beginnen,* engl. *to begin* enthält ein im germ. Sprachbereich nur in Zusammensetzungen gebräuchliches altgerm. Verb, dessen Herkunft dunkel ist, vgl. got. *duginnan* »beginnen«, aengl. *onginnan* »beginnen«, niederl. *ontginnen* »urbar machen«. Abl.: **Beginn** (mhd. *begin,* ahd. *bigin*).

beglaubigen ↑glauben.

begleichen ↑gleich.

begleiten: In dem im 17. Jh. zuerst bezeugten Verb sind zwei ältere Verbformen zusammengeflossen: 1. mhd. *begleiten,* ahd. *bileiten* »leiten, führen« (im 17. Jh. aussterbend); 2. geleiten, mhd. *geleiten,* ahd. *gileiten* (vgl. *leiten*). Die niederl. Form *begeleiden* lässt auf eine Vorform **begeleiten* schließen. Die alte Bed. »führen« ist abgeschwächt zu »mitgehen« (in der Musik zu »ergänzend mitspielen«, entsprechend dem frz. *accompagner,* it. *accompagnare*). Dazu **Begleiter, Begleitung** (beide 18. Jh.).

begnaden, begnadet, begnadigen ↑Gnade.

begnügen ↑genug.

Begonie: Die Zierpflanze wurde von dem frz. Botaniker Plumier im 17. Jh. entdeckt und zu Ehren des damaligen Generalgouverneurs von San Domingo, Bégon, benannt.

begreifen, begreiflich ↑greifen.

begrenzen ↑Grenze.

Begriff, begriffsstutzig ↑greifen.

begründen ↑Grund.

begünstigen ↑Gunst.

begütert, begütigen ↑gut.

behäbig: Das um 1800 in Gebrauch gekommene Adjektiv trat an die Stelle von älterem *[ge]häbig,* einer Ableitung von Habe »Besitz« (vgl. *haben*). Es bedeutete zunächst »wohlhabend« (so noch schweiz.), dann »wohlbeleibt« und »schwerfällig«.

behaftet: Das im heutigen Sprachgefühl auf ›haften‹ bezogene Wort ist eigentlich das 2. Part. des untergegangenen Verbs mhd. *be-heften,* ahd. *biheften* »zusammenheften, einschließen, festhalten« (vgl. *heften*). Spätmhd. *behaftet* hat älteres *behaft,* ahd. *bihaft* – daneben auch *beheftet* – ersetzt.

behagen: Mhd. *[be]hagen* »gefallen, behagen«, niederl. *behagen* »gefallen, behagen«, aengl. *ge-, onhagian* »gefallen, passen«, aisl. *hagar* »es passt, ziemt sich« gehören zu einem starken germ. Verb **hagan* »schützen, hegen«, das auch ahd. im 2. Part. *gihagin* »gehegt, gepflegt« und mhd. im 2. Part. *behagen* »frisch, freudig« bewahrt ist. Außergerm. Beziehungen des Wortes sind nicht gesichert. Die Grundbedeutung wäre demnach »sich geschützt fühlen« gewesen.

behalten, Behälter, Behältnis ↑halten.

behände: Das mhd. Adjektiv *behende* »passend, geschickt, schnell« war ursprünglich Adverb und entstand aus *bī hende* »bei der Hand« (vgl. *Hand*); ähnlich heißt es noch nhd. ›schnell bei der Hand‹.

behandeln ↑handeln.

beharren ↑harren.

behaupten: Zu mhd. *houbet* in seiner Bed. »Oberhaupt, Herr« (vgl. *Haupt*) gehört mhd. *[sich] houbeten* »als Oberhaupt, Herrn anerkennen; sich als Oberhaupt, Herr ansehen«. Dazu tritt spätmhd. *behoubeten* »bewahrheiten, bekräftigen«, ein Wort der Gerichtssprache, das eigentlich »sich als Herr einer Sache erweisen« bedeutet. Seit dem 17. Jh. erscheint die heutige abgeschwächte Bed. »eine Meinung aussprechen«. Abl.: **Behauptung** (17. Jh.).

Behausung ↑Haus.

Behelf, behelfen ↑helfen.

behelligen: In dem seit dem 17. Jh. gebräuchlichen Verb steckt das mhd. Adjektiv *hel* »schwach, matt«, das eigtl. »ausgetrocknet« bedeutet. Es gehört zu der unter ↑schal behandelten idg. Sippe. Von mhd. *hel* abgeleitet ist mhd. *hellec* »ermüdet, erschöpft« und davon das Verb *helligen* »ermüden«, das dann durch die Präfixbildung ›behelligen‹ ersetzt wurde. Die Bedeutung »ermüden, beschwerlich fallen« ist heute zu »stören, belästigen« abgeschwächt.

B

beherrschen ↑herrschen.
beherzigen, beherzt ↑Herz.
behexen ↑Hexe.
behilflich ↑Hilfe.
Behörde: Das seit dem 18. Jh. bezeugte Kanzleiwort gehört zu älter nhd. *behören*, mhd. *behœren* »zugehören, zukommen« (vgl. *hören*) und bedeutete ursprünglich »das [Zu]gehörige«, später »Ort, [Amts]stelle, wohin etwas zuständigkeitshalber gehört«.
behüten, behutsam s. *hüten* (unter ↑²Hut).
bei: Das altgerm. Wort (Adverb, Präposition) mhd., ahd. *bī*, got. *bi*, niederl. *bij*, engl. *by* geht zurück auf idg. **bhi*, das aus **ambhi*, **m̥bhi* »um - herum« entstanden ist (vgl. *um*). Wie in ›bei‹ so ist auch in ↑beide der erste Teil des idg. Wortes abgefallen. In ↑be... ist das Wort tonloses Präfix geworden. Im Dt. ist ›bei‹ eigentlich Adverb mit der Bed. »nahe«, tritt aber als solches schon seit dem Ahd. fast nur in Zusammensetzungen (z. B. dabei, herbei, nebenbei, vorbei, beisammen) und in unfest zusammengesetzten Verben (beilegen, beikommen, beistehen u. a.) auf. Als Präposition bezeichnet ›bei‹ zunächst die räumliche Nähe (bei Tisch, bei der Stadt), dann die begleitenden Umstände, oft mit finalem, konditionalem, kausalem o. ä. Nebensinn (bei guter Gesundheit, bei Glatteis, bei solchem Lärm, bei aller Verehrung). In Schwüren (bei Gott!, bei meiner Ehre!) wird ursprünglich die Gottheit als anwesend gedachter Zeuge gerufen.
beibringen ↑bringen.
Beichte: Die nhd. Form ›Beichte‹ hat sich über mhd. *bigiht*, zusammengezogen *bīht[e]* aus ahd. *bigiht, bijiht* entwickelt, das mit dem Nominalpräfix ahd. *bi-* (vgl. *be...*) und ahd. *jiht* »Aussage, Bekenntnis« (vgl. *Gicht*) gebildet ist. Das ahd. Substantiv *jiht* ist eine Nominalbildung zum Verb ahd. *jehan*, mhd. *jehen*, asächs. *gehan*, »sagen, bekennen« (aus dem über afrz. *gehir* unser ↑genieren stammt). Das innerhalb des germ. Sprachbereichs nur im Dt. bezeugte Verb gehört mit verwandten Wörtern in anderen idg. Sprachen zu der idg. Wurzel **i̯ek-* »[feierlich] sprechen, reden«, vgl. z. B. aind. *yā́cati* »fleht, fordert« und lat. *iocus* »Scherz[rede]« (↑Jux).
beide: Mhd., ahd. *beide, bēde*, niederl. *beide*, engl. *both*, schwed. *båda* sind zusammengerückt aus einem einsilbigen Wort mit der Bedeutung »beide« (aengl. *bā, bū*, got. *bai, ba* »beide«) und dem Demonstrativpronomen (späteren Artikel). Ahd. *bēde* ist aus **bē de, beidiu* aus **bei diu* entstanden; die Formen haben sich dann später vermischt. Der erste Bestandteil geht zurück auf idg. **bhō[u]-*, das aus **ambhō[u]* »beide« entstanden ist, worauf z. B. griech. *ámphō* »beide« und lat. *ambo* »beide« beruhen (vgl. *um*). Die neutrale Singularform ›beides‹ (mhd. *beidez*) wird erst frühnhd. häufiger.
beidrehen ↑drehen.
Beifall: Das seit dem 16. Jh. bezeugte Wort mit der Bedeutung »Anschluss an eine Partei; Zustimmung« ist wohl als Gegenwort zu ›Abfall‹ gebildet (vgl. *fallen*). Abl.: **beifällig** »zustimmend« (17. Jh.).
Beifuß: Der Pflanzenname geht zurück auf mhd. *bīvuoz*, das eine volksetymologische Umgestaltung von mhd., ahd. *bībōz* nach *vuoz* »Fuß« ist, und zwar nach dem Volksglauben, dass der Wanderer nicht ermüdet, der sich die Pflanze an den Fuß bindet. Der 2. Bestandteil *-bōz* gehört zu dem unter ↑Amboss behandelten Verb mhd. *bōzen*, ahd. *bōzan* »schlagen, stoßen«; auf welche Vorstellung er sich bezieht, ist unklar.
beige »sandfarben«: Das Adjektiv ist aus frz. *beige* entlehnt, dessen weitere Herkunft unbekannt ist.
beigeben ↑geben.
Beil: Das auf das dt. und niederl. Sprachgebiet beschränkte Wort mhd. *bīhel*, zusammengezogen *bīl*, ahd. *bīhal*, niederl. *bijl* ist im germ. Sprachbereich verwandt mit aisl. *bīldr* »Pfeilspitze, Aderlassmesser«, schwed. *plogbill* »Pflugschar«, im Außergerm. z. B. mit air. *biāil* »Beil«, russ. *bit'* »schlagen« (↑Peitsche), griech. *phithrós* »Stamm, Holzscheit«. Zugrunde liegt die idg. Wurzel **bhei[ə]-*, **bhī-* »schlagen«, zu der auch die Sippe von ↑beißen gehört.
Beilage, beilegen ↑legen.
Beileid ↑leid.
Bein: Die Herkunft des altgerm. Wortes für »Knochen« (mhd., ahd. *bein*, niederl. *been*, engl. *bone*, schwed. *ben*) ist dunkel. – In Wendungen wie ›durch Mark und Bein‹, ›Fleisch und Bein‹, ›Stein und Bein‹ (↑Stein) ist die alte Bed. »Knochen« erhalten, ebenso in vielen, besonders anatomischen Zusammensetzungen, z. B. ›Nasen-, Hüft-, Jochbein‹. Die jüngere Bed. »Ober- und Unterschenkel« ist schon ahd. bezeugt. In einigen Mundarten, z. B. im Schwäb., heißt das Bein allerdings ›Fuß‹, umgekehrt wird z. B. im Ostmitteld. der Fuß ›Bein‹ genannt. Abl.: **Gebein** »Gesamtheit von Knochen« (mhd. *gebeine*, ahd. *gibeini*). Zus.: **Eisbein** (s. d.); **Elfenbein** (s. d.); **Fischbein** (↑Fisch); **Überbein** (s. d.). Siehe auch ›Raubein‹ unter *rau*.

Bein

kein Bein auf die Erde kriegen
(ugs.) »nicht zum Zuge kommen«
Die Wendung stammt wahrscheinlich aus der Ringersprache und meint eigentlich, dass jemand ständig ausgehoben und geworfen wird.

jmdm., sich etw. ans Bein binden
(ugs.) »jmdm., sich etw. aufbürden«
Diese Wendung nimmt darauf Bezug, dass dem Vieh auf nicht eingezäunter Weide die Vorderbeine zusammengebunden werden und ein Holzklotz an die Beine gebunden wird, um es in seiner Bewegungsfreiheit einzuschränken. Auch Gefangene schmiedete man früher an einen Klotz, um ihnen die Bewegungsfreiheit zu nehmen.

beinah[e] ↑nah[e].
beipflichten ↑Pflicht.
beisammen ↑zusammen.
Beischlaf ↑Schlaf.
beisetzen, Beisetzung ↑setzen.
Beispiel: Mhd., ahd. *bī-spel* »belehrende Erzählung, Gleichnis, Sprichwort« ist gebildet aus mhd., ahd. *bī* (vgl. *bei*) und mhd., ahd. *spel* »Erzählung« und bedeutet eigtl. »nebenbei Erzähltes«. Das Wort ist volksetymologisch an ›Spiel‹ (s. d.) angelehnt worden, zuerst in spätmhd. *bīspil*. Unter dem Einfluss von ›Exempel‹ (s. d.) hat ›Beispiel‹ seit dem 16. Jh. die heutige Bed. »Muster, Vorbild; Einzelfall als Erklärung für eine bestimmte Erscheinung« entwickelt. Das gemeingerm. Grundwort ist ein alter Fachausdruck der Dichtkunst und meinte die bedeutungsvolle Rede: got. *spill* »Sage, Fabel«, aengl. *spell*, aisl. *spjall* »Erzählung, Rede« (engl. *spell* bedeutet wie auch das aisl. Wort »Zauberspruch«, *gospel* aus aengl. *gōdspell* »gute Botschaft, Evangelium«).
beispringen ↑springen.
beißen: Das gemeingerm. Verb mhd. *bīȥen*, ahd. *bīȥ[ȥ]an*, got. *beitan*, engl. *to bite*, schwed. *bita* »beißen; schneiden, verwunden« gehört mit verwandten Wörtern in anderen idg. Sprachen zu idg. **bheid-* »hauen, spalten«, einer Erweiterung von der unter ↑Beil dargestellten idg. Wurzel, vgl. z. B. aind. *bhinátti* »spaltet«, lat. *findere* »spalten«. Zu dem gemeingerm. Verb gehören das Veranlassungswort ↑beizen (eigentlich »beißen machen«) und das Adjektiv ↑bitter (eigentlich »beißend«). Siehe auch den Artikel *Boot*. – Abl.: **Biss** »das [Zu]beißen; Bisswunde« (mhd. *biȥ*, *biz*, ahd. *biz*); **bissig** »zum Beißen neigend; scharf« (frühnhd. für mhd. *bīȥec*, das noch in ›bärbeißig‹ fortlebt, ↑Bär); **Bissen** »abgebissenes Stück, Happen«, eigentlich »was man auf einmal abbeißt« (mhd. *biȥȥe*, ahd. *biȥȥo*, entsprechend engl. *bit*, schwed. *beta*); dazu **bisschen**, landsch. **bissel** »ein wenig« (eigentlich »kleiner Bissen«; 16. Jh.); **Gebiss** (s. d.); **Imbiss** (s. d.).
Beißzange ↑Zange.
Beistand, beistehen ↑stehen.
Beisteuer, beisteuern ↑[1]Steuer.
beistimmen ↑Stimme.
Beistrich: Die Bezeichnung des Interpunktionszeichens wurde – zuerst in der Form ›Beystrichlein‹ – von dem Grammatiker G. Schottel 1641 als Ersatzwort für ›Komma‹ (s. d.) gebraucht, ist aber erst seit dem 19. Jh. üblicher (vgl. *Strich*).
beizen: Das altgerm. Verb mhd. *beiȥen*, *beizen*, ahd. *beizen*, mniederl. *be[i]ten* »absteigen«, engl. *to bait* »weiden lassen, das Pferd unterwegs füttern, einkehren«, schwed. *beta* »weiden, grasen« ist Veranlassungswort zu ↑beißen. Die ursprüngliche Bedeutung ist also »beißen lassen, beißen machen«. Auch die heute kaum miteinander zu vereinenden Bedeutungen »mit dem Greifvogel jagen« und »mit scharfer Flüssigkeit behandeln« gehen darauf zurück. ›Beizen‹ als Jagdausdruck bezog sich auf die Beizjagd mit Falken und anderen Greifvögeln, die in Mitteleuropa seit dem 7. Jh. bekannt war. Eigentlich war es der jagende Vogel, den man das Wild »beißen ließ«, später ›beizte man mit dem Falken [auf] Vögel‹. Den gleichen Wechsel des syntaktischen Objekts zeigt das Verb im Sprachgebrauch der mittelalterlichen Färberei. Zunächst war es das Beizmittel das man »beißen ließ«, dann ›beizte man mit Alaun, mit Lauge einen Stoff‹.
bejahen ↑ja.
bekannt: Das heutige Adjektiv ist eigentlich das 2. Part. von mhd. *bekennen* »[er]kennen« (↑bekennen). In der jungen Wendung ›mit jemandem bekannt sein‹ ist die gegenseitige Kenntnis zweier Personen voneinander gemeint, danach die Vertrautheit. Getrennt geschrieben werden **bekannt geben** »öffentlich verbreiten«, dazu **Bekanntgabe,** und **bekannt machen** »öffentlich kundgeben, verbreiten«, dazu **Bekanntmachung.** Abl.: **Bekannte** (frühnhd. Substantivierung wie ›Verwandte‹, mit dem es oft zusammensteht); **Bekanntheit** (18. Jh.); **Bekanntschaft** (17. Jh.; auch als Kollektivum wie ›Verwandtschaft‹ gebraucht); **bekanntlich** (mhd. *bekantlich* »erkennbar«; im heutigen Sinn aus der nhd. Kanzleisprache).
Bekassine »Sumpfschnepfe«: Der Vogelname ist aus frz. *bécassine* entlehnt, das zu frz. *bécasse* »Schnepfe« (zu frz. *bec* »Schnabel« < lat. *beccus*) gehört. Der Vogel ist also nach seinem langen Schnabel benannt.
bekehren: Das Präfixverb mhd. *bekēren*, ahd. *bikēren* (vgl. *bei* und [1]*kehren* »wenden«) ist Lehnübersetzung von lat. *convertere* »umwenden, umkehren« (↑Konvertit). Es wurde zunächst auch im kirchlichen Sprachgebrauch ganz konkret als »jemanden umkehren« verstanden (entsprechend ist schwed. *omvända* »bekehren« eigentlich »umwenden«). Die Übertragung auf weltliche Sinnesänderung beginnt schon im Mhd.
bekennen: Die Präfixbildung mhd. *bekennen*, ahd. *bikennan* bedeutete ursprünglich »[er]kennen« (vgl. *kennen*), wovon noch das Adjektiv ↑bekannt zeugt. Der heute allein gültige Sinn »gestehen, als Überzeugung aussprechen«, eigentlich »zur Kenntnis geben, öffentlich kundgeben«, geht von der mittelalterlichen Rechtssprache aus und ist von den Mystikern im 14. Jh. in religiösem Sinn (wie lat. *confiteri*, ↑Konfession) ausgeprägt worden.
beklagen ↑klagen.
beklemmen ↑klemmen.
beklommen »ängstlich, bedrückt«: Das Wort ist eigentlich das in adjektivischen Gebrauch übergegangene 2. Partizip des untergegangenen starken Verbs mhd. *beklimmen* »umklammern« (vgl. *klimmen*). Die mhd. Form lautete *beklummen;* im älteren Nhd. trat *beklemmt* an die Stelle; ›beklommen‹ wurde seit dem 18. Jh. gebräuchlich.

beknackt ↑Knacks.
bekommen: Das Verb mhd. *bekomen*, ahd. *biqueman*, got. *biquiman* »überfallen«, niederl. *bekomen* »bekommen, erhalten«, aengl. *becuman* »zu etwas kommen, gelangen« ist eine altgerm. Präfixbildung aus ↑be... und ↑kommen, die vielfältige Bedeutungen entwickelt hat. Im Dt. entwickelte sich über »hervorkommen, wachsen« die Bedeutung »gedeihen, anschlagen, jemandem zuträglich sein« (vgl. den Trinkspruch ›Wohl bekomms!‹), im Engl. die Bedeutung »werden« (*to become*). Die heutige Bed. »erhalten« hat das Verb zuerst im Mhd. – Zu ›bekommen‹ stellen sich die auch übertragen gebrauchten Zusammensetzungen ›abbekommen‹ und ›herausbekommen‹. Abl.: **bekömmlich** (erst im 19. Jh. für »zuträglich«; älteres *bekommlich*, mhd. *bekom[en]lich* war »zukommend, passend, bequem«). Siehe auch den Artikel *bequem*.
bekotzen ↑kotzen.
bekräftigen ↑Kraft.
bekritteln ↑kritteln.
bekümmern ↑Kummer.
bekunden ↑kund.
belagern ↑Lager.
belämmert: Der nach neuer Rechtschreibung mit ä geschriebene ugs. Ausdruck für »niedergedrückt, betreten; übel, schlimm« wurde im 18. Jh. aus dem Niederd. übernommen. Er ist eigentlich das 2. Partizip von [m]niederd. *belemmer[e]n* »hindern; hemmen; beschädigen«, das im 18. Jh. auch »verlegen machen« bedeutete. Das Verb ist eine Iterativbildung zu mniederd. *belemmen* »lähmen« (↑lahm).
belangen: Das Verb mhd. *belangen*, ahd. *bilangēn* ist eine Präfixbildung zu dem unter ›langen‹ behandelten Verb (↑lang). Es bedeutete zunächst »erreichen, sich erstrecken«, dann »betreffen«, wofür heute **anbelangen** steht (entsprechend niederl. *[aan]belangen*, engl. *to belong*). Die juristische Bed. »jemanden vor Gericht bringen, verklagen« (eigentlich »mit der Klage erreichen«) erscheint im 15. Jh. – Aus dem Verb rückgebildet ist **Belang** »Bedeutung«, »Interessen«, das im 18. Jh. in die nhd. Kanzleisprache eindringt.
belasten ↑Last.
belästigen ↑lästig.
belauben ↑Laub.
belaufen ↑laufen.
Belche (landsch. für:) »Blässhuhn«: Der vor allem am Bodensee gebräuchliche Name des Blässhuhns geht zurück auf mhd. *belche*, ahd. *belihha*, *belihho*. Damit verwandt sind lat. *fulica*, *fulix* »Blässhuhn« und griech. *phalerís* »Blässhuhn«. Den einzelsprachlichen Bildungen liegt die idg. Wurzel **bhel-* »(weiß, bläulich, rötlich) schimmern[d], leuchten[d], glänzen[d]« zugrunde. Der schwarze Wasservogel ist nach seiner weithin sichtbaren weißen Stirnplatte benannt. So heißen auch zwei Berge im Schwarzwald und in den Vogesen nach ihrem kahlen, hellen Gipfel ›Belchen‹. – Die idg. Wurzel erscheint in fast allen idg. Sprachen, so in griech. *phalós* »weiß«, lit. *bãlas* »weiß«, russ. *bjelyj* »weiß« (vgl. die slaw. Ortsnamen Belgrad und Białystok).
Beleg, belegen, Belegschaft ↑legen.
belehnen ↑²lehnen.
beleibt ↑Leib.
beleidigen ↑leid.
belesen ↑lesen.
beleuchten ↑leuchten.
beleumdet, beleumundet ↑Leumund.
belfern »kläffen, bellen«: Die Herkunft des seit dem 16. Jh. gebräuchlichen Verbs ist unklar. Vielleicht ist es lautmalenden Ursprungs.
belichten ↑licht.
belieben: Das Verb ist eine Präfixbildung des 16. Jh.s zu ›lieben‹ (↑lieb), die dann in höflicher Sprache für »Gefallen finden, mögen« gebraucht wurde. Dazu das verselbstständigte Part. **beliebt.** Abl.: **beliebig** (im 17. Jh. »angenehm«, später zu dem substantivierten **Belieben** »Neigung, Gefallen« gestellt).
bellen: Mhd. *bellen*, ahd. *bellan* (starkes Verb) »bellen (vom Hund)«, engl. *to bell* »röhren (vom Hirsch)«, aisl. *belja* »brüllen (von Kühen)«, norw. *belje* »brüllen, schreien« sind lautnachahmenden Ursprungs und sind z. B. [elementar]verwandt mit lit. *bildėti* »dröhnen, klopfen, poltern« und russ. *boltat'* »pochen, klopfen; schwatzen«. Beachte auch die unter ↑poltern und ↑bölken behandelten ähnlichen Lautnachahmungen.
Belletrist »Unterhaltungsschriftsteller«: Das Wort ist eine Bildung des 18. Jh.s zu frz. *belles-lettres* »schön[geistig]e Literatur« (aus frz. *belle* »schön« und *lettre* »Literatur«). Abl.: **Belletristik** »schöngeistige Literatur«; **belletristisch** »die Belletristik betreffend«.
belobigen ↑loben.
belügen ↑lügen.
belustigen ↑lustig.
bemächtigen, sich ↑Macht.
bemängeln ↑²mangeln.
bemannen ↑Mann.
bemänteln ↑Mantel.
bemerken, Bemerkung ↑merken.
bemittelt ↑mittel.
Bemme: Die Herkunft des ostmitteld. Ausdrucks für »bestrichene [und belegte] Brotschnitte« (frühnhd. *[butter]bamme, [butter]pomme*) ist nicht sicher geklärt. Vielleicht gehört das Wort zu ostmitteld. *bammen, bampen* »essen, naschen«.
bemühen ↑mühen.
bemuttern ↑Mutter.
benachrichtigen ↑Nachricht.
benachteiligen ↑Teil.
benebeln ↑Nebel.
benedeien: Der kirchliche Ausdruck für »segnen, lobpreisen« geht zurück auf mhd. *benedī[g]en*,

das aus gleichbed. kirchenlat. *benedicere* (aus lat. *bene* »gut, wohl« und *dicere* »sagen«) stammt.

Benefiz: Das Fremdwort bedeutete zunächst »Wohltat«. Es ist im 18. Jh. wohl unter Einfluss von gleichbed. frz. *bénéfice* als Verkürzung einer bereits im 14. Jh. belegten Form *Benefizium* aufgekommen. Diese geht über das mlat. *beneficium* »Lohn, Darlehen, Lehngut« zurück auf lat. *beneficium* »Gunst, Verdienst, Wohltat« (aus *bene* »gut« und *facere* »machen«). ›Benefiz‹ bezeichnet heute eine Wohltätigkeitsveranstaltung und findet sich besonders häufig als Bestimmungswort in Zusammensetzungen wie ›Benefizkonzert, Benefizvorstellung‹.

benehmen, Benehmen ↑nehmen.

beneiden ↑Neid.

benennen ↑nennen.

benetzen ↑netzen.

Bengel »[ungezogener] Junge«, (landsch. auch:) »kurzes Holzstück, Knüppel«: Mhd. *bengel* »derber Stock, Knüppel« (entsprechend mniederl. *benghel* und engl. mdal. *bangle* »Knotenstock«) ist als »Stock zum Schlagen« von einem ahd. und mhd. nicht bezeugten Verb abgeleitet, das als niederd. *bangen*, engl. *to bang*, aisl. *banga* »klopfen« erscheint und wohl lautmalenden Ursprungs ist. Die Verwendung im Sinne von »[ungezogener] Junge« hat sich seit frühnhd. Zeit herausgebildet.

benommen ↑nehmen.

Benzin »Gemisch aus gesättigten Kohlenwasserstoffen, das als Treibstoff und als Lösungs- und Reinigungsmittel verwendet wird«: Das Wort, das 1833 von dem Chemiker E. Mitscherlich gebildet wurde, bezeichnete zunächst das aus dem Benzoeharz gewonnene Destillat. J. Liebig übertrug 1834 die Bezeichnung auf das Erdöldestillat und prägte ›Benzol‹ neu als Bezeichnung für diesen Kohlenwasserstoff. – Auszugehen ist von ›Benzoe‹, dem Namen eines ostindischen Harzes. Er geht auf älter it. *bengiuì* zurück, das aus arab. *lubān ǧāwī* (unter Ausfall der Anfangssilbe) hervorgegangen ist. Das arab. Wort bedeutet »javanischer Weihrauch«.

beobachten ↑[1]ob.

beordern ↑Order.

bequem: Mhd. *bequæme*, ahd. *biquāmi*, ähnlich aengl. *gecwǣme* ist Verbaladjektiv zu dem unter ↑kommen behandelten Verb und hat dessen alten kw-Anlaut bewahrt. Die Grundbedeutung ist »zukommend, passend, tauglich« (wie in got. *gaqimiþ* »es ziemt sich«, s. auch das nah verwandte *bekommen*). Die heutigen Bedeutungen »angenehm« (eigentlich »keine Schwierigkeiten bereitend«) und »träge, faul« haben sich erst seit dem 18. Jh. entwickelt.

berappen: Die Herkunft des ugs. Ausdrucks für »bezahlen«, der aus der Studentensprache in den allgemeinen Sprachgebrauch gelangte, ist unklar. Er ist vielleicht rotw. Ursprungs, jedenfalls nicht von dem Münznamen ›Rappen‹ abgeleitet.

beratschlagen ↑Rat.

beräuchern ↑Rauch.

berauschen ↑rauschen.

berechnen, Rechnung ↑rechnen.

beredsam, Beredsamkeit, beredt ↑Rede.

Bereich ↑reichen.

bereichern ↑reich.

bereifen, Bereifung ↑[1]Reif.

bereinigen ↑rein.

bereit: Die auf das Dt. beschränkte Adjektivbildung mhd. *bereit[e]* »bereit, fertig, bereitwillig«, ahd. *bireiti* »gerüstet, fertig« gehört wohl zu dem unter ↑reiten behandelten Verb in dessen alter Bedeutung »fahren«. Es bedeutete also ursprünglich »zur Fahrt gerüstet« (ähnlich steht ›fertig‹ neben ›fahren‹). Verwandt sind mit anderem Präfix z. B. mnd. *gerēde* »bereit, fertig«, got. *garaiþs* »angeordnet« sowie die präfixlosen Formen engl. *ready* »bereit, fertig« und aisl. *reiðr* »fahrbar, bereit«; in außergerm. Sprachen ir. *rēid* »eben« (eigentlich »fahrbar«) und kymr. *rhwydd* »leicht, frei« (eigentlich »fahrtbereit«). – Abl.: **bereiten** (mhd. *bereiten* »bereitmachen, rüsten«); **bereits** (17. Jh.; für älteres adverbielles ›bereit‹, das im Spätmhd. aufgetreten war; das ›s‹ trat in Analogie zu ›flugs‹, ›rechts‹ hinzu); **Bereitschaft** (mhd. *bereitschaft* »Ausrüstung, Gerätschaft«; die Bedeutung »Bereitsein« ist erst nhd., ganz jung der kollektive Sinn »Polizeiabteilung«).

berennen ↑rennen.

bereuen ↑Reue.

Berg: Das gemeingerm. Wort mhd. *berc*, ahd. *berg* (got. *in baírgahei* »Gebirgsgegend«), engl. *barrow* »[Grab]hügel«, schwed. *berg* »Hügel, Berg« beruht mit verwandten Wörtern in anderen idg. Sprachen auf idg. **bherĝos-* »Berg«, vgl. z. B. armen. *berj* »Höhe« und russ. *bereg* »Küste, Ufer«. Das idg. Substantiv gehört zu der Wurzelform **bhereĝh-* »hoch, erhaben«, einer Erweiterung der unter ↑gebären dargestellten idg. Wurzel. Zu der genannten Wurzelform gehören z. B. noch aind. *bṛhánt-* »hoch, groß, erhaben, hehr«, lat. *fortis* »kräftig, tapfer«, eigentlich »hoch gewachsen« (s. die Fremdwortgruppe um *Fort*), ferner air. Brigit (Name einer Heiligen und Frauenname, eigentlich »die Hohe, die Erhabene«; beachte den weiblichen Personennamen Brigitte) und Ortsnamen wie Bregenz und Burgund (»die Hochragende«, ältester Name von Bornholm, dem Stammland der ostgermanischen Burgunden). Im Ablaut zu ›Berg‹ steht das unter ↑Burg behandelte Wort. Wahrscheinlich gehört auch ↑bergen in diesen Zusammenhang, falls es ursprünglich »in einer Fluchtburg verwahren« bedeutete. – ›Berg‹ tritt in vielen Ortsnamen auf und ist dabei von den Namen mit ›Burg‹ (s. d.) oft nicht zu trennen. Es spielt eine besondere Rolle in der Sprache des Bergbaus (s. u.), weil nach Kohle und Erzen zunächst nur in Bergen gegraben wurde. Richtungsangaben mit ›Berg‹ sind **bergab, bergan,**

bergauf, vgl. auch die Zusammensetzung **Bergfahrt** »Fahrt eines Schiffes stromaufwärts«. – Abl.: **bergig** »reich an Bergen« (mhd. *bergeht*); **Gebirge** (s. d.). Zus.: **Bergbau** »Gewinnung von Bodenschätzen« (im 17. Jh. für älteres Bergwerk, s. u.); **Bergfried** (s. d.); **Bergmann** »Arbeiter im Tage- oder Untertagebau« (im 14. Jh. *bercman*); **Bergsteiger** »jemand, der sportlich klettert, Hochgebirgstouren unternimmt« (um 1800, zu der Fügung ›auf den Berg steigen‹), dazu das Verb **bergsteigen** (19. Jh.); **Bergwerk** »Anlage zur Gewinnung von Bodenschätzen« (mhd. *bercwerc* »Tätigkeit im Berg und das dazu nötige Bauwerk unter Tage«).

Berg

mit etw. hinter dem/hinterm Berg halten
(ugs.) »etw. absichtlich noch nicht mitteilen, aus taktischen Gründen für sich behalten«
Die Wendung nimmt darauf Bezug, dass man früher bei Gefechten oft Truppenteile hinter Anhöhen oder Hügeln verbarg, um dem Gegner nicht gleich die militärische Stärke zu zeigen und um ihn immer wieder überraschend anzugreifen oder zu beschießen.

bergen »in Sicherheit bringen«: Das gemeingerm. Verb mhd. *bergen*, ahd. *bergan*, got. *baírgan*, aengl. *beorgan*, schwed. *bärga* ist z. B. verwandt mit lit. *bìrginti* »sparen« und der slaw. Sippe um russ. *beregu* »hüte, bewahre«. Es gehört wahrscheinlich im Sinne von »auf einer Fluchtburg unterbringen, in Sicherheit bringen« zu dem unter ↑Berg behandelten Wort. Im Ablaut zu ›bergen‹ steht die Sippe von ↑borgen. Präfixbildung: **verbergen** (mhd. *verbergen*, ahd. *firbergan* »verstecken«, dann »verheimlichen«). In der Zusammensetzung ↑Herberge ist ein von ›bergen‹ abgeleitetes, nur in Zusammensetzungen erhaltenes Substantiv mhd. *-berge*, ahd. *-berga* »schützender Ort« enthalten.

Bergfried »Hauptturm einer mittelalterlichen Burg«: Die Herkunft des Wortes (mhd. *perfrit, bervrit, bercvrit*) ist dunkel. Die älteste bezeugte Bedeutung ist »hölzerner Belagerungsturm«. Die heutige Bedeutung ist im Mhd. noch selten und hat sich wahrscheinlich schon damals durch volksetymologische Anlehnung an mhd. *berc* »Berg« und mhd. *vride* »Schutz, Sicherheit« entwickelt.

bergig, Bergmann, Bergsteiger, bergsteigen, Bergwerk ↑Berg.

berichten: Mhd. *berihten* »recht machen, in Ordnung bringen; einrichten; belehren, unterweisen« gehört zu dem unter ↑richten behandelten Verb. Die heutige Bed. »Kunde von etwas geben, mündlich oder schriftlich darlegen« hat sich aus »unterweisen, unterrichten« entwickelt.

berichtigen ↑richtig.

beritten ↑reiten.

Bernstein: Das in frühnhd. Zeit aus dem Niederd. übernommene Wort geht auf mnd. *bern[e]stein* (13. Jh.) zurück, das zu mnd. *bernen* »brennen« gehört und demnach eigentlich »Brennstein« bedeutet (vgl. *brennen*). Das an den deutschen Küsten, besonders im ostpreußischen Samland gefundene tertiärzeitliche Baumharz fiel durch seine Brennbarkeit auf. Es war im Norden seit der Steinzeit als Schmuckstein bekannt und gelangte durch den Handel seit dem 3. Jahrtausend v. Chr. in den europäischen Süden. Sein griech. Name *ḗlektron* ist in unserem Fremdwort ↑elektrisch enthalten, sein germ. Name **glasaz* in dt. ↑[1]Glas.

Berserker »wilder altgermanischer Krieger«: Das im späten 18. Jh. aus dem Altisländischen (aisl. *berserker*) entlehnte Wort ist eine Zusammensetzung aus aisl. *ber-* »Bär« und *serkr* »Hemd, Gewand«. Es bedeutete also zunächst »Bärenfell«, dann »Krieger im Bärenfell«.

bersten: Mnd., mitteld. *bersten* »brechen« gelangte durch Luthers Bibelübersetzung in die Hochsprache. Es steht – wie gleichbed. niederl. *barsten*, engl. *to burst* – mit Umstellung des r neben mhd. *bresten*, ahd., asächs. *brestan* (erhalten in **Gebresten** »Gebrechen« [16. Jh.], zu mhd. *gebresten*, ahd. *gibrestan* »Mangel haben«, zur Bedeutungsentwicklung vgl. ›Gebrechen‹ unter *brechen*, schwed. *brista*. Außergerm. Beziehungen sind nicht gesichert.

berüchtigt »in schlechtem Rufe stehend«: Das Adjektiv ist eigentlich das 2. Part. des im 17. Jh. untergegangenen Verbs *berüchtigen* »in üblen Ruf bringen, verklagen«, das in die frühnhd. Gerichtssprache aus mnd. *berüchtigen* »ein Geschrei über jemanden erheben« (↑Gerücht) übernommen wurde. Die genannten Wörter gehören zu dem unter ↑anrüchig behandelten Wort. Siehe auch den Artikel *ruchbar*.

berücken: Das seit dem 16. Jh. bezeugte Verb stammt aus der Sprache der Fischer und Vogelsteller und bedeutet eigentlich »mit einem Netz über das zu fangende Tier rücken, mit einem Ruck das Netz zuziehen« (vgl. *rücken*). Aus der Bed. »[listig] fangen« entwickelte sich in der Barockzeit die Bed. »betören, bezaubern«.

berücksichtigen ↑Rücken.

berufen: Die Präfixbildung (mhd. *beruofen*) zu dem unter ↑rufen behandelten Verb bedeutete zunächst »herbei-, zusammenrufen, zu etwas rufen« (daher z. B. ›jemanden in ein Amt berufen‹, ›eine Versammlung [ein]berufen‹, vgl. auch ›zu etwas berufen sein‹). In dieser Bedeutung verwendet Luther das Wort in der Bibel, wenn vom Ruf Gottes an den Menschen die Rede ist (s. u. *Beruf*). Aus der Gerichtssprache stammt die Verwendung im Sinne von »sich (zur Rechtfertigung, zum Beweis) auf jemanden oder etwas beziehen«, eigentlich »appellieren«, wofür heute ›Berufung einlegen‹ gilt. Aus der Verwendung im Sinne von

»viel über jemanden oder etwas reden« entwickelte sich wie bei ›beschreien‹ die Bed. »zu viel über etwas reden, sodass es aus abergläubischer Vorstellung misslingt oder nicht in Erfüllung geht« – dazu stellt sich das verneinte Part. ›unberufen‹. – Abl.: **Beruf** (mhd. *beruof* »Leumund«; die neuhochdeutsche Bedeutung hat Luther geprägt, der es in der Bibel zunächst als »Berufung« durch Gott für griech. *klēsis*, lat. *vocatio* gebrauchte, dann auch für Stand und Amt des Menschen in der Welt, die schon Meister Eckart als göttlichen Auftrag erkannt hatte. Dieser ethische Zusammenhang von Berufung und Beruf ist bis heute wirksam geblieben, wenn das Wort jetzt auch gewöhnlich nur die bloße Erwerbstätigkeit meint).

beruhigen ↑Ruhe.

berühmt ↑Ruhm.

berühren ↑rühren.

Beryll ↑Brille.

besagen ↑sagen.

besaiten, besaitet ↑Saite.

Besatz, Besatzung ↑setzen.

besaufen ↑saufen.

beschädigen ↑Schaden.

beschaffen »geartet«: Das Adjektiv ist eigentlich das in adjektivischen Gebrauch übergegangene 2. Part. (mhd. *beschaffen* »vorhanden; befindlich«) zu dem starken mhd. Verb *beschaffen* »erschaffen« (vgl. *schaffen*).

beschäftigen: Das seit dem 17. Jh. bezeugte Verb enthält ein Adjektiv, das in der mitteld. Form *scheftic* »geschäftig, tätig, emsig« (gleichbed. mnd. *bescheftig*) belegt ist und zu ↑schaffen »arbeiten« gehört.

beschälen ↑Schälhengst.

beschämen ↑Scham.

beschatten ↑Schatten.

beschauen, Beschauer, beschaulich ↑schauen.

[1]**bescheiden:** Das zu ↑scheiden »trennen« gebildete Präfixverb (mhd. *bescheiden*) entwickelte in der mittelalterlichen Rechtssprache die Bedeutungen »zuteilen« und »Bescheid geben«. Zur ersten gehört die Wendung ›mein bescheidener Anteil‹, die heute als »geringer Anteil« verstanden wird. Die zweite lebt noch in der Kanzleisprache (z. B. ›jemanden abschlägig bescheiden‹), sie meint eigtl. die Mitteilung eines richterlichen Entscheids; daran schließt sich die Verwendung im Sinne von »belehren, unterweisen« an. Das reflexive ›sich bescheiden‹ »zufrieden sein, sich zufrieden geben, sich begnügen« bedeutete ursprünglich »sich vom Richter bescheiden lassen«. Das ehemalige starke Part. [2]**bescheiden** entwickelte sich in der Bedeutung entsprechend dem Verb: Ursprünglich bedeutete es »[vom Richter] bestimmt, zugeteilt, festgesetzt«, dann wurde es von Personen gebraucht, die sich bescheiden ließen, sich zu bescheiden wussten und deshalb als »einsichtsvoll, erfahren, verständig, klug« galten. Heute wird es im Sinne von »genügsam, einfach, anspruchslos« verwendet. Dazu **Bescheidenheit**, das im Mhd. noch »Verstand, Verständigkeit« war. Eine Rückbildung zu [1]bescheiden ist **Bescheid** (mhd. *bescheit, bescheide* »Bestimmung, Bedingung«), heute fast nur in ›Bescheid geben, wissen‹ und in ›Bescheid tun‹ gebräuchlich.

bescheinigen ↑scheinen.

bescheißen ↑scheißen.

bescheren »zu Weihnachten schenken«: Das nur im Dt. gebräuchliche Wort (mhd. *bescheren* »zuteilen, verhängen«) wurde früher meist von Gott und dem Schicksal gesagt (z. B. mhd. *ez ist mir beschert*). Der heutige Sinn (seit dem 18. Jh.) ergab sich, weil die Weihnachtsgeschenke den Kindern als Gaben des Christkinds dargestellt wurden.

Beschiss ↑scheißen.

beschlafen ↑Schlaf.

Beschlag, beschlagen, Beschlagnahme ↑schlagen.

beschleunigen, Beschleunigung ↑schleunig.

beschließen: Mhd. *besliezen*, ahd. *bisliozan* bedeutete ursprünglich »zu-, ver-, einschließen« (vgl. *schließen;* dazu noch **Beschließer** »Aufseher«), dann auch »beenden«. Daraus entwickelte sich schon mhd. die heutige Bed. »festsetzen«, eigentl. »zum Schluss der Gedanken kommen« (s. auch *entschließen*). – Abl.: **Beschluss** (mhd. *besluz* »Ab-, Verschluss, Ende«; die heute vorherrschende Bedeutung »Entscheidung« ist seit dem 15. Jh. bezeugt).

beschneiden ↑schneiden.

beschönigen ↑schön.

beschottern ↑Schotter.

beschränken, beschränkt ↑schränken.

beschreiben, Beschreibung ↑schreiben.

beschreien ↑schreien.

beschuldigen ↑Schuld.

beschummeln ↑schummeln.

beschweren: Das Präfixverb mhd. *beswæren*, ahd. *biswāren* »schwerer machen, belasten; drücken, belästigen, betrüben« gehört zu dem unter ↑schwer behandelten Adjektiv. Reflexiv bedeutet es seit dem 14. Jh. »sich (über Drückendes) beklagen«. Abl.: **Beschwerde** (mhd. *[be]swærde* »Bedrückung, Betrübnis«; ahd. *swārida* »drückende Last«; seit dem 15. Jh. Rechtswort für »Klage, Berufung«; der Plural ›Beschwerden‹ bezeichnet nhd. auch körperliche Schmerzen und Störungen).

beschwichtigen: Das Ende des 18. Jh.s ins Hochd. übernommene niederd. *beswichtigen*, älter *[be]swichten* »zum Schweigen bringen« entspricht (mit niederd. -cht- für hochd. -ft-) mhd. *[be]swiften* »stillen, dämpfen«, ahd. *giswiftōn* »still werden«. Das vorausliegende Adjektiv mhd. *swifte* »ruhig« ist vielleicht verwandt mit got. *sweiban* »aufhören« und aisl. *svīfask* »sich fern halten«. Weitere Beziehungen sind ungeklärt.

beschwingt ↑schwingen.

beschwören ↑schwören.

beseitigen ↑Seite.

Die Zusammensetzung unseres Wortschatzes Erbwort – Fremdwort – Lehnwort

Oft hören wir als Antwort auf die Frage, woher jemand den wunderbaren Zinnkrug im Schrank habe oder das wuchtige alte Bügeleisen oder die herrliche Jugendstillampe: »Das habe ich *geerbt.*« Oder: »Das ist ein *Erbstück.*« Steht aber in der Wohnung ein Stereoturm, ein Videorekorder oder ein PC, dann wissen wir, dass diese Sachen aus neuerer Zeit stammen müssen.

So etwas Ähnliches können wir auch bei den Wörtern unserer Sprache feststellen. Da gibt es ebenfalls »Erbstücke« und »Funkelnagelneues«, altes, von Generation zu Generation weitervererbtes Wortgut und neu gebildete und aus anderen Sprachen übernommene Wörter.

Viele Wörter im Deutschen, Englischen und in den skandinavischen Sprachen stammen aus der gemeinsamen germanischen Urzeit. Auch in der längst ausgestorbenen Sprache der Goten finden wir sie wieder, zum Beispiel deutsch *Winter,* englisch *winter,* schwedisch *vinter,* gotisch *wintrus.*

Eine große Zahl von Wörtern hat das Deutsche aber nicht nur mit den germanischen Sprachen gemeinsam. Wir begegnen diesen Wörtern auch in anderen Sprachen, zum Beispiel deutsch *neu,* neugriechisch *néos,* russisch *novy,* lateinisch *novus;* deutsch *drei,* neugriechisch *treĩs,* russisch *tri,* lateinisch *tres.* Die Ähnlichkeit geht darauf zurück, dass die germanischen Sprachen, das Lateinische, das Griechische und die slawischen Sprachen sich aus einer Sprache entwickelt haben, die man das Indogermanische (Indoeuropäische) oder die indogermanische (indoeuropäische) Ursprache nennt.

Wörter, die das Deutsche aus dem Germanischen und Indogermanischen »geerbt« hat, nennen wir **Erbwörter.** Neben diesen »Ureinwohnern« in unserer Sprache gibt es eine große Zahl von Gästen aus dem Sprachausland. Wir nennen sie **Lehnwörter,** wenn sie sich stark oder ganz der deutschen Sprache angepasst haben. Wenn sie ihre fremde Gestalt beibehalten haben und in Betonung und Aussprache von deutschen Wörtern abweichen, bezeichnen wir sie als **Fremdwörter.** Manche haben auch fremde Vor- und Nachsilben wie *ex-, kon-, pro-, -ion, -ismus, -ieren.* Einige Wörter können ihren fremden Charakter durch Jahrhunderte bewahren. Die Fremdwörter *Natur, Fundament, Apostel* sind z. B. schon im 9. Jahrhundert entlehnt worden, das Wort *Bibliothek* »erst« um 1500. Junge Fremdwörter sind im heutigen Deutsch z. B. *Videoclip, Sweatshirt, Broiler, Pizza, Paella, Macho, Computer, Golden Goal, Aspirant, Kader, Kolchose, Sauna, Knäckebrot, Libero.*

Das folgende Schema verdeutlicht uns nochmals die Zusammensetzung des deutschen Wortschatzes.

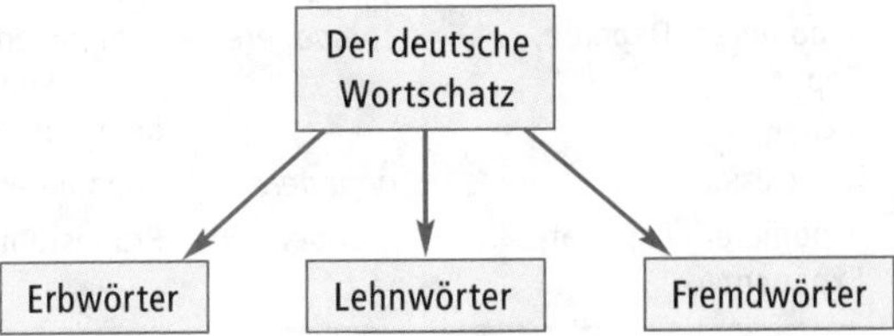

Internationalismen

Eine große Rolle bei der Bildung von Fremdwörtern spielen auch heute noch das Lateinische und das Altgriechische, vor allem im Wortschatz von Wissenschaft und Technik. Mit Wortelementen aus diesen alten Sprachen können jederzeit Fachwörter neu gebildet werden, die dann auch internationale Verbreitung finden. Solche **Internationalismen** aus altgriechischen Bestandteilen sind z. B. *Automat* (zu altgriechisch *autómatos* »sich selbst bewegend«), *Biologie* (aus altgriechisch *bíos* »Leben« und *lógos* »Lehre«), *Thermostat* (aus altgriechisch *thermós* »warm« und *statós* »stehend, gestellt«). Internationale Wörter aus lateinischen Bestandteilen sind z. B. *Aggregat* (zu lateinisch *aggregare* »ansammeln«), *Kompressor* (zu lateinisch *compressio* »das Zusammendrücken«), *Transformator* (zu lateinisch *transformare* »umformen«). Eine griechisch-lateinische Mischbildung ist *Automobil* (aus altgriechisch *autós* »selbst« und lateinisch *mobilis* »beweglich«).

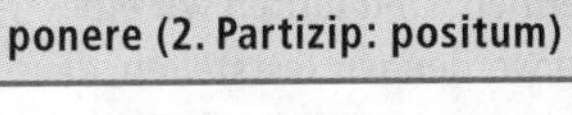

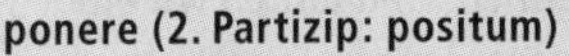

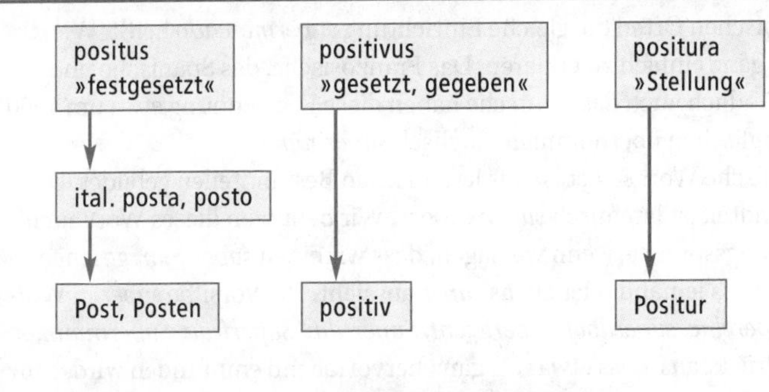

Zusammensetzungen mit *ponere* und die dazugehörigen Fremdwörter im Deutschen:	
apponere → Apposition *deponere* → deponieren, Deponie, Depot *disponere* → disponieren, Disposition *exponere* → exponieren, Exponat, Exponent	*imponere* → imponieren, imposant *componere* → komponieren, Komponente, Komponist, Komposition, Kompott *opponere* → opponieren, Opposition *praeponere* → Präposition, Propst

In der Grafik wird gezeigt, wie das lateinische Verb *ponere* »setzen, stellen, legen« und seine Ableitungen und Zusammensetzungen den Fremdwortschatz des Deutschen beeinflusst haben. Zum Teil wurden uns diese Fremdwörter über die romanischen Sprachen Französisch und Italienisch vermittelt.

Gutnachbarliche Sprachbeziehungen – einfach »super«

Es besteht auch eine starke Verflechtung des Deutschen mit seinen unmittelbaren Nachbarsprachen in Europa. Dazu hier einige Beispiele.

Wenn wir nach Frankreich in Urlaub fahren und zum ersten Mal französische Wörter hören oder auf Plakaten und Straßenschildern lesen, dann wirkt das alles doch ziemlich fremd auf uns. Bald aber entdecken wir das eine oder andere Wort, das uns irgendwie bekannt vorkommt. Das lang gestreckte Gebäude mit dem großen Parkplatz davor und den riesigen Reklametafeln verrät uns durch die Leuchtschrift auf dem Dach, dass wir hier vor einem *SUPERMARCHÉ* stehen. Es fällt uns nicht schwer, im Gebäude wie im französischen Wort unseren *Supermarkt* wieder zu erkennen. Und fahren wir ein paar Hundert Kilometer weiter nach Süden, dann werden wir feststellen, dass in den spanischen Orten die gleiche Einrichtung *supermercado* heißt. Wie das kommt, ist ganz einfach zu erklären. Das Französische, das Spanische und selbstverständlich auch das Deutsche haben diese Bezeichnung etwa um 1960 aus dem Englischen übernommen (englisch *supermarket*).

Das englische Wort selbst ist aus lateinischen Bestandteilen gebildet. Der erste Bestandteil ist lateinisch *super* »über«. Wir benutzen dieses Wort auch in der Umgangssprache, wenn wir sagen, dass wir einen *super Film* gesehen haben oder dass jemand oder etwas *super* aussieht. Die Vorsilbe *super* in Wörtern wie *superchic, superdoof, superleicht, Superfilm, Superfrau, Supermann, Superstar* drückt aus, dass etwas als ganz hervorragend empfunden wird, ganz großartig, unübertrefflich ist. In einem Wort wie *Supermarkt* soll damit verdeutlicht werden, dass es sich hier um ein Geschäft handelt, das in seiner Größe, in seinem Angebot usw. schon recht beeindruckend ist. Der zweite Bestandteil des Wortes, englisch *market*, ist im Englischen entlehnt aus lateinisch *mercatus* »Markt«, dem wir auch unser entsprechendes deutsches Wort verdanken.

Die Post ist da

Ein Gebäude in Frankreich, an dem groß *POSTES* steht, erkennen wir unschwer als französische Ausgabe unserer *Post*. Das Französische hat das Wort, wie auch das Deutsche, aus dem Italienischen übernommen. Das italienische *posta* geht auf die im frühen Mittelalter üblich gewordene lateinische Bezeichnung *posita [statio]* »festgesetzter [Aufenthalt]« zurück. So wurden damals die Stationen genannt, an denen reitende Boten ihre Pferde wechseln konnten. Mit der Ausbreitung des Postwesens im 16. Jahrhundert kam das Wort nach und nach auch in andere europäische Sprachen. Das französische *poste* (Singular von *postes*) wanderte nach Großbritannien und wurde im Englischen zu *post [office]*. Das russische Wort *počta* für »Post« stammt ebenfalls aus dem Italienischen, es ist über polnisch *poczta* (älter *poszta*) ins Russische entlehnt worden. Aus dem Deutschen dagegen hat die russische Sprache das Wort *počtamt* für »Postamt« übernommen.

Sprachglatteis: Fauxamis und Scheinentlehnungen

Bei genauerem Hinsehen entdecken wir also in unseren europäischen Nachbarsprachen manchen »guten Freund«. Wie im Leben gibt es aber auch in der Sprache hier und da einen »falschen Freund«. Und vor einem solchen *Fauxami*, wie das Fachwort der Sprachwissenschaft für (fast) gleich lautende, aber in der Bedeutung (ganz) unterschiedliche Wörter in verwandten Sprachen heißt, muss man sich beim Sprechen einer fremden Sprache oder beim Übersetzen daraus besonders in Acht nehmen.

Wenn in einem englischsprachigen Fernsehprogramm ein *famous artist* angekündigt wird, so tritt hier keineswegs ein »famoser Zirkus*artist*« auf, sondern wir können einen namhaften Künstler seines Faches erwarten.

Einem Franzosen kann man einen Massenauflauf oder eine Großkundgebung einer Gewerkschaft nicht mit dem französischen Wort *démonstration* erklären, obwohl es doch so nahe liegt. Denn im Französischen spricht man hier von einer *manifestation*, wohingegen *démonstration* »Vorführung« bedeutet (wie »Demonstration« im Deutschen übrigens auch!).

Scheibenkäse aus den Niederlanden, der als *afsonderlijk verpakt* gekennzeichnet ist, präsentiert sich uns nicht in einer »absonderlichen« Hülle, sondern jede Scheibe ist hier einzeln in Folie verschweißt, schön für sich, von den anderen Scheiben »abgesondert«.

Ganz besonders aufs sprachliche Glatteis können uns auch die so genannten **Scheinentlehnungen** führen.

Wer in Frankreich beispielsweise zum *Friseur* möchte, der muss wissen, dass er nach einem *coiffeur* suchen muss, dem er dann sagt, welche *coiffüre* (= Frisur) er sich wünscht. Denn *Friseur* und *Frisur* sind im Deutschen gebildet, es sind französisierende Bildungen zu *frisieren*. Dieses Verb wurde über niederländisch *friseeren* im 17. Jahrhundert aus französisch *friser* »kräuseln, in Locken legen« entlehnt.

Ebenso wenig gibt es im Englischen z. B. den *Showmaster*. Dieses Wort ist im Deutschen gebildet aus englisch *show* »Vorführung, Aufführung« und *master* »Leiter, Meister« nach dem Vorbild von *Quizmaster*, das wirklich als *quiz-master* im Englischen existiert. Und wer in London oder New York mobil telefoniert, der greift zum *mobil phone* und nicht zum *Handy*, das im Deutschen eine anglisierende Bildung zu englisch *hand* »Hand« ist.

Lehnbedeutungen und Lehnbildungen

Wörter aus fremden Sprachen sind schon in frühester Zeit ins Deutsche übernommen worden. Allerdings sind die sehr früh entlehnten Wörter so angepasst worden, dass wir ihnen ihre fremde Herkunft oft nicht mehr ansehen. So kommen uns *Mauer, Fenster, Pfeiler, Keller* ganz und gar nicht fremd vor. Aber sie stammen alle aus dem Lateinischen. Sie wurden von den Römern zusammen mit der neuen Technik des Steinbaues übernommen, der ja unseren germanischen Vorfahren fremd war. Die lateinischen Wörter *murus, fenestra, pilarium, cellarium* sind völlig eingedeutscht, d. h. in die deutsche Sprache integriert worden. Heute werden viele neue Fremdwörter nicht mehr eingedeutscht. So wird z. B. bei *Computer, high, Jeans, Golden Goal, Inlineskater* die englische Aussprache und – sehen wir von der Großschreibung der Substantive ab – auch die Schreibung beibehalten.

Es werden nun aber keineswegs immer Wörter entlehnt. Oft wird nur die Bedeutung eines fremden Wortes übernommen und einem einheimischen

Wort »untergeschoben«. Das alte Wort erhält auf diese Weise eine **Lehnbedeutung:** So wurde zum Beispiel gotisch *daupjan* »ein-, untertauchen« unter dem Einfluss von lateinisch *baptizare* »taufen« zu »durch Eintauchen in Wasser zum Christen machen, taufen«. Die Bedeutung »jemanden absichtlich nicht beachten« des Verbs *schneiden* ist aus englisch *to cut a person* übernommen worden (englisch *to cut* »schneiden«).

Die Übernahme einer fremden Bedeutung fällt besonders dann leicht, wenn das fremde Wort dem schon vorhandenen in der Form oder in der Lautung sehr ähnlich oder sogar gleich ist. Dadurch konnte *vital* zu seiner Bedeutung »voller Lebenskraft« die weitere Bedeutung »lebenswichtig« aus englisch *vital* übernehmen *(vitale Interessen, Bedürfnisse).* Das englische Verb *to realize* hat *realisieren* neben seiner Bedeutung »verwirklichen« die Lehnbedeutung »sich etwas vorstellen, sich etwas ins Bewusstsein rufen« vermittelt, und aus englisch *to fire* übernahm *feuern* als neue Bedeutung »entlassen, hinauswerfen«.

Aus einheimischen Wörtern können nach dem Vorbild der fremden Sprache auch neue Wörter gebildet werden. Ein auf diese Weise neu entstandenes Wort nennen wir **Lehnbildung.** Folgende Möglichkeiten von Lehnbildungen gibt es:

Lehnübersetzung (Glied-für-Glied-Übersetzung):
Großvater nach französ. *grandpère*
Kulturrevolution nach russ. *kulturnaja rewoljuzia*
Flutlicht nach engl. *floodlight*

Lehnübertragung (nur teilweise Übersetzung der fremden Bestandteile):
Wolkenkratzer – engl. *skyscraper* (engl. *sky* = Himmel)
Schlafstadt – engl. *dormitory town* (engl. *dormitory* = Schlafsaal)
Titelgeschichte – engl. *cover story* (engl. *cover* = Umschlag)

Lehnschöpfung (vom fremden Wort unabhängige Bildung):
Wasserglätte – für engl. *aquaplaning*
Kraftwagen – für *Automobil*

Lehnschöpfungen entstehen oft aus dem Befürfnis heraus, ein fremdes Wort durch ein treffendes einheimisches zu ersetzen.

B

beseligen ↑selig.

Besen: Die Herkunft des westgerm. Wortes mhd. *bes[e]me, besem,* ahd. *bes[a]mo,* niederl. *bezem,* engl. *besom* ist unklar. – Im Dt. wird ›Besen‹ seit dem 16. Jh. auch übertragen und abwertend gebraucht, zunächst für eine Magd, dann für ein einfaches Mädchen und schließlich auch für eine zänkische oder boshafte Frau.

besessen ↑sitzen.

besetzen ↑setzen.

besichtigen, Besichtigung ↑Sicht.

besiedeln ↑siedeln.

besiegeln ↑Siegel.

besinnen, besinnlich, Besinnung ↑sinnen.

Besitz, Besitzer, Besitzung ↑sitzen.

besoffen ↑saufen.

besohlen ↑Sohle.

besolden ↑Sold.

besonder: Das mhd. Adjektiv *sunder* »abgesondert, eigen, ausgezeichnet« (vgl. *sonder*) wird seit spätmhd. Zeit durch die Zusammensetzung *besunder,* nhd. *besonder* abgelöst, die nur attributiv gebraucht wird (z. B. ein besonderes Merkmal, ein besonderer Wein). Auf die Bildung dieser Zusammensetzung hat das ältere Adverb mhd. *besunder* eingewirkt, das aus *bī* (= bei) *sunder* entstanden ist und seit dem 16. Jh. mit genitivischem -s **besonders** lautet. Abl.: **Besonderheit** (18. Jh.).

besonnen ↑sinnen.

besorgen, Besorgnis, besorgt ↑Sorge.

bespitzeln ↑spitz.

besprechen, Besprechung ↑sprechen.

besprengen ↑sprengen.

bespringen ↑springen.

besser (Komparativ), beste (Superlativ): Die Vergleichsformen von ›gut‹ werden in allen germ. Sprachen mit Wörtern des unter ↑bass behandelten Stammes **bhăd-* gebildet: mhd. *bezzer, best (bezzist),* ahd. *bezziro, bezzisto,* got. *batiza, batista,* engl. *better, best* (↑Bestseller), schwed. *bättre, bäst.*

besser

etwas zum Besten geben
»etwas zur Unterhaltung vortragen«
Mit ›das Beste‹ war ursprünglich der Siegpreis gemeint. Die Wendung bedeutete eigentlich »etwas als Preis für den Sieger in einem Spiel oder Wettbewerb aussetzen«, dann »etwas als [wichtigsten] Beitrag zu einer Unterhaltung beisteuern«.

jmdn. zum Besten haben/halten
»jmdn. necken, anführen«
Die Wendung hat ihren Ursprung darin, dass man jemanden zum Spaß so behandelt, als ob er der Beste wäre.

Besserwisser ↑wissen.

bestallen »in ein Amt einsetzen«: Das Verb ist zu mhd. *bestalt,* dem erstarrten 2. Part. von mhd. *bestellen* »einweisen, einsetzen« (vgl. *stellen*), neu gebildet.

Bestand, beständig, Bestandteil ↑stehen.

bestätigen: Das Verb mhd. *bestætigen* »festmachen, bekräftigen« gehört zu dem unter ↑stet behandelten Adjektiv ›stetig‹ (vgl. ahd. *stātigōn*).

bestatten: Mhd. *bestaten* ist verstärktes einfaches mhd. *staten* »an seinen Ort bringen« (von mhd. *stat* »Ort, Stelle, Stätte«, vgl. *Statt*) und wird bereits verhüllend für »begraben« gebraucht.

bestäuben ↑Staub.

bestechen: Die Präfixbildung zu ↑stechen (mhd. *bestechen*) war zunächst Fachwort der Bergleute und wurde im Sinne von »(durch Hineinstechen mit einem spitzen Werkzeug) untersuchen, prüfen« verwendet. Davon leitet sich wohl unsere heutige Bedeutung »jemanden durch Geld, Geschenke für seine eigenen Interessen gewinnen« her (eigentlich »jemanden mit Gaben prüfen, auf die Probe stellen«). Der übertragene Gebrauch von ›bestechen‹ im Sinne von »für sich einnehmen« ist seit dem 18. Jh. bezeugt.

Besteck, bestecken ↑stecken.

bestehen ↑stehen.

bestellen, Bestellung ↑stellen.

besteuern ↑[1]Steuer.

Bestie »wildes Tier; Unmensch«: Mhd. *bestie* stammt wie frz. *bête* (afrz. *beste*) aus gleichbed. lat. *bestia,* das ohne überzeugende Anknüpfung ist. – Die im Niederd. seit dem Ende des 16. Jh.s bezeugte Form *Beest* »Untier«, die auf afrz. *beste* zurückgeht, liegt **Biest** zugrunde. Dies wird heute im Sinne von »lästiges, unangenehmes Tier; gemeiner Mensch« gebraucht.

bestimmen: Die Grundbedeutung des Verbs mhd. *bestimmen* war »mit der Stimme [be]nennen, durch die Stimme festsetzen« (vgl. *stimmen* [↑Stimme]). Daraus entwickelte sich schon früh die Bedeutung »anordnen«. Die Verwendung im Sinne von »nach Merkmalen abgrenzen, definieren« stammt aus der philosoph. Fachsprache des 18. Jh.s. Verselbstständigt hat sich das 2. Partizip **bestimmt,** das auch adverbiell für »ganz gewiss« gebraucht wird; dazu **Bestimmtheit.** Abl.: **Bestimmung** (17. Jh.).

bestrafen ↑strafen.

bestreiten ↑Streit.

bestricken: Das Verb (mhd. *bestricken,* ahd. *bistricchan*) war ursprünglich ein Jagdausdruck und bedeutet eigentlich »mit Stricken oder in einem Strick fangen« (vgl. *Strick*). Aus der Bed. »fangen, fassen« entwickelte sich dann in mhd. Zeit die heute übliche Bed. »betören, bezaubern« (vgl. zur Bedeutungsgeschichte den Artikel *berücken*).

Bestseller »Verkaufsschlager (meist von Büchern)«: Das Wort wurde im 20. Jh. aus gleichbed. engl. *best seller* (eigentlich »was sich am besten verkauft«) entlehnt. Engl. *best* entspricht nhd. *best* (vgl. *besser*), während *seller* von engl. *to sell* »verkaufen« abgeleitet ist.

bestücken ↑Stück.
bestürzen: Das Verb (mhd. *bestürzen,* ahd. *bisturzan*) ist eine Präfixbildung zu ↑stürzen und bedeutete ursprünglich »umstürzen; umwenden; bedecken«. Daraus entwickelte sich die übertragene Bedeutung »außer Fassung bringen, verwirren«. Abl.: **Bestürzung** (17. Jh.).
Besuch, besuchen, Besucher ↑suchen.
betagt ↑Tag.
betätigen ↑Tat.
betäuben ↑taub.
Bete »Rote Rübe«: Der Name des Wurzelgemüses geht auf lat. *beta* »Bete« zurück, das früh in die germ. Sprachen gelangte (beachte ahd. *bieẓa,* mhd. *bieẓe,* entsprechend niederd. *bēte,* niederl. *biet,* engl. *beet* und schwed. *beta*). Die heutige, seit dem 18. Jh. gebräuchliche Form des Wortes ist niederd.
beteiligen ↑Teil.
beten: Der Germane kannte das Beten nicht. Seit der Christianisierung wurde der Begriff durch das vorhandene Verb ↑bitten gedeckt. Nur das Deutsche hat durch Ableitung von ahd. ›Bitte‹ einen Unterschied geschaffen: ahd. *betōn,* mhd. *beten,* mnd. *bēden.*
beteuern: Das Verb (mhd. *betiuren* »zu kostbar dünken; schätzen«) ist von dem unter ↑teuer behandelten Adjektiv abgeleitet. An die Verwendung von ›teuer‹ in Versicherungen und Beschwörungsformeln schließt sich die Bedeutung »mit Nachdruck erklären, versichern« an, eigentlich »sagen, dass etwas jemandem [hoch und] teuer ist«.
Beton: Das aus lat. *bitumen* »Erdharz, Erdpech« stammende frz. Substantiv *béton,* das dann einen fest bindenden, harten Baustoff (ein Gemisch aus Zement, Wasser und Sand) bezeichnete, wurde im späten 18. Jh. ins Deutsche übernommen. Daneben lebt lat. *bitumen,* das wahrscheinlich kelt. Lehnwort ist und zur idg. Sippe von ↑Kitt gehört, in unveränderter Form als **Bitumen** »natürlicher Asphalt« fort. – Abl.: **betonieren** (spätes 19. Jh.; aus frz. *bétonner*).
betonen ↑²Ton.
betören ↑²Tor.
betrachten: Die Präfixbildung mhd. *betrahten,* ahd. *bitrahtōn* bedeutete wie das einfache Verb ↑trachten zunächst »bedenken, erwägen, streben«. Erst in frühnhd. Zeit entwickelte sich über »nachdenklich ansehen« die heute übliche Bedeutung »ansehen, beschauen« (s. aber unten *Betrachtung*). Abl.: **Betracht** (nur noch in Verbindungen wie ›in Betracht kommen, ziehen‹, ›außer Betracht bleiben‹; Kanzleiwort des 18. Jh.s wie gleichzeitiges ›in Anbetracht‹); **beträchtlich** (im 15. Jh. in der Bedeutung »mit Überlegung«, im 16. Jh. »was Beachtung verdient«; die heutige Bedeutung »erheblich« seit dem 18. Jh.); **Betrachtung** (mhd. *betrahtunge* »Trachten nach etwas; Überlegung«).
Betrag, betragen ↑tragen.
betrauen ↑trauen.
betreffen ↑treffen.
betreiben ↑treiben.
betreten ↑treten.
betreuen ↑treu.
Betrieb, betriebsam ↑treiben.
betrinken ↑trinken.
betroffen ↑treffen.
betrüben, betrüblich ↑trüb[e].
Betrug, betrügen ↑trügen.
Betschwester ↑Schwester.
Bett: Das gemeingerm. Wort für »Lagerstatt, Schlafstelle« mhd. *bet[te],* ahd. *betti,* got. *badi,* engl. *bed,* schwed. *bädd* beruht auf germ. **badja* »Bett« (eigentlich vielleicht »Polster«, vgl. das finn. Lehnwort *patja* »Polster«). Es bezeichnete, da den Germanen die heutige Form des Bettes unbekannt war, die so genannte »Erdbank«, das mit Stroh und Fellen gepolsterte Lager entlang den Wänden. Der Gebrauch des beweglichen Bettes der Mittelmeervölker verbreitete sich bei den germanischen Völkern erst im Mittelalter. Doch hatte man über dem Stroh schon früh Tücher und Federbetten (ahd. *bettiwāt, fedarbetti*), sodass das Wort seit alters auch die Federkissen bezeichnen kann. – ›Bett‹ wird im Dt. auch übertragen gebraucht, beachte z. B. die Zusammensetzungen **Flussbett** und **Nagelbett.**

Bettel

[jmdm.] den [ganzen] Bettel hinschmeißen/hinwerfen/vor die Füße schmeißen/vor die Füße werfen
(ugs.) »seiner Arbeit o. Ä. überdrüssig sein, abrupt aufhören, für jmdn. zu arbeiten, (und ihm dies in drastischer Form zu erkennen geben)«
›Bettel‹ gehört zum Verb ›betteln‹, es bedeutete zunächst »Bettelei, Zusammengebetteltes«, dann auch »Kram, Plunder«.

betteln: Das dt. und niederl. Verb (mhd. *betelen,* ahd. *betalōn,* niederl. *bedelen*) ist eine Iterativbildung zu dem unter ↑bitten behandelten Verb und bedeutet demnach eigentlich »wiederholt bitten«. Abl.: **Bettler** (mhd. *betelære,* ahd. *betalāri*).
Bettstelle ↑stellen.
betucht: Der ugs. Ausdruck für »wohlhabend«, der nach dem heutigen Sprachgefühl als Ableitung von ›Tuch‹ aufgefasst wird, geht zurück auf jidd. *betuch* »sicher; vertrauenswert« (< hebr. *bạṭûah̩*).
betulich ↑tun.
betupfen ↑tupfen.
beugen: Das altgerm. Verb mhd. *böugen,* ahd. *bougen,* mniederl. *bōgen,* aengl. *bīegan,* schwed. *böja* ist das Veranlassungswort zu dem unter ↑biegen behandelten Verb und bedeutet demnach eigentlich »biegen machen«. Es ist im dt. Sprachgebrauch von ›biegen‹ nicht klar geschieden und

hat meist die Bed. »herunterbiegen«, reflexiv »sich unterwerfen«. In der Grammatik verdeutscht es seit dem 17. Jh. das Fremdwort ›flektieren‹ (wie ›Beugung‹ das Fremdwort ›Flexion‹).

Beule: Das westgerm. Wort mhd. *biule,* ahd. *būlla,* niederl. *buil,* aengl. *byle* bedeutete ursprünglich »Schwellung« und bezeichnete demzufolge zunächst eine durch Schlag, Stoß oder Entzündung erzeugte Schwellung. Übertragen wird das Wort im Dt. auch im Sinne von »Schlagstelle im Metall, Delle« verwendet, beachte dazu die Verben ›ausbeulen‹ und ›verbeulen‹. Im Ablaut zu dem westgerm. Wort stehen isl. *beyla* »Buckel, Höcker« und got. *ufbauljan* »aufblasen«. Die genannte germ. Wortgruppe gehört zu der vielfach weitergebildeten und erweiterten, ursprünglich lautnachahmenden idg. Wurzel **bh[e]u-, *b[e]u-* »[auf]blasen, schwellen«, zu der sich aus dem außergerm. Sprachbereich z. B. lat. *bucca* »aufgeblasene Backe« stellt (vgl. das Lehnwort *Buckel*). Aus dem germ. Sprachbereich gehören ferner zu dieser Wurzel ↑Beutel »Säckchen«, ↑Pocke »Blatter« und wahrscheinlich auch ↑Bauch; dann ↑Pausback, ↑böse (eigentlich »aufgeblasen«), ↑pusten, ↑Bausch (mit Pauschale), ↑Busen und wohl auch ↑Busch (mit Böschung).

beurkunden ↑Urkunde.

beurlauben ↑Urlaub.

beurteilen ↑Urteil.

Beute: Die nhd. Form geht auf mhd. *biute* »Beute« zurück, das aus dem Mnd. übernommen ist. Mnd. *būte* »Tausch, Wechsel; Verteilung; Anteil, Beute« war ein Ausdruck des mittelalterlichen Handels; es ist eine Bildung zu mnd. *būten* »Tauschhandel treiben; fortnehmen; verteilen«. Dieses Verb gehört wohl als **bi-ūtian* »herausgeben« zu ↑aus (beachte mnd. *ūten* »ausgeben«, ahd. *ūzōn* »ausschließen«). Es gelangte mit dem Substantiv in die nord. Sprachen (aisl. *bȳta,* schwed. *byta* »tauschen, wechseln«, aisl. *bȳti* »gegenseitige Schuldforderung«) und seit dem 14. Jh. in das Mittel- und Oberd., nun meist auf Krieg und Plünderung bezogen (mhd. *biuten* »Kriegsbeute machen, rauben«). Das Verb lebt im Nhd. fort in **erbeuten** »als Beute erringen« (im 16. Jh. schweiz.) und **ausbeuten** »abbauen, fördern; wirtschaftlich nutzen; ausnutzen« (16. Jh.), dazu das gleich alte **Ausbeute** »Ertrag« und im 19. Jh. das politische Schlagwort **Ausbeuter.** – Hierher gehört auch **Freibeuter** »Seeräuber« (mnd. *vrībūter* »Schiffsführer mit Vollmacht zum Kapern; Seeräuber«, zu *vrībūte* »freigegebene Kriegsbeute«; entsprechend niederl. *vrijbuiter*).

Beutel: Mhd. *biutel,* ahd. *būtil,* niederl. *bui[de]l* »Beutel, Tasche, [kleiner] Sack« sind eng verwandt mit isl. *budda* »[Geld]beutel« und engl. *bud* »Knospe« und gehören mit diesen im Sinne von »Aufgeschwollenes« zu der unter ↑Beule dargestellten Wortgruppe. – Der Geldbeutel war ursprünglich ein Säckchen. In der mittelalterlichen Tracht diente der Beutel als Gürteltasche wie später der militärische Brotbeutel. ›Beutel‹ heißt auch das Mehlsieb des Müllers (schon mhd.), der Hodensack mancher Tiere (vgl. *Bocksbeutel* unter *Bock*) und die taschenartige Hautfalte bei manchen Tieren, vgl. die Bezeichnung **Beuteltier, Beutler** für eine urtümliche Säugetierart.

bevölkern, Bevölkerung ↑Volk.

bevor: Die Konjunktion ist wahrscheinlich aus der mhd. Fügung ... *[be]vor, ē* ... »(es geschah) vorher, ehe ...« entstanden, indem ›bevor‹ in den Nebensatz übertrat und ›ehe‹ verdrängte. Im 17. Jh. heißt es noch ›ehe und bevor ihr fahren werdet‹. Als Adverb ist mhd. *bevor,* ahd. *bifora* aus *bī fora* »vorn, voraus« zusammengerückt (ähnlich asächs. *biforan,* engl. *before;* vgl. *bei* und *vor*).

bevormunden ↑Vormund.

bewachen ↑wachen.

bewaffnen ↑Waffe.

bewähren ↑wahr.

bewältigen ↑Gewalt.

bewandert ↑wandern.

bewandt, Bewandtnis ↑bewenden.

[1]**bewegen** »veranlassen«: Die Präfixbildung mhd. *bewegen* »bewegen«, mhd. *sich bewegen* »sich zu etwas entschließen«, ahd. *biwegan* »bewegen, abwägen« gehört zu dem einfachen starken Verb mhd. *wegen* »sich bewegen; Gewicht haben«, ahd. *wegan* »bewegen, wiegen«, das im Nhd. mit anderer Bedeutung in ↑wägen (s. d. über erwägen, verwegen, wiegen, Gewicht, Wucht, Waage, wagen) bewahrt ist. Diesem einfachen starken Verb entsprechen im germ. Sprachbereich got. *(ga)wigan* »bewegen«, aengl. *wegan* »bewegen; wägen, messen« (engl. *to weigh* »wiegen, wägen«), aisl. *vega* »schwingen, heben; wiegen«. Sie beruhen mit verwandten Wörtern in anderen idg. Sprachen auf der idg. Wurzel **u̯eĝh-* »sich bewegen, schwingen, fahren, ziehen«, vgl. z. B. aind. *váhati* »er fährt, zieht, führt heim«, aind. *vahítra-m* »Fahrzeug, Schiff«, lat. *vehere* »fahren, führen« und lat. *vehiculum* »Wagen« (s. die Fremdwortgruppe um *Vehikel*). Aus dem germ. Sprachbereich stellen sich zu dieser Wurzel ferner die unter ↑Weg, ↑Woge, ↑Wagen und ↑Wiege behandelten Wörter. Zu dem oben genannten gemeingerm. starken Verb gehört als schwach gebeugtes Veranlassungswort mhd. *wegen,* ahd. *wegen* »in Bewegung setzen«, got. *wagjan* »schütteln«, aengl. *wecgan* »[sich] bewegen, treiben« und – als Präfixbildung – [2]**bewegen** »die Lage von etwas oder jemandem ändern; (übertragen:) geistig oder seelisch erregen«. Die Verben [1]bewegen und [2]bewegen laufen schon seit ahd. Zeit ohne scharfe Trennung nebeneinander her. Erst im Nhd. wird die heutige Differenzierung erreicht. Die Grundbedeutung der Bewegung enthalten auch die dt. Iterative ↑wackeln, ↑watscheln und ↑aufwiegeln. – Abl.: **beweglich** (mhd. *bewegelich,* zu [2]**be-**

wegen). Siehe auch *unentwegt;* **Bewegung** (mhd. *bewegunge,* zu [2]**bewegen**).

Beweis, beweisen ↑weisen.

bewenden: Von der Präfixbildung mhd. *bewenden,* ahd. *biwenten* »hin-, um-, anwenden« (vgl. *wenden*) ist heute nur noch der Infinitiv gebräuchlich, und zwar in den Fügungen ›es bei/mit etwas bewenden lassen‹ und – substantiviert – in ›Es mag dabei sein Bewenden haben‹. Veraltet ist das 2. Part. **bewandt** (mhd. *[so] bewant* »[so] beschaffen«), dazu **Bewandtnis** (17. Jh.), nur noch in: ›damit hat es folgende, seine eigene Bewandtnis‹.

bewerben ↑werben.

bewerkstelligen ↑Werk.

bewerten ↑wert.

bewilligen ↑Wille.

bewirken ↑wirken.

bewirten ↑Wirt.

bewölken, Bewölkung ↑Wolke.

bewusst: Das seit dem 16. Jh. bezeugte Adjektiv ist eigentlich das 2. Part. der heute nicht mehr gebrauchten Präfixbildung frühnhd. *bewissen* »sich zurechtfinden«, mnd. *bewēten* »auf etwas sinnen, um etwas wissen«. Die mitteld. und mnd. Form *bewūst* hat sich gegenüber der normalen Form *bewist* durch Luthers Bibelübersetzung durchgesetzt. Dazu stellen sich **Bewusstheit** »das Geleitetsein durch das klare Bewusstsein« (19. Jh.), **Bewusstsein** »deutliches Wissen von etwas; Zustand geistiger Klarheit; Gesamtheit der psychischen Vorgänge, durch die sich der Mensch der Außenwelt und seiner selbst bewusst wird« (im 18. Jh. zunächst philosophisch, dann als Gegenwort zu ›Ohnmacht‹ auch allgemein gebraucht), **bewusstlos** »ohne Bewusstsein« (zu dem heute veralteten Substantiv frühnhd. *bewusst* »Wissen, Kenntnis«, also eigentlich »ohne [sein] Wissen«); **unbewusst** (frühnhd. *unbewist,* mnd. *unbewust* »unbekannt, nicht wissend«, dann »nicht bewusst, nicht ins Bewusstsein tretend«), **Unterbewusstsein** (im 19. Jh. als Begriff der Psychologie gebildet), vgl. auch **selbstbewusst, Selbstbewusstsein** (18. Jh.) und **schuldbewusst** (18. Jh.). Seit der 2. Hälfte des 20. Jh.s begegnet ›bewusst‹ häufig als erster Bestandteil von Zusammensetzungen mit Substantiven, wie z. B. ›modebewusst, umweltbewusst‹. Diese Bildungen sind wahrscheinlich nach dem Vorbild von engl. *conscious* entstanden.

bezahlen ↑Zahl.

bezaubern ↑Zauber.

bezeichnen, Bezeichnung ↑zeichnen.

bezeigen ↑zeigen.

bezeugen ↑Zeuge.

bezichtigen »beschuldigen«: Das seit dem 16. Jh. – neben heute veraltetem ›bezichten‹ – bezeugte Verb gehört zu mhd. *beziht, biziht* »Beschuldigung«, ahd. *biziht* »Verdachtszeichen«, einer Bildung zu mhd. *bezīhen,* ahd. *bizīhan* »beschuldigen«.

beziehen, Beziehung ↑ziehen.

Bezirk »[Verwaltungs]gebiet«: Das seit spätmhd. Zeit bezeugte Substantiv (spätmhd. *bezirc* »Umkreis, Bezirk«) trat als Präfixbildung an die Stelle des älteren Substantivs mhd. *zirc* »[Um]kreis, Bezirk«, das (bereits in ahd. Zeit) aus lat. *circus* »Kreis, Kreislinie, Kreisbahn« (vgl. *Zirkus*) entlehnt wurde.

bezirzen: Der seit der Mitte des 20. Jh.s bezeugte ugs. Ausdruck für »betören, verführen« ist von Circe (griech. *Kírkē*) abgeleitet, dem Namen einer griechischen Zauberin, die die Männer betörte.

Bezug, bezüglich ↑ziehen.

bezwecken ↑Zweck.

bezweifeln ↑Zweifel.

bezwingen ↑zwingen.

bi..., Bi...: Das Bestimmungswort von Zusammensetzungen mit der Bed. »zwei, doppel[t]« stammt aus gleichbed. lat. *bi...* (alat. *dui...*), das auf idg. **du̯i-* »zwei« (vgl. *Duo*) zurückgeht.

bibbern ↑beben.

Bibel »die Heilige Schrift«: Der aus der ägyptischen Papyrusstaude gewonnene und zu Papierrollen verarbeitete Papyrusbast wurde im alten Griechenland vornehmlich aus der phönizischen Hafenstadt Byblos (heute Dschubail im Libanon) importiert. Nach ihr nannten die Griechen das verarbeitete Rohmaterial selbst *býblos*. Das davon abgeleitete *byblíon,* dessen -y- an das -i- der folgenden Silbe assimiliert wurde zu *biblíon* »Papierrolle, Buch« (nach diesem Vorbild entstand klass.-griech. *bíblos*), wurde im Plural *biblía* »Bücher« ins Kirchenlat. zur Bezeichnung der »Heiligen Bücher (des Alten und Neuen Testaments)« entlehnt. Die eigenartige Betonung auf der vorletzten Silbe bewirkte dann, dass das Wort (ursprünglich ein Neutr. Plur.) bei der Übernahme ins Mhd. als Femin. Sing. gefasst wurde (mhd. *biblie,* später: *bibel*): die Bibel als »das Buch«.

Biber: Der altgerm. Name des im Wasser lebenden Nagetieres mhd. *biber,* ahd. *bibar,* niederl. *bever,* engl. *beaver,* aisl. *bjōrr* ist z. B. verwandt mit lat. *fiber* »Biber« und russ. *bobr* »Biber« und beruht mit diesen auf idg. **bhebhru-s* »Biber«, einem substantivierten Adjektiv mit der Bedeutung »glänzend, hellbraun«, vgl. aind. *babhrú-ḥ* »rotbraun« (vgl. *braun*). Der Biber ist also nach seiner Farbe als der »Braune« benannt worden. Auf die alte Verbreitung des heute in Deutschland fast ausgerotteten Pelztieres weisen zahlreiche Orts- und Flussnamen hin, z. B. gall. *Bibracte,* dt. *Biberach, Bebra, Bever,* slaw. *Bober* (poln. *Bobr*).

biblio..., Biblio...: Das Bestimmungswort von Zusammensetzungen mit der Bedeutung »Buch« stammt aus gleichbed. griech. *biblíon* (vgl. *Bibel*).

Bibliografie »Bücher-, Schriftenverzeichnis; Bücherkunde«: Das Wort stammt aus griech. *bibliographía* »Bücherschreiben« und wurde Anfang des 18. Jh.s unter Einfluss von gleichbed. frz. *bibliographie,* engl. *bibliography* ins Deutsche ent-

B

lehnt. Über weitere Zusammenhänge vgl. *biblio..., Biblio...* und *Grafik.* – Abl.: **Bibliograf** (Mitte 18. Jh.; griech. *biblio-gráphos* »Bücherschreiber«); **bibliografisch** (Ende 18. Jh.; »Bücher schreibend; bücherkundlich«).

Bibliothek »Bücherei«: Das Wort (spätmhd. *bibliothec*) wurde aus lat. *bibliotheca* entlehnt, das seinerseits auf griech. *bibliothḗkē* »Büchersammlung« (eigentlich: »Büchergestell«) zurückgeht. Über weitere Zusammenhänge vgl. *biblio..., Biblio...* und *Theke.* – Dazu: **Bibliothekar** »[wissenschaftlicher] Verwalter einer Bücherei« (Anfang des 16. Jh.s; aus gleichbed. lat. *bibliothecarius*).

bieder, (altertümelnd auch:) **biderb:** Das auf das dt. Sprachgebiet beschränkte Adjektiv mhd. *bider, biderbe,* ahd. *bitherbi* ist aus dem Präfix ↑be... und dem Stamm des unter ↑dürfen behandelten Verbs gebildet. Aus der Grundbedeutung »dem Bedürfnis entsprechend« wurde »brauchbar, nützlich«, von Personen »tüchtig, brav, wacker«. Im Nhd. erst im 17./18. Jh. wieder aufgenommen, wird das Adjektiv heute fast nur noch abwertend im Sinne von »auf beschränkte Weise rechtschaffen, einfältig« gebraucht. Abl.: **anbiedern,** sich »plump um Vertrauen werben« (19. Jh.). Zus.: **Biedermann** (mhd. *biderb man, biderman* »unbescholtener Mann, Ehrenmann«; es blieb im Gegensatz zum Adjektiv auch nhd. stets gebräuchlich, wird aber seit dem 19. Jh. fast nur abwertend gebraucht); **Biedermeier** »[Kunst]stil der Zeit 1815 bis 1848« (nach dem Schulmeister Gottlieb Biedermaier, einer Figur aus Ludwig Eichrodts [und seines Freundes Adolf Kußmaul] Gedichten in den »Münchener Fliegenden Blättern« [1855–1857], einem treuherzigen, philiströsen und beschränkten Menschen mit später als zeittypisch empfundenen Charakterzügen, in Anlehnung an den Familiennamen Biedermann gebildet; seit den 90er-Jahren Bezeichnung des gediegen-bürgerlichen Stils der Vormärzjahre).

biegen: Mhd. *biegen,* ahd. *biogan,* got. *biugan* stehen im Ablaut zu gleichbed. niederl. *buigen,* engl. *to bow,* schwed. *buga* und gehören mit diesen zu der idg. Wurzel **bheug[h]* »biegen«. In anderen idg. Sprachen sind z. B. verwandt aind. *bhujáti* »er biegt, schiebt weg« und air. *fid-bocc* »hölzerner Bogen«. Aus dem germ. Sprachbereich gehören hierher auch die unter ↑Bogen, ↑Bügel und ↑Bucht behandelten Wörter. Das Veranlassungswort zu ›biegen‹ ist ↑beugen (eigentlich »biegen machen«); eine Intensivbildung ist ↑bücken.

Biene: Die germ. Bezeichnungen der Biene mhd. *bin[e],* ahd. *bini,* niederl. *bij,* engl. *bee,* schwed. *bi* sind z. B. verwandt mit air. *bech* »Biene«, russ. *pčela* »Biene«, lit. *bìtė* »Biene«. Die starken Abweichungen dieser Formen – auch der germ. Formen untereinander – beruhen vermutlich nicht nur auf verschiedener Stammbildung, sondern auch auf tabuistischen Entstellungen. Die Biene war früher ein wichtiges Jagdtier, das wegen des Honigs sehr geschätzt war und durch Nennung des richtigen Namens nicht vertrieben werden durfte; vgl. auch das Kapitel zur Sprachgeschichte *Der indogermanische Erbwortschatz.* Die Bedeutung der Bienenwirtschaft in früheren Zeiten spiegelt sich in der Ausbildung einer Imkersprache wider, aus der Wörter wie ↑Imme, ↑Drohne, ↑Wabe, ↑Weisel allgemein bekannt sind. Zus.: **Bienenkorb** (mhd. *binen-, bīnkorp* ist vielleicht Umbildung des älteren *bīnenkar,* ahd. *binikar,* ↑Kar); **Bienenstich** »Stich einer Biene; Kuchen mit einem Belag aus zerkleinerten Mandeln, Butter und Zucker« (das Benennungsmotiv für das Gebäck ist unklar); **Bienenstock** (spätmhd. *binestoc* ist eigentlich der ausgehöhlte Klotz des Waldbienenzüchters, ↑Stock).

Biennale: Die Bezeichnung für »zweijährliche Veranstaltung« wurde im 20. Jh. aus it. *biennale* entlehnt, das auf lat. *biennalis (biennale)* – zu lat. *biennium* »Zeitraum von zwei Jahren« – zurückgeht; zu lat. *bi...* »zwei« (vgl. *bi..., Bi...*) und lat. *annus* »Jahr« (vgl. *Annalen*).

Bier: Die Herkunft des westgerm. Wortes mhd. *bier,* ahd. *bior,* niederl. *bier,* engl. *beer* ist dunkel. Unser heutiges mit Hopfen gebrautes Bier wurde um 600 zuerst in den Klöstern hergestellt und hat das ungehopfte germ. Bier verdrängt. Mit der neuen Brauweise kann auch das neue Wort aufgekommen sein. Aus dem Dt. stammt it. *birra,* aus dem Niederl. ist frz. *bière* entlehnt.

Bier

das ist [nicht] mein Bier

(ugs.) »das ist [nicht] meine Angelegenheit«

›Bier‹ ist in dieser Wendung eine volksetymologische Umgestaltung einer Mundartform von ›Birne‹, vgl. kölnisch ›dat sönd ding Beäre net‹ (»das geht dich nichts an«).

Biest ↑Bestie.

bieten: Das gemeingerm. Verb mhd. *bieten* »[an]bieten, darreichen; gebieten«, ahd. *biotan* »bekannt machen; entgegenhalten, darreichen; erzeigen, erweisen«, got. *(ana-, faúr)biudan* »(ent-, ver)bieten«, aengl. *bēodan* »bieten, darbieten, ankündigen, zeigen«, schwed. *bjuda* »[an]bieten, antragen; gewähren« beruht mit verwandten Wörtern in anderen idg. Sprachen auf der idg. Wurzel **bheudh-* »erwachen, bemerken, geistig rege sein, aufmerksam machen, warnen, gebieten«. Außergerm. sind z. B. verwandt aind. *bṓdhati* »er erwacht« (dazu der Name Buddhas, des »Erweckten«), griech. *pynthánesthai* »erfahren, wahrnehmen«, lit. *bùdinti* »wecken«. Zu der idg. Wurzel gehören aus dem germ. Sprachbereich noch die unter ↑Bote und ↑Büttel behandelten Wörter. – Zusammensetzungen und Präfixbildungen: **anbieten** (mhd. *anebieten*), dazu **Angebot** »Kaufangebot, Offerte; angebotene

B

Waren; Vorschlag«; **aufbieten** (mhd. *ūfbieten* »[zeigend] in die Höhe heben, bekannt machen«, auch »[zur Heeresfolge] auffordern«), dazu **Aufgebot** »öffentliche Bekanntmachung« (z. B. eines Brautpaares; 16. Jh., für mhd. *ūfbōt*); **entbieten** (besonders in ›Grüße entbieten‹; mhd. *enbieten,* ahd. *inbiotan* »wissen lassen«); **gebieten** (mhd. *gebieten,* ahd. *gibiotan,* verstärkt einfaches ›bieten‹, das ebenfalls »befehlen« bedeuten konnte, dazu **Gebiet** (s. d.) und **Gebot** (s. d.); **verbieten** (mhd. *verbieten,* ahd. *farbiotan;* vgl. got. *faúrbiudan,* engl. *to forbid*), dazu **Verbot** (mhd. *verbot*).

Bigamie »Doppelehe«: Das Wort wurde im späten 15. Jh. aus mlat. *bigamia* entlehnt, das zum Adjektiv kirchenlat. *bi-gamus* »zweifach verheiratet« gehört. Dies ist eine Mischbildung aus dem gleichbed. griech. Adjektiv *dí-gamos* und lat. *bi...* »zwei« (↑bi..., Bi...). Das Grundwort gehört zu griech. *gameīn* »heiraten«. – Dazu **Bigamist** »jemand, der eine Doppelehe führt«.

bigott »übertrieben fromm; scheinheilig«: Das Adjektiv wurde im 18. Jh. aus gleichbed. frz. *bigot* entlehnt, dessen Herkunft umstritten ist. Voraus liegt vielleicht aengl. *bī god* (entsprechend nhd. ›bei Gott‹), eine alte engl. Schwurformel. Abl.: **Bigotterie** »abgöttische Frömmigkeit; Scheinheiligkeit« (17. Jh.; aus frz. *bigoterie*).

Bikini: Der zweiteilige Badeanzug für Damen ist nach dem gleichnamigen Südseeatoll benannt, das zur Zeit des Aufkommens dieses Badeanzugs zufällig durch die dort erfolgten Atombombenversuche weltbekannt wurde. Die Wirkung, die dieser knapp geschnittene Badeanzug hervorrief, wurde mit der gleichen moralischen Entrüstung betrachtet wie die Atombombenversuche auf Bikini.

Bilanz »vergleichende Gegenüberstellung von Gewinn und Verlust; Schlussabrechnung«: Das Wort der Kaufmannssprache wurde Ende des 15. Jh.s aus gleichbedeutend it. *bilancio* entlehnt. Es ist wahrscheinlich zu it. *bilanciare* »abwägen, abschätzen; im Gleichgewicht halten« gebildet, das seinerseits von it. *bilancia* »Waage« abgeleitet ist. Dies geht wie entsprechend frz. *balance* (↑Balance) auf vlat. **bilancia* (zu lat. *bilanx* »zwei Waagschalen habend«) zurück. Dessen Grundwort lat. *lanx* »Schüssel; [Waag]schale« (ursprünglich »ausgebogener Gegenstand«) gehört zur idg. Sippe von ↑Elle.

Bild: Die Herkunft des nur dt. und niederl. Wortes ist unklar. Mhd. *bilde* »Bild; Gestalt; Beispiel«, ahd. *bilidi* »Nachbildung, Abbild; Muster, Beispiel, Vorlage; Gestalt, Gebilde«, niederl. *beeld* »Gemälde, Bild[säule], Figur« hängen vielleicht zusammen mit den unter ↑billig und ↑Unbill behandelten Wörtern sowie dem nur noch landsch. gebräuchlichen **Bilwiss** »Kobold, Zauberer« (mhd. *bilwiz,* eigentlich »Wundersames wissend«) und gehen mit diesen von einem germ. Stamm **bil-* »Wunderkraft, Wunderzeichen« aus. Die ursprüngliche Bedeutung wäre dann im asächs. *biliđi* »Wunder[zeichen]« bewahrt. Die Bed. »Gestalt« lebt verdunkelt noch in den Zusammensetzungen **Mannsbild** und **Weibsbild** (mhd. *mannes, wībes bilde*). Meist bezeichnet ›Bild‹ jetzt das Werk des Malers und Grafikers, seltener des Bildhauers (s. u.). – Abl.: **bilden** (s. d.); **bildhaft** »wie ein Bild, anschaulich« (19. Jh.); **bildlich** (mhd. *bildelich* »bildlich; wahrnehmbar«, ahd. *bildlīcho* »entsprechend«); **Bildnis** (mhd. *bildnisse*); **Gebilde** (mhd. *gebilde* »äußere Gestalt, Sternbild«, ahd. *gebilide,* ein altes Kollektiv zu ›Bild‹; das Wort wurde im 18. Jh. in der Bed. »[Ab]bild« wieder aufgenommen, seitdem aber mehr an ›bilden‹ angelehnt). Zus.: **Bildhauer** (im 15. Jh. *bildhower,* nach mhd. ein *bilde houwen* »eine Plastik gestalten«); **bildschön** (im 18. Jh. zuerst oberd. ugs.; eigentlich »schön wie ein Heiligenbild«, hat es älteres ›engelschön‹ verdrängt), danach im 19. Jh. **bildhübsch; Urbild** (im 17. Jh. Lehnübertragung für griech.-lat. *archetypus,* später Ersatzwort für Original, Idee, Ideal); **Vorbild** (mhd. *vorbilde,* ahd. *forebilde*).

Bild

[über etw.] im Bilde sein
»[über etw.] Bescheid wissen«
Die Herkunft der Wendung ist unklar. Da sie im Militärwesen aufkam, hängt sie kaum mit dem Fotografieren zusammen. Vielleicht knüpft sie an ›Bild‹ im Sinne von »gedankliches Bild, Vorstellung« an.

bilden: Als Ableitung von dem unter ↑Bild behandelten Substantiv erscheinen ahd. *biliden* »einer Sache Gestalt und Wesen geben« und ahd. *bilidōn* »eine Gestalt nachbilden«. Mhd. *bilden* vereinigt beide Bedeutungen und gilt besonders von handwerklicher und künstlerischer Arbeit (dazu nhd. ›die bildenden Künste‹), aber auch von Gott als Schöpfer wie später vom Schaffen der Natur und (reflexiv) vom Werden natürlicher Formen. Als pädagogische Begriffe treten ›bilden‹ und ›Bildung‹ (s. u.) erst im 18. Jh. auf, jedoch vorbereitet durch die mittelalterliche Mystik (↑einbilden, ausbilden); dazu gehört das verselbstständigte Partizip **gebildet,** substantiviert der **Gebildete** (18. Jh.). – Abl.: **Bildner** (älter auch Bilder; mhd. *bildenære, bildære,* ahd. *bilidāri* »schaffender Künstler«; heute z. B. in ›Maskenbildner‹); **bildsam** (im 18. Jh. für »plastisch, formbar«); **Bildung** (mhd. *bildunge,* ahd. *bildunga* »Schöpfung, Verfertigung«, auch »Bildnis, Gestalt«; im 18. Jh. folgt das Wort der Entwicklung von ›bilden‹ zum pädagogischen Begriff, verflacht aber vielfach zur Bezeichnung bloßen Formalwissens). Zus.: **ausbilden** (spätmhd. in der Mystik *ūzbilden* »zu einem Bild ausprägen«, nhd. im Anschluss an ›bilden‹ »durch Unterricht technisch oder körperlich vervollkommnen«); **einbilden** (mhd. *īnbilden* »[in die Seele] hineinprägen«, ebenfalls ein Mystikerwort, dann »vorstellen«, im Nhd. reflexiv als »sich vorstellen, wähnen«), dazu **eingebildet** »sich selbst überschätzend« (18. Jh., eigentlich 2. Part.), **Einbildung** (mhd. *īnbildunge* »Einprägung, Fantasie«, nhd. »irrige Vorstellung«), **Einbildungskraft** »Fantasie« (im 17. Jh. Lehnübertragung für lat. *vis imaginationis,* es hat bis heute den guten Sinn von ›einbilden‹ bewahrt).

Bildfläche, bildhaft, Bildhauer, bildhübsch, bildlich, Bildnis, bildschön ↑Bild.

Bildfläche

auf der Bildfläche erscheinen
(ugs.) »plötzlich herbeikommen, auftreten«
Die Wendung knüpft an ›Bildfläche‹ als alten technischen Ausdruck der Fotografie an und meinte ursprünglich das Erscheinen des Bildes beim Entwickeln der Platte.

Billett: Der veraltende Ausdruck für »Fahrkarte; Eintrittskarte; Briefchen« wurde Mitte des 16. Jh.s zunächst in der Militärsprache als »[Quartier]schein« aus frz. *billet (de logement)* entlehnt. Das vorausliegende afrz. *billette* ist ein durch *bille* »Kugel« entstelltes afrz. *bullette* »Beglaubigungsschein«. Dies gehört als Ableitung von *bulle* »Wasserblase; Siegelkapsel« zu lat. *bulla* mit der in ↑[2]Bulle angedeuteten Bedeutungsentwicklung.

billig: Das Adjektiv mhd. *billich,* ahd. *billīh* gehört wohl zu dem unter ↑Bild behandelten Stamm und bedeutete danach ursprünglich etwa »wunderkräftig, wirksam«, woraus sich dann die Bed. »recht, passend, angemessen, gemäß« entwickelte. Beachte dazu mhd. *un-bil* »ungemäß« (s. den Artikel *Unbill*). Im 17. Jh. wurde das Wort in der Endung an die Adjektive auf -ig angeglichen. In der Verbindung ›recht und billig‹ bedeutet ›recht‹, was durch Gesetze begründet ist, ›billig‹, was nach natürlichem Rechtsempfinden »angemessen« ist. Dazu stellt sich die Verneinung **unbillig** (mhd. *unbillich* »unrecht, unschicklich, gewalttätig«). Die heutige Bed. »nicht teuer, niedrig im Preis« entstand im 18. Jh. aus »dem Wert angemessen«; ein ›billiger Preis‹ war ein »dem Wert der Ware angemessener Preis«. Da billige Ware oft minderwertige Ware ist, konnte ›billig‹ auch gleichbed. mit »minderwertig« werden. – Abl.: **billigen** (mhd. *billichen* »für angemessen erklären«), dazu die Zus. **zubilligen** »zugestehen« und **missbilligen** »tadeln« (17. Jh.) und die Präfixbildung **verbilligen** »billiger machen« (19. Jh.).

Billion ↑Million.

Bilwiss ↑Bild.

bimmeln: Das seit dem 17. Jh. im Hochd. bezeugte Verb (im Niederd. schon mnd. *bimmelen*) ist lautmalenden Ursprungs und ahmt den hellen Ton kleiner Glocken nach, beachte das Schallwort ›bim!‹ und die Nachahmung des Glockengeläuts ›bim, bam [, bum]!‹. Dazu gehört der ugs. Ausruf ›heiliger Bimbam!‹.

Bimsstein: Das seit dem 16. Jh. gebräuchliche Wort ist eine verdeutlichende Zusammensetzung für das einfache **Bims** (mhd. *bümez,* ahd. *bumiz*), das aus lat. *pumex* (Genitiv *pumicis*) »helles, schaumiges vulkanisches Gestein« entlehnt ist. Das lat. Wort bedeutet eigentlich »Schaumstein« und gehört zu lat. *spuma* »Schaum« (vgl. *abgefeimt*). – Abl.: **bimsen,** eigentlich »mit Bimsstein glätten, reiben« (z. B. Pergament, Holz), in der Soldatensprache für »putzen, schleifen, scharf exerzieren«, ugs. für »prügeln«, beachte die Präfixbildung **verbimsen.**

binden: Das gemeingerm. Verb mhd. *binden,* ahd. *bintan,* got. *bindan,* engl. *to bind,* schwed. *binda* beruht mit verwandten Wörtern in anderen idg. Sprachen auf der idg. Wurzel **bhendh-* »binden«, vgl. z. B. aind. *badhnā̂ti, bandhati* »er bindet, fesselt«. Zu dem gemeingerm. Verb gehören auch die alten Bildungen ↑[1]Band und ↑Bund sowie das Lehnwort ↑[1]Bande »[Rand]streifen« (s. auch [2]*Band* »Musikkapelle«). Die Bedeutung des Umwindens, Zusammenfügens, Zusammenhaltens und Befestigens wird in Zusammensetzungen wie ›an-, auf-, ein-, um-, vor-, zu-, fest-, losbinden‹ näher bestimmt. – Abl.: **Binde** (mhd. *binde,* ahd. *binta;* eigentlich »Bindendes«; z. B. Leib-, Arm-, Halsbinde; dazu die ugs. Wendung ›einen hinter die Binde gießen‹ für »Alkohol trinken«); **Binder** (mhd. *binder* »Fassbinder, Böttcher, Büttner«; heute Bezeichnung für Geräte wie Mähbinder, für einen quer liegenden Mauerstein und für eine Krawatte); **Bindung** (mhd. *bindunge* »Verknüpfung«; heute auch in ›Skibindung; Leinen-, Köper-, Atlasbindung‹ usw.). – Zusammensetzungen und Präfixbildungen: **abbinden** (mhd. *abebinden* »[den Helm] losbinden«; dann auch »durch Binden unterbrechen, abschnüren«, »[ein Kalb] entwöhnen«, fachsprachlich u. a. auch »eine Verbindung eingehen und hart werden [von Beton]«); **anbinden** (mhd. *anebinden,* ahd. *anabintan;* die nhd. Redensart ›mit einem anbinden‹ für »Streit anfangen« kommt vielleicht aus der Fechtersprache: die Klingen werden ›gebunden‹, d. h. gekreuzt; gleicher Herkunft mag ›kurz angebunden‹ für »barsch, abweisend« sein), dazu **Angebinde** »Geschenk« (17. Jh.; es wurde früher dem Beschenkten an den Arm gebunden); **aufbinden** (mhd. *ūfbinden;* die Bed. »einem etwas weismachen«, eigentlich »eine Last aufdrängen«, vgl. die Redensart ›jmdm. einen Bären aufbinden‹ ↑Bär); **Ausbund** (s. d.); **einbinden** »geheftete Blätter mit einem Einband versehen« (mhd. *īnbinden* »in etwas binden; einschärfen«), dazu **Einband; entbinden** (mhd. *enbinden,* ahd. *intbintan* »losbinden; befreien«, so noch in den Fügungen ›vom Eid, von einer Pflicht entbinden‹; der Ausdruck ›entbunden werden‹ für »gebären« ist schon mhd. und bezieht sich auf das Abbinden der Nabelschnur des Neugeborenen); **unterbinden** »durch Binden unterbrechen, abschnüren; verhindern« (mhd. *underbinden*); **verbinden** (mhd. *verbinden* »fest-, zusammenbinden, Wunden zubinden«, ahd. *farbintan*); dazu **Verbindung** (spätmhd. *verbindunge;* heute auch »studentische Korporation«); **verbindlich** (16. Jh.; heute meist für »höflich«, doch haben Wendungen wie ›verbindliche [= bindende] Zusage‹ den alten Sinn »verpflichten« bewahrt, ebenso die Verneinung **unverbindlich** [18. Jh., für älteres unverbündlich]), dazu **Verbindlichkeit** »verbindliches Wesen, Höflichkeit; bindender, verpflichtender Charakter einer Sache; Verpflichtung, kleinere Schuld«; **Verband** (im 18. Jh. zuerst als »Wundverband« und im Schiffsbau für »tragendes, stützendes Bauteil«; erst im 19. Jh. für »Organisation, Körperschaft«).

binnen: Mhd. (mitteld.), mnd. *binnen* ist aus **bī innen* »innerhalb« entstanden (vgl. *bei* und *innen*). Es erscheint als Raumadverb noch in Zusammensetzungen wie ›Binnenland‹ und ›Binnensee‹. Als Präposition wird es nur noch zeitlich gebraucht: binnen kurzem, binnen weniger Tage.

Binse: Der westgerm. Name der grasähnlichen Sumpfpflanze mhd. *bin[e]ȥ,* ahd. *binuȝ,* asächs. *binut,* engl. *bent[grass]* ist dunklen Ursprungs. Die heutige Singularform ist aus dem frühnhd. Plural *bintze, bintzen* entstanden. Zus.: **Binsenwahrheit** »Selbstverständliches« (eigentlich »binsenglatte« Wahrheit; im 19. Jh. wohl nach lat. *nodum in scirpo quaerere* »einen Knoten an der völlig glatten Binse suchen«, d. h. »Schwierigkeiten suchen, wo es keine gibt«).

Binse

in die Binsen gehen

(ugs.) »verloren gehen, zunichte gemacht werden«

Die aus dem 19. Jh. stammende Redensart bezieht sich wohl auf die Entenjagd. Die Binse bezeichnete landsch. auch das Schilfrohr; im Schilf findet der Jagdhund die getroffene Wildente nicht.

bio..., Bio...: Das in zahlreichen Zusammensetzungen auftretende Bestimmungswort geht zurück auf gleichbed. griech. *bíos,* das zur idg. Sippe von ↑keck gehört. In der Bed. »Leben« erscheint es besonders in Entlehnungen aus dem Lateinischen oder gelehrten Neubildungen (↑Biografie, ↑Biologie). Jünger (seit der 1. Hälfte des 20. Jh.s) sind Zusammensetzungen, in denen ›bio..., Bio...‹ eine Beziehung zu organischem Leben, mit Lebewesen ausdrückt (›bioklimatisch, Biotechnologie‹). Seit der 2. Hälfte des 20. Jh.s hat das Element auch die Bed. »mit Natürlichem, Naturgemäßem in Beziehung stehend« (›Biobauer, Biogemüse‹). Als Grundwort erscheint *bíos* in ↑Amphibie.

Biograf »Verfasser einer Lebensbeschreibung«: Das Wort ist eine Bildung des 18. Jh.s – vermutlich unter dem Einfluss von frz. *biographe* – zu griech. *bíos* »Leben« (vgl. *bio..., Bio...*) und *gráphein* »schreiben« (vgl. *Grafik*). Das Substantiv **Biografie** »Lebensbeschreibung« (18. Jh.) geht dagegen auf gleichbed. spätgriech. *biographía* zurück. Dazu stellt sich das Adjektiv **biografisch.**

Biologie »Lehre von der belebten Natur«: Die Bezeichnung wurde 1802 von dem dt. Naturwissenschaftler Gottfried Treviranus aus griech. *bíos* »Leben« (vgl. *bio..., Bio...*) und griech. *lógos* »Wort; Wissenschaft« (vgl. *...loge*) gebildet. – Dazu **biologisch** (19. Jh.), **Biologe** (frühes 19. Jh.).

Birke: Die germ. Benennungen der Birke mhd. *birke,* ahd. *birihha,* niederl. *berk,* engl. *birch,* schwed. *björk* sind z. B. verwandt mit aind. *bhūrjá-ḥ* »eine Art Birke« und russ. *berëza* »Birke« (beachte den historisch bekannten Flussnamen Beresina, eigentlich »Birkenfluss«). Diese Wörter gehören zu der Wurzelform **bher[ə]ĝ-* »glänzen, leuchten; glänzend, leuchtend« (↑braun), vgl. z. B. ahd. *beraht,* mhd. *berht* »glänzend«, got. *baírhts* »hell, glänzend«, engl. *bright* »strahlend, leuchtend«, schwed. *bjärt* »grell«. Die Birke ist also nach ihrer leuchtend weißen Rinde benannt.

Birne: Im Gegensatz zum Namen des Apfels ist der germ. Name der Birne nicht bewahrt: Mhd. *bir[e],* ahd. *bira* beruht auf vlat. *pira,* das erst nach der hochd. Lautverschiebung von Mönchen in Süddeutschland übernommen wurde und auf lat. *pirum* »Birne« zurückgeht. Der Nordwesten des germ. Sprachgebiets übernahm dagegen schon zur Römerzeit das vlat. Wort; das zeigen niederl. *peer,* engl. *pear.* Frz. *poire* und it. *pera* gehen ebenfalls auf das vlat. Wort zurück. Das n der schwach gebeugten Pluralform (mhd. *bir[e]n*) trat im 17. Jh. in den Nominativ über *(birn),* das auslautende e ist sekundär.

bis: Die nhd. Form geht auf mhd. *biȥ (bitze)* zurück, das wahrscheinlich aus ahd. *bī ze* »dabei zu« (vgl. *bei* und *zu*) entstanden ist. Ursprünglich stand das Wort als Adverb neben Präpositionen, die eine Richtung bezeichnen, wie z. B. in nhd. ›bis zu‹ oder ›bis an‹. Durch Ausfall der zweiten Wörter wurde es selbst Präposition mit dem Akkusativ. Als Konjunktion ist es aus der Fügung ›bis dass‹ hervorgegangen. Zus.: **bislang** bes. nordd. für: »bisher, bis jetzt« (gekürzt aus älter nhd. *bissolang, bis so lange*); **bisweilen** »manchmal« (16. Jh.; vielleicht wurden gleichbed. mhd. *bī wīlen* und *ze wīlen* zu **bizwīlen* vermischt; vgl. *Weile*).

Bisam: Die ältere Bezeichnung für ↑Moschus (mhd. *bisem,* ahd. *bisam[o]*) stammt aus mlat. *bisamum,* das auf hebr. *bośęm* (vgl. *Balsam*) zurückgeht. Im Sinne von »Pelz der Bisamratte« ist ›Bisam‹ aus ›Bisamratte‹ gekürzt.

Bischof: Die den germ. Sprachen gemeinsame Bezeichnung des kirchlichen Würdenträgers (mhd. *bischof,* ahd. *biscof,* niederl. *bisschop,* engl. *bi-*

shop, schwed. *biskop*) beruht auf einer frühen Entlehnung aus kirchenlat. *episcopus* »Aufseher; Bischof«. Die germ. Formen (mit Abfall des anlautenden e- und Erweichung des p- zu b-) weisen auf roman. Vermittlung hin (beachte z.B. entsprechend it. *vescovo*, afrz. *vesque* gegenüber afrz. *evesque* > frz. *évêque*), während got. *aípiskaúpus* unmittelbar aus griech. *epí-skopos* »Aufseher; (im N.T.:) geistlicher Leiter einer Gemeinde, Bischof« stammt, das auch die Quelle des kirchenlat. Wortes ist. Über weitere etymologische Zusammenhänge vgl. den Artikel *Skepsis*. – Abl.: **bischöflich** (mhd. *bischoflich*). Zus.: **Erzbischof** (mhd. *erze-bischof*, ahd. *erzibiscof*, entsprechend z.B. engl. *archbishop*), aus kirchenlat. *archiepiscopus* »Erzbischof« (über das Bestimmungswort vgl. den Artikel *Erz...*); **Bistum** »Sprengel, Diözese; Amtsbezirk eines Bischofs« (mhd. *bis[ch]tuom* für *bischoftuom*, ahd. *biscoftuom*).

bislang ↑bis.

Bison ↑Wisent.

Biss, bisschen, bissel, Bissen, bissig ↑beißen.

Bistum ↑Bischof.

bisweilen ↑bis.

bitten: Das gemeingerm. Verb mhd., ahd. *bitten*, got. *bidjan*, aengl. *biddan*, schwed. *bedja* hängt wahrscheinlich zusammen mit mhd. *beiten*, ahd. *beitten* »zwingen, drängen, fordern«, got. *baidjan* »zwingen«, aengl. *bǣdan* »zwingen, bedrängen, verlangen«, aisl. *beiđa* »nötigen, zwingen«. Diese germ. Wortgruppe ist verwandt mit griech. *peíthesthai* »sich überreden lassen«, lat. *fidere* »vertrauen« (↑fidel), lat. *foedus* »Bündnis« (↑Föderation), abulgar. *běditi* »zwingen« und gehört wahrscheinlich im Sinne von »jemanden oder sich selbst (durch ein Versprechen, einen Vertrag und dgl.) binden« zu einer Wurzel **bheidh-* »binden, winden, flechten«, zu der z.B. auch lat. *fiscus* »Geldkorb, Kasse«, eigentlich »geflochtener Korb« (↑Fiskus), gehört. Um ›bitten‹ gruppieren sich im Dt. die Bildungen ↑beten, ↑Gebet und ↑betteln. – Abl.: **bitte** (bei höflicher Aufforderung in nhd. Zeit verkürzt aus ›ich bitte‹); **Bitte** (spätmhd. *bitte* steht für mhd. *bete* »Bitte, Gebet, Befehl« wie ahd. *bita* neben häufigerem *beta* [↑beten]; got. entsprechend *bida* »Gebet, Aufforderung«; der religiöse Sinn des dt. Wortes erscheint z.B. in den Bitten des Vaterunsers), dazu **Fürbitte** (mhd. *vürbete, -bite*, besonders in der katholischen Heiligenverehrung). Zus.: **Bittgang** (19. Jh., auch für Prozession, mhd. dafür *bite vart, bete vart*); **Bittschrift** (17. Jh., für lat. *supplicatio*); **Bittsteller** (18. Jh., Ersatzwort für: Supplikant).

bitter: Das altgerm. Adjektiv mhd. *bitter*, ahd. *bittar*, niederl. *bitter*, engl. *bitter*, schwed. *bitter* steht im Ablaut zu got. *baitrs* »bitter« und gehört mit diesem zu der Wortgruppe um ↑beißen. Die Adjektivbildung bedeutete demnach ursprünglich »beißend, scharf (vom Geschmack)«. Abl.: **Bitterkeit** (mhd. *bitterkeit*); **bitterlich** (mhd. *bitterlich*, Adjektiv, und *bitterliche*, Adv.); **Bitternis** (19. Jh.); **erbittern** (mhd. *erbittern* als Ersatz für einfaches mhd. *bittern* »bitter sein; bitter machen«, nur übertragen gebraucht als »mit Groll erfüllen, in Zorn versetzen«), dazu **Erbitterung** (17. Jh., als vorübergehender Gemütszustand); **verbittern** (spätmhd. *verbittern*, heute nur übertragen »mit bleibendem Groll erfüllen; vergällen«), dazu **Verbitterung** (16. Jh.; ursprünglich »Erbitterung«, dann entsprechend dem Verb als dauernder Gemütszustand).

Bitumen ↑Beton.

Biwak »Feld[nacht]lager«: Das Wort wurde Ende des 18. Jh.s aus frz. *bivouac, bivac* entlehnt, das ursprünglich »Nachtwache« bedeutete und seinerseits aus niederl. *bijwacht* »Beiwache« stammt. Die Beiwache, die im Freien kampierte, ergänzte die in einem Wachhäuschen untergebrachte Hauptwache.

bizarr »seltsam; wirrförmig«: Das seit dem 17. Jh. bezeugte Adjektiv stammt aus frz. *bizarre*, das seinerseits aus it. *bizarro* entlehnt ist. Der Ursprung des it. Wortes ist dunkel.

Blackout: Das Substantiv wurde in der 2. Hälfte des 20. Jh.s aus dem Engl. übernommen, wo es zunächst in der Bedeutung »Verdunkelung, besonders als Maßnahme gegen Luftangriffe« (zu *black* »schwarz« und *out* »völlig, total«) gebräuchlich ist. In der Luft- und Raumfahrttechnik steht der ›Blackout‹ heute für »Unterbrechung des Funkkontaktes«; in der Theatersprache für »plötzliche Verdunkelung am Szenenschluss«. Das Bild der Verdunkelung dürfte wohl auch entscheidend für die Übertragung auf den medizinischen Bereich gewesen sein, wo ›Blackout‹ im Sinne einer »plötzlichen Bewusstseinsverminderung bzw. Erinnerungslücke« verwendet wird.

blaffen, bläffen: Das seit spätmhd. Zeit bezeugte Verb ist – wie auch gleichbed. mnd. *blaffen*, niederl. *blaffen* – lautnachahmenden Ursprungs; beachte die Interjektion ›blaff!‹, die den Knall eines Gewehres nachahmt. Gebräuchlich ist in der Umgangssprache **anblaffen** im Sinne von »anfahren, zurechtweisen«.

blähen: Das westgerm. Verb mhd. *blæjen*, ahd. *blājan* »blasen, [auf]blähen«, engl. *to blow* »blasen, wehen« ist eng verwandt mit den unter ↑blasen und ↑Blatter behandelten Wörtern und gehört mit diesen zu der unter ↑[1]Ball dargestellten Wortgruppe. Außergerm. ist z.B. lat. *flare* »blasen« eng verwandt.

blaken »schwelen, rußen«: Das um 1800 in die hochd. Schriftsprache übernommene niederd. *blaken* »glühen; flackern, qualmen« gehört zu der Wortgruppe von ↑blecken. Im Niederl. entspricht *blaken* »versengen, glühen«.

blamieren »bloßstellen, beschämen«, auch reflexiv gebraucht: Das Verb wurde im 17. Jh. aus frz. *blâmer* »tadeln« entlehnt, das über vlat. *blastemare* auf lat. *blasphemare* »lästern, schmähen«

< griech. *blasphēmeīn* zurückgeht (vgl. *Blasphemie*). – Dazu: **blamabel** »beschämend« (18. Jh.; aus frz. *blâmable*); **Blamage** »Beschämung; Schande« (französierende Neubildung des späten 18. Jh.s).

blank: Mhd. *blanc* »blinkend, weiß glänzend, schön«, ahd. *blanch* »blank«, niederl. *blank* »blank, glänzend, weiß«, schwed. *black* »fahl« gehören mit den unter ↑blinken behandelten Wörtern zu der Wortgruppe von ↑blecken. Das Adjektiv wurde mit anderen Farbbezeichnungen wie ›blau, blond, braun‹ (s. d.) ins Roman. entlehnt, vgl. frz. *blanc* »weiß; rein, sauber« (daraus engl. *blank*) und it. *bianco* »weiß, blank, hell; unbeschrieben« (↑blanko). Im Nhd. wird ›blank‹ auch im Sinne von »sauber, rein« und »bloß, entblößt« gebraucht, beachte die ugs. Wendung ›blank sein‹ »ohne Geld sein«. Dazu die Zusammensetzung **Blankvers** »reimloser fünffüßiger Jambus« (nach engl. *blank verse*). Das Substantiv **Blank** mit der Bedeutung »Leerschritt in der Textverarbeitung« gehört zur selben Wortfamilie. Das engl. *blank*, von dem es entlehnt wurde, steht elliptisch für *blank space* »leerer, unbeschriebener Raum«.

blanko »leer, unbeschrieben«, besonders in Zusammensetzungen wie **Blankoscheck, Blankovollmacht** »unbeschränkte Vollmacht«: Das Wort des Geld- und Rechnungswesens wurde im 17. Jh. aus it. *bianco* (vgl. *blank*) entlehnt und in der Form an das Adjektiv ›blank‹ angeglichen.

blasen: Das gemeingerm. Verb mhd. *blāsen*, ahd. *blāsan* »blasen, hauchen, schnauben«, got. *(uf)blēsan* »(auf)blasen«, niederl. *blazen* »blasen, anfachen«, schwed. *blåsa* »blasen« ist eng verwandt mit den unter ↑blähen und ↑Blatter behandelten Wörtern und gehört zu der Wortgruppe von ↑[1]Ball. Abl.: **Blase** (mhd. *blāse*, ahd. *blāsa* »Harnblase«); **Gebläse** (s. d.).

blasiert »hochnäsig, uninteressiert«: Das Adjektiv wurde um 1800 aus frz. *blasé* »abgestumpft« entlehnt, eigentlich »(von Flüssigkeiten) übersättigt«. Das zugrunde liegende Verb frz. *blaser* »abstumpfen; übersättigen«, eigentlich »aufquellen; schwellen« ist wahrscheinlich aus niederl. *blazen* »blasen« (vgl. *blasen*) entlehnt.

Blasphemie: Der Ausdruck für »[Gottes]lästerung« wurde im 16. Jh. aus lat. *blasphemia*, griech. *blasphēmía* »Schmähung« entlehnt. Das zugrunde liegende Verb griech. *blasphēmeīn* »schmähen, lästern«, das auch die Quelle für frz. *blâmer* (↑blamieren) ist, gehört – bei unklarem Bestimmungswort – zur Sippe von griech. *phánai* »sagen, reden« (vgl. *Phonetik*).

blass: Das auf das dt. Sprachgebiet beschränkte Adjektiv (mhd. *blas* »kahl; gering, nichtig«) gehört mit den unter ↑Blesse behandelten Wörtern zu der vielfach weitergebildeten und erweiterten idg. Wurzel **bhel-* »leuchten[d], glänzen[d]« (vgl. *Belche*). Es bedeutete demnach ursprünglich »blank«. Die heutige Bed. »bleich« ist seit dem 14. Jh. von Ostpreußen her allgemein geworden. Dazu stellen sich die nhd. Verben **erblassen** und **verblassen** und das Substantiv **Blässe** »Blassheit« (17. Jh.). Vgl. ›Blässhuhn‹ unter *Blesse*.

Blatt: Das altgerman. Wort mhd., ahd. *blat*, niederl. *blad*, engl. *blade*, schwed. *blad* gehört im Sinne von »Aufgeblühtes« zu der unter ↑blühen dargestellten Wortgruppe. Die schon mhd. bezeugte Bed. »Blatt im Buch« ist von lat. *folium* beeinflusst (↑Folio). Das Wort bezeichnet auch andere dünne und flache Dinge, so die Klinge bei Schwert, Messer, Axt, Säge usw., weidmännisch die Gegend des Schulterblatts beim Wild, an diese Bedeutung schließt sich **Blattschuss** (19. Jh.) an. – Abl.: **blättern** »Blätter bilden (von Schiefer, Teig u. Ä.); Papierblätter umschlagen« (mhd. *bleteren*). Beachte auch die Zusammensetzungen **Blättermagen** »dritter Magen der Wiederkäuer« (nach den blattartigen Falten) und **Blätterteig.** Vgl. auch ›Blattgold‹ unter *Gold*.

Blatt

das Blatt/das Blättchen hat sich gewendet
(ugs.) »die Situation hat sich verändert, es ist ein Umschwung eingetreten«
Der Ursprung der Wendung lässt sich nicht sicher deuten. Man kann an das Blatt beim Kartenspielen anknüpfen und davon ausgehen, dass jmd., der lange Zeit gute Karten hatte, plötzlich schlechte bekommt.

Blatter »Pocke (meist Plural: Pockenkrankheit)«: Mhd. *blātere*, ahd. *blāt[t]ara* »Wasser-, Harnblase; Pocke«, niederl. *blaar* »Blatter«, engl. *bladder* »[Harn]blase, Blatter«, älter schwed. *bläddra* »Blase« sind eng verwandt mit den unter ↑blasen und ↑blähen behandelten Wörtern und gehören zu der unter ↑[1]Ball dargestellten Wortgruppe.

blau: Das altgerm. Farbadjektiv mhd. *blā*, ahd. *blāo*, niederl. *blauw*, aengl. **blǣw* (in *blǣhǣwen* »hellblau«), schwed. *blå* ist z. B. eng verwandt mit lat. *flavus* »goldgelb, blond« und gehört mit anderen verwandten Wörtern zu der unter ↑Belche dargestellten idg. Wurzel **bhel-* »schimmern[d], leuchten[d], glänzen[d]«. ›Blau‹ ist wie andere germ. Farbenbezeichnungen in die roman. Sprachen entlehnt worden: it. *biavo* »blau«, frz. *bleu* »blau« (daraus engl. *blue*; s. die Artikel *blümerant, Bluejeans, Blues*). – Die heutige Farbvorstellung ›blau‹ hat sich erst im Germ. herausgebildet; selbst ahd. *blāo* kann gelegentlich noch lat. *flavus* »gelb« übersetzen. Die Abstufungen der Farbe werden im Dt. durch Zusammensetzungen näher bestimmt wie ›hell-, dunkel-, schwarz-, grau-, himmel-, wasser-, veilchen-, stahlblau‹ u. a. In übertragenem Sinne meint ›blau‹ die unbestimmte Ferne (ins Blaue träumen, reisen), einen geheimnisvollen Zauber (blaue Blume) und das

B

Betrunkensein. – Abl.: [1]**bläuen** »blau färben« (mhd. *blæwen;* vgl. aber [2]bläuen). Zus.: **Blaubart** »Frauenmörder« (um 1800 nach dem frz. Märchen des 17. Jh.s vom Ritter Barbe-Bleue); **Blaubuch** »dokumentarische Darstellung zur auswärtigen Politik« (um 1850 nach engl. *blue book,* das seit dem 17. Jh. alle Parlamentsdrucksachen nach der Farbe ihrer Umschläge bezeichnete; in Deutschland ist das Weißbuch häufiger); **blaumachen** »feiern« (eigentlich »den blauen Montag feiern«, ↑Montag); **Blaustrumpf** scherzhaft-abwertend für »gelehrte Frau (ohne weiblichen Charme)« (im 18. Jh. als Lehnübersetzung für engl. *bluestocking,* den Spottnamen für die Teilnehmerinnen eines Londoner schöngeistigen Zirkels um 1750, in dem der Botaniker B. Stillingfleet und dann auch die Frauen in blauen Garnstrümpfen statt der üblichen schwarzseidenen erschienen. Der dt. Ausdruck wurde erst um 1830 durch die Schriftsteller des Jungen Deutschlands populär).

blau

blauer Brief
1. (ugs.) »Kündigungsschreiben«
2. (ugs.) »Mahnbrief an die Eltern eines Schülers, dessen Versetzung gefährdet ist«
Der ›blaue Brief‹ hat seinen Namen von den blauen Umschlägen preußischer Kabinettsschreiben im 19. Jh., mit denen auch Offiziere aufgefordert wurden, ihren Abschied zu nehmen.

blauer Montag
(ugs.) »Montag, an dem man der Arbeit fernbleibt«
Der ›blaue Montag‹ war ursprünglich wohl der Montag vor dem Fasten und ist dann nach der an diesem Tage vorgeschriebenen liturgischen Farbe benannt. Später ging diese Bezeichnung auf den Montag über, an dem die Gesellen nach altem Handwerksbrauch freihatten. Da sich die Handwerksburschen an dem freien Montag zu bezechen pflegten, wurde ›blau‹ später im Sinne von »betrunken« aufgefasst, vgl. auch den ugs. Ausdruck ›blaumachen‹ »der Arbeit fernbleiben, bummeln«.

blau sein wie ein Veilchen/wie eine Frostbeule/wie eine [Strand]haubitze/wie eine Strandkanone/wie [zehn]tausend Mann u. Ä.
(ugs.) »völlig betrunken sein«
Die scherzhaften Vergleiche und Übersteigerungen sollen den hohen Grad der Trunkenheit ausdrücken. Die Bedeutung »betrunken« rührt wohl von dem Schwindelgefühl des Betrunkenen her, der einen [blauen] Schleier vor Augen zu haben glaubt, daher sagte man früher auch ›es wird mir blau (heute: schwarz) vor Augen‹, wenn man ohnmächtig zu werden drohte.

[2]**bläuen** (ugs. für:) »schlagen«: Das vom Sprachgefühl irrigerweise meist zu ›blau‹ gestellte Verb, zu dem **verbläuen** »verprügeln« und **einbläuen** »[durch Schläge] beibringen« gehören, hat mit ›blauen‹ Flecken nichts zu tun. Es handelt sich vielmehr um ein germ. Verb mhd. *bliuwen,* ahd. *bliuwan* »schlagen«, got. *bliggwan* »schlagen, prügeln«, niederl. *blouwen* »Flachs brechen, die Arme umeinander schlagen, um warm zu werden«.

Blazer: Der Name für das sportliche Sakko wurde in der 2. Hälfte des 20. Jh.s aus dem Engl. übernommen. Dort bedeutet ›Blazer‹ zunächst nur »blaue Klubjacke für Herren (mit Abzeichen)«. Das Wort ist eine Ableitung des engl. Verbs *to blaze* »leuchten, glänzen«. Der Blazer ist also nach seiner ursprünglich leuchtend blauen Farbe benannt.

Blech: Die Bezeichnung für die aus Metallen hergestellten [dünnen] Platten (mhd. *blech,* ahd. *bleh*) bedeutet eigentlich »Glänzendes« und gehört mit den eng verwandten Sippen von *blicken* (↑Blick) und ↑bleich zu der unter ↑Blei dargestellten Wortgruppe. Ursprünglich bezeichnete ›Blech‹ demnach wahrscheinlich das Goldblech, während es im heutigen Sprachgebrauch gewöhnlich im Sinne von »Eisenblech« verwendet wird. Schon im Mhd. überwiegt die Vorstellung des Dünnen, Flachgehämmerten. Rotw. *Blech* »Geld« erscheint um 1500 als Bezeichnung kleiner Münzen. Dazu das ugs. Verb **blechen** »zahlen« (im 18. Jh. studentisch). Die Bed. »Unsinn, dummes Gerede« (19. Jh.) geht von der Wertlosigkeit des Eisenblechs aus.

blecken (in der Wendung ›die Zähne blecken‹): Das nur dt. Verb mhd. *blecken,* ahd. *blecchen* »[sich] entblößen; sehen lassen« bedeutet eigentlich »glänzen machen« und ist das Veranlassungswort zu einem urgerm. **blikan* »glänzen« (vgl. auch *blaken*). Dazu stellen sich im germ. Sprachbereich die nasalierten Formen ↑blinken und ↑blank. Außergerm. sind z. B. verwandt griech. *phlégein* »brennen« (↑Phlegma und ↑Phlox) und lat. *flagrare* »flammen« (↑Flamme). Die ganze Wortgruppe gehört zu der unter ↑Belche dargestellten idg. Wurzel **bhel-* »schimmern[d], leuchten[d], glänzen[d]«.

Blei: Die germ. Bezeichnungen des weichen Schwermetalls (mhd. *blī,* ahd. *blīo,* mniederl. *blī,* schwed. *bly*) beruhen auf einer substantivierten Adjektivbildung zu der idg. Wurzelform **bhlĕi-* »schimmern, leuchten, glänzen«. Das Metall ist demnach als »das [bläulich] Glänzende« benannt worden. Zu dieser Wurzelform gehören auch die unter ↑bleich (eigentlich »glänzend«), ↑Blech (eigentlich »Glänzendes«), *blicken* (↑Blick ; eigentlich »leuchten, anstrahlen«) und ↑blitzen (eigentlich »schnell oder wiederholt aufleuchten«) behandelten Wörter. Der ganzen Wortgruppe liegt die unter ↑Belche dargestellte idg. Wurzel zugrunde. Vgl. auch die Artikel *Lot* und *Plombe.*

B

bleiben: Das Verb mhd. *belīben*, ahd. *bilīban*, got. *bileiban*, aengl. *belīfan* ist eine alte Präfixbildung zu einem im germ. Sprachbereich untergegangenen starken Verb **līban* »haften, klebrig sein«, das zu der unter ↑Leim dargestellten idg. Wurzel gehört. ›Bleiben‹ bedeutet also eigentlich »kleben bleiben, haften«. Die Präfixbildung wird im Nhd. nicht mehr als solche empfunden, da das e der mhd. Form geschwunden ist. Im germ. Sprachbereich sind ferner verwandt die Sippe von ↑leben und der zweite Bestandteil der Zahlwörter ↑elf, ↑zwölf und die Personennamen Detlef und Olaf. – Abl.: **Bleibe** »Aufenthaltsort, Herberge« (seit 1900 besonders in der Jugendbewegung).

bleich: Das altgerm. Adjektiv mhd. *bleich*, ahd. *bleih*, niederl. *bleek*, aengl. *blāc*, schwed. *blek* hatte ursprünglich die Bed. »glänzend«. Diese Bedeutung ist noch im Aengl. bewahrt. Das Wort ist eng verwandt mit dem altgerm. starken Verb, das in ↑verbleichen und ↑erbleichen bewahrt, aber sonst untergegangen ist, sowie mit den unter ↑Blech (eigentlich »Glänzendes«) und *blicken* (↑Blick; ursprünglich »leuchten, anstrahlen«) behandelten Wörtern und gehört mit diesen zu der unter ↑Blei dargestellten idg. Wurzelform.

blenden: Das westgerm. Verb mhd. *blenden*, ahd. *blenten*, mniederl. *blenden*, aengl. *blendan* ist das Bewirkungswort zu dem unter ↑blind behandelten Adjektiv und bedeutet demnach eigentlich »blind machen«. Es bezeichnete ursprünglich die alte Strafe des Augenausstechens, heute meist das vorübergehende Blindmachen durch übermäßige Lichteinwirkung; übertragen wird es im Sinne von »beeindrucken; für sich einnehmen« verwendet, vgl. dazu **blendend** »herrlich, ausgezeichnet« und ›Blender‹ (s. d.). – Abl.: **Blende** (16. Jh., in der Bed. »trügerisch glänzendes Mineral ohne Erzgehalt«, dann »Vorrichtung zum Abblenden einer Lampe oder einer optischen Linse; Nische, Attrappe«), dazu die bergmännischen Zusammensetzungen ›Horn-, Pech-, Zinkblende‹ u. a.; **Blender** »jemand, der andere zu beeindrucken, für sich einzunehmen (und über seine negativen Eigenschaften hinwegzutäuschen) versucht« (19. Jh., zuerst von Rennpferden mit trügerischen äußeren Vorzügen). Zus.: **abblenden** »mit einer Blende bedecken« (Ende 19. Jh.); **verblenden** »Geist oder Sinne trüben«, auch »[Mauerwerk] verkleiden« (mhd. *verblenden*).

Blesse »weißer [Stirn]fleck bei Tieren; Tier mit solchem Fleck«: Die heute übliche Form trat an die Stelle der nicht umgelauteten Form frühnhd. *Blasse*, mhd. *blasse*, ahd. *blassa* »weißer Stirnfleck«, vgl. mnd. *bles[se]* »Blesse« und weiterhin niederl. *bles* »Blesse«, schwed. *bläs* »Blesse«. Diese Wörter sind eng verwandt mit dem unter ↑blass behandelten Adjektiv. – Bei der Zusammensetzung **Blesshuhn** ist auch die etymologisierende Schreibung mit ä (Blässhuhn) gebräuchlich. Siehe auch den Artikel *Belche*.

Blessur: Der ursprünglich soldatensprachliche Ausdruck mit der Bedeutung »Verwundung, Verletzung« wurde im 17 Jh. im Gefolge des Dreißigjährigen Krieges aus gleichbed. frz. *blessure* entlehnt. Heute wird das Wort häufig auf übertragene Sachverhalte bezogen und im Sinne von »Kränkung, seelische Verletzung« verwendet.

Bleuel: Dieses Substantiv ist eine Ableitung von ↑[2]bläuen. Es steht veraltet für: »hölzerner [Wäsche]schlägel« (mhd. *bliuwel*, ahd. *bliuwil*), dazu mit hyperkorrektem p **Pleuel, Pleuelstange** »Schub- oder Kolbenstange bei Motoren und Dampfmaschinen« (19. Jh.).

Blick: Das heute im Sinne von »kurzes Hinsehen; Augenausdruck« verwendete Wort bedeutete ursprünglich »Aufleuchten, heller Lichtstrahl«. Mhd. *blic* »Glanz, Blitz; Blick der Augen«, ahd. *blicch* »schnelles Glanzlicht, Blitz«, niederl. *blik* »Blick; (älter:) Lichtstrahl« gehören zu dem Verb **blicken**, mhd. *blicken* »glänzen; einen Blick tun«, ahd. *blicchen* »glänzen, strahlen«, niederl. *blikken* »glänzen, funkeln; blicken«. Die heutige Bedeutung »sehen, schauen« hat sich demnach aus »leuchten, [an]strahlen« entwickelt. Das Verb ist eng verwandt mit den unter ↑bleich (ursprünglich »glänzend«) und ↑Blech (eigentlich »Glänzendes«) behandelten Wörtern (vgl. *Blei*).

blind: Das gemeingerm. Adjektiv mhd., ahd. *blint*, got. *blinds*, engl. *blind*, schwed. *blind* bedeutete ursprünglich wohl »undeutlich schimmernd, fahl« und gehört wahrscheinlich zu der vielfach weitergebildeten und erweiterten idg. Wurzel **bhel-* »schimmernd, leuchtend, glänzend« (vgl. *Belche*). Außergerm. ist z. B. eng verwandt die baltoslaw. Wortgruppe von lit. *blandùs* »unrein, trüb, düster«. – Zu dem gemeingerm. Adjektiv gehört das Bewirkungswort ↑blenden (eigentlich »blind machen«). Im Ablaut zu ›blind‹ steht wahrscheinlich germ. **blundaz* »blond« (vgl. *blond*). – Das Adjektiv bedeutete früher auch »versteckt, nicht zu sehen«. An diese Bedeutung schließt sich die Fügung ›blinder Passagier‹ an. – Abl.: **blindlings** (17. Jh., vgl. mnd. *blindelinge*, ahd. *blindilingōn*). Zus.: **Blinddarm** (frühnhd. Lehnübersetzung für mlat. *intestinum coecum*, wobei ›blind‹ »ohne Öffnung« bedeutet, wie in ›blinde Tasche, blinde Tür‹; das Wort bezeichnet meist nicht den eigentlichen Blinddarm, sondern den Wurmfortsatz oder Appendix); **Blindschleiche** »fußlose Eidechsenart mit sehr kleinen Augen« (mhd. *blintslīche*, ahd. *blintslīhho*, eigtl. »blinder Schleicher«; vgl. *schleichen*).

blinken »glänzen, funkeln«: Das im 16. Jh. aus dem Niederd. übernommene Verb geht zurück auf mnd. *blinken* »glänzen«, das verwandt ist mit niederl. *blinken* »schimmern, blinken«, engl. *to blink* »blinken; blinzeln, schimmern«, schwed. *blinka* »schimmern; blinzeln«. Das Verb gehört mit dem unter ↑blank behandelten Adjektiv zu der Sippe von ↑blecken. Siehe auch den Artikel

B

blinzeln. – Abl.: **Blinker** »Blinklicht an Fahrzeugen; metallener Köderfisch« (20. Jh.), davon **blinkern** »unruhig blinken; mit dem Blinker angeln« (20. Jh.).

blinzeln: Das auf das dt. Sprachgebiet beschränkte Verb (mnd. *blinzeln*) ist eine Iterativbildung zu dem im 19. Jh. veralteten gleichbedeutenden *blinzen* (mhd. *blinzen* »zwinkern«), das wahrscheinlich im Sinne von »schimmern, flimmern« mit der Sippe von ↑blinken zusammenhängt.

blitzen: Das auf das dt. Sprachgebiet beschränkte Verb mhd. *blitzen, bliczen*, ahd. *blecchazzen* gehört zu der unter ↑Blei (eigentlich »[bläulich] Glänzendes«) dargestellten Wortgruppe. Es ist eine Intensiv-Iterativ-Bildung und bedeutet demnach eigentlich »schnell oder wiederholt aufleuchten«. – Abl.: **Blitz** (mhd. *blitze, blicz[e], blikize* ersetzt das ältere *blic* »Blitz, Blick« in der ersten Bedeutung), dazu **Blitzableiter** (18. Jh.), **Blitzlicht** (Fotografie; 20. Jh.). Zus.: **abblitzen** ugs. für »abgewiesen werden« (18. Jh.; bildlich seit der 1. Hälfte des 19. Jh.s; ursprünglich vom wirkungslosen Abbrennen des Pulvers auf der Pfanne bei alten Gewehren).

Block: Die heute übliche Form stammt aus dem Niederd. und geht zurück auf mnd. *blok* »Holzklotz oder -stamm; Kloben des Flaschenzugs«. Sie hat sich seit dem 17. Jh. gegenüber der nur noch oberd. mdal. bewahrten Form *Bloch* (mhd. *bloch*, ahd. *bloh[h]* »Klotz, Bohle«) durchgesetzt. Im germ. Sprachbereich entsprechen mniederl. *bloc* »Block, Balken, Klotz, Klumpen« (daraus entlehnt frz. *bloc* »Klotz« [↑blockieren]) und schwed. *block* »Klotz, Block«. Die weiteren außergerm. Beziehungen sind unklar. – In der alten Rechtssprache bezeichnete das Wort den Block des Scharfrichters und den zweiteiligen Block, in den die Füße Gefangener geschlossen wurden. Jung gegenüber »Klotz, Quader« ist die Bed. »Papierblock«, vgl. die Zusammensetzungen ›Zeichen-, Notiz-, Fahrscheinblock‹ usw. Die Bed. »ein Quadrat bildende Gruppe von Wohnhäusern, Häuserblock« wurde im 19. Jh. aus dem amerik. Englisch entlehnt. Übertragen bezeichnet ›Block‹ eine in sich geschlossene Gruppe von Kräften, einen festen Zweckverband von politischen Parteien oder von Staaten, vgl. dazu die Zusammensetzungen ›blockfrei‹ und ›Blockstaaten‹. – Zus.: **Blockflöte** (mnd. *blokfloite, -pīpe* bezeichnete eine einteilige, unzerlegbare Flöte; das heutige Instrument ist wohl nach dem im Mundstück eingelassenen scharfkantigen Block benannt); **Blockhaus** (mnd. *blok-*, spätmhd. *blochhus* »militärisches Vorwerk aus Baumstämmen«; im 19. Jh. als Bezeichnung des nordamerikanischen Siedlerhauses neu aufgenommen aus engl. *blockhouse*; s. a. *blockieren*).

Blockade »Sperre, Einschließung«: Das Substantiv wurde im 17. Jh. mit roman. Endung zu ↑blockieren gebildet.

blockieren »[ab]sperren«: Das Verb wurde im 17. Jh. aus frz. *bloquer* (zu *bloc* »Klotz«) entlehnt, aber wegen seiner Grundbedeutung »mit einer Befestigungsanlage versehen« wohl stark von *blocus* »Festung« beeinflusst (das über eine mdal. Zwischenstufe *blocquehuis* auf mniederl. *blochuus* »Blockhaus« zurückgeht). Frz. *bloc* selbst ist Lehnwort aus mniederl. *bloc* »Klumpen, Klotz«, der Entsprechung von mhd. *bloch*, mnd. *blok* (vgl. *Block*). Siehe auch den Artikel *Blockade*.

blöd[e]: Mhd. *blœde* »gebrechlich, schwach, zart, zaghaft«, ahd. *blōdi* »unwissend, scheu, furchtsam«, älter niederl. *blood* »schüchtern, feige«, aengl. *blēad* »sanft, furchtsam, schlaff«, schwed. *blöd[ig]* »weich, empfindsam« gehören wohl zu der unter ↑[1]bloß dargestellten Wortgruppe. Die Bedeutung des Adjektivs ist erst im Nhd. auf »geistig behindert« und »dumm, albern, unsinnig« eingeengt worden. – Abl.: **blödeln** ugs. für »blöde tun oder reden« (19. Jh.); **entblöden,** sich (17. Jh., im Sinne von »die Scheu abtun, sich erkühnen«; daneben schon die heute allein gültige Form ›sich nicht entblöden‹ mit verstärkter, doppelter Verneinung); **verblöden** »eine geistige Behinderung erwerben; stumpfsinnig werden« (mhd. *verblœden* »einschüchtern«).

blöken: Das im 17. Jh. ins Hochd. übernommene niederd. *blöken* (mnd. *blēken*) ist lautnachahmenden Ursprungs, vgl. die [elementar]verwandten Nachahmungen des Schaflautes griech. *blēchāsthai* »blöken« und russ. *blekotat'* »blöken«.

blond »goldgelb« (besonders von der Haarfarbe): Das Adjektiv wurde im 17. Jh. aus gleichbed. frz. *blond* (= it. *biondo*) entlehnt, es ist aber vereinzelt schon im Mhd. und Mnd. als *blunt* bezeugt. Wegen der zahlreichen frz. Farbadjektive, die germ. Ursprungs sind (beachte z. B. frz. *blanc, bleu, gris, brun* = dt. *blank, blau, grau, braun*), liegt auch für frz. *blond* Entlehnung aus dem Germ. nahe (vgl. *blind*).

[1]bloß (Adj.): Mhd. *blōʒ* »nackt, unbedeckt; unbewaffnet; unvermischt, rein, ausschließlich«, ahd. *blōʒ* »stolz«, niederl. *bloot* »nackt, bloß«, aengl. *blēat* »elend, armselig«, schwed. *blöt* »weich, aufgeweicht, nass« sind vermutlich mit griech. *phlydarós* »matschig« und lat. *fluere* »fließen, strömen« verwandt. Die ursprüngliche Bed. »feucht, nass, aufgeweicht« wäre demnach im Nord. bewahrt, während sich in den anderen germ. Sprachen über »weich[lich], schwach« die Bedeutungen »elend, nackt usw.« entwickelten. Mit ›bloß‹ ist wohl das unter ↑blöd[e] behandelte Adjektiv verwandt, das ursprünglich »schwach« bedeutete. – Das seit dem 15. Jh. bezeugte Adverb **[2]bloß** »nur« hat sich aus der Verwendung des Adjektivs im Sinne von »rein, ausschließlich« entwickelt. Abl.: **Blöße** »Nacktheit, bloße Stelle; Waldlichtung« (mhd. *blœʒe*; die Wendung ›sich eine Blöße geben‹ stammt aus der Fechtersprache); **entblö-**

ßen (verstärkend neben älter nhd. *blößen*, mhd. *[en]blœzen*).

Bluejeans: Die Bezeichnung für »[eng anliegende] Hose aus festem Baumwollgewebe von verwaschener blauer Farbe« wurde im 20. Jh. aus engl.-amerik. *blue jeans* entlehnt. Über das engl. Adjektiv *blue* »blau« vgl. dt. ↑blau. Das Grundwort engl. *jean* »Baumwolle« geht vermutlich auf frz. *Gênes,* den Namen der norditalienischen Stadt Genua zurück, die zu den Hauptausfuhrhäfen für Baumwolle gehörte. – Gebräuchlicher als ›Bluejeans‹ ist heute die Kürzung ›Jeans‹.

Blues »schwermütiges Volkslied der nordamerikanischen Schwarzen (zum Jazz entwickelt); langsamer Tanz im Jazzrhythmus«: Das Fremdwort, das im 20. Jh. aus amerik. *blues* entlehnt wurde, ist vermutlich eine Kurzform von *blue devils,* was eigentlich »blaue Teufel« bedeutet und die dämonischen Gaukelbilder benennt, die einem Menschen in ekstatischer Verzücktheit oder bei einem Anfall von Schwermut erscheinen. Gleichwohl scheint für die moderne Bedeutung von *blues* nicht zuletzt auch die Vorstellung von einer »blauen (= sentimentalen) Stunde« eine Rolle zu spielen.

Bluff »Irreführung, Täuschung«: Das nach der Jahrhundertwende aus dem Engl. ins Dt. und andere europäische Sprachen übernommene Substantiv geht zurück auf engl. *bluff* »Irreführung, Täuschung«, eine Substantivbildung zu engl. *to bluff* »einschüchtern, irremachen, verblüffen, (im Poker:) täuschen«. Die letztere Bedeutung, die für unser Wort ausschlaggebend geworden ist, stammt aus dem amerik. Englisch. Das engl. Verb gehört zu der unter ↑verblüffen behandelten Wortgruppe. – Abl.: **bluffen** »täuschen« (20. Jh.).

blühen: Die westgerm. Verben mhd. *blüejen, blüen,* ahd. *bluojan, bluowen,* niederl. *bloeien,* engl. (starkes Verb:) *to blow* gehören mit den unter ↑Blatt, ↑Blume, ↑Blust und ↑Blüte behandelten Wörtern zu der unter ↑[1]Ball dargestellten, vielfach weitergebildeten und erweiterten idg. Wurzel **bhel-* in der Bedeutungswendung »schwellen, knospen, blühen«. Außergerm. ist z. B. eng verwandt lat. *flos* »Blume«, lat. *florere* »blühen« (s. die Fremdwortgruppe um [1]*Flor*), lat. *folium* »Blatt« (↑Folie).

Blume: Das gemeingerm. Wort mhd. *bluome,* ahd. *bluoma, bluomo,* got. *blōma,* niederl. *bloem,* schwed. *blomma* gehört zu der unter ↑blühen dargestellten Wortgruppe. Zur Bildung vgl. z. B. das Verhältnis von ›Same‹ zu ›säen‹. Das Wort steckt in zahlreichen zusammengesetzten Pflanzennamen, beachte z. B. ›Sonnen-, Ringelblume‹. In übertragenem Gebrauch wird ›Blume‹ im Sinne von »Duft, Bukett des Weines« verwendet. Die Bed. »Bierschaum im vollen Glas« erklärt sich wohl aus einem alten Trinkbrauch, der den Schaum bei geschicktem Austrinken als Flocken oder Blümchen im Glase hängen ließ. Abl.: **geblümt** (2. Part. zu älterem ›blümen‹, mhd. *blüemen* »mit Blumen schmücken« [z. B. geblümtes Tuch], übertragen als ›geblümter Stil‹ der Rede unter Einfluss von lat. *flosculus* »[Rede]blümchen«; ↑Floskel); **verblümt** (16. Jh., »was ›durch die Blume‹, also in bildlichen Andeutungen gesagt wird«; Ggs.: **unverblümt** »geradeheraus«; 16. Jh.). Zus.: **Blumenkohl** (↑Karfiol); **Blumenkorso** (↑Korso).

Blume

durch die Blume
»andeutungsweise, verhüllt«
Die Wendung knüpft an ›Blume‹ im Sinne von »rednerische Ausschmückung« an, vgl. mhd. *redebluome* »Redeschmuck«. Sie meint also ursprünglich »etwas in Floskeln, nicht mit direkten Worten sagen«.

blümerant »schwindelig, flau« (ugs.): Das Adjektiv wurde im 17. Jh. aus frz. *bleu mourant* »sterbendes (= blasses) Blau« entlehnt. Aus der Wendung ›blümerant vor den Augen‹ (gemeint ist der schillernde Farbschleier, der sich bei Schwindelanfällen über die Augen legt) entwickelte sich die heutige Bedeutung.

Bluse: Der im 19. Jh. aufgekommene Name des weiblichen Kleidungsstückes ist aus dem Frz. entlehnt worden. Frz. *blouse,* dessen Herkunft nicht gesichert ist, begegnet zuerst während der Französischen Revolution mit der auch heute noch gültigen eigentlichen Bed. »[Fuhrmanns]kittel, Arbeiterkleid«.

Blust »Blühen, Blütezeit«: Das veraltende, nur noch in Süddeutschland und in der Schweiz gebräuchliche Wort (mhd. *bluost*) ist eine Bildung zu dem unter ↑blühen behandelten Verb.

Blut: Das gemeingerm. Wort mhd., ahd. *bluot,* got. *blōþ,* engl. *blood,* schwed. *blod* gehört wahrscheinlich im Sinne von »Fließendes« zu der unter ↑[1]Ball behandelten idg. Wurzel. – Nach altem Glauben ist das Blut der Sitz des Lebens, beachte z. B. die Zusammensetzungen **Blutrache** (17. Jh.) und **Blutschuld** (16. Jh.), sowie Träger des Temperaments (beachte z. B. ›heißes, kaltes Blut‹) und der ethnischen Zugehörigkeit, beachte z. B. die Zusammensetzung **blutsverwandt** (16. Jh.), dazu **Blutsverwandtschaft,** ferner **Blutschande** (16. Jh.), **Vollblut** und **Halbblut** (s. d.). Der übertragene Gebrauch des Wortes bezieht sich meist auf die Farbe, beachte z. B. **Blutbuche** (18. Jh.) und **blutrot** (mhd. *bluotrōt*). Das Wort wird auch verstärkend gebraucht, beachte z. B. **blutjung** (18. Jh.). – Abl.: **bluten** (mhd. *bluoten,* ahd. *bluoten*), dazu **Bluter** »jemand, der zu schwer stillbaren Blutungen neigt« (19. Jh.); **blutig** (mhd. *bluotec,* ahd. *bluotag*); **Geblüt** (s. d.). Zus.: **Blutegel** (↑Egel); **blutrünstig** (s. d.).

B

Blut

blaues Blut in den Adern haben
»adliger Abkunft sein«
Die Wendung ist spanischen Ursprungs (span. *sangre azul*) und bezog sich ursprünglich auf die westgotischen Adligen, durch deren helle Haut – im Gegensatz zu der dunkelfarbigen Haut der Mauren – die Adern bläulich durchschimmerten.

Blüte: Die heutige Form hat sich im 17. Jh. aus dem Plural (mhd. *blüete*) von mhd., ahd. *bluot* »Blühen; Blüte« entwickelt, das zu der unter ↑blühen dargestellten Wortgruppe gehört. Zur Bildung beachte z. B. das Verhältnis von ›Saat‹ zu ›säen‹. Das Wort bezeichnete ursprünglich den Zustand des Blühens (z. B. in Baumblüte), dann die blühenden Pflanzenteile, besonders an Bäumen und Sträuchern. Übertragen wird es auf Glanzzeiten kulturellen und wirtschaftlichen Lebens angewandt (beachte die Zusammensetzung ›Blütezeit‹). Wie sich der ugs. Gebrauch von ›Blüte‹ im Sinne von »gefälschte Banknote« herausgebildet hat, ist nicht sicher geklärt.

Blutegel, bluten, Bluter, blutig, blutjung, Blutrache, blutrot ↑Blut.

blutrünstig »blutgierig, schauerlich«: Die nhd. Form hat sich über spätmhd. *blutrünstec* aus mhd. *bluotruns[ic]* »blutig wund« entwickelt. Dieses Adjektiv ist abgeleitet von mhd. *bluotruns[t]* »Blutfluss, blutende Wunde«, eigentlich »Rinnen des Blutes«. Der zweite Bestandteil gehört zu dem unter ↑rinnen behandelten Verb.

Blutschande, Blutschuld, blutsverwandt, Blutsverwandtschaft ↑Blut.

Bö »heftiger Windstoß, Schauer«: Niederl. *bui* erscheint seit dem 17. Jh. als niederd. *bui, buy,* mit eingedeutschter Schreibung *böi* und wird im 19. Jh. in der jungen niederd. Form ›bö‹ hochdeutsch. Die weitere Herkunft des niederl. Wortes ist unklar. Abl.: **böig** (19. Jh.).

Bock: Das altgerm. Wort mhd., ahd. *boc,* niederl. *bok,* engl. *buck,* schwed. *bock* ist eng verwandt mit der kelt. Sippe von ir. *boc* »Ziegenbock« und weiterhin z. B. mit pers. *buz* »Ziege[nbock]«. Zugrunde liegt idg. **bhuğo-s* »Ziegenbock«. Ursprünglich bezeichnete das Wort also den Ziegenbock, dann auch das Männchen anderer Tiere, beachte z. B. ›Schaf-, Rehbock‹. Im übertragenen Gebrauch bezeichnet ›Bock‹ ein vierbeiniges Gestell, seit dem 18. Jh. auch den erhöhten Kutschersitz, seit dem 19. Jh. ein Turngerät (beachte ›Bockspringen‹). Erst nhd. ist die Bed. »Fehler«, die wohl auf einen alten Schützenbrauch zurückgeht (Bock als Trostpreis für den schlechtesten Schützen, daher ›einen Bock schießen‹). Auf den Ziegenbock, seine störrische Art und seine Geilheit, beziehen sich auch ›Bock‹ als Schimpfwort für »[geiler] Mann« und die Wendungen ›einen Bock haben‹ (= störrisch, widerspenstig sein) und ›[keinen] Bock auf etwas haben‹ (= [keine] Lust auf etwas haben), ›null Bock‹ (= keine Lust) u. a. Zu ›Bock‹ gehören die Bildungen ↑[2]Bückling (nach dem Geruch) und *Buxe* nordd., westmitteld. für »Hose« (mnd. *bükse,* zusammengezogen aus **buckhose* »Hose aus Bockleder«). – Abl.: **bocken** »bockig sein« (mhd. *bocken* »stoßen wie ein Bock«); **bockig** »trotzig, störrisch, widerspenstig«, (von Ziegen auch:) »nach dem Bock verlangend« (älter nhd. *bockicht, böckisch*). Zus.: **Bockbier** (s. d.); **Bocksbeutel** (17. Jh. »Hodensack eines Bockes«; die heutige Bed. »bauchig-breite Flasche für Frankenwein« nach der Ähnlichkeit mit dem Hodensack).

Bockbier »Starkbier mit hohem Gehalt an Stammwürze«: Im 19. Jh. wurde älteres bayr. ›Aimbock, Oambock‹ zu ›Bock‹ gekürzt. Das Mundartwort ist eine Umdeutung der Herkunftsbezeichnung Ain- oder Einbeckisch Bier (16. Jh.), *ampokhisch pier* (17. Jh.). Die Stadt Einbeck in Niedersachsen führte seit dem späten Mittelalter ein berühmtes Hopfenbier aus, das später auch in Bayern getrunken wurde. – Zus.: **Bockwurst** (19. Jh., ursprünglich eine in München zur Bockbierzeit um Fronleichnam genossene Wurstart).

bocken, bockig, Bocksbeutel, Bockshorn ↑Bock.

Bockshorn

sich nicht ins Bockshorn jagen lassen
(ugs.) »sich nicht einschüchtern lassen«
Der Ursprung der seit dem 15. Jh. bezeugten Wendung ist nicht sicher geklärt. (›Bockshorn‹ war im Mhd. ein Pflanzenname, wie nhd. *Bockshornklee*). Vielleicht hängt sie mit dem ↑Haberfeldtreiben (eigentlich Ziegenfelltreiben) zusammen, einem früher üblichen [nächtlichen] Rügegericht, bei dem der Übeltäter in ein Ziegenfell gesteckt und umhergetrieben wurde; ›-horn‹ wäre dann aus unverstandenem mhd. *hame* »Hülle« in ahd. **bockes hamo* »Bocksfell« umgedeutet, vgl. *Hemd.*

Bodden ↑Boden.

Boden: Die germ. Bildungen mhd. *bodem,* ahd. *bodam,* niederl. *bodem,* engl. *bottom,* schwed. *botten* beruhen mit verwandten Wörtern in anderen idg. Sprachen auf idg. **bhudhm[e]n* »Boden«, vgl. z. B. aind. *budhná-h* »Grund, Boden«, griech. *pythmḗn* »Boden, Fuß eines Gefäßes« und lat. *fundus* »Boden eines Gefäßes, Grund« (s. die Fremdwortgruppe um *Fundus*). Dazu stellt sich **Bodden** »flacher Strandsee, Meeresbucht« mit der ursprünglichen Bedeutung »Grund eines [flachen] Gewässers«. Nur dt. ist die vom bebauten Erdboden her übertragene Bed. »auf Stützen erhöhte Bretterlage« (›Fuß-, Heu-, Dachboden‹ im Haus, dazu ›Bodenkammer‹), an die sich vielleicht ↑Bühne anschließen lässt. Zus.: **bodenlos** (mhd. *bodem-*, ahd. *bodomelōs;* meist übertragen für »unermesslich«: bodenlose Gemeinheit); **bodenständig** (im 17. Jh. »am Boden stehend«, heute übertragen für »fest verwurzelt, einheimisch«).

Boden

am Boden zerstört sein
(ugs.) »völlig erschöpft, deprimiert sein«
Die Wendung stammt aus der Sprache der Kriegsberichterstattung und bezog sich zunächst auf Flugzeuge, die durch Bomben zerstört wurden, noch bevor sie zum Einsatz kamen.

Body: Das in der 1. Hälfte des 20. Jh.s aus gleichbed. engl. *body* »Körper« entlehnte Fremdwort tritt im Deutschen besonders häufig als Bestimmungswort von Zusammensetzungen auf, wie z. B. **Bodybuilding** »gezieltes Muskeltraining mit besonderen Geräten«; **Bodycheck** »erlaubtes Rempeln des Gegners beim Eishockey«; **Bodyguard** »Leibwächter«.

Bofist ↑Bovist.

Bogen: Das altgerm. Wort mhd. *boge*, ahd. *bogo*, niederl. *boog*, engl. *bow*, schwed. *båge* gehört zu dem unter ↑biegen behandelten Verb und bedeutet demnach eigentlich »Biegung, Gebogenes«. Siehe auch die Zusammensetzung ›Regenbogen‹ (unter *Bogen*) und den Artikel *Bausch*.

Boheme: Das Wort für »ungezwungenes Künstlerleben« wurde im 19. Jh. aus frz. *bohème* entlehnt, das seinerseits auf mlat. *bohemus* »Böhme« zurückgeht. Das mlat. Wort bezeichnete auch einen »Angehörigen der Volksgruppen der Sinti und Roma«, offenbar weil diese Volksgruppen über Böhmen nach Westeuropa eingewandert sind. Das ›Bohemeleben‹ der Pariser Künstler wird schließlich für eine ungebundene Lebenshaltung, für ein unkonventionelles Milieu bezeichnend. Dazu: **Bohemien** »Angehöriger der Boheme« (aus frz. *bohémien*).

Bohle: Spätmhd. *bole* »Brett«, mnd. *bōle, bolle* »dickes Brett«, mniederl. *bolle* »Baumstamm«, schwed. *bål* »Rumpf« sind wohl mit dem unter ↑Balken behandelten Wort verwandt und gehören im Sinne von »dickes Brett« zu der Wortgruppe von ↑[2]Ball. Vgl. auch den Artikel *Bollwerk*.

Bohne: Die Herkunft des altgerm. Namens der Nutzpflanze mhd. *bōne*, ahd. *bōna*, niederl. *boon*, engl. *bean*, schwed. *böna* ist nicht sicher geklärt. Vielleicht gehört er zu der unter ↑Beule dargestellten idg. Wurzel **bh[e]u-* »[auf]blasen, schwellen«. Er bezeichnete bis zum 16. Jh. die dicke Bohne (Puff-, Saubohne), die demnach nach dem äußeren Eindruck der Aufgeblasenheit, Geschwollenheit benannt worden wäre. Die Busch- oder Stangenbohne kam erst im 16. Jh. aus Amerika zu uns.

Bohnenstroh

dumm wie Bohnenstroh
(ugs.) »sehr dumm sein«
Der Vergleich mit ›Bohnenstroh‹ geht auf das ältere ›grob wie Bohnenstroh‹ zurück. Arme, ungebildete Menschen konnten ihre Schlafstatt nicht auf Stroh bereiten, sondern mussten mit dem härteren, gröberen Kraut der Futterbohne vorlieb nehmen.

bohnern: Das ursprünglich nordostd. Verb ist eine Iterativbildung zu gleichbed. [m]niederd. *bōnen*, beachte gleichbed. nordwestd. *bohnen*. Das mnd. Verb, dem niederl. *boenen* »bohnern; scheuern« entspricht, bedeutet eigentlich »glänzend machen« und gehört mit verwandten Wörtern in anderen idg. Sprachen zu der idg. Wurzel **bhā-* »glänzen, leuchten«, vgl. z. B. aind. *bhā́ti* »leuchtet«, aind. *bhā́na-m* »das Leuchten«, griech. *phaínesthai* »leuchten, [er]scheinen« (s. die Fremdwortgruppe um ↑Phänomen mit ↑Fantasie usw., ↑Fanal), griech. *phásis* »Erscheinung; Aufgang eines Gestirns« (↑Phase), griech. *phōs* »Licht, Helle« (↑Phosphor und die unter ↑foto..., Foto... genannten Wörter).

bohren: Das altgerm. Verb mhd. *born*, ahd. *borōn*, niederl. *boren*, engl. *to bore*, schwed. *borra* gehört mit verwandten Wörtern aus anderen idg. Sprachen zu der idg. Wurzel **bher-* »mit scharfem oder spitzem Werkzeug bearbeiten«, vgl. z. B. griech. *pharóein* »pflügen« und lat. *forare* »bohren« (vgl. auch den Artikel *perforieren*). Zu dieser Wurzel stellt sich auch die germ. Wortgruppe von aisl. *berja* »schlagen, dreschen; töten« (↑Baron, eigentlich »kämpfender, streitbarer Mann«), die näher verwandt ist mit lat. *ferire* »schlagen, stoßen« und russ. *borot'* »bezwingen, überwältigen«. Auf die zahlreichen Weiterbildungen und Erweiterungen dieser Wurzel geht lat. *friare* »zerreiben« (↑frivol) zurück; im germ. Sprachbereich die Wortgruppe um ↑Brett (s. d. über *Bord, Bordell, Pritsche* u. a.), eigentlich »[aus einem Stamm] Geschnittenes«. – Abl.: **Bohrer** (15. Jh.); **verbohrt** »starrköpfig« (19. Jh.; 2. Part. des Zimmermannsworts verbohren »falsch bohren«).

böig ↑Bö.

Boiler »Warmwasserspeicher«: Das Substantiv wurde im 20. Jh. aus engl. *boiler* entlehnt. Dies gehört zu engl. *to boil* »aufwallen machen; erhitzen«, das über mengl. *boilen* auf afrz. *boillir* (= frz. *bouillir*) < lat. *bullire* zurückgeht; Stammwort ist lat. *bulla* »Wasserblase«.

Boje »verankerter Schwimmkörper (als Seezeichen)«: Das Substantiv wurde im 16. Jh. aus niederd. *boye* übernommen, das zu mniederl. *bo[e]ye*, afrz. *boie* (= frz. *bouée*) gehört. Das afrz. Wort kann aus afränk. **bōkan* »Zeichen« entlehnt sein und dann zur Sippe von ↑Bake gehören.

Bolero: Das Substantiv ist aus span. *bolero* entlehnt, das zunächst den [Bolero]tänzer bezeichnete, dann den Tanz selbst, der sich durch scharfe rhythmische Drehungen auszeichnet. Zugrunde liegt span. *bola* »Kugel« (< lat. *bulla*); vgl. [2]*Bulle*. Das Wort bezeichnete dann auch das kurze, offen getragene Herrenjäckchen der spanischen Nationaltracht, schließlich ein kurzes Jäckchen generell.

bölken »schreien, brüllen« (besonders von Rindern): Das dem Oberd. ursprünglich fremde Verb (mitteld. *bülken* 15. Jh., mnd. *bolken*) ist lautnachahmenden Ursprungs, vgl. die [elementar]verwandten Wörter niederl. *balken* »schreien« (vom Esel), *bulken* »schreien, blöken«, engl. *to belch* »rülpsen, aufstoßen«. Beachte auch die unter ↑bellen und ↑poltern behandelten ähnlichen Lautnachahmungen.

Bolle ↑Bowle.

Bollwerk: Mhd. *bolwerc*, mnd. *bōlwerk*, mniederl. *bolwerc* ist eine Zusammensetzung aus dem unter ↑Bohle behandelten Wort und dem Substantiv ›Werk‹. Es bezeichnete also einen aus starken Bohlen errichteten Schutzbau. Aus dem Dt. entlehnt ist frz. *boulevard* »breite [Ring]straße« (↑Boulevard).

Bolz[en] »Pflock; kurzer, dicker Pfeil«: Das altgerm. Wort mhd., ahd. *bolz*, niederl. *bout*, engl. *bolt*, schwed. *bult* ist verwandt mit der balt. Sippe von lit. *bèlsti* »pochen, klopfen«, *baldas* »Stößel« und mit dieser lautnachahmenden Ursprungs.

Bombast: Der Ausdruck für »[Rede]schwulst, Wortschwall« wurde im 18. Jh. aus engl. *bombast* entlehnt, das zunächst ein zum Auswattieren von Jacketts verwendetes Baumwollgewebe bezeichnete. Die Bedeutungsübertragung auf übertrieben umständliches und schwülstiges Sprechen geht denn auch von der Vorstellung einer aufgebauschten Jacke aus. – Voraus liegen afrz. *bombace*, spätlat. *bombax (bambagium)*, griech. *pámbax (bambákion)*, pers. *panbak*, *panba*[h], alle mit der Bed. »Baumwolle«. – Gleicher Herkunft ist unser Lehnwort ↑Wams.

Bombe »Sprengkörper«: Das Wort wurde im 17. Jh. über frz. *bombe* aus gleichbed. it. *bomba* entlehnt, das auf lat. *bombus* »dumpfes Geräusch«, griech. *bómbos* zurückgeht. Das griech. Wort ist schallnachahmenden Ursprungs und hat zahlreiche Entsprechungen in anderen idg. Sprachen, z. B. in unseren Schallwörtern bim, bam, bum, zu denen auch die Verben ↑bimmeln, ↑bummeln und ↑baumeln gehören. – Um ›Bombe‹ gruppieren sich die Bildungen **Bomber** »Bombenflugzeug« (20. Jh.) und **bomben** »bombardieren; mit Wucht schießen« (20. Jh.), beachte auch **ausbomben** und **zerbomben** »durch einen Bombenangriff zerstören« (20. Jh.). Als Inbegriff des »Wirkungsvollen und Gewaltigen« erscheint ›Bombe‹ in den Ableitungen und Zusammensetzungen **bombig, bombensicher, bombenfest, Bombenerfolg, Bombenstimmung, Sexbombe,** die alle im 20. Jh. entstanden sind.

Bon »Gutschein«: Das Wort wurde Ende des 18. Jh.s als kaufmännischer Terminus aus gleichbed. frz. *bon* entlehnt, dem substantivierten Adjektiv frz. *bon* »gut«, das seinerseits auf gleichbed. lat. *bonus* beruht. Auf das lat. Wort geht über engl. *bonus* unser **Bonus** »Vergütung; [Schadenfreiheits]rabatt; Ausgleich« (Ende 18. Jh.) zurück.

Bonbon »Süßigkeit, Zuckerzeug«: Das Wort wurde im 18. Jh. aus frz. *bonbon* entlehnt, einer der Kindersprache entstammenden Wiederholungsform von *bon* »gut« (vgl. *Bon*).

Bonmot: Der Ausdruck für »treffende, geistreiche Wendung« wurde im späten 17. Jh. aus frz. *bon mot* entlehnt, eine Fügung aus frz. *bon* »gut« (vgl. *Bon*) und frz. *mot* »Wort«.

Bonus ↑Bon.

Bonze »höherer [Partei]funktionär« (mit verächtlichem Nebensinn): Der Ausdruck wurde im 18. Jh. über frz. *bonze*, port. *bonzo* aus jap. *bōzu* »Priester« entlehnt.

Boom: Der seit dem Ende des 19. Jh. gebräuchliche Ausdruck für »Wirtschaftsaufschwung, Hochkonjunktur« stammt aus gleichbed. engl.-amerik. *boom*, das im Sinne von »Summen, Brausen, geschäftiges Treiben« zu engl. *to boom* »summen, brausen« gehört. Hierzu das Verb **boomen** (2. Hälfte des 20. Jh.s, aus engl. *to boom*) und die Zusammensetzung **Babyboom** (2. Hälfte des 20. Jh.s, aus gleichbed. engl. *baby boom*).

Boot: Das im 16. Jh. aus der niederd. Seemannssprache übernommene Wort geht zurück auf mnd. *bōt*, das – wie auch niederl. *boot* – aus mengl. *bot* entlehnt ist (vgl. engl. *boat*). Voraus liegt aengl. *bāt* »Boot, Schiff«, dem die gleichbedeutenden aisl. *beit*, *bātr*, schwed. *båt* entsprechen. Das Wort gehört wahrscheinlich zu der unter ↑beißen behandelten Sippe, sodass als Grundbedeutung wohl »ausgehauener Stamm« anzunehmen ist. Die gleiche Bedeutungsentwicklung zeigen die Wörter ↑Schiff und ↑Nachen. Abl.: **ausbooten** »mit dem Boot von Bord bringen«, ugs. für: »aus einer Stellung oder Gemeinschaft entfernen« (19. Jh.).

Boot

im gleichen/in einem Boot sitzen
»gemeinsam eine schwierige Situation bewältigen müssen«
Die Wendung ist entlehnt aus engl. *to be in the same boat* und meint, dass diejenigen, die auf See in einem Boot sind, dasselbe Schicksal teilen und aufeinander angewiesen sind.

booten: Wie viele andere Ausdrücke aus der EDV (z. B. ›chatten, Cursor, einloggen, E-Mail, Hacker, Internet, Laptop, Scanner‹) wurde auch das Verb ›booten‹ mit der Bedeutung »einen Computer neu starten« aus dem Engl. übernommen. Das gleichbed. engl. Verb *to boot* ist abgeleitet von dem Substantiv *boot,* einer Kurzform für *bootstrap* »Ladeprogramm«, eigentlich der »Riemen am Stiefel, der das Anziehen erleichtert« (aus *boot* »Stiefel« und *strap* »Riemen, Band«).

Bor (chem. Grundstoff): Pers. *būrah* »borsaures Natron« wurde über arab. *bawraq* ins Mlat. als *borax* entlehnt. Dies lebt zum einen in unveränderter Form in **Borax,** der Bezeichnung eines als Waschmittel benutzten borhaltigen Minerals, weiter; zum anderen entwickelte sich daraus über spätmhd. *buras* und frühnhd. *borros* unser Wort Bor.

[1]**Bord** »[Wand-, Bücher]brett«: Mnd. *bōrt,* asächs. *bord* »Brett, Tisch« ist in der niederd. Form ›Bord‹ hochd. geworden. Ihm entsprechen got. *[fōtu]baúrd* »[Fuß]bank«, engl. *board* »Brett, Tisch«, schwed. *bord* »Tisch«. Das gemeingerm. Wort steht im Ablaut zu ↑Brett. Vgl. den Artikel *Bordell.*

[2]**Bord** »[Schiffs]rand; Deck; das Innere eines Autos, Flugzeugs, [Raum]schiffs«: Das altgerm. Wort mhd., ahd. *bort,* niederl. *boord,* engl. *board,* schwed. *bord* war ursprünglich identisch mit dem unter ↑[1]Bord behandelten Substantiv, vermischte sich aber früh mit nicht verwandtem ahd. *brort,* aengl. *breord* »Rand«. Schweiz. bedeutet ›Bord‹ »Rand, [Ufer]böschung«. Verwandt sind ↑Borte und ↑bordieren. – Zus.: **Backbord** (s. d.); **Dollbord** (↑Dolle); **Steuerbord** (↑[2]Steuer).

Bordell »Dirnenhaus«: Das Wort wurde in mhd. Zeit aus dem Roman. entlehnt (vgl. z. B. frz. *bordel* und it. *bordello*). Die roman. Wörter, die ursprünglich »Bretterhüttchen« bedeuteten, gehören als Verkleinerungsformen zu einem in afrz. *borde,* altprov. *borda* und span. *borda* bewahrten Wort mit der Bedeutung »Hütte; Bauernhof«, das seinerseits auf das unter ↑[1]Bord behandelte germ. Wort zurückgeht.

bordieren »einfassen; mit einer Borte versehen«: Das Verb wurde im 16. Jh. entlehnt aus frz. *border* »umranden, einfassen«, zu *bord* »Rand, Borte«, das aus afränk. **bord* »Rand« stammt (vgl. *[2]Bord*). Dazu: **Bordüre** (Anfang des 18. Jh.s; aus frz. *bordure*).

borgen: Das altgerm. Wort mhd. *borgen,* ahd. *bor[a]gēn,* niederl. *borgen,* engl. *to borrow,* schwed. *borga* steht im Ablaut zu dem unter ↑bergen behandelten Verb. Es bedeutete ursprünglich »auf etwas Acht haben, schonen; jemandem eine Zahlung ersparen«. Zu ›borgen‹ gebildet ist ↑Bürge.

Borke »raue Baumrinde«: Das Wort ist aus dem Niederd. ins Hochd. gelangt. Mnd. *borke* – im Ablaut dazu die nord. Gruppe von schwed. *bark,* aus der engl. *bark* stammt – gehört wahrscheinlich im Sinne von »Raues, Rissiges« zu einer g-Erweiterung der unter ↑Barsch behandelten idg. Wurzel.

Born ↑Brunnen.

borniert »geistig beschränkt«: Das Adjektiv wurde im 18. Jh. aus dem Part. Perf. von frz. *borner* »beschränken« (eigentlich »mit Grenzzeichen versehen«) entlehnt. Dies ist abgeleitet von frz. *borne* (< afrz. *bosne, bodne*) »Grenzstein« (wozu auch frz. *abonner* im Fremdwort ↑abonnieren gehört), das wohl gall. Ursprungs ist. Abl.: **Borniertheit** »Beschränktheit«.

[1]**Börse:** Die Bezeichnung für »Geldbeutel« wurde im 18. Jh. aus niederl. *(geld)beurs* entlehnt, das wie frz. *bourse* auf spätlat. *bursa* (< griech. *býrsa*) »Fell, Ledersack« zurückgeht. Über weitere Zusammenhänge vgl. den Artikel ↑*Bursch[e].*

[2]**Börse** »Markt für Wertpapiere, vertretbare Güter«: Das Wort wurde Mitte des 15. Jh.s, zunächst in der Form Börs, aus niederl. *beurs* entlehnt, das ursprünglich ein Gebäude bezeichnete, in dem sich Kaufleute zu Geschäftszwecken regelmäßig trafen. Die ersten Zusammenkünfte dieser Art sollen vor dem Haus einer angesehenen Brügger Kaufmannsfamilie namens ›van der Burse‹ stattgefunden haben. Diesen Namen führt man wegen dreier im Hauswappen der Familie erscheinender »Geldbeutel« auf das unter [1]Börse (s. o.) genannte niederl. *beurs* zurück. – Abl.: **Börsianer** »Börsenspekulant« (19. Jh.; mit lat. Endung gebildet).

Borste: Die heutige weibliche Form geht über mhd. *borste* zurück auf ahd. *bursta.* Diese Form – wie auch das gleichbedeutende *bursti* (↑Bürste) – ist eine Nebenform des starken Maskulinums (Neutrums) mhd. *borst,* ahd. *burst,* dem aengl. *byrst* und schwed. *borst* entsprechen. Das Wort gehört im Sinne von »Emporstehendes« mit verwandten Wörtern in anderen idg. Sprachen zu der unter ↑Barsch dargestellten idg. Wurzel, vgl. z. B. aind. *bhṛṣṭí-ḥ* »Zacke, Ecke, Kante« und russ. *boršč* »Rote-Rüben-Suppe« (ursprünglich Bezeichnung der spitzblättrigen Pflanze Bärenklau). – Dazu: **widerborstig** (im 15. Jh. wider borstig, mnd. *wedderborstich,* eigentlich »struppig« [von Tieren], dann übertragen für »störrisch, widerspenstig«).

Borte: Mhd. *borte,* ahd. *borto* »Rand, Besatz« ist wie gleichbed. aengl. *borda* schwache Nebenform zu dem unter ↑[2]Bord behandelten Wort. Siehe auch den Artikel *bordieren.*

Böschung »Abdachung«: Das Fachwort der Festungsbaukunst, das zuerst im 16. Jh. auftritt, bezeichnete ursprünglich die mit dicht und niedrig gehaltenem Strauchwerk befestigten Abhänge mittelalterlicher Festungswälle, die selbst Kanonenschüsse aushalten konnten, dann schräge Flächen aller Art. ›Böschung‹ gehört danach zu aleman. *Bosch[en]* »Strauch« aus mhd. *bosch* (vgl. *Busch*).

böse: Mhd. *bœse* »gering, wertlos; schlecht, schlimm, böse«, ahd. *bōsi* »hinfällig, nichtig, gering, wertlos, böse«, niederl. *boos* »böse, schlecht, schlimm« sind im germ. Sprachbereich eng verwandt mit der nord. Sippe von norw. *baus* »stolz, heftig« (eigentlich »aufgeblasen, geschwollen«) und weiterhin mit den unter ↑Bausch, ↑Busen, ↑Pausback und ↑pusten behandelten Wörtern (vgl. *Beule*). Das Adjektiv ›böse‹ bedeutete demnach ursprünglich etwa »aufgeblasen, geschwollen«. – Abl.: **erbosen** »erzürnen« (mhd. *[er]bōsen* »schlecht werden oder handeln«, ahd. *bōsōn* »gotteslästerlich reden«); **boshaft** (16. Jh., für älteres *boshaftig*); **Bosheit** (mhd., ahd. *bōsheit* bedeutet auch »Wertlosigkeit«). Zus.: **Bösewicht** (mhd. *bœsewiht*, zusammengerückt aus ›der bœse wiht‹, ahd. *pōse wiht;* vgl. *Wicht*).

Boss: Der ugs. Ausdruck für »Chef« wurde Ende des 19. Jh.s aus engl.-amerik. *boss* entlehnt, das seinerseits aus niederl. *baas* »Meister« stammt.

Botanik: Die Bezeichnung für »Pflanzenkunde« wurde im 17. Jh. aus nlat. *(scientia) botanica* < griech. *botanikḗ (epistḗmē)* entlehnt. Das griech. Adjektiv *botanikós* »pflanzlich« ist von *botánē* »Weide, Futterpflanze« abgeleitet. – Abl.: **botanisch** »pflanzenkundlich« (frühes 18. Jh.; nach griech. *botanikós*); **Botaniker** »Pflanzenkundler« (18./19. Jh.; für älteres Botanicus bzw. Botanist); **botanisieren** »Pflanzen sammeln« (18. Jh.; nach gleichbed. griech. *botanízein*).

Bote: Das altgerm. Wort mhd. *bote,* ahd. *boto,* niederl. *bode,* aengl. *boda,* aisl. *boði* »Bote, Verkünder, Herold« ist eine Bildung zu dem unter ↑bieten behandelten Verb in dessen Bedeutung »wissen lassen, befehlen«. Abl.: **Botschaft** (mhd. *bot[e]schaft,* ahd. *botoscaft;* im 16./17. Jh. auch für »Gesandter«), dazu **Botschafter** (im 16. Jh. »Bote«, dann »Leiter einer Gesandtschaft«; seit dem 18. Jh. Titel des Staatsgesandten wie frz. *ambassadeur*).

Böttcher: Der besonders nordd. Handwerkername wurde erst vom nhd. Sprachgefühl mit dem in Norddeutschland ursprünglich nicht heimischen Wort ↑Bottich verknüpft. Mnd. *bȫdeker, böddeker* ist wahrscheinlich mit dem früher bei niederd. Handwerkernamen auftretenden -ker-Suffix abgeleitet aus mnd. *bȫde, bödde* »hölzerne Wanne«, das dem hochd. ↑Bütte entspricht.

Bottich: In dem Wort mhd. *botech[e], botige,* ahd. *botega* haben sich vermutlich roman. Abkömmlinge von griech.-lat. *apothēca* »Abstellraum, Magazin« (vgl. z. B. mlat. *potecha* »Abstellraum, Vorratslager« und span. *bodega* »Weinkeller«) und vlat. *buttis* »Fass« (vgl. z. B. mlat. *butica* und it. *botte* »Fass«) miteinander vermischt. Siehe auch *Böttcher* und *Bütte*.

Bouillon »Fleischbrühe«: Das Wort wurde im 18. Jh. aus frz. *bouillon* entlehnt. Das zugrunde liegende Verb frz. *bouillir* »wallen, sieden« geht auf gleichbed. lat. *bullire* (eigentlich »Blasen werfen«) zurück, das seinerseits von lat. *bulla* »Blase« abgeleitet ist.

Boulevard: Die Bezeichnung für »breite [Ring]straße« wurde im späten 16. Jh. aus gleichbed. frz. *boulevard* entlehnt. Dies stammt seinerseits aus mniederl. *bolwerc,* das dt. ↑Bollwerk entspricht. – Die Ringstraßen verlaufen oft im Zuge alter Stadtbefestigungen.

Bourgeoisie »(wohlhabendes) Bürgertum«: Das Fremdwort wurde im späten 18. Jh. aus frz. *bourgeoisie* entlehnt, einer Bildung zu frz. *bourgeois* »Bürger«. Das zugrunde liegende Substantiv frz. *bourg* »Burg; Marktflecken« stammt aus afränk. **burg,* das zu dem unter ↑Burg behandelten germ. Wort gehört.

Bouteille ↑Buddel.

Bovist, (auch:) Bofist: Der Name des Bauchpilzes, dessen reife Sporen unter einem Fußtritt stäubend entweichen, bedeutet eigentlich »Füchsinfurz«. Der erste Bestandteil von spätmhd. *vohenvist* ist mhd. *vohe* »Füchsin« (beachte *Fähe* [↑Fuchs] weidmännisch für »Füchsin«), der zweite Bestandteil ist mhd. *vist* »Bauchwind«. Das spätmhd. *vohenvist* wurde mitteld. und niederd. dissimiliert zu *bō-, pōvist,* die landsch. zu Buben- oder Pfauenfist umgedeutet und wegen der alten v-Schreibung als Fremdwort missverstanden wurden. Gleichbed. niederl. *wolfsveest* stimmt zu frz. *vesse-de-loup,* span. *pedo de lobo* u. a. roman. Namen; vgl. auch den nlat. wissensch. Namen Lycoperdon, eigentlich »Wolfsfurz«.

Bowle: Die Bezeichnung für ein »Getränk aus Wein, Schaumwein, Früchten oder aromatischen Pflanzen [und Zucker]« wurde im 18. Jh. aus engl. *bowl* »[Punsch]napf« entlehnt, das auf aengl. *bolla* »Schale« zurückgeht. Verwandt damit sind ahd. *bolla,* mhd. *bolle* »Schale, bügelförmiges Gefäß; Knospe, Fruchtknoten«, nhd. *Bolle* »Zwiebel«, schwed. *bulle* »Brötchen«.

Box: Das im Sinne von »Behälter; Unterstellraum; Pferdestand« gebräuchliche Wort wurde Mitte des 19. Jh.s aus engl. (aengl.) *box* entlehnt, das auf vlat. *buxis* (= lat. *pyxis*) »(aus Buchsbaumholz hergestellte) Büchse« (vgl. *Buchs*) zurückgeht und somit formal und in der Bedeutung unserem Lehnwort ↑Büchse entspricht. – Zus.: **Mailbox** »elektronischer Briefkasten für den Austausch von Nachrichten in Computersystemen« (aus gleichbed. engl. *mail box,* vgl. *E-Mail*).

boxen »mit den Fäusten kämpfen«: Das Verb wurde im 18. Jh. aus gleichbed. engl. *to box* entlehnt. Eine weitere Anknüpfung ist unsicher. – Abl.: **Boxen** »Faustkampf«; **Boxer** »Faustkämpfer« (Ende 18. Jh.), auch übertragen gebraucht als Name einer Hunderasse (19. Jh.).

Boykott »Ächtung; Abbruch bestehender [wirtschaftl.] Beziehungen«: Das Fremdwort wurde im 19. Jh. aus gleichbed. engl. *boycott* entlehnt. Hinter diesem Wort steht der zur Gattungsbezeichnung gewordene Name eines britischen Hauptmanns und Gutsverwalters, der von der irischen Landliga geächtet wurde. – Das entsprechende Verb engl. *to boycott* ist die Quelle für unser Verb **boykottieren** »ächten, in Verruf erklären« (Ende 19. Jh.).

Brache »unbestellter Acker«: Das Substantiv mhd. *brāche,* ahd. *brāhha* ist eine Bildung zu dem unter ↑brechen behandelten Verb und bedeutete ursprünglich »das Brechen«, dann speziell »erstes Umbrechen des Bodens«, vgl. mniederl. *brāke* »Stück, Brocken; Bruch; Brechwerkzeug« und aengl. *brǣc* »Bruch; Zerstörung; Streifen ungepflügten Landes«. In der alten Dreifelderwirtschaft blieb ein Drittel der Flur nach der Ernte des Sommerkorns als Stoppelweide liegen und wurde erst im folgenden Juni gepflügt und zur Aufnahme der Winterfrucht vorbereitet. Der Juni heißt deshalb auch **Brachet, Brachmonat, Brachmond** (ahd. *brachōd,* mhd. *brāchōt,* eigentlich »Zeit des Brachens«, mhd., ahd. *brāchmānōt*). Das Pflügen hieß früher ›brachen‹ (mhd. *brāchen,* ahd. *brāhhōn*), das Feld nennt man heute ›Brache‹ oder **Brachfeld** (ahd. *brāchvelt,* mhd. *brāchvelt*). Aus der mhd. Fügung *in brāche ligen* hat sich das Adjektiv **brach** »unbenutzt, unbebaut« entwickelt (17. Jh.), das in **brachliegen** auch übertragen gebraucht wird. Der **Brachvogel** (mhd. *brāchvogel,* ahd. *brāhfogal,* eine Art Schnepfenvogel) ist so benannt, weil er sich gerne auf Brachen aufhält.

Brachialgewalt »rohe Gewalt«: Das Bestimmungswort dieser seit Ende des 19. Jh.s belegten Zusammensetzung ist das von lat. *bracchium* »Arm« abgeleitete Adjektiv lat. *bracchialis* »den Arm betreffend«. Das Wort meint also eigentlich »Gewaltanwendung unter Zuhilfenahme der Arme«. Über lat. *bracchium* vgl. das Lehnwort *Brezel.*

brachliegen, Brachmonat, Brachmond ↑Brache.

Brachse oder **Brachsen** »ein karpfenartiger Fisch«: Mhd. *brahsem,* ahd. *brahsema, brahs[i]a* gehören mit nordd. *Brasse, Brassen* (ein Seefisch), mnd. *brassem,* niederl. *brasem,* schwed. *braxen* zu der Wortgruppe von mhd. *brehen* »plötzlich aufleuchten« (vgl. *Braue*). Der Fisch ist also nach den glänzenden Schuppen benannt.

Brachvogel ↑Brache.

brackig »mit Seewasser gemischt, salzhaltig«: Das seit dem 19. Jh. bezeugte Adjektiv steht für älteres gleichbedeutendes *brack,* mnd. *brak,* niederl. *brak, brakkig,* dessen Herkunft unklar ist (vielleicht im Ablaut zu der unter ↑[2]Bruch »Sumpfland« behandelten Wortgruppe). Dazu **Brackwasser** »Gemisch von Salz- und Süßwasser« (17. Jh.).

Branche: Die Bezeichnung für einen »Wirtschafts- oder Geschäftszweig« wurde im 18. Jh. aus gleichbed. frz. *branche* entlehnt. Das Wort bedeutet im Frz. eigentlich »Ast, Zweig«. Dieses geht zurück auf vlat. *branca* »Pranke, Pfote«, dessen Herkunft dunkel, möglicherweise keltisch ist.

Brand: Das altgerm. Wort mhd., ahd. *brant,* niederl. *brand,* engl. *brand,* schwed. *brand* ist eine Bildung zu dem im Nhd. untergegangenen starken Verb mhd. *brinnen,* ahd. *brinnan* (vgl. *brennen*). Es bedeutete zunächst »Feuerbrand, Feuersbrunst«, dann »das Brennen von Tonwaren, Kalk, Ziegeln«, auch »Brandzeichen« (z. B. bei Pferden) und entwickelte zahlreiche übertragene Bedeutungen, z. B. als Bezeichnung einer Pflanzenkrankheit. Zus.: **brandmarken** (eigentlich »ein [schändendes] Zeichen einbrennen«, heute meist übertragen für »öffentlich bloßstellen, anprangern« gebraucht; im 17. Jh. zu älterem *brandmerk, -mark* »Brandmal« gebildet); **brandschatzen** »[durch Branddrohung] erpressen« (im 14. Jh. *brantschatzen;* vgl. *Schatz*), dazu **Brandschatzung** »Zahlung zum Loskauf von Plünderung und Brand« (14. Jh.); **Brandsohle** (18. Jh.; die innere Schuhsohle wird aus geringerem Leder gemacht, in dem meist das Brandzeichen der Tiere sitzt). – Das Adjektiv **brandneu** ist eine Lehnübersetzung von engl. *brand-new,* eigentlich »frisch vom Feuer« (20. Jh.). Siehe auch den Artikel *Brandung.*

branden ↑Brandung.

Brandung: Die heutige Form ist im 18. Jh. zum ersten Mal bezeugt und steht für älteres Branding (17. Jh.), das aus dem Niederl. (niederl. *branding*) entlehnt ist. Dieses Substantiv ist abgeleitet von dem niederl. Verb *branden* »brennen«, das eine unter dem Einfluss des Substantivs mniederl. *brant* »Brand, Feuer« gebildete Nebenform zu dem unter ↑brennen behandelten Verb ist. Die Brandung wird also mit der Bewegung der Flammen oder mit einer kochenden Masse verglichen. Vermutlich zu ›Brandung‹ erst gebildet ist **branden,** das im 18. Jh. zuerst in dichterischer Sprache von den Meereswellen und später auch übertragen gebraucht wird.

Branntwein: Die zuerst aus Wein und Weinrückständen, dann auch aus Getreide destillierte Flüssigkeit heißt mhd. *gebranter wīn,* im 16. Jh. zusammengerückt *brantewein* (aus entspr. mnd. *brandewīn,* niederl. *brandewijn* stammt engl. *brandy*). ›Brennen‹ (s. d.) bedeutet hier »durch Erhitzen verdampfen«. Anfänglich war der Branntwein nur äußerlich angewandtes Heilmittel; s. auch *Weinbrand* (↑Wein).

Brasse, Brassen ↑Brachse.

braten: Das westgerm. starke Verb mhd. *brāten,* ahd. *brātan,* niederl. *braden,* aengl. *brǣdan* gehört mit den unter ↑brühen behandelten Wörtern zu der Wortgruppe von ↑Bärme. Außergerm. ist z. B. eng verwandt lat. *fretum* »Wallung, Hitze«, lat. *fretale* »Bratpfanne« und aisl. *brǣda* »schmelzen, teeren«. Nicht verwandt ist das Substantiv ↑Braten. – Zus.: **Bratspieß** (↑[1]Spieß).

Braten: Die Herkunft des altgerm. Substantivs mhd. *brāte,* ahd. *brāto* »schieres Fleisch, Weichteile«, mniederl. *brāde* »Wade, Muskel, Faser«, aengl. *brǣd* »Fleisch«, aisl. *brāđ* »Fleisch« ist ungeklärt. Das Wort hat nichts mit ↑braten zu tun, erhielt aber im Mhd. durch Anlehnung an dieses Verb die Bedeutung »gebratenes Fleisch«. In Wildbret (↑wild) ist die ursprüngliche Bedeutung noch bewahrt; dagegen ist die Zusammensetzung **Bratwurst** (mhd., ahd. *brātwurst,* eigentlich »Fleischwurst«) wieder an ›braten‹ angelehnt. Das n der nhd. Form ›Braten‹ ist aus den schwach gebeugten obliquen Kasus in den Nominativ übergetreten.

B

Bratsche: Der Name des Musikinstruments ist seit dem 17. Jh. bezeugt. Er ist gekürzt aus ›Bratschgeige‹, das aus it. *viola da braccio* »Armgeige« entlehnt ist (entsprechend it. *viola da gamba* in ↑Gambe). Über das vorausliegende Substantiv lat. *bra(c)chium* »Arm« vgl. den Artikel *Brezel.* Über it. *viola* s. den Artikel *Violine.* – Abl.: **Bratscher, Bratschist** »Bratschenspieler«.

Bratspieß ↑[1]Spieß.

Bratwurst ↑Braten.

brauchen: Das altgerm. Verb mhd. *brūchen,* ahd. *brūhhan,* got. *brūkjan,* mniederl. *brūken,* aengl. *brūcan* ist verwandt mit lat. *frui* »genießen«, lat. *fructus* »Ertrag, [Acker]frucht« (↑Frucht) und lat. *frux, -gis* »[Feld]frucht« (↑frugal). Die Grundbedeutung ist »Nahrung aufnehmen«, aus der sich die allgemeineren Bedeutungen »genießen, in Genuss von etwas sein, an etwas teilhaben; nutzen, anwenden, verwenden« und schließlich die Bedeutung »benötigen, nötig haben« entwickelten, an die sich die Verwendung von ›brauchen‹ als Modalverb anschließt. – Abl.: **Brauch** (mhd. *brūch,* ahd. *brūh* »Nutzen, Gebrauch«, seit dem 16. Jh. besonders »Sitte, Gewohnheit [einer Gemeinschaft]«), dazu **Brauchtum** (volkskundliches Fachwort des 20. Jh.s) und **Nießbrauch** (↑genießen); **brauchbar** »tauglich« (17. Jh.). Zusammensetzungen und Präfixbildungen: **gebrauchen** (mhd. *gebrūchen,* ahd. *gibrūhhan* verstärkte einfaches ›brauchen‹ »verwenden« und hat es jetzt weitgehend ersetzt), dazu **Gebrauch** (mhd. *gebrūch,* nhd. zeitweise auch für »Gewohnheit«) und **gebräuchlich** (im 18. Jh. für älteres *bräuchlich*); **missbrauchen** »falsch oder böse gebrauchen« (mhd. *missebrūchen,* ahd. *misbrūhhan;* vgl. *miss...*), dazu **Missbrauch** (16. Jh.); **missbräuchlich** (17. Jh.); **verbrauchen** »zu Ende [ge]brauchen« (frühmhd. *verbrūchen,* dann aber erst seit dem 15. Jh. wieder bezeugt), dazu **Verbrauch** und **Verbraucher** (im 18./19. Jh. für ›Konsumtion‹ und ›Konsument‹).

Braue: Mhd. *brā* »Braue, Wimper«, ahd. *brā[wa]* »Braue, Wimper, Lid«, asächs. *brāha* »Braue« aengl. *brǣw* »Braue, Augenlid«, aisl. *brā* »Wimper« hängen mit got. *bralva* in *in bralva augins* »im Augenblick«, eigentlich »im Aufleuchten der Augen« zusammen. Verwandt sind im germ. Sprachbereich z. B. mhd. *brehen* »plötzlich und stark aufleuchten, funkeln« und aisl. *braga* »glänzen, flimmern«. Die gesamte germ. Wortgruppe gehört zu der unter ↑braun dargestellten idg. Wurzel. Die ursprüngliche Bedeutung von ›Braue‹ lässt sich nicht mit Sicherheit ermitteln, weil bereits in den älteren Sprachzuständen die Bedeutungen »Braue« und »Lid [mit Wimpern]« nebeneinander hergehen. Schon das Ahd. unterschied darum die *ubarbrā* »[obere] Braue« von der *unter-* oder *wintbrā* (↑Wimper). Wahrscheinlich bezeichnete das Wort ursprünglich das Lid als »das Zwinkernde, Blinzelnde«.

brauen: Mhd. *briuwen, brūwen,* ahd. *briuwan, brūwan,* niederl. *brouwen,* engl. *to brew,* schwed. *brygga* »brauen« sind germ. Verbbildungen zu der unter ↑Bärme »Bierhefe« genannten idg. Wurzelform **bh[e]reu-* »aufwallen«, die vielfach in Bezeichnungen des Gärens und gegorener Speisen und von Getränken erscheint. Vgl. z. B. lat. *defrutum* »eingekochter Most« und thrak. *brȳtos* »Gerstenbier«, weiterhin die unter ↑Brot und ↑brodeln genannten germ. Wörter. Da zum Bierbrauen würzende Zutaten (besonders Hopfen) gehören, wird das Verb ›brauen‹ schon in mhd. Zeit auch auf die Herstellung anderer Getränke übertragen (heute ugs. z. B. bei Punsch, Kaffee, Arzneien). Abl.: **Brauer** (mhd. *brouwer*); **Brauerei** »Bierherstellung, Brauhaus« (17. Jh.).

braun: Das altgerm. Farbadjektiv mhd., ahd. *brūn,* niederl. *bruin,* engl. *brown,* schwed. *brun* beruht auf einer Bildung zu der idg. Wurzel **bher-* »(weiß, rötlich, braun) schimmern[d], leuchten[d], glänzen[d]«, vgl. griech. *phrýnē* »Kröte«, eigentlich »die Braune«. Zu dieser vielfach weitergebildeten und erweiterten idg. Wurzel gehören ferner die Tiernamen ↑Bär (eigentlich »der Braune«) und ↑Biber (eigentlich »der Braune«), der Baumname ↑Birke (nach der leuchtend weißen Rinde), der Fischname ↑Brachse[n], Brasse[n] (nach den glänzenden Schuppen), der Personenname Bruno und das unter ↑Braue (eigentlich »das Zwinkernde, Blinzelnde«) behandelte Wort. Das altgerm. Adjektiv wurde früh ins Roman. entlehnt, vgl. frz. *brun,* it., span. *bruno* (↑brünett).

brausen: Das auf das dt. und niederl. Sprachgebiet beschränkte Verb mhd. *brūsen,* niederl. *bruisen* ist entweder lautnachahmenden Ursprungs oder gehört zu der Wortgruppe von ↑brauen. Abl.: **Braus** nur noch in der Wendung ›in Saus und Braus (= verschwenderisch) leben‹ (mhd. *brūs* »Lärm«; vgl. niederl. *bruis* »Schaum; Gischt«; vgl. ›Saus‹ unter *sausen*); **Brause** »Wasserverteiler der Gießkanne, Dusche« (im 18. Jh. aus niederd. *bruse* übernommen; in der Bedeutung »Limonade« aus ›Brauselimonade‹ gekürzt [20. Jh.]).

Braut: Das gemeingerm. Wort mhd., ahd. *brūt,* got. *brūþs* (»Schwiegertochter«), engl. *bride,* schwed. *brud* ist dunklen Ursprungs. Im Dt. wurde es seit dem 16. Jh. auch im Sinne von »Verlobte« gebräuchlich und verdrängte mhd. *gemahel* aus dieser Bedeutung (↑Gemahl). Ugs. wird es auch im Sinne von »Freundin, Mädchen« verwendet. – Abl.: **bräutlich** (mhd. *brūtlich,* ahd. *brūtlīh*). Die zahlreichen Zusammensetzungen beziehen sich vor allem auf die Vermählung (Brautmesse, -kranz, -schleier, -stuhl, -bett, -nacht usw.), dann auch auf die Verlobungszeit (Brautschau, -stand, -zeit).

Bräutigam: Die altgerm. Zusammensetzung mhd. *briutegome,* ahd. *brūtigomo,* niederl. *bruidegom,* aengl. *brȳdguma* (engl. *bridegroom* nach *groom*

»Jüngling«), schwed. *brudgum* enthält als ersten Bestandteil das unter ↑Braut behandelte Wort, der zweite Bestandteil ist das im Nhd. untergegangene gemeingerm. Wort für »Mann«: mhd. *gome*, ahd. *gomo* (verwandt z. B. mit lat. *homo* »Mann, Mensch«; ↑Humus). ›Bräutigam‹ bezeichnet heute den Verlobten am Hochzeitstag und in der Zeit davor.

brav »wacker, tüchtig; ordentlich, artig«: Das Adjektiv wurde Anfang des 16. Jh.s aus gleichbed. frz. *brave* entlehnt, das seinerseits aus it. *bravo* (= span. *bravo*) »wacker, unbändig, wild« stammt (s. auch *bravo!*, *Bravour*, *bravourös*). Das it. Wort geht auf vlat. **brabus* (lat. *barbarus*) »fremd; ungesittet« zurück. Über weitere Zusammenhänge vgl. *Barbar*.

bravo! »trefflich!«, bravissimo! »ausgezeichnet!«: Das unter ↑brav genannte Adjektiv it. *bravo* wurde – wie auch das superlativische *bravissimo* – in der it. Oper zum stürmischen Beifallsruf der Zuschauer an die gefeierten Sänger. Von daher in die Allgemeinsprache übernommen, gelangten die beiden Wörter im 18. Jh. zu uns.

Bravour »Schneid« (besonders auch in Zusammensetzungen wie ›Bravourstück‹ »Glanzleistung«): Das Fremdwort wurde im späten 18. Jh. aus gleichbed. frz. *bravoure* entlehnt, das seinerseits aus it. *bravura* »Tüchtigkeit, Tapferkeit« übernommen ist. Über das zugrunde liegende Adjektiv it. *bravo* vgl. den Artikel *brav*. – Abl.: **bravourös** »schneidig, meisterhaft« (Anfang 20. Jh.).

brechen: Das altgerm. starke Verb mhd. *brechen*, ahd. *brehhan*, got. *brikan*, niederl. *breken*, engl. *to break* gehört mit verwandten Wörtern in anderen idg. Sprachen zu der idg. Wurzel **bhreǵ-* »brechen, krachen«, vgl. z. B. lat. *frangere* »[zer]brechen« (s. die Fremdwortgruppe um *Fragment*). Um das Verb ›brechen‹ gruppieren sich die ablautenden Substantive ↑[1]Bruch, ↑Brocken und ↑Brache und wahrscheinlich das unter ↑prägen behandelte Verb. Aus einem im Hochd. untergegangenen ablautenden Verb stammt ↑Pracht. Schließlich gehört als alte Entlehnung ins Roman. auch das Fremdwort ↑Bresche hierher. – Das starke Verb war ursprünglich transitiv, wurde dann auch intransitiv gebräuchlich und erscheint in bekannten Redensarten, wie z. B. ›eine Lanze für jemanden brechen‹ (eigentlich beim Turnier), ›Streit (eigentlich eine Latte) vom Zaun brechen‹, ›etwas (voreilig, ohne Sorgfalt) übers Knie brechen‹. Vom Magen wird ›[sich er]brechen‹ seit dem 14. Jh. gesagt. Vgl. auch den Artikel *radebrechen*. – Abl.: **Brecher** »Sturzsee« (19. Jh.; Lehnübersetzung von engl. *breaker*, älter ist niederd. *bräcker*). – Zusammensetzungen und Präfixbildungen: **aufbrechen** (mhd. *ūfbrechen;* die Bed. »sich erheben, fortgehen« meint eigentlich »das Lager aufbrechen«, ähnlich wie das bildliche ›seine Zelte abbrechen‹), dazu **Aufbruch** (mhd. *ūfbruch*); **ausbrechen** (mhd. *ūzbrechen*, ahd. *ūzbrehhan*); **einbrechen** (mhd. *īnbrechen*, ahd. *īnbrehhan*), dazu **Einbrecher** (16. Jh.) und **Einbruch** (mhd. *īnbruch* »Eingriff, Eindringen, Einbruch«); **Gebrechen** »[körperlicher] Mangel« (mhd. *gebrechen* für älteres *gebreche*); **gebrechlich** »hinfällig« (mhd. *gebrechlich*); **verbrechen** (mhd. *verbrechen*, ahd. *farbrechan*, eigentlich wie ›zerbrechen‹ ein verstärktes ›brechen‹ mit der Bed. »zerstören, vernichten«; in der Rechtssprache wurde es vom Brechen des Friedens, eines Eides oder Gesetzes gebraucht, seit dem 18. Jh. nur noch mit allgemeinem Objekt: etwas verbrechen; scherzhafte Übertragungen wie ›ein Gedicht verbrechen‹ sind ganz jung), dazu **Verbrechen** »[schweres] Vergehen« (17. Jh.), **Verbrecher** (mhd. *verbrecher;* beide Wörter wurden früher auch bei leichten Übertretungen gebraucht), **verbrecherisch** (18. Jh.); s. a. ›unverbrüchlich‹ unter [1]*Bruch;* **zerbrechen** (mhd. *zerbrechen*, ahd. *zibrehhan*), dazu **zerbrechlich** (18. Jh.).

Bregen ↑Hirn.

Brei: Das westgerm. Wort mhd. *brī[e]*, ahd. *brīo*, niederl. *brij*, aengl. *brīw* gehört im Sinne von »Sud, Gekochtes« zu der unter ↑Bärme dargestellten idg. Wurzel.

breit: Das gemeingerm. Adjektiv mhd., ahd. *breit*, got. *braiþs*, engl. *broad*, schwed. *bred* ist dunklen Ursprungs. Es bezeichnete ursprünglich ganz allgemein die Ausdehnung (so noch in ›weit und breit‹, bildlich in der Wendung ›die breite Masse‹), dann die Querausdehnung eines Gegenstandes (breite Straße). In den oft zusammengeschriebenen formelhaften Maßbezeichnungen ›eine Handbreit‹, ›einen Fingerbreit‹ u. Ä. stand es früher mit dem Genitiv (z. B. mhd. *eines hāres breit*). Jung sind die ugs. Ausdrücke sich **breit machen** »anmaßend sein«, **breittreten** »wortreich darlegen oder verbreiten«, **breitschlagen** »überreden« (dies wohl aus der Metallverarbeitung). – Abl.: **Breite** (mhd. *breite*, ahd. *breitī*, vgl. got. *braidei;* seit mhd. Zeit auch für »Ackerfläche«; die geographische Bed. »Polhöhe eines Ortes« geht von der Vorstellung der – auf den Karten waagerechten – Breitenkreise aus, die die Erdkugel sozusagen ›der Breite nach‹ teilen); **breiten** »auseinander dehnen« (mhd., ahd. *breiten*, vgl. got. *usbraidjan*), heute meist durch **ausbreiten** und **verbreiten** ersetzt (›verbreitern‹ dagegen ist »breiter machen«), dazu **unterbreiten** »[ein Schriftstück] vorlegen« (19. Jh., aus der österr. Kanzleisprache). Zus.: **Breitseite** (eines Schiffes, danach das zusammengefasste Feuer der Geschütze einer Schiffsseite; 19. Jh.).

Breme ↑[2]Bremse.

[1]Bremse »Hemmvorrichtung«: Die heutige Form geht zurück auf spätmhd. *bremse* »Nasenklemme«, das aus dem Mnd. (mnd. *premese* »Nasenklemme«) entlehnt ist. Das mnd. Wort gehört zu mnd. *prāme* »Zwang, Druck«, *prāmen* »drü-

B

cken«, deren Herkunft ungeklärt ist. ›Bremse‹ bezeichnete zunächst eine Vorrichtung zum Klemmen, speziell die Nasenklemme zur Bändigung störrischer Pferde, seit dem 17. Jh. auch eine Vorrichtung zum Hemmen in Bergwerken und Mühlen. Seit dem 19. Jh. verbindet man mit dem Wort meist den Begriff der Radbremse an Pferde-, Eisenbahn- und Kraftwagen.

²Bremse: Die Bezeichnung für »Stechfliege« wurde im 17. Jh. aus dem Niederd. ins Hochd. übernommen. Niederd. *bremse,* ahd. *brimissa,* niederl. *brems,* schwed. *broms* gehören zu dem im Nhd. untergegangenen starken Verb mhd. *bremen,* ahd. *breman* »brummen« (vgl. *brummen*). Zu diesem Verb gebildet ist auch ahd. *bremo,* mhd. *breme* »Stechfliege«, das oberd. und mitteld. mdal. als **Breme** bewahrt ist. Das Insekt ist also nach dem brummenden Geräusch benannt, das es beim Fliegen verursacht.

brennen: Das gemeingerm. Verb mhd. *brennen,* ahd. *brennan,* mnd. (mit r-Umstellung) *bernen* (↑Bernstein), got. *(in-, ga)brannjan,* engl. *to burn,* schwed. *bränna* ist das Veranlassungswort zu dem im Nhd. untergegangenen starken Verb mhd. *brinnen,* ahd. *brinnan* »brennen, leuchten«, got. *brinnan* »brennen«, aengl. *beornan,* schwed. *brinna* »brennen«. Im Nhd. hat ›brennen‹, um das sich die Präfixbildungen ›entbrennen‹ und ›verbrennen‹ und die Zusammensetzungen ›ab-, an-, auf-, aus-, durch-, einbrennen‹ gruppieren, die Bedeutungen des starken Verbs mit übernommen. Das gemeingerm. starke Verb, zu dem die unter ↑Brand und ↑Brunst behandelten Wörter gebildet sind, gehört zu der unter ↑Bärme dargestellten idg. Wurzel **bher[ə]-* »quellen, [auf]wallen, sieden« und bezeichnet demnach eigentlich das heftige Züngeln der Flammen. Abl.: **brenzeln** (s. d.). – Zus.: **abgebrannt** (16. Jh., »wem das Haus abgebrannt ist«, danach gaunersprachlich und studentisch für »verarmt, ohne Geld«; 2. Partizip von ›abbrennen‹); **durchbrennen** (eigentlich von hindurchdringendem Feuer; in der Bed. »[den Gläubigern] davonlaufen« um 1840 studentisch); **Branntwein** (s. d.); **Brennnessel** (16. Jh., für mhd. *eiternezzel,* eigentlich »Giftnessel«; vgl. den Artikel *Nessel*); **Brennpunkt** (einer optischen Linse; 17. Jh., Lehnübersetzung für lat. *punctum ustionis*).

brenzeln »verbrannt riechen«: Das seit dem 16. Jh. bezeugte Verb ist eine Verkleinerungsbildung zu frühnhd. *brenzen* »verbrannt riechen«, das von dem unter ↑brennen behandelten Verb abgeleitet ist. Abl.: **brenzlig** »angebrannt«, ugs. für »verdächtig, bedenklich« (im 17. Jh. in der Form ›brenzelicht‹).

Bresche: Das seit etwa 1600 bezeugte Substantiv ist eigentlich ein militärisches Fachwort des Festungs- und Belagerungskampfes. Es bezeichnete ursprünglich die aus einer Festungsmauer herausgeschossene Öffnung, als Ersatzwort für frühnhd. *lucke.* Heute wird das Wort vorwiegend übertragen gebraucht im Sinne von »gewaltsam gebrochene Lücke; Durchbruch« (militärisch und allgemein). Beachte dazu die Redewendungen ›eine Bresche schlagen‹ und ›in die Bresche springen‹. Quelle des Wortes ist frz. *brèche* »Bresche«, das seinerseits aus dem Germ. stammt und wohl auf einem zur Sippe von dt. ↑brechen gehörenden afränk. **breka* »Bruch« beruht.

Brett: Das westgerm. Wort mhd., ahd. *bret,* asächs. *bred,* aengl. *bred* gehört im Sinne von »[aus einem Stamm] Geschnittenes« zu der unter ↑bohren behandelten Wortgruppe. Eng verwandt sind ↑¹Bord (dazu Bordell) und ↑²Bord (dazu bordieren, Borte). Eine alte Ableitung ist ↑Pritsche. Das ›schwarze Brett‹ bezeichnete zunächst im Wirtshaus die Schuldtafel, wo ›angekreidet‹ wurde (s. *Kreide*), in den Hochschulen seit dem 17. Jh. dann auch die Anschlagtafel. – Der Plural ›Bretter‹ wird im Sinne von »Skier« gebraucht, vgl. dazu oberd. *Brett[e]l* »Ski«. Abl.: **Brettl** »Kleinkunstbühne« (Ende des 19. Jh.s, wohl nach der Bezeichnung der Bühne als ›Bretter‹); **brettern** (Adj., 15. Jh.).

Brett

ein Brett vor dem Kopf haben
(ugs.) »begriffsstutzig sein«
Die Wendung geht darauf zurück, dass man früher einem störrischen Ochsen bei der Arbeit die Augen mit einem Brett verdeckte.

bei jmdm. einen Stein im Brett haben
(ugs.) »bei jmdm. (große) Sympathien genießen«
Diese Wendung schließt an die Verwendung von ›Brett‹ für »Spielplatte«. Sie geht auf das Tricktrackspiel zurück, bei dem es darauf ankommt, die Spielsteine gut auf dem Brett zu platzieren. Wer einen (guten) Stein im Brett hat, hat Aussichten auf Erfolg.

Brevier »Gebetbuch (katholischer Geistlicher); Sammlung bedeutsamer Buchstellen«: Das Fremdwort wurde im 15. Jh. in der Form *breviere* aus mlat. *breviarium* »kurzes Verzeichnis, Auszug« entlehnt. Über das zugrunde liegende Adjektiv lat. *brevis* »kurz« vgl. das Lehnwort *Brief.*

Brezel: Mhd. *prēzel, prēzile, brēzel,* ahd. *brezzila, brezzitel[la]* gehen wahrscheinlich auf eine Verkleinerungsbildung zu lat. *bracchium* »[Unter]arm« zurück, dessen roman. Folgeform etwa in it. *bracciatello* »Brezel« fassbar wird. Diese Herleitung wird vom Sachlichen her durch die Form der Brezel gestützt, die an verschlungene Arme erinnert. – Lat. *bracchium,* das auch den Fremd- und Lehnwörtern ↑Brachialgewalt und ↑Bratsche zugrunde liegt, ist selbst Lehnwort aus griech. *brachíōn* »[Ober]arm«. Dies ist vielleicht Komparativform von dem mit lat. *brevis* »kurz«

(↑Brief, ↑Brevier usw.) urverwandten Adjektiv griech. *brachýs* »kurz« und bedeutet dann eigentlich »kürzeres Stück (des Armes)«.

Brief: Mit der Buchstabenschrift, die die Germanen durch die Römer kennen lernten – die kulturgeschichtlichen Zusammenhänge sind unter ↑schreiben aufgezeigt –, strömte eine Fülle von fremden Bezeichnungen aus dem Lat. in unseren Sprachbereich. Auch das Lehnwort Brief gehört in diesen Zusammenhang. Mhd., ahd. *brief, briaf* gehen mit entsprechend asächs., afries., aisl. *brēf* zurück auf vlat. *breve (scriptum)* »kurzes (Schreiben), Urkunde«, das für klass.-lat. *breve* – Neutrum von *brevis* »kurz« – steht. Lange Zeit lebte das Wort vorwiegend in der Kanzleisprache und galt dort in der ursprünglichen Bedeutung von »Schreiben, offizielle schriftliche Mitteilung, Urkunde«, wie sie noch heute erhalten ist in den Zusammensetzungen **Schuldbrief, Freibrief, Frachtbrief,** in dem Kompositum **verbriefen** »urkundlich garantieren« und in der Wendung ›Brief und Siegel geben‹. Die heute übliche gemeinsprachliche Bedeutung entwickelte sich in mhd. Zeit, ausgehend von der schon älteren Zusammensetzung **Sendbrief.** Von den zahlreichen mit ›Brief‹ (in moderner Bedeutung) gebildeten Wörtern seien erwähnt: **Briefschaften** (18. Jh.), **Briefkasten** (19. Jh.; aber schon mhd. im Sinne von »Archiv«), **Briefmarke** (19. Jh.), **Brieftaube** (18. Jh.), **Briefträger** (18. Jh.; aber schon im 14. Jh. mit der Bed. »Gerichtsdiener, der amtliche Briefe zustellt«), **Briefwechsel** (17. Jh.). Die Ableitung **brieflich** stammt aus dem 17. Jh. (ohne Verbindung zu ahd. *briaflīh* »schriftlich«). – Über die etymologischen Zusammenhänge von lat. *brevis,* das auch den Fremdwörtern ↑Brevier und ↑Brimborium zugrunde liegt, vgl. das Lehnwort ↑*Brezel.*

Briefing: Das in der 2. Hälfte des 20. Jh.s aus dem Engl. übernommene Wort steht für ein »kurzes Informationsgespräch«. Es geht zurück auf gleichbed. engl. *briefing,* einer von dem Adjektiv *brief* »kurz« abgeleiteten Substantivierung des Verbes *to brief* »unterweisen, unterrichten«. Das Adjektiv *brief* hat sich über das mfrz. *bref* aus lat. *brevis* entwickelt und ist über dieses mit dem deutschen Substantiv ↑Brief verwandt. – Abl.: **briefen** »jmdn. über einen Sachverhalt informieren«.

Bries, Briesel, Brieschen »Brustdrüse (Thymus) des Kalbes; Gericht aus Kalbsbries«: Das erst nhd. bezeugte Wort, mit dem gleichbed. norw. *bris,* dän. *brissel,* schwed. *[kalv]bräss* zu vergleichen sind, ist vermutlich mit ›Brosame‹ (eigentlich »Zerriebenes, Zerbröckeltes«) verwandt und nach dem bröseligen Aussehen benannt. Die markartige, als Kinder- und Krankenkost beliebte Drüse bröselt beim Backen.

Brigade: Die Bezeichnung für »größere Truppenabteilung« wurde im 17. Jh. aus frz. *brigade* entlehnt, das seinerseits aus it. *brigata* »streitbarer [Heer]haufen« stammt. Das zugrunde liegende Substantiv it. *briga* »Streit« ist ohne sichere Deutung. Abl.: **Brigadier** »Befehlshaber einer Brigade« (spätes 17. Jh.).

Brikett: Das Wort für »geformte Presskohle« wurde im 19. Jh. aus gleichbed. frz. *briquette* entlehnt, einer Ableitung von frz. *brique* »Ziegelstein«, dem das Brikett in seiner äußeren Form gleicht. Voraus liegt mniederl. *bricke,* das eigentlich »abgebrochenes Stück« bedeutet und zur Sippe von dt. ↑brechen gehört.

brillant, Brillant, Brillantine, Brillanz ↑brillieren.

Brille: Für die Linsen der ersten um 1300 entwickelten Brillen verwandte man geschliffene Berylle (mhd. *berillus, berille, barille*), nachdem man deren optische Eigenschaft, Gegenstände stark zu vergrößern, erkannt hatte. Danach nannte man zunächst das einzelne Augenglas spätmhd. *b[e]rille.* Aus der gleich lautenden Pluralform wurde dann der Singular zur Bezeichnung der beiden Augengläser zurückgebildet. Der Name wurde auch beibehalten, als man später dazu überging, die Linsen aus Bergkristall bzw. aus dem wesentlich billigeren Glas zu schleifen. – Der Name des meergrünen Halbedelsteins **Beryll,** der wahrscheinlich auch frz. *briller* »glänzen (wie ein Beryll)« zugrunde liegt (↑brillieren), geht vermutlich auf den Namen der südindischen Stadt Bēlūr (früher: Vēlūr) zurück. Er wurde den Europäern durch lat. *beryllus* < griech. *bḗryllos* (< mind. *vēruliya* < *vēḷuriya*) vermittelt.

brillieren »glänzen, sich hervortun«: Das Verb wurde im 18. Jh. aus gleichbed. frz. *briller* entlehnt, das seinerseits aus it. *brillare* übernommen ist. Das it. Wort gehört wahrscheinlich mit einer ursprünglichen Bed. »glänzen wie ein Beryll« zu lat. *beryllus* »Beryll«. Über weitere Zusammenhänge vgl. den Artikel *Brille.* – Aus dem Part. Präs. von frz. *briller* stammt unser **brillant** »glänzend, hervorragend« (18. Jh.), das substantiviert zur Bezeichnung des »geschliffenen Diamanten« (schon im Frz.) wird: **Brillant** (spätes 17. Jh.). Zur gleichen Wortfamilie gehören noch: **Brillanz** »Glanz; Feinheit« (19. Jh.); **Brillantine** »Haarpomade« (Ende 19. Jh.; aus frz. *brillantine* »die [dem Haar] Glanz Verleihende«).

Brimborium »überflüssiges Drumherum; unnötig großer Aufwand«: Das seit dem späten 18. Jh. gebräuchliche Wort ist eine latinisierte Form von frz. *brimborion.* Das frz. Wort – beeinflusst von frz. *bribe, brimbe* »Gesprächsfetzen«, *brimber* »betteln« – geht über mfrz. *breborion* »gemurmeltes Gebet, Zauberformel« auf lat. *breviarium* (↑Brevier) zurück.

bringen: Die Herkunft des altgerm. Verbs mhd. *bringen,* ahd. *bringan,* got. *briggan,* engl. *to bring* ist nicht sicher geklärt. Vielleicht ist es mit der kelt. Sippe von kymr. *he-brwng* »bringen, geleiten, führen« verwandt. Um das einfache Verb gruppieren sich mit reicher Bedeutungsentfal-

B

tung die präfigierten und zusammengesetzten Verben **abbringen** »veranlassen, von etwas abzugehen oder abzulassen«, **anbringen** »anschleppen, herbeibringen; anmontieren, befestigen« (mhd. *anebringen*), **aufbringen** »beschaffen; in Umlauf setzen; erzürnen; ein Schiff stoppen und kontrollieren« (mhd. *ūfbringen*), **beibringen** »herbeischaffen, vorlegen; lehren, übermitteln; von etwas unterrichten«, **durchbringen** »durchsetzen; am Leben erhalten, ernähren; vergeuden«, **umbringen** »töten« (mhd. *umbebringen* »abwenden; verderben lassen, ums Leben bringen«), **verbringen** »Zeit auf etwas verwenden; verweilen, sich aufhalten« (mhd. *verbringen*), **vorbringen** »vortragen; von sich geben« und **zubringen** »verbringen« (mhd. *zuobringen*). – Abl.: **Mitbringsel** »kleines Reisegeschenk« (19. Jh.; zu ›mitbringen‹).

brisant »hochexplosiv; Zündstoff für eine Diskussion enthaltend, äußerst aktuell«: Das Adjektiv wurde im späten 19. Jh. aus gleichbed. frz. *brisant*, dem Part. Präs. von *briser* »zerbrechen, zertrümmern« (aus vlat. *brisare* »zerquetschen«, das seinerseits gall. Ursprungs ist).

Brise: Der Ausdruck für »Fahrwind, Lüftchen« wurde im 18. Jh. als Seemannswort aus frz. *brise* entlehnt, einem in allen roman. und german. Sprachen verbreiteten Wort, dessen Ursprung dunkel ist.

Brocken: Das auf das dt. und niederl. Sprachgebiet beschränkte Substantiv (mhd. *brocke*, ahd. *brocc[h]o*, niederl. *brok*) ist eine Bildung zu dem unter ↑brechen behandelten Verb und bedeutet eigentlich »Abgebrochenes«.

brodeln »aufwallen, sieden«: Das nur im Dt. bezeugte Verb (spätmhd. *brodelen*) ist abgeleitet von mhd., ahd. *brod* »Brühe« (vgl. engl. *broth* »Suppe, Brühe« und aisl. *brođ* »Brühe«). Verwandt sind die unter ↑brauen und ↑Brot behandelten Wörter; s. auch den Artikel *brutzeln*. Eine andere Bed. »aufwühlen« zeigt ›brodeln‹ in der Ableitung ›Aschenbrödel‹ (↑Asche).

Broiler: Das vor allem in Ostdeutschland verwendete Wort für »Hähnchen zum Grillen« ist eine Entlehnung aus gleichbed. engl. *broiler*, einer Ableitung des Verbs *to broil* »braten«. Möglicherweise sind Wort und Sache von Bulgarien aus nach Ostdeutschland gelangt.

Brokat: Die Bezeichnung für »mit Gold- oder Silberfäden durchwirktes Seidengewebe« wurde am Ende des 16. Jh.s aus gleichbed. it. *broccato* entlehnt. Das zugrunde liegende Verb it. *broccare* »durchwirken« (eigentlich »hervorstechen machen«) gehört zu dem unter ↑Brosche genannten galloroman. **brocca* »Dorn, Spitze«.

Broker: Die Berufsbezeichnung für den Wertpapierhändler findet sich im Dt. seit der 2. Hälfte des 20. Jh.s belegt. Sie stammt aus dem gleichbed. engl. Substantiv *broker*. Dieses geht zurück auf anglonorm. *brocour, broggour* und bedeutete eigentlich »Weinhändler«.

Brom: Das im 19. Jh. von dem frz. Chemiker Balard entdeckte Element wurde seines scharfen, erstickenden Geruchs wegen nach griech. *brō̃mos* (> lat. *bromus*) »Gestank« benannt.

Brombeere: Mhd. *brāmber*, ahd. *brāmberi* ist zusammengesetzt aus einem im Nhd. untergegangenen Substantiv mhd. *brāme*, ahd. *brāma* »Dornstrauch« und dem Substantiv ↑Beere. Der erste Teil der Zusammensetzung ist noch lebendig in niederd. mdal. *Bram* »[Besen]ginster«, ihm entsprechen niederl. *braam* »Brombeere«, engl. *broom* »Ginster, Besen«. Das Wort bezeichnete ursprünglich wohl den Stechginster.

Bronchien: Die medizinische Bezeichnung der Luftröhrenäste ist aus gleichbed. lat. *bronchia* (< griech. *brógchia*) entlehnt. Zugrunde liegt das etymologisch nicht sicher gedeutete Substantiv griech. *brógchos* »Luftröhre, Kehle«. Dazu gehören als gelehrte Neubildungen das Adjektiv **bronchial** »die Bronchien betreffend« – bekannt vor allem durch die Zusammensetzung **Bronchialkatarrh** – und das Substantiv **Bronchitis** »Luftröhrenkatarrh«.

Bronnen ↑Brunnen.

Bronze: Die Bezeichnung für »Legierung aus Kupfer und Zinn von gelblich brauner Farbe« wurde im 17. Jh. in der Form *Bronzo* aus gleichbed. it. *bronzo* entlehnt, später über entsprechend frz. *bronze* neu entlehnt. Die Vorgeschichte des roman. Wortes ist dunkel.

Brosche: Das Wort für »Anstecknadel« wurde im 19. Jh. aus frz. *broche* »Spieß, Nadel« entlehnt. Voraus liegt galloroman. **brocca* »Spitze« – wozu auch it. *broccare* »durchwirken« in ↑Brokat gehört. Das Wort ist gall. Ursprungs (gall. **brokkos* »Spitze«). – Dazu gehören noch: **broschieren** »durch Rückstich heften, in Papier binden« (18. Jh.; aus frz. *brocher* »aufspießen; durchstechen«); **broschiert** »geheftet, gebunden«; **Broschur** »Tätigkeit des Broschierens«, auch »Broschüre« (20. Jh.); **Broschüre** »broschiertes Schriftwerk (geringeren Umfangs)« (18. Jh.; aus gleichbed. frz. *brochure*).

Brot: Das altgerm. Wort mhd. *brōt*, ahd. *prōt*, niederl. *brood*, engl. *bread*, schwed. *bröd* bezeichnete zunächst nur die durch ein Treibmittel (Sauerteig, Hefe) aufgelockerte Form des Nahrungsmittels »Brot«, wie sie in Europa seit der Eisenzeit bekannt ist. Germ. **brauđa-* »Brot« gehört zu der unter ↑brauen behandelten idg. Wortgruppe und ist eng verwandt mit ahd. *brod* »Brühe« und engl. *broth* »Brühe« (↑brodeln). Es bedeutet demnach eigentlich »Gegorenes« und bezog sich ursprünglich wohl auf den durch die warme Sauerteiggärung getriebenen Teig. Schon im Ahd. wurde aber die Bezeichnung ›Brot‹ auch auf die ältere (bereits jungsteinzeitliche) Form der Brotnahrung übertragen, auf den festen Fladen aus ungesäuertem Teig. Für ihn hatte ursprünglich das unter ↑Laib behandelte gemeingerm. Wort gegolten, das nun von ›Brot‹ zurückgedrängt wurde. In weiterem Sinne bedeutet ›Brot‹ überhaupt »Nahrung, Lebensunterhalt« (beachte Wendungen wie ›sein Brot verdienen‹, ›das Gnadenbrot essen‹ und das Adjektiv **brotlos** »ohne Lebensunterhalt; nichts einbringend« [18. Jh.]).

Browser: Das Fremdwort mit der Bedeutung »Software zum Verwalten, Finden und Ansehen von Dateien« ist eine seit der 2. Hälfte des 20. Jh.s belegte Entlehnung aus gleichbed. engl. *browser,* einer Ableitung des Verbs *to browse* »(in etw.) blättern, sich umsehen«. – Abl.: **browsen** »in Datenbanken nach etw. suchen«.

[1]**Bruch:** Das Substantiv mhd. *bruch,* ahd. *bruh* ist zu dem unter ↑brechen behandelten Verb gebildet und bezeichnete ursprünglich den Vorgang des Brechens, dann auch das Ergebnis und weiterhin den Ort, wo etwas gebrochen wird, beachte die Zusammensetzung **Steinbruch** (15. Jh.). Neben zahlreichen Zusammensetzungen wie ›Deich-, Stimm-, Friedensbruch‹ stehen Bildungen aus zusammengesetzten Verben wie ›Ab-, Aus-, Zusammenbruch‹. Auf Risse im Gewebe bezieht sich ›Bruch‹ in ›Leisten-, Nabelbruch‹, auf das Brechen von Knochen in ›Bein-, Armbruch‹ usw. (nach lat. *fractura*). Als mathematischer Begriff ist ›Bruch‹ Lehnübertragung nach lat. *numerus fractus* »gebrochene Zahl« (16. Jh.). – Abl.: **brüchig** (mhd. *brüchic*); **unverbrüchlich** (das Rechtswort mhd. *unverbrüchelīchen, unverbruchlich* gehört zu dem erst in nhd. Zeit bezeugten, heute veralteten Substantiv Verbruch [zu ›verbrechen‹, ↑brechen] und bedeutet »was nicht gebrochen werden kann«).

[2]**Bruch** »Sumpfland«: Mhd. *bruoch,* ahd. *bruoh* »Sumpfland, Moor«, niederl. *broek* »Moorboden, nasses Uferland«, engl. *brook* »Bach« sind dunklen Ursprungs. Das westgerm. Wort steckt in zahlreichen Ortsnamen, beachte z. B. Bruchsal, Brüssel, Grevenbroich.

[3]**Bruch** ↑Hose.

Bruch

in die Brüche gehen
»entzweigehen, in Trümmer gehen; zunichte werden«
Die Wendung bezog sich ursprünglich wahrscheinlich auf das Rechnen und meinte, dass eine Rechnung in die Bruchzahlen geht, also nicht glatt aufgeht. Die Bedeutungen »zunichte werden; entzweigehen« können sich dann unter dem Einfluss von Bruch im Sinne von »Zerbrechen; Zerbrochenes« entwickelt haben.

Brücke: Die älteste Form der Brücke in germ. Zeit war der Knüppeldamm oder Bohlenweg in sumpfigem Gelände. Die Flüsse wurden in Furten oder auf Fährbooten überquert, kleinere Gewässer auch auf bohlenbelegten Stegen. So sind mhd. *brücke, brucke,* ahd. *brucca,* niederl. *brug,* engl. *bridge,* schwed. *brygga* nahe mit ↑Prügel »Holzscheit, Knüppel« verwandt und gehören zu einer idg. Wurzel **bhrēu-*, **bhrū-* »Balken, Knüppel«. Zu dieser Wurzel gehört auch die nord. Sippe von schwed. *bro* »Brücke« und außergerm. z. B. gall. *brīva* »Brücke«. Kunstvolle Holzbrücken, ähnlich den heutigen Pionierbauten, waren die römischen Militärbrücken. Auf die Bauweise deuten Wendungen wie ›eine Brücke schlagen bzw. abbrechen‹. Auch die steinerne Bogenbrücke brachten erst die Römer nach Deutschland. Bekannte Ortsnamen sind z. B. Brügge, Innsbruck, Zweibrücken. – Abl.: **überbrücken** (16. Jh.). Zus.: **Brückenkopf** »militärisch gesicherte Stellung vor einer Flussbrücke« (nhd., entsprechend frz. *tête de pont*).

Brücke

jmdm. eine goldene Brücke bauen
»jmdm. das Eingeständnis seiner Schuld, das Nachgeben erleichtern«
Die Wendung geht auf eine alte Kriegsregel zurück, die besagt, dass man einen abziehenden oder flüchtenden Feind nicht in Kämpfe verwickeln soll, sondern ihm – wenn nötig – sogar Brücken baut, um seine Flucht zu erleichtern. Das sekundär hinzugefügte Adjektiv ›golden‹ unterstreicht diese Regel nur.

Bruder: Die gemeingerm. Verwandtschaftsbezeichnung mhd., ahd. *bruoder,* got. *brōþar,* engl. *brother,* schwed. *bro[de]r* beruht mit Entsprechungen in anderen idg. Sprachen auf idg. **bhrā́ter-* »Bruder, Blutsverwandter«, vgl. z. B. griech. (ionisch) *phrḗtēr* »Bruder«, lat. *frater* (beachte das Fremdwort fraternisieren »sich verbrüdern«) und russ. *brat* »Bruder«. – Abl.: **brüderlich** (mhd. *bruoderlich,* ahd. *bruodarlīh*); **Bruderschaft** »religiöse Vereinigung« (mhd. *bruoderschaft,* ahd. *bruodarscaf*); erst nhd. ist **Brüderschaft** »brüderliches Verhältnis (z. B. in ›Brüderschaft trinken‹)«; **Gebrüder** »Gruppe leiblicher Brüder« (mhd. *gebruoder, gebrüeder,* ahd. *gibruoder*); **verbrüdern,** sich (17. Jh.; mhd. dafür *sich gebruodern*).

brühen: Das nur im Dt. und Niederl. bezeugte Verb (mhd. *brüen, brüejen* »brühen, sengen, brennen«, niederl. *broeien* »brühen«) gehört wie ↑braten zu der unter ↑Bärme dargestellten Wortgruppe. Zu ›brühen‹ in der allgemeinen Bedeutung »erwärmen« stellt sich das Substantiv ↑Brut. Beachte **abgebrüht** ugs. für »unempfindlich, teilnahmslos« (19. Jh.; übertragen gebrauchtes 2. Part. von ›abbrühen‹ »zur Reinigung mit heißer Flüssigkeit übergießen«) und die Präfixbildung **verbrühen** »mit heißem Wasser verbrennen« (mhd. *verbrüejen*).

brummen: Das Verb mhd., spätahd. *brummen* steht im Ablaut zu mhd., mnd. *brimmen* »brum-

B

men, brüllen« und mnd. *brammen* »brummen, schreien, klagen«, vgl. außerhalb des Dt. z. B. niederl. *brommen* »brummen, summen, surren« und schwed. *brumma* »brummen, murren«. Diese Verben sind lautnachahmenden Ursprungs und elementarverwandt mit mhd. *bremen,* ahd. *breman* »brummen, brüllen« (↑[2]Bremse), aengl. *breman* »brüllen« und weiterhin z. B. mit lat. *fremere* »brummen, brüllen, tosen«. In der ugs. Bedeutung »im Gefängnis sitzen« (19. Jh.) war ›brummen‹ zuerst gaunersprachlich und studentisch. – Zus.: **aufbrummen** ugs. für »[eine Strafe] auferlegen« (19. Jh.).

brünett »bräunlich, von brauner Haarfarbe, von dunklem Teint«: Das seit der Mitte des 17. Jh.s bezeugte Farbadjektiv ist aus gleichbed. frz. *brunet (-ette)* entlehnt. Dies gehört zu frz. *brun* »braun«, das selbst aus dem Germ. stammt (vgl. *braun*). – Abl.: **Brünette** »Frau von brauner Haarfarbe bzw. von dunklem Teint« (17. Jh.; aus gleichbed. frz. *brunette*).

Brunft: Der weidmännische Ausdruck für »Paarung[szeit] des Schalenwildes« (mhd. *brunft*) ist eine Bildung zu dem im Nhd. untergegangenen starken Verb mhd. *bremen,* ahd. *breman* »brummen, brüllen« (vgl. *brummen*). Das Wort bezeichnete demnach ursprünglich das Brüllen der Hirsche in der Paarungszeit.

Brünne ↑Brust.

Brunnen: Das gemeingerm. Wort mhd. *brunne,* ahd. *brunno,* mnd. *born* (mit r-Umstellung, s. unten ›Born‹), got. *brunna,* aengl. *brunna,* schwed. *brunn* ist eng verwandt mit der Wortgruppe von ↑brennen und gehört mit dieser zu der unter ↑Bärme dargestellten idg. Wurzel **bher[ə]-* »aufwallen, sieden«, vgl. z. B. aus anderen idg. Sprachen griech. *phréar* »Brunnen«. Eine Bedeutungsparallele ist mhd. *sōt* »Brunnen« zu ›sieden‹. Das auslautende n der heutigen Nominativform ist von den ehemals schwachen obliquen Fällen herübergenommen. Eine Form mit Umstellung des r hat sich in **Born** erhalten. **Bronn[en]** (mit nhd. *o* statt mhd. *u* vor nn) wird seit dem 18. Jh. in dichterischer Sprache gebraucht.

Brunst: Mhd., ahd. *brunst* »Brand, Glut«, got. *(ala)brunsts* »Brandopfer«, mniederl. *bronst* »Glut« gehören zu dem im Nhd. untergegangenen gemeingerm. Verb mhd. *brinnen,* ahd. *brinnan* »brennen« (vgl. *brennen*). Die alte Bedeutung lebt noch in **Feuersbrunst** (17. Jh.). Seit mhd. Zeit wird das Wort übertragen auf geistige und sinnliche Erregung, besonders auch auf die Paarungszeit der Tiere. Abl.: **brünstig** »entbrannt« (schon mhd. *brünstec* gilt nur übertragen). Zus.: **Inbrunst** (mhd. *inbrunst* war in der Mystik die »innere Glut« des Menschen vor Gott), dazu **inbrünstig** (mhd. *inbrünstec* »heiß verlangend«).

brüsk »barsch, rücksichtslos«: Das Adjektiv wurde im 18. Jh. aus gleichbed. frz. *brusque* entlehnt, das auf it. *brusco* »stachlig, rau« (im konkreten Sinne) zurückgeht. Abl.: **brüskieren** »vor den Kopf stoßen« (18. Jh.; aus frz. *brusquer*).

Brust: Mhd., ahd. *brust,* got. *brusts* (Plural), mit r-Umstellung niederl. *borst* stehen im Ablaut zu gleichbed. engl. *breast,* schwed. *bröst.* Diese germ. Wörter sind eng verwandt mit mhd. *briustern* »aufschwellen«, asächs. *brustian* »knospen« und bezeichneten demnach ursprünglich die beiden weiblichen Brüste (als Schwellungen). Die gesamte germ. Wortgruppe gehört zu der Wurzelform **bhreus-* »schwellen, sprießen«, vgl. aus anderen idg. Sprachen z. B. russ. *brjucho* »Unterleib, Wanst« und air. *brū* »Bauch«, *bruinne* »Brust«; aus dem Kelt. stammt die Bezeichnung des Brustpanzers: **Brünne** (mhd. *brünne,* ahd. *brunna, brunia,* got. *brunjo,* aisl. *brynja*).

Brut: Das westgerm. Wort mhd. *bruot,* mnd. *brōt,* niederl. *broed,* engl. *brood* ist eine Bildung zu dem unter ↑brühen behandelten Verb in dessen älterer allgemeiner Bedeutung »erwärmen«. Zur Bildung beachte z. B. das Verhältnis von ›Glut‹ zu ›glühen‹ und ›Naht‹ zu ›nähen‹. Das Wort bezeichnete zunächst das Beleben durch Wärme, dann auch die ausgebrüteten Wesen selbst und wurde von Anfang an auf Vögel angewandt, dann auch auf die aus Eiern schlüpfenden Jungen anderer Tiere (vgl. z. B. ›Schlangenbrut‹).

brutal »roh, gewalttätig«: Das Adjektiv wurde im späten 16. Jh. aus spätlat. *brutalis* »tierisch; unvernünftig« entlehnt. Das zugrunde liegende Adjektiv lat. *brutus* »schwerfällig; roh«, das mit einer vlat. Nebenform **bruttus* auch in it. *brutto* »roh« (↑brutto) erscheint, ist ursprünglich wohl ein oskisches Dialektwort. Es ist mit lat. *gravis* »schwer« verwandt (vgl. *gravitätisch*).

brutto: Der Ausdruck für »ohne Abzug (vom Rohpreis, Rohgewicht usw.)« wurde im 16. Jh. als Kaufmannswort aus it. *brutto* »roh« entlehnt. Es bezeichnete zunächst nur das rohe Gesamtgewicht einer Ware mit Verpackung, im Gegensatz zu ↑netto. Später wurde das Wort auch auf andere Zusammenhänge übertragen. It. *brutto* stammt aus vlat. **bruttus* (lat. *brutus*) »schwer[fällig], roh« (vgl. *brutal*). Als Bestimmungswort erscheint ›brutto‹ häufig in Zusammensetzungen wie **Bruttolohn, Bruttoregistertonne.**

brutzeln, brotzeln (ugs. für:) »mit leisem Geräusch braten«: Das seit dem 16. Jh. bezeugte Verb ist eine Intensivbildung zu ↑brodeln.

Bube »gemeiner, verächtlicher Mensch«: Mhd. *buobe* »Knabe, Diener; zuchtloser Mensch«, dem mnd. *bōve* »gewalttätiger Mensch, Spitzbube, Räuber« und niederl. *boef* »Schelm, [Spitz]bube« entsprechen, stammt wahrscheinlich aus der Lallsprache der Kinder wie z. B. auch engl. *baby* »Säugling, Kleinkind« und schwed. mdal. *babbe* »kleiner Junge« (s. auch den Artikel *Buhle*). Die heutige abwertende schriftsprachliche Bedeutung ist besonders durch die ›bösen Buben‹ der lutherschen Bibel gefestigt worden. Dagegen bewahrt die gekürzte oberd. Form **Bub** südd., schweiz., österr. für »Junge, Knabe« noch die ursprüngliche Bedeutung, beachte die Bedeutungsparallele aengl. *cnafa* »Knabe« – engl. *knave* »Schurke«. Abl.: **Büberei** »gemeine, verächtliche Tat« (mhd. *buoberīe*); **bübisch** »gemein, verächtlich, schurkisch« (spätmhd. *büebisch*); **Bubi** (oberd. Koseform, meist als Name), dazu **Bubikopf** »kurze weibliche Haartracht« (20. Jh.). Zus.: **Lausbub** scherzhaft für »ungezogener Junge« (oberd., besonders seit Ludwig Thoma bekannt); **Spitzbube** (im 16. Jh. für »Falschspieler«, zu ↑spitz in seiner früheren Bed. »überklug, scharfsinnig«; heute meist scherzhaft), dazu **Spitzbüberei, spitzbübisch** (16. Jh.).

Buch: Mhd. *buoch*, ahd. *buoh* ist erst in der Bedeutung »geschriebenes Pergamentbuch« zum neutralen Singular geworden; älter ist der Plural ahd. *buoh*, got. *bōkōs* »Schrift, Buch« (Plural zu *bōka* »Buchstabe«), aengl. *bēc*, aisl. *bœkr*. Das Wort bedeutete ursprünglich wohl »[Runen]zeichen; Buchstabe«, dann – vermutlich nach dem Vorbild von lat. *littera* »Buchstabe; Schriftstück« (vgl. *Literatur*) – auch »Schriftstück«. Mit ›Buch‹ sind im germ. Sprachbereich niederl. *boek* »Buch«, engl. *book* »Buch«, schwed. *bok* »Buch« verwandt. In der weiteren Entwicklung bezeichnete ›Buch‹ alle Arten gehefteter oder gebundener Papierlagen (auch ein Papiermaß von 24–25 Bogen), heute besonders das gedruckte Buch, aber auch Schreibbücher (z. B. Tage-, Haupt-, Kirchenbuch). – Abl.: **[1]buchen** kaufmännisch für »in ein Rechnungsbuch eintragen« (18. Jh., wohl nach engl. *to book*, niederl. *boeken;* dazu als neue Lehnbedeutung aus dem Engl. »einen Schiffs- oder Flugzeugplatz bestellen«); **Bücherei** (17. Jh., Lehnübersetzung aus niederl. *boekerij*, das selbst für älteres *Liberey* aus lat. *libraria* eingetreten war). Zus.: **Bücherwurm** (eigentlich eine in Büchern lebende Larve, seit dem 17. Jh. scherzhaft auf den versponnenen Gelehrten übertragen); **Buchhalter** »kaufmännischer Rechnungsführer« (im 16. Jh. zusammengebildet aus der Wendung ›die Bücher halten‹, die seit dem 15. Jh. das it. *tenere i libri* übersetzt); **Buchmacher** »Vermittler von Rennwetten« (2. Hälfte des 19. Jh.s; Lehnübersetzung nach engl. *bookmaker*); **Buchstabe** (s. d.).

Buch

sein, wie jmd., wie etw. im Buche steht
(ugs.) »ganz typisch sein«
Die Wendung meint, dass etwas so ist, wie es in einem Buch, in einem Roman als typisch dargestellt wird. Die Annahme, dass ›Buch‹ hier für das ›Buch der Bücher‹, die Bibel, steht und dass sich die Wendung auf den Psalm 40, 8 (›Siehe, ich komme; im Buche steht von mir geschrieben‹ [David]) bezieht, lässt sich nicht beweisen.

Buche: Die germ. Bezeichnungen für die [Rot]buche mhd. *buoche*, ahd. *buohha*, aengl. *bōc* (daneben *bēce*, engl. *beech*), schwed. *bok* sind z. B. verwandt mit lat. *fagus* »Buche«, griech. *phēgós* »Eiche« und russ. *boz*, ablautend *buzina* »Holunder«. Allen diesen Wörtern liegt idg. **bhā[u]g-s* »Buche« zugrunde. Da die Buche ursprünglich nur in einem bestimmten Gebiet wuchs, wurde das idg. Wort in Ländern, in denen die Buche nicht heimisch war, als Bezeichnung für andere Bäume verwendet. Abl.: **[2]buchen** »aus Buchenholz« (mhd. *buochīn*, ahd. *buohhīn*). Zus.: **Buchecker** »Buchenfrucht« (im 15. Jh. niederd. und mitteld., s. *Ecker*); **Buchfink** (spätmhd. *buochvinke*); **Buchweizen** (s. d.).

Buchs: Der Name der strauch- oder baumartigen Zierpflanze (mhd. *buhs*, ahd. *buhsboum*) geht auf lat. *buxus* zurück, das früh auch in anderen germ. Sprachen (z. B. engl. *box* »Buchs«) und im Roman. (it. *bosso*, frz. *buis*) erscheint. Das Wort stammt wie griech. *pýxos* (oder durch dieses vermittelt) aus einer unbekannten Mittelmeersprache. Das Holz des Buchsbaumes war schon im Altertum sehr geschätzt und wurde besonders zur Herstellung von (oft walzenförmig gedrehten) Dosen und Kästchen verwendet.

Büchse: Das Wort (mhd. *bühse*, ahd. *buhsa* »Dose, Büchse«) wurde in vorahd. Zeit zuerst in der Bedeutung »Arzneibüchse« mit anderen Wörtern der Heilkunst wie ↑Arzt und ↑Pflaster aus vlat. *buxis* (< lat. *pyxis*) »Dose aus Buchsbaumholz« entlehnt (vgl. *Buchs*). Da die Form solcher Büchsen ursprünglich zylindrisch war, bezeichnete das Wort auch zylindrische Rohre. Davon zeugt auch die Verwendung von ›Büchse‹ im Sinne von »[Hand]feuerwaffe« (nach dem zylinderförmigen Rohr oder Lauf). Ähnliches gilt von dem jungen, im Anfang des 20. Jh.s aufkommenden Substantiv **Buchse** »Hohlzylinder zur Aufnahme eines Zapfens; Steckdose«, einer in oberd. Mundarten üblichen, nicht umgelauteten Form von ›Büchse‹.

Buchstabe: Die altgerm. Zusammensetzung mhd. *buochstap, -stabe*, ahd. *buohstap*, niederl. *boekstaaf*, aengl. *bōcstæf*, schwed. *bokstav* bezeichnete ursprünglich wohl einen »Stab mit [Runen]zeichen« (vgl. *Buch*) und wurde dann erst auf den Baumnamen ›Buche‹ bezogen und als »Stab aus Buchenholz« verstanden. Der zweite Bestandteil ist identisch mit dem unter ↑Stab behandelten Substantiv.

Bucht: Das im 17. Jh. aus dem Niederd. in die hochd. Schriftsprache übernommene Wort geht zurück auf mnd. *bucht* »Biegung, Krümmung«, vgl. niederl. *bocht* »Biegung, Krümmung, Bucht«, engl. *bight* »Bucht«, aisl. *bōt* »Bucht, kleiner Meerbusen«. Das Substantiv ist eine Bildung zu dem unter ↑biegen behandelten Verb. Mnd. *bucht*, mniederl. *bocht* bedeutet auch »Einfriedung (Pferch, Verschlag) für Tiere« (noch nordd. in ›Schweine-,

B

Kälberbucht‹), wobei wohl der Begriff »Winkel« zugrunde liegt. – Abl.: **ausbuchten** »bogenförmig ausschneiden« (19. Jh.), dazu **Ausbuchtung; einbuchten** (19. Jh., wie ausbuchten; ugs. auch für »einsperren«, zu ›Bucht‹ »Verschlag«).

Buchweizen: Die seit dem 15. Jh. angebaute Nutzpflanze heißt mnd. *bōkwēite,* mniederl. *boecweit* (daraus entlehnt engl. *buckwheat*), im 16. Jh. nhd. *Buchweiß.* Sie ist nach der Bucheckernform der Früchte und dem weizenartigen Geschmack benannt.

Buckel: Das Substantiv geht zurück auf mhd. *buckel,* das den halbrund erhabenen Metallbeschlag in der Mitte des Schildes bezeichnete und aus gleichbed. afrz. *bo[u]cle* entlehnt ist. Das vorausliegende lat. *buccula* »Bäckchen« ist eine Verkleinerungsbildung zu *bucca* »aufgeblasene Backe«, das zu der unter ↑Beule behandelten idg. Wurzel gehört. Erst im 15. Jh. wird ›Buckel‹ auf den menschlichen Höcker übertragen, seit dem 16. Jh. gilt es ugs. für »Rücken«.

bücken: Das seit mhd. Zeit bezeugte Verb (mhd. *bücken*) ist eine Intensivbildung zu dem unter ↑biegen behandelten Verb, vgl. die ähnlich gebildeten mnd. *bucken* »sich neigen, sich bücken« und niederl. *bukken* »bücken«. Zur Bildung beachte z. B. das Verhältnis von ›schmiegen‹ zu ›schmücken‹.

Bückling »geräucherter Hering«: Das schon in spätmhd. Zeit übernommene mnd. *bückinc* ist, wie auch mniederl. *bucking,* eine Ableitung von dem unter ↑Bock behandelten Wort. Der geräucherte Hering ist nach seinem unangenehmen Bocksgeruch benannt worden. Die heute übliche Form – mit der geläufigeren Nachsilbe ›-ling‹ – findet sich schon im 15. Jh.

Buddel, Buttel (ugs. für:) »Flasche«: Mit dem Import von Flaschenweinen aus Frankreich erreichte uns im 17./18. Jh. frz. *bouteille* »Flasche«, das sich einerseits im Fremdwort **Bouteille** bis heute unverändert gehalten, andererseits eine niederd. Form *buddel* entwickelt hat. Das frz. Wort, das auch engl. *bottle* zugrunde liegt, geht auf spätlat. *but[t]icula* »Fässchen«, die Verkleinerungsform von vlat. *buttis* »Fass«, zurück. Dies ist wahrscheinlich Lehnwort aus dem Griech. und hängt mit dem unter ↑Bütte genannten Substantiv griech. *bytínē* »Weinflasche« zusammen.

buddeln (ugs. für:) »im Sand wühlen, graben«: Das seit dem 19. Jh. bezeugte Verb ist eine Nebenform des unter ↑Pudel genannten Verbs ›pudeln‹ »im Wasser plätschern« und wohl von Berlin her in die nordd. und mitteld. Umgangssprache eingedrungen. Siehe auch ›Aschenputtel‹ im Artikel *Asche.*

Bude: Mhd. *buode* »Hütte, Gezelt, Bude«, mnd. *bōde* »kleines Haus, [Verkaufs-, Arbeits]bude, Zelt«, mniederl. *boede* »kleines Haus, Bude, Zelt, Schuppen, Fass«, schwed. *bod* »Laden, Geschäft, Schuppen« gehören zu dem unter ↑bauen behandelten Verb. Außergerm. eng verwandt sind air. *both* »Hütte« und lit. *bùtas* »Haus«. Seit dem 18. Jh. wird ›Bude‹ auch im Sinne von »möbliertes Zimmer« (zunächst für einen Studenten) verwendet, vgl. dazu ugs. **Budenzauber** »ausgelassenes Fest, das man auf dem Zimmer feiert«.

Budget: Die Bezeichnung für »[Staats]haushaltsplan« wurde im 18. Jh. aus engl. *budget* entlehnt, später in der Aussprache an frz. *budget* angelehnt, das selbst aus dem Engl. stammt. Engl. *budget* bedeutete ursprünglich wie das vorausliegende afrz. *bougette* (Verkleinerungsbildung zu *bouge* »Ledersack«) »Balg, Lederbeutel«. Auf den »Finanzsäckel« des Staates übertragen, bezeichnete es dann die [in einem Staat] vorhandenen Geldmittel, über die in einem Haushaltsplan verfügt werden kann. – Quelle für frz. *bouge* ist ein mit nhd. ↑Balg urverwandtes Substantiv gall.-lat. *bulga* »lederner [Geld]sack«. – Abl.: **budgetieren** »einen Haushaltsplan aufstellen« (spätes 19. Jh.).

Büfett (österr. auch:) Büffet, Buffet »Anrichte, Geschirrschrank; Schanktisch«: Das Wort wurde bereits Mitte des 16. Jh.s in der schweiz. Form ›Puffet‹ entlehnt aus gleichbed. ital. *buffetto,* dann aber Anfang des 18. Jh.s aus gleichbed. frz. *buffet* neu entlehnt. Die weitere Herkunft des ital. bzw. frz. Wortes ist unbekannt.

Büffel: Der Name des wild lebenden Rindes wurde in spätmhd. Zeit aus gleichbed. frz. *buffle* entlehnt. Das frz. Wort seinerseits führt über entsprechend it. *bufalo* auf lat. *bubalus* (Nebenform *bufalus*) »Antilope; Auerochse; (seit dem 7. Jh. n. Chr.:) Büffel« und weiter auf griech. *boúbalos* »Antilope; Büffel« zurück. Griech. *boúbalos* gehört vermutlich zu griech. *boũs* »Rind« (als ›rinderartiges‹ Tier), wobei die Bildung allerdings unklar ist. – Das Verb **büffeln** »hart und angestrengt lernen, pauken«, das im 16. Jh. aufkam und durch die Studentensprache verbreitet wurde, gehört vielleicht unmittelbar als Intensivbildung zu mhd. *buffen* »schlagen, stoßen« und wurde erst sekundär an ›Büffel‹ angeschlossen (im Sinne von »wie ein Büffel arbeiten«, beachte auch das im 19. Jh. analog gebildete Verb ›ochsen‹ unter Ochse).

Bug: Das altgerm. Wort mhd. *buoc* »Obergelenk des Armes oder Beines, Achsel; Biegung«, ahd. *buog* »Oberarm, Schulter[blatt]«, niederl. *boeg* »Schiffsbug«, aengl. *bōg* »Arm; Schulter; Ast«, schwed. *bog* »Schulter, Keule; Schiffsbug« beruht mit verwandten Wörtern in anderen idg. Sprachen auf idg. **bhāghú-s* »Ellbogen, Unterarm«, vgl. z. B. aind. *bāhú-ḥ* »Arm, Vorderfuß« und griech. *pē̃chys* »Ellbogen, Unterarm«. Alt ist im Germ. die Übertragung auf den Ast als Arm des Baumes, die noch in engl. *bough* »Zweig« und dem dt. Zimmermannswort ›Bug‹ »Strebe im Gebälk« erscheint, alt aber auch die Bed. »Schiffsbug«, die wohl von der Vorstellung des Schiffes als ›Wogenross‹ ausging; beachte auch ↑bugsieren. Vom heutigen Sprachgefühl wird ›Bug‹ mit ›biegen‹ verbunden. Zus.: **Bugspriet** seemännisch für »über den Bug hinausragende Segelstange« (17. Jh., aus mnd. *bōchsprēt,* niederl. *boegspriet;* der 2. Bestandteil ist ein westgerm. Wort für »Stange«: mnd. *sprēt,* niederl. *spriet,* aengl. *spreot*).

Bügel: Das seit dem 16. Jh. bezeugte Wort gehört zu dem unter ↑biegen behandelten Verb wie auch mnd. *bögel* »Ring, Reif« und niederl. *beugel* »Bügel«, vgl. auch die ältere Bildung mhd. *bügele* »Steigbügel«. Das im 17. Jh. zuerst bezeugte **Bügeleisen** heißt wohl so nach seinem bügelförmigen Griff; dazu **bügeln** »Wäsche oder Kleidung mit dem Bügeleisen glätten« (ebenfalls 17. Jh.).

bugsieren »[ein Schiff] ins Schlepptau nehmen, lenken«: Das seit dem 17. Jh. zunächst als *buxiren, büksieren* u. Ä. bezeugte Verb, das sich in seiner heutigen Lautgestalt erst seit dem 19. Jh. durchgesetzt hat, wurde im Bereich der Seemannssprache aus gleichbed. niederl. *boegseren* entlehnt. Das niederl. Wort selbst ist unter Anlehnung an das unverwandte Substantiv niederl. *boeg* »Bug« aus älterem *boesjaren, boechseerden* umgestaltet, das seinerseits über port. *puxar* »ziehen, schleppen« auf lat. *pulsare* »stoßen; forttreiben« zurückführt. Dies gehört zu lat. *pellere (pulsum)* »schlagen, klopfen; in Bewegung setzen« usw. (vgl. *Puls*).

Buhle (veraltet für:) »Geliebter«: Das Wort (mhd. *buole,* mnd. *bōle*) stammt aus der Lallsprache der Kinder. Schon in mhd. Zeit ist es aus der Anrede des nahen Verwandten zu der des vertrauten Freundes und des Geliebten geworden. Später erhielt es abwertenden Sinn. Erst im 15. Jh. erscheint das Femininum (spätmhd. *buole*), das wie nhd. *die Buhle* selten geblieben ist. Abl.: **buhlen** (spätmhd. *buolen* »lieben«, später in abfälligem Sinn; in der Wendung ›um etwas buhlen‹ bedeutet es »sich eifrig bemühen, werben«), dazu **Buhler** »Liebhaber« (mhd. *buolære;* heute meist in der Zus. **Nebenbuhler** gebraucht; 17. Jh.) und **Buhlerin** (15. Jh., erst später abwertend und verhüllend für »Dirne«).

Buhne: Das ursprünglich nordd. Wort bezeichnet einen senkrecht zur Küste oder zum Stromufer errichteten Schutzdamm aus Pfahlwerk, Reisigbündeln und Steinen. Es kam im 17. Jh. mit der norddeutschen Wasserbaukunst ins Binnenland. Es geht zurück auf mnd. *būne* »Schutzdamm, Fischwehr« (vgl. niederl. *bun* »Fischreuse, -kasten«), dessen weitere Herkunft unklar ist.

Bühne: Die Herkunft von mhd. *büne* »Bretterbühne, Zimmerdecke«, mnd. *böne* »bretterne Erhöhung, Empore, Zimmerdecke«, niederl. *beun* »bretterne Erhöhung, Bretterdiele, Steg; Decke« ist nicht sicher geklärt. Vielleicht hängt das auf das dt. und niederl. Sprachgebiet beschränkte Wort mit der Sippe von ↑Boden zusammen. Das aus ›Schaubühne‹ verkürzte Wort ›Bühne‹ wird im 18. Jh. auf das Podium des Schauspielers eingeschränkt und alsbald auch übertragen für »Theater« gebraucht.

Bukett »[Blumen]strauß«, auch übertragen gebraucht im Sinne von »Blume, Duft des Weines«: Das Fremdwort wurde Mitte des 17. Jh.s aus frz. *bouquet* entlehnt, einer Mundartform von afrz. *boschet* »Wäldchen«. Das frz. Wort bedeutet demnach etwa »Strauß von Bäumen«. Afrz. *boschet* ist eine Verkleinerungsbildung zu frz. *bois* »Holz, Wald«, das seinerseits wohl auf westgerm. **bosk* – zur Sippe von nhd. ↑Busch – zurückgeht.

Bulldogge: Im 18. Jh. aus engl. *bulldog* entlehnt, das wie dt. *Bullenbeißer* (18. Jh., niederd. *bullenbiter)* eine Hundeart bezeichnet, die man früher zur Bullenhetze (daher der Name) abrichtete (vgl. [1]*Bulle* und *Dogge*). – Der Name wurde dann auch als Warenzeichen für eine Zugmaschine verwendet: **Bulldog** (20. Jh.; aus engl. *bulldog*).

[1]Bulle: Das im 17. Jh. aus dem Niederd. ins Hochd. übernommene Wort geht zurück auf mnd. *bulle* »[Zucht]stier«, vgl. gleichbed. niederl. *bul,* engl. *bull,* aisl. *boli.* Die Bezeichnung des Stiers gehört zu der unter ↑[1]Ball dargestellten idg. Wurzel **bhel-* »schwellen« und ist z. B. eng verwandt mit griech. *phallós* »männliches Glied« und air. *ball* »männliches Glied«. Der Bulle ist also nach seinem Zeugungsglied benannt. – Zus.: **Bullauge** seemännisch für »rundes Schiffsfenster« (in nhd. Zeit aus niederd. *bulloog,* ähnlich engl. *bull's-eye* »rundes Glasfenster« [an Gebäuden und Schiffen] und niederl. *bulleglas* »Lichtöffnung im Schiffsdeck«; vgl. *Auge*); **Bulldogge** (s. d.); **Bullenbeißer** (↑Bulldogge).

[2]Bulle »mit Siegelkapsel versehene päpstliche Verordnung«, früher auch allgemein im Sinne von »versiegelte Urkunde«: Das Wort wurde in mhd. Zeit aus gleichbed. lat. *bulla* entlehnt, das zunächst »Wasserblase« bedeutete, dann auch verschiedene andere Dinge bezeichnete, deren äußere Form mit einer Wasserblase vergleichbar ist. Mit der Bed. »Kugel« lebt es in frz. *bulle* (↑Bulletin und ↑Billett).

Bullenbeißer ↑Bulldogge.

bullern ↑poltern.

Bulletin: Der Ausdruck für »amtlicher Bericht« wurde Ende des 18. Jh.s zunächst in der Bedeutung »Nachrichtenblatt« aus frz. *bulletin* »Bericht« entlehnt. Das frz. Wort ist eine Ableitung von afrz. *bulle* »Wasserblase; [Siegel]kapsel« (nach dem Vorbild von entsprechend it. *bullettino*). Die hier vorliegende Bedeutungsentwicklung entspricht der, die sich bei dem vorausliegenden lat. *bulla* in ↑[2]Bulle vollzogen hat.

bummeln: Das seit dem 18. Jh. zunächst in der Bed. »hin und her schwanken« bezeugte Verb geht vom Bild der beim langsamen Ausschwingen bum, bum! läutenden Glocke aus. Daraus wird in niederd. Mundarten des 18. Jh.s »schlendern, nichts tun«, das bald allgemein hochd. wird. –

Abl.: **Bummel** »gemütlicher Spaziergang« (19. Jh., zuerst studentisch); **Bummler** »Nichtstuer« (19. Jh.), dazu **Schlachtenbummler** »Anhänger einer [Fußball]mannschaft, der seine Mannschaft zu einem auswärtigen Spiel begleitet«, zunächst »neugieriger Zivilist auf dem Kriegsschauplatz« (19. Jh.).

bums!: Das Schallwort, das einen dumpfen Schlag, Fall oder Aufprall nachahmt, ist seit dem 18. Jh. als *bums, bumbs* bezeugt. Das Substantiv **Bums** bezeichnet nicht nur ein dumpfes Geräusch und den das Geräusch verursachenden Schlag, Stoß oder Aufprall, sondern auch ein lautes Tanzvergnügen und ein Lokal, in dem solche Tanzvergnügen stattfinden, vgl. die Zusammensetzung ›Bumslokal‹. – Abl.: **bumsen** »ein dumpfes Geräusch von sich geben; gegen etwas schlagen, stoßen, prallen« und in salopper Sprache »koitieren« (19. Jh., für älteres *bumbsen, bumpsen*).

Bund: Das auf das dt. und niederl. Sprachgebiet beschränkte Wort (mhd., mnd. *bunt*, niederl. *bond*) ist eine Bildung zu dem unter ↑binden behandelten Verb und bedeutet eigentlich »Bindendes, Gebundenes«. Fachsprachlich bedeutet ›Bund‹ »Fassreifen«, ferner »Querleiste auf dem Griffbrett von Zupfinstrumenten« und »Einfassung an Hose oder Hemd« u. a. Als »Gebundenes« wird ›Bund‹ (im Neutrum) in Bezug auf Stroh, Reisig u. a. gebraucht. Die Bed. »Vereinigung«, im Mittelalter ausgeprägt, gilt heute besonders von Gruppen mit enger gegenseitiger »Bindung« der Mitglieder (Jugendbund, Ehe-, Freundschafts-, Staatenbund). Dazu die Zusammensetzungen **Bundesgenosse, Bundesbrief, Bundestag.** – Abl. **Bündel** (mhd., mnd. *bündel*, asächs. *bundilīn;* vgl. engl. *bundle* »Bund, Bündel, Paket«; das Wort ist eine Verkleinerungsbildung und bedeutet eigentlich »kleines Bund«, wird aber heute nicht mehr als Verkleinerungsbildung empfunden), dazu das Verb **bündeln** (18. Jh.); **Bündnis** (mhd. *buntnisse* »Vereinigung, Zusammenschluss«); **bündig** (mhd. *bündec* »verbündet«; frühnhd. für »verbindend, kräftig«; heute in der Formel ›kurz und bündig‹; in der Baukunst »in gleicher Fläche liegend«); **bündisch** (im 16. Jh. in der Bed. »verbündet«, wie mhd. *bündec;* im 20. Jh. als charakterisierendes Beiwort der Jugendbewegung neu belebt). Zusammensetzungen und Präfixbildungen: **Bundschuh** (mhd. *buntschuoch;* der altgermanische Fellschuh mit Knöchelbändern gehörte im Mittelalter zur Tracht des einfachen Mannes und wurde so zum Standeszeichen; im 15. Jh. gebrauchten aufständische Bauern einen Bundschuh als Feldzeichen, später als gemaltes Fahnenbild; so bezeichnet das Wort schließlich die Aufstandsbewegung der Bauern); **verbünden,** sich (mhd. *verbunden* »verbinden, einen Bund schließen«), vgl. das Part. ›verbündet‹, das als Ersatz für ›alliiert‹ gebräuchlich ist, substantiviert: **Verbündeter.**

Bungee-Jumping »Springen aus großer Höhe mit Sicherung durch ein starkes Gummiseil«: Die Sportart kam mit ihrer Bezeichnung in der 2. Hälfte des 20. Jh.s aus England, wo sie besonders durch den Sportklub der Universität Oxford populär wurde. Das Wort *bungee*, auch *bungy, bungie*, ist ein Wort aus dem Jargon für »Gummi« und steht für das »starke Gummiseil, das den freien Fall absichert«.

Bunker: Das seit dem 19. Jh. im Sinne von »Behälter zur Aufnahme von Massengut« – so vor allem in Zusammensetzungen wie **Kohlenbunker** – bezeugte Fremdwort ist aus engl. *bunker* entlehnt, dessen weitere Herkunft unsicher ist. Im 1. Weltkrieg nahm das Wort die Bedeutung »Betonunterstand« an, beachte z. B. die Zusammensetzung **Luftschutzbunker.**

bunt: Mhd. *bunt* »schwarz-weiß gefleckt« bezieht sich zuerst auf Pelze (dazu mhd. *bunt* »zweifarbiges Pelzwerk«, niederl. *bont* »Pelzwerk«, niederl. *bont* »bunt«), es gewinnt aber im 14. Jh. die heutige Bedeutung. Im Ahd. unbezeugt, beruht ›bunt‹ vielleicht auf lat. *punctus* »gestochen« (vgl. *Punkt*) und wurde zuerst in den Klöstern für Stickereien gebraucht. Zus.: **Buntmetall** »Schwermetall (außer Eisen), das selbst farbig ist oder farbige Legierungen bildet« (20. Jh.). Siehe auch *kunterbunt.*

Bürde: Die germ. Substantivbildungen mhd. *bürde*, ahd. *burdī*, got. *baurþei*, engl. *burden*, schwed. *börda* gehören im Sinne von »Getragenes« zu der unter ↑gebären dargestellten idg. Wurzel **bher[ə]-* »tragen«. Abl.: **bürden** (mhd. *bürden* »zu tragen geben«, heute nicht mehr gebraucht), dazu die Zusammensetzung **aufbürden** (17. Jh.).

Burg: Das gemeingerm. Wort mhd. *burc*, ahd. *bur[u]g* »Burg, Stadt«, got. *baúrgs* »Turm, Burg; Stadt«, aengl. *burg* »Burg, Stadt«, schwed. *borg* »Burg« steht wahrscheinlich im Ablaut zu dem unter ↑Berg behandelten Wort und bedeutete demnach ursprünglich »[befestigte] Höhe«. Frz. *bourg* »Marktflecken« (↑Bourgeoisie) ist aus dem Afränk. entlehnt. Das germ. Wort tritt zuerst in erdkundlichen Namen auf. So heißt der ›Teutoburger‹ Wald nach einer germanischen »Volksburg« (zu ahd. *diot* »Volk«; ↑deutsch). Wie diese großen, mit Erdwällen befestigten Fluchtburgen nannten die Germanen auch die ummauerten Römerstädte und -kastelle ›Burg‹ (z. B. Augsburg, Regensburg oder die Saalburg im Taunus). Seit der Karolingerzeit gab es außerdem befestigte Herrenhöfe, was zum Begriff der Ritterburg geführt hat. Burgen all dieser Art konnten zu mittelalterlichen Städten werden (z. B. Würzburg, Nürnberg, s. unter *Berg*), sodass mhd. *burc* schließlich »Stadt« bedeutete (dazu ↑Bürger). Auf diese Entwicklung hat auch lat. *burgus* »Kastell, Wachtturm« eingewirkt, das über griech. *pýrgos* »Turm« möglicherweise ebenfalls aufs

Germ. zurückgeht. – Zus.: **Burgfriede[n]** (mhd. *burcvride* war der vertragliche Friede innerhalb der Erbengemeinschaft einer Burg, auch der Schutzbereich eines Fürstenhofs oder einer Stadt; danach die heutige Bed. »Friedensabkommen zwischen zwei Parteien«).

Bürge »Gewährsmann«: Das westgerm. Substantiv mhd. *bürge*, ahd. *burgeo*, mnd. *börge*, aengl. *byrga* gehört zu dem unter ↑borgen behandelten Verb und bezeichnete ursprünglich »jemand, der bei einem Verleihgeschäft für das Verliehene bürgt«. Abl.: **bürgen** (mhd. *bürgen*, ahd. *purigōn* »appellieren, sich berufen«).

Bürger: Die heutige Form geht über mhd. *burger, burgǣre* zurück auf ahd. *burgāri*. Dieses ist wahrscheinlich eine Umbildung einer dem aengl. *burgware* »Bürger« entsprechenden Zusammensetzung, und zwar nach den mit dem Suffix ahd. *-āri* (nhd. *...er*) gebildeten Wörtern. Der erste Bestandteil ist das unter ↑Burg behandelte Wort, der zweite entspricht aengl. *-ware*, aisl. *-veri* und gehört zu dem unter ↑wehren behandelten Verb. Es bedeutete ursprünglich »Verteidiger«, dann »Bewohner«, vgl. die germ. Völkernamen Baioarii »Bewohner des Bojerlandes, Bayern« und Ampsivarii »Emsanwohner«. ›Bürger‹ bedeutete demnach ursprünglich »Burgverteidiger«, dann »Burg-, Stadtbewohner«, im rechtlichen Sinne seit dem 12. Jh. das vollberechtigte Mitglied eines [städtischen] Gemeinwesens. – Abl.: **bürgerlich** (spätmhd. *bürgerlich*); **Bürgertum** (um 1800 für ↑Bourgeoisie). Vgl. auch die Bildung **ausbürgern** »jemandem die Staatsbürgerschaft aberkennen« (für frz. *expatrier*). Zus.: **Bürgermeister** (mhd. *burgermeister*, daneben die mdal. noch erhaltene Form *burgemeister*, deren erstes -er- vor dem zweiten zu -e- dissimiliert wurde).

Burgfriede[n] ↑Burg.

Büro: Die Bezeichnung für »Arbeits-, Amtszimmer« wurde Ende des 17. Jh.s aus frz. *bureau* entlehnt, das als Ableitung von afrz. *bure* bzw. *burel* wie diese ursprünglich einen »groben Wollstoff« bezeichnete, wie er u. a. zum Beziehen von [Schreib]tischen verwendet wurde, dann den »Schreibtisch« selbst und schließlich, weil der Schreibtisch als wesentliches Zubehör eines Arbeitszimmers gilt, die »Schreibstube«. – Voraus liegt ein etymologisch undurchsichtiges Substantiv vlat. **bura* (< lat. *burra*) »zottiges Gewand; Wolle«. – Die Bildung **Bürokratie** wurde Ende des 18. Jh.s aus gleichbed. frz. *bureaucratie* entlehnt, eine Prägung des französischen Nationalökonomen Vincent de Gournay. Dazu stellen sich **Bürokrat** (1. Hälfte 19. Jh.; aus frz. *bureaucrate*) und **bürokratisch** (1. Hälfte 19. Jh.; aus frz. *bureaucratique*).

Bursch[e]: An den Universitäten des Mittelalters gab es gemeinschaftliche Wohn- und Kosthäuser für Studenten, die nach französischem Vorbild zumeist auf Stiftungen beruhten. Sie hießen mlat. *bursa*, was ursprünglich »Ledersack, Beutel«, dann »[gemeinsame] Kasse« bedeutete (vgl. [1]*Börse*). Das aus diesem Wort entlehnte mhd. *burse* »Beutel, Kasse« erscheint seit dem 15. Jh. als Name solcher Studentenhäuser und der darin wohnenden Gemeinschaften (danach noch nhd. *Burse* »Studentenheim«). Als frühnhd. Form galt ›die Bursch[e]‹, das bis ins 17. Jh. in gleicher Bedeutung fortlebte, dann aber, als Plural gefasst, Anlass zu einem neuen Singular ›der Bursch‹ gab. Dieses Wort löste als Ehrenname der Studenten ältere Bezeichnungen wie *bursgesell, bursant* u. Ä. ab. Auch bei Handwerkern und Soldaten gab es solche Gemeinschaften, sodass ›Bursch‹ heute landsch. jeden jungen Mann bezeichnen kann oder auch den Handwerksgesellen als ›Metzger-, Bäckerburschen‹ usw. Die zweisilbige Form **Bursche** wird außerdem allgemein für »Kerl« gebraucht. Studentisch gilt ›Bursch‹ heute für das vollberechtigte Mitglied einer Verbindung nach Abschluss der Fuchsenzeit. Abl.: **Burschenschaft** (im 18. Jh. Bezeichnung der Studentenschaft an norddeutschen Universitäten; Anfang des 19. Jh.s Name der neuen gesamtstudentischen Gemeinschaft, die die Trennung der Landsmannschaften überwinden wollte; heute Bezeichnung für bestimmte Korporationen), dazu **Burschenschafter** (1. Hälfte des 19. Jh.s); **burschikos** »burschenhaft ungezwungen, formlos; flott« (18. Jh., scherzhafte studentische Bildung mit der griech. Adverbendung *-ikō̃s*).

Burse ↑Bursch[e].

Bürste: Die heutige Form geht zurück auf mhd. *bürste*, das eigentlich der verselbstständigte Plural des unter ↑Borste (mhd. *borst*, ahd. *burst*) behandelten Wortes ist und demnach »Gesamtheit der Borsten« bedeutet. – Abl.: **bürsten** »mit einer Bürste entfernen oder glätten«, in neuerer Zeit auch derb für »koitieren« (mhd. *bürsten*). Zus.: **Bürstenbinder** (15. Jh.).

Bürzel: Das seit dem 16. Jh. bezeugte Substantiv ist eine Bildung zu dem nur noch oberd. bewahrten Verb *borzen* »hervorstehen«, einer Ableitung von mhd., ahd. *bor* »Höhe« (vgl. *empor*). Es bezeichnet den hervorstehenden Steiß des Geflügels, weidmännisch auch den Schwanz von Dachs und Wildschwein (Letzteres auch als ›Pürzel‹), Abl.: **purzeln** (s. d.).

Bus ↑Omnibus.

Busch: Das altgerm. Wort mhd. *busch*, ahd. *busk*, niederl. *bos[ch]* »Wald«, engl. *bush*, schwed. *buske* gehört wohl zu der unter ↑Beule behandelten idg. Wurzel **bh[e]u-* »blasen, schwellen« in der Bedeutungswendung »aufgetrieben, dick, dicht sein«. Aus dem Germ. entlehnt ist afrz. *bos*, frz. *bois* »Wald, Baum, Holz« (↑Bukett). Abl.: **buschig** (spätmhd. *buscheht*); **Büschel** (mhd. *büschel*, Verkleinerungsbildung, eigentlich »kleiner Busch«); **Gebüsch** (mhd. *gebüsche*, Kollektivbildung). Siehe auch den Artikel *Böschung*.

Busch

[bei jmdm.] auf den Busch klopfen
(ugs.) »etwas durch geschicktes Fragen zu erfahren suchen«
Die Wendung stammt aus der Jägersprache. Man schlägt auf Gebüsch, um festzustellen, ob sich ein Tier darin verbirgt, um das Wild aufzuscheuchen.

mit etw. hinterm Busch halten
»mit einer Äußerung zurückhalten«
Die Wendung geht von ›Busch‹ in der Bedeutung »Buschwerk, kleines Waldstück« aus. Im Buschwerk hielten sich früher Wegelagerer versteckt, vgl. die Bildung ›Strauchdieb‹. Auch Truppenteile hielt man früher hinter Büschen und Waldstücken verborgen, um sie dann überraschend ins Gefecht zu führen, vgl. die Wendung ›mit etw. hinterm Berg halten‹.

Busen »weibliche Brust«: Das westgerm. Wort mhd. *buosem, buosen,* ahd. *buosam,* niederl. *boezem,* engl. *bosom* gehört zu der unter ↑Beule dargestellten idg. Wurzel **bh[e]u-* »[auf]blasen, schwellen«. Eng verwandt ist z. B. die Sippe von ↑Bausch. Zus.: **Busenfreund** (18. Jh.); **Meerbusen** (17. Jh.; Lehnbildung nach lat. *sinus*).

Bussard: Der seit dem 16. Jh. bezeugte Name des Raubvogels ist aus frz. *busard* »Weihe, Bussard« entlehnt, das seinerseits mit Suffixwechsel umgestaltet ist aus gleichbed. afrz. *bu[i]son* (daraus bereits im 13. Jh. mhd. *būsant* »Bussard«). Letzte Quelle des Wortes ist lat. *buteo (-eonis)* »Mäusefalke, Bussard«. – Vor der Entlehnung des frz. Namens galt im Dt. für den Vogel die alte einheimische Bezeichnung ahd. *mūsāri,* mhd. *mūs-ar, mūsære,* mnd. *mūser* »Mäuseaar« (entsprechend aengl. *mūsere*).

Buße: Das gemeingerm. Wort mhd. *buoz[e],* ahd. *buoz[a],* got. *bota,* engl. *boot,* schwed. *bot* gehört zu der unter ↑bass »besser« dargestellten Wurzel. Es bedeutete ursprünglich »Nutzen, Vorteil«, so noch im Got. und im Engl. Im Ahd. konnte es auch »Heilung durch Zauber« bedeuten. In der dt. Kirchensprache bezeichnete ahd. *buoza* die Genugtuung des Sünders gegenüber Gott und trat statt des zuerst verwendeten ahd. *hriuwa* »Reue« für lat. *poenitentia* als Bezeichnung des Bußsakraments ein. Luther vertiefte den Begriff wieder als »Schrecken und gläubige Reue« im Sinn des griech. Grundworts *metánoia* »Sinnesänderung«. Rechtlich bezeichnet ›Buße‹ heute eine Entschädigung oder Sühnezahlung (Geldbuße); s. a. *büßen.*

büßen: Das gemeingerm. Verb mhd. *büezen* »bessern, wieder gutmachen, vergüten«, ahd. *buozen* »[ver]bessern, wieder gutmachen, wiederherstellen, ersetzen«, got. *bōtjan* »bessern, nützen«, aengl. *bētan* »bessern, heilen, wieder gutmachen«, aisl. *bœta* »büßen, heilen, schenken« gehört mit dem unter ↑Buße behandelten Substantiv zu der unter ↑bass »besser« dargestellten idg. Wurzel. Das Verb wird entsprechend dem Substantiv, jedoch nicht amtlich gebraucht (kirchlich gilt ›Buße tun‹, juristisch ›eine Strafe verbüßen‹). Die alte Bedeutung »[aus]bessern« zeigen noch die Bildung **Lückenbüßer** (16. Jh., seit dem 19. Jh. Fachwort der Zeitungssprache) und die Zusammensetzung **einbüßen** »verlieren« (eigentlich »zusetzen«, im 15. Jh. als Handwerkerwort *ein püßen* »einflicken«), dazu **Einbuße** (»Verlust«, früher »Ersatz«).

Busserl (bayr., österr. für:) »Kuss«: Das lautmalende ›Buss‹ »Kuss« (entsprechend engl. *buss,* schwed. *puss*) ist im 16. Jh. neben dem Verb *bussen, pussen* »küssen« bezeugt und seit dem 18. Jh. in der bayr. Verkleinerungsform ›Busserl‹ bekannt. Daneben kommen auch die Formen ›Bussel‹ und ›Bussi‹ vor. Abl.: **busserln** »küssen«.

Büste »aus Stein, Erz, Bronze oder anderem Material gearbeitetes Brustbild«: Das Fremdwort erscheint zuerst im Anfang des 18. Jh.s als ›Buste‹ bzw. ›Busto‹. Es ist unmittelbar aus gleichbed. it. *busto* entlehnt, dessen Herkunft unsicher ist. Die heute übliche Form ›Büste‹, die sich von der 2. Hälfte des 18. Jh.s an durchsetzt, beruht auf gleichbed. frz. *buste,* das ebenfalls aus dem It. stammt. – Im 19. Jh. übernimmt das Wort von frz. *buste* die zusätzliche, im Frz. durch Bedeutungsverengung entwickelte spezielle Bed. »weibliche Brust«, die besonders auch in der Zusammensetzung **Büstenhalter** (20. Jh.) lebendig ist.

Butler: Die Berufsbezeichnung für den »Diener in vornehmen Häusern« ist in der deutschen Sprache seit dem 19. Jh. belegt. Die in englischen [Adels]häusern neben der Tätigkeit als Diener auch übliche Verantwortung des Butlers für den Weinkeller verlieh diesem Amt seinen Namen: Engl. *butler* geht über afrz. *bouteillier* zurück auf mlat. *buticularius* »Kellermeister«, einer Bildung zu *but(t)icula* »Krug, Fässchen«.

Butt »Flunder, Scholle«: Der Fischname wurde im 16. Jh. aus dem Niederd. ins Hochd. übernommen. Niederd. *butt,* mnd. *būt[te],* niederl. *bot* gehören zu dem Adjektiv nd. *butt,* niederl. *bot* »stumpf, plump« (vgl. *Butzen*). Der Fisch ist also nach seiner plumpen Gestalt benannt. Zus.: **Heilbutt** (18. Jh., aus niederd. *hell-, hilligbutt,* entsprechend niederl. *heilbot,* engl. *halibut;* eigentlich der »heilige Butt« für Festtage); **Steinbutt** (18. Jh., aus niederd. *steenbutt;* benannt nach den früher als eingewachsene Steine gedeuteten kleinen Knochenhöckern in der Haut).

Bütte, (oberd.:) Butte »offenes Daubengefäß, Wanne«: Mhd. *büt[t]e, büten,* ahd. *butin[na]* ist entlehnt aus mlat. *butina* »Flasche, Gefäß«, das auf gleichbed. griech. *bytínē (pytínē)* zurückgeht. Im Mnd. entspricht *bōde[ne], bödde, büdde* (dazu wahrscheinlich ↑Böttcher), im Aengl. *byden* »Bütte, Tonne«. Mit dem griech. Stammwort hängt wahrscheinlich auch vlat. *buttis* »Fass«

(↑Bottich und ↑Buddel) zusammen. Die Bütte dient als Tragfass, z. B. bei der Weinlese, bei den Papiermachern enthält sie den Brei, aus dem früher mit Handsieben der Papierbogen geschöpft wurde (daher noch das handgeschöpfte **Bütten[papier]** mit faserigem Rand). Im rhein. Karneval diente ursprünglich ein offenes Fass als Kanzel für den **Büttenredner.** Der Verfertiger von Bütten heißt in Franken und Ostmitteldeutschland **Büttner** (mhd. *bütenære*); das Wort steht dem nordd. Böttcher nahe, s. d.

Buttel ↑Buddel.

Büttel: Das westgerm. Substantiv mhd. *bütel,* ahd. *butil,* niederl. *beul* »Henker«, aengl. *bydel* ist eine Bildung zu dem unter ↑bieten behandelten Verb in dessen alter Bedeutung »bekannt machen, wissen lassen«. Es bezeichnete den vorladenden Gerichtsboten, später vielfach den Häscher oder den Scharfrichter.

Butter: Die westgerm. Bezeichnung des aus Milch hergestellten Speisefettes (mhd. *buter,* ahd. *butera,* niederl. *botter,* engl. *butter*) ist über vlat. **butira, *butura* entlehnt aus lat. *butyrum,* das selbst wiederum aus griech. *boú-tȳron* »Kuhquark« übernommen ist. Gleicher Herkunft sind z. B. frz. *beurre* und it. *burro.* – Abl.: **buttern** »Butter machen« (im 15. Jh. *außputtern*), dazu **hinein-, zubuttern** ugs. für »Geld zuschießen« (ursprünglich »Speisen mit Butter verbessern«). Zus.: **Buttermilch** (mhd. *butermilch*).

Büttner ↑Bütte.

Butz[e] ↑putzig.

Butzemann ↑putzen.

Butzen, (auch:) Butz »Klumpen, Unreinigkeit, Kerngehäuse des Obstes, Kerzenschnuppe«: Das besonders südwestd. Wort, zuerst im 15. Jh. belegt, gehört wohl mit niederd. *butt* »stumpf, plump« (vgl. *Butt*) zu dem im Nhd. untergegangenen Verb mhd. *bōzen,* ahd. *bōzan* »schlagen, stoßen, klopfen« (vgl. *Amboss*) und bedeutet eigentlich »abgeschlagenes, kurzes Stück«. Wahrscheinlich verwandt ist der zweite Bestandteil von Hagebutte (mhd. *butte* »Hagebutte«; vgl. *Hag*). – Abl.: **putzen** (s. d.).

Café ↑Kaffee.

Cafeteria ↑Kaffee.

Camembert: Die Bezeichnung für »vollfetter Weichkäse mit weißem Schimmelbelag« wurde Ende des 19. Jh.s aus gleichbed. frz. *camembert* entlehnt. Der Käse ist nach einem kleinen Ort in der Normandie benannt, in dessen Umgebung der eigentliche französische Camembert hergestellt wird.

Camp: Das Substantiv mit der Bedeutung »[Feld-, Gefangenen]lager« wurde in der 1. Hälfte des 19. Jh.s aus gleichbed. engl. *camp* entlehnt, das über frz. *camp,* it. *campo* auf lat. *campus* »Feld« zurückgeht (vgl. *Kampf*). – Dazu: **campen** »im freien Feld lagern; zelten« (20. Jh.; aus engl. *to camp*); **Camping** »das Campen, Leben auf Zeltplätzen« (spätes 19. Jh.). Ebenfalls aus dem Engl. stammt die Bezeichnung **Campus** für »Universitäts- oder Hochschulgelände«. Sie ist in der Mitte des 20. Jh.s im Zusammenhang mit dem amerikan. Einfluss bei der Neugründung der Universitäten entstanden.

Campus ↑Camp.

Canasta: Der Name des aus Südamerika stammenden Kartenspiels ist aus span. *canasta* entlehnt. Das span. Wort bedeutet eigentlich »Korb« (das Spiel ist wohl nach dem »Körbchen«, in dem die Karten aufbewahrt oder abgelegt wurden, benannt); es geht zurück auf spätlat. *canistellum,* eine Verkleinerungsbildung von lat. *canistrum* »Korb aus Rohr« (dies aus gleichbed. griech. *kánastron,* zu *kánna* »Rohr«; ↑Kanal).

canceln: Das Verb mit der Bedeutung »streichen, absagen, rückgängig machen« wurde aus gleichbed. engl. *to cancel* entlehnt. Dieses stammt ab von lat. *cancellare* »gittern, (im Text) durchstreichen«. Das lat. Verb gehört zur Wortfamilie von *cancer,* auf das die Wortgruppe von ↑Kanzel zurückgeht.

Cape »ärmelloser Umhang«: Der Name des Kleidungsstücks wurde Ende des 19. Jh.s aus engl. *cape* »Mantelkragen; Umhang« entlehnt. Dies gehört zu afrz., aprov. *capa,* vlat. *cappa* »Mantel mit Kapuze« (vgl. *Kappe*).

Caravan ↑Karawane.

carb[o]..., Carb[o]... ↑karbo..., Karbo...

Cartoon: Das Fremdwort mit der Bedeutung »Karikatur, Witzzeichnung, kurzer Comicstrip« wurde in der 2. Hälfte des 20. Jh.s aus gleichbed. engl. *cartoon* übernommen. Dieses geht über frz. *carton* »Zeichnung auf Karton« zurück auf ital. *cartone,* eine Vergrößerungsform von *carta* »Papier, Karte« (< lat. *carta,* vgl. *Karte*). Das engl. Wort ›Cartoon‹ wurde durch die im 19. Jh. erschienene satirische Wochenzeitung ›Punch‹ geprägt, die Entwürfe für die Deckenfresken im Westminster Palace in einer Serie namens ›Punch Cartoon‹ ironisch darstellte.

Cello: Der Name des Streichinstrumentes ist aus ›Violoncello‹ gekürzt und in dieser Form seit Anfang des 19. Jh.s belegt. ›Violoncello‹ wurde wie die meisten musikalischen Fachwörter aus Italien übernommen (Anfang des 18. Jh.s). It. *violoncello* »kleine Bassgeige« ist Verkleinerungsform von *violone,* das seinerseits eine Vergrößerungsbildung von *viola* »Bratsche« ist (vgl. *Violine*). – Abl.: **Cellist** »Cellospieler«, gekürzt aus ›Violoncellist‹.

Cembalo »klavierähnliches Tasteninstrument, dessen Saiten angerissen werden«: Der Name des Musikinstruments ist gekürzt aus **Clavicembalo,** das aus it. *clavicembalo* entlehnt ist. Dies geht auf mlat. *clavicymbalum* »cembaloähnliches Instrument« zurück (zu lat. *clavis* »Schlüssel« [vgl. *Klavier*] und lat. *cymbalum* »Becken«).

C

Chamäleon: Der Name der baumbewohnenden Eidechse ist griech. Ursprungs. Griech. *chamailéōn* (> lat. *chamaeleon*) bedeutet wörtlich »Erdlöwe« – zu *chamaí* »auf der Erde« und *léōn* »Löwe« (vgl. *Löwe*). Der Name ist wohl eine ironische Anspielung auf den furchtsamen Charakter des Tieres und wurde schon im Mhd. vermutlich über gleichbed. altfrz. *gamalion* aus dem lat. Wort entlehnt.

Champagner: Die Bezeichnung für »Schaumwein aus Weinen der Champagne« wurde im 18. Jh. nach frz. *[vin de] Champagne* gebildet. ›Champagne‹, der Name der nordfranzösischen Landschaft, geht zurück auf lat. *campania* »flaches Feld« (zu lat. *campus* »Feld«, vgl. *Kampf*).

Champignon: Der seit dem 17. Jh. bezeugte Name des Edelpilzes stammt aus frz. *champignon.* Dies ist mit Suffixwechsel umgestaltet aus afrz. *champegnuel* (vlat. **campaniolus*) und bezeichnet eigentlich »den auf dem freien Felde Wachsenden (Pilz)«. Die vlat. Bildung gehört zu lat. *campania* »flaches Feld« (zu lat. *campus* »Feld«, vgl. *Kampf*).

Chance: Das Fremdwort wurde im 19. Jh. aus frz. *chance* (afrz. *cheance*) entlehnt, das schon früher unser Lehnwort ↑[1]Schanze »Glückswurf« ergeben hatte (s. auch *Mummenschanz* unter ↑mummen und *zuschanzen* unter ↑[1]Schanze). Frz. *chance* bezeichnete ursprünglich wie das vorausliegende vlat. **cadentia* »Fall« (s. auch *Kadenz*) den glücklichen »Fall« der Würfel beim Glücksspiel, woraus sich dann die allgemeine übertragene Bed. »glücklicher Umstand« entwickelte. Stammwort ist das lat. Verb *cadere* »fallen«, das daneben noch mit einigen anderen Ableitungen und Zusammensetzungen in unserem Fremdwortschatz vertreten ist. Hierher gehören: lat. *casus* »Fall« (↑Kasus), lat. *cadaver* »der gefallene (tot daliegende) Körper« (↑Kadaver), ferner das Intensivum vlat. **casicare* »fallen« (in ↑Kaskade), schließlich mlat. *de-cadentia* »Zerfall« (↑Dekadenz, dekadent) und lat. *oc-cidere* »niederfallen; untergehen« (↑Okzident).

Chanson: Das in der 1. Hälfte des 18. Jh.s aus frz. *chanson* entlehnte Fremdwort wurde zunächst in dessen Bedeutung »[Volks]lied« gebraucht. Unter dem Einfluss des Kabaretts wurde es dann zur Bezeichnung eines den Zeitgeist persiflierenden, frechen, geistreichen rezitativischen Liedes. Frz. *chanson* geht zurück auf lat. *cantio(nem)* »Gesang«, einer Bildung zu lat. *canere* »singen« (vgl. *Kantor*).

Chaos »ungeformte Urmasse der Welt; Auflösung aller Werte; Durcheinander«: Das Wort, das aus der Vulgata bekannt wurde und seit Beginn des 14. Jh.s belegt ist, bezeichnete wie das vorausliegende griech. *cháos* zunächst nur die »klaffende Leere [des Weltraums]«. Die modernen Bedeutungen hingegen weisen zurück auf die bei Hesiod und später im Lat. bei Ovid vorliegende Ausdeutung des Begriffs auf »die in unermesslicher Finsternis liegende, gestaltlose Urmasse«. – Griech. *cháos,* das auch Quelle für unser Lehnwort ↑Gas ist, gehört zur idg. Sippe von ↑gähnen. – Abl.: **chaotisch** »ungeordnet, wirr« (Ende des 17. Jh.s; nlat. Bildung), dazu **Chaot** »jemand, der seine politischen Ziele auf radikale Weise mit Gewaltaktionen durchzusetzen versucht« (20. Jh.).

Charakter »individuelles Gepräge, Eigenart, Gesamtheit der wesensbestimmenden Züge; Mensch mit bestimmten ausgeprägten Wesenszügen; Schriftzeichen«: Das Wort wurde bereits in mhd. Zeit (mhd. *karacter*) aus lat. *character* »eingebranntes Zeichen; Zauberzeichen; Gepräge, Eigenart« entlehnt und zunächst im Sinne von »eingeprägtes [Schrift]zeichen; Zauberschrift, Zauberspruch; Gepräge, Merkmal« verwendet. Die Übertragung auf die gleichsam in die Seele eingeprägten Eigenschaften des Menschen vollzog sich – unter dem Einfluss von frz. *caractère* – im 17. Jh. Lat. *character* seinerseits stammt aus griech. *charaktḗr* »Werkzeug zum Gravieren; Gravierer; Stempel, Siegel; Zeichen, Buchstabe; Gepräge, Eigenart«, einer Bildung zu griech. *charássein* »spitzen, schärfen, einritzen«. Abl.: **charakterisieren** »in seiner Eigenheit darstellen« (17. Jh.; nach griech. *charaktērízein,* frz. *caractériser* mit der oben aufgezeigten Bedeutungsentwicklung); **charakteristisch** »eigentümlich, bezeichnend« (18. Jh.; nach griech. *charaktēristikós*); **Charakteristik** »Kennzeichnung, treffende Schilderung«; **Charakteristikum** »bezeichnendes, hervorstechendes Merkmal« (nlat. Bildung).

Charge »Amt, Rang; Dienstgrad; Nebenrolle«: Das Fremdwort wurde im 17. Jh. aus gleichbed. frz. *charge* entlehnt, das als Ableitung von *charger* »beladen« eigentlich »Last« bedeutet, dann übertragen etwa »Bürde eines Amtes«. Voraus liegt vlat. *carricare* »beladen« (zu lat. *carrus* »Wagen«; vgl. *Karre*).

Charisma: Das Fremdwort ist seit dem 18. Jh. belegt. Es stammt ab von griech. *chárisma* »Gnadengabe«, zum Verb *charízesthai* »gefällig sein, gerne geben«. Ins Dt. ist es über die Vermittlung von vlat. *charisma* »Geschenk« gelangt. Zunächst wurde es nur im religiösen Bereich im Sinne einer »von Gott als Geschenk verliehenen außergewöhnlichen Begabung eines Christen in der Gemeinde« verwendet. Seit dem 20. Jh. findet es sich in der allgemeineren Bedeutung »besondere Ausstrahlung«. – Abl.: **charismatisch** (19. Jh.).

Charme »Anmut, Liebreiz, Zauber«: Das Wort wurde Mitte des 17. Jh.s aus gleichbed. frz. *charme* entlehnt, das seinerseits auf lat. *carmen* »Gesang, Lied, Gedicht; Zauberspruch, Zauberformel« beruht. Das lat. Substantiv gehört wohl zum Stamm von lat. *canere* »singen« (vgl. *Kantor*). – Früher als das Substantiv erscheint im Dt. das dazugehörige Adjektiv **charmant** »anmutig, liebenswürdig, bezaubernd« als Fremdwort (Ende 17. Jh.; aus gleichbed. frz. *charmant*, dem Part. Präs. von frz. *charmer* < spätlat. *carminare* »bezaubern«).

Charta ↑Karte.

Charter: Das Fremdwort für »Urkunde; Freibrief; Frachtvertrag« wurde im 19. Jh. aus gleichbed. engl. *charter* entlehnt. Dies geht über afrz. *chartre* auf lat. *chartula* »kleine Schrift, Briefchen« zurück, eine Verkleinerungsform von *charta* (vgl. den Artikel *Karte*). – Abl.: **chartern** »(Schiff oder Flugzeug) mieten« (1. Hälfte des 19. Jh.s; aus gleichbed. engl. *to charter*). – Zur selben lat. Wortfamilie wie ›Charter‹ gehört das Pluralwort **Charts** »Liste(n) der beliebtesten Schlager« (2. Hälfte des 20. Jh.s, aus gleichbed. engl. *chart, charts*, aus lat. *charta*).

Chassis »Fahrgestell (bei Kraftfahrzeugen); Montagerahmen (z. B. von Rundfunkgeräten)«: Das Fremdwort wurde in der 1. Hälfte des 19. Jh.s anfangs im Kunsthandwerk aus frz. *châssis* »Einfassung, Rahmen« entlehnt. Seit Anfang des 20. Jh.s wird das Wort in der Fachsprache der Technik verwendet. Das zugrunde liegende Substantiv frz. *châsse* »Kästchen, Einfassung« geht auf lat. *capsa* »Behältnis« zurück (vgl. *Kasse*).

chatten: Das Verb mit der Bedeutung »über Tastatur und Bildschirm elektronisch kommunizieren« wurde in der 2. Hälfte des 20. Jh.s aus gleichbed. engl. *to chat* entlehnt, das eigentlich ursprünglich »plaudern« bedeutet. – Zus.: **Chatroom** »virtueller Gesprächsraum im Internet«.

Chauffeur »Fahrer (eines Kraftwagens)«: Das Fremdwort wurde Ende des 19. Jh.s aus gleichbed. frz. *chauffeur* (ursprünglich »Heizer«) entlehnt. Dies gehört zu frz. *chauffer* »warm machen, heizen«, das auf gleichbed. vlat. **calefare* (für lat. *cal[e]facere)* zurückgeht (vgl. *Kalfakter*). – Abl.: **chauffieren** »einen Kraftwagen steuern« (1. Hälfte 20. Jh.).

Chaussee: Die heute veraltende Bezeichnung für »Landstraße« wurde im 18. Jh. aus frz. *chaussée* entlehnt, das auf galloroman. *(via) *calciata* »Straße mit fest gestampften Steinen« zurückgeht. Auszugehen ist wohl von einem Verb **calciare* »mit den Füßen stampfen« (zu lat. *calx* »Ferse«).

Chauvinismus »übersteigerter Patriotismus; Nationalismus«, in neuerer Zeit auch – meist in der Fügung ›männlicher Chauvinismus‹ – »übertriebenes männliches Selbstwertgefühl«: Das Fremdwort wurde im 19. Jh. aus frz. *chauvinisme* entlehnt; dies ist eine Bildung zu (Nicolas) Chauvin, dem Namen der Gestalt eines patriotischen, begeisterten Soldaten aus einem Lustspiel der Brüder Cogniard (1831). Abl.: **Chauvinist** »übersteigerter Patriot; Vertreter des männlichen Chauvinismus« (aus frz. *chauviniste;* ugs. gekürzt zu **Chauvi**), dazu **chauvinistisch** »übersteigert patriotisch; den männlichen Chauvinismus vertretend«.

Check: Die Bezeichnung für »Überprüfung, Kontrolle« stammt aus gleichbed. engl. *check*, das selbst eine Entlehnung aus afrz. *echec* »Schach« ist. Bereits im 19. Jh. finden sich im Dt. Belege des Wortes, zunächst allerdings auf die englischen Verhältnisse und besonders auf das dortige politische System bezogen (z. B. *checks and balances*). Seit der 2. Hälfte des 20. Jh.s taucht es im Dt. auf im Sinne von »Sicherheitsüberprüfung im Luftverkehr« oder ganz allgemein von »Kontrolle von Personen, Informationen oder Sachen, besonders von technischen Geräten«. Häufig findet sich das Substantiv in Verbindung mit engl. Präpositionen, z. B. **Check-in** »Abfertigung von Flug- oder Hotelgästen am Flugschalter oder an der Rezeption«; **Check-out** »Erledigung von Formalitäten, die bei der Abreise im Hotel anfallen« oder auch **Check-up** »umfangreiche technische Prüfung, medizinische Vorsorgeuntersuchung«. Des Weiteren findet sich ›Check‹ auch als Grundwort in zahlreichen Zusammensetzungen mit einem weiteren Substantiv, wie z. B. **Gesundheitscheck, Sicherheitscheck, Soundcheck.** Dazu tritt in jüngster Zeit noch das Verb **checken** »etw. überprüfen, testen« sowie auch in der ugs. Bedeutung »etw. verstehen, merken, begreifen«.

Chef: Der Ausdruck für »Leiter; Geschäftsführer« wurde im 17. Jh. – zunächst im militärischen Sinne von »Anführer, Vorgesetzter« – aus frz. *chef* »[Ober]haupt« entlehnt, das über galloroman. **capum* auf gleichbed. lat. *caput* zurückgeht. Über weitere Zusammenhänge vgl. den Artikel *Kapital*.

Chemie »Stoffkunde«: Das bis um 1800 in der Form ›Chymie‹ auftretende Wort ist seit der 1. Hälfte des 17. Jh.s belegt und wohl aus ↑Alchemie zurückgebildet. – Abl.: **Chemikalien** »chemische Stoffe«; **Chemiker; chemisch.**

chemo..., Chemo..., (auch:) chemi..., Chemi..., (vor Vokalen:) chem..., Chem...: Das Wortbildungselement mit der Bedeutung »die Chemie betreffend«, wie z. B. in ›Chemigraphie, Chemotechnik, Chemotherapie‹, gehört zur Wortfamilie von ↑Chemie. Es ist in Analogie zu anderen Wortbildungselementen wie ↑chrono..., Chrono... entstanden.

...chen: Die verkleinernde Bedeutung der germ. Suffixe *-ka, -ko* (ahd. *-cha*, z. B. in ahd. *fulicha* »Füllen«) und *-īn* (in mnd. *kūk-en* »Küken«) ist früh verblasst, was zu den verstärkten Doppelbildungen asächs. *-kīn*, mnd. *-ken*, mitteld. *-chin*, *-chen* geführt hat, die zuerst besonders in der Dichtung auftreten: asächs. *skipikīn* »Schiffchen«, mnd. *vürken* »Feuerchen«, mitteld. *bruoderchīn* »Brüderchen«. Seit dem 17. Jh. hat sich das mitteld. *-chen* (früher auch *-gen* geschrieben) gegenüber dem früher weiter verbreiteten ↑...lein in der Schriftsprache durchgesetzt.

Cheque ↑Scheck.

chic ↑schick.

Chicorée ↑Zichorie.

Chiffon: Die Bezeichnung für ein leichtes, schleierartiges Gewebe wurde im 19. Jh. aus frz. *chiffon* »Lumpen, Fetzen; durchsichtiges Gewebe« entlehnt. Dies gehört zu frz. *chiffe* »minderwertiges Gewebe«, das auf arab. *šiff* »durchsichtiger Stoff, Gaze« zurückgeht.

Chiffre »Kennwort, Geheimzeichen«: Das Fremdwort wurde in der 1. Hälfte des 17. Jh.s aus frz. *chiffre* (afrz. *cifre)* entlehnt (vgl. *Ziffer*). – Abl.: **chiffrieren** »verschlüsseln« (18. Jh.; aus frz. *chiffrer*); **dechiffrieren** »entschlüsseln« (spätes 17. Jh.; aus frz. *déchiffrer*).

Chinin »fiebersenkendes Heilmittel«: Wesentlicher Bestandteil des Chinins ist das Alkaloid des Chinarindenbaumes, der in Peru beheimatet ist und von den Ureinwohnern *quina* bzw. *quinaquina* genannt wurde. Hieraus wurde im It. *china*, dessen Ableitung *chinina* uns im 19. Jh. als ›Chinin‹ erreichte.

Chip »Spielmarke; in Fett gebackene dünne Kartoffelscheibe; winziges Halbleiterplättchen, auf dem sich Schaltung und mikroelektronische Schaltelemente befinden«: Das Wort wurde in seinen verschiedenen Bedeutungen zu verschiedenen Zeiten aus engl. *chip* (eigentlich »Schnipsel«, zu mengl. *chippen* »schneiden«) entlehnt.

chir[o]..., Chir[o]...: Dem Bestimmungswort von Zusammensetzungen mit der Bed. »Hand«, wie z. B. in Chiropraktiker oder ↑Chirurg liegt griech. *cheír* »Hand« zugrunde.

Chirurg »Facharzt für Chirurgie«: Das Fremdwort wurde Ende des 15. Jh.s aus lat. *chirurgus* < griech. *cheirourgós* »Wundarzt« entlehnt. Es bedeutet eigentlich »Handwerker« (zu griech. *cheír* »Hand« vgl. *chir[o]..., Chiro...* und griech. *érgon* »Tätigkeit, Werk«; vgl. *Energie*) und bezeichnete demnach den mit den Händen arbeitenden Wundarzt. Entsprechend heißt die »Wundheilkunde« griech. *cheirourgía* (> lat. *chirurgia*) und das die Tätigkeit des Chirurgen beschreibende Adjektiv griech. *cheirourgikós* (> lat. *chirurgicus*). Beide Bildungen erscheinen gleichfalls als Fremdwörter: **Chirurgie** (ebenfalls Ende des 15. Jh.s) und **chirurgisch** (16. Jh.).

Chlor: Das zu den chemischen Grundstoffen gehörende Gas wurde im 19. Jh. wegen seiner Farbe nach griech. *chlōrós* »gelblich grün« (urverwandt mit ↑gelb) benannt. Abl.: **chloren, chlorieren** »mit Chlor behandeln« (20. Jh.); **chlorig** »chlorhaltig« (20. Jh.).

Chloroform (Betäubungsmittel): Die im 19. Jh. in Frankreich entwickelte chemische Verbindung ist nach den Stoffen benannt, die bei der Ersthherstellung eine entscheidende Rolle gespielt haben, nämlich *Chlor*kalk und Ameisensäure, deren wissenschaftlicher Name acidum *formi*cicum ist. ›Formicicus‹ ist eine nlat. Ableitung von lat. *formica* »Ameise«. Abl.: **chloroformieren** »mit Chloroform betäuben« (20. Jh.).

Cholera: Die im 19. Jh. aus Asien eingeschleppte Infektionskrankheit wurde wegen der Ähnlichkeit der Symptome mit dem Namen einer schon den alten Griechen bekannten Krankheit bezeichnet: griech. *choléra* (> lat. *cholera*), das auch die Quelle für unser Lehnwort ↑Koller (s. auch *Kohldampf*) ist, war die Bezeichnung für »Gallenbrechdurchfall«. Das Wort ist abgeleitet von griech. *cholḗ* »Galle«, das urverwandt ist mit nhd. ↑Galle und das als Grundwort auch in ↑Melancholie erscheint.

cholerisch »jähzornig, aufbrausend«: Das Adjektiv wurde Ende des 15. Jh.s über mlat. *cholericus* aus griech. *cholerikós* entlehnt, und zwar zunächst in der Bedeutung »an Cholera erkrankt« (vgl. *Cholera*). Im Mlat. entwickelte sich dann die Bedeutung »galliges Temperament, Zorn[ausbruch]« (vgl. unser Wort Koller »Wutanfall« und frz. *colère* »Zorn«). Auch griech. *cholḗ*, das »Galle« und »Zorn« bedeutet, dürfte dabei eingewirkt haben. Die Bedeutungsentwicklung des Wortes erklärt sich aus der mittelalterlichen Lehre, die auf den griech. Arzt Hippokrates zurückgeht und nach der den vier Grundtemperamenten (cholerisch, *melancholisch* ↑Melancholie, *phlegmatisch* ↑Phlegma, ↑sanguinisch) vier verschiedene Mischungen der Elemente (heiß, kalt, trocken, feucht) und danach vier Körpersäfte entsprechen. Die Mischung heiß-trocken beim cholerischen Temperament zielt auf die Vorstellung des von der Gallenflüssigkeit überschwemmten und gleichsam überhitzten und verbrannten Blutes; vgl. auch den Artikel *Temperament*. – Abl.: **Choleriker** »Mensch von reizbarem, jähzornigem Temperament«.

Chor »Sängerschar; erhöhter Kirchenraum«: Griech. *chorós* »Tanz, Reigen; tanzende Schar; Tanzplatz«, das über lat. *chorus* ins Dt. gelangte, wurde im Ahd. (ahd. *chōr*) im Sinne von »gemeinsamer Gesang der Geistlichen in der Kirche« (s. auch *Choral*) verwendet. Im Mhd. *(kōr)* bezeichnete das Wort dann auch einerseits den »Chorraum« (als den Ort, an dem der Chor sich aufstellt), andererseits allgemein jede »Sängerschar«. – Griech. *chorós* ist nicht sicher gedeutet. Vielleicht gehört es mit einer ursprünglichen Bed. »eingehegter Tanzplatz« zur idg. Wurzel **ĝher-* »greifen, [ein]fassen«, die auch unserem Substantiv ↑Garten zugrunde liegt.

Choral: Die Bezeichnung für »Gemeindegesang in der Kirche; Kirchenlied« wurde in der 1. Hälfte des 16. Jh.s aus mlat. *(cantus) choralis* »Chorgesang« (zu lat. *chorus*, vgl. *Chor*) entlehnt.

Choreographie: Bei dem im 19. Jh. unter Einfluss von frz. *chorégraphie* aufgekommenen Fremdwort handelt es sich um eine Bildung zu griech. *choreía* »Tanz« und *graphía* zu *graphein* »[ein]ritzen, schreiben«. Es bezeichnet die »Gestaltung, Einstudierung eines Balletts«. – Abl.: **choreographisch** (19. Jh.; »die Choreographie betreffend«); **Choreograph** (19. Jh.; »Leiter eines Balletts, der eine Tanzschöpfung kreiert und inszeniert«).

[1]**Christ,** Christus »der Gesalbte«: Der Beiname Jesu von Nazareth (mhd., ahd. *Krist*) gelangte im Zuge der arianischen Mission aus dem Got. zu uns. Daneben ist die lat. Vollform Christus gebräuchlich. Beiden Wörtern liegt das griech. Adjektiv *chrīstós* »gesalbt« (zu griech. *chriein* »bestreichen; salben«) zugrunde, das substantiviert eine Übersetzung von hebr. *māšîaḥ* »Messias« ist. – Zus.: **Christbaum, Christkind** (16. Jh.), **Christmette** (spätmhd.), **Christstolle[n]** (↑Stollen). [2]**Christ** »der Gläubige in der Nachfolge Christi«: Das Wort ist aus frühnhd. *kriste*, mhd. *kristen*, dem substantivierten mhd. Adjektiv *kristen* »christlich« verkürzt. Die volle Form ist in **Christenheit** (mhd. *kristenheit*) und **Christentum** (mhd. *kristentuom*) bewahrt. Das Adjektiv **christlich** hingegen zeigt die gleiche Kürzung gegenüber mhd. *kristenlīch*. Mhd. *kristen* (ahd. *kristāni*) geht wie frz. *chrétien* auf lat. *Christianus* (woraus griech. *Chrīstiānós*) »christlich« zurück. Über das zugrunde liegende Adjektiv griech. *chrīstós* »gesalbt« s. o. unter [1]Christ.

Chrom: Der Name dieses Metalls wurde um 1800 aus frz. *chrome* übernommen. Das frz. Wort ist eine gelehrte Bildung zu griech.-lat. *chrōma* »Farbe« und bezieht sich auf die augenfällige Schönheit der Farben, die Chrom in Verbindungen zeigt. – Griech. *chrōma* bedeutet – wie *chróa*, zu dem es gehört – zunächst »Haut«, dann auch »Hautfarbe« und schließlich allgemein »Farbe« (so auch im Fremdwort ↑Chromosomen).

chromatisch »(sich) in Halbtönen (bewegend)«: Das musikwissenschaftliche Fachwort geht zurück auf lat. *chromaticus*, griech. *chrōmatikós*, das zu griech. *chrōma* »Klangfarbe« gehört (vgl. *Chrom*). Es bezeichnet somit eigentlich die Veränderung der »Klangfärbung« der sieben Grundtöne, die durch Halbtonversetzung nach oben oder unten erzielt wird. Dazu: **Chromatik** »Veränderung der sieben Grundtöne um einen halben Ton nach oben oder unten«.

Chromosomen: Die naturwissenschaftliche Bezeichnung für die die Erbfaktoren tragenden Zellkernfäden ist eine gelehrte Neubildung zu griech. *chrōma* »Farbe« (vgl. *Chrom*) und griech. *sōma* »Körper«. Die wörtliche Bed. »Farbkörper« bezieht sich auf die Tatsache, dass die Chromosomen durch bestimmte Färbung sichtbar gemacht werden können.

Chronik »Aufzeichnung geschichtlicher Ereignisse nach ihrer Zeitfolge«: Das Wort wurde bereits in mhd. Zeit *(krōnik[e])* aus gleichbed. lat. *chronica* entlehnt. Dies stammt seinerseits aus griech. *chronikà (biblía)* »einen Zeitraum betreffende Bücher« (s. den Artikel *chronisch*). Über das zugrunde liegende Substantiv griech. *chrónos* »Zeit« vgl. *chrono..., Chrono...* – Eine frühnhd. gelehrte Bildung zu ›Chronik‹ ist **Chronist** »Verfasser einer Chronik«.

chronisch »langsam verlaufend; langwierig« (von Krankheiten), aber auch allgemein im Sinne von »gewohnheitsmäßig«: Das Adjektiv wurde im 16. Jh. als medizinisches Fachwort aus lat. *(morbus) chronicus* »chronische Krankheit« entlehnt. Voraus liegt das von griech. *chrónos* »Zeit« (vgl. *chrono..., Chrono...*) abgeleitete Adjektiv griech. *chronikós* »zeitlich [lang]«.

chrono..., Chrono...: Das Bestimmungs- und Grundwort von Zusammensetzungen mit der Bed. »Zeit«, wie z. B. ↑Chronologie, ↑Chronometer, ↑synchron, synchronisieren, gehört zu griech. *chrónos* »Zeit«, das ohne sichere Anknüpfungen im Idg. ist. – Beachte noch die Fremdwörter ↑Chronik, Chronist und ↑chronisch, die letztlich auch zu griech. *chrónos* gehören.

Chronologie »Wissenschaft von der Zeitmessung; Zeitrechnung; zeitliche Abfolge«: Das seit dem späten 16. Jh. bezeugte Fremdwort geht zurück auf nlat.-griech. *chronologia* »Zeitrechnung« (vgl. *chrono..., Chrono...* und *Logik*). – Abl.: **chronologisch** »nach der zeitlichen Abfolge geordnet«.

Chronometer: Die Bezeichnung für »Zeit-, Taktmesser« ist eine Neubildung des 18. Jh.s zu griech. *chrónos* »Zeit« (vgl. *chrono..., Chrono...*) und griech. *métron* »Maß« (vgl. *Meter*).

Chrysantheme: Der Blumenname ist aus griech.-lat. *chrysánthemon* »Goldblume« (zu griech. *chrysós* »Gold« und griech. *ánthemon* »Blume« [vgl. *Antilope*]) entlehnt.

Cineast: Das Fremdwort bezeichnet einen Filmschaffenden, Filmkenner oder -kritiker, aber auch einen begeisterten Kinogänger. Es handelt sich um eine seit der 2. Hälfte des 20. Jh.s belegte, aus frz. *cinéaste* übernommene Bildung, die sich aus den Bestandteilen *ciné(ma)* »Kino« und der eine Person kennzeichnenden Nachsilbe *-aste* zusammensetzt, eventuell einer Kürzung aus *(enthousi)aste*. Über weitere Zusammenhänge vgl. *Kino*.

circa ↑zirka.

City: Die Bezeichnung für »Geschäftsviertel (in Großstädten), Innenstadt« wurde Mitte des 18. Jh.s aus engl. *city* »[Haupt]stadt« entlehnt. Dies geht über frz. *cité* zurück auf lat. *civitas (civitatem)* »Bürgerschaft; Gemeinde; Staat«. Über das zugrunde liegende Substantiv lat. *civis* »Bürger« vgl. den Artikel *zivil*.

Die Entlehnungen im Deutschen

Während seiner langen Geschichte hat das Deutsche aus einer großen Zahl fremder Sprachen Wörter übernommen. Die Tabelle zeigt uns, in welcher Sprachperiode der fremde Einfluss besonders groß war.

Zeit	historischer Hintergrund	Sprache
6.–9. Jh.	Zeit der Christianisierung	Latein
12.–14. Jh.	höfische Zeit, Rittertum	Französisch
15.–16. Jh.	Zeitalter des Humanismus	Latein, Griechisch, Italienisch
16.–17. Jh.	30-jähriger Krieg; Alamodezeit	Französisch, Italienisch
19.–20. Jh.	industrielle Revolution, Arbeiterbewegung, technischer Fortschritt, 1. und 2. Weltkrieg	Englisch, Französisch; Fremdwörter mit lateinischen und griechischen Wortstämmen (Internationalismen)
nach 1945	Nachkriegszeit	Englisch (Amerikanisch)

Das Deutsche hat aber nicht nur aus den in dieser Tabelle genannten Sprachen Wortgut übernommen, sondern auch aus anderen europäischen und außereuropäischen Sprachen Wörter entlehnt. Diese Entlehnungen sind jedoch nicht so zahlreich wie diejenigen aus dem Griechischen, Lateinischen, Englischen, Französischen und Italienischen. Einige Wörter kamen über das Jiddische und die Gaunersprache (das so genannte *Rotwelsche;* aus rotwelsch *rōt* »falsch« und veraltet *welsch* »romanisch«, also eigentlich etwa »unechte romanische Sprache«) aus dem Hebräischen ins Deutsche und fanden vor allem in der Umgangssprache Verbreitung, wie z. B. *Pleite* (eigentlich »Flucht vor den Gläubigern«), *meschugge, kess, Kluft* (eigentlich wohl »Schale, Rinde«), *Kohl* (in der Bedeutung »Unsinn«, eigentlich »Gerücht«), *Schmiere* (in der Wendung *Schmiere stehen,* eigentlich »Bewachung, Wächter«), *Schmus* (eigentlich »Gerücht« oder »Gehörtes«, dazu auch unser Verb *schmusen*), *schofel* (eigentlich »gemein, niedrig«), *Stuss* (eigentlich »Torheit«), *Zoff* (eigentlich »böses Ende«). Die Sprache der Verbindungsstudenten (= Studenten, die sich zu Bünden zusammengeschlossen hatten, in denen bestimmte Bräuche mit einem bestimmten Zeremoniell gepflegt wurden) hat hier besonders im 18. und 19. Jh. oft vermittelnd gewirkt. Aus dieser Studentensprache selbst sind ebenfalls viele Ausdrücke in die Allgemeinsprache übergegangen, so z. B. *Backfisch* (ursprünglich »unerfahrener Student«), *blechen, büffeln, burschikos* (aus *Bursch* »Mitglied einer studentischen Verbindung« und der altgriechischen Adverbendung *-ikṓs*), *fidel, Katzenjammer, Kneipe, Lappalie, Pfiffikus, pumpen, schmausen, schwänzen, Spießbürger.*

Wörter aus dem Niederdeutschen

Eine größere Zahl von Wörtern ist auch aus dem **Niederdeutschen** in das Hochdeutsche übernommen worden. Meistens sind es Ausdrücke der Seefahrt und Bezeichnungen für Dinge, die mit dem Leben an der Küste in Zusammenhang stehen. Hierzu gehören Wörter wie *baggern, Deck, Deich, Ebbe, Hafen, Robbe, Stempel, Stoppel, Wrack.* Gelegentlich ist neben der niederdeutschen Form auch die hochdeutsche (mittel- oder süddeutsche) Form erhalten geblieben, sodass heute in der Standardsprache zwei Formen nebeneinander stehen, allerdings meist mit verschiedenen Bedeutungen, z. B. *Schacht – Schaft, Stapel – Staffel, stoppen – stopfen.*

Entlehnungen aus dem Spanischen

Bei den Entlehnungen aus anderen europäischen und außereuropäischen Sprachen war oft das Lateinische (im Mittelalter das Mittellateinische), das Englische oder die romanischen Sprachen (das Französische, das Italienische und das Spanische) Vermittler auf dem Weg ins Deutsche. Das **Spanische** hat uns viele Wörter aus dem Arabischen und aus südamerikanischen Indianersprachen gebracht. Aus der spanischen Sprache direkt haben wir Wörter entlehnt wie z. B. *Armada, Guerilla* (über das Französische), *Gala, Lasso, Liga, Machete, Matador, Paella, Platin, Siesta, Silo, Sombrero, Torero, Zigarre, Zigarillo.*

Entlehnungen aus dem Slawischen

Seit dem Mittelalter hat das Deutsche auch aus den Sprachen seiner slawischen Nachbarn im Osten viele Wörter übernommen. Eine große Zahl davon ist auf die Mundarten beschränkt geblieben, einige Wörter sind aber in die Allgemeinsprache übergegangen, so z. B. *Grenze* (vgl. poln. *granica*), *Gurke* (poln. *ogórek*), *Kren* »Meerrettich« (tschech. *křen*, russ. *chren*), *Pistole* (tschech. *píšťala*), *Quark* (vgl. poln. *twaróg*), *Zobel* (russ. *sobol'*).

Clan: Das Substantiv bezeichnet ursprünglich einen schottischen Lehns- und Stammesverband und ist in dieser Bedeutung im Dt. im 18. Jh. durch die Übersetzungsliteratur und Beschreibungen Schottlands bekannt geworden. Heute bezeichnet es, häufig in ironischer oder abwertender Weise, eine Gruppe, die durch gemeinsame Interessen oder verwandtschaftliche Beziehungen verbunden ist.

Clavicembalo ↑Cembalo.

clever »beweglich, wendig, von schnellem Reaktionsvermögen«: Das Adjektiv wurde im 20. Jh. aus gleichbed. engl. *clever* entlehnt. Die weitere Herkunft des Wortes ist unsicher. Abl.: **Cleverness** »Wendigkeit, Tüchtigkeit« (aus engl. *cleverness*).

Clique »Sippschaft, Klüngel«: Das Fremdwort wurde im 18. Jh. aus gleichbed. frz. *clique*, einer Ableitung von dem lautmalenden afrz. Zeitwort *cliquer* »klatschen«, entlehnt. Die Grundbedeutung von frz. *clique* wäre demnach »das Klatschen« bzw. »die beifällig klatschende Menge«.

Clou: Der Ausdruck für »Höhepunkt, Kernpunkt« wurde am Ende des 19. Jh.s aus gleichbed. frz. *clou* (eigentlich »Nagel«) entlehnt. Der Bedeutungsübertragung, die sich wohl in der frz. Umgangssprache vollzogen hat, liegt etwa die Vorstellung zugrunde, dass der ›Clou‹ einer Sache das Ganze befestigt und zusammenhält wie ein Nagel. – Frz. *clou* geht auf lat. *clavus* »Nagel, Pflock« zurück, das zusammen mit lat. *clavis* (in ↑Klavier) zu der unter ↑Klause dargestellten Sippe von lat. *claudere* »schließen« gehört.

Clown: Die Bezeichnung für den Spaßmacher im Zirkus wurde im späten 18. Jh. aus engl. *clown* entlehnt, das ursprünglich die Charakterrolle des »Bauerntölpels« im alten engl. Theater bezeichnete und insofern wohl auf frz. *colon*, lat. *colonus* »Bauer; Siedler« zurückgeht. Zugrunde liegt lat. *colere* (vgl. *Kolonie*).

Cockpit »Kabinenvorraum auf Jachten; vertiefter Sitzraum auf Segelbooten, Plicht; Pilotenkabine in Flugzeugen; Fahrersitz in Rennwagen«: Das Wort wurde im 20. Jh. aus gleichbed. engl. *cockpit* entlehnt. Dies bedeutet wörtlich »Hahnengrube« (zu engl. *cock* »Hahn« [vgl. *Cocktail*] und *pit* [aengl. *pytt* »Grube«; vgl. *Pfütze*]). Das Wort bezeichnet also eigentlich eine vertiefte Einfriedung für Hahnenkämpfe.

Cocktail: Die Bezeichnung für »alkoholisches Mixgetränk« wurde in der 2. Hälfte des 19. Jh.s aus gleichbed. engl.-amerik. *cocktail* entlehnt. Dies bedeutet wörtlich »Hahnenschwanz«. Der Bedeutungsübertragung liegt ein Vergleich mit der Buntheit eines Hahnenschwanzes zugrunde. Das Bestimmungswort engl. *cock* »Hahn« (s. auch *Cockpit*) ist lautnachahmenden Ursprungs und gehört zu der unter ↑kokett entwickelten Sippe.

Code ↑Kode.

Collage: Das Fremdwort stammt aus dem Bereich der bildenden Kunst. In der frz. Sprache wurde es erstmals am Anfang des 20. Jh.s im Zusammenhang mit den von Picasso und Braque geschaffenen Bildkompositionen verwendet, die aus aufgeklebten Elementen aus bedrucktem Papier, Stoff und anderen Materialien bestanden. Die ›Collage‹ ist demnach ein »Klebebild«; wörtlich übersetzt bedeutet das Wort »das Leimen, das Aufkleben«. Es gehört zum frz. Verb *coller*, einer Ableitung des Substantivs *colle* »Leim«. Dieses geht zurück auf das gleichbed. lat. Substantiv *colla*. Im Dt. ist das Wort ›Collage‹ gebräuchlich, seit diese Kunstform bekannt wurde: Die ersten Belege finden sich am Anfang des 20. Jh.s. Wie im Frz. wurde die Bezeichnung ein halbes Jahrhundert später auf andere Kunstformen übertragen; es steht seither auch für »filmische, musikalische, choreographische oder literarische Kunstwerke, die aus unterschiedlichen Versatzstücken hergestellt sind«.

Comic: Das Fremdwort ist eine seit der Mitte des 20. Jh.s nachgewiesene Entlehnung aus gleichbed. engl. *comic*. Dieses wiederum ist die Kürzung der in der 1. Hälfte des 20. Jh.s verwendeten Bezeichnung *comic strip* (im Dt. auch ›Comicstrip‹), aus *comic* »lustig, drollig« und *strip* »schmaler, langer Streifen«. Es war somit der ursprünglich humoristische Charakter, der den ›Comics‹ ihren Namen verlieh. Aufgekommen ist diese Form der Bildergeschichte in den USA, und zwar als kurze Bilderfolge in den Witzspalten der Sonntagszeitungen.

Compagnie ↑Kompanie.

Computer: Die Bezeichnung für »elektronische Rechenanlage; Rechner« wurde in der 2. Hälfte des 20. Jh.s aus gleichbed. engl. *computer* entlehnt. Das engl. Wort gehört zum Verb engl. *to compute* »[be]rechnen«, das auf lat. *computare* »[zusammen]rechnen« zurückgeht. Vgl. den Artikel *Konto*.

Consulting: Das im Dt. seit der 2. Hälfte des 20. Jh.s gebräuchliche Fremdwort, das im Sinne von »Beratungstätigkeit, Unternehmensberatung« verwendet wird, ist eine Entlehnung aus gleichbed. engl. *consulting*, der substantivierten Form des Verbs *to consult*. Dieses geht über die mfrz. Form *consulter* zurück auf lat. *consultare* »befragen«. Dieselbe Herkunft weist das Verb ↑konsultieren auf. Eine solche Entlehnung eines Mitgliedes derselben Wortfamilie einmal direkt aus dem Lat. und später noch einmal in einer neuen, speziellen Bedeutung aus dem Engl. lässt sich häufiger beobachten, z. B. auch bei ↑Aktion, Action, ↑Modell, Model und ↑Stil, Style.

Container: Bei dem Fremdwort mit der Bedeutung »(genormter) Großbehälter« handelt es sich um eine seit der 1. Hälfte des 20. Jh.s nachgewiesene Entlehnung aus gleichbed. engl. *container*, einer Ableitung des Verbs *to contain*. Dieses ist über frz. *contenir* auf lat. *contenire* »zusammenhalten« zurückzuführen, s. auch *Kontinent*.

contre..., Contre... ↑kontra..., Kontra...

Controlling: Welche Vorbildfunktion Strategien und Prinzipien amerik. Unternehmen auf die dt. Wirtschaft ausüben, lässt sich an der großen Zahl der Entlehnungen aus diesem Bereich ablesen, siehe z. B. *Broker, Investment,* (↑investieren), *Consulting, Promotion, Trainee* (↑trainieren). Auch das Substantiv ›Controlling‹, das eine von der Unternehmensführung ausgeübte Steuerungsfunktion bezeichnet, stammt aus dem amerik. Engl. Der Form nach ist es die Substantivierung des Verbs *to control,* welches auf das frz. *contrôler* zurückgeht. Über weitere Zusammenhänge vgl. *Kontrolle.* – Abl.: **Controller** »Fachmann für Kostenrechnung und -planung in einem Betrieb«.

cool: Der ugs. Ausdruck ist gebräuchlich für eine Person, die als »ruhig, überlegen, kaltschnäuzig« bezeichnet werden soll, aber auch für alles, was man für »hervorragend« hält. Im Engl., aus dem das Adjektiv in der 2. Hälfte des 20. Jh.s übernommen wurde, bedeutet es zunächst »kühl« im Sinne einer niedrigen Temperatur. Von da aus fand vermutlich eine Übertragung auf den menschlichen Gemütszustand und Charakter statt.

Copyright »Verlagsrecht«: Das engl. Wort bedeutet eigentlich »Vervielfältigungsrecht«. Das Bestimmungswort entspricht unserem Fremdwort ↑Kopie; das Grundwort ›right‹ ist mit unserem nhd. Wort Recht (↑recht)verwandt.

Couch »Liegesofa«: Der Name des Möbelstücks wurde im 20. Jh. aus engl. *couch* entlehnt. Dies geht auf afrz. (= frz.) *couche* »Lager« zurück, eine Ableitung von (a)frz. *coucher* »hinlegen; lagern« (lat. *col-locare*). Über weitere Zusammenhänge vgl. *kon..., Kon...* und *lokal.*

Coup »Schlag, Streich; kühnes, auf einen Überraschungserfolg angelegtes Unternehmen«: Das Fremdwort wurde in der 1. Hälfte des 17. Jh.s aus gleichbed. frz. *coup* entlehnt, das über vlat. *colpus, colap[h]us* »Faustschlag, Ohrfeige« auf gleichbed. griech. *kólaphos* zurückgeht. Die weitere Herkunft ist unsicher.

Coupé »[zweisitziger] Personenkraftwagen mit sportlicher Karosserie«, (veraltet auch:) »geschlossene zweisitzige Kutsche« und »Eisenbahnabteil«: Das Fremdwort wurde in der 1. Hälfte des 18. Jh.s aus frz. *coupé* entlehnt, das als substantiviertes 2. Part. von *couper* »[ab]schneiden« allgemein »abgeschnittener Teil, Abgeteiltes« bedeutete. Als Bezeichnung für ein Eisenbahnabteil ist das Wort seit der Mitte des 19. Jh.s im Dt. belegt, seit der Mitte des 20. Jh.s als Bezeichnung für einen Sportwagen.

Coupon, Kupon: Die Bezeichnung für »Abschnitt (auf Wertpapieren); Stoffrest« wurde im 18. Jh. aus gleichbed. frz. *coupon* entlehnt, das zu frz. *couper* »[ab]schneiden« gehört.

Courage »Beherztheit, Mut«: Das Fremdwort wurde in der Soldatensprache des 16. Jh.s aus gleichbed. frz. *courage* entlehnt, einer Ableitung von frz. *cœur* »Herz«. Dies geht auf galloroman. *cor (coris)* »Herz« zurück, das für klass.-lat. *cor (cordis)* steht. Das lat. Wort ist urverwandt mit dt. ↑Herz. – Abl.: **couragiert** »beherzt, mutig« (Ende 18. Jh.).

Cousin: Die Anfang des 17. Jh.s aus dem Frz. übernommene Verwandtschaftsbezeichnung schränkte den Geltungsbereich des ererbten Wortes ↑Vetter ein. Heute drängt allerdings das Wort ›Vetter‹, vor allem in der Hochsprache, das Wort ›Cousin‹ wieder zurück. Dagegen konnte sich **Cousine,** das im späteren 17. Jh. entlehnt wurde, gegenüber ↑[1]Base voll durchsetzen. Frz. *cousin* geht auf vlat. **cosinus* zurück, eine aus klass.-lat. *con-sobrinus (*con-suesrinos)* »Geschwisterkind (von mütterlicher Seite)« gekürzte Koseform. Das zugrunde liegende Substantiv lat. *soror (*suesor)* »Schwester« – woraus gleichbed. frz. *sœur* entstand – ist mit dt. ↑Schwester urverwandt.

Cover: Das Fremdwort, dessen Bedeutung sich etwa mit »Titelbild, Schallplattenhülle, Bucheinband« wiedergeben lässt, wurde in der 2. Hälfte des 20. Jh.s aus engl. *cover* übernommen, wo es neben den oben genannten Bedeutungen auch im Sinne von »Decke, Deckel, Abdeckung« verwendet wird. Das engl. *cover* ist eine Substantivierung des Verbs *to cover.* Dieses geht über das frz. *couvrir* (siehe hierzu auch *Kuvert)* auf das lat. Verb *cooperire, coperire* »von allen Seiten bedecken, überschütten« zurück. Das oben genannte engl. Verb *to cover* wurde in seiner speziellen Bedeutung »eine neue Fassung eines älteren Musiktitels aufnehmen« in der 2. Hälfte des 20. Jh.s in der Form **covern** ins Deutsche entlehnt.

Creme, Krem »Sahne; schaumige Süßspeise; Salbe; gesellschaftliche Oberschicht«: Das Fremdwort wurde im 18. Jh. aus gleichbed. frz. *crème* (afrz. *craime, cresme*) entlehnt. Dies ist eine Kreuzung von gall.-lat. *crama* »Sahne« und griech.-lat. *chrīsma* »Salbe« (daraus frz. *chrême* »Salböl«). Die von ›Creme‹ entwickelte Bed. »gesellschaftliche Oberschicht« ist von der fetten Sahneschicht auf der Milch übertragen.

Croupier: Die Bezeichnung für den Gehilfen des Bankhalters (im Glücksspiel) wurde im 18./19. Jh. aus gleichbed. frz. *croupier* entlehnt. Dies bedeutet als Ableitung von frz. *croupe* »Hinterteil« (vgl. *Kruppe*) eigentlich »Hintermann«, dann übertragen etwa »unauffälliger Helfer«.

Curry: Der Name dieser Gewürzmischung (in Pulverform) ist aus angloind. *curry* entlehnt, das ursprünglich eine mit verschiedenen scharfen Gewürzen gekochte Speise bezeichnete, dann auch eine Zusammenstellung solcher Gewürze überhaupt. Voraus liegt tamil. *kari* »Tunke«.

Cursor: Das gegen Ende des 20. Jh.s aus gleichbed. engl. *cursor* übernommene Substantiv steht für »Zeichen auf dem Computerbildschirm, das anzeigt, an welcher Stelle die nächste Eingabe erscheint«. Das engl. *cursor* bedeutet ursprünglich »Läufer«, der ›Cursor‹ ist also damit der Läufer über den Bildschirm. Das engl. Substantiv beruht auf lat. *cursor* »[Schnell]läufer; Eilbote«, einer Ableitung des Verbs *currere.* Vgl. *Kurs.*

Cyber...: Das Bestimmungswort von Zusammensetzungen mit der Bedeutung »die von Computern erzeugte virtuelle Scheinwelt betreffend« wurde gegen Ende des 20. Jh.s aus dem gleichbed. engl. Wortbildungselement *cyber...* übernommen, einer Verkürzung von *cybernetics* »Kybernetik«. – Zus.: **Cybercafé** »Café, in dem Terminals zur Verfügung gestellt werden, mit denen die Gäste das Internet benutzen können«; **Cybercash** »Verbuchung von kleinen Beträgen mithilfe des Internets«; **Cybersex** »sexuelle Stimulation durch computergesteuerte Simulation; über digitale Medien (bes. das Internet) verbreitete Darstellung von sexuellen Handlungen«; **Cyberspace** »von Computern erzeugte virtuelle Scheinwelt«.

D *d*

[1]da: Das gemeingerm. Ortsadverb mhd. *dā[r],* ahd. *dār* (entsprechend niederl. *daar,* engl. *there* und mit Kürzung des Vokals got. *þar,* schwed. *där*) gehört zum Stamm des Demonstrativpronomens ↑der. Das auslautende r schwand schon im Mhd., hat sich aber in Zusammensetzungen vor anlautendem Vokal gehalten: daran, darin, darüber usw.

[2]da: Das mit [1]da im Nhd. zusammengefallene Zeitadverb mhd. *dō,* ahd. *dō, thō,* asächs. *thō,* aengl. *đā* gehört ebenfalls zum Stamm von ↑der. Wahrscheinlich war es weiblicher Akkusativ Singular des Artikels (got. *þō*), neben dem ein zugehöriges Substantiv weggefallen ist, und bedeutete etwa »die [Zeit]« (wie in nhd. ›diesen Morgen fuhr er ab‹). Üblich ist es noch in der Wendung ›von da an‹ und zur Fortführung einer Erzählung (da kam ich ..., da sagte er ...) und als kausale Konjunktion (da es mir nicht gelungen ist, ...).

Dach: Das altgerm. Wort mhd. *dach,* ahd. *dah,* niederl. *dak,* engl. *thatch,* schwed. *dak* gehört zu der Wortgruppe von ↑decken. Es ist eng verwandt z. B. mit griech. *tégos* »Dach, Haus« und mit der kelt. Sippe von kymr. *to* »Dach« und bedeutet eigentlich »das Deckende«. Das deckende, schützende Dach ist eine Urform des Hauses, wie sie z. B. noch die wandlosen Schafställe der Lüneburger Heide zeigen. So kann das Wort sinnbildlich für »Haus« stehen (›ein gastliches Dach‹, ↑Fach). Schon mhd. ist der übertragene Gebrauch von ›Dach‹ für »Bedeckung, Oberstes, Schirmendes« (dazu ›Obdach‹ [↑[1]ob] und nhd. ›Dachverband, -gesellschaft‹) und für »Schädeldecke« scherzhaft. Hierzu gehört **Dachschaden** »geistiger Defekt«. – Zus.: **Dachstuhl** »Stützgebälk des Daches« (um 1500; vgl. *Stuhl*).

Dach

etw. unter Dach und Fach bringen
»etw. glücklich zum Abschluss bringen«
Die Wendung rührt vom Hausbau her. Wenn ein Haus unter Dach und Fach war, d. h., wenn das Fachwerk (= ↑Fach) und Dach fertig waren, galt der eigentliche Hausbau als beendet.

jmdm. aufs Dach steigen
»jmdn. zurechtweisen, in die Schranken weisen«
Die Wendung geht von einem alten Rechtsbrauch aus: Einem Mann, der seine Stellung als Familienoberhaupt einbüßt und unter den Pantoffel kommt, wurde früher von Nachbarn, die ihn bloßstellen wollten, das Dach abgedeckt.

eins aufs Dach bekommen/kriegen
(ugs.) »zurechtgewiesen, getadelt werden«
Die Wendung knüpft an ›Dach‹ im Sinne von »Schädel[decke]« an, meint also eigentlich »einen Schlag auf den Kopf bekommen«.

Dachs: Die Herkunft des germ. Tiernamens mhd., ahd. *dahs,* niederl. *das,* norw.-dän. *[svin]toks* »[Schweine]dachs« ist unklar. Das Tier kann nach seiner Fähigkeit, kunstvolle Bauten anzulegen, benannt worden sein, dann wäre das Wort z. B. verwandt mit aind. *tákṣati* »zimmert, verfertigt«, *tákṣan-* »Zimmermann« und griech. *téktōn* »Zimmermann« (vgl. die Wortgruppe um ↑*Technik*). Der Tiername kann aber auch zu der unter ↑dick dargestellten Wortgruppe gehören, sodass der Dachs als »Dickling« benannt worden wäre. – Zus.: **Dachshund** (↑Dackel).

Dächsel ↑Dackel.

Dackel: Der zum Aufsuchen von Fuchs und Dachs im Bau abgerichtete Hund heißt **Dachshund** (spätmhd. *dahshunt*). Als oberd. Kurz- und Koseform zu ›Dachshund‹ ist ›Dackel‹ seit dem Ende des 19. Jh.s belegt. Älter sind das jetzt veraltete oberd. **Dächsel** (1. Hälfte des 18. Jh.s) und das nordd. **Teckel** (2. Hälfte des 18. Jh.s), das heute besonders bei Züchtern und Jägern gilt.

Daffke: Das Wort, das nur in der ugs. Fügung ›aus Daffke‹ »nun gerade, zum Trotz; aus Spaß« gebräuchlich ist, geht auf jidd. *daffke* (aus hebr. *dawqā*) »nun gerade« zurück.

daheim ↑Heim.

dahinsiechen ↑siech.

Dahlie: Die zur Familie der Korbblütler gehörende Zierpflanze wurde im 18. Jh. zu Ehren des schwedischen Botanikers und Linné-Schülers A. Dahl benannt.

Dalles: Der ugs. Ausdruck für »Geldverlegenheit, Notlage« geht zurück auf jidd. *dalles,* hebr. *dallûṭ* »Armut«, das zu hebr. *dal* »arm; schlapp« gehört.

dalli: Der ugs. Ausdruck für »[mach] schnell, [los] rasch!«, der sich vor allem von Berlin aus ausgebreitet hat, geht zurück auf poln. *dalej* »los, weiter [voran]!«. Das poln. Wort ist der Komparativ von poln. *daleko* »weit«.

damals: Das seit dem 16. Jh. bezeugte Adverb (mhd. *des māles* »diesmal; damals«) gehört zu ↑²da und ↑¹Mal. – Abl.: **damalig** (17. Jh.).

Damast »[Seiden]gewebe«: Spätmhd. *damasch, damast,* mnd. *damask* stammen aus it. *damasco, damasto,* das ein aus der Stadt Damaskus in Syrien stammendes feines Gewebe bezeichnet.

Dambock, Damhirsch, Damwild: Diese Bezeichnungen sind verdeutlichende Zusammensetzungen, wie z. B. auch ›Windhund‹. Als das alte Wort für die Wildart mhd. *tāme,* ahd. *tām[o]* »Damhirsch« unüblich wurde, verdeutlichte man es mit bekannten Wörtern, von denen ›Bock‹, ›Hirsch‹, ›Wild‹ (s. d.) die heute üblichsten sind. Das Bestimmungswort ist entlehnt aus lat. *dama,* das ursprünglich allgemein rehartige Tiere, erst später das Damwild bezeichnete und vielleicht selbst wieder auf einer Entlehnung aus dem Kelt. beruht, vgl. air. *dam* »Ochse«, *dam allaid* »Hirsch«, eigentlich »wilder Ochse«.

Dame: Das Wort wurde Ende des 16. Jh.s aus frz. *dame* »Herrin; Frau; Ehefrau« entlehnt. Während es bis ins 17. Jh., als Pendant zu ↑Kavalier, die fein gebildete Geliebte, die Herzensdame, die Herrin bezeichnete, wurde es ebenfalls im 17. Jh. zum festen Titel der Frau in Hof- und Adelskreisen. Erst seit dem Ende des 18. Jh.s wurde es auch in der Sprache der bürgerlichen Gesellschaft heimisch, wo es ↑Frau teilweise ersetzte. Die abwertende Bedeutung »Geliebte; Konkubine« von ›Dame‹, wie sie noch heute in der Verkleinerungsform ›Dämchen‹ zum Ausdruck kommt, reicht auch schon ins 17. Jh. zurück. Sie hat sich vielleicht, ähnlich wie bei ↑Mätresse, das in gewissem Sinne Synonym war, als Euphemismus entwickelt. Frz. *dame,* das in Verbindung mit dem Possessivpronomen (gleich *monsieur* und *mademoiselle*) als *madame* zur feststehenden Anredeform für die reife, vor allem verheiratete Frau wurde (daher unser seit dem Ende des 17. Jh.s bezeugtes Fremdwort **Madam**), geht wie entsprechend it. *donna* und span. *doña* auf lat. *domina* »[Haus]herrin« zurück. Dies ist die weibliche Form zu lat. *dominus* »[Haus]herr« (vgl. über weitere Zusammenhänge den Artikel *dominieren*). – Die Verwendung von ›Dame‹ als Bezeichnung für ein Brettspiel bezieht sich auf den Stein, der mit einem anderen belegt wird.

Damhirsch ↑Dambock.

damisch ↑dämlich.

dämlich (ugs. für:) »dumm, albern«: Das seit dem 18. Jh. bezeugte mitteld. und niederd. Wort gehört zu dem seit dem 16. Jh. belegten Verb niederd. *dämelen* »nicht recht bei Sinnen sein«. Verwandt ist z. B. bayr.-schwäb. *damisch,* dem älteres, heute untergegangenes ›dämisch‹ entspricht, ferner im außergerm. Sprachbereich z. B. lat. *temetum* »berauschendes Getränk«, *temulentus* »berauscht«, mir. *tām* »Krankheit, Tod« und russ. *tomit'* »quälen, bedrücken«.

Damm: Älter nhd. *Tamm* (mhd. *tam* »Flut-, Seedamm«) hat unter dem Einfluss der norddeutschen Wasserbaukunst seit dem 17. Jh. niederd. Anlaut angenommen. Dem mnd. *dam* entsprechen gleichbed. niederl. *dam,* engl. *dam,* schwed. *damm.* Das gemeingerm. Wort hat keine sicheren außergerm. Beziehungen.

Dämmer, dämmern ↑Dämmerung.

Dämmerung: Mhd. *demerunge,* ahd. *demarunga* ist eine Bildung zu dem im Nhd. untergegangenen mhd. *demere,* ahd. *demar* »Dämmerung«. Von diesem Wort ist auch das Verb **dämmern** (17. Jh.) abgeleitet, aus dem **Dämmer** poetisch für »Dämmerung« (18. Jh.) rückgebildet ist. Mit dem ahd. Wort sind die unter ↑finster und ↑diesig behandelten Adjektive verwandt. Es bezeichnete ursprünglich die Abenddämmerung als Einbruch der Nacht, dann auch den Tagesanbruch. Zusammen mit außergerm. Wörtern wie air. *temel* »Finsternis«, russ. *temrivo* »Finsternis«, lat. *temere* »blindlings«, *tenebrae* »Finsternis« geht es auf die idg. Wurzel **tem[ə]-* »dunkel« zurück. – Zus.: **Götterdämmerung** (s. d.).

Dämon »[böser] Geist« (Mittelwesen zwischen Gott und Mensch): Das Substantiv wurde Ende des 16. Jh.s im Sinne von »Teufel« aus lat. *daemon* entlehnt; im 18. Jh. entwickelte sich dann die heute übliche Bedeutung. Lat. *daemon* »böser Geist; Teufel« seinerseits stammt aus griech. *daímōn* »göttliche Macht, Gott; Geschick«. Dies gehört vermutlich mit einer Grundbedeutung »Verteiler, Zuteiler (des Schicksals)« zu griech. *daíesthai* »[ver]teilen« und steht dann – wohl zusammen mit griech. *dēmos* »Gebiet, Gau; Volk« (eigentlich »Abteilung«), s. hierzu *demo..., Demo..., Demokratie* usw. – im größeren Zusammenhang der idg. Sippe von nhd. ↑Zeit.

Dampf: Das westgerm. Substantiv mhd. *dampf, tampf,* ahd. *damph,* niederl. *damp,* engl. *damp* ist eine Bildung zu dem im Nhd. untergegangenen starken Verb mhd. *dimpfen* »dampfen, rauchen« und bedeutete ursprünglich »Dunst, Nebel, Rauch«. Zu diesem Verb gehören das Veranlassungswort *dämpfen* (s. u.; eigentlich »dampfen machen«) und die Adjektivbildung ↑dumpf (eigentlich »durch Rauch beengend«), vielleicht auch das unter ↑Duft behandelte Wort. Diese germ. Wortgruppe beruht mit verwandten Wörtern in anderen idg. Sprachen auf der vielfach weitergebildeten und erweiterten idg. Wurzel **dhem[ə]-* »stieben, rauchen, wehen«, vgl. z. B. aind. *dhámati* »weht, bläst« und mir. *dem* »dunkel, schwarz«. Zu dieser Wurzel gehört aus dem germ. Sprachbereich auch das unter ↑dunkel (eigentlich »dunstig, neblig«) behandelte Adjektiv. – Abl.: **dampfen** »Dampf von sich geben, mit Dampf fahren« (in der ersten Bedeutung im 17. Jh. für älteres *dämpfen* und mhd. *dimpfen*, s. o.), dazu **Dampfer** (niederd. *Damper;* Lehnübersetzung von engl. *steamer;* 19. Jh.) und **Dampfschiff** (Anfang des 19. Jh.s für engl. *steamship*); **dampfig** (mhd. *dampfec*); **dämpfen:** Das Verb mhd. *dempfen,* ahd. *demphan* ist das Veranlassungswort zu dem im Nhd. untergegangenen starken Verb mhd. *dimpfen* »dampfen, rauchen« (vgl. *Dampf*) und bedeutet demnach eigentlich »dampfen machen, (ein Feuer) rauchen machen«, weiter »durch Rauch ersticken«, dann übertragen »schwächen, mäßigen«. Seit dem 15. Jh. wird es als Ableitung von ›Dampf‹ empfunden und daher auch im Sinne von »mit Dampf kochen oder behandeln« verwendet.

Dampf

Dampf [vor jmdm., vor etwas] haben
(ugs.) »Angst [vor jmdm., vor etwas] haben«
Die Wendung schließt sich an Dampf in der heute nicht mehr gebräuchlichen Bedeutung »Beklemmung, Atemnot« an.

Damwild ↑Dambock.

Dandy: Die Bezeichnung für »eleganter junger Mann« ist eine Entlehnung aus gleichbed. engl. *dandy.* Das engl. Wort ist im frühen 19. Jh. in London aufgekommen und bald darauf in die deutsche Sprache gedrungen. Seine Herkunft ist unklar, möglicherweise handelt es sich um eine Kürzung aus gleichbed. *jack-a-dandy.* – Dazu: **dandyhaft** »nach der Art eines Dandys« und aus gleichbed. engl. *dandyism* **Dandyismus** »in England im 19. Jh. aufgekommener Lebensstil, für den exklusive Lebensführung, geistreiche Konversation und eine gleichgültig-arrogante Haltung typisch waren«.

Dank: Das gemeingerm. Substantiv mhd., ahd. *danc,* got. *þagks,* engl. *thanks* (Plural), schwed. *tack* ist eine Bildung zu dem unter ↑denken behandelten Verb. Es bedeutete ursprünglich also »Denken, Gedenken« und bezeichnete dann das mit dem [Ge]denken verbundene Gefühl und die Äußerung dankbarer Gesinnung. – Abl.: **dank** (Präposition; erst im 19. Jh. entstanden aus der Wendung ›Dank sei [ihm] ...‹); **danken** (mhd. *danken,* ahd. *danchōn,* vgl. engl. *to thank,* schwed. *tacka*), dazu **danke!** (erst nhd. verkürzt aus ›ich danke‹), die Präfixbildungen **bedanken** und **verdanken** und schließlich **abdanken** (frühnhd. ›jemandem abdanken‹ war »ihn mit Dank verabschieden«, was in schweiz. **Abdankung** »Leichenfeier« fortlebt; im 17. Jh. wurde ›ein Amt abdanken‹ für »zurücktreten« gebraucht); **dankbar** (mhd. *dancbære,* ahd. *dancbāri* »Geneigtheit hervorbringend, angenehm«).

dann: Das Adverb, das heute vor allem als Zeitadverb gebräuchlich ist, wurde bis ins 18. Jh. ohne Bedeutungsunterschied wie seine Nebenform **denn** gebraucht: mhd. *dan[ne], den[ne],* ahd. *dana, danne, denne,* asächs. *than[na],* got. *þan;* entspr. schwed. *då* »dann, da«, engl. *than* »als«, *then* »damals«. Ursprünglich ist ›dann/denn‹ ein germ. Ortsadverb aus dem Stamme von ↑der mit der Grundbedeutung »von da aus« (wie ahd. *dana* »von dannen«). So steht ›dann/denn‹ als Vergleichspartikel beim Komparativ: ›größer dann/denn ...‹ ist eigentlich »von da aus groß«. Ins Zeitliche gewandt bedeutet ›dann/denn‹ »darauf« und weist als Adverb oder Konjunktion auf einen nach Zeit oder Umständen vorausgehenden Satz oder es steht für »ferner, weiter« in Aufzählungen. In anderen Verwendungen, als begründende Konjunktion und Partikel, hat sich heute ›denn‹ durchgesetzt.

dar...: Neben mhd., ahd. *dār* in ›daraus, darin, darunter‹ usw. (vgl. [1]*da*), die auf die Frage wo? antworten, gab es ein kurzes mhd. *dar[e],* ahd. *dara* »dahin«, das in Verben wie ›darbieten, -legen, -stellen‹ und Adverbien wie ›daran, darein‹ (Frage: wohin?) steckt, aber auch in r-losem ›dagegen, dazu‹ u. Ä. Es gehört ebenfalls zum Stamm des Artikels ↑der.

darben: Mhd. *darben,* ahd. *darbēn,* got. *(ga)þarban,* aengl. *đearfian,* schwed. *tarva* stehen im Ablaut zu dem unter ↑dürfen (ursprünglich »brauchen, nötig haben«) behandelten Verb.

Darlehen ↑[2]lehnen.

Darm: Die altgerm. Körperteilbezeichnung mhd. *darm,* ahd. *dar[a]m,* niederl. *darm,* aengl. *đearm,* schwed. *tarm* gehört zu der unter ↑drehen dargestellten idg. Wurzel **ter[ə]-* »drehen, reiben, bohren«. Außergerm. entspricht z. B. griech. *tórmos* »Loch«, vgl. auch griech. *trámis* »Damm zwischen Scham und After«. Das altgerm. Wort bedeutete demnach ursprünglich »[Arsch]loch«. Der Darm könnte aber auch nach seiner Verwendung zum Binden und Schnüren als »Gedrehter« benannt worden sein und eine nur germ. Bildung sein.

Darre: Die Bezeichnung für »Trocken- oder Röstvorrichtung« (mhd. *darre,* ahd. *darra*) gehört zu der Wortgruppe von ↑dürr. Im germ. Sprachbereich ist schwed. landsch. *tarre* »Trockenvorrichtung für Obst, Flachs, Hopfen u. Ä.« verwandt, außergerm. z. B. griech. *tarsiá* »Darre, Horde«.

darstellen, Darsteller, Darstellung ↑stellen.

das ↑der.

Dasein: Der substantivierte Infinitiv der nhd. Fügung ›da sein‹ »gegenwärtig, vorhanden sein« bedeutete im 17./18. Jh. zunächst »Anwesenheit«. Im 18. Jh. wurde es als Ersatz für das Fremdwort *Existenz* (↑existieren) in die philosophische Fachsprache aufgenommen und dann auch dichterisch im Sinne von »Leben« verwendet. Das Schlagwort ›Kampf ums Dasein‹ (1860) übersetzt Darwins *struggle for life.*

dass: Die Konjunktion (mhd., ahd. *daz,* mnd. *dat,* engl. *that*) ist identisch mit dem Neutrum ›das‹ des Demonstrativpronomens und des Artikels (vgl. *der*). Erst seit dem 16. Jh. wird sie orthographisch unterschieden. Die Entwicklung begann mit Satzverbindungen wie: ›Ich sehe das: er kommt‹. Daraus entstand durch Übertritt des Pronomens in den zweiten Satz das Satzgefüge ›Ich sehe, dass er kommt‹, und nach solchen Mustern konnte die Konjunktion ›dass‹ bald die verschiedensten Arten von Nebensätzen einleiten.

dasselbe ↑selb.

Datei: Das Wort mit der Bedeutung »Beleg- und Dokumentensammlung, bes. in der EDV« ist in der 2. Hälfte des 20. Jh.s als Analogiebildung zu ›Kartei‹ (↑Karte) aus dem Substantiv ›Daten‹ entstanden.

datieren ↑Datum.

Dativ (Wemfall): Der seit dem 18. Jh. gebräuchliche grammatische Ausdruck ist aus lat. *(casus) dativus* »Gebefall« (zu lat. *dare* »geben«; vgl. *Datum*) entlehnt.

Dattel (Südfrucht): In mhd. *tatel,* spätmhd. *datel* begegnen sich (ebenso wie in entsprechend niederl. *dadel*) gleichbed. älter it. *dattilo* und span. *dátil,* die mit dem Südfruchthandel des ausgehenden Mittelalters zu uns gelangten und das schon in ahd. Zeit unmittelbar dem Lat. bzw. Vlat. entlehnte *dahtilboum* »Dattelbaum« ablösten. Voraus liegen lat. *dactylus* < griech. *dáktylos* »Dattel«.

Datterich ↑Tatterich.

Datum »Zeitangabe, Zeitpunkt«: Das lat. Verb *dare* »geben«, das urverwandt ist mit gleichbed. griech. *didónai* (über dessen Wortfamilie vgl. *Dosis*), hat im weiteren Sinne auch die Bedeutung »ausfertigen; schreiben« (so besonders auch in der Fügung *litteras dare* »einen Brief schreiben«). Entsprechend erscheint das Part. Perf. lat. *datum* »gegeben, ausgefertigt« in der deutschen Kanzleisprache seit dem 13. Jh. als regelmäßige Einleitungsformel (mit Zeitangabe) auf Urkunden und Briefköpfen – dafür vereinzelt auch die Übersetzung: ›gegeben am ... (im ...)‹. Später löste sich das Wort aus dieser Formel heraus und wurde zum selbstständigen Substantiv. – Abl.: **dato** (kaufmännisch für »heute«), mit lat. Flexion gebildet; **datieren** »mit Zeitangabe versehen« (16. Jh.; nach frz. *dater*). Völlig abgelöst von der Bedeutung »Zeitangabe« hat sich die Pluralform von ›Datum‹: Nach dem Vorbild des engl. *data* steht das Substantiv **Daten** seit der 2. Hälfte des 20. Jh.s für »Informationen, die durch Messungen, Beobachtungen und Erhebungen ermittelt und häufig zur maschinellen Speicherung und Auswertung digital kodiert werden«. Teilweise verdrängte es ältere Wörter wie ›Angaben‹, ›Fakten‹, ›Zahlen‹ und breitete sich nicht zuletzt durch den raschen Fortschritt in der Computertechnik immer schneller aus. Aus diesem Bereich stammen auch die zahlreichen Zusammensetzungen, in denen es als Bestimmungswort auftritt, wie z. B. **Datenbank** »technische Anlage, in der große Datenbestände zentralisiert gespeichert sind«; vgl. *Bank* (Lehnübersetzung von engl. *data bank*); **Datenschutz** »Sicherung personenbezogener Daten gegen missbräuchliche Verwendung«; **Datenverarbeitung** »Sammlung, Sichtung, Bearbeitung und Auswertung von Informationen« (Lehnübersetzung von engl. *data processing*). Von Interesse sind im Zusammenhang mit der lateinischen Herkunft von ›Datum‹ auch verschiedene Zusammensetzungen und Nominalbildungen aus der Sippe von lat. *dare,* die in Fremd- und Lehnwörtern bei uns eine Rolle spielen. Hierzu gehört: lat. *(casus) dativus* »Gebefall« (↑Dativ), ferner wohl lat. *mandare* »in die Hand geben, anvertrauen« (↑Mandat, Mandant), *commendare* (> vlat. **commandare*) »anvertrauen, empfehlen; befehlen« (↑kommandieren, Kommandant, Kommandeur, Kommando); lat. *reddere* (> roman. **rendere*) »zurückgeben; ergeben« (↑Rente, Rentner, rentieren, rentabel), *tradere* »übergeben« (↑Tradition), schließlich noch lat. *donum* »Gabe, Geschenk«, wozu spätlat. *perdonare* »völlig schenken« > frz. *pardonner* »verzeihen« gehört (↑Pardon).

Daube »gebogenes Seitenbrett eines Fasses«: Die mhd. Form hat sich unter dem Einfluss von gleichbed. frz. *douve* aus mhd. *dūge* entwickelt. Das mhd. Wort ist aus mlat. *doga, duga* entlehnt, das auf lat. *doga* »Fass, Gefäß« (griech. *dochḗ* »Behälter«) zurückgeht.

[1]**dauern** »währen, bestehen, bleiben«: Die heutige Form geht zurück auf mhd. *tūren, dūren* »dauern, Bestand haben; aushalten«, das im 12. Jh. aus mnd., mniederl. *dūren* »währen, bleiben, Bestand haben; sich ausstrecken« übernommen wurde. Dieses ist wie frz. *durer* im 11. Jh. aus lat. *durare* »[aus]dauern, währen; aushalten« entlehnt. Das erste Partizip **dauernd** wird heute adjektivisch im Sinne von »beständig, fortwährend« gebraucht. – Abl.: **Dauer** (spätmhd. *dūr*); **dauerhaft** »beständig« (16. Jh.; für älteres *dauerhaftig*).

[2]**dauern** »Leid tun«: Das seit mhd. Zeit bezeugte, von Anfang an unpersönlich gebrauchte Verb (mhd. *tūren*) gehört zu dem unter ↑teuer behandelten Adjektiv und bedeutete ursprünglich »[zu] teuer dünken, [zu] kostbar vorkommen«. Im 16. Jh. entwickelte sich aus »als zu teuer erscheinen, was für eine Sache aufgewendet worden ist« der Sinn »Leid tun; Mitleid erregen«. Die Präfixbildung **bedauern** geht auf mhd. *betūren* zurück, das verstärkend für einfaches *tūren* stand; erst im 17. Jh. beginnt der heutige persönliche Gebrauch des Verbs, der oft nur der höflichen Form dient: ›[ich] bedauere sehr‹. – Dazu **bedauerlich** »beklagenswert« (17. Jh.).

Daumen: Das altgerm. Wort mhd. *dūme*, ahd. *dūmo*, niederl. *duim*, engl. *thumb*, schwed. *tumme* beruht auf einer Bildung zu der idg. Verbalwurzel **tēu-, tŭ-* »schwellen« und bedeutet demnach eigentlich »der Dicke, der Starke« (im Gegensatz zu den anderen Fingern). Zu dieser vielfach weitergebildeten und erweiterten idg. Wurzel gehören z. B. aind. *túmra-ḥ* »dick, kräftig«, lat. *tumere* »geschwollen, aufgeblasen sein«, lat. *tumor* »Geschwulst« (daraus entlehnt unser Fremdwort ↑Tumor), lat. *tumultus* »Unruhe, Getöse« (↑Tumult) und lit. *tumėti* »dick werden«, ferner die unter ↑Dolle (eigentlich »[dicker] Pflock«), ↑Dünung (eigentlich »das Anschwellen«) und ↑tosen (eigentlich »anschwellend rauschen, brausen«) behandelten Wörter sowie der erste Bestandteil des Zahlwortes ↑tausend (eigentlich »vielhundert«). – Abl.: **Däumling** (frühnhd. *deum[er]ling* bezeichnete zunächst den kleinen Daumen, dann auch einen übergezogenen Daumenschutz, bildlich einen sehr kleinen Menschen oder Kobold).

Daumen

[jmdm./für jmdn.] den Daumen/die Daumen halten/drücken
(ugs.) »in Gedanken bei jmdm. sein und ihm in einer schwierigen Sache Erfolg wünschen«
Die Wendung beruht wohl darauf, dass man seine Hände unwillkürlich zusammenkrampft, wenn man angespannt ganz stark wünscht, dass jmd. etwas schafft (z. B. im Wettkampf); vgl. auch die engl. Wendung *keep one's fingers crossed*. Auch abergläubische Vorstellungen, die sich um den Daumen ranken (das Einklemmen des Daumens soll vor Albträumen schützen), können hineingespielt haben.

[etwas] über den Daumen peilen
(ugs.) »[etwas] nur ungefähr schätzen«
Die Wendung bezieht sich darauf, dass beim Militär der Daumen als Hilfsmittel beim Abschätzen von Entfernungen verwendet wird. Vgl. dazu die Bildungen ›Daumenbreite‹ und ›Daumensprung‹.

Daune: Die Flaumfedern der nordischen Eiderente wurden seit dem Mittelalter aus den nordischen Ländern nach Deutschland eingeführt. So ist mnd. *dūn[e]* (14. Jh.) wie engl. *down* eine Entlehnung aus gleichbed. aisl. *dūnn* »Flaumfeder, Daune« (vgl. *Dunst*). Im 17. Jh. erscheint niederd. *Dune* zuerst mit hochd. Lautung -au-.

davonstieben ↑stieben.

de..., De...: Die aus dem Lat. stammende Vorsilbe (aus gleichbed. lat. *de*, das zur idg. Sippe von ↑zu gehört) tritt in zwei Funktionen auf. Sie bezeichnet einmal eine Abtrennung oder Loslösung, hat oft aber auch nur verstärkenden Charakter, wenn das Grundwort selbst schon eine Trennung ausdrückt. Zum anderen erscheint sie als in der Bedeutung verblasste Vorsilbe von Verben, die deren Ableitung von einem Nominalstamm kennzeichnet, z. B. lat. *de-clarare* »klarmachen« – zu lat. *clarus* »klar« (↑deklarieren).

Debakel »Niederlage, Zusammenbruch; unheilvoller Ausgang«: Das Substantiv wurde Anfang des 19. Jh.s aus frz. *débâcle* »Auflösung, Zusammenbruch; Aufbrechen des Eises« entlehnt, das zu frz. *débâcler* »aufbrechen; aufgehen (von vereisten Gewässern)« gehört. Das zugrunde liegende frz. Verb *bâcler* »(mit einem Stück Holz) versperren« ist aus gleichbed. prov. *baclar* entlehnt, das zu lat. *baculum* »Stab, Stock; Riegel« (↑Bazillus) gehört.

debattieren »lebhaft erörtern; wortgemein werden«: Das Verb wurde im 17. Jh. aus frz. *débattre* entlehnt, dessen Grundbedeutung »schlagen« hier auf den Ablauf einer heftigen Diskussion übertragen ist, im Sinne von »(den Gegner) mit Worten schlagen«. Das vorausliegende Verb galloroman. **debattere* ist eine mit verstärkendem ↑de..., De... gebildete Zusammensetzung von vlat. *battere* (= lat. *battuere*) »schlagen«. Über weitere Zusammenhänge vgl. *Bataillon*. – Dazu: **Debatte** »Wortschlacht« (im 17. Jh. rückgebildet aus dem auf frz. *débats* [zu *débattre*] zurückgehenden Plural ›Debatten‹).

dechiffrieren ↑Chiffre.

Dechsel ↑Technik.

Deck: Das im 17. Jh. in die hochd. Schriftsprache übernommene niederd.[-niederl.] *dek* »Schiffsdeck« gehört zu niederd. *decken* »be-, ver-, zudecken«, niederl. *dekken* »decken« (vgl. *decken*). ›Deck‹ bezeichnet also die den Schiffskörper von oben deckenden Planken. Ebenfalls im 17. Jh. aus dem Niederd. übernommen ist **Verdeck** (mnd. *vordecke* »Überdecke, Behang, Deckel«), das heute meist auf die Bedachung von Landfahrzeugen bezogen wird. – Abl.: **Doppeldecker** »Flugzeug mit zwei Tragflächen« (20. Jh.; wohl nach dem Vorbild älterer Schiffsbezeichnungen wie ›Zwei-, Dreidecker‹, die seit dem 18. Jh. belegt sind; entsprechend ›Hoch-, Tiefdecker‹ nach dem Tragflächenansatz).

Decke

sich nach der Decke strecken müssen (ugs.)
»mit wenig auskommen, sparsam sein müssen«
Die Wendung meint eigentlich, dass man, wenn man unter einer kurzen, bescheidenen [Bett]decke schläft oder wenn mehrere Personen unter einer Decke schlafen, darauf achten muss, dass man nicht am Rücken oder an den Füßen friert.

[mit jmdm.] unter einer Decke stecken
(ugs.) »[mit jmdm.] insgeheim die gleichen schlechten Ziele verfolgen«
Die Wendung nimmt darauf Bezug, dass diejenigen, die unter einer Decke schlafen, gewöhnlich auch Kumpane sind oder – wie bei Eheleuten – gleiche Interessen verfolgen.

decken: Das altgerm. Verb (Iterativ-Intensiv-Bildung) mhd. *decken,* ahd. *decken, decchen,* niederl. *dekken,* engl. *to thatch,* schwed. *täcka* gehört mit verwandten Wörtern in anderen idg. Sprachen zu der idg. Wurzel **[s]teg* »decken«, vgl. z. B. griech. *stégein* »[be]decken«, lat. *tegere* »[be]decken« (↑Detektiv und ↑protegieren), lat. *tegula* »Dachziegel« (↑Ziegel und ↑Tiegel). Zu dieser Wurzel gehört auch die Wortgruppe von ↑Dach (eigentlich »das Deckende«). Im Dt. wird ›decken‹ allgemein im Sinne von »bedecken, verhüllen, schützen«, in der Tierzucht für »begatten«, besonders bei Pferden, und kaufmännisch im Sinne von »sicherstellen« gebraucht; beachte die Wendungen ›seinen Bedarf decken, sich eindecken‹. Zu ›decken‹ sind gebildet **Decke** (mhd. *decke,* ahd. *decchī*) und **Deckel** (15. Jh.; mit dem l-Suffix der Gerätenamen gebildet); s. auch *Deck.* – Abl.: **Deckung** (15. Jh.; auch militärisch für »Schutzwehr« und im Sport für »Verteidigung«). Präfixbildungen und Zusammensetzungen: **Abdecker** (seit dem 16. Jh. für »Schinder«, zu frühnhd. *abdecken* »ein Tier aus der Decke [= Fell, Haut] schlagen, abhäuten«); **Deckmantel** (↑Mantel); **entdecken** (s. d.); **Gedeck** (mhd. *gedeck,* ahd. *gideki* »Decke, Bedeckung«, die Bedeutung »Ess- und Trinkgerät für eine Person« zuerst im 18. Jh. nach frz. *couvert* »Tischzeug«); **Verdeck** (↑Deck).

de facto ↑Faktum.

defekt »schadhaft«: Das Adjektiv wurde im 17. Jh. aus lat. *defectus* »geschwächt; mangelhaft«, dem Partizipialadjektiv von *de-ficere* (vgl. *Defizit*), entlehnt. Das entsprechende Substantiv **Defekt** »Fehler, Schaden« (Ende 15. Jh.) stammt aus dem gleichbed. lat. Substantiv *defectus.*

defensiv »abwehrend, verteidigend«: Das Adjektiv wurde im 16. Jh. aus mlat. *defensivus* entlehnt, das von lat. *defendere* »wegstoßen, abwehren« abgeleitet ist. Das einfache Verb **fendere* »stoßen« ist nicht bezeugt; es kommt außer in ›defendere‹ auch noch in lat. *offendere* »anstoßen, angreifen« (↑offensiv) vor. – Das Substantiv **Defensive** erscheint im 16. Jh. und ist wohl aus frz. *défensive* übernommen.

defilieren »feierlich vorbeiziehen«: Das Verb wurde Ende des 17. Jh.s als militärisches Fachwort mit der Bedeutung »parademäßig in Reih und Glied vorbeimarschieren« aus gleichbed. frz. *défiler* (eigentlich »der Reihe nach von Fäden befreien«) entlehnt. Dies gehört zu frz. *fil* »Faden, Reihe« (vgl. *Filet*). – Abl.: **Defilee** »parademäßiger Vorbeimarsch« (Ende des 17. Jh.s; aus frz. *défilé*).

definieren »begrifflich bestimmen«: Das Verb wurde im 14. Jh. als philosophisches Fachwort aus lat. *definire* (eigentlich »abgrenzen«) entlehnt. Dies gehört zu ↑de..., De... und lat. *finis* »Grenze« (vgl. *Finale*). – Dazu: **Definition** »Begriffsbestimmung« (frühnhd.; aus gleichbed. lat. *definitio*); **definitiv** »abschließend, bestimmt, endgültig« (Mitte 16. Jh.; aus gleichbed. lat. *definitivus,* eigentlich »die Grenzen genau absteckend«).

Defizit »Mangel, Verlust«: Das Fremdwort wurde im 18. Jh. aus gleichbed. frz. *déficit* entlehnt, das seinerseits auf lat. *deficit* »es fehlt« beruht. Dies gehört zu gleichbed. lat. *deficere* »sich losmachen, abnehmen, fehlen« (vgl. *Fazit*); s. auch *defekt.* – Abl.: **defizitär** »mit einem Defizit belastet; zu einem Defizit führend« (2. Hälfte des 20. Jh.s; aus gleichbed. frz. *déficitaire*).

deformieren »verunstalten, entstellen«: Das Verb wurde Anfang des 16. Jh.s zunächst aus lat. *deformare* »darstellen; entehren« entlehnt und hat erst seit Ende des 16. Jh.s wohl unter Einfluss von frz. *déformer* die heutige Bedeutung entwickelt (vgl. *de..., De...* und *Form*). – Abl.: **Deformation** »Verformung; Fehlbildung« (Anfang des 16. Jh.s; aus gleichbed. lat. *deformatio*).

deftig: Der vorwiegend in der nordd. Umgangssprache seit dem 17. Jh. gebräuchliche Ausdruck für »tüchtig, stark, kräftig, solide« stammt aus fries.-niederl. *deftig* »stattlich, würdevoll«, früher »belangreich, gewichtig«, das im germ. Sprachbereich verwandt ist z. B. mit got. *ga-daban* »eintreffen, passen«, got. *ga-dōfs* »schicklich«, aengl. *gedæfte* »mild, sanft«, aengl. *gedafen* »passend, geeignet«. Außergerm. ist z. B. verwandt die slaw. Sippe von russ. *dobryj* »gut«.

¹Degen (dichterisch und altertümlich für:) »[junger] Held, Krieger«: Mhd. *degen* »Krieger, Held; männliches Kind, Knabe«, ahd. *thegan* »Gefolgsmann; Knabe«, aengl. *đegn* »Diener, Gefolgsmann; Held, Krieger; Schüler, Jünger«, aisl. *þegn* »Mann, freier Diener« sind verwandt mit aind. *tákman-* »Abkömmling, Kind« und griech. *téknon* »Kind« und gehören mit diesen zu der idg. Verbalwurzel **tek-* »zeugen, gebären«, vgl. z. B. griech. *tíktein* »zeugen, gebären«. ›Degen‹ bezeichnete also ursprünglich das männliche Kind. Seit dem Ende des Mittelalters nicht mehr im Gebrauch, wird das Wort im 18. Jh. von den Dichtern neu belebt.

²Degen »Stichwaffe«: Das seit dem 15. Jh. bezeugte Wort (spätmhd. *degen*) ist entlehnt aus ostfrz. *degue* (frz. *dague*) »langer Dolch«, das seinerseits auf das nach seiner Herkunft unerklärte provenz. *daga* »Dolch« zurückgeht. Es bezeichnete zunächst den Dolch, seit dem 16. Jh. dann die längere Form der Waffe, wie sie noch heute als Sportdegen üblich ist. – Zus.: **Haudegen** (↑hauen).

degenerieren »entarten, sich zurückbilden«: Das Verb wurde im 16. Jh. aus gleichbed. lat. *degenerare* entlehnt (vgl. *de..., De...* und *Genus*). – Abl.: **Degeneration** »Entartung, Zurückbildung; Verfall« (Anfang 17. Jh.; über gleichbed. frz. *dégénération* auf spätlat. *degeneratio* zurückgehend).

degradieren »(im Rang) herabsetzen«: Das Verb wurde in mhd. Zeit aus gleichbed. mlat. *degradare* entlehnt, einer Bildung zu lat. *de* »von – weg« (vgl. *de..., De...*) und *gradus* »Schritt; Stufe; Rang«

(vgl. *Grad*). – Abl.: **Degradierung** »Herabsetzung, Erniedrigung« (15. Jh.).

dehnen: Das gemeingerman. Verb mhd., ahd. *den[n]en*, got. *(uf)þanjan*, aengl. *dennan*, schwed. *tänja* gehört mit verwandten Wörtern in anderen idg. Sprachen zu der vielfach weitergebildeten und erweiterten idg. Wurzel **ten-* »dehnen, ziehen, spannen«, vgl. z. B. griech. *teínein* »dehnen, strecken, spannen«, griech. *tónos* »[An]spannung, Spannkraft; Klang [der Stimme]« (s. die Fremdwortgruppe um [2]*Ton* »Laut«), lat. *tendere* »spannen, anziehen, dehnen« (↑tendieren) und lat. *tempus* »Zeit[spanne]« (↑Tempo). Aus dem germ. Sprachbereich gehören ferner zu dieser Wurzel die unter ↑dünn (eigentlich »lang ausgedehnt«), ↑Deichsel (eigentlich »Zugstange«) und ↑gedunsen (eigentlich »ausgedehnt, angefüllt«) behandelten Wörter. Verwandt sind auch die unter ↑gedeihen, ↑dicht, ↑[1]Ton »Erde«, ↑Tang dargestellten Wortgruppen, die auf einem Bedeutungsübergang von »[sich] zusammenziehen« zu »gerinnen; dicht, fest werden; stark werden, gedeihen« beruhen. Siehe auch den Artikel *Ding*.

Deich: Die nhd. Form geht zurück auf spätmhd. *dîch*, das im 15. Jh. aus mnd. *dīk* »Deich« übernommen wurde, vgl. niederl. *dijk* »Deich« und aengl. *dīc* »Deich, Graben, Damm, Wall« (s. den Artikel *Teich*).

Deichsel: Die Zugvorrichtung am Wagen heißt mhd. *dîhsel*, ahd. *dīhsala*, niederl. *dissel*, aengl. *đīxl*, aisl. *þísl*. Die Formen sind mit Ersatzdehnung der Stammsilbe entwickelt aus germ. **þinhslō* »Zugstange«, einer Bildung zu der erweiterten Wurzel **tengh-* »ziehen; dehnen, spannen« (vgl. *dehnen*). – Abl.: **deichseln** ugs. für »etwas Schwieriges zustande bringen« (19. Jh.; eigentlich »einen Wagen an der Deichsel rückwärts lenken«).

deka..., Deka...: Das Bestimmungswort von Zusammensetzungen mit der Bedeutung »zehn« stammt aus gleichbed. griech. *déka*, das urverwandt mit gleichbed. lat. *decem* und nhd. ↑zehn ist.

Dekade: Die Bezeichnung für eine Einheit aus 10 Jahren, 10 Abschnitten o. Ä. wurde Mitte des 16. Jh.s unter Einfluss von gleichbed. frz. *décade* aus mlat. *decas, decadis* entlehnt, welches auf griech. *dekás, dekádos* (zu *déka* »10«, vgl. *deka..., Deka...*) zurückgeht.

Dekadenz »Verfall, Entartung«: Das Substantiv wurde Ende des 16. Jh.s aus frz. *décadence* entlehnt, das auf mlat. *decadentia* zurückgeht (vgl. *de..., De...* und *Chance*). – Abl.: **dekadent** »verfallen, entartet« (Ende des 19. Jh.s; aus gleichbed. frz. *décadent*).

Dekan »evangelischer Geistlicher als Vorsteher eines Kirchenkreises; Vorsteher einer Fakultät«: Das Wort wurde schon im 10. Jh. aus lat. *decanus* »Führer von 10 Mann« (zu lat. *decem* »zehn«; vgl. *Dezi...*) entlehnt. Seit dem 12. Jh. dient das Wort im Kirchenlat. auch als Bezeichnung für geistliche Würdenträger, wobei sich die Bedeutung von »Vorsteher von 10 Mönchen« zu »Vorsteher eines Domkapitels« entwickelt hat. Ende des 15. Jh.s wurde das Wort aus gleichbed. mlat. *decanus* in der Bedeutung »Vorsitzender einer Fakultät« wohl neu entlehnt. – Abl.: **Dekanat** »Amt, Bezirk eines Dekans« (15. Jh.; aus mlat. *decanatus*).

deklamieren »vortragen«: Das Verb wurde im 16. Jh. aus lat. *declamare* »laut aufsagen« entlehnt. Dies ist eine Bildung mit verstärkendem ↑de..., De... zu lat. *clamare* »laut rufen«. Über weitere Zusammenhänge vgl. den Artikel *klar*.

deklarieren »erklären«: Das Verb (mhd. *declarîren*) ist aus gleichbed. lat. *declarare* entlehnt (vgl. *de..., De...* und *klar*). – Abl.: **Deklaration** »Erklärung« (15. Jh.; aus lat. *declaratio*).

deklinieren »beugen«: Der grammatische Terminus stammt mit dem entsprechenden Substantiv **Deklination** »Beugung« und Adjektiv **deklinabel** »beugbar« aus dem Lat. Während das Verb schon im 14. Jh. entlehnt wurde, ist das Substantiv erst seit Ende des 15. Jh.s belegt, das Adjektiv erst seit dem 18. Jh., und zwar wohl unter Einfluss von gleichbed. frz. *declinable*. Das lat. Verb *de-clinare* (davon abgeleitet *declinatio* und *declinabilis*) bedeutet wörtlich »abbiegen«. Es ist eine Bildung zu dem zur idg. Sippe von ↑[1]lehnen gehörenden Verb lat. **clinare* »neigen, biegen«.

dekorieren »[aus]schmücken, verzieren«: Das Verb wurde im 16. Jh. aus lat. *decorare* entlehnt, in der Folge aber von entsprechend frz. *décorer* beeinflusst. Hierauf geht auch die Bedeutung »mit einem Orden auszeichnen« (seit Anfang 19. Jh.) zurück. Frz. Einfluss zeigt auch das dazugehörige Substantiv **Dekoration** »Schmuck, Ausstattung« (16. Jh.; aus spätlat. *decoratio*). Die anderen Ableitungen hingegen, **Dekorateur** »Ausstatter« (18. Jh.), **dekorativ** »durch Aufmachung und Ausschmückung ansprechend« (19. Jh.) und **Dekor** »Verzierung, Ausschmückung« (2. Hälfte des 19. Jh.s) stammen unmittelbar aus dem Frz. (frz. *décorateur, décoratif, décor*). Lat. *decorare* »zieren, schmücken« ist eine Ableitung von lat. *decus (decoris)* »Zierde«, das seinerseits zur Wortfamilie von lat. *decere* »zieren; sich ziemen« gehört (vgl. *dezent*).

Dekret: Der Ausdruck für »Beschluss, Verordnung« wurde in mhd. Zeit aus lat. *decretum* »Entscheidung; Bescheid«, dem substantivierten Part. Perf. von *decernere* »entscheiden«, entlehnt. Über weitere Zusammenhänge vgl. *Dezernent*. – Abl.: **dekretieren** »anordnen, bestimmen« (16. Jh.; aus mlat. *decretare*).

delegieren »abordnen«: Das Verb wurde im 16. Jh. aus gleichbed. lat. *de-legare* entlehnt. Das Grundwort lat. *legare* »als Legaten abordnen« ist rückgebildet aus dem Substantiv *legatus* »mit gesetzlicher Vollmacht Beauftragter, Gesandter«, das seinerseits von lat. *lex (legis)* »Gesetz, Bestimmung« abgeleitet ist (vgl. *legal*). – Dazu: **Delegierte** »Abgeordnete« (17. Jh.); **Delegation** »Abordnung« (Anfang 16. Jh.; aus lat. *delegatio* »Anweisung« entlehnt, in der Bedeutung durch das Verb ›delegieren‹ bestimmt).

delikat »auserlesen fein, lecker (vor allem von Speisen); mit Takt zu behandeln; heikel«: Das Adjektiv wurde Ende des 16. Jh.s aus gleichbed. frz. *délicat* entlehnt, das auf lat. *delicatus* »reizend, fein; luxuriös; schlüpfrig« zurückgeht. – Abl.: **Delikatesse** »Leckerbissen; Zartgefühl« (17. Jh.; aus gleichbed. frz. *délicatesse;* dies nach it. *delicatezza*).

Delikt »Vergehen, Straftat«: Das Fremdwort wurde im späten 15. Jh. aus lat. *delictum* »Verfehlung«, dem substantivierten Part. Perf. von *delinquere* »ermangeln, fehlen«, entlehnt. Das Part. Präs. lat. *delinquens* »fehlend« erscheint in unserem Fremdwort **Delinquent** »Übeltäter« (16. Jh.). Lat. *de-linquere* bedeutet eigentlich etwa »hinter dem erwarteten Verhalten zurückbleiben«. Über das Grundwort *linquere* »zurücklassen« vgl. das Fremdwort *Reliquie.*

Delirium »Bewusstseinstrübung mit Wahnvorstellungen«: Das medizinische Fachwort wurde Ende des 17. Jh.s aus lat. *delirium* »Persönlichkeitsstörung« entlehnt. Das zugrunde liegende Adjektiv lat. *delirus* »wahnsinnig« ist von *delirare* »wahnsinnig sein« abgeleitet, das sich aus der Fügung *de lira (ire)* »von der Furche (= geraden Linie) abweichen; den normalen Weg verlassen« entwickelt hat. Lat. *lira* »Furche« ist urverwandt mit mhd. *leis[e]* »Spur« in ↑Geleise.

Delle: Der landsch. Ausdruck für »leichte Vertiefung« (mhd. *telle* »Schlucht«) beruht auf einer alten Bildung zu dem unter ↑Tal behandelten Wort, vgl. mniederl. *delle* »Niederung, Tal«, engl. *dell* »Tal, Schlucht«. Es bezeichnet heute Vertiefungen im Gelände, in einem Hut, Ausbeulungen in Blech u. Ä. Vgl. auch den Artikel *Tülle.*

Delphin: Der Name des zu der Familie der Zahnwale gehörenden fischähnlichen Meeressäugetiers (mhd. *delfīn*) ist aus gleichbed. lat. *delphinus* entlehnt, das seinerseits auf griech. *delphīnos,* der Genitivform von griech. *delphís* »Delphin«, beruht. Der Name ist letztlich eine Bildung zu griech. *delphýs* »Gebärmutter«, sodass der Delphin vermutlich nach seinem gebärmutterähnlichen Körperbau benannt worden ist.

Delta: Der Name des vierten Buchstabens im griechischen Alphabet, griech. *délta* (Zeichen: Δ), der auf hebr. *dạlẹṯ* zurückgeht, wurde schon im Griech. zur übertragenen Bezeichnung für den zwischen den Nilarmen liegenden deltaförmigen Teil Unterägyptens. In dieser Bedeutung erscheint ›Delta‹ bei uns im 16. Jh. als Fremdwort. Seit dem 19. Jh. bezeichnet es dann allgemein jede deltaförmige Flussmündung.

Demagoge »Volksaufwiegler, politischer Hetzer, Wühler«: Das Fremdwort wurde Ende des 17. Jh.s aus gleichbed. griech. *dēmagōgós* entlehnt, das ursprünglich allgemein »Volksführer, Staatsmann« bedeutete. Es ist eine Bildung aus griech. *dēmos* »Volk« (vgl. *demo..., Demo...*) und griech. *agōgós* »führend«. Letzteres gehört zu *ágein* »führen, treiben« (vgl. *Achse*). – Dazu: **Demagogie** »gewissenlose politische Hetze« (17. Jh.; aus griech. *dēmagōgía*); **demagogisch** »Hetzpropaganda treibend« (18. Jh.; nach griech. *dēmagōgikós,* evtl. unter Einfluss von gleichbed. frz. *démagogique*).

Dementi »Widerruf, Berichtigung«: Das Substantiv wurde im 18. Jh. aus frz. *(donner un) démenti* entlehnt. Frz. *démenti* gehört zu frz. *démentir* »ableugnen«. Dies ist ein durch *dé...* (aus lat. *dis;* vgl. *dis..., Dis...*) verstärktes *mentir* »lügen«, das auf lat. *mentiri* zurückgeht. Dessen Grundbedeutung ist etwa »sich etwas ausdenken«, entsprechend dem zugrunde liegenden Substantiv lat. *mens* »Denktätigkeit, Verstand, Gedanke« (vgl. *Mentalität*). – Dazu: **dementieren** »widerrufen, berichtigen« (19. Jh.; aus frz. *démentir*).

demo..., Demo..., (vor Vokalen:) dem..., Dem...: Das Bestimmungswort von Zusammensetzungen mit der Bedeutung »Volks...«, wie z. B. ↑Demokratie, Demokrat, demokratisch, ↑Demagoge, demagogisch, stammt aus griech. *dēmos* »Gebiet; gemeines Volk«, das sich – wohl mit einer eigentlichen Bedeutung »Abteilung« – zur Wortfamilie von griech. *daíesthai* »[ver]teilen« stellt. Über weitere Zusammenhänge vgl. *Dämon.*

Demokratie »Regierungsform, bei der die Regierung den politischen Willen des Volkes repräsentiert«: Das Wort wurde Anfang des 16. Jh.s aus mlat. *democratia* entlehnt, das auf griech. *dēmokratía* »Volksherrschaft« zurückgeht. Das griech. Wort ist gebildet aus griech. *dēmos* »Volk« (vgl. *demo..., Demo...*) und griech. *krátos* »Kraft, Macht« (*kratein* »herrschen«). Letzteres gehört zur idg. Sippe von nhd. ↑hart. – Dazu: **Demokrat** »Anhänger der Demokratie« (18. Jh.; aus frz. *démocrate*); **demokratisch** »nach den Prinzipien der Demokratie, freiheitlich« (Ende des 16. Jh.s); **demokratisieren** »nach den Grundsätzen der Demokratie gestalten« (Ende des 18. Jh.s; aus frz. *démocratiser*). Vgl. das Kapitel zur Sprachgeschichte *Der deutsche Wortschatz im 18. und 19. Jahrhundert.*

demolieren »abreißen, zerstören«: Das Verb wurde im 16. Jh. als Wort der Militärsprache aus gleichbed. frz. *démolir* entlehnt, das auf lat. *demoliri* »herabwälzen, niederreißen, zerstören« zurückgeht. Dies gehört zu lat. *de* (vgl. *de..., De...*) und lat. *moliri* »mit Anstrengung in Bewegung setzen«. Zugrunde liegt wohl lat. *moles* »Last, Masse« (vgl. *Mole*).

demonstrieren »beweisen, vorführen; eine Protestveranstaltung durchführen (besonders um seine [politische] Meinung offen kundzutun)«: Das Verb wurde im 16. Jh. aus lat. *demonstrare* »hinweisen, deutlich machen« entlehnt. Dies ist durch ↑de..., De... verstärktes *monstrare* »zeigen«. Zugrunde liegt lat. *monstrum* »Mahnzeichen« (vgl. *Monstrum*). Im Sinne von »eine Massenkundgebung, Protestveranstaltung durchführen« wird das Wort seit dem 19. Jh. in Anlehnung an engl. *to demonstrate* verwendet. – Abl.: **Demonstration** »Beweis, eingehende Darlegung, Vorführung; Protestveranstaltung, Massenkundgebung« (Ende 15. Jh.; aus lat. *demonstratio* entlehnt; in der Bedeutung »Massenkundgebung, Protestveranstaltung« im 19. Jh. an engl. *demonstration* angelehnt und seit der 2. Hälfte des 20. Jh.s auch in der Kurzform **Demo** gebräuchlich); **demonstrativ** »hinweisend; absichtlich, drohend« (Ende 16. Jh.; aus lat. *demonstrativus*); **Demonstrativ, Demonstrativpronomen** »hinweisendes Fürwort«.

Demontage ↑montieren.

demoralisieren ↑Moral.

Demut: Zu den Wörtern der frühen christlichen Mission in Oberdeutschland gehört (wie z. B. auch ↑barmherzig) das Adjektiv ahd. *diomuoti* »dienstwillig«, zu dem das Substantiv ahd. *diomuotī* (mhd. *diemüete, diemuot*) »dienende Gesinnung, Demut« gebildet ist. Der zweite Bestandteil ist von dem unter ↑Mut behandelten Wort abgeleitet, der erste gehört zum Stamm des unter ↑dienen behandelten Verbs und entspricht got. *þius* »Knecht«, steht aber begrifflich eher dem urnord. *þewar* »Gefolgsmann« nahe, sodass die Wiedergabe des lat. *humilitas* an einen Begriff des germ. Gefolgschaftswesens anknüpfte. Die nhd. Form mit -e- ist vom Niederd. beeinflusst. – Abl.: **demütig** »voller Demut; bescheiden« (mhd. *diemüetec,* spätahd. *diemuotic* ersetzt das ältere oben genannte Adjektiv); **demütigen** »herabsetzen, erniedrigen« (mhd. *diemüetigen*).

denken: Das gemeingerm. Verb mhd., ahd. *denken,* got. *þagkjan,* engl. *to think* (aengl. *đencan*), schwed. *tänka* gehört mit der Sippe von ↑dünken zu der idg. Wurzel **teng-* »empfinden, denken«, vgl. z. B. alat. *tongere* »kennen, wissen«. Die alten Bildungen ↑Dank und ↑Gedanke zeigen noch den germ. Stammvokal. Mhd. *dāht* »Denken« ist nur noch in Zusammensetzungen wie ↑Andacht und ›Bedacht, Verdacht‹ (s. u.) erhalten. Das Präteritum ›dachte‹ und das Partizip ›gedacht‹ sind durch Ausfall des n und Ersatzdehnung entstanden (mhd. *dāhte,* ahd. *dāhta,* got. *þāhta* aus **þanhta;* s. auch *dünken*). – Abl.: **Denker** (18. Jh.; Lehnübersetzung von engl. *thinker*); **denkbar** (18. Jh.). Präfixbildungen und Zusammensetzungen: **bedenken** (mhd. *bedenken,* ahd. *bidenchan* »über etwas nachdenken« bedeutet seit dem 13. Jh. auch »begaben, beschenken«, z. B. in einem Testament), dazu **Bedenken** »zweifelnde Überlegung« (kanzleisprachlich im 15. Jh.), **bedenklich** (16. Jh.), **Bedacht** (s. d.); **Denkmal** (16. Jh.; Lehnübertragung für griech. *mnēmósynon* »Gedächtnishilfe«, vgl. [2]*Mal;* in der Bedeutung »Erinnerungszeichen« wird das Wort seit dem 16. Jh., in den Bedeutungen »Gedenkstein oder -bild« und »Schrift-, Bild-, Bauwerk der Vorzeit« seit dem 17. Jh. verwendet, z. T. in Anlehnung an lat. *monumentum*); **Denkzettel** (das rechtssprachliche mnd. *denkcēdel* »Urkunde, schriftliche Nachricht, Vorladung« gebraucht Luther zur Übersetzung von griech. *phylaktḗrion* »jüdischer Gebetsriemen mit Gesetzessprüchen« und für »Notizblatt«; im 16. Jh. hängte man Schülern Schandzettel mit ihren Schulvergehen an, woher der heutige Sinn »körperliche Strafe [zur Erinnerung]« stammt); **gedenken** (mhd. *gedenken,* ahd. *gadenchan* »an etwas denken« entwickelte im Mhd. auch die Bedeutung »eingedenk sein, sich erinnern«), dazu **Gedächtnis** (s. d.); **nachdenken** (15. Jh.), dazu **nachdenklich** (17. Jh.); **verdenken** »übel nehmen« (mhd. *verdenken* »[zu Ende] denken, erwägen, sich erinnern«; in älterer Sprache auch für »Übles von jemandem denken, ihn in Verdacht haben«), dazu **Verdacht** (s. d.).

denn ↑dann.

Dentist ↑Zahn.

denunzieren »(aus persönlichen niedrigen Beweggründen) anzeigen, verraten«: Das Verb wurde im 16. Jh. aus lat. *de-nuntiare* »ankündigen; anzeigen« entlehnt (vgl. *de..., De...* und lat. *nuntius* »verkündend«). Aus dem Part. Präs. lat. *denuntians* stammt das Substantiv **Denunziant** »jemand, der einen anderen denunziert« (16. Jh.).

deplaciert, deplatziert ↑platzieren.

deponieren »hinterlegen«: Das Verb wurde Ende des 15. Jh.s aus lat. *deponere* »ablegen, niederlegen« entlehnt, einer Bildung zu lat. *ponere* »setzen, stellen, legen« (vgl. *Position*). Dazu stellen sich die Fremdwörter ↑Depositen und ↑Depot. – Abl.: **Deponie** »Müll-, Schuttabladeplatz« (2. Hälfte des 20. Jh.s).

Deportation »Verbannung, Verschleppung«: Das Substantiv wurde im 16. Jh. aus lat. *deportatio* (zu lat. *deportare;* s. u.) entlehnt. – Dazu: **deportieren** »verbannen, verschleppen« (17. Jh.; aus lat. *deportare* »fortbringen«, einer Bildung zu lat. *portare* »tragen bringen«; vgl. *Porto*).

Depositen: Der Ausdruck für kurz- oder mittelfristige Einlagen bei Kreditinstituten, der seit dem 16. Jh. gebräuchlich ist, geht zurück auf das lat. Part. Perf. *depositum* (zu lat. *deponere,* vgl. *deponieren*) und bedeutet eigentlich »Abgelegtes, Hinterlegtes«. – Zus.: **Depositenbank** »Bank, die sich auf Depositenannahme beschränkt; Kreditbank« (18. Jh.).

Depot: Die Bezeichnung für »Sammelstelle, Lager, Aufbewahrungsort« wurde im 18. Jh. aus frz. *dépôt* (lat. *depositum*) entlehnt. Über das zugrunde liegende Verb lat. *deponere* vgl. *deponieren.*

Depp (ugs. für:) »ungeschickter Mensch, Dummkopf«: Das in neuerer Zeit aus oberd. Mundarten aufgenommene Wort (bayr.-österr. auch *Tepp,*

Tapp, frühnhd. *tapp*) gehört wohl zur Sippe von ↑tappen und meint eigentlich den, der ›täppisch‹ geht und zugreift. Vgl. das ebenfalls ugs. **Taps** »täppischer Bursche« (um 1700 Hans Taps).

deprimieren »bedrücken, entmutigen«: Das Verb wurde im späteren 16. Jh. aus gleichbed. frz. *déprimer* (lat. *deprimere* »niederdrücken«) entlehnt, einer Bildung zu lat. *premere* »drücken« (vgl. *Presse*). – Abl.: **deprimiert** »niedergeschlagen« (Ende 18. Jh.); **Depression** »Niedergeschlagenheit« (Ende 16. Jh. aus frz. *dépression* »Niederdrücken, Senkung« < lat. *depressio*); **depressiv** »gedrückt« (20. Jh.; aus frz. *dépressif* »niederdrückend«).

deputieren »abordnen«: Das Wort ist seit dem 15. Jh. bezeugt. Es geht auf lat. *de-putare* »jemandem etwas zuschneiden, bestimmen« zurück (über das Grundwort lat. *putare* vgl. das Fremdwort *amputieren*). Diese Bedeutung des Wortes ist in dem Substantiv **Deputat** »Gehalts- oder Lohnanteil (in Form von Sachleistungen)« erhalten, das im späten 15. Jh. entlehnt wurde, und zwar aus lat. *deputatum* »Zugeschnittenes, Zugeteiltes«, dem Part. Perf. von *deputare*. Die spezielle Bedeutung von ›deputieren‹, die zunächst in dem Substantiv **Deputation** »Abordnung« (Anfang 15. Jh.; aus mlat. *deputatio*) erscheint, geht aus von lat. *deputatus* »jemand, dem etwas zugeschnitten, zugewiesen ist« in dessen im Spätlat. entwickelter Bedeutung »Repräsentant staatlicher Autorität«.

der, die, das: Wie viele andere idg. Sprachen hat auch das Germ. den bestimmten Artikel aus einem hinweisenden Fürwort entwickelt. Mhd., ahd. *der, diu, daz̧*, asächs. *the, thiu, that* entspricht als Pronomen niederl. *die, die, dat*, engl. *that*, als Artikel niederl. *de*, engl. *the*. Im Got., Aengl. und Aisl. wird nur das Neutrum von diesem Stamm gebildet, der mit verwandten Wörtern im Griech. (*tó* »das«), Lat. (*is-te* »dieser«) und anderen Sprachen auf den idg. Pronominalstamm **to-*, Neutr. **tod* zurückgeht.

derb: Das nur im Dt. erhaltene altgerm. Adjektiv (mhd., ahd. *derp*, asächs. *therƀi*, aengl. *đeorf*, aisl. *Þjarfr*) hatte bis ins 18. Jh. die Bedeutung »ungesäuert«, eigentlich »steif, fest, massiv« (von Erz und Gestein). Es bezeichnete das flache, feste Fladenbrot (mhd. *derbez̧ brōt*) im Gegensatz zum lockeren Sauerteigbrot und gehört zu der unter ↑starren behandelten idg. Wortgruppe. An der Entwicklung seiner heutigen allgemeineren Bedeutung »grob, kräftig; gemein« hat ein anderes germ. Adjektiv Anteil, das in asächs. *derƀi* »kräftig, böse«, aengl. *dearf* »kühn« und aisl. *djarfr* »kühn« erscheint und zur Sippe von ↑verderben gehört. In mnd. *derve* »ungesäuert, fest; tüchtig« waren beide Wörter lautlich zusammengefallen. Daher wird der heutige Sinn von nhd. *derb* zuerst in der nordd. Sprache des 17. Jh.s greifbar und hat sich von dorther ausgebreitet. – Abl.: **Derbheit** (18. Jh.).

derjenige ↑jener.

der[mal]einst ↑einst.

dermaßen ↑Maß.

derselbe ↑selb.

des..., Des... ↑dis..., Dis...

Desaster »Missgeschick, Unglück«: Das Fremdwort wurde um 1800 aus gleichbed. frz. *désastre* entlehnt, das aus it. *disastro* eigentlich »Unstern« stammt. Zugrunde liegt it. *disastrare* »unter einem ungünstigen Stern geboren sein«, das zu ↑dis..., Dis... und griech. *ástron* (lat. *astrum*) »Stern« gehört (↑Aster).

Deserteur: Die Bezeichnung für »Fahnenflüchtiger« wurde im 17. Jh. aus frz. *déserteur* (lat. *desertor;* zu lat. *deserere*, s. u.) entlehnt. – Das Verb **desertieren** »fahnenflüchtig werden« wurde gleichfalls im 17. Jh. aus frz. *déserter* übernommen, das als Ableitung von *désert* »verlassen« eigentlich »verlassen machen, einsam zurücklassen« bedeutet. Voraus liegt lat. *desertus*, ursprünglich Part. Perf. von *deserere* »abreihen, abtrennen; verlassen«, einer Bildung aus lat. *de* (vgl. *de..., De...*) und lat. *serere* »aneinander reihen, fügen« (vgl. *Serie*).

Design »Entwurf[szeichnung]; Muster, Modell (für Formgestaltung)«: Das Fremdwort wurde in der 2. Hälfte des 20. Jh.s aus gleichbed. engl. *design* entlehnt, das aus älter frz. *dessein* (heute: *dessin*) »Zeichnung, Muster« stammt. Darauf geht auch unser Fremdwort **Dessin** (Ende 17. Jh.) zurück. – Das frz. Wort gehört zum Verb *dessiner* »zeichnen«, das über it. *disegnare* auf lat. *designare* »bezeichnen« zurückgeht (vgl. *Signum*). – Abl.: **Designer** »Formgestalter« (20. Jh.).

desinfizieren ↑infizieren.

despektierlich »verächtlich, ohne Respekt«: Das Adjektiv wurde im 17. Jh. zu veraltet **despektieren** »geringschätzig behandeln« gebildet, das aus lat. *despectare* »von oben herabsehen« entlehnt ist. Dies gehört zu lat. *de* (vgl. *de..., De...*) und lat. *specere* »schauen« (vgl. *Aspekt*).

Despot »Gewaltherrscher; herrischer Mensch«: Das Substantiv wurde im 15. Jh. aus griech. *despótēs* entlehnt, das wahrscheinlich aus der Fügung **dem-s poti-s* »Herr des Hauses« hervorgegangen ist. Es war früher auch Titel bestimmter Balkanfürsten. Über weitere Zusammenhänge vgl. *ziemen* und *potent*.

Dessert: Die Bezeichnung für »Nachtisch« wurde Mitte des 17. Jh.s aus frz. *dessert*, (älter:) *desserte* entlehnt. Das frz. Wort gehört zu *desservir* »die Speisen abtragen«, einer Gegenbildung mit *dé...* (lat. *dis;* vgl. *dis..., Dis...*) zu frz. *servir* »dienen, aufwarten, servieren« (vgl. *servieren*). Der »Nachtisch« folgt der abgeschlossenen Hauptmahlzeit erst dann, wenn die Speisen ›abgetragen‹ sind.

Dessin ↑Design.

Dessous: Das meist im Plural verwendete Wort steht für »(elegante) Damenunterwäsche«. Es wurde aus frz. *dessous* entlehnt, das neben der

Bedeutung, in der es ins Deutsche gekommen ist, auch allgemein die »Unterseite von etw.« bezeichnet und das durch die Substantivierung der Präposition *dessous* entstanden ist. Diese geht zurück auf lat. *de subtus* »von unterhalb«.

destillieren »flüssige Stoffe durch Verdampfung reinigen und trennen«: In dieser Form ist das Verb seit dem 16. Jh. für älteres *distillieren* bezeugt. Dies ist aus vlat. *distillare* (lat. *destillare*) »herabträufeln« entlehnt. Das lat. Verb ist gebildet zu lat. *de* (↑de..., De...) und lat. *stilla* »Tropfen«, das mit gleichbed. lat. *stiria* (vielleicht als Verkleinerungsbildung dazu), griech. *stílē* zu idg. **stāi-, stĭ-* »verdichten« gehört (vgl. *Stein*).

D

Detail »Einzelheit, Einzelteil«: Das Fremdwort wurde Ende des 17. Jh.s aus frz. *détail* in allgemeiner Bedeutung entlehnt. Frz. *détail* ist von frz. *détailler* »abteilen, in Einzelteile zerlegen« abgeleitet, das seinerseits durch *dé...* (lat. *dis;* vgl. *dis..., Dis...*) verstärktes *tailler* »schneiden, zerlegen« ist (vgl. *Taille*). – Dazu: **detaillieren** »im Einzelnen darlegen« (18. Jh.; aus gleichbed. frz. *détailler*); **detailliert** »in allen Einzelheiten, genau« (aus gleichbed. frz. *détaillé*).

Detektiv »jemand, der Ermittlungen durchführt«: Das Substantiv wurde im 19. Jh. aus engl. *detective (policeman)* entlehnt. Das zugrunde liegende Verb engl. *to detect* »aufdecken, ermitteln« geht zurück auf lat. *de-tegere (de-tegi, de-tectum)* »aufdecken, enthüllen«. Das einfache Verb lat. *tegere* ist urverwandt mit dt. ↑decken. – Abl.: **detektivisch** (20. Jh.).

detonieren »laut krachen, explodieren«: Das Verb wurde im 18. Jh. aus frz. *détoner* entlehnt, das auf lat. *detonare* »herabdonnern« zurückgeht. Das einfache Verb lat. *tonare* »donnern« ist urverwandt mit dt. ↑Donner. – Abl.: **Detonation** »Explosion« (Ende des 17. Jh.s).

Deut: In der Fügung ›keinen, nicht einen Deut‹ (für »fast gar nichts«) lebt der Name einer alten holländisch-niederrheinischen Kleinmünze fort, die bis ins 19. Jh. Geltung hatte. Die Münzbezeichnung niederl. *duit,* mniederl. *duyt* ist verwandt mit aisl. *þveiti* »Münze« und gehört zu aisl. *þveita* »schlagen, hauen«, aengl. *đwītan* »[ab]schneiden«. Als »abgehauenes Stück« erinnert der Münzname an die Frühzeit des friesisch-nordgermanischen Handels, in der zerschnittenes Edelmetall (Hacksilber) als Zahlungsmittel galt.

deuten: Mhd., ahd. *diuten* »zeigen, erklären, übersetzen; ausdrücken, bedeuten«, niederl. *duiden* »zeigen, erklären, auslegen«, aengl. *(ge)đīedan* »übersetzen«, schwed. *tyda* »auslegen, erklären, hinweisen« beruhen auf einer Ableitung von dem germ. Substantiv **þeudō-* »Volk« (vgl. *deutsch*). Die Grundbedeutung dieses Verbs war wohl »für das (versammelte) Volk erklären, verständlich machen«. Daraus entstand einerseits der Sinn »aus einer fremden Sprache übersetzen«, der schon im Mhd. zu »ausdeuten, auslegen« gewandelt wurde, andererseits der Sinn »ausdrücken« (von einem Wort oder Zeichen gesagt), für den heute ›bedeuten‹ (s. u.) gilt. Die Bedeutung »(mit dem Finger) zeigen« meint eigentlich eine erklärende Handbewegung. – Abl.: **deuteln** »kleinlich auslegen« (16. Jh.); **...deutig** (nur in nhd. Bildungen wie ›ein-, mehr-, vieldeutig‹; beachte besonders **zweideutig,** das im 17. Jh. als Übersetzung von lat. *aequivocus* »doppelsinnig, mehrdeutig« auftrat und über »absichtlich unklar« im 18. Jh. die Bedeutung »schlüpfrig, zotig« entwickelte); **deutlich** »leicht zu erkennen oder zu verstehen« (als Adverb mhd. *diut[ec]līche[n];* Adjektiv spätmhd. *diutelich*), dazu **verdeutlichen** (18. Jh.); **Deutung** (mhd. *diutunge* »Auslegung, Bedeutung«). Zusammensetzungen und Präfixbildungen: **andeuten** »zu verstehen geben; knapp oder unvollständig ausführen« (16. Jh.); **bedeuten** (mhd. *bediuten* »andeuten, verständlich machen, anzeigen«, *sich bediuten* »zu verstehen sein, bedeuten«, heute »ausdrücken, den Sinn haben« und »von Wichtigkeit sein«), dazu das adjektivische Partizip **bedeutend** »wichtig, hervorragend« (18. Jh., eigentlich »auf etwas hinweisend; bezeichnend«) sowie die Ableitungen **bedeutsam** »bedeutungsvoll« (Ende des 18. Jh.s) und **Bedeutung** »Sinngehalt; Wichtigkeit« (mhd. *bediutunge* »Auslegung«).

deutsch: Im Gegensatz zu anderen Bezeichnungen dieser Art ist das Wort ›deutsch‹ nicht von einem Volks- oder Stammesnamen abgeleitet, sondern geht auf ein altes Substantiv mit der Bedeutung »Volk, Stamm« zurück (s. u.). Das Adjektiv mhd. *diut[i]sch, tiu[t]sch,* ahd. *diutisc,* niederl. *duits[ch]* »deutsch« (aus dem Niederl. stammt engl. *Dutch* »holländisch«) ist seit dem 10. Jh. bezeugt und steht neben dem schon im 8. Jh. belegten mlat. *theodiscus* »zum Volk gehörig, volksgemäß« (mlat. *theodisca lingua* war die amtliche Bezeichnung der germanischen [altfränkischen] Sprache im Reich Karls d. Gr.). Zugrunde liegt ein westfränk. Adjektiv **þeodisk* (als Gegenwort zu **walhisk* »romanisch«). Es ist mithilfe des Suffixes *-isc (*nhd. *-isch*) zu dem später untergegangenen gemeingerm. Substantiv mhd. *diet,* ahd. *diot[a],* got. *þiuda,* aengl. *đeod,* aisl. *þjōđ* »Volk« gebildet, das auch im ersten Glied germ. Personennamen wie Dietrich, Dietmar erscheint und außerdem der Sippe von ↑deuten zugrunde liegt. Das Substantiv ist z. B. urverwandt mit air. *tūath* »Volk, Stamm, Land« und lit. *tautà* »Volk, Nation«, *Tautà* »Deutschland«. In der Geschichte des Wortes ›deutsch‹ spiegelt sich die Herausbildung des deutschen Sprach- und Volksbewusstseins gegenüber den romanischen und romanisierten Teilen der Bevölkerung im Frankenreich und gegenüber dem Lateinischen. In der Auseinandersetzung zwischen West- und Ostfranken ist das Wort ›deutsch‹ zur Gesamtbezeichnung der Stammessprachen im Osten des Frankenreichs, dem späteren Deutschland, geworden. – Abl.: **verdeutschen** »ins Deutsche übersetzen« (im 15. Jh. *vertütschen,* dafür mhd. *diutschen* »auf Deutsch sagen, erklären«); **Deutschtum** »deutsche Eigenart« (Anfang des 19. Jh.s, zuerst ironisch gebraucht, ersetzt es dann das ältere ›Deutschheit‹), dazu mit abschätzigem Sinn **Deutschtümelei** (1. Hälfte des 19. Jh.s). Zus.: **Deutschland** (seit dem 15. Jh. neben der Fügung ›das deutsche Land‹, mhd. *daz tiutsche lant,* Plural *tiutschiu lant).*

Devise »Wahlspruch, Losung«: Das seit dem 16. Jh. bezeugte Fremdwort ist aus frz. *devise* entlehnt. Dies ist ursprünglich ein Ausdruck der Wappenkunst und bezeichnete zunächst die »abgeteilten« Felder eines Wappens, dann auch den in einem solchen Feld stehenden »Sinnspruch«, woraus sich schließlich die allgemeine Bedeutung entwickelte. Frz. *devise* ist abgeleitet von *deviser* »einteilen«, das auf vlat. **devisare (divisare)* zurückgeht (über das zugrunde liegende Verb lat. *dividere* »teilen« vgl. *dividieren*). Verselbstständigt hat sich der Plural **Devisen** »Zahlungsmittel in ausländischer Währung«, der seit dem 19. Jh. zunächst in der Bedeutung »im Ausland zahlbarer Wechsel« (ursprünglich wohl »Wechselvordruck mit Aufdruck eines Wahlspruchs«) bezeugt ist.

devot »unterwürfig; demütig«: Das Adjektiv, das seit dem 15. Jh. – zunächst in der Bedeutung »andächtig, fromm« – bezeugt ist, ist aus gleichbed. lat. *devotus* entlehnt. Dies gehört zu lat. *devovere* »geloben, weihen, sich aufopfernd hingeben«, *vovere* »geloben; weihen« (vgl. *Votum*).

Dezember: Der 12. Monat des Jahres, der früher Christmonat, Heilig-, Winter-, Hart-, Schlacht- oder Wolfmonat hieß, wurde seit dem ausgehenden Mittelalter mit dem lat. Namen bezeichnet. Lat. *(mensis) December,* das von *decem* »zehn« (vgl. *Dezi...*) abgeleitet ist, steht ursprünglich für den zehnten Monat des römischen Jahres, das bis ins zweite vorchristliche Jahrhundert von März bis Februar währte. Später galt das Wort dann entsprechend für den zwölften Monat.

dezent »schicklich; zurückhaltend; zart, gedämpft«: Das Adjektiv wurde im 18. Jh. aus gleichbed. frz. *décent* entlehnt, das auf lat. *decens (decentis)* »geziemend, schicklich« zurückgeht. Zugrunde liegt das lat. Verb *decere* »zieren; sich ziemen«, das mit *decus (decoris)* »Zierde, Schmuck; Würde« (↑dekorieren, Dekorateur usw.), *dignus (*dec-nos)* »würdig, wert« (↑indigniert) zu einer idg. Wurzel **dek-* »[auf]nehmen, annehmen, empfangen; begrüßen, Ehre erweisen« gehört, wobei als vermittelnde Bedeutung etwa »gern aufnehmen« anzusetzen ist (was man gern aufnimmt, ist »willkommen, genehm, passend, würdig, schicklich usw.«). Ferner gehören hierher das ablautende Kausativ lat. *docere* »einen etwas annehmen machen, lehren« (hierzu lat. *doctus* »gelehrt«, *doctrina* »Lehre«, *documentum* »das zur Belehrung, Erhellung Dienliche; Beweis; Urkunde«; s. im Einzelnen die Artikel *dozieren, Dozent, Doktor, Doktrin, Dokument* usw.).

Dezernat »Geschäftsbereich eines Dezernenten«: Das seit dem 19. Jh. bezeugte Fremdwort stammt aus der Kanzleisprache. Es ist hervorgegangen aus der 3. Pers. Sing. Konj. Präs. von lat. *decernere* »entscheiden« (vgl. *Dezernent*), etwa in Formeln wie ›decernat Herr X‹ »es soll Herr X entscheiden«. Damit mag der Chef einer Behörde einzelne Vorgänge an die entsprechenden Sachbearbeiter zur Entscheidung weitergeleitet haben. Die Betonung des Wortes auf der Schlusssilbe deutet darauf hin, dass es später irrtümlich als Part. Perf. aufgefasst wurde, das richtig in ↑Dekret vorliegt. – Ähnlich entstanden die Fremdwörter Inserat (↑inserieren) und Referat (↑referieren).

Dezernent: Die Bezeichnung für »Sachbearbeiter (bei Behörden und Verwaltungen)« wurde im 18. Jh. aus lat. *decernens,* dem Part. Präs. von *decernere* »entscheiden«, entlehnt (s. auch *Dezernat* und *Dekret*). Das zugrunde liegende einfache Verb lat. *cernere (crevi, cretum)* »sondern, scheiden«, das zur idg. Sippe von ↑[1]scheren gehört, erscheint u. a. noch in folgenden Bildungen: lat. *discernere* »absondern; unterscheiden« (↑diskret, Diskretion), lat. *discrimen* »trennender Zwischenraum« (↑diskriminieren), lat. *se-cernere* »aussondern, ausscheiden«, dazu *secretus* »abgesondert, geheim« (↑Sekretär, Sekretärin, Sekretariat). Ferner stellen sich zu lat. *cernere* die Iterativbildung lat. *[con-]certare* »etwas zur Entscheidung bringen; wetteifern« (↑Konzert, konzertieren) und das Adjektiv lat. *certus* »entschieden, bestimmt, gewiss, sicher« (vgl. auch *Zertifikat*).

Dezi...: Das Bestimmungswort von Zusammensetzungen mit der Bedeutung »Zehntel«, wie in ›Dezimeter‹, ist entlehnt aus frz. *déci-,* das auf lat. *decimus* »zehnte« zurückgeht. Dies ist das entsprechende Ordnungszahlwort zum Grundzahlwort lat. *decem* »zehn«, das urverwandt ist mit dt. ↑zehn. Folgende Ableitungen von lat. *decem* bzw. *decimus* sind noch von Interesse: lat. *decanus* »Führer von 10 Mann« (↑Dekan), lat. *(mensis) December* (↑Dezember), lat. *duodecim* »zwölf« (↑Dutzend), lat. *decimare* »den 10. Mann zur Bestrafung herausnehmen« (↑dezimieren) und mlat. *decimalis* »den [Steuer]zehnten betreffend«, aus dem im 18. Jh. unser **dezimal** »auf die Grundzahl 10 bezogen« entlehnt wurde, dazu die Zusammensetzungen **Dezimalbruch** und **Dezimalsystem.**

dezimieren »stark verringern, vermindern«: Das Verb wurde Ende des 17. Jh.s wohl unter Einfluss von gleichbed. frz. *decimer* aus lat. *decimare* entlehnt. Dieses bedeutete ursprünglich »jeden zehnten Mann herausziehen und mit dem Tode bestrafen«. Das lat. Verb gehört zu *decimus* »zehnte«, *decem* »zehn« (vgl. *Dezi...*).

¹di..., Di... ↑dia..., Dia...

²di..., Di...: Die Vorsilbe mit der Bedeutung »zwei[fach]« stammt aus gleichbed. griech. *dís*, das in Zusammensetzungen vor Konsonanten als *di...* erscheint. Griech. *dís* geht wie lat. *bis* auf idg. **du̯is* »zweimal« zurück; zu **du̯ō(u)* »zwei« (vgl. *zwei*).

D

³di..., Di... ↑dis..., Dis...

dia..., Dia..., (vor Vokalen:) ¹di..., Di...: Die Vorsilbe mit der Bedeutung »auseinander; durch, hindurch, zwischen« stammt aus griech. *diá*, das etymologisch mit der dt. Vorsilbe ↑zer... verwandt ist.

Dia ↑Diapositiv.

diabolisch »teuflisch«: Das seit dem 16. Jh. bezeugte Adjektiv ist entlehnt aus gleichbed. lat. *diabolicus* (< griech. *diabolikós*, zu *diábolos*, vgl. *Teufel*).

Diadem »Stirnband, -reif, Krone«: Das Wort (mhd. *diadēm*, ahd. *diadēma, deadēma*) ist aus gleichbed. lat. *diadema* < griech. *diádēma* entlehnt. Dies ist von griech. *dia-deīn* »umbinden« abgeleitet und bedeutet demnach wörtlich »Umgebundenes«. Ursprünglich bezeichnete das Wort speziell das blaue, weiß durchwirkte Band um den Turban der Perserkönige.

Diagnose »[Krankheits]erkennung«: Das Fremdwort wurde im 18. Jh. aus gleichbed. frz. *diagnose* entlehnt, das auf griech. *diágnōsis* »unterscheidende Beurteilung, Erkenntnis« zurückgeht. Das zugrunde liegende Verb griech. *dia-gi-gnṓskein* »durch und durch erkennen, beurteilen« ist eine Bildung zu *gi-gnṓskein* »erkennen«, das zur idg. Sippe von ↑können gehört. – Die Bildung griech. *pro-gi-gnṓskein* »im Voraus erkennen« erscheint im Fremdwort ↑Prognose. Von den zahlreichen zum Stamm von griech. *gi-gnṓ-skein* gebildeten Substantiven ist griech. *gnṓmōn* »Kenner, Beurteiler; Richtschnur« von besonderem Interesse, weil es wahrscheinlich die Quelle für lat. *norma* »Richtschnur, Regel« ist (vgl. *Norm*).

diagonal »schräg«, substantiviert: **Diagonale** »Schräge«; (Geometrie:) »Gerade, die zwei nicht benachbarte Ecken eines Vielecks miteinander verbindet«: Das Fremdwort wurde im 18. Jh. aus spätlat. *diagonalis* (wörtliche Bedeutung »durch die Winkel führend«) entlehnt. Das lat. Adjektiv ist eine Neubildung zu griech. *diá* »durch« (vgl. *dia..., Dia...*) und griech. *gōnía* »Ecke, Winkel«, das verwandt ist mit griech. *góny* (= lat. *genu*) »Knie« und somit zur idg. Sippe von nhd. ↑Knie gehört.

Diakon »Pfarrhelfer, Krankenpfleger (vornehmlich in der Inneren Mission); katholischer Geistlicher, der einen Weihegrad unter dem Priester steht«: Ahd. *diacan*, mhd. *diāken*, seit der Reformation relatinisiert, ist entlehnt aus kirchenlat. *diaconus*, griech. *diā́konos* »Diener«, das wohl von griech. *diākoneīn* »dienen« abgeleitet ist. – Dazu: **Diakonie** »Dienst (in der christlichen Nächstenliebe)«, aus lat. *diaconia*, griech. *diākonía* »Dienst«; **diakonisch** (19. Jh.); **Diakonisse, Diakonissin** »evangelische Kranken- und Gemeindeschwester« (Anfang 18. Jh.; aus kirchenlat. *diaconissa* »[Kirchen]dienerin«).

Dialekt: Die Bezeichnung für »Mundart« wurde Ende des 16. Jh.s aus lat. *dialectos* < griech. *diálektos* »Ausdrucksweise« entlehnt. Zugrunde liegt das Verb griech. *dialégesthai* »sich unterreden; sprechen« (vgl. über weitere Zusammenhänge den Artikel *Lexikon*).

Dialektik »Kunst der Gesprächsführung; eine bestimmte philosophische Methode des Denkens, der Beweisführung; innere Gesetzmäßigkeit, Struktur«: Der philosophische Terminus ist seit Ende des 12. Jh.s belegt und aus lat. *(ars) dialectica* entlehnt, das auf griech. *dialektikḗ (téchnē)* »Disputierkunst« zurückgeht (zu *dialégesthai* »sich unterreden« vgl. *Dialekt*). – Abl.: **dialektisch** »die Dialektik betreffend; spitzfindig« (16. Jh.; aus lat. *dialecticus* < griech. *dialektikós*).

Dialog »Zwiegespräch, Wechselrede«: Das Fremdwort wurde im 18. Jh. aus gleichbed. frz. *dialogue* entlehnt, das über lat. *dialogus* auf griech. *diálogos* (eigentlich »Unterredung, Gespräch«) zurückgeht. Das griech. Wort gehört zu *dia-légesthai* »sich unterreden« (vgl. *Dialekt*).

Diamant: Der Edelsteinname wurde in mhd. Zeit (mhd. *diamant, dīemant*) aus frz. *diamant* entlehnt, das auf spätlat. *diamas* zurückgeht. Dies stammt mit unklarer lautlicher Entwicklung aus lat. *adamas* < griech. *adámās* »Diamant; hartes Metall«. Dessen eigentliche Bedeutung könnte »Unbezwingbarer« sein. Dann läge eine mit Alpha privativum (vgl. *²a..., A...*) gebildete Ableitung von griech. *damnánai* »bezwingen« vor, das zu idg. **demə-, domə-* gehört (vgl. *zähmen*). – Abl.: **diamanten** »aus Diamant« (Ende 15. Jh.).

Diapositiv, (Kurzform:) Dia »durchsichtiges, fotografisches Positivbild«: Das seit dem Beginn des 20. Jh.s bezeugte Wort ist gebildet aus griech. *diá* »durch« (= »durchsichtig«) und ↑Positiv.

Diarrhö[e]: Das medizinische Fachwort für »Durchfall« wurde im 18. Jh. aus lat. *diarrhōea*, griech. *diárrhoia* (eigentlich »Durchfluss«) entlehnt. Zugrunde liegt griech. *dia-rrheīn* »[hin]durchfließen«, eine Bildung mit ↑dia..., Dia... und griech. *rheīn*, das über eine Vorstufe **sréu̯ein* auf idg. **sreu-* »fließen« zurückgeht (vgl. *Rhythmus*).

Diät »auf die Bedürfnisse eines Kranken, Übergewichtigen abgestimmte Ernährungsweise; Schonkost«: Das Substantiv wurde Anfang des 13. Jh.s als medizinischer Terminus aus gleichbed. lat. *diaeta* entlehnt, das auf griech. *díaita* (Grundbedeutung etwa »[Lebens]einteilung«) zurückgeht.

Diäten »Tagegelder (der Abgeordneten)«: Das Wort ist wohl eine Kürzung aus ›Diätengelder‹, dessen Bestimmungswort im 18. Jh. aus frz. *diète*

»tagende Versammlung« entlehnt ist. Voraus liegt mlat. *dieta, diaeta* »festgesetzter Tag, Termin, Versammlung«, eine Ableitung von lat. *dies* »Tag« (vgl. *Journal*).

dich ↑du.

dicht: Das altgerm. Adjektiv mhd. *dīhte* »dicht«, mnd. *dicht[e]* »dicht, fest; stark, zuverlässig«, aengl. *ðīht* »dick, stark«, aisl. *þēttr* »dicht, dick, fett« gehört zu der unter ↑gedeihen dargestellten idg. Wortgruppe. Die heutige Form ›dicht‹ mit kurzem i gegenüber frühnhd. *deicht* (mhd. *dīhte* mit langem i) stammt aus dem Mnd. Aus der wahrscheinlichen Grundbedeutung »fest, undurchlässig« (so z. B. in ›wasser-, luftdicht‹ und in ›[1]dichten‹, s. u.) ist die heute vorherrschende »eng gedrängt, nahe« entstanden (z. B. ›dichtes Gebüsch, dicht bevölkert, dicht beim Haus‹). – Abl.: **Dichte** »dichtes Nebeneinander« (Ende des 16. Jh.s; heute besonders physikalisches Fachwort); **[1]dichten** »abdichten, dicht machen« (im 16. Jh. seemännisch, dann allgemein verwendet), dazu **[1]Dichtung** »Schicht, Vorrichtung zum [Ab]dichten« (19. Jh.).

[1]dichten ↑dicht.

[2]dichten: Die nhd. Form geht über mhd. *tihten* zurück auf ahd. *dihtōn, tihtōn* »schriftlich abfassen, ersinnen«, das aus lat. *dictare* »zum Nachschrei-ben vorsagen, vorsagend verfassen« (vgl. *dikti-ren*) entlehnt ist. Neben der allgemeinen Bede-tung »ein Schriftwerk verfassen«, die sich bis 17. Jh. hielt, zeigt schon mhd. *tihten* den heuti Sinn »Verse machen«. – Abl.: **Dichter** (mhd. *ti re* erscheint erst im 12. Jh. Das Wort blieb se bis es im 18. Jh. als Ersatz für das verflachte neu belebt wurde), dazu **dichterisch** (17. Jh **Dichterling** »schlechter Dichter« (17. Jh.); **tung** (spätmhd. *tihtunge* »Diktat, Gedich erst nhd. zur Bezeichnung der Dichtku des dichterischen Werks); **Gedicht** (mhd. »schriftliche Aufzeichnung«, auch »E Betrug«; seit dem 13. Jh. begegnet de Sinn »[lyrisches] Dichtwerk«, der im zu Lied und Spruch noch heute meist ben voraussetzt).

dick: Das altgerm. Adjektiv mhd. *dic[cki,* asächs. *thikki,* engl. *thick,* schw verwandt mit der kelt. Sippe von ai Die weiteren Beziehungen sind unk bedeutete früher sowohl »dicht« al Die erste Bedeutung ist heute noc wie ›durch dick und dünn‹ und ›di ten und zeigte sich bis zum 15. Gebrauch des Adverbs ahd. *dicc* »häufig, oft« (s. u. ›Dickicht‹). In fänglich, massig« hat sich ›dic ›groß‹ (s. d.) durchgesetzt. – sein« (mhd. *dicke,* ahd. *dickī* **Dickhäuter** (↑Haut); **Dickicht** (17. Jh.; Wort der Jagd- und nach dem Muster von ›Röhri

dick

dick auf (ugs.) »i Die We Auftra ke Au

mit j »jmd Die »di du de ei V

martedì). Der germanische Gott, um
hier handelt, ist der ursprüngliche
ahd. *Ziu*, aengl. *Tīw*, aisl. *Tyr* (der
wandt mit griech. *Zeus;* vgl. *Zier*),
Kriegsgott wurde und deshalb
Mars gleichgesetzt werden konn-
s Gottes ist noch in anderen
Wochentages erhalten, z. B.
hd. *ziestac*, ahd. *ziostag*),
tiwesdęg), schwed. *tisdag*
hend ist bayr. *Ertag* als
s griech. *Areōs hēméra*
= Ziu) entlehnt. Die
erst seit dem 17. Jh.
den.

ensatz zu ↑jener
monstrativpro-
re), *disiu*, *ditze*
diz[i], ähnlich
his, schwed.
trativ ↑der
mit einem
as dann
n hat. –
usativ
Sei-
azu
n-

diente und im
wurde.
dienen: Das altg
nōn, niederl. *di*
von einem ger
»Diener, Gefo
»Knecht«, und
bewahrt ist und
↑Demut beha
scheint. Dieses
gentlich »Läuf
wurzel **tekʷ-* »
aind. *takvá-ḥ*
»Läufer«, lit. *te*
lett. *teksnis* »
von ›dienen‹ ist
vire neben *serv*
stellung zu Di
gewandelt. In d
tet es »zu etw
Abl.: **Diener** (m
beugung« ist i
mel ›gehorsam
dienern »Verb
lich »nützlich«
ahd. *dionōst*, v
dazu **dienstba**
(mhd. *dienestli*
Sinn erst im 1
»jemandem Di
den am Tisch n
gen« (16. Jh.), d
ter und **Bedie**
Dienstleistung
(mhd. *verdien*
auch für »eine
›sich verdient
nung erwerbe
›sich verdiene
winn« oder (al
worbener Wer
dēnst).
Dienstag: Die N
Lehnübersetzu
sche siebentäg
mittlung der J
Eingang gefun
den Göttern d
wurden (Sonne
nus, Saturn). D
im 4. Jh. kenne
der entspreche
kel für die einz
zur Sprachges
Der Name Dien
ausgebreitet. N
dinxendach ge
röm. Inschrift
Thingsus, der
Das Wort ist N

D

dakt
18. Jh
dem
Bewi
zugr
ren u
ca <
»Fac
die ↑d
Dieb:
diep,
schw
hört
der i
verbe
lett.
bisch
dem
Diebs
keine
›Dieb
nen F
stahl
und
↑steh
Diele
Wohn
dil[le]
Schiff
Brett;
»Diel
mit
»Gru
gehör
idg. S
Boden
lat. *te*
brette
[Vor]
mdal.
des b
land a
Längs
Bauer

ns
gen
ntæ-
lten,
Poet‹
) und
²Dich-
« wird
nst und
getiht[e]
findung,
heutige
Gegensatz
as Schrei-
ke], ahd. *di-*
ed. *tjock* ist
. *tiug* »dick«.
lar. Das Wort
s auch »dick«.
n in Fügungen
cke Luft‹ erhal-
h. auch in dem
, mhd. *dicke* für
n Sinne von »um-
k‹ im Nhd. gegen
bl.: **Dicke** »Dick-
dickfellig (↑Fell);
»dichtes Gebüsch«
Forstsprache, wohl
cht‹ gebildet).

und ist in der 2. Hälfte des 20. Jh.s aus engl. *digital* übernommen worden. Dies ist eine Ableitung des Substantivs *digit* in seiner Bedeutung »Ziffer«.

diktieren »(zum Nachschreiben) vorsprechen; vorschreiben, aufzwingen«: Das Verb wurde im 15. Jh. aus gleichbed. lat. *dictare*, dem Intensivum von *dicere* »sagen, sprechen«, entlehnt. Aus dem Part. Perf. lat. *dictatum* »Diktiertes« stammt das Substantiv **Diktat** »Niederschrift, Nachschrift; Machtspruch« (um 1600). Daneben lat. *dictator* im Fremdwort **Diktator** »unumschränkter Gewalthaber, Gewaltmensch« (Ende 15. Jh.) – wozu als Adjektiv **diktatorisch** »gebieterisch, willkürlich« (Mitte des 17. Jh.s; nach lat. *dictatorius*) gehört –, ferner lat. *dictatura* in **Diktatur** »unumschränkte Gewaltherrschaft« (16. Jh.). – Lat. *dicere* (eigentliche Bedeutung »mit Worten auf etwas hinweisen«), das urverwandt ist mit nhd. ↑zeihen, ist auch Stammwort für folgende Lehn- und Fremdwörter: ↑Diktion, ↑dito, ↑Indikativ, ↑Indiz, ↑Prädikat, ↑predigen, Predigt, Prediger, ↑Index. Vgl. noch das Lehnwort [2]*dichten*.

Diktion »Ausdrucksweise, Stil«: Das Fremdwort wurde am Ende des 15. Jh.s aus lat. *dictio* entlehnt. Dies gehört zu *dicere* »sagen, sprechen« (vgl. *diktieren*).

Dilemma »Zwangslage«: Das Fremdwort wurde Ende des 16. Jh.s aus lat. *dilemma* bzw. griech. *dílēmma* »Doppelsatz« (eigentlich »Doppelfang, Zwiegriff«) entlehnt. Dieser ursprünglich der Logik zugehörige Terminus bezeichnet eigentlich eine Art »Fangschluss«, der eine Entscheidung nur innerhalb von zwei gleich unangenehmen Möglichkeiten eines Alternativsatzes (entweder – oder) zulässt. Stammwort ist griech. *lambánein* »nehmen, ergreifen«.

Dilettant: Das seit dem 18. Jh. bezeugte Fremdwort bezeichnete zunächst nur den nicht beruflich geschulten Künstler bzw. den Kunstliebhaber, dann allgemeiner den Nichtfachmann und schließlich abwertend den Stümper. Das Wort ist aus gleichbed. it. *dilettante* entlehnt. Das zugrunde liegende Verb it. *dilettare* geht auf lat. *delectare* zurück und bedeutet wie dieses »ergötzen, amüsieren«. Stammwort ist lat. *lacere* »verlocken« bzw. das Intensiv *lactare* »locken, ködern«, das zusammenhängt mit lat. *laqueus* »Strick als Schlinge« (daraus unser Lehnwort ↑Latz). Die vermittelnde eigentliche Bedeutung von *lacere* wäre dann etwa »in eine Schlinge locken, bestricken«. – Abl.: **dilettantisch** »laienhaft; stümperhaft« (Ende 18. Jh.); **Dilettantismus** »Laienhaftigkeit; Stümperhaftigkeit« (Ende 18. Jh.; aus it. *dilettantismo*).

Dill: Der altgerm. Pflanzenname mhd. *tille*, ahd. *tilli* (daneben *tilla*), niederl. *dille*, engl. *dill*, schwed. *dill* ist unbekannter Herkunft. Der Anlaut d ist niederd. wie in ›Damm, Dohle‹ u. a.

Dimension »Ausdehnung, Ausmaß, Bereich«: Das Fremdwort wurde Ende des 15. Jh.s (vielleicht durch frz. Vermittlung) aus lat. *dimensio* »Ausmessung, Abmessung, Ausdehnung« entlehnt. Zugrunde liegt lat. *di-metiri* »nach allen Seiten hin abmessen«. Über weitere Zusammenhänge vgl. *dis..., Dis...* – Abl.: **dimensional** »die Ausdehnung betreffend« (Ende 19. Jh.), dazu **dreidimensional** »räumlich, plastisch«.

Diner: Der Ausdruck für »Mittagessen, Festmahl« wurde im 18. Jh. aus frz. *dîner* entlehnt, dem substantivierten Infinitiv von *dîner*. Das frz. Zeitwort (afrz. *disner*) bedeutete zunächst allgemein »eine Hauptmahlzeit zu sich nehmen«. Da die Hauptmahlzeit des Tages regional verschieden eingenommen wird, kann *dîner* bald »Mittagessen«, bald »Abendessen« bedeuten. Während sich bei uns für ›Diner‹ die Bedeutung »Mittagsmahl« eingebürgert hat, bezeichnet das Anfang des 19. Jh.s übernommene, gleichfalls auf afrz. *disner* (s. o.) zurückgehende engl. Fremdwort **Dinner** die zur »Abendzeit eingenommene Hauptmahlzeit«. Dem frz. Wort voraus liegt vlat. **disieiunare* »zu fasten aufhören«, das zu lat. *dis* (vgl. *dis..., Dis...*) und *ieiunus* »nüchtern, hungrig« gehört. Die weitere Herkunft des Wortes ist unsicher. – Dazu: **dinieren** »zu Mittag essen; speisen« (18./19. Jh.; aus dem frz. Zeitwort *dîner*, s. o.).

Ding: Das heute im Sinne von »Gegenstand, Sache« verwendete Wort stammt aus der germ. Rechtssprache und bezeichnete ursprünglich das Gericht, die Versammlung der freien Männer; vgl. hierzu das Kapitel zur Sprachgeschichte *Der germanische Erbwortschatz*. Als »Gericht« galt ahd. *thing, ding*, mhd., mnd. *dinc* bis zum Ausgang des Mittelalters. In schwed. *ting* »Gericht«, norweg. *storting*, dän. *folketing* »Parlament« und der historisierenden nhd. Form ›Thing‹ lebt die alte Bedeutung bis heute fort. Jedoch zeigte sich im Dt. von Anfang an wie bei engl. *thing* und schwed. *ting* die Bedeutung »Sache, Gegenstand« (eigentlich »Rechtssache, Rechtshandlung«, beachte die ähnliche Entwicklung von ↑Sache und frz. *chose*). Germ. **þinga-z* »Volksversammlung«, das auch in ↑Dienstag enthalten ist, gehört wahrscheinlich zu der unter ↑dehnen behandelten idg. Wurzel **ten-* »dehnen, ziehen, spannen«, und zwar entweder im Sinne von »Zusammenziehung (von Menschen), Zusammenkunft, Versammlung« oder aber im Sinne von »Flechtwerk, Hürde, eingefriedeter Platz (für Volksversammlungen)«, was auf einem Bedeutungsübergang von »dehnen, ziehen, spannen« zu »winden, flechten« beruhen würde. Der alte rechtliche Sinn von ›Ding‹ erscheint teilweise noch in den Wortgruppen um ›dingen‹ (s. u.) und ↑verteidigen, der heutige in Bildungen wie *allerdings* (↑all) und den jüngeren ›neuer-, schlechter-, platterdings‹. Ugs. bezeichnet ›Ding‹ (Plural ›Dinger‹) unbedeutende oder geringe Sachen, auch Kinder und junge Mädchen. – Abl.: **dingen** (s. d.); **dinglich** »gegenständlich; das Recht an Sachen betreffend« (mhd. *din-*

D

gelīch, ahd. *dinglīh* »dem Gericht zugehörig«); **Dings** ugs. für »unbestimmter oder unbekannter Mensch, Ort oder Gegenstand« (im 16. Jh. aus dem partitiven Genitiv in Wendungen wie *ein stück dings*, mhd. *vil dinges* verselbstständigt), vgl. dazu die gleichbedeutenden ugs. Ausdrücke **Dingsbums** (19. Jh.) und **Dingsda** (19. Jh.). Zus.: **dingfest** (die Wendung ›dingfest machen‹ »verhaften« ist erst im 19. Jh. belegt, gehört aber zu Ding »Gericht« wie das veraltete Gegenwort ›dingflüchtig‹, mhd. *dincfluhtic* »wer sich dem Gericht entzieht«).

dingen »in Dienst nehmen«: Das altgerm. ursprünglich schwache Verb mhd. *dingen*, ahd. *dingōn* »vor Gericht verhandeln«, niederl. *dingen* »dingen; markten, abhandeln«, aengl. *đingian* »bitten, verlangen; sich vertragen, beschließen«, schwed. *tinga* »bestellen; mieten« ist eine Ableitung von dem unter ↑Ding behandelten Substantiv. Es erhielt im 17. Jh. starke Formen, von denen nur das 2. Part. *gedungen* üblich blieb, während das Präteritum *dang* meist auf die Präfixbildung ›er bedang [sich aus]‹ beschränkt blieb. Die mhd. Nebenbedeutung »vertraglich gegen Lohn in Dienst nehmen« ist heute die einzige des seltenen Verbs. Dazu gehört als Präfixbildung **bedingen** (s. d.).

dinieren ↑Diner.

Dinkel: Die besonders im schwäbisch-alemannischen Gebirgsland angebaute Weizenart (auch Spelt genannt, s. d.) heißt mhd. *dinkel*, ahd. *dinchel, thincil*. Die Herkunft des nur hochd. bezeugten Wortes ist unbekannt.

Dinner ↑Diner.

Diözese: Die Bezeichnung für »Amtsbezirk eines [katholischen] Bischofs; (früher:) evangelischer Kirchenkreis« wurde im 16. Jh. aus lat. *dioecesis* entlehnt, das auf griech. *dioíkēsis* »Verwaltung[sbezirk]« zurückgeht. Dies gehört zu griech. *di-oikeīn* »verwalten«. Zugrunde liegen griech. *diá* »[hin]durch« (vgl. *dia..., Dia...*) und griech. *oīkos* »Haus« (vgl. *Ökumene*). Es handelt sich also eigentlich um einen Begriff der Hauswirtschaft (wörtlich »durch das Haus walten«), der die gleiche Bedeutungserweiterung aufweist wie unsere Wörter ›Haushalt‹ und ›Staatshaushalt‹.

Diphthong: Der sprachwissenschaftliche Ausdruck für »Zwielaut« (Gebilde aus zwei verschiedenen Selbstlauten) wurde im 15./16. Jh. entlehnt aus lat. *diphtongus*, griech. *díphthoggos*, einem substantivierten Adjektiv (eigentlich »zweifach tönend«), das zu griech. *dís* »zweimal« (vgl. [2]*di..., Di...*) und *phthóggos* »Ton, Laut«, *phthéggesthai* »tönen« gehört.

Diplom »[Ehren]urkunde, Zeugnis«: Die Form ›Diplom‹ trat im 18. Jh. an die Stelle von älterem ›Diploma‹, das auf lat. *diploma* < griech. *dí-plōma* zurückgeht. Das Wort bedeutet eigentlich »zweifach Gefaltetes«, woraus dann die Bedeutung »Handschreiben auf zwei zusammengelegten Blättern; Urkunde« entsteht. Das zugrunde liegende Adjektiv griech. *di-plóos* »zweimal gefaltet« entspricht genau lat. *duplus* im Lehnwort ↑doppelt. Über das Präfix vgl. [2]*di..., Di...*, über den zweiten Wortbestandteil vgl. den Artikel *falten*.

Diplomat »höherer Beamter im auswärtigen Dienst, der durch Beglaubigungsschreiben seiner Regierung akkreditiert ist«: Das Fremdwort wurde im 19. Jh. aus frz. *diplomate* entlehnt, einer Rückbildung aus *diplomatique* »urkundlich« (zu lat. *diploma* »Urkunde«; vgl. *Diplom*). Nach der politischen Wendigkeit, die von einem Diplomaten verlangt wird, bezeichnet man auch einen Menschen allgemein als Diplomaten, wenn er sich im Umgang mit seinen Mitmenschen durch ein klug berechnendes, aber nach allen Seiten zu Kompromissen geneigtes Wesen auszeichnet. Diese Bedeutung ist besonders auch in den folgenden Ableitungen lebendig: **Diplomatie** (18. Jh.; aus frz. *diplomatie*); **diplomatisch** (18. Jh.; aus frz. *diplomatique*).

dir ↑du.

direkt »gerade, unmittelbar«: Das Adjektiv wurde um 1500 aus lat. *directus* »gerade, ausgerichtet« entlehnt. Dies gehört zu lat. *dirigere* »ausrichten« (vgl. *dirigieren*).

Direktion »Richtung, Anweisung; [Geschäfts]leitung«: Das Fremdwort wurde im 16. Jh. aus gleichbed. frz. *direction* entlehnt, das auf lat. *directio* »das Ausrichten« zurückgeht. Dies gehört zu lat. *dirigere* (vgl. *dirigieren*).

Direktive »Weisung, Verhaltungsregel«: Das seit dem 19. Jh. bezeugte Fremdwort ist wahrscheinlich zurückgebildet aus der Zusammensetzung ›Direktivnorm‹. Zugrunde liegt ein von lat. *dirigere* (vgl. *dirigieren*) abgeleitetes Adjektiv (nlat. **directivus* »richtungweisend«).

Direktor »Leiter, Vorsteher«: Das Fremdwort, das Anfang des 16. Jh.s aus lat. *director* entlehnt wurde, gehört zu lat. *dirigere* (vgl. *dirigieren*). – Dazu **Direktorium** »Vorstand, leitende Behörde« (Anfang 16. Jh.; aus lat. *directorium*); **Direktrice** »leitende Angestellte« (18. Jh.; aus frz. *directrice* < nlat. *directrix*).

dirigieren »leiten«: Das Verb wurde im 16. Jh. aus lat. *dirigere* »ausrichten; leiten« *(dis-regere)* entlehnt (vgl. *dis..., Dis...* und *regieren*). Aus dem Part. Präs. lat. *dirigens* stammt das Substantiv **Dirigent** »[Chor]leiter, Kapellmeister« (Anfang 18. Jh.). – Zu lat. *dirigere* gehören zahlreiche Ableitungen und Nominalbildungen, die in entsprechenden Fremdwörtern eine Rolle spielen, so in ↑Adresse, ↑adrett, ↑direkt, ↑Direktion, ↑Direktive, ↑Direktor, Direktrice, ↑Dress, ↑dressieren.

Dirne: Das auf das dt. und niederl. Sprachgebiet beschränkte Wort mhd. *dierne*, ahd. *thiorna*, mnd. *dērne*, niederl. *deern[e]* geht zurück auf germ. **þewerno* »Jungfrau«, das vermutlich zu der unter ↑[1]Degen (ursprünglich »männliches Kind«) behandelten idg. Wurzel gehört. Die nord. Sippe von schwed. *tärna* »Mädchen, Maid« stammt aus dem Mnd. Die alte Bedeutung »Jungfrau, Mädchen« ist noch in den Mundarten bewahrt, beachte z. B. nordd. ›Deern‹ und bayr.-österr. ›Dirndl‹. In mhd. Zeit wurde das Wort dann auch im Sinne von »Dienerin, Magd« verwendet und gelangte schließlich im 16. Jh. zu der heutigen Bedeutung »Hure«.

dis..., Dis..., (vor f:) dif..., Dif..., oft auch gekürzt zu di..., Di...: Die Vorsilbe, die eine Trennung, eine Unterbrechung oder auch den Gegensatz zu dem im Grundwort Ausgedrückten bezeichnet, stammt aus gleichbed. lat. *dis-* (eigentliche Bedeutung »entzwei«) – urverwandt mit dt. ↑zer... –, das im Frz. als *dés... (dé...)* erscheint. Daraus dt. *des..., Des...*, in Fremdwörtern wie ↑Desaster »Unstern«.

Disco ↑Diskothek.

Diskant: Die Bezeichnung für »hohe Gegenstimme zur Hauptstimme; oberste Stimme, Sopran« wurde im 15. Jh. aus mlat. *dis-cantus* »abweichende Gegenstimme« entlehnt, das zu lat. *dis-* (vgl. *dis..., Dis...*) und *cantus* »Gesang«, *cantare* »singen« (vgl. *Kantor*) gehört.

Diskette: Das seit der 2. Hälfte des 20. Jh.s bezeugte Fremdwort bezeichnet eine »als Datenspeicher dienende Metallplatte«. Es wurde aus gleichbed. engl. *diskette* übernommen. Dieses wurde selbst entlehnt: Frz. *disquette*, auf das es zurückgeht, ist die Verkleinerungsform von *disque* »kleine Scheibe«. Voraus liegt lat. *discus*, das im Dt. auch in Fremdwörtern wie ↑Diskus und ↑Diskothek erhalten ist.

Diskont »Zinsabzug bei noch nicht fälligen Zahlungen (besonders beim Ankauf eines Wechsels)«: Der Bankausdruck wurde im 17. Jh. aus it. *disconto* entlehnt, das auf mlat. *discomputus* »Abrechnung, Abzug« zurückgeht. Dies gehört zu lat. *dis-* (vgl. *dis..., Dis...*) und lat. *computare* »zusammenrechnen« (vgl. *Konto*). – Abl.: **diskontieren** »Zinsen abziehen« (Ende 17. Jh.; aus gleichbed. ital. *discontare*).

Diskothek, (Kurzform:) Disko, (auch:) Disco »Schallplattensammlung; Tanzlokal mit Schallplatten- oder Tondbandmusik«: Das Wort wurde im 20. Jh. vermutlich aus frz. *discothèque* entlehnt, einer Bildung zu frz. *disque* »Schallplatte« (aus lat. *discus*, griech. *dískos* »Scheibe«; vgl. *Diskus*) und frz. *...thèque* (aus griech. *thḗkē* »Behältnis«, vgl. *Theke*). Das Wort ist nach dem Vorbild von Zusammensetzungen wie ↑Bibliothek gebildet. Aus dem Engl. ist dagegen **Diskjockey** »jemand, der Schallplattenmusik präsentiert« entlehnt.

diskreditieren ↑Kredit.

Diskrepanz »Missverhältnis; Widersprüchlichkeit«: Das Fremdwort wurde Ende des 16. Jh.s aus gleichbed. lat. *discrepantia* entlehnt, einer Bildung zum Part. Präs. *discrepans (discrepantis)* von *dis-crepare* »nicht übereinstimmen«. Dies ist eine Bildung aus lat. *dis-* (vgl. *dis..., Dis...*) und lat. *crepare* »platzen, bersten« (vgl. *krepieren*).

diskret »verschwiegen, zurückhaltend; abgesondert«: Das Adjektiv wurde im 15. Jh. entlehnt aus frz. *discret* (mlat. *discretus*), das entsprechend seiner Zugehörigkeit zu lat. *dis-cernere (discretum)* »scheiden, trennen; unterscheiden« zwei Grundbedeutungen entwickelt hat: »abgesondert« und »fähig, unterscheidend wahrzunehmen«. Aus der letzteren entwickelte sich die Bedeutung »verschwiegen, zurückhaltend«, etwa als Folge des ›abständigen Betrachtens‹ der Dinge. – Dazu stellt sich die Gegenbildung **indiskret** »nicht verschwiegen, taktlos, zudringlich« (18. Jh.), ferner das Substantiv **Diskretion** »Verschwiegenheit, taktvolle Zurückhaltung«, das Mitte des 16. Jh.s aus gleichbed. frz. *discrétion*, welches auf lat. *discretio* »Absonderung; Unterscheidung« zurückgeht, entlehnt wurde. Lat. *discernere* ist durch ↑dis..., Dis... verstärktes *cernere* »sondern, scheiden« (vgl. *Dezernent*).

diskriminieren »herabsetzen, herabwürdigen«: Das Verb ist kontinuierlich seit dem 19. Jh. als Entlehnung aus lat. *discriminare* »trennen, absondern« belegt. Es bedeutet demnach eigentlich etwa »jemanden von anderen absondern, ihn unterschiedlich behandeln und damit in den Augen der anderen herabsetzen«. Zugrunde liegt lat. *discrimen* »Trennendes, Unterschied«, das zu lat. *discernere* »trennen« gehört (vgl. *diskret*). Zu den weiteren Zusammenhängen vgl. *Dezernent*.

Diskus »Wurfscheibe«: Der Name des Sportgeräts wurde um 1800 aus gleichbed. lat. *discus* (daraus auch unser Lehnwort ↑Tisch) entlehnt, das auf griech. *dískos* zurückgeht. Das griech. Wort gehört wohl zu griech. *diskeīn* »werfen«.

diskutieren »erörtern, besprechen«: Das seit Anfang des 17. Jh.s gebräuchliche Verb ist – wohl über frz. *discuter* – aus lat. *discutere (discussum)* »zerschlagen, zerteilen, zerlegen« in dessen übertragener Bedeutung »eine zu erörternde Sache zerlegen, sie im Einzelnen durchgehen« entlehnt. Grundverb ist lat. *quatere* »schütteln, erschüttern; stoßen; beschädigen« – dazu als Intensivbildung lat. *quassare* »schütteln, erschüttern; zerschmettern«, vlat. **quassicare* »zerbrechen« > span. *cascar* (↑Kasko) –, das urverwandt ist mit dt. ↑schütten. – Abl.: **diskutabel** »erwägenswert; strittig« (Anfang 20. Jh.; aus frz. *discutable* < nlat. *discutabilis*), dazu als Gegenbildung **indiskutabel** »nicht der Erörterung wert«; **Diskussion** »Erörterung, Aussprache« (16. Jh.; aus gleichbed. lat. *discussio*).

disponieren »planen, verfügen, einteilen«: Das Verb wurde im 16. Jh. aus gleichbed. lat. *dis-ponere* (vgl. *dis..., Dis...* und *Position*) entlehnt. Dies bedeutet eigentlich »auseinander stellen« – nämlich »in einer bestimmten Ordnung aufstellen«. –

D

Abl.: **disponiert** »aufgelegt, gestimmt« (verselbstständigtes Partizip; 16. Jh.), dazu als Gegenbildung **indisponiert** »nicht in der rechten Verfassung, unpässlich«. Aus dem Part. Präs. von lat. *disponere* stammt das Substantiv **Disponent** »Planer, Verfügender« (18. Jh.). Das Nomen lat. *dispositio* »Anordnung« erscheint in unserem Fremdwort **Disposition** »Planung, Verfügung; [innere] Verfassung« (16. Jh.).

D

Disput »Wortwechsel, Streitgespräch«: Das Substantiv wurde in spätmhd. Zeit aus frz. *dispute* entlehnt. Das zugrunde liegende Verb frz. *disputer* stammt wie entsprechend dt. *disputieren* »Streitgespräche führen, seine Meinung vertreten« (Ende 12. Jh.) aus lat. *dis-putare* »nach allen Seiten erwägen« (wörtlich: »auseinander schneiden«). Die Bedeutungsentwicklung ist ähnlich wie bei dem unverwandten ↑diskutieren. Über weitere Zusammenhänge vgl. *dis..., Dis...* und *amputieren.*

Disqualifikation, disqualifizieren ↑Qualität.

Dissertation »wissenschaftliche Arbeit zur Erlangung der Doktorwürde«: Das Fremdwort wurde Ende des 16. Jh.s, zunächst in der allgemeinen Bedeutung »wissenschaftliche Abhandlung«, aus lat. *dissertatio* »Erörterung« entlehnt. Zugrunde liegt lat. *dis-sertare* »auseinander setzen, entwickeln«, ein Intensiv zu lat. *dis-serere.* Über weitere Zusammenhänge vgl. *dis..., Dis...* und *Serie.*

Dissonanz »Missklang; Unstimmigkeit«: Das Fremdwort wurde als musikalischer Terminus in spätmhd. Zeit aus gleichbed. spätlat. *dissonantia* entlehnt, das zu lat. *dis-sonare* »misstönen« (vgl. *dis..., Dis...* und *sonor*) gehört.

Distanz »Abstand«: Das Substantiv wurde im 15. Jh. aus gleichbed. lat. *distantia* entlehnt und geriet dann z. T. unter den Einfluss von frz. *distance.* Zugrunde liegt lat. *di-stare* »auseinander stehen«. Über weitere Zusammenhänge vgl. *dis..., Dis...* und *stabil.* – Abl.: **distanzieren** »Distanz halten; abrücken; [im Wettkampf] hinter sich zurücklassen, überbieten« (19. Jh.; z. T. unter dem Einfluss von frz. *distancer*).

Distel: Der altgerm. Pflanzenname mhd. *distel,* ahd. *distil[a],* niederl. *distel,* engl. *thistle,* schwed. *tistel* gehört zu der unter ↑Stich dargestellten idg. Wurzel **[s]teig-* »stechen; spitz«. Die Pflanze ist also nach ihren Stacheln benannt. – Zus.: **Distelfink** (mhd. *distelvinke,* ahd. *distelfinko,* so benannt, weil sich der Vogel vorwiegend von Distelsamen ernährt).

Distrikt »Bezirk«: Das Wort bezeichnete ursprünglich als Terminus des Feudalwesens etwa den »Zwingbezirk«, innerhalb dessen dem Lehnsherrn die freie Ausübung der Gerichtsbarkeit gegenüber den Hörigen zustand. Es wurde im 16. Jh. aus spätlat. *districtus* »Umgebung der Stadt« entlehnt, das zu lat. *di-stringere (districtum)* »auseinander ziehen, dehnen; von allen Seiten zusammenschnüren, einengen« gehört (vgl. *dis..., Dis...* und *strikt*). Seit Anfang des 18. Jh.s hat sich vermutlich unter Einfluss von gleichbed. frz. und besonders engl. *district* die Bedeutung »Verwaltungsbezirk« entwickelt.

Disziplin »Zucht, Ordnung; Wissenszweig; Unterabteilung«: Das Fremdwort wurde in mhd. Zeit (mhd. *disciplīne*) aus lat. *disciplina* »Schule; Wissenschaft; schulische Zucht« entlehnt. Das zugrunde liegende Substantiv lat. *discipulus* »Lehrling, Schüler« gehört wohl zu einer nicht bezeugten Zusammensetzung von lat. *capere* (vgl. *kapieren*), nämlich lat. **dis-cipere* »(geistig) zergliedern, um zu erfassen« (zum 1. Bestandteil vgl. *dis..., Dis...*).

dito »desgleichen, ebenso«: Das Adverb wurde als Ausdruck der Geschäftssprache im 15. Jh. aus gleichbed. it. *detto* (toskan. *ditto*) entlehnt, das eigentlich »das Besagte« bedeutet und das substantivierte Part. Perf. von it. *dire* »sagen« (aus lat. *dicere;* vgl. *diktieren*) ist.

Diva: Die Bezeichnung für »gefeierte Künstlerin« wurde zunächst Mitte des 17. Jh.s aus lat. *diva* »Göttin« entlehnt, dann im 19. Jh. aus gleichbed. it. *diva* neu entlehnt. Es bezeichnet also die abgöttisch verehrte Künstlerin. Zugrunde liegt lat. *diva (divus)* »göttlich«, das zum Stamm von lat. *deus* (alat. *deivos*) »Gott« gehört.

divers »verschieden«, im Plural »einige, mehrere«: Das Adjektiv wurde Mitte des 16. Jh.s aus lat. *diversus* »verschieden« entlehnt, das zu *di-vertere* »auseinander gehen, sich abwenden« (vgl. *Vers*) gehört. Dazu gehört auch lat. *diversio* »Ablenkung«, auf welches das seit Anfang des 17. Jh.s belegte Substantiv **Diversion** »Sabotage, Störmanöver« zurückgeht. Dieses ist in der 2. Hälfte des 20. Jh.s unter Einfluss von gleichbed. russ. *diversija* gelangt. Aus russ. *diversant* stammt **Diversant** »jemand, der Sabotage treibt, Störmanöver durchführt« (20. Jh.).

Dividende: Die Bezeichnung für den auf eine Aktie entfallenden Anteil vom Reingewinn wurde Anfang des 18. Jh.s aus gleichbed. engl. *dividend* entlehnt und geriet Ende des 18. Jh.s unter Einfluss von frz. *dividende,* dem das Wort seine heutige Form verdankt. Zugrunde liegt lat. *dividendum* »das zu Teilende«, welches zu lat. *dividere* »teilen« (vgl. *dividieren*) gehört.

dividieren »teilen«: Das Verb wurde in spätmhd. Zeit aus lat. *di-videre (divisum)* »auseinander trennen, teilen« entlehnt. Dessen Grundwort **videre* ist als einfaches Verb nicht bezeugt. Es gehört zusammen mit lat. *vidua* »Witwe« – dazu *viduus* »verwitwet; einsam« – zur idg. Sippe von nhd. ↑Witwe. Verschiedene Ableitungen von lat. *dividere* spielen als Fremdwörter in unserem Wortschatz eine Rolle, so in ↑Division, ↑Dividende, ↑Devise, Devisen, ↑Individuum (lat. *in-dividuus* »unteilbar«) usw.

[1]**Division** »Teilung«: Das seit dem 15. Jh. – vor allem als mathematischer Fachausdruck – gebräuchli-

che Wort ist aus gleichbed. lat. *divisio* entlehnt, das zu lat. *dividere* »teilen« (vgl. *dividieren*) gehört.

[2]**Division** »Heeresteil«: Das Wort wurde als militärischer Fachausdruck zu Beginn des 18. Jh.s aus gleichbed. frz. *division* (eigentlich »Abteilung«) entlehnt, das auf lat. *divisio* zurückgeht (s. o.).

Diwan »Sofa«: Das Wort wurde Anfang des 17. Jh.s durch roman. Vermittlung (frz. *divan*, it. *divano*) aus türk. *divan* entlehnt, das zunächst den mit Polsterbänken oder Sitzkissen ausgestatteten Empfangsraum in den Häusern vornehmer Türken bezeichnet, dann auch solche Polsterbänke selbst. Voraus liegt pers. *dīwān* »Schreib-, Amtszimmer; [Sitz des] Staatsrat[es]«. Das Wort gehört zu pers. *dabīr* »Schreiber« und bedeutete ursprünglich »Sammlung beschriebener Blätter«, dann auch »Gedichtsammlung«. Letztere Bedeutung wurde bei uns durch Goethes ›Westöstlichen Diwan‹ (1819) bekannt.

doch: Das gemeingerm. Wort (Adverb u. Konjunktion des Gegensatzes) lautet mhd. *doch*, ahd. *doh*, asächs. *thoh*, aengl. *þeah*, aisl. *þō*. Seine Bildung wird in got. *þauh* »doch« deutlich, das aus *þau* »als, oder, doch« und *-[u]h* »und« (verwandt mit lat. *-que* »und«) zusammengesetzt ist.

Docht: Die heutige Form hat sich durch Verdumpfung von ā zu o aus mhd., ahd. *tāht* entwickelt. Das Wort, dem aisl. *þāttr* »Draht, Faden, Docht« entspricht, bedeutet eigentlich »Zusammengedrehtes« und ist z. B. verwandt mit lat. *texere* »weben, flechten« (vgl. *Technik*).

Dock: Das im Hochd. zuerst im 18. Jh. als *Dok, Docke* bezeugte Wort, das eine »Anlage zum Trockenstellen und Ausbessern von Schiffen« bezeichnet, ist aus dem Niederl. oder Engl. entlehnt worden. Niederl. *dok*, mniederl. *doc[ke]*, engl. *dock*, älter *dok, docke* sind seit dem 16. Jh. bezeugt; das zufällig früher bezeugte mnd. *docke* (15. Jh.) bezieht sich nur auf Schiffsanlagen in London. Der Ursprung des Wortes ist ungeklärt. – Beachte die Zusammensetzungen **Schwimmdock** (Ende des 19. Jh.s, vorher ›schwimmendes Dock‹ nach engl. *floating dock*) und **Trockendock** (19. Jh., nach engl. *dry dock*) sowie das Verb **andocken** (20. Jh., »ein Raumschiff ankoppeln«, aus dt. *an-* und engl. *to dock*).

Dogge: Die Bezeichnung für die Hunderasse wurde im 17. Jh. über das Niederd. aus engl. *dog* »Hund« entlehnt, nachdem das Wort bereits im 16. Jh. in der Form *dock[e]* herübergekommen war. Die weitere Herkunft des Wortes ist unbekannt. Beachte noch die Zusammensetzung **Bulldogge** (↑[1]Bulle).

Dogma »Kirchenlehre; [Glaubens]satz; Lehrmeinung«: Das Substantiv wurde im 16. Jh. aus griech.-lat. *dógma* »Meinung, Lehrsatz« – zu griech. *dokeúein, dokeīn* »meinen, scheinen« – entlehnt. Über weitere Zusammenhänge vgl. den Artikel *dezent*. – Abl.: **Dogmatik** »Glaubenslehre; dogmatische Gesinnung« (18. Jh.), dazu **Dogmatiker** (Mitte 16. Jh.); **dogmatisch** »lehrhaft; streng [an Glaubens-, Lehrsätze] gebunden« (Anfang 17. Jh.; nach lat. *dogmaticus* < griech. *dogmatikós*).

Dohle: Die heute übliche Form des Vogelnamens stammt aus dem Mitteld. (Thüring.) und erlangte im 16. Jh. gemeinsprachliche Geltung. Mhd. *tahele, tāle* (beachte mdal. *Dahle*) ist eine Verkleinerungsbildung zu gleichbed. mhd. *tahe*, ahd. *taha*, vgl. engl. *daw* »Dohle«. Der kleine Rabenvogel ist nach seinem eigentümlichen Lockruf benannt.

Doktor (höchster akademischer Grad, Abk.: Dr.; ugs. auch für »Arzt«): Das Wort wurde Ende des 14. Jh.s aus mlat. *doctor* »Lehrer« – zu lat. *docere* »lehren« (vgl. *dozieren*) – entlehnt. Die Bedeutung »Arzt« erscheint schon Mitte des 15. Jh.s zur Unterscheidung des durch Hochschulstudium ausgebildeten vom ungelehrten Heilkundigen. – Abl.: **doktern** ugs. und scherzhaft, zuweilen auch abfällig für »den Arzt spielen; ohne ärztliche Beratung zu heilen versuchen« (Mitte 16. Jh.) und gleichbed. **herumdoktern** (20. Jh.); **Doktorand** »jemand, der doktoriert« (16. Jh.; aus mlat. *doctorandus*).

Doktrin »Lehrsatz, Lehrmeinung«: Das seit dem 16. Jh. bezeugte Fremdwort stammt wie entsprechend frz. *doctrine* aus lat. *doctrina* »Lehre«, das zu lat. *docere* »lehren« (vgl. *dozieren*) gehört.

Dokument »Urkunde, Schriftstück; Beweis«: Das Substantiv wurde im 16. Jh. aus lat. *documentum* »Beweis« (zu lat. *docere* »[be]lehren«; vgl. *dozieren*) in dessen mlat. Bedeutung »beweisende Urkunde« entlehnt. Die eigentliche Bedeutung von lat. *documentum* ist »das zur Belehrung über eine Sache bzw. zur Erhellung einer Sache Dienliche«. – Abl.: **Dokumentar** »jemand, der Dokumentation betreibt« (20. Jh.); **Dokumentation** »das Dokumentieren; Sammlung von Zeugnissen« (17. Jh.; aus frz. *documentation*); **dokumentieren** »beurkunden; beweisen« (Ende 17. Jh.); **dokumentarisch** »urkundlich, belegbar« (19. Jh.).

Dolch: Der seit dem 15. Jh. bezeugte Name der zweischneidigen kurzen Stichwaffe ist unbekannter Herkunft. Vielleicht handelt es sich um ein altes heimisches Wort für »Messer«, das nach einem aus lat. *dolo* »Stockdegen, Dolch« entlehnten Wort umgestaltet worden ist.

Dolde »büscheliger Blütenstand«: Das nur im Dt. bezeugte Wort mhd. *tolde*, ahd. *toldo* »Pflanzen-, Baumkrone«, das auch zu ↑Tolle »Haarbüschel« geführt hat, ist vielleicht mit ahd. *tola* »Stiel der Weintraube« verwandt. Weitere Beziehungen sind ungewiss.

doll ↑toll.

Dollar: Der Name der Währungseinheit (in den USA, in Kanada und Australien) wurde im 19. Jh. aus amerik.-engl. *dollar* entlehnt, das selbst aus niederd. *dāler* (= nhd. ↑Taler) stammt.

Dolle »Ruderpflock«: Die paarweise im Bootsrand steckenden Pflöcke oder Eisengabeln zum Halten der Ruder heißen mnd. *dolle*, niederl. *dol*, engl. *thole,* schwed. *tull.* Außergerm. ist u.a. griech. *týlos* »Wulst, Schwiele, Pflock, Nagel« verwandt. Diese Wörter gehören zu der unter ↑Daumen behandelten Wurzel **tū̆-* »schwellen«.

Dolmetscher, auch: Dolmetsch »berufsmäßiger Übersetzer«: Mhd. *tolmetsche* stammt aus ung. *tolmács,* osmanisch-türk. *tilmač* »Mittler (zwischen zwei Parteien)«. – Abl.: **dolmetschen** »übersetzen« (Anfang 14. Jh.).

D

Dom »Hauptkirche«: Das Wort wurde schon im 14. Jh. aus frz. *dôme* entlehnt, das über it. *duomo* auf kirchenlat. *domus (ecclesiae)* »Haus (der Christengemeinde)« zurückgeht. Dies ist eine Übersetzung von griech. *oĩkos tēs ekklēsíās.* Lat. *domus* »Bau, Haus«, das identisch ist mit entsprechend griech. *dómos* und aind. *dámaḥ,* gehört zu der unter ↑ziemen entwickelten Sippe von idg. **dem-* »bauen, fügen«. – Von Bedeutung für unseren Wortschatz sind einige Bildungen zu lat. *domus:* lat. *dominus* »Hausherr, Herr« – dazu lat. *dominari* »Herr sein über, [be]herrschen«, *dominium* »Herrschaftsgebiet« –, entsprechend lat. *domina* »Hausherrin, Hausfrau, Herrin« – dazu mlat. *dom[i]nicella* »Frauchen« –, ferner lat. *domicilium* »Wohnstätte, Wohnsitz«. Vgl. hierzu im Einzelnen die Artikel: *¹Domino, ²Domino, dominieren, Domizil, Domäne, Dame, Madam, Madonna, Primadonna.* Zus.: **Domkapitel** (↑Kapitel).

Domäne: Die Bezeichnung für »staatliches Gut; hauptsächliches Wirkungsgebiet« wurde Ende des 16. Jh.s zunächst mit der Bedeutung »Gut in landesherrlichem Besitz«, aus frz. *domaine* (lat. *dominium* »Herrschaftsgebiet«) entlehnt. Über die weiteren Zusammenhänge vgl. *Dom.*

dominieren »vorherrschen; beherrschen, überlegen sein«: Das Verb wurde Ende des 14. Jh.s aus gleichbed. lat. *dominari* (vgl. *Dom*) entlehnt. Dazu gehört als Part. Präs. lat. *dominans (dominantis),* aus dem im 18. Jh. unser Fremdwort **dominant** »vorherrschend« entlehnt wurde.

¹Domino »Herrenkostüm im Karneval«: It. *domino* »Herr« (lat. *dominus;* vgl. *Dom*), die landläufige Bezeichnung für den geistlichen Herrn wie auch für seine Winterkleidung, wird (vermutlich über frz. *domino*) im 18. Jh. als Name für ein Maskenkostüm übernommen.

²Domino: Der seit dem 18. Jh. bezeugte Name für ein Anlegespiel ist (vermutlich über frz. *domino*) aus gleichbed. it. *domino* entlehnt. Er ist wahrscheinlich mit ↑¹Domino identisch, vielleicht weil der Gewinner sich ›Domino‹ »Herr« nennen durfte.

Domizil: Das selten schon in mhd. Zeit belegte Substantiv mit der Bedeutung »Wohnsitz« wird seit Ende des 17. Jh.s gebräuchlicher und ist aus gleichbed. lat. *domicilium* (vgl. *Dom*) entlehnt.

Dompteur: Die Bezeichnung für »Tierbändiger« wurde im 20. Jh. aus frz. *dompteur* entlehnt. Zugrunde liegt das Verb frz. *dompter* »zähmen«, das auf gleichbed. lat. *domitare,* eine Intensivbildung zu dem mit dt. ↑zähmen urverwandten Verb lat. *domare,* zurückgeht.

Donner: Das altgerm. Wort mhd. *doner,* ahd. *donar,* niederl. *donder,* engl. *thunder,* aisl. *Þōrr* war zugleich der Name des Donnergottes (↑Donnerstag). Es gehört mit mhd. *dunen,* aengl. *đunian* »donnern« und verwandten Wörtern in anderen idg. Sprachen zu der lautnachahmenden Wurzel **[s]ten-,* vgl. z. B. lat. *tonare* »donnern« (↑detonieren und ↑Tornado) und aind. *tányati* »es donnert, rauscht, dröhnt«. Im germ. Sprachbereich stellt sich auch ↑stöhnen zu dieser Wurzel. – Abl.: **donnern** (mhd. *donern,* ahd. *donarōn*), dazu stellen sich **aufdonnern** ugs. für »sich geschmacklos oder übertrieben zurechtmachen« und **verdonnern** ugs. für »verurteilen« (beide zuerst im 19. Jh. belegt). Zus.: **Donnerkeil** (im 16. Jh. für den Blitzstrahl, daher auch als Fluch, und für die versteinerten Enden urzeitlicher Kopffüßer, der Belemniten, die der Volksglaube als mit dem Blitz niedergefahrene Keile ansah); **Donnerwetter** veraltet für »Gewitter«, heute nur noch im Sinne von »Krach, Auseinandersetzung« und als Ausruf des Erstaunens oder als Verwünschung (um 1500).

Donnerstag: Auch der Name des fünften Wochentages ist eine germ. Lehnübersetzung nach dem Lat. (s. den Artikel *Dienstag*). Mhd. *donerstac,* ahd. *Donares tag,* niederl. *donderdag,* aengl. *đunresdæg* wurde mit dem Namen des germ. Donnergottes Donar gebildet, den man mit dem Juppiter tonans der Römer gleichsetzte (vgl. *Donner;* entsprechend schwed. *torsdag* und engl. *Thursday* enthalten aisl. *Þōrr* »Thor, Donar«). Der Tag heißt lat. *Jovis dies* »Jupiters Tag« (beachte auch it. *giovedì,* frz. *jeudi*). Ein anderer Name ist das mdal. bayr.-österr. *Pfinztag* (mhd. *pfinztac*), das als got. Missionswort auf griech. *pémptē hēméra* »fünfter Tag« zurückgeht.

doof (ugs. für:) »dumm, einfältig, beschränkt«: Das Wort ist eigentlich die niederd. Entsprechung von hochd. ↑taub (beachte mnd. *dōf* »taub«, *dōve* »Tauber, Einfältiger«). Der Taube galt wegen seiner mangelnden Verständigungsmöglichkeit oft als dumm. Das Wort ging seit etwa 1900 von Berlin aus in die allgemeine Umgangssprache über.

dopen »durch verbotene [Anregungs]mittel zu sportlichen Höchstleistungen bringen«: Das Verb ist eine Entlehnung des 20. Jh.s aus gleichbed. engl. *to dope.* Aus dem substantivierten Part. Präs. engl. *doping* stammt entsprechend **Doping.** Das zugrunde liegende Substantiv engl. *dope* »zähe Flüssigkeit; Narkotikum; aufpeitschendes Getränk« geht auf niederl. *doop* »Soße« zurück. Dies gehört zur Sippe von nhd. ↑taufen.

Doppeldecker ↑Deck.

doppelt: Frz. *double* »doppelt« wurde im 15. Jh. am Niederrhein in der Form *dobbel, dubbel* entlehnt. Gleichzeitig erscheint dort das Verb *dubbelen,* nhd. *doppeln* (nach frz. *doubler*), aus dessen

2. Part. ›gedoppelt‹ das Adjektiv später sein -t erhielt (nicht in Zusammensetzungen, s. u.). Heute ist als Verb **verdoppeln** (18. Jh.) üblicher. – Das frz. *double* zugrunde liegende lat. Adjektiv *du-plus* »zwiefältig« ist gebildet aus *duo* »zwei« und dem Stamm **pel-* »falten« (vgl. *Duo* und *falten;* s. a. *Diplom*). – Abl.: **Doppel** »Zweitschrift, Kopie« (17. Jh.; im Sinne von »Spiel zweier Spieler gegen zwei andere« nach gleichbed. engl. *doubles,* 20. Jh.). Zus.: **Doppeldecker** (↑Deck); **Doppelgänger** (1796 bei Jean Paul »wer sich selbst an einem anderen Ort [gehen] sieht«, heute verallgemeinert zu »einem andern zum Verwechseln ähnlicher Mensch«); **Doppelpunkt** (Mitte des 17. Jh.s für lat. *colon,* das eigentlich »Redeglied«, im 16. Jh. aber »Trennungszeichen zwischen Satzgliedern« bedeutete und zuerst in der 1. Hälfte des 16. Jh.s als *zwen punct* umschrieben wurde; ↑Semikolon).

Dorf: Das gemeingerm. Wort mhd., ahd. *dorf,* got. *þaurp,* engl. *thorp,* aisl. *þorp* bezeichnet, abgesehen vom Got., wo es »Acker« bedeutete, eine bäuerliche Siedlung, vielfach auch einen Einzelhof. Verwandte Wörter wie kymr. *tref* »Wohnung«, lit. *trobà* »Haus« und lat. *trabs* »Balken« machen eine Grundbedeutung »Balkenbau, Haus« wahrscheinlich, die sich je nach der Siedlungsform wandeln konnte. – Abl.: **dörfisch** »bäurisch« (im 16. Jh. für mhd. *dörpisch;* ↑Tölpel); **dörflich** (16. Jh.); **Dörfler** (18. Jh.).

Dorn: Das gemeingerm. Wort mhd., ahd. *dorn,* got. *þaúrnus,* engl. *thorn,* schwed. *torn* beruht auf einer Bildung zu der unter ↑starren dargestellten idg. Wurzel **[s]ter-* »starr, steif sein«. Außergerm. sind z. B. verwandt griech. *térnax* »Kaktusstängel« und russ. *tërn* »Schlehdorn«. – Abl.: **dornig** (mhd. *dornec,* ahd. *dornac*).

Dorn

jmdm. ein Dorn im Auge sein
»jmdn. stören und ihm deshalb verhasst sein«
Die Wendung stammt aus der Bibel. Im Alten Testament findet sich im vierten Buch Moses (16, 5) die Stelle, in der zur Vertreibung der Ureinwohner des Landes geraten wird, damit nicht ›die, die ihr übrig lasst, zu Dornen in euren Augen werden‹.

dorren »dürr werden«: Zu dem unter ↑dürr behandelten Adjektiv gehören die Verben mhd. *dorren,* ahd. *dorrēn* »dürr werden« und (anders gebildet) aisl. *þorna* und got. *gaþaúrsnan.* Üblicher als ›dorren‹ ist das perfektive **verdorren** (mhd. *verdorren,* ahd. *fardorrēn*). Siehe auch den Artikel *dörren.*

dörren »dürr machen«: Das altgerm. Verb mhd. *derren,* ahd. *derran, darran,* mniederl. *derren,* aengl. *(ā)đierran,* aisl. *þerra* ist das Veranlassungswort zu einem in got. *(ga)þaírsan* »verdorren« erscheinenden starken Verb. Die nhd. Form mit ö gegenüber der älteren mit e beruht auf Anlehnung an das o in ›dorren‹. Die Substantive **Dörrfleisch** landsch. für »magerer Speck«, **Dörrgemüse** und **Dörrobst** enthalten nicht das Verb, sondern eine mitteld. Form von ↑dürr (dort Weiteres über die idg. Sippe).

Dorsch: Mnd., mniederl. *dorsch* ist als Bezeichnung des jungen Kabeljaus entlehnt aus aisl. *þorskr,* das wahrscheinlich zur Sippe von ↑dürr gehört. Der Dorsch wird nämlich getrocknet (siehe ›Stockfisch‹ unter *Stock*).

dort: Das auf das deutsche Sprachgebiet beschränkte Adverb (mhd. *dort,* ahd. *tharōt, dorōt,* asächs. *tharod,* afries. *thard*) ist eine Bildung zu dem unter ↑dar... behandelten Wort. Es bedeutet zunächst »dorthin«, seit mhd. Zeit dann »dort«. – Abl.: **dortig** (16. Jh.).

Dose »Büchse, Schachtel«: Das im 17. Jh. vom Niederrhein aus schriftsprachlich gewordene Substantiv geht zurück auf mnd.-mniederl. *dose* »Behälter zum Tragen, Lade, Koffer« (daraus entsprechend niederl. *doos*). Die weitere Herkunft des Wortes ist dunkel.

dösen »gedankenlos dasitzen; halb schlafen«: Das erst im 19. Jh. aus dem Niederd. aufgenommene ugs. Wort (dafür mhd., frühnhd. *dōsen* »schlummern«) entspricht dem engl. *to doze* »schläfrig sein« und steht neben dem etwas früher entlehnten Adjektiv **dösig** »schläfrig, stumpfsinnig«, aus mnd. *dösich* (entsprechend aengl. *dysig* »töricht, dumm«). Die Wörter gehören wie das bedeutungsverwandte ↑Dusel zu der unter ↑Dunst behandelten Sippe.

Dosis »zugemessene [Arznei]gabe; kleine Menge«: Das Substantiv wurde als medizinischer Fachausdruck im 16. Jh. aus griech.-mlat. *dósis* »Gabe« entlehnt. Das Verb **dosieren** »die gehörige Dosis zumessen« erscheint im 20. Jh. durch Vermittlung von frz. *doser* (zu frz. *dose* < mlat. *dosis*). – Zugrunde liegt das griech. Verb *didónai* »geben« (beachte auch das Verbaladjektiv griech. *dotós* in ↑Anekdote), das zur idg. Sippe von lat. *dare* »geben« (vgl. *Datum*) gehört.

Dossier: Das im Sinne von »Aktenheft, -bündel« verwendete Lehnwort ist im Dt. seit dem 19. Jh. belegt. Es geht zurück auf frz. *dossier,* eine Ableitung von *dos* »Rücken«. Dieses stammt aus gleichbed. lat. *dorsum.* Benannt wurde das Dossier nach der Gepflogenheit, den Inhalt des Aktenbündels auf dem Rücken zu vermerken.

dotieren »mit einer bestimmten Geldsumme ausstatten«: Das Verb wurde in mhd. Zeit (mhd. *dotiren*) aus lat. *dotare* »ausstatten« entlehnt.

Dotter »Eigelb«: Das westgerm. Wort mhd. *toter,* ahd. *totoro,* niederl. *dooier,* (anders gebildet:) aengl. *dydring* ist wohl verwandt mit norw. mdal. *dudra* »zittern« und weiter mit der unter ↑Dunst behandelten idg. Wortgruppe. Das Eigelb ist also nach seiner gallertartigen Beschaffenheit benannt. Von den verschiedenen Pflanzennamen mit ›Dotter‹ als Bestimmungswort heißt jedenfalls die **Sumpfdotterblume** (im 15. Jh. *doderblum*) nach ihren gelben Blüten.

dozieren »lehren, lehrhaft vortragen«: Das Verb wurde im 16. Jh. aus gleichbed. lat. *docere (docui, doctum)* entlehnt. Über weitere Zusammenhänge vgl. den Artikel *dezent*. – Dazu: **Dozent** »Hochschullehrer« (Mitte 17. Jh.; aus dem Part. Präs. lat. *docens* entlehnt). Vgl. ferner die Artikel *Doktor, Doktrin, Dokument*.

D

Drache »Lindwurm«: Der Name des Fabeltiers (ahd. *trahho*, mhd. *trache*, entspr. niederl. *draak*, engl. *drake*, schwed. *drake*) beruht auf einer alten Entlehnung aus gleichbed. lat. *draco*, das seinerseits aus griech. *drákōn* »Drache« stammt. Das Fabeltier begegnete den Germanen zuerst in römischen Kohortenzeichen. – Im weiteren Sinne wird das Wort – und zwar mit der Nebenform **Drachen** – einerseits für »zänkische Frau« (beachte die Zusammensetzung **Hausdrachen**), andererseits als Bezeichnung für ein Kinderspielzeug **(Papierdrachen)** gebraucht. Siehe auch die Artikel *Dragoner* und *drakonisch*.

Dragoner: Die Bezeichnung für »leichter Reiter« wurde im Verlauf des Dreißigjährigen Krieges aus gleichbed. frz. *dragon* entlehnt. Ursprünglich war dies der Name einer Handfeuerwaffe, mit der die französischen Kavalleristen ausgerüstet waren, und bedeutete etwa »Feuer speiender Drache«. Zugrunde liegt griech. *drákōn* (> lat. *draco*) »Drache« (vgl. *Drache*).

Draht: Das altgerm. Wort mhd., ahd. *drāt*, niederl. *draad*, engl. *thread*, schwed. *tråd* ist eine Partizipialbildung zu dem unter ↑drehen behandelten Verb und bedeutet eigentlich »Gedrehtes«. Außergerm. verwandt ist z. B. griech. *trētós* »durchbohrt«. Das Wort bezeichnet bis in die Neuzeit – wie heute noch im Engl. und Nord. – den »gedrehten Faden« (Pechdraht ist der Nähfaden des Schuhmachers). Der Metalldraht, der gezogen, nicht gedreht wird, heißt aber schon im Mhd. so, zuerst wohl als Goldfaden in Geweben. Seit den Siebzigerjahren des 19. Jh.s wird ›Draht‹ für »Telegrafendraht, Telegraf« gebraucht, und an diese Verwendung schließen sich **drahten** »telegrafieren« (19. Jh.) und **drahtlos** (Anfang des 20. Jh.s) an.

Draht

auf Draht sein
(ugs.) »aufpassen und im entscheidenden Augenblick richtig handeln, wendig sein«
Der Ursprung dieser Wendung konnte bisher, obwohl sie erst im 20. Jh. aufgekommen ist, nicht sicher geklärt werden. Am ehesten ist von ›Draht‹ in der älteren Bedeutung »Telegrafendraht, Telegraf« (vgl. *Draht*) auszugehen. Die Wendung meinte dann ursprünglich, dass jemand (für Geschäftsabschlüsse, für Dienstleistungen) ständig telegrafisch zu erreichen ist.

drakonisch »sehr streng«: Das seit Ende des 18. Jh.s bezeugte Adjektiv ist eine evtl. unter Einfluss von gleichbed. frz. *draconique* entstandene Bildung zu dem Namen des altgriechischen Gesetzgebers Drakon, dessen im Jahre 624 v. Chr. den Athenern gegebene Gesetze sehr hart und grausam waren. Der Name Drakon ist identisch mit griech. *drákōn* »Lindwurm« im Lehnwort ↑Drache.

drall »derb, stramm«: Das niederd. Adjektiv bedeutet eigentlich »fest gedreht« (so in mnd. *drall*) und ist eine Bildung zu dem unter ↑drillen behandelten Wort. Gleicher Herkunft ist **Drall**, das im Nhd. als technisches Fachwort die Drehung bei Garn und Zwirn, die Windung der Züge in Feuerwaffen (seit dem 18. Jh.) und danach die Drehung des fliegenden Geschosses bezeichnet.

Drama »Schauspiel«, auch übertragen gebraucht im Sinne von »aufregendes, erschütterndes Geschehen«: Das Substantiv wurde Ende des 16. Jh.s aus gleichbed. griech.-lat. *drāma* (Grundbedeutung: »Handlung, Geschehen«) entlehnt. Zugrunde liegt dieser Bildung griech. *drān* »tun, handeln«, zu dem sich als Adjektiv griech. *drāstikós* »wirksam« (↑drastisch) stellt. – Abl.: **dramatisch** »aufregend, spannend« (17. Jh.; evtl. unter Einfluss von gleichbed. frz. *dramatique* nach griech.-lat. *drāmatikós*); **Dramatik** »erregende Spannung« (18. Jh.); **Dramatiker** »Schauspieldichter« (18. Jh.); **dramatisieren** »als Drama darstellen; übertrieben aufregend darstellen« (18. Jh.). Zus.: **Dramaturg** »literarischer Berater des Bühnenleiters« (18. Jh.); aus griech. *drāmatourgós* »Schauspielmacher, -dichter« entlehnt (das Grundwort gehört zu griech. *érgon* »Werk«, vgl. *Energie*). Dazu **Dramaturgie** »Gestaltung eines Dramas; Tätigkeit des Dramaturgen« (Ende des 18. Jh.s von Lessing zu griech. *drāmatourgía* gebildet).

Drang: Neben ↑dringen, das in den älteren Sprachzuständen auch transitiv gebraucht wurde, gab es früher das Verb ahd. *drangōn*, mhd. *drangen* »[sich] drängen«. Das spät belegte Substantiv mhd., mnd. *dranc* »Gedränge, Bedrängnis« kann ablautend zu ›dringen‹ oder als Rückbildung zu diesem *drangen* gehören. Seine heutige Bedeutung »innerer, geistig-seelischer Trieb« erhielt ›Drang‹ erst im 18. Jh., es wurde dann zum literarischen Schlagwort (↑Sturm). – Neben ›Drang‹ in seiner alten Bedeutung steht **Drangsal** (spätmhd. *drancsal* »Bedrängung, Nötigung«, wohl unmittelbar aus mhd. *drangen* abgeleitet), dazu **drangsalieren** »quälen« (19. Jh.). Auch **Gedränge** (mhd. *gedrenge*, ahd. *gidrengi*) ist zum gleichen Verb gebildet. Dagegen ist **drängen** erst in mhd. Zeit als Veranlassungswort zu ↑dringen entstanden (mhd. *drengen* »dringen machen«) und hat das starke Verb aus dem transitiven Gebrauch verdrängt. An diesen Gebrauch erinnern noch **aufdringlich** und **zudringlich** (18. Jh., zu veraltetem transitivem ›auf-, zudringen‹). Abl.: **drängeln** (19. Jh.).

drastisch »sehr wirksam; derb«: Das seit dem 18. Jh. bezeugte Adjektiv galt zunächst nur im medizinischen Bereich zur Bezeichnung ›kräftiger, hochwirksamer‹ Arzneimittel, seit dem 19. Jh. dann auch allgemein. Es ist aus gleichbed. griech. *drāstikós* entlehnt (zu griech. *drãn* »tun, handeln, [be]wirken«; vgl. *Drama*).

drechseln: Das nur im Dt. vorkommende Verb mhd. *dræhseln, drehseln* ist von dem Handwerkernamen mhd. *dræhsel*, ahd. *drāhsil* »Drechsler« (s. u.) abgeleitet. Diesem liegt ein untergegangenes Verb zugrunde (beachte aengl. *đrǣstan* »drehen, [zer]drücken, zwingen«), das mit lat. *torquere* »drehen, winden« (s. die Fremdwörter *Tortur* und *Retorte*) und verwandten Wörtern in anderen idg. Sprachen zu der unter ↑drehen dargestellten idg. Wurzel gehört. ›Drechseln‹ gilt nur von Arbeiten in Holz, Horn und Knochen. Übertragen bedeutet es schon mhd. »kunstvoll verfertigen«, wohl nach lat. *tornare versus* »Verse drechseln«, heute besonders in der Wendung ›Phrasen drechseln‹. – Abl.: **Drechsler** (mhd. *dræhseler, drehseler*, ahd. *thrāslāri* hat die alte Bildung auf -el abgelöst).

Dreck: Das gemeingerm. Substantiv mhd., ahd. *drec*, niederl. *drek*, aengl. *đreax* »Fäulnis, Kehricht«, schwed. *träck* »Kot« gehört wie griech. *stérganos* »Kot, Mist« und (mit anderem Auslaut) lat. *stercus* »Kot, Mist, Dünger« zu der vielfach weitergebildeten und erweiterten idg. Wurzel **[s]ter-* »Mist; besudeln, verwesen«. Die meist vergessene alte Bedeutung »Exkremente« (noch in ›Mäusedreck‹ u. ä. Zusammensetzungen) lässt das Wort vielfach noch anstößig erscheinen, doch steht es meist als derberer Ausdruck für »Schmutz«, z. B. in der Redensart ›die Karre aus dem Dreck ziehen‹. Schon mhd. ist die übertragene Bedeutung »Wertloses«.

Dreck

Dreck am Stecken haben
(ugs.) »nicht integer sein, sich etwas haben zuschulden kommen lassen«
Die Wendung geht davon aus, dass man manchmal nur noch am Spazierstock erkennen kann, dass jemand durch Schmutz gewatet ist, weil beim Säubern und Wechseln des Schuhwerks und der Kleidung der Stock gewöhnlich vergessen wird. Mit diesem Bild soll einem Menschen vor Augen geführt werden, dass er jetzt zwar moralisch einwandfrei lebt, in der Vergangenheit aber auch etwas Unrechtes getan hat.

drehen: Das westgerm. Verb mhd. *drǣ[je]n, drǣhen*, ahd. *drāen*, niederl. *draaien*, aengl. *đrāwan* (engl. *to throw* »werfen«) beruht mit verwandten Wörtern in anderen idg. Sprachen auf der idg. Wurzel **ter[ə]-* »drehen, [drehend] reiben, bohren«, vgl. z. B. lat. *terere* »reiben«, griech. *teírein* »reiben« und griech. *tórnos* »Dreheisen, Zirkel« (s. die Fremdwortgruppe um *Turnus*). Zu der vielfach weitergebildeten und erweiterten Wurzel gehören ferner im germ. Sprachbereich z. B. die Verben ↑drohen, ↑drücken und ↑dringen (alle mit der von »reiben« abgeleiteten Grundbedeutung des Drängens), die Sippen von ↑drillen (dazu ↑drall und ↑drollig) und ↑drechseln (dazu die Gruppe um ↑zwerch »quer«) mit der Grundbedeutung des Drehens, schließlich auch ↑Darm. Das dt. Verb ›drehen‹ bezeichnet zunächst verschiedene handwerkliche Verrichtungen wie Drechseln, Töpfern, Seil- und Garndrehen (dazu ↑Draht). Kurbeln werden gedreht (daher noch ›einen Film drehen‹ und ›Drehbuch‹), wer sich beeilt, ›dreht auf‹ (ursprünglich konkret auf das Ventil der Dampfmaschine bezogen). Aus der Gaunersprache stammt ›ein Ding drehen‹ für »etwas (ein Verbrechen) geschickt ausführen«. Die Bedeutung »wenden« ist z. B. seemännisch, an die sich **abdrehen** »den Kurs ändern, ausweichen« (16. Jh.) und **beidrehen** »durch ein Wendemanöver stoppen« anschließen. Um ›drehen‹ gruppieren sich ferner die Präfixbildungen und Zusammensetzungen **andrehen** ugs. auch für »jemandem etwas Minderwertiges zu teuer verkaufen« (wohl nach der alten Wendung ›jemandem eine Nase andrehen‹ »jemandes Leichtgläubigkeit missbrauchen, ihn zum Narren halten«, mit Bezug auf die Wachs- oder Pappnasen der Narren), **durchdrehen** ugs. auch für »kopflos werden, die Nerven verlieren« (ausgehend von der Bedeutung »sich um die eigene Achse drehen«) und **verdrehen** »zu weit herausdrehen; unrichtig darstellen, entstellt wiedergeben« (mhd. *verdræjen*). Vgl. auch den Artikel *bewenden*.

drei: Das gemeingerm. Zahlwort mhd., ahd. *drī*, got. *þreis*, engl. *three*, schwed. *tre* geht mit Entsprechungen in den meisten anderen idg. Sprachen auf idg. **treįes* »drei« zurück, vgl. z. B. lat. *tres* »drei« und griech. *treĩs* »drei« (s. dazu die Vorsilbe *tri..., Tri...*). Die idg. Wurzel **trei-* liegt auch dem Ordnungszahlwort ↑dritte zugrunde. Die im Ahd. noch klar getrennten Geschlechter *drī, drīo, driu* werden nhd. nicht mehr unterschieden. Flexion ist nur teilweise üblich, die Nominativform *dreie*, mhd. *drīe*, wie bei allen Einern nur in volkstümlicher Sprache. Seit ältesten Zeiten kommt der Dreizahl als kleinster Vielheit große Bedeutung zu. Sie begegnet immer wieder in Mythologie, Märchen, Recht und Volksbrauch. Das Christentum hat diese Wertschätzung durch die Dreieinigkeitslehre noch verstärkt. So wurzelt das Sprichwort ›Aller guten Dinge sind drei‹ tief in der Überlieferung. Siehe auch die Artikel *Drillich* und *Drilling*. – Von Ableitungen und Zusammensetzungen seien genannt: **Dreier** (alte Scheidemünze, spätmhd. *drīer*; auch für die Ziffer oder die Zensur Drei); **dreißig** (mhd. *drīȥec*, ahd. *drīȥuc*; das -ß- erklärt sich aus der Verschiebung des germ. t nach Vokal zur Spirans ʒ, nicht zur Affrikata z, vgl. *...zig*); **dreizehn** (mhd. *drīzehen,* ahd. *drīzehan;* als Unglückszahl schon vorchristlich); **Dreieck** (im 16. Jh. rückgebildet aus dem mhd. Adjektiv *drīecke, -eckeht*); **Dreieinigkeit** (bei mhd. Mystikern *drīeinecheit*) und **Dreifaltigkeit** (mhd. *drīvaltecheit*) sind jüngere Lehnübertragungen für kirchenlat. *trinitas,* dazu **dreieinig** (im 15. Jh. *drīeinec*) und das schon ältere **dreifaltig** (mhd. *drīvalt[ec];* vgl. *...falt* unter *Falte*); **Dreimaster** »Schiff mit drei Masten« (1774; im 19. Jh. auf den dreispitzigen Hut [der Seeoffiziere] übertragen, der oberd. etwa gleichzeitig auch **Dreispitz** heißt).

dreist: Das niederd. Adjektiv (mnd. *drīste, drīstich* »beherzt, kühn, frech«; vgl. niederl. *driest* »dreist«, aengl. *đrist[e]* »dreist, kühn, schamlos«) kam im 17. Jh. über das Ostmitteld. in die nhd. Schriftsprache. Oberd. gilt dafür ›keck‹, in tadelndem Sinn ›frech‹. Das westgerm. Adjektiv ist wahrscheinlich eine Bildung zu der unter ↑dringen behandelten Wurzelform **trenk-* »stoßen, drängen«.

dreschen: Zu dem gemeingerm. Verb mhd. *dreschen,* ahd. *dreskan,* got. *þriskan,* engl. *thrash,* schwed. *tröska* »dreschen« gehören frühe roman. Lehnwörter wie it. *trescare* »tanzen«, *tresca* »Springtanz«. Die Germanen entfernten also die Getreidekörner durch Trampeln aus den Ähren, während man in den Mittelmeerländern und im Orient das Vieh darüber führte. Erst später erscheint der römische Dreschflegel, den die Germanen dann übernahmen (↑Flegel). Das gemeingerm. Verb ist wahrscheinlich lautnachahmenden Ursprungs und [elementar]verwandt mit lit. *su-trẽškinti* »entzweischlagen« und russ. *tresk* »Krachen, Knistern«. Schon im Mhd. wird ›dreschen‹ übertragen für »prügeln« gebraucht, an diese Bedeutung schließt sich **verdreschen** ugs. für »verprügeln« an. Bildlich gesprochen sind Wendungen wie ›leeres Stroh (oder Phrasen) dreschen‹, ›Skat dreschen‹. – Abl.: **Drescher** (spätmhd. *drescher*). Zus.: **abgedroschen** »wertlos, oft vorgebracht« (seit Anfang des 18. Jh.s bildlich, wohl nach gleichbed. lat. *verba trita* »abgenutzte, abgedroschene Worte«); **Dreschflegel** (↑Flegel).

Dress: Der seit dem 19. Jh. bezeugte Ausdruck für »[Sport]kleidung« ist aus engl. *dress* »Aufmachung« entlehnt. Das engl. Wort ist eine Substantivierung zu *to dress* »herrichten, aufmachen«, das auf frz. *dresser* (vgl. *dressieren*) zurückgeht.

dressieren »abrichten, einschulen«: Das Verb wurde in der 2. Hälfte des 16. Jh.s als Jagdausdruck – vor allem im Sinne von »Hunde abrichten« – aus frz. *dresser* »aufrichten; aufmachen; abrichten« entlehnt, das auch die Quelle für engl. *to dress* »aufrichten, aufmachen« ist (↑Dress). Zugrunde liegt ein von lat. *di-rigere* »ausrichten« (vgl. *dirigieren*) abgeleitetes Verb vlat. **directiare* (vgl. auch die Artikel *Adresse* und *adrett*).

dribbeln »den Ball durch kurze Stöße vorwärts treiben«: Das Verb wurde im 20. Jh. zusammen mit anderen Fachausdrücken der Fußballersprache (vgl. hierüber den Artikel *foul*) aus dem Engl. entlehnt. Engl. *to dribble* – dazu das substantivierte Part. Präs. engl. *dribbling,* das unserem Fremdwort **Dribbling** zugrunde liegt – gehört als Intensivbildung zu engl. *to drip* und bedeutet wie dieses eigentlich »tröpfeln«, dann beim Fußballspiel entsprechend etwa »den Ball tröpfchenweise nach vorne bringen«.

Drift (seemännisch für:) »vom Wind bewirkte Strömung; Abtreiben des Schiffes vom Kurs«: Das Wort ist zuerst bezeugt als mnd. *drift* und gehört wie die hochd. Entsprechung ›Trift‹ zu ↑treiben. – Abl.: **driften** (seemännisch für:) »treiben« (20. Jh.), dazu **abdriften** »vom Kurs abweichen«.

drillen: Das im Hochd. zuerst im 16. Jh. bezeugte Verb beruht auf einer Weiterbildung der unter ↑drehen behandelten idg. Wurzel. Das anlautende d ist niederd. – Ablautbildungen dazu sind ↑drall und ↑drollig. An die Grundbedeutung »[herum]drehen« schließen sich verschiedene technische Anwendungen an, vgl. z. B. **Drillbohrer** (ursprünglich durch eine Schnur, später durch eine auf und ab bewegte Schraubenmutter angetrieben). In der Soldatensprache bedeutet ›drillen‹ seit dem 17. Jh. »exerzieren«, dann auch »der militärischen Grundausbildung unterziehen; hart schulen«, eigentlich »herumwirbeln«. – Dazu gehört die Rückbildung **Drill** (19. Jh.). In der jungen Bedeutung »in Reihen säen« ist ›drillen‹ aus engl. *to drill* entlehnt (die Drillmaschine wurde in England 1731 erfunden).

Drillich: Mhd. *dril[i]ch* ist das substantivierte Adjektiv mhd. *dril[i]ch,* ahd. *drilīh* »dreifach«, eine Bildung zu dem unter ↑drei behandelten Wort. Der Stoff ist nach seinen dreifachen Fäden benannt. Das mhd. Adjektiv gewann die Bedeutung »dreifädig« in Anlehnung an lat. *trilix* »dreifädig« (zu lat. *licium* »Faden«). Vgl. den Artikel *Zwillich.*

Drilling: Nach dem Muster von ↑Zwilling werden seit dem 16. Jh. auch drei gleichaltrige Geschwister ›Drillinge‹ genannt (älter nhd. *Dreiling;* vgl. *drei*). Entsprechend heißt seit dem 19. Jh. auch das dreiläufige Jagdgewehr ›Drilling‹.

dringen: Das altgerm. starke Verb mhd. *dringen,* ahd. *dringan,* niederl. *dringen,* aengl. *đringan,* aisl. *þryngva* steht im grammatischen Wechsel zu got. *þreihan* »drängen«. Es bedeutete, wie die verwandten Verben ↑drücken und ↑drohen, ursprünglich »stoßen, drängen« und beruht auf einer Wurzelform **trenk-,* die vermutlich zu der unter ↑drehen behandelten Wurzel **ter[ə]-* »drehen, reiben, bohren« gehört. Zu der Wurzelform stellen sich auch das unter ↑dreist behandelte Adjektiv und außergerm. z. B. lat. *truncare* »verstümmeln« (↑tranchieren). Reste des alten transitiven Gebrauchs (dafür jetzt *drängen* [↑Drang]) sind die verselbstständigten Partizipien **dringend** (z. B. ›dringend bitten‹, ›dringender Verdacht‹; sonst auch für »eilig«) und **gedrungen** »fest, dicht« (besonders vom Körperbau) sowie die Ableitung **dringlich** (15. Jh., wie ›dringend‹ gebraucht). Siehe auch den Artikel *Drang*.

Drink ↑Trunk.

dritte: Das gemeingerm. Ordnungszahlwort mhd. *drit[t]e*, ahd. *dritt[i]o*, got. *þridja*, engl. *third*, schwed. *tredje* ist wie lat. *tertius* und verwandte Wörter anderer idg. Sprachen (z. B. griech. *trítos*) zu der unter ↑drei behandelten Wurzel gebildet. – Abl.: **drittens** (17. Jh.). Zus.: **Drittel** (mhd. *dritteil*; vgl. *Teil*), dazu **dritteln** (17. Jh., neben älterem *dritteilen*).

Droge: Das Wort wurde Ende des 16. Jh.s in der Bedeutung »(tierischer oder pflanzlicher) Rohstoff« aus gleichbed. frz. *drogue* entlehnt, das wahrscheinlich zu nhd. ↑trocken gehört, und zwar als Entlehnung aus dessen niederd. Form *droge* oder niederl. Form *droog* (etwa im Sinne von »Getrocknetes, Trockenware«). Im 20. Jh. wird ›Droge‹ auch im Sinne von »medizinisches Präparat« und »Rauschgift« gebraucht. – Abl.: **Drogerie** »Geschäft für nicht apothekenpflichtige Heilmittel, Kosmetika u. Ä.«, älter »Heilmittel« (16. Jh.; aus frz. *droguerie*); **Drogist** (17. Jh.; aus frz. *droguiste*).

drohen: Die heutige Form geht zurück auf mhd. *drōn*, eine durch Kontraktion oder durch Anlehnung an das Substantiv mhd. *drō* »Drohen, Drohung« entstandene Nebenform von mhd. *dro[u]wen, dröuwen*, ahd. *drouwen* »drohen«. Das Verb gehört zu der Wurzelform **treu-* der unter ↑drehen dargestellten idg. Wurzel. Im germ. Sprachbereich ist z. B. verwandt aengl. *đrēan* »drohen, bedrängen, plagen«, im außergerm. z. B. griech. *trýein* »aufreiben«. – Abl.: **Drohung** (ahd. *drōunga*; mhd. sind nur *dröuwunge* und *drō* belegt).

Drohne: Die heutige Form ist im 17. Jh. aus dem Niederd. ins Hochd. gelangt (mnd. *drōne, drāne*). Daneben steht mit anderer Ablautstufe mhd. *trene*, ahd. *treno*, das mit verwandten Wörtern in anderen idg. Sprachen auf der lautnachahmenden idg. Wurzel **dher-*, **dhrēn-* »brummen, murren, lärmen« beruht. Im germ. Sprachbereich gehört das unter ↑dröhnen behandelte Verb zu dieser Wurzel, im außergerm. sind z. B. griech. *thrṓnax* »Drohne«, *tenthrēnē* »Hornisse«, *thrēnos* »Totenklage« verwandt. Schon frühnhd. ist die Anwendung des Wortes auf den faulen Nutznießer fremder Arbeit; so wurde ›Drohne‹ im 19. Jh. sozialpolitisches Schlagwort. Dem männlichen Geschlecht der Drohne trägt das in der Imkersprache übliche ›Drohn‹ Rechnung.

dröhnen: Das im 17. Jh. aus dem Niederd. ins Hochd. übernommene Verb geht zurück auf mnd. *drönen* »mit Erschütterung lärmen«. Damit verwandt sind im germ. Sprachbereich gleichbed. niederl. *dreunen* und isl. *drynja* »brüllen«, ferner got. *drunjus* »Schall«.

Drohung ↑drohen.

drollig: Das Wort wurde im 17. Jh. aus dem Niederd. ins Hochd. übernommen. Das niederd. Wort ist aus niederl. *drollig* entlehnt, das eine Ableitung von niederl. *drol* »Knirps, Spaßmacher« ist und eigentlich »rund gedrehter Kegel« bedeutet. Es steht im Ablaut zu dem unter ↑drillen behandelten Wort. Auch das gleichbed. frz. *drôle* stammt aus dem Niederländischen.

Dromedar: Der Name des einhöckerigen Kamels wurde in mhd. Zeit durch Vermittlung von afrz. *dromedaire* (= frz. *dromadaire*) aus lat. *dromedarius (camelus)* »Rennkamel, Renner« entlehnt. Dies ist Ableitung von griech.-lat. *dromás* »laufend«. Zugrunde liegen griech. *drameīn* »laufen«, griech. *drómos* »Lauf«, die vielleicht zur idg. Sippe von dt. ↑zittern gehören.

Droschke: Die Bezeichnung für »Mietkutsche« wurde im 18. Jh. aus russ. *drožki* »leichter Wagen« entlehnt, das zu russ. *droga* »Verbindungsstange zwischen Vorder- und Hinterachse« gehört.

[1]**Drossel:** Die heutige, zuerst im 15. Jh. bezeugte Form ist niederd.-mitteld. Ursprungs (ahd. [rhein.] *drosla*, mnd. *drōsle*). Die im Mhd. und Ahd. übliche Form ist mhd. *droschel*, ahd. *drōsca[la]* (vgl. engl. *thrush*), daneben auch mhd. *trostel*, vgl. engl. *throstle*, schwed. (mit Ablaut) *trast*. Die Fülle der Formen lässt einen lautnachahmenden Ursprung des Vogelnamens vermuten. Urverwandt sind z. B. gleichbed. lat. *turdus*, lit. *strazdas* und russ. *drozd*.

[2]**Drossel** (weidmännisch für:) »Luftröhre des Schalenwildes«: Spätmhd. *droẓẓel* ist eine Weiterbildung zu mhd. *droẓẓe*, ahd. *droẓẓa* »Kehle, Gurgel« (wie gleichbed. engl. *throttle* neben *throat* steht). Entsprechende gleichbedeutende Bildungen mit s-Anlaut sind mhd. *stroẓẓe*, asächs. *strota*, niederl. *strot*. Alle diese Wörter gehören zu der unter ↑strotzen behandelten Wortgruppe und beziehen sich auf die Festigkeit und Prallheit der Luftröhre. Heute gilt das Wort ›Drossel‹ nur in einigen dt. Mundarten, besonders aber weidmännisch für die Luftröhre des Schalenwildes. Sehr wahrscheinlich heißt auch der Märchenkönig Drosselbart nach einem Bart an seiner Kehle. – Abl.: **drosseln** »die Kehle zudrücken« (15. Jh., dafür heute meist ›würgen‹; seit Ende des 19. Jh.s in technischer Fachsprache »[Gas und Dampf] absperren, bremsen«); **erdrosseln** »durch Drosseln töten« (17. Jh.).

drucken: Die Kunst des Buchdrucks hat sich im 15. Jh. zuerst in Oberdeutschland ausgebildet, sodass die umlautlose oberd. Form von ↑drücken schnell zum Fachwort wurde. Das Abdrücken von Platten (Holzschnitten) oder Lettern auf Papier oder Stoff war im Gegensatz zum Schreiben das wesentliche Kennzeichen des neuen Verfahrens. – Abl.: [1]**Druck** (wie [2]*Druck* [↑drücken], aber frühnhd. auf den Druckvorgang und sein Ergebnis bezogen; dazu v. a. fachsprachliche Zusammensetzungen wie ›Ab-, Auf-, Nachdruck, Hoch-, Tief-, Steindruck, Schön-, Widerdruck [d. h. auf Vorder- und Rückseite]‹, vgl. auch die Verben ›ab-, an-, auf-, be-, nach-, verdrucken‹); **Drucker** (15. Jh.); **Druckerei** (15. Jh.; auch für das Handwerk gebraucht). Zus.: **Druckfehler** (17. Jh.); **Drucksache** (Anfang des 18. Jh.s im Sinne von »gedruckter Bogen«, so z. B. noch für die Arbeitsvorlagen der Parlamente.

D

drücken: Das altgerm. Verb mhd. *drücken*, ahd. *drucchen*, niederl. *drukken*, aengl. *đryccan*, schwed. *trycka* ist eine Intensivbildung zu einem noch in aisl. *Þruga* »drohen, unterdrücken« (schwed. *truga* »nötigen«) erscheinenden germ. Verb. Es gehört mit der Grundbedeutung »reiben, bedrängen« zu der unter ↑drehen behandelten Wortgruppe. Es wird schon im Mhd. auf geistigen und seelischen Druck übertragen, ohne seinen eigentlichen Sinn zu verändern, vgl. auch die Präfixbildung **bedrücken** »traurig, niedergeschlagen machen«. Reflexives ›sich drücken‹ »heimlich verschwinden« wird ursprünglich weidmännisch vom Hasen gesagt, der sich duckt (dazu das ugs. **Drückeberger,** das wie ›Schlauberger‹ scherzhaft einen Einwohnernamen nachbildet; 19. Jh.), vgl. dazu auch die Präfixbildung **verdrücken,** die reflexiv im Sinne von »heimlich verschwinden« gebraucht wird. Um ›drücken‹ gruppieren sich die Bildungen ›ab-, an-, auf-, durch-, er-, zudrücken‹ sowie ›ausdrücken‹ (s. u.). – Abl.: **[2]Druck** (mhd., ahd. *druc;* heute besonders technisches Fachwort, vgl. die Zusammensetzungen ›Luft-, Wasser-, Über-, Unterdruck‹ usw.), dazu **Eindruck** (für die »geistige Einwirkung« im 18. Jh. neu belebt aus mhd. *īndruc*, einer Lehnübersetzung der Mystiker für lat. *impressio*); **eindrücklich** »nachhaltig, eindrucksvoll« (Lehnübersetzung von frz. *impressif*); **Drücker** »Gerät zum Drücken« (17. Jh.); **drucksen** ugs. für »zaudern, gehemmt reden oder handeln« (im 18. Jh. als Iterativbildung zu *drucken, drücken* gebildet). Zus.: **ausdrücken** (mhd. *ūz drücken*, im 16. Jh. nach dem Vorbild von lat. *exprimere* auf Sprachliches, im 18. Jh. auch auf das Mienenspiel übertragen und dann allgemein vom künstlerischen Gestalten, wie frz. *exprimer*), dazu **Ausdruck** (im 18. Jh. nach frz. *expression* neu gebildet, jedoch schon spätmhd. als *ūzdruc* bei Mystikern) und **ausdrücklich** (16. Jh.).

Drüse: Das auf das dt. und niederl. Sprachgebiet beschränkte Wort mhd., ahd. *druos* »Drüse, Schwellung, Beule«, niederl. *droes* »Kropf; Entzündung von Drüsenorganen beim Pferd« ist ungedeutet. Die heutige Form ist ursprünglich der umgelautete Plural (mhd. *drües*, ahd. *druosi*).

Dschiu-Dschitsu ↑Jiu-Jitsu.

Dschungel: Der Ausdruck für »undurchdringlicher tropischer Sumpfwald« wurde im 19. Jh. aus gleichbed. engl. *jungle* entlehnt, das aus Hindi *jangal* »Wildnis« (aind. *jaṅgala-ḥ*) stammt.

Dschunke: Die seit dem 16. Jh. bezeugte Bezeichnung für ein in Ostasien verwendetes Segelschiff ist durch westeuropäische Vermittlung (engl. *junk*, span., port. *junco*, frz. *jonque*) aus malai. *djung* »großes Schiff« entlehnt.

du: Das gemeingerm. Personalpronomen der 2. Person mhd., ahd. *dŭ̄*, got. *Þu*, älter engl. *thou*, schwed. *du* geht mit lat. *tu*, griech. *tý, sý* und entsprechenden Wörtern fast aller idg. Sprachen auf idg. **tŭ̄* zurück. Der Dativ **dir** (mhd., ahd. *dir*) und der Akkusativ **dich** (mhd. *dich*, ahd. *dih*) sind durch Ablaut (idg. **te-*) und mit Suffixen gebildet. In der Anrede ist ›du‹ gegenüber ›Sie‹ seit langem auf den vertrauten und kameradschaftlichen Verkehr beschränkt. – Abl.: **duzen** (mhd. *duzen, dutzen*).

Dualismus: Bei dem im Deutschen seit dem 18. Jh. bezeugten Fremdwort, das heute in der Bedeutung »Polarität, Gegensätzlichkeit, Lehre von der Zweiheit« verwendet wird, handelt es sich ursprünglich um eine um 1700 gebildete Wortschöpfung des engl. Philosophen Thomas Hyde zu lat. *dualis* »von zweien, zwei enthaltend«. In seinem Denken steht ›Dualismus‹ ursprünglich für die Weltanschauung des Manichäismus vom Wirken des guten und bösen Prinzips. – Abl.: **dualistisch.** Zur selben Wortfamilie gehören auch **dual** »eine Zweiheit bildend«, und das auf lat. *dualitas* zurückgehende Fremdwort **Dualität** »Zweiheit, Vertauschbarkeit, wechselseitige Zuordnung«.

Dübel »Zapfen, Holzpflock«: Mhd. *tübel*, ahd. *tubil*, engl. *dowel*, niederl. *deuvik*, schwed. *dubb* stellen sich zu einem nur in Resten erhaltenen Verb mit der Bedeutung »schlagen« (z. B. ostfries. *duven*, südniederl. *doffen*). Außerhalb des Germ. ist griech. *týphos* »Keil« vergleichbar. – Abl.: **dübeln** »mit Holznägeln befestigen, Holzkeile einschlagen«.

dubios: Bei dem Adjektiv handelt es sich um eine Entlehnung des 17. Jh.s aus lat. *dubiosus* »zweifelhaft«, einer Ableitung von *dubius* »unsicher, hin und her schwankend«, zu *duo* »zwei«. Im Deutschen wird das Adjektiv ›dubios‹ besonders häufig im Geschäftsleben im Sinne von »fragwürdig, verdächtig« verwendet.

ducken: Mhd. *tucken, tücken* »eine schnelle Bewegung [nach unten] machen« ist eine Intensivbildung zu ↑tauchen. Es hat sich im 18. Jh. in der oberd.-niederd. Mischform ›ducken‹ durchgesetzt und wird besonders vom schnellen Niederbeugen bei Gefahr, transitiv auch für »demütigen« gebraucht.

Duckmäuser: Spätmhd. *duckelmūser* »Schleicher, Heuchler« (15. Jh.) gehört zu dem seltenen Verb mhd. *tockelmūsen* »Heimlichkeit treiben«, in dem mhd. *mūsen* »Mäuse fangen, schleichen« und ein in bayr. *duckeln* »hinterhältig, betrügerisch sein« (zu ↑ducken) erhaltenes Verb zusammengezogen sind.

dudeln »schlecht musizieren«: Das seit dem 17. Jh. bezeugte Verb ist entweder lautnachahmend (vgl.

den frühnhd. Tanznamen ›Tutelei‹ und das Schallwort ›dudel[dum]dei‹), oder es gehört zu der Instrumentenbezeichnung **Dudelsack.** Dieses als **Sackpfeife** (spätmhd. *sacphīfe*) schon dem Mittelalter bekannte, ursprünglich wohl indische Blasinstrument heißt poln., tschech. *dudy,* was auf türk. *düdük* »Flöte« zurückgeht. Im 17. Jh. erscheinen die dt. Bezeichnungen *Dudei, Dudelbock, polnischer Bock, Dudelsack,* von denen das Letzte sich schließlich durchgesetzt hat.

Duell »Zweikampf«: Das Wort wurde Ende des 16. Jh.s aus älter lat. *duellum* »Krieg« für klass.-lat. *bellum* (↑Rebell und ↑Krawall) entlehnt. Die Bedeutung »Zweikampf« entstand durch volksetymologischen Anschluss an das unverwandte lat. Zahlwort *duo* »zwei«. Das reflexive Verb **duellieren** (sich) »einen Zweikampf austragen« (17. Jh.) stammt aus mlat. *duellare.*

Duett: Die Bezeichnung für »Musikstück für zwei Gesangsstimmen; Zwiegesang« wurde im 18. Jh. aus gleichbed. it. *duetto* entlehnt, das zu it. *due* »zwei« (vgl. *Duo*) gehört.

Dufflecoat »dreiviertellanger Sportmantel«: Der Name des Kleidungsstücks ist eine Neubildung des 20. Jh.s. Dem Bestimmungswort liegt der Name der belgischen Stadt Duffel zugrunde. Über das Grundwort engl. *coat,* das auch in ↑Petticoat und ↑Trenchcoat erscheint, vgl. den Artikel [1]*Kotze.*

Duft: Das auf das dt. Sprachgebiet beschränkte Wort mhd. *tuft,* ahd. *duft* »Dunst, Nebel, Tau, Reif« ist vielleicht aus **dumpft,* **dunft* entstanden und würde dann als Verbalsubstantiv zu mhd. *dimpfen* »dampfen« gehören (vgl. *Dampf*). Es kann aber auch, wie aisl. *dupt,* schwed. *doft* (aschwed. *duft*) »Staub«, zur Sippe von ↑Dunst gehören. Die alten Bedeutungen »Dunst, Nebel, Tau, Reif« sind nur noch mdal. bewahrt. Schriftsprachlich wird ›Duft‹ seit dem 18. Jh. im Sinne von »feine Ausdünstung, feiner Geruch« verwendet. – Abl.: **duften** (mhd. *tuften, tüften* »dampfen, dünsten«), dazu ugs. **verduften** »unauffällig verschwinden« (19. Jh.); **duftig** (frühnhd.; heute meist für »leicht, schwebend, zart«).

dufte »gut, fein«: Das seit dem 19. Jh. bezeugte, durch das Berlinische populär gewordene Adjektiv stammt aus der Gaunersprache. Es geht zurück auf jidd. *toff* (< hebr. *tôv*) »gut«.

Dukaten, (fachsprachlich auch:) Dukat: Der Name der alten Goldmünze, die von 1559 bis 1857 in Deutschland geprägt wurde (in Österreich sogar bis ins 20. Jh.), wurde in spätmhd. Zeit (spätmhd. *ducat*) aus it. *ducato* entlehnt, das zu it. *duca* »Herzog« (< lat. *dux* »Führer«) gehört. Der Dukaten ist also nach dem Bildnis des Herzogs bzw. des venezianischen Dogen auf dieser Münze benannt.

dulden: Das Verb (mhd., ahd. *dulten*) ist eine südwestdt. Neubildung des 8. Jh.s zu dem Verbalabstraktum ahd. *[gi]dult* (s. u.), das seinerseits zu dem im Dt. untergegangenen gleichbed. gemeingerm. Verb mhd. *doln,* ahd. *dolēn,* got. *Þulan,* engl. *to thole,* schwed. *tåla* gehört. Dies ist verwandt mit lat. *tolerare* »[er]tragen« (s. die Fremdwörter um *tolerieren*), griech. *tlēnai* »ertragen«, griech. *télos* »Auferlegung; Zahlung, Steuer« (↑[1]Zoll) und geht auf die idg. Wurzel **tel[ə]-* »aufheben, wägen; tragen; dulden« zurück. – Das Verb dulden wurde zunächst im christlichen Sinne von »Leid auf sich nehmen, Schweres ertragen« gebraucht, wofür heute **erdulden** gebräuchlicher ist, dann auch in der Bedeutung »ohne Widerspruch zulassen, nachsichtig gelten lassen«. – Abl.: **Dulder** (2. Hälfte des 18. Jh.s, zuerst für Christus gebraucht); **duldsam** (17. Jh.), dazu **Duldsamkeit** (im 18. Jh. für ›Toleranz‹; heute bes. in der Verneinung mit Un... gebräuchlich). Als selbstständige Bildung zu ahd. *dolēn* (s. o.) hat sich **Geduld** (mhd. *[ge]dult,* ahd. *[gi]dult,* entsprechend asächs. *githuld,* aengl. *geđyld*) eng an ›dulden‹ angeschlossen und bedeutet heute besonders »Langmut, Ausharren«; dazu **geduldig** (mhd. *gedultec,* ahd. *gidultīg*); **gedulden** (mhd. *gedulden,* ahd. *gidulten* werden wie ›dulden‹ gebraucht; jetzt gilt im Anschluss an das Substantiv nur ›sich gedulden‹ »ergeben abwarten«).

dumm: Das gemeingerm. Adjektiv mhd. *tump* »töricht, unerfahren, stumm«, ahd. *tumb* »stumm, taub, töricht«, got. *dumbs* »stumm«, engl. *dumb* »stumm«, schwed. *dum* »dumm« (älter: »stumm«) geht von der Grundbedeutung »stumm«, eigentlich wohl »verdunkelt, mit stumpfen Sinnen« aus. Demnach stellt sich das Wort wie ↑taub und ↑toben zu der unter ↑Dunst dargestellten Wortgruppe. Die schon ahd. Bedeutung »töricht« erscheint im Mhd. teilweise als »unerfahren, unverständig«, vgl. dazu die nhd. Bildung **Dummerchen** »unerfahrenes Kind«; heute überwiegt der tadelnde Sinn, verstärkt in den Bildungen ›saudumm‹ und ›strohdumm‹ (19. Jh.). – Abl.: **Dummheit** (mhd. *tumpheit*); **dümmlich** »leicht beschränkt; ein wenig töricht« (mhd., spätahd. *tumplich*); **Dümmling** »törichter Mensch« (spätmhd. *tumbelinc;* im Volksmärchen der jüngste, ›dumme‹ Bruder, dem alles gelingt); **verdummen** »dumm werden oder machen« (mhd. *vertumben*). Zus.: **Dummkopf** (18. Jh.).

dumpf: Das erst im Nhd. bezeugte Adjektiv ist wohl verkürzt aus dem älteren **dumpfig** »schimmlig, muffig« (15. Jh.; entsprechend niederl. *dompig*), einer Ableitung von dem untergegangenen Substantiv *dumpf* »Schimmel«, das auch »Atemnot, Asthma« bedeuten konnte. Die Wörter stehen im Ablaut zu ↑Dampf. Aus der Grundbedeutung »durch Rauch, Dunst beengend; feucht, modrig« hat sich über »engbrüstig« der Sinn »heiser, hohl« entwickelt, während ›dumpfig‹ nur in der alten Bedeutung verwendet wird. – Abl.: **Dumpfheit** (18. Jh.).

Dumping »Preisunterbietung (auf dem internationalen Markt) zur Erlangung einer Monopolstellung«: Das Wort wurde im 20. Jh. aus gleichbed.

engl. *dumping* entlehnt, das zu *to dump* »zu Schleuderpreisen verkaufen« (eigentlich »abladen, hin[unter]werfen«) gehört.

Dune ↑Daune.

Düne: Das im 16. Jh. aus dem Niederd. ins Hochd. übernommene Wort geht auf mnd. *dūne*, mniederl. *dūne* zurück. Die nhd. Form folgt der älteren niederl. Aussprache mit ü (niederl. *duin*). Das Wort gehört mit aisl. *dȳja* »schütteln« im Sinne von »(vom Wind) Aufgeschüttetes« zu der unter ↑Dunst dargestellten idg. Wurzel **dheu-* »stieben«.

D

Dung: Nach Tacitus und Plinius hatten die Germanen unterirdische Vorratsräume und Webkammern, die gegen die Winterkälte mit Mist bedeckt wurden. Sie heißen ahd. *tung*, mhd. *tunc* (vgl. aengl. *dung* »Gefängnis«, aisl. *dyngja* »Frauengemach; Haufen«). Das Wort ›Dung‹ (mhd. *tunge*, ahd. *tunga*, [a]engl. *dung*, schwed. *dynga*) bedeutet also eigentlich »das Bedeckende« und gehört wohl zu der Wurzel **dhengh-* »drücken, bedecken«, die z. B. in air. *dingid* »unterdrückt« und lit. *deñgti* »bedecken« erscheint. – Abl.: **düngen** (mhd. *tungen*), dazu **Dünger** (16. Jh.; jetzt besonders auch für künstliche Düngemittel).

dunkel: Die germ. Adjektivbildungen mhd. *tunkel*, ahd. *tunkal*, niederl. *donker*, aisl. *døkkr* gehören im Sinne von »dunstig, neblig« zu der unter ↑Dampf dargestellten idg. Wurzel. Der d-Anlaut setzte sich erst im 18. Jh. völlig durch. – Abl.: **Dunkel** (das Femininum mhd. *tunkel*, ahd. *tunkali* »Dunkelheit« wurde nhd. durch das substantivierte Adjektiv ersetzt); **Dunkelheit** (mhd. *tunkelheit*); **dunkeln** »dunkel werden« (mhd. *tunkeln*, ahd. *tunkalēn*), dazu **verdunkeln** (mhd. *vertunkeln*).

dünken: Das gemeingerm. Verb mhd. *dünken*, *dunken*, ahd. *dunchen*, got. *þugkjan*, engl. *to think* (aengl. *ðyncan*), schwed. *tycka* steht im Ablaut zu dem unter ↑denken behandelten Verb und bedeutete ursprünglich »den Anschein haben, vorkommen«, im Got. auch »meinen«. Die nhd. Nebenformen *deucht*, Präteritum *deuchte*, Partizip *gedeucht* sind aus dem mhd. Konj. Präteritum *diuhte* entstanden und setzen das alte Präteritum mhd. *dūhte*, ahd. *dūhta*, Partizip *gedūht* fort. Schon im 13. Jh. begegnen die heute herrschenden Formen ›dünkte, gedünkt‹.

dünn: Das Gegenwort zu ›dick‹ und ›dicht‹ mhd. *dünne*, ahd. *dunni*, *thunni*, asächs. *thunni*, engl. *thin*, schwed. *tunn* ist z. B. verwandt mit lat. *tenuis* »dünn, fein, zart« und aind. *tanvī́* »dünn, zart, schmächtig, unbedeutend«. Es geht zurück auf das idg. Adjektiv **tenu-s* »dünn«, das zu der unter ↑dehnen behandelten Wurzel **ten-* gebildet ist und demnach eigentlich »lang ausgedehnt« bedeutet. Das alte Verb **dünnen** (mhd. *dünnen*, ahd. *dunnēn*, niederl. *dunnen*, engl. *to thin*, schwed. mdal. *tynnäs*) ist außer Gebrauch gekommen; an seiner Stelle werden ›ausdünnen‹ und ›verdünnen‹ gebraucht. – Abl.: **Dünne** (mhd. *dünne*, ahd. *dunnī*).

Dunst: Mhd. *dunst*, *tunst* »Dampf, Dunst«, ahd. *tun[i]st* »Sturm« geht wie mnd. *dust*, *dūst* »[Mehl]staub« und engl. *dust* »Staub« auf ein westgerm. Substantiv zurück, das wahrscheinlich »Staub, Staubwind« bedeutete. Die Bedeutungen »Staub« und »Dampf« sind auch heute nicht scharf getrennt: nhd. *Dunst* bezeichnet nicht nur eine Lufttrübung, sondern fachsprachlich auch eine feine Mehlsorte. Diese Beziehung auf die Umnebelung der Sinne, des Verstandes zeigen auch die mit ›Dunst‹ nahe verwandten unter ↑dösen, ↑Dusel und ↑²Tor »Dummkopf« behandelten germ. Wörter. Andere dagegen, z. B. ↑Tier und aslaw. *duša* »Atem«, enthalten ursprünglich die Bedeutung »hauchen, atmen; Lebewesen«. Der ganzen Gruppe liegt eine s-Erweiterung der idg. Wurzel **dheu-*, **dheu̯ə-* »stieben, wirbeln, blasen; rauchen, dampfen; in heftiger Bewegung sein« zugrunde. Diese Wurzel ist, vielfach erweitert und weitergebildet, in den meisten idg. Sprachen vertreten (vgl. z. B. aind. *dhū-má-ḥ*, lat. *fumus* »Rauch«, griech. *thȳmós* »Geist, Mut«, ähnlich ahd. *toum* »Dampf, Rauch« und *tūmōn* »sich im Kreis drehen«, das nhd. ↑taumeln vorausliegt). Aus dem germ. Sprachbereich gehören hierher die unter ↑Daune (eigentlich »Aufgewirbeltes«), ↑Düne (eigentlich »Aufgeschüttetes«) und ↑¹Tau »niedergeschlagene Luftfeuchtigkeit« (vgl. auch *Duft*) behandelten Wörter, weiter die Sippe von ↑toll (eigentlich »getrübt, geistig schwach«). Auch ↑Tod und ↑tot lassen sich als Bildungen zu einem Verb mit der Bedeutung »betäubt werden, hinschwinden« hier anschließen. Ähnliche Bedeutungen zeigt die Wortgruppe um die erweiterte Wurzelform **dheubh-* »rauchen; neblig, verdunkelt« mit den auf Geist und Sinne bezogenen Wörtern ↑taub, ↑toben, ↑dumm. Zu ihr stellt sich wohl auch der Vogelname ↑Taube (nach der dunklen Farbe) und das Substantiv ↑Duft, dessen Bedeutung sich mit der von ›Dunst‹ nahe berührt. Die erweiterte Wurzelform **dheudh-* »durcheinander wirbeln, schütteln« liegt den unter ↑verdutzt »verwirrt« und ↑Dotter (eigentlich »der Zitternde«) behandelten Wörter zugrunde. – Ableitungen von ›Dunst‹ sind: **dunsten, dünsten** »Dunst verbreiten« (mhd. *dunsten*, *dünsten*; erst nhd. gilt ›dünsten‹ für »im Dunst gar machen«), dazu **ausdünsten** (mhd. *ūzdunsten*) und **verdunsten** (17. Jh.); **dunstig** (mhd. *dunstec* »dampfend«, ahd. *dunistīg* »stürmisch«). Zus.: **Dunstkreis** (17. Jh., Lehnübertragung für ›Atmosphäre‹; jetzt nur noch bildlich gebraucht).

Dunst

jmdm. blauen Dunst vormachen
(ugs.) »jmdm. etwas vorgaukeln«
Die Wendung nimmt darauf Bezug, dass die Zauberer früher vor ihren Tricks blauen Rauch aufsteigen ließen, damit die Zuschauer sie nicht allzu genau beobachten konnten.

Dünung »Seegang nach dem Sturm«: Das heutige Substantiv mit dem Stammvokal ü hat sich im 19. Jh. durchgesetzt. Frühere konkurrierende Formen wie ›Deining‹ oder ›Dienung‹ sind aus dem Niederl. in die dt. Seemannssprache eingedrungen: niederl. *deining*, älter *deyninghe*, das zu dem Verb niederl. *deinen* »auf und nieder wogen« gehört (vgl. fries. *thīnen* »schwellen«). Das Wort geht wahrscheinlich zurück auf niederd. *dunen, dünen* »schwellen, auf und nieder wogen« (18. Jh.). Die dt. wie die niederl. Wörter beruhen auf der unter ↑Daumen dargestellten idg. Wurzel.

Duo »Musikstück für zwei verschiedenartige Instrumente«, auch Bezeichnung der beiden ausführenden Solisten: Der Fachausdruck der Musik wurde Anfang des 18. Jh.s aus it. *duo* »Duett« – dazu it. *duetto* (↑Duett) – entlehnt. It. *duo* ist die ältere Form von it. *due* »zwei«, das auf lat. *duo* »zwei« zurückgeht (urverwandt mit nhd. ↑zwei). Lat. *duo* erscheint als Bestimmungswort in lat. *duplus* (↑doppelt) und in *duplex* (↑Duplikat, ↑Duplizität). Ferner gehört zu lat. *duo* das Präfix ↑bi..., Bi... Im Frz. wurde lat. *duo* zu *deux*.

düpieren »vor den Kopf stoßen; verwirren, verblüffen«: Das Verb wurde im 17. Jh. aus frz. *duper* »narren, täuschen« entlehnt, einer Ableitung von frz. *dupe* »Narr, Tropf«.

Duplikat »Zweitausfertigung, Zweitschrift, Abschrift«: Das Wort ist eine gelehrte Entlehnung des 17. Jh.s aus lat. *duplicatum* »zweifältig, verdoppelt«, dem Partizipialadjektiv von lat. *duplicare* »zweifältig machen, verdoppeln«. Dies ist abgeleitet von lat. *duplex* »doppelt zusammengelegt, doppelt«. Dessen Bestimmungswort ist lat. *duo* »zwei« (vgl. *Duo*). Die Deutung des zweiten Wortbestandteils *-plex*, der auch in verschiedenen anderen lat. Wörtern erscheint, so in *simplex* »einfach« (↑simpel), *triplex* »dreifach«, *multiplex* »vielfach« (↑multiplizieren), ist umstritten. Er könnte zum Wortstamm der unter ↑kompliziert genannten lat. Wörter *plectere* »flechten«, *plicare* »[zusammen]falten« gehören. Allein durch das Nebeneinander von lat. *duplex*, griech. *díplax* »zweischichtig, doppelt« und umbrisch *tuplak* »zweizackige Gabel« ist es wahrscheinlich, dass lat. *-plex* etymologisch zu lat. *plaga* »Fläche« (= griech. *plâx*) zu stellen ist (vgl. den Artikel *flach*) und sich erst sekundär mit dem Wortstamm von lat. *plectere* vermischt hat.

Duplizität »Doppelheit, doppeltes Auftreten«: Das Fremdwort wurde im 18. Jh. aus gleichbed. lat. *duplicitas* entlehnt, das zu lat. *duplex* »doppelt zusammengelegt, doppelt« gehört (vgl. *Duplikat*).

Dur: Die seit dem 17. Jh. bezeugte musikalische Bezeichnung der »harten Tonart« (im Gegensatz zu ↑Moll) geht auf das lat. Adjektiv *durus* »hart« zurück. Der charakteristische Unterschied zwischen Dur und Moll besteht nämlich in dem Dreiklang mit der großen Terz, der als »hart« empfunden wurde.

durch: Das westgerm. Wort (Präposition und Adverb) mhd. *dur[ch]*, ahd. *dur[u]h*, niederl. *door*, engl. *th[o]rough* steht im Ablaut zu got. *þaírh* »durch«. Außergerm. sind z. B. verwandt aind. *tiráḥ* »durch, über, abseits« und lat. *trans* »jenseits, über – weg«, das in zahlreichen aus dem Lat. entlehnten Fremdwörtern als erster Bestandteil steckt (↑trans..., Trans...). Siehe auch den Artikel *Thriller*. Für das Adverb ›durch‹ steht schriftsprachlich gewöhnlich ›hindurch‹ (↑hin) oder auch die Verdoppelung ›durch und durch‹. Als Präposition mit dem Akkusativ gab ›durch‹ im Ahd. meist lat. *per* wieder; es kann wie dieses Weg oder Zeit im Sinn eines Hindurchgehens bezeichnen, woraus sich schon ahd. die Übertragung auf eine vermittelnde Person oder Sache ergab (Gott spricht durch den Mund der Propheten; durch Leid gereift); in dieser Verwendung konkurrieren z. T. ›mit‹ und ›von‹. Mit Verben bildet ›durch‹ unfeste, aber auch feste Zusammensetzungen, die sich oft nahe berühren (dúrchbohren, durchbóhren). – Zus.: **durchaus** (frühnhd. als Raumadverb für »hindurch und hinaus«, seit dem 18. Jh. übertragen für »ganz und gar, unbedingt«); **durchweg** »ohne Ausnahme« (18. Jh.).

durchbrennen ↑brennen.

durchbringen ↑bringen.

durchdrehen ↑drehen.

Durchfall, durchfallen ↑fallen.

durchgeistigt ↑Geist.

Durchlaucht: Die mitteld. Form des 2. Partizips von mhd. *durchliuhten* »durchstrahlen« (vgl. *leuchten*), *durchlūht*, erscheint seit dem 15. Jh. als Lehnübersetzung von lat. *perillustris* »sehr strahlend, sehr berühmt« und wird im 16. Jh. substantiviert zum Titel fürstlicher Personen (jetzt meist für den Fürstenrang im engeren Sinne); s. a. *erlaucht*.

durchleuchten ↑leuchten.

durchlöchern ↑Loch.

durchpassieren ↑passieren.

durchpausen ↑pausen.

durchscheuern ↑scheuern.

durchschleusen ↑Schleuse.

durchschneiden ↑schneiden.

Durchschnitt: Das seit dem 16. Jh. bezeugte Substantiv ist eine Bildung zu dem zusammengesetzten Verb ›durchschneiden‹ (vgl. *schneiden*). Es wurde zunächst im Sinne von »Durchschneidung [zweier Linien], Durchmesser« gebraucht, dann (im 17. Jh.) als »zeichnerische Darstellung eines durchschnitten gedachten Gebäudes, Schiffes und dgl.«. Die übertragene Bedeutung »Mittelwert« (18. Jh.) stammt wohl aus der Arithmetik: Die Durchschnittszahl mehrerer Größen wird zum Maßstab der Leistung gemacht, die dann **durchschnittlich** (18. Jh.), aber auch über oder unter dem Durchschnitt sein kann. Ganz jung ist die leicht abwertende Zusammensetzung **Durchschnittsmensch.**

Der indogermanische Erbwortschatz

Im 19. Jahrhundert konnte durch sprachwissenschaftliche Forschungen nachgewiesen werden, dass zwischen den meisten europäischen Sprachen und dem Altindischen eine enge Beziehung bestehen musste. Das können wir feststellen, wenn wir bestimmte Wörter aus diesen Sprachen miteinander vergleichen.

deutsch	altindisch	altgriechisch	lateinisch	englisch	russisch
Mutter	mātár-	mḗtēr	mater	mother	mat'
Bruder	bhrātr-	phrḗtēr	frater	brother	brat
drei	tráyas	treĩs	tres	three	tri
neu	náva-	néos	novus	new	novyj
ist	ásti	estí	est	is	est'
(ge)bäre	bharami (= trage)	phérō	fero	bear	beru (= nehme)

Aus diesen Übereinstimmungen von Form und Bedeutung dieser Wörter ist ganz deutlich zu erkennen, dass diese Sprachen miteinander verwandt sind und dass sie auf eine gemeinsame »Ursprache« zurückgeführt werden können. Diese Ursprache nennt man das **Indogermanische** (oder das **Indoeuropäische**). Sie wurde nach den Namen der jeweils am weitesten im Osten (Inder) und Westen (Germanen, Europa) siedelnden Völker benannt.

Für das Indogermanische gibt es allerdings keine schriftlichen Belege. Deshalb begannen die Sprachwissenschaftler, die indogermanischen (indoeuropäischen) Sprachen zu untersuchen und aus ihrem Wortschatz alles zusammenzutragen, was sich in gewisser Weise ähnlich war. Denn da man annahm, dass es eine Ursprache gegeben hatte, konnte man auch davon ausgehen, dass bestimmte Dinge, die in den indogermanischen Sprachen eine gleich lautende Bezeichnung hatten, auch in dieser Ursprache vorhanden gewesen sein mussten. War ein solches Wort gefunden worden, »subtrahierten« die Sprachwissenschaftler bestimmte lautliche Besonderheiten und bestimmte Eigenschaften der einzelnen Sprachen von einem Wort und erschlossen so das indogermanische »Urwort«, die so genannte indogermanische Wurzel. Wenn

z. B. in etymologischen Wörterbüchern eine solche erschlossene Form steht, wird sie mit einem Sternchen (*) gekennzeichnet.

Eine solche Wurzelform ist indogermanisch **sal-* »Salz«. Sie hat sich in die meisten Sprachen, die sich später aus dieser Ursprache entwickelt haben, weitervererbt. Ihr »Stammbaum« in der Grafik zeigt uns die vielen Verästelungen, die sich aus dieser Wurzel ergeben haben.

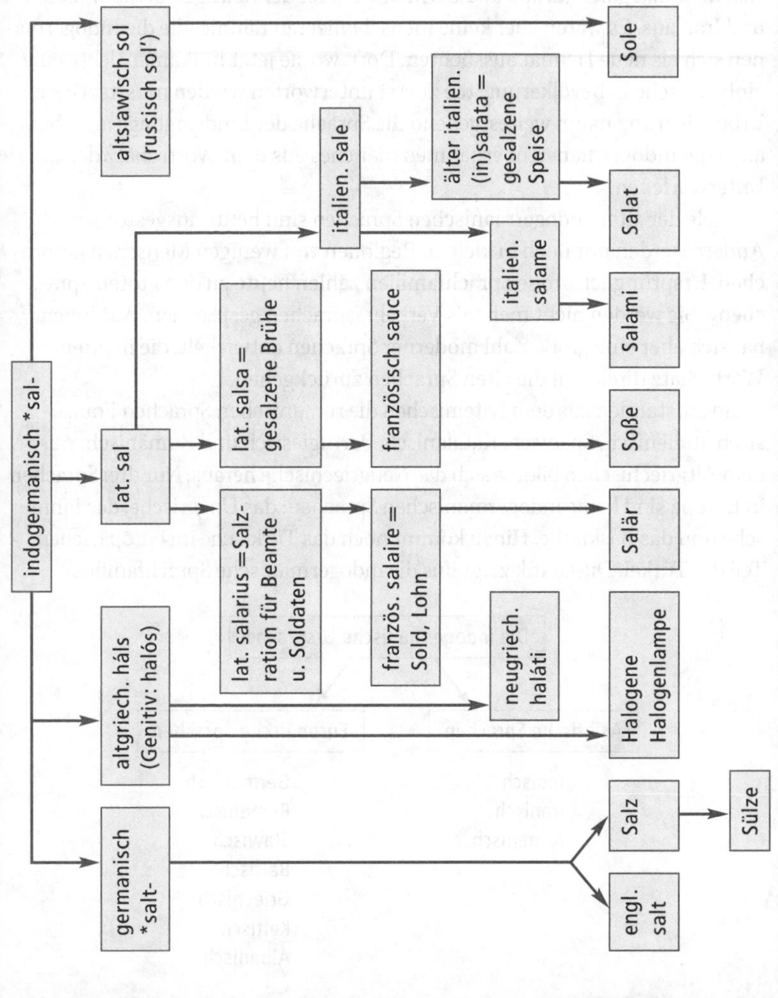

Indogermanisch – Mutter einer großen Sprachfamilie

Aus dem erschlossenen Wortschatz des Indogermanischen konnten die Wissenschaftler nun Rückschlüsse auf die Kultur und die Wohnsitze der Menschen mit dieser Sprache ziehen.

Die Sprecher des Indogermanischen, die Indogermanen, lebten im dritten Jahrtausend v. Chr. wahrscheinlich im mittleren Europa. Danach breiteten sie sich über fast ganz Europa und bis in das Gebiet der heutigen Staaten Indien und Iran aus. Es waren aber keine menschenleeren Räume, die die Indogermanen sich als neue Heimat aussuchten. Dort, wo sie jetzt hinkamen, lebte eine einheimische Urbevölkerung, die zuerst unterworfen werden musste. Diese Urbevölkerung nahm weitestgehend die Sprache der Eindringlinge an. Aber auch die Indogermanen übernahmen manches aus dem Wortschatz der Unterworfenen.

Viele der alten indogermanischen Sprachen sind heute ausgestorben. Andere werden nur noch in kleinen Regionen von wenigen Menschen gesprochen. Ursprünglich große Sprachfamilien zählen heute zu den »toten Sprachen«. Sie werden nicht mehr als Verkehrssprachen gesprochen. Aus ihnen hat sich aber eine große Zahl moderner Sprachen entwickelt, die in ihrem Wortschatz direkt auf die alten Sprachen zurückgehen.

So entstanden aus dem Lateinischen die romanischen Sprachen Französisch, Italienisch, Spanisch, Katalanisch, Portugiesisch und Rumänisch. Aus dem Altgriechischen bildete sich das Neugriechische heraus. Nur drei Sprachen in Europa sind keine indogermanischen Sprachen: das Ungarische, das Finnische und das Baskische. Hinzu kommt noch das Türkische im europäischen Teil der Türkei. Die Grafik zeigt uns die indogermanische Sprachfamilie.

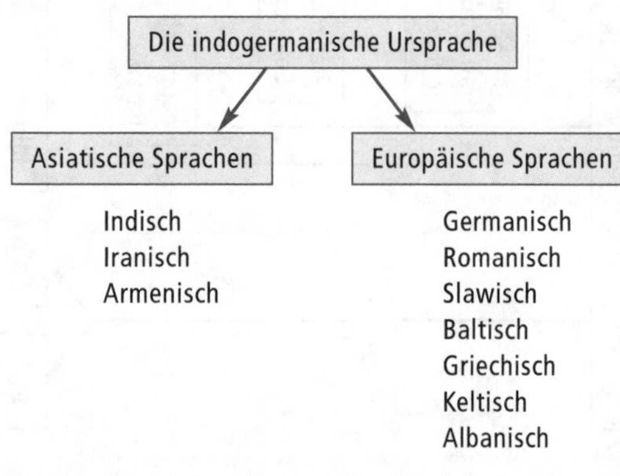

Indogermanische Gesellschaft und Kultur im Spiegel des Wortschatzes

Ein Teil unseres heutigen Wortschatzes lässt sich bis auf die indogermanische Zeit zurückführen und hat verwandte Wörter (Entsprechungen) in anderen indogermanischen Sprachen. Diese so genannten indogermanischen Erbwörter in unserer Sprache sagen einiges über Leben und Kultur der Indogermanen aus. Man lebte damals in einer Großfamilie. Gemeinsam sind den indogermanischen Sprachen die Verwandtschaftsbezeichnungen *Vater, Mutter, Bruder, Schwester, Sohn, Tochter.* Es gab früher noch mehr und auch genauer unterscheidende Verwandtschaftsbezeichnungen als im heutigen Deutsch. So bedeutete z. B. *Vetter* ursprünglich »Vaterbruder«, während es heute »Sohn der Tante, des Onkels« bedeutet.

Die Menschen damals betrieben Ackerbau. Das zeigen Wörter wie *Acker, (Pflug)schar* (eigentlich »Schneidewerkzeug«), *Furche, säen, Gerste* (vielleicht eigentlich »die Stachlige«), *mahlen.* Auch wussten sie, wilde Tiere zu *zähmen* und diese dann als Haustiere zu halten. Das wichtigste Haustier war das Schaf. Es wurde besonders wegen seiner Wolle gezüchtet. Sein indogermanischer Name steckt im heute veralteten landschaftlichen Wort *Aue* (althochdeutsch *ou[wi]*) und im engl. *ewe* für »Mutterschaf«. Die Verwandtschaft mit dem lateinischen Wort *ovis* »Schaf« ist unverkennbar. Bei den späteren Westgermanen entstand bald ein anderes Wort, das dann den alten Tiernamen verdrängte. Dieses germanische Wort ergab dann englisch *sheep* und auch unser *Schaf* (althochdeutsch *scāf*). Als Zugtiere wurden die *Kuh* (ursprünglich ein lautmalendes Wort) und der *Ochse* (ursprünglich Bezeichnung für den Stier) auf dem Feld eingesetzt.

Die Häuser waren aus Holz gebaut. Das *Dach* (eigentlich »das Deckende«) ruhte auf vier senkrecht stehenden *Balken* (eigentlich »dickes Stück Holz«). Die Wände bestanden aus Flechtwerk. *Wand* bedeutet eigentlich »Gewundenes, Geflochtenes, Flechtwerk« und ist abgeleitet vom Verb *winden.*

Herde und Haus bewachte damals wie heute der *Hund* (mit dem dt. Wort sind lateinisch *canis* und altgriechisch *kýōn* für »Hund« urverwandt). In den Wäldern wuchsen besonders die *Linde* (eigentlich »die Biegsame«), die *Buche* und die *Birke* (eigentlich »die Leuchtendweiße«, nach der Farbe der Rinde).

Tiernamen und Tabuwörter aus indogermanischer Zeit

Die Jäger jagten in den Wäldern den *Hirsch* (eigentlich »der Geweihtragende«) und den *Elch.*

Bei bestimmten Tieren scheuten die Menschen davor zurück, sie mit ihrem richtigen Namen zu benennen. So war zum Beispiel der *Bär* ein gefürchtetes Raubtier. Um ihn nicht mutwillig zu reizen, wurde sein Name nicht ausgesprochen. Die alte indogermanische Tierbezeichnung (die zum Beispiel noch in altgriechisch *árktos* »Bär« vorliegt) wurde durch einen verhüllenden Ausdruck, ein so genanntes Tabuwort, ersetzt. Die germanischen Völker gaben ihm den Namen »der Braune«. Daraus wurde dann unser Wort *Bär* (althochdeutsch *bero*). Genau so sollte der Fuchs nicht durch die Nennung seines richtigen Namens ungewollt herbeigerufen werden. Also gab man dem listigen Räuber ebenfalls eine verhüllende Bezeichnung und nannte ihn nach seinem auffallend buschigen Schwanz »den Geschwänzten«. Die *Biene* wurde sehr geschätzt wegen ihres Honigs. Da man befürchtete, man könnte sie durch das Aussprechen ihres richtigen Namens vielleicht vertreiben, gab man ihr möglicherweise den Tabunamen »die Bauende«, der sich wohl auf den Wabenbau der wild lebenden Bienen bezog.

Auch den *Fisch* (verwandt mit lateinisch *piscis* »Fisch«) kannten die Indogermanen. Andere Tiere, deren Namen zum indogermanischen Erbwortschatz gehören, sind der *Biber,* der nach seinem Fell als »der Rotbraune« benannt worden ist, die *Ente* (ursprünglich allgemein »Wasservogel«) und die *Gans* (eigentlich »Faucherin«).

Das Pferd gab es damals auch schon, allerdings hatte es einen ganz anderen Namen. Die alte indogermanische Bezeichnung ist noch im althochdeutschen Wort *ehu* für Pferd erhalten, ebenso im gleichbedeutenden lateinischen Wort *equus.* Unser heutiges Wort *Pferd* hat sich in althochdeutscher Zeit aus dem lateinisch-romanischen Wort *paraveredus* »Post-, Packpferd« entwickelt.

Indogermanische Zeitrechnung

Die Zeit wurde nach Nächten, nicht nach Tagen gezählt. Das zeigen heute noch Wörter wie Weih*nachten,* Fast*nacht* oder englisch *fortnight* (entstanden aus *fourteen nights*) als Bezeichnung für einen Zeitraum von 14 Tagen (eigentlich »14 Nächte«). Unser Wort *Monat* geht auf das indogermanische Wort für »Mondwechsel, Monat« zurück. Die Zeitspanne von Vollmond zu Vollmond wurde also zur Zeitberechnung benutzt.

Beim Zählen benutzten die Indogermanen das Zehnersystem. Die Zahlwörter *eins* bis *zehn* und das Zahlwort *hundert* sind ebenfalls indogermanische Erbwörter.

durchseihen ↑seihen.

durchsetzen ↑setzen.

durchtrieben: Das Wort ist das in adjektivischen Gebrauch übergegangene 2. Partizip von mhd. *durchtrīben* »mit etwas durchdringen, -setzen« (vgl. *treiben*), das schon im 13. Jh. den tadelnden Sinn »listig, gerissen« annimmt. Siehe auch den Artikel *abgefeimt*.

durchweg ↑durch.

dürfen: Das gemeingerm. Verb (Präteritopräsens) mhd. *durfen, dürfen,* ahd. *durfan,* got. *þaurban,* aengl. *đurfan,* aisl. *þurfa* bedeutete ursprünglich »brauchen, nötig haben«, wie es die Ableitungen ↑dürftig und ↑bedürfen und das verwandte ↑darben noch zeigen (s. auch *bieder*). Außergerm. Beziehungen sind nicht gesichert. Reste der alten Bedeutung sind noch in Wendungen wie ›du darfst nicht erschrecken‹, ›ich darf nur bitten‹ (um etwas sofort zu bekommen) erhalten. Aus dem verneinten Gebrauch hat sich schon im 16. Jh. der heutige Sinn »die Erlaubnis haben« entwickelt.

dürftig: Das Adjektiv mhd. *dürftic,* ahd. *durftic,* asächs. *thurftig* »bedürftig« ist abgeleitet von dem Verbalsubstantiv mhd., ahd. *durft,* asächs. *thurft,* got. *þaurfts* »Bedürfnis, Not«, das im Dt. nur noch in *Notdurft* (↑Not) erhalten ist. In der alten Bedeutung ist ›dürftig‹ jetzt durch ›bedürftig‹ (↑bedürfen) ersetzt. Der Sinn »ärmlich, unzureichend« zeigt sich bereits im Mhd.

dürr: Das gemeingerm. Adjektiv mhd. *dürre,* ahd. *durri,* got. *þaúrsus,* aengl. *dyrre,* schwed. *torr* gehört mit verwandten Wörtern in anderen idg. Sprachen zu der idg. Wurzel **ters* »austrocknen, verdorren; dürsten, lechzen; dörren«, vgl. z. B. griech. *térsesthai* »trocken werden«, lat. *torrere* »dörren, rösten« (↑Toast), lat. *torr[id]us* »ausgetrocknet, dürr« und lat. *terra* »Erde«, eigentlich »die Trockene« (s. die Fremdwörter um *Terrain*). Zur germ. Familie von ›dürr‹ gehören ↑dorren, ↑dörren, ↑Durst, ↑Darre und wohl auch ↑Dorsch. Im Dt. hat sich aus der Grundbedeutung »trocken, ausgedörrt« der Sinn »hager, mager« entwickelt, an die sich die Steigerungen ›klapperdürr‹ und ›spindeldürr‹ anschließen.

Durst: Das gemeingerm. Substantiv mhd., ahd. *durst,* got. *þaúrstei,* engl. *thirst,* schwed. *törst* gehört zu der unter ↑dürr dargestellten Wortsippe und bedeutete demnach ursprünglich »Trockenheit (in der Kehle)«. Es steht neben dem altgerm. Verb **dürsten** (mhd. *dürsten, dursten,* ahd. *dursten,* niederl. *dorsten,* engl. *to thirst,* schwed. *törsta*).

Dusche »Brause, Brausebad«: Das Wort wurde im 18. Jh. als medizinischer Terminus aus frz. *douche* »Gießbad, Brausebad« entlehnt und wurde erst im 19. Jh. gemeinsprachlich. Frz. *douche* selbst beruht auf entsprechend it. *doccia* »Wasserrinne; Gießbad«, das seinerseits vermutlich von it. *doccione* »[Wasser]leitungsröhre« abgeleitet ist. Quelle des Wortes ist lat. *ductio (ductionem)* »das Ziehen, das Führen« mit seiner im Spätlat. aufgekommenen Bedeutung »Ableitung; Wasserleitung«. – Stammwort ist das mit dt. ↑ziehen etymologisch verwandte Verb lat. *ducere (ductum)* »ziehen; leiten; führen«, das mit einigen Bildungen in unserem Wortschatz vertreten ist. Siehe hierzu im Einzelnen die Fremdwörter ↑produzieren und ↑reduzieren. Vgl. auch den Artikel *Dukaten*.

Düse: Das seit dem 16. Jh. (zuerst in der Form *t[h]üsel*) bezeugte Wort bezeichnete zunächst die Mündung des Blasebalgrohres. Später wurde es auf das verengte Saug- oder Ausstoßrohr der modernen Technik übertragen, beachte dazu Zusammensetzungen wie **Düsenantrieb, Düsentriebwerk, Düsenflugzeug** (alle 20. Jh.). Die weitere Herkunft des Wortes ist unklar.

Dusel: Das im 16. Jh. aus dem Niederd. ins Hochd. übernommene Wort gehört mit mnd. *dūsinge* »Betäubung«, ahd. *tūsig* »einfältig«, norw. *dusa* »duseln«, niederl. *dwaas* »töricht« und den unter ↑dösen behandelten Wörtern zu den mannigfachen Ausdrücken für geistige Verwirrung in der Sippe von ↑Dunst (s. auch *dumm* und ²*Tor*). Die ugs. Bedeutung »Glück (des Betrunkenen oder Träumers)« geht im 19. Jh. von Norddeutschland aus. Das gleiche Wort ist ugs. **Dussel** »Dummkopf, Schlafmütze«. – Abl.: **duseln** »träumen, still vor sich hingehen« (16. Jh.), dazu **Duselei** (besonders in ›Gefühls-, Humanitätsduselei‹, 19. Jh.); **dusselig, dusslig** »dumm, schlafmützig« (17. Jh.); **beduselt** ugs. für »betrunken« (17. Jh.; zu ›Dusel‹ »Rausch«).

düster: Das westgerm. Adjektiv mnd. *dūster,* asächs. *thiustri,* niederl. *duister,* aengl. *đīestre* ist urverwandt mit der slaw. Sippe von russ. *tusk* »Nebel, Finsternis«. Es wurde im 16. Jh. aus dem Niederd. ins Hochd. übernommen. Eine mdal. Nebenform **duster** erscheint ugs. in ›zappenduster‹ »sehr dunkel«, übertragen »ganz schlimm«.

Dutzend »Anzahl von 12«: Mhd. *totzan, totzen* stammt aus afrz. *dozeine* (= frz. *douzaine*). Zugrunde liegt das Zahlwort frz. *douze* »zwölf«, das auf lat. *duo-decim* »zwölf« (eigentlich »zweizehn«) zurückgeht (vgl. *Duo* und *Dezi...*).

duzen ↑du.

dynamisch »energiegeladen, voll innerer Spannkraft«: Das Adjektiv wurde im 18. Jh. nach griech. *dynamikós* »mächtig, kräftig, stark, wirksam« zu griech. *dýnamis* »Vermögen, Kraft« gebildet. Zugrunde liegt das etymologisch nicht sicher gedeutete Verb griech. *dýnasthai* »vermögen, können«, wozu auch griech. *dynástēs* »Machthaber«, *dynasteía* »Herrschaft« (↑Dynastie) gehört. Aus der Fügung griech. *dynamikḗ (téchnē)* (> lat. *dynamice*) entwickelte sich – vielleicht unter dem Einfluss von frz. *dynamique* – das Substantiv **Dynamik** »Lehre von der Bewegung bzw. Kraft« (18. Jh.). Dessen allgemeine Bedeutung

D

»Schwung-, Triebkraft« geht allerdings von dem Adjektiv ›dynamisch‹ aus. Beachte noch die Neubildung *Dynamit*.

Dynamit »Sprengstoff«: Das Wort ist eine gelehrte Neubildung des Schweden Alfred Nobel (1833–1896) zu griech. *dýnamis* »Kraft« (vgl. *dynamisch*).

Dynastie »Herrschergeschlecht, Herrscherhaus«: Das Substantiv wurde im 16. Jh. aus griech. *dynasteía* »Herrschaft« entlehnt. Dies gehört zu griech. *dynasteúein* »herrschen«, *dynástēs* »Machthaber« (daraus unser Fremdwort **Dynast** »Herrscher, Fürst«; 16. Jh.), *dýnasthai* »vermögen« (vgl. *dynamisch*).

dys..., Dys...: Die Vorsilbe mit der Bedeutung »von der Norm abweichend; miss..., schlecht« ist aus gleichbed. griech. *dys..., dy...* entlehnt.

e..., E... ↑[1]ex..., Ex...

Ebbe: Das um 1600 aus dem Niederd. ins Hochd. übernommene Wort geht zurück auf mnd. *ebbe*, dem afries. *ebba*, mniederl. *ebbe*, engl. *ebb* entsprechen. Das westgerm. Wort gehört im Sinne von »Rückgang, Zurückfluten« zu der unter ↑ab dargestellten idg. Präposition mit der Bedeutung »weg, zurück«. – Abl.: **ebben** »bei Ebbe absinken« (mnd. *ebben*), dazu **abebben** und **verebben** »schwächer werden, abnehmen, nachlassen« (19. Jh., in übertragener Bedeutung).

eben: Das gemeingerm. Adjektiv mhd. *eben*, ahd. *eban*, got. *ibns*, engl. *even*, schwed. *jämn* bedeutet von Anfang an »gleich« (dt. nur noch in Zusammensetzungen) und »gleich hoch, flach«. Weitere Beziehungen des Wortes sind nicht gesichert. Als Adverb (mhd. *ebene*, ahd. *ebano*) hat sich ›eben‹ ähnlich wie ›gerade‹, ›gleich‹ und ›genau‹ entwickelt. Nhd. steht es besonders in demonstrativen Zusammensetzungen wie ›ebenda, ebenderselbe, ebendarum, ebenso‹. Verblasst drückt es wie ↑halt aus, dass etwas Unabänderliches hinzunehmen sei (›das ist eben so‹). Als Zeitadverb meint ›eben‹ schon mhd. gleichzeitiges oder unmittelbar vorangehendes Geschehen. – Abl.: **Ebene** »flaches Land; Fläche« (mhd. *ebene*, ahd. *ebanī*, eigentlich »Ebenheit, Gleichheit«; im 16. Jh. mathematisches Fachwort für lat. *planum;* s. a. *neben*); **ebnen** »eben machen« (mhd. *ebenen*, ahd. *ebanōn*, vgl. got. *ga-ibnjan*). Zus.: **Ebenbild** (mhd. *ebenbilde*, wohl nach lat. *configuratio* »ähnliche Bildung«); **ebenbürtig** (mhd. *ebenbürtec* »von gleicher Geburt«); **ebenfalls** »übereinstimmend« (16. Jh., für älteres *ebenes Falls*); **Ebenmaß** (mhd. *ebenmāẓ[e]* »Gleichmaß, Ebenbild«), dazu **ebenmäßig** (mhd. *ebenmǣẓe[c]*).

Ebenholz: Der Name des sehr harten und dauerhaften Holzes ist eine verdeutlichende Zusammensetzung. Mhd., spätahd. *ebēnus* »Ebenbaum, Ebenholz« ist entlehnt aus gleichbed. lat. *ebenus*, das seinerseits über griech. *ébenos* auf ägypt. *hbnj* »Ebenholz« zurückführt.

Eber: Die altgerm. Bezeichnung für das männliche Schwein lautet mhd. *eber*, ahd. *ebur*, niederl. *ever*, aengl. *eofor* (das entsprechende aisl. *jǫfurr* kommt nur als dichterische Bezeichnung des Fürsten vor). Im außergerm. Sprachbereich sind z. B. gleichbed. lat. *aper* und lett. *vepris* verwandt. Der Name des Tieres erscheint oft in Personennamen (beachte z. B. Eberhard). Heute gilt die Bezeichnung besonders für den zahmen Zuchteber, der wilde Eber heißt weidmännisch ↑Keiler.

Eberesche: Der im Dt. erst spät bezeugte Baumname hat nichts mit dem Eber zu tun. Vielmehr wird man spätmhd. *eberboum* (15. Jh.), frühnhd. *eberasch, -esche, ab[e]resch[e]* an das in kelt. Orts- und Personennamen überlieferte gall. *eburos* »Eibe« anschließen können, das auf ein idg. Farbadjektiv zurückgeht (vgl. *Erpel*). Namengebend wären dann bei beiden Bäumen die roten Beeren gewesen, nach denen die Eberesche auch ›Vogelbeerbaum‹ (↑Vogel) heißt. Zum Grundwort vgl. *Esche*.

ebnen ↑eben.

Echo »Widerhall«: Das Wort wurde im 16. Jh. aus gleichbed. griech.-lat. *ēchṓ* entlehnt, das zu griech. *ēchḗ* »Schall« gehört. Abl.: **echoen** »widerhallen; wiederholen« (19. Jh.). Zus.: **Echolot** »Instrument zur Messung von Meerestiefen aufgrund von Schallwellen« (20. Jh.; vgl. *Lot*). – Griech. *ēchḗ* erscheint auch in dem abgeleiteten Verb griech. *kat-ēcheīn* »entgegentönen; mündlich unterrichten« (↑Katechismus).

Echse ↑Eidechse.

echt: Das als Wort der Rechtssprache im 16. Jh. aus dem Niederd. ins Hochd. übernommene Wort geht zurück auf mnd. *echt* »echt, recht, gesetzmäßig«, dem mniederl. *echt* entspricht. Es ist zusammengezogen aus mnd. *ehacht*, dem mhd., ahd. *ēhaft* »gesetzmäßig« entspricht. (Zum Lautwandel ↑Gracht). Dieses Adjektiv ist abgeleitet von dem Substantiv mhd. *ē*, ahd. *ēwa* »Recht, Gesetz; Ehe[vertrag]« (vgl. *Ehe*). Heute ist ›echt‹ meist nur Gegenwort zu »falsch, künstlich, nachgemacht«. – Abl.: **Echtheit** (18. Jh.).

Ecke, (südd., österr.:) Eck: Das altgerm. Substantiv mhd. *ecke, egge*, ahd. *ecka*, niederl. *eg[ge]*, aengl. *ecg* (engl. *edge*), schwed. *egg* geht mit verwandten Wörtern in zahlreichen anderen idg. Sprachen auf die idg. Wurzel **ak̂-, *ok̂-* »scharf, spitz, kantig« zurück, vgl. z. B. lat. *acies* »Schärfe, Schneide, Schlachtreihe«, lat. *acetum* »Essig« (↑Essig), lat.

acus »Nadel« (↑Akupunktur), lat. *acuere* »schärfen« (↑akut), griech. *akís* »Spitze, Stachel«, griech. *ákros* »spitz« (s. z. B. *Akrobat*), griech. *oxýs* »scharf« (↑Oxid). Im germ. Sprachbereich stellen sich zu dieser Wurzel z. B. ↑Ahorn (nach den spitz eingeschnittenen Blättern), ↑Ähre (nach den spitzen Grannen) und ↑Egge (als Gerät mit Spitzen). Wahrscheinlich sind auch das Zahlwort ↑acht und der Vogelname ↑Elster aus der gleichen Wurzel herzuleiten. An die im 13. Jh. geschwundene germ. Bedeutung »Spitze oder Schneide von Schwert und Speer, (auch:) Schwert« erinnern nur noch die Personennamen mit Eck[e]-, z. B. Eck[e]hard. – Abl.: **eckig** (älter nhd. *eckiht*, mhd. *eckeht*); **anecken** »Anstoß erregen« (19. Jh.). Zu ›Dreieck‹ s. den Artikel *drei.*

Ecke

jmdn. um die Ecke bringen
(ugs.) »jmdn. ermorden«
Auszugehen ist von ›Ecke‹ in der Bedeutung »Haus- Straßenecke«, vgl. die veraltende Wendung ›um die Ecke gehen‹ (»aus dem Gesichtskreis verschwinden«; übertragen »sterben«). Eingewirkt hat sicher auch, dass Verbrecher früher oft hinter Straßenecken lauerten und Passanten in stillere Seitenstraßen zerrten, um sie dort auszurauben.

Ecker »Eichen-, Buchenfrucht«, (heute fast nur noch in:) Buchecker: Mhd. *ecker[n]*, mnd. *eckeren* sind Umlautformen für mhd. *ackeran*, mnd. *ackeren* »Eichel, Buchel, Eichelmast«, zu denen niederl. *aker*, engl. *acorn*, schwed. mdal. *akarn* »Eichel« und got. *akran* »Frucht, Ertrag« gehören. Die germ. Wörter gehören vielleicht mit ir. *āirne* »Schlehe«, kymr. *aeron* »Baumfrüchte«, russ. *jagoda* »Beere« u. a. zu einer idg. Wurzel **ōg-*, **əg-* »wachsen; wilde Frucht«. Bucheckern und Eicheln waren früher wichtige Baumfrüchte, weil sie als Waldweide für die Schweineherden dienten (Eichelmast). Man kann ›Ecker‹ deshalb auch zu ↑Acker in seiner ältesten Bed. »unbebautes (Weide)land« stellen. ›Eckern‹ als Bezeichnung der Spielkartenfarbe ist eigentlich der alte Singular mhd. *eckern* in der Bedeutung »Eichel«.

edel: Das westgerm. Adjektiv mhd. *edel[e]*, ahd. *edili*, mnd. *ēdel*, aengl. *æđele* »adlig, vornehm« ist von dem unter ↑Adel behandelten Substantiv abgeleitet und wurde seit dem Mittelalter zunehmend auf vortreffliche geistige und seelische Eigenschaften übertragen.

Efeu: Der Name der Kletterpflanze, früher mit ph geschrieben, lautet mhd. *ep-*, *ebehöu*, ahd. *ebihouwi*. Letztere Form ist wohl aus unverstandenem ahd. *ebowe*, *ebewe*, *ebah* umgebildet und volksetymologisch an ↑Heu angelehnt worden. Ahd. *ebah* ist verwandt mit aengl. *īfig*, engl. *ivy* »Efeu«; weitere Beziehungen sind nicht gesichert. Im Hochd. hat missverstandenes ph schon im 17. Jh. zur Schreibung mit f geführt, die 1901 amtlich wurde.

Effekt »Wirkung, Erfolg«, auch in Zusammensetzungen wie ›Effekthascherei, Knalleffekt, effektvoll‹: Das Wort wurde im 16. Jh. aus gleichbed. lat. *effectus* entlehnt, das zu lat. *efficere* (< *ex-facere*) »hervorbringen, bewirken« (vgl. [1]*ex...*, *Ex...* und *Fazit*) gehört. Dazu stellt sich das Adjektiv **effektiv** »wirklich, tatsächlich« (17. Jh.; aus lat. *effective*, dem Adverb zu *effectivus* »[be]wirkend«). Im Frz. wurde lat. *effectus* zu *effet*. Dies erscheint zum einen im 20. Jh. bei uns im Fremdwort **Effet** »Wirkung, Eindruck; Drall«, zum anderen ist es Vorbild für den banktechnischen Terminus **Effekten** »Wertpapiere« (17. Jh.), besonders dazu Zusammensetzungen wie **Effektenbörse** und **Effektenhandel** (beide 19. Jh.). Das Wort ist latinisiert nach Effekt (s. o.)

egal »gleich; gleichgültig«: Das Adjektiv wurde im 17. Jh. aus frz. *égal* entlehnt, das seinerseits auf lat. *aequalis* »gleich« zurückgeht. Das zugrunde liegende Adjektiv lat. *aequus* »eben, ausgeglichen«, das etymologisch nicht sicher gedeutet ist, erscheint mit einer Ableitung *aequare* »gleichmachen« auch in unserem Lehnwort ↑eichen, ferner in den Fremdwörtern ↑adäquat und ↑Äquator. – Abl.: **egalisieren** »ausgleichen, gleichziehen« (18. Jh.; aus frz. *égaliser*).

Egel: Mhd. *egel[e]*, ahd. *egala* bezeichnete einen Ringelwurm, der wegen seiner medizinischen Verwendung seit dem 16. Jh. gewöhnlich ›Blutegel‹ genannt wurde. Das Wort ist wohl verwandt mit griech. *échis* »Schlange« (vgl. den Artikel *Igel*). Der Blutegel wäre dann ursprünglich als »kleine Schlange, Wurm« aufgefasst worden. Das Geschlecht hat im Nhd. unter dem Einfluss von ›Igel‹ vom Femininum zum Maskulinum gewechselt.

Egge: Der Name des Ackergerätes frühnhd. *eg[g]e* (15. Jh.) ist rückgebildet aus dem Verb **eggen** (mhd. *eg[g]en*, ahd. *egen*, *ecken*), das selbst aus dem alten Namen des Geräts abgeleitet ist: mhd. *egede*, ahd. *egida*, asächs. *egiđa*, aengl. *egeđe*. Diese Wörter sind urverwandt mit gleichbed. lit. *ekẽčios*, akymr. *ocet* und lat. *occa* und gehören mit diesen zu idg. **oḱeta* »Egge«, dem wiederum die unter ↑Ecke dargestellte Wurzel **aḱ-*, **oḱ-* »scharf, spitz« zugrunde liegt. Die ›Egge‹ wäre demnach ursprünglich als »Gerät mit Spitzen« benannt worden. Man nimmt als Urform des Geräts zusammengebundene gespaltene Fichtenstämmchen mit ihren Aststummeln an, wie sie in Schweden noch im 19. Jh. gebraucht wurden.

Egoismus »Selbstsucht, Eigenliebe« und **Egoist** »selbstsüchtiger Ichmensch«: Beide Wörter wurden im 18. Jh. aus frz. *égoïsme* bzw. *égoïste* entlehnt (und relatinisiert). Es sind gelehrte Neubildungen zu dem lat. Personalpronomen *ego* »ich«, das mit entsprechend dt. ↑ich urverwandt ist. –

Dazu das Adjektiv **egoistisch** »selbstsüchtig« (18. Jh.). Als Bestimmungswort erscheint lat. *ego* ferner in der gelehrten Zusammensetzung **egozentrisch** »ichbefangen, ichbezogen, das eigene Ich in den Mittelpunkt stellend« (vgl. *zentrisch* [↑*Zentrum*]).

ehe: Das Adv. mhd. *ē* »vormals, früher« ist verkürzt aus *ēr* (vgl. *eher*). Nhd. *ehe* dient noch bei Luther als Adverb; heute wird nur bayr.-österr. *eh* für »früher«, meist aber für »ohnehin schon« (›das hab ich eh gewusst‹) verwendet. Alter Gebrauch als Präposition zeigt sich resthaft z. B. in **ehedem** »vor dieser Zeit«. Als Konjunktion wird ›ehe‹ im Sinne von »bevor« gebraucht.

Ehe: Aus dem umfassenden Sinn »Recht, Gesetz« des westgerm. Wortes mhd. *ē, ēwe,* ahd., afries. *ēwa,* aengl. *ǣ[w]* hat sich im Ahd. und Aengl. die Bed. »Ehe[vertrag]« abgesondert, die eine der wichtigsten Institutionen des rechtlichen und sozialen Lebens heraushebt. Diese Bedeutung ist im Nhd. allein erhalten (doch beachte den Artikel *echt*). Ob das westgerm. Wort eins ist mit mhd. *ē[we],* ahd. *ēwa* »Ewigkeit« (vgl. *ewig*), sodass es »seit unbedenklichen Zeiten geltendes Recht« bedeuten würde, oder ob es als »Gewohnheitsrecht« mit aind. *évaḥ-* »Lauf, Gang, Gewohnheit, Sitte« zu der unter ↑eilen behandelten Sippe gehört, lässt sich nicht entscheiden. Abl.: **ehelich** (mhd. *ēlich;* ahd. *ē[o]līh* ist nur »gesetzmäßig«), dazu **ehelichen** »heiraten« (spätmhd. *ēlichen*) und **verehelichen** (16. Jh.). Zus.: **ehebrechen** (mhd. *ēbrechen*), dazu **Ehebrecher** (mhd. *ēbrechære*) und **Ehebruch** (spätmhd. *ēbruch*).

eher: Das altgerm. komparativische Adverb mhd. *ē[r],* ahd. *ēr,* got. *airis,* niederl. *eer,* aengl. *ǣr* gehört zu einem im Dt. untergegangenen Positiv, der noch in got. *air* »früh« und aisl. *ār* »früh« bewahrt ist. Dessen eigentliche Bed. »am Morgen« zeigen das verwandte griech. *ēri* »morgens« und das awest. *ayarə* »Tag«. Der Superlativ ↑erst dient im Westgerm. als Ordnungszahl zu ›eins‹. Nhd. *eher* ist nicht unmittelbar aus mhd. *ēr,* sondern aus frühnhd. *ehe,* mhd. *ē* durch Anlehnung an den adjektivischen Komparativ mhd. *ērer-* »der frühere« entstanden.

ehern »bronzen, (auch:) eisern, (übertragen:) hart, ewig während«: Das westgerm. Adjektiv mhd., ahd. *ērīn,* afries. *ēren,* aengl. *ǣren* ist abgeleitet von dem im Nhd. untergegangenen gemeingerm. Substantiv mhd., ahd. *ēr* »Erz«, got. *aiz* »Erz[münze]«, engl. *ore* »Erz«, aisl. *eir* »Erz, Kupfer« und gehört mit verwandten Wörtern in anderen idg. Sprachen zu idg. **ai̯os-* »Kupfer, Bronze«, das vielleicht ursprünglich »das brandfarbige (Metall)« bedeutete. Verwandt sind z. B. lat. *a[h]enus* »aus Bronze, ehern« und awest. *ayaṅhaēna* »eisern«. Das idg. Substantiv ist der einzige Metallname idg. Alters. Es bezeichnete bei den Ostindogermanen besonders das Eisen (vgl. z. B. aind. *áyas,* awest. *ayaṅh-* »Eisen«), bei den Italikern und Germanen besonders Kupfer und Bronze, vgl. z. B. lat. *aes* »Kupfer, Bronze« (↑Ära).

Ehre: Mhd. *ēre* »Ehrerbietung, Ansehen, Ruhm, Sieg, Herrschaft, Ehrgefühl, ehrenhaftes Benehmen«, ahd. *ēra* »[Ver]ehrung, Scheu, Ehrfurcht, Ansehen, Berühmtheit, Würde, Hochherzigkeit«, niederl. *eer* »Ehre, Ansehen, Verehrung«, aengl. *ār* »Ehre, Würde, Ruhm, Achtung, Verehrung, Besitz, Einkommen; Gnade, Mitleid«, aisl. *eir* (anders gebildet) »Gnade, Milde, Hilfe« gehören mit verwandten Wörtern aus anderen idg. Sprachen zu der idg. Wurzel **ais-* »ehrfürchtig sein, verehren«. Zu der mit -d- erweiterten Wurzel stellen sich z. B. griech. *aídesthai* »scheuen, verehren«, griech. *aidṓs* »Scheu, Ehrfurcht« und aind. *īḍḗ* »verehre, preise, flehe an«, aus dem germ. Sprachbereich got. *aistan* »sich scheuen«. Die Ehre ist zumeist äußeres Ansehen (Ruhm, Freisein von Schande), was auch der früher häufige Plural ausdrückt (noch in ›zu Ehren‹, ›ehrenhalber‹, ›mit Ehren bestehen‹ u. ä. Fügungen). Als ›innere Ehre‹ (Selbstachtung) erscheint sie vereinzelt schon ahd. bei Notker. – Abl.: **ehren** (mhd. *ēren,* ahd. *ērēn*); **ehrbar** (mhd. *ērbære* »ehrenhaft handelnd« wurde später zum bürgerlichen Titel); **ehrlich** (mhd. *ērlich,* ahd. *ērlīh* war »ehrenwert, ansehnlich, vortrefflich« und bezog sich vor allem auf das ständische Ansehen, von dem bestimmte ›unehrliche‹ Berufe wie Henker und Schinder, aber z. B. auch Schäfer und Müller ausgeschlossen waren; jetzt ist ›ehrlich‹ meist Gegenwort zu ›betrügerisch‹ u. Ä.). Zus.: **Ehrenkodex** (↑Kodex); **Ehrenmann** (Ende des 15. Jh.s schweiz. und oberd., vielleicht Lehnübersetzung für lat. *vir honestus*); **ehrenrührig** »die Ehre angreifend« (als Rechtswort frühnhd. neben *ehr[en]rührend*); **Ehrenwort** (seit Anfang des 18. Jh.s im heutigen Sinn, vorher für »Kompliment«); **ehrfürchtig** (16. Jh.; ↑fürchten), dazu die Rückbildung **Ehrfurcht** (17. Jh.); **Ehrgeiz, ehrgeizig** (↑Geiz).

Ei: Das gemeingerm. Wort mhd., ahd. *ei,* krimgot. *ada,* aengl. *ǣg,* schwed. *ägg* geht mit verwandten Wörtern in anderen idg. Sprachen zurück auf idg. **ō[u̯]i̯-om* »Ei«, vgl. z. B. griech. *ōión* »Ei« und lat. *ovum* »Ei« (↑oval). Dieses idg. Wort ist eine Bildung zu idg. **au̯ei-* »Vogel« – vgl. z. B. lat. *avis* »Vogel« – und bedeutete demnach ursprünglich »das zum Vogel Gehörige«. Vom Vogelei her ist das Wort früh auf die Eier anderer Tiere (Reptilien, Insekten usw.) und in der Biologie schließlich auf die weibliche Keimzelle von Mensch, Tier und Pflanze übertragen worden. – Abl.: **eiern** ugs. für »ungleichmäßig rotieren (von Rädern); wackelnd gehen« (20. Jh.). Zus.: Nordd. **Eierkuchen** (spätmhd. *eierkuoche,* mnd. *eyerkōke*) entspricht südd. ›Pfannkuchen‹ »Omelett« (↑Pfanne); **Eierstock** (seit dem 16. Jh. für gleichbed. mlat. *ovarium*); **Eigelb** (19. Jh., älter nhd. *Eiergelb*); **Eiweiß** (im 18. Jh. für frühnhd. *eierweiß,* ähnlich mnd. *eyeswit[te];* seit dem 19. Jh. chemisches Fachwort).

Eibe: Der altgerm. Baumname mhd. *īwe,* ahd. *īwa,* niederl. *ijf,* engl. *yew,* aisl. *ȳr* beruht mit verwandten Wörtern in anderen idg. Sprachen auf einer Bildung zu dem idg. Farbadjektiv **ei-* »rötlich, bunt«, vgl. z. B. gall. *ivos* »Eibe« und die baltoslaw. Sippe von russ. *iva* »Weide«. Die Eibe ist also nach ihrem rötlich braunen Kernholz benannt. Die Eibe galt als zauber- und geisterbannend und steht deshalb oft auf Friedhöfen. – Abl.: **eiben** »aus Eibenholz« (mhd. *īwīn*).

Eibisch: Das heilkräftige Malvengewächs verdanken wir den alten Klostergärten. Mhd. *ībesche,* ahd. *ībisca* ist aus lat. *[h]ibiscum* entlehnt, einem wohl kelt. Wort, aus dem wahrscheinlich auch gleichbed. griech. *ibískos* stammt.

Eiche: Der nur im Got. nicht bezeugte altgerm. Baumname lautet mhd. *eich[e],* ahd. *eih,* niederl. *eik,* engl. *oak,* schwed. *ek.* Außergerm. Beziehungen etwa zu griech. *aigílōps* (eine Eichenart) und lat. *aesculus* »Bergeiche«, sind nicht gesichert. Der mächtige, Jahrhunderte überdauernde Baum war den Germanen heilig; er war wie die Linde Gerichtsbaum. Zum deutschen Sinnbild wurden Eiche und Eichenlaub seit dem 18. Jh. Groß war der wirtschaftl. Nutzen des Holzes für den Haus- und Schiffsbau, der Rinde für die Gerberei (↑[2]Lohe), der Eichelmast für die alte Schweinezucht (s. a. Ecker). – Abl.: **Eichel** »Eichenfrucht« (mhd. *eichel,* ahd. *eihhila;* das l-Suffix bezeichnet hier die Zugehörigkeit; seit dem 16. Jh. ist ›Eichel[n]‹ auch Bezeichnung einer deutschen Spielkartenfarbe); ebenfalls seit dem 16. Jh. wird der vorderste Teil des männlichen Gliedes nach seiner Form als ›Eichel‹ bezeichnet. Dazu **Eichelhäher** (18. Jh., nach der Hauptnahrung); **[1]eichen** »aus Eiche« (mhd. *eichīn,* ahd. *eihhīn*). Zus.: **Eichhorn** (s. d.).

[1]eichen ↑Eiche.

[2]eichen »das gesetzliche Maß geben oder prüfen«: Spätmhd. *īchen, eichen,* mnd. *īken,* niederl. *ijken* war ursprünglich ein Fachwort des Weinbaus für das Ausmessen und Zeichnen der Gefäße. Es ist trotz der späten Bezeugung wahrscheinlich schon vor der hochd. Lautverschiebung als afränk. **īkōn* in Nordgallien entlehnt worden, und zwar aus spätlat. *[ex]aequare (misuras)* »(die Maße) ausgleichen«, ebenso wie gleichbed. afrz. *essever.* Mit ähnlicher Bedeutung hat lat. *signare* »zeichnen« (vgl. *signieren* [↑Signatur]) von Südgallien her aleman. *sinnen* »eichen« ergeben, das aber mdal. blieb. – Abl.: **Eicher** »Eichmeister« (spätmhd. *īcher*).

Eichhorn, -hörnchen: Das erste Glied des altgerm. Tiernamens (mhd. *eichorn,* ahd. *eihhorno,* niederl. *eekhoorn,* aengl. *āc-weorna,* schwed. *ekorre*) wurde schon sehr früh an das unter ↑Eiche behandelte Wort angelehnt, ist aber wohl eher zu der idg. Wurzel **aig-* »sich heftig bewegen« zu stellen, vgl. z. B. aengl. *ācol* »erschrocken«, aisl. *eikinn* »rasend« und russ. *igrat'* »spielen; sich tummeln«. Das zweite Glied ist z. B. verwandt mit lit. *vė̃veris,* tschech. *veverka,* pers. *varvarah* »Eichhorn«, lit. *vaiverìs* »männlicher Iltis oder Marder« und lat. *viverra* »Frettchen«. Es wurde im Dt. seit dem 11. Jh. an das unter ↑Horn behandelte Wort angelehnt. Das hat im 19. Jh. zur Benennung der Nagetiergruppe als ›Hörnchen‹ geführt; ähnlich entstand ›Echse‹ (↑Eidechse).

Eid: Das wichtige gemeingerm. Rechtswort mhd. *eit,* ahd. *eid,* got. *aiþs,* engl. *oath,* schwed. *ed* ist wahrscheinlich aus dem Kelt. entlehnt (beachte air. *ōeth* »Eid«, kymr. *an-udon* »Meineid«). Von frühem kelt. Einfluss auf die Germanen zeugen auch staatsrechtliche Ausdrücke wie ↑Amt, ↑Geisel, ↑Reich. Die Grundbedeutung des Wortes ist dunkel. Es kann, als Handlung gesehen (feierlicher Eidgang, beachte schwed. *edgång* »Eidesleistung« und die Grundbedeutung von ↑leisten), zu griech. *oĩtos* »Schicksal«, eigtl. »Gang«, gehören (vgl. *eilen*) oder als »bedeutsame Rede, Eidesformel« zum Stamm von griech. *aĩ-nos* »Lob«. Als Verb dient seit alters ↑schwören, erst seit dem späten Mittelalter ›vereidigen‹ und ›beeid[ig]en‹. Abl.: **eidlich** (17. Jh.). Zus.: **Eidgenosse** (mhd. *eitgenōz[e]* »durch Eid Verbündeter, Verschworener«; seit 1315 amtliche Bezeichnung der Mitglieder der Schweizer Eidgenossenschaft); **Meineid** (s. d.).

Eidechse: Der westgerm. Tiername mhd. *egedehse, eidehse,* ahd. *egidehsa,* mniederl. *ēghedisse* (niederl. *hagedis,* mniederl. *eghedisse*), aengl. *aðexe* ist eine verdunkelte Zusammensetzung. Das erste Glied **agi-* könnte mit griech. *óphis* »Schlange« (aus **og^uhis;* vgl. *Unke*) verwandt sein, der zweite Bestandteil könnte mhd. *dehse* »Spindel« sein. Durch falsche Abtrennung des zweiten Gliedes entstand im 19. Jh. ›Echse‹ als zoologischer Sammelname für eine Unterordnung der Kriechtiere, beachte den gleichen Vorgang bei Falter und Hörnchen (↑Eichhorn).

Eierkuchen, Eierstock ↑Ei.

Eifer: Das Substantiv findet sich zuerst in Luthers Bibelübersetzung, wo es lat. *zelus* wiedergibt und die Bedeutung »lieblicher Zorn«, auch »Zorn Gottes« hat. Daraus ist der heutige Sinn »heftiges Bemühen um eine gute Sache« geworden. Die Bildungen **eifern** (15. Jh.), **Eiferer** (14. Jh.) und **eifrig** (16. Jh., schon im 15. Jh. im Sinne von »eifersüchtig«), die zunächst die Eifersucht bezeichneten, schlossen sich dann der Bedeutung von ›Eifer‹ an. Den alten, auf die Liebe bezogenen Sinn gibt das 16. Jh. der verdeutlichenden Zusammensetzung **Eifersucht,** dazu **eifersüchtig** (17. Jh.). Vielleicht hängt die ganze Sippe mit ahd. *eivar* »scharf, bitter« und aengl. *āfor* »herb, scharf« zusammen.

Eigelb ↑Ei.

eigen: Das altgerm. Adjektiv mhd. *eigen,* ahd. *eigan,* niederl. *eigen,* aengl. *āgen* (engl. *own*), schwed. *egen* ist das früh verselbstständigte 2. Part. eines im Dt. untergegangenen gemeingerm. Verbs mit der Bed. »haben, besitzen« (vgl.

z. B. ahd. *eigan*, got. *aigan*, schwed. *äga*) und bedeutet demnach eigentlich »in Besitz genommen, besessen«. Eine altgerm. Ableitung lebt in ↑Fracht fort. Außergerm. ist z. B. aind. *īśē* »besitzt« verwandt. In der alten Bedeutung wird ›eigen‹ heute nur noch in der Zusammensetzung ›leibeigen‹ (↑Leib) gebraucht. Sonst bedeutet es jetzt »zugehörig« (›das eigene Fleisch und Blut, der eigene Herd‹) und steht auch für »selbst, selbstständig« (›mit eigener Hand, auf eigenen Füßen‹). Daraus haben sich die Bedeutungen »besonder...; eigentümlich, seltsam« entwickelt (›ein eigenes Zimmer, ein ganz eigener Mensch‹). Diese Bedeutungsvielfalt spiegelt sich auch in den zahlreichen Ableitungen und Zusammensetzungen sowie in mehreren Adjektiven auf -ig wie ›eigenhändig, eigenmächtig, eigennützig, eigensinnig, eigenwillig‹, die aus entsprechenden syntaktischen Fügungen zusammengebildet sind (aus ›mit eigenen Händen‹ usw.). Im Einzelnen seien genannt die Ableitungen: **Eigen** »Besitztum« (gemeingerm. Substantivierung mhd. *eigen*, ahd. *eigan* usw.; das heute seltene Wort steckt auch in jetzt als adjektivisch empfundenen Fügungen wie ›zu Eigen haben, geben, es ist sein Eigen‹); **Eigenheit** »[charakterliche] Besonderheit« (mhd. *eigenheit;* in der Geniezeit um 1770 neu belebt); **eigens** »besonders« (18. Jh.); **Eigenschaft** »Wesensmerkmal« (so nhd.; mhd. *eigenschaft*, ahd. *eiginscaft* bedeutet meist »Eigentum«), dazu **Eigenschaftswort** (2. Hälfte des 18. Jh.s); **eigentlich** (mhd. *eigenlich* bedeutete »[leib]eigen«, als Adverb *eigenlīche* auch schon »ausdrücklich, bestimmt«; heute wird es im Sinne von »ursprünglich, wirklich, genau genommen« verwendet); **Eigentum** (mhd. *eigentuom* war besonders »freies Besitzrecht«), dazu **Eigentümer** (15. Jh.) und **eigentümlich** (frühnhd. »als Besitz eigen«; jetzt besonders von ›Eigenheiten‹ gesagt, s. o.); **eignen** (s. d.).

eignen: Das gemeingerm. Verb mhd. *eigenen*, ahd. *eiganēn*, got. *(ga)eiginōn*, engl. *to own*, schwed. *ägna* bedeutete als Ableitung von ↑eigen zunächst »in Besitz nehmen, haben, geben«, wie es noch die nhd. Bildungen ›sich aneignen, zueignen, übereignen, enteignen‹ zeigen. Die heute allein übliche Verwendung im Sinne von »sich zu oder für etwas eignen, geeignet sein« setzt sich seit etwa 1800 für ›sich qualifizieren‹ durch. Die Bed. »passend sein, sich ziemen« ist schon frühnhd. bezeugt. Abl.: **Eigner** »Besitzer« (17. Jh.; jetzt, außer in ›Schiffseigner‹, veraltet); **Eignung** (älter nhd. für »Widmung«; jetzt für »Geeignetsein«). Nicht verwandt ist ›ereignen‹ (s. d.).

Eiland »Insel«: Dem mhd. *ouwe* »Wasser, Strom, [Halb]insel, wasserreiches Wiesenland« (vgl. *Au*) entsprechen mnd. *ō[ge], ōch, oie* »Insel« (in den Inselnamen Langeoog, Wangeroog[e], Greifswalder Oie) und mit Umlaut afries. *ei* (in: Nordern-ey), aisl. *ey*, dän. *ø* (in: Hiddensee aus Hiddens-ø), aengl. *īeg*. Im Afries. wurde ›ei‹ durch ›eiland‹ »Inselland« verdeutlicht; daraus wurde mniederl., mnd. *eilant* übernommen. Aus dem Niederd. gelangte das Wort im 17. Jh. ins Hochd.

eilen: Das auf das dt. und niederl. Sprachgebiet beschränkte Verb (mhd. *īlen*, ahd. *īlen, īllan*, niederl. *ijlen*) beruht mit verwandten Wörtern in anderen idg. Sprachen auf der idg. Wurzel **ei-* »gehen«, vgl. z. B. griech. *iénai* »gehen«, griech. *íon* »das Gehende« (↑Ion), lat. *ire* (s. die Fremdwortgruppe um ↑*Abiturient*) und russ. *itti* »gehen«. Zu dieser vielfach weitergebildeten und erweiterten Wurzel gehört auch die unter ↑Jahr (eigtl. »Gang, Umlauf«) behandelte Substantivbildung, ferner der lat. Göttername Janus, eigtl. »Durchgang« (↑Januar) und vielleicht auch das unter ↑Eid (falls urspr. »Eidgang«) behandelte Wort. Auf einer alten Zusammensetzung (idg. *u̯i-itós*, eigtl. »auseinander gegangen«) beruht das unter ↑weit dargestellte Wort. Siehe auch den Artikel *Ehe*.

Eimer: Mit dem zweihenkligen römischen Vorratskrug aus Ton wurde auch seine Bezeichnung lat. *amp[h]ora* (vgl. dazu *Ampel*) ins Germ. entlehnt und ergab ahd. *amber*, aengl. *amber* (beachte den entsprechenden Vorgang bei ›Becher, Kanne, Pfanne‹ u. a. Gefäßnamen). Auf einen [Holz]kübel mit nur einem Henkel übertragen, wurde das fremde Wort an das Zahlwort ↑[1]ein und ahd. *beran* »tragen« angelehnt (zu dessen idg. Sippe lat. *amphora* allerdings gehört; vgl. *gebären*); ahd. *eim-, bar*, daraus mhd. *einber, eimer*. ›Eimer‹ war damit Gegenwort zu ↑Zuber geworden. Ugs. ›im Eimer sein‹ für »verloren sein« meint den Abfalleimer.

[1]ein: Das germ. Zahlwort mhd., ahd. *ein*, got. *ains*, aengl. *ān*, schwed. *en* geht mit gleichbed. lat. *unus*, griech. *oínē* »Eins auf dem Würfel« und entsprechenden Wörtern anderer idg. Sprachen auf idg. **oi-no-s* »eins« zurück, eine Bildung zum Pronominalstamm **e-, *i-* (vgl. *er*). Das Zahlwort ist, ähnlich wie lat. *unus* in den roman. Sprachen, schon im Ahd. zum unbestimmten Artikel geworden (das Engl. unterscheidet den Artikel *a[n]* vom Zahlwort *one*), zum unbestimmten Pronomen dagegen erst im Mhd. (nhd. *einer, eine, eines; die einen – die andern*). Über die zahlreichen Zusammensetzungen und Zusammenbildungen mit [1]ein s. die folgenden Stichwörter, aber auch die Artikel *elf* und *nein* und *allein* (↑all). Abl.: **einen** »zu einer Einheit machen, verbinden« (mhd. *einen*, ahd. *einōn*, heute meist ›einigen‹, ↑[1]einig), dazu **vereinen** (mhd. *vereinen;* zu ›vereinigen‹ ↑[1]einig) und die Rückbildung **Verein** (oberd. im 18. Jh. für frühnhd. *vereine* »Vereinigung, Übereinkommen«), nicht aber **vereinbaren** (s. d.); **Einer** »Einmannboot« (20. Jh.); **Einheit** (15. Jh.); **[1,2]einig** (s. d.); **eins** (Zahlwort, verselbstständigt aus dem Neutr. mhd. *ein[e]ʒ*, ahd. *einaʒ;* daraus entstanden frühnhd. die Wendung ›eins sein, werden‹ für »gleichen Sinnes« und das verneinte

Adverb **uneins** »uneinig«); **einsam** (s. d.); **Ein[s]er** »die Ziffer Eins« (18. Jh.); **einst** (s. d.); **einzeln** (s. d.); **einzig** (s. d.).

[2]**ein** (Adverb): Mhd., ahd. *īn* »ein, hinein, herein« ist gedehnt aus älterem *in.* Über die weiteren Zusammenhänge vgl. den Artikel *in.* Anders als die Präposition ›in‹ bezeichnet ›ein‹ immer eine Richtung, so in zusammengerückten Adverbien wie ›herein, hinein, d[a]rein, [quer]feldein‹ oder in Fügungen wie ›jahrein, jahraus‹. Mit ›aus‹ kann es auch selbstständig stehen (z. B. ›nicht ein noch aus wissen‹). Meist bildet es unfeste Zusammensetzungen mit Verben, die ein Hineinbringen (z. B. ›einbauen, eintreten‹) oder umfassen (z. B. ›einzäunen, einfangen‹) ausdrücken, und hat auf diese Weise viele übertragene Bedeutungen ausgebildet. In einigen Fällen bedeutet ›ein...‹ »darin« und hat dann mhd. *in...* ersetzt (vgl. z. B. *Eingeweide,* s. dazu auch den Artikel *in*).

einäschern ↑Asche.

einbilden, Einbildung, Einbildungskraft ↑bilden.

einbläuen ↑[2]bläuen.

einbrechen, Einbrecher, Einbruch ↑brechen.

einbuchten ↑Bucht.

Einbuße, einbüßen ↑büßen.

Eindruck, eindrücklich ↑drücken.

einengen ↑eng.

Einer ↑[1]ein.

einfach: Das erst im 15. Jh. mit ›...fach‹ (vgl. *Fach*) gebildete Adjektiv hat neben der Bedeutung »einmal, nicht doppelt, nicht zusammengesetzt« schon im 16. Jh. den Sinn von »schlicht, gering«, dann auch den von »leicht zu verstehen«. Abl.: **Einfachheit** (18. Jh.).

Einfall, einfallen ↑fallen.

Einfalt: Aus dem gemeingerm. Adjektiv mhd., ahd. *einvalt,* got. *ainfalÞs,* aengl. *ānfeald,* aisl. *einfaldr* »einfach« (vgl. *...falt* unter *Falte*) ist im Got. *(ainfalÞei)* und Ahd. *(einfaltī,* mhd. *einvalte)* ein Substantiv mit der Bed. »Einfachheit; Schlichtheit (des Herzens)« abgeleitet worden. Das alte Adjektiv wurde durch die neue Bildung ahd. *einfaltīg,* mhd. *einvaltec, -veltec,* nhd. *einfältig* zurückgedrängt. Substantiv und Adjektiv haben den Sinn des Schlichten, Arglosen bis ins Nhd. erhalten, jedoch herrscht jetzt, ähnlich wie bei ↑albern, die abschätzige Bed. »Dummheit; dumm« vor.

einflößen ↑flößen.

Einfluss: Mhd. *īnvluz̧* ist eine Lehnübersetzung der Mystiker von lat. *influxus* und wird wie das lat. Wort nur bildlich für das wirkende Hineinfließen göttlicher Kräfte in den Menschen gebraucht. Es gilt bis heute nur in übertragenem Sinne und steht ohne Beziehung neben dem selten gebrauchten Verb ›einfließen‹ (dies besonders in ›[im Gespräch] eine Bemerkung oder Andeutung einfließen lassen‹). Siehe auch *Fluss.*

Eingabe ↑geben.

Eingang ↑gehen.

eingeben ↑geben.

eingebildet ↑bilden.

Eingebung ↑geben.

eingedenk ↑in.

eingefleischt ↑Fleisch.

eingehen ↑gehen.

Eingeweide: Frühnhd., mhd. *ingeweide* steht verdeutlichend für mhd. *geweide.* Das auf das deutsche Sprachgebiet beschränkte Wort stammt wohl aus der alten Jägersprache: Die Eingeweide des Wildes wurden den Hunden vorgeworfen (vgl. [2]*Weide* »Speise«). Dazu die Jägerwörter **ausweiden** »die Eingeweide entfernen« (mhd. *[ūz̧]weiden*) und **weidwund** »im Eingeweide verletzt« (15. Jh., zuerst vom Menschen, seit dem 18. Jh. vom Wild gebraucht).

eingravieren ↑gravieren.

eingreifen ↑greifen.

einhalten ↑halten.

einheimsen: Das seit dem 17. Jh. bezeugte Verb, das heute im Wesentlichen ugs. für »an sich nehmen, als Gewinn einbringen« gebraucht wird, ist aus ↑[2]ein und mhd. *heimsen* »heimbringen« (vgl. *Heim*) zusammengesetzt.

Einheit ↑[1]ein.

einhellig: Spätmhd. *einhellec* »übereinstimmend« ist weitergebildet aus mhd., ahd. *einhel,* dem die Fügung mhd. *enein hellen,* ahd. *in ein hellan* »übereinstimmen« zugrunde liegt. Der eigentliche Sinn ist »zusammenklingend« (vgl. das unter ↑[2]*ein* behandelte Wort und das unter ↑Hall dargestellte, im Nhd. untergegangene Verb mhd. *hellen,* ahd. *hellan* »schallen, ertönen«; ähnlich hat sich später ›Einklang‹ entwickelt). Dazu das Gegenwort **misshellig** (spätmhd. *missehellec* aus *messehel,* ahd. *missahel[li]* »nicht übereinstimmend, uneins«, zu *missahellan* »misslauten; nicht zusammenstimmen«) mit **Misshelligkeit** (meist Plural) »Unstimmigkeiten, Streit« (im 15. Jh. *missehellecheit*).

Einhorn: Mhd. *einhürne* (auch: *einhorn*) »Einhorn«, ahd. *einhurno* »Einhorn, Nashorn« ist – wie aengl. *ānhyrne* »Einhorn, Nashorn« – Lehnübersetzung von lat. *unicornis* »einhörnig«, (substantiviert:) »Rhinozeros« und gleichbed. griech. *monókerōs,* die mehrfach im Alten Testament erscheinen. Die mittelalterliche Vorstellung von dem einhörnigen, pferdegestaltigen Fabeltier ist durch den altchristlichen Physiologus, ein legendenhaftes Tierbuch, bestimmt.

[1]**einig** (Adj.): Mhd. *einec, einic,* ahd. *einac,* asächs. *ēnag,* ähnl. got. *ainaha* bedeuteten »einzig, allein« (vgl. [1]*ein*). Die nhd. Bedeutung »mit gleichem Sinn und Willen zusammenstehend« begegnet zuerst im 16. Jh. Abl.: **einigen** »in eins verbinden« (mhd. *einegen, einigen*), dazu **vereinigen** (mhd. *vereinigen*); **Einigkeit** »das Einigsein« (mhd. *einecheit,* ahd. *einigheit* »Einzigheit, Einsamkeit«; mhd. auch schon im heutigen Sinn).

[2]**einig** (unbestimmtes Zahlwort): Mhd. *einic,* ahd.

einīg »irgendein« ist das weitergebildete Zahlwort ein (vgl. [1]*ein*) und hat im Nhd. um 1700 die neue Bedeutung »nicht viel« im Plural »wenige« entwickelt, in der es ↑etlich zurückdrängte: ›einiges Geld, einige Leute‹. Dazu **einigermaßen** (Adverb, um 1700 in der genitivischen Fügung ›einiger Maßen‹ »ziemlich«; vgl. *Maß*).

einigeln ↑Igel.

einigermaßen ↑Maß.

einkassieren ↑Kasse.

einkellern ↑Keller.

einkesseln ↑Kessel.

einkommen, Einkommen, Einkünfte ↑kommen.

einladen ↑[2]laden.

Einlage ↑legen.

Einlass, einlassen ↑lassen.

Einlauf ↑laufen.

einlegen ↑legen.

einleiten, Einleitung ↑leiten.

einleuchten ↑leuchten.

einloggen: Das Verb mit der Bedeutung »sich am Computer anmelden« geht zurück auf das gleichbed. engl. *to log on,* dessen Herkunft ungeklärt ist.

einlösen ↑lösen.

einmachen ↑machen.

einmachen
ans Eingemachte gehen (ugs.) »an die Substanz gehen, die Substanz angreifen« Die Wendung bezieht sich darauf, dass Nahrungsmittel früher speziell für den Winter, für Notzeiten eingemacht wurden und als eiserne Reserve galten.

einmal: Das seit dem 16. Jh. bezeugte Adverb ist aus dem Akkusativ ›ein Mal‹ zusammengerückt worden. Vorher waren genitivische oder präpositionale Fügungen (mhd. *eines māles, zeineme māle;* vgl. [1]*Mal*) gebräuchlich. Das Wort kann ebenso Wiederholungszahlwort (neben zweimal, dreimal usw.) sein wie unbestimmtes Zeitadverb; vgl. dazu [1]*ein.*

einmummen ↑mummen.

Einöde: Das westgerm. Substantiv ist erst in der mhd. Form *einœde* an *Öde* (↑öd[e]) angelehnt worden. Älteres mhd. *einœte, einōte,* ahd. *einōti,* asächs. *ēnōdi,* aengl. *ānad* »Einsamkeit; einsamer Ort« sind Ableitungen von dem unter ↑[1]ein behandelten Wort mit dem Suffix germ. **-odus, *-oþus* (= lat. *-atus;* s.a. *Armut* [↑arm], ↑Kleinod, ↑Heimat).

einpferchen ↑Pferch.

einpökeln ↑Pökel.

einquartieren ↑Quartier.

einreißen ↑reißen.

einrenken ↑renken.

einrichten, Einrichtung ↑richten.

einrühren ↑rühren.

eins ↑[1]ein.

einsacken ↑Sack.

einsam: Die frühnhd. Ableitung zu mhd. *ein* »allein« (vgl. [1]*ein*) wurde besonders durch Luthers Bibelübersetzung verbreitet.

Einsatz ↑setzen.

einschärfen ↑scharf.

einschläfern ↑Schlaf.

einschlagen, einschlägig ↑Schlag.

einschränken ↑Schranke.

einschreiben, Einschreiben ↑schreiben.

einschreiten ↑schreiten.

einschüchtern ↑schüchtern.

einsehen ↑sehen.

einseifen ↑Seife.

Einser ↑[1]ein.

einsetzen ↑setzen.

Einsicht, einsichtig ↑sehen.

Einsiedler: Spätmhd. *einsideler* ist unter Anlehnung an das Verb ›siedeln‹ weitergebildet aus mhd. *einsidele,* ahd. *einsidilo* (nhd. veraltet *Einsiedel*), einer Lehnübertragung von griech.-lat. *mon-achus* (↑Mönch), zu der auch Ortsnamen wie Einsiedeln »bei den Einsiedlern« gehören. Zu Weiterem vgl. *siedeln.*

einspannen ↑spannen.

einsprechen, Einspruch ↑sprechen.

einst: Mhd. *ein[e]st,* ahd. *eines, einēst,* aengl. *ænes* (engl. *once*) »[irgend]einmal« ist der mit -t weitergebildete Genitiv von ↑[1]ein. Es bezeichnet gewöhnlich die entfernte Vergangenheit oder Zukunft. Abl.: **einstig** (19. Jh.). Zus.: **einstmals** (17. Jh.; mhd. *eines māles*); **einstweilen** (18. Jh.; vgl. *Weile*); **der[mal]einst** (16. Jh.).

Einstand, einstehen ↑stehen.

einstimmig ↑Stimme.

Eintracht: Das zunächst nur mittel- und niederd. Wort erscheint im 14. Jh. in der Rechtssprache als mnd. *ēndracht,* mhd. *eintraht* »Übereinstimmung, Vertrag«. Voraus liegt mnd. *ēndrāgen,* älter *över ēn drāgen* (mhd. *über ein tragen*) »übereinkommen, -stimmen« (vgl. [1]*ein* und *tragen*). Abl.: **einträchtig** (mnd. *ēndrachtich, -drechtich,* mhd. [mitteld.] *eintrehtec*). Auch das Gegenwort **Zwietracht** geht seit 1300 vom mittel- und niederd. Gebiet aus: mnd. *twidracht* (mhd. *zwitraht*) ist abgeleitet aus mnd. *twēdrāgen, entwey drāgen* (mhd. *enzwei tragen*) »sich entzweien, uneins sein«. Dazu **zwieträchtig** (mnd. *twidrachich, -drechtich,* mhd. *zwitrehtec*). Die ganze Wortgruppe wird vom nhd. Sprachgefühl zu ›trachten‹ gestellt.

Eintrag, eintragen ↑tragen.

eintreffen ↑treffen.

eintrichtern ↑Trichter.

einverleiben ↑Leib.

einverstanden, Einverständnis ↑verstehen.

Einwand ↑wenden.

einwenden ↑wenden.

einwerfen ↑werfen.

einwilligen ↑Wille.

Einwurf ↑werfen.

Einzahl: Das Wort wurde um 1807 von Campe vorgeschlagen als Ersatz für lat. *[numerus] singularis*, ebenso **Mehrzahl** für lat. *[numerus] pluralis*.

einzäunen ↑Zaun.

einzeln: Das Adjektiv lautet älter nhd. und mhd. *einzel* (so noch in der jungen Substantivierung **Einzel** »Einzelspiel im Tennis« und in Wörtern wie ›Einzelfall, Einzelteil, Einzelheit, ver-ein-zel-n‹). Das Adverb ist schon mhd. (mitteld.) als *ēnzelen* bezeugt. Die nur im Dt. vorkommenden Wörter sind ebenso wie ↑einzig weitergebildet aus mhd. *einez*, ahd. *einaz* »einzeln«, einer Ableitung aus dem Zahlwort ↑[1]ein.

einzig: Mhd. *einzec* ist ähnlich wie ›einzel‹ (vgl. *einzeln*) gebildet und wird erst in der neueren Schriftsprache scharf von diesem getrennt. Es hat ↑[1]einig aus dessen alter Bed. »allein stehend« verdrängt.

Eis: Das altgerm. Wort mhd., ahd. *īs*, niederl. *ijs*, engl. *ice*, schwed. *is* ist urverwandt mit awest. *isu-* »eisig«, afghan. *asai* »Frost« u. ä. Wörtern anderer idg. Sprachen, ohne dass sich weitere Anknüpfungen finden. In der jungen Bed. »Speiseeis« (18. Jh.) ist ›Eis‹ Lehnübersetzung von frz. *glace*. Abl.: **eisig** (mhd. *īsec*); **enteisen** »vom Eis befreien« (19. Jh.); **loseisen** ugs. für »mühsam freimachen« (18. Jh., eigentlich vom Loslösen eines Schiffes aus dem Eis); **vereisen** »mit Eis, mit einer Eisschicht überziehen«, dann auch »durch Aufsprühen eines Mittels (für operative Eingriffe) unempfindlich machen« (19. Jh.). Zus.: **Eisbahn** (↑Bahn); **Eispickel** (↑[1]Pickel); **Grundeis** »Bodeneis in Gewässern« (mhd. *gruntīs*, seit dem 17. Jh. bildlich gebraucht für aufbrechende Unruhe.

Eis

etwas auf Eis legen
(ugs.) »verschieben, vorläufig nicht weiter bearbeiten«
Die Wendung bezieht sich darauf, dass man Nahrungsmittel, die nicht gleich verzehrt werden, auf Eis aufbewahrt.

Eisbein: Die nordd. Bezeichnung des Gerichts, das südd. Schweinsfüße oder Schweinshaxen, pfälz. Eisknochen heißt, meint das Schienbein des Schweines mit den ansitzenden Fleischteilen. Aus den gespaltenen Röhrenknochen großer Schlachttiere wurden in germ. Zeit (in Skandinavien bis in die Neuzeit) Knochenschlittschuhe hergestellt. Sie heißen mdal. schwed. *isläggor* (Plural), norw. *islegg* (zu *lägg*, *legg*, aisl. *leggr* »Bein, Knochenröhre«). ›Eisbein‹ als Gericht bedeutet demnach eigentlich »zum Eislauf geeigneter Knochen« (vgl. *Bein*).

Eisen: Der gemeingerm. Name des Schwermetalls (mhd. *īse[r]n*, ahd. *īsa[r]n*, got. *eisarn*, engl. *iron*, schwed. *järn*) entspricht der kelt. Sippe von air. *īarn*. Der Name war also Germanen und Kelten gemeinsam; seine weitere Herkunft ist unklar. Abl.: **eisern** (mhd. *īser[n]īn*, *īsern*, ahd. *īsarnīn*, got. *eisarneins*). Zus.: **Eisenbahn** (ursprünglich Bezeichnung für die seit dem 18. Jh. im Bergbau – zuerst in Großbritannien – statt der früher üblichen Holzschienen verwendeten eisernen Gleise, dann auch für die außerhalb der Bergwerke benutzten Schienen; seit etwa 1820 heißt das neue Verkehrsmittel Eisenbahn [wie frz. *chemin de fer*, it. *ferrovia*, schwed. *järnväg*, etwas anders engl. *railway* »Schienenweg«, *railroad* »Schienenstraße«; vgl. *Bahn*], und dieser Name wurde auch beibehalten, als man nicht mehr Eisen-, sondern Stahlschienen verwendete).

Eisen

zwei/mehrere/noch ein Eisen im Feuer haben
»mehr als eine Möglichkeit haben«
Die Wendung hat ihren Ursprung im Schmiedehandwerk. Der Schmied hat meistens mehrere Eisen zum Schmieden in der Feuerschüssel, damit er seine Arbeit nicht zu unterbrechen braucht.

eisig ↑Eis.

Eiszapfen ↑Zapfen.

eitel: Das westgerm. Adjektiv mhd. *ītel*, ahd. *ītal*, niederl. *ijdel*, engl. *idle* hat keine sicheren Verwandten. Die im Mhd. und mdal. noch erhaltene Grundbedeutung »leer, ledig« hat einerseits »nichts als, unvermischt« ergeben (›eitel Gold‹, wofür jetzt ›lauter Gold‹ gilt), andererseits den Sinn »gehaltlos, nichtig« (biblisch ›es ist alles ganz eitel‹), woraus sich die jetzige Hauptbedeutung »eingebildet, selbstgefällig« entwickelte. Ein Personennamen wie ›Eitelfriedrich‹ bedeutet »nur Friedrich« im Gegensatz zu Doppelnamen wie ›Georg Friedrich, Friedrich Wilhelm‹ u. Ä. Danach erscheint ›Eitel‹ gelegentlich auch als selbstständiger Name.

Eiter: Das altgerm. Wort (mhd. *eiter*, ahd. *eit[t]ar*, niederl. *etter*, aengl. *ātor*, schwed. *etter*) ist nächstverwandt mit mhd., ahd. *eiȥ* (noch oberd. mdal. *Eiß*) »Eitergeschwulst« und geht mit griech. *oidáein* »schwellen« und vielleicht mit der slaw. Sippe von russ. *jad* »Gift« sowie verwandten Wörtern anderer idg. Sprachen auf die idg. Wurzel **oid-* »schwellen, Geschwulst« zurück. Abl.: **eitrig** (mhd. *eiterec*, ahd. *eitarig* »giftig«, die heutige Bedeutung seit dem 16. Jh.); **eitern** (mhd. *eitern* »vergiften«, die heutige Bedeutung seit dem 16. Jh.).

Eiweiß ↑Ei.

ek..., Ek... ↑[2]ex..., Ex...

[1]Ekel »Abscheu« (eigentlich »was zum Erbrechen reizt«) und **ekel** »Ekel erregend«, (veraltet für:) »wählerisch«: Beide Wörter erscheinen erst im

16. Jh. als mitteld. *e[c]kel* (mnd. *ēkel* »Gräuel«); ihre Herkunft und das Verhältnis zu oberd. *heikel* (s. d.) sind ungeklärt. – Dazu [2]**Ekel** (ugs. für:) »ekelhafter Mensch« (18. Jh.); **ekeln** »Ekel erregen oder empfinden« (16. Jh.; mnd. *ēkelen*); **ekelhaft, ek[e]lig** (17. Jh.).

eklatant »Aufsehen erregend, auffallend, offenkundig«: Das Adjektiv wurde um 1700 aus frz. *éclatant*, dem Part. Präs. von *éclater* (afrz. *esclater*) »bersten, krachen; verlauten, ruchbar werden«, entlehnt. Die weitere Herkunft ist unsicher. Aus dem von frz. *éclater* abgeleiteten Substantiv frz. *éclat* stammt unser Fremdwort **Eklat** »Aufsehen, Skandal« (17. Jh.).

E

Ekstase: Das Fremdwort, das im Sinne »[religiöse] Verzückung; höchste Begeisterung« gebräuchlich ist, wurde im 16. Jh. aus gleichbed. kirchenlat. *ecstasis* (< griech. *ékstasis* »das Aus-sich-Heraustreten, die Begeisterung, Verzückung«) entlehnt. Dazu gehört das Adjektiv **ekstatisch** »außer sich, verzückt, schwärmerisch« (18. Jh.; nach griech. *ekstatikós*). Das zugrunde liegende Verb griech. *histánai* »setzen, stellen, legen« ist urverwandt mit dt. ↑stehen. Das in Bezug auf Herkunft und Bedeutung dem deutschen ›Ekstase‹ entsprechende engl. Substantiv *ecstasy* wird seit der 2. Hälfte des 20. Jh.s auch als Bezeichnung für eine »synthetische Droge mit aufputschender Wirkung« verwendet. Die Entlehnung **Ecstasy** stammt aus der gleichen Zeit.

Elan »Schwung, Begeisterung«: Das Wort wurde im 19. Jh. aus gleichbed. frz. *élan* entlehnt, das eine Bildung zu frz. *s'élancer* »vorschnellen, sich aufschwingen« ist. Zugrunde liegt frz. *lancer* »schleudern« (vgl. *lancieren*).

elastisch »federnd, dehnbar«: Das seit dem 17./18. Jh. bezeugte Fachwort der Technik ist eine gelehrte Neubildung zu griech. *elastós (elatós)* »getrieben; dehnbar, biegbar«, dem Verbaladjektiv von griech. *elaúnein* »treiben, ziehen«.

Elben, elbisch ↑Elf.

Elch: Das Hirschtier mit schaufelförmigem Geweih trägt einen germ. Namen: mhd. *elhe, elch,* ahd. *el[a]ho,* aengl. *eolh,* ähnl. schwed. *älg.* Auch die ältesten sprachlichen Zeugnisse, lat. *alces* und griech. *álkē,* sind germ. Lehnwörter. Außergerm. sind russ. *los'* »Elch« und aind. *ṛśya-ḥ* »Antilopenbock« urverwandt. Der Elch war in Deutschland noch im Mittelalter weit verbreitet. Später war er auf den Nordosten, besonders Ostpreußen, beschränkt. So konnte sich im 16. Jh. als neue Bezeichnung des Tieres frühnhd. *elen[d]* einbürgern – nhd. *Elen,* verdeutlicht **Elentier** –, das aus alit. *ellenis* (lit. *élnis*) »Hirsch« entlehnt ist und mit gleichbed. russ. *olen'* und verwandten Wörtern anderer idg. Sprachen auf idg. **elen-* »Hirsch« zurückgeht.

Elefant: Der Name des Tieres lautet mhd. *elefant,* ahd. *elpfant, elafant,* daneben schon im Ahd. *helfant* mit volksetymologischer Anknüpfung an ↑helfen (der Elefant galt als hilfreiches Arbeitstier). Die Germanen erhielten durch den Elfenbeinhandel vom Südosten her schon früh Kunde von diesem Tier, das sie allerdings viel später als seinen Namen kennen lernten. Benannt ist es nach seinen (elfenbeinernen) Stoßzähnen. So weisen die vorausliegenden Formen lat. *elephantus* < griech. *eléphas* (Genitiv: *eléphantos*) zurück auf ägypt. *āb[u],* kopt. *eb[o]u* »Elfenbein; Elefant«, das zugleich Quelle ist für lat. *ebur* »Elfenbein«. Vgl. noch die Artikel *Elfenbein* und *Element.*

elegant »auserlesen fein, geschmackvoll«: Das Adjektiv, das früher auch substantiviert als **Elegant** »Modegeck, Stutzer« vorkam, wurde im 18. Jh. aus frz. *élégant* (< lat. *elegans*) »wählerisch, geschmackvoll« entlehnt. Lat. *elegans* ist eine Nebenform von *eligens,* dem Part. Präs. von *e-ligere* (< *ex-legere*) »auslesen, auswählen«. Über weitere Zusammenhänge vgl. den Artikel *Legion.* – Zu ›elegant‹ gehört das Substantiv **Eleganz** »Geschmack, Feinheit, geschmackvolle Vornehmheit«, das im 16. Jh. als rhetorischer Terminus (»Gewähltheit im Vortrag«) aus lat. *elegantia* entlehnt wurde. Die spätere Verwendung in allgemeinem Sinne steht unter Einfluss von frz. *élégance.* – Aus lat. *ē-ligere* oder vlat. **ex-legere* stammt auch frz. *élire* »auslesen« (↑Elite).

Elegie: Die Bezeichnung für »wehmütiges Gedicht, Klagelied« wurde im 16. Jh. aus gleichbed. lat. *elegia* entlehnt, das seinerseits aus griech. *elegeía* übernommen ist. Das griech. Wort bezeichnete ursprünglich allgemein jedes in Distichen abgefasste Gedicht, später bedeutete es dann auch »Klagelied«. Zugrunde liegt griech. *élegos* »Trauergesang mit Flötenbegleitung«, das vermutlich kleinasiatischer Herkunft ist. – Abl.: **elegisch** »klagend, wehmütig« (18. Jh.).

elektrisch: Das seit dem 18. Jh. bezeugte Adjektiv ist zu lat. *electrum* »Bernstein« gebildet. Dies stammt aus griech. *ḗlektron* »Bernstein«. Die geheimnisvolle Kraft, die manche Stoffe nach Reibung auf andere ausüben, wurde bis ins 16. Jh. nur beim ↑Bernstein beobachtet. In der Folge wurden dann allgemein nach dessen griech. Namen *(ḗlektron)* bestimmte Anziehungs- und Abstoßungskräfte von verschieden geladenen Elementarteilchen bzw. das Kraftfeld zwischen ihnen und ihre Bewegung gegeneinander benannt (beachte z. B. die Fügung ›elektrischer Strom‹). – Neben den Ableitungen **Elektrizität** (18. Jh.; nach frz. *électricité*) und **elektrisieren** »elektrisch aufladen; den Körper mit elektrischen Stromstößen behandeln, aufregen, begeistern« (18. Jh.; nach frz. *électriser*) – stehen zahlreiche Zusammensetzungen, in denen griech. *ḗlektron* als Bestimmungswort erscheint, so in ›Elektrolyse, Elektroingenieur, Elektrotechnik‹. Von besonderem Interesse sind ferner **Elektrode** »eines der [metallenen] Enden eines Stromkreises, zwischen denen Strom durch ein anderes Medium geleitet wird« (19. Jh.; entlehnt aus gleichbed. engl. *electrode*, das durch Faraday eingeführt wurde; Grundwort ist griech. *hodós* »Weg«, vgl. *Periode*); **Elektron** »negativ geladenes Elementarteilchen« (um 1900; entlehnt aus engl. *electron*, geprägt von dem britischen Physiker G. J. S. Stoney [1826–1911]), davon **elektronisch** (20. Jh.).

Element »Grundstoff; Urstoff; Grundbestandteil«: Das Wort wurde im 13. Jh. aus gleichbed. lat. *elementum* entlehnt, dessen Herkunft nicht gesichert ist. Wegen der wahrscheinlichen Grundbedeutung (des meist im Plural auftretenden Wortes) »Buchstaben (Schriftzeichen; Laute) als Grundbestandteile des [gesprochenen] Wortes«, der die anderen Bedeutungen als Lehnübersetzungen von griech. *stoicheĩa* folgen, vermutet man Entlehnung von lat. *elementum* aus griech. *eléphanta* (Akkusativ von *eléphas* »Elfenbein; Elefant«) über eine Zwischenstufe **elepantum* »elfenbeinerner Buchstabe« (vgl. den Artikel *Elefant*). – Abl.: **elementar** »grundlegend; urwüchsig; naturbedingt« (17. Jh.; aus gleichbed. lat. *elementarius*).

Elen, Elentier ↑Elch.

elend: Mhd. *ellende* »fremd, verbannt; unglücklich, jammervoll« (entsprechend aengl. *ellende* »fremd«) ist verkürzt aus ahd. *elilenti*, asächs. *elilendi* »in fremdem Land, ausgewiesen«. Der Bedeutungswandel erklärt sich daraus, dass der Ausschluss aus der Rechtsgemeinschaft des eigenen Volkes als schweres Unglück empfunden wird. – Im ersten Teil des Wortes hat sich der sonst untergegangene germ. Pronominalstamm **alja-* »ander« erhalten, der dem lat. *alius* (vgl. *alias*) entspricht. Der zweite Teil ist eine Ableitung von dem unter ↑Land behandelten Wort. Das Substantiv **Elend** ist aus dem Adjektiv entstanden (mhd. *ellende* »anderes Land, Verbannung; Not, Trübsal«, ahd. *elilenti*, asächs. *elilendi* »Fremde«), die alte Bedeutung hat es z. T. bis ins 18. Jh. festgehalten. Jung sind ugs. Wendungen wie ›das graue, heulende Elend kriegen‹. Abl.: **elendig[lich]** »jämmerlich« (mhd. *ellendec[līchen]*).

elf: Das gemeingerm. Zahlwort mhd. *eilf* (so noch im 19. Jh.), *einlif*, ahd. *einlif*, got. *ainlif*, engl. *eleven*, schwed. *elva* ist eine Zusammensetzung aus ↑[1]ein und dem unter ↑bleiben behandelten Stamm germ. **līb-* mit der Bed. »Überbleibsel, Rest«, d. h., elf ist eine Zahl, die sich ergibt, wenn man zehn gezählt hat und eins übrig bleibt (das zu zehn noch hinzugezählt werden muss). Entsprechend werden im Lit. alle Zahlen von 11–19 mit *-lika* gebildet (das zur Sippe von ↑leihen, ursprünglich »lassen« gehört): *vienúolika, dvý-, trýlika* usw.; s. a. *zwölf*. – Abl.: **elfte** (Ordnungszahl; mhd. *ei[n]l[i]fte*, ahd. *einlifto*).

Elf, Elfe: Unsere heutige Vorstellung von den Wald- und Blumenelfen stammt aus der Dichtung des 18. Jh.s und der Romantik. Das Wort ›Elf‹ wurde im 18. Jh. entlehnt aus engl. *elf* (bei Shakespeare), aengl. *ælf*. Damit sind eigentlich die Unterirdischen gemeint, niedere Naturgeister des germ. Volksglaubens, die unseren Zwergen entsprechen, von der Kirche aber früh als böse Dämonen und Gespenster mit dem Teufel zusammengebracht wurden. So ist schon das entsprechende ahd. *alb, alp*, (mhd. *alp*, nhd. *Alb*) die Bezeichnung des Nachtmahrs, der die Schlafenden drückt (Albdrücken, Albtraum), während aisl. *alfr*, schwed. *alf* die Bed. »Elf« bewahren. In der Religionswissenschaft heißen die germ. Geister **Alben, Elben** (Plural; mhd. *elbe[n]*), das zugehörige Adjektiv ist **elbisch** (z. B. ›ein elbisches Wesen‹; mhd. *elbisch* »albartig; von Elben sinnverwirrt«), während neben ›Elf‹ im heutigen Sinn **elfisch** steht (engl. *elfish* »geisterhaft, neckisch«). In der alten Bedeutung erscheint schon ahd. *alb* nur noch in Namen, von denen der des Zwergkönigs Alberich am bekanntesten ist (zu *-rich* »Herrscher« vgl. *Reich*). Die Herkunft des germ. Wortes ist ungeklärt. Siehe auch den Artikel *Alraun*.

Elfenbein: Die Stoßzähne des Elefanten wurden den germ. Völkern, wie ehemals den Griechen, früher bekannt als das Tier selbst. So kann ahd. *helfant* (vgl. *Elefant*) ebenso »Elfenbein« wie »Elefant« bedeuten. Die Zusammensetzung ahd. *helfantbein* »Elefantenknochen« (vgl. *Bein*) diente der Unterscheidung (entspr. aengl. *elpen-, ylpenbān*, älter niederl. *elpenbein*); sie wurde seit dem 10. Jh. zu *helfan-*, mhd. *helfenbein* vereinfacht und hielt sich in dieser Form bis ins 18. Jh. Die Lutherbibel setzte die nach dem Lat. berichtigte heutige Form ohne h durch.

elfisch ↑Elf.

elfte ↑elf.

eliminieren »ausscheiden, beseitigen«: Das Verb wurde im 18./19. Jh. über gleichbed. frz. *éliminer* aus lat. *eliminare* »über die Schwelle setzen, aus dem Haus treiben; entfernen« (zu lat. *limen* »Schwelle«) entlehnt.

Elite »Auslese der Besten«: Das Substantiv wurde im 18. Jh. aus gleichbed. frz. *élite* entlehnt, das zu frz. *élire* (< vlat. **exlegere*) »auslesen« (vgl. *elegant*) gehört. Abl.: **elitär** »einer Elite angehörend« (20. Jh.; französierende Bildung).

Elixier »Heiltrank, Lebenssaft«: Das Wort des Alchemistenlateins (wie ↑Alchemie, ↑hermetisch) wurde im 13. Jh. als *elixirium* aus arab. (mit Artikel) *al-iksīr* »der Stein der Weisen« entlehnt. Das arab. Wort bedeutet eigentlich etwa »trockene Substanz mit magischen Eigenschaften«. Es geht seinerseits auf griech. *xḗrion* »Trockenes (Heilmittel)« (zu griech. *xērós* »trocken«) zurück.

Elle: Der Unterarm vom Ellbogen bis zur Mittelfingerspitze ist ein natürliches Längenmaß wie z. B. auch der Fuß. Als Maßbezeichnung und Benennung des Maßstockes war das Wort (mhd. *elne, elle*, ahd. *elina*, got. *aleina*, engl. *ell*, schwed. *aln*) früher gebräuchlich, während es heute nur noch im Sinne von »Knochen des Unterarms« verwendet wird. Mit dem gemeingerm. Wort urverwandt sind z. B. lat. *ulna*, griech. *ōlénē* »Ellbogen«, air. *uile* »Winkel«, aind. *aratní-ḥ* »Ellbogen«. Den Bildungen liegt die idg. Wurzel **el-*, **elĕi-* »biegen« zugrunde. Der Unterarm ist also, ähnlich wie bei dem gleichfalls verwandten Wort ↑Glied, nach dem zunächstliegenden Gelenk benannt. Die gleiche Wurzel begegnet weitergebildet in ↑Bilanz und ↑Balance (zu lat. *lanx* »[gebogene] Schüssel«). Vielleicht gehört auch ↑ledig hierher.

Ellipse: Zu griech. *leípein* »[zurück]lassen«, das zur idg. Sippe von dt. ↑leihen gehört, stellt sich die Bildung *el-leípein* »darin zurücklassen; zurückstehen; mangeln, fehlen«. Das davon abgeleitete Substantiv griech. *élleipsis* »Mangel« wurde im 18. Jh. über lat. *ellipsis* ins Dt. entlehnt zu ›Ellipse‹, und zwar einerseits als sprachwissenschaftlich-rhetorischer Ausdruck zur Bezeichnung einer Redefigur (»Auslassung von Satzteilen«), andererseits in der Mathematik als Name eines Kegelschnitts, des so genannten Langkreises, dem durch seine unvollständige Rundung die Eigenschaft des Vollkreises ›fehlt‹. Abl.: **elliptisch** »ellipsenförmig; unvollständig« (17. Jh.; aus nlat. *ellipticus* griech. *elleiptikós* »mangelhaft«).

Elmsfeuer: Die elektrische Lichterscheinung an Schiffsmasten bei gewittriger Luft heißt seit dem 19. Jh. ›Elmsfeuer‹, älter auch ›Sankt-Helms-Feuer‹. Die Bezeichnung geht auf einen in Deutschland seit dem 15. Jh. bekannten roman. Schifferglauben zurück, der die Lichtbüschel dem Schutzheiligen der Seefahrer, St. Elmo (roman. Form von Erasmus), zuschrieb.

Elritze: Der kleine Karpfenfisch heißt im 16. Jh. ostmitteld. *Elderitz, Elritz*, im 15. Jh. westmitteld. *erlitz*, mhd. *erlinc*. Die Namen sind Ableitungen von ↑Erle. Der Fisch ist als »Erlenfisch« benannt, weil er sich gerne unter Erlen am Ufer von Gewässern aufhält.

Elster: Die heutige Form des Vogelnamens (mhd. *agelster, alster, elster*, ahd. *ag-alstra*) ist nur eine von vielen verwandten Mundartformen. So ist z. B. ahd. *ag-astra* über mnd. *[h]ēgester* zu nordd. *Heister, Häster* und westfäl. *Ekster* geworden (dazu die Externsteine bei Detmold). Ein drittes ahd. *ag-aza* liegt den germ. Lehnwörtern frz. *agace* und it. *gazza* und dem schwäb. mdal. *Hetze* »Elster«, die Verkleinerungsbildung **agazala* dem hess.-pfälz.-elsäss. *Atzel* zugrunde. Diese Fülle weitergebildeter und wieder vereinfachter Formen beruht auf einem noch unerklärten ahd. *aga*, aengl. *agu* »Elster«. Es bleibt ganz ungewiss, ob man dieses Wort wegen des langen, spitzen Schwanzes der Elster zur Sippe von ↑Ecke stellen darf (beachte schwed. *skata* »Elster«, das zu schwed. mdal. *skate* »Spitze, Schwanz« gehört).

Eltern: Mhd. *altern, eltern*, ahd. *eldirōn* (neben *altirōn* »die Älteren«), mniederl. *ouderen* (niederl. *ouders*), aengl. *eldran* ist der substantivierte Komparativ zu ↑alt. Die Schreibung mit E- blieb erhalten, weil der Begriff »alt« gegenüber der Vorstellung »Vater und Mutter« verblasste.

Email und **Emaille** »Schmelzüberzug«: Das Fachwort wurde mit der Technik der französischen Miniaturmalerei im 18. Jh. aus frz. *émail* entlehnt. Zugrunde liegt der Stamm des nhd. Verbs ↑[1]schmelzen in afränk. **smalt*, das früh ins Roman. übernommen wurde (mlat. *smeltum*, it. *smalto;* afrz. **esmalt, esmal* »Schmelzglas«). – Abl.: **emaillieren** »mit Schmelz überziehen« (im 17./18. Jh. aus frz. *émailler*).

E-Mail: Das aus dem Engl. stammende Kurzwort aus *electronic mail* »elektronische Post« bezeichnet eine »Nachricht oder den Austausch von Nachrichten auf elektronischem Weg«. Die Bezeichnung ›E-Mail‹ oder ihre verkürzte Form **Mail** ist im Deutschen in der 2. Hälfte des 20. Jh.s aufgekommen, etwa zur selben Zeit wie das Medium selbst.

emanzipiert »Gleichberechtigung, Selbstständigkeit anstrebend, unabhängig (von Frauen)«: Das Adjektiv ist das 2. Partizip zu dem im 17. Jh. aus lat. *emancipare* entlehnten Verb **emanzipieren**. Der ursprünglich im römischen Patriarchat begründete Sinn von lat. *emancipare* »(einen erwachsenen Sohn bzw. einen Sklaven) aus der väterlichen Gewalt zur Selbstständigkeit entlassen« wurde bei uns einerseits eingeschränkt auf die Bestrebungen der Frau, aus der traditionellen Rolle (mit allen Beschränkungen der aktiven Teilnahme am gesellschaftlichen und öffentlichen Leben) auszubrechen und volle Gleichberechtigung neben dem Mann zu erlangen. Andererseits wird ›emanzipieren‹ auch allgemein auf die innere Befreiung aus den Fesseln des Herkommens, der Weltanschauung, von Vorurteilen usw. bezogen. Lat. *e-mancipare* bedeutet wörtlich »aus dem Mancipium geben«. Das Mancipium – < **man-capium*, zu lat. *manus* »Hand« (vgl. *manuell*) und *capere* »ergreifen« (vgl. *kapieren*) – galt bei den Römern als feierlicher Eigentumserwerb durch »Handauflegen«. – Das dazugehörige Substantiv **Emanzipation** erscheint im 18. Jh. (aus lat. *emancipatio*), die ugs., oft abwertende Bezeichnung **Emanze** »emanzipierte Frau« im 20. Jh.

Embargo: Der Ausdruck für »(von einer Regierung verhängte) Ausfuhrsperre« ist zuerst im 19. Jh. bezeugt, und zwar mit der Bed. »Beschlagnahme (besonders von Schiffsfrachten)«, wie sie zuweilen noch heute vorkommt. Er ist aus gleichbed. span. *embargo* entlehnt, dem das span. Verb *embargar* »in Beschlag nehmen; behindern« zugrunde liegt. Dies geht auf vlat. **imbarricare* »in Sperrschranken legen« zurück. Über das Grundwort galloroman. **barra* »[Sperr]balken« vgl. den Artikel *Barre*.

Emblem »Kennzeichen, Sinnbild«: Das Fremdwort wurde im 16. Jh. aus gleichbed. frz. *emblème* entlehnt, das auf lat. *emblema* < griech. *émblēma* »Eingesetztes; eingelegte Metallarbeit mit Symbolgehalt« zurückgeht. Über das zugrunde liegende Verb griech. *em-bállein* »hineinwerfen; darauf legen, einlegen« vgl. den Artikel *ballistisch*.

Embryo »im Anfangsstadium der Entwicklung befindlicher Keim; die noch ungeborene Leibesfrucht«: Der Fachausdruck ist eine gelehrte Entlehnung nhd. Zeit aus griech. *émbryon* > lat. *embryo* »Neugeborenes (Lamm); ungeborene Leibesfrucht« (zu griech. *en* »in; darin« [vgl. *en..., En...*] und griech. *brýein* »sprossen, treiben«).

em..., Em... ↑en..., En...

emigrieren »(aus politischen oder religiösen Gründen) auswandern«: Das Verb wurde im 18. Jh. aus lat. *e-migrare* »aus-, wegziehen« entlehnt. Das einfache Verb lat. *migrare* »wandern« gehört zu der unter ↑Meineid entwickelten idg. Sippe. Aus dem Part. Präs. lat. *emigrans* stammt unser Substantiv **Emigrant**, das bereits seit dem 17. Jh. bezeugt ist. Abl.: **Emigration** (aus spätlat. *emigratio* »das Aus-, Wegziehen«).

eminent »hervorragend, außerordentlich«: Das Adjektiv wurde im 18. Jh. relatinisiert aus gleichbed. frz. *éminent*, das auf lat. *eminens*, das Part. Präs. von *e-minere* »heraus-, hervorragen«, zurückgeht. Das zugrunde liegende Verb lat. **minere* ist als einfaches Verb nicht bezeugt. Es erscheint aber noch in anderen Bildungen, so in lat. *pro-minere* »vorspringen, hervorragen« (↑prominent). Lat. **minere* ist abgeleitet von dem mit lat. *mons* »Berg« (vgl. *montan*) verwandten Substantiv *minae* »hochragende Mauerzinnen; (übertr.) Drohungen«, wozu sich auch das lat. Verb *minari* »drohen« stellt. Aus der Bauernsprache stammt das transitive vlat. *minare* »das Vieh durch drohende Schreie vor sich hertreiben; führen, treiben«, das in frz. *mener* »führen« (↑Promenade, promenieren) erscheint. – Abl.: **Eminenz** »Hoheit« (als Titel von Kardinälen), im 16./17. Jh. aus lat. *eminentia* »das Hervorragen«.

Emmer ↑Ammer.

Emoticon: Das in der Bedeutung »Zeichenkombination, mit der in einer E-Mail eine Gefühlsäußerung wiedergegeben werden kann (z. B. ↑Smiley)« verwendete Fremdwort wurde gegen Ende des 20. Jh.s aus gleichbed. engl. *emoticon* übernommen, einem Kurzwort aus *emotion* »Gefühl« und *icon* »grafisches Sinnbild«.

Emotion »Gefühl, Gemütsbewegung, seelische Erregung«: Das Fremdwort ist aus gleichbed. frz. *émotion* entlehnt. Das frz. Wort gehört zu *émouvoir* »bewegen, erregen«, das auf lat. *emovere* »herausbewegen, emporwühlen« (zu *movere* »bewegen«, vgl. *Lokomotive*) zurückgeht. Dazu stellen sich die Adjektivbildungen **emotional** und **emotionell** »voller Emotionen; gefühlsmäßig« (beide 20. Jh.). Von ›emotional‹ abgeleitet ist **emotionalisieren** »Emotionen erregen« (20. Jh.).

empfangen: Als Präfixbildung aus ↑fangen und ↑ent..., Ent... bezeichnen mhd. *enphāhen, entvāhen*, ahd. *intvāhan* ursprünglich das tätige An- und Aufnehmen eines Entgegenkommenden (wie in ›Gäste empfangen‹, ›Empfangschef‹ u. Ä.), jetzt meist das einfache Hinnehmen einer Sache (Wohltaten, die Taufe empfangen). Die spezielle Bed. »schwanger werden« ist schon ahd. bezeugt. Abl.: **Empfang** (mhd. *en-, anphanc*, ahd. *antfanc*); **empfänglich** (mhd. *enphenclich* »aufnahmebereit; annehmbar, angenehm«, ahd. *antfanclīh*); **Empfängnis** (spätmhd. *enphencnisse* »Einnahme, Belehnung«, ahd. *intfancnissa;* seit Luther im heutigen Sinn).

empfehlen: Das Verb mhd. *enphelhen, enphelen*, mnd. *en[t]fēlen* »zur Bewahrung oder Besorgung übergeben« ist eine Präfixbildung zu dem unter ↑befehlen behandelten untergegangenen einfachen Verb (vgl. auch den Artikel *ent..., Ent...*). Im Gegensatz zu ›befehlen‹ hat ›empfehlen‹ seine Bedeutung bewahrt (z. B. »ich empfehle ihn deiner Fürsorge«), wird heute aber meist im Sinne von »zu etwas raten« gebraucht.

empfinden: Das westgerm. Verb mhd. *enphinden, ent-finden*, ahd. *intfindan* »fühlen, wahrnehmen«, mniederl. *ontvinden* »erkennen«, aengl. *onfindan* »entdecken, wahrnehmen« ist eine Präfixbildung aus ↑ent..., Ent... und ↑finden. Im Dt. gilt es heute meist von seelischen Gefühlen: Schmerz, Reue, Freundschaft empfinden. Abl.: **empfindlich** (mhd. *enphintlich*, ahd. *inphintlich* »der Empfindung zugänglich«, nhd. auch für »schmerzhaft«: eine empfindliche Strafe), dazu **Empfindlichkeit** (mhd. *enphintlīchkeit* »Wahrnehmung«); **empfindsam** »zartfühlend« (im 18. Jh. nach engl. *sentimental*, Schlagwort der literarischen Richtung der Empfindsamkeit); **Empfindung** (spätmhd. *enphindunge*).

Empire: Die Bezeichnung für den Stil und die Stilepoche der Zeit Napoleons I. und der folgenden Jahre wurde im 19. Jh. aus gleichbed. frz. *(style) Empire* entlehnt. Frz. *empire* »Kaiserreich« geht auf lat. *imperium* (vgl. *Imperium*) zurück.

empirisch »auf Erfahrung, Beobachtung beruhend«: Das Adjektiv wurde im 18./19. Jh. aus gleichbed. griech. *em-peirikós* entlehnt. Dies gehört zum Adjektiv griech. *ém-peiros* »erfahren, kundig«, das sich mit seiner eigentlichen Bed. »im Versuch, im Wagnis seiend« zu griech. *peĩra* »Versuch, Wagnis« stellt (vgl. *Pirat*).

empor: Mhd. *enbor[e], embor* aus ahd. *in bor* »in die Höhe« (dazu ↑Bürzel, ↑purzeln) enthält das Substantiv mhd., ahd. *bor* »oberer Raum, Höhe«, das zum idg. Verbalstamm **bher-* »heben, tragen« gehört (vgl. *gebären*). Die frühnhd. Form *entbor* ergibt nhd. *empor.* – Dazu: **Empore** »erhöhter Sitzraum [in Kirchen]« (im 18. Jh. für älteres ›Emporkirche, Porkirche‹, spätmhd. *borkirche* »oberer Kirchenraum«, zu mhd. *bor;* s. o.). Zus.: **Emporkömmling** (18. Jh.; Ersatzwort für ›Parvenü‹, aber erst in den Freiheitskriegen durchgedrungen).

empören: Mhd. *enbœren* »erheben; sich erheben, sich auflehnen«, gehört mit mhd. *bōr* »Trotz« zur idg. Wurzel **bher-* »heben, tragen« (vgl. *gebären*), hängt aber mit dem in ↑empor enthaltenen *bor* »Höhe« nur mittelbar zusammen.

emsig: Das auf das Dt. beschränkte Adjektiv (mhd. *emzec*, ahd. *emazzig, emizzig* »beständig, fortwährend, beharrlich«) ist eine Ableitung von einem im Ahd. noch erhaltenen Adjektiv *emiz* »beständig«. Verwandt im germ. Sprachbereich ist z. B. aisl. *ama* »belästigen, plagen«, außergerm. z. B. aind. *áma-ḥ* »Andrang, Ungestüm« und griech. *omoíios* »plagend«. Als Grundbedeutung ist demnach »unablässig, drängend« anzusetzen. Abl.: **Emsigkeit** (spätmhd. *emzicheit*).

E

Emulsion »Gemenge aus zwei nicht mischbaren Flüssigkeiten; lichtempfindliche Schicht«: Das Wort ist eine fachsprachliche Bildung zu lat. *emulsus*, dem Part. Perf. von *e-mulgere* »aus-, abmelken« (vgl. *melken*). Es bedeutet also eigentlich »Aus-, Abgemolkenes«. Die Emulsion ist so benannt, weil sie Ähnlichkeit mit Milch hat.

en..., En..., (vor Lippenlauten assimiliert zu:) em..., Em...: Die aus dem Griech. stammende Vorsilbe bezeichnet ein Verharren ›in‹ etwas oder einen erfolgreichen Abschluss. Griech. *en* ist identisch mit gleichbed. lat. *in* und nhd. ↑in. Alle beruhen auf idg. **en*.

Ende: Das gemeingerm. Substantiv mhd. *ende*, ahd. *enti*, got. *andeis*, engl. *end*, schwed. *ända* gehört mit der Grundbedeutung »vor einem Liegendes« zu der unter ↑[1]ant..., Ant... »entgegen« behandelten idg. Sippe. Verwandte Bildungen sind z. B. griech. *antíos* »gegenüberliegend«, lat. *antiae* »Stirnhaare«, aind. *ántya-ḥ* »der Letzte«. Als »äußerster Punkt« wird ›Ende‹ schon früh auch zeitlich verstanden. Vielfach bezeichnet es zugleich das äußerste Stück, z. B. ›ein Ende Brot‹, ›ein Endchen Licht‹. Nach seinen Geweihenden heißt der Hirsch ›Sechs-, Achtender‹ usw. Räumliche Ausbreitung zeigt ›an allen Ecken und Enden‹ für »überall«. Abl.: **enden** (mhd. *enden*, ahd. *entōn*), dazu **beenden** (18. Jh.; ursprünglich Kanzleiwort) und **verenden** »sterben (von erkrankten, angeschossenen Tieren)« (mhd. *verenden*, ahd. *firentōn* »ein Ende nehmen; sterben«); **endigen** (15. Jh.; zu spätmhd. *endec* »zu Ende kommend«), dazu **beendigen** (18. Jh.; ursprünglich Kanzleiwort); **endlich** »am Ende kommend, zuletzt« (mhd. *endelich*), dazu **unendlich** »endlos ausgedehnt« (auch als bloße Verstärkung; mhd. *unendelich* war »endlos, unvollendet, unnütz, schlecht«, ahd. *unentilīh* »unbegrenzt«); **Endung** (spätmhd. für »Beendigung«; als grammatischer Begriff im 17. Jh. eingeführt).

Endivie: Der Name der Salatpflanze (mhd. *enduvie*, mnd. *endivie* ist durch roman. Vermittlung (it. *endivia*, frz. *endive*) entlehnt aus lat. *intubus (intubum)* bzw. aus spätlat. *intiba*. Letzte Quelle des Pflanzennamens ist wohl ägypt. *tōbi* »Januar«, woraus griech. *tybí* »Januar« geworden ist. Das davon abgeleitete griech. *entýbion (éntybon)*, das den Namen der Pflanze den europäischen Sprachen vermittelte, bedeutet demnach eigentlich »im Januar wachsende Pflanze«.

endlich ↑Ende.

endo..., Endo...: Die Vorsilbe von Fachwörtern aus dem Bereich der Medizin und der Naturwissenschaft mit der Bed. »innen, innerhalb« ist gleichbed. griech. *én-don* (Adverb) entlehnt.

Endung ↑Ende.

Energie »die Fähigkeit, Arbeit zu verrichten (Physik); Spannkraft, Tatkraft«: Das Substantiv wurde im 18. Jh. aus gleichbed. frz. *énergie* entlehnt, das über spätlat. *energia* auf griech. *en-érgeia* »wirkende Kraft« zurückgeht. Zugrunde liegt das von griech. *érgon* »Werk, Wirken« abgeleitete Adjektiv griech. *en-ergós* »einwirkend«. Als Grundwort erscheint griech. *érgon*, das mit dt. ↑Werk urverwandt ist, auch in den Fremdwörtern ↑Allergie, allergisch, ↑Chirurg, Chirurgie und ↑Liturgie. – Abl.: **energisch** »tatkräftig, entschlossen« (18. Jh.; nach frz. *énergique*).

eng: Das gemeingerm. Adjektiv mhd. *enge*, ahd. *engi*, got. *aggwus*, aengl. *enge*, norw. *ang* gehört mit seinem in nhd. ↑bang[e] erhaltenen Adverb mhd. *ange*, ahd. *ango* zu der idg. Wurzel *anĝh-* »eng; einengen, zusammendrücken oder -schnüren«. Urverwandt sind zahlreiche Wörter ähnlicher Bedeutung im Lat., Griech., Kelt., Baltoslaw. und Aind., z. B. griech. *ágchein* »erdrosseln« (↑Angina), *ágchi* »nahe bei«, lat. *angere* »beengen«, *angiportus* »enges Gässchen«. Aus einer Weiterbildung der Wurzel entstanden dt. ↑Angst, lat. *angustiae* »Enge, Klemme« und aind. *áṁhas-* »Angst, Bedrängnis«. Die Bedeutung der Wortgruppe umfasst also schon früh körperliche wie seelische Einengung, wie es der Gebrauch von dt. ›eng‹ noch heute zeigt. Abl.: **Enge** (mhd. *enge*, ahd. *engi;* räumlich z. B. in Landenge); **engen** veraltet für »be-, einengen« (mhd., ahd. *engen*, got. *[ga]aggwjan*), dazu die heute üblichen **beengen, einengen, verengen** (17. Jh.).

engagieren »verpflichten, unter Vertrag nehmen (besonders von Künstlern); (eine Dame) zum Tanz auffordern; sich binden, sich [leidenschaftlich] für etwas einsetzen«: Das Verb wurde im 17./18. Jh. aus frz. *engager* »in Gage nehmen« entlehnt (vgl. [1]*in..., In...* und *Gage*). Dazu gehört das Substantiv **Engagement** »Anstellung[svertrag] eines Künstlers; Bindung, Einsatz« (17./18. Jh.; aus frz. *engagement*).

Enge

jmdn. in die Enge treiben

»jmdn. durch Fragen in Bedrängnis, in Verlegenheit bringen«

Die Wendung geht davon aus, dass man früher beim Kampf den Gegner gegen die Wand oder in die Ecke zu treiben versuchte, um seine Bewegungsfreiheit einzuschränken und ihm die Möglichkeit zur Flucht zu nehmen.

Engel: Die den germ. Sprachen gemeinsame Bezeichnung für die im christlichen Glauben als Boten Gottes benannten Mittelwesen zwischen Gott und Mensch (mhd. *engel,* ahd. *engil,* got. *aggilus,* niederl. *engel,* aengl. *engel,* schwed. *ängel*) beruht auf einer frühen Entlehnung aus griech. *ággelos* »Bote; (N. T.:) Bote Gottes«. Zu den Westgermanen gelangte das Wort vermutlich durch got. Vermittlung im Zuge der arianischen Mission, während es die Nordgermanen wohl unmittelbar durch angelsächsische oder deutsche Missionare erreichte.

Engerling: Die Maikäferlarve teilte früher ihren Namen mit anderen Maden (so bezeichnet weidmännisch Engerling noch die Larve der Dasselfliege). Mhd. *enger[l]inc,* ahd. *engiring* »Made« ist abgeleitet von gleichbed. mhd. *anger, enger,* ahd. *angar,* das wie lit. *ankštara* »Dassellarve«, lett. *anksteri* »Maden, Engerlinge« wahrscheinlich zur Sippe von ↑Unke gehört.

en gros »im Großen« (Gegensatz: en détail), besonders auch in Zusammensetzungen wie ›Engroshandel‹ »Großhandel«: Die seit dem 17. Jh. gebräuchliche, aus dem Frz. übernommene Fügung (vgl. [1]*Gros*) stammt aus der Kaufmannssprache.

engstirnig ↑Stirn[e].

Enkel »Kindeskind«: Frühnhd. *enikel,* mhd. *eninkel* (ahd. *enichlīn*) ist eine Verkleinerung zu dem unter ↑Ahn behandelten Wort. Der Enkel galt vielen Völkern als der wieder geborene Großvater, wie es auch germ. Sitte war, ihm den Namen und damit Kraft und Glück des [verstorbenen] Großvaters zu geben (z. B. wechselten so bei den Karolingern die Namen Pipin und Karl). Im Dt. hat ›Enkel‹ das ältere ↑Neffe aus dieser Bedeutung verdrängt.

Enklave: Das politische Fachwort bezeichnet eine fremdstaatliche ›Insel‹ auf eigenem Staatsgebiet. ›Enklave‹ wurde im 19. Jh. entlehnt aus frz. *enclave* (zu *enclaver* »[mit einem Schlüssel] einschließen« < vlat. **in-clavare,* weiter zu ↑[1]in..., In... und lat. *clavis* »Schlüssel«, vgl. *Klavier*). Das Wort bezeichnet also eigentlich ein »eingeschlossenes, eingefügtes Gebiet«. **Exklave** als Bezeichnung für eine eigenstaatliche ›Insel‹ auf fremdem Staatsgebiet wurde im 20. Jh. analog dazu gebildet.

enorm »außerordentlich; ungeheuer«: Das Adjektiv wurde im 18. Jh. aus gleichbed. frz. *énorme* entlehnt, das auf lat. *e-normis* »von der Norm abweichend; unverhältnismäßig groß« zurückgeht (vgl. [1]*ex..., Ex...* und *Norm*).

en passant »im Vorbeigehen, beiläufig«: Die seit dem 17. Jh. bezeugte, aus dem Frz. stammende Fügung wurde lange Zeit nur im Sinne von »auf der Durchreise« verwendet. Erst im 19. Jh. kam die heute übliche Bedeutung auf. Frz. *passant* ist Part. Präs. von *passer* (vgl. *passieren*).

ent..., Ent...: Die Vorsilbe mhd. *ent-,* ahd. *int-* bezeichnet Gegensatz oder Trennung und steht vor Verben und Ableitungen aus Verben (z. B. führen – entführen – Entführung); sie ist das Gegenstück zu dem betonten ›ant-‹ der nominalen Zusammensetzung, von dem sie sich als stets unbetonte Partikel lautlich geschieden hat. Voraus liegt germ. **and[a]-* »entgegen; von etwas weg« (vgl. [1]*ant..., Ant...*). Der Begriff des Trennens hat sich aus dem des Dagegenwirkens entwickelt. Nicht hierher gehören Wörter wie ›entbehren, entgegen, entlang, entzwei‹ und Verben des Beginnens wie ›entflammen, entstehen‹; bei ihnen hat sich altes ›in-‹ mit ›ent-, int-‹ vermischt, deren -t- im Ahd. und Mhd. oft abfiel, wie umgekehrt -t- als Gleitlaut an ›in-, en-‹ antreten konnte. Vor -f- ist ›ent-‹ zu ›emp-‹ angeglichen worden (↑empfangen, ↑empfehlen, ↑empfinden).

entarten ↑Art.

entbehren: Das Verb mhd. *enbern,* mnd. *en[t]bēren,* ahd. *inberan* ist eine Verneinung des im Nhd. untergegangenen Verbs ahd. *beran* »tragen« (vgl. *gebären*) und hat aus »nicht [bei sich] tragen« den Sinn »ermangeln, vermissen« entwickelt. Die unbetonte Vorsilbe ist die abgeschwächte Verneinungspartikel *ni, ne* (vgl. *nein*) und wurde erst nachträglich an das häufige Verbalpräfix ›ent-‹ (s. d.) angelehnt.

entbieten ↑bieten.

entbinden ↑binden.

entblöden ↑blöd[e].

entblößen ↑[1]bloß.

entdecken: Mhd. *endecken,* ahd. *intdecchan* ist – anders als niederl. *ontdekken* – in seiner alten konkreten Bedeutung seit dem 17. Jh. durch ›aufdecken‹ und ›entblößen‹ abgelöst worden. Übertragen steht es schon ahd. von erkannten Lügen, seit dem Mhd. wird ›jemandem etwas entdecken‹ für »mitteilen« gebraucht. Der heute vorherrschende Sinn »Unbekanntes, Verborgenes auffinden« hat sich erst seit dem 16. Jh. entwickelt.

Ente: Der germ. Vogelname hat Entsprechungen in vielen idg. Sprachen. Mhd. *ente* (aus ahd. *enita*) steht neben mhd. *ant* (aus ahd. *anut*), denen aengl. *ened,* schwed. *and* entsprechen. Urverwandt sind u. a. lat. *anas* »Ente« und lit. *ántis* »Ente«. Idg. **anət-* bezeichnet die Wildente. Die zahme Ente gewinnt wie die ↑Gans erst später Bedeutung, in Deutschland erst seit der Karolingerzeit. In der Bed. »Zeitungslüge« begegnet ›Ente‹ erst um 1850 nach dem Vorbild von gleichbed. frz. *canard.* Doch kommt ›blaue Enten‹ für »Lügen« schon im 16. Jh. vor. Die ›kalte Ente‹ erscheint nordd. im 19. Jh. als ›Ente‹ »feines Mischgetränk«. Das Männchen des Wasservogels heißt ↑Erpel oder **Enterich** (mhd. *antreche,* ahd. *anutrehho,* mnd. *āntreke, āntdrāke*); der 2. Bestandteil ist unerklärt, doch beachte engl. *drake* (13. Jh.), niederd. *drake* »Enterich«. Im Nhd. an die Personennamen auf -rich angelehnt, regte ›Enterich‹ ähnliche Bildungen, z. B. ›Gänserich, Täuberich‹ an.

entern: Das aus dem Niederd. ins Hochd. gelangte und dort seit dem Ende des 17. Jh.s bezeugte Verb wird heute einerseits in seiner alten Bedeutung

»ein feindliches Schiff erklettern und im Kampf aufbringen« verwendet, andererseits ist es in der modernen Seemannssprache in der neuen Bed. »in die Takelung eines Schiffes klettern« gebräuchlich. Niederd. *entern,* das seit dem 15. Jh. begegnet, wurde im Bereich der Seemannssprache aus gleichbed. (m)niederl. *enteren* entlehnt. Das niederl. Wort selbst führt über span. *entrar* »hineingehen; hineinbringen; überfallen, einnehmen« auf lat. *intrare* »hineingehen, betreten« zurück. Dies gehört zu lat. *intra* »innerhalb, innen« (vgl. *inter..., Inter...*). Zus.: **Enterhaken** (Anfang des 18. Jh.s).

entfernen, Entfernung ↑fern.

entflechten ↑flechten.

entfliehen ↑fliehen.

entfremden ↑fremd.

entführen, Entführer, Entführung ↑führen.

entgegen: Das Adverb mhd. *engegen,* ahd. *ingegin, -gagan* ist aus den unter ↑in und ↑gegen behandelten Wörtern gebildet. Durch Anlehnung an das unverwandte Präfix ›ent-‹ (s. d.) entstand die nhd. Form. Zu ›entgegnen‹ s. den Artikel *gegen.*

entgegnen ↑gegen.

entgehen ↑gehen.

entgeistern, entgeistert ↑Geist.

Entgelt, entgelten ↑gelten.

entgräten ↑Gräte.

enthalten, enthaltsam, Enthaltsamkeit, Enthaltung ↑halten.

enthaupten, Enthauptung ↑Haupt.

enthülsen ↑Hülse.

entkommen ↑kommen.

entkorken ↑Kork.

entkräften ↑Kraft.

entlang: Die Präposition wurde erst im 18. Jh. aus dem Niederd. übernommen. Mnd. *en[t]lanc* gehört wie gleichbed. engl. *along* (aus mengl. *on long*) zu den unter ↑in und ↑lang behandelten Wörtern (s. a. *ent..., Ent...*). Das Wort ist zusammengerückt aus Fügungen wie mnd. *bi dīke [in] lanc* »beim Deich [ent]lang« oder *den wech [in] lanc* (mit adverbialem Akkusativ der Erstreckung) »den Weg [ent]lang« (in niederd. Umgangssprache bleibt ›ent...‹ meist weg; s. auch *längs* unter *lang*).

entlassen, Entlassung ↑lassen.

entlasten ↑Last.

entlauben ↑Laub.

entledigen ↑ledig.

entrichten ↑richten.

entrinnen: Das auf das dt. Sprachgebiet beschränkte Verb (mhd. *entrinnen,* ahd. *intrinnan*) ist eine Präfixbildung zu dem unter ↑rinnen behandelten Wort in dessen alter Bed. »rennen, laufen«. Zum Präfix vgl. den Artikel *ent..., Ent...*

entrümpeln ↑Gerümpel.

entsaften, Entsafter ↑Saft.

entsagen, Entsagung ↑sagen.

entschädigen ↑Schaden.

Entscheid, entscheiden, Entscheidung, entschieden ↑scheiden.

entschlafen ↑Schlaf.

entschließen, sich: Mhd. *entsliezen,* ahd. *intsliozan* »aufschließen« (vgl. *schließen*) gewann frühnhd. die Bedeutung »entscheiden«, genauer »zur Entscheidung gelangen«, wobei es sich als Verb des Beginnens von dem perfektiven ↑beschließen unterscheidet. Dazu **entschlossen** »von festem Vorsatz, tatkräftig« (16. Jh.; eigentlich zweites Part.).

entschlüsseln ↑Schlüssel.

entschuldigen, Entschuldigung ↑Schuld.

entsetzen: Als dt. Präfixbildung zu dem unter ↑setzen behandelten Verb ist mhd. *entsetzen,* ahd. *intsezzen* Veranlassungsverb zu dem untergegangenen mhd. *entsitzen,* ahd. *intsizzan* »aus dem Sitz, aus der ruhigen Lage kommen; furchtsam entweichen« (beachte schon got. *andsitan* »scheuen«; vgl. auch den Artikel *ent..., Ent...*). Mhd. *entsetzen* bedeutete daher »aus dem Besitz bringen, berauben«, reflexiv »sich scheuen, fürchten«. Die zweite Bedeutung hat sich im Nhd. zu »Schrecken, Grauen empfinden« verstärkt. Im gleichen Sinne erscheinen seit dem 16. Jh. der substantivierte Infinitiv **Entsetzen** sowie die Adjektive **entsetzt** (eigentlich 2. Part.) und **entsetzlich.** Als militärisches Fachwort bedeutete schon mhd. *entsetzen* »von einer Belagerung befreien«; es war damit Gegenwort zu mhd. *besetzen* in dessen Bedeutung »belagern«; dazu um 1600 **Entsatz** »Befreiung[sheer]«.

entsinnen ↑sinnen.

entspannen ↑spannen.

entsprechen, entsprechend ↑sprechen.

entspringen ↑springen.

entstehen ↑stehen.

entstellen ↑stellen.

entstören ↑stören.

enttäuschen: Das erst nach 1800 als Ersatz für die aus dem Frz. übernommenen Fremdwörter ›detrompieren‹ und ›desabusieren‹ aufgekommene Wort bedeutet eigentlich in positivem Sinne »aus einer Täuschung herausreißen, eines Besseren belehren« (vgl. *ent..., Ent...*). Es wird aber unter dem Einfluss von ↑täuschen nur für die unangenehme Zerstörung guter Erwartungen gebraucht.

entwaffnen ↑Waffe.

entweichen ↑[2]weichen.

entwenden ↑wenden.

entwerfen: Mhd. *entwerfen* bedeutete ursprünglich »ein Bild gestalten«; es war ein Fachwort der Bildweberei, bei der das Weberschiffchen hin und her in die aufgezogene Gewebekette geworfen wird (beachte auch ›hinwerfen‹ in der Bed. »skizzieren«). Aber bereits im Mhd. gilt ›entwerfen‹ auch für literarisches und geistiges Gestalten. Der Sinn des Vorläufigen kommt erst durch den Einfluss von frz. *projeter* »planen« (eigentlich »vor-werfen«) hinzu.

entwerten ↑wert.
entwickeln, Entwicklung ↑wickeln.
entwirren ↑verwirren.
entwischen ↑Wisch.
entwöhnen: Das Verb mhd. *entwenen*, ahd. *intwennen* hat seine besondere Bedeutung »ein Kind von der Muttermilch entwöhnen« bis heute bewahrt. Es ist Gegenwort zu dem unter ↑gewöhnen behandelten Verb (vgl. dort engl. *to wean* »ein Kind an andere Nahrung als die Muttermilch gewöhnen«). Seit mhd. Zeit wird ›entwöhnen‹ auch im allgemeinen Sinne gebraucht.
entwürdigen ↑Würde.
entziffern ↑Ziffer.
entzücken: In der mittelalterlichen Mystik wurden die Verben mhd. *enzücken* und *verzücken*, die sonst »eilig wegnehmen, rauben« bedeuteten (vgl. *zücken*), für die andächtige geistige Entrückung (Ekstase) gebraucht. Während **verzücken** und sein 2. Part. **verzückt** diesen Sinn bis heute bewahrt haben, wird ›entzücken‹ in der Barockzeit auf die Seligkeit der Liebe übertragen und verblasst dann bald zum allgemeinen Ausdruck angenehmen Empfindens. Neben der Passivform ›von etwas entzückt sein‹ wird besonders das erste Partizip **entzückend** als Adjektiv in diesem Sinne verwendet.
entzünden, Entzündung ↑zünden.
entzwei: Die heutige Form hat sich in spätmhd. Zeit aus mhd. *enzwei*, ahd. *in zwei* eigentlich »in zwei Teile« entwickelt. Das Verb **entzweien** »uneins machen, verfeinden« ist nicht von ›entzwei‹ abgeleitet, sondern eine Bildung aus ›ent...‹ (vgl. *ent..., Ent...*) und ›zweien‹ (mhd. *zweien;* vgl. *zwei*).
Enzian: Der Name der Gebirgspflanze (mhd. *encian, entian*) ist eine Entlehnung aus spätlat. *jentsiana* < lat. *gentiana*, dessen weitere Herkunft unklar ist.
ep..., Ep..., eph..., Eph... ↑epi..., Epi...
epi..., Epi..., (vor Vokalen und h:) ep..., Ep..., eph..., Eph...: Die Vorsilbe mit der Bedeutung »[dar]auf, darüber; über – hin; hinzu« ist entlehnt aus gleichbed. griech. *epí*, das etymologisch mit der unter ↑After behandelten germ. Präposition verwandt ist.
Epidemie »ansteckende Massenerkrankung, Seuche«: Der gelehrte Name für die volkstümlichen Bezeichnungen »Plage« und »Seuche« hat sich im 18. Jh. bei uns eingebürgert, ist aber in mlat. Form *(epidemia)* schon seit dem Beginn des 16. Jh.s in deutschen Texten bezeugt. Voraus liegt griech. *epidēmíā nósos* »im ganzen Volk verbreitete Krankheit«. Über das Grundwort griech. *dēmos* »Gebiet; Volk« vgl. *demo..., Demo...*
Epigone: Die Bezeichnung für »unbedeutender Nachfolger berühmter Vorgänger, Nachahmer« (besonders in Literatur und Kunst) wurde im 19. Jh. in der Pluralform ›Epigonen‹ aus griech. *epí-gonoi* »Nachgeborene« entlehnt, womit speziell die Söhne der sieben großen Heerführer im ersten Thebanischen Krieg, später auch die Nachfolger Alexanders des Großen bezeichnet wurden. Griech. *epí-gonoi* gehört zu *gígnesthai* »werden, entstehen« (vgl. *Genus*).
Epigramm »kurzes, prägnantes Sinn- oder Spottgedicht; knappe, scharf pointierte [künstlerische] Äußerung«: Das Fremdwort wurde im 18. Jh. aus gleichbed. lat. *epigramma* entlehnt, das seinerseits aus griech. *epí-gramma* »Aufschrift, Inschrift (besonders die in Distichen abgefasste Inschrift auf Statuen, Gräbern, Weihgeschenken usw.)« übernommen ist (vgl. *epi..., Epi...* und *...gramm*).
Epilepsie »Fallsucht (mit meist plötzlich einsetzenden Krampfanfällen)«: Die Epilepsie gehört – wie Cholera und Diarrhöe – zu den schon den altgriechischen Ärzten bekannten und von ihnen benannten Krankheiten. Griech. *epilēpsíā* »Anfassen; Anfall« wurde über lat. *epilepsia*, frz. *épilepsie* im 18. Jh. übernommen. Zugrunde liegt das griech. Zeitwort *epi-lambánein* »anfassen, befallen«. – Dazu gehören das Adjektiv **epileptisch** (nach lat. *epilepticus* < griech. *epi-lēptikós*) und das Substantiv **Epileptiker.**
Episode: Der Ausdruck für »unbedeutende Begebenheit« wurde im 18. Jh. aus frz. *épisode* entlehnt, einem Bühnenwort, das auf griech. *ep-eisódion* zurückgeht. Griech. *epeisódion*, das etwa mit »Hinzukommendes« wiederzugeben ist, bezeichnete in der altgriechischen Tragödie die zwischen die einzelnen Chorlieder eingeschobenen Dialogteile. Da der Chor der Hauptträger der Handlung war, wurden die hinzukommenden Dialogteile der handelnden Personen als »unwesentliche Nebensache« empfunden. Das Grundwort in griech. *ep-eis-ódion* ist griech. *hodós* »Weg« (vgl. *Periode*).
Epoche »[bedeutsamer] Zeitraum, -abschnitt«: Das Wort wurde im 18. Jh. über mlat. *epocha* aus griech. *epochḗ* entlehnt. Dessen Grundbedeutung ist etwa mit »das Anhalten« wiederzugeben. Der moderne Sinn geht von der Bed. »Haltepunkt in der Zeitrechnung (der in ein Neues hinüberleitet)« aus. Griech. *epochḗ* ist abgeleitet von *epéchein* »hin-, fest-, anhalten«; über das Stammwort vgl. den Artikel *hektisch*. – Eine junge Ableitung von ›Epoche‹ ist das Adjektiv **epochal** »Aufsehen erregend, bedeutend« (20. Jh.).

Epoche

Epoche machen
»durch eine besondere Leistung für einen [neuen] Zeitabschnitt bestimmend, in Aufsehen erregender Weise wichtig sein«
Bei dieser seit dem 18. Jh. bezeugten Wendung handelt es sich um eine Lehnübersetzung von frz. *faire époque*.

Epos: Die Bezeichnung für »erzählende Dichtung; Heldengedicht« wurde im 18. Jh. aus griech.(-lat.) *épos* »Wort; Rede, Erzählung; Heldendichtung« entlehnt, das zu der unter ↑erwähnen entwickelten Wortfamilie gehört. Abl.: **episch** »breit erzählend« (18. Jh.; aus lat. *epicus* < griech. *epikós*), dazu **Epik** »erzählende Dichtkunst« und **Epiker** »epischer Dichter«.

er, es: Das Pronomen der 3. Person ahd., mhd. *er, ez*, got. *is, ita* geht wie lat. *is, id* (in ↑identisch) auf den idg. Pronominalstamm **e-, *i-* zurück, der weitergebildet auch das Zahlwort ↑[1]ein ergeben hat. Vom gleichen Stamm sind der Dativ **ihm**, **[1]ihr** und der Akkusativ **ihn** gebildet (ahd. *imu, imo, iru; in[an]*), ebenso der Genitiv **ihrer** im Singular und Plural und das Possessivpronomen **[2]ihr** (ahd. *ira, iro*, mhd. *ir*). Als Anrede war ›Er‹ im 18. Jh. gegenüber Personen geringeren Standes üblich.

er...: Mhd. *er-*, ahd. *ar-, ir-, er-* ist das in unbetonter Stellung bei Verben abgeschwächte Präfix ↑ur..., Ur... Wie dieses bedeutet es eigentlich »heraus, hervor«, dann aber auch »zum Ende hin« und bezeichnet daher das Einsetzen eines Geschehens oder die Erreichung eines Zweckes, beachte z. B. ›er-blühen, er-steigen, er-blassen, sich er-mannen‹.

erachten ↑achten unter [2]*Acht.*

erbarmen: Das Verb mhd. *[er]barmen*, ahd. *[ir]barmēn* stammt – wie auch ↑barmherzig – aus der got. Kirchensprache, vgl. got. *[ga]arman* »sich erbarmen«, das eine Lehnübersetzung von lat. *misereri* (zu *miser* »arm, elend«; vgl. *arm*) ist. Als eins der zentralen Worte der christlichen Liturgie (Kyrie eleison! = Herr, erbarme dich!) erhielt das Verb im Ahd., um Verwechslung mit ahd. *armēn* »arm sein, werden« zu vermeiden, die Vorsilbe ab- »weg«: ahd. **ab-armēn* (eigentlich »von Not befreien«; vgl. aengl. *ofearmian* »sich erbarmen«). Durch Verschiebung der Sprechsilbengrenze kam -b- zum Stamm und a- fiel ab. So konnte als neue Vorsilbe ›er-‹ antreten. Das einfache Verb hat sich erhalten als **barmen** nordd., ostd. für »jammern, klagen«.

erbauen: Mhd. *erbūwen* bedeutete »anbauen, durch Anbau gewinnen (z. B. Feldfrüchte); aufbauen; ausrüsten«. Der übertragene Gebrauch knüpfte schon im Mhd. und besonders in Luthers Bibelübersetzung an die Bed. »aufbauen« an. Daraus entwickelte der Pietismus des 18. Jh.s den heutigen Sinn »durch fromme Gedanken erheben, andächtig stimmen«. Abl.: **erbaulich** (17. Jh.; zuerst für »heilsam, nützlich«, dann »erhebend, andächtig stimmend«).

[1]Erbe »Hinterlassenschaft«: Der Ursprung dieses bei Germanen und Kelten schon früh bezeugten Rechtsbegriffes liegt in der Vorstellung des verwaisten schutzlosen Kindes. Das gemeingerm. Substantiv mhd. *erbe*, ahd. *erbi*, got. *arbi*, aengl. *ierfi*, schwed. *arv* »Erbschaft« ist urverwandt mit gleichbed. air. *orbe*, lat. *orbus* »beraubt«, griech. *orphanós* »verwaist«, armen. *orb* »Waise« und aind. *árbha-ḥ* »klein, schwach«; substantiviert »Kind« und geht zurück auf die idg. Wurzel **orbho-* »verwaist; Waise«. Die ursprüngliche Bedeutung ist also »Waisengut«. Zu derselben Wurzel werden gewöhnlich ↑Arbeit (eigentlich »schwere körperliche Arbeit eines verwaisten Kindes«) und ↑arm (eigentlich »verwaist«) gestellt. Abl.: **[2]Erbe** (gemeingerm. und kelt. bezeugt: mhd. *erbe*, ahd. *erbo, arpeo*, got. *arbja*, aengl. *ierfa*, aisl. *arfi* entsprechen gleichbed. air. *orbe;* beachte auch die Übereinstimmung der alten Rechtswörter got. *ga-arbja* und air. *comarbe* »Miterbe«); **erben** (zu [1]Erbe; mhd., ahd. *erben*, vgl. aengl. *ierfan*, aisl. *erfa*), dazu **beerben** (mhd. *beerben*) und **vererben** (mhd. *vererben*); **erblich** (15. Jh.; mhd. als Adverb *erbelīchen*); **Erbschaft** (mhd. *erbeschaft*, jetzt üblicher als [1]Erbe).

erbeuten ↑Beute.

erbittern, Erbitterung ↑bitter.

erblassen ↑blass.

erbleichen: In dem nhd. Wort leben zwei mhd. Verben fort: Das schwache mhd. *erbleichen* »bleich werden, sterben« ist eine Ableitung von ↑bleich, das starke mhd. *erblīchen* »erblassen, verbleichen« gehört zu dem unter ↑verbleichen genannten einfachen starken Verb mhd. *blīchen* »glänzen«. Im Nhd. hat sich noch das starke 2. Part. ›erblichen‹ in der Bed. »gestorben« erhalten, die übrigen Formen beugen heute schwach.

erbosen ↑böse.

Erbse: Der Name der Hülsenfrucht mhd. *areweiz̧, arwiz̧, erbeiz̧*, ahd. *araweiz̧, -wiz̧*, niederl. *erwt*, schwed. *ärt* ist verwandt mit lat. *ervum* »Wicke« und griech. *órobos, erébinthos* »Kichererbse«. Zugrunde liegt wahrscheinlich ein voridg. Wort des östlichen Mittelmeers. Zus.: **Erbswurst** (Suppenkonserve aus gepresstem Erbsenmehl; zuerst beim deutschen Heer 1870/71).

Erde: Das gemeingerm. Substantiv mhd. *erde*, ahd. *erda*, got. *aírþa*, engl. *earth*, schwed. *jord* beruht mit verwandten Wörtern in anderen idg. Sprachen auf idg. **er[t-, -u̯-]* »Erde«, vgl. z. B. griech. *érā* »Erde« (*éraze* »zu Erde«), aisl. *jorfi* »Sand[bank]« und kymr. *erw* »Feld«. Auch ahd. *ero* »Erde« stellt sich zu dieser Wurzel. – Das Wort bezeichnet zunächst die Erde als Stoff (nasse, schwarze, gebrannte Erde usw.; dazu die Ableitungen ↑irden, irdisch), dann den [Erd]boden (z. B. ›auf der Erde liegen‹, ›zu ebener Erde wohnen‹, ›Erdgeschoss‹). Weiter ist ›Erde‹ im Gegensatz zu ›Himmel‹ das vom Menschen bewohnte Festland und wird schließlich zum Namen unseres Planeten. Abl.: **erden** »elektrische Geräte mit der Erde verbinden« (20. Jh.); **erdig** »Erde enthaltend, erdartig« (15. Jh.; jetzt besonders vom Geschmack mancher Weine); **beerdigen** (17. Jh.). Zus.: **Erdapfel** (seit dem 17. Jh. landsch. für »Kartoffel«, wie sonst auch ›Erd-, Grundbirne‹; mhd. *ertapfel*, ahd. *erdaphul* war u. a. gebräuchlich als Benennung für die Melone oder die Gurke); **Erd-**

beere (mhd. *ertber,* ahd. *erdberi,* da sie an der Erde wächst); **Erdkunde** (Lehnübertragung des 18. Jh.s für ↑Geographie); **Erdnuss** (früher für Knollengewächse, ahd. *erdnuz;* seit dem 18. Jh. für die tropische Ölfrucht, deren Samenhülsen sich in den Boden bohren); **Erdöl** (18. Jh.; Lehnübertragung für ↑Petroleum); **Erdreich** (mhd. *ertrīche,* ahd. *ertrīhhi* »bewohnte Erde« im Gegensatz zu ›Himmelreich‹; die jetzige Bed. »Erdboden, Erde als Stoff« schon spätmhd.).

erdrosseln ↑ [2]Drossel.

ereignen, sich: Älter nhd. *eräugnen* (bis ins 18. Jh.) ist Nebenform zu älter nhd. *eräugen, ereigen* (mhd. *[er]öugen,* ahd. *[ir]ougen* »vor Augen stellen, zeigen«; vgl. *Auge*) und hat aus »sich zeigen« die heutige Bed. »geschehen« entwickelt. Das Wort wurde unrichtig an ›eignen‹ (↑eigen) angelehnt, weil einige Mundarten äu zu ei entrundet hatten. Abl.: **Ereignis** (18. Jh.; für älteres *Eräugnung, Ereignung;* ahd. *arougnessi* »Sichzeigen« war untergegangen).

Eremit: Der Ausdruck für »Einsiedler« wurde im 16. Jh. aus gleichbed. lat. *eremita* entlehnt, das auf griech. *erēmítēs* zurückgeht. Das zugrunde liegende Adjektiv griech. *erēmos (érēmos)* »leer, einsam, verlassen« ist ohne sichere Anknüpfungen. Im Frz. wurde lat. *eremita* zu *ermite.* Das davon abgeleitete Substantiv frz. *ermitage* erscheint bei uns im Fremdwort **Eremitage** »Einsiedelei« (17. Jh.), das lautlich an ›Eremit‹ angeglichen wurde.

[1]**erfahren:** Das Verb mhd. *ervarn,* ahd. *irfaran* bedeutete ursprünglich »reisen; durchfahren, durchziehen; erreichen«, wurde aber schon früh im heutigen Sinn gebraucht als »erforschen, kennen lernen, durchmachen«. Besonders wird das 2. Part. [2]**erfahren** seit dem 15. Jh. als Adjektiv für »klug, bewandert« gebraucht.

erfassen ↑fassen.

erfinden, Erfinder, erfinderisch, Erfindung ↑finden.

Erfolg, erfolgen, erfolglos, erfolgreich ↑folgen.

erfreuen ↑freuen.

erfrischen ↑frisch.

erfüllen, Erfüllung ↑füllen.

ergänzen ↑ganz.

ergattern ↑Gatter.

ergeben (zum Resultat haben), **ergeben** (gefügig), **Ergebenheit, Ergebnis, Ergebung** ↑geben.

ergehen ↑gehen.

ergiebig ↑geben.

ergötzen: Älter nhd., mhd. *ergetzen,* ahd. *irgetzen* war Veranlassungswort zu mhd. *ergezzen,* ahd. *irgezzan* »vergessen« (vgl. *vergessen*). Es bedeutete also »vergessen machen, entschädigen, vergüten«, woraus sich seit dem 15. Jh. der Sinn »sich erholen, [sich] erfreuen« entwickelte. Heute gilt ›ergötzen‹ besonders von heiterem Vergnügen (›zum Ergötzen der Zuschauer …‹).

ergreifen, ergreifend, ergriffen, Ergriffenheit ↑greifen.

ergrimmen ↑grimm.

ergründen ↑Grund.

erhaben: Mhd. *erhaben,* das alte 2. Part. von ›erheben‹ »in die Höhe heben«, hat sich in adjektivischem Gebrauch erhalten (sonst nhd. *erhoben*). Es bedeutete zunächst »emporragend« (z. B. von Bergen; heute noch im Fachwort ›erhabene Arbeit‹ für »Relief«) und entwickelte dann, besonders seit dem 18. Jh., die übertragene Bedeutung »vornehm, hoch stehend«, die vor allem im sittlichen und ästhetischen Bereich gebraucht wird.

erhalten ↑halten.

erheben, erheblich, Erhebung ↑heben.

erhitzen ↑Hitze.

erhöhen ↑hoch.

erholen, Erholung ↑holen.

erhören ↑hören.

Erika »Heidekraut«: Der Name der auf der ganzen Erde verbreiteten, meist in Form von kleinen Sträuchern vorkommenden Pflanze mit immergrünen Blättern beruht auf einer gelehrten Entlehnung in nhd. Zeit aus lat. *erice* < griech. *ereíkē* »Heidekraut«. Während in der botanischen Fachsprache die ursprüngliche Betonung des Wortes auf der vorletzten Silbe bewahrt ist, bürgerte sich in der Volkssprache (durch Anlehnung des Wortes an den Personennamen Erika) die heute allgemein übliche Anfangsbetonung ein.

erinnern: Zum ahd. Adjektiv *innaro* (vgl. *in*) gehört das Verb mhd. *[er]innern,* ahd. *innarōn* mit der Grundbedeutung »machen, dass jemand einer Sache innewird«. Die Bedeutung des Verbs reicht im Nhd. von »[sich] ins Gedächtnis zurückrufen« bis zu »aufmerksam machen« und »mahnen«. Abl.: **Erinnerung** (15. Jh.).

erkalten, erkälten, Erkältung ↑kalt.

erkennen: Als Präfixbildung zu dem unter ↑kennen behandelten Wort bedeutet mhd. *erkennen,* ahd. *irchennan* »innewerden, geistig erfassen, sich erinnern«. Von der gleichen Grundbedeutung geht die zugehörige Nominalbildung ↑Urkunde aus. In der Rechtssprache ist ›erkennen‹ seit dem 13. Jh. im Sinne von »entscheiden, urteilen, bekannt machen« gebräuchlich (z. B. ›das Gericht erkannte auf Freispruch‹), woran sich neben **aberkennen** und **zuerkennen** das heute sehr häufige **anerkennen** anschließt (im 16. Jh. wohl nach lat. *agnoscere* gebildet). Die verhüllende biblische Wendung ›ein Weib erkennen‹ für »Geschlechtsverkehr haben« ist Lehnübersetzung von lat. *cognoscere feminam* und geht letztlich auf den hebr. Urtext zurück. Abl.: [1]**Erkenntnis** (mhd. *erkantnisse* »Erkennung, Einsicht«); [2]**Erkenntnis** »richterliches Urteil« (erst im 18. Jh. von [1]Erkenntnis unterschieden).

Erker »Vorbau«: Mhd. *erker[e], ärkēr* ist wohl Lehnwort aus nordfrz. *arquière* »Schützenstand, Schießscharte« (eigentlich »Mauerausbuchtung«), das seinerseits auf mlat. **arcuarium* »bogenförmige Ausbuchtung« (zu lat. *arcus* »Bogen«; vgl. *Arkade*) zurückgeht.

erklären, Erklärung ↑klar.

erklecklich ↑klecken.

erkoren ↑kiesen.

erkranken ↑krank.

erkühnen, sich ↑kühn.

erkunden, erkundigen, Erkundung ↑kund.

erlangen: Das Verb mhd. *erlangen* »erreichen« ist eine perfektive Bildung zu dem unter ↑lang behandelten Verb ›langen‹ »sich ausstrecken«.

Erlass, erlassen ↑lassen.

erlauben: Das Verb mhd. *erlouben, erlöuben,* ahd. *irlouben,* got. *uslaubjan* gehört wie ↑glauben zu der unter ↑lieb behandelten Wortgruppe. Im Nhd. hat sich – gegen Luthers *erleuben* – die oberd. Form ohne Umlaut durchgesetzt. Eine alte Bildung zu ›erlauben‹ ist ↑Urlaub. Siehe auch den Artikel *Verlaub.* Abl.: **Erlaubnis** (15. Jh.).

erlaucht: Die mitteld. Form des 2. Partizips von mhd. *erliuhten* »erleuchten, aufleuchten« (vgl. *leuchten*), *erluht,* erscheint seit dem 15. Jh. als Lehnübersetzung von lat. *illustris* »strahlend, berühmt«, das seit spätrömischer Zeit als Hoftitel gebraucht und so noch im Mittelalter verwendet wurde (wie ↑Durchlaucht für *perillustris*). Das Wort gilt noch heute für »hoch stehend, edel«, auch in geistigem Sinne. Der Titel [Seine, Ihre] **Erlaucht** erscheint seit dem 16. Jh. und steht besonders den Reichsgrafen zu.

erläutern ↑lauter.

Erle: Der hochd. Name des Baumes (mhd. *erle,* ahd. *erila)* ist durch Umstellung aus älterem *elira* (vgl. ahd. *elira,* asächs. *elora,* ähnlich aengl. *alor* [engl. *alder*], aisl. *ǫlr* [schwed. *al*] aus germ. **alizō, *aluz-*) entstanden. Abl.: **erlen** »aus Erlenholz« (mhd., ahd. *erlīn*).

erleben, Erlebnis ↑leben.

erledigen, erledigt ↑ledig.

erlegen ↑legen.

erleiden ↑leiden.

erlesen ↑lesen.

erleuchten ↑leuchten.

Erlös, erlösen, Erlöser, Erlösung ↑lösen.

ermächtigen ↑Macht.

ermangeln ↑²mangeln.

ermannen ↑Mann.

ermäßigen, Ermäßigung ↑mäßig.

ermatten ↑matt.

ermitteln ↑mittel.

ermüden ↑müde.

ernähren, Ernährer, Ernährung ↑nähren.

ernennen ↑nennen.

erneuen, erneuern ↑neu.

erniedrigen ↑nieder.

Ernst: Das westgerm. Substantiv mhd. *ernest,* ahd. *ernust* »Kampf; Festigkeit, Aufrichtigkeit«, niederl. *ernst* »Ernst«, aengl. *eornost* »Ernst, Eifer, Kampf«, engl. *earnest* »Ernst« gehört zu der unter ↑rinnen dargestellten idg. Wurzel **er[ə]-* »[sich] bewegen, erregen« und bedeutete demnach etwa »Kampf[eseifer]«, woraus sich »Festigkeit im Kampf« und weiter »Festigkeit im Willensentschluss« entwickelte. Außergerm. ist z. B. awest. *arənu-* »[Wett]kampf« näher verwandt. Das Adjektiv **ernst** ist erst in frühnhd. Zeit (16. Jh.) entstanden, aus Wendungen wie ›es ist mir Ernst‹.

Ernte: Die nhd. Form geht zurück auf die mhd. Nebenform *ernde* »Ernte«, die sich aus dem Plural von ahd. *arnōt* »Ernte[zeit]« (vgl. aengl. *ernđ* »Kornernte«) entwickelt hat. Das ahd. Wort ist eine Bildung zu dem Verb ahd. *arnōn* »ernten«. Dieses Verb wiederum ist abgeleitet von dem im Nhd. untergegangenen gemeingerm. Substantiv mhd. *erne* (gegenüber der oben genannten Nebenform *ernde* die übliche Form!), ahd. *ar[a]n,* got. *asans,* aengl. *ern,* schwed. *and.* Diese Wörter gehen alle von einer Grundbedeutung »Erntezeit, Sommer« aus. Außergerm. ist z. B. die slaw. Sippe von russ. *osen'* »Herbst« verwandt.

erobern: Spätmhd. *erobern* (mnd. *eröveren, everen*) hat mhd. *[ge]oberen,* ahd. *[ga]obarōn* ersetzt. Als Ableitung von ↑obere bedeutete es zunächst »erlangen, gewinnen« (eigentlich »der Obere werden«). Erst im 16. Jh. wurde es auf die militärische Bedeutung eingeengt. Aus dieser wieder entwickelte sich der nhd. übertragene Gebrauch (z. B. ›den Markt, die Freiheit, eine Frau erobern‹).

erörtern »durchsprechen, darlegen«: Das seit dem 16. Jh. bezeugte Verb ist eine Lehnübertragung von lat. *determinare* »abgrenzen, festlegen, bestimmen« (vgl. *Terminus* unter *Termin*) und wurde zunächst in der Rechtssprache im Sinne von »verhandeln« gebraucht. Es ist eine Bildung zum Plural ›Örter‹ von ↑Ort in dessen alter Bed. »äußerstes Ende, Ecke, Rand, Grenze« (vgl. spätmhd. *örtern* »genau untersuchen«).

erotisch »die sinnliche Liebe betreffend«: Das Adjektiv wurde im 18. Jh. über frz. *érotique* aus gleichbed. griech. *erōtikós* entlehnt. Das zugrunde liegende Substantiv griech. *érōs* »Liebe[sverlangen]«, aus dem unser Fremdwort **Eros** »sinnliches Verlangen, Liebe« stammt, ist nicht sicher gedeutet. – Dazu das Substantiv **Erotik** »sinnliche Liebe; Sinnlichkeit«.

Erpel: Die nordd. Bezeichnung des Enterichs (mnd., mniederl. *erpel*) stammt von den mittelalterlichen flämischen Siedlern in Brandenburg. Die Jägersprache übernahm das Wort für die männliche Wildente. Es ist verwandt mit ahd. *erph,* aengl. *eorp,* aisl. *jarpr* »dunkelfarbig« und scheint eine Koseform des zu ahd. *erph* gehörigen Personennamens asächs. *Erpo,* ahd. *Erpho* (eigtl. »der Braune«) zu sein, ähnlich wie Gänserich und Gans noch jetzt in niederd. Mundarten ›Gerd‹ und ›Aleid‹ (›Gerhard‹ und ›Adelheid‹) heißen. Die germ. Wortgruppe geht zurück auf idg. **erebh-* »dunkelrötlich, bräunlich«, zu dem u. a.

auch griech. *orphnós* »finster«, gall. *eburos* »Eibe« (mit ausgestoßenem erstem -r-; ↑Eberesche) und der Vogelname ↑Rebhuhn gehören.

erpicht

auf etwas erpicht sein
»an etwas stark interessiert, auf etwas begierig sein«
Die Wendung ist seit Ende des 16. Jh.s bezeugt (bis ins 18. Jh. auch als ›verpicht sein‹). Sie bedeutet so viel wie »(mit Pech) festgeklebt sein« und bezog sich auf die Pechruten beim Vogelfang (ähnlich wie ›versessen sein‹). Im eigentlichen Sinn wird ›verpichen‹ »mit Pech verkleben oder überziehen« (mhd. *verbichen,* zu ↑Pech) besonders für das Dichtmachen von Booten, Fässern und dgl. gebraucht.

erpressen ↑pressen.
erproben, erprobt ↑Probe.
erquicken: Das Verb mhd. *erquicken,* ahd. *irquicchan* ist eine Präfixbildung zu dem im Nhd. untergegangenen einfachen Verb mhd. *quicken,* ahd. *quicchan,* das von dem unter ↑keck behandelten Adjektiv in dessen ursprünglicher Bedeutung »lebendig« abgeleitet ist. Es bedeutete demnach »lebendig machen, wieder beleben«.
erregen, Erregung ↑regen.
erreichen ↑reichen.
errichten ↑richten.
erringen ↑ringen.
erröten ↑rot.
Errungenschaft ↑ringen.
Ersatz ↑setzen.
ersaufen, ersäufen ↑saufen.
erschaffen ↑schaffen.
erscheinen ↑scheinen.
erschöpfen, erschöpft ↑schöpfen.
erschrecken ↑[1]schrecken.
erschüttern: Das Verb ist eine frühnhd. Intensivbildung zu einem im Nhd. untergegangenen Verb mhd. *erschütten,* ahd. *irscutten,* einer verstärkenden Präfixbildung zu dem unter ↑schütten behandelten Verb in dessen alter Bed. »schütteln«. Das einfache ›schüttern‹ »beben, zittern« (15. Jh.) ist intransitiv. ›Erschüttern‹ wird häufig übertragen gebraucht, besonders auch für tiefe seelische Bewegung. Daher stehen die Partizipien **erschütternd** und **erschüttert** oft als Adjektive in diesem Sinn: ›eine erschütternde Nachricht‹; ›er schwieg erschüttert‹.
erschwingen, erschwinglich ↑schwingen.
ersehnen ↑sehnen.
ersetzen ↑setzen.
ersinnen ↑sinnen.
ersprießlich ↑sprießen.
erst: Die westgerm. Ordnungszahl mhd. *ēr[e]st,* ahd. *ērist,* niederl. *eerst,* aengl. *ǣrest* ist eigentlich der Superlativ zu dem unter ↑eher behandelten, im Dt. untergegangenen Positiv. Sie bezeichnete ursprünglich den zeitlich Ersten, dann auch den Ersten im Rang. Die Fügung ›der erste Beste‹ (auch: Erstbeste) steht kurz für ›der erste ist (wahllos) der Beste‹. Statt ›zum Ersten‹, ›fürs Erste‹ stehen gewöhnlich die Adverbien **zuerst** (mhd. *zērist,* ahd. *zi ērist*) und **vorerst** (18. Jh.; für älter nhd. *fürerst*), aber auch **erstens** (18. Jh.). Als sekundärer Komparativ wurde im 17. Jh. **Erstere** zur Bezeichnung des »Erstgenannten« gebildet. Zu den Ableitungen gehören noch **erstlich** (16. Jh.) und **Erstling** »zuerst Hervorgebrachtes«, jetzt besonders »erstes Kind« (biblisch).
erstatten ↑Statt.
erstaunen, erstaunlich ↑staunen.
erstehen ↑stehen.
ersteigern ↑steigern.
erstellen ↑stellen.
ersterben ↑sterben.
ersticken: Mhd. *ersticken,* ahd. *irsticken* bedeutet eigentlich wohl »mit dem Atem stecken bleiben« (vgl. *stecken*). Als Veranlassungswort stand daneben mhd. *erstecken* »voll stopfen, ersticken machen«. Diese Verben haben sich im 18. Jh. miteinander vermischt. Siehe auch den Artikel *Stickstoff.*
erstklassig ↑Klasse.
erstrecken ↑strecken.
ersuchen ↑suchen.
ertappen ↑tappen.
ertönen ↑[2]Ton.
Ertrag, ertragen, erträglich ↑tragen.
ertränken ↑tränken.
ertrinken ↑trinken.
ertüchtigen ↑tüchtig.
erübrigen ↑über.
Eruption »[vulkanischer] Ausbruch«: Das Wort wurde im 19. Jh. als geologischer Fachausdruck aus lat. *eruptio* »das Hervorbrechen, der Ausbruch« (zu *e-rumpere* »hervorbrechen«) entlehnt (vgl. [1]*ex...*, *Ex...* und *Rotte*).
erwachen ↑wachen.
erwachsen ↑[2]wachsen.
erwägen ↑wägen.
erwählen ↑wählen.
erwähnen: Das in dieser Form seit dem 16. Jh. belegte Wort (dafür mhd. *ge-wähenen,* ahd. *gi-wahan[en]* »sagen, berichten, gedenken«) hat nichts mit ›wähnen‹ (vgl. *Wahn*) zu tun. Es ist mit gleichbed. niederl. *gewagen* der Rest einer größeren west- und nordgerm. Sippe (vgl. z. B. aengl. *wōm[a]* »Lärm«, aisl. *ōmun* »Laut, Stimme«), die auf die idg. Wurzel **u̯ekᵘ̯-* »sprechen« zurückgeht. In den außergerm. Sprachen sind z. B. verwandt griech. *épos* (aus *u̯épos*) »Wort« (↑Epos) und lat. *vox* »Stimme«, lat. *vocare* »rufen« (siehe die Fremdwortgruppe um ↑Vokal). Abl.: **Erwähnung** (17. Jh.).
erwarten ↑warten.
erweichen ↑weich.

erweitern ↑weit.

erwerben ↑werben.

erwidern ↑wider.

erwürgen ↑würgen.

Erz: Mhd. *erze, arze,* ahd. *aruzzi, arizzi, aruz,* asächs. *arut* ist verwandt mit dem Bestimmungswort der nord. Münzbezeichnung aisl. *ørtog.* Die Herkunft des Wortes ist nicht sicher geklärt. Vielleicht handelt es sich um ein altes Wanderwort kleinasiatischen Ursprungs, vgl. sumer. *urdu* »Kupfer«. In seiner Hauptbedeutung als »metallhaltiges Gestein, rohes Material« erscheint ›Erz‹ in den Zusammensetzungen ›Erzader‹ (↑Ader), ›Blei-, Kupfer-, Manganerz‹ usw. sowie in den Namen des Erzgebirges und des Erzberges bei Eisenerz (Steiermark). Daneben bedeutete es »Bronze« (frühnhd. auch »Kupfer«) und hat in dieser Bedeutung die nicht verwandte Metallbezeichnung mhd. *ēr* (↑ehern) verdrängt.

Erz...: Zu griech. *árchein* »der Erste sein, an der Spitze stehen; regieren; anfangen, beginnen« (vgl. *Archiv*) gehört griech. *arch[i]-* als Bestimmungswort von Zusammensetzungen mit der Bedeutung »Ober..., Haupt..., Vorsteher, Führer, Meister usw.«, wie z. B. in griech. *archi-téktōn* »Baumeister« (↑Architekt) und griech. *archíātros* »Oberarzt« (s. d. Lehnwort *Arzt*). In solchen Zusammensetzungen, vornehmlich aus dem kirchlichen Bereich, wurde das griech. Wort über gleichbed. kirchenlat. *archi- (arci-)* früh ins Dt. entlehnt (ahd. *erzi-,* mhd. *erze-, erz-*). Zu den frühsten zusammengesetzten Lehnwörtern dieser Art gehören **Erzbischof** (↑Bischof) und verdunkelt ↑Arzt. Seit dem 15. Jh. begegnet das Bestimmungswort dann auch in Zusammensetzungen aus dem weltlichen Sprachbereich, so z. B. in **Erzherzog** (15. Jh.; Lehnübersetzung von mlat. *archidux*). In neuerer Zeit schließlich ist das Bestimmungswort zum bloßen Präfix verblasst. Es hat daher nur verstärkenden und steigernden Charakter in Neubildungen wie **Erzgauner, Erzlügner,** ferner auch in adjektivischen Bildungen wie **erzdumm, erzfaul** u. a.

erzählen: In der germ. Wortfamilie von ↑zählen hat sich mehrfach aus der Bed. »aufzählen, zu Ende zählen« der Sinn »berichten, Bericht« ergeben (beachte z. B. engl. *to tell* »zählen, erzählen«, *tale* »Erzählung« und niederd. *vertellen* »erzählen«). So werden auch mhd. *zel[le]n* und *erzel[le]n* nicht nur für »[auf]zählen« gebraucht, sondern auch für »berichten, mündlich mitteilen«. Im Nhd. hat nur ›erzählen‹ diese Bedeutung bewahrt. Abl.: **Erzähler** (18. Jh.); **Erzählung** (frühnhd. *erzelunge* »Aufzählung«; jetzt auch für eine einfachere Art epischer Dichtung).

Erzbischof ↑Bischof.

erzeigen ↑zeigen.

erzeugen ↑²zeugen.

erziehen, Erzieher, Erziehung ↑ziehen.

erzürnen ↑Zorn.

es ↑er.

Esche: Die altgerm. Bezeichnung des Laubbaumes mhd. *asch, esche,* ahd. *asc,* niederl. *es,* engl. *ash,* schwed. *ask* beruht mit verwandten Wörtern in anderen idg. Sprachen auf idg. **osk-,* **ŏ̄sen-,* **ōsi-* »Esche«, vgl. z. B. armen. *haçi* »Esche«, griech. *oxýē* »Buche, Speerschaft«, lit. *úosis* »Esche« und russ. *jasen'* »Esche«. – Die nhd. Form ›Esche‹ ist eigentlich der umgelautete Plural mhd. *esche* von mhd. *asch.* Die botanisch nicht verwandte ↑Eberesche heißt so nach ihren eschenähnlich gefiederten Blättern. Abl.: **eschen** »aus Eschenholz« (mhd. *eschīn,* ahd. *eskīn*).

Esel: Der altgerm. Tiername (mhd. *esel,* ahd. *esil,* got. *asilus,* niederl. *ezel,* aengl. *eosol*) beruht auf einer sehr frühen Entlehnung aus lat. *asinus* »Esel« (oder aus der gleichbedeutenden Verkleinerungsform lat. *asellus*). Das lat. Wort ist selbst ein Lehnwort und stammt vermutlich aus einer kleinasiatischen Sprache im Süden des Schwarzen Meeres. – Wie die meisten Tiernamen wird auch ›Esel‹ als Scheltwort gebraucht im Sinne von »Einfaltspinsel, Dummkopf« (so schon lat. *asinus* und entsprechend mhd. *esel*). Daran schließt sich das abgeleitete Substantiv **Eselei** »Dummheit« (mhd. *eselīe*) an. Zus.: **Eselsbrücke** »bequemes Hilfsmittel für den Einfältigen und Trägen zum besseren Verständnis einer Sache oder zur leichteren Überwindung einer Schwierigkeit; Gedächtnisstütze« (in der Schulsprache des 18. Jh.s aufgekommen als Lehnübersetzung von mlat. *pons asinorum,* einem Ausdruck der scholastischen Philosophie, der auch in entsprechend frz. *pont aux ânes* fortwirkt); **Eselsohr** »eingeknickte Ecke einer Buchseite« (17. Jh.; nach einem Vergleich mit dem umgeklappten Ohr eines Esels).

eskalieren »allmählich steigern, verschärfen«: Das Verb wurde in der 2. Hälfte des 20. Jh.s aus gleichbed. engl. *to escalate* entlehnt, zusammen mit der Substantivbildung **Eskalation** »allmähliche Steigerung, Verschärfung« (< engl. *escalation*). Auszugehen ist wahrscheinlich von engl. *escalator* »Rolltreppe«, einer Bildung aus *to escalade* »eine Mauer, eine Festung mit Leitern erstürmen« und *elevator* »Fahrstuhl«. – Zugrunde liegt frz. *escalade* »Erstürmung einer Mauer, einer Festung [mithilfe von Leitern]«, das zu lat. *scalae* »Leiter, Treppe« (vgl. *Skala*) gehört.

Eskimo: Das Fremdwort für einen Angehörigen der Inuit, das im Deutschen seit der 1. Hälfte des 20. Jh.s belegt ist, geht zurück auf ein Wort der nordamerikanischen Indianer, die die Angehörigen dieses Volkes als *eskimantsik,* eigentlich »Rohfleischfresser«, bezeichneten. Aufgrund dieser Bedeutung wird das Wort häufig als abwertend empfunden und besonders in jüngster Zeit durch die Bezeichnung ›Inuit‹ (↑Inuk) ersetzt.

Eskorte »Geleit; Gefolge«: Das Substantiv wurde als militärischer Fachausdruck im 17./18. Jh. aus frz. *escorte* entlehnt. Das davon abgeleitete Verb frz. *escorter* erscheint als Fremdwort bei uns erst im 18./19. Jh. als **eskortieren** »Geleitschutz geben, geleiten«. – Frz. *escorte* geht zurück auf it. *scorta* »Geleit«, das zu it. *scorgere* »geleiten« gebildet ist. Voraus liegt vlat. **ex-corrigere* »ausrichten; beaufsichtigen« (vgl. [1]*ex...*, *Ex...* und *korrigieren*).

Espe: Die altgerm. Bezeichnung des Laubbaumes mhd. *aspe, espe,* ahd. *aspa,* niederl. *esp,* engl. *asp,* schwed. *asp* beruht mit verwandten Wörtern in anderen idg. Sprachen auf idg. **apsā* »Espe«, vgl. russ. *osina* »Espe«, lett. *apse* »Espe« und das aus einer idg. Sprache als Lehnwort übernommene osmanische *apsak* »Pappel«. Die Umstellung von -ps- zu -sp- ist germ. Die nhd. Form mit e ist wohl von dem umgelauteten Adjektiv **espen** (mhd. *espīn*) beeinflusst. Weil die Blätter des Baumes sich im kleinsten Windhauch bewegen (daher auch der Name ›Zitterpappel‹), sagt man von einem Ängstlichen: ›er zittert wie Espenlaub‹.

Espresso »starker, schnell zubereiteter Kaffee«, auch Bezeichnung von Lokalen, in denen dieser Kaffee serviert wird: Das Wort wurde im 20. Jh. aus it. *(caffè) espresso* »Schnellkaffee« entlehnt. It. *espresso* bedeutet wörtlich »ausgedrückt«; es geht zurück auf lat. *expressus* (vgl. *Express*). It. *caffè espresso* bezeichnete urspr. also einen auf ›ausdrücklichen‹ Wunsch eigens zubereiteten Kaffee.

Esprit »Geist, Witz«: Das Fremdwort wurde im 18. Jh. aus gleichbed. frz. *esprit* entlehnt, das auf lat. *spiritus* »[Lebens]hauch; Geist« zurückgeht (vgl. *Spiritus*).

Essay »Abhandlung, die eine literarische oder wissenschaftliche Frage in knapper und anspruchsvoller Form behandelt«: Das Fremdwort wurde in der 2. Hälfte des 19. Jh.s aus gleichbed. engl. *essay* entlehnt, das aus frz. *essai* »Versuch, Abhandlung« stammt. Das frz. Wort geht zurück auf lat. *exagium* »das [Er]wägen«, das zu *ex-igere* »erwägen, überlegen« gehört (vgl. [1]*ex...*, *Ex...* und über den 2. Bestandteil lat. *agere* vgl. *Achse*).

Esse: Das Substantiv mhd. *esse,* ahd. *essa* »Herd des Metallarbeiters« (entsprechend schwed. *ässja* »[Schmiede]esse«) beruht mit verwandten Wörtern in anderen idg. Sprachen auf der idg. Wurzel **ā̆s-* »brennen, glühen«, vgl. z. B. aind. *ása-ḥ* »Asche, Staub«, lat. *ara* »Brandaltar« und lat. *area* »freier Platz, Fläche«, eigentlich »ausgebrannte, trockene, kahle Stelle« (↑Ar). Zu der erweiterten idg. Wurzel stellen sich im germ. Sprachbereich z. B. dt. ↑Asche, im außergerm. z. B. griech. *azaléos* »trocken, dürr, entflammend« (↑Azalee). – Erst in neuerer Zeit ist das Wort landsch. (ostmitteld.) auf den Rauchabzug übertragen worden, der sonst ›Schornstein, Kamin, Schlot‹ usw. heißt.

essen: Das gemeingerm. Verb mhd. *ezzen,* ahd. *ezzan,* got. *itan,* engl. *to eat,* schwed. *äta* beruht mit verwandten Wörtern in anderen idg. Sprachen auf der idg. Wurzel **ed-* »kauen, essen«, vgl. z. B. lat. *edere* »essen«, griech. *édmenai* »essen« und lit. *ésti* »essen«. Zu dieser Wurzel gehören auch das unter ↑Zahn (eigentlich »der Kauende«) behandelte Wort und die unter ↑Aas angeführten Substantivbildungen. Um ›essen‹ gruppieren sich im germ. Sprachbereich noch die Präfixbildung ↑fressen und die Veranlassungswörter ↑atzen und ↑ätzen (eigentlich »essen machen«). Abl.: **essbar** (15. Jh.); **Essen** (mhd. *ezzen,* ahd. *ezzan*); **Mitesser** (s. unter *mit*).

Essenz »Wesen, Wesentliches; konzentrierter Auszug (aus pflanzl. oder tier. Stoffen)«: Das Fremdwort wurde in spätmhd. Zeit als *essenzje* aus lat. *essentia* »Wesen« entlehnt, das – als Lehnübersetzung von griech. *ousía* »Seiendheit, Wesen« – von lat. *esse* »sein, existieren« abgeleitet ist. Die übertragene Bed. »konzentrierter Auszug« entwickelte sich in der Sprache der Alchemisten. Lat. *esse,* das mit unserem Hilfszeitwort ↑sein urverwandt ist, liegt auch folgenden Fremdwörtern zugrunde: ↑Interesse (usw.), ↑Präsens (usw.), ↑repräsentieren, ↑prosit! (usw.).

Essig: Der Weinessig kam schon früh mit der römischen Weinkultur zu den Germanen. Lat. *acetum* »Essig«, das mit lat. *acer* »scharf« zu der unter ↑Ecke behandelten Sippe gehört, ergab got. *akeit,* asächs. *ēkid,* aengl. *ēced* »Essig«, während ahd. *ezzih,* mhd. *ezzich,* mnd. *ētik* auf ein umgestelltes **atecum* zurückgehen.

Essig

mit etwas ist [es] Essig
(ugs.) »etwas kommt nicht zustande«
Die Wendung bezieht sich darauf, dass Wein, der zu Essig versäuert, nicht mehr genießbar ist und weggeschüttet werden kann.

Estrich »[Stein]fußboden«: Mhd. *est[e]rich,* mnd. *est[e]rik,* ahd. *esterih, astrih* gehen zurück auf mlat. *astracum, astricum* »Pflaster«, das seinerseits wohl Lehnwort aus griech. *óstrakon* »Scherbe; harte Schale« ist (vgl. *Auster*).

etablieren »einrichten; begründen«, häufiger reflexiv im Sinne von »sich niederlassen«: Das Verb wurde im 17. Jh. aus frz. *[s']établir* (eigtl. »festmachen«) entlehnt, das auf lat. *stabilire* »befestigen« zurückgeht. Über das zugrunde liegende Adjektiv lat. *stabilis* »fest stehend, fest« vgl. *stabil.* – Dazu das Substantiv **Etablissement** »Einrichtung; Niederlassung« (18. Jh.); aus frz. *établissement.*

Etage »Stockwerk«: Das seit dem 18. Jh. bezeugte Wort wurde zusammen mit anderen Bezeichnungen aus dem Bereich des Wohnungsbaus wie ↑Salon, ↑Parterre, ↑Parkett aus dem Frz. entlehnt. Frz. *étage,* das ursprünglich etwa »Aufenthalt; [Zu]stand; Rang« bedeutete – die moderne Bedeutung resultiert aus einer Bedeutungsverengung von ›Rang‹ zu »unterschiedliche Höhenlage« –, geht zurück auf vlat. **staticum* »Standort«, das von lat. *status* »Stand, Zustand, Standort usw.« abgeleitet ist (vgl. *Staat*). Aus dem von frz. *étage* abgeleiteten Substantiv frz. *étagère* »Gestell aus übereinander angebrachten Brettern« stammt unser Fremdwort **Etagere** »[Bücher]gestell« (veraltet).

Etappe: Der militärische Ausdruck für »Versorgungsgebiet hinter der Front« wurde im 18. Jh. aus gleichbed. frz. *étape* entlehnt, dessen Grundbedeutung entsprechend dem vorausliegenden mniederl. *stapel* (= nhd. ↑Stapel) »Warenniederlage, Handelsplatz (der Kaufleute)« ist. In neuerer Zeit wird ›Etappe‹ auch im Sinne von »Teilstrecke, Abschnitt eines zurückgelegten Weges« und »Zeit-, Entwicklungsabschnitt« verwendet.

Etat »[Staats]haushaltsplan«: Das Wort wurde im 18. Jh. aus frz. *état* »Staat; Staatshaushalt« (Grundbed. »Zustand, Beschaffenheit«) entlehnt, das auf lat. *status* (vgl. *Staat*) zurückgeht.

etepetete: Der ugs. Ausdruck für »geziert, zimperlich, übertrieben fein« ist wohl eine berlinische Umformung von niederd. *ete, öte* »geziert« oder von frz. *être, peut-être* »[kann] sein, vielleicht«.

Ethnie: Das Fremdwort mit der Bedeutung »Menschengruppe, Volk oder Stamm mit einer einheitlichen Kultur« ist eine zu griech. *éthnos* gehörige Bildung, deren genaue Herkunft unbekannt ist. Vgl. *ethno..., Ethno...*

ethnisch: Bei dem Fremdwort mit der Bedeutung »die Kultur einer Volksgruppe betreffend« handelt es sich um eine Entlehnung des 19. Jh.s aus griech. *ethnikós* »zum Volk gehörig, volkstümlich«. Vgl. auch *ethno..., Ethno...*

ethno..., Ethno..., (vor Vokalen:) **ethn..., Ethn...:** Die Vorsilbe mit der Bedeutung »eine Menschengruppe mit einheitlicher Kultur, eine Volksgruppe, einen Stamm betreffend«, wie in ↑Ethnologie, ↑Ethnographie, ↑ethnisch, geht zurück auf griech. *éthnos* »Volk, Volksstamm«.

Ethnographie: Die Bezeichnung für »beschreibende Völkerkunde« wurde im 18. Jh. an der Universität Göttingen geprägt. Zur weiteren Herkunft vgl. *ethno..., Ethno...* und *Grafik*.

Ethnologie: Das Fremdwort mit der Bedeutung »Völkerkunde« wurde im 19. Jh. aus gleichbed. frz. *éthnologie* übernommen. Im Frz. wurde der Terminus im 18. Jh. geprägt, als sich die Völkerkunde als eigenes Forschungsgebiet etablierte. Zur weiteren Herkunft vgl. *ethno..., Ethno...* und *...loge*.

Ethos »sittliche Haltung; Gesamtheit moralischer Lebensgrundsätze«: Das Fremdwort ist aus griech.(-lat.) *ēthos* »Gewohnheit, Herkommen; Gesittung, Charakter« entlehnt. Dies steht dehnstufig neben griech. *éthos* »Sitte, Brauch«. Zugrunde liegt idg. **su̯édhos* »Eigenart, Eigenheit«, das zum Reflexivstamm idg. **su̯e- *(seu̯e-)* gehört. – Das Adjektiv **ethisch** »die Ethik betreffend; sittlich« wurde im 17./18. Jh. aus lat. *ethicus* (< griech. *ēthikós* »sittlich, moralisch«) entlehnt. Dazu gehört das Substantiv **Ethik** »Moralphilosophie, Sittenlehre; Gesamtheit moralischer Lebensgrundsätze« (17. Jh.; aus lat. *ethice, [res] ethica* < griech. *ēthikḗ*).

Etikett und **[1]Etikette** »Zettel mit [Preis]aufschrift, Hinweisschildchen«: Die weibliche Form ›die Etikette‹ ist seit Anfang des 18. Jh.s bezeugt, während die sächliche ›das Etikett‹ erst im 19. Jh. erscheint. Entlehnt wurde das Wort aus gleichbed. frz. *étiquette*. Dessen ursprüngliche Bedeutung »an einem Pfahl befestigte Markierung« weist zurück auf ein altes Verb afrz. *estiquier, estiquer* »feststecken«, das aus mniederl. *stikken* (= nhd. ↑sticken) stammt und somit zur Sippe von ↑Stich gehört. Davon abgeleitet ist das Verb **etikettieren** »mit einem Etikett versehen, beschildern, (Waren) auszeichnen« (19. Jh.; nach frz. *étiqueter*). Mit [1]Etikette ursprünglich identisch ist das im 17. Jh. aus frz. *étiquette* entlehnte Substantiv **[2]Etikette** »[Hof]sitte; Gesamtheit der festgelegten gesellschaftlichen Umgangsformen«. Die übertragene Bedeutung des frz. Wortes ergab sich aus der Tatsache, dass das Zeremoniell der bei Hof geübten gesellschaftlichen Formen auf einem ›Zettel‹ genau festgelegt und beschrieben war. Vgl. auch den Artikel *Ticket*.

etlich: Das unbestimmte Zahlwort mhd. *ete[s]lich*, ahd. *eta-, eteslīh* »irgendein« ist gekürzt aus ahd. *edde[s]hwelīh*, einer Lehnübersetzung des gleichbedeutenden lat. *aliquis*. Zum zweiten Wortteil vgl. *welch;* der erste entspricht der got. Konjunktion *aíþþau* (vgl. *oder*) und dient wie in ↑etwa, ↑etwas der Bezeichnung der Unbestimmtheit.

Etüde: Die Bezeichnung für ein musikalisches Übungsstück wurde im 19. Jh. aus gleichbed. frz. *étude* entlehnt, das auf lat. *studium* »eifriges Streben, intensive Beschäftigung« (vgl. *studieren*) zurückgeht.

Etui »Futteral, Schutzhülle; [Schmuck]kästchen«: Das Wort wurde im 18. Jh. aus gleichbed. frz. *étui* (< afrz. *estui;* zu afrz. *estuier, estoier* »in eine Hülle legen, einschließen«) entlehnt. Die weitere Herkunft ist unsicher.

etwa: Das Adverb mhd. *etewā* »irgendwo; ziemlich, sehr« ist gebildet aus et- (vgl. *etlich*) u. ↑wo (mhd. *wā*). Frühnhd. ersetzt es auch *etwan* aus mhd. *etewenne* »irgendeinmal« und wird schließlich wie ›vielleicht‹ und ›ungefähr‹ zur allgemeinen Bezeichnung von Unbestimmtem verwendet.

etwas: Mhd. *etewaȥ*, ahd. *eddes-, etewaȥ* ist das Neutrum eines untergegangenen Pronomens *etewer* »irgendjemand«. Wie alle Bildungen mit ›et-‹ (vgl. *etlich*) ist es auf das hochd. Sprachgebiet beschränkt und wahrscheinlich als Lehnübersetzung von lat. *aliquid* entstanden. Es dient zur Bezeichnung der Unbestimmtheit vorhandener oder gedachter Dinge oder Mengen und hat so auch die Bedeutung »ein wenig« entwickelt (›etwas Geld‹ ist eigentlich ›etwas des Geldes, vom

Geld‹). Ugs. wird etwas oft durch ↑was ersetzt. Substantiviert erscheint **Etwas** im 17. Jh., die Fügung ›ein gewisses Etwas‹ in der Popularphilosophie des 18. Jh.s.

tymologie: Die Bezeichnung für »Wissenschaft vom Ursprung der Wörter« wurde im 16. Jh. aus griech.-lat. *etymología* entlehnt, das wörtlich »Untersuchung des wahren (ursprünglichen) Sinnes eines Wortes« bedeutet. Bestimmungswort ist griech. *étymos* »wahrhaft, wirklich«, dazu *tò étymon* »die wahre Bedeutung (eines Wortes), das Stammwort«. Über das Grundwort vgl. *Logik.*

u..., Eu...: Die Vorsilbe mit der Bedeutung »wohl, gut, schön, reich«, wie in ↑euphemistisch, ↑Euthanasie, ↑Euphorie, ist aus gleichbed. griech. *eū* entlehnt.

ucharistie »das Abendmahl als Altarsakrament, Messopfer, Opfergottesdienst«: Ursprünglich bezeichnete das Wort das die Abendmahlsfeier eröffnende »Dankgebet«. Das vorausliegende Substantiv griech.-lat. *eucharistía* »Dankbarkeit, Danksagung« ist eine Bildung aus griech. *eū* (vgl. *eu..., Eu...*) und griech. *cháris* »Freude, Gnade, Dankbarkeit«. Letzteres gehört zu der unter ↑gern[e] dargestellten idg. Sippe. Abl.: **eucharistisch** »die Eucharistie betreffend«.

ukalyptus: Der Name des australischen Baumes, der u. a. das als Heilmittel bekannte Eukalyptusöl liefert, ist eine gelehrte Bildung des 18. Jh.s zu griech. *eū* »wohl, schön« (vgl. *eu..., Eu...*) und griech. *kalýptein* »verhüllen«; er bedeutet also eigentlich »der Wohlverhüllte«. Der Baum wurde benannt nach dem ›haubenartig geschlossenen‹ Blütenkelch, der sich beim Aufblühen deckelförmig ablöst. Griech. *kalýptein* gehört zu idg. **k̑el-* »bergen, verhüllen« und ist urverwandt mit lat. *celare* (in ↑okkult) und mit nhd. ↑hehlen.

ule: Die germ. Bezeichnungen für die Eule mhd. *iule, iuwel,* ahd. *ūwila,* niederl. *uil,* engl. *owl,* schwed. *uggla* sind lautnachahmenden Ursprungs und gehen von der Nachahmung des eigentümlichen Rufes dieses Vogels aus. Siehe auch den Artikel *Uhu.* Nach seinem Aussehen heißt der Flederwisch ›Eule‹, niederd. *ūle,* wovon niederd. *ulen* »fegen, reinigen« abgeleitet ist. Auch der Name des Narren **Eulenspiegel** gehört wohl hierher: niederd. *Ulenspēgel* wird als Satzname »Feg (mir) den Spiegel« gedeutet, wobei ›Spiegel‹ (s. d.) scherzhaft für »Hinterteil« steht.

Eule

Eulen nach Athen tragen

»etwas Überflüssiges tun«

Die Redensart ist griechischen Ursprungs. Bei den alten Griechen galt die Eule, die in und um Athen häufig vorkam, als ein Sinnbild der Weisheit und war Attribut der weisen Göttin Athena, der Schutzgöttin Athens.

Eunuch: Die Bezeichnung für »(entmannter) Haremswächter« wurde im 18. Jh. aus lat. *eunuchus* griech. *eun-ūchos* »Kämmerer« (eigentlich »Betthalter, -schützer«) entlehnt. Bestimmungswort ist das etymologisch ungeklärte Substantiv griech. *eunḗ* »Lager, Bett«. Das Grundwort gehört zu griech. *échein* »halten, bewahren« (vgl. den Artikel *hektisch*).

euphemistisch »verhüllend, beschönigend« (z. B. ›einschlafen‹ für ›sterben‹): Das Adjektiv wurde im 18./19. Jh. zu griech. *euphēmeīn* »gut reden, Unangenehmes mit angenehmen Worten sagen« gebildet. Über das Bestimmungswort griech. *eū* »gut, schön« vgl. *eu..., Eu...* Das Grundwort griech. *phēmḗ* »Kunde, Ruf; Stimme, Sprache, Wort« stellt sich zu griech. *phánai* »sagen, sprechen«, das zu der unter ↑Bann entwickelten idg. Sippe gehört.

Euphorie »Hochstimmung, Hochgefühl; Zustand übersteigerter Heiterkeit«: Das Fremdwort ist eine gelehrte Entlehnung des 19. Jh.s aus griech. *euphoría* »leichtes Tragen; Geduld« (zu griech. *eū* »gut, schön« [vgl. *eu..., Eu...*] und *phérein* »tragen« [vgl. *gebären*]).

Euter: Das westgerm. Wort mhd. *iuter, ūter,* ahd. *ūtar[o],* niederl. *uier,* engl. *udder* steht im Ablaut zu der nord. *Gruppe* von schwed. *juver.* Diese germ. Wortsippe beruht mit verwandten Wörtern in anderen idg. Sprachen auf idg. **eudh-, *oudh-* »Euter«, vgl. z. B. aind. *ū́dhar* »Euter« und griech. *oūthar* »Euter«. Dieses idg. Wort gehört wohl zu einer Verbalwurzel mit der Bed. »schwellen« (vgl. z. B. russ. *udit'* »anschwellen, reifen«) und bedeutet demnach eigentlich »Schwellendes«.

Euthanasie »Erleichterung des Sterbens; beabsichtigte Herbeiführung des Todes bei unheilbar Kranken«: Das seit dem 18. Jh. gebräuchliche Fremdwort ist eine Entlehnung aus griech. *euthanasía* »schöner, leichter Tod« (zu *eū* »gut, schön« [vgl. *eu..., Eu...*] und *thánatos* »Tod«).

evakuieren »[vorübergehend] aussiedeln«: Das Verb wurde im 19. Jh. aus gleichbed. frz. *evacuer* entlehnt, das auf lat. *e-vacuare* »leer machen, räumen« zurückgeht. Über das zugrunde liegende Adjektiv lat. *vacuus* »leer« vgl. *vakant.*

Evangelium (»Frohbotschaft« von der Ankunft des Erlösers; Bezeichnung der Geschichte Jesu in den vier ersten Büchern des Neuen Testaments): Das schon in ahd. Zeit (ahd. *evangēljō,* mhd. *evangēlje*) aus kirchenlat. *euangelium* < griech. *eu-aggélion* entlehnte Wort hat seit der Reformationszeit wieder die lat. Lautung angenommen. Griech. *euaggélion* bezeichnet eigentlich »das, was ein Freudenbote (griech. *eu-ággelos*) mit sich bringt« (vgl. *eu..., Eu...* und *Engel*). Gemeint ist die Verkündigung des Reiches Gottes, das der prophezeite Messias in Erfüllung von Gottes Wort auf Erden errichtet. Im angelsächsischen Sprachbereich wird dies sinngemäß mit aengl. *godspel*

E

(engl. *gospel*) »Gottes Wort« wiedergegeben. Das abgeleitete Adjektiv **evangelisch** (aus kirchenlat. *euangelicus* < griech. *eu-aggelikós*) geht in seiner heutigen konfessionellen Bedeutung auf Luther zurück, dem nicht nur das Neue Testament, sondern die ganze Bibel Evangelium war, sodass er unter evangelischem Christentum die ausschließliche Abhängigkeit vom überlieferten und wörtlich zu nehmenden Bibeltext verstand (im Gegensatz zu ↑katholisch; vgl. auch das Kapitel zur Wortgeschichte *Martin Luthers Einfluss auf den deutschen Wortschatz*). Hierzu noch: **Evangelist** »Verkünder, Verfasser des Evangeliums (Matthäus, Markus, Lukas, Johannes); [Wander]prediger« (mhd.; aus kirchenlat. *euangelista* < griech. *eu-aggelistḗs*); **Evangelisation** »Verkündigung des Evangeliums« (20. Jh.; nlat. Bildung).

Event: Das Fremdwort, dessen Bedeutung mit »Veranstaltung, besonderes Ereignis« wiedergegeben werden kann, wurde in der 2. Hälfte des 20. Jh.s aus gleichbed. engl. *event* entlehnt. Dieses geht zurück auf lat. *eventus* »Ereignis, Ausgang, Folge«, eine Ableitung des Verbes *evenire* »heraus-, hervorkommen«. Vgl. auch den Artikel *eventuell*.

eventuell »möglicherweise, vielleicht«: Das Adjektiv wurde im 18. Jh. aus gleichbed. frz. *éventuel* entlehnt, das auf mlat. *eventualis* zurückgeht. Dazu stellt sich das Substantiv **Eventualitäten** »Möglichkeiten, Zufälligkeiten« (aus frz. *éventualité*). Zugrunde liegt lat. *e-venire* »herauskommen, eintreffen, sich ereignen«, eine Bildung zu *venire* »kommen« (vgl. *Advent*).

evident »augenscheinlich, offenkundig«: Das Adjektiv wurde im 17./18. Jh. aus lat. *e-videns* »ersichtlich« entlehnt. Über das zugrunde liegende Verb lat. *videre* »sehen« vgl. *Vision*. Dazu stellt sich das Substantiv **Evidenz** »Einsichtigkeit, Deutlichkeit«.

ewig: Das auf das Dt. und Niederl. beschränkte Adjektiv mhd. *ēwic*, ahd. *ēwīg*, niederl. *eeuwig* ist abgeleitet von dem unter ↑Ehe behandelten, im Dt. untergegangenen Substantiv mhd. *ē[we]*, ahd. *ēwa* »Ewigkeit« (beachte niederl. *eeuw* »Jahrhundert, Zeitalter«), das verwandt ist mit got. *aiws* »Zeit, Ewigkeit«, aisl. *ǣvi* »Zeit, Ewigkeit«, lat. *aevum* »Zeit, Ewigkeit, Leben« und griech. *aiṓn* »[Lebens]zeit, Ewigkeit«. Diese Substantivbildungen beruhen auf der idg. Wurzel **aiu̯-*, **ai̯u-* »Lebensdauer, -kraft«. Aus dem germ. Sprachbereich stellen sich noch hierher die unter ↑je und ↑nie behandelten Wortgruppen.

[1]**ex..., Ex...,** (vor einigen Konsonanten:) e..., E..., (vor f meist angeglichen zu:) ef..., Ef...: Die Vorsilbe bezeichnet einen Ausgangspunkt, die Entfernung von etwas oder einen Abschluss bzw. eine Vollendung. Die zugrunde liegende Präposition und Vorsilbe lat. *ex* »aus, heraus« hat eine genaue Entsprechung in griech. *ex* ([2]ex..., Ex...). – Weiterbildungen von lat. *ex* erscheinen in ↑extern, ↑extra und ↑extrem, Extremitäten.

[2]**ex..., Ex...,** (vor Konsonanten:) ek..., Ek...: Der Vorsilbe mit der Bed. »[her]aus« liegt die Präposition griech. *ex* »aus, heraus« zugrunde, die urverwandt mit entsprechend lat. *ex* (vgl. [1]*ex..., Ex...*) ist. Zu griech. *ex* stellt sich als Weiterbildung griech. *éxō* »außerhalb« (↑exo..., Exo... und ↑exotisch, Exot).

exakt »genau, sorgfältig«: Das Adjektiv wurde im 17. Jh. aus lat. *exactus* »genau zugewogen, abgemessen« entlehnt, das das Part. Perf. von lat. *exigere (ex-egi, ex-actum)* »heraustreiben; abmessen, abwägen, untersuchen« ist. Über weitere Zusammenhänge und über die Bedeutungsentwicklung vgl. den Artikel *Examen*.

exaltiert »aufgeregt, überspannt«: Das Adjektiv wurde im 18. Jh. aus frz. *exalté*, dem Part. Perf. von *exalter* »erheben; erhitzen, erregen«, entlehnt. Das frz. Wort geht zurück auf lat. *ex-altare* »erhöhen« (vgl. über das Stammwort lat. *altus* »hoch; tief« den Artikel *Alimente*).

Examen »Prüfung«: Das Substantiv wurde im 16. Jh. aus gleichbed. lat. *examen* (< **eksag-s-men* »das Heraustreiben«) entlehnt. Dem Wort liegt eine schon idg. Sonderanwendung der unter ↑Achse entwickelten Wurzel **aĝ-* »treiben, führen« vor für »wägen«, die auch im Griech. nachgewiesen werden kann (↑Axiom). Als vermittelnd kann man wohl eine Bedeutung »in Schwingung bringen (nämlich die Waage)« ansetzen. In Verbindung mit ex- gelten entsprechend als Grundbedeutung etwa »Herausschwingen (der Waage aus der Ruhelage)« oder »Ausschlag (des Züngleins an der Waage)«, woraus sich dann übertragene Bedeutungen wie »Abwägen, Untersuchen« entwickeln konnten. – Das dazugehörende Verb lat. *examinare* »abwägen, untersuchen« wurde bereits im 14. Jh. als **examinieren** »prüfen« entlehnt. – Lat. *exigere* und dessen Part. Perf. *exactus* in unserem Fremdwort ↑exakt zeigen die gleiche Entwicklung. Über die idg. Zusammenhänge vgl. den Artikel *Achse*.

Exekution »Vollstreckung (eines Urteils); Hinrichtung«: Das seit dem 15. Jh. bezeugte Fremdwort stammt aus der Kanzleisprache, wo es zunächst nur im allgemeinen Sinne von »Ausführung einer Anordnung« galt. Die Bed. »Hinrichtung« erscheint erst im 16. Jh. Das Wort ist aus lat. *ex(s)ecutio* »Ausführung, Vollstreckung« entlehnt, das von *exsequi* »verfolgen; einer Sache nachgehen, sie ausführen« abgeleitet ist (vgl. [1]*ex..., Ex...* und *konsequent*). Dazu seit dem 18./19. Jh. **exekutieren** »vollstrecken; hinrichten«; **exekutiv** »ausführend« (< nlat. *executivus*), substantiviert zu **Exekutive** »vollziehende Gewalt im Staat«.

Exempel »Beispiel«: Das Wort wurde in mhd. Zeit aus lat. *exemplum* (< **ex-em-lom*) entlehnt, das mit einer ursprünglichen Bed. »(aus verschiedenen gleichartigen Dingen) als Muster Herausgenommenes« zu lat. *ex-imere* »herausnehmen«, einer Bildung zu *emere* »nehmen«, gehört. Das Substantiv **Exemplar** »Einzelstück« (16. Jh.; schon mhd. in der Bed. »Muster, Modell« bezeugt) stammt aus lat. *exemplar* »Abbild, Muster«. Das dazugehörige Adjektiv lat. *exemplaris* »beispielhaft, musterhaft« liefert im 16. Jh. **exemplarisch,** beachte auch die Fügung ›exemplarische Strafe‹ »abschreckende Strafe«. Von Interesse sind in diesem Zusammenhang verschiedene Bildungen zu lat. *emere,* soweit sie in entsprechenden Fremdwörtern eine Rolle spielen: lat. *promere* »hervornehmen«, dazu *promptus* »zur Stelle, bereit« (↑prompt), lat. *sumere* »an sich nehmen, verbrauchen«, dazu *resumere* »wieder vornehmen« (↑resümieren) und *consumere* »verwenden, verbrauchen« (↑konsumieren, Konsument, Konsum); ferner lat. *praemium* (< **praeemium, *prai-emiom*) »Belohnung, Preis, Gewinn, Beute« (↑Prämie, prämieren), das ursprünglich »vorweg Genommenes« bedeutete und den Anteil der einem besiegten Feind abgenommenen Siegesbeute bezeichnete, der vorweg der Gottheit als Opfer bestimmt war.

exerzieren »üben« (meist im militärischen Sinn): Das Verb wurde im 16. Jh. aus gleichbed. lat. *exercere* entlehnt, einer Bildung zu lat. *arcere* »verschließen, bewahren« (vgl. *Arche*). Für die Bedeutungsentwicklung des lat. Wortes ist wohl davon auszugehen, dass *exercere* ursprünglich etwa »aus einem eingehegten Raum (beachte lat. *arx* »Burg«) herausführen und zur Betätigung antreiben« bedeutet hat. – Zu lat. *exercere* stellt sich als Substantiv *exercitium* »Übung«, dessen Plural *exercitia* unser Fremdwort **Exerzitien** »geistliche Übungen (zur inneren Einkehr)« (16./17. Jh.) geliefert hat.

Exil: Die Bezeichnung für »Verbannung[sort]« wurde im 18. Jh. aus gleichbed. lat. *exilium* entlehnt, das seinerseits zu lat. *exul, exsul* »in der Fremde weilend, verbannt« gehört.

existieren »vorhanden sein, da sein; bestehen«: Das Verb wurde im 17./18. Jh. aus lat. *ex-sistere* »heraus-, hervortreten, zum Vorschein kommen, vorhanden sein« entlehnt. Über weitere Zusammenhänge vgl. *assistieren.* – Aus dem Part. Präs. lat. *ex-sistens* stammt das Adjektiv **existent** »vorhanden; wirklich«. Dazu stellt sich das Substantiv **Existenz** »Dasein (als Wirklichkeit); Auskommen« (17. Jh.), als philosophischer Terminus entlehnt aus spätlat. *ex(s)istentia* »Dasein«.

Exklave ↑Enklave.

exklusiv »ausschließend, nur wenigen zugänglich; sich absondernd«: Das Adjektiv wurde im 19. Jh. aus gleichbed. engl. *exclusive* entlehnt, das auf mlat. *exclusivus* zurückgeht. Zugrunde liegt lat. *excludere* »ausschließen«, eine Bildung aus lat. *ex* »aus, heraus« (vgl. [1]*ex..., Ex...*) und lat. *claudere* »schließen« (vgl. *Klause*). Abl.: **Exklusivität** »Abgesondertheit, Abgeschlossenheit; Ausschließlichkeit; Vornehmheit« (19. Jh.).

exkommunizieren »aus der (katholischen) Kirchengemeinschaft ausschließen«: Das Verb wurde im 16. Jh. aus kirchenlat. *ex-communicare* entlehnt. Über das zugrunde liegende Adjektiv lat. *communis* »allen gemeinsam« vgl. *Kommune.* – Dazu das Substantiv **Exkommunikation** »Kirchenbann« (16. Jh.; aus kirchenlat. *excommunicatio*).

Exkurs »Erörterung in Form einer Abschweifung«: Das philologische Fachwort wurde im 19. Jh. aus lat. *ex-cursus* »Auslauf; Streifzug« entlehnt. Von dem zugrunde liegenden Verb lat. *ex-currere* »herauslaufen« (vgl. *Kurs*) ist auch lat. *excursio* »das Herauslaufen; der Streifzug« abgeleitet, das über frz. *excursion* im 18. Jh. als **Exkursion** »Ausflug (zu Studienzwecken), Lehrfahrt« entlehnt wurde.

Exmatrikulation, exmatrikulieren ↑Matrikel.

exo..., Exo...: Die Vorsilbe vor allem von naturwissenschaftlichen Fachwörtern mit der Bed. »außerhalb, außen, von außen her« ist entlehnt aus gleichbed. griech. *éxō,* einer Weiterbildung von griech. *ex* »aus, heraus« (vgl. [2]*ex..., Ex...*). Zu griech. *éxō* stellt sich das Adjektiv *exōtikós* »außerhalb (des eigenen Landes bzw. Kulturkreises) befindlich«, das in ↑exotisch, Exot erscheint.

exotisch »fremdländisch, überseeisch, fremdartig«: Das Adjektiv wurde im 18. Jh. aus lat. *exoticus* < griech. *exōtikós* »ausländisch« entlehnt (vgl. *exo..., Exo...*). Dazu das Substantiv **Exot** »Angehöriger ferner Länder« (19./20. Jh.).

Expansion »Ausdehnung; Ausbreitung (eines Staates)«: Das Fremdwort wurde im 19. Jh. zunächst als physikalischer Terminus (beachte die Zusammensetzung ›Expansionskraft‹) aus frz. *expansion* < lat. *expansio* »Ausdehnung, Ausstreckung« entlehnt. Das zugrunde liegende Verb lat. *expandere* »ausbreiten, auseinander spannen«, auf das unser (erst in neuerer Zeit häufiger gebrauchtes) Verb **expandieren** »ausdehnen, vergrößern, erweitern« zurückgeht, ist eine Bildung zu lat. *pandere (pandi, pansum* bzw. *passum)* »auseinander spannen« (vgl. [1]*ex..., Ex...* und *Pass*). Abl.: **expansiv** »sich ausdehnend«.

expedieren »abfertigen, befördern, versenden«: Das Verb wurde im 15. Jh. aus lat. *ex-pedire* »losmachen, entwickeln, aufbereiten« entlehnt. Der mit der Abfertigung und mit dem Versand von Waren beauftragte Kaufmann heißt **Expedient** (19. Jh.; aus lat. *expediens*). Entsprechend wird die »Abfertigung und der Versand (von Gütern)« mit dem Fremdwort **Expedition** (16. Jh.; aus lat. *expeditio*) bezeichnet, das daneben auch im Sinne von »Unternehmen, Forschungsreise« gebraucht wird. Beachte in diesem Zusammenhang auch die über das It. entlehnten Fremdwörter ↑Spediteur, Spedition. Lat. *ex-pedire* gehört zu vlat. **pedis* »Fußfessel«, das von lat. *pes (pedis)* »Fuß« (vgl. *Pedal*) abgeleitet ist. Grundbedeutung von lat. *ex-pedire* wäre demnach etwa »aus der Fußfessel herausbringen« (= »freimachen«).

Der germanische Erbwortschatz

Die Herausbildung der verschiedenen Einzelsprachen aus der indogermanischen »Ursprache« war ein langer Prozess. Für das Germanische begann er wahrscheinlich etwa im 2. Jahrtausend v. Chr.

Das ursprüngliche Stammesgebiet der Germanen war Südskandinavien, Dänemark und Norddeutschland zwischen der Elbe und der Oder. Hier bildete sich seit Beginn der Bronzezeit (um die Mitte des 2. Jahrtausends v. Chr.) ein zusammenhängender Kulturkreis, der sich, wohl bedingt durch eine Verschlechterung des Klimas, bis zum 5. Jahrhundert v. Chr. immer weiter nach Süden ausbreitete. Schon vorher waren die Germanen auf ihren Wanderungen bis zum Schwarzen Meer vorgedrungen und hatten sogar Island besiedelt. Im 2. Jahrhundert v. Chr. setzte dann eine neue Wanderbewegung ein, in deren Verlauf die Germanen immer häufiger mit den Römern in Berührung kamen. Was der Name »Germanen« bedeutet, ist nicht sicher geklärt. Er wurde zuerst von dem altgriechischen Philosophen Poseidonios (131–51 vor Christus) überliefert und später dann von den Römern übernommen.

Die germanischen Stämme hatten eine weitreichend übereinstimmende Sprache, die wir das **Urgermanische** nennen. Wie die indogermanische Grundsprache können wir auch dieses Urgermanische fast nur aus den historisch bezeugten germanischen Sprachen erschließen (rekonstruieren).
Eine wichtige sprachliche Veränderung, die die germanischen Sprachen von den übrigen indogermanischen Sprachen unterschied, war die so genannte erste (oder germanische) Lautverschiebung. Hierbei wurden die Verschlusslaute *p, t, k* und *b, d, g* verändert (vergleiche etwa lateinisch *p*iscis und deutsch *F*isch, lateinisch *d*uo und englisch *t*wo, lateinisch *g*enu und deutsch *K*nie). Ebenfalls wichtig für die eigene Entwicklung der germanischen Sprachen war die jetzt eintretende Betonung der ersten Silbe eines Wortes.

Das Germanische teilt man heute in einen nordgermanischen, einen westgermanischen und in einen ostgermanischen Zweig ein. Die Sprachen des ostgermanischen Zweigs sind untergegangen.

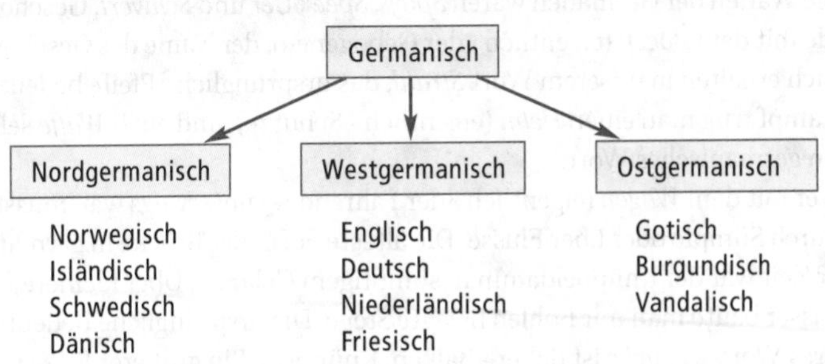

Germanischer Alltag

Die Erbwörter aus germanischer Zeit zeigen deutlich, dass die frühen Germanen große Fortschritte in der Wohnkultur gemacht hatten.

Das sehen wir an Wörtern wie *Bett* (ursprünglich vielleicht »[erhöhte] gepolsterte [gestampfte?] Schlafstelle am Boden«), *Bank* (wohl eigentlich »Erhöhung«), *Saal* (ursprünglich Bezeichnung für das Innere des aus einem Raum bestehenden germanischen Hauses).

Mittlerweile kannte man auch schon eine ganze Reihe Werkzeuge. Die Germanen arbeiteten mit dem (ursprünglich hölzernen) *Spaten* (eigentlich »langes, flaches Holzstück«), mit der *Säge* und mit der *Sense*. Die ursprüngliche Bedeutung dieser beiden Wörter ist »Werkzeug zum Schneiden«.

Auch die Esskultur begann sich zu verfeinern. Man aß *Schinken* (wohl wie *Schenkel* eigentlich »schräger [= schräg zu stellender] Körperteil«), *Speck* (eigentlich »Dickes, Fettes«) und Fladenbrot. Das Fladenbrot der Germanen wurde aus einem (ungesäuerten) Teig aus Mehl, Wasser und Salz gebacken.

Mode – Waffen – Reisen

Auch in der Mode gab es neue Errungenschaften. Man trug jetzt ein *Hemd* (eigentlich »das Bedeckende«), einen *Rock* (eigentlich wohl »Gewebe«) und eine *Hose* (eigentlich »Hülle, Bedeckung«). Mit dem Wort »Hose« wurden allerdings wollene oder lederne Lappen bezeichnet, die um die Füße und die Unterschenkel gewickelt wurden, also eine Art Strumpf oder Gamasche. Später bedeckte man damit auch die Oberschenkel. Erst gegen Ende des 15. Jahrhunderts begann man, die beiden Einzelteile zu dem zusammenzunähen, was wir heute Hose nennen.

Die Waffen der Germanen waren *Spieß, Speer, Ger* und *Schwert.* Geschossen wurde mit dem *Bogen* (eigentlich »der Gebogene«); der Name des Geschosses hat sich erhalten in unserem Wort *Strahl,* das ursprünglich »Pfeil« bedeutete. Im Kampf trug man einen *Helm* (eigentlich »Schutz«), und auch *Waffe* selbst ist ein germanisches Wort.

Wer mit dem *Wagen* (eigentlich »der Fahrende«) unterwegs war, musste oft durch Sümpfe oder über Flüsse. Die älteste Form der Brücke in germanischer Zeit war der Knüppeldamm in sumpfigem Gelände. Über kleinere Gewässer baute man mit Bohlen belegte Stege. Die ursprüngliche Bedeutung unseres Wortes *Brücke* ist daher »Balken, Knüppel«. Ein größerer Fluss wurde dort überquert, wo man eine seichte Stelle fand. Eine solche Stelle wurde *Furt* genannt (eigentlich »Übergangs-, Überfahrtsstelle«, gebildet zum Verb *fahren* in dessen ursprünglicher Bedeutung »hinüberführen«). Auf der anderen Seite angelangt, konnte man seinen *Weg* (ursprünglich wohl »Fahrspur, Wagenspur«) fortsetzen.

Recht und Ordnung

Einen Einblick in das Rechtswesen der Germanen geben uns Wörter wie *Bann* (eigentlich »unter Strafandrohung zu befolgendes Gebot«), *Sühne* (ursprünglich »Urteil, Gericht, Versöhnung«), *schwören* (eigentlich »vor Gericht sprechen«) und *Eid* (wohl aus dem Keltischen entlehnt). Rechtsstreitigkeiten wurden vor der unter freiem Himmel tagenden Gerichtsversammlung geklärt. Diese Versammlung hieß *Thing,* und diese Bezeichnung ist identisch mit unserem heutigen Wort *Ding* (vergleiche dazu englisch *thing*). Mit *Thing* wurde ursprünglich die Versammlung der freien Männer zur Beratung oder zur Rechtsprechung bezeichnet, dann auch der Gegenstand der Verhandlung, die Rechts*sache.* Daraus entwickelte sich schließlich die allgemeine Bedeutung »Gegenstand, Sache«.

In den skandinavischen Sprachen hat sich die alte Bedeutung des Wortes »Thing« gehalten, so z. B. in norwegisch *storting,* dem Namen des norwegischen Parlaments (aus norwegisch *stor* »groß« und *ting* »Versammlung«) und dänisch *folketing* (= das dänische Parlament; aus dänisch *folk* »Volk« und *ting* »Versammlung«).

An der Spitze eines Stammes stand, besonders im Krieg, ein *König* (eigentlich »Mann aus vornehmem Geschlecht«). Er wachte auch über Recht und Ordnung. Die Gliederung der Stammesgemeinschaft zeigen uns Wörter wie *Adel, Volk* und *dienen.*

Adel bezeichnete ursprünglich zunächst das hohe Alter der Abstammung einer Sippe, dann die Sippe selbst und schließlich speziell das vornehme Geschlecht und den edlen Stand. *Volk* bedeutete ursprünglich »Heerhaufen, Kriegsschar«, und das Verb *dienen* hatte ursprünglich die Grundbedeutung »Knecht sein«.

Keltischer Einfluss

Am Mittel- und Oberrhein und in Süddeutschland waren die Kelten zu jener Zeit die unmittelbaren Nachbarn der Germanen. Dieses Volk hatte auf kulturellem Gebiet damals schon einen ziemlich hohen Entwicklungsstand erreicht. Von den Kelten übernahmen die Germanen daher Wörter aus dem Bereich der staatlichen Ordnung wie *Amt* (eigentlich »Dienst, Dienstleistung«), *Eid, Geisel, Reich.* Auch das Wort *Eisen* stammt wohl aus dem Keltischen, dafür spricht die hoch entwickelte keltische Technik der Eisenverhüttung. Ebenso ist eine Reihe von deutschen Ortsnamen keltischen Ursprungs, z. B. *Mainz, Worms* und das österreichische *Bregenz,* genauso wie die Flussnamen *Rhein, Donau, Main* und *Isar.* Ein weiteres keltisches Wort ist *Glocke.* Es ist aber erst viel später ins Germanische gelangt als die Wörter, die wir eben kennen gelernt haben. Im 6. und 7. Jahrhundert unserer Zeitrechnung kamen aus Irland Mönche als Missionare nach Germanien. Diese Mönche brachten die in ihrer Heimat in Klöstern betriebene Kunst des Glockengusses nach Nordeuropa. Das altirische Wort *cloc[c],* das wohl lautnachahmend ist, wurde über althochdeutsch *glocca* zu unserer *Glocke* und ist fast die einzige Spur in unserer Sprache, die diese irische Missionstätigkeit hinterlassen hat.

Aus nicht indogermanischen Sprachen wurden Wörter wie *Erz, Hanf* und *Linse* entlehnt.

Experiment »[wissenschaftlicher] Versuch; [gewagtes] Unternehmen«: Das Substantiv wurde im 17. Jh. aus lat. *experimentum* »Versuch, Probe; Erfahrung« (zu lat. *ex-periri* »versuchen, erproben«; s. auch *Experte*) entlehnt. Das zugrunde liegende Verb lat. **periri*, das nur in Zusammensetzungen bezeugt ist, so z. B. in lat. *com-perire* »genau erfahren« und *op-periri* »erwarten«, gehört zu der unter ↑Gefahr dargestellten Wortgruppe. – Abl.: **experimentell** »auf Experimenten beruhend« (19./20. Jh.; mit französierender Endung gebildet); **experimentieren** »Versuche anstellen« (18. Jh.; nach frz. *expérimenter* < mlat. *experimentare*).

E

Experte: Das Wort für »Sachverständiger« wurde im 19. Jh. nach frz. *expert* »erfahren, sachkundig; Experte« aus lat. *expertus* »erprobt, bewährt« entlehnt. Über das zugrunde liegende Verb lat. *experiri* »versuchen, erproben« vgl. *Experiment.*

explodieren »zerknallen, bersten«: Das Verb wurde im 19. Jh. aus lat. *ex-plodere* (< *ex-plaudere*) »klatschend heraustreiben, ausklatschen« entlehnt (vgl. [1]*ex..., Ex...* und *plausibel*). Dazu stellen sich das Substantiv **Explosion** »das Explodieren« (18. Jh.; aus lat. *explosio* »das Herausklatschen«) und die Adjektivbildungen **explosibel** und **explosiv** »leicht explodierend, explosionsgefährlich« (19./20. Jh.).

Exponent »repräsentativer Vertreter in exponierter Stellung«; (Mathematik:) »Hochzahl«: Das Fremdwort wurde im 19. Jh. aus lat. *exponens* (im Sinne von lat. *expositus* »herausgestellt«), dem Part. Präs. von lat. *ex-ponere* »herausstellen; aussetzen, preisgeben« entlehnt (vgl. [1]*ex..., Ex...* und *Position*). – Aus lat. *exponere* stammt auch das seit dem 18. Jh. bezeugte Verb **exponieren** »aussetzen, preisgeben«, das vor allem in dem adjektivisch gebrauchten 2. Partizip **exponiert** »(Angriffen) ausgesetzt, gefährdet« lebt.

Export »Ausfuhr (von Waren)«: Die Fachwörter unserer Handelssprache, soweit sie Lehn- oder Fremdwörter sind, zeigen seit dem späten Mittelalter vorwiegend italienischen, seit dem 17. Jh. in zunehmendem Maße französischen Einfluss. Vom Ende des 18. Jh.s an dringen auch aus England Handelswörter in unseren Sprachschatz ein, so ↑Partner, ↑Safe, ↑Scheck u. a. Zu diesen gesellen sich ↑Import und Export. – Etwas früher als das Substantiv wurde das Verb **exportieren** entlehnt. Engl. *to export* – davon abgeleitet das Substantiv *export* – geht seinerseits auf lat. *ex-portare* »heraus-, hinaustragen« zurück (vgl. [1]*ex..., Ex...* und *Porto*). Das Substantiv **Exporteur** »Exportkaufmann« wurde später mit frz. Endung hinzugebildet.

Express »Schnellzug« (veraltend): Das Wort wurde im 19. Jh. aus ›Expresszug‹ gekürzt, das seinerseits eine Übersetzung von engl. *express train* ist. Das hier als Bestimmungswort auftretende, heute veraltete Adjektiv **express,** das allerdings noch in Zusammensetzungen wie **Expressgut** lebt, geht zurück auf lat. *expressus* »ausgedrückt, ausdrücklich« (zu lat. *exprimere* »ausdrücken«; vgl. [1]*ex..., Ex...* und *Presse*). ›Expresszug‹ bezeichnete demnach ursprünglich wohl einen Zug mit »ausdrücklich und genau« festgelegter Route bzw. Abfahrts- und Ankunftszeiten, woraus sich im modernen Sprachgebrauch der Begriff des »Schnellzugs« entwickelt hat. Die gleiche Bedeutungsentwicklung zeigt auch it. *espresso* (↑Espresso).

Expressionismus »Ausdruckskunst« (Kunstrichtung des frühen 20. Jh.s): Das Fachwort ist eine z. T. unter Einfluss von frz. *expressionisme* entstandene nlat. Bildung zu lat. *expressio* »Ausdrücken, Ausdruck«, das zu *ex-primere* »ausdrücken« (vgl. *ex..., Ex...* und *Presse*) gehört. – Dazu stellen sich die Bildungen **Expressionist** und **expressionistisch.**

exquisit »ausgesucht, erlesen«: Das Adjektiv wurde im 17./18. Jh. aus gleichbed. lat. *exquisitus,* dem Part. Perf. von *ex-quirere* (< *ex-quaerere*) »aussuchen«, entlehnt. Das lat. Wort gehört zu *quaerere* »[unter]suchen, fragen« (zum 1. Bestandteil vgl. [1]*ex..., Ex...*).

extensiv »ausgedehnt, in die Breite gehend«: Das Adjektiv wurde im 18. Jh. aus spätlat. *extensivus* (zu lat. *ex-tendere* »ausdehnen, ausspannen«; vgl. [1]*ex..., Ex...* und *tendieren*) entlehnt.

extern »äußerlich; auswärtig, fremd«: Das Wort wurde im 19. Jh. aus lat. *externus* entlehnt. Dies gehört zu lat. *exterus* »außen, außen befindlich«, einer komparativischen Weiterbildung von lat. *ex* »[her]aus« (vgl. [1]*ex..., Ex...*). – Aus einem ursprünglichen Lokativ *extera parte* »im äußeren Teil« entwickelte sich das Adverb und die Präposition lat. *extra* »außerhalb« (↑extra). – Beachte noch die superlativische Bildung lat. *extremus* »äußerste« in ↑extrem.

extra (Adverb) »außerdem, nebenbei, besonders«, auch als Bestimmungswort in Zusammensetzungen wie ↑extravagant: Das Wort wurde im 16. Jh. aus lat. *extra (ordinem)* »außer (der Ordnung, der Reihe)« aufgenommen (vgl. *extern*).

Extrakt »Auszug (aus Stoffen, Büchern usw.); wesentlicher Bestandteil«: Das seit dem 16. Jh. bezeugte, zunächst in der Alchimistensprache gebräuchliche Wort ist entlehnt aus lat. *extractum* »Herausgezogenes«, dem substantivierten Part. Perf. von *ex-trahere* »herausziehen« (vgl. [1]*ex..., Ex...* und *trachten*).

extravagant »überspannt, verstiegen, übertrieben«: Das Adjektiv wurde im 18. Jh. aus frz. *extravagant* »ab-, ausschweifend« entlehnt. Das frz. Wort geht zurück auf mlat. *extravagans,* das zu lat. *extra-vagari* »ausschweifen« (vgl. *extra* und *vag[e]*) gehört. Dazu stellt sich das Substantiv **Extravaganz** »extravagante Art«, das zunächst meist im Plural im Sinne von »närrische Streiche, extravagante Handlungen« gebraucht wurde (18. Jh.; nach gleichbed. frz. *extravagances*).

extrem »äußerst; übertrieben«: Das Adjektiv wurde im 17. Jh. aus lat. *extremus* »äußerste« entlehnt. Dies ist mit Superlativsuffix zu *exterus* »außen, außen befindlich« (vgl. *extern*) gebildet. Abl.: **Extrem** »äußerster Standpunkt, Spitze; Übertreibung« (18. Jh., unter dem Einfluss von frz. *extrême*); **Extremist** »(politisch) extrem, radikal eingestellter Mensch« (20. Jh.; [vielleicht über frz. *extrémiste*] aus engl. *extremist*), davon **extremistisch** (20. Jh.); **Extremitäten** »Gliedmaßen«, im 18. Jh. aus lat. *extremitates (corporis)* »die äußersten Enden (des Körpers)« entlehnt.

exzellent »hervorragend, ausgezeichnet«: Das Adjektiv wurde im 16. Jh. aus frz. *excellent* entlehnt, das auf lat. *excellens,* das Part. Präs. von *ex-cellere* »hervorragen«, zurückgeht. – Dazu das Substantiv **Exzellenz** »Erhabenheit, Herrlichkeit« (als Anrede an hoch gestellte Persönlichkeiten im diplomatischen Verkehr), im 16. Jh. aus frz. *excellence* < lat. *excellentia.*

exzentrisch »überspannt, verschroben«: Das seit dem 18. Jh. bezeugte Adjektiv war zunächst ein mathematisch-physikalisches Fachwort und bedeutete »verschiedene Mittelpunkte bzw. Bewegungen habend« (von Kreisen bzw. Planetenbahnen), daher dann »unregelmäßig, (von der Mitte) abweichend«. Nlat. *excentricus* steht für spätlat. *eccentricus* (vgl. [1]*ex..., Ex...* und *Zentrum*).

Exzess »Ausschreitung, Ausschweifung«: Das Fremdwort wurde im 16. Jh. aus gleichbed. lat. *excessus* entlehnt, einer Bildung zu lat. *ex-cedere* »herausgehen; über ein bestimmtes Maß hinausgehen«. Über das Stammwort lat. *cedere* »gehen, weichen« vgl. *Prozess.*

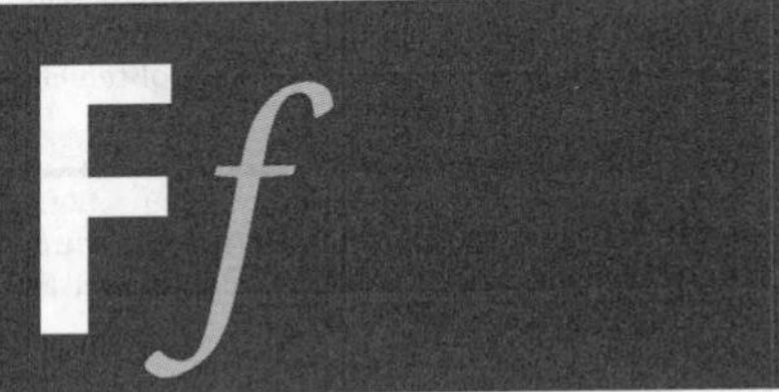

Fabel: Das schon mhd. bezeugte Wort wurde durch frz. Vermittlung (afrz., frz. *fable*) aus lat. *fabula* »Erzählung, Sage« entlehnt. Bis ins 18. Jh. galt ›Fabel‹ ausschließlich in dieser allgemeinen Bedeutung, wie sie noch erhalten ist in den Ableitungen **fabelhaft** »unglaublich, fantastisch«, dann auch »hervorragend« (18. Jh.) und **fabeln** »Geschichtchen ersinnen und erzählen« (mhd.). Erst im 18. Jh. kam nach dem Vorbild der Tierfabeln Äsops die heute gültige Bedeutung »lehrhafte (erdichtete) Erzählung« auf; beachte z. B. die Wendung ›fabula docet‹ »die Fabel lehrt« (d. h. »die Moral von der Geschichte ist ...«). Zu lat. *fabula,* das sich mit einer Grundbedeutung »Rede, Gerücht« zur Wortfamilie von lat. *fari* »sprechen« stellt (vgl. *fatal*), gehört als Ableitung lat. *fabulari* »sprechen, schwatzen, plaudern, fantasieren«, das im 15./16. Jh. unser gleichbedeutendes Verb **fabulieren** lieferte.

Fabrik »gewerblicher, mit Maschinen ausgestatteter Produktionsbetrieb«: Das Fremdwort erscheint in dt. Texten zuerst im 17. Jh. mit seiner eigentlichen Bedeutung »Herstellung; Herstellungsart«. Die moderne Bedeutung kommt im 18. Jh. auf. Das Wort ist in beiden Bedeutungen entlehnt aus frz. *fabrique,* das seinerseits auf lat. *fabrica* »Künstler-, Handwerksarbeit; Werkstätte« beruht. Stammwort ist lat. *faber (fabri)* »Handwerker, Künstler«. – Dazu noch: **fabrizieren** »herstellen, fertigen; machen« (16. Jh.; wie entsprechend frz. *fabriquer* aus lat. *fabricare* »verfertigen, zimmern, bauen, herstellen«); **Fabrikant** »Besitzer einer Fabrik, Großhersteller« (17. Jh.; nach gleichbed. frz. *fabricant*); **Fabrikation** »Verfertigung, fabrikmäßige Herstellung« (Ende 18. Jh.; aus gleichbed. frz. *fabrication* < lat. *fabricatio* »Verfertigung, Bauen, Herstellung«); **Fabrikat** »Fabrikationsprodukt, in einer Fabrik hergestelltes Erzeugnis« (nlat. Bildung des ausgehenden 18. Jh.s).

Facette »eckig geschliffene Fläche (von Edelsteinen und Glaswaren)«: Das Fremdwort wurde im 18. Jh. aus gleichbed. frz. *facette,* einer Verkleinerungsbildung zu frz. *face* »[Vorder]seite, Außenfläche«, entlehnt. Dies geht auf vlat. **facia* zurück, das für klass.-lat. *facies* »Gestalt, Angesicht« steht. Über weitere Zusammenhänge vgl. den Artikel *Fazit.*

Fach: Das westgerm. Substantiv mhd. *vach* »Fischwehr, Stück, Teil, Abteilung einer Wand, Mauer usw.«, ahd. *fah* »Mauer«, niederl. *vak* »Fach, Abgeteiltes, Beet«, aengl. *fæc* »Fach, Zwischenraum; Einteilung; Zeit[raum]« beruht mit verwandten Wörtern in anderen idg. Sprachen auf der idg. Wurzel **păk-,* **păĝ-* »festmachen, [zusammen]fügen, binden, flechten«, vgl. z. B. lat. *paciscі* »einen Vertrag festmachen, ein Übereinkommen treffen«, lat. *pangere* »festmachen, einschlagen« (s. die Fremdwortgruppe um *Pakt*) und die slaw. Sippe von russ. *paz* »Fuge, Nute«. Aus dem germ. Sprachbereich stellen sich noch zu dieser Wurzel z. B. die unter ↑fangen und ↑fügen (ablautend) behandelten Wortgruppen sowie aengl. *fæger* »schön, passend, angenehm« (↑fair) und got. *fagrs* »passend, geeignet«. – In älterer Zeit bezeichnete ›Fach‹ vielfach das geflochtene Fischwehr in Flüssen (beachte Ortsnamen wie Fachbach, Fachingen, Vaake). Im Mhd. bezeichnet es auch das mit Flechtwerk ausgefüllte Zwischenfeld in einer aus Ständern und Querbalken errichteten Wand, die danach **Fachwerk** heißt. Von dieser Bauweise her ergibt sich wohl die Bedeutung »abgeteilter Raum« (die in aengl. *fæc* »Zeitspanne« und mnd. *vāken,* niederl. *vaak* »oft« auch auf die Zeit bezogen wurde). Auch die erst im 18. Jh.

aufgekommene übertragene Bedeutung »Spezialgebiet in Handwerk, Kunst und Wissenschaft« schließt an die konkrete Vorstellung der Fächer in einem Schrank oder Regal an, die heute noch lebendig ist. Dazu gehört die Zusammensetzung **Fachmann** (19. Jh., eigentlich »Mann vom Fach«) sowie jüngere Bildungen wie **Facharbeiter, Facharzt, Fachschule** (s. a. *fachsimpeln*). Das Adjektivsuffix **...fach,** spätmhd. *in zwi-, manecvach,* frühnhd. in *einfach* (s. d.) belegt, ist wohl älterem *-valt* (↑Falte) nachgebildet. – Abl.: **fachlich** »ein bestimmtes Fach betreffend«; **Fachschaft** »Gesamtheit der Personen eines Fachbereichs«.

Fächer: Der Fächer kam im 17. Jh. unter der frz. Bezeichnung *éventail* (zu frz. *vent* »Wind«) nach Deutschland, erhielt hier aber noch im selben Jahrhundert den Namen des ähnlichen federbesteckten Feueranfachers der Küche. Frühnhd. *focher, focker* »Blasebalg, Feuerwedel« (entlehnt aus mlat. *focarius* »Heizer, Küchenjunge«, zu lat. *focus* »Herd«, vgl. *Foyer*) wurde im 18. Jh. durch die heutige Form ›Fächer‹ verdrängt. – Abl.: **fächern** »den Fächer bewegen« (18. Jh.; das Part. ›gefächert‹ bedeutet »nach Fächerart entfaltet«), dazu **Fächerung** (übertragen für: »Aufgliederung, Entfaltung«).

Fachmann, Fachwerk ↑Fach.

fachsimpeln »(ausgiebig) Fachgespräche führen«: Das Wort wurde in der Studentensprache des 19. Jh.s zum Verb ›simpeln‹, ›versimpeln‹ »beschränkt, einfältig werden« gebildet (vgl. *Fach* und *simpel*).

Fackel: Mhd. *vackel,* ahd. *faccala* ist entlehnt aus gleichbed. vlat. *facla,* das auf lat. *facula,* einer Verkleinerungsbildung zu lat. *fax* »Fackel«, beruht (vgl. aengl. *fæcele* »Fackel«).

fad[e] »geschmacklos; langweilig«: Das Adjektiv wurde im 18. Jh. aus gleichbed. frz. *fade* (< galloroman. **fatidus*) entlehnt.

Faden: Das Substantiv mhd. *vadem* (abgeschwächt auch schon *vaden*), ahd. *fadum* beruht auf der idg. Wurzel **pet-* »[die Arme] ausbreiten, umfassen, sich erstrecken«. Ihm entsprechen asächs. *fađmos* (Plural) »die ausgespannten Arme«, aengl. *fæđm* »ausgebreitete Arme, Umarmung, Klafter, Faden«, aisl. *fađmr* »Umarmung, Schoß, Faden«. In engl. *fathom,* schwed. *famn* und dt. seemännisch ›Faden‹ gilt das Wort noch heute für ein Längenmaß. Es bedeutete demnach ursprünglich »so viel Garn, wie man mit ausgespanntem Arm misst«, dann das »Garn« selbst. Aus dem germ. Sprachbereich stellt sich ↑Fuder ablautend zu der Wurzel, außergerm. verwandt sind z. B. lat. *pandere* »ausbreiten« (s. *Patent* und die Lehn- und Fremdwörter um *Passus*), lat. *patere* »sich erstrecken, offen stehen« und griech. *patánē* »Schale, Schüssel« (s. das Lehnwort *Pfanne*). Nhd. ›Faden‹ gilt allgemein für die gedrehte Faser zum Nähen, Weben, Binden, dann auch für Metallfäden, die Staubfäden der Pflanzen u. a. An das Spinnen schließt bildlicher Gebrauch an: Der Lebensfaden (von der Parze zerschnitten) reißt, der Faden des Gesprächs geht verloren usw. Ein ›roter Faden‹ zieht sich als Kennzeichen durch alles Tauwerk der britischen Kriegsmarine.

Faden

alle/die Fäden in der Hand haben/halten
»jmd. überschaut und lenkt alles«
Die Wendung hat ihren Ursprung in der Spinn- oder Webarbeit. Sie ist dann auch auf den Marionettenspieler bezogen worden, der mithilfe der Fäden die Puppen bewegt.

den Faden verlieren
»den gedanklichen Zusammenhang verlieren«
Die Wendung meint eigentlich »den Faden beim Garnwickeln, Spinnen o. dgl. aus der Hand rutschen lassen«.

keinen guten Faden an jmdm., an etwas lassen
»jmdn., etwas gründlich schlecht machen«
Die Wendung meint eigentlich »jmds. Äußeres, seine Kleidung kritisieren und schlecht machen«. Unsere Kleidung besteht aus Tausenden von Fäden.

an einem [dünnen/seidenen] Faden hängen
»sehr gefährdet sein«
Die Wendung wurzelt wohl in der Erzählung Ciceros vom Schwert des Damokles. Der Höfling Damokles rühmte den König von Syrakus als den glücklichsten König unter der Sonne. Der König bot dem Höfling daraufhin an, mit ihm den Platz zu tauschen; über dem Thron aber ließ er ein Schwert aufhängen, das nur an einem Pferdehaar befestigt war. Damit zeigte er, dass der Platz des Mächtigsten stets auch ein Ort der größten Gefahr ist.

Fagott: Der Name des Holzblasinstruments wurde im 17. Jh. aus it. *fagotto* entlehnt, dessen weitere Herkunft unsicher ist.

Fähe ↑Fuchs.

fähig: Das seit dem 15. Jh. bezeugte Adjektiv (dafür spätmhd. *gevæhic*) ist von dem unter ↑fangen behandelten Verb abgeleitet. Seine Grundbedeutung war »imstande, etwas zu empfangen oder aufzunehmen«. Im Frühnhd. wird es so von Gefäßen gebraucht, in der Rechtssprache auch für »berechtigt«. Heute lebt dieser Sinn nur noch in Zusammensetzungen wie ›aufnahme-, rechts-, erbfähig‹, denen zahlreiche jüngere Bildungen mit aktiver (›trag-, geh-, lebensfähig‹) wie passiver Bedeutung (›streich-, abzugs-, transportfähig‹) gefolgt sind, in denen das Adjektiv fast zum Suffix verblasst ist. Als selbstständiges Wort wird ›fähig‹ seit langem nur von Lebewesen im Sinne des geistigen Erfassens und Begreifens gebraucht, es bedeutet daher »imstande, veranlagt (sein, etwas zu tun); begabt, tüchtig«. – Abl.: **befähigen** »fähig machen« (Anfang des 19. Jh.s); **Fähigkeit** »das Befähigtsein, Vermögen; Begabung« (frühnhd. *fehikeit* »Fassungskraft, Inhalt«).

fahl: Das altgerm. Adjektiv mhd. *val, valwer,* ahd. *falo,* engl. *fallow,* aisl. *fǫlr* beruht mit verwandten Wörtern in anderen idg. Sprachen auf idg. **polu̯os* »fahl«, einer Bildung zur Wurzel **pel-* »grau, weißlich, scheckig«, vgl. z. B. griech. *poliós* »grau«, lat. *palli-dus* »blass« und lit. *pal̃vas* »blassgelb«. Zu dieser Wurzel gehört wahrscheinlich auch der Tiername ↑ Falke.

fahnden: Das erst im 18. Jh. belegte und wahrscheinlich aus dem Niederd. ins Hochd. übernommene Verb geht zurück auf mnd. *vanden,* asächs. *fandon* »auf-, besuchen«, das eine Bildung zu dem unter ↑ finden behandelten Verb ist, vgl. ahd. *fantōn* »untersuchen«, aengl. *fandian* »versuchen, prüfen, untersuchen«. Auf Aussprache und Gebrauch des nhd. Wortes hat wohl älter nhd. *fahen* (↑ fangen) eingewirkt.

Fahne: Das gemeingerm. Wort mhd. *van[e],* ahd. *fano,* got. *fana,* aengl. *fana,* aisl. *[gunn]fani* hat die Grundbedeutung »Tuch« (die noch in ahd. Zusammensetzungen wie *halsfano* »Halstuch« erscheint). Es führt mit den urverwandten Wörtern lat. *pannus* »Tuch, Lappen« und griech. *pēnos* »Gewebe« auf idg. **păn-* »Gewebe«. Die Bedeutung »Feldzeichen, Banner« hat sich wohl früh durch Kürzung der Zusammensetzung ahd. *gundfano,* eigentlich »Kampftuch« (daraus it. *gonfalone* »Banner«), ergeben und seit mhd. Zeit allein erhalten. Die Verwendung der Verkleinerungsbildung ›Fähnchen‹ im Sinne von »leichtes, billiges Kleid« ist jung. – Im Gegensatz zu ↑ Flagge ist ›Fahne‹ gewöhnlich das Fahnentuch samt der Stange. Übertragungen sind u. a. die Bedeutungen »Schwanz von Fuchs und Eichhorn« (weidmännisch), »Korrekturabzug des Buchdruckers«, ebenso »unangenehmer Geruch des Atems nach Alkohol« (scherzhaft). Als **Fähnlein** wurde in der Landsknechtszeit (16./17. Jh.) eine Trupppeneinheit ähnlich der heutigen Kompanie bezeichnet. **Fähnrich** (ahd. *faneri,* mhd. *venre;* frühnhd. *venrich*) ist wie das ältere ›Wüterich‹ den Personennamen auf -rich nachgebildet. – Zus.: **Fahnenflucht** »Desertion«, eigentlich »das Fliehen von der Fahne« (19. Jh.).

Fahr ↑ Gefahr.

Fähre: Das Substantiv mhd. *ver[e],* niederl. *veer,* schwed. *färja* ist wahrscheinlich abgeleitet von dem im Nhd. untergegangenen, gemeingerm. schwachen Verb mhd. *vern,* ahd. *ferian,* got. *farjan,* aengl. *ferian,* schwed. *färja* »zu Schiffe fahren, übersetzen«. Dessen Grundbedeutung zeigt aengl. *ferian* »tragen, bringen, sich begeben«. Es ist eigentlich Veranlassungswort zu ↑ fahren »sich bewegen«, ist aber sehr früh auf die Schifffahrt eingeschränkt worden. Die Zusammensetzung **Fährmann** hat seit dem 17. Jh. älteres ›Ferge‹ (mhd. *verje,* ahd. *ferjo,* zu ahd. *far* »Überfahrtsstelle«) abgelöst, das dann im 19. Jh. wieder bei Dichtern vorkommt.

fahren: Das gemeingerm. Verb mhd. *varn,* ahd. *faran,* got. *faran,* engl. *to fare,* schwed. *fara* geht zurück auf idg. **per-* »hinüberführen, -bringen, -kommen, übersetzen, durchdringen« (vgl. *ver...*). In anderen idg. Sprachen sind z. B. verwandt griech. *perān* »durchdringen« und lat. *portare* »tragen« (s. die Fremdwortgruppe um *Porto*). Als Nominalbildungen gehören u. a. hierher griech. *póros* »Durch-, Zugang, Furt« (↑ Pore) und die unter ↑ Furt genannten Wörter. Zu ›fahren‹ stellen sich ferner die Bildungen ↑ Fahrt und ↑ Fuhre mit ihren Ableitungen (z. B. ↑ fertig), während ↑ Fähre zu einem untergegangenen abgeleiteten Verb gehört. Schließlich ist als Veranlassungswort zu ›fahren‹ ↑ führen zu nennen. – ›Fahren‹ bezeichnete ursprünglich jede Art der Fortbewegung wie gehen, reiten, schwimmen, im Wagen fahren, reisen. Das zeigen noch Ausdrücke wie ›fahrendes Volk‹, ›fahrende Habe‹ (»Mobiliar«); der Senn ›fährt zu Berge‹, der Fuchs ›fährt aus dem Bau‹. Im neueren Dt. versteht man aber unter ›fahren‹ die Fortbewegung auf Wagen, Schiffen, mit der Bahn, dem Flugzeug u. a. Aus dem alten Sprachgebrauch heraus wurde ›fahren‹ auch auf schnelle Bewegungen (z. B. des Blitzes, der Hand) übertragen. Verblasst ist die Vorstellung einer Bewegung in der mhd. und mnd. Nebenbedeutung »sich benehmen, leben, sich befinden«. Von da ist der übertragene Gebrauch von ›gut oder übel mit jemandem fahren‹ ausgegangen. Siehe auch die Artikel *Hoffart* und *verfahren.* – Alle genannten Bedeutungsschattierungen zeigen sich heute noch in den Zusammensetzungen und Präfixbildungen: die Grundbedeutung z. B. in **widerfahren** übertragen für »begegnen« (z. B. von Leid, Unrecht) und ↑ [1]erfahren, der heutige Sinn in ›ab-, vor-, aus-, an-, überfahren‹ usw., die schnelle Bewegung in **auffahren** »zornig werden«, **zusammenfahren** »erschrecken«, **herumfahren, zurückfahren** u. Ä. Abl.: **Fahrer** (älter nur in Zusammensetzungen wie ›Land-, Seefahrer‹; in der jungen Bedeutung »Chauffeur« gekürzt aus Kraft[wagen]fahrer); **fahrig** »unruhig, haltlos, zerfahren« (im 19. Jh. schriftsprachlich; beachte frühnhd. *ferig* »hurtig«, mhd. *ferec* »fahrtbereit«); **fahrlässig** (eigentlich »fahren lassend«, zu mhd. *varn lāzen* »gehen lassen, vernachlässigen«; seit dem 15. Jh. in der Rechtssprache), dazu Fahrlässigkeit (15. Jh.); **Vorfahr** (meist Plural; mhd. *vorvar,* mnd. *vōrvāre* ist mit der alten Bildung *-var,* ahd. *-faro,* aisl. *-fari* »Fahrender« gebildet, das Wort bedeutete bis ins 19. Jh. allgemein »Vorgänger«, z. B. im Amt, doch ist die heutige Bedeutung »Ahn« schon alt); entsprechend **Nachfahr** (mhd. *nāchvar* »Nachfolger«, jetzt »Enkel«). Substantivische Zusammensetzungen sind z. B. **Fahrgast** (19. Jh.); **Fahrrad** (1889 für ›Veloziped‹; ↑ Rad); **Fahrstuhl**

F

»Aufzug« (17. Jh. für »Aufzug«, im 19. Jh. auf den elektrischen ↑Lift übertragen); **Fahrzeug** (im 17. Jh. entlehnt aus niederd. *fahrtüg*, niederl. *vaartuig* »Schiff«; seit dem 19. Jh. auch für »Fuhrwerk«).

Fährmann ↑Fähre.

Fahrt: Das altgerm. Substantiv mhd., ahd. *vart*, niederl. *vaart*, aengl. *fierd*, schwed. *färd* ist eine Bildung zu dem unter ↑fahren behandelten Verb. Dazu stellen sich die Zusammensetzungen ›Himmelfahrt, Wallfahrt, Hoffart, Wohlfahrt‹. – Abl.: **Fährte** »Spur [des Wildes]« (das Wort ist erst nhd. aus Flexionsformen von mhd. *vart verte* entstanden). Vgl. auch die Artikel *fertig, Gefährt, Gefährte.*

F

fair »anständig, sportlich sauber; ehrlich«: Das Adjektiv wurde im 19. Jh. aus dem Engl. entlehnt. Engl. *fair* (aengl. *faeger* »passend, angenehm, schön«) stellt sich zu der unter ↑Fach entwickelten germ. Wortfamilie. – Abl.: **Fairness** »[sportliches] ehrenhaftes Verhalten« (aus gleichbed. engl. *fairness*).

Fakir »Asket in islamischen Ländern u. Indien; Gaukler«: Das seit dem 19. Jh. bezeugte Fremdwort geht zurück auf arab. *faqīr* »arm«, das in alle europäischen Sprachen zur Bezeichnung des »Bettelmönchs« entlehnt wurde. Die jüngere Bedeutung »Gaukler« erklärt sich aus dem Verhalten besonders der indischen Fakire, die oft als wandernde Wundertäter auftreten.

Faksimile »Nachbildung einer handschriftlichen Vorlage«: Das seit dem Anfang des 19. Jh.s bezeugte Fremdwort – im Engl. dagegen schon im 17. Jh. nachgewiesen – ist substantiviert aus lat. *fac simile* »mache ähnlich!«.

Fakt, faktisch ↑Faktum.

Faktor »Vervielfältigungszahl; mitbestimmende Ursache, Umstand«: Das in diesen Bedeutungen seit dem 18. Jh. gebräuchliche Wort ist bereits im 16. Jh. in der Bedeutung »Geschäftsführer« (heute daraus die Bedeutung »[technischer] Leiter einer Buchdruckerei, -binderei od. Setzerei«) bezeugt. Es geht zurück auf lat. *factor* »Macher, Verfertiger usw.«, das von lat. *facere* »machen, tun« (vgl. *Fazit*) abgeleitet ist.

Faktotum »Mädchen für alles«: Das seit dem 16. Jh. bezeugte Wort geht über gleichbed. mlat. *factotum* auf die lat. Wendung *fac totum* »mache alles!« (vgl. *Fazit* und *total*) zurück.

Faktum, Fakt »Tatsache; Ereignis«: Das Fremdwort wurde im 17. Jh. aus lat. *factum* »gemacht, getan, geschehen« substantiviert, wobei ›Fakt‹ auch von gleichbed. engl. *fact* beeinflusst ist. Das lat. Wort ist Part. Perf. von lat. *facere* »machen, tun usw.« (vgl. *Fazit*). – Dazu die Wendung ›de facto‹ »tatsächlich (bestehend)« (Anfang 16. Jh.). – Gegensatz: ›de jure‹ »von Rechts wegen, rechtlich gesehen« – und das Adjektiv **faktisch** »tatsächlich« (18. Jh.).

Faktur, Faktura »[Waren]rechnung, Lieferschein«: Das seit dem 17. Jh. bezeugte Handelswort ist aus it. *fattura* entlehnt und nach dem vorausliegenden Substantiv lat. *factura* »das Machen, die Bearbeitung« relatinisiert. Zugrunde liegt lat. *facere* »machen, tun usw.« (vgl. *Fazit*).

Fakultät: Das Substantiv mit der Bedeutung »eine Gruppe zusammengehörender Wissenschaften umfassende Abteilung an einer Universität« wurde im 16. Jh. aus lat. *facultas* »Fähigkeit, (körperliches und geistiges) Vermögen; Möglichkeit« entlehnt, das im Mlat. nach griech. *dýnamis* die zusätzliche Bedeutung »Wissens-, Forschungsgebiet« entwickelt hat. Über weitere Zusammenhänge vgl. den Artikel *Fazit*.

Falke: Die Herkunft des Vogelnamens (mhd. *valk[e]*, ahd. *falc[h]o*) ist nicht sicher geklärt. Vielleicht beruht das Wort auf vlat. *falco* und stellt sich dann als »Sichelträger« zu lat. *falx* »Sichel« (wegen der Klauen und des Schnabels). Wahrscheinlicher ist aber germ. Ursprung. Das Wort wäre dann mit dem aus Kranich, Storch, Lerche u. a. Vogelnamen bekannten k-Suffix zum Stamm des Farbadjektivs ↑fahl gebildet. Der Falke würde demzufolge nach dem graubraunen Gefieder benannt sein. Dafür scheint auch das Vorkommen des Personennamens Falco bei Westgoten, Langobarden und Franken zu sprechen. Die Hochblüte der Falkenbeize in Europa fällt in die Ritterzeit (12./13. Jh., s. auch den Artikel *beizen*), damals wird z. B. aisl. *falki* »Falke« aus mniederl. *falce* entlehnt.

Fallbeil ↑fallen.

fallen: Das altgerm. Verb mhd. *vallen*, ahd. *fallan*, niederl. *vallen*, engl. *to fall*, schwed. *falla* ist verwandt mit armen. *p'ul* »Einsturz« und der balt. Sippe von lit. *pùlti* »fallen«. – Wichtige Präfixbildungen und Zusammensetzungen mit ›fallen‹ sind: **auffallen** »[unangenehm] bemerkbar machen« (18. Jh., eigentlich »auf jemanden fallen«), dazu **auffallend, auffällig** (19. Jh.); **ausfallen** (mhd. *ūʒvallen* »herausfallen«, nhd. auch »wegfallen; geraten«; im 18. Jh. Fachwort der Fechter für »vorstoßen«, auch militärisch für den Vorstoß aus einer belagerten Festung, wofür jetzt ›einen Ausfall machen‹ gesagt wird), dazu **ausfallend, ausfällig werden** »mit Worten unsachlich angreifen« (19. Jh.); **durchfallen** (die ugs., ursprünglich studentensprachliche Bedeutung »eine Prüfung nicht bestehen« geht auf den mittelalterlichen Schwank vom ›Schreiber im Korbe‹ zurück, bei dem ein Mädchen seinen Liebhaber zum Fenster hochzog, um ihn dann durch den schadhaften Boden fallen zu lassen; ↑Korb), dazu **Durchfall** (im 16. Jh. für die Krankheit wie frühnhd. *durchfällig werden;* jetzt auch für das Durchfallen bei Prüfungen, Wahlen, im Theater usw.); **einfallen** (mhd. *īnvallen* war »einstürzen, zusammenfallen, einbrechen«, auch »sich ereignen«; von Gedanken wird zuerst mnd. *invallen* um 1500 gebraucht), dazu **Einfall** (mhd. *īnval;* in der Bedeutung »plötzlicher Gedanke« schon bei mhd. Mystikern); **befallen** (mhd. *bevallen* »hinfallen; fallend bedecken, über etwas ausbreiten«, ahd. *bifallen* »hinfallen«); **gefallen** (s. d.); **verfallen** »baufällig werden; seine Kraft verlieren; wertlos, ungültig werden; in einen Zustand geraten, übergehen« (mhd. *verfallen*, ahd. *farfallan*), dazu **Verfall** (17. Jh.). Abl.: **Fall** (mhd. *val*, ahd. *fal;* die nhd. Bedeutung »Geschehnis« [beachte ›Krankheits-, Rechtsfall‹] geht von der Vorstellung des Würfelfalls aus [beachte ›Glücks-, Unglücksfall‹ und ↑Unfall], ist aber beeinflusst von gleichbed. lat. *casus* »Fall« und frz. *cas* »Fall«. Auch die grammatische Bedeutung »Beugefall« [17. Jh.] schließt an lat. *casus* an [↑Kasus]), dazu **falls** »im Falle, dass« (17. Jh.; eigentlich Genitiv von ›Fall‹, beachte Adverbien wie ›allen-, keinesfalls, bestenfalls‹); **Falle** (mhd. *valle*, ahd. *falla*, ursprünglich ein Fanggerät mit Falltür; ugs. ›Falle‹ »Bett« tritt mdal. und soldatensprachlich im 19. Jh. auf); **fällen** (mhd. *vellen*, ahd. *fellan;* vgl. niederl. *vellen*, engl. *to fell*, schwed. *fälla;* altgerm. Veranlassungswort zu ›fallen‹ mit der Bedeutung »fallen machen«; nhd. besonders in ›Bäume fällen‹, übertragen ›ein Urteil fällen‹); **fällig** »seit längerer Zeit notwendig; zur Bezahlung anstehend« (mhd. *vellec*, ahd. *fellīc* »zum Fallen kommend; baufällig«; nhd. häufig in Zusammenbildungen wie ›baufällig, fußfällig, kniefällig, augenfällig, straffällig‹, beachte auch die Bildungen ›beifällig‹, ›rückfällig‹ zu ›beifallen‹ und ›rückfallen‹); **Gefälle** (mhd. *gevelle* »Fall, Sturz; Schlucht; guter Würfelfall, Glück«, ahd. *gefelli* »Einsturz« ist Kollektivbildung zu ›Fall‹; vom nhd. Sprachgefühl zu ›fallen‹ gezogen, bedeutet es jetzt besonders »Abfallen einer Straße oder eines Wasserlaufs«). Zus.: **Fallbeil** (literarisch im 17. Jh.; Anfang des 19. Jh.s Ersatzwort für frz. *guillotine*); **Fallreep** (niederd. *falreep* war im 17. Jh. ein Tau, an dem der Seemann sich vom Schiffsbord ins Boot ›fallen‹, d. h. gleiten ließ; der Name blieb, als das Tau durch eine Leiter und später durch eine Treppe ersetzt wurde; zum Stammwort vgl. [1]*Reif*); **Fallschirm** (um 1800), dazu **Fallschirmjäger** (1939).

Fallstrick ↑Strick.

falsch: Mhd., mnd. *valsch* »treulos, unehrenhaft; unecht, trügerisch« ist unter Einfluss von mniederl. *valsc* umgebildet aus afrz. *fals* (frz. *faux*, das seinerseits auf lat. *falsus* »falsch, irrig, unwahr« zurückgeht (↑Falsett). Das lat. Adjektiv gehört zu lat. *fallere* »täuschen« (vgl. *fehlen*). Im Dt. gilt ›falsch‹, wie auch die Ableitungen zeigen, vielfach von menschlichen Eigenschaften, besonders aber von verfälschten Dingen (Münzen, Schmuck usw.). Substantiviert ist **Falsch** in ›ohne Falsch‹ (mhd. *āne valsch*). – Abl.: **Falschheit** (mhd. *valschheit* »Untreue, Unredlichkeit«); **fälschlich** (mhd. *valsch-, velschlich* »betrügerisch«). Zus.: **Falschmünzer** (seit dem 16. Jh. neben ›falscher Münzer‹), ebenso **Falschspieler** (17. Jh.). Schon ahd. ist das Verb **fälschen** belegt (ahd. *[gi]falscōn, [gi]felscen* »für falsch erklären, widerlegen« ist entlehnt aus mlat. *falsi[fi]care;* mhd. *velschen* bedeutete meist »verfälschen, täuschen, verleumden«), dazu **Fälscher** (mhd. *valschære, velscher* »Verleumder, Betrüger, Falschmünzer«) und **Fälschung** (18. Jh., besonders für gefälschte Urkunden und Kunstwerke).

Falsett »Fistelstimme«: Die Bezeichnungen der verschiedenen menschlichen Stimmlagen wie ↑Bariton, ↑Bass, ↑Tenor, ↑Sopran, ↑Alt stammen aus dem It., so auch ›Falsett‹. Das vorausliegende Substantiv it. *falsetto* bezeichnet die im Verhältnis zur jeweils normalen Stimmlage des Sängers (bzw. auch Instrumentes) »falsche« [Sing]stimme. Das Wort ist abgeleitet von dem auf lat. *falsus* (vgl. *falsch*) zurückgehenden Adjektiv it. *falso* »falsch«.

Falte: Die heutige Form beruht auf einer mhd. Nebenform *valte* zu mhd. *valt*, dem ahd. *falt*, aengl. *feald* »Mal« und schwed. *fåll* »Saum« entsprechen. Das germ. Substantiv ist eine Bildung zu dem unter ↑falten behandelten Verb. Es ist schon früh zur Zusammensetzung mit Zahlwörtern gebraucht worden, die ein Vielfaches bezeichnen. So entstand das gemeingerm. Adjektivsuffix **...falt** (mhd. *-valt*, ahd. *-falt*, got. *-falþs*, engl. *-fold*, aisl. *-faldr*), das nhd. nur noch dichterisch in ›mannigfalt‹ vorkommt, sonst aber durch die Weiterbildung **...faltig, ...fältig** (mhd. *-valtec, -veltec)* abgelöst wurde: dreifaltig (↑drei), vielfältig (↑viel); s. auch den Artikel *Einfalt.* Erst frühnhd. (16. Jh.) ist das Adjektiv **faltig** »Falten habend oder werfend«.

falten: Das gemeingerm. Verb mhd. *valten*, ahd. *faldan*, got. *falþan*, engl. *to fold*, schwed. *fålla* gehört zu der idg. Wurzel **pel-* »falten«, vgl. z. B. aisl. *fel* »Falte« und weiterhin die Artikel *doppelt*, *Zweifel.* Verwandt ist wahrscheinlich auch die unter ↑flechten behandelte Wortgruppe. Zu ›falten‹ gehört das Substantiv ↑Falte mit seinen Ableitungen.

Falter: Diese Bezeichnung des Schmetterlings hat nichts mit ›falten‹ zu tun. Sie ist im 18. Jh. verselbstständigt worden aus älteren, teils mdal. Formen wie oberd. *Zweifalter*, aleman. *Fifalter.* Diesen liegt mhd. *vīvalter*, ahd. *fifaltra* zugrunde, dem asächs. *fifoldara*, aengl. *fifealde*, norw. *fifreld* entsprechen. Das Wort gehört wohl zum Stamm des unter ↑flattern behandelten Verbs, der zum Ausdruck der schnellen Bewegung verdoppelt wurde. Der Falter ist demnach der »Flügelschwinger«. Die gleiche Vorstellung und Bildung zeigt das urverwandte lat. *pa-pil-io* »Falter« (frz. *papillon*).

faltig, ...faltig, ...fältig ↑Falte.

falzen: Mhd. *valzen, velzen* »krümmen, ineinander biegen«, ahd. *[ga]falzen* ist eine Intensivbildung zu ↑falten (wie ›blitzen‹ zu ›blicken‹) mit der Grundbedeutung »fest zusammenlegen«. – Abl.: **Falz** (mhd. *valz* »Fuge, Schwertrinne«).

F

Familie »Gemeinschaft der Eltern od. eines Elternteiles und mindestens eines Kindes«, gelegentlich auch im weiteren Sinne von »Gruppe der Blutsverwandten; Sippe« gebraucht, meist in Zusammensetzungen wie ›Familienname, Familienrat, Familientag‹ u. a.: Zu lat. *famulus* »Diener« (vgl. *Famulus*) stellt sich als Kollektivbildung lat. *familia* »Gesamtheit der Dienerschaft; Gesinde«. Der Begriff wurde in der patriarchalischen Ordnung weiter gefasst. In ihr war *familia* die gesamte Hausgenossenschaft von Freien und Sklaven, die dem *pater familias* anvertraut war. – Bis zur Entlehnung von lat. *familia* im 16. Jh. wurde der Begriff Familie durch die Formel ›Weib und Kind‹ (aus der Sicht des Mannes) oder durch die Wörter ›Haus‹ oder (älter) *hiwische* abgedeckt. – Abl.: **familiär** »eng verbunden, vertraut; allzu vertraulich« (im 17. Jh. mit französierender Endung [beachte frz. *familier*] aus älterem *familiar* entwickelt, das auf lat. *familiaris* »zur Familie gehörig, vertraut, vertraulich« zurückgeht).

famos »prächtig, großartig«: Das Adjektiv ist ein Studentenwort des 19. Jh.s, das schon früher in der Gerichtssprache im Sinne von »berüchtigt« bezeugt ist. Die Verallgemeinerung erfolgte nach frz. *fameux* »berühmt«. Entlehnt ist das Wort im 17. Jh. aus lat. *famosus* »viel besprochen (im Guten oder im Bösen)«, das zu *fama* »Gerede«, *fari* »sprechen« gehört (vgl. *fatal*).

Famulus »Medizinstudent während seiner praktischen Ausbildung«: Das seit dem 16. Jh. bezeugte Wort galt anfangs noch allgemein im Sinne von »akademischer Gehilfe (eines Hochschullehrers)«, später wurde es dann mehr und mehr auf den medizinischen Bereich eingeschränkt. Es ist aus lat. *famulus* »Diener, Gehilfe« (alat. *famul*) entlehnt, wozu als Kollektivbildung lat. *familia* »Gesamtheit der Dienerschaft« gehört (↑Familie). Die weitere Herkunft des Wortes ist nicht geklärt.

Fan »begeisterter Anhänger«: Das Wort wurde im 20. Jh. aus gleichbed. engl. *fan* entlehnt. Dies ist eine Kurzform von engl. *fanatic* (vgl. *fanatisch*).

Fanal »[Feuer-, Flammen]zeichen«: Das Wort wurde um 1800 aus frz. *fanal* »Leuchtfeuer, Feuerzeichen« (gleichbed. it. *fanale*) entlehnt, das seinerseits – vielleicht durch arab. Vermittlung – auf griech. *phānós* »Leuchte, Fackel« zurückgeht. Das griech. Wort gehört zu dem in *phaínesthai* »leuchten, glänzen; erscheinen« vorliegenden Verbalstamm *pha-n-* »leuchten«; vgl. *Phänomen*.

fanatisch »eifernd, sich rücksichtslos einsetzend, schwärmerisch«: Das seit dem 16. Jh. bezeugte Adjektiv wurde wie entsprechend frz. *fanatique* und engl. *fanatic* (s. auch *Fan*) aus gleichbed. lat. *fanaticus* entlehnt. Bis ins 19. Jh. galt es allerdings ausschließlich im Sinne von »religiös schwärmerisch«. Erst dann entwickelte sich unter Einfluss von frz. *fanatique* die heute gültige allgemeine Bedeutung, und zwar zunächst im Bereich der Politik. – Lat. *fanaticus* ist ein Sakralwort und bedeutet eigentlich »von der Gottheit ergriffen und in rasende Begeisterung versetzt«. Es gehört wie lat. *pro-fanus* »vor dem heiligen Bezirk liegend, ungeheiligt, gemein, ruchlos« (↑profan) zu dem mit lat. *feriae* »dem Gottesdienst bestimmte geschäftsfreie Tage, Feiertage« (vgl. *Feier*) verwandten Substantiv lat. *fanum (*fas-no-m)* »der Gottheit geweihter Ort, Tempel«.

Fanfare: Der Name der einfachen Trompete ohne Ventile wurde im 18. Jh. aus gleichbed. frz. *fanfare* entlehnt, dessen Herkunft nicht gesichert ist.

fangen: Die nhd. Präsensformen des Verbs bestehen erst seit dem 16. Jh. Sie haben ihr -n- nach niederd. Vorbild (mnd. *vangen*) aus dem Präteritum und dem 2. Part. übernommen. Das gemeingerm. starke Verb, ursprünglich reduplizierend (vgl. got. *faífāh* »er fing«), lautete mhd. *va[he]n*, ahd. *fāhan*, got. *fāhan*, aengl. *fōn*, schwed. *få* und gehört zu der unter ↑Fach behandelten Sippe. Seine Grundbedeutung ist »greifen, fassen«. – Um das Verb gruppieren sich die Ableitungen **Gefangene** usw. (mhd. *gevangen*), **Gefangenschaft** (mhd. *gevangenschaft*) und **Gefängnis** (mhd. *[ge]vancnisse, [ge]vencnisse* »Gefangennahme, -schaft«, im 15. Jh. für den Ort des Gefangenseins), ferner die Präfixbildungen und Zusammensetzungen ↑anfangen, ↑empfangen, ↑umfangen und [sich] **verfangen** (mhd. [sich] *vervāhen* »zusammenfassen, sich festfangen«) mit dem Adjektiv **verfänglich** »Schwierigkeiten verursachend, unangenehm« (mhd. *vervenclich* »tauglich, wirksam«, seit dem 17. Jh. im heutigen Sinne). Abl.: **Fang** (mhd. *vanc*); beachte Zusammensetzungen wie **Rauchfang** (15. Jh.) und **Windfang** (mhd. *wintvanc*) und weidmännisch ›den Fang geben‹ »verletztes Wild mit dem Messer töten« (16. Jh.); ebenfalls weidmännisch ist die Verwendung von ›Fang‹ im Sinne von »Maul des Raubwildes« und »Raubvogelklaue« (vgl. engl. *fang* »Reißzahn, Hauer«); **Fänger** (16. Jh.; meist in Zusammensetzungen wie ›Tierfänger, Fliegenfänger‹; s. auch ›Hirschfänger‹ unter *Hirsch*).

Fantasie »Vorstellung[svermögen], Einbildung[skraft]; Erfindungsgabe, Einfallsreichtum; Trugbild«: Das Fremdwort wurde in mhd. Zeit als *fantasīe* aus griech.-lat. *phantasía* »Erscheinung; geistiges Bild, Vorstellung, Einbildung« entlehnt. Dem griech. Substantiv liegt das Verb griech. *phantázesthai* »sichtbar werden, erscheinen« zugrunde, das seinerseits zu griech. *phaínein* »sichtbar machen; (medial:) sichtbar werden, erscheinen« gehört (vgl. hierüber den Artikel *Phänomen*). **Fantasia** »instrumentales Musikstück, mit freier, improvisationsähnlicher Gestaltung«, für das auch **Fantasie** gebräuchlich ist, stammt aus gleichbed. it. *fantasia* (< lat. *phantasia*).

Farbe: Mhd. *varwe*, ahd. *farawa*, niederl. *verf* ist eine Substantivbildung zu dem im Nhd. untergegangenen Adjektiv mhd. *var, varwer*, ahd. *faro*, *farawēr* »farbig«. Dieses Adjektiv gehört zu der idg. Wurzel **perk̑-* »gesprenkelt, bunt«, zu der sich z. B. auch das unter ↑Forelle behandelte Wort sowie griech. *perknós* »buntfarbig, dunkel[fleckig]« und aind. *pṝśni-ḥ* »gefleckt, bunt« stellen. Ursprünglich bezeichnete ›Farbe‹ nur die Eigenschaft eines Wesens oder Dinges, erst in mhd. Zeit auch den pflanzlichen oder mineralischen Farbstoff (besonders die Schminke). Seit alters ist die Farbe Erkennungszeichen. So kann der Plural ›Farben‹ auch für »Wappen, Fahne« stehen (z. B. ›die deutschen Farben‹). – Abl.: ...**farben** (z. B. in ›gold-, rosen-, fleischfarben‹; älter nhd. *-farb* hatte mhd. *var* »farbig, aussehend nach« fortgesetzt und wurde dann nach Mustern wie ›golden, seiden‹ umgebildet); **färben** (mhd. *verwen,* ahd. *farawen* »ein Aussehen geben, färben«, mhd. auch »schminken«), dazu **Färber** (mhd. *verwære;* der Schönfärber färbte mit hellen, der Schwarzfärber mit dunklen Farben; daher noch **Schönfärberei** für »zu günstige Darstellung«); **farbig** (älter nhd. *farbicht,* seit der Mitte des 9. Jh.s nach engl. *coloured* auch für die Hautfarbe der Angehörigen einer nichtweißen Ethnie gebräuchlich); **farblich** »die Farbe betreffend« (19. Jh.).

Farbe

Farbe bekennen
(ugs.) »seine wahre Meinung offenbaren«
Die Wendung stammt aus dem Kartenspiel und meint eigentlich »die vom Gegner geforderte Farbe zugeben«.

Farce »Posse«: Das Substantiv wurde um 1600 aus gleichbed. frz. *farce* entlehnt, das später (im 18. Jh.) auch in seiner Grundbedeutung »Fleischfüllsel« als Fachwort der Gastronomie übernommen wurde. Die Bedeutungsentwicklung erklärt sich daraus, dass Possenspiele oft zwischen die einzelnen Akte eines ernsten Schauspiels eingeschoben wurden, um mit ihren komischen, burlesken Einfällen die Zwischenpausen »auszufüllen«. – Frz. *farce* geht zurück auf vlat. **farsa,* das zu lat. *farcire* »hineinstopfen« gehört (s. auch *Infarkt*). Zu lat. *farcire* gehört wohl auch lat. *frequens* »häufig, zahlreich« (↑Frequenz), vermutlich in einem ursprünglichen Sinne von »gestopft voll«.

Farm »landwirtschaftlicher Großbetrieb (besonders in den USA); Hof für Geflügel- oder Pelztierzucht«: Das Substantiv wurde im 19. Jh. aus engl.-amerik. *farm* entlehnt, das ursprünglich ein gegen ›festen Preis‹ verpachtetes Landgut bezeichnet und auf afrz. (= frz.) *ferme* zurückgeht. Dies ist eine Bildung zu frz. *fermer* »zumachen, schließen«, das hier im Sinne von »bindend vereinbaren« steht. Über das vorausliegende Verb lat. *firmare* »festmachen, sichern« vgl. *firm.* – Abl.: **Farmer** (19. Jh.; aus amerik. *farmer*).

Farn: Der westgerm. Pflanzenname mhd., ahd. *farn,* niederl. *varen,* engl. *fern* ist z. B. verwandt mit aind. *parṇá-m* »Flügel, Feder, Blatt«. Die Pflanze ist also nach ihren federartigen Blättern benannt worden. Nhd. gilt meist **Farnkraut** (15. Jh.).

Fasan: Der Fasan wurde den Deutschen (wie der Vogel ↑[3]Strauß und der ↑Pfau) durch die Römer bekannt. Lat. *phasianus,* das selbst auf griech. *(órnis) Phāsianós* »Vogel, der in der Gegend des Flusses Phasis (am Schwarzen Meer) lebt« zurückgeht, wurde vor 800 entlehnt zu ahd. **fasiān* und verdeutlichend als *fasihōn, fasihuōn* »Fasanhuhn« wiedergegeben. An dessen Stelle trat im 12. Jh. die auf dem entsprechenden afrz. (frz.) *faisan* beruhende Form *fasān.* – Abl.: **Fasanerie** »Fasanengehege« (im 18. Jh. nach frz. *faisanderie* gebildet).

Fasching: Die südd., ursprünglich bayr.-österr. Bezeichnung der ↑Fastnacht und der ihr vorausgehenden Festzeit erscheint im 13. Jh. als *vaschanc, vastschang.* Das mhd. Wort ist eine Umbildung von **vast-ganc* (vgl. mnd. *vastganc*) »Fastenprozession« nach mhd. *schanc* »Schenken« und wurde als »Ausschenken des Fastentrunks« verstanden (vgl. *fasten* und *Schank*). Das auch als Freudenruf ›oho, vaschang!‹ bezeugte Wort wurde dann im 17. Jh. an die Wörter auf -ing angeglichen.

Faschismus: Nach dem 1. Weltkrieg wurde in Italien von Mussolini ein (revolutionärer) Kampfbund mit antidemokratischen, antiparlamentarischen Zielen gegründet, der so genannte ›Fascismo‹. Nach dessen Vorbild bezeichnete man später jede ähnliche Bewegung totalitären und rechtsradikalen Charakters mit dem aus it. *Fascismo* entlehnten Substantiv Faschismus. It. *Fascismo* ist abgeleitet von it. *fascio* »[Ruten]bündel«, das seinerseits auf gleichbed. lat. *fascis* zurückgeht. Das Rutenbündel mit Beil war nämlich Symbol altrömischer Herrschergewalt und wurde als solches von den Anhängern des Fascismo übernommen und als Abzeichen getragen. Lat. *fascis* »[Ruten]bündel« ist etymologisch nicht sicher gedeutet. – Abl.: **Faschist** »Anhänger des Faschismus« (20. Jh.; aus it. *fascista*); **faschistisch** (20. Jh.).

faseln »wirr reden, plappern«: Das nur dt. Verb erscheint erst im 17. Jh. neben einfachem *fasen* »irrereden«. Im germ. Sprachbereich sind vielleicht verwandt mnd. *vāse* »Torheit, Unsinn« (16. Jh.), norw. *fesja* »Geschwätz«, aisl. *arga-fas* »dummer Streich«. Die weitere Herkunft dieser Wörter ist nicht geklärt.

Faser: Spätmhd. *vaser* »Franse« ist eine Weiterbildung des westgerm. Wortes mhd. *vase* »loser Faden, Franse, Saum«, ahd. *faso, fasa,* älter niederl. *vēse,* aengl. *faes[n]* (nhd. *Fase* ist jetzt veraltet, doch beachte noch die Verkleinerungsbildungen ›Fäschen, Fäslein‹). Als »im Winde wehender Faden« gehört das Substantiv mit verwandten Wörtern in anderen idg. Sprachen zu der idg. Wurzel **pĕs-* »blasen, wehen«, vgl. z. B. aisl. *fǫnn* »Schneewehe« und russ. *pasmo* »Garnsträhne«.

Fass: Das westgerm. Substantiv mhd., ahd. *vaz̧*, niederl. *vat*, engl. *vat* beruht mit verwandten Wörtern in anderen idg. Sprachen auf idg. **pĕd-*, **pŏd-* »Gefäß, Behälter«, vgl. z. B. lit. *púodas* »Topf«. Aus dem germ. Sprachbereich stellt sich z. B. ↑[2]Fessel »Band« (eigentlich wohl »Geflochtenes«) zu dieser Wurzel. ›Fass‹ bedeutete demnach ursprünglich »geflochtenes, umwundenes Behältnis« (die älteste Töpferei schmierte Ton über rund geflochtene Körbe). Die Grundbedeutung bleibt noch lange ganz allgemein »Behältnis« (vgl. schwed. *fat* »Gefäß« und mhd. *vaz̧*, das auch »Kleidertruhe, Sarg« bedeutete). Nachklänge sind ›Salz-, Tintenfass‹ u. a. Von ›Fass‹ abgeleitet ist ↑fassen.

F

Fass

das schlägt dem Fass den Boden aus
(ugs.) »jetzt ist es genug, das ist der Gipfel der Frechheit«
Die Wendung nimmt darauf Bezug, dass der Fassboden leicht herausspringt, wenn der Böttcher die Reifen zu stark zur Mitte hin treibt.

Fassade »Vorderseite; Ansicht«: Das Fremdwort wurde im 18. Jh. aus frz. *façade* entlehnt, das selbst auf it. *facciata* zurückgeht, eine Ableitung von it. *faccia* »Vorderseite«, das seinerseits auf vlat. **facia* zurückgeht, das für klass.-lat. *facies* »Mache, Aufmachung; Gestalt, Aussehen usw.« steht (vgl. hierüber den Artikel *Fazit*).

fassen: Das altgerm. Verb mhd. *vaz̧z̧en*, ahd. *faz̧z̧ōn* »ergreifen, fangen; einfassen; zusammenpacken, aufladen; kleiden, schmücken«, niederl. *vatten* »fassen, ergreifen; verstehen«, aengl. *fatian* »holen; eine Frau ins Haus holen, heiraten«, aisl. *fata* »den Weg finden« lässt als Ableitung von ↑Fass »Gefäß« die Grundbedeutung »in ein Gefäß tun« erkennen, die auch in Verwendungen wie ›der Krug fasst 2 Liter‹ noch deutlich wird. An die Bedeutung »ergreifen (und festhalten)« schließt sich die übertragene Bedeutung von ›fassen‹ »geistig begreifen« an, beachte die Bildungen **auffassen** und **erfassen**, ferner auch **abfassen** »in schriftliche Form bringen«, sich mit etwas **befassen** »beschäftigen« und **verfassen** (s. u.). Aus der mhd. Bedeutung »kleiden« (↑Fetzen) stammt nhd. ›sich fassen‹ mit dem Part. **gefasst** »bereit, gesammelt«, eigentlich »gerüstet«. Auch edle Steine werden gefasst und das Substantiv **Fassung** (mhd. *vaz̧z̧unge* »Gefäß, Bekleidung, Schmuck«) kann ebenso gut das geistige Bereitsein wie das Werk des Juweliers bezeichnen. Weitere Ableitungen und Präfixbildungen: **fasslich** »begreifbar, der Fassungskraft angemessen« (17. Jh.), ähnlich **fassbar** (19. Jh.), dazu **unfassbar** (17. Jh.); **verfassen** (mhd. *vervaz̧z̧en* »in sich aufnehmen; etwas vereinbaren«; in der Rechtssprache »schriftlich niederlegen«; die jetzige Bedeutung »gestaltend niederschreiben« erst bei Luther), dazu **Verfasser** (17. Jh.; gekürzt aus ›Schriftverfasser‹ »Autor«) und **Verfassung** (14. Jh.; mhd. *vervaz̧z̧unge* »schriftliche Darstellung, Vertrag«; seit dem 18. Jh. im Sinne von »Staatsgrundgesetz« und von »Zustand, Bereitschaft [eines Menschen]«).

Fasson »Form, Muster; [Zu]schnitt«: Das Fremdwort wurde im 16. Jh. aus gleichbed. frz. *façon* entlehnt, das auf lat. *factio (factionem)* »das Machen; die Eigenart, etwas zu tun« zurückgeht (vgl. *Fazit*).

Fassung ↑fassen.

fast: Mhd. *vaste*, ahd. *fasto* ist das umlautlose Adverb zu ↑fest (wie etwa ›schon‹ neben ›schön‹ steht). Aus den mhd. Bedeutungen »fest, eng anschließend; nahe; stark, sehr« hat sich frühnhd. zunächst die Bedeutung »sehr« durchgesetzt; jetzt wird ›fast‹ im Sinne von »beinahe« verwendet und hat in dieser Verwendung gleichbed. ↑[1]schier verdrängt. Den Übergang bildeten Fügungen wie ›fast alle‹, ›fast nicht[s]‹, in denen die überflüssige Verstärkung des zweiten Worts als Zeichen der Ungewissheit angesehen wurde.

fasten: Das gemeingerm. Verb mhd. *vasten*, ahd. *fastēn*, got. *[ga]fastan*, engl. *to fast*, schwed. *fasta* ist abgeleitet von dem unter ↑fest behandelten Adjektiv und bedeutete im Got. zunächst »[fest]halten, beobachten, bewachen«. Wahrscheinlich ist der wichtige christliche Begriff der Enthaltsamkeit zuerst von der ostgotischen Kirche in dieses Wort gelegt worden (zuerst im Sinne von »an den [Fasten]geboten festhalten«) und hat sich von da schon im 5. Jh. zu den anderen germ. Stämmen und den Slawen (aslaw. *postiti* »fasten«) ausgebreitet. Siehe auch die Artikel *Fasching* und *Fastnacht*.

Fastnacht: Der Tag vor Aschermittwoch heißt als »Vorabend der Fastenzeit« um 1200 mhd. *vastnaht* (›Nacht‹ in der Bedeutung »Vorabend«). In dem später bezeugten mhd. *vas[e]naht* (dem heute oberd. und mittelrhein. *Fas[e]nacht* entsprechen) ist die Aussprache erleichtert. Offen bleibt, ob ein z. B. in frühnhd. *faseln* »gedeihen, fruchtbar sein« (noch rhein., oberd. mdal.) enthaltener Stamm mit der Bedeutung »Fruchtbarkeit« hereingespielt hat, vgl. die rhein. Formen *Fasabend*, *Fas[t]elabend*. Die Fastnacht ist, wie vielgestaltiges ländliches Brauchtum in fast allen dt. Landschaften zeigt, als altes Vorfrühlings- und Fruchtbarkeitsfest gefeiert worden, lange bevor sie im 12. Jh. durch die Kirche auf die Zeit vor dem Fasten begrenzt wurde.

faszinieren »fesseln, bezaubern«: Das Verb wurde im 18. Jh. aus lat. *fascinare* »beschreien, behexen« entlehnt, dessen Vorgeschichte nicht eindeutig geklärt ist. – Dazu das Substantiv **Faszination** »Bezauberung« (aus lat. *fascinatio* »Beschreiung, Behexung«).

fatal »verhängnisvoll; peinlich«: Das Adjektiv

wurde im 16. Jh. aus lat. *fatalis* »vom Schicksal bestimmt; Verderben bringend« entlehnt, das von lat. *fatum* »Schicksalsspruch« abgeleitet ist. Dies gehört zu der unter ↑Bann dargestellten idg. Wortsippe von **bhā-* »sprechen«, die im Lat. durch *fa-ri* »sprechen, feierlich sagen« und die dazugehörigen Ableitungen und Weiterbildungen vertreten ist. Neben den schon genannten Wörtern *fatum* und *fatalis* sind von Interesse: lat. *fama* »Gerücht«, dazu *famosus* »berüchtigt« (s. hierzu die Fremdwörter *famos, diffamieren, infam*); lat. *fabula* »Rede, Gerede, Erzählung« (↑Fabel); vlat. *Fata* »Schicksalsgöttin; Fee«, das den Wörtern ↑Fee, ↑gefeit (feien) und ↑Fata Morgana zugrunde liegt; lat. *infans* »was noch nicht sprechen kann, Kind« (↑infantil, Infanterie); ferner lat. *fateri* »bekennen« mit den Zusammensetzungen *confiteri* »eingestehen« (↑Konfession), *profiteri* »öffentlich erklären« (↑Professor, Profession, Professur, professioniert, Profi).

Fata Morgana »Sinnestäuschung aufgrund von Luftspiegelungen«: Das seit dem 18./19. Jh. bezeugte Wort ist aus dem It. entlehnt. Es ist dort eigentlich der Name einer geheimnisvollen »Fee Morgana« (it. *fata* ist identisch mit ↑Fee), auf die der Volksglaube jene Naturerscheinung zurückführt, die in der Straße von Messina häufig zu beobachten ist.

Fatzke: Der ugs., um 1900 von Berlin ausgegangene Ausdruck für »eitler, arroganter Mann« ist wohl eine Bildung mit dem niederd. Verkleinerungssuffix -ke (wie in ›Piefke, Steppke, Raffke‹) zu dem heute veralteten Verb *fatzen* »verspotten, necken«. Dieses Verb ist von älter nhd. *Fatz* »Witz, Spötterei« (aus lat. *facetia* »Witz, Scherz«) abgeleitet.

fauchen, (südd. und österr.:) pfauchen: Mhd. *pfūchen* stellt sich zu der Interjektion *pfūch*, die den drohenden Laut der Katze und anderer Tiere wiedergibt. Im Nhd. hat sich der ostmitteld. f-Anlaut durchgesetzt.

faul »in Verwesung, Gärung übergegangen; verdorben (und dadurch ungenießbar)«: Das gemeingerm. Adjektiv mhd. *vūl*, ahd. *fūl*, got. *fūls*, engl. *foul*, schwed. *ful* bedeutet eigentlich »stinkend, modrig«. Es beruht auf einem idg. Verbalstamm **pū̆* »faulen, stinken«, dem wohl ein lautmalendes **pu* »pfui!« zugrunde liegt. Unerweitert erscheint der Stamm z. B. in aisl. *fūi* »Fäulnis«, *fūinn* »verfault«, weitergebildet in ↑Fotze. Als Schelte des Trägen (schon mhd.) ist ›faul‹ ursprünglich schärfer gemeint als heute, wie noch ugs. ›stinkfaul‹ zeigt. Den Sinn »verdorben, schlecht« hat es in ›faule Witze‹ und »nachlässig, säumig« in ›fauler Kunde‹. Eine Sonderbedeutung zeigt das engl. Sportwort ↑foul. – Abl.: **Fäule** »Fäulnis« (mhd. *viule*, ahd. *fūlī*); **faulen** (mhd. *vūlen*, ahd. *fūlēn*); **faulenzen** »träge sein« (16. Jh.; ostmitteld.; eigentlich »faulig schmecken, riechen« wie mhd. *vūlezen*), dazu **Faulenzer** (16. Jh.); **Faulheit** »Unlust zu arbeiten; Trägheit« (mhd. *vūlheit*); **faulig** »im Faulen begriffen« (nhd. für mhd. *vūl-lich*); **Fäulnis** »Zustand des Faulens« (mhd. *vūlnis*, ahd. *fūlnussi*). Zus.: **Faulbaum** (ahd. *fūlpoum*, nach dem fauligen Geruch der Rinde); **Faulpelz** (im 16. Jh. schweiz.); **Faultier** (das südamerikanische Säugetier heißt nhd. im 17. Jh. ›das faul Thier‹ nach gleichbed. span. *perezoso* [eigentlich »das Träge, Schwerfällige«]; vom Menschen erst im 19. Jh.).

Faun »lüsterner Mensch«: Das Wort ist eine Eindeutschung des 18. Jh.s von lat. *Faunus*, dem Namen eines weissagenden Feld- und Waldgottes, der dem griech. *Pan* (↑panisch) angeglichen wurde und dessen charakteristische Züge eines bocksfüßigen, von Triebhaftigkeit beherrschten Waldgottes annahm. Das lat. Wort *Faunus* ist ohne überzeugende Etymologie. – Abl.: **faunisch** »lüstern« (nach lat. *Faunius*). Hierher gehört noch das Substantiv **Fauna** »Tierwelt [eines bestimmten Gebietes]«: Die Frau oder Schwester des Gottes Faunus heißt lat. *Fauna*. Sie hat entsprechend die Funktion einer die Fruchtbarkeit von Feld und Vieh – und der Tiere überhaupt – fördernden Göttin. Ihr Name erscheint seit dem 18. Jh. allegorisch als Titelstichwort auf zoologischen Büchern, woraus sich dann die Bezeichnung für »Tierwelt« entwickelt hat.

Faust: Das nur im Westgerm. bezeugte Wort mhd. *vust*, ahd. *fūst*, niederl. *vuist*, engl. *fist* ist verwandt mit der slaw. Sippe von russ. *pjast'* »flache Hand«, älter »Faust«. Vielleicht gehören die Wörter zu dem unter ↑fünf behandelten Zahlwort und bedeuten eigentlich »Fünfzahl der Finger«. – Abl.: **Fäustel** »schwerer Bergmannshammer« (16. Jh.); **fausten** »mit der Faust stoßen« (oberd. im 18. Jh., aber schon ahd. *fustōn*; jetzt besonders beim Fußballspiel); **Fäustling** »Fausthandschuh« (mhd. *viustelinc*, ahd. *fūstiling*). Zus.: **faustdick** (18. Jh.; erst später bildlich gebraucht); **Faustpfand** »Pfand, das der Gläubiger in die Faust bekommt« (18. Jh.); **Faustrecht** »Recht des Stärkeren« (im 16. Jh. für die Austragung von Streitigkeiten ohne Richter).

Faust

auf eigene Faust
(ugs.) »selbstständig, auf eigene Verantwortung«
Die Wendung schließt an ›Faust‹ als Sinnbild der Stärke und Machtvollkommenheit an.

passen wie die Faust aufs Auge
1. »überhaupt nicht passen«
2. »sehr gut, ganz genau passen«
Mit dem Vergleich wurde zunächst ausgedrückt, dass etwas überhaupt nicht zu etwas passt. Faust und Auge passen nicht zusammen, weil es höchst unangenehm ist, einen Faustschlag aufs Auge zu bekommen. Durch häufigen ironischen Gebrauch entwickelte sich die gegenteilige Bedeutung.

Favorit »Günstling, Liebling; Wettkämpfer mit den größten Erfolgsaussichten«, dazu als weibliche Form ›Favoritin‹: Das Substantiv wurde im 16./17. Jh. entlehnt aus frz. *favori (favorite)* »beliebt; Günstling«, das auf it. *favorito* »Begünstigter« zurückgeht. Populär wurde das Wort jedoch erst im 20. Jh. durch seine Verwendung in der Sportsprache, die zuerst im Pferderennsport auftritt und von engl. *favourite* ausgeht. – It. *favorito* gehört zu *favorire* »begünstigen«, das seinerseits von it. *favore* »Gunst« abgeleitet ist. Dies geht zurück auf lat. *favor* »Gunst« (zu lat. *favere* »gewogen sein, begünstigen«). Dazu: **favorisieren** »begünstigen; zum Favoriten erklären« (17. Jh.; aus frz. *favoriser*).

F

Fax ↑Telefax.

Faxe »dummer Spaß« (meist Plural: Faxen): Mdal. *Fack[e]s, Faksen* (18. Jh.) ist gekürzt aus ›Fickesfackes‹ »Possen«, einer Ableitung zu ›fickfacken‹ »hin und her laufen« (↑ficken), das besonders auf die Possenreißer der Jahrmärkte angewendet wurde. – Abl.: **Faxenmacher** (18. Jh.).

Fazit »Ergebnis; Schlussfolgerung«: Das seit dem 16. Jh. bezeugte Wort stammt aus dem Rechnungswesen bzw. der Kaufmannssprache. Es ist substantiviert aus lat. *facit* »es macht ...«, der 3. Pers. Sing. Präs. Akt. von lat. *facere* »machen, tun«, das zu der unter ↑tun dargestellten idg. Wortsippe gehört. – Zu lat. *facere (feci, factum)* stellen sich zahlreiche Ableitungen und Zusammensetzungen, die in unserem Fremdwortschatz eine Rolle spielen. Vom Partizipialstamm *fact(um)* gehen aus die Fremdwörter ↑Faktum, Fakt, faktisch, de facto, ↑Faktor, ↑Kalfakter, ↑Faktur, ↑Manufaktur, ↑Feature, ferner das auf lat. *facticius* »künstlich zurechtgemacht« zurückgehende Lehnwort ↑Fetisch. Der Präsensstamm von lat. *facere* erscheint im Adjektiv lat. *facilis* (älter: *facul*) »machbar, ausführbar; leicht zu tun, leicht« und in dem davon abgeleiteten Substantiv lat. *facultas* »Fähigkeit (etwas zu tun), Vermögen; Möglichkeit«, das im Mlat. nach griech. *dýnamis* die zusätzliche Bedeutung »Wissens-, Forschungsgebiet« entwickelte (↑Fakultät). Der Imperativ von *facere*, lat. *fac* »mache!« ist Bestimmungswort in den Fremdwörtern ↑Faktotum und ↑Faksimile. Von besonderem Interesse sind ferner die Nominalbildungen lat. *factio* »das Machen, Treiben; das Recht oder die Eigenart, etwas zu machen« (↑Fasson und ↑fesch) und lat. *facie* (= vlat. **facia*) »Mache, Aufmachung; Gestalt, Form; Aussehen, Gesicht« (↑Fassade und ↑Facette). Von den zahlreichen Bildungen zu *facere* sind zu erwähnen: lat. *af-ficere* »hinzutun, versehen mit; Eindruck machen, in eine Stimmung versetzen« (↑Affekt, affektiert), lat. *con-ficere* »fertig machen, zustande bringen, zubereiten« (↑Konfekt, ↑Konfektion, ↑Konfetti, ↑Konfitüre), mlat. *contra-facere* »nachmachen, nachbilden« (↑Konterfei), lat. *de-ficere* »sich losmachen; abnehmen, fehlen, mangeln« (↑Defizit, ↑defekt, Defekt), lat. *ef-ficere* »hervorbringen, bewirken« (↑Effekt, effektiv, Effet), vlat. **cale-fare* (= lat. *cale-facere*) »warm machen, einheizen« (↑Kalfakter, ↑Chauffeur, chauffieren), lat. *in-ficere* »hineintun; vergiften, anstecken« (↑infizieren, ↑desinfizieren, ↑Infektion, ↑infektiös), lat. *per-ficere* »durch und durch machen, fertig machen, zustande bringen, vollenden« (↑perfekt, Perfektion, Perfekt, ↑Imperfekt, ↑Plusquamperfekt), lat. *pro-ficere* »fortmachen, vorwärts kommen; Erfolg haben, gewinnen« (↑Profit); lat. *suf-ficere* »darunter machen, nachfügen; hinlänglich zu Gebote stehen, genügen« (↑süffisant). Beachte schließlich noch die in diesen Zusammenhang gehörenden Fremdwörter ↑Affäre, ↑Offizier und ↑offiziell.

Feature »(für Funk oder Fernsehen aufgemachter) Dokumentarbericht«: Das Fremdwort wurde im 20. Jh. aus gleichbed. engl. *feature* (mengl. *feture*), eigentlich »Aussehen, charakteristischer Grundzug« entlehnt, das über afrz. *faiture* auf lat. *factura* »das Machen, die Bearbeitung« zurückgeht (vgl. *Fazit*).

Februar: Der zweite Monat des Jahres heißt bis zum 16. Jh. ↑Hornung oder *Sporkel*. Diese Namen werden durch ›Februar‹ verdrängt, der österr. auch als ›Feber‹ erscheint (wie ›Jänner‹ zu ↑Januar). Das vorausliegende lat. *(mensis) Februarius* »Reinigungsmonat« benennt den letzten Monat des mit dem 1. März beginnenden altrömischen Jahres nach den Reinigungs- und Sühneopfern, die in seiner zweiten Hälfte für die Lebenden und Toten veranstaltet wurden. Zugrunde liegt lat. *februare* »reinigen«, *februum* »Reinigungsmittel«.

fechten: Das westgerm. Verb mhd. *vehten*, ahd. *fehtan*, niederl. *vechten*, engl. *to fight* ist wahrscheinlich verwandt mit lat. *pectere* »kämmen«, griech. *péktein* »kämmen« und lit. *pèšti* »rupfen, zausen« (vgl. *Vieh*), hat also seine Bedeutung wie ↑raufen (ursprünglich »[sich] an den Haaren reißen«) entwickelt. Die allgemeine Bedeutung »kämpfen, streiten« ist erst im Nhd. auf den Kampf mit der blanken Waffe begrenzt worden (heute besonders als Sport). Die ritterliche Fechtkunst, heute noch in Verbindungen studentischer Brauch, haben seit dem ausgehenden Mittelalter die Handwerkerbruderschaften gepflegt. Später zeigten wandernde Handwerksburschen für Geld ihre Künste, und so erscheint im 17. Jh. rotw. *fechten* für »betteln«, später auch **Fechtbruder** für »Bettler«. – Abl.: **Fechter** (mhd. *vehter* »Kämpfer«); **Fuchtel, fuchtig** (s. d.); **Gefecht** (mhd. *gevehte*, ahd. *gifeht;* heute noch militärisch für »kleinere Kampfhandlung«). Um ›fechten‹ gruppieren sich **anfechten** »bestreiten; beunruhigen« (mhd. *anevehten* »gegen jemanden kämpfen; beunruhigen; jemandem etwas abgewinnen«; ahd. *anafehtan* »[an]kämpfen, schlagen«), **ausfechten** (schon im 16. Jh. übertragen) und **verfechten** (mhd. *vehten* »fechtend verteidigen«).

Feder: Das altgerm. Substantiv mhd. *veder[e],* ahd. *fedara,* niederl. *veder,* engl. *feather,* schwed. *fjäder* beruht (ebenso wie das anders gebildete, unter ↑Fittich behandelte Wort) mit verwandten Wörtern in anderen idg. Sprachen auf der idg. Wurzel **pet-* »auf etwas los- oder niederstürzen, hinschießen, fliegen«, vgl. z. B. griech. *pterón* »Feder, Flügel«, griech. *pétesthai* »fliegen«, griech. *píptein* »fallen« (↑Symptom), lat. *penna (*petna)* »Feder« (↑Pennal), lat. *petere* »losgehen, zu erlangen suchen« (↑Appetit). – Da große Vogelfedern mit ihrem hohlen Kiel seit dem frühen Mittelalter zum Schreiben dienten, nannte man auch die im 16. Jh. erfundene, aber erst im 19. Jh. durchgängig verwendete metallene Schreibfeder so. Für die Benennung elastischer Metallstäbe oder -blätter (›Uhr-, Sprung-, Spiral-, Blattfeder‹ usw., beachte auch ›Triebfeder‹) war im 17. Jh. wohl die Biegsamkeit der Vogelfeder der Ausgangspunkt. – Abl.: **federn** »elastisch schwingen« (19. Jh.; doch kennt schon das 18. Jh. Federkraft für »Elastizität«; mhd. *videren,* ahd. *fideran* »mit Federn versehen« lebt im Adjektiv **gefiedert** und in botanischen Fachwörtern wie **Fiederblatt** fort). Zus.: **Federball** »mit kleinen Federn versehener Ball« (18. Jh.; heute häufig für ›Badminton‹); **Federfuchser** »Schreiberling« (18. Jh.; vgl. *fuchsen* unter *Fuchs*); **Federhalter** »Schreibgerät« (19. Jh.); **Federmesser** »Messer mit kleiner Klinge (ursprünglich zum Schneiden der Federkiele)« (17. Jh.); **Federweißer** »junger, noch gärender, milchig-trüber Wein« (wohl zu veraltetem *Federweiß* »Alaun«, weil man früher dem Wein Alaun als Konservierungsmittel zugab).

Federlesen

nicht viel Federlesen[s] mit jmdm., mit etwas machen

»keine Umstände machen, nicht zaudern«

Die auf spätmhd. *vederlesen, -klūben* »Schmeichelei« zurückgehende Wendung meint eigentlich das beflissene Wegklauben angeflogener Federn von der Kleidung höher gestellter Personen.

Fee: Der seit dem 18. Jh. begegnende Name der Märchengestalt ist aus frz. *fée* »Fee, Zauberin« übernommen. Aus dem Afrz. war schon einmal um 1200 mhd. *fei[e]* »Fee« entlehnt worden, das jedoch in frühnhd. Zeit wieder verloren ging und nur noch in dem zu ›Fee‹ gehörenden veralteten Verb ›feien‹ (↑gefeit) nachwirkt. Quelle des frz. Wortes ist vlat. *Fata* »Schicksalsgöttin, Fee«, das zu lat. *fatum* »Schicksal« (vgl. *fatal*) gehört.

Feedback: Das Fremdwort, das allgemeinsprachlich in der Bedeutung »Rückmeldung, Reaktion« verwendet wird, wurde in der Mitte des 20. Jh.s aus dem Engl. übernommen. Bei dem gleichbed. engl. *feedback* handelt es sich um eine Substantivierung des Verbes *to feed back* »zurück-, weiterleiten«, aus *feed* »[mit Nahrung] versorgen, füttern« (verwandt mit ↑[1]Futter) und *back* »zurück«. Engl. *feedback* stammt ursprünglich aus der Kybernetik und wurde von dort aus in andere Fachsprachen, z. B. die Soziologie und die Psychologie, und in die Allgemeinsprache übernommen.

fegen: Das landsch. Wort für »(mit dem Besen) kehren« ist bes. nordd., aber auch südwestd. und schweiz.; doch gilt es im Süden meist für »scheuern, (nass) wischen«. Mhd., mnd. *vegen* »fegen, putzen« ist ablautend verwandt mit mniederl. *vāgen,* aisl. *fāga* »reinigen, glänzend machen, schmücken«. Außergerm. verwandt sind z. B. lit. *puõšti* »schmücken« und lett. *pùost* »reinigen, säubern, putzen«. – Zus.: **Fegefeuer** (mhd. *vegeviur* ist Lehnübersetzung von kirchenlat. *ignis purgatorius*).

Fehde: Das heute nur noch in Wendungen wie ›mit jemandem in Fehde liegen‹ oder ›jemandem Fehde ansagen‹ für persönliche Streitigkeiten gebrauchte Wort ist durch die Ritterdichtung des 18./19. Jh.s wieder bekannt geworden. Mhd. *vēhede,* ahd. *[gi]fēhida,* niederl. *veete,* aengl. *fǣhđ[u]* »Feindschaft, Streit« ist eine westgerm. Bildung zu dem im Nhd. untergegangenen Adjektiv mhd. *gevēch,* ahd. *gifēh* »feindselig«, aengl. *fāh* »feindlich; geächtet« (beachte auch engl. *foe* »Feind« und den Artikel ↑feig[e]). Dieses Adjektiv beruht zusammen mit dem wohl verwandten lit. *pìktas* »böse, zornig« auf der idg. Wurzel **peik-, *poik-* »feindselig«. Die mittelalterliche Fehde war als Privatkrieg ursprünglich ein zulässiges Rechtsmittel und an die Einhaltung bestimmter Formen gebunden.

fehlen: Mhd. *vǣlen, vēlen* ist wie niederl. *falen* und engl. *to fail* entlehnt aus (a)frz. *fa[il]lir* »verfehlen, sich irren«. Dieses geht auf das etymologisch nicht sicher geklärte lat. *fallere* »täuschen« zurück, zu dem auch lat. *falsus* »falsch, irrig, unwahr« (↑falsch) gehört. Das mhd. Verb bedeutete wie das frz. »mit der Lanze verfehlen, vorbeischießen; sich irren; fehlschlagen; mangeln«. Das verfehlte Ziel stand im Genitiv, später im Dativ mit ›an‹, woraus das unpersönliche ›es fehlt [mir] an …‹ wurde. Frühnhd. tritt die übertragene Bedeutung »sündigen« auf. – Zu ›fehlen‹ stellt sich die Präfixbildung **verfehlen** »nicht treffen; verpassen, nicht erreichen« (schon mhd. *vervǣlen*), dazu **Verfehlung** »Vergehen« (17. Jh.). Etwas später als das Verb wurde mhd. *vǣl[e]* – nhd. *Fehl* – aus afrz. *faille* entlehnt; es kommt heute selbstständig nur noch in der Fügung ›ohne Fehl‹, d. h. »ohne Fehler« vor. In Zusammensetzungen wie ›fehlbitten, -gehen, -greifen, -schießen‹ ist es eigentlich Akkusativ. Die nhd. Substantive ›Fehlgeburt, Fehlbitte, -griff, -schuss, -tritt‹ sind Ableitungen aus solchen Verben. Auch das Adverb **fehl** (in ›er ist fehl am Platze‹) stammt aus dem Substantiv. Erst um 1500 erscheint **Fehler,** zunächst in der Bedeutung »Fehlschuss«, seit dem 18. Jh. wie heute als »Versehen« (›Schreib-, Rechenfehler‹) und »bleibender Mangel«. Die Adjektive **fehlbar** »schuldig« (17. Jh., noch schweiz.) und **unfehlbar** »nicht irrend; sicher« (17. Jh.) übersetzen mlat. *fallibilis* und *infallibilis.*

feien ↑gefeit.

Feier: Von lat. *feriae* »Festtage, geschäftsfreie Feiertage, Ruhetage«, das in frühnhd. Zeit unser Fremdwort ↑Ferien lieferte, wurde im Spätlat. der Singular *feria* »Festtag, Feiertag; Fest« rückgebildet. Darauf beruht unser in ahd. Zeit entlehntes Substantiv ›Feier‹ (mhd. *vīre,* ahd. *fīr[r]a* »Festtag; Feier«). Das lat. Substantiv *feriae* (alat. *fesiae*) entstammt dem Bereich der Sakralsprache und bedeutete ursprünglich »die für religiöse Handlungen bestimmten Tage«. Es gehört mit den verwandten Wörtern lat. *festus* »die für die religiösen Handlungen bestimmten Tage betreffend; festlich, feierlich« (↑Fest und die dazugehörigen Fremdwörter) und lat. *fanum* »heiliger, der Gottheit geweihter Ort; die für die religiöse Feier bestimmte Kultstätte« (↑fanatisch, ↑Fan und ↑profan) zu einer Nominalwurzel **fes-*, **fas-* »religiöse Handlung«, die keine sicheren Entsprechungen im Außeritalischen hat. – Ableitungen und Zusammensetzungen: **feierlich** (mhd. *vīrelich*); **feiern** (mhd. *vīren,* ahd. *fīrōn* »einen Festtag begehen, feiern«, nach gleichbed. mlat. *feriare* gebildet); **Feiertag** (mhd. *vīre-tac,* ahd. *fīratag*); **Feierabend** (spätmhd. *vīr-ābent* bedeutete ursprünglich »Vorabend eines Festes« und wurde dann auf »Ruhezeit nach der Arbeit am Abend« umgedeutet; s. hierzu *Abend*).

feig[e]: Die Grundbedeutung des altgerm. Adjektivs (mhd. *veige,* ahd. *feigi,* niederl. *veeg,* aengl. *fǣge,* aisl. *feigr*) war »dem Tode verfallen, unselig, verdammt«. Erst im 15. Jh. entwickelte sich, zuerst im Mnd. und Ostmitteld., die Bedeutung »vor dem Tode, vor der Gefahr zurückschreckend, ängstlich«, die sich dann im Nhd. durchsetzte. Vielleicht gehört das germ. Adjektiv zur Sippe von ↑Fehde: Der Friedensbrecher verfällt der Blutrache und Ächtung und damit dem Tode (beachte die Adjektive ahd. *gifēh* »feindselig«, aengl. *fāh* »feindlich, geächtet« im Artikel *Fehde*).

Feige: Der Name der tropischen Südfrucht, mhd. *vīge,* ahd. *fīga,* beruht auf einer durch aprov. *figa* (daraus auch entspr. frz. *figue*) vermittelten Entlehnung aus lat. *ficus* (bzw. vlat. *fica*) »Feigenbaum; Feige«. Das lat. Wort selbst hängt zusammen mit griech. *sȳkon* »Feige«; vermutlich stammen beide (unabhängig voneinander) aus einer voridg. mittelmeerländischen oder kleinasiatischen Sprache. – Zus.: **Feigenblatt** (mhd. *vīgenblat;* seit Luthers Bibelübersetzung übertragene Bezeichnung für »keusche Verhüllung der [weiblichen] Schamteile«); **Ohrfeige** (s. unter *Ohr*).

feil: Die nhd. Form des Adjektivs geht über mhd. *veile* zurück auf ahd. *feili* »käuflich«, dessen Zusammenhang mit gleichbed. ahd. *fali* und der nord. Sippe von schwed. *fal* »käuflich« wegen des abweichenden Vokalismus unklar ist. Die letzteren Wörter sind sicher verwandt mit griech. *pōleīn* »verkaufen«, lit. *pel̃nas* »Verdienst« und russ. *polon* »Beute« und stellen sich zu der idg. Wurzel **pel-* »verkaufen, verdienen«. Das Adjektiv ›feil‹ ist heute veraltet; feste Verbindungen wie ›feile Dirne‹, ›feiler Sklave‹ stammen aus der alten Dichtersprache. Gebräuchlich sind noch die Zusammensetzungen **feilhalten** (nhd. für älteres *feil haben,* mhd. *veile hān;* s. auch *Maulaffen* unter *Maul*) und **wohlfeil** (mhd. *wol veile, wolveil* »leicht zu kaufen, billig; häufig«). – Abl.: **feilschen** »kleinlich um etwas handeln« (mhd. *veils[ch]en*).

Feile: Die Herkunft der altgerm. Gerätebezeichnung mhd. *vīle,* ahd. *fīhila,* niederl. *vijl,* engl. *file,* aisl. *fēl* ist nicht geklärt. Ursprünglich war das Werkzeug wohl ein Reib- und Glättholz. Als die Germanen die eiserne Flachfeile zur Römerzeit kennen lernten, übertrugen sie den Namen auf sie.

fein: Das den heutigen germ. Sprachen gemeinsame Adjektiv (mhd. *fīn,* niederl. *fijn,* engl. *fine,* schwed. *fin*) beruht auf Entlehnung aus afrz. (= frz.) *fin* »fein, zart«, das seinerseits aus einem zu lat. *finis* »Ende, Grenze« (vgl. *Finale*) gehörenden galloroman. *finus* »Äußerstes; Bestes« hervorgegangen ist. Diese übertragene Bedeutung ist auch schon für lat. *finis* in klass.-lat. Zeit bezeugt. Siehe auch den Artikel *raffiniert.*

Feind: Das gemeingerm. Substantiv mhd. *vīant, vīnt,* ahd. *fīand,* got. *fijands,* engl. *fiend,* schwed. *fiende* ist (ähnlich wie ›Freund‹ und ›Heiland‹) ein erstarrtes erstes Partizip mit der Grundbedeutung »der Hassende«. Das vorausliegende, im Mhd. untergegangene Verb ahd. *fiēn* »hassen« (entsprechend got. *fijan,* aengl. *fīon,* aisl. *fjā*) führt mit verwandten Wörtern im Aind., Griech. und Lat. (z. B. lat. *pati* »erdulden, leiden«, ↑Passion) auf die Wurzel **pē[i]-* »schädigen, wehtun, schmähen«. Das abgeleitete Verb ›feinden‹ (spätmhd. *vinden*) ist heute nur noch in **anfeinden** (16. Jh.) und **verfeinden,** sich (17. Jh.) gebräuchlich. – Abl.: **feindlich** (mhd. *vī[e]ntlich,* ahd. *fiantlīh;* meist von der Gesinnung gesagt); **Feindschaft** (mhd. *vī[e]ntschaft,* ahd. *fiantscaft*). Nach dem Muster anderer Bildungen auf ...selig (↑selig) erscheint frühnhd. **feindselig** (16. Jh., ursprünglich »verhasst«, dann »gehässig«), dazu **Feindseligkeit** »feindlicher Sinn« (Plural: »Kampfhandlungen«).

feist: Das ursprünglich oberd. Adjektiv mhd. *veiz[e]t,* ahd. *feiz[z]it* ist – wie das ursprünglich nur niederd. Gegenstück ↑fett – eigentlich das 2. Partizip eines im Nhd. untergegangenen Verbs mhd. *veizen,* aengl. *fǣtan,* aisl. *feita* »fett machen«. Dieses Verb ist abgeleitet von dem gleichfalls im Nhd. untergegangenen Adjektiv mhd.

veiʒ[e], mnd. *veit,* schwed. *fet* »fett«. Zugrunde liegt eine Erweiterung der idg. Wurzel **pĕ[i]-* »strotzen, fett sein, schwellen, quellen«.

feixen: Der ugs. Ausdruck für »grinsend lachen« wurde im 19. Jh. zu nordd. *Feix* »Unerfahrener, Dümmling« gebildet, das wohl eine studentische Scherzbildung des 17. Jh.s ist.

Feld: Das westgerm. Substantiv mhd. *veld,* ahd. *feld,* niederl. *veld,* engl. *field* geht zusammen mit den verwandten Wörtern aisl. *fold* »Erde, Weide« und asächs. *folda* »Boden« auf eine idg. Wurzel **pel[ə]-* »platt, eben, breit; ausbreiten, breit schlagen« zurück. Eine andere germ. Bildung zur gleichen Wurzel ist ↑Flur (eigentlich »flach gestampfter Boden«). Im außergerm. Sprachbereich sind z. B. verwandt aslaw. *polje* »Feld« (im Landesnamen Polen), lat. *palma* »flache Hand; Palme« (↑Palme), lat. *planus* »glatt, eben, flach« (s. die Fremdwortgruppe um *plan*); auf das wurzelverwandte aisl. *flana* »umherlaufen« geht ↑flanieren zurück. Im Sinne von »breit schlagen, aufstreichen« gehören auch griech. *plássein* »aus weicher Masse bilden« und *émplastron* »Pflaster« hierher (s. die unter *plastisch* und *Pflaster* behandelten Wörter). Zu dieser vielfach weitergebildeten und erweiterten idg. Wurzel gehören auch die Wortgruppen von ↑flach, ↑fluchen (eigentlich »[auf die Brust] schlagen«; s. dort über *Plage, flackern, Flagge, Fleck* usw.) und ↑Fladen »flacher Kuchen« (s. dort über *Flunder, Flöz, platt, Platz, Pflanze* usw.). – Aus der Bedeutung »offene Fläche, Ackerfeld«, mit der ›Feld‹ heute besonders als Gegenwort zu ›Wald‹ steht, entwickelte sich einerseits die Bedeutung »Schlachtfeld, Front«, die noch in zahlreichen Verwendungen (›ins Feld rücken, im Feld stehen‹) vorkommt und militärischen Fachwörtern wie **Feldküche, Feldpost, Feldwache** zugrunde liegt, andererseits die Bedeutung »abgeteiltes Acker-, Bodenstück«, übertragen »Unterteilung eines Spielbretts, Wappenschilds«, auch »Spielfeld« und dgl. Auf der Vorstellung des begrenzten Gebietes oder Raumes beruht auch der Begriff **Kraftfeld** in der Physik (Ende des 19. Jh.s), während die Verwendung im Sinne von »Betätigungsgebiet, Fach« (18. Jh.) vom Arbeitsfeld des Bauern ausgeht. – Zus.: **feldgrau, Feldgrau** ↑grau; **Feldherr** (16. Jh.); **Feldhüter** »Flurschütz« (spätmhd. *velthüeter*); **Feldmarschall** (16. Jh., nach frz. *maréchal de camp;* ↑Marschall); **Feldstecher** »Doppelfernrohr« (1. Hälfte des 19. Jh.s, neben älterem ›Stecher‹ »Opernglas«, das ursprünglich vielleicht scherzhaft gemeint war); **Feldwebel** (Unteroffiziersdienstgrad, ursprünglich ein Verwaltungsbeamter; im 16. Jh. *Feldweibel* [so noch schweiz.]; das Grundwort, mhd. *weibel,* ahd. *weibil* »Gerichtsbote« gehört zu ahd. *weibōn* »sich hin und her bewegen«). Siehe auch den Artikel *Gefilde.*

Felge: Der aus Krummhölzern gearbeitete Kranz des Wagenrades heißt mhd. *velge,* ahd. *felga,* niederl. *velg,* engl. *felly.* Das westgerm. Wort gehört wohl zu einem germ. Verb **felgan* »wenden; biegen« und bedeutet demnach eigentlich »die Gebogene«. Seit Jahn bezeichnet ›Felge‹ auch eine Turnübung am Reck.

Fell: Das gemeingerm. Substantiv mhd., ahd. *vel,* got. *fill,* engl. *fell,* schwed. *fjäll* »Hautschuppe« bedeutete ursprünglich »Haut« (von Mensch und Tier). Es ist verwandt mit lat. *pellis* »Fell, Pelz, Haut« (↑Pelle und ↑Pelz) und griech. *pélla* »Haut, Leder«. Verwandt ist auch das anders gebildete aengl. *filmen* »Häutchen« (↑Film). Zugrunde liegt die idg. Wurzel **pel-* »bedecken, umhüllen«, zu deren k-Erweiterung die Verben ↑befehlen und ↑empfehlen gehören. Erst im Nhd. wird ›Fell‹ auf die Bedeutung »behaarte Tierhaut« eingeschränkt. Beachte auch die Adjektivbildung **dickfellig** (18. Jh.).

Fell

jmdm., jmdn. juckt das Fell
(ugs.) »jmd. ist so übermütig, als wolle er Prügel haben«
Das Jucken gilt nach dem Volksglauben als Vorankündigung eines Ereignisses, daher glaubt man auch, dass man Geld bekommt, wenn einem die Hand juckt, oder dass man eins auf die Nase bekommt, wenn sie juckt.

jmdm. sind die/sind alle Felle fortgeschwommen/davongeschwommen/weggeschwommen
»jmds. Hoffnungen sind zerronnen«
Die Wendung stammt wahrscheinlich aus der Sprache der Lohgerber. Wenn man, wie es früher die Lohgerber taten, Felle in einem fließenden Gewässer, im Stadtbach wässert, kann es passieren, dass sie davontreiben.

ein dickes Fell haben
(ugs.) »dickfellig sein, viel Ärger vertragen können«
Diese Wendung knüpft an ›Fell‹ in der Bedeutung »Haut« an und spielt mit der dicken Haut auf die Unempfindlichkeit an.

das Fell/(selten auch:) die Haut über die Ohren ziehen
(ugs.) »jmdn. betrügen, ausbeuten, stark übervorteilen«
Die Wendung meint eigentlich, dass man einem Schaf nicht die Wolle schert, sondern gleich das ganze Fell abzieht. Das Abhäuten geschah dann so, dass den Tieren (vom Abdecker, Schinder) das Fell am Bauch aufgeschnitten und bis zum Kopf abgezogen wurde. Dann wurde um jedes Ohr ein Rundschnitt gelegt und das Fell über Kopf und Ohren abgestreift. Vgl. dazu die Verwendung des Verbs ›schinden‹ (eigentlich »häuten«) im Sinne von »plagen, drangsalieren, ausbeuten«.

Fels, Felsen: Mhd. *vels[e]*, ahd. *felis, felisa* ist verwandt mit aisl. *fjall, fell,* norw. *fjell* »Fels, Berg« (↑Vielfraß). Außergerm. vergleichen sich z. B. griech. *pélla* und aind. *pāṣāṇá-ḥ* »Stein«.

Feme: Das geheime Gericht oder Freigericht war eine niederdeutsche, besonders westfälische Einrichtung, die ihre größte Bedeutung in der friedlosen Zeit des ausgehenden Mittelalters erreichte. Mnd. *veime, vēme,* mhd. *veime* ist im 18. Jh. mit westfäl. Lautung neu belebt und durch die Ritterdichtung (Goethe, Kleist) bekannt geworden. Die Herkunft des Wortes, das wohl identisch ist mit niederl. *veem* »Genossenschaft, Zunft« (beachte mnd. *veime nōt* »Femgenosse, Freischöffe«), ist dunkel. Gebräuchlich ist noch das abgeleitete Verb **verfemen** »ächten, friedlos machen« (mhd. *verveimen,* mnd. *vorveimen*).

feminin »weiblich; weibisch«: Das Wort ist aus gleichbed. lat. *femininus* entlehnt, einer Bildung zu lat. *femina* »Weib, Frau« (vgl. hierüber den Artikel *Filius*). Dazu stellt sich der grammatische Ausdruck **Femininum** »weibliches Geschlecht; Substantiv mit weiblichem Geschlecht« (neben Maskulinum [↑maskulin] und ↑Neutrum) aus lat. *(nomen* bzw. *genus) femininum.* Die Bildungen **Feminismus** »Richtung der Frauenbewegung, die ein neues Selbstverständnis der Frau und die Aufhebung der traditionellen Rollenverteilung anstrebt«, **Feministin** »Vertreterin des Feminismus« und **feministisch** »den Feminismus betreffend« sind in der 2. Hälfte des 20. Jh.s aufgekommen, und zwar unter engl. oder frz. Einfluss (frz. *féminisme* [1837], engl. *feminism* [1895], frz. *féministe,* engl. *feminist*).

Fengshui: Das Fremdwort für die »chinesische Kunst der harmonischen Lebens- und Wohnraumgestaltung« stammt aus gleichbed. chin. *feng shui,* zu *feng* »Wind« und *shui* »Wasser«, nach den beiden wesentlichen naturbestimmenden Elementen. In den deutschen Sprachraum ist diese chinesische Lehre und die Bezeichnung dafür in der 2. Hälfte des 20. Jh.s gekommen.

Fenster: Die festen Wohnstellen der Germanen waren in der ältesten Zeit Flechtwerkbauten, später auch Holzhäuser. Daran erinnern alte Bezeichnungen wie ↑Wand (ursprünglich »Gewundenes, Geflecht«) und ↑Zimmer (ursprünglich »Bauholz; Holzbau«). Erst mit dem Vordringen der Römer an Rhein und Donau lernten die Germanen den römischen Stein- und Mauerbau kennen; vgl. hierzu das Kapitel zur Sprachgeschichte *Römischer Kultureinfluss.* Zahlreiche lat. Bezeichnungen aus diesem Bereich gelangten als Lehnwörter in die germ. Sprachen, wo sie bis heute lebendig sind. Zu dieser Gruppe von Lehnwörtern wie ↑Kalk, ↑Mauer, ↑tünchen, ↑Mörtel, ↑Ziegel, ↑Keller, ↑Kammer, ↑Pforte, ↑Pfeiler, ↑Pfosten u. a. gehört auch das Substantiv Fenster (mhd. *venster* »Lichtluke, Fensteröffnung; Fenster«, ebenso ahd. *fenstar,* niederl. *venster,* aengl. *fenester;* schwed. *fönster* stammt unmittelbar aus mnd. *vinster*). Es geht zurück auf lat. *fenestra* »Öffnung für Luft und Licht in der Wand, Fensteröffnung; (seit der Kaiserzeit auch:) Glasfenster«, das auch die Quelle für entsprechend frz. *fenêtre* ist. Durch das Lehnwort ›Fenster‹ wurden die alten germ. Bezeichnungen wie ahd. *augatora* (= got. *augadaúro;* eigentlich wohl »Tor, Öffnung in Form eines Auges«), aisl. *vindauga* (eigentlich wohl »[augenförmige] Öffnung für den Wind«) zurückgedrängt. Letzteres ist allerdings bewahrt in dän. *vindue* und in dem aus dem Aisl. entlehnten engl. Wort *window* »Fenster« (aengl. *fenester* konnte sich in der Volkssprache nicht durchsetzen). – Abl.: **fensterln** »bei der Geliebten nachts durchs Fenster einsteigen« (südd.; zuerst im 16. Jh. in der Form *fenstern* bezeugt).

Ferge ↑Fähre.

Ferien »einzelne freie Tage; Urlaub«: Das seit dem 16. Jh. bezeugte Fremdwort ist aus lat. *feriae* »Festtage, geschäftsfreie Tage, Ruhetage« entlehnt (vgl. das Lehnwort *Feier*). Es erscheint zunächst im Bereich der Rechtssprache zur Bezeichnung der Tage, an denen keine Gerichtssitzungen abgehalten wurden. Im schulischen Bereich entwickelte sich dann der freiere Gebrauch des Wortes.

Ferkel: Das Substantiv mhd. *verkel[īn], verhel[īn],* ahd. *farhilī[n]* ist eine Verkleinerungsbildung zu ahd. *far[a]h* »[junges] Schwein«. Mit diesem Substantiv ist im germ. Sprachbereich z. B. gleichbed. engl. *farrow* verwandt, außergerm. z. B. die gleichbedeutenden lat. *porcus,* mir. *orc,* lit. *par̃šas,* kurd. *purs.* Die ganze Wortgruppe beruht auf idg. **porko-s* »Schwein«, das eine Bildung zu der idg. Verbalwurzel **perk-* »aufreißen, wühlen« ist und demnach eigentlich »Wühler« bedeutet (vgl. *Furche*). Ähnliche Verkleinerungsbildungen sind z. B. lat. *porculus, porcellus* und lit. *paršẽlis* »Ferkel«. Siehe auch den Artikel *Porzellan.*

Ferment »Gärstoff«: Das Substantiv wurde im 18. Jh. aus lat. *fermentum* »Gärung; Gärstoff« entlehnt, das urverwandt ist mit dt. ↑Bärme.

fern: Das gemeingerm. Adverb mhd. *ver[re],* ahd. *ferro,* got. *faírra,* engl. *far,* aisl. *fjarri* gehört zu der unter ↑ver... dargestellten idg. Wurzel **per-* »über etwas hinausführen«. Es ist im Nhd. von der Bildung mhd. *verren,* ahd. *ferrana* »[von] fern« ersetzt worden, wie auch schwed. *fjärran* »fern« älteres *fjär* verdrängt hat. Außergerm. lassen sich aind. *párā* »fort, weg«, griech. *pérā* »darüber hinaus, jenseits« vergleichen. Das Wort ist dann auch zum Adjektiv geworden (mhd. *verre,* ahd. *ferri*). – Abl.: **Ferne** (frühnhd., für älteres mhd. *virre,* ahd. *ferrī*); **fernen** veraltet für »fern machen, sein« (mhd. *verren,* ahd. *ferrēn*), dazu **entfernen** (mhd. *entverren*) mit dem adjektivisch gebrauchten Part. **entfernt** und dem Substantiv **Entfernung** (17. Jh.); **ferner** (Komparativ des Adverbs, mhd. *verrer,* ahd. *ferrōr*). Zus.: **Fernfahrer** »Fahrer von Fernlastzügen« (um 1940; ebenso das ugs. **Fernlaster** »Fernlastzug«); **Fernglas** (im 17. Jh. zuerst für den 1608 in Holland erfundenen einrohrigen *[verre]kijker,* dann für das Doppelglas); **Fernrohr** (17. Jh.). In vielen technischen Wörtern ist ›Fern...‹ Lehnübersetzung für griech. ↑tele..., Tele..., z. B. in: **Fernsehen** (Ende des 19. Jh.s gebildet, aber infolge der technischen Entwicklung erst im 20. Jh. allgemein bekannt geworden), dazu das jüngere Verb **fernsehen** (Mitte des 20. Jh.s) und das Substantiv **Fernseher** (schon 1905 für ein Gerät gebraucht, jetzt auch für den Fernsehteilnehmer).

fern

ferner liefen
(ugs.) »nicht zu den Spitzenkräften gehörend; bedeutungslos«
Die Wendung stammt aus dem Pferdesport und meint eigentlich »außer den Siegern nahmen am Rennen teil«.

Ferse: Die altgerm. Körperteilbezeichnung mhd. *verse[ne],* ahd. *fersana* (Plural), got. *faírzna,* niederl. *verzenen,* aengl. (anders gebildet) *fiersn* ist z. B. verwandt mit gleichbed. aind. *pā̆rṣṇi-ḥ* und griech. *ptérnē* sowie mit lat. *perna (*persna)* »Hinterkeule, Schinken«.

Fersengeld

Fersengeld geben
(ugs.) »davonlaufen, fliehen«
Die Wendung erscheint im 13. Jh. und wird frühnhd. als ›Bezahlung mit der Ferse‹ – beim heimlichen Verlassen einer Herberge aufgefasst. Doch ist mhd. *versengelt* auch für bestimmte Abgaben und Bußen bezeugt und kann sich auf eine Strafe für Flucht vor dem Feinde bezogen haben. ›Fersen oder Fußsohlen zeigen‹ war schon bei Griechen und Römern Umschreibung für »fliehen«.

fertig: Das nur dt. Adjektiv ist abgeleitet von dem unter ↑Fahrt behandelten Wort. Daher bedeutet mhd. *vertec,* ahd. *fartīg* eigentlich »zur Fahrt bereit, reisefertig«. Daraus hat sich schon im Mhd. die allgemeine Bedeutung »bereit« entwickelt, die dann zu dem jetzigen Sinn »zu Ende gebracht, zu Ende gekommen« führte (ugs. auch »erschöpft, erledigt«). – Dazu **fertig bringen** »vollbringen, imstande sein« und **fertig machen** ugs. für »jemanden erledigen; zurechtweisen«. Die mhd. Bedeutung »beweglich, geschickt, gut beschaffen« lebt fast nur noch in der Ableitung **Fertigkeit** »Geschicklichkeit« (Plural: »Fähigkeiten«; 16. Jh.). Das Verb **fertigen** bedeutet heute »herstellen«; mhd. *vertegen* wurde im Sinne von »reisefertig machen« gebraucht.

Fes: Die seit dem 19. Jh. bezeugte Bezeichnung für eine rote Filzkappe, wie man sie im Vorderen Orient trägt, stammt aus gleichbed. türk. *fes,* das auf den Namen der Stadt Fes in Marokko (ursprünglich wohl der Hauptherstellungsort) zurückgeht.

fesch »schick, schneidig, flott, elegant«: Das seit dem 19. Jh. bezeugte Adjektiv ist aus der Wiener Mundart übernommen, wo es gekürzt ist aus engl. *fashionable* »modisch, elegant«. Zugrunde liegt engl. *fashion* »Aufmachung, Erscheinung« (mengl. *fasoun, facioun*), das auf frz. *façon* (vgl. *Fasson*) zurückgeht.

[1]**Fessel** »Teil des Pferdebeines«: Mhd. *vezzel, fissel* ist wie das Kollektiv mhd. *vizzeloch, vizlach* »Hinterbug des Pferdefußes« eine ablautende Bildung zu ↑Fuß.

F

[2]**Fessel** »hemmendes Band«: Mhd. *vezzel,* ahd. *fezzil* bezeichnete ein Trag- und Halteband für Schwert und Schild. Das Wort gehört wie mnd. *vētel* »Riemen, Nestel«, aengl. *fetel* »Gürtel«, aisl. *fetill* »Schulterband« zu der unter ↑Fass besprochenen Sippe und hat wohl die Grundbedeutung »Geflochtenes«. Den heutigen Sinn erhielt ›Fessel‹ erst im Nhd. durch Vermischung mit mhd. *vezzer,* ahd. *fezzara* »Fessel« (entsprechend engl. *fetter,* schwed. *fjätter*), einem Wort, das zur Sippe von ↑Fuß gehört (vgl. griech. *pédē* »Fußfessel«, lat. *pedica* »Fußfessel«). – Abl.: **fesseln** (15. Jh.; mhd. *vezzeren,* ahd. *fezzarōn*).

fest: Die germ. Adjektivbildungen mhd. *veste,* ahd. *festi, fasti,* niederl. *vast,* engl. *fast,* schwed. *fast* gehen auf idg. **pasto-* »fest« zurück, auf dem auch gleichbed. armen. *hast* und wahrscheinlich auch aind. *pastyàm* »Behausung« (eigentlich »fester Wohnsitz«) beruhen. Im Mhd. bedeutete ›fest‹ »hart, stark, beständig«, nhd. ist es auch Gegenwort zu ›beweglich, flüssig, lose‹ geworden. – Abl.: **Feste** (mhd. *veste,* ahd. *festī* »Festigkeit, befestigter Ort«; im 18. Jh. auch für »Festland« und für »Festung« in Namen wie ›Veste Coburg, Franzensfeste‹); **Festung** (mhd. *vestunge*) ist eine Ableitung von mhd. *vesten,* ahd. *festen* »befestigen«, dafür jetzt **festigen** »festmachen« und **befestigen** »festmachen; durch Festungswerke sichern« (beide spätmhd.); **Festigkeit** (mhd. *vestecheit*). Zus.: **Festland** (im 19. Jh. für ›Kontinent‹).

Fest: Das seit dem 13. Jh. bezeugte Substantiv (mhd. *fest*) ist entlehnt aus lat. *festum* »Fest[tag]«, dem substantivierten Neutrum des zum Stamm von lat. *feriae* »Festtage, Feiertage« (vgl. das Lehnwort *Feier*) gehörenden Adjektivs lat. *festus* »festlich, feierlich«. – Auf einer vlat. Form *festa* »Fest« beruht entsprechend frz. *fête* »Fest«, aus dem unsere Wörter ↑Fete und ↑Fez entlehnt sind. – Siehe auch den Artikel *Festival.*

Feste, festigen, Festigkeit ↑fest.

Festival »kulturelle (besonders musikalische) Großveranstaltung«: Das Wort wurde im 20. Jh. aus dem Engl. entlehnt. Gleichbed. engl.

festival beruht auf afrz. *festival,* einer roman. Weiterbildung von lat. *festivus* »festlich« (vgl. *Fest*).

Festland ↑fest.

festsetzen ↑setzen.

Festung ↑fest.

Fete (scherzhaft für:) »Fest«: Das seit dem 18. Jh. bezeugte Substantiv stammt aus der Studentensprache. Es tritt gleichwertig neben das schon im 17. Jh. vorhandene Studentenwort **Festivität.** Während Letzteres eine scherzhafte Eindeutschung ist von lat. *festivitas* »Feierlichkeit, Festlichkeit« (zu lat. *festus* »feierlich«), ist ›Fete‹ aus frz. *fête* »Fest« entlehnt, das auch die Quelle für dt. ↑Fez ist. – Das frz. Wort seinerseits beruht auf vlat. *festa* »Fest«, dem substantivierten Femininum von lat. *festus* »festlich« (vgl. das Lehnwort *Fest*).

Fetisch »mit magischer Kraft erfüllter Gegenstand; Götze[nbild]«: Das Wort wurde im 18. Jh. aus gleichbed. frz. *fétiche* entlehnt, das seinerseits aus port. *feitiço* »Zauber[mittel]« – eigentliche Bedeutung »[Nach]gemachtes, künstlich Zurechtgemachtes« – stammt. Voraus liegt lat. *facticius* »nachgemacht, künstlich«, das zu lat. *facere* »machen; erbilden« gehört (vgl. *Fazit*).

fett: Das ursprünglich niederd. Adjektiv (mnd. *vet,* vgl. niederl. *vet,* engl. *fat*) ist – wie das ursprünglich nur oberd. Gegenstück ↑feist – eigentlich das 2. Partizip eines im Nhd. untergegangenen germ. Verbs (Weiteres s. unter *feist*). Seit dem 13. Jh. im Niederrhein. belegt, hat sich ›fett‹ in der Schriftsprache durchgesetzt. Die Substantivierung **Fett** (mnd. *vet[te],* niederl. *vet*) bezeichnete schon früh alle fetten Substanzen tierischer, pflanzlicher oder mineralischer Herkunft.

Fettnäpfchen

ins Fettnäpfchen treten

(ugs.) »jmds. Unwillen erregen, es mit jmdm. verderben«

Die Wendung nimmt darauf Bezug, dass früher in Bauernhäusern [in der Nähe des Ofens] für die Eintretenden ein Topf mit Stiefelfett stand, damit sie gleich ihre nassen Stiefel einreiben konnten. Wer nun versehentlich in den Topf mit dem Fett trat und Flecken auf den Dielen machte, verärgerte die Hausfrau.

Fetzen: Mhd. *vetze* »Fetzen, Lumpen« (frühnhd. auch »Kriegsfahne«) schließt sich an die Bedeutung »kleiden« von mhd. *vassen* an (vgl. *fassen;* beachte aisl. *fǫt* »Kleider«, den Plural von *fat* »Gefäß, Decke«). – Abl.: **fetzen,** meist **zerfetzen** »in Fetzen reißen« (beide 16. Jh.), beachte ugs. ›das fetzt‹ »das ist toll, prima« und **fetzig** »toll, prima« (20. Jh.).

feucht: Das westgerm. Adjektiv mhd. *viuhte,* ahd. *fūht[i],* niederl. *vocht,* aengl. *fūht* geht mit dem urverwandten aind. *páŋka-ḥ* »Schlamm« auf eine idg. Wurzel **pen-* »Schlamm, Sumpf, feucht« zurück, vgl. ahd. *fenna, -ī* »Sumpf«, got. *fani* »Schlamm«, aengl. *fenn* »Sumpf, Schlamm«, aisl. *fen* »Sumpf« (beachte niederd. *Fenn* »Sumpf-, Moorland«).

feudal »herrschaftlich, vornehm«: Das Adjektiv, dessen heutige Bedeutung erst Ende des 19. Jh.s üblich wurde, gehörte ursprünglich der Rechtssprache an. Es wurde im 17. Jh. als ›feudalisch‹ »zum Lehnswesen gehörig« aus gleichbed. mlat. *feudalis* entlehnt, einer Ableitung von mlat. *feudum, feodum* »Lehnsgut«. Dieses Substantiv ist, wohl unter Einwirkung des germ.-mlat. Rechtswortes *allodium* »Eigengut«, umgebildet aus gleichbed. mlat. *feum* (= it. *fio,* frz. *fief* »Lehen«). Zugrunde liegt das unter ↑Vieh behandelte germ. Wort für »Vieh; Vermögen« (beachte besonders got. *faíhu* »Vermögen, Geld«, aengl. *feoh* »Vieh, Eigentum, Geld«).

Feuer: Das altgerm. Substantiv mhd. *viur,* ahd. *fiur* (älter *fuir*), niederl. *vuur,* engl. *fire,* aisl. *fyrr* ist z. B. verwandt mit griech. *pȳr* »Feuer« und hethit. *paḫḫur* »Feuer« und beruht mit diesen auf idg. **peu̯ōr, pŭr,* Genitiv **punés* »Feuer«. Von den Formen mit -n- (Genitiv, Lokativ) sind z. B. ausgegangen got. *fōn* »Feuer« und aisl. *funi* »Feuer« sowie die unter ↑Funke[n] behandelten Wörter. In militärischem Sinne bezeichnet ›Feuer‹ das Schießen mit Feuerwaffen und die einschlagenden Geschosse (z. B. ›Artilleriefeuer, Sperrfeuer, Feuerüberfall‹). – Abl.: **feuern** (mhd. *viuren* »Feuer machen; glühen«; jetzt meist für »schießen«, übertragen »mit Wucht irgendwohin werfen«, im Sinne von »jemanden hinauswerfen, entlassen« Bedeutungslehnwort von engl. *to fire*), dazu **anfeuern** »anheizen; anspornen« und **befeuern** »beheizen; anspornen; mit Leuchtfeuern versehen« sowie das Substantiv **Feuerung** (spätmhd. *viurunge* »Feuer«, mnd. *vūringe* »Brennstoff«); **feurig** »temperamentvoll« (mhd. *viurec* »brennend, glühend«); **feurio!, feuerjo!** (alter, weit hallender Notruf, im 15. Jh. *fiuriō, viurā;* jetzt ruft man gewöhnlich ›Feuer!‹; s. a. *mordio* [↑Mord]). Zus.: **Feuersbrunst** (↑Brunst); **Feuerstein** (mhd. *viurstein;* zum Feuerschlagen, vorgeschichtlich zu Steinwerkzeugen und -waffen benutzt); **Feuertaufe** (im 18. Jh. nach Matth. 3, 11 gebildet als »Taufe mit dem Heiligen Geist«, um 1850 übertragen für »Einweihung, erstes Gefecht der Soldaten«, jetzt auch allgemein für »erste Bewährung«); **Feuerwehr** (19. Jh.); **Feuerwerk** (spätmhd. *viurwerc* »Brennmaterial« wurde im 16. Jh. zur Bezeichnung von Pulver und Geschützmunition; auch die jetzige Bedeutung »Abbrennen von Feuerwerkskörpern« ist schon damals bezeugt), dazu **Feuerwerker** (seit dem 18. Jh. Dienstgrad bei der Artillerie; auch »Hersteller von Feuerwerkskörpern, Pyrotechniker«); **Feuerzeug** (mhd. *viurziuc;* ↑Zeug).

Feuerprobe

die Feuerprobe bestehen
»sich zum ersten Mal in harter Praxis bewähren« Mit ›Feuerprobe‹ war ursprünglich die im Feuer vorgenommene Prüfung des Goldes auf seine Reinheit gemeint. Danach bezeichnete ›Feuerprobe‹ auch ein Verfahren zum Herbeiführen eines Gottesurteils: Um seine Unschuld zu beweisen, musste der Angeklagte längere Zeit ein glühendes Eisen halten.

Feuilleton »literarischer Unterhaltungsteil einer Zeitung«: Das im 18./19. Jh. aus frz. *feuilleton* entlehnte Fremdwort bezeichnet eigentlich das unterhaltende »Beiblättchen« einer Zeitung. Formal gehört es zu frz. *feuille* »Blatt«, das auf vlat. *folia* zurückgeht (vgl. *Folie*). – Hierzu gehören die seit dem 19. Jh. bezeugten Bildungen **Feuilletonist, feuilletonistisch, Feuilletonismus.**

Fez »Ulk, Spaß« (ugs.): Das Wort ist im Berlin. seit dem Ende des 19. Jh.s bezeugt. Es ist wahrscheinlich aus *fêtes*, dem Plural von frz. *fête* »Fest«, hervorgegangen (mit ähnlicher Entwicklung wie in ↑Fete).

Fiaker »zweispännige Lohnkutsche«, auch Bezeichnung des »Lohnkutschers«: Das Substantiv wurde im 18. Jh. aus frz. *fiacre* entlehnt, war bald aber nur noch in Österreich und Bayern gebräuchlich und wurde sonst von ↑Droschke verdrängt. Frz. *fiacre* geht wohl auf den Namen des Pariser Hotels St.-Fiacre zurück, in dem im 17. Jh. das erste Vermietungsbüro für Lohnkutschen existierte.

Fiasko Das seit dem 19. Jh. bezeugte Wort bedeutet »Misserfolg, Zusammenbruch«. Es war zunächst nur in der Bühnensprache gebräuchlich für Theaterstücke, die beim Publikum nicht ankommen. Es ist – vielleicht unter frz. Einfluss – entlehnt aus it. *fiasco* in der Wendung *far fiasco*, eigentlich »Flasche machen«. Nhd. ↑Flasche, dessen germ. Vorform **flaskō* dem it. *fiasco* zugrunde liegt, weist in seiner ugs. Nebenbedeutung »Versager« in die gleiche Richtung.

Fibel »Lesebuch«: Das seit dem 15. Jh. bezeugte Wort hat sich in der Kindersprache entwickelt. Es ist entstellt aus ↑Bibel (die Lesebücher der Abc-Schützen enthielten sehr viele Geschichten aus der Bibel).

Fiber »[Muskel]faser; Faserstoff«: Das seit der 2. Hälfte des 18. Jh.s bezeugte Fremdwort ist aus gleichbed. lat. *fibra* entlehnt.

Fichte: Der im germ. Sprachbereich nur im Dt. gebräuchliche Baumname (mhd. *viehte*, ahd. *fiohta*) ist verwandt mit griech. *peúkē* »Fichte«, lit. *pušìs* »Fichte« und mir. *ochtach* »Fichte«. Im Niederl., Fries., Engl. und Nord. fehlt der Name, weil der Baum dort in alter Zeit nicht vorkam. Eine Nebenform ahd. *fiuhta* lebt noch in Mundartformen mit -eu-, -ei-, -ü- und in Ortsnamen, z. B. Feuchtwangen. – Abl.: **fichten** »aus Fichtenholz« (mhd. *viehtīn*).

ficken: Das mdal. für »hin und her bewegen, reiben, jucken« gebrauchte Wort, mhd. als *ficken* »reiben«, niederrhein. im 16. Jh. als *vycken* »mit Ruten schlagen« bezeugt, ist wohl wie norw. *fikle* »sich heftig bewegen, pusseln« eine lautmalende Bildung. Der sexuelle Sinn erscheint zuerst im 16. Jh. Die alte Bedeutung zeigen noch ugs. **fickerig** »unruhig, widerspenstig« und landsch. **Fickmühle** »Zwickmühle«. Vgl. den Artikel *Faxe*.

fidel (ugs. für:) »lustig, gut gelaunt, vergnügt«: Das Adjektiv stammt aus der Studentensprache des 18. Jh.s und beruht auf einer scherzhaften Verwendung von älterem ›fidel‹ »treu«: Das vorausliegende lat. Adjektiv *fidelis* »treu, zuverlässig« (woraus auch frz. *fidèle*) gehört mit lat. *fides* »Treue«, *fidere* »[ver]trauen«, *foedus* »Treubund« (↑Föderation, Föderalismus) zur idg. Sippe von ↑bitten.

Fidel ↑Fiedel.

Fidibus »gefalteter Papierstreifen zum [Pfeife]anzünden«: Die Herkunft dieses lateinisch klingenden Wortes ist dunkel. Angeblich soll es in der Studentensprache beim Pfeiferauchen geprägt worden sein: Der Horazvers (Oden 1, 36) *Et ture et fidibus iuvat placare ... deos* sei das Scherzobjekt gewesen, indem in der Übersetzung »freundlich stimme die Götter Weihrauch und Saitenspiel« *ture et fidibus* auf »Tabakrauch und Pfeifenanzünder« bezogen worden sei.

Fieber »krankhaft erhöhte Körpertemperatur«: Das Substantiv mhd. *fieber*, ahd. *fiebar* »Fieber« beruht wie gleichbed. engl. *fever* auf einer Entlehnung aus lat. *febris* »Fieber«. Gleicher Herkunft sind die roman. Entsprechungen frz. *fièvre*, it. *febbre*. – Abl.: **fiebern** »Fieber haben« (spätmhd. *viebern*), auch bildlich übertragen gebraucht im Sinne von »vor Eifer und Sehnsucht glühen«, besonders auch in der Präfixbildung **entgegenfiebern; fieb[e]rig** »fieberkrank, fiebernd« (spätmhd. *fieberic*); **fieberhaft** »wie vom Fieber gepackt, hektisch« (Anfang 18. Jh.).

Fiedel: Die ugs., leicht abschätzige Bezeichnung der Geige galt ursprünglich für eine Vorform dieses Streichinstruments, die in Europa seit der Karolingerzeit bezeugte, neuerdings wieder gebaute **Fidel.** Die Herkunft des Wortes mhd. *videl[e]*, ahd. *fidula* »Fidel«, niederl. *ve[d]el*, engl. *fiddle* »Fiedel, Geige« ist ungeklärt (das als Quelle vermutete mlat. *vitula* »Saiteninstrument« ist erst im 12. Jh. bezeugt). – Abl.: **fiedeln** ugs. für »auf der Geige spielen« (entsprechend mhd. *videlen* »auf der Fiedel spielen«).

fies (ugs. für:) »ekelhaft, widerwärtig; unsympathisch, abstoßend«: Das ursprünglich nur mdal., seit dem 17. Jh. bezeugte Wort (mnd. *vīs*, niederl. *vies*) ist nicht sicher erklärt; vielleicht ist es eine Bildung zu lautmalendem *fī* »pfui« oder mhd. *vīst* »Blähung«.

Fight »verbissen geführter Kampf; Boxkampf«: Das Fremdwort wurde im 20. Jh. entlehnt aus engl. *fight* (aengl. *feoht*) »Gefecht, Kampf« (vgl. *fechten*). – Abl.: **fighten** »boxen, kämpfen« (20. Jh.; aus engl. *to fight*); **Fighter** »Kämpfer[natur]; Boxer« (20. Jh.; aus engl. *fighter*).

Figur »Gestalt, [geometrisches] Gebilde«: Das Substantiv wurde in mhd. Zeit durch Vermittlung von afrz. (= frz.) *figure* aus lat. *figura* »Gebilde, Gestalt, Erscheinung« entlehnt, das zu lat. *fingere* »formen, bilden, gestalten; ersinnen, erdichten« gehört (vgl. *fingieren*). – Abl.: **figürlich** »bildlich übertragen« (15. Jh.); **figurieren** »erscheinen als ..., auftreten als ..., darstellen« (schon mhd. im Sinne von »im Bild darstellen, gestalten«; aus lat. *figurare* »bilden, gestalten, darstellen«).

Fiktion »Einbildung; Annahme, Unterstellung«: Das Fremdwort wurde im 17. Jh. aus gleichbed. lat. *fictio* entlehnt. Über das zugrunde liegende Verb lat. *fingere* »bilden, formen; ersinnen; erheucheln« vgl. *fingieren*. – Abl.: **fiktiv** »erdichtet, nur angenommen« (20. Jh.; nlat. Bildung).

Filet »Lendenstück« (von Schlachtvieh und Wild); »Rückenstück« (bei Fischen): Das Fremdwort wurde im 18. Jh. aus gleichbed. frz. *filet* entlehnt, das von frz. *fil* »Faden« abgeleitet ist und demnach eigentlich »kleiner Faden« bedeutet. Der Grund für die Bedeutungsübertragung ist nicht ganz klar. Man vermutet ihn in der Tatsache, dass Lendenstücke dieser Art zuweilen zusammengerollt und mit einem Bindfaden umwickelt geliefert wurden. Frz. *fil* geht auf lat. *filum* »Faden« zurück, das auch in den Fremdwörtern ↑Profil und ↑Filigran erscheint.

Filiale: Die Bezeichnung für »Zweiggeschäft« ist ein Kaufmannswort des 19. Jh.s, das durch frz. Vermittlung aus kirchenlat. *filialis* »kindlich« – in dessen nlat. Bedeutung »töchterlich abhängig« – entwickelt wurde. Über weitere Zusammenhänge vgl. den Artikel *Filius*.

Filigran: Die Bezeichnung für »Zierarbeit aus feinen Gold- und Silberfäden« wurde im 17. Jh. aus it. *filigrana* entlehnt (die Filigranindustrie blühte damals besonders in Florenz und Rom). Das it. Wort bedeutet eigentlich etwa »Faden und Korn« und gehört zu lat. *filum* (vgl. *Filet*) und *granum* (vgl. *Granit*).

Filius: Als scherzhafte Bezeichnung für »Sohn« wurde durch die Schüler- und Studentensprache das lat. Wort *filius* eingeführt. Lat. *filius* »Sohn« (uritalisch **fēlios*) – dazu lat. *filia* »Tochter« mit dem kirchenlat. Adjektiv *filialis* »töchterlich [abhängig]« (↑Filiale) – gehört vermutlich als »Säugling« zum Stamm von lat. *fel[l]are* »saugen«. Zum gleichen Stamm gehört auch lat. *femina* »Weib, Frau« (↑feminin) mit einer Grundbedeutung »Säugende« oder »sich saugen Lassende«.

Film: Das Substantiv wurde Ende des 19. Jh.s aus engl. *film* (aengl. *filmen*) entlehnt, das zur germ. Wortgruppe um ↑Fell gehört und eigentlich »Häutchen« bedeutet, dann allgemein »dünne Schicht« (so auch in unserem Sprachgebrauch, besonders in Zusammensetzungen wie ›Ölfilm‹). Heute lebt das Wort vor allem im fotografischen Bereich. Es bezeichnet hier nicht nur den lichtempfindlichen Zelluloidstreifen, sondern auch die auf solchen Streifen festgehaltenen und zu einer Geschehenseinheit künstlerisch zusammengeschlossenen Bilder (beachte in diesem Zusammenhang Zusammensetzungen wie ›Spielfilm‹ oder ›Filmstar‹). – Abl.: **filmen** »einen Film drehen« (Anfang 20. Jh.), dazu **verfilmen** und **filmisch** »mit den Mitteln des Films gestaltet; dem Film eigen«.

Filter: Das Substantiv wurde im 19. Jh. eingedeutscht aus älterem *Filtrum* (16. Jh.), mlat. *filtrum* »Durchseihgerät aus Filz«, das aus dem Wortstamm von ↑Filz entwickelt ist. Mit der im 16. Jh. bezeugten Abl. **filtrieren** (mlat. *filtrare*, frz. *filtrer*) steht das Wort mit ↑destillieren und ↑kondensieren in einer Reihe fachsprachlicher Ausdrücke der Alchemisten und Apotheker. Daneben steht mit deutscher Endung **filtern** »durch einen Filter gehen lassen« (19./20. Jh.). – **Filtrat** »Durchfiltriertes« ist im 20. Jh. entstanden aus mlat. *filtratum*, Part. Perf. von *filtrare* (s. o.). Vgl. auch *infiltrieren*.

Filz: Der aus Haaren oder Wollfasern zusammengepresste Stoff heißt mhd. *vilz*, ahd. *filz*, niederl. *vilt*, engl. *felt*. Das westgerm. Wort, aus dem mlat. *filtrum* »Durchseihgerät aus Filz« (↑Filter) entlehnt ist, bedeutet eigentlich »gestampfte Masse«. Es geht mit verwandten Wörtern in anderen idg. Sprachen zurück auf die idg. Wurzel **pel-* »stoßen, schlagen, treiben«, vgl. z. B. lat. *pellere* »stoßend oder schlagend treiben« (s. die Fremdwortgruppe um *Puls*). Die heute landsch. Bedeutung »Geizhals« gewann ›Filz‹ im 15. Jh., zunächst als Schelte des groben und geizigen Bauern, der nach seiner Lodenkleidung schon mhd. *vilzgebur* hieß. - Abl.: **filzen** (mhd. *vilzen* »zu oder von Filz machen«), dazu [sich] **verfilzen** »filzig werden; sich unentwirrbar verwickeln« (mhd. *verfilzen*); in der ugs. Bedeutung »nach verbotenen Sachen durchsuchen« wurde ›filzen‹ zuerst im 19. Jh. von Handwerksburschen gebraucht, die der Herbergsvater auf Reinlichkeit prüfte; es bedeutet eigentlich »durch-, auskämmen« (vgl. rotw. *Filzer* »Kamm«); **filzig** (im 18. Jh. für älteres *filzicht*, mhd. *vilzeht* »verfilzt«; schon im 16. Jh. auch für »geizig«).

Fimmel (ugs. für:) »übertriebene Vorliebe, Spleen, Verrücktheit«: Die Herkunft des seit der Mitte des 19. Jh.s in nordd. Mundarten bezeugten Wortes ist nicht sicher erklärt. Vielleicht gehört es zu einem untergegangenen Verb *fimmeln, femeln* »die früher reifen männlichen Hanfpflanzen gesondert ausreißen«.

final »zweckbestimmend, zweckbezeichnend« (Sprachw.): Das Adjektiv ist aus lat. *finalis* »die

Grenze, das Ende betreffend« (hier im Sinne von »Endzweck«) entlehnt. Über weitere Zusammenhänge vgl. *Finale.*

Finale »Schlussteil« (besonders in der Musik als »Schlusssatz eines Tonstücks« und im Sport als »Endkampf, Endspiel, Endrunde«): Das Fremdwort wurde als musikalischer Fachausdruck schon im 17. Jh. aus dem It. entlehnt, erreichte uns dann zum zweiten Mal im 20. Jh. in seiner sportlichen Bedeutung, hier vielleicht durch frz. Vermittlung. It. *finale* geht zurück auf lat. *finalis* »die Grenze, das Ende betreffend«, eine Ableitung von *finis* »Grenze, Ende«. – Neben der Neubildung **Finalist** im Sinne von »Endspielteilnehmer« (it. *finalista*) steht eine Reihe weiterer Fremd- und Lehnwörter aus verschiedenen Sachbereichen, die alle auf lat. *finis* zurückgehen (s. die einzelnen Artikel): ↑Finanzen, Finanz, Finanzamt, finanziell, Finanzier, finanzieren (Geldwesen, Verwaltungssprache); Raffinerie (chemische Industrie); ↑raffiniert, Raffinesse; ↑definieren, Definition, definitiv, ↑final, ↑Infinitiv (Sprachwissenschaft bzw. Philosophie); schließlich noch das Lehnwort ↑fein mit seinen Ableitungen.

Finanzen »Geldmittel, Vermögensverhältnisse; Staatshaushalt«: Das seit dem 17. Jh. bezeugte Fremdwort ist entlehnt aus frz. *finances* (Plural) »Zahlungen, Geldmittel«, das seinerseits auf mlat. *finantia* zurückgeht. Dies ist ursprünglich Neutr. Plur. des Part. Präs. von mlat. *finare* »endigen, zum Ende kommen« und bedeutet demnach eigentlich »was zu Ende kommt; was zu Termin steht«. In einer ähnlichen Bedeutungsentwicklung wie bei griech. *télos* »Ende, Ziel«, das im Plural *télē* auch »fällige Zahlungen, Abgaben« bedeutet (s. hierüber das Lehnwort ↑²Zoll) und in dieser Hinsicht als Vorbild gedient haben kann, nahm mlat. *finantia* – als Fem. Singular aufgefasst – die Bedeutung »fällige Zahlung« an. Mlat. *finare* steht für klass.-lat. *finire* »begrenzen, einschließen; endigen, enden«, das von lat. *finis* »Grenze, Ende« (vgl. *Finale*) abgeleitet ist. – Eine junge Rückbildung aus dem Plural ›Finanzen‹ ist das Substantiv **Finanz** »Geldwesen; Geldleute«, das besonders auch in Zusammensetzungen wie **Finanzamt** und **Finanzbeamter** lebendig ist. Das im 19. Jh. aufkommende Adjektiv **finanziell** »geldlich, wirtschaftlich« ist eine französierende Neubildung. Echte Entlehnungen aus dem Frz. liegen dagegen noch vor in **Finanzier** »Finanz-, Geldmann« (18./19. Jh.; aus frz. *financier*) und in **finanzieren** »Geldmittel bereitstellen« (18./19. Jh.; aus frz. *financer*).

finden: Das gemeingerm. Verb mhd. *vinden,* ahd. *findan,* got. *finÞan,* engl. *to find,* schwed. *finna* gehört mit verwandten Wörtern in anderen idg. Sprachen zu der idg. Wurzel **pent-* »treten, gehen«, vgl. z. B. lat. *pons* »Knüppeldamm, Brücke« (↑Ponton), griech. *póntos* »Meer[espfad]«, griech. *pátos* »Pfad, Tritt« und aind. *pánthāḥ* »Weg, Pfad, Bahn«. Aus dem germ. Sprachbereich stellen sich noch asächs. *fāđi* »das Gehen«, mhd. *vende,* ahd. *fend[e]o* »Fußgänger, junger Bursche« zu dieser Wurzel. Die Grundbedeutung von ›finden‹ ist demnach »auf etwas treten, antreffen« (vgl. lat. *in-venire* »finden«, eigentlich »auf etwas kommen«). Eine Bildung zu ›finden‹ ist ↑fahnden. – Zusammensetzungen und Präfixbildungen zu ›finden‹: [sich] **abfinden** »entschädigen; sich vergleichen; sich zufrieden geben« (mnd. *afvinden* bedeutet als Rechtswort »jemanden verurteilen; einen Anspruch befriedigen; sich vergleichen«), dazu **Abfindung** »Vergleichszahlung (mnd. *afvindinge*); [sich] **befinden** (s. d.); **empfinden** (s. d.); **erfinden** »ersinnen (besonders in der Technik); sich ausdenken« (mhd. *ervinden,* ahd. *irfindan* »herausfinden, gewahr werden«; der alte Sinn ist noch in der Adjektivbildung **unerfindlich** [spätmhd. *unervindelich*] bewahrt), dazu **Erfinder, Erfindung** (15. Jh.) und **erfinderisch** (18. Jh.). – Abl.: **Finder** (mhd. *vindære*); **Fund** (mhd. *vunt;* es bezeichnet das Finden wie sein Ergebnis, im Plural besonders vorgeschichtliche Altertümer), dazu die jungen Zusammensetzungen **Fundbüro, Fundsache** und das übertragen gebrauchte **Fundgrube** (im 15. Jh. bergmännisch). Ehemals von ›Fund‹ abgeleitet, dann aber auf ›finden‹ bezogen sind die folgenden Wörter: **Findel...** (jetzt nur in ›Findelhaus‹ und ›Findelkind‹; frühnhd. *fündel* »gefundenes Kind« ist Verkleinerungsbildung zu ›Fund‹); **Findling** (mhd. *vundelinc* »ausgesetztes, gefundenes Kind«, seit dem 15. Jh. auch mit -i-; im 19. Jh. übertragen für »erratischer Block«); **findig** (mhd. *vündec* »erfinderisch«, seit dem 16. Jh. auch mit -i-), dazu **spitzfindig** »überscharf denkend« (im 16. Jh. *spitzfündig, -findig* neben dem Substantiv *spitzfünde* Plural »Kunstgriffe, Kniffe«) und **ausfindig** (in ›ausfindig machen‹ »entdecken«, im 15. Jh. *ausfundig machen,* zu älter nhd. *Ausfund* »Entdeckung«); in anderer Bedeutung gilt bergmännisch **fündig** (16. Jh.) für »ergiebig«, ferner ›fündig werden‹ (19. Jh.) für »Erz entdecken«.

Finger: Die gemeingerm. Körperteilbezeichnung mhd. *vinger,* ahd. *fingar,* got. *figgrs,* engl. *finger,* schwed. *finger* gehört – wie auch das unter ↑Faust dargestellte Substantiv – zu dem unter ↑fünf behandelten Zahlwort und bezeichnete demnach ursprünglich die Gesamtheit der Finger an einer Hand und dann den einzelnen Finger. Auch die einzelnen Finger selbst hatten schon früh bestimmte Namen. Im Nhd. gelten neben ›Daumen‹ (s. d.) **Zeigefinger** (15. Jh.), **Mittelfinger** (mhd. *mittelvinger*), **Ringfinger** (16. Jh.), **Goldfinger** (mhd., spätahd. *goltvinger*) und **kleiner Finger.** – Abl.: **fingern** »die Finger bewegen, nach etwas greifen« (mhd. *vingern*); **Fingerling** »Schutzhülle« (18. Jh.; mhd. *vingerlinc* »Ring«). Zus.: **Fingerhut** (als Schutz beim Nähen schon mhd. *vinger-*

F

huot; im 16. Jh. wegen der Form ihrer Blüten auf die Heilpflanze übertragen); **Fingerspitzengefühl** »Feingefühl, Einfühlungsgabe« (junge Bildung, die sich an älteres ›es in den Fingerspitzen wissen‹ anschließt); **Fingerzeig** (mhd. *vingerzeic* neben *vingerzeigen* bezeichnete tadelndes oder höhnisches Deuten mit dem Finger auf eine Person; seit dem 16. Jh. übertragen für »Hinweis«).

Finger

das sagt mir mein kleiner Finger
(ugs.; scherzh.) »ich habe eine untrügliche Ahnung«
Die Wendung fußt auf dem alten Volksglauben, dass die Finger der Hand zum Menschen sozusagen sprechen, ihm mitteilen, was sie erahnen und wissen (vgl. die Zusammensetzung ›Fingerspitzengefühl‹ im Sinne von »Ahnungsvermögen, Feingefühl«).

fingieren »vortäuschen; unterstellen«: Das Verb wurde im 16. Jh. aus lat. *fingere* »kneten, formen, bilden, gestalten; ersinnen, erdichten, vorgeben« entlehnt, das zu der unter ↑Teig dargestellten idg. Wortsippe gehört. – Aus dem Femininum des substantivierten Part. Perf. von lat. *fingere,* lat. *ficta,* das im Spätlat. auch nasaliert als *fincta* erscheint, wird it. *finta* »vorgetäuschter Stoß, Scheinstoß«, das die Quelle für unser Fremdwort ↑Finte ist. Zu lat. *fingere* stellen sich ferner zwei Bildungen, die in unserem Fremdwortschatz eine Rolle spielen: lat. *figura* »Gebilde, Gestalt« (↑Figur) und lat. *fictio* »das Bilden, die erdichtete Annahme, die Einbildung« (↑Fiktion, fiktiv).

Fink: Der westgerm. Vogelname mhd. *vinke,* ahd. *finc[h]o,* niederl. *vink,* engl. *finch* ist elementarverwandt mit der nord. Sippe von schwed. *spink* »Sperling« und außergerm. z. B. mit griech. *spíggos* »Fink«, it. *pincione* »Fink« und frz. *pinson* »Fink«. Diese Namen sind lautnachahmend aus dem als [s]pink, [s]pink verstandenen Ruf des Sperlingsvogels gebildet. Da der Fink auch im Pferdekot pickt, galt er früher als schmutzig. Scheltwörter wie ›Dreck-, Mist-, Schmutzfink‹ begegnen seit frühmhd. Zeit. Zu den Zusammensetzungen ›Buch-, Distelfink‹ vgl. die Artikel *Buche* und *Distel.*

[1]**Finne:** Die spitze Rückenflosse großer Meeresfische heißt nhd. seit dem 16. Jh. ›Finne‹ nach mnd. *vinne* »Feder, Flosse, Drachenflügel«, dem gleichbed. engl. *fin,* schwed. *fena* entsprechen. Germ. **finnō,* **finōn* »spitzer Gegenstand« ist vielleicht als s-lose Form verwandt mit lat. *spina* »Dorn«. Dazu die nhd. Zusammensetzung **Finnwal** (entsprechend schwed. *fenaval,* nach der großen Rückenflosse). – [2]**Finne** »Pustel, Blatter«, eigentlich »spitzer Auswuchs«, ist dasselbe Wort: mhd. *vinne,* mnd. *vinne* »Blatter«. Es bezeichnete auch einen faulen Geruch (von Fleisch) und dann eine Schweinekrankheit. Erst im 19. Jh. erkannte man als deren Urheber die Bandwurmlarven und übertrug nun das Wort auch auf Larven parasitärer Würmer. Das Adjektiv **finnig** (mhd. *vinnic, phinnic* »ranzig, faul«, nhd. auch »mit Pusteln behaftet«) wird daher jetzt auch für finnenverseuchtes Fleisch gebraucht.

finster: Das nur dt. Adjektiv mhd. *vinster,* ahd. *finstar* ist wahrscheinlich dissimiliert aus gleichbed. mhd. *dinster,* ahd. *dinstar* und gehört dann mit mniederl. *deemster,* asächs. *thimm* »düster« zur Sippe von ↑Dämmerung.

Finte »listiger Vorwand, Ausflucht«: Das Wort war ursprünglich ein Ausdruck der Fechtkunst, der einen nur »vorgetäuschten Stoß« bezeichnet. Es wurde im 16./17. Jh. entlehnt aus it. *finta* (entsprechend frz. *feinte*) »List« < spätlat. *fincta* (= klass.-lat. *ficta*), dem substantivierten Part. Perf. von lat. *fingere* »ersinnen; vortäuschen« (vgl. *fingieren*). – Dazu etwa gleichzeitig das Zeitwort **fintieren** »eine Finte ausführen; vortäuschen«.

Firlefanz »Flitterkram; törichtes, dummes Zeug, Possen«: Das in dieser Bedeutung seit dem 16. Jh. gebräuchliche Substantiv beruht auf mhd. *firlifanz,* das einen lustigen Springtanz bezeichnete. Die weitere Herkunft des Wortes ist nicht sicher geklärt. Der erste Wortbestandteil stammt vielleicht aus afrz. *virelai* »Ringellied« (beachte mhd. *virlei,* das die gleiche Bedeutung hat wie mhd. *firlifanz*).

firm »fest, sicher, gut beschlagen (in einem Fachgebiet)«: Das Adjektiv wurde im 18. Jh. aus lat. *firmus* »fest, stark, tüchtig, zuverlässig« entlehnt. Von ›firmus‹ abgeleitet ist das Verb lat. *firmare* »festmachen, befestigen; bekräftigen; bestätigen« mit der gleichbedeutenden Zusammensetzung *con-firmare* in den Fremdwörtern ↑firmen, Konfirmand, konfirmieren, ↑Firma, ↑Farm und ↑Firmament.

Firma »Betrieb, Unternehmen«: Zu lat. *firmus* »stark, fest« (vgl. *firm*) stellt sich das Verb lat. *firmare* »befestigen, bekräftigen, bestätigen«, das gleich lautend im It. erscheint. Im Sinne von »eine Abmachung, einen Vertrag durch Unterschrift rechtskräftig machen« wird es in der Handelssprache gebraucht. Das davon abgeleitete Substantiv it. *firma* »bindende, rechtskräftige Unterschrift eines Geschäftsinhabers unter einem Vertrag bzw. unter einer geschäftlichen Vereinbarung« wird schließlich zur Bezeichnung eines geschäftlichen Unternehmens oder seines Aushängeschildes. In dieser Bedeutung wurde das Wort im 18. Jh. ins Dt. entlehnt.

Firmament »Himmelsgewölbe«: Das Wort wurde in mhd. Zeit aus spätlat. *firmamentum* »Befestigungsmittel, Stütze; der über der Erde befestigte Himmel (bildl.)« entlehnt, das zu lat. *firmare* »befestigen«, *firmus* »fest« (vgl. *firm*) gehört.

firmen: Durch das Sakrament der heiligen Taufe wird der Mensch in die Gemeinschaft der christlichen Kirche aufgenommen. Später bedarf er einer »Bestätigung«, einer »Festigung« in dieser Zugehörigkeit. Er wird als Katholik gefirmt oder als Protestant konfirmiert. Beide Wörter ›firmen‹ und ›konfirmieren‹ gehen auf das gleiche lat. Verb *[con]firmare* »festmachen, bestärken« zurück. Während ›firmen‹ schon in ahd. Zeit (*firmōn*) entlehnt wurde, erscheint ›konfirmieren‹ erst im Mhd. Zu ›firmen‹ stellen sich die Ableitungen **Firmung** und **Firmling.** Diesen stehen im evangelischen Sprachgebrauch **Konfirmation** (16. Jh.; aus lat. *con-firmatio* »Bestärkung«) und **Konfirmand** (aus lat. *con-firmandus* »der zu Bestärkende«) gegenüber. Über das allen zugrunde liegende Adjektiv lat. *firmus* »fest, stark« vgl. den Artikel *firm.*

Firnis »trockener Schutzanstrich (für Metall, Holz u. a.)«: Das Substantiv mhd. *virnīs* »Lack; Schminke« beruht wie entsprechend engl. *varnish* »Firnis, Lack; Politur« auf (a)frz. *vernis* »Firnis, Lack« (= it. *vernice*). Die weitere Herkunft der roman. Wörter ist nicht sicher geklärt.

First: Das westgerm. Substantiv mhd. *virst,* ahd. *first,* mniederl. *verste,* aengl. *fierst* bezeichnet den Dachfirst als Oberkante des Daches, eigentlich den waagerechten Firstbaum (Firstpfette) des alten Dachgerüsts. Im Ablaut dazu steht niederl. *vorst* »First«. Die germ. Wörter enthalten ebenso wie aind. *pṛ-ṣṭhá-m* »Rücken«, awest. *par-šta-* »Rückgrat«, lit. *pir̃-štas* »Finger« und griech. *pa[ra]-stás,* lat. *postis (*por-stis)* »Pfosten« (↑Pfosten) als ersten Bestandteil idg. **pṛ-, *per-* »vorwärts, hervor« (vgl. *ver...*). Der zweite Bestandteil gehört zu der idg. Wurzel **stā-* »stehen« (vgl. *stehen*). All diese Wörter bedeuten demnach eigentlich »Hervorstehendes«. Siehe auch den Artikel *Frist.*

Fisch: Das gemeingerm. Substantiv mhd. *visch,* ahd. *fisk,* got. *fisks,* engl. *fish,* schwed. *fisk* hat außergerm. Entsprechungen nur in lat. *piscis* und air. *īasc* »Fisch«. – Abl.: **fischen** (gemeingerm. Verb, mhd. *vischen,* ahd. *fiscōn;* vgl. got. *fiskōn,* engl. *to fish,* schwed. *fiska;* entsprechend lat. *piscari*), **Fischer** (mhd. *vischære,* ahd. *fiscāri*), dazu **Fischerei** (mhd. *vischerīe*); **fischig** »nach Fisch riechend« (mhd. *fischec*). Zus.: **Fischbein** (die knochenähnlichen Barten der Bartenwale hießen im 16. Jh. *vischbein,* wohl gekürzt aus später bezeugtem ›Walfischbein‹; vgl. *Bein*; **Fischotter** (s. *Otter*).

Fisimatenten »leere Flausen, Ausflüchte; Faxen«: Die Herkunft des seit dem 16. Jh. in zahlreichen, z. T. stark voneinander abweichenden Formen bezeugten Ausdrucks ist – trotz aller Deutungsversuche (etwa aus lat. *visae patentes* »ordnungsmäßig verdientes Patent« unter Einwirkung von mhd. *visamente* »Zierrat«) – ungeklärt.

Fiskus »Staatskasse«: Das Wort wurde im 16. Jh. aus lat. *fiscus* »Korb; Geldkorb« entlehnt, das seit der Kaiserzeit auch (übertragen) »Staatskasse« bedeutet. – Abl.: **fiskalisch** »den Fiskus betreffend«, aus lat. *fiscalis.* Zu lat. *fiscus,* das man mit einer ursprünglichen Bedeutung »der Geflochtene« zu der unter ↑bitten dargestellten idg. Sippe stellt, gehört auch das Verb lat. *con-fiscare* »in der Kasse aufheben; in die kaiserliche Schatzkammer einziehen«, das um 1500 unser Fremdwort **konfiszieren** »[von Staats wegen, gerichtlich] einziehen, beschlagnahmen« lieferte. Dazu das Substantiv **Konfiskation** »[gerichtliche Beschlagnahme; Einziehung« (17. Jh.; aus lat. *confiscatio*).

Fistel: Der medizinische Ausdruck für eine anormale röhrenförmige Verbindung zwischen Hohlorganen oder Körperhöhlen und der äußeren oder inneren Körperoberfläche (mhd. *fistel,* ahd. *fistul* »röhrenförmiges, tief gehendes Geschwür«) beruht auf Entlehnung aus lat. *fistula* »röhrenförmiges Geschwür, Fistel«. Die Grundbedeutung von lat. *fistula* ist »Röhre«. Sie wurde auf verschiedene ›röhrenförmige‹ Dinge übertragen. So bedeutet lat. *fistula* u. a. auch »(hell tönende) Rohrpfeife, Hirtenflöte«. Mit dieser Bedeutung ist es die Quelle für das Bestimmungswort der erst nhd. (18. Jh.) Zusammensetzung **Fistelstimme** »hohe Kopfstimme« (eigentlich »helle Rohrpfeifenstimme«).

fit »in bester körperlicher Verfassung«: Das Adjektiv wurde im 20. Jh. aus gleichbed. engl. *fit* entlehnt, dessen Herkunft dunkel ist. – Abl.: **Fitness** (20. Jh.; aus engl. *fitness*).

Fittich »Flügel«: Das heute fast nur dichterisch gebrauchte Wort (mhd. *vitich, vetach,* ahd. *fettāh, feddāh*) gehört zu der unter ↑Feder behandelten Wortgruppe. In der Zusammensetzung **Schlafittich, Schlafittchen** hat sich eine frühnhd. Übertragung des Wortes auf den »Gewandzipfel, Rockschoß« erhalten (im 18. Jh. niederd. *enen bi de Slafittje kriegen,* aus **slach-fitje, -fitken* »bei den Schlagfittichen«, wie man Gänse fängt). Siehe auch den Artikel *Flittchen.*

Fittich

jmdn. unter seine Fittiche nehmen
»jmdn. beschützen, betreuen«
Gemeint ist, dass man für jmdn. so sorgt wie ein Vogel für seine Jungen. Der Vogel wärmt und schützt seine Jungen unter den Flügeln (Fittichen).

[1]**fix** »unbeweglich, fest [stehend]; konstant«: Das im 16./17. Jh. aus lat. *fixus* »angeheftet, befestigt, fest«, dem Part. Perf. von *figere* »anheften« (zur idg. Sippe von nhd. ↑Teich), entlehnte Adjektiv war zunächst nur in der Alchemistensprache heimisch, wo es den ›festen‹ Aggregatzustand von Stoffen bezeichnete. Später eroberte es sich andere Sprachbereiche. So gibt es in der Medizin die Fügung ›fixe Idee‹ »Zwangsvorstellung« (18. Jh.). Im Geldwesen gilt neben Verbindungen wie ›fixe Summe‹ hauptsächlich das seit dem 17. Jh. be-

zeugte Substantiv **Fixum,** heute vor allem im Sinne von »festes Einkommen, Gehalt«. Das dazugehörige Verb **fixieren** »eine Summe festsetzen, vereinbaren«, das von lat. **fixare* »festmachen« (mlat. *fixare* »fest ansehen«) ausgeht, lebt daneben in einer heute überwiegenden Bedeutung »anstarren«, die von frz. *fixer* beeinflusst ist. Aber auch in der Technik, vor allem in der Fotografie, wird ›fixieren‹ gebraucht, hier im Sinne von »[licht]beständig machen, haltbar machen«. Auf die frz. Entsprechung *fixer* geht engl.-amerik. *to fix* »einen Termin festsetzen usw.« zurück, das im Jargon auch »Rauschgift spritzen« bedeutet. Daraus wurde im 20. Jh. **fixen** entlehnt, dazu **Fixer** (aus engl.-amerik. *fixer*). Die Zusammensetzung **Fixstern** (17. Jh.) gibt lat. *fixa stella* wieder und bezeichnet den unserem Auge als »fest stehend, unbeweglich« erscheinenden Himmelskörper im Gegensatz zum Wandelstern (↑Planet). – [2]**fix** »geschickt, anstellig, gewandt« gehört der Umgangssprache an. Es hat sich aus [1]fix (s. o.) entwickelt, einmal über eine Bedeutungsreihe »fest – beständig – verlässlich – geschickt«, zum andern aber auch, indem es sich aus der Formel ›fix und fertig‹ herauslöste. – Als Hinterglied erscheint lat. *fixus* noch in den Fremdwörtern ↑Kruzifix, ↑Präfix, ↑Suffix.

Fjord: Die skand. Bezeichnung der schmalen, felsigen Meeresbucht (schwed., norw. *fjord,* aisl. *fjǫrđr*), die ablautend mit ↑Furt verwandt ist, wurde Ende des 19. Jh.s ins Dt. entlehnt. Auch gleichbed. engl. *firth* stammt aus dem Nord.

flach: Das ursprünglich nur dt. und niederl. Adjektiv mhd. *vlach,* ahd. *flah,* mnd., niederl. *vlak,* zu dem sich Substantive wie asächs. *flaka* »Sohle«, norw. *flak* »Scheibe, Eisscholle« und engl. *fluke* »Leberegel« stellen, gehört mit verwandten außergerm. Wörtern zu der Wurzelform **plāg-*, **plāk-* »breit, flach; ausbreiten« (vgl. *Feld*). In anderen idg. Sprachen ist z. B. lat. *plaga* »Fläche« verwandt, weiter lat. *placidus* »flach, glatt, ruhig«, lat. *placere* »gefallen« (s. die Fremdwortgruppe um *Plazet*), griech. *pláx* »[Meeres]fläche«, griech. *plakoũs* »flacher Kuchen« (s. auch *Duplikat*). – Abl.: **Fläche** (mhd. *vleche;* seit dem 15. Jh. mathematisches Fachwort, nhd. auch in Zusammensetzungen wie ›Grund-, Oberfläche‹; beachte die Bildung **oberflächlich** »am Äußerlichen haftend, flüchtig«, 18. Jh.), dazu **flächig** »flächenhaft« (19. Jh.).

Flachs: Die wichtige, den Germanen seit der Bronzezeit bekannte Faserpflanze, deren ältester Name ↑Lein ist, heißt bei den Westgermanen mhd. *vlahs,* ahd. *flahs,* niederl. *vlas,* engl. *flax.* Das Wort ist eine Bildung zu dem unter ↑flechten behandelten Verbalstamm. Nach der hellen Farbe der Faser wird blondes Haar nhd. ›Flachshaar‹ genannt.

flackern: Das nur dt. und niederl. Verb (spätmhd. [rhein.] *vlackern* »flackern, flattern«, niederl. *flakkeren* »flackern«, älter »flattern«) ist eine Weiterbildung eines in gleichbed. oberd. mdal. *flacken,* älter niederl. *vlacken* bezeugten Verbs. Vgl. auch aisl. *flakka,* schwed. *flacka* »umherstreifen« und das anders gebildete aisl. *flǫgra* »flattern« (↑Flagge). Die Wörter gehen wohl von einer Grundbedeutung »hin und her schlagen« aus und lassen sich an die unter ↑fluchen dargestellte idg. Wortgruppe anschließen.

Fladen »flacher Kuchen; breiiger Kot«: Das altgerm. Substantiv mhd. *vlade* »breiter, dünner Kuchen; Honigwabe; Kuhfladen«, ahd. *flado* »Opferkuchen; flacher Kuchen«, niederl. *vla[de]* »Fladen«, mengl. *flaþe* »flacher Kuchen«, norw. mdal. *fla[d]e* »flache Wiese, Feld« geht mit verwandten Wörtern in anderen idg. Sprachen auf eine Wurzelform **plăt-*, **plăd-* »breit, flach; ausbreiten« zurück (vgl. *Feld*). Von verwandten germ. Wörtern sind zunächst die unter ↑Flunder behandelten Fischnamen zu nennen, ferner das im Dt. untergegangene Adjektiv ahd. *flaʒ,* asächs. *flat* »flach«, zu dem die Wörter ↑fletschen und ↑Flöz gehören. Außerhalb des Germ. sind z. B. verwandt die Adjektive griech. *platýs* »eben, breit«; (s. die unter ↑platt genannten Lehn- und Fremdwörter) und lit. *platùs* »breit«; s. auch den slaw. Fischnamen ↑Plötze. Auf ein nasaliertes lat. *planta* »Fußsohle« (eigentlich »die Breite«) gehen die unter ↑Pflanze und ↑[2]Plan »Grundriss, Entwurf« behandelten Wörter zurück.

Flagge: Das zunächst niederd., noch jetzt besonders im Seewesen gebräuchliche Wort wurde um 1600 ins Hochd. übernommen. Ihm entsprechen niederl. *vlag* »Schiffsfahne« und gleichbed. dän. *flag.* Zugrunde liegt engl. *flag* »Fahne« (15. Jh.), das erst von den entlehnenden Nachbarsprachen auf die Bezeichnung der Schiffsflagge eingeengt wurde. Das spät bezeugte Wort ist wahrscheinlich verwandt mit aisl. *flǫgra* »flattern« usw. (vgl. *flackern*). – Abl.: **flaggen** »die Flagge hissen« (18. Jh.; erst später erscheint gleichbed. engl. *to flag*). Zus.: **Flaggschiff** »Schiff eines Admirals (›Flaggoffiziers‹), das dessen Kommandoflagge führt« (im 18. Jh. ›Flaggenschiff, -offizier‹).

Flakon »[Riech]fläschchen«: Die germ. Gefäßbezeichnung westgerm. **flaska,* got. **flaskō* (= nhd. ↑Flasche) wurde von römischen Soldaten als spätlat. *flasca, flasco* entlehnt. Im Roman. entwickelten sich daraus u. a. it. *fiasco* (↑Fiasko) und frz. *flacon* (afrz. **flascon*). Letzteres wurde im 18. Jh. in obiger Bedeutung ins Dt. rückentlehnt.

Flamingo: Der Name des langbeinigen Stelzvogels wurde in nhd. Zeit aus gleichbed. span. *flamenco* entlehnt (ältere Nebenform: *flamengo*). Die Herkunft des auch in anderen roman. Sprachen vertretenen Wortes (beachte z. B. entsprechend prov. *flamenc,* frz. *flamant* »Flamingo«) ist nicht sicher geklärt. Vielleicht handelt es sich um eine im Roman. mit germ. Suffix gebildete Ableitung von lat. *flamma* »Flamme«. Der Vogel wäre dann nach seinem ›geflammten‹ Gefieder benannt.

Flamme: Das Substantiv mhd., mnd. *vlamme* ist aus lat. *flamma (*flag-ma)* »Flamme« entlehnt, das zum Stamm von lat. *flagrare* »brennen, lodern, glühen« gehört. – Abl.: **flammen** (mhd. *vlammen*), dazu das in adjektivische Funktion übergegangene 2. Part. **geflammt** »flammenartig gemustert«.

Flanell (Gewebe): Das Wort wurde Anfang des 18. Jh.s entlehnt aus gleichbed. frz. *flanelle*, engl. *flannel*, das selbst kelt. Ursprungs ist. Kymr. *gwlān* »Wolle«, das zugrunde liegt, ist urverwandt mit ↑Wolle. – Dazu das Adjektiv **flanellen** »aus Flanell«.

flanieren »müßig umherschlendern«: Das Verb wurde im 19. Jh. aus gleichbed. frz. *flâner* entlehnt, das auf aisl. *flana* »ziellos herumlaufen« – zur idg. Sippe von ↑Feld – zurückgeht. Vermittelt wurde es wohl durch norm. Mundarten.

Flanke: Das Wort wurde im 16./17. Jh. als militärischer Fachausdruck aus frz. *flanc* »Seite (eines Festungswerks oder eines in Schlachtordnung aufgestellten Heeres)« entlehnt. Dessen erhaltene Grundbedeutung »Hüfte, Lende, Weiche« weist auf den übertragenen Gebrauch einer ursprünglichen Körperteilbezeichnung und führt auf gleichbed. afränk. **hlanka* (entsprechend ahd. *[h]lanka* in ↑Gelenk) zurück. Zwei abgeleitete Verben stehen – in der Bedeutung differenziert – nebeneinander: **flankieren** »von der Seite decken, in die (geschützte) Mitte nehmen« und **flanken** »(einen Ball) von der Seite (eines Spielfeldes) in die Mitte schlagen«. Während jenes etwa gleichzeitig mit dem Substantiv aus frz. *flanquer* (eigentlich »mit Seitenbefestigungen versehen«) übernommen wurde und heute noch seiner militärischen Grundbedeutung nahe steht, ist Letzteres eine Ableitung des 20. Jh.s zu ›Flanke‹ im Sinne von »Flankenschlag« (Fußball).

Flansch: Der fachsprachliche Ausdruck für das verbreiterte Anschlussende von Rohren und die Schenkel der Eisenträger geht zurück auf spätmhd. *vlansch* »Zipfel«, das zur Sippe von ↑flennen (eigentlich »den Mund verziehen«) gehört. Beachte mhd. *vlans* verächtlich für »Maul«, ›Flanschen‹ ostmitteld. für »Maul, klaffender Wundrand« und **Flunsch** niederd.-mitteld. für »verzogener Mund« (besonders in der Wendung ›eine[n] Flunsch ziehen‹).

Flasche: Das altgerm. Substantiv mhd. *vlasche*, ahd. *flaska*, älter niederl. *flesch*, engl. *flask*, schwed. *flaska* kann im Sinne von »flaches Gefäß« zu der unter ↑flach oder aber im Sinne von »umflochtenes Gefäß« zu der unter ↑flechten dargestellten idg. Wortsippe gehören. Die früher aus Holz, Ton, Zinn oder Blech hergestellten Flaschen waren zum Schutz und besseren Transport mit einem Geflecht umgeben. Das germ. Wort wurde früh in andere Sprachen entlehnt: spätlat. *flasco*, *flasca* (↑Fiasko, ↑Flakon), serb. *ploska*. Die ugs. (ursprünglich nordd.) Bezeichnung des Dummkopfs und Versagers (besonders im Sport) als ›Flasche‹ geht auf die Vorstellung der leeren Flasche zurück (s. a. *Fiasko*).

flattern: Frühnhd. *flatern*, mhd. *vladeren* steht neben den gleichbedeutenden ablautenden Formen *vlederen* (in den Wörtern um ↑Fledermaus) und *vlōdern*, *vlūdern*, zu denen mit ausdrucksbetontem -i- noch *vlittern* tritt (daraus nhd. ↑flittern »glänzen«). Alle diese Wörter können zu einer Wurzelform **p[e]led-* gestellt werden, zu der wohl auch nhd. ↑Falter gehört (vgl. den Artikel *viel*). Das Verb ›flattern‹ wird heute besonders von Vögeln, Schmetterlingen, Fahnen gebraucht, in älterer Sprache konnte es auch auf das flackernde Feuer bezogen werden.

flau: Das zunächst nur niederd. Adjektiv bedeutet im 18. Jh. in bremischer Mundart »schal, kraftlos« (mnd. *flau* »matt, schwach, krank«). Dieses Wort ist aus gleichbed. mniederl. *flau* (niederl. *flauw*) entlehnt, dessen Herkunft nicht gesichert ist. Wichtig wurde ›flau‹ als Wort der niederd. Kaufmanns- und Börsensprache, in der es schon im 18. Jh. den Sinn des heutigen »lustlos, ohne Nachfrage« bekam. In der Seemannssprache bezieht sich das Adjektiv etwa seit der gleichen Zeit auf schwachen Wind. Heute gilt ugs. ›jemandem ist flau‹ für »jemandem ist schlecht, übel [im Magen]«. – Abl.: **flauen** veraltet für »im Preis sinken« (19. Jh.). Ursprüngliche Seemannswörter sind **abflauen** »(vom Wind) allmählich schwächer werden, nachlassen« (Ende des 19. Jh.s) und **Flaute** »Windstille« (19. Jh.; für älteres *Flaue* »Flauheit«); sie wurden dann in den kaufmännischen und allgemeinen Sprachgebrauch übertragen.

Flaum »weiche Bauchfeder der Vögel; erster Bartwuchs; Wollhaar an Pflanzen und Früchten«: Die nhd. Form geht über mhd. *pflūme* zurück auf ahd. *pflūma*, das aus lat. *pluma* »Flaumfeder« entlehnt ist, vgl. mniederl. *plūme*, aengl. *plūm[feđer]*. Das Wort ist den Germanen wohl durch die Ausfuhr germanischer Gänsefedern nach Rom bekannt geworden; es ist aus **plusma* entstanden und gehört zu der unter ↑Flaus behandelten Sippe. Nordd. ist ›Flaum‹ in der Bedeutung »weiche Bauchfeder der Vögel« durch ›Daune‹ (s. d.) verdrängt worden. – Abl.: **flaumig** (im 18. Jh. für älteres *pflaumicht*). Zus.: **flaumweich** (nhd., besonders von weich gekochten Eiern), in der älteren Form ›pflaum[en]weich‹ (zu älter oberd. *Pflaum* »Flaum« wird es heute fälschlich an den Namen der Frucht angeschlossen und ugs. für »schwächlich, nachgiebig« gebraucht).

Flaus, Flausch: Niederd. mdal. *Fluus[ch]*, mnd. *vlūs[ch]* »Wollbüschel, Schaffell« wurde im 18. Jh. in der Form *Flaus[ch]* Bezeichnung eines wollenen Überrocks (jetzt ›Flauschrock‹), den die hallischen Studenten trugen, und des dafür verwendeten weichen Wollstoffs. Das niederd. Wort geht zusammen mit dem untergegangenen mhd. *vlius, vlūs* »Schaffell«, mit niederl. *vlies* (↑Vlies) und verwandten Wörtern in anderen idg. Sprachen auf eine idg. Wurzel **pleus-* »ausrupfen; gerupfte Wollflocke oder Feder« zurück, vgl. z. B. lat. *pluma (*plusma)* »Feder« (↑Flaum und ↑Plumeau) und lit. *plùskos* »Haarzotten«. Als landsch. Nebenform besteht **Flause, Fluse** »loses Fadenende, herumfliegende Wollflocke«; der Plural **Flausen** gilt seit dem 18. Jh. übertragen für »Ausflüchte; Launen, närrische Einfälle; Schwierigkeiten«, bes. in der Wendung ›Flausen machen‹.

F

Flaute ↑flau.

Fläz (ugs. für:) »Lümmel, flegelhafter Mensch«: Die Herkunft des seit dem 17. Jh. als niederd. *flötz, flōts,* hochd. als *flätz, flötz* bezeugten Wortes ist nicht sicher geklärt. Vielleicht gehört es zu niederd. *vlöte* »breiter Löffel zum Abrahmen«. Zu ›Fläz‹ stellen sich die jungen Bildungen [sich] **fläzen** »nachlässig sitzen, liegen, sich hinflegeln« und **fläzig** »flegelhaft«.

Flechse: Die Bezeichnung der Körpersehne (bei Medizinern durch den Anklang an lat. *flexus* »Beugung« gestützt) erscheint erst im 17. Jh. als ›Flechs‹, im 16. Jh. als ›Flachsader‹ (vgl. bayr. *Flachsn* aus älterem *flah[t]sin*). Vielleicht liegt eine Zusammensetzung **Flechtsehne* voraus (vgl. *flechten*), denn mit Sehnen wurde früher viel geflochten. – Abl.: **flechsig** »sehnig« (17. Jh.).

flechten: Das altgerm. Verb mhd. *vlehten,* ahd. *flehtan,* niederl. *vlechten,* aengl. *fleohtan,* schwed. *fläta* beruht zusammen mit got. *flahta* »Haarflechte« und verwandten Wörtern in anderen idg. Sprachen auf der idg. Wurzel **pleḱ-* »flechten, wickeln«, die wohl eine Erweiterung der Wurzel **pel-* »falten« (vgl. *falten*) ist. Näher verwandt ist z. B. lat. *plectere* »flechten« und weiterhin griech. *plékein* »flechten«, lat. *plicare* »zusammenwickeln, -falten« (s. die Fremdwortgruppe um *kompliziert*). Aus dem germ. Sprachbereich stellt sich noch ↑Flachs zu der genannten Wurzel (s. auch den Artikel *Flasche*). Zu ›flechten‹ gebildet sind **verflechten** (17. Jh., heute meist auf enge [wirtschaftliche] Verbindungen bezogen) und **entflechten** (19. Jh., heute meist für die Auflösung enger [wirtschaftlicher] Verbindungen gebraucht). – Abl.: **Flechte** (mhd. *vlehte* »Flechtwerk, Geflochtenes«. Seit dem 18. Jh. heißen die verflochtenen Algen und Pilzfäden an Rinden und Steinen ›Flechte‹; daran schließt sich die Verwendung im Sinne von »schuppiger oder krustiger Hautausschlag« an. Im Nhd. wird ›Flechte‹ auch in der Bedeutung »Zopf« gebraucht). Spätmhd. ist die Kollektivbildung **Geflecht.**

Fleck, [1]Flecken: Das nur im Dt. und Nord. belegte Substantiv mhd. *vlec[ke],* ahd. *flec[cho],* aisl. *flekkr,* schwed. *fläck* bedeutete ursprünglich sowohl »Lappen, Landstück« wie »andersfarbige Stelle«. Dazu tritt im Mhd. die Bedeutung »Eingeweidestück« (noch in landsch. Speisebezeichnungen wie ›Rinder-, Kuttelfleck‹). Als Grundbedeutung ist wohl »flaches, breit geschlagenes Stück« anzusetzen, wie denn noch mhd. *vlec* auch »Schlag, breite Wunde« bedeuten kann. Über weitere Zusammenhänge vgl. den Artikel *fluchen.* Heute überwiegt die Bedeutung »Schmutz- oder Farbfleck«; an die alte Bedeutung »Lappen« schließt sich ↑flicken an. Als »Stelle, Ort« erscheint ›Fleck‹ heute besonders in Wendungen wie ›auf demselben Fleck stehen‹, ›nicht vom Fleck kommen‹. Beachte auch **[2]Flecken, Marktflecken** »dörfliche Siedlung mit einzelnen städtischen Rechten« (im 14. Jh. *marktfleck*).

fleddern »Tote, Schlafende oder Hilflose berauben, ausplündern«: Das rotw. Wort, erst im 19. Jh. bezeugt, ist wohl identisch mit mhd. *vlederen* »flattern«. Wahrscheinlich bedeutet es, ebenso wie rotw. *fladern, flattern,* eigentlich »waschen«, wurde also, wie es die Gaunersprache oft tut, verhüllend gebraucht. – Abl.: **[Leichen]fledderer** (20. Jh.).

Fledermaus: Der dt. Tiername mhd., mnd. *vledermūs,* ahd. *fledarmūs* bedeutet »Flattermaus« und ist eine Bildung zu dem Verb mhd. *vlederen,* ahd. *fledarōn,* das im Ablaut zu ↑flattern steht (s. auch *Flederwisch* und *zerfled[d]ern*). Das meist von Insekten lebende Tier ist keine Maus, aber schon sein ältester ahd. Name *mūstro,* eigentlich »mausähnliches Tier«, ist eine sehr altertümliche Ableitung von dem unter ↑Maus behandelten Substantiv.

Flederwisch: Der früher zum Putzen benutzte Gänseflügel heißt mhd. *vederwisch* (vgl. *Wisch*), woraus unter Anlehnung an mhd. *vlederen* »flattern« (vgl. *Fledermaus*) *vlederwisch* »Wisch zum Abfächeln« wurde. Heute ist der Flederwisch gewöhnlich ein Federbüschel mit einem Stiel.

Flegel »ungehobelter Mensch, Lümmel«: Lat. *flagellum* »Geißel, Peitsche«, das als Verkleinerungsbildung zu gleichbed. lat. *flagrum* gehört, gelangte mit seiner im Kirchenlat. entwickelten Bedeutung »Dreschflegel« früh als Lehnwort zu den Westgermanen (ahd. *flegil,* mhd. *vlegel,* niederl. *vlegel,* engl. *flail*). Während im deutschen Sprachraum das Wort in seiner eigentlichen Bedeutung durch die verdeutlichende Zusammensetzung **Dreschflegel** abgelöst wurde, konnte es seine Geltung als Scheltwort behaupten. Die Übertragung vom »Dreschflegel« auf den »Bauern, der den Dreschflegel schwingt« (seit dem 16. Jh. bezeugt) und danach weiter auf einen »derben, ungeschliffenen Menschen« allgemein, vollzog sich ähnlich wie bei den Scheltwörtern ›Bengel‹, ›Besen‹ u. a. – Ableitungen und Zusammensetzungen: **Flegelei** »derbes, ungehobeltes Benehmen; Ungezogenheit« (17. Jh.); **flegelhaft** (17. Jh.); **flegeln,** sich »sich bäurisch, ungehobelt benehmen; eine nachlässige Haltung beim Sitzen einnehmen« (in diesem Sinne seit dem 18./19. Jh.; zuvor schon mhd. *vlegelen* »dreschen; schlagen, peitschen«, später auch transitiv »Flegeleien begehen«).

flehen: Das nur im Dt., Niederl. und Got. bezeugte Verb (mhd. *vlēhen*, ahd. *flĕhōn* »schmeichelnd, dringlich bitten«, niederl. *vleien* »schmeicheln«, got. *[ga]þlaihan* »trösten, freundlich zureden«) ist verwandt mit aengl. *flāh*, aisl. *flār* »trügerisch, hinterlistig, falsch«. Die weitere Herkunft dieser germ. Wortgruppe ist unklar. – Abl.: **flehentlich** (mhd. *vlēhenlich* ist vom Infinitiv abgeleitet, das t ist junger Gleitlaut wie in ›eigentlich, hoffentlich‹ u. ä.).

Fleisch: In den westgerm. Sprachen bezeichnet mhd. *vleisch*, ahd. *fleisc*, niederl. *vlees*, engl. *flesh* menschliches und tierisches Fleisch allgemein, während aisl. *flesk[i]*, schwed. *fläsk* nur »Schweinefleisch, Speck« bedeutet. Außergerm. Beziehungen des Wortes sind nicht gesichert. Zu dem abgeleiteten, heute veralteten Verb **fleischen** (mhd. *vleischen* »im Fleisch verwunden; mit Fleisch versehen; Fleisch, Mensch werden«) gehören **zerfleischen** (16. Jh.; schon ahd. *zufleiscōn*) und **eingefleischt** (16. Jh.; Lehnübersetzung von lat. *incarnatus* »Mensch geworden«, schon mhd. *īnvleischunge* für die »Fleischwerdung, Inkarnation Christi«; jetzt versteht man das Adjektiv als »unveränderlich, unverbesserlich« [wem eine Eigenschaft in Fleisch und Blut übergegangen ist]); **Fleischer** (landsch. Handwerkername; spätmhd. *vleischer* ist wohl gekürzt aus *vleischhouwer, -hacker*, nhd. landsch. ›Fleischhauer, -hacker‹); **fleischig** »mit viel Fleisch« (z. B. von Händen; spätmhd. *vleischic* »fett«); **fleischlich** »Fleisch enthaltend; leiblich, sinnlich« (mhd. *vleischlich*, ahd. *fleischlīch*).

Fleiß: Das westgerm. Substantiv mhd. *vlīʒ*, ahd. *flīʒ*, niederl. *vlijt*, aengl. *flīt* steht neben einem im Nhd. untergegangenen starken Verb mhd. *vlīʒen*, ahd. *flīʒan* »streben, trachten, sich bemühen«, aengl. *flītan* »streiten, zanken«, das nur noch in nhd. sich **befleißen** (veraltet für:) »sich bemühen«, dem Partizip **beflissen** »eifrig bemüht« und dem Adverb **geflissentlich** »[über]eifrig« (frühnhd. *geflissenlichen*) fortlebt. Die weiteren etymologischen Beziehungen dieser Wortgruppe sind unsicher. Das Substantiv bedeutete ursprünglich »Streit, Wettstreit«, entwickelte schon ahd. die Bedeutung »Eifer«, mhd. auch die Bedeutung »Sorgfalt« (dazu die Wendungen ›mit Fleiß‹ »eifrig«, jetzt meist »absichtlich« [veraltet, noch landsch.] und ›viel Fleiß auf etwas verwenden‹). Heute herrscht die Bedeutung »strebsames, unermüdliches Arbeiten« vor.

flektieren »beugen«: Der grammatische Ausdruck wurde im 18. Jh. aus lat. *flectere* »biegen, beugen« entlehnt, das ohne sichere Anknüpfung ist. – Dazu: **Flexion** »Beugung« (18. Jh.; aus gleichbed. lat. *flexio*). Das Adjektiv **flexibel** – aus lat. *flexibilis* –, das im 19. Jh. als Fremdwort erscheint, ist heute in der Sprachlehre (im Sinne von »flektierbar«) kaum noch gebräuchlich; eine Rolle spielt es dagegen in der Technik im Sinne von »biegsam, elastisch, geschmeidig« und übertragen als »anpassungsfähig, wendig«. – Beachte noch die von der Zusammensetzung lat. *re-flectere* »zurückbeugen« ausgehenden Fremdwörter ↑reflektieren, Reflexion, Reflektor, Reflex, reflexiv.

flennen: Der ugs., in allen dt. Mundarten verbreitete Ausdruck für »heulen, weinen« ist in dieser Bedeutung erst seit dem 17. Jh. bezeugt. Ursprünglich bedeutete es »den Mund verziehen« wie das verwandte ahd. *flannēn*. Somit sind ↑Flansch und Flunsch verwandt.

fletschen: Mhd. *vletschen* »die Zähne zeigen« bedeutet eigentlich »den Mund breit ziehen«. Es gehört zu ahd. *flaʒ* »flach, breit« und damit zu der unter ↑Fladen behandelten Wortgruppe.

Fletz ↑Flöz.

flexibel, Flexion ↑flektieren.

flicken: Das Verb (mhd. *vlicken* »einen Fleck an- oder aufsetzen; ausbessern«) ist abgeleitet von ↑Fleck in seiner alten Bedeutung »Lappen«. Dazu wurde im 18. Jh. **Flicken** »Flicklappen« neu gebildet, das ›Fleck‹ aus dieser Bedeutung verdrängt. Seit dem 15. Jh. ist **Flickwerk** »schlechte, zusammengeflickte Arbeit« bezeugt.

Flieder: Der nordd. Name des ↑Holunders (mnd. *vlēder*, asächs. *fliodar*, niederl. *vlier*) ist erst seit dem 16./17. Jh. in der hochd. Form ›Flieder‹ bekannt geworden. Ebenfalls in Norddeutschland wurde der Name im 18. Jh. auch auf den über Spanien und die Niederlande aus dem Orient eingeführten Zierstrauch Syringa vulgaris übertragen (spanischer, türkischer Flieder u. Ä.). In dieser Bedeutung ist er heute gemeindeutsch. Die Herkunft des Wortes ist unbekannt; gebildet ist es – wie ›Holunder, Wacholder‹ u. a. – mit dem germ. Baumnamensuffix *-đr[a]* (vgl. *Teer*).

fliegen: Das altgerm. Verb mhd. *vliegen*, ahd. *fliogan*, niederl. *vliegen*, engl. *to fly*, schwed. *flyga* geht wie lit. *plaũkti* »schwimmen« auf eine Wurzel **pleuk-* zurück, die aus **pleu-* »rinnen, fließen, schwimmen, fliegen« erweitert ist und ursprünglich wohl ganz allgemein »sich [schnell] bewegen« bedeutete (s. auch *Flut, fließen*). Als alte ablautende Bildungen gehören ↑[1]Flucht, ↑Flug, ↑Flügel und ↑flügge zu ›fliegen‹, auch ↑Flitzbogen ist verwandt. – Abl.: **Fliege** (mhd. *vliege*, ahd. *fliege*; vgl. engl. *fly*, schwed. *fluga*; eigentlich »die Fliegende«), dazu **Fliegenpilz** (nhd. für älteres ›Fleugenschwamm‹, spätmhd. *muckenswam*; früher wurde er in Milch gekocht, um damit Fliegen zu töten); **Flieger** (Anfang des 19. Jh.s, zunächst im Sport für »ein Rennpferd auf kurzen Strecken«, danach auch im Radsport; nach 1900 für »Flugzeugführer«, seit der 2. Hälfte des 20. Jh.s auch für »Flugzeug«).

Die Runen

Für das Germanische gibt es keine schriftlichen Zeugnisse, jedenfalls keine sicheren. Dennoch musste die germanische Ursprache nicht ausschließlich – wie das Indogermanische – durch Rekonstruktion erschlossen werden. Als das älteste schriftliche Zeugnis in germanischer Sprache wird die Inschrift auf dem so genannten »Helm von Negau« angesehen, der 1811 im heutigen Slowenien gefunden wurde. Die Bedeutung dieser Inschrift ist umstritten, ebenso das Alter des Helms. Er stammt wahrscheinlich aus dem 2. Jahrhundert v. Chr. Diese Inschrift ist mit den Zeichen eines damals im norditalischen Raum verwendeten Alphabets geschrieben, das wohl aus dem Altgriechischen stammte. Eine gewisse Hilfe bei der Erschließung des »Urgermanischen« waren die von den Germanen etwa ab dem 2./3. Jahrhundert n. Chr. verwendeten buchstabenähnlichen Zeichen, die man *Runen* nennt (*Rune,* ahd. *rūna,* bedeutet eigentlich »Geheimnis«).

Die Germanen benutzten die Runen, um daraus den Willen der Götter zu erkennen. Die Zeichen wurden auf Steine, auf Metall oder in Holzstäbe geritzt, die auf einen Haufen geworfen wurden, aus dem dann einzelne Stücke herausgezogen wurden. Aus den jeweiligen Zeichen deutete man nun den Willen der Götter.

Die Runenzeichen stammen wahrscheinlich aus griechischen, lateinischen und norditalischen Alphabeten. Einige wurden vielleicht auch aus älteren, magischen Beschwörungen dienenden Zeichen der Germanen entwickelt.

Das älteste bekannte Runenalphabet wird nach seinen ersten sechs Zeichen *Futhark* genannt.

Runenalphabete aus dem 2./3. und dem 6. Jahrhundert n. Chr.

Eine der frühesten Runeninschriften ist in ein vergoldetes Horn eingeritzt worden, das man bei Gallehus in Dänemark gefunden hat. Diese Inschrift stammt etwa aus dem Jahr 420 n. Chr.

ᛖᚲ ᚺᛚᛖᚹᚨᚷᚨᛊᛏᛁᛉ ᚺᛟᛚᛏᛁᛜᚨᛉ ᚺᛟᚱᚾᚨ ᛏᚨᚹᛁᛞᛟ

ek hlewagastiR holtingaR horna tawido Übersetzung: Ich, Hlewagast aus dem Geschlecht des Holt (aus dem Ort Holt?), machte das Horn.

Germanischer Wortschatz

Germanische Wörter finden wir auch bei lateinischen Schriftstellern, so z. B. bei Cäsar *urus* »Auerochse«, *alces* »Elch«. Tacitus überliefert uns das Wort *glesum* »Bernstein« (daraus später unser Wort *Glas*) und Plinius die Wörter *ganta* »Gans« und *sapo* »Schminke« (unser Wort *Seife*).

Das Gotische

Die Goten waren eine germanische Stammesgruppe, die ursprünglich wohl in Südskandinavien zu Hause war und dann an die untere Weichsel wanderte. Zwischen 150 und 180 n. Chr. zogen die Goten zum Schwarzen Meer. Im 3. Jahrhundert teilten sie sich in Ost- und Westgoten.

Aus dem Gotischen stammt das älteste zusammenhängende größere Schriftdenkmal in einer germanischen Sprache. Der westgotische Bischof Ulfilas (Wulfila) übersetzte im 4. Jahrhundert den griechisch geschriebenen Text der Bibel ins Gotische. Er entwickelte dafür aus griechischen Buchstaben, einzelnen Runen und Buchstaben des lateinischen Alphabets ein eigenes gotisches Alphabet.

𐌰	𐌱	𐌲	𐌳	𐌴	𐌵	𐌶	𐌷	𐌸	𐌹, 𐌹̈	𐌺	𐌻	𐌼
a	b	g	d	e	q	z	h	þ	i	k	l	m

𐌽	𐌾	𐌿	𐍀	𐍂	𐍃	𐍄	𐍅	𐍆	𐍇	𐍈	𐍉
n	y	u	p	r	s	t	w	f	ch	hw	o

Von der Bibelübersetzung Ulfilas' ist eine Abschrift der vier Evangelien erhalten geblieben. Sie ist etwa am Ende des 5. Jahrhunderts angefertigt worden. Nach dem Einband, den sie im 17. Jahrhundert erhalten hatte, wurde sie *Codex argenteus* (= silberne Handschrift) genannt. Die Handschrift wird heute in der Universitätsbibliothek von Uppsala in Schweden aufbewahrt.

fliehen: Die Herkunft des gemeingerm. Verbs mhd. *vliehen,* ahd. *fliohan,* got. (mit anderem Anlaut) *þliuhan,* engl. *to flee,* schwed. *fly* ist dunkel. Zu ›fliehen‹ gehören das unter ↑[2]Flucht behandelte Substantiv mit seinen Ableitungen und Zusammensetzungen sowie die Präfixbildung **entfliehen** (mhd. *enphliehen, entvliehen*). Siehe auch den Artikel *Floh.*

Fliese: Die Bezeichnung der Boden- und Wandplatte aus Stein oder Ton wird im 18. Jh. aus dem Niederd. aufgenommen. Mnd. *vlīse* »Steinplatte« ist verwandt mit aisl. *flīs* »Splitter« und gehört zu der unter ↑spleißen »spalten« behandelten Wortgruppe.

F

fließen: Das altgerm. starke Verb mhd. *vliezen,* ahd. *fliozan,* niederl. *vlieten,* engl. *to fleet,* schwed. *flyta* gehört mit ↑Flut und verwandten Wörtern aus anderen idg. Sprachen zu der idg. Wurzel **pleu-* »rinnen, fließen« (vgl. *viel*), vgl. z. B. lit. *pláusti* »waschen«, lit. *plūsti* »strömen, überfließen« und air. *lūaid-* »bewegen«. Die Bedeutungen des Verbs gehen alle von der Bewegung des Wassers oder vom Treiben im Wasser aus. Das zeigen auch die Bildungen ↑Floß, ↑flößen, ↑Flosse, ↑flott, ↑Flotte und ↑Fluss.

flimmern: Das seit dem 17. Jh. bezeugte Verb ist eine junge, lautspielerische Bildung zu dem heute nicht mehr gebräuchlichen Verb *flammern,* das zu ›flammen‹ (↑Flamme) gehört.

flink: Das am Ende des 17. Jh.s aus niederd. *flink* »glänzend, blank« ins Hochd. übernommene Adjektiv entwickelte bald die Bedeutung »gewandt, schnell«. Verwandt sind spätmhd. *kupper-vlinke* »blinkendes Kupfererz« und nhd. ↑flunkern.

Flinte: Während des Dreißigjährigen Krieges wurde die alte, mit Radschloss und Lunte versehene Büchse durch eine neue, in Frankreich erfundene Form mit zuschnappendem Feuersteinschloss abgelöst. Sie kam wahrscheinlich zuerst aus niederländischen Werkstätten und hieß zunächst ›Flintbüchse‹ oder ›Flintrohr‹, bald verkürzt ›Flinte‹. Das Bestimmungswort der Zusammensetzung ist das Substantiv mniederl. *vlint,* mnd. *vlint[stēn],* engl. *flint* »Kiesel, Feuerstein«, dem gleichbed. schwed. *flinta,* norw. *flint* entsprechen. Es bedeutete ursprünglich »Steinsplitter« und stammt wie ahd. *flins,* mhd., mnd. *vlins* »Stein, Kiesel; Fels« wahrscheinlich aus einer nasalierten Form der Wurzel **[s]plei-* »spalten« (vgl. *spleißen*). Heute ist die Flinte nur Jagdwaffe; an die alte militärische Verwendung erinnert die Redensart ›die Flinte ins Korn (d. h. ins Kornfeld) werfen‹ (d. h. »nicht mehr kämpfen [und fliehen]; verzagen«).

flirten »den Hof machen, kokettieren«: Das Verb wurde im 19. Jh. aus gleichbed. engl. *to flirt* (älter auch *flert, flurt* »herumflattern, herumtollen; sich schnell bewegen«) entlehnt, dessen weitere Herkunft nicht gesichert ist. Vielleicht stammt es aus afrz. *fleureter* »schmeicheln, den Hof machen« (zu frz. *fleur* »Blume«; vgl. [1]*Flor*).

Flittchen ↑flittern.

flittern: Als Nebenform von ↑flattern erscheint spätmhd. *flittern,* dem engl. *to flitter* »flattern« entspricht. Seine nhd. Bedeutung »unruhig glänzen« hat sich unter dem Einfluss der frühnhd. Rückbildung **Flitter** »Metallblättchen, blinkende Blechmünze« entwickelt. Zu dem Substantiv, das seit dem 18. Jh. auch im Sinne von »billiger Schmuck, Tand« verwendet wird, gehört vermutlich die Bildung **Flittchen** (ugs. für:) »leichtlebige [junge] Frau«. Vgl. auch den Artikel *Flitterwochen.*

Flitterwochen: Die zuerst im 16. Jh. bezeugte Bezeichnung für die ersten Ehewochen gehört zu einem wohl lautmalenden mhd. *vlittern* »flüstern, kichern, liebkosen«, mit dem sich ahd. *flitarezzen* »schmeicheln« vergleicht. Die Flitterwochen sind also »Kosewochen«. Erst nach dem Untergang des Verbs wurde das Substantiv vom Sprachgefühl mit ›Flitter‹ »wertloser, vergänglicher Tand« (vgl. *flittern*) verbunden.

Flitzbogen: Ein zum Stamm von ↑fliegen gebildetes germ. Wort für »Pfeil«, das noch in mnd. *vlēke,* mniederl. *vlieke* erscheint, hat über afränk. **fliugika* frz. *flèche* »Pfeil« ergeben. Das frz. Wort wurde im 16. Jh. als niederl. *flits,* mniederd. *flitse,* frühnhd. *flitsche, flitze,* nhd. ›Flitz‹ zurückentlehnt. Während das einfache Wort jetzt veraltet ist, hat sich die Zusammensetzung mnd. *flitsbōgen,* nhd. ›Flitzbogen‹ ugs. als Name des Spielzeugbogens erhalten. Das abgeleitete Verb **flitzen** bedeutet im 16. Jh. »mit Pfeilen schießen«, seit dem 19. Jh. ugs. »[wie ein Pfeil] dahinsausen, sich sehr rasch fortbewegen«. An diese Bedeutung schließt sich **Flitzer** (ugs. für:) »kleines, schnelles, sportliches Fahrzeug« an.

Flocke: Die Herkunft des altgerm. Substantivs (mhd. *vlock[e]* »Schnee-, Blütenflocke; Funke; Wollflocke«, ahd. *floccho* »Wollflocke«, niederl. *vlok* »Flocke«, engl. *flock* »Flocke, Büschel«, schwed. *flock* »Wollflocke«) ist nicht sicher geklärt. Wahrscheinlich hat sich in den germ. Sprachen eine Entlehnung aus lat. *floccus* »Wollfaser« mit einem heimischen Wort gemischt, das mit balt. Wörtern wie lett. *plaũki* »Schneeflocke, Webabfall«, lit. *pláukas* »Haar« verwandt ist und wohl zu der Wurzel von ↑fliegen gehört. – Abl.: **flocken** »Flocken absondern« (17. Jh.); **flockig** »flockenförmig« (17. Jh.).

Floh: Der altgerm. Name des Insektes mhd. *vlō[ch],* ahd. *flōh,* niederl. *vlo,* engl. *flea,* aisl. *flō* ist seit alters volksetymologisch an ↑fliehen angelehnt und als »schnell entkommendes Tier« gedeutet worden. Der Blick auf außergerm. Namen des Flohs (lat. *pulex,* aind. *plúṣiḥ,* griech. *psýlla,* lit. *blusà*) zeigt aber, dass wahrscheinlich ein altes idg. Wort in den Einzelsprachen tabuistisch entstellt oder spielerisch abgewandelt worden ist. – Abl.: **flöhen** »Flöhe suchen und fangen« (17. Jh.).

[1]**Flor** »Blüte, Blumenfülle«: Das schon im 16. Jh. im

übertragenen Sinne von »kulturelle Blütezeit; Wohlergehen« bezeugte Substantiv – die eigentliche Bedeutung erscheint erst im 18. Jh. – ist hervorgegangen aus der lat. Wendung *in flore esse* »in Blüte stehen«. Das zugrunde liegende Substantiv lat. *flos (floris)* »Blume, Blüte, Knospe«, das zu der unter ↑blühen dargestellten idg. Wortsippe gehört, ist auch Quelle für entsprechend frz. *fleur*, engl. *flower* und it. *fiore*. Zu Letzterem stellt sich die Verkleinerungsbildung it. *fioretto* »Blümchen, kleine Knospe«, das über frz. *fleuret* unser Fremdwort ↑Florett liefert. Mit [1]Flor nicht verwandt ist ↑[2]Flor.

[2]**Flor** »dünnes, durchsichtiges Gewebe«: Das seit dem 15. Jh. (spätmhd. *flor* »am Hut getragener Gesichtsschleier«) bezeugte Wort ist vermutlich aus afrz. *velou[r]s* »Samt« entlehnt, das auf eine Substantivierung von lat. *villosus* »haarig, zottig« zurückgeht. Zu ›Flor‹ stellen sich die Zusammensetzung **Trauerflor** und die Bildung **umflort** »verschleiert, getrübt«. Über frz. *velours* vgl. *Velours*. – Nicht verwandt ist ↑[1]Flor.

Flora »Pflanzenwelt eines bestimmten Gebietes«: Ursprünglich war ›Flora‹ der Name einer altrömischen Frühlingsgöttin der Blumen und Blüten, der seit dem 17. Jh. als Titelstichwort von Blumen- und Pflanzenbeschreibungen erscheint und von daher, wie bei ›Fauna‹ (↑Faun), übertragen wird.

Florett: Die Bezeichnung für »Stoßdegen« wurde mit anderen Wörtern der Fechtkunst (wie ↑Finte, ↑[1]parieren) aus dem Frz. oder It. entlehnt. Voraus liegt frz. *fleuret*, das im 17. Jh. als *Flöret* entlehnt und später zu ›Florett‹ relatinisiert wurde. Frz. *fleuret* ist selbst aus it. *fioretto* »kleine Blume, Knospe« übernommen und an frz. *fleur* »Blume« angeglichen worden. Benannt wurde das Florett nach dem knospenähnlichen Knopf, der bei Fechtübungen auf die Spitze des Stoßdegens gesteckt wurde (vgl. [1]*Flor*).

Floskel »formelhafte Redewendung, nichts sagende Redensart«: Das Fremdwort wurde Ende des 18. Jh.s eingedeutscht aus lat. *flosculus* »Blümchen« (im Sinne von »Redeblume, schmückender Ausdruck«), einer Verkleinerungsbildung zu *flos* »Blume« (vgl. [1]*Flor*).

Floß: Mhd. *vlōz*, ahd. *flōz*, mnd. *vlōt* »Strömung, Flut; Holz- oder Schiffsfloß« ist eine ablautende Bildung zu ↑fließen in seiner alten Bedeutung »schwimmen, treiben«. Siehe auch die Artikel *flößen* und *Flotte*.

Flosse: Mhd. *vlozze*, ahd. *flozza* ist eine Bildung zu ↑fließen in seiner alten Bedeutung »schwimmen, treiben«. Das Wort hat sich allmählich gegen die jüngeren Bildungen mhd. *vischveder*, *vlōzvedere* (älter nhd. *Floßfeder*) durchgesetzt. Als ugs. Bezeichnung der menschlichen Hand erscheint ›Flosse‹ Ende des 19. Jh.s in der Soldatensprache.

flößen: Das heute gewöhnlich als Ableitung von ↑Floß empfundene Verb zeigt in der Zusammensetzung **einflößen** (auch: in den Mund flößen, mhd. *īn vlœzen*) seinen alten Sinn als Veranlassungswort zu ↑fließen: Mhd. *vlœzen*, *vlœtzen* bedeutet »fließen machen, schwemmen, übergießen«. Auch ›Holz flößen‹ ist eigentlich als »schwimmen, treiben machen« zu verstehen. – Abl.: **Flößer** (spätmhd. *vlœzer*, *vlœtzer*).

Flöte: Der Name des Musikinstrumentes frühnhd. *Fleute*, mhd. *vloite* ist wie entsprechend niederl. *fluit* aus afrz. *flaüte* (= frz. *flûte*) »Flöte« entlehnt. Quelle des frz. Wortes, wie auch für entsprechend it. *flauto* und span. *flauta*, ist aprov. *flaüt* »Flöte«, dessen weitere Herkunft nicht gesichert ist. – Abl.: **flöten** »die Flöte blasen« (mhd. *flöuten*); **Flötist** »Flötenspieler« (im 19. Jh. mit nlat. Endung gebildet; dafür älter ›Flöter‹, mhd. *vloitære*).

flöten gehen: Die Herkunft des aus dem Niederd. in die Umgangssprache gelangten Ausdrucks für »verloren gehen« (niederd. *fleuten gahn*, 18. Jh.) ist unbekannt.

flott: Das Adjektiv wurde im 17. Jh. aus der Seemannssprache ins Hochd. übernommen. Niederd. *flot maken* »ein Schiff fahrbereit, schwimmfähig machen« geht auf die mnd. Fügung *ēn schip an vlot bringen* zurück, in der das Substantiv *vlot* »Schwimmen, Treiben« bedeutet. Der übertragene Sinn »ungebunden, leicht, flink« erscheint im 18. Jh. zuerst im Niederd. und Niederl. und geht dann über die hallische Studentensprache ins Hochd. über.

Flotte: Die Bezeichnung für »größerer Schiffsverband« ist ein ursprünglich germ. Wort, das zur Sippe von ↑fließen gehört. Die heimischen Formen mnd. *vlōte*, mniederl. *vlōte*, *vloot* (entsprechend aengl. *flota*, aisl. *floti* »Floß, Wasserfahrzeug; Flotte«) gerieten im 16./17. Jh. unter den Einfluss der aus dem Roman. rückentlehnten Formen it. *flotta*, frz. *flotte*, die ihrerseits aus dem Germ. entlehnt sind. Vermutlich unter engl. Einfluss hat das Substantiv in jüngerer Zeit auch die Bedeutung »alle Fahrzeuge eines Unternehmens« angenommen. – Das hierher gehörende Substantiv **Flottille** »Verband kleinerer Kriegsschiffe« wurde im 18./19. Jh. entlehnt aus span. *flotilla*, einer Verkleinerungsform von span. *flota*, das seinerseits aus frz. *flotte* stammt.

Flöz »nutzbare Gesteins-, bes. Kohlenschicht«: Frühnhd. *flötz*, *fletz[e]* (16. Jh.) bezeichnete in der Bergmannssprache die plattenförmige Lagerstätte (zuerst im Bergbau des Erz- und des Riesengebirges). Das Wort geht zurück auf mhd. *vletze*, ahd. *flezzi*, *flazzi* »geebneter Boden, Tenne, Lagerstatt« (vgl. oberd. ›*Fletz*‹ »Hausflur«, entsprechend niederd. *Flett*), eine Bildung zu dem altgerm. Adjektiv ahd. *flaz* (asächs. *flat*, mniederl. *vlat*, schwed. *flat*) »flach, breit«, das zur Sippe von ↑Fladen gehört.

fluchen: Mhd. *vluochen*, ahd. *fluohhōn* »fluchen«, niederl. *vloeken* »fluchen« zeugen von einer alten, die Verwünschung begleitenden Ausdrucksbewegung. Ihre eigentliche Bedeutung ist nämlich »(mit der Hand auf die Brust) schlagen«, wie die entsprechenden Verben aengl. *flōcan* »schlagen« und got. *flōkan* »beklagen« (eigentlich »trauernd an die Brust schlagen«) zeigen. Im außergerm. Sprachbereich ist lat. *plangere* »schlagen, trauern« verwandt (vgl. auch lat. *plaga* »Schlag« in der Lehnwortgruppe um ↑Plage). Die zugrunde liegende Wurzelform **plak-*, **plag-* »schlagen« ist auch in den unter ↑flackern (mit Flagge) und ↑Fleck (mit flicken) behandelten Wortsippen enthalten. Sie gehört wahrscheinlich mit der Grundbedeutung »breit schlagen« zu der unter ↑Feld dargestellten idg. Wortgruppe. – Das Substantiv **Fluch** (mhd. *vluoch*, ahd. *fluoh*) ist eine Rückbildung aus dem Verb. – Im christlichen Sinne bezeichnet ›fluchen‹ das sündhafte Lästern; sonst wird es im Sinne von »Kraftausdrücke gebrauchen, schimpfen« verwendet. Nur in der Verbindung ›jemandem fluchen‹ und in der Präfixbildung **verfluchen** (mhd. *vervluochen*, ahd. *farfluohhōn*) ist – wie in ›Fluch‹ – der alte magische Sinn des »Verwünschens« noch spürbar. Eine verharmlosende Entstellung des adjektivischen Partizips ›verflucht‹ ist das ugs. **verflixt** (19. Jh.).

[1]**Flucht:** Das im 18. Jh. aus niederd. *flugt* (mnd. *vlucht*, engl. *flight*) in der Bedeutung »zusammen fliegende Vogelschar« ins Hochd. übernommene Substantiv ist eine Bildung zu dem unter ↑fliegen behandelten Verb. In der übertragenen Bedeutung »zusammenhängende gerade Reihe« (die etwa an die Flugweise der Wildgänse anschließt) lebt es heute in den Zusammensetzungen ›Bauflucht‹, ›Zimmerflucht‹ und besonders in **Fluchtlinie** »Gerade in perspektivischer Darstellung; zulässige Gebäudegrenze an Straßen und Plätzen« (19. Jh.). – Abl.: **fluchten** »in gerade Linie bringen«.

[2]**Flucht:** Die westgerm. Bildung zu dem unter ↑fliehen behandelten Verb lautet mhd. *vluht*, ahd. *fluht*, niederl. *vlucht*, engl. *flight*. In der Jägersprache bezeichnet ›Flucht‹ (Plural: ›Fluchten‹) den Sprung des Schalenwildes. – Abl.: **flüchten** (mhd. *vlühten*, ahd. *fluhten* »in die Flucht schlagen«; in der Jägersprache bedeuten ›flüchten‹ und ›flüchtig werden‹ »[davon]springen« [vom Wild]); **flüchtig** (mhd. *vlühtec*, ahd. *fluhtīc* »fliehend«; seit dem 18. Jh. auch »oberflächlich« und »vergänglich«, in der Chemie »leicht verdunstend«); dazu sich **verflüchtigen** (spätmhd. *verfluchtigen* »fliehen«; in der heutigen übertragenen Bedeutung erst seit dem 18. Jh.); **Flüchtling** (17. Jh.); ein Fachwort der Biologie ist **Nestflüchter** (↑Nest). Eine Zusammensetzung ist **Zuflucht** (mhd. *zuovluht* »schützender Ort« steht für lat. *refugium*, wie heute besonders in übertragenem Sinn). Dagegen ist **Ausflucht** (spätmhd. *ūzvluht* »Flucht, heimliches Entrinnen [aus der Haft]« eine Bildung zu einem im Nhd. untergegangenen Verb mhd. *ūzvliehen*. Es war zunächst vor allem ein Wort der Heeres- und Rechtssprache. Aus der Sonderbedeutung »Berufung an ein höheres Gericht« entstand schon um 1500 der heutige Sinn »[leere] Ausrede«).

Flug: Die altgerm. Bildung zu dem unter ↑fliegen behandelten Verb (mhd. *vlue*, ahd. *flug*, niederl. *vlucht*, aengl. *flyge*, aisl. *flugr*) bezeichnet die Tätigkeit des Fliegens, im Dt. jetzt auch das technische Fliegen des Menschen. Zusammensetzungen der Fliegersprache sind u. a. ›An-, Ab-, Blind-, Kunst-, Segel-, Sturzflug‹. In der Jägersprache wird ›Flug‹ im Sinne von »größere Schar jagdbarer Vögel« verwendet. – Abl.: **flugs** (mhd. *vluges* »im Fluge, eilend«, mnd. *vluks*, *vluckes* ist der erstarrte Genitiv). Zus.: **Flugblatt, Flugschrift** (die Ausdrücke ›fliegendes Blatt‹, ›fliegende Schrift‹ erscheinen im 18. Jh. wie frz. *feuille volante;* sie meinen eigentlich den losen Zustand der Zeitungsblätter und Streitschriften im Gegensatz zum gebundenen Buch, dann aber auch ihre schnelle Verbreitung); **Flugzeug** (Anfang des 20. Jh.s nach ›Fahrzeug‹ gebildet); **Ausflug** (mhd. *ūzvluc* »erster Flug der Jungvögel und Bienen«; im 18. Jh. für »kleine Reise, Wanderung«).

Flügel: Die verhältnismäßig junge Bildung zu dem unter ↑fliegen behandelten Verb (mhd. *vlügel*, mnd. *vlögel*, niederl. *vleugel*) bedeutete zunächst »Vogelflügel«, wurde dann auch auf die Windmühlenflügel und später auf bewegliche Geräteteile verschiedener Art übertragen. Im Flugwesen steht es kurz für ›Tragflügel‹ eines Flugzeugs. Seit dem 18. Jh. wird eine Klavierform ›Flügel‹ benannt. Als »[symmetrische] Seitenteile« sind Bezeichnungen wie ›Nasen-, Lungen-, Tür-, Gebäudeflügel‹ zu verstehen. Auf die Verwendung im Sinne von »äußerer Teil einer Heeresaufstellung« – dann auch Mannschaft – hat gleichbed. lat. *ala* eingewirkt. – Abl.: **flügeln** (veraltet für:) »Flügel geben, mit den Flügeln schlagen« (17. Jh.); ›geflügelte Worte‹ war bei J. H. Voß um 1780 Lehnübersetzung des homerischen griech. *épea pteróenta* (im Sinne von »schnell eilend«) und erhielt durch Büchmann 1864 die Bedeutung »oft gebrauchtes Zitat«, dazu im übertragenen Sinn **beflügeln** (18. Jh.) und **überflügeln** (18. Jh., zuerst im Kriegswesen); **Geflügel** (s. d.).

flügge: Das Adjektiv wurde im 16. Jh. aus dem Niederd. ins Hochd. übernommen. Mnd. *vlügge* »flugfähig, beweglich, emsig« gehört zu dem gleichbed. westgerm. Adjektiv mhd. *vlücke*, ahd. *flucki*, niederl. *vlug*, aengl. *flycge*, einer Bildung zu dem unter ↑fliegen behandelten Verb. ›Flügge‹ bezeichnet heute vor allem den Zustand des fertig befiederten Jungvogels, übertragen die beginnende Selbstständigkeit des jungen Menschen.

Flunder: Der Name des Plattfisches spätmhd. *vlunder*, mnd. *vlundere* ist wahrscheinlich wie gleichbed. engl. *flounder* ein Lehnwort aus den nord. Sprachen (schwed., norw. *flundra*). Daneben erscheinen andere Formen wie spätmhd. *vluoder, vlander,* ostpreuß. mdal. *Flinder,* dän. *flynder,* norw. *flyndre.* Die Bezeichnungen gehören alle im Sinne von »flacher Fisch« zu der unter ↑Fladen behandelten Wortgruppe. Siehe auch die Artikel *Butt* und [2]*Scholle.*

flunkern: Das im 18. Jh. zunächst niederd. bezeugte und bald ins Hochd. übernommene Verb bedeutet eigentlich wie niederl. *flonkeren* »glänzen, schimmern«, entwickelte aber schon damals über »glänzen wollen, aufschneiden« die Bedeutung »harmlos lügen«. Es steht im Ablaut zu frühnhd. *flinke[r]n* »glänzen«, mniederl. *vlinken* »blitzen, sich schnell bewegen« und stellt sich damit zu dem unter ↑flink behandelten Wort.

Flunsch ↑Flansch.

Flur: Das altgerm. Substantiv, dem in anderen idg. Sprachen nur die kelt. Sippe von air. *lār* »Boden, Tenne« entspricht, gehört zu der unter ↑Feld dargestellten Wortgruppe. Aus der ursprünglichen Bedeutung »[flacher, fest gestampfter] Boden« (mnd. *flōr* »Diele, Estrich«, niederl. *vloer,* engl. *floor* »Fußboden, Tenne«, norw. (mundartl.) *flor* »Stallboden«) hat sich die im Nhd. etwa seit 1700 bezeugte Bedeutung »Vorraum, Gang im Hause« entwickelt, die besonders nordd. ist. Im mitteld. und oberd. Raum entstand dagegen die Bedeutung »Feldflur« (mhd. *vluor* »Boden[fläche], Saatfeld«), für die seit dem 14. Jh. weibliches Geschlecht üblich wird. Das Wort bezeichnet im landwirtschaftlichen Sprachgebrauch die unbewaldete Dorfflur und ihre Unterteilungen (Fluren) und steht dichterisch für »freies Feld«.

Fluss: Das nur dt. Substantiv (mhd. *vluz̧,* ahd. *fluz̧*) ist eine Bildung zu dem unter ↑fließen behandelten Verb und bedeutete zunächst »Fließen, Strömung«. Erst in nhd. Zeit entwickelt sich die heutige Hauptbedeutung »fließendes Gewässer«, daher steht ›Fluss‹ kaum in Gewässernamen, die vielmehr mit ›-ach[e], -bach, -fließ, -wasser‹ u. Ä. gebildet werden. Die alte Bedeutung zeigt sich heute noch in teils bildlich gebrauchten Wendungen wie ›in Fluss geraten, kommen, sein‹ und in Bildungen zu zusammengesetzten Verben wie ›Ab-, Zu-, Ausfluss‹ (s. auch *Einfluss* und *Überfluss*). – Abl.: **flüssig** (mhd. *vlüz̧z̧ec,* ahd. *fluz̧z̧īg*).

flüstern: Das lautmalende Wort erscheint zuerst im 15. Jh. als mnd. *flisteren* »leise zischen«, bald danach auch in hochd. Texten und wird im 18. Jh. gemeinsprachlich. Die alte Form mit i hält sich neben der jüngeren gerundeten Form bis ins 19. Jh. – Dazu die jungen Zusammensetzungen **Flüsterpropaganda** und **Flüstertüte** (ugs. scherzhaft für:) »Megaphon«.

Flut: Das gemeingerm. Substantiv mhd. *vluot,* ahd. *fluot,* got. *flōdus,* engl. *flood,* schwed. *flod* gehört zu dem im Dt. untergegangenen Verb engl. *to flow,* niederl. *vloeien,* aisl. *flōa* »fließen« und geht mit der näher verwandten Wortgruppe von ↑fließen auf die Wurzelform **plĕ[u]-* »fließen, schwimmen, strömen« zurück (vgl. *viel*). In anderen idg. Sprachen sind z. B. eng verwandt griech. *plṓein* »schwimmen«, griech. *plōtós* »schwimmend, fahrbar« und aind. *plávatē* »schwimmt, schwebt, fliegt«. – Die ursprüngliche Bedeutung von ›Flut‹ ist also »Fließen, Strömung«. Sie zeigt sich besonders in dem Plural ›Fluten‹ (z. B. ›die Fluten des Rheins‹). Als Gegenwort zu ›Ebbe‹ tritt mnd. *vlōt* zuerst im 15. Jh. auf (dazu die Zusammensetzungen ›Sturm-, Springflut‹; s. auch *Sintflut*).

Fock »unterstes Segel am Vordermast (bei Rahseglern); Vorsegel vor dem Großsegel«: Das seit dem 17. Jh. im Hochd. bezeugte Seemannswort stammt aus dem Niederd. (mnd. *vocke*). Es ist vielleicht niederl. Ursprungs und gehört zu niederl. *fokken* »aufziehen«.

Föderation: Die Bezeichnung für »[Staaten]bund«, dafür häufig auch ›Konföderation‹, ist entlehnt aus lat. *[con]foederatio* »Vereinigung«. Das zugrunde liegende Substantiv lat. *foedus* »Abmachung auf der Basis gegenseitigen Vertrauens, Bündnis« gehört zum Verbalstamm von lat. *fidere* »vertrauen« (vgl. *fidel*). – Die seit dem 18./19. Jh. bezeugte Bildung **Föderalismus** »Prinzip bundesstaatlicher Ordnung« ist eine (latinisierte) Entlehnung aus gleichbed. frz. *fédéralisme.* Dazu stellt sich das Adjektiv **föderalistisch.**

Fohlen: Die gemeingerm. Bezeichnung des jungen Pferdes lautet mhd. *vol[e],* ahd. *folo,* got. *fula,* engl. *foal,* schwed. *fåle.* Sie ist z. B. verwandt mit griech. *pōlos* »Fohlen, Tierjunges«. Die Wortgruppe gehört zu der idg. Wurzel **pōu-* »klein, gering, wenig«, die z. B. engl. *few* »wenige«, lat. *paucus, paul[l]us* »wenig« (im Personennamen Paulus), *putus* »Knabe« (↑Putte), lat. *pullus* »jung, Tierjunges« (vgl. *Folter*), lat. *puer* »Kind« und griech. *pais* »Kind« (s. die Fremdwortgruppe um *Pädagoge*) zugrunde liegt. Im Dt. bezeichnet das ursprünglich niederd. ›Fohlen‹ seit alters das junge Pferd bis zum 3. Lebensjahr.

[1]Föhn: Der trockene Fallwind heißt in oberd. Mundarten mhd. *fœnne,* ahd. *phōnno.* Als Schweizer Wort wird ›Föhn‹ seit dem 16. Jh. im Nhd. bekannt. Das Substantiv ist eine alte Entlehnung, die über vlat. *faonius* auf lat. *favonius* »lauer Westwind, Frühlingswind« zurückgeht. Dieses Wort gehört zu lat. *fovere* »warm machen, erwärmen«. – Dazu die Ableitung **föhnen** »föhnig werden, wehen« (schweiz. im 18. Jh.) und das Adjektiv **föhnig.** Das gleiche Wort ist das Warenzeichen **Fön** »elektrische Heißluftdusche« (um 1925, als Bezeichnung für das Gerät auch **[2]Föhn**) mit dem Verb **föhnen** »[die Haare] mit dem Föhn behandeln, trocknen«.

Föhre: Die germ. Benennungen der Kiefer mhd. *vorhe,* ahd. *for[a]ha,* aengl. *furh,* schwed. *fura,* dän. *fyr* (daraus engl. *fir*) beruhen mit verwandten Wörtern in anderen idg. Sprachen – wie z. B. lat. *quercus* »Eiche« – auf idg. **perku̯u-s* »Eiche«.

Zur Übertragung von Baumnamen vgl. die Artikel *Buche* und *Tanne*. Als verdunkeltes Grundwort ist ›Föhre‹ wahrscheinlich auch in gleichbed. ↑[1]Kiefer enthalten.

folgen: Das altgerm. Verb mhd. *volgen*, ahd. *folgēn*, niederl. *volgen*, engl. *to follow*, schwed. *följa* hat keine sicheren außergerm. Beziehungen. Die heute noch gültige räumliche Grundbedeutung »hinterher-, nachgehen« ist einerseits auf zeitliches Nacheinander (z. B. ›am folgenden Tag‹) und auf die kausale Verknüpfung (›daraus folgt, dass ...‹; ↑*erfolgen*) übertragen worden, andererseits ergab der alte Rechtsbegriff der Heeresfolge schon in ahd. Zeit die Bedeutung »sich nach jemandem richten, beistimmen, gehorchen«; diese Bedeutung hat auch die Präfixbildung **befolgen** (18. Jh.). – Abl.: **Folge** (ahd. nur in *selbfolga* »Partei«; von den vielerlei Bedeutungen von mhd. *volge* haben sich nhd. nur »Reihe; Ergebnis; Folgezeit« erhalten, ferner »Gehorsam« in der Wendung ›Folge leisten‹, die sich ursprünglich auf die Befolgung einer gerichtlichen Vorladung bezog; beachte auch die Präpositionen **infolge, zufolge** und Zusammensetzungen wie ›Erb-, Nach-, Reihenfolge‹), dazu **folglich** (im 17. Jh. wie schon ahd. *folglīcho* in der Bedeutung »nacheinander, später«, dann auch im folgernden Sinne von »also, daher«) und **folgsam** (im 17. Jh. im folgernden Sinne, seit dem 18. Jh. auch in der Bedeutung »gehorsam« gebraucht) sowie die Zusammensetzungen **folgenschwer** (18. Jh.; Lehnübersetzung für frz. *gros de conséquences*) und **folgerichtig** (Anfang des 19. Jh.s neben älterem **folgerecht** als Lehnbildung für ›konsequent‹); **folgern** »als Folge [logisch] ableiten« (im 16. Jh. verächtlich für »Sophisterei treiben«, im 18. Jh. philosophisches Fachwort), dazu **Folgerung** (18. Jh.); **Gefolge** (im 17. Jh. für »begleitende Personen, Hofstaat«), dazu das rechtsgeschichtliche Fachwort **Gefolgschaft** (Anfang des 19. Jh.s). Präfixbildungen: **erfolgen** (mhd. *ervolgen*, ahd. *erfolgēn* »erreichen, erlangen; sich erfüllen, zuteil werden«; nhd. zuweilen im Sinn der kausalen und zeitlichen Folge, meist aber sinnentleert für »geschehen«), dazu die Rückbildung **Erfolg** (17. Jh.; meist »Erreichen des Zieles«, aber auch allgemein für »Ausgang, Wirkung«) mit den Adjektiven **erfolglos** und **erfolgreich; verfolgen** (mhd. *vervolgen* ist verstärktes *volgen*, beachte ›einen Vorgang, eine Absicht, ein Ziel verfolgen‹; im Nhd. häufig im Sinne von »[feindselig] nachstellen, nach dem Leben trachten«); dazu **Verfolger** und **Verfolgung** (14. Jh.).

Folie »aus Metall oder Kunststoff hergestelltes, sehr dünnes Material zum Bekleben od. Verpacken«: Das seit dem 16. Jh. bezeugte Substantiv bezeichnete ursprünglich ein metallenes Glanzblättchen, wie man es als Unterlage für gefasste Edelsteine verwendete. Es geht wie frz. *feuille* (↑Feuilleton) auf lat. *folium* »Blatt« (vlat. *folia*) zurück (↑Folio), das zu der unter ↑blühen dargestellten idg. Sippe gehört.

Folio: Die Bezeichnung für »Buchformat in der Größe eines halben Bogens« ist ein Wort der Buchdruckersprache, das in einer Reihe steht mit Fremdwörtern wie *Oktav* (↑Oktave), ↑Format und *Exemplar* (↑Exempel). Es hat sich im 18. Jh. aus der Fügung ›in Folio‹ (lat. *in folio* »in einem Blatt«; vgl. *Folie*) verselbstständigt. Das Wort bezeichnet danach den nur einmal gefalzten Papierbogen gegenüber den kleineren Formaten, bei denen der Bogen mehrfach gefalzt wird.

Folklore »Volkskunst«: Das Fremdwort wurde zu Beginn des 20. Jh.s aus gleichbed. engl. *folklore* entlehnt, einer Bildung aus engl. *folk* »Leute, Volk« (vgl. *Volk*) und *lore* »Kunde, Überliefertes« (vgl. *Lehre*).

Folter: Als gerichtliche Untersuchungsmethode gehört die Folter dem römischen, nicht dem germanischen Recht an. Das Substantiv erscheint zuerst um 1400 als *föltrit, foltren* (Dativ); etwa gleichzeitig tritt das Verb **foltern** auf. Die Herkunft der Wörter ist nicht sicher geklärt. Vielleicht handelt es sich um eine Umgestaltung von mlat. *poledrus* »Fohlen« unter dem Einfluss von ›Fohlen‹; die Folter[bank] wäre dann nach ihrer ursprünglichen Ähnlichkeit mit einem Pferdchen benannt worden, was durch aspan. *poltro*, span. *potro* »Fohlen« und »Foltergerät« gestützt wird. Mlat. *poledrus* gehört zu lat. *pullus* »Tierjunges« (vgl. *Fohlen*). Im 17. Jh. sind ›Folter‹ und ›foltern‹ in der Schriftsprache geläufig und werden auch schon übertragen im Sinne von seelischer Qual gebraucht (dazu die Wendung ›auf die Folter spannen‹). – Abl.: **Folterung** (16. Jh.).

Fond »Rücksitz (im Auto); Hintergrund«: Das Fremdwort wurde im 18. Jh. aus frz. *fond* »Grund; Grundstock« entlehnt, das neben gleichbed. frz. *fonds* steht. Letzteres wurde im 18. Jh. als **Fonds** übernommen, das bei uns speziell als Terminus des Geldwesens im Sinne von »Geld-, Vermögensreserve« gilt. Beide Wörter, frz. *fond* und frz. *fonds*, gehen zurück auf lat. *fundus* »Boden, Grund[lage]« (vgl. *Fundus*).

Fontäne »mächtiger, aufsteigender [Wasser]strahl (vor allem eines Springbrunnens)«: Das seit dem 16./17. Jh. bezeugte, aus frz. *fontaine* »[Spring]brunnen« entlehnte Substantiv (jedoch schon mhd. *fontāne, funtāne* »Quelle« als Lehnwort aus dem Afrz.) gehört zu einer Reihe von Fremdwörtern aus dem Bereich der Gartenbaukunst der Renaissancezeit, die uns teils unmittelbar aus Frankreich (wie ↑Bassin und ↑Kaskade), teils durch niederl. Vermittlung (wie das Fremdwort *Rabatte* [↑Rabatt]) erreichten. Frz. *fontaine* geht zurück auf vlat. *fontana* »Quelle«, das zu dem gleichbedeutenden Substantiv lat. *fons (fontis)* gehört.

foppen: Das seit Ende des 15. Jh.s zunächst in der Bedeutung »lügen« bezeugte Verb stammt aus der Gaunersprache. Seine weitere Herkunft ist dunkel. Im 17. Jh. erscheint es in der Umgangssprache mit dem heutigen Sinn »anführen, necken«.

forcieren »mit Nachdruck betreiben, vorantreiben«: Das Verb wurde im 17. Jh. aus gleichbed. frz. *forcer* entlehnt, das auf vlat. **fortiare* »zwingen« zurückgeht (zu vlat. **fortia* »Kraft, Macht«, lat. *fortis* »stark, kräftig, fest«; vgl. *Fort*).

fordern: Das nur dt. Verb mhd. *vo[r]dern*, mnd. *vorderen*, ahd. *fordarōn* ist eine Ableitung von ↑vorder und bedeutet eigentlich »verlangen, dass jemand oder etwas hervorkommt«. Seit dem 13. Jh. ist es ein typisches Wort der Rechtssprache für das Beanspruchen von Leistungen und Gebühren. Die zusammengesetzten Verben ›an-, auf-, heraus-, überfordern‹ werden mit persönlichem Objekt gebraucht. ›Herausfordern‹ meinte ursprünglich »zum Zweikampf aus dem Hause rufen«, wie es noch im 18. Jh. studentischer Brauch war, doch gilt hierfür schon im 13. Jh. auch einfaches ›fordern‹. – Abl.: **Forderung** »[rechtliches] Verlangen; Geldanspruch; Herausforderung zum Zweikampf« (mhd. *vo[r]derunge*, ahd. *fordrunga*).

fördern: Mhd. *vürdern*, mnd. *vörderen*, ahd. *furdiren*, aengl. *fyrđran* bedeuten eigentlich »weiter nach vorn bringen«. Sie sind abgeleitet von **fürder** »weiter, ferner«, einer heute veralteten Komparativbildung zu ↑fort (mhd. *vürder*, ahd. *furdir*, engl. *further*). Seit dem 16. Jh. bedeutet ›fördern‹ bergmännisch auch »aus dem Erdinnern fort-, wegschaffen, durch Abbau gewinnen« (in ›Erz, Kohle fördern‹). – Abl.: **förderlich** (mhd. *vürderlich*). Präfixbildung: **befördern** (16. Jh., früher wie ›fördern‹ gebraucht, seit dem 18. Jh. für »im Dienst aufrücken lassen«, seit Anfang des 19. Jh.s auch Verdeutschung von ›[Waren] spedieren‹), dazu **Beförderung** »Aufrücken im Dienst; Spedition«.

Forelle: Die seit dem 16. Jh. bezeugte Form des Fischnamens hat sich durch Betonung der Mittelsilbe aus mhd. *forhele* entwickelt, einer Nebenform von mhd. *forhe[n]*, ahd. *forhana*, entsprechend mniederl. *voorne*, aengl. *forn[e]*. Der westgerm. Name der Forelle, der im Ablaut zu schwed. *färna* »Weißfisch« steht, gehört zu der unter ↑Farbe dargestellten Wurzel **perk̂-* »gesprenkelt, bunt«, vgl. z. B. mir. *erc* »gefleckt, dunkelrot«, substantiviert »Forelle, Lachs«. Der Fisch ist nach den bunten Tupfen auf seinem Rücken benannt.

Form: In mhd. Zeit als *forme* aus lat. *forma* entlehnt, galt das Wort zunächst nur in dessen konkreter Grundbedeutung »äußere Gestalt, Umriss«, dann auch im Sinne von »Muster, Modell (zur Herstellung einer bestimmten Form)«, und im Sinne von »Art und Weise; Gepräge, eigentümlicher Charakter, [seelische] Verfassung«. An diese Bedeutungen schließen sich an: **formen** »modellieren; gestalten, bilden« (mhd. *formen*); **...förmig** »von bestimmter Gestalt, von bestimmtem Ausdruck« (mhd.), heute nur noch als Hinterglied von Zusammensetzungen wie **einförmig** und **gleichförmig.** Aus dem sozialen Bereich, wo das Wort ›Form‹ etwa die Art und Weise, den Stil zwischenmenschlicher Kontakte, insbesondere auch die guten oder schlechten Manieren im Umgang bezeichnet, sind zu nennen die Adjektive **förmlich** »gezwungen, steif« (mhd. *formelich* »vorbildhaft; schicklich«) und **formlos** »ungezwungen« (mhd. *formelos* »ohne Form, gestaltlos«), ferner die Zusammensetzung **Umgangsformen.** – Zu lat. *forma*, das vielleicht Lehnwort aus griech. *morphḗ* »Gestalt« ist (eventuell durch etrusk. Vermittlung), stellen sich zahlreiche Bildungen, die in unserem Fremdwortschatz eine Rolle spielen. Dazu gehören: lat. *formalis* »zur Form gehörig; äußerlich« (↑formal, Formalität, Formalismus, formalistisch, ↑formell), lat. *formare* »formen, gestalten; einrichten, ordnen« (↑formieren, ↑Format), lat. *formula* »kleine Form, Gestalt; Norm, Maßstab, Bestimmung« (↑Formel, ↑Formular, ↑formulieren), ferner lat. *con-formare* »entsprechend (harmonisch) formen, bilden, passend einrichten, anordnen« (↑konform, Konformismus), lat. *de-formare* »abformen; verformen« (↑deformieren, Deformation), lat. *in-formare* »eine Gestalt geben, formen; durch Unterweisung bilden« (↑informieren, Information), lat. *re-formare* »umgestalten, umbilden, neu gestalten« (↑reformieren, Reformation, Reform, Reformator), lat. *trans-formare* »umformen, verwandeln« (↑Transformator), schließlich noch lat. *uniformis* »einförmig; einfach« (↑Uniform). Beachte auch die Wendung *pro forma* und den Artikel *Plattform.*

formal »die Form betreffend, nur äußerlich, unlebendig«: Das Adjektiv wurde im 18. Jh. wie frz. *formel*, aus dem etwa gleichzeitig unser Adjektiv **formell** »förmlich; unpersönlich, nur zum Schein« übernommen wurde, aus lat. *formalis* »die Form betreffend, äußerlich, förmlich« entlehnt (vgl. *Form*). – Dazu stellen sich die nlat. Bildungen **Formalismus** »Überbetonung des rein Formalen« (19. Jh.) mit **formalistisch** und **Formalist,** ferner das aus mlat. *formalitas* stammende Substantiv **Formalität** »Formsache, Förmlichkeit« (17. Jh.).

Format: Das seit dem 16. Jh. bezeugte Fremdwort galt anfangs nur als Fachwort der Buchdruckersprache. Es bezeichnet dort das nach Länge und Breite genormte Größenverhältnis, speziell von Papierbogen. Später entwickelte sich daraus eine allgemeine übertragene Bedeutung »ausgeprägte Persönlichkeit und das von ihrer Eigenart bestimmte hohe Niveau«. Das Wort ist entlehnt aus lat. *formatum* »das Geformte; das Genormte«, dem substantivierten Part. Perf. von lat. *formare* »formen; ordnen« (vgl. *Form*).

Formel »feststehender Ausdruck, Wendung, Redensart; durch mathematische Zeichen dargestellter Satz«: Das Fremdwort wurde im 16. Jh. als *formul* entlehnt aus lat. *formula* »kleine Form, Gestalt; Norm, Maßstab, Bestimmung«, der Verkleinerungsform von lat. *forma* (vgl. *Form*). Vgl. auch die Artikel *Formular* und *formulieren*.

formell ↑formal.

formieren »(Truppen) aufstellen, anordnen«: Das Verb wurde als militärisches Fachwort im 17. Jh. aus gleichbed. frz. *former* entlehnt. Das frz. Verb geht wie mhd. *formieren* »gestalten, bilden« auf lat. *formare* zurück (vgl. *Form*).

förmlich, formlos ↑Form.

F

Formular »Vordruck, Muster«: Das Fremdwort wurde im 16. Jh. substantiviert aus lat. *formularius (-ium)* »die vorgeschriebenen [Rechts-, Gewichts]formeln betreffend, enthaltend«, das zu lat. *formula* »kleine Form« (vgl. *Formel*) gehört.

formulieren »in eine angemessene sprachliche Form bringen, abfassen«: Das Verb wurde im 19. Jh. aus gleichbed. frz. *formuler* entlehnt, das von frz. *formule* abgeleitet ist (vgl. *Formel*).

forsch »draufgängerisch, schneidig«: Das durch die Studentensprache verbreitete Adjektiv wurde im 19. Jh. aus niederd. *fors* »kräftig« übernommen. Dies ist eine Neubildung zu dem mniederd. Substantiv *forse* (daraus mdal. *Forsche* »Nachdruck«), das im 16. Jh. aus frz. *force* »Kraft, Macht« entlehnt wurde. Voraus liegt vlat. **fortia*, das eigentlich Neutr. Plur. von lat. *fortis* »kräftig, stark, fest« ist (vgl. *Fort*).

forschen: Das ursprünglich nur im hochd. Sprachgebiet gebräuchliche Verb mhd. *vorschen*, ahd. *forscōn* »fragen, [aus]forschen« geht wie lat. *poscere* »fordern, verlangen« (↑postulieren) und aind. *pṛccháti* »er fragt« auf die idg. Wurzel **per[e]k̂-* »fragen, bitten« zurück, deren weitere Beziehungen im Artikel *Furche* dargestellt sind. Heute wird ›forschen‹ außer in der Bedeutung »zu finden, zu ermitteln suchen« besonders im Sinne von »sich um wissenschaftliche Erkenntnis bemühen, mit wissenschaftlichen Methoden ergründen« verwendet. An diesen Gebrauch schließen sich **Forscher** (mhd. *vorschære*), **Forschung** (mhd. *vorschunge*, ahd. *forskunga*) und das Präfixverb **erforschen** (mhd. *ervorschen*) an.

Forst: Die Herkunft des Wortes (mhd. *vorst*, ahd. *forst*) ist trotz aller Deutungsversuche unklar. Von Anfang an bezeichnet es den dem König zu Jagd, Holznutzung und Rodung vorbehaltenen Bannwald im Gegensatz zum bäuerlichen Markwald; auch nhd. ›Forst‹ ist vor allem Bezeichnung des Staatswaldes.

fort: Das westgerm. Adverb mhd. *vort*, asächs. *forth*, niederl. *voort*, engl. *forth* »vorwärts, weiter, fortan« stellt sich zu den unter ↑vor behandelten Wörtern (vgl. *ver...*). In der ursprünglichen Bedeutung »vorwärts« steht es noch in Zusammensetzungen wie ›fortkommen, -pflanzen, -schreiten, -setzen‹ und ihren Ableitungen (z. B. ↑Fortschritt) und in Adverbien wie ›hinfort‹ »weiterhin«, ›fortan‹ »von jetzt an« (s. auch *sofort*). Jetzt wird ›fort‹ meist wie ›weg‹ gebraucht, z. B. in ›forteilen, -nehmen, -gehen‹, die nur noch als »[sich] entfernen« verstanden werden. Der ursprüngliche Komparativ des Adverbs ist ›fürder‹ (s. unter *fördern*).

Fort »Festungsanlage«: Der militärische Fachausdruck wurde im 16. Jh. aus gleichbed. frz. *fort* entlehnt. Dies ist das substantivierte Adjektiv *fort* »stark, kräftig, fest«, das wie it. *forte* (↑forte, fortissimo) auf gleichbed. lat. *fortis* (alat. *forctus*) – zur idg. Sippe von dt. ↑Berg – zurückgeht. Ableitungen und Zusammensetzungen von lat. *fortis* erscheinen in den Fremd- und Lehnwörtern ↑forcieren, ↑forsch, Forsche und ↑Komfort.

forte »stark, laut«, fortissimo »äußerst kräftig, sehr laut«: Das musikalische Fachwort ist wie die meisten entsprechenden Termini des 17. und 18. Jh.s it. Ursprungs. It. *forte* (Superlativ: *fortissimo*) geht auf lat. *fortis* zurück (vgl. *Fort*).

Fortepiano ↑piano.

fortschreiten ↑schreiten.

Fortschritt: Das im 18. Jh. als Lehnübersetzung von frz. *progrès* gebildete Substantiv wird gewöhnlich für »Weiterentwicklung [des Menschen]« und – wie sein frz. Vorbild – seit 1830 als politisches Schlagwort gebraucht. – Abl.: **fortschrittlich** (19. Jh.).

Fossil »Abdruck, Versteinerung, Überrest von Tieren oder Pflanzen aus früheren Epochen der Erdgeschichte«: Das seit dem 16. Jh. bezeugte Fremdwort ist eine Bildung zu lat. *fossilis, -e* »ausgegraben« und bedeutete dementsprechend zunächst allgemein »ausgegrabenes Mineral«. Lat. *fossilis* gehört zu lat. *fodere (fossum)* »[aus]graben«.

foto..., Foto...: Dem Bestimmungswort von Zusammensetzungen mit der Bedeutung »Licht; Lichtbild«, wie in ↑fotogen, ↑Fotografie, ↑Fotokopie, liegt das Substantiv griech. *phōs, phōtós (*pháu̯os)* »Licht« zugrunde, das auch in unserem Fremdwort ↑Phosphor erscheint. Es ist mit griech. *phaínein* »sichtbar machen, zeigen« verwandt (vgl. den Artikel *Phänomen*).

fotogen »zum Fotografieren geeignet, bildwirksam«: Das Adjektiv wurde im 20. Jh. aus gleichbed. engl. *photogenic* entlehnt. Dessen Bestimmungswort ist griech. *phōs, phōtós* »Licht« (vgl. *foto..., Foto...*), hier im Sinne von »Lichtbild« (↑Fotografie). Das Grundwort gehört zum Stamm *gen-* »werden, entstehen; (aktiv:) hervorbringen, verursachen« in griech. *gígnesthai* »werden, entstehen«. Das Adjektiv bedeutet also wörtlich etwa »ein (wirksames) Lichtbild hervorbringend, entstehen lassend«.

Fotografie: Die Bezeichnung für das »Verfahren zur Herstellung dauerhafter, durch elektromagnetische Strahlen oder Licht erzeugter Bilder; Lichtbild« wurde im 19. Jh. aus gleichbed. engl. *photography* entlehnt. Dies ist eine gelehrte Neubildung des englischen Astronomen und Chemikers J. F. W. Herschel (1792–1871) aus griech. *phōs (phōtós)* »Licht« (vgl. *foto..., Foto...*) und griech. *gráphein* »schreiben, aufzeichnen« (vgl. *Grafik*). Das Wort bedeutet demnach wörtlich etwa »Lichtschreibkunst«. – Dazu das Kurzwort **Foto** »Lichtbild« (19. Jh.) und die Ableitungen **Fotograf** »berufsmäßiger Hersteller von Lichtbildern« (19. Jh.), **fotografisch** »die Fotografie betreffend« (19. Jh.) und **fotografieren** »Lichtbilder herstellen« (19. Jh.).

Fotokopie: Die Bezeichnung für »lichtbildliche Wiedergabe von Schriftstücken, Bildern oder Druckseiten« ist eine Neuschöpfung des 20. Jh.s, zusammengezogen aus ↑Fotografie und ↑Kopie. – Dazu das Verb **fotokopieren** »eine Fotokopie herstellen«.

Fotze: Der seit dem 15. Jh. bezeugte vulgäre Ausdruck für das weibliche Geschlechtsteil ist eine Ableitung von gleichbed. mhd. *vut,* dem im germ. Sprachbereich engl. mdal. *fud* und aisl. *fuđ-* entsprechen. Diese Wörter gehören wahrscheinlich zu der unter ↑faul dargestellten idg. Wurzel **pū̆-* »faulen, stinken«.

foul »regelwidrig«: Aus England, dem Mutterland des Fußballsports, wurde im 20. Jh. eine Reihe von Ausdrücken der Fußballersprache entlehnt. Die meisten davon wurden allerdings später durch Lehnübersetzungen ersetzt (beachte z. B. *Aus* [↑aus] für engl. out oder *Halbzeit* [↑halb] für *halftime*). Durchgesetzt haben sich neben ›foul‹ – dazu **Foul** »regelwidriges, unfaires Spiel« (engl. *foul*) und **foulen** »regelwidrig, unfair spielen« (engl. *to foul*) – nur noch ↑dribbeln, Dribbling, ↑kicken usw. und ↑stoppen, Stopper. Engl. *foul* bedeutet eigentlich »schmutzig, unrein; hässlich; übel« und ist identisch mit dt. ↑faul.

Foyer: Die Bezeichnung für »Vorhalle, Wandelgang (im Theater)« wurde zu Beginn des 19. Jh.s aus gleichbed. frz. *foyer* entlehnt, dessen Grundbedeutung »Herd; Raum mit einem Herd, Wärmeraum« ist. Das frz. Wort geht zurück auf vlat. **focarium,* eine Substantivierung von lat. *focarius* »zum Herd, zur Feuerstätte gehörend«, das zu lat. *focus* »Herd, Feuerstätte« gehört. Im Foyer, dem Raum mit der Feuerstätte, kamen die Zuschauer und ursprünglich auch die Schauspieler vor den Aufführungen und während der Pausen zusammen, zum Aufwärmen und Entspannen und zum Gedankenaustausch. – Zu lat. *focus,* das etymologisch nicht geklärt ist, gehört noch ↑Fächer.

Fracht: Das im 16. Jh. aus dem Niederd. ins Hochd. übernommene Wort geht zurück auf mnd. *vracht* »Frachtgeld, Schiffsladung«, das seinerseits aus dem Fries. stammt. Aus dem Fries. oder aus dem Mnd. stammen auch [m]niederl. *vracht* (daraus älter engl., noch schott. *fraught,* engl. *freight*) und schwed. *frakt.* Das Substantiv hat sich wie entsprechend ahd. *frēht* »Verdienst, Lohn« aus germ. **fra-aihti* entwickelt, einer Bildung aus dem unter ↑ver... behandelten Präfix und dem im Nhd. untergegangenen Substantiv ahd. *ēht,* got. *aihts,* aengl. *ǣht* »Eigentum, Habe«. Das Wort bedeutete ursprünglich »Beförderungspreis«, dann »gegen Bezahlung beförderte Ladung«. – Abl.: **frachten** (veraltet, dafür jetzt **befrachten** und **verfrachten;** mnd. *[be-, ver]vrachten* »laden, ein Schiff mieten«); **Frachter** »Frachtschiff« (niederd. im 20. Jh.).

Frack: Die Bezeichnung für den Abendanzug wurde im 18. Jh. aus engl. *frock* »Rock« entlehnt, das ursprünglich ein langes Mönchsgewand bezeichnete und seinerseits auf ein nicht sicher gedeutetes afrz. (= frz.) *froc* zurückgeht.

Frage: Das auf das dt. und niederl. Sprachgebiet beschränkte Substantiv mhd. *vrāge,* ahd. *frāga,* niederl. *vraag* gehört mit dem im Dt. untergegangenen starken Verb got. *fraíhnan* »fragen«, aengl. *frignan* »fragen, erfahren«, aisl. *fregna* »fragen, erfahren« zu der idg. Wurzel **p[e]rek̂-* »fragen, bitten«. In anderen idg. Sprachen sind z. B. verwandt aind. *praśná-ḥ* »Frage, Erkundigung« und lat. *precari* »bitten«. Über die weiteren Zusammenhänge vgl. den Artikel *Furche.* – Abl.: **fragen** (mhd. *vrāgen,* ahd. *frāgēn, frāhēn;* vgl. niederl. *vragen,* aengl. *frāgian*); **fraglich** »infrage stehend; unsicher« (Anfang des 19. Jh.s; ähnlich schon ahd. *frāgelīcho* »in fragender Weise«). Zus.: **Fragezeichen** (Lehnübersetzung des 16. Jh.s für lat. *signum interrogationis*). Die Zusammensetzung **fragwürdig** bedeutete als Lehnübertragung von engl. *questionable* (um 1800) zunächst »einer Befragung wert«, wurde dann aber im Sinne von »zweifelhaft, verdächtig« gebraucht, den auch das engl. Wort heute hat.

Fragment »Bruchstück«: Das Fremdwort wurde im 16. Jh. aus gleichbed. lat. *fragmentum* entlehnt. Das zugrunde liegende Verb lat. *frangere (fregi, fractum)* »brechen«, das urverwandt ist mit dt. ↑brechen, erscheint mit verschiedenen Ableitungen auch in den Fremdwörtern ↑Fraktion, ↑Fraktur und ↑Refrain.

fragwürdig ↑Frage.

Fraktion: Die Bezeichnung für »parlamentarische Vertretung einer Partei« wurde im 19. Jh. aus frz. *fraction* »Bruchteil, Teil« entlehnt, das auf lat. *fractio* »das Brechen, der Bruch« zurückgeht (zu lat. *frangere [fractum]* »brechen«, vgl. *Fragment*). Die Bedeutungsübertragung erfolgte wohl unter dem Einfluss des heute veralteten, aus lat. *factio* »Partei« entlehnten Fremdworts ›Faktion‹ »radikale politische Partei«.

Fraktur: Das seit dem 16. Jh. bezeugte Fachwort der Druckersprache bezeichnet eine Art »Bruchschrift«, die so genannte ›deutsche Schrift‹. Es ist wohl verkürzt aus Zusammensetzungen wie ›Frakturbuchstabe, Frakturschrift‹. Voraus liegt lat. *fractura* »Bruch«, das zu lat. *frangere* »brechen« (vgl. *Fragment*) gehört. Einen zweiten Anwendungsbereich fand ›Fraktur‹ später in der medizinischen Fachsprache. Es wird dort im Sinne von »Knochenbruch« gebraucht.

Fraktur

[mit jmdm.] Fraktur reden
(ugs.) »[jmdm.] unverblümt seine Meinung sagen«
Die Wendung bezieht sich darauf, dass die gebrochenen, eckigen Formen der Frakturschrift im Vergleich zu den weichen, runden Formen der Lateinschrift als derb und grob empfunden werden. Sie meint also eigentlich »grob mit jmdm. reden«.

Franc (französische Währungseinheit): Die frz. Bezeichnung franc – dafür in der Schweiz ›Franken‹ – hat sich aus der mlat. Devise ›Francorum rex‹ »König der Franken« entwickelt, die den ersten im Jahre 1360 hergestellten Münzen dieser Art aufgeprägt war.

frank »frei, offen«: Das im 15. Jh. aus frz. *franc* mlat. *Francus* »Franke; (adjektivisch:) fränkisch; frei« entlehnte Adjektiv war von Anfang an vornehmlich in der Fügung ›frank und frei‹ üblich, in der es heute noch allein lebendig ist. Die synonyme Stellung von »fränkisch« und »frei« ergab sich aus der historischen Bedeutung der Franken, die als Eroberer und freie Herren galten. Ihr Stammesname, der etymologisch mit unserem Adjektiv ↑frech verwandt ist, nennt sie die »Kühnen, Dreisten«. Er erscheint im Landesnamen ›Frankreich‹, in Ortsnamen wie ›Frankfurt‹, ferner in zahlreichen Personennamen wie Frank, Franz, Franziska, schließlich noch in den Fremd- und Lehnwörtern ↑franko, frankieren, ↑Franc.

franko »frei«: Das Adjektiv ist wie andere Wörter des Postwesens, z. B. ↑Post und ↑Porto, it. Herkunft. Voraus liegt it. *franco* in der Fügung *porto franco* »Beförderung frei«, das im 17. Jh. mit dem abgeleiteten Verb *francare* »freimachen« – daraus nhd. **frankieren** – entlehnt wurde. Zugrunde liegt der Stammesname der Franken, mlat. Francus (vgl. *frank*).

Franse: Die seit mhd. Zeit bezeugte Bezeichnung für »Fadenbündel als Randbesatz; loser Gewebefaden« (mhd. *franse*) beruht auf einer Entlehnung aus gleichbed. frz. *frange*. Das frz. Wort geht auf vlat. **frimbia* zurück, das aus lat. *fimbria* »Haargekräusel; Tierzotte; Franse« umgestellt ist.

frappieren »überraschen, befremden«: Das Verb wurde im 18. Jh., etwas früher als das zugehörige Adjektiv **frappant** »überraschend, verblüffend«, aus gleichbed. frz. *frapper* (Part. Präs. *frappant*) entlehnt, das eigentlich »schlagen, treffen« bedeutet und wohl auf afränk. **hrapōn* »rupfen, raufen« zurückgeht (vgl. *raffen*).

Fräse »Hobel-, Feilmaschine«: Der Werkzeugname wurde im 19. Jh. aus gleichbed. frz. *fraise* entlehnt. Das frz. Wort ist identisch mit *fraise* »Halskrause« (ursprünglich »Gekröse«, zu *fraiser* »der Hülle entledigen«); das Werkzeug ist also nach den Einschnitten, die denen einer Halskrause ähneln, benannt.

Fraß ↑fressen.

Fratze: Das zuerst bei Luther im Plural *Fratzen* für »Possen, albernes Gerede« bezeugte nhd. Wort geht vermutlich zurück auf it. *frasche* »Possen« (Plural zu *frasca* »Laubast [als Schenkenzeichen]«, nach dem ausgelassenen Treiben in den Schenken). Die heutige Bedeutung »verzerrtes, hässliches Gesicht« entstand im 18. Jh. durch Verkürzung der Zusammensetzung ›Fratzengesicht‹ »Possenreißergesicht«. – Dazu **Fratz** »unartiges Kind, schelmisches Mädchen« (im 16. Jh. *fratz[e]* »Laffe, possenhafter Kerl«, wohl unmittelbar nach gleichbed. it. *frasca*, das mit dem oben genannten Wort identisch ist).

Frau: Mhd. *vrouwe*, ahd. *frouwe* sind (wie der aisl. Name der Göttin Freyja) weibliche Bildungen zu einem im Dt. untergegangenen germ. Wort für »Herr«, das in got. *frauja*, asächs. *frōio*, aengl. *friega* »Herr« und dem aisl. Namen des Gottes Freyr bewahrt ist, mit anderer Bildung auch in gleichbed. ahd. *frō*, asächs. *frāo*, aengl. *frēa* (s. die Wörter um *Fron*). Die eigentliche Bedeutung des Maskulinums ist »der Erste«. Es gehört zu idg. **prŏ̄* »vorwärts, vorn« (vgl. *ver...*); vgl. z. B. die verwandten Bildungen aind. *pū́rva-ḥ* »der Erste, Vorderste«, alban. *parë* »der Erste, Vorderste«. Ebenso hat auch dt. *Fürst* (s. d.) seine Bedeutung gewonnen. Dieser Herkunft gemäß ist ›Frau‹ im Dt. lange Zeit vor allem die Bezeichnung der Herrin und der Dame von Stand gewesen, wovon heute noch die Gegenüberstellung mit Herr in der Anrede (auch als ›gnädige Frau‹) ebenso zeugt wie die Bezeichnung Marias als ›Unsere [Liebe] Frau‹. Auch **Hausfrau** (mhd. *hūsvrouwe*) bedeutet eigentlich »Hausherrin, Gattin«. An die ehrende Anrede weiblicher Götter und Geister erinnert noch der Name ›Frau Holle‹ (↑Holle). Als Standesbezeichnung ist ›Frau‹ seit dem 17. Jh. von ›Dame‹ (s. d.) verdrängt worden, andererseits ist es in der Bedeutung »erwachsene weibliche Person, Ehefrau« an die Stelle von mhd. *wīp* getreten (↑Weib). – Abl.: **Fräulein** (seit dem 12. Jh. bezeichnet mhd. *vrouwelīn* als Verkleinerungsbildung zu *vrouwe* besonders die unverheiratete junge Frau vornehmen Standes; die Bezeichnung war bis ins 18./19. Jh. dem Adel vorbehalten und wurde dann auch auf bürgerliche junge Frauen ausgedehnt; danach galt sie allgemein für die unverheiratete [jüngere] Frau); **fraulich** »der Art einer [reifen] Frau entsprechend« (mhd. *vrouwelich* »der ›vrouwe‹ gemäß«).

frech: Das gemeingerm. Adjektiv lautet mhd. *vrech* »tapfer, kühn; lebhaft; keck«, ahd. *freh* »ungezähmt; begierig, habsüchtig«, got. *(faíhu)friks* »geldgierig«, aengl. *frec* »gierig«, aisl. *frekr* »gierig«. Ablautend verwandt sind mniederl. *vrak*

»gierig«, aengl. *fræc* »gierig, eifrig, kühn« und schwed. mdal. *frak* »schnell, mutig« sowie der Stammesname Franken (in der Wortgruppe um ↑frank); vgl. auch poln. *pragnąć* »gierig verlangen«. Den heutigen tadelnden Sinn von »dreist, unverschämt« hat ›frech‹ erst im Nhd. voll ausgebildet. – Abl.: **Frechheit** (mhd. *frecheit* »Kühnheit«).

Fregatte (früher für:) »schnell segelndes, dreimastiges Kriegsschiff; Geleitschiff«: Dieses ursprünglich ein »Beiboot« bezeichnende Wort erscheint seit dem 16. Jh., zuerst in oberd. Quellen. Gesichert ist nur die roman. Herkunft des Wortes (frz. *frégate*, it. *fregata*).

frei: Das Adjektiv mhd. *vrī*, ahd. *frī*, got. *freis*, engl. *free*, aisl. (anders gebildet) *frjāls* gehört mit verwandten Wörtern in anderen idg. Sprachen zu der idg. Wurzel **prāi-* »schützen, schonen; gern haben, lieben«, vgl. z. B. aind. *priyá-ḥ* »lieb, erwünscht; Geliebte[r], Gatte«, aslaw. *prijati* »günstig sein, beistehen«. Zu dieser Wurzel stellen sich im germ. Sprachbereich z. B. got. *frijōn* »lieben« (↑²freien und ↑Freund), got. *freidjan* »schonen« (↑Friedhof) und ahd. *fridu* »Schutz, Friede« (↑Friede[n]). Siehe auch den Artikel *Freitag*. Aus der oben genannten Grundbedeutung der idg. Wurzel haben die Germanen ›frei‹ als Begriff der Rechtsordnung entwickelt: Die Personen, die man liebt und daher schützt, sind die eigenen Sippen- und Stammesgenossen, die ›Freunde‹ (s. d.); sie allein stehen ›frei‹, d. h. »vollberechtigt« in der Gemeinschaft, im Gegensatz zu den fremdbürtigen Unfreien (Unterworfenen, Kriegsgefangenen). Dieser rechtlich-soziale Begriff wandelte sich im historischen Ablauf durch vielerlei ständische Umschichtungen. Aus ihm ergibt sich der Gedanke der äußeren politischen wie der inneren geistig-seelischen Freiheit und weiter die allgemeine Anwendung des Adjektivs im Sinne von »nicht gebunden, unbelastet, unabhängig, nicht beengt oder bedeckt«. – Abl.: **¹freien** »frei machen« (mhd. *vrīen*, jetzt nur noch in **befreien** [mhd. *bevrīen*] und in ↑Gefreite); **Freiheit** (mhd. *vrīheit*, ahd. *frīheit* »freier Sinn; verliehenes Vorrecht«, mhd. auch »privilegierter Bezirk, gefreiter Ort«, woraus nhd. ›Schloss-, Domfreiheit‹ in der Bedeutung »offener Platz vor einem Gebäude« wurde); **freilich** (mhd. *vrīlīche* »ungehindert, unbekümmert« gewinnt im 15. Jh., wohl über »unverdeckt, offenbar« den bekräftigenden Sinn »sicherlich, allerdings«). Von den zahlreichen Zusammensetzungen seien genannt: **Freibeuter** (↑Beute); **Freibrief** (im 15. Jh. für »Privileg, Pass«; jetzt nur übertragen); **Freigeist** (im 17. Jh. Lehnübersetzung von frz. *esprit libre*); **Freiherr** »Baron« (spätmhd. *vrīherre, vrīer herre* »freier Edelmann«, im Gegensatz zum unfreien Ministerialen), dazu **Freifrau** »Baronin« (spätmhd. *vrīvrouwe*); **Freimaurer** (im 18. Jh. Lehnübersetzung für engl. *Freemason*, das ursprünglich den in die Geheimzeichen der Bauhütten [engl. *lodge*, ↑Loge] eingeweihten Steinmetzgesellen bezeichnete, seit etwa 1700 aber das Mitglied eines nach Art der Bauhütten organisierten Geheimbundes; entsprechend frz. *franc-maçon*); **Freischärler** (19. Jh.; Ableitung von ›Freischar‹ »Schar freiwilliger Soldaten« [19. Jh.], das für älteres ›Freikorps‹ steht); **freisprechen** (↑sprechen); **Freistaat** (im 18. Jh. für ›Republik‹); **Freitod** verhüllend für »Selbsttötung« (Anfang des 20. Jh.s nach Nietzsches ›Vom freien Tode‹ gebildet); **freiwillig** (16. Jh.); **Freizeit** (19. Jh.); **vogelfrei** (↑Vogel).

Freibeuter ↑Beute.

Freibrief, ¹freien ↑frei.

²freien »heiraten, um eine Braut werben«: Das im 16. Jh. durch Luthers Bibelübersetzung in die hochd. Schriftsprache eingeführte Wort (mnd. *vrīen, vrigen*, mitteld. *vrīen*) entspricht entweder asächs. *friehōn*, got. *frijōn*, aengl. *friogan*, aisl. *frjā* »lieben« (vgl. *Freund*) oder ist von asächs. *frī* »Frau, Weib« abgeleitet. – Abl.: **Freier** (im 13. Jh. mnd., mitteld. *vrīer*, zunächst für den vermittelnden Boten, dann für den Bräutigam; dazu seit dem 16. Jh. die Wendung ›auf Freiersfüßen gehen‹ »eine Frau zum Heiraten suchen«).

Freifrau ↑frei.

freigebig ↑geben.

Freigeist, Freiheit, Freiherr ↑frei.

Freikorps ↑Korps.

freilich, Freimaurer, Freischärler ↑frei.

freisprechen ↑sprechen.

Freistaat ↑frei.

Freitag: Die altgerm. Bezeichnung des sechsten Wochentages mhd. *vrītac*, ahd. *frīa-, frijetag*, niederl. *vrijdag*, engl. *Friday*, schwed. *fredag* ist wie die Namen der anderen Wochentage eine Lehnübersetzung. Sie ist gebildet mit dem Namen der Göttin Frija (der Gemahlin Wodans [Odins]), ahd. *Frī[j]a*, aisl. *Frigg* (eigentlich »die Geliebte«; vgl. *frei*), die die Germanen der römischen Venus gleichsetzten (lat. *Veneris dies* »Tag der Venus« lebt in frz. *vendredi*, it. *venerdì*; s. auch *Dienstag*). – Zus.: **Karfreitag** (s. d.).

Freitod, freiwillig, Freizeit ↑frei.

fremd: Das altgerm. Adjektiv mhd. *vrem[e]de*, ahd. *fremidi*, got. *framaþeis*, niederl. *vreemd*, aengl. *fremeđe* ist eine Ableitung von dem im Nhd. untergegangenen gemeingerm. Adverb **fram* »vorwärts, weiter; von – weg« (mhd. *vram*, ahd. *fram*, got. *fram*, engl. *from*, aisl. *fram*; vgl. *ver...*) und bedeutete ursprünglich »entfernt«, dann »unbekannt, unvertraut«. – Abl.: **¹Fremde** »Person, die aus einem anderen Land stammt; Unbekannte[r]« (mhd. *vremde*; noch in neuerer Zeit oft mit ↑Gast gleichgesetzt, beachte Zusammensetzungen wie ›Fremdenbuch, -heim, -verkehr‹); **²Fremde** »Land fern der Heimat« (mhd. *vrem[e]de* »Entfernung, Trennung, Feindschaft; fremdes Land«); **Fremdling** (mhd. *vremdelinc*); zu der heute veralteten Ableitung ›fremden‹ (mhd. *vremden* »fremd machen, entfremden, fernbleiben«) gebildet sind **befremden** »fremdartig berühren« (15. Jh.), dazu **Befremden** und **befremdlich** (17. Jh.), **entfremden** »fremd machen« (mhd. *entvremden*), ferner das heute besonders als literarisches Fachwort bekannte **verfremden** »unerwartet verändern, distanzieren, verwirren« (im 19. Jh. für »fremd machen, werden«). – Zus.: **Fremdenlegion** (↑Legion); **Fremdkörper** (nach 1900 in der medizinischen Fachsprache); **Fremdwort** (Anfang des 19. Jh.s; dafür im 16. Jh. ›fremdes Wort‹).

Frequenz »Häufigkeit, Dichte (besonders auch in der Physik von der ›Anzahl‹ der Schwingungen pro Zeiteinheit); Besucherzahl«: Das Fremdwort wurde in allgemeiner Bedeutung schon im 17. Jh. aus lat. *frequentia* »zahlreiches Vorhandensein, Häufigkeit« entlehnt. Das zugrunde liegende Adjektiv lat. *frequens* »häufig, zahlreich« gehört vielleicht mit einer Grundbedeutung »gestopft voll« zu lat. *farcire* »stopfen« (vgl. *Farce*). – Abl.: **frequentieren** »häufig besuchen, ein und aus gehen« (16./17. Jh.; aus gleichbed. lat. *frequentare*).

[1]**Fresko** »Wandmalerei auf frischem, feuchtem Kalkputz«: Wie zahlreiche andere Fachwörter aus dem Bereich der bildenden Kunst (z. B. ↑Aquarell, ↑Miniatur, ↑Skizze) ist auch dieses Wort it. Herkunft. Es ist zunächst verkürzt aus der Zusammensetzung ›Freskogemälde‹ (18. Jh.), die zurückgeht auf it. *pittura a fresco*. Im 19. Jh. erscheint als jüngere Entlehnung aus frz. *fresque* (it. *fresco*) gleichbed. **Freske** (Plural *Fresken*). It. *fresco* »frisch« ist wie entsprechend frz. *frais* aus einer germ. Vorform unseres Adjektivs ↑frisch hervorgegangen. – [2]**Fresko** »poröses, luftiges, raues Kammgarngewebe«: Der Stoffname ist eine Fantasiebezeichnung, formal identisch mit ↑[1]Fresko (20. Jh.).

fressen: Das altgerm. Verb mhd. *v[e]reẓẓen*, ahd. *freẓẓan*, got. *fra-itan*, niederl. *vreten*, engl. *to fret* »zerfressen« ist gebildet aus dem unter ↑essen behandelten Verb und dem unter ↑ver... dargestellten Präfix. Die Grundbedeutung »weg-, aufessen, verzehren« gilt noch in mhd. Zeit. Erst im Nhd. wird ›fressen‹ gewöhnlich auf die Nahrungsaufnahme von Tieren bezogen und ugs. im Sinne von »gierig essen« verwendet. Um ›fressen‹ gruppieren sich die Verbbildungen ›ab-, an-, auffressen‹ und ›verfressen‹, beachte auch **verfressen** »gefräßig«, dazu **Verfressenheit** (beide 19. Jh.). – Abl.: **Fraß** (mhd. *vrāẓ* »Fressen, Schlemmerei« steht nhd. derb ugs. für »schlechtes Essen«, in der alten Bedeutung noch in ›Knochenfraß‹ für »Karies«; die Bedeutung »Fresser« von ahd. *frāẓ*, mhd. *vrāẓ* zeigt noch ↑Vielfraß), dazu **gefräßig** (17. Jh.; für mhd. *vrǣẓec*); **Fressalien** ugs. für »Esswaren« (im 19. Jh. nach ›Viktualien‹ gebildet, wohl studentensprachlich); **Fresse** derb für »Mund; Gesicht« (17. Jh.); **Fressen** (17. Jh.); **Fresser** ugs. für »Mensch, der viel isst« (mhd. *vreẓẓer*). Zus.: **Fresssack** »Vielfraß« (im 18. Jh. ugs.; eigentlich »Speisesack des Reisenden«).

fressen

jmdn., etwas gefressen haben [wie zehn Pfund grüne Seife/Schmierseife]
(ugs.) »jmdn., etwas nicht leiden können«
Die Wendung nimmt Bezug auf den Genuss von schwer verdaulichen Speisen, die einem dann im Magen liegen und Beschwerden verursachen.

Frett, Frettchen: Das zum Kaninchenfang abgerichtete wieselartige Tier war schon den alten Römern bekannt. Sein Name, der auf gleichbed. lat. *furo*, eigentlich »Räuber« (zu lat. *fur* »Dieb«; vgl. *Furunkel*) oder auf vlat. **furittus* (> it. *furetto*) »Räuberchen« zurückgeht, erscheint in frühnhd. Texten als *frett[e]*, *fretlen* (Verkleinerungsform im Plural), *frettel* durch Vermittlung von frz., mniederl. *furet*, niederl. *fret*. – Abl.: **frettieren** »mit dem Frettchen Kaninchen fangen« (20. Jh.; Weidmannssprache).

Freude: Mhd. *vröude*, ahd. *frewida*, *frouwida* (ähnlich niederl. *vreugde*) ist eine Bildung zu dem unter ↑froh behandelten Adjektiv. Es zeigt dasselbe Suffix wie z. B. ›Begierde, Gemeinde, Zierde‹. Ablautend verwandt sind schwed. *fröjd* »Lust«, norw. *fryd* (mundartl. *frygd*) »Lebhaftigkeit, Lebenslust«, deren Bedeutung wohl vom Dt. beeinflusst ist. Auf dem im Mhd. häufig gebrauchten Plural beruht die Fügung ›mit, vor Freuden‹. – Abl.: **freudig** (16. Jh.). Zus.: **Freudenmädchen** »Prostituierte« (Lehnübersetzung des 18. Jh.s für frz. *fille de joie*), danach auch **Freudenhaus** »Bordell« (18. Jh.; älter in der Bedeutung »Haus voller Freude«, wie schon mhd. *vröudenhūs*).

freuen: Das nur dt. Verb (mhd. *vröuwen*, ahd. *frouwen*, *frewan*) ist Bewirkungswort zu dem unter ↑froh behandelten Adjektiv und bedeutet daher eigentlich »froh machen«. Das gewöhnlich reflexiv für »froh sein« gebrauchte Verb steht transitiv nur bei sachlichem Subjekt: ›das [Geschenk] freut mich‹. Sonst gilt, bei persönlichem Subjekt ausschließlich, **erfreuen** (mhd. *ervröuwen*) in dieser Verwendung.

Freund: Wie sein Gegenwort ›Feind‹ ist auch das gemeingerm. Substantiv mhd. *vriunt*, ahd. *friunt*, got. *frijōnds*, engl. *friend*, ähnl. schwed. *frände* »Verwandte[r]« ein erstarrtes Partizip. Es gehört zu einem in got. *frijōn* »lieben« bezeugten germ. Verb aus der Sippe des unter ↑frei behandelten Adjektivs (s. auch [2]*freien*). Neben der alten Bedeutung »Blutsverwandter, Stammesgenosse« zeigt sich schon in germ. Zeit der Sinn »persönlicher Vertrauter, Kamerad«. Als Verbbildungen erscheinen ›sich mit jemandem an-, befreunden‹ (zu mhd. *vriunden* »zum Freund machen«). Weitere Ableitungen sind: **freundlich** »liebenswürdig, heiter« (mhd. *vriuntlich,* ahd. *friuntlīh* »befreundet, nach Freundesart; angenehm, lieblich«); **Freundschaft** (mhd. *vriuntschaft,* ahd. *friuntscaf;* ursprünglich und noch mdal. »Gesamtheit der Verwandten«, dann »Freundesverhältnis«), dazu **freundschaftlich** (18. Jh.).

Frevel: Das westgerm. Adjektiv mhd. *vrevel,* ahd. *fravali* »kühn, stolz, verwegen, frech«, asächs. *frabol* »trotzig«, aengl. *frævel* »schlau, frech« ist wahrscheinlich eine verdunkelte Zusammensetzung aus der Vorsilbe *fra-* (vgl. *ver...*) und einem nicht sicher erkennbaren Grundwort. Im Nhd. ist ›frevel‹ durch die Bildung **frevelhaft** (spätmhd. *vrevelhaft* »vermessen, verwegen«) verdrängt worden. Die alte Substantivierung **Frevel** stimmt in der Bedeutung mit dem Adjektiv überein. Im alten Recht war ›Frevel‹ vor allem »Übermut, Gewalttat«, später bezeichnete es leichte Vergehen und Übergriffe (noch in ›Feld-, Jagd-, Baumfrevel‹ und ähnlichen Zusammensetzungen). – Abl.: **freveln** (mhd. *vrevelen* »gewalttätig sein, notzüchtigen«), dazu **Frevler** (mhd. *vreveler*); **freventlich** (Adv.; mhd. *vrevel-, vrevenlīche* mit nhd. Gleitlaut -t-).

Friede[n]: Das altgerm. Substantiv mhd. *vride,* ahd. *fridu,* niederl. *vrede,* aengl. *friđ,* schwed. *frid* gehört mit aind. *prītí-ḥ* »Freude, Befriedigung« zu der unter ↑frei behandelten idg. Sippe und bedeutet ursprünglich »Schonung, Freundschaft«. Vgl. aus dem germ. Sprachbereich got. *gafriþon* »versöhnen«. – Im germanischen und alten deutschen Recht bezeichnete ›Friede[n]‹ den Zustand der ungebrochenen Rechtsordnung als Grundlage des Gemeinschaftslebens; dieser konnte für das ganze Land (Land-, Königsfriede) oder für einen bestimmten Bezirk (Burg-, Marktfriede) gelten; noch heute sind Land- und Hausfriedensbruch juristische Begriffe. Im Mhd. wurde das Wort auch für »Waffenstillstand« gebraucht; die heutige Hauptbedeutung »völkerrechtlicher Friedensvertrag« hat sich unter dem Einfluss von lat. *pax* »Friede« (zu *pacisci* »übereinkommen«, ↑Pakt) entwickelt. Als »innere Ruhe, Seelenfrieden« ist das Wort ursprünglich religiös gemeint im Sinne des biblischen »Friede auf Erden« (von hier aus ist ↑Friedhof umgedeutet worden). Eine weitere ahd. und mhd. Bedeutung ist »Einfriedigung, Zaun«; sie geht von der Einzäunung des unter Schutz gestellten Bezirks (Gericht, Burg, Markt) aus und hat zu den folgenden Verben geführt: **befrieden** (mhd. *[be]vriden* »Schutz verschaffen, umzäunen«, heute selten für »Frieden bringen«); **befriedigen** (im 15. Jh. *bevridigen* »schützen« neben *vridigen* »beruhigen«; dann an ›zufrieden‹ angelehnt und im Sinne von »zufrieden stellen« gebraucht); **friedlich** (mhd. *vridelich* »geschützt, friedfertig, ruhig«); **friedsam** (mhd. *vridesam*). Zus.: **zufrieden** »nicht beunruhigt; befriedigt« (im 16. Jh. zusammengerückt aus Wendungen wie ›zu frieden setzen‹ »zur Ruhe bringen«, denen heutiges ›zufrieden lassen, stellen‹ usw. entsprechen; seit dem 18. Jh. auch attributives Adjektiv), dazu **Zufriedenheit** (17. Jh.).

Friedhof: Die Zusammensetzung mhd. *vrīthof,* ahd. *frīthof* bedeutete ursprünglich »eingehegter Raum« und bezeichnete zunächst wie asächs. *frīdhof* den Vorhof eines Hauses oder der Kirche. Mit kirchlicher Weihe wurde dieser Kirchhof zur Begräbnisstätte. Oberd. mdal. *Freithof* setzt die alte Form lautgerecht fort, die sonst an ↑Friede[n] angelehnt wurde, weil der Begräbnisplatz als ein Ort des Friedens empfunden wurde. Das Bestimmungswort ›Fried-‹ gehört zu ahd. *vrīten* »hegen«, got. *freidjan* »schonen« (vgl. *frei*).

frieren: Das altgerm. Verb mhd. *vriesen,* ahd. *friosan,* niederl. *vriezen,* engl. *to freeze,* schwed. *frysa* bedeutet sowohl »Kälte empfinden« wie »gefrieren, zufrieren«. Es gehört mit verwandten Wörtern in anderen idg. Sprachen zu der idg. Wurzel **preus-* »sprühen (besonders von Tautropfen, Schneeflocken)«. Aus dem germ. Sprachbereich ist got. *frius* »Kälte« verwandt. Außergerm. stellen sich z. B. lat. *pruina* »Reif, Frost« und aind. *pruṣvā́* »Reif, Eis« zu dieser Wurzel. Das nhd. -r- in ›frieren‹ ist aus Formen des Präteritums (mhd. *sie vrurn, gevrorn*) verallgemeinert worden; beachte aber die Ableitung ↑Frost.

[1]**Fries** »ornamental ausgestalteter Gesimsstreifen (an antiken oder historischen Bauten); gliedernder, schmückender Wandstreifen«: Der Terminus der bildenden Kunst und der Baukunst wurde im 17. Jh. aus gleichbed. frz. *frise* (eigtl. »krause Verzierung«) entlehnt. Das frz. Wort ist identisch mit frz. *frise* »krauses Wollzeug; bestimmte Art Stickerei«, aus dem ebenfalls im 17. Jh. unser Fremdwort [2]**Fries** »krauses Wollzeug, Gewebe« übernommen wurde. Frz. *frise* geht zurück auf mlat. *frisium,* eine Nebenform von *frigium, phrygium* »Stickerei, Franse«, nach lat. *Phrygiae (vestes)* »golddurchwirkte Kleiderstoffe«, eigentlich »Kleiderstoffe aus Phrygien«.

frigid[e] »kühl, leidenschaftslos, sexuell nicht erregbar«: Das Adjektiv wurde zu Beginn des 19. Jh.s – vielleicht durch frz. Vermittlung – entlehnt aus lat. *frigidus* »kalt, kühl; ohne Feuer, fühllos«, das von lat. *frigus* »Kälte« abgeleitet ist. Damit vielleicht verwandt ist das lat. Verb *rigere* »starr sein, steif sein« (s. *rigoros*).

Frikadelle: Die Bezeichnung für »gebratenes Fleischklößchen« wurde am Ende des 17. Jh.s entlehnt aus it. *frittatella* »Gebratenes« bzw. aus einer oberit. Form *frittadella,* mit Dissimilation des ersten Dentals wie in ↑Kartoffel. Die wohl zugrunde liegende galloroman. Vorform **frigicare* ist ein Intensivum zu lat. *frigere* »rösten, braten«, das zur idg. Sippe von ↑Bärme gehört. – Zu dieser Gruppe gehören noch die Fremdwörter ↑Frikassee und ↑Pommes frites.

Frikassee: Der gastronomische Fachausdruck für »Ragout aus weißem (Hühner- oder

Kalb)fleisch« wurde im 17. Jh. aus gleichbed. frz. *fricassée* entlehnt. Dies gehört zum Verb frz. *fricasser,* das schon vor dem Substantiv als **frikassieren** »Frikassee zubereiten« übernommen worden war. Die Grundbedeutung des Verbs ist etwa »klein geschnittenes Fleisch in einer Soße zubereiten«. Wahrscheinlich ist es eine Kreuzung zwischen frz. *frire* »braten, rösten« (aus lat. *frigere;* vgl. *Frikadelle*) und frz. *casser* »zerkleinern«, das identisch ist mit frz. *casser* »zerbrechen, vernichten« (aus gleichbedeutend spätlat. *cassare,* ↑²kassieren).

F

frisch: Das westgerm. Adjektiv mhd. *vrisch,* ahd. *frisc,* niederl. *vers,* engl. *fresh* ist dunklen Ursprungs. Es wurde früh in die roman. Sprachen entlehnt, vgl. frz. *frais* und it. *fresco* »frisch« (↑Fresko). – Abl.: **frischen** (mhd. *vrischen,* jetzt nur noch technisch für »Metallschmelzen reinigen« und weidmännisch vom Wildschwein »Junge werfen«; sonst durch **auffrischen** [18. Jh.] und **erfrischen** [mhd. *ervrischen*] ersetzt); **Frische** (mhd. *vrische*); **Frischling** »junges Wildschwein« (mhd. *vrisch[l]inc,* ahd. *frisking* »junges [frisch geborenes] Lamm oder Ferkel«, besonders als Zins-, ahd. auch als Opfertier).

frisieren »die Haare herrichten«: Die moderne Entwicklung der Körper-, Bart- und Haarpflege zeigt seit dem 17. Jh. einen immer stärker werdenden Einfluss der aus Frankreich übernommenen Praktiken. Die verschiedenartigen Bezeichnungen aus diesem Bereich sind demgemäß zumeist Lehnwörter aus dem Frz., so z. B. ↑Puder, ↑rasieren, ↑Pomade, ↑Perücke. Zu dieser Reihe gehört auch das im 17. Jh. bezeugte Verb ›frisieren‹. Es wurde durch Vermittlung von niederl. *friseren* aus frz. *friser* »kräuseln, frisieren« entlehnt (der damaligen Haarmode entsprechend, bestand das Frisieren aus einem Kräuseln der Haare). – Die seit dem 18. Jh. bezeugten Ableitungen **Friseur, Frisur** und die erst im 20. Jh. aufkommende weibliche Berufsbezeichnung **Friseuse** sind keine echten Lehnwörter aus dem Frz. Es sind vielmehr französierende Bildungen, denen im Frz. die Wörter *coiffeur, coiffure* und *coiffeuse* (zu frz. *coiffe* »Frauenhaube«) entsprechen.

Frist: Als »festgesetzter Zeitraum« beziehen sich mhd. *vrist,* ahd. *frist,* mnd. *verst,* aengl. *frist, first* und das ähnlich gebildete schwed. *frist* auf einen in der Zukunft liegenden Zeitpunkt, an dem eine Leistung eintreten oder ein bestimmtes Verhältnis aufhören soll. ›Frist‹ bedeutet demnach wohl eigentlich »das Bevorstehende« und gehört damit zu der unter ↑First genannten Wortsippe, vgl. aind. *pura-ḥ-sthitá-ḥ* »bevorstehend«. Die germ. Wörter sind gebildet aus einem Präfix mit der Bedeutung »vor-« (idg. **pres-,* wie in griech. *présbys* »alt«, ↑Priester) und der Verbalwurzel **stā-* »stehen«. In Wendungen wie ›eine Frist geben, bewilligen‹ entwickelte sich früh die Bedeutung »Aufschub« (über den eigentlich festgesetzten Zeitpunkt hinaus), die auch in den Zusammensetzungen ›Gnadenfrist‹ (s. unter *Gnade*) und ›Galgenfrist‹ (s. unter *Galgen*) erscheint.

frittieren: Der gastronomische Ausdruck für »Speisen in schwimmendem Fett braun backen« ist eine junge Bildung zu frz. *frit* »gebraten, gebacken«, dem Part. Perf. von frz. *frire* »braten, backen« (lat. *frigere* »rösten«). – Dazu stellt sich die französierende Bildung **Fritteuse** »Gerät zum Frittieren« (20. Jh.). Beachte auch das aus dem Frz. übernommene **Pommes frites** »in heißem Fett gebackene rohe Kartoffelstäbchen«.

frivol »schamlos, frech; schlüpfrig«: Das Adjektiv wurde im 18. Jh. aus gleichbed. frz. *frivole* (lat. *frivolus*) entlehnt. Dies war früher schon in seiner Grundbedeutung »nichtig, unbedeutend« in unsere Gerichtssprache eingedrungen, ohne sich jedoch zu halten. Es gehört als »zerrieben; zerbrechlich« zu lat. *friare* »zerreiben« und weiter wie lat. *fricare* »reiben« in den größeren Zusammenhang der idg. Sippe von ↑bohren. Die Bedeutungsentwicklung des Adjektivs vollzog sich im Roman., etwa in folgender Reihe: »zerbrechlich, unbedeutend (von Sachen) – läppisch, uninteressiert, gleichgültig, leichtfertig (von Personen) – unmoralisch, schamlos; schlüpfrig«. – Hierzu als Substantiv **Frivolität** (18. Jh.; aus frz. *frivolité*).

froh: Mhd. *vrō,* ahd. *frao, frō,* mniederl. *vrō* sind verwandt mit aisl. *frār* »hurtig« und mengl. *frow* »eilig«. Die Bedeutung »freudig gestimmt, heiter, vergnügt« hat sich demnach über »erregt, bewegt« aus »lebhaft, schnell« entwickelt. Außergerm. Beziehungen bleiben unsicher; vielleicht gehört das Wort als »hüpfend« mit ›Frosch‹ als »Hüpfer« zu einer Wurzel **preu-* »hüpfen, springen«. Eine alte Bildung zu ›froh‹ ist ↑Freude, das Bewirkungsverb ist ↑freuen. – Abl.: **fröhlich** (mhd. *vrœlich,* ahd. *frawalīh, frōlīh*), dazu **Fröhlichkeit** (mhd. *vrœlīcheit*). Zus.: **frohlocken** (spätmhd. *vrōlocken* »jubeln« ist wohl umgebildet aus **vrō-lecken* »vor Freude springen«; vgl. *löcken*).

fromm: Das Substantiv ahd. *fruma* »Nutzen, Vorteil« ergab in Fügungen wie ahd. *fruma wesan* »ein Nutzen sein« ein Adjektiv mhd. *vrum, vrom* »nützlich, brauchbar«, auf Personen bezogen »tüchtig, trefflich, tapfer, rechtschaffen« (z. B. ›die frommen Landsknechte‹). Es wurde so auch von Luther in der Bibel verwendet. Seit dem 15. Jh. zeigt ›fromm‹ religiösen Sinn, der dann durch Umdeutung der Bibelstellen im Nhd. allgemein wurde und auch zu der Nebenbedeutung »fügsam, artig« führte (z. B. in ›lammfromm‹). – Abl.: **frömmeln** »fromm tun« (18. Jh.), dazu **Frömmelei** und **Frömmler; Frömmigkeit** (mhd. *vrümecheit,* spätahd. *frumicheit* »Tüchtigkeit, Tapferkeit«, zum abgeleiteten Adjektiv mhd. *vrümec,* ahd. *frumīg*).

Fron: Aus dem Genitiv Plural ahd. *frōno* »(Besitz) der Götter« (zu dem unter ↑Frau genannten Substantiv ahd. *frō* »Herr, Gott«) entwickelte sich ein Adjektiv, das mhd. als *vrōn* in der zweifachen Bed. »heilig« (Gott und Christus gehörig) und »herrschaftlich, öffentlich« (einem weltlichen Herrn gehörig) erscheint. Zur ersten Bedeutung stellt sich z. B. ↑Fronleichnam, zur zweiten gehören zahlreiche alte Zusammensetzungen wie **Fronbote** »Gerichtsbote«, **Fronhof** »grundherrlicher Hof« und **Frondienst** »Herrschaftsdienst«. Unmittelbar aus dem mhd. Adjektiv abgeleitet ist das Substantiv mhd. *vrōn[e]* »Herrschaft, Zwingburg, Herrschaftsdienst«, das nhd. in der übertragenen Bed. »schwere, harte Arbeit« fortlebt. Dazu die Verben **fronen** »harte Arbeit, Frondienst leisten« und **frönen** »sich einer Leidenschaft ergeben«, beide nur noch in gehobener Sprache und erst seit dem 18. Jh. in der Bedeutung differenziert (mhd. *vrōnen, vrœnen,* ahd. *frōnen*).

Fronleichnam: Mhd. *vrōnlicham, der vrōne līcham* (zu mhd. *vrōn* »göttlich«, vgl. *Fron*) bezeichnete die Hostie als Leib des Herrn (vgl. *Leichnam [Leiche]*). Heute bezeichnet es das seit 1264 am zweiten Donnerstag nach Pfingsten gefeierte Fronleichnamsfest.

Front »Stirnseite; Kampfgebiet; geschlossene Einheit«: Das Substantiv wurde im 17. Jh. aus frz. *front* entlehnt, das seinerseits auf lat. *frons (frontis)* »Stirn, Stirnseite; vordere Linie« zurückgeht. Abl.: **frontal** »an der Vorderseite befindlich, von vorn kommend« (19. Jh.; nlat. Bildung). – Lat. *frons* liegt auch den Fremdwörtern ↑Affront und ↑konfrontieren zugrunde.

Frosch: Der altgerm. Tiername lautet mhd. *vrosch,* ahd. *frosg,* niederl. *vors,* aengl. *forsc, frosc,* norw. *frosk.* Verwandt sind ähnliche Bildungen im germ. Sprachbereich wie aengl. *frogga* (engl. *frog*), aisl. *frauki* und *frauðr* (schwed. mdal. *frö[d]*). Die weitere Herkunft des Wortes ist unbekannt; vielleicht gehört es als »Hüpfer« mit ›froh‹ als »hüpfend« zu einer Wurzel **preu-* »hüpfen, springen«.

Frosch

sei kein Frosch!
(ugs.) »zier dich nicht so!«
Die Wendung bezieht sich möglicherweise darauf, dass der Frosch bei Gefahr ins Wasser springt und sich dort verbirgt.

Frost: Das Substantiv mhd. *vrost,* ahd. *frost,* niederl. *vorst,* engl., schwed. *frost* ist eine altgerm. Bildung zu ↑frieren. Abl.: **frösteln** (16. Jh.); **frostig** (mhd. *vrostec* »kalt, frierend«, nhd. meist übertragen).

frottieren »(mit Tüchern) abreiben«: Das Verb wurde im 18./19. Jh. aus gleichbed. frz. *frotter* entlehnt, dessen Herkunft nicht gesichert ist. – Dazu das im 20. Jh. mit französierender Endung gebildete Substantiv **Frottee** »gekräuseltes, raues Gewebe«.

frotzeln (ugs. für:) »necken, aufziehen«: Die Herkunft des seit der 1. Hälfte des 19. Jh.s bezeugten österr.-bayr. Mundartworts ist unbekannt.

Frucht: Ahd. *fruht* (mhd. *vruht*) »Feld-, Baumfrucht« ist aus gleichbed. lat. *fructus* entlehnt, das als Substantivbildung zu lat. *frui* »genießen« (daneben *frux* »Frucht«, ↑frugal) zur Sippe des unter ↑brauchen behandelten Verbs gehört. Von den fruchttragenden Bäumen her gelangte ›Frucht‹ zu seiner allgemeinen botanischen Bedeutung; dann wurde das Wort auch auf die tierische und menschliche Leibesfrucht übertragen. Mhd. *fruht* steht noch für »Kind«, beachte auch das nhd. Scheltwort **Früchtchen.** Die schon mhd. bildliche Verwendung im Sinne von »Ertrag, Ergebnis« schließt an den landwirtschaftlichen Sprachgebrauch, aber auch an die entsprechende Bedeutung von lat. *fructus* an. Abl.: **fruchtbar** (mhd. *vruhtbære*); **fruchtig** »nach der Frucht schmeckend« (wohl junge Neubildung des Weinhandels; mhd. *vrühtec* »fruchtbringend« kam im 15./16. Jh. außer Gebrauch); **fruchten** (mhd. *vrühten, vruhten* »Frucht tragen; fruchtbar machen«; jetzt meist übertragen für »nützen, Erfolg haben«; dazu **befruchten** im biologischen und übertragenen Sinn [17. Jh.]).

frugal »einfach (aber gesund und nahrhaft)«: Das Adjektiv wurde im 18./19. Jh. entlehnt aus frz. *frugal* < lat. *frugalis* »zu den Früchten gehörig, fruchtig«; zu lat. *frux (frugis),* vgl. *Frucht.* Gemeint ist also eigentlich das ländlich-bäuerliche Mahl (ohne aufwendigen Luxus), das aus den nahrhaften Früchten des Feldes bereitet ist. Heute wird das Wort oft fälschlich im Sinne von »üppig« gebraucht.

früh: Die nhd. Form geht über mhd. *vrüe[je]* zurück auf ahd. *fruoi,* das eine Adjektivbildung zu dem im Nhd. untergegangenen Adverb mhd. *vruo,* ahd. *fruo* ist. Das auf das dt. und niederl. Sprachgebiet beschränkte Adverb ist z. B. verwandt mit griech. *prōí* »früh« (dazu griech. *prōios* »morgendlich«), aind. *prā-tár* »früh« und beruht auf idg. **prō-* »früh, morgens«, eigentlich »(zeitlich) vorn, voran« (vgl. *ver...*). ›Früh‹ gilt noch jetzt besonders von der Tageszeit, es wird aber schon im Ahd. zuweilen auf die Jahres- und Lebenszeit übertragen und steht nhd. als allgemeines Gegenwort zu ›spät‹; entsprechend bedeutet der Komparativ **früher** allgemein »vorher, vormals«. Siehe die Artikel *Frühling* und *Frühstück.* Abl.: **Frühe** (frühnhd. *frue,* ahd. *fruoē*).

Frühling: Neben der älteren Bezeichnung ↑Lenz erscheint spätmhd. *vrüelinc* (vgl. *früh*) im 15. Jh. und hat sich seitdem im Nhd. durchgesetzt. Allerdings ist in der Alltagssprache **Frühjahr** (im 17. Jh. zuerst im mitteld. Sprachgebiet) häufiger, besonders für die erste Zeit nach dem Winter, während ›Frühling‹ mehr die gefühlsmäßige Seite der Jahreszeit betont und auch bildlich gebraucht wird.

Frühstück: Spätmhd. *vruo-, vrüestücke* meint eigentlich das in der Frühe gegessene Stück Brot (wie mhd. *morgenbrōt;* beachte auch bayr. *Brotzeit* »zweites Frühstück«). – Zus.: **Frühstücksfernsehen** »Fernsehprogramm am frühen Morgen« (2. Hälfte des 20. Jh.s, Lehnübersetzung von engl. *breakfast television*).

Frustration: Das seit der Mitte des 20. Jh.s belegte Fremdwort bezeichnet in der Fachsprache der Psychologie eine »Enttäuschung durch einen erzwungenen Verzicht, Versagung von Befriedigung«. Vermehrt lässt sich seine Verwendung in jüngster Zeit auch in der Allgemeinsprache beobachten, wo ›Frustration‹ oder auch seine ugs. Kurzform **Frust** häufig synonym für jegliche Art der »Enttäuschung« verwendet wird. In beiden Bedeutungen geht es auf das aus der amerikanischen Tiefenpsychologie stammende engl. *frustration* zurück, das den von Freud geprägten Begriff ›Versagung‹ wiedergibt. In der allgemeiner gefassten Bedeutung »Enttäuschung, Niederlage« jedoch ist es im Engl. noch erheblich älter: Bereits im 16. Jh. finden sich Belege. Seine Herkunft hat es in dem lateinischen Substantiv *frustratio* »Täuschung, Irrtum, Nichterfüllung«. – Abl.: **frustrieren** »jmds. Erwartung enttäuschen« (2. Hälfte des 20. Jh.s).

Fuchs: Die westgerm. Form des Tiernamens mhd. *vuhs,* ahd. *fuhs,* niederl. *vos,* engl. *fox* steht mit männlichem s-Suffix (wie bei ›Luchs‹) neben den weiblichen Bildungen ahd. *voha,* mhd. *vohe* »Fuchs, Füchsin« (älter nhd. *Fohe, Föhe,* verdunkelt im Pilznamen Bofist, s. d.), got. *faúhō* »Fuchs«, aisl. *fōa* »Fuchs«. Heute wird in der Jägersprache **Fähe** für das Weibchen des Fuchses und des übrigen Raubwilds gebraucht. Verwandt sind z. B. aind. *púccha-ḥ* »Schwanz, Schweif« und russ. *puch* »Flaumfedern, -haar«. Der Fuchs ist demnach als »der Geschwänzte« benannt worden. Das ist vermutlich eine verhüllende Bezeichnung, ähnlich wie ↑Bär; sie hat den idg. Namen des Tieres (vgl. lat. *vulpes,* griech. *alṓpēx*) ersetzt, weil die Germanen den listigen Räuber nicht durch Nennung seines Namens ›berufen‹ wollten (so heißt er mdal. noch heute ›Langschwanz, Holzhund‹ u. Ä.), vgl. hierzu auch das Kapitel zur Sprachgeschichte *Der indogermanische Erbwortschatz.* Als ›Meister Reineke‹, mhd. *Reinhart* »der Ratskundige«, mniederl. *Reinaerd* (daraus frz. *renard* »Fuchs«) erscheint der Fuchs seit dem 13. Jh. in der Tierdichtung. Abl.: **fuchsen** ugs. für »ärgern« (im 19. Jh. studentisch, es kann aber auch Weiterbildung von mdal. *fucken* »hin und her fahren« sein), dazu **Federfuchser** (s. d.); **fuchsig** »fuchsfarbig verschossen« (18. Jh.). Zus.: **Fuchsschwanz** »kurze Handsäge« (um 1800 nach der Form des Sägeblattes); nur verstärkend ist ›fuchs...‹ in **fuchs[teufels]wild** (16. Jh.). Nicht nach dem Tier, sondern nach einem deutschen Botaniker des 16. Jh.s heißt eine Zierpflanze **Fuchsie.**

Fuchtel: Frühnhd. *fochtel, fuchtel* bezeichnete als Bildung zu ↑fechten einen breiten Degen, später auch den Schlag mit der flachen Klinge. Da das Schlagen mit der flachen Klinge in der militärischen Ausbildung als Strafe üblich war, wurde das Wort zum Sinnbild strenger Zucht (›unter jmds. Fuchtel stehen‹ o. Ä.). Abl.: **fuchteln** (meist in der Zusammensetzung ›herumfuchteln‹ »mit Stock oder Klinge herumschlagen«; 16. Jh.).

fuchtig (ugs. für:) »zornig, aufgebracht«: Das bes. oberd. und ostmitteld. Adjektiv ist wie schweiz. *fuchten* »zanken«, *Fucht* »Streit, hastige [Arm]bewegung« von ↑fechten abgeleitet.

Fuder »Wagenladung; großes Weinmaß«: Das westgerm. Substantiv mhd. *vuoder,* ahd. *fuodar,* niederl. *voer,* älter engl. *fother* steht im Ablaut zu dem unter ↑Faden (ursprünglich »ausgespannte Arme«) behandelten Wort.

[1]Fuge ↑fügen.

[2]Fuge »mehrstimmiges Tonstück, bei dem ein Thema durch alle Stimmen in [strenger] Wiederholung durchgeführt wird«: Der Fachausdruck der Musik ist in diesem Sinne seit dem 15. Jh. bezeugt. Es ist aus it. *fuga* »Wechselgesang, Kanon« (< lat. *fuga* »Flucht« [= griech. *phygḗ*]) entlehnt. Die Bezeichnung ›Fuge‹ geht von der Vorstellung aus, dass die eine Stimme gleichsam vor der folgenden ›flieht‹.

fügen: Das westgerm. Verb mhd. *füegen,* ahd. *fuogen,* niederl. *voegen,* älter engl. *to fay* gehört zu der unter ↑Fach behandelten Gruppe von Wörtern. Aus der Grundbedeutung »verbinden, ineinander passen« haben sich schon früh die übertragenen Bedeutungen »[sich] anpassen, unterordnen, anschließen« u. Ä. entwickelt, beachte Zusammensetzungen wie ›an-, bei-, ein-, [hin]zu-, zusammenfügen‹. Die umlautlose oberd. Form *fugen* hat im Anschluss an ↑Fuge die handwerkliche Bed. »mit einer Fuge zusammenschließen« bewahrt. Abl.: **[1]Fuge** (mhd. *vuoge* »Zusammenfügung, Verbindungsstelle«, übertragen »Schicklichkeit, Kunstfertigkeit«); **Fug** (nhd. nur noch in der Wendung ›mit Fug und Recht‹, mhd. *vuoc* im übertragenen Sinn von [1]Fuge), dazu **Befugnis** »Zuständigkeit« (17. Jh.), **befugt** (zu spätmhd. *sich bevügen* »eine Befugnis ausüben«), **füglich** (spätmhd. *vuoclich, vüeclich* »schicklich, angemessen«) sowie **Unfug** »unschickliches Treiben« (mhd. *unvuoc*); **fügsam** (im 17. Jh. »sich unterordnend«, vorher »schicklich«); **Fügung** (mhd. *vüegunge* »Verbindung«, nhd. oft verhüllend für »Schicksal«, seit dem 17. Jh. grammatisches Fachwort für lat. *constructio*); **Gefüge** »[technische] Verbindung, Aufbau« (Neubildung des 18. Jh.s, aber schon ahd. als *gafōgi* belegt); **gefüge** selten für »fügsam« (mhd. *gevüege,* ahd. *gafuogi;* heute meist als **gefügig** [spätmhd. *gefügig* »von feiner Sitte«]), dazu die Verneinung **ungefüge** »unförmig« (mhd. *ungevüege, ungevuoge* »unartig; plump«, ahd. *ungafōgi* »ungünstig; beschwerlich; riesig«). Siehe auch den Artikel *verfügen.*

ühlen: Das westgerm. Verb mhd. *vüelen,* ahd. *fuolen,* niederl. *voelen,* engl. *to feel* ist unbekannter Herkunft. Seine Grundbedeutung ist wohl »tasten«; es wurde dann auf alle körperlichen und im Dt. seit dem 18. Jh. auch auf seelische Empfindungen übertragen. Abl.: **fühlbar** (17. Jh.); **Fühler** »Antenne der Insekten« (18. Jh.; oft bildlich gebraucht); **Fühlung** (frühnhd. für »Empfindung«; jetzt nur in ›Fühlung suchen, nehmen‹ usw., militärisch in ›Tuchfühlung haben, halten‹); **Gefühl** »Tastsinn, seelische Stimmung« (17. Jh.; dafür spätmhd. *gevūlichkeit, gevūlunge* neben *gevūlen* »fühlen«). Zus.: **fühllos** (17. Jh.; wohl mit dem untergegangenen Substantiv ›Fühle‹ »Gefühl« gebildet), häufiger ist **gefühllos** (18. Jh.).

uhre: Ähnlich wie ›Fahrt‹ sind mhd. *vuor[e],* ahd. *fuora,* aengl. *fōr* eine Bildung zu dem unter ↑fahren behandelten Verb, zunächst mit der Bed. »Fahrt, Reise, Weg«, auch »Lebensweise«. In der ersten Bedeutung steht es in nhd. Zusammensetzungen wie ›Aus-, Ein-, Zu-, Abfuhr‹, die gewöhnlich auf ›führen‹ bezogen werden. Schon früh entwickelte ›Fuhre‹ die Bedeutungen »Fahrt, bei der etwas transportiert wird« und »Wagenladung«, die heute allein üblich sind. Zus.: **Fuhrmann** (mhd. *vuorman*); **Fuhrpark** (20. Jh.; ↑Park); **Fuhrwerk** (spätmhd. *fūrwerc,* mnd. *vōrwerk* ist wohl ursprünglich »Fuhrdienst«).

ühren: Als altes Veranlassungswort zu ↑fahren bedeutet das altgerm. Verb mhd. *vüeren,* ahd. *fuoren,* niederl. *voeren,* aengl. *[ge]fœran,* schwed. *föra* eigentlich »in Bewegung setzen, fahren machen«, dann »bringen« und »leiten«. Die nhd. Hauptbedeutung ist »leiten, die Richtung bestimmen«. Abl.: **Führer** (mhd. *vüerer*); **Führung** (mhd. *vüerunge;* technisch auch »Lenkvorrichtung«). Zusammensetzungen und Präfixbildungen: **anführen** »leiten, befehligen; erwähnen, aufzählen, zitieren«, auch (eigentlich ironisch) »irreführen, täuschen, zum Besten haben« (mhd. *anevüeren* »an etwas führen; als Kleidung tragen«), dazu **Anführungszeichen** (18. Jh.; Lehnübersetzung von lat. *signum citationis*), dafür auch **Anführungsstriche; aufführen** (mhd. *ūfvüeren,* ahd. *ūffuoren* »hinaufbringen«, daher »ein Gebäude aufführen«; als Fachwort des Theaters bezeichnet es im 17. Jh. das Heraufführen der Personen auf die Bühne, danach die Vorführung des Schauspiels; reflexives ›sich [gut, dumm usw.] aufführen‹ für »benehmen« ist eigtl. »sich jemandem vorstellen; auftreten«), dazu **Aufführung** (eines Theater- oder Musikstückes, auch für »Betragen«; 18. Jh.); **ausführen** (mhd. *ūzvüeren,* ahd. *ūzvuoren* »hinausführen«; es hat im Nhd. außer der kaufmännischen Bedeutung auch die von »zu Ende führen, fertig stellen«), dazu **ausführlich** (15. Jh., eigtl. »alle Teile herausarbeitend«) und **Ausführung** »Herstellung; genaue Darlegung« (16. Jh.); **entführen** »heimlich oder gewaltsam an einen anderen Ort bringen« (mhd. *enphüeren,* ahd. *intfuoren*), dazu **Entführer** und **Entführung; verführen** (mhd. *vervüeren* »vollführen, ausüben; weg-, irreführen«, ahd. *firfuoren* »entfernen, wegfahren«; seit dem 18. Jh. nur noch im Sinne von »dazu bringen, etwas Unkluges, Unerlaubtes zu tun«), dazu **Verführer** (15. Jh.), **verführerisch** »geeignet, jemanden zu verführen; reizvoll, attraktiv« (17. Jh.).

Fuhrmann ↑Fuhre.

Fuhrpark ↑Park.

Fuhrwerk ↑Fuhre.

Fülle: Das gemeingerm. Substantiv mhd. *vülle,* ahd. *fullī,* got. *(ufar)fullei,* engl. *fill,* aisl. *fylli* ist eine Bildung zu dem unter ↑voll behandelten Adjektiv. Abl.: **füllig** »beleibt« (17. Jh.; aus mnd. *vüllīk*). Zus.: **Füllhorn** (im 18. Jh. für älteres ›Horn der Fülle‹, eine Lehnübersetzung von lat. *cornu copiae,* das das oft in allegorischen Bildern gezeigte überquellende Horn des Erntesegens bezeichnete).

füllen: Das gemeingerm. Bewirkungswort zu ↑voll lautet mhd. *vüllen,* ahd. *fullen, fulljan,* got. *fulljan,* engl. *to fill,* schwed. *fylla.* Die Grundbedeutung ist »voll machen«. Zu ›füllen‹ stellen sich im Dt. die zusammengesetzten Verben ›ab-, an-, auf-, aus-, ein-, nachfüllen‹ und das Präfixverb **erfüllen** (mhd. *ervüllen,* ahd. *irfullen* »voll machen, an-, ausfüllen; ausführen, vollenden«), dazu **Erfüllung.** Abl.: **Füller** (junge Kurzform für Füllfederhalter); **Füllsel** (spätmhd. *vülsel*). Siehe auch den Artikel *Fülle.*

Füllhorn, füllig ↑Fülle.

fulminant »glänzend, prächtig«: Das seit dem 18. Jh. – anfangs nur in der Bed. »blitzend, drohend« – bezeugte Adjektiv ist aus lat. *fulminans* entlehnt, dem Part. Präs. von *fulminare* »blitzen«. Das zugrunde liegende Substantiv lat. *fulmen* »Blitz« ist mit lat. *flagrare* »brennen, glühen« verwandt.

fummeln (ugs. für:) »tasten, herumfingern; streicheln, liebkosen; sich unsachgemäß an etwas zu schaffen machen; zu lange dribbeln«: Das nordd. Wort (spätmnd. *fummelen*) erscheint im 18. Jh. in hochd. Texten. Es ist wohl eine lautnachahmende Bildung, vgl. gleichbed. schwed., norw. *fumla,* engl. *to fumble* und mit der Bed. »knittern« niederl. *fommelen.* Zu ›fummeln‹ gehört **Fummel** (ugs. für:) »Kleid aus billigem und leichtem Stoff«.

Fund ↑finden.

Fundament, fundamental ↑fundieren.

Funde, Fundgrube, fündig ↑finden.

fundieren »[be]gründen; untermauern«: Das Verb wurde in mhd. Zeit (mhd. *fundieren*) aus lat. *fundare* »den Grund legen« entlehnt, das von lat. *fundus* »Boden, Grund[lage]« abgeleitet ist (vgl. *Fundus*). Zu lat. *fundare* gehört das Substantiv *fundamentum* »Unterbau, Grundlage«, das schon in ahd. Zeit übernommen wurde und unser Fremdwort **Fundament** (mhd., ahd. *fundament*) lieferte. Dazu als Adjektiv **fundamental** »grundlegend, bedeutsam« (17. Jh.; aus spätlat. *fundamentalis*).

Fundus »Unterbau; Fonds«: Das Fremdwort ist – wie entsprechend frz. *fond* (↑Fond, Fonds) – aus lat. *fundus* »Boden, Grund[lage]« entlehnt, das mit dt. ↑Boden urverwandt ist. Neben lat. *fundus* wurden noch einige Ableitungen davon ins Deutsche entlehnt, vgl. *fundieren, Fundament, fundamental* und *profund*.

F

fünf: Das gemeingerm. Zahlwort mhd. *vünv, vunv,* ahd. *funf, finf,* got. *fimf,* niederl. *vijf,* engl. *five,* schwed. *fem* ist u. a. verwandt mit lat. *quinque,* griech. *pénte, pémpe* (das wir z. B. aus Pentagon »Fünfeck« und Pentagramm »Fünfstern« kennen; s. auch *Pfingsten*) und aind. *páñca* (↑Punsch). Zugrunde liegt idg. **penkᵘ̯e* »fünf«. Die einzelsprachlichen Formen sind z. T. lautlich ausgeglichen worden, im Lat. nach dem Anlaut der zweiten, im Germ. nach dem der ersten Silbe. Der Vokal der dt. Form wurde im Spätahd. verdumpft, der Umlaut -ü- stammt aus der gebeugten Form ahd. *funfi* (nhd. ugs. fünfe). Zu dem idg. Zahlwort gehören aus dem germ. Sprachbereich wahrscheinlich auch die unter ↑Finger und ↑Faust (eigentlich »Gesamtheit der fünf Finger«) behandelten Wörter. Abl.: **Fünfer** (spätmhd. *vünfer* »Mitglied eines Fünfmännerausschusses«; seit dem 16. Jh. für die Ziffer 5 und für bestimmte Münzen); **fünfte** (Ordnungszahl; mhd. *vünfte,* ahd. *finfto, fimfto;* s. auch *Quinta*). Zus.: **Fünftel** (im 17. Jh. für älteres ›Fünfteil‹, mhd. *vünfteil;* vgl. *Teil*); **fünfzehn** (mhd. *vünfzehen,* ahd. *finfzehen;* mdal. fuffzehn setzt ein frühnhd. *funffzehen* fort); **fünfzig** (frühnhd. auch *funffzig,* danach mdal. fuffzig; mhd. *vünfzec,* ahd. *fimfzuc;* vgl. *...zig*).

fungieren »tätig sein, ein Amt verwalten«: Das Verb wurde im 17. Jh. aus lat. *fungi* »verrichten, vollbringen, durchstehen; verwalten« entlehnt. Dazu stellen sich die Fremdwörter ↑Funktion, Funktionär, funktionieren.

Funk ↑Funke[n].

funkelnagelneu ↑Nagel.

Funke[n]: Das westgerm. Substantiv mhd. (mitteld.) *vunke,* ahd. *funcho,* niederl. *vonk,* mengl. *vonke* ist aus den mit -n- gebildeten Formen des idg. Stammes von ↑Feuer abgeleitet. Das auslautende n der nhd. Nominativform stammt aus den obliquen Fällen. Abl.: **funkeln** (mhd. *vunkeln,* »Funken geben, blinken« ist eine Iterativbildung zu gleichbed. *vunken*), dazu **funkelnagelneu** (im 18. Jh. zusammengezogen aus älterem ›funkelneu‹ und ›nagelneu‹ (↑Nagel); **funken** (mhd. *vunken* »Funken von sich geben; blinken, schimmern«; 1914 für »drahtlos telegrafieren«, eigentlich »durch Funken übermitteln« vorgeschlagen, schon vorher in der Zusammensetzung ›Funkspruch‹ für »Radiogramm« üblich; in der Soldatensprache auch für »schießen« und ugs. für »funktionieren« gebraucht), dazu **Funk** »drahtlose Übertragung (beachte Zusammensetzungen wie ›Funkamateur, -betrieb, -gerät, -station, -streife, -trupp, -wagen‹) und seit den Zwanzigerjahren Rundfunk ›Radio‹, für das häufig die Kurzform **Funk** gebraucht wird (beachte Zusammensetzungen wie ›Funkbearbeitung, -haus, -turm, -universität‹), ferner **Funker** »jemand, der Nachrichten drahtlos übermittelt«.

Funktion »Tätigkeit, Wirksamkeit; Aufgabe«: Das Substantiv wurde im 17. Jh. aus lat. *functio* »Verrichtung; Geltung« entlehnt, das von lat. *fungi* »verrichten, vollbringen; gelten« abgeleitet ist (vgl. *fungieren*). – Dazu: **Funktionär** »führender aktiver Beauftragter eines Verbandes« (20. Jh.; nach frz. *fonctionnaire*); **funktionieren** »reibungslos ablaufen, in [ordnungsgemäßem] Betrieb sein« (18./19. Jh.; nach frz. *fonctionner*).

für (Adverb, Präposition): Mhd. *vür,* ahd. *furi* »vor[aus]« (vgl. aisl. *fyr* »vor, für«) ist eng verwandt mit dem unter ↑vor behandelten Wort und wurde wie dieses ursprünglich räumlich gebraucht. Über die weiteren Zusammenhänge vgl. *ver...* Im Ahd. und Mhd. steht ›für‹ mit dem Akkusativ bei Verben der Bewegung, ›vor‹ mit dem Dativ (und Genitiv) bei Verben der Ruhe. Für die Schriftsprache haben erst die Grammatiker des 18. Jh.s den Gebrauch so geregelt, dass heute ›vor‹ mit beiden Fällen räumlich und zeitlich, ›für‹ mit dem Akkusativ nur übertragen verwendet wird. Resthaft steht ›für‹ statt ›vor‹ in Fügungen wie ›Schritt für Schritt‹, ›Tag für Tag‹, ›für und für‹ (= immerfort) und in Zusammensetzungen wie **Fürwitz** (↑Vorwitz); andererseits hat sich ›vorlieb nehmen‹ (s. d.) durchgesetzt. Der übertragene Gebrauch ist bei ›für‹ schon früh entwickelt. Er gibt entweder Bestimmung, Zweck, Schutz an (›ein Buch für dich‹ ist eigentlich »vor dich gebracht«, ›ein Mittel für Husten‹ eigentlich »vor den Husten gestellt«) oder ›Stellvertretung‹ (›für jemand eintreten‹ ist »[schützend] vor ihn treten«; dazu auch ›für etwas halten‹, ›für Geld kaufen‹). Als Adverb ist ›für‹ nur in ›für und für‹ (s. o.) erhalten. Auf einer substantivierten Superlativform des Adverbs beruht das unter ↑Fürst behandelte Substantiv.

Fürbitte ↑bitten.

Furche: Das altgerm. Wort mhd. *vurch,* ahd. *fur[u]h,* niederl. *voor,* engl. *furrow,* schwed. *fåra* gehört zu der idg. Wurzel **per[e]k̂-* »wühlen, aufreißen«. Im germ. Sprachbereich stellt sich das unter ↑Ferkel behandelte Wort zu dieser Wurzel, außergerm. ist z. B. lat. *porca* »Furche, Ackerstrecke« nahe verwandt. Die Bedeutung der idg. Wurzel hat sich über »herumwühlen« weiterentwickelt zu »suchen, ausforschen, fragen, bitten«. Das zeigt sich einzelsprachlich z. B. in den Wortgruppen um dt. *forschen* und lat. *poscere* »fordern« (↑forschen) wie um dt. Frage und lat. *precari* »bitten« (↑Frage). Abl.: **furchen** (mhd. *vurhen* »Furchen ziehen, pflügen«; heute meist übertragen gebraucht), dazu die Präfixbildung **zerfurchen.**

fürchten: Das altgerm. Verb mhd. *vürhten,* ahd. *furhten, furahtan,* got. *faúrhtjan,* mniederl. *vruchten,* aengl. *fyrhtan* steht neben dem Substantiv **Furcht** (mhd. *vorhte,* ahd. *for[a]hta,* ähnl. got. *faúrthei,* engl. *fright*) und einem untergegangenen Adjektiv, das mit der Bedeutung »Furcht empfindend« als ahd. *foraht,* got. *faúrhts,* aengl. *forht* bezeugt ist. Herkunft und außergerm. Beziehungen dieser drei Wörter sind nicht gesichert. – Abl. (alle zum Substantiv): **furchtbar** »Furcht, Beklemmung auslösend; schlimm, unangenehm; sehr, überaus« (mhd. *vorhtebære*); **furchtlos** »ohne Furcht« (16. Jh.); **furchtsam** »voller Furcht, ängstlich« (mhd. *vorhtesam,* bis ins 18. Jh. auch für »furchtbar«); **fürchterlich** »furchtbar« (im 18. Jh. für älteres fürcht-, furchtlich, mhd. *vorhtlich,* ahd. *for[a]htlīch;* zur Bildung beachte ›leserlich, weinerlich‹). Eine Ableitung auf -ig erscheint in **ehrfürchtig** (↑Ehre), **gottesfürchtig** (↑Gott).

fürder ↑fördern.

Furie: Zu lat. *furere* »rasen, wüten«, das ohne sichere Beziehungen im Idg. ist, stellt sich als Substantiv lat. *furia* »Wut, Raserei«. Die personifizierte Form lat. *Furia* »rasende Göttin, Rachegöttin« – meist Plural *Furiae* »Plagegeister« – wird auch übertragen gebraucht zur Bezeichnung eines wütenden, rasenden, von einem Dämon besessenen Menschen. Im Sinne von »wütendes, rasendes Weib« erscheint Furie, daraus entlehnt, im 17./18. Jh. bei uns als Fremdwort.

furios »wütend, hitzig«: Die Form ›furios‹ trat in neuerer Zeit an die Stelle von älterem ›furiös‹, das aus gleichbed. frz. *furieux* entlehnt ist. Das Adjektiv ist wohl nach it. *furioso* umgestaltet worden, das als musikalische Vortragsbezeichnung im Sinne von »wild, leidenschaftlich, feurig« entlehnt wurde und auch substantiviert in **Furioso** »leidenschaftliches Tonstück« gebräuchlich ist. Voraus liegt lat. *furiosus* »wütend, rasend« (zu *furia* »Wut«, vgl. *Furie*).

furnieren »(minderwertiges Holz) mit edlem Blattholz belegen«: Das Verb wurde im 16. Jh. aus frz. *fournir* »liefern; mit etwas versehen« entlehnt, das seinerseits auf afränk. **frumjan* »fördern, vollbringen« (entsprechend asächs. *frummian,* ahd. *frummen*) zurückgeht. Abl.: **Furnier** »Blattholzbelag« (18. Jh.).

Furore

Furore machen

»Aufsehen erregen, Beifall erringen«

Das Fremdwort ›Furore‹ ist nur in dieser seit dem 19. Jh. bezeugten Wendung gebräuchlich. Voraus liegt gleichbed. it. *far furore.* It. *furore* »Leidenschaftlichkeit, Raserei, Wut; Aufsehen« geht zurück auf lat. *furor* (vgl. *Furie*).

Fürsorge, Fürsorger, Fürsorgerin ↑Sorge.

Fürsprech ↑sprechen.

Fürst: Mhd. *vürste,* ahd. *furisto* bedeutet eigentlich »der Vorderste, Erste, Vornehmste« und ist der substantivierte Superlativ des Adverbs ahd. *furi* »vor, voraus« (ahd. *furist,* engl. *first,* schwed. *först* »zuerst, erste«; vgl. *für;* ähnlich hat sich ahd. *frō* »Herr« entwickelt, ↑Frau). In der Bed. »Herrscher« ist das Wort auf das dt. Sprachgebiet beschränkt. Unter den besonderen Verhältnissen des mittelalterlichen deutschen Reiches hat es sich im 12. Jh. zur Bezeichnung des obersten Standes unter dem König entwickelt und wurde Sammelbegriff für alle Monarchen. Später benennt es außerdem einen bestimmten vom König verliehenen Rang zwischen Graf und Herzog. Abl.: **fürstlich** (mhd. *vürst[e]lich;* heute oft übertragen für »vornehm, großzügig«); **Fürstentum** (mhd. *vürst[en]tuom* »Fürstenwürde; Land eines Fürsten«).

Furt »durchfahrbare Stelle eines Gewässers«: Das westgerm. Substantiv mhd. *vurt,* ahd. *furt,* mniederl. *vort,* engl. *ford* steht im Ablaut zu aisl. *fjǫrðr,* norw., schwed. *fjord* »enge Meeresbucht« (↑Fjord). Alle diese Wörter sind ebenso wie lat. *portus, porta* »Zugang« (s. die Lehn- und Fremdwörter um *Pforte*) Substantivbildungen zu der unter ↑fahren dargestellten idg. Wurzel **per-* »hinüberführen«. Die Furt ist also als »Übergangs-, Überfahrtsstelle« benannt worden. Beachte auch gleichbed. awest. *pərətu-š* (im Flussnamen Euphrat »der gut Überschreitbare«). Das germ. Wort erscheint in vielen Ortsnamen, z. B. dt. Frankfurt, Schweinfurt, Herford, engl. Oxford.

Furunkel: Die Bezeichnung für »Eitergeschwür« wurde im 16. Jh. aus gleichbed. lat. *furunculus* entlehnt, das als Verkleinerungsbildung zu lat. *fur* »Dieb« gehört und eigentlich »kleiner Spitzbube« bedeutet. Die außerdem bezeugte Bedeutung »Nebenschössling (besonders an Rebstöcken)« legt nahe, dass das Wort – ähnlich wie bei dt. ↑Geiz (im Sinne von »schmarotzender Trieb«) – ursprünglich scherzhaft von Winzern gebraucht wurde, weil die kleineren Nebentriebe des Rebstocks dem Haupttrieb den Saft ›stehlen‹. Der Arzt mag dann den Namen übertragen haben, einmal wegen der äußeren Ähnlichkeit eines Geschwürs mit dem Auge am Rebstock, zum anderen auch wegen der Tatsache, dass Geschwüre eine Blutkonzentration um den Eiterherd bewirken und somit die Körpersäfte gleichsam ›stehlen‹. Lat. *fur* »Dieb« – dazu lat. *furo* »Räuber« (Tiername), das die Quelle ist für unser Lehnwort ↑Frett (Frettchen) – stellt sich als Wurzelnomen zum Verbalstamm von lat. *ferre* »tragen« (vgl. *offerieren*), bedeutet also eigentlich »jemand, der etwas fortträgt«.

Fürwitz ↑Witz.

Fürwort: Das Substantiv bedeutete im 16. Jh. »Ausrede, Vorwand«, später auch »Fürsprache« (dazu ↑befürworten). Im 18. Jh. wurde es als Ersatzwort für ›Pronomen‹ »Stellvertreter des Nomens« neu geprägt (vgl. *für*).

Furz (derb für:) »[laut] abgehende Blähung«: Das Substantiv mhd. *vurz,* spätahd. *furz,* mnd. *vort* ist eine Bildung zu dem starken Verb mhd. *verzen,* ahd. *ferzan,* mnd. *verten,* dem gleichbed. engl. *to fart* und schwed. *fjärta* entsprechen. Dieses altgerm. Verb ist z. B. verwandt mit aind. *párdatē* »furzt«, griech. *pérdesthai* »furzen« und russ. *perdet'* »furzen«. Abl.: **furzen** (spätmhd. *vurzen*).

F

Fusel (ugs. für:) »schlechter Branntwein«: Die Herkunft des erst zu Beginn des 18. Jh.s in Nordwestdeutschland bezeugten Wortes ist ungeklärt.

Fusion »Verschmelzung«: Das Fremdwort wurde im 19. Jh. zunächst in der technischen Bed. »Schmelzung, Erzguss« gebraucht, dann übertragen im wirtschaftlichen Bereich. Es ist aus lat. *fusio* »Gießen, Schmelzen« entlehnt, das zu lat. *fundere* »gießen, fließen lassen« (urverwandt mit ↑gießen) gehört. – Eine Ableitung des 20. Jh.s ist **fusionieren** »eine Fusion vornehmen (Wirtschaft)«. Siehe auch *konfus.*

Fuß: Die gemeingerm. Körperteilbezeichnung mhd. *vuoz,* ahd. *fuoz,* got. *fōtus,* engl. *foot,* schwed. *fot* beruht mit verwandten Wörtern in anderen idg. Sprachen auf der Ablautform **pŏd-* von idg. **pēd-* »Fuß«, vgl. z. B. griech. *poús,* Genitiv *podós* »Fuß« (↑Podium) und lat. *pes,* Gen. *pedis* »Fuß« (s. die Fremdwortgruppe um *Pedal*). Aus dem germ. Sprachbereich gehört hierher auch das unter ↑[1]Fessel behandelte Wort. – Im Dt. bezeichnet ›Fuß‹ den untersten Teil des Beines, landsch. auch das ganze Bein (↑Bein), im übertragenen Gebrauch den unteren [tragenden] Teil von etwas (beachte Zusammensetzungen wie ›Bergfuß‹ oder ›Lampenfuß‹). Als Längenmaß ist ›Fuß‹ – im Gegensatz zu engl. *foot* – heute nicht mehr gebräuchlich. Abl.: **fußen** (mhd. *vuozen* »den Fuß aufsetzen; sich stützen, gründen« wird heute nur noch in übertragenem Sinne gebraucht, oberd. mdal. auch für »gehen«); **Füßling** »Teil des Strumpfes, der den Fuß bedeckt« (15. Jh.). Von den zahlreichen Zusammensetzungen seien genannt: **Fußball** (Lehnübersetzung des 18. Jh.s von engl. *football*), zunächst für den mit dem Fuß getretenen Ball, seit dem Ende des 19. Jh.s auch für das Mannschaftsspiel), dazu **Fußballer; Fußgänger** (mhd. *vuozgenger* neben mhd., ahd. *vuozgengel* bezeichnete vor allem den ›zu Fuß‹ gehenden und kämpfenden Krieger, ähnlich wie das nhd. Kollektivum ›Fußtruppe‹ und das ältere ›Fußvolk‹, mhd. *vuozvolc;* vgl. *Volk*); **Fußnote** (↑Note); **Fuß[s]tapfe** (mhd. *vuozstaphe,* zu ↑Stapfe, ergibt schon spätmhd. durch falsche Abtrennung die Nebenform *vuoztaphe*).

Fuß

stehenden Fußes
(geh.) »sofort«
Dieser Ausdruck (wohl eine Lehnübersetzung von lat. *stante pede*) stammt aus der alten Rechtssprache. Gegen ein Urteil musste man stehenden Fußes vor den Gerichtsschranken Einspruch einlegen, sonst wurde das Urteil rechtskräftig.

Fussel »Fädchen, Faserstückchen (besonders auf der Kleidung)«: Das erst nhd. bezeugte Wort steht neben gleichbed. mdal. *Fis[s]el* (spätmhd. *viseln* »Fasern, Fransen«) und ugs. *fisseln* »fein regnen«. Die Herkunft dieser Wörter ist unbekannt. Abl.: **fusselig** »fusselnd, fransig« (dazu ugs. ›sich den Mund fusselig reden‹), auch »unruhig und unkonzentriert«; **fusseln** »Fusseln abgeben«.

Futon: Die Bezeichnung für eine »hart gepolsterte Matratze« wurde in der 2. Hälfte des 20. Jh.s aus jap. *futon* »Matte« übernommen.

futsch (ugs. für:) »weg, verloren«: Das seit dem 18. Jh. in allen dt. Mundarten verbreitete Wort ist wohl lautmalenden Ursprungs. Dazu die scherzhafte Weiterbildung ›futschikato‹. Siehe auch *pfuschen.*

[1]**Futter** »Nahrung [der Tiere]«: Das altgerm. Substantiv mhd. *vuoter,* ahd. *fuotar,* niederl. *vœ[de]r,* engl. *fodder,* schwed. *foder* geht ebenso wie das gemeingerm., im Nhd. ausgestorbene Verb mhd. *vuoten,* ahd. *fuottan,* got. *fōdjan,* engl. *to feed,* schwed. *föda* »nähren« auf eine idg. Wurzel **pā[-t]-* »füttern, nähren, weiden« zurück. Zu ihr gehören u. a. griech. *pateīsthai* »essen und trinken« und lat. *pascere* »weiden lassen, füttern« (s. die Fremdwortgruppe um *Pastor*). Die Bed. »Nahrung für Tiere« ist bei ›Futter‹ in den neueren Sprachen einheitlich durchgedrungen. Von [1]Futter abgeleitet ist [1]**füttern** »[Tieren] Nahrung geben« (ugs. und mdal. auch: futtern; mhd. *vuotern, vüetern,* ahd. *fuotieren*); daraus hat sich im Nhd. futtern als scherzhafte Bezeichnung für »tüchtig essen« abgezweigt.

[2]**Futter** »innere Stoffschicht der Oberbekleidung«: Das altgerm. Substantiv mhd. *vuoter,* ahd. *fuotar* »Unterfutter, Futteral«, got. *fōdr* »Schwertscheide«, mnd. *vōder* »Unterfutter, Futteral, Behälter«, aengl. *fōdor* »Scheide, Behälter« beruht mit verwandten Wörtern in anderen idg. Sprachen auf der idg. Wurzel **pō[i]-* »Vieh hüten; schützen; bedecken«, vgl. z. B. aind. *pắtra-m* »Behälter«. Im außergerm. Sprachbereich stellen sich noch griech. *pōma* »Deckel«, griech. *poimḗn* »Hirt« und aind. *pắti* »schützt, behütet« zu dieser Wurzel. Grundbedeutung des Wortes war demnach »schützende Hülle, Überzug«. Als »Schutzhülle« galt dt. ›Futter‹ noch im 18. Jh., zuletzt in Zusammensetzungen wie ›Brillen-, Flaschen-, Pistolenfutter‹. Seit dem 15. Jh. wird es

aber aus dieser Bedeutung durch **Futteral** verdrängt, eine Entlehnung aus mlat. *fotrale, futrale* (zu *fotrum* »Überzug«), das selbst aus dem dt. Wort stammt. Abl.: ²**füttern** »mit Unterfutter versehen« (mhd. *vuotern, vüetern*).

Futur »Zukunft«: Der grammatische Fachausdruck ist entlehnt aus gleichbed. lat. *(tempus) futurum.* Lat. *futurus* »sein werdend« ist Part. Fut. zum Verbalstamm *fu-* (in lat. *fuisse* »gewesen sein«; über weitere etymologische Zusammenhänge vgl. *bauen*). Die Bildung **Futurismus** »zu Beginn des 20. Jh.s von Italien ausgehende Kunstrichtung, die den völligen Bruch mit der Tradition forderte« ist – wohl über frz. *futurisme* – aus it. *futurismo* (zu *futuro* »Zukunft«) entlehnt. Beachte dazu **Futurist** und **futuristisch.**

Gg

Gabardine: Der Stoffname wurde in neuerer Zeit aus gleichbed. frz. *gabardine* entlehnt, das seinerseits aus span. *gabardina* »eng anliegender Männerrock« stammt. Das span. Wort beruht wohl auf einer Kreuzung aus span. *gabán* »Mantel, Rock« und *tabardina,* einer Verkleinerungsbildung zu span. *tabardo* »Überrock aus grobem Tuch«.

gäbe

gang und gäbe sein
»allgemein üblich sein«
Das nur noch in der vorliegenden Wendung gebräuchliche Wort ›gäbe‹ geht zurück auf mhd. *gæbe* »annehmbar, willkommen, lieb, gut«, das als Verbaladjektiv zu dem unter ↑geben behandelten Verb gehört und eigentlich »was gegeben werden kann, was sich leicht geben lässt« bedeutet. Das Wort wurde früher hauptsächlich in der Kaufmannssprache im Sinne von »im Umlauf befindlich, üblich« (von Münzen und Waren) verwendet.

Gabe: Mhd. *gābe,* mnd. *gāve,* niederl. *gave,* schwed. *gåva* gehören zu dem unter ↑geben behandelten Verb. Im heutigen Sprachgebrauch wird ›Gabe‹ außer im Sinne von »Gegebenes, Geschenk« auch im Sinne von »angeborene Eigenschaft, Talent« verwendet. Abl.: **begaben** veraltet für »mit Gaben, mit Fähigkeiten ausstatten« (mhd. *begāben*), dazu das in adjektivischen Gebrauch übergegangene zweite Partizip **begabt** »befähigt, talentiert« und **Begabung** »Fähigkeit, Talent«, das sich seit dem 18. Jh. in der Bedeutung an ›begabt‹ angeschlossen hat, während es davor gewöhnlich im Sinne von »Schenkung, Stiftung; Vorrechte« verwendet wurde.

Gabel: Das westgerm. Wort mhd. *gabel[e],* ahd. *gabala,* mnd. *gaffel[e],* (s. unten *Gaffel*), niederl. *gaffel,* aengl. *g[e]afol* ist verwandt mit der kelt. Sippe von air. *gabul* »gegabelter Ast; Gabel; Gabelpunkt der Schenkel« und steht wohl im Ablaut zu dem unter ↑Giebel (ursprünglich »Astgabel«) behandelten Wort. – In der Frühzeit war die Gabel nichts anderes als der starke gegabelte Ast und diente als landwirtschaftliches Gerät zum Heben und Wenden des Heus, der Garben, des Mistes oder dgl. Die eiserne Form der Gabel lernten die Germanen im Rahmen der Handelsbeziehungen mit den Römern kennen. Seit dem Mittelalter tritt die Gabel auch als Tischgerät auf, zunächst zum Vorlegen des Fleisches, seit dem ausgehenden Mittelalter dann auch als Essgerät. In der Seemannssprache bezeichnet niederd. *gaffel* seit dem 17. Jh. auch die Segelstange mit gabelförmigem Ende. Aus dem Niederd. übernommen ist **Gaffel,** das also die niederd. Entsprechung von hochd. Gabel ist. – Abl.: **gabeln,** sich »gabelförmig auseinander gehen«, dazu **Gabelung** (beachte auch **aufgabeln** ugs. für »finden, auflesen«).

gackeln, gackern, gacksen: Die Verben, die ugs. auch im Sinne von »unterdrückt lachen, kichern, schwatzen« gebraucht werden, sind lautnachahmenden Ursprungs, und zwar ahmen sie speziell den Laut der Hühner nach, beachte auch **Gockel** (ugs. für:) »Hahn«. Ähnliche Lautnachahmungen sind mhd. *gāgen, gāgern* »schnattern«, mhd. *gaggzen,* ahd. *gagizōn* »gackern«, niederl. *gaggelen* »schnattern«, engl. *to gaggle* »gackern; schnattern« (vgl. auch die unter ↑*keckern* behandelten Lautnachahmungen). Außerhalb des germ. Sprachbereichs sind z. B. elementarverwandt lit. *gagéti* »schnattern« und russ. *gogotat‹* »gackern, schnattern«, gagat‹ »schnattern«. Siehe dazu auch den Artikel *Geck.*

Gaffel ↑Gabel.

gaffen: Mhd. *gaffen* »verwundert oder neugierig schauen« bedeutet eigentlich »mit offenem Munde anstarren, den Mund aufsperren«. Die ursprüngliche Bedeutung bewahren die verwandten Wörter im germ. Sprachbereich, vgl. mnd. *gapen* »den Mund aufsperren« (↑jappen, japsen »lechzen, nach Luft schnappen«), niederl. *gapen* »gähnen; klaffen; gaffen«, schwed. *gapa* »den Rachen aufreißen; schreien; gähnen; klaffen«. Diese Wörter gehören wahrscheinlich zu der Wortgruppe von ↑gähnen.

Gag »komische Situation, witziger Einfall«: Das Fremdwort wurde im 20. Jh. aus gleichbed. engl.-amerik. *gag* entlehnt, dessen weitere Herkunft unklar ist. Es bedeutet eigentlich »Knebel« (zum Verb *to gag* »knebeln, [ver]stopfen«) und zeigt die gleiche Bedeutungsübertragung zu »Füllsel, improvisiertes Einschiebsel« wie ↑Farce in der Bühnensprache.

Gage »Künstlergehalt«: Das Fremdwort wurde im 17. Jh. aus frz. *gage* »Pfand, Unterpfand, Löhnung, Sold« entlehnt. Anfangs noch ganz im militärischen Bereich im Sinne von »Entlöhnung« verwendet, wird ›Gage‹ seit dem 18. Jh. auch, wie heute ausschließlich, in der Theatersprache gebraucht, während von den abgeleiteten Fremdwörtern ↑engagieren und Engagement Ersteres auch allgemeinsprachlich üblich ist. – Das frz. Wort ist selbst germ. Ursprungs und geht zurück auf ein altes Rechtswort, afränk. **wadi* (germ. **wadja*) »Pfand«, aus dem sich nhd. ↑Wette entwickelt hat.

G

gähnen: Mhd. *genen, ginen*, ahd. *ginēn* »den Mund aufsperren, gähnen«, aengl. *ginian, gionian* »den Mund aufsperren, gähnen« (engl. *to yawn*) stehen neben einem im Dt. untergegangenen starken Verb aengl. *tōgīnan* »sich spalten, sich auftun«, aisl. *gīna* »den Rachen aufsperren, gähnen«, ablautend dazu ahd. *geinōn* »gähnen« und aengl. *gānian* »gähnen«. Diese germ. Wortgruppe gehört mit verwandten Wörtern in anderen idg. Sprachen zu der vielfach weitergebildeten und erweiterten idg. Wurzel **ĝhē- (*ĝhēi-, *ĝhēu-, *ĝhan-)* »gähnen, klaffen«, die eigentlich den Gähnlaut, das heisere Ausfauchen und ähnliche Schalleindrücke nachahmt. In anderen idg. Sprachen sind z. B. verwandt griech. *cháskein* »gähnen, klaffen«, *chásma* »klaffende Öffnung«, *cháos* »leerer Raum, Luftraum, Kluft« (↑Chaos und ↑Gas), lat. *hiare* und *hiscere* »gähnen; klaffen, aufgesperrt sein« und russ. *zijat'* »klaffen, gähnen«. Aus dem germ. Sprachbereich gehören hierher auch die Sippen von ↑gaffen (eigentlich »den Mund aufreißen«) und ↑Gaumen (eigentlich »Rachen, Schlund«) sowie **Geest** »hoch gelegenes, trockenes Land« (Substantivierung des niederd. Adjektivs *gēst* »trocken, unfruchtbar«, eigentlich »klaffend, rissig«), ferner das unter ↑Geifer behandelte Wort, das auf einem Bedeutungsübergang von »den Mund aufsperren« zu »lechzen, gierig verlangen« beruht. Weiterhin verwandt ist die unter ↑gehen dargestellte idg. Wortgruppe, die auf einem Bedeutungswandel von »gähnen, klaffen« zu »leer sein, mangeln, verlassen, fortgehen« beruht. Hierher gehört auch der idg. Name der Gans, die nach ihrem heiseren Ausfauchen mit aufgesperrtem Schnabel benannt ist (vgl. *Gans*). Siehe auch den Artikel *vergeuden*.

Gala »Festkleidung«: Das Fremdwort, das uns im 17./18. Jh. durch das Wiener Hofzeremoniell vermittelt wurde, geht unmittelbar zurück auf gleichbed. span. *gala*. Letzte bekannte Quelle dieses Wortes scheint ein afrz. Substantiv *gale* »Freude, Vergnügen« zu sein bzw. ein davon abgeleitetes Verb *galer* »sich amüsieren«. Letzteres ist noch im Part. Präs. frz. *galant* »lebhaft; liebenswürdig« (> span. *galano*) erhalten; s. hierzu den Artikel *galant*.

galant »höflich, ritterlich, zuvorkommend, aufmerksam«: Das Adjektiv wurde im 18. Jh. entlehnt aus frz. *galant* »lebhaft, liebenswürdig«, dem Part. Präs. von afrz. *galer* »sich amüsieren«. Über weitere Zusammenhänge vgl. das Stammwort *Gala*. – Zu ›galant‹ gehört das Substantiv **Galanterie** »höfliches, zuvorkommendes Verhalten (gegenüber Frauen)«, das im 18. Jh. aus gleichbed. frz. *galanterie* entlehnt wurde.

Galeere »Ruderschiff des Mittelmeerraums, auf dem meist Sklaven oder Sträflinge zum Rudern verurteilt waren«: Das seit dem Anfang des 17. Jh.s bezeugte Substantiv ist entlehnt aus gleichbed. it. *galera*, das über mlat. *galea* auf mgriech. *galía* zurückgeht. Dies gehört wohl zu griech. *galéē* »Schwertfisch«, eigentlich »Wiesel« (nach den schnellen Bewegungen des Fisches).

Galerie: Das Fremdwort wurde als Terminus der [Garten]baukunst im 16. Jh. aus it. *galleria* (entsprechend frz. *galérie*) »langer, bedeckter Säulengang« entlehnt; dann auch übertragen verwendet, so vor allem für einen mit Kunstschätzen reichlich ausgestatteten Saal (beachte die Zusammensetzung ›Gemäldegalerie‹). Stammwort ist wohl der biblische Name Galiläa (das heidnische Land, im Gegensatz zu Judäa), mit dem man seit dem 10. Jh., zunächst in Rom, die Vorhallen (von Kirchen) bezeichnete, in denen die Heiden, die sog. Galiläer, herumlungerten.

Galgen: Das gemeingerm. Wort mhd. *galge*, ahd. *galgo*, got. *galga*, engl. *gallows*, schwed. *galge* geht mit verwandten Wörtern in anderen idg. Sprachen zurück auf idg. **ĝhalg[h]-* »Rute, Stange, Pfahl«, vgl. z. B. armen. *jałk* »Zweig, Gerte« und lit. *žalgà* »lange, dünne Stange«. In der Frühzeit der Christianisierung des Germanentums wurde ›Galgen‹ auch als Bezeichnung für das Kreuz Christi gebraucht und in dieser Verwendung erst durch das aus dem Lat. entlehnte ›Kreuz‹ (s. d.) allmählich verdrängt. Außerdem bezeichnet das Wort galgenähnliche Gerüste (z. B. über dem Ziehbrunnen). Auf ›Galgen‹ im Sinne von »Vorrichtung zum Hinrichten« beziehen sich die Zusammensetzungen **Galgenfrist** (16. Jh.), **Galgenhumor** (19. Jh.), **Galgenstrick** (16. Jh.; ↑Strick), **Galgenvogel** (16. Jh.).

Galionsfigur: Die Bezeichnung für eine aus Holz geschnitzte Figur am Bug früherer Segelschiffe kam im 16. Jh. in der nordd. Seemannssprache auf. Der erste Bestandteil des Wortes ist über mniederl. *galjoen* »kunstvoll gestalteter Vorbau am Schiffsbug« aus frz. *galion* entlehnt, das seinerseits auf span. *galeón* »großes Segelschiff, Galeone« (zu mlat. *galea*, vgl. *Galeere*) zurückgeht.

Galle: Das altgerm. Wort mhd. *galle*, ahd. *galla*, niederl. *gal*, engl. *gall*, schwed. *galla* gehört zu der unter ↑gelb dargestellten idg. Wurzel **ĝhel[ə]-*

»glänzend, [gelblich, grünlich, bläulich] schimmernd, blank«. Die Galle ist also nach ihrer gelblich grünen Farbe benannt. In anderen idg. Sprachen sind z. B. verwandt griech. *chólos, cholḗ* »Galle; Bitteres; Zorn, Wut«, dazu *choléra* »Gallenbrechruhr« (vgl. *Koller, Cholera, cholerisch*), und lat. *fel* »Galle; Bitterkeit; Zorn; Neid«. Wie bei anderen Völkern, so gilt auch bei uns die Galle als Symbol der Bitterkeit und als Sitz des Zorns, beachte z. B. die verstärkende Zusammensetzung **galle[n]bitter** und die Wendung ›mir läuft die Galle über‹. Abl.: **gallig** »Galle enthaltend; bitter; schlecht gelaunt« (17. Jh.); **vergällen** »verbittern, ungenießbar machen; denaturieren« (mhd. *vergellen*).

Gallert, Gallerte »aus tierischen oder pflanzlichen Säften eingedickte Brühe«: Die nhd. Form beruht auf einer mundartlichen Entstellung von mhd. *galreide* »Gallert«, das seinerseits aus mlat. *gelatria* (älter *gelata*) »Gefrorenes; Sülze« entlehnt ist. Dies gehört zu lat. *gelare* »gefrieren machen; verdichten, eindicken« (vgl. *Gelatine* und *Gelee*).

Galopp: Der seit dem 16. Jh. zuerst als ›Galoppo‹ bezeugte Ausdruck für »schnelle Gangart, Sprunglauf des Pferdes« beruht auf einer Entlehnung aus gleichbed. it. *galoppo,* das seinerseits aus entsprechend frz. *galop* stammt. Die heute übliche, im Anfang des 17. Jh.s aufgekommene, eingedeutschte Form des Fremdwortes steht unter dem Einfluss von frz. *galop.* – Das dem frz. Substantiv zugrunde liegende Verb frz. *galoper* »Galopp reiten« (afrz. auch *waloper*), das über gleichbed. it. *galoppare* im 16. Jh. unser Fremdwort **galoppieren** lieferte, geht wohl auf afränk. **wala hlaupan* »gut springen« (vgl. *wohl* und *laufen*) zurück.

Gamasche: Das im 16./17. Jh. aus frz. *gamache* »lederner Überstrumpf« entlehnte Substantiv gehört – wie z. B. ↑Damast – zu den Fremdwörtern, die einen Stoff nach dem Herkunftsland oder -ort bezeichnen. Zugrunde liegt span. *guadamecí* »Leder aus der Stadt Ghadames (in Libyen)«, das durch prov. Vermittlung ins Frz. gelangte.

Gambe »Knie-, Beingeige«: Der seit dem 17. Jh. bezeugte Name des Musikinstruments ist eine Kurzform für das ältere *Violgambe,* das aus it. *viola da gamba* »Beingeige« entlehnt ist (entsprechend *viola da braccio* »Armgeige« in ↑Bratsche). Über it. *viola* s. den Artikel *Violine.* It. *gamba* »Bein« geht mit gleichbed. frz. *jambe* auf spätlat. *gamba* »Fesselgelenk (beim Pferd); Bein« zurück, das selbst Lehnwort aus griech. *kampḗ* »Biegung, Krümmung; Gelenk« ist.

gammeln »ungenießbar werden, verderben; untätig sein, faul in den Tag hinein leben«: Das aus dem Niederd. ins Hochd. gedrungene Verb geht zurück auf mniederd. *gammeln* »alt werden«, das zu einem im Dt. untergegangenen germ. Adjektiv mit der Bed. »alt« gehört: aengl. *gamol,* schwed. *gammal,* dän. *gammel* »alt«, vgl. asächs. *gi-gamalōd* »betagt, bejahrt« und niederd. *gammel* »[altes] wertloses Zeug, Kram«. Abl.: **Gammler** »jemand, der alle Formen des Etabliertseins ablehnt und daher keinerlei Wert auf sein Äußeres legt und keiner geregelten Arbeit nachgeht« (20. Jh.); **gammelig** »verdorben, ungenießbar; unordentlich, heruntergekommen« (20. Jh.); **vergammeln** »verderben, ungenießbar werden; untätig zubringen« (20. Jh.).

Gams, Gämse: Der Name der einzigen in Mitteleuropa noch vertretenen Antilopenart stammt wahrscheinlich aus einer untergegangenen, einstmals in den Alpen gesprochenen Sprache, aus der auch spätlat. *camox* »Gämse« entlehnt ist. Neben ahd. *gamiz̧a,* mhd. *gemez̧e* muss auch eine Nebenform **gamuz* bestanden haben, die sich über mhd. *gam[e]z* zu nhd. Gams (beachte die Zusammensetzung ›Gamsbart‹) entwickelte.

[1]Gang: Das gemeingerm. Wort mhd., ahd. *ganc,* got. *gagg,* engl. *gang* (↑[2]Gang und ↑Gangway), schwed. *gång* gehört mit verwandten Wörtern in anderen idg. Sprachen zu der idg. Wurzel **g̑hengh-* »die Beine spreizen, schreiten«, vgl. z. B. aind. *jáṅghā* »Unterschenkel« und lit. *žeñgti* »schreiten«. Aus dem germ. Sprachbereich gehört zu dieser Wurzel ferner das gemeingerm. starke Verb ahd. *gangan* »gehen«, got. *gaggan* »gehen«, aengl. *gangan* »gehen«, aisl. *ganga* »gehen«. Mit Formen dieses Verbs wird im Dt. das unter ↑gehen behandelte – nicht verwandte – Verb ergänzt, beachte das Präteritum ›ging‹ und das zweite Partizip ›gegangen‹. Das gemeingerm. starke Verb seinerseits ist rückgebildet aus einem germ. Iterativum **gangjan,* das bewahrt ist in mhd. *gengen* »gehen machen, losgehen« (↑gängeln) und aengl. *gengan* »gehen, reisen, ziehen«. – Das Substantiv ›Gang‹ bezeichnet heute gewöhnlich das Gehen, dann auch den [Ab]lauf, ferner die Gang- oder Bewegungsart (daher Gänge beim Auto) und das einmalige Gehen (einer Strecke) zu einem bestimmten Zweck, beachte z. B. die Zusammensetzungen ›Spazier-, Wahl-, Waffengang‹. Außerdem bezeichnet ›Gang‹ den Ort des Gehens, beachte die Zusammensetzungen ›Haus-, Säulen-, Laubengang‹ und ›unterirdischer Gang‹, und bei der Mahlzeit das einzeln aufgetragene Gericht einer Speisenfolge. Abl.: **gangbar** »begehbar, üblich, gültig« (mhd. *[un]gancbære*), **gängig** »begehbar, befahrbar; gut laufend; gebräuchlich, üblich« (mhd. *gengec*). Zus. **Gangspill** (↑Spill); **Kreuzgang** »Arkadengang in Klöstern und Stiftskirchen«, älter auch »Gang mit dem Kreuz, Prozession« (mhd. *kriuz[e]ganc*); **Stuhlgang** (s. unter *Stuhl*). – ›Ab-, Auf-, Ausgang‹ usw. stellen sich zu den mit ↑gehen zusammengesetzten Verben.

[2]Gang: Die Bezeichnung für »organisierte Bande von Verbrechern« ist eine Entlehnung des 20. Jh.s aus gleichbed. engl.-amerik. *gang,* das etymologisch ↑[1]Gang entspricht und eigentlich »das Ge-

G

hen, der Gang« bedeutet (wie in ↑Gangway), dann auch im Sinne von »Zusammengehen, gemeinsames Handeln mehrerer Personen« gebraucht wird. Eine Bildung dazu ist engl.-amerik. *gangster,* aus dem gleichfalls im 20. Jh. unser Fremdwort **Gangster** »organisierter Schwerverbrecher« entlehnt wurde.

gangbar ↑[1]Gang.

gängeln »ein Kind gehen lehren, am Gängelband führen«: Das seit dem 16. Jh. bezeugte Verb ist eine Iterativbildung zu dem im Nhd. untergegangenen Verb mhd. *gengen* »gehen machen; losgehen«, das zu der Wortgruppe von ↑[1]Gang gehört. Zus. **Gängelband** »Band, an dem das Kind gehen lernt« (18. Jh.).

G

gängig ↑[1]Gang.

Gangspill ↑Spill.

Gangster ↑[2]Gang.

Gangway: Die Bezeichnung für »Laufgang (bzw. Lauftreppe) zum Betreten oder Verlassen eines Schiffes oder Flugzeugs« ist eine Entlehnung des 20. Jh.s aus gleichbed. engl. *gangway* (aengl. *gangweg*), eigentlich »Gehweg« (vgl. [1]*Gang* und *Weg*).

Ganove »Betrüger, Verbrecher«: Das Wort stammt aus der Gaunersprache und geht zurück auf jidd. *gannaw* »Dieb«.

Gans: Der altgerm. Vogelname mhd., ahd. *gans,* mnd. *gōs,* niederl. *gans,* engl. *goose,* schwed. *gås* beruht mit verwandten Wörtern in anderen idg. Sprachen auf idg. **ĝhans-* »[Wild]gans«, vgl. z. B. aind. *haṁsá-ḥ* »Gans, Schwan«, griech. *chḗn* »Gans« und lat. *anser* (aus **hanser*) »Gans«. Das idg. Wort gehört zu der den Gähnlaut nachahmenden idg. Wurzel **ĝhan-* (vgl. *gähnen*). Das Tier ist also nach dem heiseren Ausfauchen mit aufgesperrtem Schnabel benannt. Im Altertum wurde die Gans zunächst vielfach nur als Ziervogel oder als heiliges Tier gehalten. Seit dem ausgehenden Altertum gewann die Gans dann wegen ihrer Federn und wegen ihres schmackhaften Fleisches immer mehr an Bedeutung. Abl.: **Gänserich** (16. Jh., Nachbildung von ›Enterich‹ vgl. *Ente;* neben schriftsprachlich ›Gänserich‹ sind nordd. **Ganter** und südd. **Ganser** gebräuchlich, die von mhd. *ganze,* ahd. *ganzo, ganazzo,* mnd. *gante* »Gänserich« ausgehen). Zus.: **Gänseblume** (16. Jh.); **Gänsefüßchen** »Anführungszeichen« (18. Jh.); **Gänsehaut** »vor Schreck oder Kälte schaudernde menschliche Haut« (16. Jh.; nach der Ähnlichkeit mit der Haut einer gerupften Gans); **Gänsemarsch** »Gang in einer Reihe hintereinander« (19. Jh.); **Gänsewein** scherzhaft für »Wasser« (16. Jh.).

ganz: Das ursprünglich auf das hochd. Sprachgebiet beschränkte Wort (mhd., ahd. *ganz* »heil, unversehrt; vollständig; vollkommen«) ist dunklen Ursprungs. Vom Hochd. drang das Wort dann nach Norden vor, vgl. mnd. *ganz, gans* und weiterhin niederl. *gans* und schwed. *ganska.* Abl.: **ergänzen** »vervollständigen, hinzufügen« (16. Jh.); **Ganzheit** »Vollständigkeit, Geschlossenheit« (mhd. *ganzheit*); **gänzlich** »vollständig, völlig« (mhd. *genzlich, ganzlich*).

gar: Mhd. *gar,* ahd. *garo* »bereit gemacht, gerüstet; bereit; vollständig, ganz«, niederl. *gaar* »gar«, aengl. *gearu* »bereit, fertig; ausgerüstet«, aisl. *gǫrr* »bereit; gerüstet« gehen zurück auf germ. **garwa-z,* das wahrscheinlich aus **ga-* (vgl. das Präfix *ge..., Ge...*) und **arwa-z* »rasch, flink« (vgl. *rinnen*) gebildet ist. – Im heutigen Sprachgebrauch wird ›gar‹ – von fachsprachlichen Sonderverwendungen wie ›gares Eisen‹, ›gares Leder‹ abgesehen – nur noch auf den fertigen Zustand von Speisen bezogen. Das Adverb ›gar‹ wird im Sinne von »ganz, sehr, vollends« gebraucht (vgl. den Artikel *sogar*). – Von ›gar‹ abgeleitet ist das unter ↑gerben behandelte Verb.

Garage: Die Bezeichnung für »Raum, Gebäude zum Abstellen von Kraftfahrzeugen« ist eine Entlehnung des 20. Jh.s aus gleichbed. frz. *garage.* Wie frz. *gare* »Bahnhof« ist auch *garage* eine Bildung zu frz. *garer* »in sichere Verwahrung bringen«, das seinerseits germ. Ursprungs ist. Voraus liegt wohl ein durch das Norm. vermittelte anord. Verb *vara* (germ. **warōn*), das dem ahd. *biwarōn* (vgl. *wahren*) »bewahren« entspricht.

Garantie »Bürgschaft, Gewähr, Sicherheit«: Das Substantiv, ursprünglich ein Ausdruck der Diplomatensprache, wurde im 17. Jh. aus gleichbed. frz. *garantie* entlehnt. Etwa gleichzeitig wurde **garantieren** »verbürgen, gewährleisten« aus frz. *garantir* übernommen. Beide Wörter sind von frz. *garant* »Gewährsmann, Bürge« abgeleitet, auf das unser Fremdwort **Garant** zurückgeht. Frz. *garant* seinerseits ist germ. Ursprungs und geht wahrscheinlich zurück auf ein Part. Präs. afränk. **werēnd,* entsprechend ahd. *werēnt* (zum Verb ahd. *werēn* »gewährleisten, sicherstellen« in ↑gewähren).

Garaus

jmdm. den Garaus machen

»jemanden töten«

Der heute nur noch in der vorliegenden Wendung auftretende Ausdruck ›Garaus‹ ist hervorgegangen aus dem Ruf ›gar aus!‹ »vollständig aus!«, entstanden, mit dem seit dem 15. Jh. in Süddeutschland die Polizeistunde geboten wurde. Der Ausdruck wurde dann auch auf das Tagesende und den das Tagesende angebenden Glockenschlag übertragen.

Garbe: Das auf das dt. und niederl. Sprachgebiet beschränkte Wort (mhd. *garbe,* ahd. *garba,* niederd. *garve,* niederl. *garf*) gehört zu der unter ↑grabbeln dargestellten idg. Wurzel und bedeutet eigentlich »Zusammengegriffenes, Hand voll, Arm voll«.

Garde »[Leib]wache, Elite-, Kerntruppe; Fastnachtsgarde«: Das Fremdwort wurde um 1700 aus frz. *garde* »Wache, Wachmannschaft« entlehnt, ist aber schon im 15. Jh. vereinzelt am Niederrhein als Bezeichnung von Landsknechtshaufen bezeugt. Frz. *garde* gehört zu *garder* »schützen, behüten, bewachen«, das mit entsprechend it. *guardare (guardia)*, span. *guardar* auf germ. **wardōn* »Sorge tragen, auf der Hut sein« zurückgeht (vgl. *warten, Warte*). Vgl. auch die Artikel *Avantgarde* und *Garderobe.*

arderobe: Die Bezeichnung für »Kleiderablage[raum]; gesamter Kleiderbestand einer Person; Ankleideraum eines Künstlers im Theater« wurde im 17. Jh. aus frz. *garde-robe* »Kleiderzimmer; Kleiderschrank« (eigentlich »Kleiderverwahrung«) entlehnt (vgl. *Garde* und *Robe*). – Dazu als französierende Bildung des 18. Jh.s **Garderobiere** »Garderobenfrau«.

ardine »Fenstervorhang«: Das seit dem 16. Jh. im niederd. Sprachraum bezeugte, über niederl. *gordijn* aus frz. *courtine* entlehnte Wort bezeichnete ursprünglich (bis ins 19. Jh.) den »Bettvorhang«. Das zeigt noch die im 18. Jh. aufgekommene Zusammensetzung **Gardinenpredigt** (entsprechend niederl. *gordijnpreek*, engl. *curtain lecture,* beide schon im 17. Jh. belegt), die im ursprünglichen Sinne wörtlich zu verstehen ist als nächtliche Strafrede, mit der die Ehefrau den betrunkenen, vom Wirtshaus heimkehrenden Mann hinter dem ›Bettvorhang‹ empfing. – Frz. *courtine* geht auf kirchenlat. *cortina* »Vorhang« zurück. Dies ist eine ursprünglich adjektivische Weiterbildung von lat. *c[h]ors* (< *co-hors*) »Einzäunung, Hofraum«, nach dem Vorbild von griech. *aulaía* »Vorhang« (zu *aulḗ* »Hofraum«), bedeutet also eigentlich »der (als Abschirmung) zum Hofraum Gehörige«. Zum gleichen lat. Wort *cors* (< *co-hors*), dessen Stammwort urverwandt ist mit ↑Garten, gehören die roman. Wörter für »Hof[staat]« it. *corte*, span. *corte*, entsprechend frz. *cour*, das eine Vorform vlat. *curs* bzw. *curtis* voraussetzt. Eine Weiterbildung von it. *corte* ist *cortigiano* »Höfling«, dazu *cortigiana* »Hofdame« (↑Kurtisane).

Gardine

hinter schwedischen Gardinen/hinter schwedische Gardinen
(ugs.) »im Gefängnis, ins Gefängnis«
›Gardinen‹ steht in dieser Redensart ironisch für »Gitterstäbe« am Fenster einer Gefängniszelle, während das Adjektiv ›schwedisch‹ an gewisse Grausamkeiten der Schweden im Dreißigjährigen Krieg erinnern soll.

ären: Die heute übliche Form ›gären‹ – gegenüber mhd. *jesen* (daneben *gesen* sowie auch schon *jern, gern*), ahd. *jesan* – ist dadurch entstanden, dass das r, das ursprünglich nur im Präteritum (mhd. *jāren)* auftrat, auch in die anderen Formen drang und dass das anlautende g (im Mhd. für j vor folgendem i) unter dem Einfluss der Sippe von ↑gar sich allgemein durchsetzte. Das Verb geht mit verwandten Wörtern in anderen idg. Sprachen auf die idg. Wurzel *i̯es- »[auf]wallen, sieden, brodeln« zurück, vgl. z. B. aind. *yásyati* »siedet, sprudelt«, griech. *zéō* »siede, koche, walle« und kymr. *ias* »Kochen, Sieden, Schäumen«.

Garn: Das altgerm. Wort mhd., ahd. *garn*, niederl. *garen*, engl. *yarn*, schwed. *garn* bezeichnete ursprünglich die aus getrockneten Därmen gedrehte Schnur. Die eigentliche Bed. »Darm« zeigen die verwandten Wörter in anderen idg. Sprachen, vgl. z. B. griech. *chordḗ* »Darm; Darmsaite« (↑Kordel), lat. *hernia* »Darmbruch« (beachte medizinisch **Hernie** »Eingeweidebruch«) und lit. *žárna* »Darm«. Auch im germ. Sprachbereich ist noch die Bed. »Darm« bewahrt, vgl. aisl. *gǫrn* »Darm« und ahd. *mitti[la]garni* »Eingeweidefett«, heute noch niederd. mdal. **Midder** »Kalbsmilch«. Als der tierische Darm zum Nähen immer seltener verwendet wurde, ging ›Garn‹ auf den Faden über, und zwar auf den einfachen Webfaden, während der durch Zusammendrehen verstärkte Faden ›Zwirn‹ (s. d.) heißt. Bereits im Mhd. bezeichnete ›Garn‹ auch das aus Garn hergestellte Netz, das zum Wild-, Vogel- und Fischfang dient, beachte dazu die Redewendung ›ins Garn gehen‹ und die Ableitung **umgarnen** »betören« (eigentlich »mit Netzen umstellen«).

Garn

ein/sein Garn spinnen
(ugs.) »unwahre, fantastische Geschichten erzählen«
Die Wendung stammt aus der Seemannssprache und meinte ursprünglich die Geschichten, die sich die Matrosen erzählten, wenn sie in ihren freien Stunden auf See aus altem Tau und Takelwerk Garn spannen.

jmdm. ins Garn gehen
»auf jmds. List hereinfallen«
Die Wendung knüpft an ›Garn‹ in der heute nicht mehr üblichen Bedeutung »aus Garn hergestelltes Netz, das zum Wild-, Fisch- und Vogelfang dient«.

Garnele: Der Name des Krebstiers, im Dt. seit dem 16. Jh. vorkommend, ist entlehnt aus niederl. *garneel, garnaal* »Garnele« (= mniederl. *gheernaert*), dessen weitere Herkunft unklar ist.

garnieren: »mit Zubehör, Zutaten versehen; verzieren«: Das Verb wurde im 17. Jh. aus gleichbed. frz. *garnir* (ursprünglich »zum Schutz mit etwas versehen, ausrüsten«) entlehnt. Dies geht wie gleichbed. it. *guarnire* auf germ. **warnjan* »vorsehen« zurück, das zu der unter ↑warnen behandelten Wortgruppe gehört. – Dazu: **Garnitur**

»Ausstattung, Verzierung; mehrere zu einem Ganzen gehörende Stücke (z. B. Kleidergarnitur); Satz« (17. Jh.; aus gleichbed. frz. *garniture*).

Garnitur ↑garnieren.

garstig: Das seit dem 15. Jh. bezeugte Adjektiv ist eine Bildung zu dem im Nhd. untergegangenen mhd. *garst* (adjektivisch) »ranzig, verdorben«, (substantivisch) »ranziger Geschmack oder Geruch«, das mit ahd. *gersti* »bitterer Geschmack« und aisl. *gerstr* »bitter; mürrisch, unwillig« zusammenhängt. Die weitere Herkunft dieser germ. Wortgruppe ist dunkel. – Während ›garstig‹ noch bis ins 18. Jh. hinein im Sinne von »ranzig, verdorben; schmutzig« gebraucht wurde, wird es heute nur noch im Sinne von »widerwärtig, ekelhaft, unfreundlich« verwendet.

G

Garten: Mhd. *garte*, ahd. *garto* »Garten«, got. *garda* »Viehhürde«, daneben *gards* »Hof, Haus; Familie«, engl. *yard* »Hof«, schwed. *gård* »Hof; Gehöft, Gut; Grundstück« beruhen entweder auf idg. **ĝhorto-s* oder auf idg. **ĝhordho-s (*ĝhordhi-)* »Flechtwerk, Zaun, Hürde; Umzäunung, Eingehegtes«, die als to-Bildung bzw. als dh-Erweiterung zu der idg. Wurzel **ĝher-* »umzäunen, einhegen, [um-, ein]fassen« gehören. In anderen idg. Sprachen sind z. B. verwandt griech. *chórtos* »Weide; Gehege; Hof«, vermutlich auch *chorós* »Tanzplatz; Tanz« (↑Chor), lat. *hortus* »Garten« (↑Hortensie), *co-hors* »Hof; Viehhürde; Schar, Kohorte«, kirchenlat. *cortina* »Vorhang« (↑Gardine und ↑Kurtisane), russ. *gorod* »Stadt«, ursprünglich »eingehegter Platz« (vielfach in Ortsnamen, beachte z. B. Nowgorod eigentlich »Neustadt«), tschech. *hrad* »Burg, Schloss«, beachte Hradschin (Name der Burg und eines Stadtteiles von Prag). Zu dieser idg. Wurzel gehört aus dem germ. Sprachbereich auch die unter ↑gürten behandelte Wortgruppe.

Gas: Der Name des luftartigen Stoffes ist eine gelehrte Neuschöpfung des Brüsseler Chemikers J. B. v. Helmont (1577–1644) zu griech. *cháos* »leerer Raum; Luftraum« (vgl. *Chaos*). Das anlautende ›G‹ wurde dabei in niederl. Aussprache als stimmhafter Reibelaut gesprochen. Bis ins 19. Jh. blieb das Wort fast ausschließlich auf die Fachsprache beschränkt. Erst im 19. Jh. mit dem Aufkommen der Gasbeleuchtung wurde es allgemein üblich.

Gasse: Das gemeingerm. Wort mhd. *gaȥȥe*, ahd. *gaȥȥa*, got. *gatwō*, schwed. *gata* (aus dem Nord. stammt engl. *gate*) ist dunklen Ursprungs. Im Dt. ist ›Gasse‹ durch ›Straße‹ zurückgedrängt worden. Zus.: **Gassenhauer** (16. Jh., ursprünglich »Pflastertreter, Nachtbummler«, zu dem unter ↑hauen behandelten Verb in der Bed. »treten, laufen«, dann auf das von den Nachtbummlern gesungene Lied übertragen).

Gast: Das gemeingerm. Wort mhd., ahd. *gast*, got. *gasts*, aengl. *giest*, schwed. *gäst* beruht mit verwandten Wörtern im Lat. und Slaw. auf idg. **ghosti-s* »Fremdling«, vgl. lat. *hostis* »Feind, Gegner«, dazu *hospes* »Gastherr; Gast« (s. die Artikel *Hospital, Hospiz, Hotel*) und die slaw. Sippe von russ. *gost'* »Gast«, dazu *gospodin* »Herr« (übliche Anrede im Russ.). Die Einstellung zum Fremdling, die freundlich aufnehmende wie die feindlich abweisende, spiegelt sich in den Bedeutungsverhältnissen dieser Wortgruppe wider. Auch im germ. Sprachbereich wurde ›Gast‹ in den älteren Sprachzuständen nicht nur im Sinne von »Fremdling«, sondern auch im Sinne von »Feind, feindlicher Krieger« verwendet. Erst seit dem ausgehenden Mittelalter, als das Bürgertum bewusst Gastfreundschaft zu üben begann, erhielt das Wort im Dt. seinen ehrenden Sinn. – Abl.: **gastieren** »als Gast (Künstler auf einer fremden Bühne) auftreten« (17. Jh., in der Bed. »bewirten«); **gastlich** »gastfreundlich« (mhd. *gastlich*). Zus.: **Gastarbeiter** (2. Hälfte des 20. Jh.s als Ersatz für ›Fremdarbeiter‹); **gastfreundlich** »um das Wohl des Gastes bemüht« (18. Jh.), **Gastfreundschaft** (17. Jh.); **Gastgeber** (mhd. *gastgeber* »Gastwirt«); **Gasthaus** (mhd., ahd. *gasthūs*); **Gasthof** (15. Jh.); **Gastspiel** »Auftreten eines Künstlers auf fremder Bühne« (20. Jh.); **Gaststätte** (20. Jh.); **Gastwirt** (17. Jh.); **Gastwirtschaft** (19. Jh.); **Fahrgast** (19. Jh.).

Gatte: Mhd. *gate* »Genosse, Gefährte; Ehegefährte, -mann«, daneben gleichbed. *ge-gate*, asächs. *gigado* »Genosse, Gefährte«, niederl. *gade* »Gattin, Gatte«, aengl. *[ge]gada* »Genosse, Gefährte« gehören im Sinne von »jemand, der einem gleichsteht, der derselben Gemeinschaft angehört« zu der Wortgruppe von ↑gut (ursprünglich »[in ein Baugefüge, in eine Gemeinschaft] passend«). Eng verwandt sind im germ. Sprachbereich ahd. *gatilinc* »Verwandter, Vetter, Stammesgenosse«, got. *gadiliggs* »Vetter«, aengl. *gædeling* »Verwandter, Genosse«. Die weibliche Form **Gattin** »Ehefrau« ist seit dem 18. Jh. gebräuchlich.

Gatter: Mhd. *gater*, ahd. *gataro* »Gatter als Zaun oder Tor; Pforte aus Gitterstäben (an Burgen)« ist eng verwandt mit den unter ↑Gitter und ↑vergattern behandelten Wörtern und gehört zu der Wortgruppe von ↑gut. Abl.: **ergattern** ugs. für »erhaschen, erwischen« (16. Jh., eigentlich wohl »etwas aus einem Gatter oder über ein Gitter hinweg zu erlangen suchen«).

Gattin ↑Gatte.

Gau: Mhd. *gou, göu* »Land[schaft], Gegend«, ahd. *gewi*, got. *gawi*, Genitiv *gaujis* »Land, Umgegend«, niederl. *gouw* »Landschaft, Gau«, aengl. (in Ortsnamen) *-gē* »Land[schaft]« gehen wahrscheinlich zurück auf germ. **gaawja* »Land am Wasser«, eine Kollektivbildung zu dem unter ↑Au behandelten Wort. – Neben ›Gau‹ ist oberd. mdal. die umgelautete Form ›Gäu‹ (mhd. *göu*) gebräuchlich, beachte den Landschaftsnamen Allgäu.

Gauch ↑Kuckuck.

Gaudium »Spaß, Vergnügen, Belustigung«, dafür

ugs. und vor allem südd. **Gaudi:** Das Substantiv stammt aus gleichbed. lat. *gaudium* (zu lat. *gaudere* »sich freuen«) und wurde wohl durch die Studentensprache vermittelt.

gaukeln: Das Verb mhd. *goukeln,* ahd. *goukolōn* »Zauberei treiben, Possen reißen« (vgl. gleichbed. niederl. *goochelen*) ist abgeleitet von dem Substantiv mhd. *goukel,* ahd. *goukal* »Zauberei; Taschenspielerei; Posse«. Im Ablaut dazu stehen mhd. *giege[l]* »Narr, Tor«, *giege[le]n* »narren«, niederl. mdal. *guichel* »Narr«. Die weitere Herkunft dieser Wörter ist unbekannt. – Mdal. Nebenformen von ›gaukeln‹ sind **gokeln, kokeln** vorwiegend mitteld. und nordd. für »mit Licht oder Feuer spielen; mit dem Stuhl wippen«.

Gaul: Das hochsprachlich im verächtlichen Sinne von »schlechtes Pferd, Mähre«, mundartlich dagegen ohne Wertung im Sinne von »Pferd« verwendete Wort geht zurück auf mhd. *gūl* »Pferd«, dessen weitere Herkunft unklar ist. Da mhd. *gūl* nicht nur »Pferd«, sondern auch »männliches Tier«, besonders »Eber« bedeutet, gehört das Wort vielleicht im Sinne von »Befeuchter, Samenspritzer« zu der Wortgruppe von ↑gießen. Zum Benennungsvorgang vgl. z. B. die Artikel *Ochse* und *Auerochse.*

Gaumen: Die nhd. Form geht über mhd. *goume* zurück auf ahd. *goumo,* das im Ablaut steht zu gleichbed. ahd. *guomo* (daneben auch *giumo*) und weiterhin engl. *gums* (Plural) »Zahnfleisch« und schwed. *gom* »Gaumen«. Diese germ. Wörter gehören im Sinne von »Rachen, Schlund« zu der unter ↑gähnen dargestellten idg. Wortgruppe und sind näher verwandt mit lit. *gomurỹs* »Kehle, Schlund« und lett. *gãmurs* »Kehlkopf, Luftröhre«.

Gauner, älter: Jauner: Der Ausdruck für »Betrüger, Spitzbube« stammt aus dem Rotwelschen. Die seit dem 15. Jh. bezeugten rotw. Wörter *Juonner, Joner* »[Falsch]spieler« und *junen, jonen* »[falsch] spielen« gehen wohl auf hebr. jąwąn »Griechenland« (eigentlich »Jonien«) und rotw. **jōwōnen* »[falsch] spielen wie ein Grieche« zurück und gelangten mit den in den Türkenkriegen heimatlos gewordenen Griechen in deutschsprachige Gaunerkreise.

Gaze »weitmaschiges, durchsichtiges Gewebe« (in der Medizin als Verbandsmull verwendet): Das Wort ist wohl pers.-arab. Ursprungs (pers. *qazz,* arab. *qazz* bezeichnen eine Art »Rohseide«) und gelangte über span. *gasa,* frz. *gaze* im 17. Jh. ins Dt., zuerst in der Schreibung Gase.

Gazelle (Name einer Antilopenart der Steppengebiete Nordafrikas und Asiens): Der arab. Name des weiblichen Tieres (arab. *ǧazālah*) gelangte in nordafrik. Aussprache *ǧazēl* im 16. Jh. durch Vermittlung von it. *gazzella* ins Dt. und bezeichnet hier beide Geschlechter.

ge..., Ge...: Das gemeingerm. Präfix mhd. *ge-, gi-,* ahd. *ga-, gi-,* got. *ga-,* aengl. *ge-* (engl. z. B. in *enough* »genug«), aisl. *g-* ist wahrscheinlich aus einer alten Präposition mit der Bedeutung »zusammen, mit« entstanden. Das Präfix drückte zunächst die Vereinigung, das Zusammensein aus, beachte z. B. ›gerinnen, gemein, Gefährte‹, und wurde dann hauptsächlich zur Bildung der Kollektiva verwendet, beachte z. B. ›Gebirge, Gefieder, Gebüsch‹. Ferner bezeichnet ›ge...‹ das Ergebnis des durch das Verb bezeichneten Geschehens, beachte z. B. ›Geschenk, Gemälde, Gewächs‹, und auch – vielfach mit verächtlichem Nebensinn – das Geschehen selbst, beachte z. B. ›Gebrüll, Gerede, Getue‹. Auch der Beginn oder der Abschluss eines Geschehens wird durch das Präfix ausgedrückt, beachte z. B. ›gebären, gefrieren, gestehen‹. Aus diesem Gebrauch entwickelte sich die Verwendung von ›ge...‹ beim zweiten Partizip, beachte z. B. ›gesichert, gelungen, geschätzt‹, und bei der Bildung von Adjektiven wie ›gesittet, gestirnt, gelaunt‹. In mehreren Bildungen ist die Bedeutung von ›ge...‹ heute nicht mehr erkennbar, beachte z. B. ›gestreng, getreu, geschwind‹. In einigen Fällen ist der Vokal von ›ge...‹ geschwunden, beachte z. B. ›gleich, Glaube, begnügen‹.

Gebäck ↑backen.

Gebälk ↑Balken.

Gebärde: Das auf das dt. Sprachgebiet beschränkte Wort (mhd. *gebǣrde,* ahd. *gibārida* »Benehmen, Aussehen, Wesensart«) ist eine Bildung zu dem im Nhd. untergegangenen Verb mhd. *gebǣren,* ahd. *gibāren* »sich verhalten, sich aufführen«, das zu der Wortgruppe von ↑gebären gehört (vgl. auch den Artikel *gebaren*). Abl.: **gebärden,** sich »sich benehmen, sich aufführen« (16. Jh.).

gebaren »sich benehmen, sich verhalten«: Das Verb mhd. *gebāren,* ahd. *gibārōn* gehört im Sinne von »sich betragen« zu mhd. *bern,* ahd. *beran* »tragen« (vgl. *gebären*). Beachte auch den substantivierten Infinitiv **Gebaren** »Benehmen, Verhalten«.

gebären: Mhd. *gebern,* ahd. *giberan* »[hervor]bringen, erzeugen, gebären« (entsprechend got. *gabaíran* »gebären«) ist eine ge-Bildung zu dem im Nhd. untergegangenen gemeingerm. einfachen Verb mhd. *bern,* ahd. *beran* »tragen; bringen; hervorbringen; gebären«, got. *baíran* »tragen; ertragen, leiden; gebären«, engl. *to bear* »tragen; bringen; ertragen, aushalten; zur Welt bringen, gebären«, schwed. *bära* »tragen; bringen; ertragen, aushalten«. Dieses gemeingerm. Verb, das im Dt. auch in der Präfixbildung ↑entbehren (eigentlich »nicht tragen, nicht bei sich haben«) steckt, gehört mit verwandten Wörtern in anderen idg. Sprachen zu der idg. Wurzel **bher[ə]-* »[sich] heben, [sich] regen, [sich] bewegen«, dann auch »tragen; bringen, holen; hervorbringen, erzeugen, gebären«. Vgl. z. B. aind. *bhárati* »trägt«, griech. *phérein* »tragen; bringen«, *phértron* »Bahre«, *phóros* »Ertrag, Steuer«, *phórtos* »Bürde, Last, Ladung«, *-pher, -phor* »tragend, bringend«

G

(vgl. *Euphorie, Peripherie, Metapher, Phosphor, Ampel, Ampulle, Eimer*), lat. *ferre* »tragen; bringen« (s. die Fremdwortgruppen um *offerieren, konferieren, referieren*), *ferculum* »Bahre«, *fertilis* »fruchtbar« *-fer* »tragend, bringend« (↑Luzifer). Aus dem germ. Sprachbereich gehören zu dieser Wurzel auch die Substantivbildungen ↑Bahre (eigentlich »Trage«) und ↑Bürde (eigentlich »was getragen wird«), das Suffix ↑...bar (eigentlich »tragend«, beachte z. B. ›fruchtbar‹ eigentlich »Frucht tragend«) und ferner die Verben ↑gebaren (eigentlich »sich betragen«, s. auch den Artikel *Gebärde*) und ↑gebühren (eigentlich »sich zutragen, geschehen, zufallen«). Von der ursprünglichen Bed. »[sich] heben« gehen die unter ↑empor und ↑empören behandelten Wörter aus (s. auch den Artikel *Berg*). – Eine alte Bildung zu ›gebären‹ ist das unter ↑Geburt behandelte Substantiv. Die Zusammensetzung **Gebärmutter** (älter auch ›Bärmutter‹) ist seit dem 16. Jh. bezeugt.

Gebäude: Mhd. *gebūwede*, ahd. *gebūwida* ist eine Bildung zu dem unter ↑bauen behandelten Verb und bedeutet eigentlich »Bau[en]«. Heute bezeichnet ›Gebäude‹ gewöhnlich ein größeres Bauwerk.

Gebein ↑Bein.

geben: Das gemeingerm. Verb mhd. *geben*, ahd. *geban*, got. *giban*, aengl. *giefan* (engl. *to give* ist nord. Lehnwort), schwed. *giva* geht mit verwandten Wörtern in anderen idg. Sprachen auf die idg. Wurzel **ghabh-* »fassen, ergreifen« zurück, vgl. z. B. air. *gaibid* »ergreift, nimmt«, lit. *gabénti* »fortbringen« und lat. *habere* »halten, haben, besitzen«, dazu *habitus* »Haltung, Aussehen, Kleidung« (↑Habitus), *habilis* »handlich, tauglich« (↑habilitieren), *prae[hi]bere* »darreichen«, *praebenda* »Darzureichendes« (↑Proviant und ↑Pfründe). – Das gemeingerm. Verb ist in der Lautung von der Wortgruppe von ›nehmen‹ beeinflusst worden. Die Bed. »darreichen, schenken« hat sich aus »fassen, greifen, reichen« entwickelt. Um ›geben‹ gruppieren sich im germ. Sprachbereich die Substantivbildungen ↑Gift und ↑Gabe sowie das Verbaladjektiv ↑gäbe. Zusammensetzungen und Präfixbildungen: **abgeben** »einen Teil von etwas geben, weggeben; überreichen, überbringen; überlassen, zur Verfügung stellen; etwas sein«, reflexiv »sich mit etwas befassen oder beschäftigen« (mhd. *ab[e]geben*, ahd. *abageban*), dazu **Abgabe** (17. Jh.); **angeben** »mitteilen, vorbringen; bestimmen; sich wichtig tun, prahlen«, dazu **Angabe, Angeber** und **angeblich** »vermeintlich, vorgeblich« (18. Jh.); **aufgeben** »auftragen zu tun, erledigen lassen; zur Beförderung geben, absenden; fahren lassen, preisgeben; vorzeitig abbrechen« (mhd. *ūfgeben*), dazu **Aufgabe** (17. Jh.); **ausgeben** »fortgeben, vertun; bekannt geben; aushändigen, verteilen«, ugs. auch für »spendieren« und für »Ertrag geben, Gewinn abwerfen« (mhd. *ūzgeben*, ahd. *ūzgeban*), dazu **Ausgabe** und **ausgiebig** »reichlich« (18. Jh.); **begeben** »in Umlauf setzen« (einen Wechsel oder dgl.), reflexiv »sich ereignen; sich aufmachen, ziehen, gehen; aufgeben, fahren lassen« (mhd. *begeben*, ahd. *bigeban*), dazu **Begebenheit** »Ereignis« (17. Jh.); **beigeben** »hinzufügen, zur Seite stellen; seine Ansprüche herabsetzen, sich bescheiden, sich fügen« (der seit dem 19. Jh. bezeugte Gebrauch im letzteren Sinne bezog sich ursprünglich wohl auf das Kartenspielen); **eingeben** »zu trinken geben, einnehmen lassen, einflößen; einreichen« (mhd. *īngeben* »übergeben«, dazu **Eingabe** (mhd. *ingābe* »Eingebung; Gesuch«) und **Eingebung** »Gedanke, Einfall«; **ergeben** »zum Resultat haben«, gewöhnlich reflexiv »zur Folge haben, zustande kommen; die Waffen strecken, sich beugen; sich hingeben, sich überlassen« (mhd. *ergeben*, ahd. *irgeban*), dazu **Ergebung,** ferner **Ergebnis** (um 1800 für ›Resultat‹), **ergiebig** (17. Jh. in der Bed. »sich ergebend«; seit dem 18. Jh. in der heute üblichen Bed. »ertragreich, fruchtbar«), beachte auch das in adjektivischen Gebrauch übergegangene zweite Partizip **ergeben** »gefügig, in Treue zugetan«, dazu **Ergebenheit** »Demut, Untertänigkeit« (18. Jh.); **freigebig** »gern schenkend, großzügig« (16. Jh.; wohl gebildet mit älter nhd. *gebig, gäbig* »gern gebend«); **hingeben** »fortgeben, verschenken«, reflexiv »sich ganz und gar widmen, sich opfern« (18. Jh., aber schon ahd. *hinageban*), dazu **Hingabe** und **Hingebung,** beachte **hingebungsvoll; nachgeben** »nicht standhalten, locker, schwankend sein; sich abfinden, zustimmen« (spätmhd. *nachgeben*), dazu **nachgiebig** »locker, schwankend, weich; gern bereit, sich dem Willen anderer anzupassen« (18. Jh.); **preisgeben** (s. d.); **übergeben** »überreichen, aushändigen; ausliefern«, reflexiv »sich erbrechen« (mhd. *übergeben*), dazu **Übergabe** (mhd. *übergābe*); **umgeben** »umringen, umschließen; umhüllen« (mhd. *umbegeben*, ahd. *umbigeban* eigentlich »etwas um etwas herumgeben« als Lehnübersetzung von lat. *circumdare*), dazu **Umgebung** (16. Jh. in der Bed. »das Herumgeben, Umhängen«; seit dem Beginn des 19. Jh.s in der heute üblichen Bed. »Landschaft, die einen Ort, Personenkreis, der jemanden umgibt«); **untergeben** veraltet für »unter Aufsicht stellen, in den Dienst geben« (mhd. *undergeben*, ahd. *untargeban*), dazu das substantivierte zweite Partizip **Untergebene** »der einem Vorgesetzten unterstellt ist«; **vergeben** »austeilen, verschenken; verzeihen; falsch geben, unrichtig austeilen« (mhd. *vergeben*, ahd. *fargeban;* der Wortgebrauch im Sinne von »verzeihen« geht von der Vorstellung aus, dass man jemandem etwas schenkt, das man von ihm zu beanspruchen hat), dazu **Vergebung** und **vergebens** »umsonst, ohne Erfolg, ohne Wirkung (mhd. *vergeben[e]s*, mit sekundärem s für mhd. *vergebene* »schenkweise, unentgeltlich; umsonst«, Adverb zum zweiten Partizip mhd. *vergeben* in der Bedeutung »geschenkt«), **vergeblich**

»erfolglos, unnütz« (mitteld. *vergebelich*, 15. Jh., wohl Kürzung aus einer Bildung zum 1. Partizip, vgl. mhd. *vergebenlich*); **zugeben** »hinzufügen, darauf geben; bedienen (im Kartenspiel); einräumen; gestehen« (mhd. *zuogeben* »jemandem zusetzen«), dazu **Zugabe.**

Gebet: Das westgerm. Substantiv mhd. *gebet*, ahd. *gibet*, niederl. *gebed*, aengl. *gebed* (beachte engl. *bead* »Perle am Rosenkranz«) ist eine Bildung zu dem unter ↑bitten behandelten Verb. Im heutigen Sprachgefühl wird ›Gebet‹ als zu ›beten‹ gehörig empfunden.

Gebet

jmdn. ins Gebet nehmen
»jmdn. [wegen wiederholter Verfehlungen] zurechtweisen, ihm Vorhaltungen machen«
Die Wendung rührt wahrscheinlich daher, dass der Beichtvater früher dem Beichtenden nach abgelegter Beichte Gebete vorsprach und ihn mitbeten ließ.

Gebiet: Mhd. *gebiet[e]* »Befehl, Gebot, Gerichtsbarkeit«, dann »Bereich, über den sich Befehlsgewalt oder Gerichtsbarkeit erstreckt« ist eine Bildung zu der unter ↑bieten behandelten Präfixbildung ›gebieten‹. Im heutigen Sprachgebrauch wird ›Gebiet‹ allgemein im Sinne von »in sich geschlossenes, größeres Stück Land; Bereich; Fach« verwendet.

gebieten ↑bieten.

Gebild[e] ↑Bild.

gebildet, Gebildeter ↑bilden.

Gebirge: Das auf das dt. Sprachgebiet beschränkte Wort (mhd. *gebirge*, ahd. *gibirgi*) ist eine Kollektivbildung zu dem unter ↑Berg behandelten Substantiv und bedeutet eigentlich »Gesamtheit der Berge«.

Gebiss: Das auf das dt. und niederl. Sprachgebiet beschränkte Wort (mhd. *gebiȥ*, ahd. *gibiȥ*, niederl. *gebit*) ist eine Bildung zu dem unter ↑beißen behandelten Verb. Es bezeichnet im heutigen Sprachgebrauch die Gesamtheit der Zähne und das Mauleisen am Zaum, außerdem auch die künstlichen Zähne.

Gebläse: Das seit dem 16. Jh. bezeugte Wort ist eine Bildung zu dem unter ↑blasen behandelten Verb und bezeichnet eine Vorrichtung zum Blasen, den Blasebalg und Ventilationsapparat.

geblümt ↑Blume.

Geblüt: Spätmhd. *geblüete* »Gesamtmasse des Blutes« (bei einem Menschen oder Tier) ist eine Kollektivbildung zu dem unter ↑Blut behandelten Wort. Im heutigen Sprachgebrauch wird ›Geblüt‹ auf die Abstammungs- oder Verwandtschaftsverhältnisse bezogen, beachte z. B. ›fürstliches Geblüt‹. Im Schweiz. wird ›Geblüt‹ im Sinne von »Menstruation« verwendet.

Gebot: Das westgerm. Substantiv mhd. *gebot*, ahd. *gibot*, niederl. *gebod*, aengl. *gebod* gehört teils zu der Präfixbildung gebieten und teils zum einfachen Verb bieten (vgl. *bieten*).

Gebrauch, gebrauchen, gebräuchlich ↑brauchen.

Gebrechen, gebrechlich ↑brechen.

Gebrüder ↑Bruder.

gebühren: Mhd. *gebürn*, ahd. *giburian* »sich ereignen, geschehen; widerfahren, zufallen, zukommen«, niederl. *gebeuren* »geschehen, sich ereignen«, aengl. *gebyrian* »geschehen, sich ereignen; zufallen, zukommen; gehören; angemessen sein«, aisl. (mit Präfixverlust) *byrja* »zufallen, zukommen« gehören – etwa im Sinne von »sich zutragen« – zu der unter ↑gebären dargestellten idg. Wurzel **bher[ə]-* »heben, tragen«. Eng verwandt sind damit mhd. *bürn*, ahd. *burien* »heben, in die Höhe halten«, niederl. *beuren* »[er]heben«, aisl. *byrja* »beginnen« (eigentlich »anheben«) und die unter ↑empor und ↑empören behandelten Wörter. – Im Nhd. wird ›gebühren‹ nur noch im Sinne von »als Recht oder Pflicht zukommen, sich ziemen« verwendet. Abl.: **Gebühr** (mhd. *gebür[e]*, ahd. *giburi*, eigentlich »was einem zukommt oder zufällt«; besonders gebräuchlich ist heute der Plural ›Gebühren‹ in der Amtssprache); **gebührlich** »geziemend« (spätmhd. *gebürlich*).

Geburt: Das gemeingerm. Wort mhd. *geburt*, ahd. *giburt*, got. *gabaúrÞs*, aengl. *gebyrd* (engl. *birth* ist nord. Lehnwort), schwed. *börd* ist eine Bildung zu dem unter ↑gebären behandelten Verb und bezeichnet sowohl den Vorgang des Gebärens als auch das Geborene. Abl.: **gebürtig** »geboren in« (mhd. *gebürtich*, ahd. *gibürtīg*). Zus.: **Geburtenkontrolle** (Mitte des 20. Jh.s; Lehnübersetzung von engl. *birth control*).

Gebüsch ↑Busch.

Geck: Das ursprünglich niedersächs. Wort, das seit der 1. Hälfte des 14. Jh.s als mnd. *geck* »Narr« bezeugt ist, drang Ende des 14. Jh.s ins Niederfränk. und wurde dort zur Bezeichnung der Hofnarren der Bischöfe. Später wurde es dann auf die Narren des rheinischen Karnevals übertragen und gewann daher seine Beliebtheit. – Wie auch südd. mdal. Gagg, Gaggel, Gagger »Narr« so ist auch ›Geck‹ ein lautnachahmendes Scheltwort für den Narren, der unverständliche Laute ausstößt. Neben dem Substantiv ist auch das Adjektiv ›geck‹, rhein. ›jeck‹ »närrisch, verrückt« gebräuchlich.

Gedächtnis: Mhd. *gedæhtnisse* »das Denken an etwas, Erinnerung«, ahd. *kithēhtnissi* »das Denken an etwas, Andacht, Hingabe« ist eine Bildung zu dem zweiten Partizip gedacht (mhd. *gedāht*, ahd. *gidāht*) des Präfixverbs gedenken (vgl. *denken*).

Gedanke: Das Substantiv mhd. *gedanc*, ahd. *gidanc* (entsprechend aengl. *geđonc* »Gedanke«) ist eine Bildung zu dem unter ↑denken behandelten Verb. – Zus.: **Gedankenfreiheit** (18. Jh.; eigentlich »Freiheit, Gedanken zu äußern«); **Gedankensplitter** (↑Splitter); **Gedankensprung** (↑Sprung); **Gedankenstrich** (18. Jh.).

Gedeck ↑decken.

gedeihen: Das altgerm. Verb mhd. *bedīhen,* ahd. *gedīhan,* got. *gaþeihan,* niederl. *gedijen,* aengl. *geđīon* ist eine ge-Bildung zu dem im Nhd. untergegangenen einfachen Verb mhd. *dīhen,* ahd. *thīhan* »wachsen, gedeihen; austrocknen; fest, dicht werden«, got. *þeihan* »wachsen, gedeihen«, niederl. *dijen* »schwellen«, aengl. *đīon* »wachsen, gedeihen, reifen; nützen«. Damit eng verwandt sind im germ. Sprachbereich die unter ↑dicht, ↑Tang und ↑[1]Ton (Sedimentgestein) behandelten Wörter. Diese germ. Wortgruppe gehört mit verwandten Wörtern in anderen idg. Sprachen zu der Wurzelform **tenk-* »[sich] zusammenziehen, gerinnen; dicht, fest werden«, vgl. z. B. aind. *tanákti* »zieht zusammen« und lit. *tánkus* »dicht; häufig«. Über die weiteren Zusammenhänge vgl. *dehnen.* – Das Substantiv ›Gedeih‹ ist heute nur noch in der Wendung ›auf Gedeih und Verderb‹ gebräuchlich. Siehe auch den Artikel *gediegen.*

gedenken ↑denken.

Gedicht ↑[2]dichten.

gediegen »rein, lauter; solide, anständig, zuverlässig«: Mhd. *gedigen* »ausgewachsen, reif; fest, hart; trocken, dürr; lauter, rein, gehaltvoll; tüchtig« ist das in adjektivischen Gebrauch übergegangene zweite Partizip von dem unter ↑gedeihen behandelten Verb. Die alte Form des zweiten Partizips (mit grammatischem Wechsel, beachte z. B. das Verhältnis von ›gezogen‹ zu ›ziehen‹) hat sich besonders als Fachwort des Bergbaus (beachte z. B. ›gediegenes Metall‹) gehalten und wird auch übertragen gebraucht. Als zweites Partizip von ›gedeihen‹ wird heute ›gediehen‹ verwendet.

Gedränge ↑Drang.

gedrungen ↑dringen.

Geduld, gedulden, geduldig ↑dulden.

gedunsen »geschwollen, aufgetrieben«: Das Adjektiv ist eigentlich das zweite Partizip zu einem nur noch im Hess. bewahrten Verb ›dinsen‹ »ziehen« (mhd. *dinsen,* ahd. *dinsan* »ziehen, zerren; schleppen«, reflexiv »sich ausdehnen, sich mit etwas anfüllen«, vgl. got. *at-þinsan* »heranziehen«). Dieses Verb gehört mit verwandten Wörtern in anderen idg. Sprachen – vgl. z. B. lit. *tę̃sti* »ziehen, dehnen« – zu der unter ↑dehnen dargestellten Wortgruppe.

Geest ↑gähnen.

Gefahr: Mhd. *gevāre* »Nachstellung, Hinterhalt; Betrug« gehört zu dem heute veralteten einfachen Substantiv ›Fahr‹ »Gefahr«: mhd. *vāre* »Nachstellung; Trachten, Streben; Hinterlist, Falschheit, Betrug; Furcht«, ahd. *fāra* »Nachstellung, Hinterlist«, mnd. *vāre* »Gefahr; Furcht« (↑unverfroren), engl. *fear* »Furcht«. Von diesem Substantiv abgeleitet ist das Verb ahd. *fārēn,* mhd. *vāren* »nachstellen, [feindlich] nach etwas trachten, streben«, das im Nhd. in ›willfahren‹ bewahrt ist. Diese germ. Wortgruppe beruht mit verwandten Wörtern in anderen idg. Sprachen auf idg. **per-* »unternehmen, versuchen, wagen«, vgl. z. B. griech. *peĩra* »Versuch, Wagnis« (↑Pirat), *émpeiros* »erfahren, kundig« (↑empirisch) und lat. *ex-periri* »versuchen, prüfen«, *experimentum* »Versuch, Prüfung« (↑Experiment), *periculum* »Gefahr«. Über die weiteren Zusammenhänge vgl. *ver...*

Gefährt: Mhd. *gevert[e]* »Fahrt, Gang, Reise, Weg; Gesinde; Lebensweise, Benehmen, Art; Umstände« ist eine Kollektivbildung zu dem unter ↑Fahrt behandelten Substantiv. Seit dem 17. Jh. ist das Wort im Sinne von »Fuhrwerk, Wagen« gebräuchlich.

Gefährte: Mhd. *geverte,* ahd. *giferto* ist eine Bildung zu dem unter ↑Fahrt behandelten Substantiv und bedeutete ursprünglich »der mit einem zusammen fährt (= reist)«, dann allgemein »Begleiter; Kamerad«.

Gefälle ↑fallen.

gefallen: Mhd. *gevallen,* ahd. *gifallan* ist eine Bildung zu dem unter ↑fallen behandelten Verb. Die heute übliche Verwendung im Sinne von »zusagen, anziehend wirken; angenehm, hübsch sein« hat sich aus dem Wortgebrauch im Sinne von »zufallen, zuteil werden, bekommen« (ursprünglich wohl auf das Fallen der Würfel und Lose bezogen) entwickelt.

Gefangener, Gefangenschaft, Gefängnis ↑fangen.

Gefäß: Mhd. *gevæ̨ze* »Schmuck, Ausrüstung, Gerät, Geschirr«, ahd. *givāzi* »Proviantladung«, got. *gafēteins* »Schmuck« gehören zu dem unter ↑fassen behandelten Verb. Im dt. Sprachgefühl wurde ›Gefäß‹ später als Kollektivbildung zu ›Fass‹ verstanden, wodurch das Wort seine zahlreichen Bedeutungsschattierungen (z. B. »Griff am Degen«, »Takelwerk der Schiffe«, »Ladung eines Floßes«) verlor. In der Naturwissenschaft spielt ›Gefäß‹ in Zusammensetzungen wie **Blutgefäß** und **Staubgefäß** eine Rolle.

gefasst ↑fassen.

Gefecht ↑fechten.

gefeit »geschützt«: Das seit dem 19. Jh. gebräuchliche Wort ist das in adjektivische Verwendung übergegangene zweite Partizip des heute veralteten Verbs ›feien‹ (mhd. *veinen* »nach Art der Feen durch Zauber schützen«), das von ↑Fee – unter Anlehnung an die ältere Form ›Fei‹, mhd. *fei[e]* – abgeleitet ist.

Gefieder: Mhd. *gevider[e]* »Federn; Federbett; Federvieh, Geflügel« ist eine Kollektivbildung zu dem unter ↑Feder behandelten Wort und bedeutet eigentlich »Gesamtheit der Federn«. Heute wird ›Gefieder‹ nur noch im Sinne von »Federkleid« gebraucht.

gefiedert ↑Feder.

Gefilde: Das heute nur noch in gehobener Sprache gebräuchliche Wort (mhd. *gevilde,* ahd. *gifildi*) ist eine Kollektivbildung zu dem unter ↑Feld behandelten Substantiv und bedeutet eigentlich »Gesamtheit von Feldern«.

Geflecht ↑flechten.

geflissentlich ↑Fleiß.

Geflügel: Spätmhd. *gevlügel[e]* ist eine Kollektivbildung zu dem unter ↑Flügel behandelten Wort und bedeutet demnach »Gesamtheit der Flügel tragenden [Haus]tiere, Federvieh«.

Gefolge, Gefolgschaft ↑folgen.

gefräßig ↑fressen.

Gefreite: Das Wort wurde im 16. Jh. nach lat. *exemptus* »ausgenommen« (vom Schildwachestehen) zu dem Verb ›freien‹ in der Bed. »freimachen, befreien« (vgl. *frei*) gebildet. Der Gefreite war ursprünglich »der vom Schildwachestehen befreite Soldat«.

gefüge, Gefüge, gefügig ↑fügen.

Gefühl, gefühllos ↑fühlen.

gegen: Die altgerm. Präposition mhd. *gegen,* ahd. *gegin, gagan,* mniederl. *jeghen,* aengl. *gegn* (beachte aengl. *ongegn,* engl. *again* »wieder«), aisl. *gegn* ist unbekannter Herkunft. Aus der aus mhd. *gegen* zusammengezogenen Form mhd. *gein* ist durch Verkürzung nhd. *gen* biblisch und dichterisch für »gegen« entstanden. Das abgeleitete Verb mhd. *gegenen,* ahd. *gaganen,* mnd. *gēgenen* »entgegenkommen, begegnen« (↑Gegner) ist im Nhd. untergegangen. Gebräuchlich sind die Präfixbildungen **begegnen** »treffen« (mhd. *begegenen,* ahd. *bigaganen*), dazu **Begegnung,** und **entgegnen** »erwidern, antworten« (mhd. *engegenen,* ahd. *ingaganen* »entgegenkommen, gegenüberstehen«; in der heute üblichen Bedeutung seit etwa 1800), dazu **Entgegnung.** Abl.: **Gegend** (s. d.). Zus.: **Gegensatz** (15. Jh., wohl Lehnübersetzung von lat. *oppositio;* zunächst nur Wort der Rechtssprache in der Bed. »Gegenvorbringung im Rechtsstreit«), dazu **gegensätzlich; Gegenstand** (16. Jh.; eigentlich »das Entgegenstehende«; seit dem 18. Jh. als Ersatzwort für ↑Objekt), dazu **gegenständlich** (19. Jh., für ›objektiv‹); **Gegenwart** (mhd. *gegenwart* »Anwesenheit«; seit dem 18. Jh. auch als Zeitbezeichnung für ›Präsens‹), dazu **gegenwärtig** (mhd. *gegenwertec,* ahd. *ganwertīg*), **vergegenwärtigen,** sich »sich vorstellen« (16. Jh., Lehnübersetzung von lat. *praesentare*). – Beachte auch das als Adverb und Präposition verwendete **gegenüber,** das im Nhd. aus ›gegen‹ und ›über‹ zusammengewachsen ist. Die Substantivierung ›Gegenüber‹ (Anfang des 19. Jh.s) ahmt das frz. *vis-à-vis nach.*

Gegend: Mhd. *gegende* (daneben *gegenōte*) ist eine Bildung zu der unter ↑gegen behandelten Präposition, und zwar handelt es sich wahrscheinlich um eine Lehnübersetzung eines vlat. **contrata* [regio] »gegenüberliegendes [Gebiet]« (zu lat. *contra* »gegen«), vgl. frz. *contrée* »Gegend, Landschaft« und it. *contrada* »Gegend«. Aus dem Afrz. ist engl. *country* »Land« entlehnt.

Gegensatz, gegensätzlich, Gegenstand, gegenständlich ↑gegen.

Gegenteil, gegenteilig ↑Teil.

gegenüber, Gegenwart, gegenwärtig ↑gegen.

Gegner: Als Lehnübersetzung von lat. *adversarius* »Gegner, Widersacher« tritt seit dem 14. Jh. in niederdeutschen Rechtstexten mnd. *gēgenēre, jegenēre* auf, das eine Bildung zu dem Verb mnd. *gēgenen, jēgenen* »entgegenkommen, begegnen« (vgl. *gegen*) ist. Es bezeichnete zunächst den Gegner im Rechtsstreit, dann den Gegner im Allgemeinen und den auszutauschenden Kriegsgefangenen. Seit dem 17. Jh. setzte sich das niederdeutsche Wort auch im Oberdeutschen durch. – Abl.: **gegnerisch** (18. Jh.).

Gehalt »Besoldung«, »Inhalt, Wert«, südwestd. und schweiz. für »Behälter, Behältnis; Schrank, Fach; Aufbewahrungsraum; Zimmer«: Etymologisch gesehen handelt es sich um ein und dasselbe Wort, dessen Bedeutungen jedoch in Geschlecht und Pluralbildung geschieden werden. Mhd. *gehalt* »Gewahrsam; innerer Wert« gehört zu dem heute veralteten Präfixverb gehalten (mhd. *gehalten* »festhalten, gefangen nehmen; behüten, bewahren; aufbewahren«; vgl. *halten*). Im Sinne von »Inhalt, Wert«, eigtl. »was eine Sache enthält«, bezog sich ›Gehalt‹ zunächst auf Metalle und Münzen, heute besonders auf Getränke und Speisen. In dieser Bedeutung ist das Substantiv maskulin (Plural ›Gehalte‹). Die Bed. »Besoldung« kam im 18. Jh. auf und meint eigentlich die Summe, für die man jemanden in Diensten hält oder unterhält. In dieser Verwendung ist ›Gehalt‹ Neutrum (Plural ›Gehälter‹).

geharnischt ↑Harnisch.

gehässig: Mhd. *gehezzec* »hassend, feindlich gesinnt« ist eine Ableitung von dem gleichbedeutenden Adjektiv mhd. *gehaz* (vgl. *Hass*). Im heutigen Sprachgefühl wird ›gehässig‹ wegen des umgelauteten a und wegen der abweichenden Bed. »boshaft, gemein« nicht mehr als zu ›Hass‹ gehörig empfunden.

Gehäuse: Spätmhd. *gehiuse* »Hütte, Verschlag« ist eine Kollektivbildung zu dem unter ↑Haus behandelten Wort. Seit dem 16. Jh. hat sich ›Gehäuse‹ allmählich in der Bedeutung von ›Haus‹ gelöst und wird seitdem gewöhnlich im Sinne von »Behältnis« gebraucht, beachte z. B. die Zus. ›Uhrengehäuse, Kerngehäuse‹.

Gehege »umfriedeter [Wald]bezirk« (besonders zur Wildpflege): Mhd. *gehege, gehage,* ahd. *gahagi[um]* »Umfriedung, Einhegung« ist eine Kollektivbildung zu dem unter ↑Hag behandelten Wort.

Gehege

jmdm. ins Gehege kommen/geraten
»sich störend in jmds. Angelegenheiten einmischen«
Die Wendung meint eigentlich »in jmds. umzäuntes Grundstück eindringen, seinen Grund und Boden betreten«.

G

Die zweite Lautverschiebung

Noch um die Zeitwende etwa hatte es in Germanien keine großen Stammesverbände gegeben. Man ist aber heute der Ansicht, dass es schon früh Siedlungsverbände gab, die sich durch gemeinsame Sprache, Abstammung, Königssippe, Götterverehrung, Sitten und Traditionen einander zugehörig und von ihren Nachbarn unterschieden fühlten. Diese Siedlungsverbände waren jedoch großen inneren Veränderungen unterworfen und bildeten daher noch kein festes Gefüge. Das zeigte sich in den Wanderungen bis hin zum 6. Jahrhundert n. Chr., bei denen keine geschlossenen Stammesverbände, sondern kleinere Gruppen unterschiedlicher Zusammensetzung zu neuen Siedlungsgebieten aufbrachen. Als dabei viele dieser Gruppen in Richtung Süden wanderten, kam es zu einem »Stau« am Rhein und am Limes. Der Limes war in der römischen Kaiserzeit die durch Wälle und Mauern befestigte und mit Kastellen gesicherte Reichsgrenze. Der bekannteste ist der obergermanisch-rätische Limes im Rhein- und Donaugebiet. Dadurch rückten die wandernden Scharen sich zwangsläufig näher. Nach und nach schloss man sich zu politischen Einheiten zusammen: Die Stämme bildeten sich. Einen solchen Zusammenschluss bestätigt uns deutlich der Stammesname der *Alemannen*. Er bedeutet nämlich »alle Männer«. Sie siedelten östlich des Limes am Main. An Mittel- und Niederrhein ließen sich die *Franken* (vielleicht eigentlich »die Kühnen« oder »die Freien«) nieder. Andere germanische Völkerschaften bildeten die Stämme der Sachsen und Thüringer. Einen besonderen Stamm scheinen im Norden von Anfang an die Friesen gebildet zu haben.

Gegen Ende des 4. Jahrhunderts begann in Europa die Zeit der Völkerwanderung. Sie dauerte bis zum Ende des 6. Jahrhunderts. Die damals an Elbe, Rhein und Donau lebenden germanischen Stammesverbände nahmen nicht unmittelbar an diesen Wanderungen teil. In ihren Sprachen jedoch bahnte sich zu dieser Zeit ein tief greifender Wandel an. Die erste germanische Lautverschiebung hatte die germanischen Sprachen von den übrigen indogermanischen Sprachen abgegrenzt. Nun wurde im 4. und 5. Jahrhundert das Konsonantensystem der germanischen Stammessprachen erneut einer bedeutsamen Veränderung unterworfen. Das Bairische und das Alemannische wurden am stärksten von dieser Veränderung betroffen, die Mitte des germanischen Sprachraums blieb teilweise unberührt davon. An der Grenze zu den Sachsen im Norden kam die Veränderungswelle zum Stillstand. Wegen der Ähnlichkeit der Vorgänge dieser Lautverschiebung mit denen der ersten hat die Sprach-

wissenschaft ihr die Bezeichnung zweite (oder hochdeutsche) Lautverschiebung gegeben.
Betroffen von den Veränderungen waren in erster Linie die Verschlusslaute *p, t, k*. Wie sie verändert wurden, zeigt die folgende Übersicht (ahd. = althochdeutsch).

germanisch **p**
- **pf:** im Anlaut und nach Konsonant
- **ff:** nach Vokal

Pfeife:	ahd. **pf**īfa	niederdeutsch **P**ipe
stampfen:	ahd. stam**pf**ōn	niederländisch stam**p**en
Schiff:	ahd. ski**f**	niederdeutsch Schi**pp**

germanisch **t**
- **ts:** im Anlaut und nach Konsonant; geschrieben **z** oder **tz**
- **ss:** nach Vokal; ahd. **ȥ**, **ȥȥ** geschrieben, neuhochdeutsch **ß**, **ss** oder **s**

Zunge:	ahd. **z**unga	niederländisch **t**ong
schwarz:	ahd. swar**z**	niederländisch zwar**t**
essen:	ahd. e**ȥȥ**an	niederländisch e**t**en
Fuß:	ahd. fuo**ȥ**	englisch foo**t**

germanisch **k**
- **kch:** im Anlaut und nach Konsonant; heute nur noch in der alemannischen und schweizerdeutschen Aussprache von **K**ind, trin**k**en
- **ch:** nach Vokal; ahd. **h**, **hh** geschrieben, neuhochdeutsch **ch**

machen:	ahd. ma**hh**on	niederdeutsch ma**k**en
Buch:	ahd. bu**ch**	englisch boo**k**

Durch diese zweite Lautverschiebung wurde das Sprachgebiet der germanischen Stammessprachen in einen südlichen und einen nördlichen Bereich geteilt. Sie trennte die hochdeutschen Mundarten von den niederdeutschen und auch von den anderen westgermanischen Sprachen.

Die Mundarten des südlichen frühdeutschen Sprachraums, die die Verschiebung von *p, t, k* am konsequentesten durchgeführt haben, bezeichnet man zusammenfassend als das **Oberdeutsche**, die unverschobenen Mundarten des Nordens dagegen als das **Niederdeutsche.** Die Mundarten zwischen Niederdeutschem und Oberdeutschem, die die Verschiebung nur teilweise durchgeführt haben, bezeichnet man als das **Mitteldeutsche.** Das Mitteldeutsche und das Oberdeutsche werden zusammenfassend das **Hochdeutsche** genannt.

Räumliche und zeitliche Gliederung der deutschen Sprache

Die durch die zweite Lautverschiebung bewirkte Trennung der niederdeutschen von den hochdeutschen Mundarten ist heute noch zu beobachten. Allerdings sind die Trennungslinien nicht eindeutig gezogen. Im Westmitteldeutschen zum Beispiel laufen die Grenzen zwischen verschobenen und unverschobenen Wörtern oft zwischen einzelnen örtlichen Dialekten durcheinander.

Seit dem 19. Jahrhundert gliedert man das Hochdeutsche und das Niederdeutsche in einen älteren, mittleren und neueren Abschnitt.
Beim Hochdeutschen unterscheidet man dabei das **Althochdeutsche,** das **Mittelhochdeutsche** und das **Neuhochdeutsche.**
Beim Niederdeutschen haben wir dann entsprechend die Gliederung in das **Altniederdeutsche** (diese Sprachstufe wird nach der wichtigsten Mundart des Niederdeutschen meist auch als das **Altsächsische** bezeichnet), das **Mittelniederdeutsche** und das **Neuniederdeutsche** (oder **Plattdeutsche**).

Wenn wir alle historischen Gegebenheiten und alle lautlichen und grammatischen Veränderungen mit einbeziehen, ergibt sich die folgende zeitliche Gliederung der deutschen Sprache:

Gliederung des Hochdeutschen

nach lautlichen und grammatischen Gesichtspunkten	nach historischen Gesichtspunkten
ca. 700–1050 Althochdeutsch	**ca. 700–1050** Deutsch des Frühmittelalters
1050–1450 Mittelhochdeutsch	**1050–1250** Deutsch des Hochmittelalters **1250–1500** Deutsch des Spätmittelalters
1450–1650 Frühneuhochdeutsch **1650–1800** älteres Neuhochdeutsch **1800–1945** jüngeres Neuhochdeutsch	**1500–1945** Deutsch der Neuzeit
seit 1945 Gegenwartsdeutsch	**seit 1945** Deutsch der Jetztzeit

Für die Sprachstufen des niederdeutschen Sprachraums setzen wir folgende Gliederung an:

800–1150 Altniederdeutsch (Altsächsisch)
1150–1600 Mittelniederdeutsch
seit 1600 Neuniederdeutsch

geheim: Das seit dem 15. Jh. bezeugte Adjektiv ist von dem unter ↑Heim behandelten Wort abgeleitet und bedeutete zunächst »zum Haus gehörig, vertraut«, beachte dazu die Verwendung von ›geheim‹ bei Titeln, z. B. Geheimer Rat, eigtl. »vertrauter Rat«. Dann wurde das Adjektiv im Sinne von »heimlich; [streng] vertraulich« gebräuchlich. An diesen Wortgebrauch schließen sich z. B. an ›Geheimdienst, Geheimbund, Geheimlehre‹ und die Ableitung **Geheimnis** (16. Jh.), dazu Geheimniskrämer (18. Jh.), **geheimnisvoll** (18. Jh.). Das substantivierte Adjektiv ist in dem Adverb **insgeheim** bewahrt und auch sonst gebräuchlich, beachte z. B. ›im Geheimen‹.

G

Geheiß ↑heißen.

gehemmt, Gehemmtheit ↑hemmen.

gehen: Das gemeingerm. Verb mhd., ahd. *gēn, gān,* krimgot. *geen,* engl. *to go,* schwed. *gå* geht mit verwandten Wörtern in anderen idg. Sprachen auf die idg. Wurzel **ĝhē[i]-* »klaffen, leer sein, verlassen, [fort]gehen« zurück, vgl. z. B. aind. *jáhāti* »verlässt; gibt auf« und griech. *kichḗmenai* »einholen, erreichen, erlangen«. Über die weiteren Zusammenhänge vgl. *gähnen.* – Im Präteritum und im zweiten Partizip wird ›gehen‹ mit Formen von der Wurzel **ĝhengh-* »die Beine spreizen, schreiten« (vgl. [1]*Gang*) ergänzt. Im Dt. bezieht sich ›gehen‹ nicht nur auf den menschlichen Gang, es bedeutet auch allgemein »sich bewegen, reisen, fahren«. Ferner wird es in den Bed. »möglich sein, angebracht sein«, »funktionieren« und »sich erstrecken, führen, verlaufen« gebraucht und ist in der Frage nach dem Befinden ›wie geht es?‹ gebräuchlich. Wichtige Präfixbildungen und Zusammensetzungen mit ›gehen‹ sind **abgehen** »wegtreten, fortgehen; verlassen; fehlen; sich lösen, sich lockern, abfallen; Absatz finden, verkauft werden; verlaufen« (mhd. *ab[e]gān, -gēn,* ahd. *abagān, -gēn*), dazu **Abgang** (mhd. *abeganc*); **angehen** »angreifen; anhauen, um etwas bitten; betreffen; in einen Zustand geraten, anfangen; zu brennen anfangen; denkbar, möglich sein« (mhd. *an[e]gān, -gēn,* ahd. *anagān*); **aufgehen** »in die Höhe steigen; sich ausdehnen, schwellen; sichtbar werden; verständlich werden; sich öffnen; sich einer Sache ganz widmen« (mhd., ahd. *ūfgān, -gēn*), dazu **Aufgang** (mhd., ahd. *ūfganc*); **ausgehen** »fortgehen, das Haus verlassen, bummeln gehen; zu Ende gehen, schwinden, verlöschen; verlaufen, enden; als Ausgangspunkt nehmen« (mhd., ahd. *ūzgān, -gēn*), dazu **Ausgang** (mhd., ahd. *ūzganc*); **begehen** »beschreiten; benutzen (einen Weg); feiern, festlich gestalten (eigentlich »feierlich abschreiten, umgehen [bei Prozessionen]); ausführen, verüben« (mhd. *begān, -gēn,* ahd. *bigān*), dazu **Begängnis** (mhd. *begancnisse, begencnisse*); **eingehen** »hineingehen, eintreten; eintreffen, ankommen (von Sendungen); verständlich sein; sich auf etwas einlassen, sich mit etwas befassen; abmachen, abschließen; einlaufen, schrumpfen; verkümmern; sterben« (mhd., ahd. *īngān*), dazu **Eingang** (mhd., ahd. *īnganc*); **entgehen** »entkommen; nicht bemerkt werden« (mhd. *en[t]gān, -gēn,* ahd. *intgān*); **ergehen** »erlassen werden, abgeschickt werden (eine Verordnung, eine Einladung); sich befinden, sich fühlen« (mhd. *ergān, -gēn,* ahd. *irgān*); **hintergehen** »täuschen, betrügen« (mhd. *hindergān* »von hinten an einen herangehen, überfallen; betrügen«); **übergehen** »hinübergehen; überlaufen; nicht beachten, auslassen« (mhd. *übergān, -gēn,* ahd. *ubargān*), dazu **Übergang** (mhd. *überganc,* ahd. *ubarkanc*); **umgehen** »in Umlauf sein; spuken; behandeln; verkehren; um etwas herumgehen, -fahren; nicht zustande kommen lassen« (mhd. *umbegān, -gēn,* ahd. *umbigān*), dazu **Umgang** (mhd. *umbeganc,* ahd. *umbigang*); **untergehen** »sinken, versinken; zugrunde gehen; besiegt, vernichtet werden« (mhd. *undergān, -gēn,* ahd. *untargān, -gēn*), dazu **Untergang** (mhd. *underganc*); **vergehen** »dahingehen, schwinden, umkommen, sterben«, reflexiv »gegen Gesetz und Anstand verstoßen, schuldig werden« (mhd. *vergān, -gēn,* ahd. *firgān,* beachte den substantivierten Infinitiv **Vergehen** »strafwürdige Handlung«); **vorgehen** »nach vorne gehen, vorwärts gehen; vorausgehen; geschehen, sich ereignen« (mhd. *vorgān, -gēn,* ahd. *foragān*), dazu **Vorgang** (mhd. *vorganc*), dazu wiederum **Vorgänger** (mhd. *vorganger, -genger*).

geheuer »vertraut, heimelig«: Die nhd. Form geht zurück auf mhd. *gehiure* »lieblich, freundlich, hold, nichts Unheimliches an sich habend«, eine ge-Bildung zu dem im Mhd. untergegangenen altgerm. Adjektiv ahd. *hiuri* »freundlich, lieblich«, aengl. *hīere* »angenehm, sanft, mild«, aisl. *hýrr* »freundlich; froh; mild«. Dieses Adjektiv bedeutet eigentlich »zum Hauswesen, zur Hausgemeinschaft gehörig« und ist eng verwandt mit dem ersten Bestandteil von ↑Heirat, eigentlich »Hausbesorgung« (vgl. *Heim*). – Beachte auch die verneinte Form **ungeheuer** (mhd. *ungehiure,* ahd. *un[gi]hiuri* »unheimlich, grauenhaft, schrecklich«), substantiviert **Ungeheuer** (mhd. *ungehiure* »Unhold, gespenstisches Wesen; Scheusal; Drache; Heide«); dazu **ungeheuerlich** (mhd. *ungehiurlich* »schrecklich, groß, seltsam«).

Gehilfe ↑Hilfe.

Gehirn ↑Hirn.

Gehöft: Das aus dem Niederd. ins Hochd. übernommene Wort ist eine Kollektivbildung zu dem unter ↑Hof behandelten Substantiv und bezeichnet eigentlich die Gesamtheit der Hofgebäude.

Gehölz ↑Holz.

Gehör ↑hören.

gehorchen ↑horchen.

gehören: In dieser ge-Bildung ist im nhd. Sprachgebrauch die Bedeutung des einfachen Verbs

↑hören völlig verblasst. Mhd. *gi-hœren*, ahd. *gihōrian* bedeuteten dagegen noch »[worauf] hören, anhören; gehorchen«, woraus sich dann die Bedeutung »zukommen, gebühren, als Eigentum haben« entwickelten. Abl.: **gehörig** (mhd. *gehœrec*, ahd. *gahōrig* »gehorchend, folgsam«; seit dem 15. Jh. hat sich ›gehörig‹ in der Bedeutung an ›gehören‹ angeschlossen und wird heute auch im Sinne von »sehr, anständig« verwendet), beachte **angehörig**, dazu **Angehörige** »Verwandter« (18. Jh.) und **zugehörig**.

gehorsam: Die nhd. Form geht über mhd. *gehōrsam* zurück auf ahd. *gihōrsam*, das eine Lehnübertragung von lat. *oboediens* »gehorsam, willfährig« ist, und zwar zur Wiedergabe des den Germanen fremden christlichen Obedienzbegriffes. Das Adjektiv gehört zu dem unter ↑hören behandelten Verb. Abl.: **Gehorsam** (mhd. *gehōrsam[e]*, ahd. *gihōrsami*).

Geier: Der auf das dt. und niederl. Sprachgebiet beschränkte Vogelname (mhd., ahd. *gīr*, mnd. *gīre*, niederl. *gier*) ist ein substantiviertes Adjektiv und bedeutet eigentlich »der Gierige« (vgl. *Gier*). Der Geier ist also nach seiner übermäßigen Raubgier und Fresssucht benannt. Von den zahlreichen Benennungen der einzelnen Geierarten beachte z. B. ›Bart-, Hühner-, Lämmer-, Steingeier‹. Zus.: **Aasgeier** (16. Jh.).

Geifer »ausfließender Speichel«: Das seit dem 15. Jh. bezeugte Wort (spätmhd. *geifer*, *gaifer*) ist im germ. Sprachbereich z. B. verwandt mit niederd. *gīpen* »den Mund aufreißen; nach Luft schnappen«, niederl. *gijpen* »nach Luft schnappen«, aengl. *gīpian* »gähnen, klaffen« und schwed. *gipa* »den Mund verziehen« (vgl. *gähnen*). Die alte Bedeutung bewahren also die verwandten Formen. Abl.: **geifern** (mhd. *geifern* »Speichel ausfließen lassen, vor Wut schäumen«).

Geige: Die Herkunft des Namens des ursprünglich dreisaitigen Musikinstrumentes (mit Griffbrett) ist nicht sicher geklärt. Erst seit dem 12. Jh. tritt *gīga* vereinzelt in den Belegen auf. In mhd. Zeit breitet sich *gīge* im gesamten dt. Sprachgebiet aus und drängt das ältere Wort ↑Fiedel, das heute abwertenden Nebensinn hat, zurück. Trotz der Entlehnung von ↑Violine im 17. Jh. bleibt ›Geige‹ das beherrschende Wort, das auch in die nord. und in einige roman. Sprachen entlehnt worden ist, vgl. z. B. isl. *gīgja*, frz. *gigue*. Gegen die Annahme, die Geige sei nach der Bewegung des Streichbogens benannt worden, sprechen die Bedeutungen der als verwandt angesehenen Bewegungsverben, wie aisl. *geiga* »seitwärts abweichen«, aengl. *for-*, *ofer-gǣgan* »abirren, überschreiten«. Das dt. Verb **geigen** (auch in der Bed. »hin und her bewegen«) ist von ›Geige‹ abgeleitet. Sowohl das Substantiv als auch das Verb spielen in Redensarten und Redewendungen eine bedeutende Rolle, beachte z. B. ›einem die Wahrheit geigen‹.

Geige

die erste Geige spielen
(ugs.) »die führende Rolle spielen, tonangebend sein«
Gemeint ist die erste Geige im Orchester, die die Melodie führt und nach der sich die zweite und dritte Geige zu richten haben.

jmdm. hängt der Himmel voller Geigen
»jmd. ist schwärmerisch glücklich, sieht erwartungsvoll in die Zukunft«
Die Wendung geht von der Vorstellung aus, dass der Himmel bei der Geburt Christi durch Geige spielende Engel voller Harmonie war.

geil: Mhd., ahd. *geil* »kraftvoll; üppig; lustig, fröhlich«, niederl. *geil* »wollüstig«, aengl. *gāl* »stolz; übermütig; lustig; lüstern«, aisl. (weitergebildet) *geiligr* »stattlich, schön« sind im germ. Sprachbereich z. B. verwandt mit älter niederl. *gijlen* »gären« und norw. *gil* »gärendes Bier«. Das altgerm. Adjektiv bedeutet also urspr. »in Gärung befindlich, aufschäumend«, dann »erregt, heftig«. Außergerm. ist damit verwandt die baltoslaw. Sippe von lit. *gailùs* »jähzornig; scharf, herb, beißend«. – Im heutigen Sprachgebrauch wird ›geil‹ überwiegend im Sinne von »geschlechtlich erregt, brünstig« verwendet, während es als »üppig, wuchernd« (von Pflanzen) weitgehend veraltet ist; in der Jugendsprache ist ›geil‹ im Sinne von »großartig, toll« gebräuchlich. Veraltet ist auch das abgeleitete Verb **geilen** »ausgelassen sein; üppig wachsen« (mhd. *geilen*; vgl. got. *gailjan* »erfreuen«), beachte aber **aufgeilen**, [sich] »[sich] geschlechtlich erregen«.

Geisel: Der altgerm. Ausdruck für »Leibbürge« (mhd. *gīsel*, ahd. *gīsal*, mniederl. *ghīsel*, aengl. *gīs[e]l*, aisl. *gīsl*) stammt wahrscheinlich aus dem Kelt., vgl. air. *gīall* »Geisel«, kymr. *gwystl* »Geisel«. Über andere aus dem Kelt. entlehnte Wörter s. die Artikel *Amt*, *Reich* und *Eid*. – Das Wort spielt auch in der Namengebung eine Rolle, beachte z. B. die Personennamen Gisela und Giselmar.

Geiser »durch Vulkanismus entstandene Springquelle«: Das seit dem 19. Jh. bezeugte Wort ist aus gleichbed. isl. *geysir* entlehnt, das zu isl. *geysa* »in heftige Bewegung bringen« gehört (vgl. *gießen*).

Geiß: Das gemeingerm. Wort mhd., ahd. *geiz*, got. *gaits*, engl. *goat*, schwed. *get* geht mit lat. *haedus* »[junger] Ziegenbock« auf **ghaido-s* »Ziege« zurück. Welche Anschauung dieser Benennung zugrunde liegt, lässt sich nicht ermitteln. Im Deutschen ist ›Geiß‹ seit dem 16. Jh. durch ›Ziege‹ zurückgedrängt worden. Das Wort bezeichnet heute als Gegensatz zu ›Bock‹ die weibliche Ziege und das weibliche Tier von Gämsen, Hirschen und Rehen.

Geißel: Das Wort ist heute weitgehend durch das slaw. Lehnwort ↑Peitsche zurückgedrängt und wird nur noch in der Bedeutung »Züchtigungswerkzeug« und übertragen im Sinne von »[Land]plage, Strafe« verwendet, beachte z. B. ›Geißel Gottes‹ und ›Geißel des Krieges‹. Mhd. *geisel*, ahd. *geis[i]la* »Peitsche, Geißel«, niederl. *gesel* »Peitsche, Geißel« sind im germ. Sprachbereich verwandt mit aisl. *geisl* »Stock« (des Skiläufers) und beruhen auf germ. **gaisilōn* »Stock, Stange«, einer Ableitung von germ. **gaizá-* »Speer«: nhd. *Ger*, mhd., ahd. *gēr*, aengl. *gār*, aisl. *geirr*. Auch dieses altgerm. Substantiv bedeutet eigentlich »Stock, Stange« und ist z. B. mit griech. *chaĩos* »Hirtenstab« verwandt. – Abl.: **geißeln** »züchtigen, strafen; anprangern« (mhd. *geiseln*).

Geist: Das westgerm. Wort mhd., ahd. *geist*, niederl. *geest*, engl. *ghost* gehört zu einer Wurzel **ĝheis-* »erregt, aufgebracht sein, schaudern«, vgl. aus dem germ. Sprachbereich got. *us-gaisjan* »erschrecken« und aisl. *geiskafullr* »voller Entsetzen« und außerhalb des Germ. z. B. awest. *zaēša-* »schauderhaft«. Aus der ursprünglichen Bedeutung »Erregung, Ergriffenheit« entwickelten sich die Bedeutungen »Geist, Seele, Gemüt« und »überirdisches Wesen, Gespenst«. Im Rahmen der Christianisierung wirkten auf das Wort lat. *spiritus* und griech. *pneũma* ein (beachte z. B. *spiritus sanctus*: Heiliger Geist). In der Neuzeit geriet es unter den Einfluss von frz. *esprit*. Im heutigen dt. Wortschatz nimmt ›Geist‹ mit seinen zahlreichen Ableitungen und Zusammensetzungen eine herausragende Stellung ein. Abl.: **geistig** (mhd. *geistic;* nicht nur als Gegensatz zu ›leiblich‹ gebräuchlich, sondern auch in der Bedeutung »alkoholisch«, z. B. ›geistige Getränke‹, da ›Geist‹ auch »Essenz, Alkohol« bedeutet), dazu **vergeistigen, durchgeistigt; geistlich** »die Religion, den kirchlichen und gottesdienstlichen Bereich betreffend« (ahd. *geistlīh;* Lehnübersetzung von lat. *spiritualis*), substantiviert **Geistliche** »Pfarrer, Priester« (15. Jh.), **Geistlichkeit** (15. Jh.); **geisterhaft** »gespenstisch« (19. Jh.). Zus.: **Geistesabwesenheit** (19. Jh.; Lehnübersetzung von frz. *absence d'esprit*), dazu **geistesabwesend; Geistesarbeit[er]** (18. Jh.); **Geistesblitz** (19. Jh.); **Geistesfreiheit** (18. Jh.); **Geistesgegenwart** (18. Jh.; Lehnübersetzung von frz. *présence d'esprit*), dazu **geistesgegenwärtig; geisteskrank** (19. Jh.); **Geisteswissenschaft** (19. Jh.); **geistlos** (mhd. *geistelōs*); **geistreich** (mhd. *geistrīch*). Beachte auch die Präfixbildungen **begeistern** (17. Jh.; ursprünglich »beleben, mit Geist erfüllen«), dazu **Begeisterung** (18. Jh.) und **entgeistern** veraltet für »der Lebenskraft berauben« (17. Jh.), dazu das zweite Partizip **entgeistert** »überrascht, fassungslos« (17. Jh.), und die Zusammensetzung **herumgeistern, umhergeistern** »wie ein Gespenst herumspuken«.

Geiz: Zu mhd., ahd. *gīt[e]* »Gier, Habgier« gehört das Verb mhd. *gīten* »gierig sein«, dessen gleichbedeutende Weiterbildung *gīt[e]sen, gīzen* im Nhd. zu **geizen** wird. Das Substantiv ›Geiz‹ (mhd. *gīz*) ist entweder zum weitergebildeten Verb gebildet oder aber geht auf mhd., ahd. *gīt[e]* zurück und hat sich lautlich an ›geizen‹ angeschlossen. Die ursprüngliche Bedeutung »Gier« – erhalten noch in ›Ehrgeiz‹ (s. u.) – entwickelte sich über »Gier nach Reichtum« zu »übertriebener Sparsamkeit«. Dasselbe Wort ist mdal. Geiz »Nebentrieb, störender Auswuchs« (besonders am Rebstock), so benannt, weil er den Pflanzen gierig den Saft aussaugt (vgl. den Artikel *Furunkel*). Mit dieser dt. Sippe sind verwandt im germ. Sprachbereich aengl. *gītsian* »begehren, verlangen« und außergerm. z. B. lit. *geĩsti* »wünschen, begehren, verlangen« und russ. *ždat'* »warten«. Abl.: **geizig** (15. Jh., für mhd. *gītec*, ahd. *gītag* »[hab]gierig«). Zus.: **Geizhals** (16. Jh.) und **Geizkragen** (19. Jh.) für »geiziger Mensch«; **Ehrgeiz** (16. Jh.), dazu **ehrgeizig** (16. Jh.; schon mhd. *ēr[en]gītec*).

Gekröse: Mhd. *gekrœse* »kleines Gedärm« gehört zu der unter ↑kraus behandelten Wortgruppe und bedeutet eigentlich »Krauses«.

Gel ↑Gelatine.

Gelächter: Mhd. *gelehter* ist eine Kollektivbildung zu dem im Nhd. untergegangenen altgerm. Substantiv mhd. *lahter*, ahd. *[h]lahtar* »[lautes] Lachen«, engl. *laughter* »Gelächter«, aisl. *hlātr* »Gelächter«, einer Bildung zu dem unter ↑lachen behandelten Verb.

Gelage: Die heute übliche Form hat sich seit dem 19. Jh. gegenüber den älteren Formen ›Gelag, Gelach, Geloch‹ durchgesetzt. Das seit dem 14. Jh. zuerst niederrhein. bezeugte Wort ist eine Bildung zu dem unter ↑legen behandelten Verb und bedeutete ursprünglich »(zum Essen und Trinken) Zusammengelegtes«, dann »Schmaus, Fest«.

Gelände: Mhd. *gelende*, ahd. *gilenti* ist eine Kollektivbildung zu dem unter ↑Land behandelten Wort.

Geländer: Spätmhd. *gelenter* (15. Jh., älter *gelanter*, 14. Jh.) ist eine Kollektivbildung zu dem im Nhd. untergegangenen Substantiv mhd. *lander* »Stangenzaun«, das zu dem unter ↑Linde behandelten Baumnamen gehört und eigentlich »Latte, Stange aus Lindenholz« bedeutet.

gelangen »[bis] an einen bestimmten Ort kommen«: Das auf das dt. Sprachgebiet beschränkte Verb (mhd. *gelangen*, ahd. *gilangōn*) ist eine ablautende Bildung zu dem unter ↑gelingen behandelten Verb.

gelassen »ruhig, beherrscht, gleichmütig«: Das Adjektiv (mhd. *gelāẓen*) ist das in adjektivischen Gebrauch übergegangene zweite Partizip von dem im Nhd. untergegangenen Präfixverb mhd. *gelāẓen* »[er-, ver-, unter]lassen; sich niederlassen; sich benehmen« (vgl. *lassen*). Es bedeutete in der Sprache der Mystiker »gottergeben«, dann allgemein »ruhig« (im Gemüt). Abl.: **Gelassenheit** (mhd. *gelāẓenheit*).

Gelatine »Knochenleim, Gallert«: Das Wort wurde im 19. Jh. eingedeutscht aus nlat. *gelatina*, einer Bildung zu lat. *gelatus* »gefroren, erstarrt« (vgl. *Gelee*). – Dazu das in der chemischen Industrie gebräuchliche Kurzwort **Gel** »gallertartig ausgeflockter Niederschlag aus kolloider Lösung« (20. Jh.) und das Verb **gelatinieren** »zu Gelatine erstarren« (20. Jh.).

geläufig ↑laufen.

gelaunt ↑Laune.

gelb: Das westgerm. Adjektiv mhd. *gel*, ahd. *gelo*, niederl. *geel*, engl. *yellow* steht im Ablaut zu der nord. Sippe von schwed. *gul* »gelb« und gehört mit dieser zu der vielfach weitergebildeten und erweiterten idg. Wurzel **ĝhel[ə]-, *ĝhlē-* »glänzend, (gelblich, grünlich, bläulich) schimmernd, blank«. Außergerm. sind z. B. verwandt aind. *hári-ḥ* »gelb, goldgelb, blond, grüngelb«, griech. *chlōrós* »gelbgrün« (↑Chlor), lat. *helvus* »honiggelb« und russ. *zelënyj* »grün«. Zu dieser Wurzel gehört auch das unter ↑Galle behandelte Wort. Die Galle ist nach ihrer gelblich grünen Farbe benannt. Aus dem germ. Sprachbereich gehören ferner dazu die Substantivbildungen ↑Gold (eigentlich »das Gelbliche, das Blanke«) und ↑[1]Glas (ursprünglich »Bernstein«) sowie die Sippen von ↑Glanz, glänzen, ↑gleißen (dazu glitzern), ↑glimmen (dazu glimmern, Glimmer), ↑glühen (dazu Glut) und ↑glotzen (eigentlich »[an]strahlen«). Auf einem Bedeutungsübergang von »glänzend, blank [sein]« zu »glatt [sein]« beruhen die unter ↑glatt (dazu Glatze) und ↑gleiten (dazu glitschen) behandelten Wörter. In der Farbensymbolik hat gelb überwiegend negative Geltung, z. B. als Farbe der Falschheit und Eifersucht. Abl.: **vergilben** (mhd. *vergilwen* »gelb machen oder werden«).

Geld: Mhd. *gelt* »Bezahlung, Ersatz, Vergütung, Einkommen, Rente; Zahlung; Schuldforderung; Wert, Preis; Zahlungsmittel«, ahd. *gelt* »Zahlung; Lohn; Vergeltung«, asächs. *geld* »Opfer; Vergeltung; Zahlung«, got. *gild* »Steuer, Zins«, aengl. *gield* »Opfer; Kult; Zahlung, Tribut«, aisl. *gjald* »Lohn; Strafe; Steuer« gehören zu dem unter ↑gelten behandelten Verb. Das gemeingerm. Wort bedeutete ursprünglich »kultische oder rechtliche Entrichtung, Abgabe«, wurde also zunächst im religiös-rechtlichen Bereich gebraucht. Die Bedeutung »geprägtes Zahlungsmittel« tritt im Dt. seit dem 14. Jh. auf und setzt sich seit dem 16. Jh. durch. Die Bedeutung »Zahlung, Abgabe« ist noch in den Zusammensetzungen ›Brücken-, Schulgeld‹ usw. bewahrt. Groß ist die Zahl der volkstümlichen Ausdrücke für ›Geld‹, beachte z. B. ›Asche, Kies, Knete, Kohlen, Kröten, Mäuse, Moos, Moneten, Pinke, Pulver, Zaster‹.

Gelee »gallertartiger, eingedickter Frucht- oder Fleischsaft«: Das Substantiv wurde um 1700 aus gleichbed. frz. *gelée* entlehnt, das auf vlat. *gelata*, Part. Perf. von lat. *gelare (gelatum)* »gefrieren machen, zum Erstarren bringen«, zurückgeht. Unmittelbar aus lat. *gelare* stammt (wie it. *gelare*, dazu *gelato* »Gefrorenes, Eis«) frz. *geler* »zum Gefrieren bringen; gefrieren; steif werden«, das im 20. Jh. ins Nhd. als **gelieren** »zu Gelee werden« entlehnt wurde. Nlat. und mlat. Weiterbildungen von lat. *gelatus* »gefroren; erstarrt« liegen vor in ↑Gelatine und ↑Gallert. – Allen Bildungen liegt lat. *gelu* »Frost, Kälte, Eis« zugrunde, das mit *glacies* »Eis« (↑Gletscher) zur idg. Sippe des urverwandten Adjektivs ↑kalt gehört.

gelegen: Mhd. *gelegen*, ahd. *gelegan* ist das in adjektivischen Gebrauch übergegangene zweite Partizip von dem unter ↑liegen behandelten Verb. Es bedeutete zunächst »angrenzend, benachbart«, dann auch »verwandt« und »passend, geeignet«, woraus sich die Bedeutung »bequem, angenehm« entwickelte. Abl.: **Gelegenheit** (mhd. *gelegenheit* »Art und Weise, wie etwas liegt, Lage, Stand [der Dinge]; angrenzendes Land«; heute nur noch »günstige Lage, Möglichkeit, Zufall«); **gelegentlich** (mhd. *gelegentlich* »gelegen, günstig«; heute »bei Gelegenheit«).

gelehrig, gelehrsam, Gelehrsamkeit, gelehrt, Gelehrter ↑lehren.

Geleier ↑Leier.

Geleise, auch: **Gleis**: Mhd. *geleis[e]* »Radspur« ist eine Kollektivbildung zu dem im Nhd. untergegangenen Substantiv mhd. *leis[e]* »Spur«, ahd. *(wagan)leisa* »(Wagen)spur«, das mit lat. *lira* »Furche« (↑Delirium) und der baltoslaw. Sippe von russ. *lecha* »Furche; Beet« verwandt ist und zu der unter ↑leisten behandelten Wortgruppe gehört.

Geleit[e], geleiten ↑leiten.

Gelenk: Mhd. *gelenke* »Taille« ist eine Bildung zu mhd. *lanke*, ahd. *[h]lanca* »Hüfte, Lende, Weiche«. Das Wort bezeichnete also zunächst den biegsamen Teil des Körpers zwischen Rippen und Becken und ging dann auf alle biegsamen Teile des Körpers über. – Mit mhd. *lanke*, ahd. *[h]lanca* (eigentlich »Biegung am Körper, biegsamer Teil«) sind z. B. verwandt aengl. *hlence* »Glied einer Kette«, *hlanc* »schlank« (eigentlich »biegsam«) und aisl. *hlykkr* »Krümmung«. Zugrunde liegt diesen Formen und verwandten Wörtern in anderen idg. Sprachen eine Wurzel **kleng-* »biegen, winden«. Aus dem Germ. entlehnt ist frz. *flanc* (↑Flanke). Eine verbale Ableitung von mhd. *lanke* ist ↑lenken (ursprünglich »[um]biegen«). Abl.: **gelenk** (mhd. *gelenke* »biegsam, beweglich, gewandt«), besonders gebräuchlich in **ungelenk; gelenkig** (17. Jh.), dazu **Gelenkigkeit.**

Gelichter: Das Wort wird heute nur noch im verächtlichen Sinne von »Gesindel« gebraucht, während es bis zum 18. Jh. »Menschen übereinstimmender Art, Sippe, Zunft; übereinstimmende Art« bedeutete. Mhd. *gelihter* ist von ahd. *lehtar* »Gebärmutter« (vgl. *liegen*) abgeleitet und bedeutete ursprünglich »Geschwister«, eigentlich »die zur selben Gebärmutter Gehörigen«.

gelieren ↑Gelee.

gelind[e] ↑lind.

gelingen: Das nur dt. Verb mhd. *[ge]lingen,* ahd. *gilingan* »glücken, Erfolg haben«, mnd. *lingen* »glücken, gedeihen« ist mit der Sippe von ↑leicht verwandt. Es bedeutete ursprünglich »leicht oder schnell vonstatten gehen«. Im Ablaut zu ›gelingen‹ und ›leicht‹ stehen ahd. *lungar* »schnell, flink«, von dem das Verb ↑lungern abgeleitet ist, und die Sippe von ↑Lunge (eigentlich »die Leichte«, weil sie auf dem Wasser schwimmt«). Diese germ. Wortgruppe gehört mit verwandten Wörtern in den meisten anderen idg. Sprachen zu der Wurzel **le[n]gᵘ̯h-* »leicht (in Bewegung und Gewicht)«, vgl. z. B. lat. *levis* »leicht, schnell«, *levare* »leicht machen« (↑leger). – Das Verb ›lingen‹ ist außer in ›gelingen‹ auch in **misslingen** bewahrt (mhd. *misselingen* »missglücken, fehlschlagen«). Siehe auch den Artikel *gelangen.*

gell[e]? ↑gelten.

gellen: Das altgerm. Verb mhd. *gellen,* ahd. *gellan,* niederl. *gillen,* engl. *to yell,* älter schwed. *gälla* gehört mit verwandten Wörtern in anderen idg. Sprachen zu der idg. Wurzel **ghel-* »rufen, schreien«, vgl. z. B. russ. *galit'sja* »verspotten«. Im Ablaut zu ›gellen‹ steht im germ. Sprachbereich die Sippe von ahd. *galan* »singen; Zaubersprüche singen, zaubern, behexen«, beachte dazu den unter ↑Nachtigall (eigentlich »Nachtsängerin«) behandelten Vogelnamen und [1]**gelt** (auch: ›galt‹) mitteld. und oberd. für »unfruchtbar, keine Milch gebend«. Dieses Adjektiv (mhd., ahd. *galt,* mnd. *gelde,* aengl. *gielde,* schwed. *gall*) ist eigentlich das in adjektivischen Gebrauch übergegangene zweite Partizip von ahd. usw. *galan* »singen, zaubern, behexen« und bedeutet demnach »bezaubert, behext«. Nach dem Volksglauben galt das unfruchtbare Vieh als behext.

geloben, Gelöbnis ↑loben.

[1]**gelt** ↑gellen.

[2]**gelt** ↑gelten.

gelten: Mhd. *gelten* »zurückzahlen, zurückerstatten, entschädigen; für etwas büßen; eintragen, Einkünfte bringen; zahlen, bezahlen; kosten, wert sein«, ahd. *geltan* »zurückzahlen, zurückerstatten; opfern«, got. *fragildan* »vergelten«, aengl. *gieldan* »zahlen; lohnen; strafen; opfern« (engl. *to yield*), aisl. *gjalda* »bezahlen, vergelten« (schwed. *gälla*) gehen zurück auf germ. **geldan* »entrichten, erstatten«, das sich auf den heidnischen Opferdienst und im rechtlichen Bereich auf die Zahlung von Bußen, Abgaben, Steuern oder dgl. bezog. Die weitere Herkunft des gemeingerm. Verbs ist dunkel. Um ›gelten‹ gruppieren sich die Bildungen ↑Geld (ursprünglich »kultische oder rechtliche Einrichtung, Abgabe«) und ↑Gilde (urspr. »Opfergelage anlässlich einer eingegangenen rechtlichen Bindung«). Präfixbildungen mit ›gelten‹ sind **entgelten** (mhd. *entgelten,* ahd. *intgeltan* »für etwas zahlen, büßen«), dazu **Entgelt** (15. Jh.) und **unentgeltlich** (19. Jh.); **vergelten** (mhd. *vergelten,* ahd. *fargeltan* »zurückzahlen, zurückerstatten, heimzahlen«), dazu **Vergeltung.** – Die in Süd-, Südwest- und Mitteldeutschland gebräuchliche Fragepartikel [2]**gelt?,** auch **gell, gelle?** »nicht wahr?« ist eigentlich die verkürzte Form der 3. Pers. Sing. Konjunktiv von ›gelten‹ und bedeutet eigentlich »es möge gelten«.

Gelübde »(Gott oder bei Gott gegebenes) Versprechen«: Das Substantiv mhd. *gelüb[e]de,* ahd. *gilubida* ist eine Bildung zu dem unter ↑loben behandelten Präfixverb ›geloben‹ und bedeutet eigentlich »Gelöbnis«.

Gelüst[e], gelüsten ↑Lust.

gemach: Das Wort, das heute nur noch als Adverb verwendet wird, ist eine Adjektivbildung zu dem unter ↑machen behandelten Verb und bedeutete ursprünglich »passend, geeignet, bequem«. Diese Bedeutung hat noch ahd. *gimah,* während mhd. *gemach* bereits »bequem, ruhig, langsam« bedeutet. Abl.: **gemächlich** »ruhig, langsam, bedächtig« (mhd. *gemechlich,* ahd. *gimahlīh*), dazu **Gemächlichkeit** (16. Jh.). Über ›allmählich‹ s. den Artikel *all.*

Gemach: Das Substantiv mhd. *gemach,* ahd. *gimah* ist eine Bildung zu dem unter ↑machen behandelten Verb. Es bedeutete zunächst »Bequemlichkeit«, vgl. ›gemach‹, das ursprünglich »passend, geeignet, bequem« bedeutete. Diese Bedeutung ist noch bewahrt in **Ungemach** »Unbequemlichkeit, Unbehagen«. In mhd. Zeit wurde ›Gemach‹ dann auf den Raum, in dem man seine Bequemlichkeit findet, übertragen. Heute wird es in gehobener Sprache und landsch. im Sinne von »Zimmer« verwendet.

Gemächt[e]: Das Wort ist eine auf das dt. Sprachgebiet beschränkte ge-Bildung zu ↑Macht im Sinne von »Zeugungsvermögen, Potenz«. In den älteren Sprachzuständen entsprechen mhd. *gemaht,* ahd. *gimaht[i]* »Geschlechtsteile (des Mannes)«.

Gemahl: Das Substantiv mhd. *gemahel[e],* ahd. *gimahalo* ist eine Bildung zu dem im Nhd. untergegangenen Verb mhd. *gemahelen,* ahd. *gimahalen* »zusammensprechen, verloben« (vgl. *vermählen*), das zu mhd. *mahel,* ahd. *mahal* »Versammlung[sort], Gericht[sstätte]; Vertrag; Ehevertrag« gehört. Das Wort bezeichnete ursprünglich den Bräutigam, später dann auch den Ehemann. Das Verloben zweier Menschen war in alter Zeit ein Vertrag, den zwei Sippen vor der Volksversammlung abschlossen.

Gemälde: Das Substantiv (mhd. *gemælde,* ahd. *gimālidi*) ist eine ge-Bildung zu dem unter ↑malen behandelten Verb und bedeutet eigentlich »Gemaltes oder Bemaltes«.

gemäß: Mhd. *gemæȥe,* ahd. *gimāȥi* gehört als Verbaladjektiv zu dem unter ↑messen behandelten Verb und bedeutet eigentlich »was sich messen lässt, angemessen«. Heute wird ›gemäß‹ häufig präpositional verwendet und ist zweiter Bestandteil mehrerer Zusammensetzungen, wie z. B. ›pflichtgemäß, standesgemäß‹.

gemein: Das altgerm. Adjektiv mhd. *gemein[e],* ahd. *gimeini,* got. *gamains,* niederl. *gemeen,* aengl. *gemæne,* dem außerhalb des Germ. lat. *communis* »gemeinsam, gemeinschaftlich« (↑Kommune) entspricht, gehört zu der unter ↑Meineid dargestellten idg. Wurzel **mei-* »tauschen, wechseln«. Es bedeutete ursprünglich »mehreren abwechselnd zukommend«, woraus sich die Bedeutungen »gemeinsam, gemeinschaftlich; allgemein« entwickelten. Da das, was vielen gemeinsam ist, nicht wertvoll sein kann, erhielt das Wort den abwertenden Nebensinn »unheilig, alltäglich, gewöhnlich, roh, niederträchtig«. – Das substantivierte Adjektiv **Gemeine** bezeichnet den Soldaten des untersten Ranges. Abl.: **Gemeinde** (mhd. *gemeinde,* ahd. *gimeinida;* eine andere Bildung ist das gleichbed. ahd. *gimeinī,* das heute noch im Oberd. als ›Gemeine‹ fortlebt); **Gemeinheit** (mhd. *gemeinheit* »Gemeinschaft, Gemeinsamkeit«; erst seit dem 17. Jh. in der Bedeutung »Niederträchtigkeit«); **Gemeinschaft** (mhd. *gemeinschaft,* ahd. *gimeinscaf*), dazu **gemeinschaftlich** (17. Jh.). Zus.: **Gemeingeist** (18. Jh.; Lehnübersetzung von engl. *public spirit*); **gemeinnützig** (16. Jh.); **Gemeinplatz** (18. Jh.; Lehnübersetzung von engl. *commonplace,* das seinerseits Lehnübersetzung von lat. *locus communis* ist); **Gemeinsprache** (17. Jh.); **allgemein** (↑all).

Gemenge ↑mengen.

gemessen ↑messen.

Gemetzel ↑metzeln.

Gemisch ↑mischen.

Gemme »Edelstein mit tief oder erhaben eingeschnittenen Figuren«: Der im Altertum sehr geschätzte und beliebte Stein war mit seinem lat. Namen *(gemma)* schon in ahd. Zeit bekannt (ahd. *gimma,* mhd. *gimme;* entsprechend aengl. *gimm:* alle mit der Bedeutung »Edelstein«). Im ausgehenden Mittelalter allerdings ging das Wort verloren. Es wurde im 18. Jh. durch it. Vermittlung neu entlehnt, als die bedeutenden italienischen Sammlungen antiker Gemmen allgemeiner bekannt wurden. – Lat. *gemma,* das ursprünglich »Auge oder Knospe am Weinstock« bedeutet, ist etymologisch nicht sicher gedeutet.

Gemüse: Das im germ. Sprachbereich nur im Dt. gebräuchliche Wort (mhd. *gemüese*) ist eine Kollektivbildung zu dem unter ↑Mus behandelten Substantiv. Es bedeutete zunächst nur allgemein »Brei, Speise«, dann bezeichnete es speziell den Brei aus gekochten Nutzpflanzen und schließlich auch die unzubereiteten Nutzpflanzen.

gemut ↑Mut.

Gemüt: Das seit mhd. Zeit bezeugte Wort (mhd. *gemüete*) ist eine Kollektivbildung zu dem unter ↑Mut behandelten Substantiv und bezeichnete zunächst die Gesamtheit der seelischen Empfindungen und Gedanken, dann auch den Sitz der inneren Empfindungen und Gedanken.

gemütlich: Das angeblich eine typisch deutsche Wesensart bezeichnende Adjektiv geht auf spätmhd. *gemüetlich* zurück, in dem zwei Bildungen zusammengeflossen sind, nämlich die Ableitung von mhd. *gemüete* »Gemüt« in der Bedeutung »das Gemüt betreffend« und die Ableitung von mhd. *gemüete,* ahd. *gimuati* adjektivisch »gleichen Sinnes, angenehm, lieb«, substantivisch »das Angenehme; Zustimmung« in der Bedeutung »angenehm, lieb«.

gen ↑gegen.

Gen: Der biologische Fachausdruck für den in den Chromosomen lokalisierten Träger einer Erbanlage ist eine Prägung des dänischen Botanikers W. Johannsen (1857–1927) zu griech. *génos* »Geschlecht, Gattung« (vgl. *Genus*).

genant ↑genieren.

genau: Mhd. *genou* »knapp, eng; sorgfältig« ist eine ge-Bildung zu dem im Nhd. untergegangenen altgerm. Adjektiv mhd. *nou* »knapp, eng; sorgfältig«, niederl. *nauw* »eng, knapp; sorgfältig«, aengl. *hnēaw* »karg, geizig«, aisl. *hnøggr* »geizig«. Dieses Adjektiv gehört zu dem im Nhd. untergegangenen Verb mhd. *niuwen,* ahd. *hniuwan* »zerreiben, zerstoßen, zerstampfen« (entsprechend aisl. *hnøggwa* »stoßen«), das z. B. mit griech. *knýein* »schaben, kratzen« verwandt ist. Es bedeutet demnach eigentlich etwa »drückend, kratzend, schabend«.

Gendarm: Das vor allem in der Umgangssprache und in Mundarten gebräuchliche Fremdwort wurde zu Beginn des 19. Jh.s aus frz. *gendarme* »Polizeisoldat« (ursprünglich »bewaffneter Reiter«) entlehnt. Dies ist aus dem Plural *gensdarmes* (< *gens d'armes* »bewaffnete Männer«) hervorgegangen. Grundwort ist frz. *armes* »Waffen« (< lat. *arma;* vgl. *Armee*), Bestimmungswort frz. *gens* »Leute, Volk« (< lat. *gentes*).

genehm: Das seit mhd. Zeit bezeugte Wort (mhd. *genæme*) gehört als Verbaladjektiv zu dem unter ↑nehmen behandelten Verb und bedeutet eigentlich »was zu nehmen ist, was man gern nimmt«. Abl.: **genehmigen** (18. Jh.; eigentlich »für genehm befinden«), dazu **Genehmigung** (18. Jh.). Zus.: **angenehm** (16. Jh.).

geneigt ↑neigen.

General: Die seit mhd. Zeit bezeugte Bezeichnung für den höchsten Offiziersrang geht zurück auf das lat. Adj. *generalis* »allgemein« (vgl. *Genus*) in Fügungen wie *generalis abbas,* womit im Kirchenlat. das Oberhaupt eines Mönchsordens bezeichnet wurde. Die militärische Bedeutung wurde im 15. Jh. vom Deutschen Orden entwickelt. Gleichwohl verdankt sie ihre Weitergeltung dem entscheidenden Einfluss des im 16. Jh. übernommenen frz. *général* (vgl. *generalisieren*). Die Zusammensetzungen ›Generalleutnant, Generalmajor, Generaloberst‹ usw. erinnern daran, dass das frz. Wort selbst aus Wendungen wie *capitaine général, lieutenant général* entstanden ist, die ihrerseits den oben erwähnten kirchenlat. Fügungen nachgebildet sind.

General...: Das Bestimmungswort von Zusammensetzungen mit der Bedeutung »allgemein«, ausgenommen die unter ↑General erwähnten militärischen Rangbezeichnungen, ist entlehnt aus gleichbedeutend lat. *generalis* (vgl. *generell*).

generalisieren »verallgemeinern«: Das Verb wurde im 18. Jh. aus frz. *généraliser* entlehnt. Dies gehört zum Adjektiv *général* »allgemein« (lat. *generalis*, vgl. *generell*).

G

Generalprobe, Generalversammlung ↑generell.

Generation »Gesamtheit aller etwa zur gleichen Zeit geborenen Menschen; Menschenalter«: Das Substantiv wurde im 17. Jh. aus lat. *generatio* »Zeugung[sfähigkeit]; Generation« entlehnt (vgl. *Genus* und den Artikel *regenerieren.*). Auf engl. Einfluss geht die in jüngster Zeit erfolgte Bedeutungserweiterung auf »Entwicklungsstufe von technischen Geräten« zurück.

Generator: Die technische Bezeichnung für ein Gerät oder eine Anlage zur Strom- bzw. Gaserzeugung wurde im 19. Jh. aus lat. *generator* »Erzeuger« entlehnt. Dies gehört zu lat. *genus* »Geschlecht« (vgl. *Genus*).

generell »allgemein[gültig]; im Allgemeinen«: Das Adjektiv ist eine französisierende Neubildung des 19. Jh.s für älteres ›general‹, das nur noch in Zusammensetzungen wie ›Generalprobe, Generalversammlung‹ (s. auch *General...*) lebt. Voraus liegt lat. *generalis* »allgemein« (vgl. *Genus*).

Genese ↑Genus.

genesen: Das altgerm. Verb mhd. *genesen*, ahd. *ginesan*, got. *ganisan*, niederl. *genezen*, aengl. *genesan* gehört mit verwandten Wörtern in anderen idg. Sprachen zu der idg. Wurzel **nes-* »davonkommen, am Leben oder gesund bleiben, glücklich heimkehren«, vgl. z. B. aind. *násatē* »gesellt sich zu, vereinigt sich mit jemandem« und griech. *néomai* »komme glücklich an, kehre heim«, dazu Néstōr (Name eines greisen Königs in der griechischen Sage, eigentlich »der immer Wiederkehrende«). – In den alten Sprachzuständen wurde ›genesen‹ im Sinne von »davonkommen, überleben, errettet werden« gebraucht, beachte das unter ↑nähren behandelte Veranlassungswort, das eigentlich »davonkommen machen, retten, am Leben erhalten« bedeutet. Die Bedeutungseinengung auf »von einer Krankheit geheilt werden, gesunden« trat im Mhd. ein. Abl.: **Genesung** (17. Jh.).

Genesis, Genetik ↑Genus.

Genetiv ↑Genitiv.

genial ↑Genie.

Genick: Mhd. *genic[k]e* ist eine Kollektivbildung zu dem im Nhd. untergegangenen Substantiv mhd. *necke*, das im Ablaut zu dem unter ↑Nacken behandelten Wort steht.

Genie »überragende schöpferische Geisteskraft; hervorragend begabter schöpferischer Mensch«: Das Fremdwort wurde Anfang des 18. Jh.s aus gleichbed. frz. *génie* entlehnt, das auf lat. *genius* »Schutzgeist« zurückgeht, in dessen spätlat. Bedeutung »schöpferischer Geist, natürliche Begabung« (vgl. *Genius*). – Hierzu das Adjektiv **genial** »hervorragend begabt, schöpferisch, überragend, großartig«, das im 18. Jh. aus älterem **genialisch** gekürzt wurde. Es liegt, wie auch bei dem abgeleiteten Substantiv **Genialität** »schöpferische Veranlagung des Genies« (18. Jh.) eine rein deutsche Bildung vor, unabhängig von frz. *génial*, das erst wesentlich später bezeugt ist. Zu ›genial‹ stellt sich im 18. Jh. als nlat. Bildung das Adjektiv **kongenial** »geistesverwandt, geistig ebenbürtig«.

genieren »belästigen«, meist reflexiv ›sich genieren‹ »sich Zwang antun, gehemmt sein, sich unsicher fühlen«: Das Verb wurde im 18. Jh. aus gleichbed. frz. *[se] gêner* entlehnt und setzte sich auch in der Volkssprache durch, während das zugehörige Adjektiv **genant** »lästig; unangenehm, peinlich; gehemmt«, das später aus dem Part. Präs. frz. *gênant* entlehnt wurde, keine allgemeine Verbreitung fand. – Frz. *gêner* (< afrz. *gehiner*) ist eine Bildung zum Substantiv *gêne* »Störung, Zwang, Hemmung«, afrz. *gehine*, das selbst von einem afrz. Verb *jehir, gehir* »zum Geständnis bringen; gestehen« abgeleitet ist. Voraus liegt ein afränk. Veranlassungsverb **jahjan* »zum Gestehen bringen« zu ahd. *jehan* »gestehen« (vgl. *Beichte*). – Dazu das Adjektiv **ungeniert** »ungezwungen« (18. Jh.) als Gegenbildung zu veraltet ›geniert‹ »gezwungen, verlegen«.

genießen: Das gemeingerm. Verb mhd. *[ge]nieʒen*, ahd. *[gi]nioʒan*, got. *[ga]niutan*, aengl. *nēotan*, schwed. *njuta* geht mit verwandten Wörtern in anderen idg. Sprachen auf die Wurzel **neud-* »fangen, ergreifen« zurück, vgl. z. B. lit. *naudà* »Nutzen, Vorteil, Gewinn«. Die alte Bedeutung bewahrt im germ. Sprachbereich got. *[ga]niutan* »ergreifen, erwischen, erreichen«, beachte dazu die Substantivbildung got. *nuta* »Fischer« (eigentlich »Fänger«). Da das, was man fängt, einem gehört, entwickelten sich aus »fangen, ergreifen« die Bedeutungen »innehaben, benutzen, gebrauchen, Freude an etwas haben«. Um das gemeingerm. Verb gruppieren sich die Bildungen ↑Genosse (eigentlich »der die Nutznießung einer Sache mit einem anderen gemeinsam hat«), ↑Genuss, Nieß... (s. u.), ↑nütze (eigentlich »was gebraucht werden kann«) und die Sippe von ↑Nutzen. Die Substantivbildung mhd. *nieʒ* »Benutzung, Genuss«, älter nhd. *Nieß* ist bewahrt in **Nießbrauch** (16. Jh.; Lehnübersetzung von lat. *usus fructus* »Recht der Nutzung fremden Eigentums«) und in **Nießnutz** (19. Jh.). Abl.: **genießbar** »unverdorben, essbar« (17. Jh.; häufiger wird

›ungenießbar‹ gebraucht); **Genießer** »Genussmensch« (mhd. *genieȥer*).

Genitale »Geschlechtsorgan, -teil«: Das Fremdwort, das aus der medizinischen Fachsprache stammt und meist im Plural ›Genitalien‹ gebraucht wird, ist entlehnt aus lat. *(membrum) genitale* »Geschlechtsglied, -teil«. Lat. *genitalis* »zur Zeugung, zur Geburt gehörig« ist eine Bildung zu lat. *gignere* »erzeugen« (vgl. *Genus*).

Genitiv, Genetiv »Wesfall«: Der grammatische Terminus ist entlehnt aus lat. *(casus) genitivus* bzw. *genetivus* »Fall, der die Abkunft, Herkunft, Zugehörigkeit bezeichnet« (zur Sippe von lat. *gignere* »erzeugen, hervorbringen«; vgl. *Genus*). Ähnlich wie bei ↑Akkusativ liegt dem Namen allerdings ein Irrtum bei der Übersetzung von griech. *genikḗ (ptō̃sis)* zugrunde. Denn das griech. Adjektiv *genikós*, das zu *génos* »Abstammung, Geschlecht; Gattung« gehört, bedeutet hier nach dem üblichen Sprachgebrauch der stoischen Grammatiker nicht so sehr »die Abstammung betreffend«, sondern vielmehr »die Gattung bezeichnend, allgemein«. Gemeint ist also eigentlich der »allgemeine Kasus«, der im Gegensatz zu den anderen Kasus zu jeder Wortart treten kann.

Genius »Schutzgeist«: Der Ausdruck aus der römischen Religion und Mythologie wurde im 16. Jh. übernommen. Lat. *genius* ist wohl eine lat. Bildung zum Verb *gignere (genere)* »hervorbringen, erzeugen« (vgl. *Genus*) und bedeutet eigentlich »Erzeuger«. Als personifizierte Zeugungskraft war der altrömische Genius die Schutzgottheit des Mannes, die bei seiner Erzeugung und Geburt wirkt und ihn durchs Leben und über den Tod hinaus begleitet. – Im Spätlat. entwickelte *genius* die Bedeutung »Schöpfergeist, natürliche Begabung«, die in ↑Genie (genial, Genialität, kongenial) vorliegt.

Genosse: Das westgerm. Wort mhd. *genōȥ[e]*, ahd. *ginōȥ[o]*, niederl. *genoot*, aengl. *genēat* gehört zu der Wortgruppe von ↑genießen und bezeichnete ursprünglich einen Menschen, der mit einem anderen die Nutznießung einer Sache gemeinsam hat, oder aber denjenigen, der dasselbe Vieh auf der [gleichen] Weide hat. Es bezog sich also auf den Gemeinbesitz in der Wirtschaftsform der Germanen. Das westgerm. Wort ist eine Bildung zu germ. **nauta-* »Eigentum, [Nutz]vieh«: mhd., ahd. *nōȥ*, engl. *neat*, schwed. *nöt* »[Nutz]vieh, Rinder«. – Bis zum Ausgang des 19. Jh.s wurde ›Genosse‹ im Wesentlichen im Sinne von »Gefährte; Gleichgestellter« verwendet. Heute bezeichnet es gewöhnlich das Mitglied einer linksgerichteten politischen Partei. Abl.: **Genossenschaft** »Personenvereinigung zu gemeinschaftlichem Geschäftsbetrieb« (17. Jh.).

Genre ↑Genus.

genug: Das gemeingerm. Wort mhd. *genuoc*, ahd. *ginuog*, got. *ganōhs*, engl. *enough*, schwed. *nog* gehört im Sinne von »ausreichend« zu der germ. Wortgruppe von got. *ganaúhan* »reichen«. Diese Wortgruppe geht mit verwandten Wörtern in anderen idg. Sprachen auf die idg. Wurzel **[e]neḱ-* »reichen, [er]langen; bringen, tragen« zurück, vgl. z. B. aind. *nákṣati* »erreicht, erlangt« und russ. *nesti* »tragen«. Abl.: **Genüge** (mhd. *genüege*, ahd. *ginuogī*); **genügen** (mhd. *genüegen*, ahd. *ginuogen* mit Entsprechungen in den anderen germ. Sprachen), dazu **begnügen,** sich (mhd. *begenüegen* »zufrieden stellen«) und **vergnügen** (s. d.); **genügsam** »bescheiden, anspruchslos« (15. Jh., an das Verb ›genügen‹ angeschlossen; mhd. *genuocsam* bedeutete »genügend«). Zus.: **genugtun** (mhd. *genuoctun;* Lehnübersetzung von lat. *satisfacere*), dazu **Genugtuung** (15. Jh.; Lehnübersetzung von lat. *satisfactio*).

Genus »Art, Gattung; grammatisches Geschlecht«: Das Fremdwort ist eine nhd. Entlehnung aus lat. *genus* »Geschlecht; Gesamtheit der Nachkommenschaft; Art, Gattung«, das identisch ist mit griech. *génos*. Beide sind Nominalbildungen zu dem idg. Verbalstamm **ĝen-* »gebären, erzeugen«, der in lat. *gi-gne-re* »erzeugen, hervorbringen« (vgl. auch *Genius, Genitale, Genitiv, Ingenieur, Natur, Nation*) und griech. *gí-gne-sthai* »geboren werden, werden, entstehen« vorliegt (vgl. *Kind*). Zu griech. *gígnesthai* gehört die Bildung griech. *génesis* »Geburt, Ursprung«, auf die – über lat. *genesis* – unser Fremdwort **Genesis,** eingedeutscht **Genese** »Entstehung, Entwicklung« zurückgeht, beachte auch die gelehrte Neubildung **Genetik** »Vererbungslehre«, dazu **Genetiker** und **genetisch.** Unmittelbar zu lat. *genus* (Ablativ: *genere*), auf das auch frz. *genre* zurückgeht (beachte das Fremdwort **Genre** »Gattung, Art [besonders in der Kunst]«), gehören etliche Ableitungen und Zusammensetzungen, die als Fremdwörter im Deutschen eine Rolle spielen: lat. *generalis* »zum Geschlecht, zur Gattung gehörig; allgemein« (↑General, ↑generalisieren, ↑generell), lat. *generatio* »Erzeugung« (↑Generation), *generator* »Erzeuger« (↑Generator), lat. *de-generare* »aus der Art schlagen« (↑degenerieren) und *re-generare* »von neuem hervorbringen« (↑regenerieren). Eine wissenschaftliche Bildung zu griech. *génos* »Geschlecht, Abstammung, Gattung, Art« ist ↑Gen.

Genuss: Das erst seit dem 17. Jh. bezeugte Substantiv ist eine Bildung zu dem unter ↑genießen behandelten Verb. Abl.: **genüsslich** »genießerisch« (17. Jh.). Zus.: **Genusssucht** (Anfang des 19. Jh.s), dazu **genusssüchtig.**

geo..., Geo...: Das Bestimmungswort von Zusammensetzungen mit der Bed. »Erde, Erdboden, Land«, wie in ↑Geographie, ↑Geologie, ↑Geometrie, Geometer ist gebildet aus griech. *gē̃* »Erde, Land«, dessen Vorgeschichte dunkel ist.

Geographie: Das Wort für »Erdbeschreibung, Erdkunde« wurde im 15. Jh. aus griech.-lat. *geōgraphía* entlehnt (vgl. *geo..., Geo...* und *Grafik*).

Geologie: Die Bezeichnung für die Lehre von der Entstehung und dem Bau der Erde ist eine gelehrte Neubildung (vgl. *geo..., Geo...* und ›...logie‹ unter *...loge*).

Geometrie »Zweig der Mathematik, der sich mit der Darstellung von ebenen und räumlichen Gebilden befasst«: Das Fremdwort (mhd. *geometrie*) bedeutete ursprünglich »Feldmesskunst«. Diese Bedeutung bewahrt noch das Substantiv **Geometer** »Land-, Feldvermesser« (16. Jh.). Die Wörter sind aus griech.-lat. *geō-metría* bzw. *geō-métrēs* entlehnt (vgl. *geo..., Geo...* und *Meter*). – Dazu das Adjektiv **geometrisch** (aus lat. *geo-metricus* < griech. *geō-metrikós*).

Gepäck: Das seit dem 16. Jh. gebräuchliche Wort (für älteres *gepac*) ist eine Kollektivbildung zu dem unter ↑[1]Pack behandelten Substantiv.

Gepard: Der Name des katzenartigen Raubtiers wurde im 19. Jh. aus frz. *guépard* entlehnt, das seinerseits aus it. *gatto-pardo* (mlat. *cattus pardus*) übernommen ist. Das in Indien zur Jagd abgerichtete Raubtier trägt seinen Namen zur Unterscheidung von dem größeren Leoparden (s. *Leopard*). Grundwort ist lat. *pardus* »Parder, Panther«; über das Bestimmungswort spätlat. *cattus, catta* »Katze« (woraus it. *gatto* u. frz. *chat*) vgl. *Katze.*

Gepflogenheit ↑pflegen.

Gepräge ↑prägen.

Gepränge ↑prangen.

[1]**gerade** »durch zwei ohne Rest teilbar«: Die Adjektivbildung mhd. *gerat,* ahd. *girat* »gleich zählend, gerade« (von Zahlen) gehört zu der germ. Wortgruppe von got. *raþjō* »Zahl«, *garaþjan* »zählen« (vgl. *Rede*). Im heutigen Sprachgefühl wird [1]gerade als mit ↑[2]gerade identisch empfunden.

[2]**gerade** »in unveränderter Richtung verlaufend«: Mhd. *gerade, gerat* »schnell; gewandt, schlank aufgewachsen, lang; gleich[artig]«, ahd. Adverb *rado* »schnell«, got. *raþs* »leicht«, aengl. *ræd* »schnell, lebhaft, geschickt« gehören zu der unter ↑Rad dargestellten idg. Wurzel **ret[h]-* »rollen, kullern, laufen«. Die in spätmhd. Zeit aufkommende Verwendung von ›gerade‹ im Sinne von »lotrecht, in gerader Richtung verlaufend« geht vom Wortgebrauch im Sinne von »schlank aufgewachsen, lang« (im Gegensatz zu »krumm, verkrüppelt«) aus. Heute wird ›gerade‹ auch in den Bedeutungen »direkt, genau« und »aufrecht, ehrlich, anständig« gebraucht. – Das substantivierte Adjektiv **Gerade** wird seit dem 19. Jh. in der Geometrie für »gerade Linie« gebraucht. Zusammenrückungen sind **geradeaus** (19. Jh.) und **geradezu** (19. Jh.). – Siehe auch den Artikel *rasch.*

gerädert ↑Rad.

Geranie (Zierstaude), dafür der gelehrte botanische Name ›Geranium‹: Die Geranie gehört zur Gattung der Storchschnabelgewächse. Ihr Name ist griech.-lat. Ursprungs. Stammwort ist das mit ↑Kranich urverwandte griech. *géranos* »Kranich«. Dazu gehört als Ableitung griech. *geránion,* der Name einer Pflanze, die nach ihren ›kranichschnabelförmigen‹ Früchten benannt ist. Über lat. *geranion* gelangte dann das Wort in die Sprache der Botaniker.

Gerät: Mhd. *geræte,* ahd. *girāti* »Ausrüstung; Vorrat; Hausrat, Werkzeuge; Rat, Beratung; Überlegung« ist eine Kollektivbildung zu dem unter ↑Rat behandelten Wort (vgl. ›Hausrat‹ unter *Haus* und die Artikel *Vorrat* und *Unrat*).

geraten, Geratewohl ↑raten.

geraum, geräumig ↑Raum.

Geräusch: Das zu dem unter ↑rauschen behandelten Verb gebildete Substantiv (mhd. *geriusche*) hat sich in der Bedeutung vom Verb gelöst und bezieht sich auf jede Art von Schalleindrücken und Lärmvorstellungen.

gerben: Das altgerm. Verb mhd. *gerwen,* ahd. *garawen,* mnd. *gerven,* aengl. *gearwian,* schwed. *garva* ist von dem unter ↑gar behandelten Adjektiv abgeleitet und bedeutete ursprünglich »fertig machen, [zu]bereiten, machen« (so heute noch im Nord.). Im Dt. kam es bereits in ahd. Zeit zur Einengung des Wortgebrauchs im Sinne von »Leder bereiten«. Das Verb wurde Fachwort der Handwerkersprache, als das es dann in die Gemeinsprache überging. Auf die Bearbeitung der abgezogenen Häute, besonders auf das Geschmeidigmachen durch Kneten, Klopfen und Walken, bezieht sich die ugs. Verwendung von ›gerben‹ im Sinne von »durchprügeln«. Abl.: **Gerber** (mhd. *gerwer,* ahd. *[leder]gerwere*).

gerecht: Das Wort, das als ge-Bildung zu dem unter ↑recht behandelten Adjektiv gehört, hat sich erst im Nhd. von diesem in der Bedeutung differenziert. Ahd. *gireht* bedeutete dagegen »gerad[linig]«, mhd. *gereht* »gerade; recht (im Gegensatz zu ›links‹); richtig; passend; tauglich; geschickt«. Als zweiter Bestandteil steckt ›gerecht‹ in Zusammensetzungen wie z. B. ›maßgerecht, mundgerecht, weidgerecht‹. Abl.: **Gerechtigkeit** (mhd. *gerehtikeit*); **Gerechtsame** »[Vor]recht« (15. Jh.).

gereichen ↑reichen.

gereuen ↑Reue.

[1]**Gericht** »zubereitete Speise«: Das Substantiv (mhd. *geriht[e]*) ist eine Bildung zu dem unter ↑richten behandelten Verb in dessen Bed. »zubereiten, anrichten«.

[2]**Gericht** »Rechtsprechung; Gerichtsverfahren; richtende Körperschaft; Gerichtsgebäude«: Das Substantiv (mhd. *geriht[e],* ahd. *girihti*) gehört zu dem unter ↑recht behandelten Adjektiv, hat sich aber sekundär an das Verb ›richten‹ angeschlossen, beachte die Bildungen got. *garaíhtei* »Gerechtigkeit« und aengl. *gerihte* »gerade Richtung; Recht; Pflicht«. Abl.: **gerichtlich** (15. Jh.); **Gerichtsbarkeit** (16. Jh., in der Form *gerichtbarkeith*). Zus.: **Gerichtshof** (18. Jh.); **Gerichtsvollzieher** (19. Jh.).

gerieben: Das seit dem 15. Jh. im Sinne von »gerissen, schlau, pfiffig« gebräuchliche Wort ist eigentlich das in adjektivischen Gebrauch übergegangene 2. Partizip von dem unter ↑reiben behandelten Verb.

Gering: Mhd. *[ge]ringe* »leicht; schnell, behend; klein, unbedeutend, schlecht«, ahd. (nur verneint) *ungiringi* »gewichtig«, mnd. *ringe* »leicht; unbedeutend, schlecht; leichtfertig« (daraus schwed. *ringa* »unbedeutend, wenig«), niederl. *gering* »unbedeutend; geringfügig« sind vielleicht verwandt mit griech. *rhímpha* (Adverb) »leicht; schnell«. Die weiteren Beziehungen sind unklar.

Gerinnen: In diesem Verb drückt das Präfix ge- (s. d.) noch deutlich die Vereinigung, das Zusammensein aus und hebt die ge-Bildung in der Bedeutung vom einfachen Verb ↑rinnen ab. Im Got. bedeutet *ga-rinnan* »zusammenlaufen (von Menschen)«, ahd. *girinnen* bedeutet »zusammenfließen«, hat aber auch schon wie mhd. *gerinnen* die heute allein übliche Bed. »dick werden, erstarren (von Blut, von der Milch oder dgl.)«.

Gerippe ↑Rippe.

Gerissen: Der seit dem 19. Jh. gebräuchliche ugs. Ausdruck für »schlau, durchtrieben« ist das in adjektivischen Gebrauch übergegangene zweite Partizip von dem unter ↑reißen behandelten Verb. Der Ausdruck stammt vielleicht aus der Jägersprache und bezog sich dann ursprünglich auf ein Tier, das oft angefallen und ›gerissen‹ wurde (aber immer wieder entkommen konnte).

Gern[e]: Das altgerm. Wort mhd. *gerne,* ahd. *gerno,* niederl. *gaarne,* aengl. *georne,* schwed. *gärna* ist das Adverb zu dem im Nhd. untergegangenen gemeingerm. Adjektiv ahd. *gern* »eifrig«, got. *(faíhu)gaírns* »(hab)gierig«, aengl. *georn* »begierig; eifrig; ernst«, aisl. *gjarn* »begierig«. Dieses Adjektiv gehört mit den unter ↑Gier und ↑begehren behandelten Wörtern zu der idg. Wurzel **ĝher-* »sich an etwas erfreuen, nach etwas verlangen, begehren«, vgl. z. B. griech. *charē̃nai* »sich freuen«, *cháris* »Anmut, Gunst«. Zus.: **Gernegroß** »Angeber« (16. Jh., eigentlich »jemand, der gern groß sein möchte«).

Gerochen ↑rächen.

Geröll[e]: Das erst seit dem 18. Jh. bezeugte Wort ist eine Bildung zu dem unter ↑Rolle behandelten Verb rollen und bezeichnet die an Berghalden oder Flussläufen ›angerollten‹ Steine.

Gerste: Der Name der Getreideart ist im germ. Sprachbereich nur im Dt. und Niederl. gebräuchlich: mhd. *gerste,* ahd. *gersta,* niederl. *gerst.* Im Engl. gilt *barley,* im Schwed. wird *korn* als Bezeichnung für »Gerste« verwendet. Die Herkunft des Wortes ist unklar. Einerseits kann es sich um ein altes Wanderwort nichtidg. Herkunft handeln, andererseits kann ›Gerste‹ mit lat. *hordeum* »Gerste« verwandt sein und auf einem substantivierten Adjektiv **gherzd[h]a* »die Stachlige, die Grannige« beruhen.

Gerte: Mhd. *gerte,* ahd. *gerta* »Rute, Zweig, Stab; Messrute«, mniederl. *gaerde* »Rute«, engl. *yard* (Längenmaß; s. das Fremdwort *Yard*) beruhen auf einer Ableitung von dem im Nhd. untergegangenen gemeingerm. Substantiv mhd., ahd. *gart* »Stachel, Treibstecken«, got. *gazds* »Stachel«, schwed. *gadd* »Stachel«, das mit lat. *hasta* »Stab, Stange; Speer, Spieß« und mir. *gat* »Weidenrute« verwandt ist. Die verschiedenen Verwendungen von Rute, Stock und Stange in den älteren Kulturzuständen spiegeln sich in den Bed. »Hirtenstab, Treibstecken, Stachel«, »Messrute, Maß« und »Speer; Spieß« wider. Auf die ausgezeichnete Biegsamkeit der Gerte bezieht sich die Zusammensetzung **gertenschlank.**

Geruch: Mhd. *geruch* ist eine Bildung zu dem nur noch vereinzelt in gehobener Sprache gebrauchten **Ruch** (mhd. *ruch* »Duft; Ausdünstung; Dunst, Dampf«), das zu dem unter ↑riechen behandelten Verb gehört.

Geruch

im Geruch stehen ...
»den Ruf haben ...«
Das Wort ›Geruch‹ hat in dieser Wendung nichts mit ›riechen‹ zu tun, sondern es gehört seiner Herkunft nach zu ›Gerücht‹, das seinerseits auf ein älteres ›Geruchte‹ mit der Bedeutung »Gerufe, Geschrei«, also zur Wortfamilie von ›rufen‹ gehört.

Gerücht: Mnd. *geruchte,* das (mit niederd. *-cht-* statt hochd. *-ft-*) mhd. *geruofte* »Geschrei« entspricht, gehört mit den unter ↑anrüchig, ↑berüchtigt und ↑ruchbar behandelten Wörtern zu der Wortgruppe von ↑rufen und bedeutete ursprünglich »Gerufe, Geschrei«. Im niedersächsischen Rechtsleben bezeichnete mnd. *geruchte* dann speziell das Not- und Hilfegeschrei, das bei der Ertappung eines Verbrechens auf frischer Tat erhoben wurde, und ferner das Geschrei und Gejammere, unter dem vor Gericht Klage erhoben wurde. In dieser rechtlichen Geltung entwickelte ›geruchte‹ die Bed. »Ruf, Leumund«. Um 1500 drang das Wort in dieser Bedeutung aus dem Niederd. ins Hochd. Heute ist es nur noch im Sinne von »umlaufendes Gerede« gebräuchlich.

geruhen »sich huldvoll herbeilassen«: Das Verb, das im heutigen Sprachgefühl auf ›ruhen‹ bezogen wird, ist seiner Herkunft nach mit ↑ruchlos und ↑verrucht verwandt und gehört vermutlich zu der unter ↑recht dargestellten idg. Wurzel **reĝ-* »aufrichten, recken«. Die heutige Bedeutung würde sich dann aus »aufrichten, stützen, helfen, für etwas Sorge tragen« entwickelt haben. Mit mhd. *geruochen,* ahd. *[gi]ruohhen* »bedacht, besorgt sein; belieben« sind im germ. Sprachbereich verwandt aengl. *rǣcan* »sich kümmern, sich sorgen« und aisl. *rœkja* »auf etwas achten, sich kümmern«; außergerm. ist eng verwandt griech. *arégein* »helfen, beistehen«.

gerührt ↑rühren.

Gerümpel: Mhd. *gerümpel* »Gepolter, Lärm« ist eine Bildung zu dem unter ↑rumpeln behandelten Verb. Im Nhd. bezeichnete das Wort dann zunächst rumpelnd wackelnden oder zusammenbrechenden Hausrat und schließlich ganz allgemein unbrauchbares Zeug. Eine Bildung des 20. Jh.s ist das Verb **entrümpeln** »von Gerümpel freimachen«.

Gerüst: Das auf das dt. Sprachgebiet beschränkte Wort (mhd. *gerüste,* ahd. *gi[h]rusti*) ist eine Bildung zu dem unter ↑rüsten behandelten Verb. Es bedeutete zunächst abstrakt »Zu-, Ausrüstung, Bereitung«, dann konkret »Rüstung; Kleidung; Gerät; Vorrichtung; Erbautes«. Heute bezeichnet es gewöhnlich ein aus Brettern oder Balken errichtetes Gestell.

G

gesamt: Das Adjektiv ist das in adjektivischen Gebrauch übergegangene zweite Partizip mhd. *gesam[en]t,* ahd. *gisamanōt* von dem im Nhd. untergegangenen Verb mhd. *samenen,* ahd. *samanōn* »[ver]sammeln, vereinigen« (vgl. *sammeln*). Abl.: **Gesamtheit** (18. Jh.).

Gesandte: Das seit dem 16. Jh. bezeugte Wort ist aus der Kürzung von spätmhd. *gesanter pote* »abgesandter Bote« hervorgegangen (vgl. *senden*).

Gesang: Das Substantiv mhd. *gesanc,* ahd. *gisang* ist eine ge-Bildung zu dem unter ↑Sang behandelten Wort, das heute allmählich veraltet.

Gesäß: Mhd. *gesæ̅ze,* ahd. *gisāzi* »Sitz, Wohnsitz; Lager; Belagerung; Lage; Hintern« ist eine Bildung zu dem unter ↑sitzen behandelten Verb und bedeutet eigentlich »das, worauf man sitzt; Ort, an dem man sich aufhält«. Heute wird das Wort nur noch im Sinne von »Hintern« verwendet.

Geschäft: Mhd. *gescheft[e]* »Beschäftigung, Arbeit, Angelegenheit; Anordnung, Befehl; Testament; Abmachung, Vertrag« ist eine Bildung zu dem unter ↑schaffen behandelten schwach flektierenden Verb. Erst im Nhd. ist ›Geschäft‹ zu einem wichtigen Wort des Handelswesens geworden. Abl.: **geschäftig** »unentwegt tätig« (14. Jh.; mitteld. *gescheftig*), dazu **Geschäftigkeit** (16. Jh.); **geschäftlich** »die Geschäfte betreffend, dienstlich, beruflich« (16. Jh.). Zus.: **Geschäftsmann** (um 1800; Lehnübersetzung von frz. *homme d'affaires*); **Geschäftsträger** (18. Jh.; Lehnübertragung von frz. *chargé d'affaires*).

geschehen: Das westgerm. Verb mhd. *geschehen,* ahd. *giskehan,* niederl. *geschieden,* aengl. *gescēon* gehört zu dem einfachen Verb ahd. *skehan* »eilen, rennen, schnell fortgehen«, aengl. *scēon* »eilen, laufen, fliegen; vorfallen, sich ereignen«, das z. B. verwandt ist mit der baltoslaw. Sippe von russ. *skok* »Sprung«, *skočit'* »springen«. Die Bed. »sich ereignen« hat sich demnach aus »schnell vor sich gehen, plötzlich vorkommmen« entwickelt. Zu ›geschehen‹ ist das Substantiv ↑Geschichte (eigentlich »Geschehnis, Begebenheit«) gebildet. Zu dem oben erwähnten einfachen Verb gehört als Veranlassungswort das unter ↑schicken (eigentlich »vonstatten gehen lassen«) behandelte Verb.

gescheit: Mhd. *geschīde* »schlau, klug« ist eine Bildung zu mhd. *schīden* »scheiden; deuten, auslegen; entscheiden« (vgl. *scheiden*) und bedeutet eigentlich »[unter]scheidend, scharf« (vom Verstand und von den Sinnen).

Geschenk ↑schenken.

Geschichte: Das auf das dt. Sprachgebiet beschränkte Wort (mhd. *geschiht,* ahd. *gisciht*) ist eine Bildung zu dem unter ↑geschehen behandelten Verb und bedeutete zunächst »Geschehnis, Begebenheit, Ereignis«. In mhd. Zeit wurde das Wort dann auch in den Bedeutungen »Angelegenheit, Sache, Ding; Eigenschaft, Art, Weise« und im Sinne von »Folge der Ereignisse« verwendet. Erst seit dem 15. Jh. tritt ›Geschichte‹ auch in den Bedeutungen »Erzählung« und »Bericht über Geschehenes« auf und wird dem aus lat. *historia* entlehnten ↑Historie gleichgesetzt. – Der Begriff ›Geschichte‹ erfuhr seine Vertiefung im 18. Jh., vor allem durch Herder, und seit dieser Zeit wird das Wort auch im Sinne von »Geschichtswissenschaft« verwendet. Groß ist die Zahl der Zusammensetzungen, in denen ›Geschichte‹ als zweiter Bestandteil steckt, beachte z. B. ›Kurz-, Liebes-, Natur-, Kultur-, Literatur-, Geistes- und Vorgeschichte‹. Abl.: **geschichtlich** (17. Jh.). Zus.: **Geschichtsklitterung** (↑klittern).

Geschick: Mhd. *geschicke* »Begebenheit; Ordnung, Aufstellung; Anordnung, Verfügung; Testament; Gestalt; Benehmen« ist eine Bildung zu dem unter ↑schicken behandelten Verb, das früher auch »geschehen lassen, bewirken, fügen, ordnen, verfügen, vormachen« bedeutete. Heute wird das Wort im Sinne von »Fügung, Schicksal« und – in Anlehnung an das Adjektiv ›geschickt‹ (s. d.) – im Sinne von »Gewandtheit« gebraucht, beachte z. B. die Wendung ›etwas mit Geschick ausführen‹.

geschickt »anstellig, gewandt«: Das seit mhd. Zeit gebräuchliche Adjektiv (mhd. *geschicket*) ist eigentlich das zweite Partizip von dem unter ↑schicken behandelten Verb. Die heutige Bedeutung hat sich aus »geeignet, passend« entwickelt, beachte mhd. *schicken* (reflexiv) im Sinne von »vorbereitet sein; geeignet, passend sein«.

Geschirr: Das im germ. Sprachbereich nur im Dt. gebräuchliche Wort (mhd. *geschirre,* ahd. *giscirri*) ist eine Bildung zu dem unter ↑[1]scheren behandelten Verb und bedeutet eigentlich »das [Zurecht]geschnittene«. Das Wort bezeichnete in den älteren Sprachzuständen alle Arten von Gefäßen, Geräten und Vorrichtungen, heute nur noch Haushaltsgegenstände aus Porzellan, Steingut oder dgl. und das Riemenzeug der Zugtiere, beachte **Geschirrmacher** »Sattler«.

Geschlecht: Die auf das dt. Sprachgebiet beschränkte Substantivbildung (mhd. *geslehte*, ahd. *gislahti*) gehört zu dem unter ↑schlagen behandelten Verb und bedeutet eigentlich »das, was in dieselbe Richtung schlägt, [übereinstimmende] Art«, beachte z. B. die Bed. von ›schlagen‹ in den Wendungen ›aus der Art schlagen‹ und ›nach dem Vater schlagen‹. Es wurde zunächst im Sinne von »Abstammung, [vornehme] Herkunft« und im Sinne von »Menschen gleicher Abstammung« gebraucht, dann auch im Sinne von »Gesamtheit der gleichzeitig lebenden Menschen«. Ferner bezeichnet es das natürliche und das grammatische Geschlecht, beachte dazu die Zusammensetzungen **Geschlechtsglied, Geschlechtsteil** (18. Jh.; Lehnübersetzung von lat. *membrum genitale* oder *pars genitalis*), **Geschlechtstrieb** (18. Jh.), **Geschlechtsverkehr** (20. Jh.) und **Geschlechtswort** (17. Jh.; für das aus dem Lat. entlehnte ›Artikel‹). Die Verwendung von ›Geschlecht‹ wurde seit alter Zeit weitgehend von lat. *genus* beeinflusst. Abl.: **geschlechtlich** (19. Jh.).

Geschmack: Mhd. *gesmac* »Geruch, Ausdünstung; Geschmack; Geschmackssinn« gehört mit dem im Nhd. untergegangenen gleichbedeutenden einfachen Substantiv mhd., ahd. *smac* (entsprechend engl. *smack* »Geschmack«) zu dem unter ↑schmecken behandelten Verb, das in den älteren Sprachzuständen auch »riechen« und allgemein »wahrnehmen, empfinden«, bedeutete. Anders gebildet ist mhd. *[ge]smach*, ahd. *gismahho* »Geruch, Ausdünstung; Geschmack; Geschmackssinn«. Aus dem Mnd. stammt die nord. Sippe von schwed. *smak* »Geschmack«. – Die Verwendung von ›Geschmack‹ im Sinne von »[Wohl]gefallen; Stil[gefühl]; Schönheitssinn« beruht auf Bedeutungsentlehnung aus frz. *[bon] goût* oder it. *[buon] gusto*.

Geschmeide: Das auf das dt. Sprachgebiet beschränkte Wort (mhd. *gesmīde*, ahd. *gismīdi*) ist eine Kollektivbildung zu dem im Nhd. untergegangenen Substantiv mhd. *smīde* »Metall; Schmuck«, ahd. *smīda* »Metall«, das zu der unter ↑Schmied dargestellten Wortgruppe gehört. Die Kollektivbildung wurde zunächst im Sinne von »Metall« gebraucht und bezeichnete dann das aus Metall geschmiedete Gefäß und Gerät, den Metallschmuck und die metallene Waffe und Rüstung. Während in Österreich ›Geschmeide‹ noch im Sinne von »Metallwaren« gebräuchlich ist, bezieht sich das Wort in Deutschland nur noch auf die Erzeugnisse des Goldschmiedehandwerks.

Geschmeiß ↑[1]schmeißen.

Geschöpf ↑schaffen.

Geschoss: Das zu dem unter ↑schießen behandelten Verb gebildete Substantiv (mhd. *geschǒz*, ahd. *giscoz*; entsprechend aengl. *gescot*) ist heute nur noch im passivischen Sinne als »das, was geschossen wird« (z. B. Pfeil, Kugel) gebräuchlich, während es in den älteren Sprachzuständen auch aktivisch als »das, womit man schießt« (z. B. Bogen, Armbrust, Geschütz) verwendet wurde. Mit diesem ›Geschoss‹ identisch sind das heute veraltete Rechtswort ›Geschoss‹ »Abgabe, Steuer«, das sich an ›schießen‹ in der Bed. »zuschießen, beisteuern« anschließt, und ›Geschoss‹ »Stockwerk« (häufig in Zusammensetzungen wie ›Dach-, Erdgeschoss‹), das sich in der Bed. nach ›schießen‹ im Sinne von »aufschießen, in die Höhe ragen« richtet. Im heutigen Sprachgefühl werden Geschoss »Stockwerk« und Geschoss »Pfeil, Kugel« als zwei verschiedene Wörter empfunden. Siehe auch den Artikel [2]*Schoss*.

Geschrei ↑schreien.

Geschütz: Mhd. *geschütze* ist eine Kollektivbildung zu dem unter ↑Schuss behandelten Substantiv. Das Wort bezeichnete zunächst die Gesamtheit der Schusswaffen, das Schießzeug, dann speziell die schweren Schusswaffen und schließlich auch die einzelne Kanone.

Geschwader: Die militärische Bezeichnung für eine größere Formation von Schiffen oder Flugzeugen, im Dt. seit dem 16. Jh. zuerst mit der Bed. »Reiterabteilung« bezeugt, ist eine Kollektivbildung zu spätmhd. *swader* »Reiterabteilung; Flottenverband«, das seinerseits auf einer Entlehnung aus it. *squadra* »Viereck; in quadratischer Formation angeordnete [Reiter]truppe; Abteilung, Mannschaft« beruht. Das dem it. Subst. *squadra* zugrunde liegende Verb it. *squadrare* »viereckig machen; im Viereck aufstellen« geht zurück auf gleichbed. vlat. **ex-quadrare* (zu lat. *quadrus* »viereckig«; vgl. *Quader*).

Geschwätz ↑schwatzen.

geschweift ↑schweifen.

geschwind: Mhd. *geswinde* »schnell, ungestüm« ist eine ge-Bildung zu dem im Nhd. untergegangenen gemeingerm. Adjektiv mhd. *swinde*, *swint* »stark; heftig; ungestüm; rasch; grimmig, böse; streng, hart«, ahd. *swind* (nur in Personennamen, beachte z. B. Adalswind), got. *swinþs* »stark«, aengl. *swīđ* »stark; heftig; streng«, aisl. *svinnr* »rasch; klug«. Das zugrunde liegende germ. **swenþ[i]a-* »stark, kräftig« steht im Ablaut zu germ. **[ga]sunda-* »stark, kräftig«, auf dem das unter ↑gesund behandelte Adjektiv beruht. Die außergerm. Beziehungen sind unklar.

Geschwister: Das westgerm. Wort mhd. *geswister*, ahd. *giswestar*, asächs. *giswestar*, aengl. *gesweostor* ist eine Kollektivbildung zu dem unter ↑Schwester behandelten Substantiv und bezeichnete zunächst nur die Schwestern, dann auch umfassender die Brüder. Abl.: **geschwisterlich** (16. Jh.).

geschwollen ↑ [1]schwellen.

Geschworene: Das im heutigen Sprachgebrauch als Bezeichnung für den Laienrichter des Schwurgerichts verwendete Wort ist das substantivierte zweite Partizip von dem unter ↑ schwören behandelten Verb. Spätmhd. *gesworne* bezeichnete denjenigen, der geschworen hat und damit eidlich verpflichtet ist.

Geschwulst: Das Substantiv mhd. *geswulst,* ahd. *giswulst* ist eine Bildung zu dem unter ↑ [1]schwellen behandelten Verb und bedeutet eigentlich »Schwellung«.

Geschwür: Das seit dem 16. Jh. bezeugte Wort ist eine Bildung zu dem unter ↑ schwären behandelten Verb und bedeutet eigentlich »das, was eitert«.

G

Geselle: Das auf das dt. Sprachgebiet beschränkte Wort (mhd. *geselle,* ahd. *gisell[i]o*) ist eine Kollektivbildung zu dem unter ↑ Saal behandelten Substantiv und bedeutet eigentlich »der mit jemandem denselben Saal (früher: Wohnraum) teilt«. Aus dem Dt. stammt niederl. *gezel* »Geselle«. – Während ›Geselle‹ in den älteren Sprachzuständen die umfassenden Bedeutungen »Gefährte; Freund; Geliebter; junger Bursche; Standesgenosse« hatte, bezieht es sich heute hauptsächlich auf das Handwerkswesen und bezeichnet den ausgelernten Lehrling. Abl.: **gesellen,** [sich] (mhd. *gesellen,* ahd. *gisellan* »[sich] zum Gefährten machen«); **gesellig** (mhd. *gesellec* »zugesellt, verbunden, freundschaftlich«), dazu **Geselligkeit** (mhd. *gesellekeit*); **Gesellschaft** (mhd. *geselleschaft,* ahd. *gisellìscaft* »Vereinigung mehrerer Gefährten; freundschaftliches Beisammensein; Freundschaft; Liebe; Gesamtheit der Gäste; Handelsgenossenschaft«; seit dem 15. Jh. wird das Wort auch auf die soziale Ordnung der Menschheit bezogen), dazu **Gesellschafter** (16. Jh.), **gesellschaftlich** (18. Jh.), **Gesellschaftswissenschaft** (19. Jh. für ›Soziologie‹).

Gesetz: Das wichtige Wort des Rechtswesens ist erst in mhd. Zeit zu dem unter ↑ setzen behandelten Verb in der Bedeutungswendung »festsetzen, bestimmen, anordnen« gebildet. Es bedeutet also, wie z. B. auch ›Satzung‹ (s. unter *Satz*), eigtl. »Festsetzung«. – Mhd. *gesetze* hat sich gegenüber der gleichbed. Bildung mhd. *gesetzede,* ahd. *gisezzida* und gegenüber mhd. *ēwe,* ahd. *ēwa* »Gesetz; Recht« (↑ Ehe) erst allmählich durchgesetzt. Abl.: **gesetzlich** (15. Jh.). Zus.: **Gesetzbuch** (14. Jh.); **Gesetzgeber** (15. Jh.); **gesetzwidrig** (18. Jh.).

gesetzt ↑ setzen.

Gesicht: Mhd., ahd. *gesiht* »das Sehen, Anblicken; Gesehenes, Anblick; Erscheinung, Vision; Aussehen, Gestalt; Antlitz«, niederl. *gezicht* »Anblick; Blick; Aussicht; Gesicht, Miene«, aengl. *gesihđ* »das Sehen; Anblick; Erscheinung, Vision« gehören zu dem unter ↑ sehen behandelten Verb. Die Bed. »Antlitz«, in der das Wort im Ahd. und Mhd. nur vereinzelt bezeugt ist, hat sich demnach aus »Anblick[en]« oder aus »Teil des Kopfes, an dem sich der Gesichtssinn befindet« entwickelt. Im heutigen Sprachgebrauch wird ›Gesicht‹ auch auf das geistige Schauen übertragen. Daher bezeichnet man (in Nachahmung des engl. *second sight*) mit dem ›zweiten Gesicht‹ die Fähigkeit, künftige Vorgänge mit dem geistigen Auge zu schauen.

Gesims ↑ Sims.

Gesinde: Das Wort, das heute nur noch selten als Bezeichnung für die [niedere] Dienerschaft eines herrschaftlichen Haushaltes oder für Knechte und Mägde eines bäuerlichen Haushaltes verwendet wird, spielte in älterer Zeit eine bedeutende Rolle im Gefolgschaftswesen. Mhd. *gesinde* »Gefolge; Dienerschaft; Kriegsvolk, Truppen«, ahd. *gisindi* »Gefolge; Kriegsvolk« (vgl. aengl. *gesīđ* »Gefolge«) ist eine Kollektivbildung zu dem im Nhd. untergegangenen gemeingerm. Substantiv mhd. *gesinde,* ahd. *gisind[o]* »Gefolgsmann; Weggenosse; Diener, Hausgenosse«, got. *gasinþ[j]a* »Weggenosse, Gefährte«, aengl. *gesīđa* »Gefährte«, aisl. *sinni* »Gefährte«. Dieses Substantiv bedeutet eigentlich »der denselben Weg hat, der an derselben Unternehmung teilnimmt« und ist abgeleitet von dem gleichfalls im Nhd. untergegangenen gemeingerm. Substantiv mhd. *sint,* ahd. *sind* »Weg, Gang, Reise, Fahrt«, got. *sinþs* »Gang, Mal«, aengl. *sīđ* »Weg, Gang, Reise, Unternehmung«, aisl. *sinn* »Gang, Mal« (vgl. *Sinn*). Vgl. den Artikel *Gesindel.*

Gesindel »Pack, Pöbel«: Das erst seit dem 16. Jh. bezeugte Wort ist eine Verkleinerungsbildung zu dem unter ↑ Gesinde behandelten Substantiv und bedeutete ursprünglich »kleine Gefolgschaft, Kriegsvölkchen«. Im heutigen Sprachgebrauch wird ›Gesindel‹ nicht mehr als Verkleinerungsform empfunden.

gesinnt »von einer bestimmten Gesinnung«: Das Adjektiv (mhd. *gesinnet* »mit Sinn und Verstand begabt«), das heute fälschlicherweise als zweites Partizip von ›sinnen‹ empfunden wird, ist eine Bildung zu dem unter ↑ Sinn behandelten Substantiv.

Gesinnung »[sittliche] Einstellung, Grundhaltung«: Das erst seit dem 18. Jh. bezeugte Wort gehört zu dem heute nicht mehr gebräuchlichen Verb gesinnen »an etwas denken, begehren, verlangen« (vgl. *sinnen*). Seit dem 19. Jh. wird ›Gesinnung‹ oft auch im Sinne von »politische Denkweise« gebraucht.

Gesocks: Die Herkunft des ugs. Ausdrucks für »Pack, Gesindel«, der erst seit dem 20. Jh. gebräuchlich ist, ist unklar. Vielleicht handelt es sich um eine Bildung zu dem veralteten Verb ›socken‹ »sich auf die Socken machen, laufen« (vgl. *Socke*).

Gesöff (ugs. für:) »schlechtes Getränk«: Das seit dem 17. Jh. bezeugte Wort ist eine Kollektivbildung zu dem heute nicht mehr gebräuchlichen ›Soff‹, einer Nebenform von dem unter ↑Suff behandelten Substantiv.

gesonnen ↑sinnen.

Gespann: Das seit dem 16. Jh. bezeugte Wort ist eine Bildung zu dem unter ↑spannen behandelten Verb und bezeichnet die zusammen vor einen Wagen gespannten Zugtiere.

gespannt ↑spannen.

Gespenst: Das im germ. Sprachbereich nur im Dt. gebräuchliche Wort mhd. *gespenst[e],* ahd. *gispensti* »[Ver]lockung, [teuflisches] Trugbild, Geistererscheinung« ist eine Bildung zu dem im Nhd. untergegangenen Verb mhd. *spanen,* ahd. *spanan* »locken, reizen«, vgl. aengl. *spanan* »reizen, verlocken, überreden«. Dieses Verb, zu dem sich auch das unter ↑abspenstig behandelte Adjektiv stellt, gehört im Sinne von »anziehen« zu der Wortgruppe von ↑spannen. – Das Gespenst spielt im dt. Volksglauben eine überaus wichtige Rolle und ist ein beliebtes Motiv in der dt. Literatur.

Gespinst: Die nhd. Form geht über älter nhd. *Gespünst[e]* zurück auf mhd. *gespunst* »das Spinnen; Gesponnenes«, eine Bildung zu dem unter ↑spinnen behandelten Verb. – Auf das Geistige übertragen wird ›Gespinst‹ im Sinne von »Ersonnenes« verwendet, beachte die Zusammensetzung **Hirngespinst** (18. Jh.).

Gespräch: Mhd. *gesprǣche,* ahd. *gisprāchi* »Sprechen; Sprechvermögen; Rede, Beredsamkeit; Unterredung, Beratung« ist eine Kollektivbildung zu dem unter ↑Sprache behandelten Wort.

gesprenkelt ↑Sprenkel.

Gestade: Das Wort, das heute nur noch in der gehobenen Sprache der Dichtung verwendet wird, ist durch das ursprünglich niederd. Wort ↑Ufer zurückgedrängt worden. Mhd. *gestat* »Ufer« ist eine Kollektivbildung zu dem altgerm. Substantiv mhd. *stade,* ahd. *stad[o]* »Ufer« (beachte ›Staden‹ südd. für »Ufer[straße]«), got. *staÞ[s]* »Ufer«, aengl. *stæđ* »Ufer«, anders gebildet aisl. *stǫđ* »Stand, Stelle; Landeplatz«. Dieses altgerm. Substantiv gehört mit Bildungen wie ›Stätte, Stadt, Stadel‹ zu der Wortgruppe von ↑stehen.

Gestalt: Das im Nhd. durch ›gestellt‹ ersetzte alte zweite Partizip mhd. *gestalt,* ahd. *gistalt* zu dem unter ↑stellen behandelten Verb ging früh in adjektivischen Gebrauch über und bildete im Mhd. die Grundlage für die Substantivbildung *gestalt* »Aussehen; Beschaffenheit, Art und Weise; Person«. Siehe auch den Artikel *verunstalten.*

geständig, Geständnis ↑stehen.

Gestank: Das seit mhd. Zeit bezeugte Wort (mhd. *gestanc*) ist eine Kollektivbildung zu dem heute nur noch ugs. im Sinne von »Zank, Streit« gebräuchlichen Substantiv **Stank,** mhd., ahd. *stanc* »[schlechter] Geruch«, entsprechend niederl. *stank* »Gestank«, engl. *stench* »Gestank« (vgl. *stinken*).

gestatten: Im Ahd. existierte neben *stat* »Ort, Platz, Stelle« (vgl. *Statt*) auch ein Substantiv *stata* »rechter Ort, günstiger Zeitpunkt, Gelegenheit«, das im Nhd. in **zustatten** (in der Fügung ›zustatten kommen‹) und in **vonstatten** (in der Fügung ›vonstatten gehen‹) bewahrt ist. Von diesem Substantiv abgeleitet ist ahd. *gistatōn,* mhd. *gestaten* »Gelegenheit geben, gewähren, erlauben« (vgl. auch *ausstatten*). Ferner gehört dazu das Adjektiv **statthaft** »zulässig« (mhd. *statehaft,* ahd. verneint *unstatahaft*).

Geste »Gebärde (als die die Rede begleitende Ausdrucksbewegung des Körpers, besonders der Arme und Hände)«: Das Wort ist bereits um 1500 in der Wendung ›gesten machen‹ bezeugt. Es ist entlehnt aus lat. *gestus* »Gebärdenspiel des Schauspielers oder Redners«, das zum Verb lat. *gerere (gestum)* »tragen, zur Schau tragen; sich benehmen« gehört. – Vom gleichen Stammwort lat. *gerere,* das ohne sichere außeritalische Entsprechungen ist, ist über eine Verkleinerungsbildung *gesticulus* »pantomimische Bewegung« das lat. Verb *gesticulari* »heftige Gebärden machen« abgeleitet (↑gestikulieren, Gestikulation). Die Zusammensetzungen lat. *re-gerere* »zurückbringen, hinbringen; (übertragen:) eintragen, einschreiben« und *sug-gerere* »von unten herantragen; unter der Hand beibringen; eingeben« liegen vor in unseren Fremdwörtern ↑suggerieren, Suggestion, suggestiv und ↑Register, registrieren, Registratur.

gestehen ↑stehen.

Gestell: Mhd. *gestelle* »Mühlengestell; Rahmenwerk«, ahd. *gistelli* »Stellung; Standort; Zusammengestelltes« ist eine Kollektivbildung zu dem unter ↑Stall behandelten Wort. Im heutigen Sprachgefühl wird ›Gestell‹ auf das Verb ›stellen‹ bezogen.

gestern: Die germ. Ausdrücke für »am Tage vor heute« mhd. *gester[n],* ahd. *gestaron,* niederl. *gisteren,* engl. (in der Zusammensetzung) *yesterday,* schwed. (nicht weitergebildet und mit Präposition) *i går* beruhen mit verwandten Wörtern in anderen idg. Sprachen auf idg. **ĝh[đ]ies-* »am anderen Tage« (von heute aus gesehen), vgl. z. B. griech. *chthés* »gestern« und lat. *heri* »gestern«, dazu lat. *hesternus* »gestrig«. Aus der Bed. »am anderen Tage« (von heute aus gesehen) konnte sich auch die Bed. »morgen« entwickeln, beachte z. B. got. *gistra-dagis* »morgen«.

gestikulieren »Gebärden machen«: Das Verb wurde im 17. Jh. aus gleichbed. lat. *gesticulari* (vgl. *Geste*) entlehnt. – Dazu das Substantiv **Gestikulation** »Gebärdenspiel« (18. Jh.; aus lat. *gesticulatio*).

Gestirn: Mhd. *gestirne,* ahd. *gistirni* »[Gesamtheit der] Sterne; Konstellation« ist eine Kollektivbildung zu dem unter ↑Stern behandelten Wort. Heute ist das Wort nur noch im nicht kollektiven

Sinne von »leuchtender Himmelskörper« gebräuchlich.

gestirnt: Das Adjektiv mhd. *gestirnet,* ahd. *gistirnōt,* das nach Art der zweiten Partizipien gebildet ist, geht nicht von einem Verb aus, sondern ist unmittelbar von dem unter ↑Stern behandelten Substantiv abgeleitet und bedeutet »mit Sternen versehen«.

Gestöber ↑stöbern.

Gesträuch ↑Strauch.

gestreift ↑Streif[en].

Gestrüpp: Das erst seit dem 16. Jh. bezeugte Wort ist eine Kollektivbildung zu dem im Nhd. untergegangenen Substantiv mhd. *struppe* »Buschwerk, Gesträuch« (vgl. *struppig*).

G

Gestüt: Das erst seit dem 16. Jh. bezeugte Wort ist eine Kollektivbildung zu dem unter ↑Stute behandelten Substantiv. Es bezeichnete zunächst die Herkunft von Pferden, dann auch die Anstalt für Pferdezucht.

Gesuch: Das seit dem 16. Jh. bezeugte Wort ist eine Bildung zu dem unter ↑suchen behandelten Verb und bedeutete zunächst »Streben nach Gewinn«. Seit dem 17. Jh. wird es im Sinne von »[an eine Behörde gerichtete] Bitte« verwendet. Dazu existierte eine männliche Substantivbildung mhd. *gesuoh,* ahd. *gisuoh,* die aber »Erwerb; Ertrag; Zinsen; Weide[recht]; Pirsch[jagd]« bedeutete.

gesund: Das westgerm. Adjektiv mhd. *gesunt,* ahd. *gisunt,* niederl. *gezond,* aengl. *[ge]sund* (engl. *sound*) steht im Ablaut zu dem unter ↑geschwind behandelten Adjektiv.

Gesundheitscheck ↑Check.

Getränk: Das seit mhd. Zeit bezeugte Wort (mhd. *getrenke*) ist eine Kollektivbildung zu dem unter ↑Trank behandelten Substantiv.

Getreide: Das auf das dt. Sprachgebiet beschränkte Substantiv ist eine Bildung zu dem unter ↑tragen behandelten Verb und bedeutet eigentlich »das, was getragen wird«: mhd. *getregede, getreide* »Bodenertrag; Nahrung; Kleidung; Gepäck; Last; Tragbahre« (seit dem 14. Jh. allmählich auf »Körnerfrucht« eingeengt), ahd. *gitregidi* »Ertrag, Einkünfte, Besitz«.

getreu ↑treu.

Getriebe: Das seit dem 15. Jh. bezeugte Wort ist eine Bildung zu dem unter ↑treiben behandelten Verb. Es bezog sich zunächst auf die Treibvorrichtung in Mühlen, dann auf das Räderwerk in Uhren und schließlich auf Kraftübertragungsvorrichtungen.

Getto »Judenviertel«: Die Etymologie dieses im 17. Jh. aus it. *ghetto* übernommenen Wortes ist nicht sicher geklärt. Vielleicht geht es auf it. *getto,* den Namen eines Stadtteils im alten Venedig, zurück. In diesem Stadtteil bzw. in unmittelbarer Nachbarschaft davon wurde das erste Judenquartier von Venedig eingerichtet. Der it. Name ist identisch mit it. *getto* »Gießerei; Guss« (zu *gettare* »gießen«), weil sich in diesem Stadtteil eine Gießerei befand.

Getümmel: Das seit dem 15. Jh. bezeugte Wort ist entweder eine Kollektivbildung zu dem im Nhd. untergegangenen Substantiv mhd. *tumel* »Lärm, betäubender Schall« oder aber eine Bildung zu dem unter ↑tummeln behandelten Verb.

Gevatter: Im Rahmen der frühen Missionstätigkeit in Deutschland tritt im 8. Jh. als Lehnübersetzung von kirchenlat. *compater* »Mitvater (in geistlicher Verantwortung), Taufpate« ahd. *gifatero* (vgl. *Vater*) auf, das sich auf das Verhältnis des Taufpaten zu den Eltern des Täuflings oder zum Täufling selbst, dann auch auf das Verhältnis der Taufpaten untereinander bezog. Im Mhd. entwickelte *gavater[e]* auch die Bed. »Onkel, Freund (der Familie)«, und in diesem Sinne ist es im Nhd. gebräuchlich, während es als »Taufzeuge« von ›Pate‹ (s. d.) verdrängt wurde.

Geviert ↑vier.

Gewächs: Das seit mhd. Zeit bezeugte Substantiv (mhd. *gewechse*) ist eine Bildung zu dem unter ↑²wachsen behandelten Verb. Es bedeutete zunächst ganz allgemein »Gewachsenes«, dann in erster Linie »Pflanze«, aber auch »Auswuchs am Körper« und dgl.

gewahr: Mhd. *gewar,* ahd. *giwar* »beachtend, bemerkend; aufmerksam, sorgfältig, vorsichtig«, got. *wars* »behutsam«, aengl. *[ge]wær* »aufmerksam, vorsichtig; bereit« (engl. *aware*), aisl. *varr* »behutsam, vorsichtig, scheu« gehören zu der weit verzweigten Wortgruppe von ↑wahren. Die zugrunde liegende germ. Adjektivbildung **wara-* »aufmerksam, vorsichtig« steht substantiviert in ›wahrnehmen‹ (s. d.). – Im heutigen Sprachgebrauch wird ›gewahr‹ nur noch in der Wendung ›gewahr werden‹ »erblicken, bemerken« gebraucht. Diese Wendung ist westgerm.; beachte ahd. *giwar werdan,* mniederl. *gewāre werden,* aengl. *gewær weorđan.*

gewähren »zugestehen, bewilligen, erlauben«: Das im germ. Sprachbereich nur im Dt. gebräuchliche Verb (mhd. *[ge]wern,* ahd. *[gi]werēn*) gehört wahrscheinlich zu der unter ↑wahr dargestellten idg. Wurzel **u̯er-* »Gunst, Freundlichkeit [erweisen]«. – Aus dem Afränk. stammt frz. *garant* »Gewährsmann« (↑Garantie). Abl.: **Gewähr** (mhd. *gewer,* ahd. *gaweri* »Sicherstellung, Bürgschaft«; ursprünglich Rechtsausdruck, besonders häufig in der Verbindung ›für etwas Gewähr leisten‹, woraus durch Zusammenrückung **gewährleisten** entstand).

Gewahrsam »Schutz, Obhut; Haft«: In Rechtstexten des 14. Jh.s tritt mhd. *gewarsame* »Sicherheit, Aufsicht; Obhut; sicherer Ort« auf, das eine Bildung zu mhd. *gewarsam* »sorgsam, vorsichtig« ist (vgl. *gewahr*). Das Adjektiv ›gewahrsam‹ ist seit dem 18. Jh. nicht mehr gebräuchlich. Das Substantiv hatte ursprünglich weibliches Geschlecht, nahm dann im 18. Jh. männliches Geschlecht an und wurde früher in der Bed. »Gefängnis« auch als sächliches Substantiv gebraucht.

Gewalt: Mhd. *gewalt,* ahd. *[gi]walt,* niederl. *geweld,* aengl. *[ge]weald,* schwed. *våld* gehören zu dem unter ↑walten behandelten Verb. Von ›Gewalt‹ abgeleitet ist **gewaltig** »mächtig, außerordentlich groß oder stark« (mhd. *gewaltec,* ahd. *giwaltig*), dazu **gewältigen** veraltet für »in seine Gewalt bringen; mit etwas fertig werden« (mhd. *geweltigen*), das seit dem 15. Jh. allmählich durch **bewältigen** (eigentlich »sich einer Sache gewaltig zeigen«) und durch **überwältigen** verdrängt wurde, beachte auch die Bildung **vergewaltigen** (spätmhd. *vergewaltigen* »Gewalt antun; notzüchtigen«). Abl.: **gewaltsam** (15. Jh.). Zus.: **Gewaltakt** (19. Jh.); **Gewalthaber** (15. Jh.; wie auch das später bezeugte ›Gewaltherrscher‹ als Ersatz für ›Despot‹ und ›Tyrann‹); **gewalttätig** (17. Jh.; von ›Gewalttat‹ abgeleitet).

Gewaltakt ↑Akt.

Gewand: Das Wort (mhd. *gewant,* ahd. *giwant*), das heute nur noch in gehobener Sprache im Sinne von »Kleidung[sstück]« verwendet wird, ist eine Bildung zu dem unter ↑wenden behandelten Verb. Es bedeutete ursprünglich »das Gewendete«, d. h. »das gefaltete oder in Falten gelegte, aufbewahrte Tuch«. Die ältere Bed. »Tuch« lebt noch in den Zusammensetzungen **Gewandschneider** »Tuchschneider« und **Gewandhaus** »Tuchhalle«. In älterer Zeit war das Gewandhaus ein städtisches Gebäude, in dem die Tuchballen gelagert und zum Verkauf angeboten wurden. Besonders bekannt ist das im 18. Jh. errichtete Leipziger Gewandhaus, in dessen oberen Räumen Konzerte und Bälle stattfanden. Als Ende des 19. Jh.s in Leipzig ein besonderes Konzerthaus gebaut wurde, nannte man auch dieses ›Gewandhaus‹ und das dort musizierende Orchester **Gewandhausorchester.**

gewandt: Das Adjektiv ist eigentlich das zweite Partizip zu dem unter ↑wenden behandelten Verb. Im 17. Jh. ging das zweite Partizip im Sinne von »wendig« in adjektivischen Gebrauch über, bezog sich zunächst auf die Wendigkeit von Schiffen und auf die Beweglichkeit von Tieren, dann auch auf die Geschicklichkeit und die Umgangsformen von Menschen. Abl.: **Gewandtheit** (18. Jh.).

gewärtig ↑warten.

Gewäsch (ugs. für:) »[nutzloses] Gerede, Geschwätz«: Das seit dem 16. Jh. bezeugte Substantiv gehört zu spätmhd. *waschen, weschen* »schwatzen«, das wahrscheinlich mit mhd. *waschen, weschen* »waschen, spülen, reinigen« (vgl. *waschen*) identisch ist. Der Bedeutungsübergang von »waschen« zu »schwatzen« erklärt sich daraus, dass in älterer Zeit die Frauen in Gruppen an Brunnen und Bächen ihre Wäsche wuschen und bei dieser Arbeit unaufhörlich schwatzten. Ähnlich wird heute ›Waschweib‹ ugs. abwertend für »geschwätzige Frau« gebraucht.

Gewässer: Das seit etwa 1400 gebräuchliche Wort (spätmhd. *gewezzere*) ist eine Kollektivbildung zu dem unter ↑Wasser behandelten Substantiv. Es bezog sich zunächst auf Überschwemmungen und Hochwasser, dann auf Meere, Seen und Flüsse und bezeichnet heute auch einen einzelnen See oder Fluss.

Gewebe: Das Substantiv mhd. *gewebe,* ahd. *giweb[i]* ist eine ge-Bildung zu dem unter ↑weben behandelten Verb. Die einfache Substantivbildung mhd. *weppe,* ahd. *weppi* ist heute nur noch in ›Spinnwebe‹ (neben ›Spinngewebe‹) bewahrt (s. den Artikel *Spinne*). In Zusammensetzungen wird ›Gewebe‹ oft übertragen gebraucht, beachte z. B. ›Gewebelehre‹ (für »Histologie«), ›Gewebeveränderung, Muskelgewebe‹.

Gewehr: Mhd. *gewer,* ahd. *giwer* ist eine Kollektivbildung zu dem unter ↑[1]Wehr »Befestigung, Verteidigung« behandelten Substantiv und wurde zunächst im Sinne von »Verteidigung, Abwehr, Schutz« verwendet. Während im Allgemeinen der Bedeutungswandel der Wörter vom Konkreten zum Abstrakten führt, hat sich bei ›Gewehr‹ die konkrete Bed. »[Verteidigungs-, Schuss]waffe« erst sekundär entwickelt. In der Jägersprache bezeichnet ›Gewehr‹ die Hauer des Wildschweins und die Zähne und Klauen von Raubtieren.

Geweih: Das Wort, das wahrscheinlich aus der Jägersprache stammt, bedeutete ursprünglich »Geäst«. Ähnliche weidmännische Bezeichnungen sind ›Gestänge‹ oder ›Stangen‹ (zu ↑Stange) und österr. ›Gestämme‹ (zu ↑Stamm), beachte auch mnd. *hertes-twīch* »Geweih«, eigentlich »Hirschzweig«. Wie ›Gehörn‹ (zu ↑Horn) so ist auch ›Geweih‹ (mhd. *gewī[g]e*) eine Kollektivbildung, und zwar zu einem untergegangenen ahd. **wi[a]* »Ast, Zweig«, das z. B. mit aind. *vayā́* »Zweig, Ast«, air. *fē* »Rute« und russ. *veja* »Zweig, Ast« verwandt ist.

Gewerbe: Das seit mhd. Zeit bezeugte Substantiv ist eine Bildung zu dem unter ↑werben behandelten Verb. Mhd. *gewerbe* »Wirbel; Gelenk; Geschäft, Tätigkeit; Anwerbung (von Truppen)« schloss sich in seinen Bedeutungen eng an das zugrunde liegende Verb mhd. *werben* »kreisen, sich drehen; sich umtun, tätig sein; handeln; [an]werben« an. Heute ist das Wort nur noch im Sinne von »berufsmäßige Beschäftigung um des Erwerbs willen« gebräuchlich.

Gewerke, Gewerkschaft ↑Werk.

gewichst ↑wichsen.

Gewicht: Mhd. *gewiht[e]* ist eine ge-Bildung zu dem im Hochd. untergegangenen Substantiv mnd. *wicht* »Gewicht, Schwere«, niederl. *wicht* »Gewicht«, engl. *weight* »Gewicht«, aisl. *vǣtt* »Gewicht, Schwere«. Dieses altgerm. Substantiv ist eine Bildung zu dem unter ↑wägen behandelten Verb (vgl. [1]*bewegen*).

Gewicht

auf etwas Gewicht legen
»etwas für wichtig halten, auf etwas Wert legen« Die Wendung bezieht sich auf den Vorgang des Wiegens: man muss so viele Gewichte in die eine Waagschale legen, wie die Ware in der anderen Waagschale wiegt. Legt man viele Gewichte hinein, so wiegt etwas schwer, hat Gewicht (übertragen »Wert, Bedeutung«).

ins Gewicht fallen
»ausschlaggebend sein, von großer Bedeutung sein«
Wie die vorangehende Wendung bezieht sich auch ›ins Gewicht fallen‹ auf den Vorgang des Wiegens: ›in die Waagschale, ins Gewicht fallen‹ wurde früher im Sinne von »ein bestimmtes Gewicht haben« verwendet. Übertragen dann: »schwer wiegend sein, von ausschlaggebender Bedeutung sein«.

G

gewieft (ugs. für:) »schlau, durchtrieben«: Das Adjektiv ist wahrscheinlich eigentlich das zweite Partizip zu dem im Nhd. untergegangenen Verb mhd. *wīfen* »winden, schwingen«, das zu der Wortgruppe von ↑Wipfel gehört. Ähnliche ugs. Ausdrücke für »schlau, raffiniert« sind z. B. ›gerieben‹, ›gerissen‹ und ›gewiegt‹.

gewiegt (ugs. für:) »schlau, durchtrieben«: Das seit dem 16. Jh. gebräuchliche Adjektiv ist eigentlich das zweite Partizip zu dem von ↑Wiege abgeleiteten Verb [1]wiegen »[in einer Wiege] schaukeln, schwingen«. In etwas ›gewiegt‹ sein meint also eigentlich darin aufgezogen, groß geworden sein.

Gewinde: Das seit dem 15. Jh. bezeugte Wort ist eine Bildung zu dem unter ↑[2]winden behandelten Verb. Während ›Gewinde‹ heute nur noch in der Sprache der Technik Geltung hat, bezog es sich früher auch auf die Windungen und das Gewirr von Gängen, Fäden oder dgl.

gewinnen: Mhd. *gewinnen*, ahd. *giwinnan* »durch Anstrengung, Arbeit oder Kampf zu etwas gelangen, schaffen, erringen, erlangen«, got. *gawinnan* »sich quälen, leiden«, aengl. *gewinnan* »kämpfen, streiten, sich abmühen, sich plagen; erobern, erringen« sind ge-Bildungen zu dem im Nhd. untergegangenen einfachen Verb mhd. *winnen*, ahd. *winnan* »kämpfen, streiten; toben; sich anstrengen, sich plagen; leiden, erringen, erlangen«, got. *winnan* »leiden«, engl. *to win* »gewinnen, erringen, erlangen«, schwed. *vinna* »erringen, erlangen, gewinnen«. Dieses gemeingerm. Verb gehört mit verwandten Wörtern in anderen idg. Sprachen zu der idg. Wurzel **u̯en[ə]-* »umherziehen, streifen, nach etwas suchen oder trachten«. Diese Wurzel bezog sich ursprünglich wahrscheinlich auf die Nahrungssuche sowie auf jagdliche und kriegerische Unternehmungen. Aus den Bedeutungen »umherziehen, streifen, nach etwas suchen oder trachten« entwickelten sich aber bereits in der Grundsprache die Bedeutungen »wünschen, verlangen, begehren, lieben, gern haben«. An diese Bedeutungswendung schließen sich z. B. an aind. *vánati* »wünscht, begehrt, liebt«, *vanas-* »Verlangen, Lust«, lat. *venus, -eris* »Liebe[sgenuss]« (beachte Venus »Göttin der Liebe«) und aus dem germ. Sprachbereich die Sippe von ↑Wunsch und das alte germ. Wort für »Freund«: mhd. *wine*, ahd. *wini*, aengl. *wine*, aisl. *vinr*, das in zahlreichen Personennamen erhalten ist, beachte z. B. ›Winfried, Erwin, Oswin‹. – Auf das Germ. beschränkt sind die Bedeutungsübergänge von »wünschen, verlangen« zu »hoffen; erwarten; annehmen« und von »lieben, gern haben« zu »zufrieden sein, Gefallen finden; sich gewöhnen; bleiben, sich aufhalten«. Daran schließen sich an die weit verzweigten Wortgruppen von ↑Wahn (ursprünglich »Hoffnung, Erwartung, Vermutung«), ↑gewöhnen, ↑gewohnt und von ↑wohnen. Die beiden Sippen von ›gewöhnen‹ und ›wohnen‹ haben sich erst allmählich in der Bedeutung differenziert. In den älteren Sprachzuständen bestand zwischen »zufrieden sein, Gefallen finden« und »bleiben, sich aufhalten« keine scharfe Trennung. Mit ›gewinnen‹ weiterhin verwandt ist die Wortgruppe von ↑Wonne.

Gewirr ↑verwirren.

gewiss: Das gemeingerm. Wort mhd. *gewis*, ahd. *giwis*, got. *(un)wiss* (»ungewiss«), niederl. *[ge]wis*, aengl. *[ge]wiss*, schwed. *viss* ist eigentlich das alte zweite Partizip idg. **u̯id-to-s* zu der idg. Verbalwurzel **u̯eid-* »erblicken, sehen« (vgl. *wissen*). Das jetzt gebräuchliche zweite Partizip ›gewusst‹ ist eine jüngere Neubildung. Germ. **wissa-* »gewiss«, dem z. B. genau aind. *vitta-ḥ* »bekannt« entspricht, bedeutete zunächst »was gewusst wird«, dann prägnant »was sicher gewusst wird«, woraus sich die Bed. »sicher, bestimmt« entwickelte. Abl.: **Gewissheit** (mhd. *gewisheit*, ahd. *giwisheit*); **gewisslich** (mhd. *gewislich*, ahd. Adv. *giwislīho*); **vergewissern,** sich »sich Gewissheit verschaffen, sich überzeugen« (17. Jh.).

Gewissen: Als Lehnübersetzung von lat. *conscientia* »Mitwissen; Bewusstsein; Gewissen«, das seinerseits Lehnübersetzung von griech. *syneídēsis* ist, erscheint im Ahd. *gewiȥȥenī* »[inneres] Bewusstsein, [religiös-moralische] Bewusstheit«. Das ahd. Wort ist der Bildung nach Adjektivabstraktum zum zweiten Partizip ahd. *gewiȥȥan* »bewusst« (vgl. *wissen*). Unter dem Einfluss des substantivierten Infinitivs setzte sich im Mhd. für *gewiȥȥen[e]* sächliches Geschlecht durch. Der Gewissensbegriff ist in Europa zuerst in Griechenland entwickelt worden. Griech. *syneídēsis* beruht auf der Vorstellung, dass es für jedes sittlich schlechte Verhalten gegenüber Menschen oder Göttern einen Zeugen, nämlich das innere ›Mitwissen‹, gibt. Seine Vertiefung und Bedeutung erhielt der Gewissensbegriff in der christlichen

Ethik und in der mittelalterlichen Philosophie. Die Ausdrücke für »Gewissen« sind in den meisten europäischen Sprachen Lehnübersetzung von griech. *syneídēsis* bzw. lat. *conscientia.*

ewissermaßen ↑Maß.

iewitter: Das westgerm. Substantiv mhd. *gewiter[e],* ahd. *giwitiri,* asächs. *gewidiri,* aengl. *gewidere* ist eine Kollektivbildung zu dem unter ↑Wetter behandelten Wort. Zur Bildung beachte z. B. das Verhältnis von ›Gebirge‹ zu ›Berg‹. – Das Wort wurde zunächst im Sinne von »Witterung, Wetter« gebraucht. Erst seit dem 12. Jh. setzte sich im Dt. allmählich die Verwendung im Sinne von »schlechtes Wetter, [elektrisch sich entladendes] Unwetter« durch. Abl.: **gewittern** (17. Jh.); **gewittrig** (19. Jh.).

ewitzigt ↑Witz.

ewogen »zugetan, wohlgesinnt«: Das seit dem 16. Jh. bezeugte Adjektiv ist eigentlich das zweite Partizip von mhd. *[ge]wegen* »Gewicht oder Wert haben, angemessen sein« (vgl. *wägen*). Es ist in mitteld. Form schriftsprachlich geworden, vgl. dazu z. B. mitteld. gepflogen, bewogen gegenüber ›gepflegt‹, ›bewegt‹.

ewöhnen: Mhd. *gewenen,* ahd. *giwennen* »gewöhnen« ist eine ge-Bildung zu dem im Nhd. untergegangenen einfachen Verb mhd., ahd. *wenen* »gewöhnen«, niederl. *wennen* »gewöhnen«, engl. *to wean* »entwöhnen, ein Kind an andere Nahrung als an Muttermilch gewöhnen«, schwed. *vänja* »gewöhnen«. Dieses altgerm. Verb gehört mit den unter ↑gewohnt, ↑Gewohnheit und ↑gewöhnlich behandelten Wörtern zu der Wortgruppe von ↑gewinnen. Mit anderen Präfixen gebildet sind ↑entwöhnen und ↑verwöhnen.

iewohnheit: Das Substantiv mhd. *gewon[e]heit,* ahd. *giwonaheit* ist eine Bildung zu dem im Nhd. untergegangenen Adjektiv mhd. *gewon,* ahd. *giwon* »der Gewohnheit gemäß, üblich, herkömmlich« (vgl. *gewohnt* und *gewöhnlich*).

ewöhnlich: Mhd. *gewonlich* »gewohnt; herkömmlich, üblich« ist – wie auch das unter ↑Gewohnheit behandelte Wort – eine Ableitung von dem alten Adjektiv mhd. *gewon,* ahd. *giwon* »üblich, herkömmlich« (vgl. *gewohnt*). Das Adjektiv ›gewöhnlich‹ wird auch im Sinne von »gemein, niedrig« verwendet, weil das, was allgemein üblich und gebräuchlich ist, wenig Wert besitzt. Beachte auch die Zusammensetzungen **außergewöhnlich** und **ungewöhnlich.**

ewohnt: Das alte Adjektiv mhd. *gewon,* ahd. *giwon* »herkömmlich, üblich« bildet die Grundlage für die unter ↑gewöhnlich und ↑Gewohnheit behandelten Bildungen sowie für das heute veraltete Verb ›gewohnen‹ »gewohnt sein« (mhd. *gewonen,* ahd. *giwonēn* »gewohnt sein; wohnen, verweilen«). Seit dem 14. Jh. wurde das Adjektiv mhd. *gewon* durch das zweite Partizip spätmhd. *gewon[e]t* des Verbs ›gewohnen‹ allmählich verdrängt oder unter dessen Einfluss zu ›gewont‹ umgestaltet. Über den Zusammenhang von ahd. *giwon* »herkömmlich, üblich« (entsprechend niederl. *gewoon,* aengl. ablautend *gewun[a],* die nord. Sippe von schwed. *van* »gewohnt, geübt, gewandt«) mit ↑gewöhnen und ↑wohnen vgl. *gewinnen.*

Gewölbe: Das Substantiv mhd. *gewelbe,* ahd. *giwelbi* ist eine Bildung zu dem unter ↑wölben behandelten Verb. Es bezeichnete zunächst die gewölbte Decke, d. h. die *camera* im römischen Steinbau, dann auch den mit einer gewölbten Decke versehenen Raum.

Gewölk ↑Wolke.

Gewürm ↑Wurm.

Gewürz: Das seit dem 15. Jh. bezeugte Wort, das im heutigen Sprachgefühl auf ›würzen‹ bezogen wird, ist eine Kollektivbildung zu dem nur noch mdal. gebräuchlichen ↑Wurz »Kraut, Pflanze«. Es bezeichnet also eigentlich die in der Kochkunst verwendeten Kräuter und Pflanzen.

Gezeiten: Mhd. *gezīt* »Zeit; festgesetzte Zeit; Gebetsstunde; Begebenheit«, ahd. *gizīt* »Zeit; Zeitlauf« ist eine Bildung mit verstärkendem ge-Präfix (↑ge..., Ge...) zu dem unter ↑Zeit behandelten Wort. Erst seit dem Anfang des 17. Jh.s setzte sich unter dem Einfluss von mnd. *getīde* »Flutzeit« für ›Gezeiten‹ die Bed. »Ebbe und Flut« durch.

Geziefer ↑Ungeziefer.

Gicht: Für die Benennung der Stoffwechselkrankheit ist von der im Volksglauben weit verbreiteten Vorstellung auszugehen, dass Krankheiten durch Beschreien oder Besprechen angezaubert werden können. ›Gicht‹ bedeutete ursprünglich »Besprechung, Behexung« und bezog sich zunächst auf alle Arten von Gliederschmerzen, Entzündungen, Krämpfen und Lähmungen. Der Name der Krankheit mhd. *giht,* ahd. *fir-, gi-giht[e],* mnd. *gicht, jicht* (entspr. niederl. *jicht*) ist demnach mit dem zu ahd. *jehan* »sagen, sprechen« gebildeten Substantiv ahd. *jiht,* mhd. *giht* »Aussage, Geständnis, Bekenntnis« (vgl. *Beichte*) identisch. Zus.: **gichtbrüchig** (15. Jh.; zunächst »vom Schlag gelähmt«, dann »an der Gicht erkrankt«).

Giebel: Mhd. *gibel,* ahd. *gibil,* niederl. *gevel* (daneben got. *gibla* »Giebel, Zinne«) stehen im Ablaut zu der nord. Sippe von schwed. *gavel* »Giebel«. Eng verwandt sind ahd. *gibilla* »Kopf« und ahd. *gebal,* mhd. *gebel* »Schädel, Kopf«. Diese germ. Wortgruppe beruht mit verwandten Wörtern in anderen idg. Sprachen auf idg. **ghebh-[e]l-* »Giebel«, übertragen »Kopf«, vgl. z. B. griech. *kephalḗ* »Schädel, Kopf«. Das idg. Wort bedeutete ursprünglich wahrscheinlich »Astgabel« und steht wohl im Ablaut zu idg. **ghəbh-[o]l-* »Gabelung des Astes, Astgabel« (vgl. *Gabel*). Der Giebel war ursprünglich die Stelle des Hausgerüstes, an der die Firstpfette in der Gabelung der Firstsäule ruhte. Beim germanischen Satteldach bezeichnete ›Giebel‹ die beiden spitz zulaufenden Schmalseiten des Daches, dann auch die dreieckige Wand zwischen den Dachflächen und das Satteldach als Ganzes.

Gier: Das auf das dt. Sprachgebiet beschränkte Wort mhd. *gir[e],* ahd. *girī* ist eine Bildung zu dem durch ›gierig‹ (s. u.) verdrängten alten Adjektiv mhd. *gir,* ahd. *giri* »begehrend, verlangend«. Dieses Adjektiv ist abgeleitet von dem gleichbedeutenden Adjektiv mhd., ahd. *ger* (vgl. *gern[e]*). Als zweiter Bestandteil steckt ›Gier‹ in mehreren Zusammensetzungen, wie z. B. ›Blut-, Geld-, Habgier‹. – Das Verb **gieren** »heftig verlangen« (14. Jh.), das im heutigen Sprachgefühl als von ›Gier‹ abgeleitet empfunden wird, ist dagegen vermutlich eine unabhängige Verbalbildung zu der unter ↑gern[e] dargestellten Wurzel. Das Adjektiv **gierig** (mhd. *giric,* ahd. *girīg*) ist von dem oben erwähnten Adjektiv mhd., ahd. *ger* »begehrend, verlangend« abgeleitet. Vgl. auch die Artikel *Begier[de], Neugier[de]* und *begehren.*

gießen: Das gemeingerm. Verb mhd. *giezen,* ahd. *giozan,* got. *giutan,* aengl. *gēotan,* schwed. *gjuta* ist eng verwandt mit der Sippe von lat. *fundere (fudi, fusum)* »gießen; schmelzen; schütten« (s. die Fremdwortgruppe um *Fusion*) und gehört mit dieser zu der idg. Wurzel **ĝheu-* »gießen«, vgl. z. B. griech. *chéein* »gießen, ausschütten; ein Trankopfer bereiten«, *cheũma* »Guss; Trankopfer«, *chēmeía* »Vermischung von Flüssigkeiten«. Zu dieser Wurzel gehört aus dem germanischen Sprachbereich auch das unter ↑Geiser »durch Vulkanismus entstandene Springquelle« behandelte Wort (s. auch den Artikel *Gaul*). – Durch alle Phasen der dt. Sprachgeschichte ist ›gießen‹ – wie auch *fundere* im Lat. – als Wort der Metalltechnik bezeugt. An diese Verwendung des Verbs schließen sich an die Bildungen **Gießer** (16. Jh.) und **Gießerei** (17. Jh.) sowie die Bedeutungen des Substantivs ↑Guss, beachte auch die Verwendung des zweiten Partizips **[an]gegossen.** Im Nhd. wird ›gießen‹ oft im Sinne von »begießen, besprengen« und unpersönlich ugs. für »stark regnen« gebraucht. Substantivbildungen zu ›gießen‹ sind ↑Guss und ↑Gosse. Die zusammengesetzten Verben und Präfixbildungen ›auf-, aus-, be-, ein-, er-, vergießen‹ usw. schließen sich in der Bedeutung eng an das einfache Verb an, beachte dazu ›Auf-, Aus-, Erguss‹.

Gift: Mhd., ahd. *gift* »das Geben; Gabe; Übergabe; Gift«, got. *fra-gifts* »Verleihung«, aengl. *gift* »Gabe, Geschenk; Mitgift«, aisl. *gipt* »Gabe; Glück« beruhen auf einer Bildung zu dem unter ↑geben behandelten Verb. Die alte Bed. »Gegebenes, Gabe« ist im Dt. noch in den Zusammensetzungen **Mitgift** »Heiratsgut« (15. Jh., eigentlich »das Mitgegebene«) und schweiz. **Handgift** »Schenkung« (eigentlich »Handgabe«) erhalten. Die jetzt allein übliche, schon für das Ahd. bezeugte Bed. »Gift« ist Lehnbedeutung nach griech.-spätlat. *dósis,* das eigentlich »Gabe« bedeutet (vgl. *Dosis, Dose*), aber auch als verhüllender Ausdruck für »Gift« gebraucht wurde. Ein euphemistischer Ausdruck für »Gift« ist z. B. auch frz. *poison,* eigentlich »Trank« (lat. *potio*).

Gigant »Riese«: Das Wort (mhd., ahd. *gigant*) ist aus griech.-lat. *gigās* (Genitiv: griech. *gígantos* lat. *gigantis*) entlehnt, woraus auch frz. *géant* »Riese« stammt. Die Giganten der altgriechischen Sage sind die riesenhaften Söhne der Gaia. – Das dazugehörige Adjektiv griech. *gigantikós* wurde erst im 18. Jh. als **gigantisch** »riesenhaft, außerordentlich« übernommen.

Gilde: Das Wort ist entweder eine Ableitung von dem unter ↑Geld behandelten Substantiv oder aber eine unmittelbare Bildung zu dem unter ↑gelten behandelten Verb und bedeutete ursprünglich wahrscheinlich »Opfergelage anlässlich einer eingegangenen rechtlichen Bindung«. In niederd. Lautgestalt und mit der sekundären in den Randgebieten der Nord- und Ostsee entwickelten Bed. »zum gegenseitigen Rechtsschutz geschlossene Vereinigung, Vereinigung von Berufsgenossen« breitete sich ›Gilde‹ seit dem 17. Jh. allmählich im hochd. Sprachgebiet aus. Dem niederd. Wort, das im Mnd. noch in der Bed. »Trinkgelage« verwendet wurde, entsprechen im germ. Sprachbereich mniederl. *gilde* »Essen, Gelage; Zunft, Innung« (niederl. *gilde* »Zunft, Innung«), aengl. *gilde* »Mitgliedschaft«, aisl. *gildi* »Trinkgelage, Schmaus; Bezahlung« (schwed. *gille* »Innung, Zunft«).

Gimpel: Der Vogelname hat sich von Tirol ausgehend seit dem 15. Jh. im dt. Sprachgebiet ausgebreitet. Spätmhd. *gümpel* ist eine Bildung zu dem im Nhd. untergegangenen Verb mhd. *gumpen* »hüpfen, springen«. Der Vogel ist also nach seinen ungeschickten Sprüngen auf ebener Erde benannt. Da der Gimpel leicht mit dem Vogelnetz (↑Garn) zu fangen ist, wurde sein Name schon früh als Bezeichnung für einen einfältigen Menschen verwendet.

Ginster: Die nhd. Form des Pflanzennamens geht über mhd. *ginster, genster* zurück auf ahd. *genster, geneste,* das aus lat. *genista* »Ginster« entlehnt ist. Das lat. Wort, auf dem z. B. auch it. *ginestra* »Ginster« und frz. *genêt* »Ginster« beruhen, ist dunklen Ursprungs.

Gipfel »höchste Spitze; Höhepunkt«: Die Herkunft des seit dem Anfang des 15. Jh.s bezeugten Wortes ist nicht sicher geklärt. Neben den spätmhd. Formen *gipfel, güpfel* findet sich auch gleichbed. spätmhd. *gipf.* Unter Einfluss von gleichbed. engl. *summit* hat sich die Bedeutung des Substantivs auch auf »diplomatische Unterredung auf höchster Ebene« erweitert.

Gips: Wie die anderen im Mauerbau verwendeten Baumaterialien (z. B. ↑Kalk, ↑Mörtel, ↑Zement, ↑Ziegel) hat auch der Gips keinen germ. Namen. Sache und Wort wurden in ahd. Zeit von den Römern übernommen. Das lat. Wort *gypsum* geht seinerseits auf griech. *gýpsos* »Gips, Zement« zurück, das aus dem Semit. stammt.

Giraffe: Der Name des afrikanischen Steppentieres geht letztlich auf arab. *zurāfa*[h] (vulgärarab. *ǧrāfa*[h]) zurück. Das Wort begegnet zum ersten Mal in einem deutschen Text des 13. Jh.s als *schraffe* (unmittelbar aus dem Vulgärarab.). Ebenfalls unmittelbar aus dem Arab. stammt die in Reisebeschreibungen des 15. und 16. Jh.s vorkommende Form *seraph*. Hingegen weist die seit dem 16. Jh. bezeugte Form *Giraff* (zuvor schon im 14. Jh. *Geraff*), die sich allein durchsetzen konnte und auf der unsere heutige Form ›Giraffe‹ beruht, auf Vermittlung von entsprechend it. *giraffa* hin.

Girlande »bandförmiges Laub- oder Blumengewinde«: Das Substantiv wurde im 18. Jh. aus gleichbed. frz. *guirlande* entlehnt, dieses seinerseits aus it. *ghirlanda* »Kranz, Ranke«. Das it. Wort geht wohl über aprov. *guirlanda* auf ein afränk. **wiara* »Krone, Ornament aus Goldfäden« zurück.

Girlitz: Der seit dem 16. Jh. bezeugte Name des kleinen, zeisigähnlichen Singvogels aus der Finkengattung stammt entweder aus einer südosteuropäischen slaw. Sprache (beachte z. B. slowen. *grlica* »Turteltaube«, zu *grliti* »girren«) oder ist zu einem lautnachahmenden einheimischen ›girl‹ (beachte das Verb girren) mit der ursprünglich slaw. Endung -itz, wie in ›Kiebitz, Stieglitz‹ u. a., gebildet.

Giro »Überweisung im bargeldlosen Zahlungsverkehr; Übertragungsvermerk auf einem Orderpapier«, besonders in Zusammensetzungen wie ›Girobank, Girokasse, Girokonto‹: Das Wort der Kaufmannssprache wurde im 17. Jh. aus it. *giro* »Kreis, Umlauf (besonders von Geld oder Wechseln)« entlehnt und anfangs nur für die »Übertragung« eines Wechsels auf einen anderen Namen gebraucht. Voraus liegen lat. *gyrus*, griech. *gȳros* »Rundung, Kreis« (zu griech. *gȳrós* »gebogen, krumm, rund«, das urverwandt ist mit ↑Keule). Abl.: **girieren** (aus it. *girare*).

Gischt »Wellenschaum, Sprühwasser«: Die heute übliche Form und die älteren Formen ›Gäscht‹ und ›Jescht‹ haben wohl lautmalendes -sch- gegenüber der in mdal. *Gest* und *Jest* bewahrten alten Lautung. Mhd. *jest* »Schaum, Gischt«, niederl. *gist* »Hefe«, engl. *yeast* »Hefe« (aengl. *giest* auch »Schaum«), schwed. *jäst* »Hefe« gehören zu der unter ↑gären dargestellten Wortgruppe.

Gitarre: Der Name des Musikinstruments wurde im 17. Jh. aus span. *guitarra* entlehnt und zuweilen noch im 18. Jh. in der Form Guitarra (Guitarre) gebraucht. Dem Namen dieses Instrumentes, der den Spaniern durch die Mauren aus arab. *qīṯāra*[h] vermittelt wurde, liegt das griech. Wort *kithárā* zugrunde, aus dem auch unser Lehnwort ↑Zither stammt. – Dazu seit dem 19. Jh. die Abl. **Gitarrist** »Gitarrespieler«.

Gitter: Das seit dem Ende des 15. Jh.s bezeugte Wort ist eng verwandt mit ↑Gatter und ↑vergattern und gehört zu der unter ↑gut dargestellten Wortgruppe. ›Gitter‹ ist wahrscheinlich erst aus der Kollektivbildung spätmhd. *gegiter* (zu mhd. *geter* »Gitter, Gatter«) hervorgegangen. Abl.: **vergittern** »mit einem Gitter versehen« (mhd. *vergitern*).

Gladiole (Gartenblume aus der Gattung der Schwertliliengewächse): Die Pflanze trägt ihren lat. Namen – lat. *gladiolus* »kleines Schwert« (zu *gladius* »Schwert«) – nach den »schwertförmigen« Blättern.

Glanz: Das auf das dt. Sprachgebiet beschränkte Wort (mhd. *glanz* »Schimmer, Leuchten«) ist eine Substantivierung des heute veralteten Adjektivs *glanz*, mhd., ahd. *glanz* »leuchtend, strahlend, hell«. Aus dem Dt. entlehnt sind niederl. *glans* »Glanz, Schimmer« und die nord. Sippe von schwed. *glans* »Glanz, Schein«. Das Verb **glänzen** (mhd. *glenzen*, ahd. *glanzen*), das im heutigen Sprachgefühl als von ›Glanz‹ abgeleitet empfunden wird, ist eine Bildung zu dem im Nhd. untergegangenen starken Verb mhd. *glinzen* »leuchten, schimmern, glänzen«, vgl. dazu im germ. Sprachbereich z. B. niederl. *glinsteren* »schimmern, glitzern«, engl. *to glint* »glänzen«, schwed. mdal. *glinta* »glatt sein« (eigentlich »blank sein«). – Die ganze germ. Wortgruppe gehört zu der vielfach weitergebildeten und erweiterten idg. Wurzel **ĝhel-* »glänzend, schimmernd, blank« (vgl. *gelb*).

G

[1]**Glas:** Das Glas war dem germ. Kulturkreis fremd. Als die Germanen das Glas, und zwar zunächst in Form von Perlen und Schmuck, von den Römern kennen lernten, benannten sie es mit ihrem heimischen Wort für »Bernstein«. Diese Übertragung der Bezeichnung lag nahe, da auch der Bernstein fast ausschließlich in Form von Schmuck gehandelt wurde. Die ursprüngliche Bed. »Bernstein« lässt sich für ahd. *glas* noch in den Glossen belegen, auch das latinisierte germ. *glaesum* und die im grammatischen Wechsel zu ›Glas‹ stehenden mnd. *glār* und aengl. *glǣr* bedeuten »Bernstein«. Mhd., ahd. *glas*, niederl. *glas*, engl. *glass* (die nord. Sippe von schwed. *glas* ist aus dem Mnd. entlehnt) gehen auf germ. **glasa-z* »Bernstein« zurück, das zu der vielfach weitergebildeten und erweiterten idg. Wurzel **ĝhel-* »glänzend, schimmernd, blank« gehört (vgl. *gelb*). Der Bernstein ist also nach seinem Glanz oder nach dem gelblichen Farbton benannt. – Im heutigen Sprachgebrauch bezeichnet ›Glas‹ nicht nur den Grundstoff, sondern auch das aus Glas Hergestellte, z. B. das Trinkgefäß, die Scheibe, die Brille (s. auch den Artikel [2]*Glas*). Das abgeleitete Verb ›glasen‹ ist heute nicht mehr gebräuchlich, dagegen aber die Präfixbildung **verglasen** (18. Jh.) und das mit roman. Endung gebildete **glasieren** »mit einem glasartigen Überzug versehen« (15. Jh.), beachte dazu das gleichfalls mit roman. Endung gebildete **Glasur** »glasartiger Überzug« (16. Jh.).

[2]**Glas** (seemännisch für:) »halbe Stunde«: Das Wort ist identisch mit ↑[1]Glas, das nicht nur den Grundstoff, sondern auch das aus Glas Hergestellte bezeichnet, z. B. ›Trink-, Fern-, Augen-, Stundenglas‹. So nannte man früher auch die Sanduhr einfach ›Glas‹, woran sich der seemännische Gebrauch des Wortes im Sinne von »halbe Stunde« anschließt, weil die Sanduhren auf Schiffen halbstündig abliefen. Der Ablauf der Sanduhr musste angeschlagen oder ausgesungen werden und regelte den Wachdienst auf Schiffen. Nach dem niederl. Plural *glasen* zu urteilen, hat sich das Wort in seemännischer Geltung von den Niederlanden ausgebreitet. Im Dt. ist es seit dem 16. Jh. bezeugt.

G

glatt: Mhd. *glat* »glänzend, blank; eben; schlüpfrig«, ahd. *glat* »glänzend«, niederl. *glad* »glatt, schlüpfrig«, engl. *glad* »fröhlich« (eigentlich »strahlend, heiter«), schwed. *glad* »heiter, fröhlich; angeheitert« gehören zu der vielfach weitergebildeten und erweiterten idg. Wurzel **ĝhel-* »glänzend, schimmernd, blank« (vgl. *gelb*). Mit dem altgerm. Adjektiv sind z. B. eng verwandt lat. *glaber* »blank; glatt; kahl« und russ. *gladkij* »glatt«. Vgl. auch den Artikel *Glatze*.

Glatze: Das Wort für »Kahlköpfigkeit« (frühnhd. *glatze*, mhd. *gla[t]z*, entspr. mnd. *glate*) ist eine Bildung zu dem unter ↑glatt behandelten Adjektiv in dessen älterer Bed. »glänzend, blank«. Zus.: **Glatzkopf** (16. Jh.).

glauben: Mhd. *gelouben*, ahd. *gilouben*, got. *galaubjan*, niederl. *geloven*, aengl. *gelīefan* (mit anderem Präfix engl. *to believe*) gehen zurück auf germ. **ga-laubjan* »für lieb halten, gutheißen«, das zu der weit verzweigten Wortgruppe von ↑lieb gehört. Schon bei den heidnischen Germanen bezog sich ›glauben‹ auf das freundschaftliche Vertrauen eines Menschen zur Gottheit. Nach der Christianisierung drückte es dann wie lat. *credere* und griech. *pisteúein* das religiöse Verhalten des Menschen zum Christengott aus. Abgeschwächt wird ›glauben‹ im Sinne von »für wahr halten« und »annehmen, vermuten« gebraucht. Abl.: **Glaube,** daneben auch **Glauben** (mhd. *g[e]loube*, ahd. *gilouba*, vgl. niederl. *geloof*, aengl. *gelēafa*); **gläubig** »vom Glauben erfüllt; vertrauensvoll« (mhd. *geloubec*, ahd. *giloubīg*, wahrscheinlich vom Substantiv Glaube abgeleitet), dazu **Gläubiger** »jemand, der einem Schuldner gegenüber anspruchsberechtigt ist« (15. Jh.; Lehnübersetzung von lat. *creditor*) und **beglaubigen** »amtlich als richtig, echt bestätigen« (17. Jh.); **glaubhaft** (mhd. *g[e]loubehaft*). Zus.: **glaubwürdig** (15. Jh.).

Glaubersalz: Das als Abführmittel verwendete Natriumsulfat ist nach dem Chemiker und Arzt J. R. Glauber (1604–1670) benannt.

gleich: Das gemeingerm. Adjektiv mhd. *gelīch*, ahd. *gilīh*, got. *galeiks*, aengl. *gelīc* (engl. *like*), aisl. *[g]līkr* (schwed. *lik*) ist eine alte Zusammensetzung aus germ. **ga-* und **līka-* »Körper, Gestalt« (vgl. *ge...*, *Ge...* und *Leiche*) und bedeutete ursprünglich »denselben Körper, dieselbe Gestalt habend«. Außergerm. entspricht die balt. Wortgruppe von lit. *lýgus* »gleich«. – Aus der Verwendung von ›gleich‹ zum Ausdruck der Übereinstimmung von Raum und Zeit entwickelte sich im Dt. der adverbielle Wortgebrauch im Sinne von »eben, gerade« (beachte das mit ›so‹ verstärkte **sogleich** »sofort«). Abl.: **Gleiche** (mhd. *gelīche*, ahd. *gilīhī;* heute im Allgemeinen durch ›Gleichheit‹ ersetzt und nur noch in ›Tagundnachtgleiche‹ gebräuchlich); **gleichen** (mhd. *gelīchen*, ahd. *gilīhhan*, *gilīhhēn*), dazu die Präfixbildungen **begleichen** (19. Jh.; Verdeutschung von ›saldieren‹ in der Kaufmannssprache) und **vergleichen** (mhd. *verg[e]līchen*), **Vergleich** (17. Jh.; erst aus dem Verb rückgebildet); **Gleichnis** (mhd. *gelīchnisse*, ahd. *gilīhnissa;* eigentlich »das, was sich mit etwas anderem vergleichen lässt«); **gleichsam** (Zusammenrückung aus ›gleich‹ und ›sam‹, vgl. *...sam;* mhd. *dem gelīche sam*); **Gleichung** (mhd. *g[e]līchunge* »Gleichartigkeit, Ähnlichkeit«; Substantivbildung zum Verb ›gleichen‹; heute besonders im Sinne von »Gleichsetzung rechnerischer Werte« gebräuchlich). Zus.: **Gleichgewicht** (17. Jh.; Lehnübersetzung von lat. *aequilibrium*, frz. *equilibre*); **gleichgültig** (17. Jh.; zunächst »gleichwertig«, dann »unterschiedslos; unbedeutend; uninteressiert«); dazu **Gleichgültigkeit** (17. Jh.); **gleichmäßig** (16. Jh.), daraus rückgebildet **Gleichmaß** (17. Jh.); **gleichmütig** (16. Jh.), daraus rückgebildet **Gleichmut** (17. Jh.); **Gleichschritt** (18. Jh.); **gleichzeitig** (18. Jh.).

Gleichgewicht ↑Gewicht.

gleichwertig ↑wert.

Gleis ↑Geleise.

gleißen: Mhd. *glīȥen*, ahd. *glīȥ[ȥ]an* »schimmern, glänzen«, asächs. *glītan* »glänzen, leuchten«, aisl. *glita* »glänzen«, weitergebildet aengl. *glitenian* »glänzen« sind näher verwandt mit den Sippen von ↑glimmen und ↑gleiten (ursprünglich wahrscheinlich »blank, glatt sein«) und gehören zu der unter ↑gelb dargestellten idg. Wurzel. Siehe auch den Artikel *glitzern*.

gleiten: Das westgerm. Verb mhd. *glīten*, ahd. *glītan*, niederl. *glijden*, engl. *to glide* ist wahrscheinlich eng verwandt mit den unter ↑gleißen und ↑glimmen behandelten Wörtern und gehört dann zu der unter ↑gelb dargestellten idg. Wurzel. Die Bed. »rutschen, sich schwebend bewegen« hat sich demnach aus »blank, glatt sein« entwickelt. Vgl. auch den Artikel *glitschen*.

Gletscher: Das Wort wurde im 16. Jh. aus schweizerdt. Mundarten übernommen und erlangte bald danach hochsprachliche Geltung. Walliserisch *glačer* »Gletscher« geht mit gleichbed. tessinisch *giascei* und frz. *glacier* auf vlat. **glaciarium* »Eis; Gletscher« zurück, das eine Weiterbildung von vlat. *glacia* »Eis« ist. Das Stammwort lat. *glacies* »Eis« gehört zu der idg. Wortgruppe von ↑kalt.

Glied: Das Substantiv mhd. *gelit,* ahd. *gilid* ist eine ge-Bildung zu dem im Nhd. untergegangenen gleichbed. gemeingerm. Wort mhd. *lit,* ahd. *lid,* got. *liþus,* aengl. *lið,* aisl. *liðr,* das zu der vielfach weitergebildeten und erweiterten idg. Wurzel **el-* »biegen« gehört (vgl. *Elle*). Verwandt ist auch das mit anderem Suffix gebildete aengl. *lim* »Glied, Gelenk« (engl. *limb*). Für die Benennung ist also, wie auch für ›Elle‹ und engl. *limb,* von »Biegung, Gebogenes [am Körper]« auszugehen. ›Glied‹ bezeichnete dann nicht nur das Gelenk, sondern auch die Arme und Beine im Gegensatz zum Rumpf. Im übertragenen Gebrauch nahm ›Glied‹ dann auch die Bed. »Teil eines Ganzen (besonders auch einer Sippe); Mitglied«, »Verbindungsstück [einer Kette]« und »Reihe [einer militärischen Abteilung]« an. Abl.: **gliedern** (17. Jh.; beachte auch ›ein-, aus-, zergliedern‹), dazu **Gliederung** (19. Jh.). Zus.: **Gliedmaße,** meist Plural **Gliedmaßen** (mhd. *gelidemǣze;* eigentlich »Maß, rechtes Verhältnis der Glieder«); **Mitglied** (16. Jh.). Siehe auch den Artikel *ledig.*

glimmen: Mhd. *glimmen* »glühen«, niederl. *glimmen* »glühen; glänzen, schimmern, blinken«, schwed. *glimma* »glühen; glänzen« sind im germ. Sprachbereich eng verwandt mit mhd. *glīmen* »leuchten, glänzen«, asächs. *glīmo* »Glanz«, engl. *gleam* »Glanz« und weiterhin mit den Sippen von ↑gleißen und ↑gleiten. Die ganze Wortgruppe gehört zu der Wurzelform **ĝhlei-* der unter ↑gelb dargestellten idg. Wurzel **ĝhel-* »glänzend, schimmernd, blank«. – Eine Iterativ-Intensiv-Bildung zu ›glimmen‹ ist **glimmern** (mhd. *glimmeren* »glänzen, leuchten«, vgl. gleichbed. engl. *to glimmer* und schwed. *glimra*). Zu diesem Verb gehört die seit dem 16. Jh. bezeugte Mineralbezeichnung **Glimmer,** die sich vom erzgebirgischen Raum her ausgebreitet hat.

glimpflich: Das Adjektiv mhd. *gelimpflich,* ahd. *gilimpflīh* kann eine Ableitung sein von dem heute veralteten Substantiv **Glimpf** »Nachsicht; Fug, Billigkeit« (mhd. *g[e]limpf,* ahd. *gilimpf*) oder von dem nicht mehr gebräuchlichen Adjektiv frühnhd. *glimpf,* mhd. *gelimpf* »angemessen«. Es kann aber auch unmittelbar gebildet sein zu dem im Nhd. untergegangenen Verb mhd. *gelimpfen,* ahd. *gilimpfen* »rücksichtsvoll, nachsichtig sein; sich schicklich verhalten; angemessen sein«. Diese Sippe, zu der auch das gleichfalls mit ›ge-‹ gebildete schweiz. *glimpfig* »biegsam, geschmeidig« gehört, ist näher verwandt mit den unter ↑Lumpen und ↑Schlampe behandelten Wörtern und gehört zu der idg. Wurzelform **[s]lembh-* »schlaff, locker« (vgl. *Schlaf*). Aus »schlaff, locker« haben sich einerseits die Bedeutungen »weich, biegsam«, andererseits die Bedeutungen »weich, zart, rücksichtsvoll, nachsichtig« und weiter »angemessen, schicklich« entwickelt. – Zu dem oben erwähnten Substantiv ›Glimpf‹, dem aengl. *ge-limp* »Zufall, Schickung« entspricht, stellt sich **Unglimpf** »Mangel an Nachsicht, Strenge; Schimpf« (mhd. *ungelimpf*), von dem das Verb **verunglimpfen** »verunstalten, besudeln, verleumden« (15. Jh.) abgeleitet ist.

glitschen »[aus]rutschen, schliddern«: Das seit dem 15. Jh. bezeugte Verb ist eine Intensivbildung zu dem unter ↑gleiten behandelten Verb. Abl.: **glitsch[e]rig** (18. Jh.); **glitschig** (17. Jh.).

glitzern: Das seit dem 15. Jh. bezeugte Verb ist eine Iterativbildung zu mhd. *glitzen* »glänzen«, das von dem unter ↑gleißen behandelten Verb abgeleitet ist. Ähnliche, aber unabhängige Bildungen sind engl. *to glitter* »glitzern« und schwed. *glittra* »glitzern, flittern«.

Globetrotter: Die Bezeichnung für »Weltenbummler« ist eine Entlehnung des 20. Jh.s aus gleichbed. engl. *globetrotter* (zu *globe* »Erdball« [vgl. *Globus*] und *to trot* »traben« [vgl. *Trott*]).

Globus »die Erdkugel (auch: die scheinbare Himmelskugel) in geographischer (astronomischer) Darstellung ihrer Oberfläche«: Das Wort wurde im 15. Jh. – 1492 stellte Martin Behaim in Nürnberg den ersten Globus her – aus lat. *globus* »Kugel; Ball; Klumpen« entlehnt. Lat. *globus* gehört mit lat. *galla* »kugeliger Auswuchs, Gallapfel«, *gleba* »Klümpchen, Erdscholle« und *glomus* »Kloß, Knäuel« (↑Konglomerat) zu der unter ↑Kolben dargestellten idg. Sippe. – Dazu das Adjektiv **global** »die gesamte Erdoberfläche betreffend«, oft auch übertragen im Sinne von »weltumspannend, umfassend; in groben Zügen, ungefähr« und das Verb **globalisieren** »auf die ganze Erde ausdehnen« (beide 20. Jh.).

Glocke: Die im 6. Jh. aus Nordafrika nach Italien eingeführten Glocken fanden auch im übrigen Europa rasch Verbreitung. Besonders in Irland wurden kunstvolle Glocken für gottesdienstliche Zwecke hergestellt. Im Rahmen der Missionstätigkeit irischer Mönche lernten die Germanen diese Glocken kennen und übernahmen mit der Sache auch das Wort. Mhd. *glocke,* ahd. *glocca, clocca,* mniederl. *klokke* (daraus dann entlehnt engl. *clock* »Uhr«), schwed. *klocka,* aengl. *clucge,* mlat.-roman. *clocca* (beachte frz. *cloche*) beruhen auf einem kelt. **cloc* (= ir. *clocc*) »Glocke, Schelle«, das seinerseits schallnachahmenden Ursprungs ist und mit der Wortgruppe von ↑lachen urverwandt ist.

Glocke

etwas an die große Glocke hängen
(ugs.) »etwas überall herumerzählen«
Die Wendung geht auf den alten Brauch zurück, Bekanntmachungen, öffentliche Rügen, drohende Gefahr usw. der Allgemeinheit mit einer Glocke anzukündigen.

G

Glorie »Ruhm, Glanz, Heiligenschein«: Das Substantiv wurde in mhd. Zeit aus gleichbed. lat. *gloria* entlehnt, dessen Herkunft unklar ist. – Dazu stellen sich seit dem 17. Jh. das Adjektiv **glorreich** »ruhmreich« und die junge Zusammensetzung **Glorienschein.** – Zu lat. *gloria* gehören die Verkleinerungsbildung *gloriola,* aus dem unser Fremdwort **Gloriole** »Heiligenschein« entlehnt ist, die Adjektivbildung *gloriosus,* auf das **glorios** »ruhm-, glanzvoll« zurückgeht, und schließlich das Verb *glorificere* (aus *gloria* [s. o. ›Glorie‹] und *facere* »machen«, vgl. *Fazit*), aus dem **glorifizieren** »verherrlichen« stammt.

Glosse »erklärende, deutende, spöttische Randbemerkung« (auch als polemische feuilletonistische Kurzform): Das Fremdwort wurde zwar schon in mhd. Zeit *(glōse)* aus lat. *glossa* entlehnt, später aber in der Schreibung an die klass.-lat. Lautform angeglichen. Das lat. Wort, das seinerseits auf griech. *glõssa* »Zunge, Sprache« zurückgeht, bezeichnete – nach dem abgeleiteten griech.-lat. *glóssēma* – zunächst ein »schwieriges, erklärungsbedürftiges Wort«, dann auch die in Handschriften zwischen den Zeilen oder am Rand angebrachten »erläuternden Bemerkungen« selbst, woraus sich dann im allg. Sprachgebrauch bei uns die heute übliche Bedeutung entwickelte. – Dazu **glossieren** »mit Glossen versehen« (aus spätlat. *glossari*) und **Glossar** »Glossensammlung; Wörterverzeichnis« (aus lat. *glossarium* griech. *glõssárion*).

glotzen: Das seit mhd. Zeit gebräuchliche Verb (mhd. *glotzen*), das im germ. Sprachbereich mit engl. *to gloat* »hämisch blicken, anstarren« und schwed. *glutta* »gucken« verwandt ist, gehört wahrscheinlich zu der vielfach weitergebildeten und erweiterten idg. Wurzel **ĝhel-* »glänzend, schimmernd, blank« (vgl. *gelb*). Die Bed. »[an]blicken, anstarren« hat sich demnach aus »leuchten, anstrahlen« entwickelt. Eine Bildung des 20. Jh.s zu ›glotzen‹ ist ugs. **Glotze** »Fernsehgerät«. Zus.: **Glotzauge** (18. Jh.).

Glück: Die Herkunft des seit dem 12. Jh. bezeugten Wortes, das sich vom Nordwesten her allmählich im dt. Sprachgebiet ausgebreitet hat, ist dunkel. Über die altgerm. Ausdrücke für ›Glück‹ s. die Artikel *Heil* und *selig.* Mniederl. *[ghe]lucke* (aus dem Niederl. entlehnt engl. *luck*), mnd. *[ge]lucke* (daraus entlehnt die nord. Sippe von schwed. *lykka*), mhd. *gelücke* »Geschick, Schicksal[smacht]; Zufall; günstiger Ausgang; [guter] Lebensunterhalt« lassen sich mit keiner anderen germ. Wortgruppe in Zusammenhang bringen. Abl.: **glücken** (mhd. *g[e]lücken* »gelingen«), beachte auch **beglücken** und **verunglücken; glücklich** (mhd. *g[e]lück[e]lich* »vom Zufall, vom Schicksal abhängig, günstig«). Zus.: **glückselig** (mhd. *glücksælec,* ↑selig), dazu **Glückseligkeit** (15. Jh.); **Glückskind** (16. Jh.; wohl eigentlich »mit einer Glückshaube geborenes Kind« oder Lehnübertragung nach lat. *fortunae filius*); **Glückspilz** (18. Jh.; zunächst in der Bed. »Emporkömmling, Parvenu«, dann »Glückskind«; nach engl. *mushroom* »Pilz; Emporkömmling«); **Glücksritter** »Abenteurer, der auf Glück ausgeht« (18. Jh.). Der Bergmannsgruß ›Glück auf!‹ (seit dem 17. Jh., vom erzgebirgischen Raum ausgehend, üblich) ist das Gegenstück zu der älteren Grußformel ›Glück zu!‹.

Glucke, Klucke: Das fast im gesamten dt. Sprachgebiet gebräuchliche Wort für »Bruthenne« (mhd. *klucke*) ist eine Rückbildung aus dem unter ↑glucken behandelten lautnachahmenden Verb.

glucken: Die germ. Verben mhd. *glucken, klucken,* niederl. *klokken,* engl. *to cluck,* schwed. *klucka* sind lautnachahmenden Ursprungs. Damit [elementar]verwandt sind z. B. lat. *glocire* »glucken« und lit. *žliúgauti* »schluchzen«. Im germ. Sprachbereich ahmt ›glucken‹ einerseits die Laute mehrerer Vogelarten nach, insbesondere die Laute der Henne beim Brüten oder beim Locken der Jungen (vgl. den Artikel *Glucke*), andererseits ahmt es die Geräusche nach, die beim Gießen aus einer Flasche, beim Trinken, beim Schluckauf oder auch bei leichter Bewegung von Wasser entstehen. Dieselben Bezogenheiten haben auch die beiden Abl. **gluckern** (16. Jh.) und **glucksen** (mhd. *glucksen, klucksen*).

glühen: Das altgerm. Verb mhd. *glüe[je]n,* ahd. *gluoen,* niederl. *gloeien,* engl. *to glow,* älter schwed. *glo* gehört zu der Wurzelform **ĝhlō-* der unter ↑gelb dargestellten idg. Wurzel **ĝhel-* »glänzend, schimmernd, blank«. Zu ›glühen‹ gebildet ist das Substantiv ↑Glut. Zus.: **Glühbirne** (20. Jh., für älteres ›Glasbirne‹; wohl nach ›Glühstrumpf‹ der Gasbeleuchtung); **Glühwein** (Anfang des 19. Jh.s; für älteres ›glühender bzw. geglühter Wein‹, d. h. »heißer oder heiß gemachter Wein«); **Glühwürmchen** (Anfang des 19. Jh.s; Verkleinerungsbildung zu dem seit dem 18. Jh. bezeugten ›Glühwurm‹; in den Mundarten leben zahlreiche andere Benennungen, z. B. ›Johanniskäfer, Johannisfünkchen, Zündwürmlein‹).

Glut: Das altgerm. Substantiv mhd., ahd. *gluot,* niederl. *gloed,* engl. *gleed,* schwed. *glöd* ist eine Bildung zu dem unter ↑glühen behandelten Verb. Abl.: **gluten** »glühend leuchten oder brennen« (17. Jh.).

Glyzerin: Der Name des dreiwertigen Alkohols, der in allen Fetten enthalten ist, wurde im 19. Jh. aus gleichbed. frz. *glycérine* entlehnt, einer Bildung des französischen Chemikers E. Chevreul (1786–1889) zu griech. *glykerós* »süß« (zu *glyký̆s* »süß«). Das Glyzerin ist also nach seinem süßlichen Geschmack benannt.

Gnade: Mhd. *g[e]nade* »Rast, Ruhe; Behagen, Freude; Gunst, Huld; [göttliche] Hilfe, [göttliches] Erbarmen«, ahd. *ginãda* »[göttliche] Hilfe, [göttliches] Erbarmen«, niederl. *genade* »Gnade«, aisl. *nađ* »Ruhe; Frieden; Schutz; [göttliche] Gnade« (schwed. *nåd* »Gnade«) sind Substantivbildun gen zu einem im germ. Sprachbereich nur im Got. bewahrten Verb *niþan* »unterstützen, helfen«, dessen weitere Herkunft unbekannt ist. Die Bedeutungsgeschichte von ›Gnade‹ ist im germ. Sprachbereich weitgehend durch den Inhalt des christlichen Gnadenbegriffes bestimmt worden. Der Gnadenbegriff im weltlichen Sinne (»Gewährung von Schonung, Milde, Mitleid gegenüber einem Besiegten, einem Verurteilten, einem Untergebenen«) war wohl aber bereits vor der Christianisierung bei den Germanen vorgeprägt worden. Die Formel ›von Gottes Gnaden‹, die seit dem Mittelalter als Zusatz bei Herrschertiteln erscheint, ist Übersetzung von lat. *gratia dei,* wie auch ›Euer Gnaden‹, das früher als Anrede gebräuchlich war, lat. *tua* bzw. *vestra clementia* wiedergibt. Abl.: **gnaden** »gnädig sein« (heute nur noch in Wendungen wie ›gnade dir Gott‹ gebräuchlich; mhd. *genāden,* ahd. *ginādōn*), dazu **begnaden** (mhd. *begnāden* »mit Gnade beschenken; ein Privilegium erteilen; begnadigen; Almosen geben«; seit dem 17. Jh. wurde ›begnaden‹ allmählich durch ›begnadigen‹, das sich heute nur noch auf das Erlassen einer Strafe bezieht, ersetzt; gebräuchlich ist dagegen das in adjektivischen Gebrauch übergegangene zweite Partizip **begnadet,** eigentlich »mit Gnadengeschenken ausgestattet«); **gnädig** (mhd. *g[e]nædec,* ahd. *g[i]nādīg* »wohlwollend, liebreich, huldvoll, barmherzig«), davon frühnhd. *begnädigen,* das im 17. Jh. durch **begnadigen** ersetzt wurde (s. o. ›begnaden‹). Zus.: **Gnadenakt** (↑Akt); **Gnadenbild** »Heiligenbild, von dem wundertätige Kräfte ausgehen« (16. Jh.); **Gnadenbrot** (18. Jh.); **Gnadenfrist** (17. Jh., zuerst religiös); **Gnadenstoß** (Anfang des 18. Jh.s; eigentlich der Stoß, den der Henker dem auf das Rad geflochtenen Verbrecher in das Herz oder Genick gibt, um ihm weitere Qualen zu ersparen).

Gneis: Das seit dem 16. Jh. bezeugte Wort für vorwiegend schieferiges Gestein hat sich vom erzgebirgischen Raum ausgehend über das dt. Sprachgebiet ausgebreitet. Aus dem Dt. entlehnt sind frz. *gneiss,* engl. *gneiss,* schwed. *gnejs.* Die weitere Herkunft des Wortes ist unsicher. Falls der Gneis nach seinem funkelnden Glanz benannt worden ist, gehört es vielleicht zu der germ. Wortgruppe von mhd. *g[a]neist* »Funke«.

Gnom »Erdgeist, Kobold; Zwerg«: Die Bezeichnung wurde von dem Arzt und Naturforscher Paracelsus im 16. Jh. geprägt. Welche Vorstellungen der Benennung zugrunde liegen, ist nicht bekannt.

Gobelin: Die Bezeichnung für einen Wandteppich mit eingewirkten Bildern wurde im 18. Jh. aus gleichbed. frz. *gobelins* (Plural) entlehnt. Das frz. Wort war wohl ursprünglich ein Appellativ, das aus ›les Gobelins‹ hervorgegangen ist, dem Namen einer renommierten Teppich- und Kunsttapetenfabrik, die ihrerseits nach einem Färber Gobelin benannt sein soll.

Gockel ↑gackeln.

gokeln ↑gaukeln.

Gold: Der gemeingerm. Metallname gehört mit verwandten, aber teils ablautenden, teils mit anderen Suffixen gebildeten Wörtern in anderen idg. Sprachen zu der unter ↑gelb dargestellten idg. Wurzel **ĝhel-* »glänzend, schimmernd, blank«, vgl. z. B. lett. *zèlts* »Gold« und russ. *zoloto* »Gold«. Germ. **gulþa-z* »Gold«, auf das mhd. *golt,* ahd. *gold,* got. *gulþ,* engl. *gold* und schwed. *guld* zurückgehen, bedeutet daher »das Gelbliche« oder »das Glänzende, das Blanke«. Das Metall ist also nach seinem Farbton oder nach seinem Glanz benannt. – Die Germanen kannten, wie sich aus den Funden ergibt, das Gold bereits in der frühen Bronzezeit. Neben Kupfer und Bronze war es der beliebteste Grundstoff für die Fertigung von Schmuck. Auch in der Vorstellungswelt der Germanen spielte das Gold als Inbegriff des Reichtums und der Machtfülle eine bedeutende Rolle. Abl.: **golden** (mhd., ahd. *guldīn,* vgl. got. *gulþeins,* aengl. *gylden,* aisl. *gullinn*), das Adjektiv ›golden‹ hat sich Anfang des 18. Jh.s im Vokal an das Substantiv ›Gold‹ angeschlossen; die alte Form, die auch umgelautet als **gülden** erscheint, beachte z. B. ›Tausendgüldenkraut‹, ist noch in ↑Gulden bewahrt; auch das Verb **vergolden,** dessen ältere Formen ›vergulden, vergülden‹ lauten, hat sich an das Substantiv angelehnt; **goldig** (frühnhd. *guldig;* heute besonders in der Bed. »lieb, wonnig« gebräuchlich). Groß ist die Zahl der Zusammensetzungen, in denen ›Gold‹ als erster oder als zweiter Bestandteil steckt, beachte z. B. **Goldammer** (↑Ammer), **Goldfinger** (↑Finger), **Goldfisch** (15. Jh.), **Goldlack** (18. Jh.), **Goldstück** (17. Jh.), **Goldwaage** (15. Jh.), **Blattgold** (17. Jh.).

[1]**Golf:** Das Wort für »größere Meeresbucht, Meerbusen« wurde im 14. Jh. aus gleichbed. it. *golfo* entlehnt, das über vlat. *colphus* auf griech. *kólpos* »Busen, Bausch, Meerbusen, Bucht« zurückgeht. Das griech. Wort ist wohl urverwandt mit ↑wölben.

[2]**Golf:** Der Name des schottisch-englischen Rasenspiels wurde im 18. Jh. aus engl. *golf* entlehnt. Die weitere Herkunft des Wortes, das nicht verwandt ist mit ↑[1]Golf »Meerbusen«, ist unklar.

Gondel »langes, schmales venezianisches Ruderboot«, (übertragen auch:) »hängend befestigte Kabine an Ballon, Luftschiff, Seilbahn o. Ä.«: Das Wort wurde im 16. Jh. aus venez.-it. *gondola* »kleines Schiffchen, Nachen« entlehnt, dessen Herkunft unklar ist. – Unmittelbar abgeleitet ist das Verb **gondeln** »Gondel fahren«, das in ugs. Übertragung etwa »gemächlich fahren« bedeutet.

Gong: Das Wort gehört zu den wenigen Fremdwörtern malai. Ursprungs (wie ↑Bambus und ↑Kakadu), die zumeist durch englische Vermittlung nach Europa gelangten. Angloind. *gong,* das im 19. Jh. ins Dt. entlehnt wurde, geht zurück auf malai. *[e]gung*, das ein Schallbecken aus Metall bezeichnet, wie es von den Ureinwohnern auf Java verwendet wird.

gönnen: Das ursprünglich zu der Gruppe der Präteritopräsentia gehörige, erst seit dem 16. Jh. schwach flektierende Verb mhd. *gunnen, günnen*, ahd. *giunnan* (entsprechend niederl. *gunnen*) ist eine ge-Bildung zu dem einfachen Verb ahd. *unnan* »gönnen; gestatten, gewähren«, aengl. *unnan* »gönnen; gestatten; wünschen«, schwed. *unna* »gönnen«. Die außergerm. Beziehungen dieses Verbs sind unklar. – Zu ›gönnen‹ gebildet ist das Substantiv ↑Gunst.

Gör, Göre: Das aus dem Niederd. stammende, seit dem 17. Jh. bezeugte Wort ist wahrscheinlich eine Bildung zu dem im Dt. untergegangenen Adjektiv **gōr* »klein«, das aber in der Weiterbildung ahd. *gōrag*, mhd. *gōrec* »klein, gering, armselig« bewahrt ist. Das Substantiv bedeutete demnach ursprünglich »kleines hilfloses Wesen«. Während der Plural ›Gören‹ gewöhnlich im Sinne von »[kleine] Kinder« gebraucht wird, bedeutet der Singular ›Gör[e]‹ meist »Mädchen«, abwertend »ungezogenes Mädchen«.

Gorilla: Das Wort stammt wahrscheinlich aus einer westafrik. Sprache. Es tritt zuerst im 5. Jh. in einer griechischen Übersetzung eines Reiseberichtes des Karthagers Hanno auf, bezieht sich darin aber auf einen Menschenstamm. Mit diesem Wort benennt der Engländer Savage 1847 die in Gabun entdeckte Menschenaffenart, und in dieser Bedeutung wird ›Gorilla‹ in der 2. Hälfte des 19. Jh.s ins Dt. entlehnt.

Gosche, auch: Goschen, Gosch und Gusche: Das erst seit dem 16. Jh. bezeugte, in mitteld., südd. und oberd. Mundarten weit verbreitete Wort für »Mund, Maul« ist unbekannter Herkunft.

Gosse: Das auf das dt. und niederl. Sprachgebiet beschränkte Wort (mitteld. *gosse*, mnd. *gote*, mniederl. *gote*) ist eine Bildung zu dem unter ↑gießen behandelten Verb. Es bezeichnete früher jede Art von Rinne, in die etwas ausgegossen wird oder in der etwas abfließt. Heute ist ›Gosse‹ nur noch im Sinne von »Rinnstein« und übertragen für »Bereich moralischer Verworfenheit« gebräuchlich.

gotisch »den europäischen Kunststil von der Mitte des 12. bis zum Ende des 15. Jh.s betreffend, ihn kennzeichnend, ihm eigen«: Das Adjektiv wurde im 18. Jh. aus gleichbed. frz. *gothique* bzw. engl. *gothic* entlehnt. Zugrunde liegt das mlat. Adjektiv *gothicus* »die Goten betreffend, gotisch«, das im Italien der Renaissance den als barbarisch und roh empfundenen mittelalterlichen Baustil kennzeichnete, der auf die Goten, also die Germanen, zurückgeführt wurde. – Dazu stellt sich seit dem Ende des 18. Jh.s das Substantiv **Gotik.**

Gott: Mhd., ahd. *got*, got. *guþ*, engl. *god*, schwed. *gud* gehen zurück auf germ. **guđa-* »Gott«, das ursprünglich sächliches Geschlecht hatte, weil es männliche und weibliche Gottheiten zusammenfasste. Nach der Christianisierung wurde das Wort im gesamten germ. Sprachbereich als Bezeichnung des Christengottes verwendet. Der Ursprung des gemeingerm. Wortes ist nicht sicher geklärt. Am ehesten handelt es sich bei dem Wort um das substantivierte zweite Partizip idg. **ĝhutó-m* der Verbalwurzel **ĝhau-* »[an]rufen«, wonach also ›Gott‹ als »das [durch Zauberwort] angerufene Wesen« zu verstehen wäre. Andererseits kann das gemeingerm. Wort im Sinne von »das, dem [mit Trankopfer] geopfert wird« zu der unter ↑gießen dargestellten idg. Wurzel **ĝheu-* »gießen« gehören. Abl.: **vergöttern** (von dem Plural ›Götter‹ ausgehende Verbalableitung; frühnhd. *göttern* »göttliche Art und Kraft verleihen«; daneben mhd. *vergoten* »göttlich machen«); **Gottheit** (mhd., ahd. *got[e]heit* für lat. *divinitas* und *deitas*); **göttlich** (mhd. *gotelich*, ahd. *gotlīh*); **Götze** (s. d.). Zus.: **Götterdämmerung** (s. d.); **Gottesacker** (↑Acker); **Gottesdienst** (mhd. *gotsdienst*); **Gottesfurcht** (15. Jh.; Lehnübersetzung von lat. *timor dei*), dazu **gottesfürchtig** (17. Jh.; älter dafür *gotvorhtec*); **Gotteshaus** (mhd. *gotshūs*, ahd. *gotes hūs;* Lehnübersetzung von lat. *templum dei* bzw. *domus oder casa dei*); **Gotteslästerung** (15. Jh.); **gottlob** (die ahd. Preisformel *got sī lob* wurde im Mhd. zu *got[e]lob* verkürzt und ging in interjektionelle und adverbielle Geltung über). Siehe auch den Artikel *Abgott.*

Götterdämmerung: Die seit dem 18. Jh. – zuerst bei dem Dichter M. Denis – bezeugte Zusammensetzung, die dann durch R. Wagner populär gemacht wurde, ist eine falsche Lehnübersetzung von aisl. *ragna rökkr* »Götterverfinsterung«, das mit aisl. *ragna rök* »Götterschicksal« durcheinander gebracht wurde. Der ›Untergang der Götter‹ in Verbindung mit dem Weltbrand vor dem Beginn eines neuen Weltzeitalters ist eine eigentümliche Vorstellung der nord. Mythologie.

Gottesacker ↑Acker.

Gottesdienst, Gottesfurcht, gottesfürchtig, Gotteshaus, Gotteslästerung, Gottheit, göttlich, gottlob ↑Gott.

Gottseibeiuns: Aus der alten Bewahrungsformel ›Gott sei bei uns‹ wurde im 18. Jh. ›Gottseibeiuns‹ als verhüllender Ausdruck für den Teufel zusammengerückt. Der Teufel ist also derjenige, bei dessen Anblick man diesen Ausruf tut.

gottselig ↑selig.

Götze: Zu den zweigliedrigen Männernamen werden im Dt. Koseformen gebildet, indem an den ersten Namensteil das Suffix (ahd.) *-izo* angefügt wird. Wie sich z. B. ›Hinz‹, ›Kunz‹, ›Petz‹ zu ›Heinrich‹, ›Konrad‹, ›Bernhard‹ stellen, so gehört ›Götz‹ als Koseform zu ›Gottfried‹. Der Kosename wurde seit dem 15. Jh. Gattungsname und wurde im Sinne von »Dummkopf, Schwächling« gebraucht. Bereits im Mhd. wurde ›götz‹ auch als Koseform zu ›Gott‹ verstanden und bedeutete

›Heiligenbild«. In Luthers Bibelübersetzungen tritt das Wort dann in der Bed. »falscher Gott« auf. Zus.: **Götzendiener** und **Götzendienst** (16. Jh.); **Ölgötze** (s. d.).

Gouvernante: Die veraltende Bezeichnung für »Erzieherin, Hauslehrerin (in Herrenhäusern)« wurde im 18. Jh. aus gleichbed. frz. *gouvernante* (zu *gouverner* »lenken, leiten«; vgl. *Gouverneur*) entlehnt.

Gouverneur »Statthalter (einer Kolonie); Befehlshaber (einer Festung)«: Das Fremdwort wurde im 16. Jh. aus gleichbed. frz. *gouverneur* entlehnt. Dies geht zurück auf lat. *gubernator* »Steuermann (eines Schiffes); Lenker, Leiter«, das zu lat. *gubernare* »das Steuerruder führen; lenken, leiten« (< gleichbed. griech. *kybernān;* vgl. *Kybernetik*) gehört.

Grab: Das westgerm. Wort mhd. *grap,* ahd. *grab,* niederl. *graf,* aengl. *græf* (auch »Graben; Höhle«) ist eine Bildung zu dem unter ↑graben behandelten Verb. Es bedeutete demnach ursprünglich »in die Erde gegrabene Vertiefung«, dann speziell »zur Leichenbestattung dienende Grube«. Ähnliche Substantivbildungen sind got. *graba* »Graben«, aengl. *grabu* »Höhle« und aisl. *grǫf* »Graben; Grube; Grab«.

grabbeln »schnell nach etwas greifen; tastend befühlen, herumwühlen«: Das nur ugs. gebräuchliche Wort stammt aus dem Niederd. und gehört als Iterativbildung zu niederd. *grabben* »raffen, schnell an sich reißen«. In hochd. Mundarten entspricht ›grappeln‹, das von ›grappen‹ »raffen, an sich reißen, [er]haschen« abgeleitet ist. Zu diesem hochd. mdal. *grappen* gehören die in der Umgangssprache gebräuchlichen Weiterbildungen **grapschen** und **grapsen** »gierig oder hastig ergreifen, packen«. Mit dieser Sippe sind im germ. Sprachbereich verwandt engl. *to grabble* »grabbeln, packen«, *to grasp* »packen, ergreifen« und schwed. *grabba* »packen«. Diese germ. Wortgruppe gehört mit verwandten Wörtern in anderen idg. Sprachen zu der idg. Wurzel **gh[e]rebh-* »raffen, an sich reißen«, vgl. z. B. aind. *grabh-* »ergreifen, fassen« und lit. *grabinéti, gabóti* »tasten, greifen«. Zu dieser Wurzel gehört auch das unter ↑Garbe behandelte Wort. Siehe auch den Artikel *graben.*

graben: Das gemeingerm. Verb mhd. *graben,* ahd. *graban,* got. *graban,* engl. *to grave,* schwed. *gräva* ist verwandt mit der baltoslaw. Sippe von russ. *grebu* »grabe; begrabe; harke; rudere«, *grob* »Grab; Sarg«. Weiterhin besteht wohl Zusammenhang mit den unter ↑grabbeln behandelten Wörtern. Um ›graben‹ gruppieren sich die Bildungen ↑Grab, ↑Graben und (mit niederl. Lautung) ↑Gracht sowie ↑Grube (s. auch *Grübchen* und *Gruft*). Eine Iterativbildung zu ›graben‹ ist ↑grübeln, das ursprünglich »wiederholt graben oder kratzen, herumstochern« bedeutete. Aus dem dt. Sprachbereich stammt frz. *graver* »eingraben, stechen, schneiden«, das im 18. Jh. als ↑gravieren entlehnt wurde. Abl.: **Gräber** (mhd. *grabære,* ahd. *bi-grabāri;* heute vorwiegend in Zusammensetzungen wie ›Schatz-, Totengräber‹).

Graben: Das Substantiv mhd. *grabe,* ahd. *grabo* ist eine Bildung zu dem unter ↑graben behandelten Verb.

Gracht »Wassergraben; Kanal[straße]«: Das im 18. Jh. aus dem Niederl. entlehnte Wort ist eine Bildung zu dem unter ↑graben behandelten Verb. Niederl. *gracht* entspricht dem heute veralteten hochd. *Graft* »Graben; Wassergraben; Kanal« (mhd., ahd. *graft*). Zum niederd.-niederl. Wandel von -ft- zu -cht- vgl. z. B. die Artikel *anrüchig, berüchtigt, Gerücht, ruchbar, echt, sacht, Nichte, Schlucht, Schacht, sichten.*

Grad »Stufe, Rang«: Das Wort (mhd. *grāt,* ahd. *grād*) ist aus lat. *gradus* (eigentlich »Schritt«) entlehnt, das zu lat. *gradi* »schreiten« gehört. Verwandt sind: ↑Aggression, ↑degradieren, ↑Kongress, ↑progressiv. Abl.: **graduell** »stufenweise« (19. Jh.; aus gleichbed. frz. *graduel* < mlat. *gradualis*).

Graf: Die Geschichte des Wortes ist eng mit der Geschichte des Grafenamtes und des Grafenstandes verbunden. Mlat. *graphio,* das auf den byzantinischen Hoftitel *grapheús* (eigentlich »Schreiber«, vgl. *Grafik*) zurückgeht, bezeichnete in frühmerowingischer Zeit einen Polizei- und Vollstreckungsbeamten, dann, im Rahmen des Ausbaus des merowingischen Verwaltungs- und Rechtswesens, einen königlichen Beamten mit administrativen und richterlichen Befugnissen. Dieses mlat. *graphio* liegt aller Wahrscheinlichkeit nach den westgerm. Wörtern zugrunde: ahd. *grāfio,* daneben *grāvo,* auf das mhd. *grāve,* nhd. *Graf* zurückgehen, mnd. *grēve,* niederl. *graaf,* aengl. *gerēfa,* das noch als zweiter Bestandteil in engl. *sheriff* steckt. In der Karolingerzeit wurde das Grafenamt in das Lehnswesen einbezogen und mit der Verleihung von Landbesitz verbunden, und seit dem Ende des 12. Jh.s bildeten die Grafen infolge der Begrenzung des Reichsfürstenstandes einen eigenen Adelsstand. – Regional verschieden, konnten seit dem hohen Mittelalter allerdings auch gewählte oder ernannte Personen ein Grafenamt mit niederer richterlicher Gewalt bekleiden. Abl.: **gräflich** (mhd. *grēflich*); **Grafschaft** (mhd. *grāveschaft;* im Ahd. dafür *grāscaf, grāschaft*).

Graffito, (im Plural:) **Graffiti:** Das Fremdwort bezeichnet in der Kunst »in eine Wand eingekratzte Inschrift« und eine »ornamentale oder figurale Parole oder Figur auf einer Marmorfliese«. Es wurde aus ital. *graffito* (eigentlich »das Gekratzte«) übernommen, zu *graffiare* »kratzen«. Meist im Plural ›Graffiti‹ erscheint das Wort im Sinne von »auf Mauern, Fassaden o. Ä gesprühte oder gemalte Parole oder Darstellung«. Diese Bedeutung hat es in der 2. Hälfte des 20. Jh.s aus engl. *graffito, graffiti* übernommen.

Römischer Kultureinfluss

In den ersten nachchristlichen Jahrhunderten war der Einfluss des Lateinischen auf die germanische Sprache besonders groß. Die Römer hielten große Teile Germaniens besetzt. In dieser Zeit wurden über 500 Wörter aus dem Lateinischen übernommen. Die so genannte erste lateinische Welle spülte in den germanischen Wortschatz hinein.

Das wohl älteste Lehnwort aus dem Lateinischen ist das Wort *Kaiser.* Die Germanen lernten es mit dem Namen des römischen Feldherrn Gaius Julius Caesar kennen, der in den Jahren von 58 bis 51 v. Chr. Gallien (etwa das heutige Frankreich und Belgien) eroberte und den Rhein zur Grenze des römischen Reiches machte.

Die Germanen gaben dem Eigennamen bald die Bedeutung »Herrscher des Römischen Reiches«. Als dann unter Claudius (Kaiser seit 41 n. Chr.) der Beiname *Caesar* Bestandteil des römischen Herrschertitels wurde, legten die Germanen das ihnen längst bekannte Wort auf die Bedeutung »Kaiser« fest.

Dass das Wort schon sehr früh ins Germanische gelangt ist, zeigt deutlich die Aussprache des anlautenden *c* als *k* und die Aussprache von *ae* als *ai.* Denn die ä-Aussprache von *ae* wurde im Lateinischen vom 1. Jahrhundert n. Chr. an üblich und die Aussprache von *c* als Zischlaut (zuerst wie *ts,* dann wie *tsch*) erst etwa vom 5. Jahrhundert an.

Eine ähnliche Entwicklung können wir im Slawischen beobachten, wo altslawisch *kral,* polnisch *król,* russisch *korol'* »König« der Name *Karls* des Großen zugrunde liegt.

Der obergermanisch-rätische Limes

Unter Kaiser Augustus (31 v. Chr. bis 14 n. Chr.) eroberten die Römer das Land zwischen Alpen und Donau. Die einheimische Bevölkerung in den grenznahen Gebieten nahm rasch römische Lebensart an. Überall sicherten Heerstraßen und feste Lager das Land. Rhein und Donau, später sogar die Elbe begrenzten das riesige römische Weltreich nun im Norden.

Unter Kaiser Hadrian (117 bis 138) wurde das Gebiet weiter durch Heerstraßen erschlossen, Grenzbefestigungen wurden errichtet. Die Grenze zum nicht besetzten Germanien hin zwischen Rhein und Donau sicherten die Römer mit einem Graben und einem Erdwall, in Gebirgsgegenden mit einer bis zu zweieinhalb Meter hohen Mauer. Diese befestigte Grenze nannten sie

Limes. Am Limes erhoben sich im Abstand von 500 Metern Wachtürme aus Holz oder Stein. Römische Soldaten kontrollierten hier die Grenze.

Hinter der Grenzbefestigung lagen aus Stein gebaute, mit Wall, Graben, Mauern und Türmen geschützte Truppenlager. Reste dieser Grenzbefestigung sind noch heute z. B. nahe der Saalburg, einem Limeskastell im Taunus, zu sehen. Diese Burg war um 90 n. Chr. angelegt und dann später ausgebaut worden. Im 19. Jahrhundert wurde die Saalburg wieder ausgegraben und über den gefundenen Grundmauern rekonstruiert.

Mit den Besatzungen dieser Lager begannen die in der Umgebung wohnenden Germanen bald einen regen Handelsverkehr.

Kulturausgleich im »kleinen römisch-germanischen Grenzverkehr«

Zusammen mit den neuen Dingen, die die Germanen von den Römern kennen lernten, übernahmen sie dann meist auch deren lateinische Bezeichnungen und machten sie sich »mundgerecht«.

Wie römisch-germanischer »Kulturaustausch« sich in den ersten nachchristlichen Jahrhunderten abgespielt haben könnte, zeigt die frei erfundene Schilderung eines Aufenthalts zweier junger Germanen in einer römischen Grenzgarnison.

Die beiden Germanenjungen – sie sollen in dieser Geschichte Einhard und Dietmar heißen – waren schon seit dem Morgen unterwegs. Sie trieben einige Kälber von ihrem Dorf zum nahen befestigten Römerlager.

Endlich kamen sie aus dem Wald heraus. Vor ihnen zog sich jetzt über die baumlose Hochfläche die Grenzbefestigung, die die Römer hier errichtet hatten, der mächtige Limes. Das lateinische Wort bedeutet »Grenze, Grenzbefestigung«. Staunend betrachteten die beiden Jungen die gewaltige hölzerne Mauer, die dadurch gebildet worden war, dass man einen schweren, dicken Pfahl (lateinisch *palum*) dicht neben den anderen in den Boden gerammt hatte, und den hohen Wall (lateinisch *vallum*) aus gestampftem Lehm dahinter.

Der Grenzwall war an einer Stelle durchbrochen. Eine *Straße* (lateinisch *via strata* »gepflasterter Weg«, althochdeutsch *strazza*) führte von hier zum befestigten Lager. Die Römer nannten diese Befestigung *castellum* »kleine Burg, kleines Fort«. Das ist eine Verkleinerung von lateinisch *castrum* »Lager, Festung«. Dieses lateinische Wort findet man heute noch in den Ortsnamen Bern*kastel*, Mainz-*Kastel*, *Kassel*. Hier befanden sich also einmal römische Militärlager.

Am Lagertor wurden sie von einem bedrohlich aussehenden *Legionär* (lateinisch *legionarius* »Angehöriger einer *legio*« [das ist die größte römische Heeresabteilung]) angehalten. Wir haben heute diese Wörter noch, z. B. in der Zusammensetzung Fremden*legion*, dem Namen einer französischen Söldnertruppe. Fußballstars, die bei ausländischen Vereinen spielen, werden heute ebenfalls scherzhaft *Legionäre* genannt, wenn sie wieder in den Reihen ihrer Nationalmannschaft stehen.

Bevor aber Dietmar und Einhard ihre Kälber zum Verkauf ins Lager treiben durften, mussten sie der Wache am Tor *Zoll* zahlen, das heißt eine Abgabe im Voraus für den Preis, den sie später für die Tiere bekommen würden. Über lateinisch *tolonium, telonium* wurde das Wort mit verändertem Anfangslaut in unsere Sprache entlehnt (althochdeutsch *zol*). Das gleichbedeutende niederländische und englische *toll* zeigen noch heute das unveränderte germanische Lehnwort.

Im Lager wurden die beiden Jungen bereits vom römischen Händler Pecunius erwartet. In seinem Auftrag hatten sie die Tiere hierher getrieben. Bei den römischen Soldaten wurde der Händler als *caupo* bezeichnet. Im späteren Althochdeutschen wurde daraus *koufo* und schließlich über die verdeutlichende Zusammensetzung *koufman* unser *Kaufmann*.

Römischer Hausbau

Pecunius begrüßte sie und ließ sie die Kälber zu seinem Stall treiben. Da der Römer im Laufe der Zeit eine ganze Reihe von Wörtern aus der Sprache der in der Nähe wohnenden Germanen gelernt hatte, klappte die Verständigung ganz gut. Dann konnten die beiden sich im Lager einmal umsehen. Denn hier gab es schließlich eine ganze Menge Sachen, die ihnen in ihrem Dorf noch niemals begegnet waren. Ganz neu waren zum Beispiel die aus Stein gebauten Häuser der Römer für sie.

Die Häuser in ihrem Dorf hatten keine steinernen Mauern. Die Wände bestanden aus geflochtenen Ästen, die mit Lehm beschmiert waren. *Wand* bedeutet nämlich ursprünglich »Gewundenes, Geflochtenes« und ist mit *winden* verwandt. Eine ähnliche Bauweise finden wir heute noch in Ortschaften mit alten Häusern in Fachwerkbauweise. Von den Römern übernahmen die Germanen nach und nach die Technik der festen Steinmauer. Mit der Sache selbst wurde auch die lateinische Bezeichnung *murus* übernommen, aus der sich unser Wort *Mauer* entwickelte.

Auch die Technik des Verputzens übernahmen die Germanen von den Römern und damit auch den *Kalk* (lateinisch *calx*, Akkusativ: *calcem*), mit dem sie der rohen Mauer ein »Kleid« gaben. Dieser bildliche Gebrauch wurde von den Germanen sehr wörtlich genommen. Denn unser Wort *tünchen* »mit Kalk bekleiden, verputzen« (althochdeutsch *mit kalke tunihhōn*) bedeutet eigentlich etwa »bekleiden, verkleiden« und ist vom althochdeutschen Substantiv *tunihha* »Kleid« abgeleitet. Dies wiederum ist aus dem gleichbedeutenden lateinischen *tunica* entlehnt. Die großen Öffnungen in den Außenwänden waren für die *Fenster* (lateinisch *fenestra*) bestimmt. Denn in jede *Kammer* (lateinisch *camera*) sollte genügend Licht einfallen. Der Fußboden bestand nicht wie im germanischen Haus aus fest gestampftem Lehm, sondern aus einem mörtelähnlichen Belag. Die Bauarbeiter nannten diese Masse lateinisch *emplastrum*. Dieses Wort bedeutete eigentlich »auf eine Wunde aufgelegter Verband mit Salbe«. Später wurde daraus über althochdeutsch *pflastar* unser *Pflaster* (Heft-, Wundpflaster). Die beiden Jungen fanden es lustig, dass man das Bestreichen des Fußbodens mit der Behandlung einer Wunde verglich. Aber in der Tat kam unser Wort Pflaster so zu seiner alten Bedeutung »Fußbodenbelag«. Später wurde diese Sonderbedeutung auch auf das Pflaster der Straße übertragen. Sie gingen weiter zu einer anderen Baustelle. Hier sahen sie staunend zu, wie der Fußboden mit einem breiigen Gemisch aus Ziegelscherben und Kalk bestrichen wurde, das die Arbeiter lateinisch *astracus* nannten. Im Althochdeutschen wurde daraus *astrih, estirih*, das später unser Wort *Estrich* ergab.

In dem Neubau konnten die beiden auch sehen, wie stützende *Pfeiler* eingezogen wurden. Lateinisch *pila* »Pfeiler« gelangte über die im Mittelalter gebildeten lateinischen Formen *pilarius, pilarium* als *pfīlāri* ins Althochdeutsche. Im nicht so sehr von der Sonne verwöhnten Germanien brannten auch manchmal tagsüber im Hausinnern *Fackeln* (lateinisch *facla*, umgangssprachlich für *facula*).

Die Zimmerleute waren gerade dabei, einen *Pfosten* (lateinisch *postis*) zu behauen. Andere Bauarbeiter schnitten Holzbalken zurecht. Zu diesen sagte der Baumeister, sie sollten den Zimmerleuten einen langen und einen kurzen Balken bringen. Obwohl er natürlich Lateinisch sprach, verstanden die beiden Jungen sogleich, was er da meinte. Denn das germanische Wort für *lang* (aus dem althochdeutsch *lang*, altsächsisch und altenglisch *long* gebildet sind) ähnelte dem lateinischen Wort *longus* in der Aussprache. Es war daher nicht schwer für sie zu erraten, dass dann das lateinische *curtus* als Gegenwort dazu nichts anderes als *kurz* bedeuten konnte. Diese beiden Wörter wurden gerade im Handwerk so oft gebraucht, dass später germanische Bauarbeiter in römischen Diensten das lateinische Wort *curtus* einfach in ihre Sprache übernahmen.

Vom Keller bis zum Dachboden

Der *Keller* (lateinisch *cellarium* »Speise-, Vorratskammer«) des Hauses war bereits fertig, Mauern und Trennwände waren schon hochgezogen, nur das Dach und der Dachboden fehlten noch. Die hierfür benötigten *Ziegel*steine (lateinisch *tegula*, ahd. *ziagala*) und die *Schindeln* (lateinisch *scindula* »Holzbrettchen als Dach- und Wandbedeckung«) lagen draußen neben der großen Maueröffnung, die für die Haus*pforte* (lateinisch *porta*) vorgesehen war.

Über den Wohnräumen eines Hauses befand sich gewöhnlich ein Vorratsraum. Die Römer lagerten hier oben besonders die geernteten Getreideähren. »Ähre« heißt im Lateinischen *spica*. Dazu bildete man für den Raum, in dem die Ernte gelagert wurde, das lateinische *spicarium*, das im Althochdeutschen zu *spīhhāri* wurde und unser Wort *Speicher* ergab. Im Süd- und Westmitteldeutschen bedeutet es noch heute »Dachboden«, während es sonst allgemein »Lagerraum, Vorratsraum« bedeutet.

Obst und Gemüse

Waren, die in der Garnison zum Verkauf angeboten wurden, waren in großen Scheunen gelagert. Da stand ein *Sack* (lateinisch *saccus*) neben dem anderen, gefüllt mit getrockneten *Früchten* (lateinisch *fructus*) oder mit Gewürzen wie *Kümmel* (lateinisch *cuminum*) und *Fenchel* (lateinisch *feniculum*).

Dann gab es da *Körbe* (lateinisch *corbis*) mit *Rettichen* (lateinisch *radix*, Akkusativ: *radicem*), *Kürbissen* (lateinisch *[cu]curbita*) und anderen Gemüse*pflanzen* (lateinisch *planta* »Setzling«). In einer Ecke waren *Kisten* (lateinisch *cista*) mit Tonwaren gestapelt. Daneben standen große, enghalsige, bauchige Gefäße mit zwei Henkeln. Sie waren mit *Wein* (lateinisch *vinum*) gefüllt. Pecunius erklärte den beiden, dass ein solches Gefäß im Lateinischen *amphora* heißt. Das Wort kommt eigentlich aus dem Altgriechischen und bedeutet etwa »Krug mit zwei Henkeln (zum Tragen)«. Dieses lateinische Wort wurde im Althochdeutschen zu *ambar*. Zu einem späteren Zeitpunkt bezeichnete man dann auch ein Gefäß mit nur einem Henkel mit diesem Wort. Das konnte umso leichter geschehen, da man glaubte, in dieser Bezeichnung stecke das Zahlwort »ein« und das althochdeutsche Verb *beran* »tragen«. Über die Formen *eim-, einber[i],* die dann im Althochdeutschen gebildet wurden, entwickelte sich schließlich unser Wort *Eimer.*

Handel und Verkehr

Wurden Waren stückweise verkauft, musste der Kaufmann sie vorher abwiegen. Die Waage, die er dafür benutzte, hieß lateinisch *libra.* Dieses Wort bezeichnete auch ein Gewicht von etwas über 300 Gramm. Wenn er sich auf einem Wachstäfelchen die Gewichte verschiedener Waren notierte, schrieb er zum Beispiel *sex libras pondo.* Das bedeutete »sechs Libras (= Pfund) an Gewicht«. Diese lateinische Gewichtsbezeichnung finden wir noch heute in den romanischen Sprachen Französisch und Spanisch als *livre* bzw. *libra* in der Bedeutung »Pfund«. Die Germanen übernahmen in ihre Sprachen das lateinische Wort *pondo* (»an Gewicht«), das wir heute im Deutschen als *Pfund* und im Englischen als *pound* haben. Das lateinische Ursprungswort hierfür ist das Verb *pendere* »zum Wiegen an die Waage hängen«.

Zum Transportieren von Waren spannte man einen *Esel* (lateinisch *asellus,* Verkleinerungsform zu *asinus* »Esel«) vor ein kleines Gefährt, das *carrus* hieß. Über das althochdeutsche männliche Substantiv *karro* wurde daraus das mehr im südlichen Deutschland übliche *Karren,* während ein späteres weibliches althochdeutsches Substantiv *karra* das mehr im nördlichen Sprachraum übliche *Karre* ergab.

Der Platz, auf dem die römischen Händler ihre Waren anboten, hieß lateinisch *mercatus,* umgangssprachlich *marcatus* (zu *mercari* = Handel treiben). Im Althochdeutschen wurde daraus *markāt,* unser heutiger *Markt.*

Die Verkehrswege, auf denen die Ware transportiert wurde, waren befestigte *Straßen* (ahd. *strazza* aus lat. *[via] strata* = gepflasterter Weg). Nach der Übernahme dieses Wortes beschränkte sich die alte germanische Bezeichnung althochdeutsch *gazza* auf den unbefestigten Weg, die *Gasse.*

Neben dem Esel diente als Zug- und Packtier das *Maultier* (lateinisch *mulus,* althochdeutsch *mūl,* später zur Verdeutlichung mit »Tier« zusammengesetzt), als Reittier diente das Pferd. Dieses Tier kannten natürlich auch die Germanen und hatten dafür eine eigene Bezeichnung. Aber auch das germanische Wort für *Pferd,* das noch in althochdeutsch *ehu* (urverwandt mit lateinisch *equus* = Pferd) vorliegt, weicht einem Lehnwort.

Die frühmittelalterliche Amtssprache der fränkischen Merowinger hatte für dieses Tier eine merkwürdige griechisch-lateinische Mischbildung geschaffen, nämlich *paraveredus*. Dieses Wort ist gebildet aus altgriechisch *pará* »neben« und lateinisch-keltisch *veredus*, der Bezeichnung für das auf Nebenlinien als Ersatz- oder Packpferd neben dem Postpferd laufende Tier. Dieses »Bürokratenwort« wurde in der germanischen Alltagssprache schnell »mundgerecht« umgeformt. Im Althochdeutschen wurde es dann zu *pfarifrit, phärfrit, phärit* und entwickelte sich schließlich zu unserem *Pferd*.

Aus römischer Küche auf den germanischen Tisch

Der römische Händler lud die beiden jungen Germanen zu sich nach Hause ein. Sie sollten bei ihm essen und übernachten.

Flava, die Frau des Kaufmanns, war in der *Küche* (lateinisch *coquina, cocina*) mit der Zubereitung der Mahlzeit beschäftigt. Sie stand an einem gemauerten Herd und war dabei, in einem kupfernen *Kessel* (lateinisch *catillus*) ein dampfendes Gemüse zu *kochen* (lateinisch *coquere, cocere*). Es war *Kohl* (lateinisch *caulis*), denn die meisten unserer Kohlarten stammen aus dem Mittelmeergebiet.

Flava begrüßte die Angekommenen und zeigte ihnen *Schemel* (lateinisch *scamillus*), auf die sie sich setzen sollten. Sie brachte ihnen ein Becken mit Wasser zum Reinigen der Hände. Das lateinische Wort für dieses Gefäß ist uns zwar nicht schriftlich überliefert worden, über die althochdeutsche Form *becchīn* hat es aber unser *Becken* ergeben. Dann stellte sie vor jeden ein dreibeiniges hölzernes Gestell mit einer kleinen Holzplatte.

Dieses Möbelstück hatte mit dem Tisch, wie ihn die Römer verwendeten, nicht viel Ähnlichkeit. Sie hatten es erst bei den Germanen kennen gelernt und in ihren Garnisonen teilweise übernommen. Das Gestell wurde nun nicht mit der lateinischen Bezeichnung für Tisch (lateinisch *mensa*, davon unser Fremdwort *Mensa* »Kantine einer Universität«) benannt, sondern man gab ihm seinen lateinischen Namen nach der oben angebrachten kleinen Holzplatte. Diese war leicht nach innen gewölbt und diente als Tischplatte und Essschüssel zugleich. Eine so geformte Schüssel bezeichneten die Römer als *discus* (aus altgriechisch *dískos*, eigentlich »flache Wurfscheibe«, daher unser Fremdwort *Diskus*). Dieses lateinische Wort entlehnten die Germanen und über die althochdeutsche Form *tisc* wurde daraus unser *Tisch*. Das althochdeutsche Wort hatte noch die beiden Bedeutungen »Schüssel« und »Tisch«. Auch unser Wort *Schüssel* stammt aus dem Lateinischen, es ist aus lateinisch *scutula* »Trinkschale« entlehnt worden, ebenso wie *Pfanne* aus lateinisch *panna.*

Gewürzt wurden die Speisen mit *Pfeffer* (lateinisch *piper,* dieses Wort haben die Römer aus altgriechisch *péperi* entlehnt) und mit *Senf* (lateinisch *sinapi* aus altgriechisch *sínapi*). In der Küche wurde auch *Essig* verwendet (althochdeutsch *ezzich,* aus einer nicht belegten lateinischen Form **atecum* für *acetum* = Essig, zu *acer* = sauer, scharf).

Obst- und Gartenbau

Obst- und Gartenbau wurden ebenfalls von römischer Kultur geprägt. Die Germanen kannten als einzige Obstarten nur die wild wachsenden Holzäpfel und Holzbirnen. Alles andere Obst und Gemüse lernten sie durch römische Vermittlung und später in den Klostergärten des frühen Mittelalters kennen, wie z. B. die *Kirsche* (lateinisch *ceresia*), den *Pfirsich* (lateinisch *malum persicum,* eigentlich »persischer Apfel«), die *Zwiebel* (lateinisch *cepu[l]la*) und die *Birne* (lateinisch *pira,* entlehnt erst nach der 2. Lautverschiebung).

Daraus, dass der Pfirsich eigentlich »persischer Apfel« heißt, sehen wir, dass die Römer oft nur die Vermittler bestimmter Pflanzennamen waren. Sie hatten selbst diese Früchte im Orient, besonders in Kleinasien, kennen gelernt und die Bezeichnungen dafür meist aus dem Altgriechischen entlehnt.

Auch die *Pflaume* (althochdeutsch *pfrūma* [später *pflūma*], aus lateinisch *prunum*) stammt ursprünglich aus dem Orient, und das Lateinische hat die Bezeichnung aus altgriechisch *proūmnon* entlehnt.

Käse und Wein

Von den Römern lernten die Germanen auch, wie man durch ein aus dem Magen junger Kälber, Schafe und Ziegen gewonnenes Enzym die Milch zum Gerinnen bringen konnte. Die so entstandene Masse wurde in eine längliche, feste Form gebracht und war nun viel länger haltbar als der bisher hergestellte quarkähnliche Sauermilchkäse. Man übernahm für diese Speise auch den lateinischen Namen *caseus,* der über althochdeutsch *kāsi* zu unserem *Käse* wurde. Weinanbau und Weinzubereitung waren den Germanen völlig fremd. Erst die römischen Besatzungstruppen machten vor allem an Rhein, Mosel und Saar die einheimische Bevölkerung damit bekannt. Bald hatte der Wein (lateinisch *vinum*) dann die einheimischen Getränke Obstwein und Met verdrängt. Mit der Sitte des Weintrinkens wurde auch der Wortschatz der Weinherstellung übernommen. So gelangten Wörter wie süddeutsch *Most* für »junger Wein« (lateinisch *mustum*), *Winzer* (lateinisch *vinitor*), *Kelter* (lateinisch *calcatura*), *Trichter* (lateinisch *traiectorium*), *Becher* (lateinisch *bacarium*) und *Kelch* (lateinisch *calix*) in den germanischen Wortschatz.

Getreideanbau

Am nächsten Morgen führte Pecunius die Jungen aus dem Lager hinaus auf die umliegenden Felder. Getreideanbau kannten auch die Germanen. Zur Zeit der Ernte sammelten die Frauen die Ähren ein, die dann auf einem besonderen Platz beim Haus mit festgestampftem Boden, der Tenne, gedroschen wurden. Die römischen Landarbeiterinnen und Landarbeiter rupften aber die Ähren nicht einfach ab, so wie es die Germanen machten. Sie hatten ein Gerät mit einem Handgriff aus Holz, in dem eine gebogene Metallklinge steckte. Dieses Gerät war eine *Sichel* (lateinisch *secula*).

Das Dreschen bei den Römern muss für die Germanen anfänglich merkwürdig ausgesehen haben. Bei ihnen stampften Frauen und Kinder über die auf dem Dreschplatz ausgestreuten Ähren, um so die Körner herauszulösen. Die römischen Drescher hingegen schlugen mit langen, starken Holzstielen, an denen mit kurzen Riemen Hartholzknüppel beweglich befestigt waren, auf das Getreide ein. Das sah aus, als würden die Ähren ausgepeitscht. Das Gerät, mit dem hier gedroschen wurde, hieß lateinisch *flagellum* und bedeutete ursprünglich tatsächlich »Peitsche«. Wir haben es heute noch in unserem Wort Dresch*flegel*.

Die Getreidekörner mussten nun noch von der Spreu und vom Staub gereinigt werden. Das machte man, indem man sie in große, länglich ovale Flechtkörbe schaufelte. Diese Körbe wurden dann hochgehoben und hin und her geschwungen. Die Spreu und der Staub fielen jetzt durch die geflochtenen Wände der Körbe hindurch zu Boden. Einen solchen »Reinigungskorb« nannten die Römer *vannus*. Als die Germanen ebenfalls diese Art der Getreidereinigung übernahmen, entlehnten sie auch die lateinische Bezeichnung, die dann im Althochdeutschen zu *wanna* wurde. Im Mittelhochdeutschen wurde das Wort dann auf das wie dieser Korb geformte große Gefäß, in dem man badete, übertragen, das nun auch als *Wanne* bezeichnet wurde. Nur diese Bedeutung hat sich bis heute erhalten.

Die gereinigten Getreidekörner wurden dann auf Karren geladen und zu einer *Mühle* (althochdeutsch *mulin, mulī*, aus lateinisch *molina*) gefahren. Diese Mühle lag außerhalb der Garnison an einem Bach und hatte ein Wasserrad, das vom Wasser angetrieben wurde. Diese Art, Getreidekörner zu mahlen, war eine römische Erfindung. Die Germanen kannten bis dahin nur die mit der Hand betriebene Mühle, die die Frauen und Kinder immer dann drehen mussten, wenn Mehl zum Backen gebraucht wurde. Hier, in der Wassermühle, wurde aber ohne menschliche Kraftanstrengung das Getreide zwischen schweren Mühlsteinen zerrieben.

Auf dem Rückweg kamen Pecunius und die Jungen an einem Trupp Legionäre vorbei. Die Soldaten waren beim Üben mit dem *pilum*, dem Wurfspeer mit Eisenspitze. Auch dieses Wort wanderte ins Germanische. Allerdings steckten die Germanen die Eisenspitzen nicht auf Speere, sondern auf ihre Pfeile. Bald wurde die Bezeichnung für das ganze Geschoss genommen, und so kamen wir über althochdeutsch *pfīl* zu unserem *Pfeil*. Das neue Lehnwort verdrängte in kurzer Zeit das alte germanische Wort, das für »Pfeil« gebraucht wurde und das noch im althochdeutschen Substantiv *strāla* überliefert ist. In unserem Wort *Strahl* lebt es noch weiter.

Für die beiden jungen Germanen wurde es Zeit, sich wieder auf den Heimweg zu machen. Bis in ihr Dorf hatten sie noch einige *Meilen* (lateinisch *milia passuum* = 1 000 Doppelschritte) zu gehen, und bis zum Abend wollten sie ja zu Hause sein.

So ähnlich wie in dieser kleinen Geschichte können wir uns die ersten Kontakte der germanischen Stämme vom Niederrhein bis hinunter zur Donau mit römischer Sprache, Kultur und Technik vorstellen.

Bis etwa zum 7. Jahrhundert wurden weit über 500 Wörter aus dem Lateinischen ins Germanische entlehnt. Diese Entlehnungen erfolgten hauptsächlich im Bereich des Bauwesens und des Militärwesens, der Landwirtschaft, des Gartenbaus und des Handels- und Verkehrswesens. Weiter wurden Begriffe aus dem Verwaltungs- und Finanzwesen übernommen, z. B. *Zins* (lateinisch *census*), *Münze* (lateinisch *moneta*).

Schifffahrt

Aus dem Bereich der Schifffahrt konnten die Germanen von den Römern ebenfalls einiges dazulernen. Germanische Stämme, die an der Nordseeküste und am Niederrhein mit Schiffen unterwegs waren, sicherten nach dem Landen ihre Boote vor dem Wegtreiben dadurch, dass sie sie mit Steinen beschwerten. Die römischen Schiffe dagegen wurden von ihrer Mannschaft mit einem *Anker* (lateinisch *ancora*) festgemacht. Diese Vorrichtung sowie ihre Bezeichnung wurde bald übernommen, ebenso wie *remus* als lateinische Bezeichnung für ein längeres Ruder, woraus sich schließlich der besonders in der Seemannssprache übliche Ausdruck *Riemen* entwickelt hat. Wahrscheinlich stammt auch unser Wort *Kette* im Sinne von »aus einzelnen, ineinander greifenden Gliedern gebildetes Metallband« aus dem Bereich der Schifffahrt und ist entlehnt aus gleichbedeutend lateinisch *catena*.

Die Namen der Wochentage

Die römische Verwaltung brachte den Germanen die Siebentagewoche und die Bezeichnungen ihrer einzelnen Tage. Bei den Römern waren die Wochentage nach den Göttern der sieben damals bekannten Planeten (Sol, Luna, Mars, Mercurius, Jupiter, Venus, Saturnus) benannt. Die Germanen entlehnten oder übersetzten die Tagesnamen, wobei sie zum Teil auf die Namen ihrer eigenen Götter zurückgriffen.

So wurde aus dem dem Sonnengott Sol geweihten *Solis dies* im Althochdeutschen *sunnūn tag*, schließlich unser *Sonntag*.

Aus dem Lateinischen *Luna dies*, dem der Mondgöttin Luna geweihten Tag, wurde der althochdeutsche *mānetac*, daraus unser *Montag*.

Dem lateinischen *Martis dies*, dem Tag des Kriegsgottes Mars, entspricht althochdeutsch *ziostag*, der dem Gott *Ziu* geweihte Tag. Dieser germanische Gott wurde später dem Mars gleichgestellt.

Unser Wort *Dienstag* geht zurück auf den in einer Inschrift des 3. Jahrhunderts genannten *Mars Thingsus* »Mars als Thingbeschützer«. Daraus wurde im Niederdeutschen *dingesdach*, daraus dann unsere heutige Wochentagsbezeichnung.

Der römische Gott Merkur wurde von den Germanen mit Wodan gleichgesetzt. Aus lateinisch *Mercurii dies* (= Tag des Merkur; beachte französisch *mercredi* »Mittwoch«) wurde niederdeutsch *wodensdach*, englisch *Wednesday*. Die Kirche setzte hierfür später *Mittwoch* als Lehnübersetzung von kirchenlateinisch *media hebdomas* ein, um die Erinnerung an die alten einheimischen Götter auszulöschen.

Den Tag des Jupiter, den *Iovis dies,* machten die Germanen zum Tag ihres Gottes Donar. Im Althochdeutschen wird daraus die Tagesbezeichnung *Donares tag,* die unserem *Donnerstag* zugrunde liegt.

Die römische Liebesgöttin Venus wurde mit der germanischen Göttin Frija gleichgesetzt, und so wird aus dem lateinischen *Veneris dies* (= der Venus geweihter Tag) der althochdeutsche *frīadag,* unser *Freitag.*

Der dem Saturn heilige Tag, der *Saturni dies,* wurde zuerst von den im Nordwesten Germaniens lebenden Stämmen übernommen. Dem römischen Saturn entsprachen im Germanischen keine Gottheiten, also wurde der Name direkt aus dem Lateinischen entlehnt. Das sehen wir heute noch deutlich an den englischen und niederländischen Wochentagsnamen *Saturday* und *zaterdag.*

Unter dem Einfluss angelsächsischer Missionare wurde nach dem Vorbild von altenglisch *sunnanæfen* (eigentlich »Vorabend vor Sonntag«) im Althochdeutschen die Form *sunnūnābend* gebildet. Hieraus entsteht dann der besonders im norddeutschen Sprachraum übliche *Sonnabend.* »Abend« hat hier seine alte Bedeutung »Vortag (eines Festtags)« bewahrt, wie wir sie noch in *Feierabend, Heiligabend* vorfinden. Der Sonnabend heißt also eigentlich »Tag vor dem Sonntag«. Der süddeutsche Sprachraum entlehnte aus der altgriechischen Kirchensprache eine umgangssprachliche Form des altgriechischen *sábbaton* »wöchentlicher Ruhetag der Juden« (ein hebräisches Wort, das auch unserem Fremdwort *Sabbat* zugrunde liegt). Daraus wird im Althochdeutschen *sambaztag* und schließlich das im Mittel- und Süddeutschen übliche *Samstag.*

Grafik (Sammelbezeichnung für Holzschnitt, Kupferstich, Lithographie und Handzeichnung): Das Fremdwort wurde im 19. Jh. aus griech. *graphikḗ (téchnē)* »die Kunst zu schreiben, zu zeichnen, zu malen« entlehnt. Das griech. Adjektiv *graphikós* »das Schreiben usw. betreffend« gehört zu dem mit nhd. ↑kerben urverwandten Verb griech. *gráphein* »ritzen, einritzen, schreiben«, das u. a. als Grundwort **...graph, ...graphie** bzw. **...graf, ...grafie** in Zusammensetzungen wie ↑Biograf, Biografie, Geographie, Kartograph, Kartographie, Stenografie erscheint. Eine gelehrte Neubildung zu *gráphein* ist ↑Graphit, während in unserem Lehnwort ↑Griffel das griech. Substantiv *grapheĩon* »Schreibgerät« vorliegt. – Als Nominalbildung zu *gráphein* erscheint griech. *grámma* (< **gráph-ma*) »Geschriebenes, Buchstabe, Schrift«, das in verschiedenen Zusammensetzungen eine Rolle spielt (s. hierüber unter *...gramm*). Unmittelbar zu ›Grafik‹ gehören die Bildungen **Grafiker** (20. Jh.) und **grafisch** (19. Jh.).

Gral: Mhd. *grāl* »heiliges, wundertätiges Ding, heiliger Stein«, das in der mittelalterlichen dt. Gralsliteratur zuerst in Wolfram von Eschenbachs Parzivaldichtung erscheint, ist aus afrz. *graal* »heiliges, als Kelch gedachtes Gefäß, mit dem Christus die Spendung des Sakraments vollzog und in dem Joseph von Arimatäa das Blut Christi sammelte« entlehnt. Die Herkunft von afrz. *graal*, das außerhalb der frz. Gralsdichtungen in der Bed. »Gefäß« bezeugt ist, lässt sich nicht mit Sicherheit bestimmen. Am ehesten ist von einem lat. **cratalis* »Schüssel, Topf« (Ableitung von lat. *cratis* »Flechtwerk, Geflochtenes«) oder aber von mlat. *gradalis* »Stufenkelch« auszugehen. Vgl. den Artikel *grölen*.

gram: Das altgerm. Adjektiv mhd., ahd. *gram*, niederl. *gram*, aengl. *gram*, aisl. *gramr* steht im Ablaut zu dem unter ↑grimm behandelten Wort. Wie dies bedeutet es eigentlich »grollend, brummig« und wurde in den älteren Sprachzuständen in den Bed. »zornig, wütend, wild« verwendet. Im Nhd. ist ›gram‹ nur noch im Sinne von »unmutig, böse, bedrückt« gebräuchlich. **Gram** »Kummer, schmerzliche Betrübnis« ist das in spätmhd. Zeit aus der Verbindung *grame muot* »erzürnter Sinn« substantivierte Adjektiv und bedeutete zunächst »Unmut«. Das Verb **grämen,** das heute fast ausschließlich reflexiv gebraucht wird, ist gemeingerm.: mhd., ahd. *grem[m]en*, got. *gramjan*, aengl. *gremmian*, aisl. *gremja*. Es ist eine alte Ableitung vom Adjektiv und bedeutete zunächst »zornig, wütend machen, erzürnen«. Siehe auch den Artikel *Griesgram*.

Gramm: Die Bezeichnung für die Einheit des metrischen Gewichtssystems wurde im 19. Jh. aus gleichbed. frz. *gramme* entlehnt, das auf griech.-lat. *grámma* zurückgeht. Dieses bedeutet »Geschriebenes, Schrift, Schriftzeichen« (vgl. *...gramm*), wurde dann auch als Bezeichnung eines Gewichts von $^1/_{24}$ Unze gebraucht.

...gramm: Dem Grundwort von zusammengese[tz]ten Hauptwörtern mit der Bed. »Geschrieben[es]« Schrift« liegt griech. *grámma* »Geschrieben[es], Buchstabe, Schrift« zugrunde, das zu *gráph[ein]* »schreiben« gehört (vgl. *Grafik*). Die einzel[nen] Zusammensetzungen sind teils alt und schon [im] Griech. bezeugt wie ↑Programm, teils auch [ge]lehrte Neubildungen wie ↑Autogramm, ↑Mo[no]gramm, ↑Telegramm. Als Bestimmungsw[ort] steht griech. *grámma* in ↑Grammophon. – Z[um] gleichen Grundwort gehören ferner die spra[ch]wissenschaftlichen Fremdwörter ↑Gramma[tik] und schließlich auch ↑Gramm als Bezeichnu[ng] einer Gewichtseinheit.

Grammatik (Teil der Sprachwissenschaft, der s[ich] mit den sprachlichen Formen und ihrer Funkti[on] beschäftigt; auch Bezeichnung für ein Lehrbu[ch] der Sprachlehre): Das Wort (mhd. *grammatic[a]*, ahd. *gram[m]atik*) ist entlehnt aus lat. *(ars) gra[m]matica* »Sprachlehre« < griech. *grammatikḗ (té[ch]nē)* »Sprachwissenschaft als Lehre von den E[le]menten (Buchstabe, Schrift, Satz, Satzbau) [der] Sprache«. Stammwort ist griech. *grámma* »[Ge]schriebenes, Buchstabe, Schrift« (vgl. *...gramm*).

Grammophon: Die Bezeichnung des Gerätes, [das] eine aufgezeichnete Tonkurve in Töne umse[tzt] und zum Abspielen von Schallplatten dient, [ist] eine gelehrte Neubildung des 19. Jh.s. Als Wo[rt]bildungselemente dienten griech. *grámma* »[Ge]schriebenes, Schrift« (vgl. *...gramm*) und grie[ch]. *phōnḗ* »Stimme, Ton, Schall« (vgl. *Phonetik*).

Granat: Die Bezeichnung des Halbedelste[ins] (mhd. *granāt*) ist entlehnt aus mlat. *granatus*, [das] aus dem lat. Adjektiv *granatus* »gekörnt« in [der] Fügung *lapis granatus* »körniger, kornförmi[ger] [Edel]stein« hervorgegangen ist. Stammwort [ist] lat. *granum* »Korn« (vgl. *Granit*).

Granatapfel: Die Frucht des im Orient beheima[te]ten Granatbaumes hieß bei den Römern we[gen] der großen Menge ihrer Samenkerne lat. *mal[um] granatum* »kernreicher Apfel« (zu lat. *gran[um]* »Korn, Kern«; vgl. *Granit*). In mhd. Zeit wu[rde] das Wort entlehnt und teilweise übersetzt. – [Da] gleichbed. it. *melagranata (melogranato)*, das [auf] der Kurzform *granata* übertragen auch »[Ge]schoss« bedeutet (↑Granate), ist statt lat. *mal[um]* eine Form lat. *melum* oder vlat. *mela* anzusetz[en] (über das Verhältnis von lat. *malum* zu *mel[um]* vgl. *Melone*). In Norditalien schließlich gilt [lat.] *pomum* »Apfel« (it. *pomo*) in der Fügung *po[mo] granato* (mdal. *pom granat*), das für frz. *grena[de]* »Granatapfel; Geschoss« Quelle ist (↑Grenadi[er]).

Granate: Das Substantiv wurde um 1600 aus it. *g[ra]nata* entlehnt, das eigentlich »Granatapfel« [be]deutet, dann auch ein mit einem Granatapfel v[er]glichenes, mit Sprengladung gefülltes Hohl[ge]schoss bezeichnete (entsprechend frz. *grenade*, ↑Grenadier). Über weitere Zusammenhänge v[gl.] *Granatapfel*.

Grand: Die Bezeichnung für das höchste Spiel

Skat, bei dem nur die Buben Trumpf sind, wurde im 19. Jh. aus frz. *grand jeu* »großes Spiel« verselbstständigt. Voraus liegt – wie auch für entsprechend span., it. *grande* (↑grandios) – lat. *grandis* »groß; großartig; bedeutend, erhaben, vornehm«.

grandios »großartig, überwältigend«: Das Adjektiv wurde im 18. Jh. aus gleichbed. it. *grandioso* entlehnt (zu it. *grande;* vgl. *Grand*).

Granit: Die Bezeichnung der Gesteinsart wurde in mhd. Zeit als *granīt* aus it. *granito* (= mlat. *granitum marmor* »gekörntes Marmorgestein«) entlehnt. Das zugrunde liegende Verb it. *granire* »körnen« gehört zu *grano* »Korn«, das mit entsprechend frz. *grain* auf lat. *granum* »Korn, Kern« zurückgeht. Dieses mit nhd. ↑[1]Korn und ↑Kern urverwandte Wort ist auch Quelle für die Fremdwörter ↑Granat, ↑Granate, ↑Granatapfel, ↑Grenadier, ↑Filigran. – Abl.: **graniten** »aus Granit« (18. Jh.).

Granne: Mhd. *gran[e]* »Haarspitze; Barthaar; Borste; Ährenborste; Gräte«, ahd. *grana* »Barthaar; Gräte«, aengl. *granu* »Schnurrbart«, aisl. *grǫn* »Barthaar« und »Tanne« (eigentlich »Nadel[baum]«) gehören mit verwandten Wörtern in anderen idg. Sprachen zu der idg. Wurzel **gher[ə]-, *ghrē-* »hervorstechen, spitz sein«, vgl. z. B. gall. *grennos* »Bart« und die slaw. Sippe von russ. *gran'* »Grenze«, eigentlich »Ecke, Kante, Rand« (↑Grenze). Zu dieser Wurzel gehören aus dem germ. Sprachbereich auch die unter ↑Grat und ↑Gräte behandelten Wörter sowie die Sippen von ↑Gras und ↑grün, die auf einem Bedeutungswandel von »hervorstechen« zu »keimen, wachsen, grünen« beruhen. – Heute wird ›Granne‹ hochsprachlich nur noch im Sinne von »Ährenborste« gebraucht, während es mdal. auch noch »Schweinsborste« und »Haarspitze, Schnurrhaar« bedeutet.

grantig (bayr.-österr. für:) »mürrisch, übellaunig, unwillig«: Die Herkunft des erst seit dem 16. Jh. bezeugten Adjektivs ist nicht sicher geklärt. Am ehesten gehört es (mit Nasaleinschub) im Sinne von »spitz, scharf« zu der unter ↑Grat behandelten Wortgruppe. Das Substantiv **Grant** »Übellaunigkeit; Unwille« ist wahrscheinlich erst aus dem Adjektiv rückgebildet.

Grapefruit: Der Name der Zitrusfrucht wurde im 20. Jh. aus engl. *grapefruit* entlehnt (zu engl. *grape* »Traube« und *fruit* »Frucht«). Die Grapefruit ist also nach den traubenförmigen Blütenständen benannt.

Graphit: Die Bezeichnung des reinen Kohlenstoffs ist eine gelehrte Neubildung des 18. Jh.s zu griech. *gráphein* »schreiben« (vgl. *Grafik*). Der Graphit ist also nach der Möglichkeit, zum Schreiben verwendet zu werden, benannt.

grapschen, grapsen ↑grabbeln.

Gras: Das gemeingerm. Wort mhd., ahd. *gras,* got. *gras,* engl. *grass,* schwed. (weitergebildet) *gräs* gehört mit der Sippe von ↑grün zu der Wurzelform **ghrē-, *ghrə-* »keimen, wachsen, grünen«, eigtl. »hervorstechen« (vgl. *Granne*). Außergerm. eng verwandt ist z. B. lat. *gramen* »Gras« (aus **grasmen*). Das gemeingerm. Wort bezeichnete also ursprünglich den frischen Wuchs, das sprießende Grün. Abl.: **grasen** (mhd. *grasen* »Gras schneiden; weiden«, ahd. *grasōn* »Gras schneiden«; beachte auch ›abgrasen‹), dazu **Graser** weidmännisch für »Zunge von Rot- und Damwild« (18. Jh.); **grasig** (mhd. *grasec,* ahd. *grasag* »grasbewachsen«). Zus.: **Grashüpfer** mdal. für »Heuschrecke« (16. Jh.; vgl. engl. *grasshopper*); **Grasmücke** (mhd., ahd. *gras[e]muc[ke];* der Name des kleinen, vorwiegend in Gebüsch und Hecken lebenden Singvogels geht auf ahd. **grasa-smucka,* eigentlich »Grasschlüpferin« zurück; diese Zusammensetzung, deren zweiter Bestandteil zu dem von ›schmiegen‹ abgeleiteten Intensivum ↑schmücken gehört, wurde aber lautlich schon früh als »Gras-Mücke« verstanden).

Gras

ins Gras beißen
(ugs.) »sterben«
Die Wendung rührt daher, dass Verwundete im Todeskampf in das Gras oder Erdreich beißen, um sich die Schmerzen zu verbeißen. Diese Vorstellung findet sich schon im Altertum (vgl. Ilias 2, 418 und Aeneis 11, 118); auch der Franzose sage *mordre la poussière* für ›sterben‹, eigentlich »den Staub beißen«.

Grasnarbe ↑Narbe.

grässlich: Das im 14. Jh. ins Mitteld. und Oberd. vordringende mnd. *greselīk* »Schauder erregend« wurde im mitteld. und oberd. Sprachraum als Ableitung von dem heute nur noch mdal. bewahrten ›grass‹ »zornig, wütend« (mhd. *graȥ*) empfunden und nach diesem umgestaltet. Das mnd. Wort ist im germ. Sprachbereich verwandt mit ahd. *grīsenlīh* »grässlich« und engl. *grisly* »grässlich«. Die weitere Herkunft ist unklar.

Grat: Mhd. *grāt* »Bergrücken; Rückgrat; Gräte; Spitze, Stachel; Ährenborste«, ahd. *grāt* »Rückgrat«, niederl. *graat* »Gräte« gehören im Sinne von »Spitze[s], Hervorstechendes« zu der unter ↑Granne dargestellten idg. Wurzel. Außergerm. eng verwandt ist die slaw. Sippe von poln. *grot* »Pfeilspitze, Wurfspieß«. Vgl. *Gräte.*

Gräte: Die nhd. Form geht zurück auf gleichbed. mhd. *græte.* Dieses Femininum entstand, indem aus mhd. *græte,* dem Plural von maskulin mhd. *grāt* »Bergrücken; Rückgrat; Gräte; Spitze, Stachel; Ährenborste« (vgl. *Grat*), eine neue Einzahl gebildet wurde. – Die Bildungen **grätig** (mhd. *grætec*) und **ausgräten** und **entgräten** gehörten ursprünglich näher zu ›Grat‹ und haben sich erst sekundär eng an ›Gräte‹ angeschlossen.

gräten ↑grätschen.

gratis »unentgeltlich«: Das Adverb wurde im 16. Jh. aus dem gleichbedeutenden lat. Adverb *gratis* entlehnt, das ein erstarrter Ablativ von *gratia* »Dank«

(vgl. *Grazie*) ist und eigentlich »um den bloßen Dank« (und nicht um Belohnung) bedeutet.

grätschen: Das seit dem 17. Jh. bezeugte Verb ist eine Intensivbildung zu dem heute nicht mehr gebräuchlichen ›gräten‹ »mit ausgespreizten Beinen gehen, die Beine spreizen« (mhd. *grēten*), das vermutlich lautnachahmender Herkunft ist. Seit dem 19. Jh. ist ›grätschen‹ – beachte auch **Grätsche** (Turnübung) – hauptsächlich als Ausdruck der Turnersprache gebräuchlich.

gratulieren »Glückwünsche darbringen«: Das Verb wurde im 16. Jh. aus gleichbed. lat. *gratulari* entlehnt, das zur Sippe von lat. *gratus* »willkommen«, *gratia* »Gunst; Dank; Anmut« gehört (vgl. *Grazie*). Dazu: **Gratulant** (18. Jh.; aus dem Part. Präs. lat. *gratulans, -ntis*); **Gratulation** (16. Jh.; aus lat. *gratulatio*).

grau: Das altgerm. Farbadjektiv mhd. *grā*, ahd. *grāo*, niederl. *grauw*, engl. *gray*, schwed. *grå* gehört mit verwandten Wörtern in anderen idg. Sprachen zu der vielfach weitergebildeten und erweiterten idg. Wurzel **gher[ə]- *ghrē-* »schimmern[d], strahlen[d], glänzen[d]«, vgl. z. B. lit. *žerėti* »im Glanze strahlen«, russ. *zarja* »Glanz, Röte am Himmel«. Zu dieser Wurzel gehört aus dem germ. Sprachbereich auch die Sippe von ↑greis (ursprünglich »grau«). Die Bed. »grau« hat sich demnach aus »schimmernd, strahlend, glänzend« entwickelt. Auch die meisten anderen Farbadjektive – vgl. z. B. ›braun‹ und ›blau‹ – bedeuteten ursprünglich »schimmernd, glänzend, leuchtend«, was sich daraus erklärt, dass die Indogermanen bei der sprachlichen Erfassung nicht vom Farbton, sondern von Glanz und Schimmer ausgingen. Heute wird der Farbton Grau oft näher bestimmt, beachte z. B. die Zusammensetzungen ›asch-, eis-, maus-, schiefer-, taubengrau‹. Dagegen bezieht sich **feldgrau** (um 1900; auch substantiviert **Feldgrau**) auf die Tuchfarbe der im Felde befindlichen Truppe. – Nach der Farbe der Kleidung heißen die Zisterzienser (auch die Franziskaner) ›Graue Mönche‹, beachte auch ›Graues Kloster‹ (Schule in Berlin). Mit der Farbe Grau verbinden sich auch die Vorstellungen von hohem Lebensalter und von längst Vergangenem (beachte z. B. ›graue Vorzeit‹) sowie von Öde und Elend. Abl.: ^{1}**grauen** (mhd. *grāwen*, ahd. *grāwēn;* im Sinne von »grau werden« durch ›ergrauen‹ verdrängt, aber als »dämmern, tagen« auch heute noch gebräuchlich); ^{1}**graulich,** auch **gräulich** (17. Jh.).

Gräuel »Abscheu; Entsetzlichkeit, ungeheuerliche Tat; widerlicher Mensch«: Das auf das dt. und niederl. Sprachgebiet beschränkte Substantiv (mhd. *griu[we]l*, mnd. *grūwel*, niederl. *gruwel*) gehört zu dem unter ↑^{2}grauen behandelten Verb und bedeutete ursprünglich »Grauen, Schrecken«. Abl.: **gräulich,** unter Anschluss an ↑graulen auch ^{2}**graulich** »scheußlich, entsetzlich« (mhd. *griu[we]lich*). Zus.: **Gräueltat** (17. Jh.).

^{1}**grauen** ↑grau.

^{2}**grauen** »Furcht, Widerwillen empfinden«: D Verb mhd. *grūwen*, ahd. *(in)grūēn* bildet mit d Sippen von ↑grausen und ↑Gräuel sowie mit d unter ↑graulen, ↑grausam und ↑gruseln beha delten Wörtern eine im germ., besonders im Sprachbereich weit verästelte Wortgruppe, dei weitere Herkunft unklar ist. – Abl.: **Grau** (16. Jh.; substantivierter Infinitiv), dazu **grau haft** (18. Jh.) und **grauenvoll** (18. Jh.).

graulen, [sich]: Das vorwiegend in der Umgan sprache gebräuchliche Verb (mhd. *grūweln, gr weln* »Furcht empfinden«) ist eine Bildung dem unter ↑^{2}grauen behandelten Verb.

^{1}**graulich, gräulich** ↑grau.

^{2}**graulich** ↑Gräuel.

grau meliert ↑meliert, ↑grau.

Graupe: Das seit dem 16. Jh. bezeugte Wort für »g schälte Gerste« (seltener für »geschälter W zen«) stammt wahrscheinlich aus dem Slaw., v obersorb. *krupa*, poln. *krupa*, russ. *krupa* »Gra pe, Grütze; Hagelkorn; schneeiger Hagel«. Al **graupen** »hageln« (16. Jh.; beachte schles. *eysgr pe* »Hagelkorn«, 15. Jh.), dazu **graupeln** »hagel (17. Jh.), **Graupel** »Hagelkorn« (19. Jh.).

grausam: Das Adjektiv mhd. *grū[we]sam* »Grau erregend« gehört zu dem unter ↑^{2}grauen beha delten Verb. Die heute übliche Bed. »hart, u barmherzig« hat sich erst seit dem 16. Jh. allmä lich durchgesetzt.

grausen: Das auf das dt. Sprachgebiet beschränk Verb mhd. *grūsen, griusen*, ahd. *ir-grū[wi]sōn* eine Weiterbildung zu dem unter ↑^{2}grauen b handelten Verb. Das Substantiv **Graus** (mh *grūs[e]* »Furcht, Schrecken; Schreckbild«) durch den substantivierten Infinitiv **Graus** (mhd. *grūsen*) weitgehend zurückgedrängt w den. Das Adjektiv **graus** »schrecklich, Grauen regend« ist erst in nhd. Zeit zu ›Graus‹ gebild Älter sind die Adjektivbildungen **grausig** (al *griusīg*) und **grauslich** (mhd. *grūslich, griuslic* Siehe auch den Artikel *gruseln.*

gravieren »in Metall, Stein [ein]schneiden«, daf häufiger ›eingravieren‹: Das Verb wurde im 18. aus gleichbed. frz. *graver* entlehnt, das ursprür lich »eine Furche ziehen, einen Scheitel ziehen« b deutete. Die moderne Bedeutung zeigte sich zue in dem abgeleiteten Substantiv frz. *graveur* »S cher, Metall-, Steinschneider«, das im 18. Jh. **Graveur** ins Nhd. gelangte. Im 19. Jh. wurde **Gravü** »Erzeugnis der Gravierkunst (Kupfer-, Stahlstich aus frz. *gravure* übernommen. Daneben ist mit tinisierter Endung auch **Gravur** »Darstellur Zeichnung auf Metall oder Stein« gebräuchlich Das Stammwort frz. *graver* ist germ. Ursprungs. geht auf eine durch das Niederl. vermittelte mr Form *graven* von nhd. ↑graben zurück.

gravitätisch »ernst, würdevoll, gemessen«: Das A jektiv ist eine Bildung des 16. Jh.s zu dem heu veralteten Substantiv ›Gravität‹, das auf lat. *gra tas* »Schwere; würdevolles Wesen« zurückge

Zugrunde liegt das lat. Adjektiv *gravis* »schwer, gewichtig, drückend«, das mit osk.-lat. *brutus* »schwer, schwerfällig; roh« (↑brutal und ↑brutto) und mit verwandten Wörtern in anderen idg. Sprachen wie griech. *barýs* »schwer« (↑[1]Bar), got. *kaúrjōs* (Nom. Plural) »schwer«, aind. *gurú-ḥ* »schwer; wichtig; ehrwürdig«, lett. *grūts* »schwer« zur idg. Wurzel **gᵘer[ə]-* »schwer« gehört.

Grazie »natürliche Anmut«: Unter dem Einfluss des im 18. Jh. stark belebten mythologischen Gebrauchs des Namens ›Grazien‹ bildete der Archäologe Winckelmann die abstrakte Verwendung von ›Grazie‹ im Sinne von »Anmut« heraus. Der Name der drei Göttinnen der Anmut, lat. *Gratiae* (für griech. *Chárites*), ist der personifizierte Plural von lat. *gratia* »Gunst, Dank, Erkenntlichkeit; Anmut, Lieblichkeit«. Dies gehört zu einer idg. Wurzel **gᵘer[ə]-* »loben, preisen, willkommen heißen«. Auf eine tiefstufige Partizipialbildung **gᵘr̥-to-s* geht das lat. Adjektiv *gratus* »willkommen, angenehm« zurück, das eine Rolle in den besonders im modernen diplomatischen Verkehr üblichen Wendungen ›Persona grata‹ oder ›Persona ingrata‹ spielt. – Unmittelbar zu lat. *gratia* gehören das Adjektiv *gratiosus* »wohlgefällig, lieblich« (↑graziös) und das Adverb *gratis* (↑gratis); dazu stellt sich noch lat. *gratulari* »Glück wünschen« (↑gratulieren, Gratulant, Gratulation). – Im heutigen Sprachgebrauch werden hübsche junge Damen oft scherzhaft-spöttisch als **Grazien** bezeichnet.

graziös »anmutig«: Das Adjektiv wurde im 18. Jh. aus gleichbed. frz. *gracieux* entlehnt, das auf lat. *gratiosus* zurückgeht (vgl. *Grazie*).

Greif »Fabeltier; ein bestimmter Vogel«: Die nhd. Form geht über mhd. *grif[e]* zurück auf ahd. *grif[o]*, das unter Anlehnung an das unter ↑greifen behandelte Verb aus lat. *gryphus* »Greif« entlehnt ist. Das lat. Wort seinerseits stammt aus gleichbed. griech. *grȳps*, das wohl zu der Wortgruppe von griech. *grȳpós* »krummnasig, gekrümmt, mit einer Habichtsnase« gehört (vgl. *krumm*).

greifen: Das gemeingerm. Verb mhd. *grīfen*, ahd. *grīfan*, got. *greipan*, engl. *to gripe*, schwed. *gripa* ist verwandt mit der balt. Sippe von lit. *griẽbti* »ergreifen, packen«. Die weiteren Beziehungen sind unklar. – Aus dem Germ. stammt frz. *gripper* »ergreifen«, zu dem als Substantivbildung frz. *grippe* (↑Grippe) gehört. – Um ›greifen‹ gruppieren sich die Bildungen ↑Griff und ↑Grips. Groß ist die Zahl der zusammengesetzten Verben, beachte z. B. **abgreifen** »abnutzen« (18. Jh.), **ausgreifen** »rasch vorwärts streben, vorankommen«, **eingreifen** »sich einmischen, dazwischengehen; etwas vornehmen«, dazu **Eingriff; übergreifen** »über etwas hinausgehen, sich ausbreiten«, dazu **Übergriff.** Wichtig sind folgende Zusammensetzungen und Präfixbildungen: **angreifen** (mhd. *an[e]grīfen*, ahd. *anagrīfan* »berühren, anfassen; Hand an etwas legen«; seit dem 16. Jh. »feindlich entgegentreten, anfallen, herfallen über« und »die Kräfte aufbrauchen, an der Gesundheit zehren«), dazu **Angreifer** (18. Jh.) und **Angriff** (mhd. *an[e]grif*, ahd. *anagrif* »Berührung, Anfassen; Umarmung«; erst im Nhd. auch »feindliches Entgegentreten«); **begreifen** (mhd. *begrīfen*, ahd. *bigrīfan* »berühren, betasten, anfassen; umfassen, umschließen; in Worte fassen; zusammenfassen; erreichen, erlangen; verstehen«), dazu **begreiflich** (mhd. *begrīf[e]lich* »fassbar; verstehend«) und **Begriff** (mhd. *begrif* »Umfang, Bezirk; Zusammenfassung; Umfang und Inhalt einer Vorstellung«; heute besonders im Sinne von »Allgemeinvorstellung« und in der Wendung ›im Begriff sein‹ gebräuchlich; beachte auch die ugs. Wendung ›schwer von Begriff sein‹ »eine mangelhafte Auffassungsgabe besitzen« und **begriffsstutzig**, 19. Jh.), **Inbegriff** »Gesamtheit der auf einen Begriff bezogenen Einzelheiten« (18. Jh.); **ergreifen** (mhd. *ergrīfen* »packen, fassen; erreichen, erlangen«; im Nhd. auch »in Gemütsbewegungen versetzen«, beachte dazu **ergreifend** »rührend«, **ergriffen** »gerührt« und **Ergriffenheit** »Rührung«); **vergreifen** (mhd. *vergrīfen* »falsch greifen; einschließen, umfassen«; im Nhd. besonders reflexiv gebraucht im Sinne von »einen Fehlgriff tun; jemandem etwas antun«; die Bed. »durch Greifen entfernen« ist noch im 2. Partizip **vergriffen** bewahrt).

greinen ↑grinsen.

greis: Das Adjektiv (asächs., mnd., mhd. *grīs*) hat sich allmählich vom Niederd. her über das dt. Sprachgebiet ausgebreitet. Im Niederl. entspricht *grijs* »grau; alt«. Das Adjektiv, das zu der unter ↑grau dargestellten idg. Wurzel gehört, bedeutete zunächst »grau«. Da es besonders häufig auf das vom Alter ergraute Haar bezogen wurde, wandelte sich seine Bedeutung von »grau« zu »alt«. In Niederd. ist die Bed. »grau« bewahrt, beachte das dem hochd. *greis* entsprechende niederd. *gries* »grau«. Aus dem Frz. (afrz. *grisel*) stammt engl. *grizzle, grizzly* »grau«, beachte engl. *grizzly bear* eigentlich »Graubär«, aus dem **Grislybär** entlehnt ist. Abl.: **Greis** »alter Mann« (mhd. *grīse*; substantiviertes Adjektiv, früher schwach flektierend), davon **greisenhaft** »sehr alt« (19. Jh.); **vergreisen** »vorzeitig die Art eines Greises annehmen« (19. Jh.).

grell: Mhd. *grel* »zornig, heftig, brüllend« ist eine Bildung zu dem im Nhd. untergegangenen Verb mhd. *grellen* »laut schreien, vor Zorn brüllen«, vgl. aengl. *griellan* »erzürnen, die Zähne fletschen«. Im Ablaut dazu stehen die unter ↑Groll behandelten Wörter. Die ganze Wortgruppe ist lautnachahmenden Ursprungs und kann, falls es sich nicht um unabhängige Schallnachahmungen handelt, z. B. verwandt sein mit der Sippe von ↑grüßen und aind. *gharghara-ḥ* »rasselnd, gurgelnd«. – Im Nhd. bezieht sich ›grell‹ auch auf Gesichtseindrücke und wird im Sinne von »hell (vom Licht), schreiend (von Farben)« verwendet.

G

Beachte dazu das Verhältnis von ›hell‹ zu ›hallen‹.

Gremium »beratende oder beschlussfassende Körperschaft«: Das Fremdwort wurde im 19. Jh. aus lat. *gremium* »Schoß« in dessen spätlat. Bed. »Armvoll, Bündel« (eigentlich »das, was man im Schoß fassen kann«) entlehnt. Lat. *gremium* ist verwandt mit lat. *grex* »Herde, Haufe«, wozu als Präfixverb lat. *aggregare* gehört (↑Aggregat). Den lat. Wörtern liegt eine idg. Wurzel **ger-*, *gere-* »zusammenfassen, sammeln«, erweitert **grem-*, zugrunde, zu der neben verwandten Wörtern in anderen idg. Sprachen auch griech. *ageírein* »[ver]sammeln« gehört mit den abgeleiteten Wörtern *agorá* »Versammlungsplatz, Markt«, *agoreúein* »auf dem Markt reden« (↑Allegorie, ↑Kategorie).

Grenadier: Die Bezeichnung für »Fußsoldat, Infanterist« wurde im 17. Jh. aus gleichbed. frz. *grenadier* entlehnt, das ursprünglich »Handgranatenwerfer« bedeutete. Das zugrunde liegende Substantiv frz. *grenade* »Granatapfel[baum]; Granate«, das identisch ist mit it. *granata* (↑Granate), wurde aus der Fügung afrz. *pume grenate* verselbstständigt (vgl. *Granatapfel*).

Grenze: Das im 13. Jh. aus dem Westslaw. entlehnte *greniz[e]* hat sich von den östlichen Kolonisationsgebieten aus allmählich über das dt. Sprachgebiet ausgebreitet und das heimische Wort ²Mark »Grenze, Grenzgebiet« (s. d.) verdrängt. Poln. *granica* »Grenze«, tschech. *hranice* »Grenze«, russ. *granica* »Grenze« gehören zu der slaw. Wortgruppe von russ. *gran'* »Grenze« (vgl. *Granne*). Abl.: **grenzen** (15. Jh.), beachte dazu **angrenzen** und **begrenzen; Grenzer** »Grenzwächter, Grenzsoldat« (15. Jh.).

Griebe: Der landsch. Ausdruck für »[ausgebratenes] Speckstückchen; Bläschenausschlag an den Lippen« (mhd. *griebe*, ahd. *griobo*) ist vermutlich näher verwandt mit den unter ↑Griebs und ↑grob behandelten Wörtern und gehört dann zu der Wortgruppe von ↑groß.

Griebs »Kerngehäuse des Obstes«: Das seit dem 15. Jh. (in der Form *grübiz*) bezeugte Wort ist vermutlich mit den unter ↑Griebe und ↑grob behandelten Wörtern eng verwandt und gehört dann zu der Sippe von ↑groß. In mitteld. Mundarten wird ›Griebs‹ auch im Sinne von »Adamsapfel« verwendet. Andere mdal. Ausdrücke für »Kerngehäuse« sind z. B. ›Butzen, Grotzen, Ketsche, Strunk‹.

grienen ↑grinsen.

Griesgram: Aus dem heute veralteten Verb *griesgramen* »mürrisch sein«, mhd. *grisgram[m]en*, ahd. *grisgramōn* »mit den Zähnen knirschen, murren, brummen« wurde in mhd. Zeit das Substantiv *grisgram* »Zähneknirschen« rückgebildet. Dieses Substantiv wurde im Nhd. dann im Sinne von »mürrische Stimmung, Grämlichkeit« gebräuchlich und bezeichnet seit dem 18. Jh. einen in mürrische Stimmung versunkenen Menschen. Der zweite Bestandteil des zusammen[ge]setzten Verbs gehört zu dem unter ↑gram beh[an]delten Wort, der erste Bestandteil vermutlich [zu] der Sippe von dt. mdal. ›grieseln‹ »[vor Kä[lte,] Furcht, Ekel] erschauern«, ›grieselich‹ »schau[der]lich, grausig«, die wohl auf einer Nebenform [mit] i-Vokalismus beruht, während ›grausen‹, ›g[rau]seln‹ u-Vokalismus haben (vgl. ²*grauen*).

Grieß »grobkörniger Sand; zu feinen Körnchen [ge]mahlener Weizen, Reis oder Mais«: Mhd. *gr[iez]*, ahd. *grioz* »Sand, Kies; Sandplatz; sandiges U[fer,] Strand; grob gemahlenes Mehl«, engl. *grit* »gr[ob]körniger Sand, Kies; Sandstein«, schwed. g[...] »Steinhaufen« gehören im Sinne von »Zerrie[be]nes, Zerbröckeltes« zu der unter ↑groß dar[ge]stellten idg. Wurzel. Abl.: **grießeln** »körnig w[er]den, bröckeln, rieseln« (18. Jh.); **grießig** (m[hd.] *griezec* »sandig, körnig«; beachte dazu **Grie[ß]** »Bienenkot«).

Griff: Das westgerm. Substantiv mhd., ahd. *grif*, n[ie]derl. *greep*, engl. *grip* ist eine Bildung zu dem un[ter] ↑greifen behandelten Verb. Ähnlich gebildet [ist] die nord. Sippe von schwed. *grepp* »Griff«. Im [...] wird ›Griff‹ auch im konkreten Sinne gebrauc[ht,] beachte z. B. die Zusammensetzung ›Messergri[ff‹.] Weidmännisch bedeutet ›Griff‹ »Klaue ei[nes] Raubvogels«. Abl.: **griffig** »handlich« (mhd. *g[rif]fec*). Zus.: **Handgriff** (17. Jh.; schon ahd. *hant[...]* »Griff mit der Hand«); **Kunstgriff** (17. Jh.).

Griffel: Der Name des Schreibgerätes mhd. *grif[fel]*, ahd. *griffil* ist wohl eine mit dem Werkzeugsu[ffix] -il gebildete und formal an ahd. *grīfan* »greife[n«] angelehnte Ableitung von ahd. *graf* »Schreib[ge]rät«. Letzteres beruht auf einer Entlehnung a[us] lat. *graphium* (< griech. *grapheĩon*, *graph[...]* »Werkzeug zum Schreiben [auf Wachstafel[n]], Metallgriffel«; zu griech. *gráphein* »schreibe[n«], vgl. *Grafik*).

Grill: Die Bezeichnung für »Bratrost« ist eine E[nt]lehnung des 20. Jh.s aus gleichbed. engl. *grill*, [das] über frz. *gril* (neben *grille*) auf lat. *craticulum* ([ne]ben *craticula*) »Flechtwerk, kleiner Rost« zurü[ck]geht. Das Stammwort lat. *cratis* »Flechtwe[rk,] Hürde« ist urverwandt mit ↑Hürde. – Abl.: **gril[len]** »auf dem Grill braten« (20. Jh.; aus engl. *to gri[ll]*).

Grille: Der Name des Insektes mhd. *grille*, ahd. *g[ril]lo* beruht auf einer Entlehnung aus lat. *gril[lus]* »Heuschrecke, Grille«, das selbst lautnach[ah]menden Ursprungs ist. – Seit dem 16. Jh. wird d[as] Wort auch im übertragenen Sinne von »wund[er]licher Einfall; Laune« gebraucht.

Grimasse »verzerrtes Gesicht, Fratze«: Das Su[b]stantiv wurde im 17. Jh. aus gleichbed. frz. g[ri]mace entlehnt, das selbst wohl germ. *Herkunft* [ist.] Man erwägt als Quelle ein im Aisl. und Aengl. [be]zeugtes Wort *grīma* »Maske, Larve«.

grimm: Das altgerm. Adjektiv mhd. *grim[me]*, a[hd.] *grim[mi]*, mniederl. *grim[m]*, engl. *grim*, schw[ed.] *grym* gehört mit verwandten Wörtern in ander[en] idg. Sprachen zu der lautnachahmenden i[...]

Wurzel *ghrem- »tönen, dröhnen, grollen«, vgl. z. B. griech. *chremízein* »wiehern« und russ. *gremet'* »donnern, klirren, rasseln«, *grom* »Donner, Gewitter«, beachte auch russ. *po-grom* »Ausschreitung« (daher das Fremdwort **Pogrom** »Ausschreitung, Hetze«). Die Bed. »zornig, wütend, wild« hat sich demnach aus »grollend, brummig« entwickelt. Im Ablaut zu ›grimm‹ steht im germ. Sprachbereich die Wortsippe von ↑gram. **Grimm** »Zorn, Erbitterung« ist das in mhd. Zeit aus der Verbindung ›grimme muot‹ »zorniger Sinn« substantivierte Adjektiv. – Das Verb **grimmen** (mhd. *grimmen* »vor Wut oder Schmerz mit den Zähnen knirschen, toben, brüllen«, vgl. mniederl. *grimmen,* aengl. *grimman*) flektierte ursprünglich stark und ist eine unmittelbare Bildung zu der oben genannten idg. Wurzel. Erst sekundär ist es an ›grimm‹ und ›Grimm‹ angeschlossen worden. Neben dem einfachen Verb ist auch **ergrimmen** gebräuchlich. Abl.: **grimmig** (mhd. *grimmec,* ahd. *grimmīg;* Abl. vom Adjektiv). Beachte auch die Zus. **Ingrimm** (18. Jh.), dazu **ingrimmig** (18. Jh.), deren erster Bestandteil die unter ↑in behandelte Präposition ist.

Grind »Schorf, Kruste« (bei [Kopf]hauterkrankungen): Mhd. *grint* »Ausschlag; Schorf; Kopfgrind; Kopf«, ahd. *grint* »Ausschlag; Schorf«, mnd. *grint* »grobkörniger Sand; grobes Mehl«, niederl. *grind* »Kies; Grieß« stellen sich zu einem im germ. Sprachbereich nur im Engl. bewahrten starken Verb aengl. *grindan,* engl. *to grind* »zerreiben, zermalmen, mahlen«. Im Ablaut zu ›Grind‹ steht das aus dem Niederd. stammende **Grand** »Kies, grobkörniger Sand«, dem schwed. *grand* »Staubkörnchen« entspricht, beachte auch norw. *grande* »Sandbank«. Diese Sippe gehört zu der unter ↑Grund (eigentlich »Zerriebenes, Zermahlenes«, dann »grobkörniger Sand«) dargestellten Wortgruppe. – Die seit mhd. Zeit bezeugte, heute nur noch mdal. Verwendung von ›Grind‹ im Sinne von »Kopf« war zunächst verächtlich und erklärt sich daraus, dass der Kopfgrind in früheren Zeiten eine weit verbreitete Krankheit war. Auch in der Jägersprache wird der Kopf der Hirscharten und des Gamswildes noch ›Grind‹ genannt. Abl.: **grindig** »voller Grind« (mhd. *grintec*).

grinsen »höhnisch, spöttisch oder widerlich lächeln«: Das Verb ist eine erst frühnhd. intensivierende Weiterbildung zu dem heute veralteten ›grinnen‹ »[mit den Zähnen] knirschen, keifen« (mhd. *grinnen*). Es wurde früher auch im Sinne von »weinerlich das Gesicht verziehen, weinen« verwendet. Das veraltete ›grinnen‹ hängt zusammen mit **greinen** ugs. für »weinen«, veralt., aber noch mdal. auch für »keifen, zanken« (mhd. *grīnen,* ahd. *grīnan* »lachend oder weinend den Mund verziehen, murren, knurren, brüllen«), beachte das aus dem Niederd. stammende **grienen** ugs. für »spöttisch lächeln, grinsen«. Damit verwandt sind im germ. Sprachbereich z. B. engl. *to grin* »grinsen« und *to groan* »stöhnen, jammern« und schwed. *grina* »grinsen, feixen; weinen, heulen«, älter auch »nicht dicht schließen, offen stehen«.

Grippe: Der Name der Erkältungskrankheit wurde im 18. Jh. aus gleichbed. frz. *grippe* entlehnt, das eigentlich »Grille, Laune« bedeutet. Die Bedeutungsübertragung mag von der Vorstellung ausgegangen sein, dass diese Krankheit den Menschen plötzlich und launenhaft befällt. Das frz. Wort ist mit dem daneben stehenden Verb *gripper* »nach etwas haschen, greifen« germ. Ursprungs (vgl. *greifen*).

Grips: Das im Wesentlichen in der nordd. und mitteld. Umgangssprache gebräuchliche Wort für »Verstand, Auffassungsgabe« ist eine Substantivbildung zu dem mdal. Verb *gripsen* »schnell fassen, raffen, mausen, stehlen« und bedeutet eigentlich »Griff, Fassen«. Das Verb *gripsen,* daneben auch *gripschen,* ist eine Iterativbildung zu dem gleichbedeutenden mdal. *grippen* (vgl. *greifen*).

Grislibär ↑greis.

grob: Das auf das dt. und niederl. Sprachgebiet beschränkte Adjektiv (mhd. *grop,* ahd. *g[e]rob,* niederl. *grof*) gehört wahrscheinlich zu der unter ↑groß dargestellten Wortgruppe. Im heutigen Sprachgebrauch wird ›grob‹ hauptsächlich im Sinne von »nicht fein«, übertragen »ungelenk, bäurisch, ungebildet« verwendet. In den älteren Sprachzuständen bedeutete es auch »rau, uneben« und »massig, schwer, groß«.

Grog: Die Bezeichnung des heißen Getränks aus Rum, Zucker und Wasser wurde im 18. Jh. aus engl. *grog* entlehnt, dessen Herkunft nicht sicher geklärt ist. Bereits in Deutungen des 18. Jh.s wird das Wort mit dem englischen Admiral Vernon in Verbindung gebracht. Dieser Admiral, der wegen seines Überrocks aus grobem Stoff (= engl. *grogram*) bei den Matrosen den Spitznamen ›Old Grog‹ hatte, erließ einen Befehl, nur noch mit Wasser verdünnten Rum an die Matrosen auszugeben. Diese reagierten prompt und nannten das neue, verwässerte Getränk nach dem Spitznamen des Admirals. – Dazu das Adjektiv engl. *groggy* »angeschlagen, benommen« – eigentlich »vom Grog betrunken« – in unserem, im 20. Jh. entlehnten Fremdwort **groggy,** das bei uns vor allem in der Boxersprache, aber auch umgangssprachlich im Sinne von »körperlich erschöpft; zerschlagen« verwendet wird.

grölen: Die im späteren Mittelalter in niederdeutschen Städten veranstalteten lärmenden Turnierfeste der Bürger hießen nach dem Heiligtum der Ritter ↑Gral. Von diesem Wort ist das seit dem 15. Jh. bezeugte niederd. *grālen* »laut sein, lärmen« abgeleitet, auf das die späteren Formen *grä[e]llen, grölen* zurückgehen.

Groll: Das seit dem 14. Jh. bezeugte Substantiv (mhd. *grolle* »Zorn«) steht im Ablaut zu dem unter ↑grell behandelten Adjektiv. Zu ›Groll‹ stellt sich das Verb **grollen** »zürnen; murren; dumpf dröhnen« (mhd. *grollen*, daneben *grullen, grüllen* »zürnen; höhnen, spotten«, vgl. aengl. *gryllan* »wüten, mit den Zähnen knirschen«).

[1]Gros »Hauptmasse [des Heeres]«: Das Wort wurde im 17. Jh. aus gleichbed. frz. *gros*, einer Substantivierung von frz. *gros* »groß, dick«, entlehnt. Dies geht auf spätlat. *grossus* »dick; dicker Teil; Hauptmasse, Gros« zurück. – Gleicher Herkunft sind: ↑[2]Gros, ↑Grossist, ↑en gros, Engroshandel, ↑Groschen.

[2]Gros »12 Dutzend«: Das Wort der Kaufmannssprache wurde im 17. Jh. durch niederl. Vermittlung aus frz. *grosse (douzaine)* »großes (Dutzend)« entlehnt. Frz. *grosse* ist die weibliche Form von *gros* »groß, dick« (vgl. [1]*Gros*).

G

Groschen: Der heute noch als volkstümliche Bezeichnung für »Zehnpfennigstück« erhaltene Name der alten, in Deutschland vom 14. Jh. bis ins 19. Jh. geprägten Silbermünze (mhd. *grosse*) beruht auf einer Entlehnung aus mlat. *(denarius) grossus* »Dickpfennig« (zu lat. *grossus* »dick«, vgl. [1]*Gros*). Vorbild für den deutschen Groschen wurde der böhmische Groschen, mit dem sich zugleich die von der böhmischen Kanzleisprache im 14. Jh. entwickelte Lautform *grosch[e]* (das inlautende -ss- wurde im Tschech. zu š = sch) im deutschen Sprachgebiet allmählich durchsetzte.

Grossist: Die Bezeichnung für »Großhändler« wurde um 1800 für älteres ›Grossierer‹ (< frz. *marchand grossier*) gebildet. Stammwort ist frz. *gros* »groß, dick« (vgl. [1]*Gros*), das in der Kaufmannssprache recht geläufig war, z. B. in der Verbindung ↑en gros.

grotesk »wunderlich, verzerrt, seltsam«: Das Adjektiv wurde im 16. Jh. durch Vermittlung von frz. *grotesque* aus it. *grottesco*, einem von *grotta* (vgl. *Grotte*) abgeleiteten Adjektiv, entlehnt, das zunächst in Fügungen wie *grottesca pittura* jene seltsamen und fantastischen antiken Wand- und Deckenmalereien bezeichnet, wie man sie in ›Grotten‹ und Kavernen, aber auch in anderen Gebäuden aus römischer Zeit gefunden hat. – Das Fremdwort wurde lange Zeit nur mit Beziehung auf Malereien gebraucht und ging erst seit der Mitte des 18. Jh.s allmählich in allgemeinen Gebrauch über. Beachte auch die Substantivierung **Groteske** »fantastisch gestaltete Tier- und Pflanzenmotive in der Ornamentik der Antike und der Renaissance; derbkomische, überspannte Erzählung; ins Verzerrte gesteigerter Ausdruckstanz« (18. Jh.; über frz. *grotesque* aus it. *grottesca*).

Grotte »malerische [Felsen]höhle (oft künstlich angelegt oder ausgestaltet)«: Das Wort wurde im 15. Jh. aus it. *grotta* entlehnt, wozu als Adjektiv auch *grottesco* gehört (↑grotesk, Groteske). Voraus liegt vlat. *crupta* »Korridor, Kreuzgang; unterirdisches Gewölbe; Grotte, Gruft«, das für klass.-lat. *crypta* (< griech. *kryptḗ*) steht (vgl. *Krypta*).

Grübchen: Das seit dem 18. Jh. bezeugte Wort ist – wie auch das ältere ›Grüblein‹ (mhd. *grüebelīn*) – eine Verkleinerungsbildung zu dem unter ↑Grube behandelten Wort in dessen Bed. »Vertiefung am Körper«.

Grube: Das gemeingerm. Wort mhd. *gruobe*, ahd. *gruoba*, got. *grōba*, niederl. *groeve*, aisl. *grōf* ist eine Bildung zu dem unter ↑graben behandelten Verb. Das Wort hat im Dt. mehrere Anwendungsbereiche. So bezeichnet ›Grube‹ im Bergbau den Schacht und die gesamte Schachtanlage, beachte z. B. die Zusammensetzungen ›Erz-, Fund-, Kohlen-, Goldgrube‹ und ›Grubenbau, -gas, -hund (»kleiner Kohlenwagen«), -licht, -wasser‹, im Jagdwesen die ›Fall- oder Fanggrube‹, beachte die Redensart ›wer andern eine Grube gräbt, fällt selbst hinein‹ und die Zusammensetzung ›Wolfsgrube‹, ferner wird es im Sinne von »Vertiefung am Körper« gebraucht, beachte die Zusammensetzungen ›Achsel-, Herz-, Magengrube‹ und auch ↑Grübchen. Die Bed. »Höhle, Versteck« ist noch in der Zusammensetzung **Mördergrube** »Schlupfwinkel für Mörder« bewahrt. Diese Zusammensetzung, die zuerst in Luthers Bibelübersetzung erscheint (für lat. *spelunca latronum*), lebt heute nur noch in der Wendung ›aus seinem Herzen keine Mördergrube machen‹ »seine Meinung nicht verhehlen«. Biblisch wird ›Grube‹ auch im Sinne von »Grab« gebraucht.

grübeln: Das auf das dt. Sprachgebiet beschränkte Verb mhd. *grübelen*, ahd. *grubilōn* »[wiederholt] graben, herumstochern, herumbohren; nachforschen, nachdenken« ist eine Iterativbildung zu dem unter ↑graben behandelten Verb.

Gruft: Unter dem Einfluss von vlat. *crupta* (↑Krypta) wurde ahd. *girophti* »Graben«, das eine Bildung zu dem unter ↑graben behandelten Verb ist, zu *gruft, kruft* »unterirdischer Raum; Grabkammer« umgestaltet.

Grummet, Grumt »durch den zweiten Schnitt gewonnenes Heu«: Das im Wesentlichen nordd. und mitteld. Wort ist eine verdunkelte Zusammensetzung und bedeutet eigentlich »sprießende Mahd«. Der erste Bestandteil von mhd. *gruo[n]māt*, aus dem sich die nhd. Form Grummet entwickelt hat, gehört zu mhd. *grüejen*, ahd. *gruoen* »wachsen, sprießen, grünen« (vgl. *grün*), der zweite Bestandteil ist das unter ↑Mahd behandelte Wort.

grün: Das altgerm. Adjektiv mhd. *grüene*, ahd. *gruoni*, niederl. *groen*, engl. *green* (beachte das Fremdwort ›Greenhorn‹ »Grünschnabel, Neuling«), schwed. *grön* ist eine Bildung zu dem im Nhd. untergegangenen Verb mhd. *grüejen*, ahd. *gruoen* »wachsen, grünen«, niederl. *groeien* »wachsen, gedeihen«, engl. *to grow* »wachsen, gedeihen, zunehmen«, schwed. *gro* »wachsen«. Das Adjektiv bedeutete demnach ursprünglich entweder »wachsend, sprießend« oder »grasfarben«. Das altgerm. Verb ist eng verwandt mit der Wortgruppe von ↑Gras und gehört im Sinne von »hervorstechen, keimen« zu der unter ↑Granne dargestellten idg. Wurzel. Das Adjektiv ›grün‹ ist im Dt. nicht nur Farbenbezeichnung, es wird oft als Gegensatz zu ›trocken, verwelkt‹ im Sinne von »frisch, jung, sprießend«, andererseits als Gegensatz zu ›rot, reif‹ im Sinne von »unreif«, auch »unerfahren« (beachte die Zusammensetzung ›Grünschnabel‹) gebraucht. In der 2. Hälfte des 20. Jh.s nimmt ›grün‹ die übertragene Bedeutung »umweltorientiert, die Umwelt betreffend; ökologisch« an. – Das substantivierte Adjektiv **Grün[e]** bedeutet nicht nur »grüne Farbe«, sondern auch »frisches Laub, grünes Blattwerk« und »Grasboden, freie Natur«, beachte die Wendung ›ins Grüne fahren‹. Abl.: **grünen** (mhd. *grüenen*, ahd. *gruonēn*); **grünlich** (mhd. *grüenlich*); **Grünling** (14. Jh.; das Wort bezieht sich auf Pflanzen und Tiere mit vorwiegend grüner Färbung, wird aber auch im Sinne von »unerfahrener Mensch« gebraucht). Überaus groß ist die Zahl der Zusammensetzungen mit ›grün‹ bzw. dessen substantivierter Form, beachte z. B. ›Grünanlagen, Grünfutter, Grünkern, Grünkohl, Grünspecht‹. Wichtige Zusammensetzungen sind: **Gründonnerstag** (mhd. *grüene donerstac;* der »Donnerstag der Karwoche« ist wohl nach dem weit verbreiteten Brauch benannt, an diesem Tag etwas Grünes, besonders Grünkohl, zu essen); **Grünspan** (15. Jh.; Lehnübersetzung von mlat. *viride Hispanum* »spanisches Grün«; der aus essigsaurem Kupferoxid hergestellte Farbstoff wurde im Mittelalter aus Spanien eingeführt und hat daher seinen Namen). – Zu ›grüne Minna‹ s. den Artikel *Minna.*

grün

es ist alles im grünen Bereich
(ugs.) »es ist alles unter Kontrolle, normal, in Ordnung«
Die Redensart geht auf die Anzeige von Kontroll- oder Regelautomaten zurück, die mit roten Feldern den Gefahrenbereich, mit grünen Feldern den normalen Arbeitsbereich [bei Drehzahlen, einer Stromspannung o. Ä.] markieren.

jmdm. nicht grün sein
(ugs.) »jmdm. nicht wohlgesinnt sein«
Die Bedeutung »gewogen« hat sich über »angenehm, günstig« aus ›grün‹ (als Farbe des Frühlings und der Hoffnung) entwickelt, vgl. dazu ›grüne Seite‹, z. B. in ›Komm an meine grüne Seite‹.

Grund: Das gemeingerm. Wort mhd., ahd. *grunt*, got. *grundu(waddjus)* »Grund(mauer)«, engl. *ground*, schwed. *grund* gehört im Sinne von »grobkörniger Sand, Sandboden, Erde« (eigentlich »Zerriebenes, Gemahlenes«) zu der z. T. mit -d- und -dh- erweiterten Wurzelform **ghren-* »scheuern, zerreiben, zermahlen«, vgl. z. B. engl. *to grind* »zerreiben, zermalmen, mahlen«. Zu dieser Wurzelform gehören aus dem germ. Sprachbereich auch die unter ↑Grind behandelten Wörter und aus anderen idg. Sprachen z. B. griech. *chóndros* »Krümchen, Korn, Graupe, Knorpel« (↑Hypochonder) und lit. *grė́ndu* »reiben, scheuern, kratzen«. Weiterhin besteht Verwandtschaft mit der unter ↑groß dargestellten Wortgruppe. – Die Bedeutungen von ›Grund‹ schillern, wie bereits in den älteren Sprachzuständen, im heutigen Sprachgebrauch außerordentlich stark: »Erde, Erdboden«; »Boden, unterste Fläche«; »Unterlage, Grundlage, Fundament«; »Ursprung; Berechtigung; Ursache«; »Grundstück, Land[besitz]«; »Boden eines Gewässers, Meeresboden, Tiefe«; »Tal«; »Innerstes, Wesen«. Die Ableitungen und Zusammensetzungen schließen sich in der Bedeutung an die verschiedenen Verwendungsweisen des Substantivs an. Abl.: **Grundel, Gründel** »kleiner, auf dem Grunde des Wassers lebender Fisch« (mhd. *grundel*, ahd. *crundula*); **gründen** »den Grund zu etwas legen, errichten, ins Leben rufen« (mhd. *gründen*, ahd. *grunden*, beachte die Präfixbildungen **begründen** und **ergründen**), dazu **Gründer** (17. Jh.; im ausgehenden 19. Jh. auch im Sinne von »schnellen Reichtum erstrebender, betrügerischer Unternehmer« gebraucht, beachte die Zusammensetzung **Gründerzeit**); **grundieren** »den Grund herstellen« (18. Jh.; in Anlehnung an ältere maltechnische Bezeichnungen wie ›schattieren‹ und ›lackieren‹ mit frz. Endung von ›Grund‹ abgeleitet); **gründlich** »bis auf den Grund gehend, genau, gewissenhaft« (mhd. *grüntlich*, ahd. Adv. *gruntlīhho*), dazu **Gründlichkeit** (18. Jh.); **Gründling** »kleiner, auf dem Grunde des Wassers lebender Fisch« (15. Jh.). Zus.: **Grundbesitz** (18. Jh.); **Grundbesitzer** (17. Jh.); **Grundeis** (↑Eis); **Grundlage** (17. Jh.); **Grundriss** (17. Jh.); **Grundsatz** (17. Jh.), dazu **grundsätzlich; Grundstück** (17. Jh.). Siehe auch den Artikel *Abgrund.*

Grundeis ↑Eis.

Grundeis

jmdm. geht der Arsch mit Grundeis/auf Grundeis
(derb) »jmd. hat große Angst«
›Grundeis‹ ist ein anderer Ausdruck für Bodeneis, d. h. die unterste Eisschicht oberhalb des Bodens in Gewässern, die bei Tauwetter als erste polternd und krachend abbricht. Wenn die Flüsse ›mit Grundeis gehen‹, führen sie das abgebrochene morsche Eis und sind voller Unruhe. An diesen Gebrauch schießt sich die Wendung im Sinne von »jemand hat vor Angst Durchfall, jmdm. rumort es in den Eingeweiden« an.

Grundstock ↑Stock.

grunzen: Mhd. *grunzen,* ahd. *grunnizōn,* engl. *to grunt* gehen von einem den Grunzlaut der Schweine nachahmenden ›gru[-gru]‹ aus und sind z.B. elementarverwandt mit griech. *grýzein* »grunzen« und lat. *grundire, grunnire* »grunzen«.

Gruppe: Das seit dem Anfang des 18. Jh.s bezeugte Substantiv bezeichnet eine Ansammlung mehrerer Individuen oder Gegenstände, die durch gleich geartete Interessen oder Zwecke, durch gemeinsame Merkmale o.Ä. miteinander verbunden sind. Das Wort gilt also sowohl von Personen (beachte Zusammensetzungen wie ›Personengruppe, Gruppenführer‹ u.a.) als auch von leblosen Gegenständen und Dingen (beachte Zusammensetzungen wie ›Baumgruppe‹ und ›Häusergruppe‹). Entlehnt ist ›Gruppe‹ als Fachwort der bildenden Kunst aus gleichbed. frz. *groupe,* das seinerseits auf it. *gruppo* »Ansammlung, Schar, Gruppe« beruht. Die weitere Herkunft des Wortes ist unklar. – Abl.: **gruppieren** »anordnen, [wirkungsvoll] zusammenstellen« (18. Jh.; meist reflexiv gebraucht).

Grus ↑groß.

gruseln: Die heute übliche Form gruseln, die der Lautgestalt nach unter niederd. Einfluss schriftsprachlich geworden ist, beruht auf mhd. *griuseln,* einer Intensivbildung zu mhd. *griusen, grūsen* »Grauen empfinden« (vgl. *Graus* [↑grausen]).

grüßen: Mhd. *grüeʒen* »anreden, ansprechen; grüßen; herausfordern; angreifen; strafen, züchtigen«, ahd. *gruoʒen* »anreden; herausfordern, angreifen«, asächs. *grōtian* »anreden; fragen; grüßen«, niederl. *groeten* »grüßen; empfehlen«, aengl. *grǣtan* »anreden; grüßen; besuchen; herausfordern; angreifen« (engl. *to greet* »grüßen«) gehen auf westgerm. **grōtjan* »zum Reden bringen, sprechen machen« zurück. Das westgerm. Verb gehört als Veranlassungswort zu got. *grētan* »weinen«, eigentlich »schreien, jammern«. Die germ. Wortgruppe ist wahrscheinlich lautnachahmenden Ursprungs (vgl. *grell*). – Das Substantiv **Gruß** (mhd. *gruoʒ*) ist aus dem Verb rückgebildet.

[1]**Grütze** »Getreideschrot, Brei«: Das westgerm. Wort mhd. *grütze,* ahd. *gruzzi,* mnd. *grutte,* niederl. (mit r-Umstellung) *gort,* engl. *grit* steht im Ablaut zu dem unter ↑Grieß behandelten Wort und gehört mit diesem zu der Wortgruppe von ↑groß.

[2]**Grütze:** Der ugs. und mdal. Ausdruck für »Verstand« ist entweder identisch mit dem unter ↑[1]Grütze behandelten Wort (Grütze = Verstand im Gegensatz zu Spreu) oder aber ist umgebildet aus älter nhd. *Kritz* »Witz, Scharfsinn« (eigentlich »Kitzel«, vgl. *kritzeln*).

gucken oberd., mitteld., **kucken** nordd. (ugs. für:) »schauen«: Die Herkunft des seit dem 13. Jh. bezeugten Verbs (mhd. *gucken, gücken*) unklar. Vielleicht stammt das Wort aus c Kindersprache. Um das Verb gruppieren sich Ableitung **Gucker** (16. Jh., beachte dazu ›Top Stern-, Operngucker‹) und die Zusamm setzungen **Guckfenster, Guckkasten, Gucklo Ausguck,** ferner **Guckindieluft** und **Guckind welt.**

Guerilla »Kleinkrieg«, so besonders in der Zusa mensetzung ›Guerillakrieg‹; daneben auch (v allem im Plural ›Guerillas‹) im Sinne von »Fr schärler, Partisan« gebräuchlich: Das Frem wort, das im 19. Jh. durch die Freiheitskämpfe c Spanier gegen die französische Fremdherrsch bei uns bekannt wurde, wurde über frz. *guéri* aus span. *guerrilla* entlehnt. Dies ist eine Verkl nerungsbildung zu span. *guerra* »Krieg«, das r frz. *guerre* auf afränk. **werra* (= ahd. *werra*) »V wirrung, Streit« zurückgeht (vgl. *verwirren, W ren*).

Gugelhupf, Gugelhopf: Das in Süddeutschland, Österreich und in der Schweiz gebräuchlic Wort für »Napf-, Topfkuchen« ist eine Zusa mensetzung, deren erster Bestandteil frühn *Gugel* »Kapuze« (< mlat. *cuculla*) ist, während zweite Bestandteil wohl zum Verb ↑hüpfen hört. Der Kuchen wäre also danach benannt, d sich sein oberer Teil infolge der Hefe wie eine K puze hebt.

Gulasch: Der Name des Gerichts ist ein ung. Leh wort, das im 19. Jh. durch österr. Vermittlung a genommen wurde. Zugrunde liegt ung. *gu* »Rinderherde« und davon abgeleitetes *guly* »Rinderhirt«. Danach heißt ein Pfefferfleisch, richt, wie es von Rinderhirten im Kessel geko wird, *gulyás hús,* verkürzt: *gulyás.*

gülden ↑Gold.

Gulden: Das Wort, das heute nur noch als Bezei nung der niederländischen Münzeinheit Geltu hat, ist in mhd. Zeit aus *guldīn pfenni[n]c* »gol ne Münze« verselbstständigt worden. ›Guld bedeutet also eigentlich »der Goldene« (vgl. *g den* [↑Gold]).

Gully: Die Bezeichnung für »Schlammfang, Ser loch« ist ein junges Lehnwort aus gleichb engl. *gully,* das wohl zu *gullet* »Schlund« geh Voraus liegen afrz. *goulet* (Verkleinerungsb dung zu *gole, goule;* entspr. frz. *gueule* »Kehle lat. *gula* »Kehle«. Das lat. Wort ist urverwar mit ↑Kehle.

Gült[e] ↑gelten.

gültig »geltend; wirksam«: Mhd. *gültic* »im Pr stehend, teuer; zu zahlen verpflichtet« ist ab leitet von mhd. *gülte* »Schuld, Zahlung; Einko men, Rente, Zins; Wert, Preis« (vgl. *gelten*). A **Gültigkeit** (15. Jh.).

Gummi: Das seit mhd. Zeit bezeugte Wort ägypt. Ursprungs. Es ist über griech. *kómmi,* *cummi[s], (jünger:) gummi* in die europäisch Sprachen gelangt (frz. *gomme,* engl. *gum*). – A

gummieren »mit Klebstoff versehen« (18./19. Jh.). – Zus.: **Kaugummi** (Mitte des 20. Jh.s, nach engl. *chewing gum*).

Gunst: Das auf das dt. und niederl. Sprachgebiet beschränkte Wort (mhd., mnd. *gunst,* niederl. *gunst*) ist eine Bildung zu dem unter ↑gönnen behandelten Verb. Zur Bildung beachte z. B. das Verhältnis von ›Kunst‹ zu ›können‹. – Abl.: **günstig** (mhd. *günstic* »wohlwollend«), dazu **begünstigen** (17. Jh.); **Günstling** (17. Jh.; Übersetzung von frz. *favori*). Beachte auch die Zusammensetzungen ›Ab-, Miss-, Ungunst‹.

Gurgel: Das Wort (mhd. *gurgel[e],* ahd. *gurgula*) wurde in ahd. Zeit aus lat. *gurgulio* »Kehle, Luftröhre« (vgl. *Köder*) entlehnt und hat die heimische Benennung ahd. *querchela* »Gurgel« verdrängt.

Gurke: Der Name des Kürbisgewächses wurde im 16. Jh. aus dem Westslaw. entlehnt, vgl. poln. *ogórek,* russ. *ogurec,* tschech. *okurka* »Gurke«. Die slaw. Wortgruppe ihrerseits stammt aus mgriech. *ágouros* »Gurke«, das zu griech. *áōros* »unreif« gehört. Die Benennung bezieht sich darauf, dass die Gurke grün (unreif) geerntet wird. – Das Wort Gurke, das heute gemeinsprachlich ist, hatte früher nur in Nord-, Ost- und Mitteldeutschland Geltung, während im Westen, Süden und Südwesten des dt. Sprachraumes auf lat. *cucumer* »Gurke« (vgl. engl. *cucumber*) zurückgehende Formen gebräuchlich waren, beachte z. B. mdal. *guckummer, gommer, gummer, kummer, kümerling.*

gurren: Das seit dem 13. Jh. bezeugte Verb (mhd. *gurren*) ist lautnachahmenden Ursprungs, beachte das gleichfalls lautnachahmende mhd. *kurren* »grunzen«.

Gürtel: Das altgerm. Wort mhd. *gürtel,* ahd. *gurtil[a],* niederl. *gordel,* engl. *girdle,* schwed. *gördel* ist eine (Instrumental)bildung zu einem in got. *[bi]gaírdan* »[um]gürten« bewahrten alten starken Verb (vgl. *gürten*).

gürten: Mhd. *gürten,* ahd. *gurten,* engl. *to gird,* schwed. *gjorda,* ablautend got. *bigaírdan* »umgürten« gehen mit verwandten Wörtern in anderen idg. Sprachen auf die dh-Erweiterung der unter ↑Garten dargestellten Wurzel **ĝher-* »umzäunen, einhegen, [ein]fassen« zurück. Bereits die Germanen waren mit der Sitte des Gürtens vertraut. Der Gürtel galt als Inbegriff der Kraft und Herrschaft, später auch als Symbol der ehelichen Treue und Keuschheit. – Das Substantiv **Gurt** (mhd. *gurt*) ist aus dem Verb rückgebildet. Siehe auch den Artikel *Gürtel.*

Guss: Das westgerm. Wort mhd., ahd. *guz,* mnd. *göte,* aengl. *gyte* ist eine Bildung zu dem unter ↑gießen dargestellten Verb. Das Substantiv schließt sich im Dt. mit seinen Bedeutungen eng an das Verb an. Es bedeutet sowohl »Gießen« als auch »Gegossenes«, ferner ugs. »starker Regenfall« und als Wort der Metalltechnik »zum Gießen flüssig gemachtes Metall« und »das durch Gießen Geformte«, beachte z. B. die Zusammensetzungen ›Gusseisen‹ und ›Glockenguss‹.

gut: Das gemeingerm. Adjektiv mhd., ahd. *guot,* got. *gōþs,* engl. *good,* schwed. *god* gehört mit den unter ↑Gitter, ↑Gatter, ↑vergattern und ↑Gatte behandelten Wörtern zu der idg. Wurzel **ghedh-* »umklammern, fest zusammenfügen, zupassen«, vgl. z. B. aus anderen idg. Sprachen aind. *ā́-gadhita-ḥ* »angeklammert«. Das gemeingerm. Adjektiv bedeutete demnach ursprünglich etwa »[in ein Baugefüge, in eine menschliche Gemeinschaft] passend«. Die Verwendung von ›gut‹ in den älteren Sprachzuständen deckt sich ungefähr mit derjenigen im heutigen dt. Sprachgebrauch, also in den Bedeutungen »brauchbar, tauglich; günstig; tüchtig, brav, wacker, wirksam«, ferner »anständig, ehrlich« und »gütig, freundlich, hold« usw. – Abl.: **Gut** (mhd., ahd. *guot* »Gutes; Güte; Vermögen, Besitz; Landgut«; substantiviertes Adjektiv); **Güte** (mhd. *güete,* ahd. *guotī*); **vergüten** (spätmhd. *vergüeten* »ersetzen; auf Zinsen anlegen«), dazu **Vergütung; begütert** »wohlhabend, besitzend« (18. Jh.); **gütig** (mhd. *güetec* »freundlich«), dazu **begütigen** »besänftigen« (16. Jh.); **gütlich** (mhd. *güetlich,* ahd. *guotlīh* »gut, gütig, freundlich«). Zus.: **Gutachten** (16. Jh.); **Gutdünken** (mhd. *guotdunken*); **Guthaben** (19. Jh.); **gutmütig** (15. Jh.); **gutwillig** (mhd. *guotwillic,* ahd. *guotwillīg*).

gut situiert ↑situiert (↑Situation).

Gymnasium (zur Hochschulreife führende höhere Schule): Das Gymnasium in seiner heutigen Form ist aus der alten Lateinschule hervorgegangen und verdankt seinen klassischen Namen den Humanisten des 15./16. Jh.s. Als Vorbild für die Benennung galt ihnen die übertragene Verwendung von griech. *gymnásion,* lat. *gymnasium* im Sinne von »Versammlungsstätte der Philosophen und Sophisten«. Ursprünglich bezeichnete griech. *gymnásion,* das zu *gymnázesthai* »mit nacktem Körper Leibesübungen machen« gebildet ist, einen öffentlichen Platz, an dem die männliche Jugend zusammenkam, um sich mit ›nacktem‹ Körper dem freien Spiel körperlicher Übungen (bzw. geistiger Schulung in der Diskussion) hinzugeben. Stammwort ist das mit lat. *nudus* und nhd. ↑nackt urverwandte griech. Adjektiv *gymnós* »nackt«, das mit deutlicherem Bezug zur Grundbedeutung auch in den Fremdwörtern ↑Gymnastik vorliegt.

Gymnastik »Körperschulung durch rhythmische Freiübungen«: Das Fremdwort wurde im 18. Jh. aus gleichbed. griech. *gymnastikḗ (téchnē)* entlehnt, das seinerseits zu griech. *gymnázesthai* »mit nacktem Körper Leibesübungen machen« (vgl. *Gymnasium*) gehört. – Dazu das Adj. **gymnastisch** (18. Jh.; aus lat. *gymnasticus* < griech. *gymnastikós*).

G

H*h*

Haar: Mhd., ahd. *hār,* niederl. *haar,* engl. *hair,* schwed. *hår* gehen auf germ. **hēra-* »Haar« zurück, das mit verwandten Wörtern in anderen idg. Sprachen, z. B. lit. *šerỹs* »Borste«, russ. *šerst'* »Wolle«, zu einer Wurzel **k̑er[s]-* »starren, rau, struppig sein« gehört (vgl. mnd. *haren* »rau, rissig, trocken sein«, isl. *hara* »starren«). – Das Wort bezeichnet nicht nur das einzelne Haar, es wird auch kollektiv im Sinne von »Gesamtheit der Haare, Behaarung«, speziell »Behaarung des Kopfes, Kopfhaar« gebraucht. Eine bedeutende Rolle spielt das Haar im Volksglauben (als Symbol der Freiheit, auch der Kraft) und in Redensarten. – Abl.: **haaren** [sich] (mhd. *hāren* »die Haare ausraufen«, im Nhd. dann »Haare verlieren«). Zus.: **Haaresbreite** (18. Jh.); **haarscharf** (18. Jh.); **Haarspalterei** (19. Jh.); **haarsträubend** (19. Jh.).

Haar

Haare auf den Zähnen haben
(ugs.) »bissig [und bösartig] sein; schroff [und rechthaberisch] sein«
Die Wendung geht wohl von der Vorstellung aus, dass starke Behaarung ein Zeichen großer Männlichkeit, der Kraft und Couragiertheit sei. Wenn man einem Menschen Haare sogar dort zuschreibt, wo sie nicht wachsen, z. B. auf den Zähnen oder, wie man früher sagte, auf der Zunge, so möchte man ihn als besonders stark und couragiert hinstellen. Die Wendung wurde dann auf die bissige, schroffe Art einer Frau bezogen.

kein gutes Haar an jmdm., an etwas lassen
»jmdn., etwas schlecht machen, völlig verreißen«
Die Wendung meint eigentlich, dass man an einem Menschen oder einer Sache nichts Gutes, noch nicht einmal ein Haar lässt.

haben: Das gemeingerm. Verb (mhd. *haben,* ahd. *habēn,* got. *haban,* engl. *to have,* schwed. *hava*) gehört zu der Wortgruppe von ↑heben und beruht auf einem Bedeutungswandel von »fassen, packen« zu »halten, haben«. Es ist nicht mit lat. *habere* »haben« (↑geben) verwandt. – Abl.: **Habe** (mhd. *habe,* ahd. *haba* »Besitz, Eigentum«, aber auch »Halt, Anhalt, Stütze« und »Heft, Griff, Henkel«, beachte die Zusammensetzung ›Handhabe‹), davon **habhaft** (mhd. *habhaft* »mit Besitz versehen, begütert«; heute nur noch in der Wendung ›habhaft werden‹ »erlangen« gebräuchlic Zus.: **Habenichts** (mhd. *habenicht;* wahrschei lich substantivierter Satz mit ausgelassene ›ich‹); **Habgier** (18. Jh.), davon **habgierig; Habs ligkeiten** (17. Jh.; früher auch im Singular g bräuchlich; das Wort ist in Analogie zu ›Arms ligkeit, Trübseligkeit‹ usw. gebildet; der zwei Bestandteil dieser Zusammensetzung ist nic ›Seligkeit‹, sondern geht auf ↑...sal zurück); **Ha sucht** (18. Jh.), davon **habsüchtig.** Beachte au den Artikel *behäbig.*

Haberfeldtreiben: Vergehen, die sich nicht gerich lich verfolgen ließen (z. B. Verstöße gegen d Brauchtum), wurden früher in Bayern und Ti von einem nächtlichen Rügegericht geahndet, w bei der Schuldige in ein Hemd (ursprünglich e Ziegenfell, vgl. *ins Bockshorn jagen* [*Bockshorn* gesteckt und umhergetrieben wurde. Das Wort b deutet also eigentlich »Ziegenfelltreiben«. Die b den ersten Bestandteile der Zusammensetzu ›Haberfeld‹ »Haferfeld« (vgl. *Hafer*) sind volkset mologisch aus ›Haberfell‹ »Ziegenfell« entstellt.

Habicht: Der altgerm. Vogelname mhd. *habec* ahd. *habuch,* niederl. *havik,* engl. *hawk,* schwe *hök,* der mit demselben Suffix wie ›Kranich‹ u ›Lerche‹ gebildet ist, gehört vielleicht zu der u ter ↑heben dargestellten idg. Wurzel **kap-* »fa sen, packen« und bedeutet dann eigentlich »Fä ger, Räuber« (nämlich der Hühner). Verwandt i vielleicht die slaw. Sippe von russ. *kobec* »Biene Wespenfalke«.

habilitieren, [sich] »die Lehrberechtigung Hochschulen erwerben«: Das Verb wurde 17. Jh. aus mlat. *habilitare* »geschickt, fähig m chen« entlehnt, das zu lat. *habilis* »leicht handhaben, geschickt, geeignet, fähig« gehö Stammwort ist lat. *habere* (vgl. *Habitus*). – Da das Substantiv **Habilitation** »Erwerb der Lehrb rechtigung an Hochschulen«.

Habitus »Aussehen, Erscheinungsbild; Anlag Körperbau«: Das seit dem 18. Jh. gebräuchlic Fremdwort ist aus lat. *habitus* »Gehabe; Haltu Verhalten; Erscheinungsbild; Beschaffenhei entlehnt, das zum Verb *habere (habitum)* »habe halten« (mit zahlreichen Bedeutungsübert gungen) gehört. Damit urverwandt ist dt. ↑g ben. – Neben lat. *habitus* stehen verschiedene A leitungen und Zusammensetzungen von lat. *h bere,* die in verschiedenen Fremdwörtern enth ten sind, so z. B. lat. *habilis* »leicht zu handhabe geeignet, fähig« (↑habilitieren, Habilitatio *prae-[hi]bere* »vorhalten, darreichen, gewähre (↑Pfründe; ↑Proviant, proviantieren).

Hachse, Haxe, Hechse, Hesse »unteres Bein v Kalb oder Schwein«, (ugs. auch:) »Bein«: Die H kunft des Wortes (mhd. *hahse, hehse,* ahd. *hāhsi* »Kniebug des Hinterbeines, besonders vo Pferd«) ist unklar. Vielleicht ist es mit der ba Wortgruppe von lit. *kìnka* »Kniekehle, Hachs verwandt oder aus germ. **hanhsenawō* »Hangse ne« (als »Sehne, an der die geschlachteten Tiere aufgehängt werden«) verstümmelt, beachte aengl. *hōhsinu* »Fersensehne«, aisl. *hāsin* »Kniekehle«.

[1]**Hacke**, Hacken: Das vorwiegend in Norddeutschland gebräuchliche Wort für »Ferse; Fersenteil am Strumpf; Absatz am Schuh« gehört vermutlich zu der unter ↑Haken behandelten Wortgruppe. Dem seit dem 12. Jh. bezeugten Wort (spätahd. *hake*) entspricht niederl. *hak* »Ferse«.

[2]**Hacke** ↑hacken.

hacken: Das auf das Westgerm. beschränkte Verb mhd. *hacken*, ahd. *hacchōn*, niederl. *hakken*, engl. *to hack* gehört wahrscheinlich zu der Wortgruppe von ↑Haken und bedeutete demnach ursprünglich »mit einem hakenförmigen bzw. mit Haken versehenen Gerät bearbeiten«. – Abl.: [2]**Hacke** (mhd. *hacke* »Gerät zum Hacken; Axt«; das Substantiv ist aus dem Verb rückgebildet); **Häckerling** und **Häcksel** (s. d.). Zus.: **Hackbrett** »Brett oder Bank zum Fleischhacken«, nach der äußeren Ähnlichkeit auch »eine Art Saiteninstrument« (15. Jh.); **Hackepeter** nordd., berlin. für »Gericht aus Gehacktem, Tatarbeefsteak« (der zweite Bestandteil ist der appellativisch verwandte Personenname Peter). Vgl. auch den Artikel *hecken*. Seit der 2. Hälfte des 20. Jh.s findet sich das Verb ›hacken‹ außerdem in der Bedeutung »sich unberechtigt Zugang zu fremden Computersystemen verschaffen«. Diese neue Bedeutung geht auf den Einfluss des verwandten engl. Verbs *to hack* zurück oder, genauer gesagt, auf den US-amerikanischen Slang, aus dem diese spezielle, vom ursprünglichen Sinn des Verbs doch recht weit entfernte Bedeutung stammt. Die genaue semantische Entwicklung ist ungeklärt, möglicherweise hat sie sich unter dem Einfluss von *to hack around* »herumalbern« vollzogen. Abl.: **Hacker.**

Häcksel »klein geschnittenes Stroh [zur Viehfütterung]«: Das seit dem 16. Jh. bezeugte Wort gehört als Substantivbildung zu ↑hacken und ist wie ›Anhängsel‹, ›Überbleibsel‹ und dgl. gebildet. Im Mitteld. und Niederd. findet sich für »Schnittstroh« auch die Bezeichnung **Häckerling**, die gleichfalls zum Verb ›hacken‹ gehört.

[1]**Hader**: Mhd. *hader* »Streit, Zank; Injurienprozess« gehört zu der germ. Sippe von **haþu-* »Kampf« (beachte z. B. ahd. *hadu* »Kampf« in Personennamen wie ›Hadubrand, Hadumar‹ und ›Hedwig‹), die mit verwandten Wörtern in anderen idg. Sprachen auf **kat[u]-* »[Zwei]kampf« zurückgeht, vgl. z. B. ir. *cáth* »Kampf« und russ. *kotora* »Streit«.

[2]**Hader** (südd., österr. für:) »Lumpen«: Mhd. *hader* »zerrissenes Stück Zeug, Lappen, Lumpen«, ahd. *hadara* »Fetzen; Schafspelz« sind vielleicht verwandt mit oberd. mdal. *Hattel, Hätte[l]* »Ziege«, aisl. *haðna* »junge Ziege«, die mit verwandten Wörtern in anderen idg. Sprachen auf idg. **kat-* »Tierjunges« zurückgehen, vgl. z. B. lat. *catulus* »Tierjunges«. Demnach bezeichnete ›Hader‹ ursprünglich eine Art Kleidungsstück aus Ziegenfell. Der Bedeutungswandel zu »Lumpen« erklärt sich daraus, dass die Kleidung aus [Ziegen]fell als weniger wertvoll als diejenige aus Tuch galt und von dieser allmählich verdrängt wurde. – Zus. **Haderlump** (mhd. *haderlump* »Lumpensammler; zerlumpter Mensch«).

[1]**Hafen**: Der niederd. Ausdruck für »Lande-, Ruheplatz [für Schiffe]« hat sich erst in nhd. Zeit im gesamten dt. Sprachgebiet durchgesetzt und hochd. Bezeichnungen wie ›Schiffslände‹ und ›Anfurt‹ verdrängt. Niederd. *have[n]*, mnd. *havene*, engl. *haven* (nordd. Lehnwort) und die nord. Sippe von dän. *havn* (beachte den Ortsnamen København »Kopenhagen«, eigentlich »Kaufmannshafen«) gehen auf germ. **hab[a]nō* zurück, das als Substantivbildung zu der unter ↑heben dargestellten Wurzel **kap-* »fassen, packen« gehört und demnach ursprünglich etwa »Umfassung, Ort, wo man etwas bewahrt oder birgt« bedeutete. – Auch in dt. Ortsnamen spielt ›Hafen‹ eine wichtige Rolle, beachte z. B. ›Bremerhaven, Cuxhaven, Ludwigshafen, Friedrichshafen‹. Auch frz. Le Havre und span. La Habana gehen auf das germ. Substantiv zurück und bedeuten »Hafen«.

[2]**Hafen**: Das im Wesentlichen südd. Wort für »Topf« (mhd. *haven*, ahd. *havan*) gehört als Substantivbildung zu dem unter ↑heben dargestellten Verb (Wurzel **kap-* »fassen, packen«) und bedeutete demnach ursprünglich »Gefäß, Behältnis«.

Hafer: Der altgerm. Name der bereits seit der Bronzezeit in Mitteleuropa angebauten Getreideart (mhd. *habere*, ahd. *habaro*, niederl. *haver*, schwed. *havre*) ist vielleicht eine Ableitung von germ. **habra-* »Ziegenbock, Bock« und bedeutet dann eigentlich »Bockskorn«. – Die lautgerechte Form ›Haber‹, die heute noch in südd. Mundarten Geltung hat, ist in nhd. Zeit durch die niederd. Form ›Hafer‹ ersetzt worden.

Haff »durch Nehrungen vom Meer abgetrennte Küstenbucht, Mündungsgewässer«: Mnd. *haf* »Meer«, aengl. *hæf* »Meer« und die nord. Sippe von schwed. *hav* »Meer« gehen auf germ. **hafa-* »Meer« zurück, das, falls es nicht aus einer nichtidg. Sprache entlehnt ist, als Substantivbildung zu dem unter ↑heben dargestellten Verb gehören kann, etwa als »das sich Hebende, die hohe (gehobene) See«. Das niederd. Wort, dem lautlich mhd. *hap* »Hafen; Meer« entspricht, nahm in den Küstengebieten am Südrand der Ostsee schon seit dem 13. Jh. die Bedeutung »durch Nehrungen vom Meer abgetrennte Küstenbucht« an und wurde in dieser Bedeutung und in niederd. Lautung in nhd. Zeit gemeinsprachlich.

...haft: Das gemeingerm. Adj. **hafta-* »gefangen«, das eigentlich eine Partizipialbildung zu der unter ↑heben dargestellten idg. Wurzel **kap-* »fassen, packen« ist und lat. *captus* »gefangen« und air. *cacht* »Dienerin, Sklavin« (eigentlich »Gefan-

H

gene«) entspricht, wurde schon früh als Suffix verwandt, beachte z. B. got. *auda-hafts* »mit Glück behaftet«, ahd. *sunt-haft* »sündig«, *ēo-haft* »gesetzlich«. Weitergebildet erscheint bereits seit ahd. Zeit auch ›-haftig‹ als Suffix, beachte z. B. ›leibhaftig, wahrhaftig, teilhaftig‹. Vgl. auch die Artikel *haften, heften* und *heftig.*

Haft »Gewahrsam«: Das Wort (mhd. *haft* »Fesselung, Gefangenschaft; Beschlagnahme«, daneben *hafte;* ahd. *hafta*) gehört zu einer Gruppe germ. Substantivbildungen, die zu der unter ↑heben dargestellten idg. Wurzel **kap-* »fassen, packen« gehören, beachte z. B. aisl. *hapt* »Fessel«, aengl. *hæft* »Gefangenschaft, Haft«, »Heft, Handhabe« und ↑...haft. Vgl. den Artikel *inhaftieren.*

haften: Das Verb (mhd. *haften,* ahd. *haftēn* »befestigt sein, anhangen, festkleben«; asächs. *haftōn*) ist wahrscheinlich von dem unter ↑...haft behandelten gemeingerm. Adjektiv mhd. *haft* »gefangen; behaftet; von etwas eingenommen; verbunden, verpflichtet«, ahd. *haft,* got. *-hafts,* aengl. *hæft,* aisl. *haptr* (substantiviert »Gefangener«) abgeleitet. Die seit dem 14. Jh. bezeugte rechtliche Bedeutung »bürgen« hat ›haften‹ wohl in Anlehnung an das Substantiv ›Haft‹ entwickelt. – Abl.: **Haftung** (mhd. *haftunge* »Verhaftung; Beschlagnahme; Bürgschaft«). Präfixbildung: **verhaften** (17. Jh.; für älteres mhd. *verheften* »festmachen; verbinden; verpflichten; in Haft nehmen«, beachte auch **verhaftet** im Sinne von »verwurzelt, verbunden«), dazu **Verhaftung.**

Hag: Die germ. Wortgruppe mhd. *hac* »Dorngesträuch, Gebüsch; Umzäunung, Gehege; [umfriedeter] Wald; [umfriedeter] Ort«, ahd. *hag* »Einhegung; Stadt«, daneben asächs. *hago* »Weideplatz«, engl. *haw* »Gehege; Hof«, schwed. *hage* »Gehege; Weide; Wäldchen, Hain« geht mit verwandten Wörtern im Italischen und Keltischen, vgl. z. B. kymr. *cae* »Gehege«, mbret. *kae* »Dornenhecke, Zaun«, gall. *caio-* »Umwallung« (vgl. *Kai*), auf **kagh-* »Flechtwerk, Zaun« (verbal »mit einem Zaun umgeben«) zurück. Andere Substantivbildungen zu derselben Wurzel sind ↑Hain, ↑Hecke und ↑Heck. Eine Kollektivbildung zu ›Hag‹ ist ↑Gehege. Eine Verbalableitung von ›Hag‹ ist ↑hegen, ursprünglich »mit einem ›Hag‹ umgeben«. Auch in der dt. Namengebung spielt die Sippe von ›Hag‹ eine bedeutende Rolle, beachte den Personennamen und Ortsnamen Hagen und die zahlreichen Ortsnamen auf ...hag, ...hagen. – Zus.: **Hagebuche,** auch **Hainbuche** (mhd. *hagenbuoche,* ahd. *haganbuohha, hagebuoche,* niederl. *haagbeuk;* der zu den Birkengewächsen gehörige Laubbaum wird häufig als Hecke angepflanzt; Stamm und Blätter sind denen der Buche ähnlich), dazu **hagebüchen** (↑hanebüchen); **Hagebutte** (15. Jh.; der Name der Frucht der Heckenrose ist aus einfachem mhd. *butte* »Hagebutte« verdeutlicht worden; zum zweiten Bestandteil vgl. *Butzen*); **Hagedorn** »Weißdorn« (germ. Pflanzenname: mhd. *hagedorn,* asäch *hagindorn,* engl. *hawthorn,* schwed. *hagtorn*); **H gestolz** »[alter] Junggeselle« (mhd. *hagesta -stolz,* ahd. *hagustalt* »Unverheirateter«; die Z sammensetzung, deren zweiter Bestandteil *-sta* zu der germ. Sippe von got. *staldan* »besitze gehört und in mhd. Zeit volksetymologisch *-stolz* umgedeutet wurde, bedeutet eigentli »Hagbesitzer«, d. h. »Besitzer eines [umfried ten] Nebengutes« im Gegensatz zum Besitzer d Hofes. Da das Nebengut im Allgemeinen zu kle war, um darauf einen Hausstand zu gründe musste der Hagbesitzer unverheiratet bleibe später bezeichnete dann das Wort einen Man der über das gewöhnliche Alter hinaus ledig g blieben war.) Auf eine alte Zusammensetzu mit ›Hag‹ geht auch ↑Hexe zurück.

Hagel: Das altgerm. Wort mhd. *hagel,* ahd. *hag* niederl. *hagel,* engl. *hail,* schwed. *hagel* ist ve mutlich mit griech. *káchlēx* »Steinchen, Kiese (Verkleinerungsbildung von einem **káchlo* verwandt und geht dann auf idg. **kaghlo-s* »kl ner, runder Stein« zurück. Zum Bedeutungswa del beachte dt. mdal. *kieseln* »hageln«. – Abl.: **h geln** (mhd. *hagelen*), beachte auch **verhage** »zerstören, verderben«.

hager: Die Herkunft des ursprünglich niederd. A jektivs, das sich seit spätmhd. Zeit allmählich i dt. Sprachgebiet durchgesetzt hat, ist dunkel.

Häher: Der Vogelname ist lautnachahmenden U sprungs und bedeutet eigentlich »Kik[kik]-M cher«. Mhd. *heher,* ahd. *hehera,* mit gramma schem Wechsel asächs. *higara,* aengl. *higora* si mit aind. *kiki[-dīvi-ḥ]* »blauer Holzhäher« u griech. *kíssa* (aus **kikja*) »Häher; Elster« ve wandt und beruhen auf der Schallnachahmu **kik-*. Beachte die Zusammensetzungen ›Eich häher‹ und ›Nusshäher‹.

Hahn: Das gemeingerm. Wort mhd. *hane,* ahd. *h no,* got. *hana,* aengl. *hana,* schwed. *hane* ist ei Substantivbildung zu der idg. Wurzel **kan-* »si gen, klingen, tönen«, vgl. z. B. lat. *canere* »singe klingen« (↑Kantor, Kantate, Chanson usw.) u griech. *ēi-kanós* »Hahn« (eigentlich »in der Mo genfrühe singend«). Germ. **hanan-* »Hahn« b deutet also eigentlich »Sänger«. Beachte zur B griffsbildung österr. mdal. *Singerl* »Hahn«. W gen der Ähnlichkeit mit der Gestalt eines Hahn spricht man auch vom ›Wasser-, Zapf-, Geweh Wetterhahn‹. – Im Ablaut zu germ. **hana* »Hahn« steht die Sippe von ↑Huhn. Eine Abl tung von **hanan-* »Hahn«, nachdem dieses Wo nicht mehr als »Sänger« verstanden wurde, i ↑Henne. Zus.: **Hahnenfuß** (mhd. *hane[n]vu* ahd. *hanefuoz;* die Pflanze ist nach der Ähnlic keit ihrer Blätter mit einem Hahnenfuß benann **Hahnenkamm** (16. Jh.; die Pflanze ist nach d Ähnlichkeit ihrer Blüte mit einem Hahnenkam benannt; das Wort selbst ist Lehnübersetzu von lat. *crista galli,* griech.-lat. *aléctoros lópho*

Hahn

Hahn im Korb[e] sein
(ugs.) »[als einziger Mann in einem Kreis von Frauen] Hauptperson, Mittelpunkt sein«
Die Wendung bezieht sich darauf, dass der Hahn höher eingeschätzt wird als die ihn umgebenden Hennen. Mit ›Korb‹ ist wahrscheinlich das korbartige Behältnis gemeint, in dem die Tiere auf den Markt gebracht werden.

jmdm. den roten Hahn aufs Dach setzen
(veraltet) »jmds. Haus in Brand setzen«
Der rote Hahn ist das Sinnbild des flackernden Feuers.

Hai, oft in der verdeutlichenden Zusammensetzung **Haifisch:** Der Name des Raubfisches wurde im 17. Jh. aus niederl. *haai* entlehnt. Das niederl. Wort selbst beruht (wie auch schott. *hoe* »Hai«) auf Entlehnung aus gleichbed. isl. *hai* (anord. *hār* »Hai; Ruderdolle«; ursprünglich wohl »Haken«, sodass der Fisch nach seiner hakenförmigen Schwanzflosse benannt worden wäre).

Hain: Das nur noch in der Dichtersprache gebräuchliche Wort für »kleiner Wald« beruht auf der seit dem 14. Jh. bezeugten kontrahierten Form mitteld. *hain,* die auf mhd. *hagen,* ahd. *hagan* »Dorngesträuch; Einfriedung, Verhau, umfriedeter Platz« zurückgeht (vgl. *Hag*). ›Hain‹ kommt auch in zahlreichen dt. Ortsnamen vor, beachte z. B. ›Lichtenhain, Ziegenhain‹. – Zus.: **Hainbuche** (↑Hag).

häkeln: Das seit dem Ende des 17. Jh.s bezeugte Verb ist von der Verkleinerungsbildung mhd. *hækel* »Häkchen« (vgl. *Haken*) abgeleitet und bedeutete zunächst »[wie] mit Häkchen fassen« (beachte das von ›Haken‹ abgeleitete ›haken‹ »[wie] mit einem Haken fassen«). Heute bezieht sich das Wort nur noch auf die Arbeit mit der Häkelnadel. – Abl.: **Häkelei** »Häkelarbeit«.

Haken: Mhd. *hāke[n],* ahd. *hāko,* mnd. *hōk,* engl. *hook,* ablautend asächs. *hako,* aengl. *haca,* schwed. *hake* gehen mit verwandten Wörtern in anderen idg. Sprachen, vgl. z. B. die baltoslaw. Sippe von russ. *kogot'* »Klaue; gekrümmte Eisenspitze«, auf die Wurzel **keg-* »Haken, Spitze, Pflock« zurück. Zu der germ. Wortgruppe von ›Haken‹ gehören auch die Substantivbildungen ↑Hechel und ↑Hecht sowie die Verbalableitung ↑hacken. – Mit ›Haken‹ bezeichnete man früher auch ein mit einem Haken auf einem Gestell befestigtes Feuergewehr (heute verdeutlicht zu ›Hakenbüchse‹) und eine Art von räderlosem Pflug in hakenförmiger Gestalt (heute verdeutlicht zu ›Hakenpflug‹). In der Jägersprache bezeichnet ›Haken‹ die plötzliche Richtungsänderung eines flüchtenden Hasen. Das Wort steht auch in mehreren Zusammensetzungen, beachte z. B. ›Angelhaken, Hakennase‹. Abl.: **haken** (15. Jh.; beachte die Zusammensetzungen ›abhaken, ein-, aushaken, [sich] unterhaken‹); **häkeln** (s. d.).

halb: Das gemeingerm. Adjektiv mhd. *halp,* ahd. *halb,* got. *halbs,* engl. *half,* schwed. *halv* geht mit verwandten Wörtern in anderen idg. Sprachen, z. B. lat. *scalpere* »schneiden, ritzen, kratzen«, auf die p-Erweiterung der unter ↑Schild dargestellten idg. Wurzel **[s]kel-* »schneiden, spalten, hauen« zurück und bedeutete demnach ursprünglich »[durch]geschnitten, gespalten«. – Eine alte Substantivbildung ist das in nhd. Zeit durch ↑Hälfte verdrängte ›Halbe‹ »Hälfte; Seite« (mhd. *halbe,* ahd. *halba,* got. *halba,* aengl. *healf,* aisl. *halfa*), dessen erstarrte Kasusformen seit mhd. Zeit als Adverb und nachgestellte Präposition verwendet wurden und heute noch in **...halb, ...halben, [...]halber** bewahrt sind, beachte z. B. ›deshalb, meinethalben, allenthalben, ehrenhalber‹. – Abl.: **Halbheit** (18. Jh.); **halbieren** (mhd. *halbieren* »in zwei Hälften teilen«; das Verb gehört zu den ältesten Mischbildungen mit roman. Endung). Zus.: **halbamtlich** (19. Jh.; für ›offiziös‹); **Halbblut** (19. Jh.; Lehnübersetzung von engl. *halfblood*); **Halbgott** (spätmhd., ahd. *halbgot;* Lehnübersetzung von lat. *semideus*); **Halbinsel** (17. Jh.; Lehnübertragung von lat. *paeninsula,* das genau genommen »Fastinsel« bedeutet); **halbmast** (19. Jh.; Lehnübersetzung von engl. *half-mast*); **halbseiden** (17. Jh.; ugs. für »anrüchig, unseriös«,); **Halbstarker** (um 1900); **Halbwelt** (19. Jh.; Lehnübersetzung von frz. *demi-monde*); **Halbzeit** (um 1900; Lehnübersetzung von engl. *half-time*).

halbpart ↑Part.

Halde: Das auf das dt. Sprachgebiet beschränkte Wort (mhd. *halde,* ahd. *halda* »Abhang«) ist eine Substantivbildung zum germ. Adj. **halþa-* »geneigt, schief, schräg«, das mit verwandten Wörtern in anderen idg. Sprachen zu der Wurzel **k̑el-* »neigen« gehört. Auf einer Erweiterung dieser Wurzel (**k̑lei-*) beruht die weit verästelte idg. Wortgruppe von ↑¹lehnen. Im Ablaut zu germ. **halþa-* steht wahrscheinlich die Sippe von ↑hold (eigentlich »geneigt«). Ferner gehört hierher vermutlich die Sippe von ↑halt »eben, wohl, ja, schon«, älter »[viel]mehr« (ursprünglich wohl »geneigter«).

Hälfte: Das ursprünglich niederd. Wort (mnd. *helfte*) hat sich seit spätmhd. Zeit im dt. Sprachgebiet durchgesetzt und die alte Substantivbildung ›Halbe‹ (vgl. *halb*) verdrängt.

¹Halfter »Zaum ohne Gebiss«: Die auf das Westgerm. beschränkte Substantivbildung (mhd. *halfter,* ahd. *halftra,* mnd. *halchter,* engl. *halter*) gehört im Sinne von »Handhabe« zu der p-Erweiterung der unter ↑Schild dargestellten idg. Wurzel **[s]kel-* »schneiden, spalten, hauen«. – Abl.: **halftern** »die Halfter anlegen« (16. Jh.), beachte auch **abhalftern.**

²Halfter »Pistolentasche«: Zu der unter ↑hehlen dargestellten idg. Wurzel **k̑el-* »bergen, verhüllen« gehört eine Reihe von Substantivbildungen mit der Bedeutung »Hülle«, so auch ahd. *hul[u]ft*, mhd. *hulft* »Hülle, Futteral, Decke«, von dem mhd. *hulfter* »Köcher«, älter nhd. *Hulfter, Holfter*, nhd. *Halfter* abgeleitet ist.

Hall: Das in mhd. Zeit gebildete Substantiv *hal* »Schall, Klang« gehört zu dem von ›hallen‹ (s. u.) in frühnhd. Zeit verdrängten starken Verb mhd. *hellen*, ahd. *hellan*, »schallen, ertönen«. Dieses Verb stellt sich zu der germ. Wortgruppe von ↑hell, zu der auch ↑holen ursprünglich »schreien, rufen« gehört. – Abl.: **hallen** (15. Jh., beachte auch **verhallen**). Siehe auch den Artikel *einhellig*.

Halle: Das altgerm. Wort mhd. *halle*, ahd. *halla*, niederl. *hal*, engl. *hall*, schwed. *hall* gehört zu der unter ↑hehlen dargestellten idg. Wurzel **k̂el-* »bergen, verhüllen«, vgl. aus anderen idg. Sprachen z. B. die Substantivbildungen lat. *cella* »Kammer« (↑Keller und Zelle) und aind. *śā́lā* »Hütte, Haus«. In früheren Zeiten war die Halle im Gegensatz zum Saal ein halb offener geräumiger Bau, dessen Überdachung von Pfeilern oder Säulen getragen wurde und Schutz vor Regen oder Sonne gewährte. Heute bezeichnet ›Halle‹ im Allgemeinen einen geräumigen Bau oder Raum, beachte die Zusammensetzungen ›Vorhalle, Bahnhofshalle, Markthalle, Hallenbad‹.

Hallig »kleine, uneingedeichte Insel in der Nordsee«: Die Herkunft des nordfries. Wortes ist nicht sicher geklärt. Es kann auf die unter ↑schal dargestellte Wurzel **[s]kel-* »austrocknen, dörren« bezogen oder aber zu der Wortgruppe von ↑²Holm »kleine Insel« gestellt werden.

Hallimasch: Die Herkunft des Namens des essbaren Blätterpilzes ist dunkel. Vielleicht ist das Wort eine Entstellung aus der lat. Bezeichnung des Pilzes *armillaria* oder aber, weil der reichlich genossene Pilz abführende Wirkung hat, eine Verstümmelung aus ›heil im Arsch‹ (bayr. *hal* »heil«).

hallo: Die Interjektion kann auf den mit dem Ausruf ō verstärkten Imperativ von ahd. *halōn*, mhd. *halen* »rufen, holen« (daneben ahd. *holōn*, mhd. *holen*, vgl. *holen*) zurückgehen, falls sie nicht lautnachahmenden Ursprungs ist. Sie wäre dann wie ›holla‹ ursprünglich Ruf an den Fährmann zum Überholen gewesen. Im 20. Jh. wird ›hallo‹ nach engl. *hallo* auch als Grußformel gebraucht.

Halluzination: Die Bezeichnung für »Sinnestäuschung« wurde im 19. Jh. – zunächst in die medizinische Fachsprache – aus lat. *[h]al[l]ucinatio* »gedankenloses Reden« entlehnt. Dies gehört zu lat. *[h]al[l]ucinari* »gedankenlos reden oder sein«. Das lat. Verb beruht wohl auf einer Entlehnung (mit Angleichung an lat. *vaticinari* »weissagen, schwärmen«) aus griech. *alýein* »außer sich sein«, das seinerseits vielleicht mit dem Grundwort von lat. *ambulare* urverwandt ist (vgl. *ambulant*).

Halm: Das altgerm. Wort für »Stängel, [Stroh]halm« (mhd. *halm*, ahd. *hal[a]m*, niederl. *halm*, engl. *ha[u]lm*, schwed. *halm*) beruht mit verwandten Wörtern in anderen idg. Sprachen auf idg. **k̂oləmo-s* »Halm, Rohr«, vgl. z. B. lat. *culmus* »Halm, Stroh« und russ. *soloma* »Stroh«.

Halma: Das Brettspiel, das in ähnlicher Form schon im Altertum bekannt war, ist nach griech. *hálma* »Sprung« benannt. Griech. *hálma* gehört zum Verb *hállesthai* »springen«, das urverwandt ist mit gleichbed. lat. *salire* (vgl. *Salto*).

Halogen ↑Salz.

Hals: Der Hals ist als »Dreher [des Kopfes]« benannt. Die gemeingerm. Körperteilbezeichnung mhd., ahd., got. *hals*, aengl. *heals*, schwed. *hals*, der genau lat. *collus* (klass.-lat. *collum*) »Hals« (↑²Kollier) entspricht, gehört zu der idg. Wurzel **kᵘ̯el* »[sich] drehen, [sich] herumbewegen«. Zu dieser Wurzel stellen sich aus anderen idg. Sprachen z. B. griech. *pélein* »in Bewegung sein«, *pólos* »Achse, Drehpunkt« (↑Pol), *kýklos* »Kreis« (↑Zyklus), lat. *colere* »bebauen«, *colonus* »Landwirt, Bauer« (↑Kolonie und ↑Clown), poln. *koło* »Rad«, *kolaska* »Räderfahrzeug« (↑Kalesche). – Abl.: **¹halsen** »umarmen« (mhd. *halsen*, ahd. *halsōn* mit Entsprechungen in anderen germ. Sprachen; gebräuchlicher als das einfache Verb ist heute **umhalsen** »um den Hals fallen, umarmen«; beachte auch **aufhalsen** »aufbürden«); **Halsung** weidmännisch für »Hundehalsband« (18. Jh.). Zus.: **Halsabschneider** »Wucherer« (19. Jh.); **Halseisen** veraltet für »Pranger« (mhd. *halsīsen*); **Halsgericht** »Gericht für schwere Verbrechen im Mittelalter« (mhd. *halsgerichte* »Befugnis über den Hals, d. h. über Leben und Tod zu richten; hohe Gerichtsbarkeit«); **halsstarrig** (16. Jh.); **lauthals** »aus voller Kehle, sehr laut« (20. Jh.; Verhochdeutschung von niederd. *lūdhals*).

Hals

Hals über Kopf
(ugs.) »überstürzt, kopflos«
›Hals über Kopf‹ ist eine jüngere Nebenform von ›über Hals und Kopf‹ und bedeutet eigentlich »mit Hals und Kopf zuerst, sich überschlagend, überstürzt«.

jmdm., jmdn. den Hals kosten
»jmds. Verderben sein, jmdn. ruinieren«
Die Wendung bezieht sich auf das Gehängtwerden, die Todesstrafe durch den Strang, daher auch die Wendungen ›den Hals wagen‹ und ›sich um den Hals reden‹.

jmdn., etwas am/auf dem Hals haben
(ugs.) »für jmdn., für etwas verantwortlich sein; sehr viel Mühe, Ärger mit jmdm., mit etwas haben; mit jmdm., mit etwas sehr belastet sein«
Die Wendung bezieht sich darauf, dass das Joch, das Tragjoch bei Menschen und das Zugjoch bei Tieren, auf dem Hals (Nacken) sitzt; vgl. die Bildung ›aufhalsen‹.

[1]**halsen** ↑Hals.

[2]**halsen:** Der seemännische Ausdruck für »ein Schiff vor dem Wind wenden« ist eine Ableitung von dem unter ↑Hals behandelten Wort in dessen seemännischer Geltung »vordere, untere Ecke des Segels«. Aus dem Verb rückgebildet ist das Substantiv **Halse** »Wendung eines Schiffes vor dem Wind«.

halsstarrig ↑starren.

halt: Das in oberd. Umgangssprache im Sinne von »eben, wohl, ja, schon« gebräuchliche Adverb beruht auf dem endungslosen Komparativadverb mhd., ahd. *halt* »mehr, vielmehr«, beachte mit Endung mhd. *halter,* got. *haldis,* aisl. *heldr* »[viel]mehr«. Der Postitiv lautet ahd. *halto* »sehr« und gehört wahrscheinlich zu der Sippe von ahd. *hald* »geneigt« (vgl. *Halde*).

halten: Das gemeingerm. Verb mhd. *halten,* ahd. *haltan,* got. *haldan,* engl. *to hold,* schwed. *hålla,* das ursprünglich im Sinne von »Vieh hüten, weiden« verwendet wurde, gehört mit verwandten Wörtern in anderen idg. Sprachen zu der idg. Wurzel **kel-* »treiben«, vgl. z. B. aind. *kā̆layati* »treibt (Vieh); beobachtet; trägt, hält« und griech. *kéllein* »treiben«. Diese Wurzel war ursprünglich wahrscheinlich identisch mit der unter ↑hell dargestellten idg. Wurzel **kel-* »rufen, schreien, lärmen«, da das Treiben des Viehs oder des Wildes auf der Jagd unter lautem Rufen und Lärmen vor sich ging. – Abl.: **Halt** (spätmhd. *halt* »das Halten; Aufenthalt, Ort; Bestand«); **Halter** »Haltevorrichtung«, bayr., österr. mdal. auch »Hirt« (mhd. *haltære* »Hirt; Bewahrer; Beobachter; Inhaber; Erlöser«, ahd. *haltāri* »Erlöser; Empfänger«; das Wort steckt in mehreren Zusammensetzungen, z. B. ›Federhalter, Büstenhalter, Statthalter‹); **Haltung** (mhd. *haltunge* »Verwahrung; Gewahrsam; Inhalt; Verhalten, Benehmen«). Das Verb ›halten‹ steckt in mehreren Zusammensetzungen und Präfixbildungen, beachte z. B. **abhalten** »hindern« (aber auch ›eine Sitzung abhalten‹ und ›ein Kind abhalten‹); **aufhalten** »zurückhalten, hemmen«, reflexiv »verweilen; sich über etwas abfällig äußern, sich entrüsten«; **aushalten** »Unterhalt gewähren, ernähren; bis zum Ende durchstehen, ausdauern, ertragen«; **einhalten** »von etwas ablassen, aufhören; aufhalten; beachten, wahren«, dazu **Einhalt; erhalten** »bewahren, am Leben halten; empfangen, erlangen«. Wichtig sind folgende Zusammensetzungen und Präfixbildungen: **anhalten** »festhalten, zum Stillstand bringen; zu etwas nötigen, anleiten; Halt machen; andauern«, dazu **Anhalter** in der ugs. Wendung ›per Anhalter fahren‹ »trampen« (20. Jh.) und **Anhaltspunkt** »Punkt, an den man sich hält«; **behalten** »bewahren, in Obhut haben, nicht weggeben; [inne]haben; im Gedächtnis bewahren, nicht vergessen« (mhd. *behalten,* ahd. *bihaltan;* die ältere Bedeutung »erhalten« ist noch in ›wohlbehalten‹ bewahrt), dazu **Behälter** (15. Jh.) und **Behältnis** (15. Jh.); **enthalten** »als Inhalt haben«, reflexiv »enthaltsam sein; nicht weggeben« (mhd. *enthalten*), dazu **Enthaltung** (mhd. *enthaltunge*) und **enthaltsam** (18. Jh.), **Enthaltsamkeit** (18. Jh.); **unterhalten** »die Existenz einer Person oder einer Sache sichern, bewahren; die Zeit vertreiben«, reflexiv »sich die Zeit vertreiben, sich erfreuen; ein Gespräch führen« (17. Jh.; von frz. *entretenir* beeinflusst), dazu **Unterhalt** (17. Jh.) und **Unterhaltung** (18. Jh.); **verhalten** »hemmen, verlangsamen; unterdrücken, nicht laut werden lassen«, reflexiv »sich benehmen« (mhd. *verhalten,* ahd. *farhaltan*), dazu **Verhalten** »Betragen, Benehmen« (17. Jh.; substantivierter Infinitiv), **Verhältnis** »Lage, Umstand, Beziehung zwischen zwei Dingen oder Personen« (17. Jh.). Vergleiche auch die Artikel *Aufenthalt, Gehalt* und *Zuhälter.*

Halunke »Nichtswürdiger; Schuft, Spitzbube«: Das Wort wurde im 16. Jh. aus tschech. *holomek* »Diener, Knecht« (wohl aus *holomudec* eigentlich »Bartloser«) entlehnt. Tschech. *holý* »nackt« ist urverwandt mit ↑kahl.

Hamburger: Die Bezeichnung für »gebratenes Rinderhackfleisch [zwischen den getoasteten Hälften eines Brötchens]« wurde in der 2. Hälfte des 20. Jh.s aus gleichbed. engl. *hamburger* entlehnt, einer Kürzung aus *hamburger steak.*

hämisch: Mhd. *hem[i]sch* »versteckt, boshaft, hinterhältig« ist eine Weiterbildung von mhd. *hem* »zu schaden trachtend, aufsässig«, das wahrscheinlich im Sinne von »verhüllt, versteckt« zu mhd. *ham[e]* »Hülle« (vgl. *Hemd*) gehört. In frühnhd. Zeit hat sich ›hämisch‹ mit ›heimisch‹ vermischt.

Hammel: Das Wort für »kastrierter Schafbock« (mhd. *hamel,* spätahd. *hamal*) ist eigentlich das substantivierte Adjektiv ahd. *hamal* »verstümmelt«, vgl. ahd. *hamalōn* »verstümmeln«, aengl. *hamola* »Verstümmelter«, *hamelian* »verstümmeln, lähmen«, aisl. *hamla* »verstümmeln«. Die germ. Wortgruppe geht wohl samt got. *hamfs* »verstümmelt« auf idg. **kam[p]-* »biegen, krümmen« zurück. Zur Benennung des kastrierten Schafbockes beachte frz. *mouton* »Hammel« zu lat. *mutilus* »verstümmelt«.

Hammer: Das altgerm. Wort mhd. *hamer,* ahd. *hamar,* niederl. *hamer,* engl. *hammer,* schwed. *hammare* bedeutete ursprünglich »Stein«, dann »Werkzeug aus Stein, Steinhammer«. Beachte anord. *hamarr,* das nicht nur »Hammer«, sondern auch »Stein, Fels[absturz]« bedeutet und in letzterer Bedeutung in mehreren skandinavischen Ortsnamen steckt, wie z. B. Hammerfest, Hammarby, Osthammar, ferner die verwandte slaw. Wortgruppe von russ. *kamen'* »Stein«, zu der auch die Ortsnamen Kammin, Kamenz, Chemnitz gehören. Die germ. und slaw. Wörter, die auf **kāmen-* »Stein« zurückgehen, stehen wohl weiterhin mit idg. **akmen-, *ak̑men-* »Stein« in Zusammenhang, vgl. z. B. aind. *áśman-* »Stein; Himmel«, griech. *ákmōn* »Amboss; Meteorstein; Himmel«, lit. *akmuõ* »Stein«. Da man sich in alter Zeit den Himmel als Steingewölbe vorstellte, ist vermutlich auch die germ. Wortgruppe von ↑Himmel verwandt.

Hammer

das ist ein Hammer!
1. »das ist schlimm, unerhört, ein schwerer Schlag«
2. »das ist toll, eine großartige Sache«
Die Redensart drückt aus, dass man von einem Ereignis so sehr beeindruckt ist, als sei man mit einem Hammer geschlagen worden.

hampeln (ugs. für:) »zappeln, sich unruhig hin und her bewegen«: Die Herkunft des ursprünglich niederd. Wortes ist nicht sicher geklärt. Das Substantiv **Hampelmann** »Puppe, deren Glieder durch Ziehen an einem Faden bewegt werden können«, auch »schwacher, willenloser Mensch« ist seit dem 16. Jh. bezeugt.

H

Hamster: Der Name des Nagetieres ist in ahd. Zeit aus dem Slawischen entlehnt worden. Ahd. *hamustro,* das in den Glossen mlat. *curculio* »Kornwurm; Feldmaus« wiedergibt, geht auf aslaw. *chomĕstorb* »Hamster« zurück, beachte russ. *chomjak* »Hamster«. Die weitere Herkunft des slaw. Wortes ist umstritten. – Abl.: **hamstern** »[gesetzwidrig] Vorräte anhäufen« (vereinzelt schon im 19. Jh., häufig erst seit dem 1. Weltkrieg), dazu **Hamsterer** (20. Jh.).

Hand: Die gemeingerm. Körperteilbezeichnung mhd., ahd. *hant,* got. *handus,* engl. *hand,* schwed. *hand* gehört wahrscheinlich als ablautende Substantivbildung zu der Sippe von got. *-hinþan* »fangen, greifen« und bedeutet demnach eigentlich »Greiferin, Fasserin«. Im Dt. ist das Wort in die i-Deklination übergetreten. Der alte u-Stamm ist noch im Dativ Plural ›-handen‹ bewahrt, beachte **abhanden** eigentlich »aus den Händen«, **vorhanden** eigentlich »vor den Händen«, **zuhanden** eigentlich »zu den Händen«. Der Genitiv Plural des u-Stammes steckt noch in **allerhand** (↑all), wo ›Hand‹ die Bedeutung »Seite; Art« hat, beachte ›linker, rechter Hand‹ »auf der linken, rechten Seite«. Aus einer präpositionellen Verbindung ist auch das Adjektiv ↑behände, eigentlich »bei der Hand«, zusammengewachsen. Die Hand spielt in zahlreichen dt. Redewendungen und Sprichwörtern eine wichtige Rolle. Sie gilt seit alters als Symbol der Gewalt über etwas, des Besitzes und des Schutzes. – Abl.: **handeln** (s. d.); **...händig,** z. B. in ›zweihändig, vierhändig‹ (16. Jh.); **...händigen,** in **aushändigen** und **einhändigen** (17. Jh.; beide Wörter stammen aus der frühnhd. Kanzleisprache und haben älteres ›...henden‹ verdrängt, beachte z. B. mhd. *behenden* »einhändigen«); **handlich** (mhd. *hantlich* »mit der Hand verrichtet«, ahd. in *unhantlīh* »unhandlich«); **Hantel** (s. d.). Zus.: **Handbuch** (15. Jh.; Lehnübersetzung von lat. *manuale*); **handfest** (mhd. *hantveste* »in feste Hand genommen, gefangen; tüchtig mit der Hand; treu am Glauben haltend«); **Handgeld** (ursprünglich »Geld, das bei der Anwerbung in die gelobende Hand gezahlt wird«; 17. Jh.); **handgemein** (18. Jh.); **Handgemenge** (17. Jh.); **handgreiflich** (17. Jh.); **Handhabe** (mhd. *hanthabe,* ahd. *hanthaba* »Handhabung; Griff, Henkel«, ↑haben), davon **handhaben** (mhd. *hanthaben* »fest fassen, halten; schützen, erhalten, unterstützen«); **Handkuss** (17. Jh.); **Handlanger** (15. Jh.); **Handschelle** (↑³Schelle); **Handschrift** (15. Jh.; früher auch »eigenhändige Unterschrift, eigenhändig unterschriebener Schuldbrief«); **Handschuh** (mhd. *hantschuoch,* ahd. *hantscuoh,* mnd. *hantsche;* die oft vertretene Ansicht, das Wort sei aus einem **antscuoh* »Gegenschuh« umgedeutet, ist verfehlt; zum 2. Bestandteil ↑Schuh); **Handstreich** (16. Jh.; bis zum Anfang des 19. Jh.s nur in der Bedeutung »Handschlag«; dann nach frz. *coup de main* »Überrumpelung, plötzlicher Überfall«); **Handtuch** (mhd. *hanttuoch,* ahd. *hantuh*); **Handwerk** (mhd. *hantwerc* »Werk der Hände, Kunstwerk; Gewerbe; Zunft«, ahd. *hantwerc[h];* entsprechend aengl. *handweorc* »Handarbeit, mit der Hand Geschaffenes«), dazu **Handwerker** (mhd. *hantwerker*). Beachte auch die Zusammensetzungen ›Vorhand, Vorderhand, Hinterhand, Oberhand‹ (mhd. *oberhant* »Übermacht«, daneben auch *überhant,* älter nhd. *Überhand,* heute nur noch in ›überhand nehmen‹).

Hand

Hand aufs Herz!
(ugs.) »sei/seien Sie so ehrlich!; sage/sagen Sie die Wahrheit!«
Die Aufforderung, die Wahrheit zu sagen, bezieht sich darauf, dass es früher üblich war, bei Eidesleistungen oder feierlichen Erklärungen die Hand auf die linke Brustseite zu legen.

Hand und Fuß haben
(ugs.) »gut durchdacht sein«
Gemeint war ursprünglich, dass jemand nicht verstümmelt ist, sodass man sich auf ihn verlassen kann.

die/seine Hand für jmdn., für etwas ins Feuer legen
»für jmdn., für etwas bürgen«
Die Wendung bezieht sich auf die mittelalterlichen Feuerurteile, bei denen der Angeklagte, um seine Unschuld zu beweisen, seine Hand eine Weile ins Feuer halten musste. Erlitt er keine oder nur geringfügige Verbrennungen, so galt er als unschuldig.

sich nicht von der Hand weisen lassen/nicht von der Hand zu weisen sein
»offenkundig, nicht zu verkennen sein, sich nicht ausschließen lassen«
Die Wendung bezieht sich wohl darauf, dass etwas, was sich auf der Hand befindet, deutlich sichtbar ist.

handeln: Mhd. *handeln* »mit den Händen fassen, berühren; [be]arbeiten; verrichten, vollbringen, tun; mit etwas verfahren; behandeln; bewirten«, ahd. *hantalōn* »befassen, berühren; bearbeiten«, engl. *to handle* »handhaben; behandeln; verwalten«, aisl. *hǫndla* »mit der Hand berühren, fassen« sind von dem unter ↑Hand dargestellten gemeingerm. Substantiv abgeleitet. Seit dem 16. Jh. hat ›handeln‹ auch kaufmännische Geltung und wird im Sinne von »Handel treiben, Geschäfte machen«, »verkaufen« und »über den Preis verhandeln, feilschen« gebraucht. – Abl.: **Handel** (spätmhd. *handel* »Handlungsweise; Vorgang; Begebenheit, Handelsgeschäft; Handelsobjekt, Ware« und »gerichtliche Verhandlung, Rechtsstreit«; das Substantiv ist aus dem Verb rückgebildet; im heutigen Sprachgefühl werden ›Handel‹ »Kaufgeschäft« und ›Handel‹ »Streit«, das häufiger im Plural ›Händel‹ gebraucht wird, als zwei verschiedene Wörter empfunden); **Händler** (spätmhd. *hand[e]ler* »jemand, der etwas tut, vollbringt, verrichtet; Unterhändler«; seit dem 16. Jh. »Handelsmann«); **Handlung** (mhd. *handelunge* »Behandlung, Handhabung; Aufnahme, Bewirtung; [gerichtliche] Verhandlung; Kaufhandel; Tun, Tätigkeit«). Zusammensetzungen und Präfixbildungen: **abhandeln** »über einen Gegenstand in einer Schrift handeln, ein Thema bearbeiten«, auch »im Preis drücken« (16. Jh.), dazu **Abhandlung** (16. Jh.; für lat. *tractatus*); **behandeln** »mit jemand verfahren; sich mit etwas beschäftigen«, dazu **Behandlung** (17. Jh.); **misshandeln** »übel zurichten, schlagen« (mhd. *missehandeln*), dazu **Misshandlung** (mhd. *missehandelunge*); **unterhandeln** »zu vermitteln versuchen«, dazu **Unterhändler** (16. Jh.); **verhandeln** (mhd. *verhandeln*), dazu **Verhandlung.** – Das oben genannte engl. Verb *to handle* ist in der 2. Hälfte des 20. Jh.s in seiner substantivierten Form als **Handling** in der Bedeutung »Gebrauch, Handhabung« entlehnt worden.

Handgift ↑Gift.

Handgriff ↑Griff.

Handkuss ↑Hand.

Handy: Bei dem seit der 2. Hälfte des 20. Jh.s gebräuchlichen Substantiv mit der Bedeutung »Mobiltelefon« handelt es sich nicht um eine direkte Übernahme aus dem Engl., sondern um eine anglisierende Bildung zu dem Substantiv *hand* »Hand«. Das englische Adjektiv *handy* bedeutet eigentlich »handlich, griffbereit«. Zur weiteren Herkunft vgl. *Hand.*

hanebüchen: Wie die ältere, heute nur noch vereinzelt gebrauchte Form ›hagebüchen‹ erweist, ist das Adjektiv von ›Hagebuche‹ (↑Hag) abgeleitet: mhd. *hagenbüechīn* »aus Hagebuche[nholz] bestehend«. Seit dem 18. Jh. nahm das Adjektiv ugs. die Bedeutung »grob, derb« an, weil das Holz der Hagebuche auffällig knorrig ist.

Hanf: Der altgerm. Name (mhd. *han[e]f*, ahd. *hanaf*, niederl. *hennep*, engl. *hemp*, schwed. *hampa*) stammt aus einer unbekannten ost- oder südosteuropäischen Sprache, vielleicht aus dem Skythischen. Aus dieser Quelle stammen auch griech. *kánnabis* »Hanf« (daraus gleichbed. lat. *cannabis*) und die baltoslaw. Sippe von russ. *konoplja* »Hanf« und armen. *kanap'* »Hanf«. – Abl.: **Hänfling** (s. d.).

Hänfling: Der auf das dt. Sprachgebiet beschränkte Vogelname (mhd. *henfelinc*) ist von dem unter ↑Hanf behandelten Wort abgeleitet. Der Vogel ist so benannt, weil er sich vorwiegend von Hanfsamen ernährt.

Hangar: Das Wort für »Flugzeughalle« ist eine Entlehnung des 20. Jh.s aus gleichbed. frz. *hangar.* Das frz. Wort, das eigentlich »Schuppen, Schirmdach« bedeutet, geht seinerseits auf afränk. **haim-gard* »Gehege um das Haus« (vgl. *Heim* und *Garten*) zurück.

Hängematte: Die im Dt. seit dem 17. Jh. bezeugte Bezeichnung für die hängende Schlafstelle (ursprünglich speziell der Matrosen auf Schiffen) ist aus gleichbed. niederl. *hangmat* (älter: *hangmak*) entlehnt. Das niederl. Wort selbst hat ursprünglich weder mit dem Verb ›hängen‹ (niederl. *hangen*) noch mit dem Substantiv ›Matte‹ (niederl. *mat*) etwas zu tun. Es ist vielmehr ein Lehnwort und führt über gleichbed. frz. *hamac* und span. *hamaca* auf *[h]amaca* »Hängematte« aus der Sprache der haitischen Ureinwohner zurück. Erst sekundär wurde das nicht verstandene fremde Wort als zu ›hängen‹ und ›Matte‹ gehörig gedeutet und diesen Wörtern lautlich angeglichen.

hängen: Das alte gemeingerm. starke Verb **hanhan* »hängen« (mhd. *hāhen*, ahd. *hāhan*, got. *hāhan*, aengl. *hōn*, aisl. *hanga*), dessen außergerm. Beziehungen nicht sicher geklärt sind, hat sich in den jüngeren Sprachzuständen mit den von ihm abgeleiteten schwachen Verben (1. ahd. *hangēn*, mhd. *hangen*, nhd., mdal. und schweiz. *hangen*, 2. ahd., mhd. *hengen*, nhd. *hängen*, 3. ahd., mhd., nhd. *henken*) vermischt. Um das Verb ›hängen‹ gruppiert sich im Dt. eine Reihe von Ableitungen und Zusammensetzungen: **Hang** »Neigung; abschüssige Stelle, Halde« (spätmhd. *hanc* »das Hängen; Neigung«); **hangeln** »sich im Hang fortbewegen« (Anfang des 19. Jh.s; Wort der Turnersprache); **Hangende** bergmännisch für »Gesteinsschichten über einer Lagerstätte« (17. Jh.); **Hanger** seemännisch für »Tau, an dem der Ladebaum hängt«. Zu den zusammengesetzten Verben und Präfixbildungen ›ab-, an-, aus-, be-, über-, um-, verhängen‹ stellen sich: **Abhang** »abschüssige Stelle, Halde« (15. Jh.), **abhängig** (15. Jh.; zunächst »abschüssig, geneigt«, dann »durch etwas bedingt, bestimmt; angewiesen; unselbstständig«); **Anhang** (mhd. *an[e]hanc* »Angehängtes, Tau; Begleitung; Begleiter«; seit dem 15. Jh. nach lat. *appendix* auch »Anhang eines Buches oder Vertrages«), **Anhänger** (16. Jh.), **anhänglich** (18. Jh.; für älteres gleichbedeutendes ›anhängig‹), **Anhängsel** (18. Jh.); **Aushang** (18. Jh.), **Aushängeschild** (18. Jh.); **Behang** »das, was an etwas [herab]hängt«, weidmännisch für »Ohr des Hundes«; **Überhang** (mhd. *überhanc* »Umhang; überhängende Zweige und Früchte von Obstbäumen; Übergewicht«; heute besonders in der Bedeutung »überhängende Felswand« gebräuchlich); **Umhang** (mhd., ahd. *umbehanc* »Vorhang, Decke, Teppich«; seit dem 19. Jh. »umgehängtes Kleidungsstück«); **Vorhang** (mhd. *vor-, vürhanc* »Vorhang«). Beachte auch *Verhängnis*. Vgl. ferner die Artikel *henken* und *Henkel*.

Hanse: Die Bezeichnung bevorrechtigter Genossenschaften deutscher Kaufleute, die seit dem 12. Jh. auswärtigen Handel trieben, ging im 14. Jh. auf den großen Städtebund über. Das Wort Hanse geht auf germ. **hansō-* »Schar« zurück, beachte mhd. *hanse* »Kaufmannsgilde, Genossenschaft«, ahd. *hansa* »Kriegerschar, Gefolge«, got. *hansa* »Schar, Menge«, aengl. *hōs* »Schar«. Die weitere Herkunft des germ. Wortes ist nicht sicher geklärt. Mit dem Untergang des Hansebundes verschwand das Wort aus der lebenden Sprache. Im 19. Jh. wurde es in latinisierter Form ›Hansa‹ als Bezeichnung wirtschaftlicher Unternehmungen neu belebt, beachte z. B. ›Lufthansa‹. Neben dem von ›Hanse‹ abgeleiteten Adjektiv **hansisch** ist seit dem 18. Jh. **hanseatisch** gebräuchlich, das – wie **Hanseat** (19. Jh.). – auf mlat. *hanseaticus* zurückgeht. Die Zusammensetzung **Hansestadt** ist seit dem 14. Jh. bezeugt. Vgl. auch den Artikel *hänseln*.

hänseln »necken, foppen«: Die Aufnahme in bestimmte Gemeinschaften ging im Mittelalter unter fest vorgeschriebenen Zeremonien vor sich. So hatten auch die Lehrlinge, die in eine Kaufmannsgilde – in eine Hanse – eintraten, verschiedene Mut- und Standhaftigkeitsproben zu bestehen. Das von mhd. *hanse* »Genossenschaft, Kaufmannsgilde« (vgl. *Hanse*) abgeleitete Verb *hansen* bedeutete zunächst »[unter gewissen Zeremonien] in eine Kaufmannsgilde aufnehmen«, später, als das alte Brauchtum verblasste, »necken, verulken«. Im Nhd. wurde das Wort, zumal es dem Oberd. fremd war, auf den Personennamen Hans in dessen appellativischer Bedeutung »Narr« bezogen.

Hans Taps ↑Depp.

Hanswurst: Als Bezeichnung eines dicken, unbeholfenen Menschen, der einer Wurst ähnelt, ist ›Hanswurst‹ (zunächst getrennt geschrieben Hans Wurst) seit dem Anfang des 16. Jh.s bezeugt. Der Schelt- und Spottname für den Dickwanst wurde dann als Benennung für einen Tölpel und seit dem Ende des 16. Jh.s für den Spaßmacher [im Lustspiel] verwandt.

Hantel: Niederd. *hantel* »Handhabe«, das zu der Wortgruppe von ↑Hand gehört, wurde Anfang des 19. Jh.s von F. L. Jahn in die Turnersprache zur Bezeichnung des Handturngerätes übernommen.

hantieren »handhaben, umgehen mit«: Das seit mhd. Zeit bezeugte Verb (mnd. *hantēren*, spätmhd. *hantieren* »Kaufhandel treiben; handeln, verrichten, tun«), das im Sprachgefühl als zu ›Hand‹ gehörig empfunden wird, beruht auf Entlehnung aus mniederl. *hantēren, hantieren* (= niederl. *hanteren*) »umgehen mit jmdm.; Handel treiben; verrichten, tun«. Das niederl. Wort selbst geht auf (a)frz. *hanter* »umgehen mit; häufig besuchen« zurück, dessen weitere Herkunft unsicher ist.

hapern (ugs. für:) »stocken, nicht vonstatten gehen; fehlen [an]«: Niederd. *hapern*, das aus mniederl. *hāperen* »stottern« entlehnt ist, hat sich seit dem 17. Jh. über das dt. Sprachgebiet ausgebreitet. Auch im Niederl. hat sich die Bedeutung des Verbs von »stottern, beim Sprechen anstoßen oder stocken« zu »nicht vonstatten gehen, fehlen« gewandelt. Die weitere Herkunft des mniederl. Wortes ist unklar.

Happen »Bissen«: Das erst seit dem 18. Jh. bezeugte, ursprünglich niederd. Wort stammt wahrscheinlich aus der Lallsprache der Kinder. Beachte das Lallwort ›Papp‹ »Brei« und die Zusammensetzung berlin. ›Happenpappen‹. – Abl.: **happig** »gierig [zubeißend]«, ugs. auch »ungewöhnlich stark, arg« (18. Jh.).

Happyend: Die Bezeichnung für »unerwartet glücklicher Ausgang eines Konflikts, einer [Liebes]geschichte« wurde im 20. Jh. aus gleichbed. engl. *happy ending* (eigentlich »glückliches Ende«) entlehnt.

Harakiri: Die Bezeichnung für die in Japan geübte Art des Selbstmords durch Bauchaufschneiden wurde im 19. Jh. aus jap. *harakiri* entlehnt (zu jap. *hara* »Bauch« und *kiru* »schneiden«). Andere Fremdwörter aus dem Japanischen sind z. B. ↑Jiu-Jitsu, ↑Kimono und ↑Mikado.

Hardware: Das engl. Substantiv *hardware*, das wörtlich übersetzt »harte Ware« bedeutet, findet sich zunächst im Sinne »Eisenwaren«, später steht es für »die Gesamtheit der technisch-physikalischen Teile einer Datenverarbeitungsanlage«. In dieser Bedeutung wurde es in der 2. Hälfte des 20. Jh.s ins Deutsche übernommen (s. auch *Software*).

Harem »(in den Ländern des Islams) abgetrennte Frauenabteilung der Wohnhäuser«, in heutiger Umgangssprache auch übertragen im Sinne von »weiblicher Anhang eines Mannes«: Das Substantiv wurde im 18. Jh. aus türk. *harem*, arab. *ḥarīm* entlehnt, das zu arab. *ḥaram* »verboten« gehört und den für Fremde unzugänglichen »Frauenraum« bezeichnete.

Harfe: Der altgerm. Name des Musikinstrumentes mhd. *harpfe*, ahd. *har[p]fa*, niederl. *harp*, engl. *harp*, schwed. *harpa* gehört wahrscheinlich zu der idg. Wurzelform **[s]kerb[h]-* »[sich] drehen,

[sich] krümmen, schrumpfen« (vgl. *schräg*). Das Musikinstrument wäre demzufolge danach benannt, dass es mit gekrümmten Fingern gezupft wird. Die Benennung könnte sich allerdings auch auf die gekrümmte Form der Harfe beziehen. – Zu dieser z. T. auch nasalierten Wurzelform gehören aus dem germ. Sprachbereich ferner die unter ↑rümpfen und ↑schrumpfen behandelten Wörter (beachte auch die Artikel *Rampe* und *Harpune*) und aus anderen idg. Sprachen z. B. lat. *corbis* »Korb«, eigentlich »Geflochtenes« (↑Korb). – Der altgerm. Name des Musikinstruments wurde auch in die roman. Sprachen entlehnt, vgl. frz. *harpe,* it. *arpa,* span. *[h]arpa* »Harfe«.

Harke: Der im Wesentlichen nordd. Name des landwirtschaftlichen Gerätes – in Mittel- und Süddeutschland gilt ›Rechen‹ (s. d.) – gehört zu der weit verästelten idg. Sippe der lautmalenden Wurzel **[s]ker-,* die besonders heisere Töne, scharrende, kratzende und rasselnde Geräusche nachahmt. Das Gerät ist demnach nach dem Geräusch, das es beim Harken verursacht, benannt. Mnd. *harke* »Harke« ist näher verwandt z. B. mit aisl. *hark* »Lärm, Geräusch« und weiterhin mit den Wortgruppen von ↑Rachen und ↑schreien sowie mit den Vogelnamen ↑Rabe und ↑Reiher.

Harlekin »Hanswurst«: Der Harlekin ist ursprünglich eine Narrengestalt der italienischen Komödie, deren it. Name *arlecchino* durch frz. Vermittlung (frz. *harlequin,* heute: *arlequin*) am Ende des 17. Jh.s bei uns bekannt wurde. Die Quelle des it. Wortes ist die im Afrz. bezeugte Fügung *maisnie Hellequin* »Hexenjagd; wilde, lustige Teufelsschar«, deren Herkunft nicht sicher gedeutet ist.

Harm: Das altgerm. Wort für »Kränkung, Kummer, Qual« (mhd. *harm,* ahd. *haram,* engl. *harm,* schwed. *harm*) ist wahrscheinlich mit der baltoslaw. Wortgruppe von russ. *sorom* »Schande« und mit pers. *šarm* »Scham« verwandt und geht auf idg. **k̂ormo-s* »Qual, Schmach, Schande« zurück. – Zus.: **harmlos** (18. Jh.; zunächst »leidlos«, dann – nach engl. *harmless* – »unschädlich, ungefährlich«).

Harmonie »Übereinstimmung, Einklang; wohltönender Zusammenklang (Musik); ausgewogen maßvolles Verhältnis der Teile zueinander (Bildkomposition)«: Das Fremdwort wurde im 16. Jh. – zunächst als musikalischer Fachausdruck – aus griech.-lat. *harmonía* entlehnt, das ursprünglich »Fügung, Fuge; Bund; Ordnung« bedeutete und wie griech. *harmózein* »zusammenfügen« zur idg. Sippe von ↑Arm gehört. – Zum gleichen griech. Grundwort gehören die Neubildungen ↑Harmonika, ↑Harmonium, ↑Philharmonie, Philharmoniker, philharmonisch, ferner das Adjektiv **harmonisch** »den Gesetzen der Harmonie entsprechend; ebenmäßig; stimmig« (16. Jh.; nach lat. *harmonicus* < griech. *harmonikós*) und das Verb **harmonieren** »gut zusammenpassen, übereinstimmen« (17. Jh.).

Harmonika: Der Name verschiedener Musikinstrumente (wie ›Hand-, Mund-, Ziehharmonika‹) ist letztlich eine Wortschöpfung Benjamin Franklins (engl. *harmonica*) aus dem 18. Jh. nach lat. *harmonicus* < griech. *harmonikós* »harmonisch« (vgl. *Harmonie*). Der Name bezieht sich auf die Eigenart der Harmonikas, im Gegensatz zu anderen Instrumenten nur [»harmonische«] Akkorde ertönen zu lassen.

Harmonium: Der Name des orgelartigen Tasteninstruments wurde im 19. Jh. entlehnt aus frz. *harmonium,* einer Bildung des französischen Orgelbauers A. F. Febain (1809–1877) zu griech. *harmonía* (vgl. *Harmonie*), die auf den vollen und harmonischen Klang des Instruments anspielt.

Harn »Urin«: Das auf das dt., ursprünglich auf das hochd. Sprachgebiet beschränkte Wort mhd. *harn,* ahd. *har[a]n* gehört wohl im Sinne von »das Ausgeschiedene« (beachte das Verhältnis von lat. *excrementum* »Ausscheidung, Kot« zu *excernere* »ausscheiden« und von ›Scheiße‹ zu ›scheiden‹) zu der unter ↑[1]scheren dargestellten idg. Wurzel **[s]ker* »schneiden«. Mit anlautendem s- sind dann verwandt mnd. *scharn* »Dreck, Mist«, aengl. *scearn* »Dünger, Mist, Dreck«, schwed. *skarn* »Unrat, Auswurf« und außergerm. z. B. griech. *skōr* »Kot«. Beachte auch den Artikel *Schierling.*

Harnisch »[Brust]panzer«: In der Blütezeit des französischen Rittertums wurde mhd. *harnasch* »Harnisch; kriegerische Ausrüstung« aus afrz. *harnais* »kriegerische Ausrüstung« entlehnt. Das frz. Wort seinerseits geht wohl auf ein anord. (norm.) **hernest* »Heeresvorrat« zurück (vgl. *Heer*). Beachte auch **geharnischt,** das das 2. Part. des untergegangenen Verbs ›harnischen‹ ist.

Harnisch

jmdn. in Harnisch bringen
»jmdn. zornig machen«
Vgl. die Wendung ›in Harnisch sein‹.
in Harnisch geraten/kommen
»zornig werden«
Vgl. die folgende Wendung.
in Harnisch sein
»zornig sein«
Für alle drei Wendungen ist von ›Harnisch‹ »Ritterrüstung, kriegerische Ausrüstung« in der übertragenen Bedeutung »Kampfbereitschaft« auszugehen; z. B. bedeutet ›in Harnisch sein‹ dann eigentlich »in Kampfbereitschaft sein«, dann »in Erregung, in Zorn sein«.

Harpune: Die Bezeichnung für »[zum (Wal)fischfang benutzter] Wurfspeer mit Widerhaken« wurde im 17. Jh., zunächst in der Form *Harpon,* aus niederl. *harpoen* < frz. *harpon* entlehnt, das eigentlich »Eisenklammer« bedeutet und eine Bildung zu frz. *harpe* »Klaue, Kralle« ist. Das

Wort ist germ. Ursprungs und gehört wohl zur Sippe von nhd. ↑Harfe.

harren: Die Herkunft des erst seit mhd. Zeit bezeugten Verbs (mhd. *harren*) ist dunkel. Das einfache Verb ist heute nahezu ausgestorben. Gebräuchlich sind dagegen die Zusammensetzungen und Präfixbildungen **ausharren** »geduldig warten, aushalten«, **verharren** »sich nicht von der Stelle rühren, in einem Zustand bleiben« und **beharren** »auf etwas bestehen, an etwas festhalten«.

harsch: Das ursprünglich niederd. Wort (mnd. *harsk* »rau, hart, rissig«) hat sich seit dem 17. Jh. über das dt. Sprachgebiet ausgebreitet. Dem niederd. Wort entspricht das oberd. Substantiv **Harsch** »hart gefrorener Schnee, Schneekruste«. Beachte auch das Verb **[ver]harschen** »hart, krustig werden [vom Schnee]«. Mit dieser Sippe, zu der auch dt. mdal. *Harst* »Harke, Rechen« und wahrscheinlich oberd. mdal. *Haar* »Flachs« gehören, ist z. B. die nord. Wortgruppe von dän. *harsk* »ranzig«, älter »rau, streng, bitter« verwandt (beachte das nord. Lehnwort engl. *harsh*). Zugrunde liegt eine idg. Wurzel **kars-* »kratzen, reiben, striegeln, krempeln«, vgl. z. B. lat. *carrere* »Wolle krempeln«.

hart: Das gemeingerm. Adjektiv mhd. *hert[e]*, ahd. *herti*, got. *hardus*, engl. *hard*, schwed. *hård* gehört mit verwandten Wörtern in anderen idg. Sprachen, vgl. z. B. griech. *kratýs* »stark, mächtig«, *krátos* »Stärke, Macht, Herrschaft«, *kratein* »[be]herrschen« (beachte *...krat*, *...kratie* z. B. in Demokrat, Demokratie), zu der idg. Wurzel **kar-* (weitergebildet **kart-*) »hart«. – Die mhd. Form *hart* beruht auf mitteld. Lautung, die der des Adverbs mhd. *harte*, ahd. *harto* entspricht. Das Adjektiv ›hart‹ spielt in der dt. Namengebung eine überaus bedeutende Rolle, beachte z. B. die Personennamen ›Bernhard, Eberhard, Gerhard, Richard, Hartmut, Hartwig‹. – Abl.: **Härte** (mhd. *herte*, ahd. *hartī*); **härten** (mhd. *herten*, ahd. *herten*, beachte auch die Zusammensetzungen und Präfixbildungen ›ab-, er-, verhärten‹); **Hartung** (veraltete Bezeichnung des Januars; beachte älteres **Hartmonat** »Wintermonat«). Zus.: **hartnäckig** (15. Jh.; zum zweiten Bestandteil vgl. *Nacken*), dazu **Hartnäckigkeit** (16. Jh.).

hartgesotten ↑sieden.

hartnäckig ↑Nacken.

Harz: Das Wort ist auf das dt. Sprachgebiet beschränkt: mhd. *harz*, ahd. *harz[uh]* »Harz«. Die weitere Herkunft der Bezeichnung des Stoffwechselproduktes verschiedener Pflanzen ist dunkel. – Abl.: **harzen** (mhd. *herzen* »auspichen«); **harzig** (16. Jh.).

Hasch ↑Haschisch.

Haschee: Die seit dem Beginn des 18. Jh.s bezeugte Bezeichnung für »feines Hackfleisch« ist kein eigentliches Lehnwort, sondern eine eindeutschende Substantivierung aus frz. *viande hachée* »gehacktes Fleisch«, wofür im Frz. *hachis* gilt. Das frz. Verb *hacher* »zerhacken« wurde im 20. J[h.] selbstständig als **haschieren** übernommen und [...] der Bedeutung an ›Haschee‹ angeglichen, i[m] Sinne von »Haschee machen«. Grundwort ist fr[z.] *hache* »Axt, Beil«, das auf afränk. **hāppja* zu[rückgeht.]

[1]**haschen:** Das seit dem 14. Jh. bezeugte ostmittel[d.] Verb hat seit dem 16. Jh. allmählich gemein[sprachliche] Geltung erlangt. Das Wort gehört z[u] der unter ↑heben dargestellten idg. Wurzel **ka[p-]* »fassen, packen«. Früher bedeutete ›hasche[n]‹ auch »festnehmen, gefangen nehmen«, beacht[e] das Substantiv **Häscher** »Büttel, Gerichtsdiener« (16. Jh.).

[2]**haschen, Hascher** ↑Haschisch.

Haschisch: Der Name des aus dem Blütenharz eine[r] indischen Hanfart gewonnenen Rauschgifts wu[r]de im 19. Jh. aus gleichbed. arab. *ḥašīš*, das eigen[t]lich »Gras, Heu« bedeutet, entlehnt. Ugs. ist auc[h] die Form **Hasch** gebräuchlich, beachte auch **h[a]schen** ugs. für »Haschisch rauchen« und **Hasche[r]** ugs. für »jemand, der Haschisch raucht« (beid[e] 20. Jh.).

Hase: Der altgerm. Tiername mhd. *hase*, ahd. *has[o]*, niederl. *haas*, engl. *hare*, schwed. *hare* ist z. B. ve[r]wandt mit aind. *śaśá-ḥ* »Hase« und apreuß. *s[a]sins* »Hase« und beruht mit diesen auf dem su[b]stantivierten idg. Adjektiv **k̑asen-*, **k̑aso-* »grau«, vgl. z. B. ahd. *hasan* »grau, glänzend«, aengl. *has[u]* »graubraun«. Der »Graue« als Name des Hase[n] ist wahrscheinlich altes Tabuwort, weil das Ti[er] bei vielen Völkerschaften als dämonisch und u[n]heimlich gilt. Auch im dt. Aberglauben spielt d[er] Hase als Seelen- und Hexentier eine Rolle. In Tie[r]erzählungen heißt der Hase ›[Meister] Lamp[e]‹ (Kurzform des Personennamens Lamprech[t]) oder ›Mümmelmann‹; jägersprachlich gilt ›d[er] Krumme‹. Auf die hervorstechende Eigenscha[ft] des Hasen, seine Furchtsamkeit, beziehen sic[h] Zusammensetzungen wie **Angsthase, Hasenfu[ß], Hasenherz.** In den dt. Mundarten wird mit ›Has[e]‹ oft das Kaninchen bezeichnet, daher verdeutl[i]chend ›Feldhase‹ im Gegensatz zu ›Stallhase‹.

Hasel: Der altgerm. Name des Laubgehölzes mh[d.] *hasel*, ahd. *hasal*, niederl. *hazelaar*, engl. *haze[l]*, schwed. *hassel* ist mit lat. *corulus* »Haselstaude« und der kelt. Sippe von air. *coll* »Hasel« verwand[t]. Das zugrunde liegende **koslo-s* »Hasel« ist, d[a] weitere Anknüpfungen fehlen, nicht deutbar. Zus.: **Haselhuhn** (mhd. *haselhuon*, ahd. *hasa[l]huon*; das Haselhuhn hat seinen Namen dahe[r], weil es sich vorwiegend im Haselgebüsch au[f]hält); **Haselmaus** (16. Jh.; die Haselmaus ist so be[nannt], weil sie sich vorwiegend von Haselnüsse[n] ernährt); **Haselnuss** (mhd. *haselnuz̧*, ahd. *hasa[l]nuz̧*; vgl. *Nuss*).

haspeln ↑verhaspeln.

Hass: Das gemeingerm. Substantiv mhd., ahd. *ha[z]*, got. *hatis*, aengl. *hete*, schwed. *hat* beruht mit ve[r]wandten Wörtern in anderen idg. Sprachen au[f] idg. ***k̑ādos-, *k̑ədes-* »Leid, Kummer, Groll«, vgl. z.B. die kelt. Sippe von kymr. *cas* »Hass« und griech. *kēdos* »Sorge; Trauer; Leichenbestattung«. Im germ. Sprachbereich hat sich aus »Groll, Hass« auch die Bedeutung »Verfolgung« entwickelt (beachte die Bedeutungen von ›hetzen‹ und ›hassen‹). Gleichfalls gemeingerm. ist das abgeleitete Verb **hassen** (mhd. *hazzen*, ahd. *hazzēn, -ōn*, got. *hatan*, engl. *to hate*, schwed. *hata*), das früher auch im Sinne von »verfolgen« verwendet wurde. Ferner gruppieren sich um ›Hass‹ die Bildungen ↑hässlich und ↑gehässig sowie ↑hetzen.

hässlich: Das auf das Westgerm. beschränkte Adjektiv mhd. *haz-, hez[ze]lich*, ahd. *hazlīh*, asächs. *hetelīk*, aengl. *hetelic* ist von dem unter ↑Hass dargestellten Substantiv abgeleitet. Das Wort, das im heutigen Sprachgebrauch nicht mehr als zu ›Hass‹ gehörig empfunden wird, bedeutete in den älteren Sprachzuständen »feindselig, voller Hass, gehässig«. Über die Bedeutung »hassenswert, verabscheuungswürdig« erlangte ›hässlich‹ in frühnhd. Zeit seine Geltung als Gegensatz zu ›schön‹. – Abl.: **Hässlichkeit** (16. Jh.).

Hast »(durch innere Erregung oder Unruhe ausgelöste) Eile, Ungeduld«: Das im Nhd. seit dem Ende des 16. Jh.s bezeugte Substantiv ist aus dem Mnd. aufgenommen. Mnd. *hast* »Hast, Übereilung« führt über gleichbed. niederl. *haast* (mniederl. *hast[e]*) auf afrz. *haste* (= frz. *hâte*) »Hast, Eile« zurück, das selbst germ. Ursprungs ist.

hätscheln: Das seit dem 17. Jh. bezeugte Verb gehört wahrscheinlich mit mdal. *hatschen* »gleiten, rutschen, streicheln « zusammen, das wohl laut- oder bewegungsnachahmender Natur ist. Beachte die Präfixbildung **verhätscheln** »verzärteln, verziehen« (19. Jh.).

Haube: Das altgerm. Wort mhd. *hūbe*, ahd. *hūba*, niederl. *huif*, aengl. *hūfe*, schwed. *huva* gehört zu der unter ↑hoch dargestellten idg. Wortgruppe. – Zus.: **Haubenlerche** (16. Jh.).

Haube

jmdn. unter die Haube bringen
(ugs.; scherzh.) »jmdn. (bes. eine Frau) mit jmdm. verheiraten«
Diese und die beiden folgenden Wendungen beziehen sich auf die Haube, die früher übliche Kopftracht verheirateter Frauen.
unter die Haube kommen
(ugs.; scherzh.) »sich verheiraten (bes. von einer Frau)«
Vgl. die vorangehende Wendung.

hauchen: Das seit dem 13. Jh. bezeugte ostmitteld. *hūchen*, das neben *kūchen* »hauchen« (vgl. *keuchen*) steht, ist wahrscheinlich schallnachahmenden Ursprungs. Das Substantiv **Hauch** ist im 17. Jh. aus dem Verb rückgebildet worden.

hauen: Mhd. *houwen*, ahd. *houwan* »[ab-, nieder-, zer]hauen, schlagen; stechen; behauen, bearbeiten; [ab]schneiden; mähen, ernten«, niederl. *houwen* »hauen; schlagen; hacken«, engl. *to hew* »hauen; hacken, fällen; behauen, bearbeiten«, schwed. *hugga* »hauen, schlagen; stoßen; schneiden; stechen; hacken«. Neben diesem starken Verb ›hauen‹ (hieb, gehauen) existiert ein gleichbedeutendes schwaches Verb ›hauen‹ (haute, gehaut): mhd. *houwen*, ahd. *houwōn*. Um das altgerman. Verb gruppieren sich die Substantivbildungen ↑Hieb und ↑Heu sowie ›Haue, Hauer‹ und dgl. (s. u.). Die germ. Wortgruppe geht mit verwandten Wörtern in anderen idg. Sprachen, vgl. z.B. mit lat. *cudere* »schlagen; stoßen; stampfen; prägen«, dazu *caudex, codex* »Baumstamm, Klotz« (↑Kodex) und die baltoslaw. Sippe von russ. *kovat'* »hämmern, schmieden«, auf idg. **kāu-* »hauen, schlagen« zurück. – Abl.: **¹Haue** »Hacke« (mhd. *houwe*, ahd. *houwa* »Hacke«); **²Haue** ugs. für »Hiebe, Prügel« (eigentlich Plural von ›Hau‹ veraltet, noch mdal. für »Hieb«, mhd. *hou* »Hieb; Holzhieb; Schlagstelle im Walde«); **Hauer** bergmännisch für »Erzhauer im Bergwerk; Bergmann mit abgeschlossener Ausbildung« (in dieser Bedeutung auch umgelautet ›Häuer‹), weidmännisch für »Eckzahn des Keilers«, österr. für »Weinhauer, Winzer«, veraltet für »Holzfäller« (mhd. *houwer*). Zus.: **Haudegen** (17. Jh.; zunächst »Hiebwaffe«, dann übertragen »alter, erprobter Krieger, Draufgänger«). Beachte auch die zusammengesetzten und präfigierten Verben, die z. T. reiche Bedeutungsentfaltung zeigen: **abhauen** ugs. seit Anfang des 20. Jh.s auch für »fortgehen, verschwinden« (zu ›hauen‹ in der Bedeutung »eilen«, wohl vom Einhauen der Sporen in die Weichen des Pferdes), **anhauen** ugs. seit dem 20. Jh. auch für »jemanden um etwas angehen« (eigentlich »jemandem einen Schlag, Stoß geben, um etwas von ihm zu erbitten«), **verhauen** ugs. für »durchprügeln«, reflexiv für »sich gröblich irren« (mhd. *verhouwen* »zerhauen; verwunden; beschädigen; ab-, niederhauen; ausholzen; durch Fällen von Bäumen versperren«, ahd. *firhouwan*), dazu **Verhau** »Sperre« (18. Jh.).

Haufe, Haufen: Das nur dt. Wort mhd. *hūfe*, ahd. *hūfo* »Haufe; Menge; Schar« steht im Ablaut zu dem gleichbed. westgerm. Wort mhd., ahd. *houf*, niederl. *hoop*, engl. *heap* und gehört mit diesem zu der unter ↑hoch dargestellten idg. Wortgruppe. Eng verwandt sind im germ. Sprachbereich die unter ↑Hüfte und ↑hüpfen behandelten Wörter. Außergerm. vergleichen sich z.B. lat. *cubare* »liegen«, *cumbere* »sich legen«, eigentlich »sich zum Liegen niederbücken«. – Abl.: **häufen** (mhd. *hūfen*, ahd. *hūfōn*, daneben *houfōn;* beachte auch die Zusammensetzungen ›anhäufen, überhäufen‹); **häufeln** »Häufchen machen« (15. Jh.; das Wort ist heute hauptsächlich als landwirtschaftlicher Terminus gebräuchlich); **häufig** (16. Jh.; das

Adjektiv, das im heutigen Sprachgefühl nicht mehr als zu ›Haufen‹ gehörig empfunden wird, bedeutete zunächst und bis ins 19. Jh. hinein »in Haufen, massenweise vorhanden«; die heutige Bedeutung »oft, sich oft wiederholend« ist seit dem Ende des 18. Jh.s belegt).

Haupt: Die gemeingerm. Körperteilbezeichnung mhd. *houbet*, ahd. *houbit*, got. *haubiþ*, engl. *head*, schwed. *huvud* ist wahrscheinlich verwandt mit lat. *caput* »Haupt, Kopf« (s. die Sippe von *Kapital*) und mit aind. *kapúcchala-m* »Schale; Haar am Hinterkopf, Schopf«, *kapā́la-m* »Schale; Hirnschale; Schädel; schalen- oder scherbenförmiger Knochen«. Dieser idg. Wortgruppe liegt **kaput-*, **kapĕ̄lo-* »Kopf« zugrunde, das vermutlich eine Substantivbildung zu der unter ↑heben dargestellten idg. Wurzel **kap-* »fassen, packen« ist und ursprünglich »Gefäß, Schale« bedeutete. Zur Benennung des Kopfes als »Gefäß, Schale, Scherbe« beachte das Verhältnis von nhd. *Kopf* zu ahd. *kopf* »Trinkgefäß, Becher«, von aisl. *kollr* »Kopf« zu aisl. *kolla* »Topf«, von frz. *tête* »Kopf« zu lat. *testa* »Schale; Scherbe« usw. Der Vokalismus der germ. Formen, der von demjenigen der lat. und aind. Formen abweicht, beruht wohl auf Vermischung mit Vertretungen anderer idg. Wurzeln, z. B. mit der germ. Wortgruppe von ↑Haube. – Abl.: **behaupten** (s. d.); **enthaupten** (mhd. *enthoubeten* »den Kopf abschlagen«, beachte gleichbed. ahd. *houbitōn*), dazu **Enthauptung** (15. Jh.); **Häuptling** (17. Jh.; das Wort bedeutete zunächst »[Familien]oberhaupt; Anführer«; seit dem Erscheinen von Coopers Indianererzählungen in der 1. Hälfte des 19. Jh.s bezeichnet es speziell das Oberhaupt eines Stammes bei Naturvölkern). Zus.: **Hauptmann** (mhd. *houbetman*, ahd. *houpitman* »Oberster; Hauptperson; Anführer«); **Hauptquartier** (17. Jh.); **Hauptsache** (spätmhd. *houbetsache* »Rechtsstreit, Prozess«; in der heutigen Bedeutung ist das Wort seit dem 16. Jh. bezeugt), dazu **hauptsächlich** (16. Jh.); **Hauptstadt** (mhd. *houbetstat*); **Hauptwort** für »Substantivum« (17. Jh.); **überhaupt** (s. d.).

Haus: Das gemeingerm. Wort mhd., ahd. *hūs*, got. in *gudhūs* (»Gotteshaus«), engl. *house*, schwed. *hus* gehört zu der weit verästelten Wortgruppe der idg. Wurzel **[s]keu-* »bedecken, umhüllen« (vgl. *Scheune*). Eng verwandt sind im germ. Sprachbereich die unter ↑Hose und ↑Hort behandelten Wörter. – Das Wort ›Haus‹, das heute im Allgemeinen ein Gebäude bezeichnet, das Menschen zum Wohnen dient, hat in Zusammensetzungen umfassenderen Sinn, beachte z. B. ›Bankhaus, Maschinenhaus, Spritzenhaus, Warenhaus‹. Alt ist auch die Verwendung von ›Haus‹ im Sinne von »Hauswesen« und von »Familie«. Abl.: **hausen** (mhd. *hūsen*, ahd. *hūsōn* »wohnen, sich aufhalten; beherbergen; wirtschaften«; seit dem 14. Jh. auch in der Bedeutung »übel wirtschaften; sich wüst aufführen«; beachte mhd. *behūsen* »mit einem Haus versehen; besiedeln; beherbergen«, älter nhd. *behausen*, dazu **Behausung** »Obdach, Unterkunft«); **hausieren** »von Haus zu Haus Handel treiben« (15. Jh.; Mischbildung mit roman. Endung, wie z. B. ›glasieren, halbieren, hofieren‹), dazu **Hausierer** »von Haus zu Haus ziehender Händler« (16. Jh.); **Häusler** »Dorfbewohner, der nur ein Haus, aber kein Feld hat« (17. Jh.); **häuslich,** schweiz. **hauslich** (mhd. Adverb *hūslīche* »ein Haus[wesen] besitzend, ansässig«), dazu **Häuslichkeit** (16. Jh.); **Gehäuse** (s. d.). Zus.: **hausbacken** (↑backen); **Hausdrachen** (↑Drache); **Hausflur** (18. Jh.); **Hausfrau** (mhd. *hūsvrou[we]* »Herrin im Haus; Gattin«); **Haushalt** (17. Jh.; das Substantiv ist aus dem Verb ›haushalten‹ rückgebildet); **haushalten** (frühnhd. *haushalten* ist aus mhd. *hūs halten* »das Haus bewahren« zusammengerückt), dazu **Haushälter** (16. Jh.), **haushälterisch** (18. Jh.); **Hausherr** (mhd. *hūsherre* »Hausherr; Hausvater; Hausverwalter«); **hausmachen** (18. Jh.; zunächst im 1. Part. ›hausmachend‹ »im eigenen Hause hergestellt, für den Hausbedarf gemacht«, beachte auch ›Hausmacherwurst‹ und dgl.); **Hausmann** »den Haushalt führender [Ehe]mann« (mhd. *hūsman* »Hausherr; Hausbewohner; Mietsmann; Burgwart«), dazu **Hausmannskost** »handfeste Kost« (16. Jh.); **Hausputz** (↑putzen); **Hausrat** (mhd. *hūsrāt* »das für einen Haushalt erforderliche Gerät«; zum zweiten Bestandteil ↑Rat); **Hausstand** (17. Jh.); **Haussuchung** (16. Jh.; mhd. *hūssuochunge* bedeutete dagegen »Hausfriedensbruch«); **Haustier** (18. Jh.).

Haus

aus dem Häuschen geraten/sein

(ugs.) »[vor Freude] aufgeregt werden/aufgeregt sein, außer sich sein«

Die Wendung meint wahrscheinlich, dass jemand oder jemandes Verstand nicht in seinem Haus, in seiner Behausung ist und er sich daher nicht mehr auskennt. Früher war auch die Wendung ›nicht recht zu Hause sein‹ »nicht recht bei Verstand sein« gebräuchlich. – Wegen der Verkleinerungsform ›Häuschen‹ könnte auch ein Zusammenhang mit dem französischen ›Les petites Maisons‹ (Name einer früheren psychiatrischen Klinik in Paris) bestehen.

Haut: Die Haut ist als »Hülle« (des menschlichen Körpers) benannt. Das altgerm. Wort mhd., ahd. *hūt*, niederl. *huid*, engl. *hide*, schwed. *hud* gehört zu der (mit t erweiterten) idg. Wurzel **[s]keu-* »bedecken, umhüllen« (vgl. *Scheune*). Eng verwandt sind im germ. Sprachbereich die unter ↑Hode und ↑Hütte behandelten Wörter. Außergerm. vergleichen sich z. B. griech. *kýtos* »Hülle; Haut; Behältnis« und lat. *cutis* »Haut«, beachte fachsprachlich ›Kutis‹ »Lederhaut der Wirbeltiere«, ›Kutikula‹ »äußere Zellschicht der Pflanzen«, ›subkutan‹ »unter der Haut befindlich«. – Abl.: **häuten** (mhd. *[ent-, uz̧-]hiuten* »die Haut, das Fell abziehen«; heute wird das Verb v. a. reflexiv gebraucht), beachte dazu **Dickhäuter** (19. Jh.). Zus.: **Vorhaut** (16. Jh.; Lehnübertragung von lat. *praeputium*).

Haut

[für jmdn., für etwas] seine Haut/(selten auch:) sein Fell zu Markte tragen
(ugs.) »für jmdn., für etwas einstehen und sich dadurch in Gefahr begeben«
Die Wendung geht von der Vorstellung aus, dass die Haut im Kampf Hieben, Stichen usw. zuerst ausgesetzt ist. Jemand, der seine Haut für etwas einsetzt, hergibt (= zu Markte trägt), ist also bereit, Verwundungen hinzunehmen und sein Leben zu riskieren. Vgl. dazu die Wendungen ›sich seiner Haut wehren‹ und ›mit heiler Haut davonkommen‹ sowie die heute nicht mehr übliche Wendung ›mit der Haut bezahlen‹ mit der Bedeutung »sein Leben für etwas lassen«.

auf der [faulen] [Bären]haut liegen
(ugs.) »faulenzen«
Die Wendung beruht auf einer alten übertreibenden Ausschmückung der Lebensgewohnheiten der alten Germanen, wie sie Tacitus in seiner ›Germania‹ (Kap. 15) schildert. Die Germanen hätten, wenn sie nicht im Krieg oder auf der Jagd waren, faul auf Fellen herumgelegen und den Frauen die Arbeit überlassen.

Havarie »Seeschaden (eines Schiffes oder seiner Ladung); Unfall (von Flugzeugen, Fahrzeugen, Kraftwerken)«: Das Wort wurde im 17. Jh. durch Vermittlung von niederl. *averij* und niederd. *haverye* aus gleichbed. frz. *avarie* entlehnt, das seinerseits aus it. *avaria* stammt. Das it. Wort geht auf arab. *ʿawār* »Fehler, Schaden« zurück. Die heute übliche Form des Wortes setzte sich im 19. Jh. durch (in Anlehnung an frz. *avarie*) für älteres ›Haverey‹. – Dazu **havarieren** »einen Unfall haben, beschädigt werden« (20. Jh.) und **Havarist** »havariertes Schiff; Eigentümer eines havarierten Schiffes oder Fahrzeuges« (20. Jh.).

Haxe, Hechse ↑Hachse.

Hebamme: Der auf das dt. Sprachgebiet beschränkte Ausdruck für »Geburtshelferin« geht auf mhd. *heb[e]amme,* eigentlich »Hebe-Amme«, zurück, das eine volksetymologische Umdeutung von ahd. *hev[i]anna,* eigentlich »Hebe-Ahnin«, ist (beachte ahd. *hevan* »heben« und ahd. *ana* »Ahnin, Großmutter«).

heben: Das gemeingerm. Verb mhd. *heben,* ahd. *hevan, heffan,* got. *hafjan,* engl. *to heave* (↑hieven), schwed. *häva* geht mit verwandten Wörtern in anderen idg. Sprachen, z. B. lat. *capere* »fassen, ergreifen, nehmen; fangen; erwerben; begreifen, verstehen« (s. die umfangreiche Fremdwortgruppe von *kapieren*), auf die idg. Wurzel **kap-* »fassen, packen« zurück. Während sich in den beiden germ. Wortgruppen von ›heben‹ und ↑haben die Bedeutung gewandelt hat, schließen sich an die ältere Bedeutung »fassen, packen, fangen« an: der germ. Vogelname ↑Habicht (eigentlich »Fänger, Räuber«), das Verb ↑[1]haschen und die Sippen von ↑[1]Hafen (eigentlich »Umfassung«) und ↑[2]Hafen »Topf« (eigentlich »Gefäß«), von ↑Haft »Gewahrsam« und von ↑[1]Heft »Griff, Handhabe«. Zu der idg. Wurzel **kap-* »fassen, packen« gehören auch mehrere Wörter mit der Bedeutung »Gefäß«, beachte z. B. lat. *capsa* »Kasten, Kapsel« (↑Kasse) und ferner idg. **kaput-* »Schale« (vgl. *Haupt*). – Um ›heben‹ gruppieren sich die Zusammensetzungen ›ab-, an-, auf-, emporheben‹ und die Präfixbildung **erheben** (mhd. *erheben,* ahd. *irheffan*), dazu **Erhebung** (um 1800), **erheblich** (16. Jh.; das Wort stammt aus der Kanzlei- und Rechtssprache) und **erhaben** (s. d.). Ugs. steht ›einen heben‹ für »Alkohol trinken«. Abl.: **Hebel** (15. Jh.); **Heber** »Gerät zum Heben« (16. Jh.); **Hefe** (s. d.); **Hub** (s. d.). Zus.: **Hebamme** (s. d.); **Urheber** (s. d.).

Hechel: Germ. **hakilō-* (**hakulō-*) »Hechel«, auf das mhd. *hechel,* spätahd. *hachele,* mnd. *hekele,* engl. *hatchel,* schwed. *häckla* zurückgehen, gehört zu der Wortgruppe von ↑Haken. Das in der Flachs- und Hanfaufbereitung verwendete Gerät ist nach seinen scharfen (leicht gekrümmten) Eisenspitzen benannt. Um die spinnbare Faser vom Flachs- oder Hanfabfall (vgl. *Hede* und *Werg*) zu trennen, werden die gebrochenen Flachs- und Hanfstengel durch die Eisenspitzen gezogen. – Abl.: **[1]hecheln** (mhd. *hacheln, hecheln,* asächs. *hekilōn,* schwed. *häckla;* heute wird das Verb, besonders die Zusammensetzung **durchhecheln,** überwiegend im übertragenen Sinne gebraucht), dazu **Hechelei.**

[2]hecheln »in schnellen, kurzen Stößen hörbar aus- und einatmen (besonders von Hunden)«: Das erst im 20. Jh. allgemein gebräuchliche Verb ist eine Iterativ- bzw. Intensivbildung zu dem veralteten Verb *hechen* »keuchen«, das lautmalenden Ursprungs ist.

Hecht: Der westgerm. Name des Fisches mhd. *hech[e]t,* ahd. *hechit, hachit,* mnd. *heket,* aengl. *hacod* gehört zu der Wortgruppe von ↑Haken. Der Hecht ist entweder nach seinem auffallend spitzen Maul oder nach seinen scharfen Zähnen benannt, beachte zur Benennung schwed. *gädda* »Hecht« zu *gadd* »Stachel«, engl. *pike* »Hecht« zu *pike* »Spitze, Pike«, frz. *brochet* »Hecht« zu *broche* »Spieß«. – Mit dem Fischnamen ist vermutlich identisch ›Hecht‹ ugs. (ursprünglich studentensprachlich) für »dicker Tabaksqualm«. Der Tabaksqualm wäre dann nach seiner hechtgrauen Färbung benannt worden. Sehr gebräuchlich sind heute in der Sportsprache **Hechtsprung** »Kopfsprung« und **hechten** »einen Kopfsprung machen«.

Das Althochdeutsche

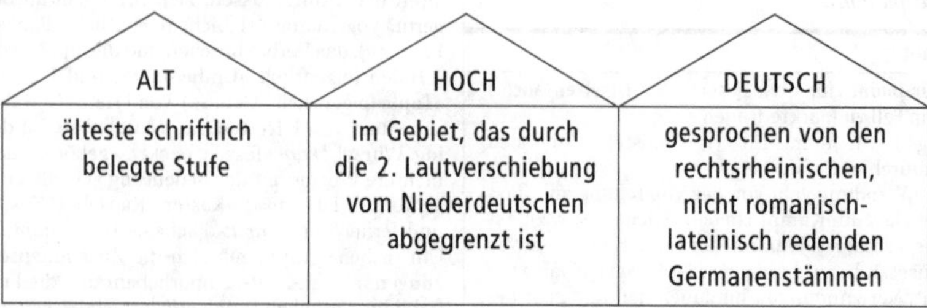

ALT
älteste schriftlich belegte Stufe
HOCH
im Gebiet, das durch die 2. Lautverschiebung vom Niederdeutschen abgegrenzt ist
DEUTSCH
gesprochen von den rechtsrheinischen, nicht romanisch-lateinisch redenden Germanenstämmen

Vom 8. Jahrhundert an drang das Christentum immer weiter in den germanischen Lebensbereich vor. Mit dem Ausbau der Kirchenorganisation und der Einführung des Gottesdienstes kam jetzt auch eine zweite Welle lateinischer Fremdwörter zu unseren Vorfahren.

Klosterleben und Gottesdienst

Die ersten Missionare, die bei den Germanen unterwegs waren, lebten außerhalb der befestigten Orte als Einsiedler. An geeigneten Plätzen bauten sie sich eine Hütte oder ein Steinhäuschen, das sie *Zelle* (lateinisch *cella*) nannten. Die lateinische Bezeichnung für einen solchen Einsiedler lautete *monachus* (zu altgriechisch *monachós* »allein lebend«), daraus entstand unser Wort *Mönch.* Wir finden es auch in vielen Ortsnamen und können daran erkennen, dass hier in alter Zeit solche Einsiedeleien bestanden haben mussten (z. B. *Mönchen[gladbach]*).

Neben der Zelle wurde oft ein kleines Bethaus errichtet, die *Kapelle* (lateinisch *capella*). So hieß zuerst das kleine Steinbauwerk über dem Grab des hl. Martin von Tours (etwa 316 bis 397, seit 371 Bischof von Tours). Das lateinische Wort bedeutet eigentlich »Mäntelchen«. Denn in dieser Grabkapelle wurde der Mantel des Heiligen aufbewahrt, den er der Legende nach mit einem Bettler geteilt hatte. Bald wurden alle Hauskapellen im merowingischen Frankenreich so genannt, und schließlich wurde diese Bezeichnung auf alle kleinen Bethäuser übertragen.

Oft geschah es, dass sich mehrere Mönche in einer solchen Einsiedelei ansiedelten. Diese musste dann vergrößert werden und wurde zum *Kloster* (lateinisch *claustrum* »abgeschlossener Raum«). Männer und Frauen bildeten eine so genannte Ordensgemeinschaft und lebten als Mönche und *Nonnen* (lateinisch *nonna,* ursprünglich Anrede für eine ältere Frau) nach bestimmten *Regeln* (lateinisch *regula*) in solchen Klöstern.

Für die größer gewordene Gemeinschaft wurde eine größere Klosterkirche, ein *Münster* (lateinisch *monasterium*) gebaut. Ein neuer *Altar* (lateinisch *altare*) aus Stein wurde errichtet, ein neues, großes *Kreuz* (lateinisch *crux,* althochdeutsch *krūzi*) dahinter aufgestellt.

Regelmäßig wurde jetzt die *Messe* (lateinisch *missa*) gehalten. Der *Priester* (lateinisch *presbyter,* eigentlich »der Ältere; Gemeindevorsteher«, aus altgriechisch *presbýteros* »Gemeindeältester«) verlas von der *Kanzel* (lateinisch *cancelli* »Schranken, Gitter«, eigentlich »durch ein Gitter abgetrennter Platz für die Priester«) das *Evangelium* (lateinisch *euangelium,* altgriechisch *euaggélion*). Danach *predigte* er (lateinisch *praedicare,* eigentlich »öffentlich verkünden«). An hohen Festen begleitete die *Orgel* (lateinisch *organa*) den *Chor* der Mönche (lateinisch *chorus*). Am Ende des Gottesdienstes *segnete* (lateinisch *signare* »das Kreuzzeichen machen«, eigentlich »mit einem Zeichen versehen«) der Priester die Anwesenden.

Das Schulwesen

Die *Schule* (lateinisch *schola*) war ursprünglich nur die Ausbildungsstätte für den priesterlichen Nachwuchs. Jeder *Schüler* (lateinisch *scholaris*) lernte zunächst, die Buchstaben des Alphabets auf eine *Tafel* (lateinisch *tabula*) zu *schreiben* (lateinisch *scribere*). Dazu benutzten sie einen Griffel. Der Name dieses Schreibgerätes, mit dem die Buchstaben in das weiche Wachs der Schreibtafeln eingeritzt wurden, ist wohl eine mit der Nachsilbe *-il* gebildete Form zu althochdeutsch *graf* »Schreibgerät«, das aus lateinisch *graphium* »Werkzeug zum Schreiben auf Wachstafeln« (dies aus altgriechisch *graphíon, grapheĩon,* zu: *gráphein* »schreiben«) entlehnt worden ist. Dabei ist das Wort wohl auch an das althochdeutsche Verb *grīfan* »greifen« angelehnt worden.

War das lange genug geübt worden, durften die Klosterschüler ihre ersten Schreibversuche mit *Tinte* (lateinisch *tincta [aqua]* »gefärbte [Flüssigkeit]«) auf Pergament wagen.

Kloster-»Küchenlatein«

In der Klosterküche entdeckte man eine neue Art der Butterherstellung. Das Milchfett beließ man nicht mehr in breiigem Zustand, sondern es wurde durch Kneten und Salzen fest und haltbar gemacht. Für das neue »Molkereiprodukt« übernahm man den lateinischen Namen *butyrum*, der dann zu unserem Wort *Butter* wurde.

Butter wurde auch zum Backen verwendet. Ein besonders beliebtes Gebäck ähnelte in der Form zwei ineinander verschlungenen Armen. Das lateinische Wort für »Arm« hieß *brachium*. Für das Gebäckstück bildeten die Klosterköche daraus eine Verkleinerungsform, die »Ärmchen« bedeutete. Im Althochdeutschen wurde dieses lateinische Wort dann zu *brezitella* oder *breztella* umgeformt, das schließlich unser Wort *Brezel* ergab.

Der Name für das fein gemahlene Weizenmehl, das beim Backen verwendet wurde, lautete im Lateinischen *simila*. Er wurde als *semela* ins Althochdeutsche entlehnt. Später wurde auch das damit gebackene Brötchen so genannt, und so heißt es heute noch besonders in Bayern und Österreich, nämlich *Semmel*.

Zwiebel (althochdeutsch *zwibollo* für älteres *zibollo* aus mittellateinisch *cipolla*, einer Verkleinerung von lateinisch *cepa* = Zwiebel) und *Petersilie* (mittellateinisch *petrosilium*) gaben den Speisen mehr Geschmack.

Im Kloster galten für bestimmte Tage strenge Fastengebote. Dann durfte zum Beispiel auch kein Fleisch gegessen werden. Für diese »fleischlosen« Tage hatten die Mönche in Klosternähe *Weiher* (lateinisch *vivarium*, eigentlich »Behälter, Gehege für lebende Tiere«) angelegt, in denen sie Fische züchteten.

Mode und Kleidung

Mit der immer mehr zunehmenden Verarbeitung von Stoffen änderten sich auch die Schnitte der Kleidung. Man trug jetzt den langen Mantel mit Kapuze. Dieser hieß lateinisch *cappa*. Von diesem Kleidungsstück ist in unserem Wort *Kappe* nur noch die Bezeichnung für eine Kopfbedeckung erhalten geblieben. Mit dem Wort *Mantel* (lateinisch *mantellum*) wurde ursprünglich ein kurzes Übergewand bezeichnet. Felle wurden zu *Pelzen* (mittellateinisch *pellicia*, zu lateinisch *pellis* »Fell«) verarbeitet, und auch ein so kostbarer Stoff wie *Seide* (mittellateinisch *seta*, althochdeutsch *sīta*) diente zur Herstellung von Kleidungsstücken.

Die althochdeutsche Kirchensprache

Für die Missionare war es oft sehr schwierig, die Begriffe der christlichen Religion aus der lateinischen Kirchensprache in die Sprache der Bevölkerung zu übersetzen. Am einfachsten war es dann, wenn vorhandene Bezeichnungen aus der Religion der Germanen im christlichen Sinn umzudeuten waren.

So wurde aus dem Reich der germanischen Totengöttin *Hel* der Ort der Strafe für die Verstorbenen, unsere *Hölle.* Dieses Wort trat an die Stelle des lateinischen *infernum.* Ursprünglich sächliches Geschlecht hatte *Gott,* weil das Wort zusammenfassend männliche und weibliche Gottheiten bezeichnete (wahrscheinlich eigentlich »das [Wesen], dem geopfert wird«). Die Missionare benutzten das Wort dann für lateinisch *deus* als Bezeichnung des Christengottes.

Das althochdeutsche *gilouben* bedeutet ursprünglich »vertrauend, folgend machen«. Schon früh ist das Wort auf das Vertrauen, das der Mensch zum Walten der Götter hatte (oder haben musste), bezogen worden. In der Kirchensprache konnte man ihm dann leicht die Bedeutung von lateinisch *credere* geben, die heute noch *glauben* im religiösen Bereich hat.

Die ursprüngliche Bedeutung von *Buße* war »Nutzen, Vorteil«. Im Althochdeutschen konnte es aber auch »Heilung durch Zauber« heißen. In der Kirchensprache wurde es dann zur Bezeichnung der Wiedergutmachung, die der Sünder Gott schuldete.

Die eidesstattliche Erklärung vor Gericht und auch das Geständnis eines Angeklagten hießen im Althochdeutschen *bijiht.* Mit christlichem Sinngehalt angefüllt, wurde der Begriff für lateinisch *confessio* benutzt und bekam jetzt die Bedeutung »Sündenbekenntnis (vor einem Priester)«. Aus *bijiht* wurde dann *Beichte.*

Nord-Süd-Gegensatz im christlichen Wortgut

Bei der Übernahme einheimischen Wortgutes in die Kirchensprache standen sich oft Wörter aus dem nördlichen und südlichen Sprachraum als Konkurrenten gegenüber. So war im Süden das althochdeutsche *wīh* »heilig« von den Mönchen übernommen worden und mit christlichem Inhalt gefüllt worden. Die im Norden tätigen angelsächsischen Missionare brachten das altenglische *hāliġ* mit, das wie das althochdeutsche *heilag* aus dem germanischen Religionswesen stammte und eigentlich »mit günstigem Vorzeichen« oder »heil, unversehrt« bedeutete. Die Form aus dem Norden setzte sich durch und trat in der Kirchensprache an die Stelle von lateinisch *sanctus* »heilig« und ergab schließlich unser *heilig*. Das Adjektiv *wīh* ist im Verb *weihen* (eigentlich »heiligen«, dazu *Weihnachten, Weihrauch*) erhalten geblieben sowie in (bayrischen) Ortsnamen wie *Weihen*stephan, *Weihen*zell, *Weih*michl.

Aber nicht nur Fremdwörter und Lehnbedeutungen erweiterten in dieser Zeit den althochdeutschen Wortschatz. Gerade im religiösen Bereich gab es eine große Zahl von Neubildungen. Grundlage dieser Wörter war zwar ein lateinisches Vorbild, die Bestandteile wurden aber der einheimischen Sprache entnommen. So wurde aus dem lateinischen *domus dei* (*domus* = Haus, *dei* = Genitiv von *deus* »Gott«) das althochdeutsche *gotes hūs*, das »Gotteshaus«. Aus lateinisch *beneficium* (*bene* = gut, *-ficium* = vom Verb *facere* »machen, tun« gebildete Ableitungssilbe) wird das althochdeutsche *wolatāt*, daraus dann unser Wort *Wohltat*. Lateinisch *conscientia* (*con-* = eine Gesamtheit bezeichnende Vorsilbe, *scientia* = Wissen) wird im Althochdeutschen zu *ge-wiȥȥeni*, dem späteren *Gewissen*.

Sprachausgleich im frühen Althochdeutsch

Das frühe Althochdeutsche dieser Zeit darf man sich nicht als einheitliche Sprache vorstellen. Es gab weder eine einheitliche Standardsprache noch eine einheitliche Schreibung. Und wenn ein Mönch einen lateinischen Text übersetzte, dann schrieb er in dem Dialekt, den er auch zu Hause sprach. Lebte er aber in einem Kloster außerhalb seiner Heimatgegend, musste er so schreiben, wie man in der Umgebung seines Klosters sprach. Dadurch kam es in den Klöstern mit dem zunehmenden Schreiben althochdeutscher Texte zu einem so genannnten **Sprachausgleich,** da man zu stark mundartliche Formen beim Schreiben vermied und durch Wörter ersetzte, die in der Umgebung des Schreibortes auch verstanden wurden.

Aus dieser frühen Zeit unserer Sprache ist nicht allzu viel an schriftlicher Überlieferung erhalten geblieben. Das meiste davon ist zudem noch vom Lateinischen abhängig und zeigt uns nur die Sprache der gebildeten Priester und Mönche. Wie die einfachen Leute im Alltag sprachen, wie man sich auf Straßen und Plätzen miteinander unterhielt, wissen wir nicht.

Deutsch – die Sprache des Volkes

Der Wortschatz während der althochdeutschen Sprachperiode wurde nicht nur durch Lehnwörter erweitert.

Kaiser Karl der Große (768 bis 814) hatte sich in einer Verordnung dafür eingesetzt, dass in der Kirche auch die Sprache des Volkes gesprochen werden sollte. »Volkssprache« hieß im mittelalterlichen Latein *theodisca lingua.* Das lateinische *theodiscus* ist eine Bildung zum althochdeutsch-germanischen Wort *thiot* »Volk«. Dieses Wort steckt auch in unseren Vornamen *Dieter, Dietlinde* und *Dietmar.* Auch *deuten* (althochdeutsch *diuten*) ist davon abgeleitet und bedeutete ursprünglich »dem (versammelten) Volk etwas erklären«.

Mit »Volk« waren die Leute im Karolingerreich gemeint, die in der altfränkischen Volkssprache redeten und nicht in der aus dem in Gallien gesprochenen Volkslatein entstandenen (alt)französischen Sprache. Diese sprachliche Trennung wurde dann bei der Reichsteilung nach Karls Tod ganz deutlich: Aus dem westfränkischen Teil des Reiches entwickelte sich das spätere Frankreich, aus dem ostfränkischen begann sich das spätere Deutschland zu entwickeln. Um 1000 bezeichnete dann das mittelhochdeutsche Wort *diutsch (tiutsch)* auch diejenigen, die Deutsch sprachen, schließlich dann das Land, in dem diese Deutschsprechenden lebten.

Als nach den fränkischen Karolingern die Ottonen (Kaiser Otto der Große und seine Nachfolger, 936 bis 1024) Herrscher im Deutschen Reich wurden, gewann das Lateinische als Bildungssprache wieder stärkere Bedeutung. Erst im 11. und 12. Jahrhundert wurden die verschiedenen deutschen Volkssprachen häufiger geschrieben und drängten teilweise das Lateinische zurück.

Es beginnt die Zeit des Mittelhochdeutschen. Zwar waren die verschiedenen Mundarten der Stammesherzogtümer und das Latein der Gebildeten kennzeichnend für das sprachliche Geschehen, doch führten die immer mehr zunehmenden Kontakte mit anderen Gegenden und Handelsplätzen zu einem gewissen Sprachausgleich. Wenigstens die Voraussetzungen für eine spätere deutsche Einheitssprache wurden so geschaffen.

¹Heck »Schiffshinterteil«: Der Platz des Steuermannes auf dem hinteren Oberteil des Schiffes war in früheren Zeiten mit einem Gitter umgeben, um ihn gegen überkommende Sturzseen zu schützen. Das niederd. Wort, das sich als seemännischer Ausdruck seit dem 18. Jh. im dt. Sprachgebiet durchgesetzt hat, ist identisch mit dem im Wesentlichen nordd. **²Heck** »Gattertür, Koppel« und geht auf mnd. *heck* »Umzäunung« zurück, beachte mhd. *heck* »Hecke; Einzäunung«, niederl. *hek* »Gitter[werk]; [Gatter]tür«, aengl. *hæcc* »Gatter[tür]« (vgl. *Hecke* und *Hag*). Mit den Neuerungen im Schiffbau ging die Bezeichnung des Steuermannsplatzes auf das ganze Schiffshinterteil über.

Hecke: Die westgerm. Substantivbildung mhd. *hecke*, ahd. *hegga*, niederl. *heg*, engl. *hedge* gehört zu der unter ↑Hag behandelten Wortgruppe.

H

hecken »Junge zur Welt bringen«: Mhd. *hecken* »sich begatten« [von Vögeln], dem im germ. Sprachbereich lediglich engl. *to hatch* »hecken; [aus]brüten« entspricht, ist wahrscheinlich identisch mit mhd. *hecken*, einer Nebenform von ›hacken‹ »hacken, hauen« (vgl. *hacken*). Das Verb würde sich demnach ursprünglich auf das Hacken, mit dem sich Küken oder junge Vögel aus dem Ei befreien, bezogen haben. Weitaus gebräuchlicher als ›hecken‹ ist heute die seit dem 15. Jh. bezeugte Zusammensetzung **aushecken** im Sinne von »ausbrüten, ausdenken, ersinnen«.

Heckmeck: Die Herkunft des ugs. Ausdrucks für »unnötige Umstände, überflüssiges Gerede« ist unklar.

Hede: Das niederd. Wort für den Flachs- oder Hanfabfall, der im Oberd. ›Werg‹ (s. d.) heißt, gehört mit verwandten Wörtern in anderen idg. Sprachen zu der idg. Wurzel **kes-* »kratzen, hecheln, kämmen«, vgl. z. B. griech. *késkeon* »Werg« und die slaw. Sippe von russ. *čёska* »Werg«. Das zugrunde liegende mnd. *hēde*, dem niederl. *hede* »Flachsabfall« entspricht, ist im germ. Sprachbereich verwandt mit mnd. *herde* »Flachsfaser«, engl. *hards* (Plural) »Werg« und aisl. *haddr* »Kopfhaar der Frau«. – Abl.: **verheddern** (s. d.).

Hederich: Die Bezeichnung verschiedener Ackerunkrautarten (mhd. *hederich*, ahd. *hederīh*, mnd. *hed[d]erick*) ist wahrscheinlich aus lat. *hederaceus* »efeuähnlich« entlehnt und nach dem Pflanzennamen ↑Wegerich umgebildet.

Heer: Das Heer ist als »das zum Kriege Gehörige« benannt worden. Gemeingerm. **harja-* »Heer« (mhd. *her[e]*, ahd. *heri*, got. *harjis*, aengl. *here*, schwed. *här*) geht auf das substantivierte Adjektiv idg. **korio-s* »zum Krieg gehörig« zurück, das von idg. **koro-s* »Krieg, Streit« abgeleitet ist. Außergerm. vergleichen sich z. B. pers. *kār-zār* »Schlachtfeld«, griech. *koíranos* »Heerführer«, lit. *kãras* »Krieg«, *kãrias* »Heer«. Bereits in altgerm. Zeit spielte das Wort ›Heer‹ in der Namengebung eine bedeutende Rolle. Es steckt heute noch in zahlreichen dt. Vor- und Ortsnamen, beachte z. B. Herbert, Hermann, Diet[h]er, Günt[h]er, Reiner, Werner, Walt[h]er, Herford, Heringen, Hersfeld. Ferner ist es Bestimmungswort in ↑Herberge, ↑Herold und ↑Herzog. Eine Verbalableitung ist **verheeren** (s. d.). Siehe auch den Artikel *Harnisch*.

Hefe: Der die Gärung bewirkende Stoff ist als »Hebemittel« benannt. Wie sich z. B. frz. *levain* »Hefe« zu *lever* »heben« stellt, so gehören mhd. *heve*, ahd. *hevo*, mniederl. *heffe*, aengl. *hæf* »Hefe« zu dem unter ↑heben dargestellten Verb. Mdal. Ausdrücke für Hefe sind ›Bärme, Germ, Gest‹.

¹Heft: Das Wort mhd. *hefte*, ahd. *hefti* »Griff, Handhabe« ist eine Substantivbildung zu der unter ↑heben dargestellten Wurzel **kap-* »fassen, packen«.

²Heft ↑heften.

heften: Das gemeingerm. Verb mhd., ahd. *heften*, got. *haftjan*, aengl. *hæftan*, schwed. *häfta* ist von dem unter dem Suffix ↑...haft dargestellten germ. Adj. **hafta-* »gefangen« abgeleitet und bedeutete in den älteren Sprachzuständen »haftend machen, befestigen; festsetzen«. – Abl.: **²Heft** »zusammengeheftete Papierbogen« (18. Jh.; das Substantiv ist aus dem Verb rückgebildet). Vgl. den Artikel *behaftet*.

heftig: Mhd. *heftec* »haftend; beharrlich, beständig; mit Beschlag belegt«, das von dem unter dem Suffix ↑...haft dargestellten Adjektiv abgeleitet ist, wandelte – wohl unter dem Einfluss des unverwandten mhd. *heifte* »ungestüm, heftig« – seine Bedeutung zu »stark, gewaltig; außerordentlich, wichtig«. Im heutigen Sprachgebrauch bedeutet ›heftig‹ auch »erregt, leidenschaftlich, zornig« und als Adverb »sehr«. – Abl.: **Heftigkeit** (15. Jh.).

hegen: Das Verb mhd. *hegen* »umzäunen, umschließen; abgrenzen; schonen, pflegen, bewahren«, ahd. *heg[g]an* »mit einem Zaun, mit einer Hecke umgeben« ist von dem unter ↑Hag behandelten Substantiv abgeleitet. – Abl.: **Hege** »alle Maßnahmen zur Pflege und zum Schutz des Wildes« (mhd. *hege*, ahd. *hegī* »Umzäunung, Einhegung«); **Heger** (mhd. *heger* »Hüter eines Geheges, Waldaufseher; eine Art niedriger Lehnsmann«).

Hehl ↑hehlen.

hehlen: Das westgerm. starke Verb mhd. *heln*, ahd., asächs., aengl. *helan* »bedecken, verbergen, verstecken«, das im Ablaut zu den germ. Sippen von ↑hüllen und ↑Halle steht, geht mit verwandten Wörtern in anderen idg. Sprachen auf die Wurzel **k̂el-* »verhüllen, [ver]bergen, schützen« zurück. Außergerm. vergleichen sich z. B. griech. *kalýptein* »umhüllen, verbergen« (↑Eukalyptus), lat. **celere* in *oc-culere* »verbergen, verstecken« (↑okkult, Okkultismus), *cella* »[Vorrats]kammer« (s. die umfangreiche Sippe von *Zelle* mit *Keller, Kellner* u. a.), *color* »Farbe«, wohl eigentlich »Hülle, Schutz« (↑kolorieren). Aus dem germ. Sprachbereich schließen sich ferner die Substantivbildungen ↑¹Helm (eigentlich »[Be]schützer,

Schutz«), ↑Hölle (wohl eigentlich »die Bergende«) und ↑Hülse »umschließende Hülle« an. – Das heute schwach flektierende ›hehlen‹ war in den älteren Sprachzuständen starkes Verb, beachte das zweite Partizip in **unverhohlen** »unverborgen«. Das einfache Verb ›hehlen‹, das heute weitgehend von **verhehlen** »verbergen, verheimlichen« verdrängt ist, bedeutet speziell »einen Diebstahl oder Raub verbergen helfen«, woran sich **Hehler** (mhd. *helære*) und **Hehlerei** (19. Jh.) anschließen. Die Substantivbildung **Hehl** (mhd. *hæle* »Verheimlichung«, ahd. *hāla* »das Verbergen«) lebt nur noch in bestimmten Wendungen, z. B. ›kein[en] Hehl daraus machen‹.

hehr: Das heute wenig gebräuchliche Adjektiv (mhd., ahd. *hēr* »erhaben, vornehm; herrlich; heilig; hochmütig«) ist mit aengl. *hār* »grau; alt« und aisl. *hārr* »grau« verwandt und hat demnach seine Bedeutung »erhaben, heilig usw.« aus »grau[haarig]; alt« entwickelt. Auch engl. *hoar* bedeutet nicht nur »grau[weiß], altersgrau«, sondern auch »ehrwürdig«. Das zugrunde liegende germ. **haira-* »grau« gehört mit verwandten Wörtern in anderen idg. Sprachen zu der Wurzel **k̑ei-*, die hauptsächlich dunkle Farbtöne bezeichnet, vgl. z. B. air. *cīar* »dunkelbraun« und russ. *seryj* »grau«. – Der Komparativ von ahd. *hēr* lautet *heriro*, auf den ↑Herr zurückgeht. Ableitungen sind ↑herrlich, ↑herrisch, ↑herrschen und ↑Herrschaft.

[1]**Heide:** Die Herkunft dieses für die Kirchensprache wichtigen Wortes ist umstritten. Am ehesten handelt es sich um ein von den Goten aus griech. *éthnos* »Schar, Haufe, Volk; fremdes Volk« (beachte ›Ethnologie‹ »Völkerkunde«) entlehntes Wort, das dann zu den anderen germ. Stämmen wanderte. Im Griechischen wird der Plural *éthnē* im Sinne von »Heiden« gebraucht. Von den Germanen wurde das fremde Wort vermutlich volksetymologisch an die germ. Wortgruppe von ↑[2]Heide angeschlossen. Andererseits besteht die Möglichkeit, dass die Bedeutung »Nichtchrist« im Rahmen der Missionstätigkeit auf das von germ. **haiþiō* »Heide, unbebautes, ödes Land, Waldgegend« abgeleitete, dann substantivierte Adjektiv **haiþ[a]na-* »zur Heide gehörig, die Waldgegend bewohnend, (unzivilisiert)« überging, vielleicht in Analogie zu lat. *paganus* »Dorfbewohner; Heide«; *pagus* »Dorf, Gau, Gegend, Land«. Die germ. Wortgruppe bilden mhd. *heiden*, ahd. *heidano*, got. *haiþnō* »Heidin«, engl. *heathen*, schwed. *hedning*. – In Zusammensetzungen tritt ›Heide‹ oft verstärkend auf, beachte z. B. ›Heidenangst, Heidengeld, Heidenkrach‹.

[2]**Heide:** Mhd. *heide*, ahd. *heida*, got. *haiþi*, engl. *heath*, schwed. *hed* gehen auf gemeingerm. **haiþiō* »unbebautes, wild grünendes Land, Waldgegend« zurück und sind mit der kelt. Wortgruppe von akymr. *coit* »Wald« verwandt. Weitere Beziehungen fehlen. Das Wort ›Heide‹ steckt in einigen Zusammensetzungen, beachte z. B. ›Heidekraut, Heideröschen‹ und ›Heidschnucke‹ (s. *Schnucke*). Vgl. auch die Artikel [3]*Heide*, [1]*Heide* und *Heidelbeere*.

[3]**Heide:** Der in den westgerm. Sprachen verbreitete Name des Heidekrautes (mhd. *heide*, ahd. *heida*, niederl. *heide*, engl. *heath*) ist identisch mit ↑[2]Heide »unbebautes, wild grünendes Land, Waldgegend«. Die Benennung entwickelte sich wahrscheinlich in Sätzen wie ›die Heide blüht‹.

Heidelbeere: Die Heidelbeere, die im südwestdeutschen Sprachraum auch einfach ›Heidel‹ heißt (beachte den Ortsnamen Heidelberg), ist als »die zur Heide Gehörige, die auf der Heide Wachsende« benannt. Andere Benennungen dieser Beerenfrucht sind z. B. ›Bick-, Blau-, Mol-, Wald-, Schwarzbeere‹. Älter als ›Heidelbeere‹, [früh]mhd. *heidelber*, ist die Form mhd. *heitber*, ahd. *heitperi*. Zum Verhältnis ›Heide/Heidel‹ beachte ›Eiche/Eichel‹.

heikel »schwierig, misslich, bedenklich«, oberd. auch für »wählerisch [im Essen]«: Die Herkunft des erst seit dem 16. Jh. bezeugten, zunächst oberd. Wortes ist unklar. Vielleicht handelt es sich um ein von mhd. *hei[g]en* »hegen, pflegen« abgeleitetes Adjektiv, das sich mit dem Adjektiv ›ekel‹ (s. *Ekel*) gekreuzt hat.

heil: Das gemeingerm. Adj. mhd., ahd. *heil* »gesund; unversehrt; gerettet«, got. *hails* »gesund«, engl. *whole* »ganz; völlig; vollständig; gesund, heil« und *hale* »frisch, ungeschwächt«, schwed. *hel* »ganz« ist mit der kelt. Sippe von kymr. *coel* »Vorzeichen« und mit der baltoslaw. Sippe von russ. *celyj* »ganz; vollständig; groß, bedeutend; heil, unversehrt« verwandt. Das Wort ist vermutlich aus dem kultischen Bereich in die Profansprache gedrungen, beachte kymr. *coel* »Vorzeichen« und die Bedeutungsverhältnisse des Substantivs ↑Heil. – In nordd. Umgangssprache wird ›heil‹ auch im Sinne von »ganz« gebraucht. Beachte auch verstärkendes ›heil‹ in **heilfroh** »ganz und gar froh«.

Heil: Mhd. *heil* »Glück; [glücklicher] Zufall; Gesundheit; Heilung, Rettung, Beistand«, ahd. *heil* »Glück«; aengl. *hǣl* »günstiges Vorzeichen, Glück, Gesundheit«, aisl. *heill* »günstiges Vorzeichen, Glück, Gesundheit« beruhen auf einem germ. s-Stamm **hailiz*, dessen Bedeutung nicht sicher bestimmbar ist. Unter dem Einfluss des Christentums nahm ›Heil‹ auch die Bedeutung »Erlösung von den Sünden und Gewährung der ewigen Seligkeit« an, beachte die Zusammensetzungen ›Heilslehre, Heilsgeschichte, Heilsordnung‹, ferner **Heilsarmee**, das als Lehnübersetzung von engl. *Salvation Army* seit dem Ende des 19. Jh.s auftritt. – Die Verwendung von ›Heil‹ bzw. von ›heil‹ in Grußformeln, beachte z. B. ›Heil dir!, Gut Heil!, Weidmannsheil!, Petri Heil!‹, reicht bis in germ. Zeit zurück. – Zus.: **heillos** »sehr schlimm« (16. Jh.; eigentlich »ohne Glück, Wohlfahrt oder Gesundheit«, daher »elend; verrucht, scheußlich«). **Heiland:** Als Lehnübersetzung von

H

kirchenlat. *salvator,* das seinerseits Lehnübersetzung von griech. *sōtḗr* ist, erscheinen im Westgerm. ahd. *heilant,* asächs. *hēliand,* aengl. *hǣlend* »Erlöser, Retter, Heiland«. Das Wort ist das substantivierte erste Partizip von dem unter ›heilen‹ (s. u.) dargestellten Verb und ist als Sakralausdruck in der alten Lautung bewahrt. **heilen:** In dem transitiven und intransitiven nhd., mhd. *heilen* sind zwei verschiedene Verbalableitungen von dem unter ↑heil dargestellten Adjektiv zusammengeflossen: ahd. *heilen* »gesund, heil machen; erretten« (entsprechend got. *hailjan,* engl. *to heal,* aisl. *heila*) und ahd. *heilēn* »gesund, heil werden«. – Das Verb ›heilen‹ steckt als Bestimmungswort in mehreren Zusammensetzungen, beachte z. B. ›Heilanstalt, Heilquelle, Heilpflanze‹. **heilig:** Das gemeingerm. Adjektiv mhd. *heilec,* ahd. *heilag,* got. (Runenschrift) *hailag,* engl. *holy,* schwed. *helig* ist entweder von einem Substantiv germ. **haila-* etwa »Zauber, günstiges Vorzeichen, Glück« abgeleitet oder von dem unter ↑heil dargestellten Adjektiv weitergebildet. Die frühe Bedeutungsgeschichte des Wortes lässt sich nicht sicher klären. Vielleicht gehen die Bedeutungen »heilig, geweiht, verehrt, göttlich« auf »bezaubert, Glück bringend« zurück; vgl. hierzu das Kapitel zur Sprachgeschichte *Das Althochdeutsche.* – Abl.: **heiligen** (mhd. *heiligen,* ahd. *heilagōn,* engl. *to hallow,* aisl. *helga*); **Heiligtum** (mhd. *heilectuom,* ahd. *heiligtuom*).

Heim: Das gemeingerm. Wort mhd., ahd. *heim* »Haus, Wohnort, Heimat«, got. *haims* »Dorf«, engl. *home* »Haus, Wohnung, Aufenthaltsort, Heimat«, schwed. *hem* »Haus, Wohnung, Heimat«, mit dem in anderen idg. Sprachen z. B. griech. *kṓmē* »Dorf« und die baltoslaw. Sippe von russ. *sem'ja* »Familie« verwandt sind, ist eine Substantivbildung zu der idg. Wurzel **k̑ei-* »liegen« und bedeutete demnach ursprünglich »Ort, wo man sich niederlässt, Lager«. Zu dieser Wurzel **k̑ei-* gehören auch die Wortgruppen von ↑Heirat (ursprünglich »Hausbesorgung«) und von ↑geheuer (ursprünglich »zur Hausgemeinschaft gehörig, vertraut«). Schon früh erstarrten der Akkusativ und Dativ von ›Heim‹ in adverbiellem Gebrauch, beachte **heim** (mhd., ahd. *heim* »nach Hause«, entsprechend engl. *home,* schwed. *hem*) und **daheim** (mhd. *dā heime,* für älteres mhd. *heim[e],* ahd. *heime* »zu Hause«, entsprechend schwed. *hemma*). Während das Adverb ›heim‹ ständig in lebendigem Gebrauch blieb, fehlt das Substantiv ›Heim‹ vom 16. Jh. bis zur Mitte des 18. Jh.s in den literarischen Belegen. Wohl unter dem Einfluss von engl. *home* wurde dann das Substantiv neu belebt oder das Adverb ›heim‹ substantiviert. Mit dem Adverb ›heim‹ sind einige Verben unfeste Zusammensetzungen eingegangen, beachte z. B. **heimfallen** »als Eigentum an den ursprünglichen Besitzer zurückfallen« (16. Jh.), dazu **Heimfall** (17. Jh.); **heimgehen** (im übertragenen Sinne auch »sterben«), dazu **Heimgang; heimleuchten** (16. Jh.; zunächst »jemanden mit einer Fackel oder dgl. nach Hause geleiten«, seit dem 18. Jh. »fortjagen, jemandem Beine machen«); **heimsuchen** (spätmhd. *heimsuochen* aus mhd. *heime suochen* »in freundlicher oder feindlicher Absicht aufsuchen, überfallen«), dazu **Heimsuchung** (mhd. *heimsuochunge* »Hausfriedensbruch«); **heimzahlen** »zurückzahlen, vergelten« (19. Jh.), dazu **Heimzahlung.** – Das Substantiv ›Heim‹ spielt in der geographischen Namengebung eine bedeutende Rolle, beachte z. B. die dt. Ortsnamen ›Mannheim, Rosenheim, Bochum, Dahlem, Locham‹, die engl. Ortsnamen ›Birmingham, Nottingham‹, die schwed. Ortsnamen ›Varnhem, Gudhem‹. Eine alte Ableitung von ›Heim‹ ist ↑Heimat. Abl.: **heimisch** (mhd. *heimisch,* ahd. *heimisc* »zum Heim, zur Heimat gehörig, einheimisch; zahm; nicht wild wachsend«, beachte auch **einheimisch**); **heimlich** (s. d.). Zus.: **Heimtücke** (s. d.); **Heimweh** (16. Jh.; das Wort hat sich, und zwar zunächst als medizinischer Fachausdruck, von der Schweiz ausgebreitet). Vgl. auch die Artikel *anheim…, anheimeln, einheimsen, geheim* und ferner *Heimchen.*

Heimat: Das auf das dt. Sprachgebiet beschränkte Wort (mhd. *heimuot[e],* ahd. *heimuoti, heimōti,* mnd. *hēmōde*) ist mit dem Suffix -ōti, mit dem z. B. auch ›Armut‹ und ›Einöde‹ (s. d.) gebildet sind, von dem unter ↑Heim dargestellten Substantiv abgeleitet.

Heimchen: An die Stelle der alten westgerm. Benennung der Hausgrille mhd. *heime,* ahd. *heimo,* mnd. *hēme,* aengl. *hāma,* die zu der Wortgruppe von ↑Heim gehört, trat um 1500 ›heimchen‹, das als Verkleinerungsbildung des alten Wortes verstanden werden kann (beachte mhd. *heimelīn,* ahd. *heimili*), falls es sich nicht um eine verdunkelte Zusammensetzung handelt, beachte mhd. *heimamuch,* umgestellt aus *mücheime,* ahd. *mūhheimo* (erster Bestandteil wohl zu got. *mūka-* »sanft«).

heimelig, heimeln ↑anheimeln.

Heimfall, heimfallen, heimleuchten ↑Heim.

heimlich: Das von dem unter ↑Heim dargestellten Substantiv abgeleitete Adjektiv ahd. *heimilīch* »zum Hause gehörig, vertraut«, mhd. *heim[e]lich* »vertraut; einheimisch; vertraulich, geheim; verborgen« wird – wie auch ›geheim‹ (s. d.) – im heutigen Sprachgefühl nicht mehr als zu ›Heim‹ gehörig empfunden. – Abl.: **Heimlichkeit** (mhd. *heim[e]līchkeit* »Annehmlichkeit, Freude; Vertraulichkeit; vertraute Gemeinschaft; Heimlichkeit; Geheimnis«); **verheimlichen** (18. Jh.). Beachte auch die Gegenbildung **unheimlich.**

heimsuchen, Heimsuchung ↑Heim.

Heimtücke: An die Stelle der seit dem 16. Jh. üblichen Formeln ›haimliche Dück‹ oder ›hemische Dück‹ »versteckte List, hinterhältiger Streich« (↑heimlich bzw. ↑hämisch und ↑Tücke) trat im 18. Jh. die Zusammensetzung ›Heimtücke‹. Das Adjektiv

heimtückisch, früher auch *hämtückisch* geschrieben, ist seit der 2. Hälfte des 16. Jh.s bezeugt.

Heimzahlung ↑Heim.

Heinzelmännchen: Die seit dem 16. Jh. bezeugte Zusammensetzung enthält als Bestimmungswort die Koseform Heinzel zu dem männlichen Taufnamen Heinz (Kurzform von Heinrich). Um die nach dem Volksglauben hilfreichen kleinen Hausgeister wohlgesinnt zu stimmen, gab man ihnen schmeichelnde Kosenamen. Früher nannte man die Hauskobolde auch einfach ›Heinzel‹ oder ›Heinzlein‹.

Heirat: Die Zusammensetzung mhd., ahd. *hīrāt* (entsprechend aengl. *hīrēd*) bedeutete ursprünglich »Hausbesorgung«, dann »Ehestand« und schließlich »Eheschließung«. Das Grundwort ist das unter ↑Rat dargestellte Substantiv, das auch in ›Hausrat, Vorrat, Unrat‹ und ›Gerät‹ steckt und früher auch »Versorgung, Hilfe, Mittel und dgl.« bedeutete. Das Bestimmungswort geht auf germ. **hīwa[n]-* »Haus, Hauswesen, Hausgemeinschaft« zurück, beachte z. B. got. *heiwafrauja* »Hausherr«, aengl. *hīwan* »Haushalt, Familie«, ahd. *hī[w]o* »Hausgenosse, Familienangehöriger, Gatte«, *hīwiski* »Haushaltung, Hausgesinde, Familie«. Das germ. Wort, mit dem in anderen idg. Sprachen z. B. lat. *civis* »Bürger«, eigentlich »Haus- oder Gemeindegenosse« (↑zivil), näher verwandt ist, gehört zu der unter ↑Heim (eigentlich »Ort, wo man sich niederlässt, Lager«) dargestellten idg. Wurzel **k̑ei-* »liegen«. Während die Sippe von ›Heim‹ auf eine Bildung mit mo-Formans zurückgeht, beruht das Bestimmungswort von ›Heirat‹ auf einer Bildung mit u̯o-Formans.

Heiratskandidat ↑Kandidat.

heischen: Das westgerm. Verb mhd. *[h]eischen,* ahd. *eiscōn* »fordern; fragen«, asächs. *ēskōn* »fordern; fragen«, engl. *to ask* »fragen, bitten« gehört mit verwandten Wörtern in anderen idg. Sprachen, vgl. z. B. die baltoslaw. Sippe von russ. *iskat'* »suchen, trachten, fordern« und aind. *iccháti* »sucht, wünscht«, zu der idg. Wurzel **ais-* »suchen, trachten nach, verlangen«. – Das anlautende h- im Dt. beruht wohl auf Anlehnung an das Verb ›heißen‹. Beachte auch den Artikel *anheischig.*

heiser: Das altgerm. Adjektiv mhd. *heis[er],* ahd. *heis[i],* niederl. *hees,* aengl. *hās,* schwed. *hes* bedeutete ursprünglich »rau« – diese Bedeutung hat norw. mdal. *haas* bewahrt – und gehört weiterhin vielleicht im Sinne von »dürr, trocken« zu der Sippe von ↑heiß.

heiß: Das altgerm. Adjektiv mhd., ahd. *heiz,* niederl. *heet,* engl. *hot,* schwed. *het* ist mit der balt. Sippe von lit. *kaitrùs* »heiß, brennend, sengend« verwandt. Der germ.-balt. Übereinstimmung liegt mit d-, t-, vielleicht auch mit s- (vgl. *heiser*) erweitertes **kăi-* »heiß; Hitze« zugrunde, beachte zur unerweiterten Wurzel die Bildungen ahd. *hei* »dürr«, *gihei* »Hitze, Dürre«. Eine Substantivbildung ist ↑Hitze, eine Verbalableitung ist ↑heizen. – Verschiedene Lehnbedeutungen hat ›heiß‹ im 20. Jh. von engl. *hot* übernommen, wie z. B. im Bereich der Musik »mitreißend, begeisternd«, im Bereich von Waren und Geschäften »illegal, gestohlen o. ä.«, im Bereich von Büchern, Filmen, Kleidung u. Ä. »freizügig, aufreizend«.

heißen: Das gemeingerm. Verb mhd. *heizen,* ahd. *heizzan* »auffordern, befehlen; sagen; nennen«, got. *haitan* »befehlen; rufen, einladen; nennen«, aengl. *hātan* »befehlen, heißen; verheißen; nennen«, schwed. *heta* »heißen« gehört wahrscheinlich zu der idg. Wurzel **kēi-[d]-* »in Bewegung setzen«, hat also demnach seine Bedeutung aus »[an]treiben, zu etwas drängen« entwickelt. Zu dieser Wurzel gehören aus anderen idg. Sprachen z. B. griech. *kineīn* »in Bewegung setzen«, lat. *ciere* »in Bewegung setzen«, dazu *citus* »schnell«, *citare* »in Bewegung setzen« (↑zitieren). – Die Bedeutung »genannt werden« hat ›heißen‹ im passivischen Gebrauch entwickelt. In den Bedeutungen »auffordern, befehlen, nennen« ist das Verb heute wenig gebräuchlich. – Abl.: **Geheiß** (mhd. *geheiz[e],* ahd. *gaheiz[a]* »Befehl, Gebot, Verheißung, Gelübde« mit Entsprechungen in den anderen germ. Sprachen). Präfixbildung: **verheißen** (mhd. *verheizen* »versprechen; verloben«), dazu **Verheißung** (15. Jh.). Beachte auch den Artikel *anheischig.*

...heit: Das gemeingerm. Substantiv mhd., ahd. *heit* »Person; Stand, Rang; Wesen, Beschaffenheit, Art; Geschlecht«, got. *haidus* »Art und Weise«, aengl. *hād* »Person; Stand, Rang; Würde, Amt; Wesen, Natur, Form, Art; Geschlecht, Familie«, aisl. *heiđr* »Ehre; Rang; Lohn, Gabe« wurde im Westgerm. schon früh zu einem Mittel der Abstraktbildung und ging dann als selbstständiges Wort verloren. Beachte z. B. ahd. *got[e]heit* »Gottheit«, *frīheit* »Freiheit«, asächs. *juguthhēd* »Jugend«, aengl. *cildhād* (engl. *childhood*) »Kindheit«. Mit dem Suffix ...heit werden vor allem Eigenschafts- und Zustandsbezeichnungen aus Adjektiven und Partizipien gebildet, z. B. ›Schönheit, Bescheidenheit, Trunkenheit, Vergangenheit‹. In einigen Bildungen hat ...heit kollektive Bedeutung, z. B. in ›Christenheit‹ und ›Menschheit‹. Eine Nebenform zu ...heit ist **...keit,** das sich aus der Ableitung der Adjektive auf -ig (mhd. *-ec*) entwickelte und dann als selbstständiges Suffix fruchtbar wurde, beachte z. B. mhd. *ēwecheit, ēwekeit* »Ewigkeit«, *trūrecheit, trūrekeit* »Traurigkeit«, nhd. *Langsamkeit, Tapferkeit.* Andererseits entwickelte sich aus dieser Ableitung auch **...igkeit** zu einem selbstständigen Suffix, beachte z. B. ›Feuchtigkeit, Müdigkeit, Süßigkeit‹. – Das germ. Substantiv, aus dem das Suffix ...heit hervorgegangen ist, geht mit verwandten Wörtern in anderen idg. Sprachen, z. B. aind. *kētú-ḥ* »Lichterscheinung, Helle, Bild«, auf eine Wurzel **kāi-* »scheinen[d], leuchten[d]« zurück, zu der auch die Sippe von ↑heiter gehört. Die Bedeutung »Person, Stand, Zustand, Art, Wesen«

haben sich demnach aus »Schein, Erscheinung« entwickelt. Auch in der Namengebung spielt das germ. Substantiv eine Rolle, beachte z. B. die Personennamen Heidebrecht, Adelheid.

heiter: Die auf das Westgerm. beschränkte Adjektivbildung mhd. *heiter*, ahd. *heitar*, asächs. *hēdar*, aengl. *hādor* gehört zu der unter dem Suffix ↑...heit dargestellten idg. Wurzel **kāi-* »scheinen[d], leuchten[d]«, vgl. z. B. aind. *citrá-ḥ* »hell; deutlich; herrlich«. Aus der Bedeutung »klar, hell, wolkenlos« entwickelte sich im Dt. die Bedeutung »fröhlich«; beachte auch **aufheitern** »klar, wolkenlos werden« und »fröhlich machen, aufmuntern«. Das seit dem 19. Jh. bezeugte **angeheitert** »leicht betrunken, beschwipst« beruht auf einer Kontamination aus ›aufgeheitert‹ und ›angetrunken‹.

heizen: Das Verb mhd., ahd. *heizen (heiʒen)*, mnd. *hēten*, engl. *to heat*, aisl. *heita* ist von dem unter ↑heiß dargestellten Adjektiv abgeleitet und bedeutete demnach ursprünglich »heiß machen«. Die Zusammensetzungen ›einheizen‹ und ›verheizen‹ werden ugs. oft im übertragenen Sinne gebraucht.

Hektar: Die Bezeichnung für das Flächenmaß von 100 Ar wurde im 19. Jh. als amtliche Bezeichnung aus frz. *hectare* »100 Ar« entlehnt (vgl. *hekto..., Hekto...* und [1]*Ar*).

hektisch »fieberhaft, aufgeregt, von krankhafter Betriebsamkeit, sprunghaft, gehetzt«: Das Adjektiv wurde aus der medizinischen Fachsprache in die Gemeinsprache übernommen. Das in der modernen Medizin gelegentlich noch im Sinne von »lange in demselben Zustand verharrend; hartnäckig« gebrauchte Wort, ferner die noch üblichen Fügungen ›hektisches Fieber‹ »chronisches Fieber bei Lungenschwindsucht« und ›hektische Röte‹ »fleckige Wangenröte des Schwindsüchtigen« weisen auf den in der mittelalterlichen Medizin ausgeprägten Sinn des Wortes: »an chronischer Brustkrankheit leidend, schwindsüchtig«. Voraus liegt das griech. Adjektiv *hektikós* »den Zustand, die Körperbeschaffenheit betreffend; zuständlich; anhaltend, chronisch«, das – entweder unmittelbar oder mittelbar über das griech. Substantiv *héxis* »Haltung, Zustand« – zu griech. *échein (íschein, schein)* »halten, haben, fest-, anhalten« gehört. Dies steht mit verschiedenen Substantivbildungen und Zusammensetzungen im größeren Zusammenhang der unter ↑Sieg behandelten idg. Sippe. Einige Bildungen zu griech. *échein* spielen als Fremdwörter im Dt. eine Rolle, z. B. griech. *schēma* »Haltung; Gestalt; Form« (↑Schema); ferner griech. *scholḗ* (eigentlich »das Innehalten in der Arbeit«, dann:) »Muße, Ruhe; wissenschaftliche Beschäftigung während der Mußestunden« im Lehnwort ↑Schule; schließlich als Hinterglied in Zusammensetzungen griech. *óchos* »Halter, Hüter« (↑Eunuch) und *ochḗ* »das Halten«, *ep-ochḗ* »das Anhalten (in der Zeit), der Haltepunkt« (↑Epoche, epochal usw.).

hekto..., Hekto..., (vor Vokalen:) hekt..., Hekt...: Das Bestimmungswort von Zusammensetzungen mit der Bedeutung »hundertfach« (wie in ↑Hektar oder ↑Hektoliter) geht zurück auf das griech. Zahlwort *hekatón* »hundert«, das im frz. Sprachraum als *hecto...* erscheint. So sind denn auch fast alle Bildungen mit ›hekto..., Hekto...‹ aus dem Frz. übernommen. Griech. *hekatón* (eigentlich *he-katón* »ein-hundert«) ist urverwandt mit lat. *centum* und dt. ↑hundert.

Hektoliter: Die Bezeichnung für das Flüssigkeitsmaß von 100 Litern wurde im 19. Jh. aus frz. *hectolitre* »100 Liter« entlehnt (vgl. *hekto..., Hekto...* und *Liter*).

Hel ↑Hölle.

Held: Die Herkunft des altgerm. Substantivs **haliÞ-, *haluÞ-* »[freier] Mann; Krieger; Held« (mhd. *held*, niederl. *held*, aengl. *hæle[đ]*, schwed. *hjälte*) lässt sich nicht befriedigend deuten. Seit dem 18. Jh. wird ›Held‹ auch im Sinne von »Hauptperson einer Dichtung« – vermutlich nach dem Vorbild von engl. *hero* – gebraucht, woran sich die Verwendung des Wortes im Sinne von »Person um die sich alles dreht« anschließt. – Abl.: **Heldentum** (18. Jh.; als Ersatz für ›Heroismus‹ gebildet); **heldenhaft** (17. Jh.); **heldisch** (16. Jh.). Zus. **Heldenmut** (17. Jh.); **Heldensage** (Anfang des 19. Jh.s); **Heldentat** (17. Jh.); **Heldentod** (17. Jh.).

helfen: Das gemeingerm. starke Verb mhd. *helfen* ahd. *helfan*, got. *hilpan*, engl. *to help*, schwed *hjälpa* ist wahrscheinlich mit der balt. Wortgruppe von lit. *šel̃pti* »helfen, unterstützen, fördern« verwandt. Weitere Beziehungen sind nicht gesichert. Eine Substantivbildung zu ›helfen‹ ist ↑Hilfe, zu dem sich ›Gehilfe‹ und ›behilflich‹ stellen. Zusammensetzungen und Präfixbildungen mit ›helfen‹ sind ›ab-, auf-, aus-, mit-, nachhelfen‹ und ›verhelfen‹, ferner sich **behelfen** (mhd. *behelfen* reflexiv »als Hilfe brauchen«), beachte **Behelf** (mhd. *behelf* »Ausflucht, Vorwand; Zuflucht«) heute fast nur noch in **Notbehelf** gebräuchlich) und **unbeholfen** (mhd. *unbeholfen* »nicht behilflich«). Abl.: **Helfer** (mhd. *helfære*, ahd. *helfāri*) dazu **Helfershelfer** (15. Jh.; zunächst »Mithelfer im Streite, Kampfgenosse«, dann »Mithelfer an einem Verbrechen«; zur Bildung beachte z. B ›Kindeskind, Zinseszins‹).

Helium: Der Name des Edelgases wurde im 19. Jh aus gleichbed. engl. *helium* entlehnt, einer gelehrten Bildung von J. N. von Lockyer (1836–1920) und E. Frankland (1825–1899) zu griech. *hḗlios* »Sonne«, das urverwandt ist mit lat. *sol* und nhd ↑Sonne. – Das Gas erhielt seinen Namen, weil die beiden Wissenschaftler es zuerst im Spektrum der Sonne beobachteten.

hell: Das auf das dt. und niederl. Sprachgebiet beschränkte Adjektiv (mhd. *hel* »tönend, laut; licht glänzend«, ahd. *-hel* in Zusammensetzungen, niederl. *hel* ist mit den Wortgruppen von ↑Hall und von ↑holen ursprünglich »[herbei]rufen schreien« verwandt und gehört zu der idg. Wurzel *kel[ə]-, *klē- »rufen, schreien, lärmen«. Es bezog sich also zunächst ausschließlich auf akustische Eindrücke und wurde dann auch auf optische Eindrücke übertragen und als Gegensatz zu dunkel empfunden, beachte ›grell‹ (ursprünglich »laut schreiend«) und ›schreiend‹ und ›knallig‹, die auf Farbtöne bezogen werden können. Ferner wird ›hell‹ übertragen auch im Sinne von »rasch auffassend, scharfsinnig, klug« gebraucht. Das zweisilbige **helle,** eigentlich die adverbielle Form (mhd. *helle* Adverb), ist heute ugs. auch adjektivisch gebräuchlich. – Zu der idg. Wurzel *kel-, die auch mit anlautendem s- als *skel- (vgl. die Fremdwortgruppe um [1]*Schelle*) bezeugt ist, gehören aus anderen idg. Sprachen z. B. griech. *kaleīn* »rufen, nennen«, lat. *calare* »ausrufen, zusammenrufen«, zu dem sich *calendae,* eigentlich »das Ausrufen der Nonen« (↑Kalender) und *concilium* »Versammlung; Vereinigung« (↑Konzil) stellen, ferner *clarus* »laut, schallend; hell, licht, deutlich« (s. die große Wortgruppe von *klar*), *classis* »Aufgebot; Heer; Flotte; Abteilung« (s. die Sippe von *Klasse*) und *clamare* »laut rufen, schreien« (s. die Sippe von *Reklame*). Auf einer alten Sonderentwicklung aus *kel- »rufen, schreien, lärmen« beruht wahrscheinlich *kel- »treiben« (vgl. *halten*). – Abl.: **Helle** (mhd. *helle* »Helligkeit«); **hellen** in **aufhellen** und **erhellen,** dichterisch ›sich hellen‹ für »hell werden« (mhd. *hellen* »aufleuchten«); **Helligkeit** (16. Jh.). Zus.: **helldunkel,** auch substantiviert **Helldunkel** (18. Jh.; der im Wesentlichen maltechnische Ausdruck ist eine Lehnübersetzung von frz. *clair-obscur,* das seinerseits Lehnübersetzung des seit dem 16. Jh. bezeugten it. *chiaroscuro* ist); **hellhörig** (19. Jh.); **Hellseher** »jemand, der mit den normalen Sinnen nicht erfassbare Vorgänge o. Ä. wahrnimmt« (Anfang des 18. Jh.s; Lehnübersetzung von frz. *clairvoyant*), dazu **Hellseherei, hellseherisch** und **hellsehen; hellsichtig** »scharfsinnig durchschauend, vorausblickend« (20. Jh.). Siehe auch *einhellig.*

Hellebarde: Der Name der alten Stoß- und Hiebwaffe, die aus einem langen Stiel mit axtförmiger Klinge und scharfer Spitze besteht, beruht auf mhd. *helmbarte (helle[n]barte),* dessen Bestimmungswort ↑[2]Helm »Stiel, Handhabe« und dessen Grundwort *Barte* »Beil« (vgl. *Bart*) ist. Aus dem Dt. stammen engl. *halberd,* schwed. *hillebard,* frz. *hallebarde* usw.

Hellegat[t] ↑Hölle.

Heller: Die heute nicht mehr gültige Münze ist nach ihrer ersten Prägestätte, der alten Reichsstadt Schwäbisch Hall, benannt, wo seit etwa 1200 der Haller pfenninc (daraus gekürzt mhd. *haller, heller*) geprägt wurde. Heute lebt ›Heller‹ nur noch in einigen Redewendungen, beachte z. B. ›keinen roten Heller haben‹ und ›auf Heller und Pfennig‹.

Helm: Das gemeingerm. Wort mhd., ahd. *helm,* got. *hilms,* engl. *helm,* schwed. *hjälm,* dem in anderen idg. Sprachen z. B. aind. *śárman-* »Schirm, Schutz[dach], Decke« entspricht, ist eine Substantivbildung zu der unter ↑hehlen dargestellten Wurzel *k̂el- »verhüllen, verbergen«. Der Helm ist demnach als »[Be]schützer, Schutz« benannt. Das Wort ›Helm‹ spielt auch in der Namengebung eine Rolle, beachte z. B. die Personennamen ›Helmut, Wilhelm, Hjalmar‹. Im übertragenen Gebrauch bezeichnet ›Helm‹ u. a. das [runde] Dach von Türmen.

[2]**Helm** »Stiel von Schlagwerkzeugen, Handhabe«: Das Wort (mhd. *helm, halm[e]* »Axtstiel«) ist z. B. mit ↑[1]Holm »Griffstange des Barrens« und mit ↑[1]Halfter »Zaum« verwandt und gehört zu der unter ↑Schild dargestellten Wortgruppe. Als Bestimmungswort steckt ›Helm‹ in Hellebarde (s. d.).

Hemd: Die Benennung des kittelartigen Kleidungsstückes ist eine auf das Westgerm. beschränkte Substantivbildung zu der idg. Wurzel *k̂em- »bedecken, verhüllen«. Zu dieser Wurzel gehören aus dem germ. Sprachbereich ahd. *hamo* »Hülle«, das als zweiter Bestandteil in *Leichnam* (↑Leiche), eigentlich »Leibeshülle«, steckt (beachte auch den Artikel *hämisch,* ursprünglich »verhüllt, versteckt«), ferner vermutlich ↑Hummer im Sinne von »[mit einer Schale] bedecktes Tier« und vielleicht ↑Himmel, falls dieses Wort ursprünglich »Hülle, Decke« bedeutete. – Eine Vorform von westgerm. *hamiþia- »(Hülle), Hemd«, auf das mhd. *hem[e]de,* ahd. *hemidi,* niederl. *hemd* und aengl. *hemeđe* zurückgehen, wurde früh von den Kelten entlehnt und von diesen dann von den Römern übernommen. Aus anderen idg. Sprachen vergleicht sich z. B. aind. *śāmúla-m* »wollenes Hemd«. – Zus.: **Hemdenmatz** (↑Mätzchen).

Hemd

jmdm. ist das Hemd näher als der Rock
»jmdm. ist der eigene Vorteil wichtiger als die Interessen anderer«
Die Redensart geht auf die Komödie ›Trinummus‹ des römischen Dichters Plautus zurück. Dort heißt es (V, 2, 30): ›Tunica propior pallio‹.

hemi..., Hemi...: Das aus dem Griech. stammende Bestimmungswort von Zusammensetzungen mit der Bedeutung »halb«, wie in ↑Hemisphäre, ist aus gleichbed. griech. *hēmi...* (dazu als Adjektiv *hḗmisys* »halb«) entlehnt, das urverwandt ist mit entsprechend lat. *semi...* (vgl. *semi..., Semi...*).

Hemisphäre: Die Bezeichnung für »halbe Erd- oder Himmelskugel« ist eine gelehrte Entlehnung des 18. Jh.s aus lat. *hemisphaerium* < griech. *hēmisphaírion* »Halbkugel«, im Geschlecht an das Grundwort griech. *sphaīra* »Kugel« (vgl. *Sphäre*) angeglichen. Zum Bestimmungswort vgl. *hemi..., Hemi...*

hemmen: Mhd. *hemmen* »aufhalten, hindern«, daneben gleichbed. *hamen,* aengl. *hemman* »hemmen; verstopfen; schließen«, isl. *hemja* »zügeln; zwingen« gehören mit verwandten Wörtern in anderen idg. Sprachen, z. B. der baltoslaw. Sippe von russ. *kom* »Klumpen«, *komit* »zusammenballen«, zu einer Wurzel **kem-* »mit einem Flechtwerk oder Zaun umgeben, einpferchen, zusammendrücken, pressen«, vgl. griech. *kēmós* »geflochtener Deckel der Stimmurne; Fischreuse; Maulkorb« (ursprünglich »Flechtwerk«) und die Sippe von niederd. *Hamm* »umzäuntes Stück Land«. In oberd. Mundarten bedeutet ›hemmen‹ speziell »weidendes Vieh am Fortlaufen hindern«, beachte dazu aisl. *hemill* »Beinfessel für weidendes Vieh«. – Das zweite Partizip **gehemmt** – davon **Gehemmtheit** (20. Jh.) – spielt, wie auch ›Hemmung‹ (s. u.), in der Fachsprache der modernen Psychologie eine wichtige Rolle. – Abl.: **Hemmnis** (19. Jh.); **Hemmung** (17. Jh.), dazu **hemmungslos** (20. Jh.). Zus.: **Hemmschuh** »schuhförmige Bremsvorrichtung« (16. Jh.).

Hengst: Die Bedeutung »unverschnittenes männliches Pferd« hat das Wort erst seit dem 15. Jh. In den älteren Sprachzuständen bedeutete es dagegen »verschnittenes männliches Pferd« oder »[männliches] Pferd« überhaupt, beachte mhd. *heng[e]st* »Wallach, Pferd«, ahd. *hengist* »Wallach«, aengl. *hengest* »männliches Pferd«, aisl. *hestr* »[männliches] Pferd«. Die Herkunft von germ. **hangista-* (**hanhista-*), das diesen Formen zugrunde liegt, ist nicht sicher gedeutet. Vielleicht handelt es sich um einen substantivierten Superlativ »am besten springend, am schnellsten, am feurigsten« zu einem germ. Adjektiv **hanha-*, das sich mit der Wortgruppe von lit. *šankùs* »beweglich, schnell, hitzig« verbinden ließe.

Henkel: Das seit dem 15. Jh. bezeugte Wort ist eine Substantivbildung zum Verb ↑henken in dessen älterer Bedeutung »hängen machen, aufhängen«.

henken: Das Verb mhd., ahd. *henken* »hängen machen, [auf]hängen« ist von dem unter ↑hängen dargestellten Verb abgeleitet. In mhd. Zeit nahm das Wort die heute übliche Bedeutung »an den Galgen hängen, [durch den Strang] hinrichten« an. Vgl. den Artikel *Henkel*.

Henne: Das westgerm. Substantiv mhd. *henne*, ahd. *henna*, niederl. *hen*, engl. *hen* ist eine Ableitung von dem unter ↑Hahn behandelten Wort.

her: Das Adverb mhd. *her*, ahd. *hera* bezeichnet im Allgemeinen die Richtung auf den Standpunkt des Sprechenden zu, während ↑hin die von ihm weg ausdrückt. Zur genaueren Bestimmung des Verhältnisses des Ausgangspunktes einer Bewegung zum Standpunkt des Sprechenden kann ›her‹ mit anderen Adverbien, mit denen es zusammenwächst, ergänzt werden, beachte ›herab, -an, -auf, -aus, -bei, -ein, -nieder, -über, -um, -unter, -vor, -zu‹, die auch in der Zusammensetzung eine Rolle spielen. Vielfach wird ›her‹ auch mit der Angabe des Ausgangspunktes einer Bewegung gebraucht und drückt dann die Richtung selbst aus, beachte z. B. ›vom Walde her, von Westen her, von fern he[r] und die sich daran anschließende Verknüpfun[g] mit Ortsadverbien der Ruhe, z. B. ›dorther, woher Zeitlich bezieht sich ›her‹ auf den Zeitpunkt, i[n] dem sich der Sprechende befindet, beachte auc[h] ›bisher, seither‹. Als erster Bestandteil hat ›he[r] bisweilen weder räumliche noch zeitliche Ge[l]tung, sondern drückt einen Zweck aus, beacht z. B. ›herrichten, herstellen‹. – Das Adverb ›he[r] gehört zu dem idg. Pronominalstamm **k̑e, *k̑[e]* »dieser«, der auch in ↑hier und ↑hin und ferner i[n] ↑heuer und ↑heute steckt, beachte z. B. aus de[m] germ. Sprachbereich engl. *he* »er« und außergerm z. B. lat. *-ce* »her« (Partikel), *cis* »diesseits«.

Heraldik: Die Bezeichnung für »Wappenkunde wurde um 1700 aus gleichbed. frz. *(science) hérai-dique* (eigentlich »Heroldskunst«) entlehnt. Die bezieht sich auf die dem Herold zukommend Aufgabe, bei den Ritterturnieren, die nur de[m] Adel offen standen, die Wappen der einzelne[n] Kämpfer zu prüfen. Stammwort ist demgemä[ß] das unserem Substantiv ↑Herold zugrunde lie gende frz. *héraut* in seiner latinisierten For[m] mlat. *heraldus* (entsprechend: *ars heraldica*).

herausfordern ↑fordern.

herb: Die Herkunft des seit mhd. Zeit in der For[m] *har[e]*, flektiert *har[e]wer* bezeugten Adjektive ist unklar. Vielleicht gehört es im Sinne vo[n] »schneidend, kratzend, rau, scharf« zu der unte ↑[1]scheren dargestellten idg. Wurzel **[s]ke[r]* »schneiden«. Zum Lautwandel beachte z. B. da Verhältnis von nhd. *mürbe* zu mhd. *mür[w]e* un[d] von nhd. *Farbe* zu mhd. *varwe*. Heute bezieht sic[h] ›herb‹ nicht nur auf Geschmacksempfindunge[n] sondern wird auch im Sinne von »hart, schlimm schmerzlich« gebraucht.

herbeischaffen ↑schaffen.

Herberge: Die auf das dt. und niederl. Sprachgebie beschränkte Zusammensetzung mhd. *herberg[e]* ahd. *heriberga*, niederl. *herberg* (Bestimmungs wort ist ↑Heer, das Grundwort gehört zum Ver[b] ↑bergen) bedeutete ursprünglich »ein das Hee bergender Ort«. Aus der Bedeutung »Heer-, Feld lager«, die das Wort noch in mhd. Zeit hat, ent wickelten sich aber schon früh die Bedeutun[g] »Obdach, Unterkunft (für eine Schar oder eine[n] Einzelnen)« und »Haus zum Übernachten fü Fremde«. Aus dem Mnd. stammt anord. *herberg* »Unterkunft, Herberge«, woraus wiederum eng[l]. *harbour* »Hafen« (eigentlich »Zuflucht für Schif fe«) entlehnt ist. Auch in die roman. Sprachen is das Wort gedrungen, beachte frz. *auberge* und it *albergo* »Herberge«. – Abl.: **herbergen** »Unter kunft nehmen; Unterkunft gewähren« (mhd. *her bergen*, ahd. *heribergōn*; gebräuchlicher ist heut **beherbergen**).

Herbst: Die germ. Benennung der Jahreszeit zwi schen Sommer und Winter **harbista, *harbusta* worauf mhd. *herb[e]st*, ahd. *herbist*, niederl. *herfst* engl. *harvest* »Ernte[zeit]; (älter:) Herbst« und di[e] nordische Sippe von schwed. *höst* beruhen, stellt sich mit verwandten Wörtern in anderen idg. Sprachen – z. B. lat. *carpere* »pflücken, rupfen, abreißen« und griech. *karpós* »Frucht, Ertrag« – zu der unter ↑^{1}scheren dargestellten idg. Wurzel **[s]ker-* »schneiden«. Das Wort bedeutete demnach ursprünglich etwa »Pflückzeit, Ernte« oder »Zeit der Früchte«, falls es sich nicht um einen substantivierten Superlativ »am besten zum Pflücken geeignet[e Zeit]« handelt. – In süd- und südwestd. Mundarten bedeutet ›Herbst‹ auch »Traubenlese« oder »Obsternte«. – Abl.: **herbsteln** »herbstlich werden«, **herbsten** »herbstlich werden«, mdal. »Weinlese halten, ernten« (mhd. *herbesten* »Weinlese halten«); **herbstlich** (16. Jh.); **Herbstling** »Reizker, Blätterschwamm« (18. Jh.; bereits im 17. Jh., aber in der Bedeutung »Herbstapfel« und »im Herbst geborenes Vieh« bezeugt). Zus.: **Herbstmonat,** auch **Herbstmond** »September« (mhd. *herb[e]stmānōt,* ahd. *herbistmānōt*); **Herbstzeitlose** (↑Zeit).

Herd: Das auf das Westgerm. beschränkte Substantiv mhd. *hert,* ahd. *herd,* niederl. *haard,* engl. *hearth* gehört mit verwandten Wörtern in anderen idg. Sprachen, vgl. z. B. lat. *carbo* »[Holz]kohle« (↑karbo..., Karbo...) und – weitergebildet – *cremare* »verbrennen, einäschern« (↑Krematorium), zu der idg. Wurzel **ker-* »brennen, glühen«. – Der Herd, in früher Zeit Mittelpunkt des Hauses, gilt seit alters als Symbol des Hausstandes. Nach der Ähnlichkeit mit einem Herd heißt der dem Vogelfang dienende, mit Garnen und Leimruten versehene Platz ›Vogelherd‹. Im übertragenen Sinne steht ›Herd‹ für »Ausgangspunkt«, beachte z. B. ›Krankheitsherd, Eiterherd, Unruheherd‹.

Herde: Das gemeingerm. Substantiv mhd. *hert,* ahd. *herta,* got. *haírda,* engl. *herd,* schwed. *hjord* geht mit verwandten Wörtern in anderen idg. Sprachen, z. B. aind. *śárdha-ḥ* »Schar, Herde« und der baltoslaw. Sippe von russ. *čereda* »Reihe[nfolge]«, mdal. »Herde«, auf idg. **k̑erdho-, *kerdho-* zurück. Die Deutung des idg. Wortes ist umstritten. Vielleicht bedeutete es ursprünglich »Haufen« oder »Reihe (Rudel) ziehenden Wildes«. – Das -d- in nhd. *Herde* beruht auf niederd. Einfluss, während die Ableitung ↑Hirt[e] die reguläre Lautung aufweist. Die Herde gilt als der Inbegriff der einheitlichen Menge, beachte dazu **Herdenmensch** (19. Jh.) und **Herdentrieb** (20. Jh.).

Hering: Die Herkunft des westgerm. Fischnamens mhd. *hærinc,* ahd. *hārinc,* niederl. *haring,* engl. *herring* ist dunkel. Aus dem Westgerm. stammt mlat. *haringus* »Hering«, das frz. *hareng* und it. *aringa* zugrunde liegt. In den nord. Sprachen heißt der Hering schwed. *sill,* dän., norw. *sild* (beachte das entlehnte **Sild** »in schmackhafter Tunke eingelegter [Herings]fisch«). – Wohl nach der Ähnlichkeit mit der Gestalt des Fisches heißt der Zeltpflock seit etwa 1900 ›Hering‹.

herkommen, Herkommen, herkömmlich, Herkunft ↑kommen.

Hermelin: Der im heutigen Sprachgefühl als fremdes – daher endbetontes – Wort empfundene Tiername (mhd. *hermelīn,* ahd. *harmilī[n]*) ist eigentlich eine Verkleinerungsbildung zur alten westgerm. Benennung des Wiesels bzw. Hermelins: mhd. *harm[e],* ahd., asächs. *harmo,* aengl. *hearma.* Damit verwandt ist die balt. Sippe von lit. *šarmuõ* »Wiesel, Hermelin, wilde Katze«. Der Tiername lässt sich, da weitere sichere Beziehungen fehlen, nicht deuten. – Bereits in mhd. Zeit bezeichnete das Wort nicht nur das Tier, sondern auch dessen Pelz. Im Sinne von »Hermelinpelz« hat ›Hermelin‹ heute männliches Geschlecht.

hermetisch »dicht verschlossen, luft- und wasserdicht«, meist adverbiell gebraucht in Fügungen wie ›hermetisch abriegeln, verschließen‹: Das seit dem 16. Jh. bezeugte Adjektiv hat seinen Ursprung in der Sprache der Alchemisten. Als deren geistiger Vater galt der sagenhafte ägyptische Weise Hermes Trismegistos (griech. *Hermēs trìs mégistos* »dreimal größter Hermes«), der identisch ist mit dem ägyptischen Gott Thot und der die Kunst erfunden haben soll, eine Glasröhre mit einem geheimnisvollen Siegel *(sigillum Hermētis)* luftdicht *(hermēticē)* zu verschließen.

Hernie ↑Garn.

Heroin: Der Name des Rauschgiftes ist eine gelehrte Bildung des 20. Jh.s zu griech. *hḗrōs* »Held« (vgl. *heroisch*).

heroisch »heldenmütig, heldisch; erhaben«: Das Adjektiv wurde im 16. Jh. aus lat. *heroicus* entlehnt, das aus griech. *hērōikós* stammt. Dies gehört zu griech. *hḗrōs* »Held, Sagenheld, Halbgott«, dessen Herkunft unklar ist.

Herold: Die historische Bezeichnung des mittelalterlichen Hofbeamten, der mit dem Hofzeremoniell betraut war und der insbesondere die Funktion eines Aufsehers bei Turnieren und Festen, ferner eines feierlichen Boten und Verkündigers hatte, ist seit dem 14. Jh. bezeugt (spätmhd. *heralt*). Sie ist aus gleichbed. afrz. *héralt* (= frz. *héraut*) entlehnt. Das frz. Wort selbst stammt aus dem Germ. Es geht auf ein altgerm. zusammengesetztes Substantiv (afränk. **hariwald* »Heeresbeamter«, vgl. *Heer* und *walten*) zurück, das noch in dem nordischen Männernamen ›Harald‹ enthalten ist. – Siehe auch den Artikel *Heraldik.*

Herr: Im ausgehenden Mittelalter kam bei den Römern mlat. *senior* (↑Senior) als Bezeichnung für »Herr« auf und trat neben das bis dahin allein gebräuchliche *dominus* (↑Dom). Dem mlat. *senior* »Herr«, das auf den substantivierten Komparativ *senior* »älter« (zu lat. *senex* »alt«) zurückgeht, ist wahrscheinlich ahd. *hĕrro* »Herr« nachgebildet, das seinerseits auf den substantivierten Komparativ *hēriro* »(* älter), ehrwürdiger, erhabener« (zu ahd. *hēr,* vgl. *hehr*) zurückgeht. Im Mhd. entwickelte sich in der Anrede und vor Titeln aus *hĕrre* die kürzere Form *hĕr.* – Über das altgerm.

Wort für »Herr« s. den Artikel *Frau.* – Abl.: **Herrin** (16. Jh.). Vgl. auch *herrje[mine].*

herrisch: Das von mhd. *hēr* »erhaben, vornehm; hochmütig; heilig« (vgl. *hehr*) abgeleitete Adjektiv *hēr[i]sch* »erhaben, herrlich; nach Art eines Herren sich benehmend« geriet – wie auch ›herrlich, herrschen, Herrschaft‹ (s. diese) – früh unter den Einfluss von ›Herr‹.

herrje! und **herrjemine!**: Beide Ausrufe vermeiden aus religiöser Scheu oder speziell aus der Furcht heraus, das 2. Gebot zu verletzen, den vollen Namen Jesu und sind aus ›Herr Jesu‹ und ›Herr Jesu domine‹ hervorgegangen. Der Ausruf **jemine!** ist aus ›Jesu domine‹ entstanden, beachte auch ›ojemine!‹ und ›oje!‹.

herrlich: Mhd. *hērlich,* ahd. *hērlīch* »erhaben, vornehm; stolz; glanzvoll, prächtig« sind von dem unter ↑hehr dargestellten Adjektiv abgeleitet. Das Wort wurde schon früh als zu ›Herr‹ gehörig empfunden. Die Bindung an ›hehr‹ ging völlig verloren, nachdem ē vor Doppelkonsonanz gekürzt worden war.

Herrschaft: Das Wort (mhd. *hērschaft,* ahd. *hērscaf[t]* »Hoheit, Herrlichkeit, Würde; Hochmut; Recht und Besitztum eines Herren; Obrigkeit; oberherrliches Amt und Gebiet; Herrscherfamilie; Herr und Herrin«) ist mit dem Suffix -schaft (s. d.) von dem unter ↑hehr dargestellten Adjektiv abgeleitet. Wie ↑herrlich und ↑herrschen geriet auch ›Herrschaft‹ früh unter den Einfluss von ›Herr‹. – Abl.: **herrschaftlich** (17. Jh.).

herrschen: Das wie auch ›Herrschaft‹ und ›herrlich‹ früh unter den Einfluss von ›Herr‹ geratene Verb mhd. *hērschen, hĕrsen,* ahd. *hērisōn* »Herr sein, [be]herrschen« geht auf das unter ↑hehr dargestellte Adjektiv zurück, und zwar kann das Verb vom Komparativ als »älter, ehrwürdiger sein« oder von einem untergegangenen Substantiv **hairisan-* »Alter, Ehrwürdigkeit« abgeleitet sein. – Abl.: **beherrschen** (18. Jh.), dazu **Beherrschung.**

herstellen, Hersteller, Herstellung ↑stellen.

herumdoktern ↑Doktor.

herumkritteln ↑kritteln.

herumlungern ↑lungern.

herumtüfteln ↑tüfteln.

herunterkanzeln ↑Kanzel.

herunterladen ↑[1]laden.

herunterputzen ↑putzen.

Herz: Das gemeingerm. Wort mhd. *herz[e],* ahd. *herza,* got. *hairtō,* engl. *heart,* schwed. *hjärta* geht mit verwandten Wörtern in anderen idg. Sprachen, vgl. z. B. lat. *cor,* Genitiv *cordis* »Herz« (↑Courage), griech. *kardía* »Herz« (beachte medizinisch-fachsprachlich ›Kardio-‹ in ›Kardiogramm, Kardiologie‹ usw.) und russ. *serdce* »Herz«, auf idg. **kĕrd-* »Herz« zurück. – Seit alters her gilt das Herz als der Sitz der Empfindungen, beachte z. B. die Wendungen ›sich etwas zu Herzen nehmen‹, ›sein Herz ausschütten‹ und die Adjektive **herzig** (16. Jh.), **herzlich** (mhd. *herze[n]lich*) und **herzlos** (mhd. *herzelōs*). Ferner gilt das Herz auch als Sit[z] des Mutes, der Entschlusskraft und der Beson[-]nenheit, beachte z. B. die Wendung ›sich ein Her[z] fassen‹, die Adjektive **herzhaft** »ordentlich; krä[f]tig, gehaltvoll« (mhd. *herzehaft* »mutig; beson[-]nen, verständig«) und **beherzt** (mhd. *beherz[et]* »mutig«) und das Verb **beherzigen** »ernst nehme[n] und befolgen« (16. Jh.; zunächst in der Bedeutun[g] »ermutigen; in Rührung versetzen«). Übertrage[n] wird ›Herz‹ außerdem im Sinne von »Innerste[s,] Bestes, Liebstes« gebraucht. Das Wort steckt fer[-]ner in zahlreichen Zusammensetzungen. Au[f] ›Herz‹ als Organ beziehen sich z. B. ›Herzkamme[r,] Herzschlag, Herzverfettung‹, auf die Herzforn[n] z. B. ›Pfefferkuchenherz, Marzipanherz‹, au[f] ›Herz‹ im übertragenen Sinne z. B. ›Herzblatt‹ (ei[-]gentlich »das innerste, zarteste Blatt einer Pflan[-]ze«). – Abl.: **herzen** »liebkosen« (eigentlich »an[s] Herz drücken«; mhd. *herzen* bedeutete dagege[n] »mit einem Herzen versehen«).

Herz

jmdm. rutscht/(seltener:) fällt/sinkt das Herz i[n] die Hose[n]
(ugs.) »jmd. bekommt große Angst«
Die Wendung geht von ›Herz‹ im Sinne von »Sit[z] der Empfindungen, auch des Muts; Gefühl, Nei[-]gung, Mut« aus. Mit ›in die Hose rutschen‹ wir[d] volkstümlich das Sinken des Muts ausgedrück[t,] wobei wohl die Vorstellung mitspielt, dass Angs[t] auf die Eingeweide schlägt und zur unfreiwillige[n] Entleerung des Darms führen kann (vgl. die Wen[-]dungen ›sich in die Hosen machen‹ und ›die Ho[-]sen voll haben‹). Vereinzelt kommen auch die Va[-]rianten ›jmdm. fällt das Herz in die Kniekehlen‹ bzw. ›in die Schuhe‹ vor.

wes das Herz voll ist, des geht der Mund über
»wenn jmd. von etwas besonders begeistert ist besonders bewegt ist, dann muss er einfach darü[-]ber sprechen«
Diese alte Redensart ist allgemein bekannt, wei[l] sie Luther in seiner Bibelübersetzung (Mat[-]thäus 12, 34) verwendet.

jmdm. das Herz ausschütten
(geh.) »sich jmdm. anvertrauen, ihm seine No[t] oder Sorgen schildern«
Die Wendung geht von ›Herz‹ im Sinne von »Sit[z] der Empfindungen, Gemüt; Gefühl« aus. Im Her[-]zen ist alles das, was einen Menschen bewegt.

jmdn., etwas auf Herz und Nieren prüfen
(ugs.) »jmdn., etwas gründlich prüfen«
Die Formel ›Herz und Nieren‹ steht in diese[r] Wendung für das Innere des Menschen. Volks[-]tümlich ist die Wendung durch die Bibel gewor[-]den: ›Lass der Gottlosen Bosheit ein Ende werde[n] und fördere die Gerechten; denn du, gerechte[r] Gott, prüfst Herzen und Nieren‹ (Psalm 7, 10).

Herzog: Mhd. *herzoge*, ahd. *herizogo*, asächs. *heritogo*, aengl. *heretoga* beruhen wahrscheinlich auf einem got. **harjatuga* »Heerführer«, das in byzantinischer Zeit dem griech. *stratēlátēs* »Heerführer« nachgebildet worden sein muss. Die Lehnübersetzung des griech. Wortes ist dann allmählich von den Südgermanen nach Norden gewandert. In karolingischer Zeit entwickelte sich aus der militärischen Stellung des Herzogs das (mit stammesherrschaftlichen Befugnissen ausgestattete) Herzogamt, aus dem dann später der Herzogstand hervorging. – Das Bestimmungswort von ›Herzog‹ ist das unter ↑Heer dargestellte Substantiv, das Grundwort gehört zu dem unter ↑ziehen behandelten Verb.

Hesse ↑Hachse.

hetzen: Mhd. *hetzen* »jagen, antreiben«, got. *hatjan* »hassen«, aengl. *hettan* »verfolgen« gehen auf germ. **hatjan* zurück, das als Veranlassungswort zu ↑*hassen* (vgl. *Hass*) gehört und eigentlich »hassen machen, zum Verfolgen bringen« bedeutet. Während das Verb in ahd. und mhd. Zeit besonders weidmännische Geltung hatte, wird es heute hauptsächlich im Sinne von »zur Eile antreiben, bis zur Erschöpfung treiben« und »aufwiegeln, Zwietracht säen, üble Propaganda treiben« gebraucht. Auch das aus dem Verb rückgebildete Substantiv **Hetze** (16. Jh.), dem oberd. *Hatz[e]* entspricht, bedeutete zunächst »Hetzjagd; Hundemeute zur Hetzjagd«, dann »Eile, Hast« und »Aufwiegelung, üble Propaganda«, beachte auch **Hetzerei, hetzerisch** und **verhetzen.**

Heu: Das gemeingerm. Wort mhd. *höu[we]*, ahd. *houwi*, got. *hawi*, engl. *hay*, schwed. *hö* ist eine Substantivbildung zu dem unter ↑hauen dargestellten Verb und bedeutet eigentlich »das zu Hauende« (oder »das Gehauene«). – Abl.: **heuen** landsch. für »Heu machen« (mhd. *höuwen*) Zus.: **Heumonat** »Juli« (mhd. *höumānōt*, ahd. *hewimānōth*); **Heuschober** (15. Jh.; zum zweiten Bestandteil s. *Schober*); **Heuschrecke** (mhd. *höuschrecke;* ahd. *hewiskrekko, houscrecho;* das Wort, das früher männliches Geschlecht hatte, bedeutet eigentlich »Heuspringer«; der zweite Bestandteil gehört zu ↑[1]schrecken in dessen alter Bedeutung »[auf]springen«; andere ugs. oder landsch. Benennungen der Heuschrecke sind ›Heupferd, Heuschnecke, Grashüpfer, Springhahn‹ und dgl.).

heucheln: Das seit dem 16. Jh. – zunächst in der Bedeutung »schmeicheln« – bezeugte Verb gehört vermutlich im Sinne von »sich ducken« (beachte mhd. *hūchen* »kauern«) zu der Wortgruppe von ↑hocken.

heuer (südd. und österr. für:) »in diesem Jahr«: Das Zeitadverb (mhd. *hiure*, ahd. *hiuru*) ist aus ahd. *hiu jāru* »in diesem Jahr« hervorgegangen (vgl. *her* und *Jahr*). Ähnlich ist ↑heute aus ahd. *hiu tagu* »an diesem Tag« entstanden. – Abl.: **heurig** südd., österr. für »diesjährig« (mhd. *hiurec*), dazu **Heurige** »junger Wein im ersten Jahr«.

heuern: Die Herkunft des westgerm. Verbs mhd. *hūren* »mieten; auf einem Mietpferd reiten; in einem Mietwagen fahren«, mnd. *hūren*, niederl. *huren*, engl. *to hire* ist dunkel. Während das Verb im hochd. Sprachraum seit dem 16. Jh. allmählich ungebräuchlich wurde, blieb es im Niederd. in der Seemannssprache bewahrt, zunächst im Sinne von »ein Schiff mieten oder pachten« (in dieser Bedeutung durch ›chartern‹ ersetzt), dann »eine Mannschaft anwerben«, beachte auch die Zusammensetzungen **anheuern, abheuern.**

heulen: Das Verb (mhd. *hiulen, hiuweln*), das ugs. und mdal. auch im Sinne von »weinen, plärren« gebraucht wird, ist von mhd. *hiuwel*, ahd. *hūwila* »Eule« abgeleitet und bedeutet demnach eigentlich »wie eine Eule schreien« (vgl. *Eule*).

Heumonat, Heuschober, Heuschrecke ↑Heu.

heute: Das Zeitadverb (mhd. *hiute*, ahd. *hiutu*) ist – vielleicht als Lehnübersetzung von lat. *hodie* – aus ahd. *hiu tagu* (Instrumental) »an diesem Tag« hervorgegangen, beachte aengl. *hēodęg* »heute« (vgl. *her* und *Tag*). Ähnlich ist ↑heuer aus ahd. *hiu jāru* »in diesem Jahr« entstanden. – Abl.: **heutig** (mhd. *hiutec*, ahd. *hiutīg*).

Hexe: Das auf das Westgerm. beschränkte Wort (mhd. *hecse, hesse*, ahd. *hagzissa, hag[a]zus[sa]*, mniederl. *haghetisse*, aengl. *hægtes[se]*, verkürzt engl. *hag*) ist eine verdunkelte Zusammensetzung. Das Bestimmungswort ist wahrscheinlich das unter ↑Hag »Zaun, Hecke, Gehege« dargestellte Substantiv, das Grundwort, das bis heute nicht sicher gedeutet ist, gehört vielleicht mit norw. mdal. *tysja* »Elfe; verkrüppelte oder zerzauste Frau« zusammen. Demnach wäre Hexe ein sich auf Zäunen oder Hecken aufhaltendes dämonisches Wesen, beachte aisl. *tūnriđa* »Hexe«, eigentlich »Zaunreiterin«. Im ausgehenden Mittelalter ging das Wort für einen – dem Volksglauben nach – [bösen] weiblichen Geist auf eine Frau über, die mit dem Teufel im Bunde steht und über magisch-schädigende Kräfte verfügt, beachte dazu die Zusammensetzungen ›Hexenprozess, Hexenverbrennung, Hexenverfolgung, Hexenwahn‹. – Abl.: **hexen** (16. Jh.), dazu **behexen** und **verhexen; Hexerei** (16. Jh.). Zus.: **Hexenmeister** (16. Jh.); **Hexenschuss** (16. Jh.; nach dem Volksglauben beruht die Krankheit Lumbago auf dem Schuss einer Hexe; diese Vorstellung scheint sehr alt zu sein, beachte aengl. *hægtessan* bzw. *ylfa gescot* »Hexen- bzw. Elbenschuss«).

Hieb: Das seit dem 15. Jh. bezeugte Wort ist aus dem starken Verb ↑hauen (hieb, gehauen) rückgebildet.

hier: Das gemeingerm. Ortsadverb mhd. *hie[r]*, ahd. *hiar, hēr*, got. *hēr*, engl. *here*, schwed. *här* ist eine Bildung mit dem Lokativsuffix -r zu dem unter ↑her dargestellten idg. Pronominalstamm. Die heute veraltete, noch südd. und österr. gebräuchliche Form ›hie‹ setzt mhd. *hie* fort, das die reguläre Entwicklung von ahd. *hiar* darstellt. Die

Form ohne r-Abfall mhd. *hier* hielt sich, wenn ein Wort mit vokalischem Anlaut folgte, und setzte sich im Nhd. allgemein durch.

Hierarchie »strenge Rangordnung«: Das Wort wurde im 17. Jh. aus kirchenlat. *hierarchia* »heilige Rangordnung« entlehnt, das auf griech. *hierarchía* »Priesteramt« (zu griech. *hierós* »heilig; gottgeweiht« und griech. *árchein* »herrschen« [s. *Archiv*]) zurückgeht.

hiesig: Das aus der Kanzleisprache des 17. Jh.s stammende Adjektiv ist wahrscheinlich eine Bildung aus ›hie‹ (vgl. *hier*) und aus einem nicht bezeugten mhd. **wesec* (vgl. *Wesen*) und bedeutet demnach eigentlich etwa »hier seiend«.

hieven: Der seemännische Ausdruck für »eine Last auf- oder einziehen, [hoch]winden« wurde im 19. Jh. aus engl. *to heave* »[hoch-, empor]heben« entlehnt (vgl. *heben*).

H

high: Das ugs. Adjektiv bedeutet »in gehobener Stimmung (nach Drogenkonsum)«. Es wurde in der 2. Hälfte des 20. Jh.s aus gleichbed. engl. *high* übernommen, dessen Grundbedeutung dem deutschen ↑hoch entspricht, mit dem es auch verwandt ist. Daneben taucht ›high‹ auch in zahlreichen Zusammensetzungen mit Substantiven auf, die ebenfalls aus dem Engl. übernommen wurden, wie z. B. **Highlight** »Höhepunkt, Glanzlicht«, **Highsociety** »die vornehme Gesellschaft« und **Hightech** (kurz für: ›High Technology‹) »Spitzentechnologie« (alle 2. Hälfte des 20. Jh.s).

Hilfe: Von den drei Substantivbildungen zum Verb ↑helfen 1. ahd. *helfa*, mhd. *helfe;* 2. ahd. *hilfa*, mhd. *hilfe*, nhd. *Hilfe* und im Ablaut dazu 3. ahd. *hulfa*, mhd. *hülfe*, älter nhd. *Hülfe* hat heute allein ›Hilfe‹ Geltung. Es wird nicht nur abstrakt, sondern auch im Sinne von »helfende Person« gebraucht, beachte die Zusammensetzungen ›Aushilfe, Schreibhilfe, Sprechstundenhilfe‹. Sonst dienen als Bezeichnungen der helfenden Person die Bildungen ›Helfer‹ (↑helfen) und **Gehilfe** (mhd. *[ge]helfe*, ahd. *[ge]helfo*). Das Adjektiv **behilflich** (mhd. *behülfelich*) ist von mhd. *behülfe* »Beihilfe« abgeleitet. – Zus.: **hilflos** (mhd. *helflōs*, ahd. *helfelōs*), dazu **Hilflosigkeit** (18. Jh.); **hilfreich** (mhd. *helferīche*); **Hilfszeitwort** (19. Jh.; älter Hülfswort und Hülffwort).

Himbeere: Die Zusammensetzung mhd. *hintber*, ahd. *hintperi*, asächs. *hindberi*, aengl. *hindber[r]ie* enthält als Bestimmungswort mhd. *hinde*, ahd. *hinta*, das mit niederl. *hinde*, engl. *hind*, schwed. *hind* »Hirschkuh« mit griech. *kemás* »junger Hirsch« verwandt ist. Diese Wörter gehen auf eine idg. Wurzel **k̑em-* »horn-, geweihlos« (bei sonst Gehörn tragenden Tierarten) zurück. Welche Vorstellung der Benennung des Gewächses als »Hirsch[kuh]beere« zugrunde liegt, ist nicht sicher geklärt. Vielleicht bedeutet ›Himbeere‹ »Gewächs, in dem sich die Hirschkuh (mit ihren Jungen) gern verbirgt« oder »Beere, die die Hirschkuh gern frisst«.

Himmel: Die Deutung des gemeingerm. Wortes mhd. *himel*, ahd. *himil*, got. *himins*, engl. *heaven*, aisl. *himinn* ist umstritten. Am ehesten handelt es sich um eine Substantivbildung zu der unter ↑Hemd dargestellten idg. Wurzel **k̑em-* »bedecken, verhüllen«, wonach der Himmel als »Decke, Hülle« benannt worden wäre. Andererseits kann die Benennung des Himmels auf die uralte Vorstellung des Himmels als Steingewölbe zurückgehen. Dann bestünde Verwandtschaft mit der Wortgruppe von ↑Hammer (ursprünglich »Stein«) und weiterhin wohl Zusammenhang mit aind. *áśman-* »Stein; Himmel«, griech. *ákmōn* »Amboss; Meteorstein; Himmel« usw. – Abl.: **himmeln** veraltet dichterisch für »in den Himmel aufgenommen werden« (mhd. *himelen* »in den Himmel aufnehmen«; gebräuchlich sind dagegen heute die Zusammensetzung **anhimmeln** und die Präfixbildung **verhimmeln**); **himmlisch** (mhd. *himelisch*, ahd. *himilisc*). Zus.: **Himmelbett** (16. Jh.; die Zusammensetzung enthält ›Himmel‹ im Sinne von »Decke, Baldachin«); **Himmelfahrt** (mhd. *himelvart*, ahd. *himilfart*), dazu **Himmelfahrtsnase** ugs. für »Stupsnase«; **Himmel[s]schlüssel** »Schlüsselblume« (mhd. *himelslüzzel*).

hin: Das Adverb (mhd. *hin[e]*, ahd. *hina*) bezeichnet im Allgemeinen die Richtung vom Standpunkt des Sprechenden weg, während ↑her die auf ihn zu ausdrückt. Zur genaueren Bestimmung der Richtung kann ›hin‹ mit einigen anderen Adverbien, mit denen es zusammenwächst, ergänzt werden, beachte ›hinab, -auf, -aus, -durch, -ein, -über, -unter, -weg, -zu‹, die auch in der Zusammensetzung eine Rolle spielen. Häufig wird ›hin‹ mit der Angabe des Zielpunktes einer Bewegung gebraucht und drückt dann die Richtung selbst aus (unabhängig vom Standpunkt des Sprechenden), beachte z. B. ›zum Hof hin, zum Meer hin‹ und die sich daran anschließende Verknüpfung mit Ortsadverbien der Ruhe, z. B. ›dorthin, wohin‹. Aus der Verbindung mit bestimmten Verben, z. B. ›fallen, sinken, stürzen‹, hat ›hin‹ die spezielle Bedeutung »auf den Boden zu« entwickelt. Zeitlich bezieht sich ›hin‹ vom Zeitpunkt, in dem sich der Sprechende befindet, entweder auf die Zukunft oder auf die Vergangenheit, beachte ›lange hin, fürderhin, späterhin‹ und ›vorhin, letzthin‹. Ferner gibt ›hin‹ bisweilen lediglich die Erstreckung bzw. die Dauer an. Vielfach drückt ›hin‹ auch die Entfernung aus und hat in dieser Verwendung die Bedeutung »weg, fort« und ferner »verloren, zugrunde, tot« entwickelt. In einigen Fällen, besonders in Zusammensetzungen, hat ›hin‹ weder räumliche noch zeitliche Geltung und lässt sich in der Bedeutung schwer fassen, beachte ›schlechthin, gemeinhin, leichthin, immerhin, ohnehin, umhin‹. – Das Adverb ist eine Bildung mit n-Suffix zu dem unter ↑her dargestellten idg. Pronominalstamm. Eine Weiterbildung von ›hin‹ – beachte zur Bildung ›dannen‹ – ist **hinnen** »von hier weg« (mhd. *hinnen,* ahd. *hinnan,* asächs. *hinan[a],* aengl. *heonan*). – Von den zahlreichen Zusammensetzungen mit ›hin‹ beachte z. B. **hinfällig** »schwach, gebrechlich« (mhd. *hinvellic* »hinfallend«), **hinlänglich** (17. Jh.; zu *hinlangen* »hin-, ausreichen«), **hinrichten** (16. Jh.; das Verb bedeutete früher auch »zugrunde richten; verderben«; seit dem 19. Jh. ausschließlich »das Todesurteil an jemandem vollstrecken«), dazu **Hinrichtung; Hinsicht** (18. Jh.; vielleicht Lehnbildung nach lat. *respectus,* eigentlich »Hinsehen auf etwas«), dazu **hinsichtlich** (Anfang des 19. Jh.s).

hinauskomplimentieren ↑Kompliment.

hindern: Das altgerm. Verb mhd. *hindern,* ahd. *hintarōn,* niederl. *hinderen,* engl. *to hinder,* schwed. *hindra* ist von der unter ↑hinter dargestellten Präposition abgeleitet und bedeutet eigentlich »zurückdrängen, zurückhalten«. Ähnliche Bildungen sind z. B. ›äußern‹ (zu ›außer‹) und ›fordern‹ (zu ›vorder‹). – Abl.: **hinderlich** (15. Jh.); **Hindernis** (mhd. *hindernisse*). Beachte auch die Präfixbildungen **behindern,** dazu **Behinderung,** und **verhindern.**

hineinbuttern ↑Butter.

hineinschlittern ↑schlittern.

Hingabe, hingeben, Hingebung, hingebungsvoll ↑geben.

hinken: Die Bedeutung »lahm gehen« hat sich aus der Vorstellung des Krummen bzw. des Schiefen entwickelt. Mhd. *hinken,* ahd. *hinkan,* niederl. *hinken,* aengl. *hincian,* aisl. *hinka* sind mit den Sippen von ↑Schinken und ↑Schenkel verwandt und gehören zu der unter ↑schenken dargestellten idg. Wurzel **[s]keng-* »schief, schräg, krumm«, vgl. mit anlautendem s- z. B. schwed. mdal. *skinka* »hinken« und griech. *skázein* »hinken« usw. – Das in ahd. und mhd. Zeit starke Verb ist im Nhd. in die schwache Flexion übergetreten.

hinlänglich ↑hin.

hinreißen, hinreißend ↑reißen.

hinrichten ↑richten.

Hinsicht, hinsichtlich ↑hin.

hinten ↑hinter.

hinter: Die Präposition mhd. *hinder,* ahd. *hintar,* got. *hindar,* aengl. *hinder,* aisl. (Adjektiv) *hindri* ist eine gemeingerm. Komparativbildung zum Stamm **hin[d]-,* von dem auch das Adverb **hinten** (mhd. *hinden[e],* ahd. *hintana,* got. *hindana,* aengl. *hindan*) abgeleitet ist. Außergerm. Entsprechungen sind nicht gesichert. – Aus der Präposition entwickelte sich schon früh ein flektierendes Adjektiv (ahd. *hintaro,* mhd. *hinder*), das substantiviert das Gesäß bezeichnet: mhd. *hinder,* nhd. ugs. **Hintere,** auch **Hintern.** Groß ist die Zahl der Zusammensetzungen mit ›hinter‹ (Präposition, Adverb und Adjektiv), beachte z. B. **hinterbleiben** veraltet für »zurückbleiben«, dazu das substantivierte zweite Partizip **Hinterbliebene** (18. Jh.); **hinterbringen** »heimlich zukommen lassen, verraten« (17. Jh.); **hintergehen** (mhd. *hindergān* »einen Feind umgehen und von hinten anfallen, überlisten; betrügen«); **Hintergrund** (18. Jh.); **Hinterhalt** (mhd. *hinderhalt* »Versteck, Auflauerung; Rückhalt, Stütze«), dazu **hinterhältig; Hinterland** (19. Jh.); **Hinterlist** (mhd. *hinderlist* »Nachstellung«), dazu **hinterlistig** (mhd. *hinderlistec* »nachstellend«); **hinterrücks** »von hinten« (15. Jh.; beachte mhd. *hinderrucke* »rückwärts« und vgl. *Rücken*); **hintertreiben** »zu vereiteln suchen« (17. Jh.); **Hinterwäldler** (19. Jh.; Lehnübertragung von engl. *backwoodsman,* das die Ansiedler im Westen Nordamerikas jenseits des Alleghenygebirges bezeichnete).

Hinterlader ↑[1]laden.

Hiobspost »Unglücksnachricht«: Die seit dem 18. Jh. bezeugte Zusammensetzung bezieht sich auf das Alte Testament, Hiob 1, 14–19 (Hiob ist der vom Schicksal schwer geprüfte Mann, der trotz Unglück und Leid am Glauben festhält). Entsprechende Bildungen sind z. B. ›Kainsmal‹ und ›Uriasbrief‹. – Heute ist **Hiobsbotschaft** gebräuchlicher, da die alte Bedeutung von ›Post‹ »Nachricht, Botschaft« verblasst ist.

Hirn: Mhd. *hirn[e],* ahd. *hirni,* niederl. *hersenen,* mengl. *hernes,* schwed. *hjärna* gehen auf germ. **hirznia-, *herznan-* »Hirn« zurück, das mit den germ. Sippen von ↑Horn, ↑Hornisse und ↑Hirsch sowie weiterhin mit ↑Ren und ↑Rind verwandt ist und zu der vielfach weitergebildeten und erweiterten idg. Wurzel **k̂er[ə]-* »Horn, Geweih; gehörntes, geweihtragendes Tier; Kopf, Oberstes, Spitze« gehört. Zu dieser Wurzel stellen sich aus anderen idg. Sprachen z. B. griech. *kárā* »Kopf, Haupt« (↑Karotte), *kéras* »Horn« (↑Karat), *krāníon* »Hirnschale, Schädel« (↑Migräne), lat. *cerebrum* »Hirn« (beachte fachsprachlich ›zerebral‹ »das Gehirn betreffend« und den Artikel *Zervelatwurst*). – Eine auf das dt. Sprachgebiet beschränkte Kollektivbildung zu ›Hirn‹ ist **Gehirn.** Ein anderer alter Ausdruck für »[Ge]hirn« ist das heute im Wesentlichen nordd. **Bregen** (mniederd. *brēgen, brāgen;* vgl. engl. *brain,* niederl. *brein*). – Zus.: **Hirngespinst** (18. Jh.); **hirnverbrannt** (19. Jh.; Lehnübersetzung von frz. *cerveau brûlé*). Siehe auch den Artikel *hurtig.*

Hirsch: Der altgerm. Tiername mhd. *hirz,* ahd. *hir[u]ʒz,* niederl. *hert,* engl. *hart,* schwed. *hjort* ist eine Bildung zu der unter ↑Hirn dargestellten idg. Wurzel und bedeutet eigentlich »gehörntes oder geweihtragendes Tier«, vgl. aus anderen idg. Sprachen z. B. lat. *cervus* »Hirsch« und die kelt. Sippe von kymr. *carw* »Hirsch«. – Der Tiername spielte in der Namengebung eine bedeutende Rolle, beachte z. B. die Ortsnamen Hirsau, Hirzbach, Herten, die Flurnamen Hirschel, Hirzel und den alten Stammesnamen Cherusker. – Zus.: **Hirschfänger** (17. Jh.; ursprünglich »Messer des Jägers, mit dem er dem Hirsch den Fang gibt«, d. h., ihn »absticht«); **Hirschhorn** (mhd. *hirʒhorn;*

im Nhd. bezeichnet das Wort auch den aus gebranntem und gestoßenem Hirschhorn hergestellten Stoff, beachte **Hirschhornsalz**); **Hirschkäfer** (17. Jh.; der Käfer ist nach seinem geweihförmigen Oberkiefer benannt).

Hirse: Der auf das Westgerm. beschränkte Name der Nutzpflanze mhd. *hirs[e]*, ahd. *hirsi, -o*, asächs. *hirsi*, aengl. *herse* gehört vielleicht im Sinne von »Brotkorn, Nahrung« zu der (mit s erweiterten) idg. Wurzel *k̑er- »wachsen; wachsen machen, nähren; füttern, aufziehen«. Zu dieser Wurzel stellen sich aus anderen idg. Sprachen z. B. lat. *Ceres* »Göttin des Wachstums«, *creare* »zeugen, [er]schaffen« (↑kreieren), *crescere* »wachsen, zunehmen« (beachte musiksprachlich **crescendo** »anschwellend«; zu it. *crescere* »wachsen« [< lat. *crescere*]) und lit. *šérti* »füttern«. – Die Hirse spielte in alter Zeit für die Ernährung eine wichtige Rolle. Sie wurde zum Brotbacken verwandt, besonders aber in Breiform gegessen. – Zus.: **Hirsebrei** (15. Jh.).

Hirt[e]: Das gemeingerm. Wort mhd. *hirt[e]*, ahd. *hirti*, got. *hairdeis*, engl. *[shep]herd*, schwed. *herde* ist eine Ableitung von dem unter ↑Herde dargestellten Substantiv. – Abl.: **hirten** schweiz. mdal. für »das Vieh hüten oder besorgen«. Zus.: **Hirtenbrief** »bischöfliches Sendschreiben, Brief eines geistlichen Hirten« (18. Jh.).

hissen: Das aus der niederd. Seemannssprache stammende Verb ist lautmalenden Ursprungs und ahmt das eigentümliche Geräusch nach, das beim Aufziehen der Segel oder dgl. entsteht. Niederd. *hissen* entspricht gleichbed. niederl. *hijsen*. Aus der niederd.-niederl. Seemannssprache drang das Wort in andere Sprachen, beachte z. B. schwed. *hissa*, frz. *hisser*, it. *issare* »hissen«. – Statt ›hissen‹ ist seit dem Ende des 19. Jh.s bei der Marine ›heißen‹ (mit niederl. Vokal) gebräuchlich.

Historie »Geschichte, Geschichtswissenschaft«: Das schon in mhd. Zeit aus lat. *historia* < griech. *historía* entlehnte Wort wurde seit dem 18. Jh. immer mehr von dem deutschen Synonym ↑Geschichte zurückgedrängt. Das dazugehörige Adjektiv **historisch** (16. Jh.; aus lat. *historicus* < griech. *historikós*) hingegen konnte sich behaupten, ebenso wie das im 18. Jh. danach gebildete Substantiv **Historiker** »Geschichtsforscher, -wissenschaftler«. Zu ›Historie‹ stellt sich eine in neuester Zeit aufgenommene gemeinsprachliche Verkleinerungsform **Histörchen** im Sinne von »anekdotenhaftes Geschichtchen«, dann auch »Klatschgeschichte, delikate [Liebes]geschichte«. – Das allen zugrunde liegende Substantiv griech. *historía* bedeutet eigentlich »Wissen, Kunde; Erforschung und Untersuchung von Ereignissen, ihre Kenntnis und Darstellung« und gehört – mit Anschluss an das Verb *historeīn* »kundig sein, erzählen; erforschen« – zu griech. *hístōr* (*u̯id-tōr) »Wisser, Kundiger«. Dies gehört seinerseits zu griech. *eidénai* »wissen«. Über weitere Zusammenhänge vgl. den Artikel *Idee*.

Hit: Das seit der 2. Hälfte des 20. Jh.s gebräuchliche Wort steht für einen »(musikalischen) Verkaufsschlager«. Engl. *hit*, von dem es entlehnt wurde, bedeutet zunächst »Treffer, Schlag«. – Zus.: **Hitliste** »Verzeichnis der innerhalb eines bestimmten Zeitraumes beliebtesten Sachen«, **Hitparade** »Rangliste der über einen bestimmten Zeitraum meistverkauften Musiktitel«.

Hitze: Das dt. und niederl. Wort (mhd. *hitze*, ahd. *hizz[e]a*, niederl. *hitte*) ist eine ablautende Substantivbildung zu dem unter ↑heiß dargestellten Adjektiv. Ähnliche Bildungen sind engl. *hea[t]* »Hitze« und schwed. *hetta* »Hitze«. – Abl.: **erhitzen** (mhd. *erhitzen*, zum heute veralteten einfachen Verb *hitzen* »heiß machen«); **hitzig** (mhd. *hitzec* »heiß, leicht erregbar«).

Hobby: Das Wort für »Steckenpferd, Liebhaberei« wurde im 20. Jh. aus gleichbed. engl. *hobby* entlehnt, dessen weitere Herkunft unklar ist.

hobeln: Das erst seit dem 14. Jh. bezeugte, auf das dt. Sprachgebiet beschränkte Verb (mhd. *hobeln*, *hoveln*, mitteld. *hubeln, hof[f]eln*, mnd. *hov[e]len*) ist vermutlich eine Ableitung von dem (veralteten) Substantiv *Hübel* »kleine Erhöhung, Hügel« und bedeutet demnach eigentlich »Unebenheiten beseitigen«. Der altgerm. Ausdruck dafür war ›schaben‹ (s. d.).

hoch: Das gemeingerm. Adjektiv mhd. *hō[ch]*, ahd. *hōh*, got. *hauhs*, engl. *high*, schwed. *hög*, das seine Bedeutung aus »gewölbt (gebogen)« entwickelt hat, ist näher verwandt mit ↑Hügel und ↑Höcker und geht mit verwandten Wörtern in anderen idg. Sprachen auf die k-Erweiterung der Wurzel *keu- »biegen« zurück. Zu dieser vielfach erweiterten Wurzel gehören aus dem germ. Sprachbereich ↑hocken (eigentlich »sich biegen, sich bücken, sich ducken«), ↑hüpfen (eigentlich »sich [im Tanze] biegen, sich drehen«), ferner die Sippen von ↑Haube, ↑Haufe und ↑[1]Hocke und die Körperteilbezeichnung ↑Hüfte (eigentlich »Biegung, gebogener Körperteil, Gelenk«). Das Adjektiv ›hoch‹ hat nicht nur räumliche, sondern auch zeitliche Geltung, beachte z. B. ›hoher Nachmittag‹, ›hohes Alter‹. Ferner drückt es den Grad sowie Rang und Würde aus und wird im Sinne von »sittlich hoch stehend, erhaben« gebraucht. – Abl.: **Hoch** »Gebiet hohen Luftdrucks« (20. Jh.); **höchstens** (16. Jh.; zunächst »im höchsten Grade«, dann »im besten Falle; vorausgesetzt«); **Höhe** (mhd. *hœhe*, ahd. *hōhī*), dazu **Anhöhe** (18. Jh. Nachbildung von älterem gleichbedeutenden ›Amberg, Anberg‹); **Hoheit** (mhd. *hōch[h]eit*), beachte auch **hoheitlich, hoheitsvoll, Hoheitsgebiet, Hoheitszeichen; erhöhen** (mhd. *erhœhen*, ahd. *irhōhan*). Zus.: **Hochachtung** (16. Jh.), dazu **hochachtungsvoll** (Anfang des 19. Jh.s); **Hochaltar** »Hauptaltar« (18. Jh.); **Hochamt** »feierliche Messe vor dem Hochaltar« (18. Jh.); **Hochgebirge** (mhd *hōchgebirge*); **hochherzig** (17. Jh.); **Hochmeister** (mhd. *hōchmeister* »oberster Vorgesetzter eines geistlichen Ritterordens; Vorsteher; großer Gelehrter«); **Hochmut** (mhd. *hōchmuot* »gehobene Stimmung; edle Gesinnung; Freude; hohes Selbstgefühl; Überheblichkeit, Stolz«), dazu **hochmütig** (mhd. *hōchmüetic*, ahd. *hōhmuotig*); **hochnäsig** »eingebildet« (19. Jh.); **Hochofen** (19. Jh.); **Hochschule** (mhd. *hōchschuole*); **Hochstapler** (s. d.); **hochtrabend** (mhd. *hōchtrabende;* ursprünglich vom ›hoch‹ trabenden Pferd, das schwer zu reiten ist, dann übertragen »stolz, eingebildet, hoch hinauswollend«); **Hochverrat** (Anfang des 18. Jh.s; Lehnübersetzung von frz. *haute trahison*); **Hochwasser** »höchster Wasserstand der Flut; Überschwemmung« (18. Jh.); **Hochwild** »das zur hohen Jagd gehörige Wild, Edelwild« (18. Jh.); **Hochwürden** (19. Jh.; für älteres ›Hochwird‹, mhd. *der hōwerdege herr* »Erzbischof«); **Hochzeit** (s. d.).

Hochspannung ↑spannen.

Hochstapler »jemand, der [in betrügerischer Absicht] etwas (eine hohe gesellschaftliche Stellung, ein nicht vorhandenes Wissen o. Ä.) vortäuscht«: Das seit dem 18. Jh. bezeugte Wort stammt aus der Gaunersprache und bezeichnete zunächst den ›hoch‹ (d. h. »vornehm«) auftretenden Bettler. Das Grundwort ist eine Substantivbildung zu gaunersprachlich *stap[p]eln* »betteln, tippeln« (vgl. *Stapfe*). – Abl.: **hochstapeln** (19. Jh.); **Hochstapelei** (19. Jh.).

höchstens ↑hoch.

Hochzeit: Das im heutigen Sprachgefühl nicht mehr als Zusammensetzung mit ›hoch‹ empfundene Wort geht zurück auf mhd. *hōchgezīt, verkürzt hōchzīt* »hohes kirchliches oder weltliches Fest; höchste Herrlichkeit; höchste Freude; Vermählung[sfeier]; Beilager«, beachte ahd. *diu hōha gizīt* »das Fest«. Zum Grundwort s. den Artikel *Zeit.*

[1]**Hocke** »zusammengesetzte Garben, Getreide- oder Heuhaufen«: Das in den älteren Sprachzuständen nicht bezeugte, aber in den dt. Mundarten weit verbreitete Substantiv gehört, wie z. B. auch ›Hügel‹ und ›Höcker‹, zu der unter ↑hoch dargestellten idg. Wortgruppe. Mit ›[1]Hocke‹ ist vermutlich **Hucke** mdal. für »auf dem Rücken getragene Last«, auch »Erhebung« identisch (beachte zum Lautlichen das Verhältnis von ›hocken‹ zu ›hucken‹). Gebräuchlich sind auch **aufhucken** (aufhocken) »eine Last auf den Rücken nehmen« und **abhucken** »eine Last absetzen«. Siehe auch den Artikel *huckepack.*

[2]**Hocke** ↑hocken.

hocken, hucken: Das erst seit dem 16. Jh. bezeugte Verb ist im germ. Sprachbereich näher verwandt mit mhd. *hūchen* »kauern« (vgl. *heucheln*) und aisl. *hūka* »kauern« und stellt sich im Sinne von »sich biegen, sich bücken, sich ducken« zu der unter ↑hoch dargestellten idg. Wortgruppe. – Abl.: [2]**Hocke** (Anfang des 19. Jh.s; der turnsprachliche Ausdruck ist aus dem Verb rückgebildet); **Hocker** »eine Art Stuhl, Schemel« (Ende des 19. Jh.s).

Höcker: Das seit mhd. Zeit bezeugte, zunächst auf das hochd. Sprachgebiet beschränkte Wort (mhd. *hocker, hoger*) gehört, wie auch ↑[1]Hocke und ↑Hügel, wahrscheinlich zu der unter ↑hoch dargestellten Wortgruppe.

Hockey: Der Name des Spiels wurde im 20. Jh. aus engl. *hockey* entlehnt, dessen weitere Herkunft unsicher ist. – Zus.: **Eishockey.**

Hode, Hoden: Das auf das dt. Sprachgebiet beschränkte Substantiv (mhd. *hode*, ahd. *hodo*) gehört, wie auch ↑Haut und ↑Hütte, wahrscheinlich zu der t-Erweiterung der unter ↑Scheune dargestellten idg. Wurzel **[s]keu-* »bedecken, verhüllen«. Vgl. aus anderen idg. Sprachen z. B. kymr. *cwd* »Hodensack« (eigentlich »Hülle«).

Hof: Die Vorgeschichte des altgerm. Wortes mhd., ahd. *hof*, niederl. *hof*, aengl. *hof*, aisl. *hof* ist nicht sicher geklärt. Wahrscheinlich gehört es zu der unter ↑hoch dargestellten idg. Wurzel **keu-* »biegen«, entweder im Sinne von »Erhebung, Anhöhe«, da sich in alter Zeit der Hof vielfach auf einer Anhöhe befand (beachte norw. *hov* »Anhöhe; heidnischer Tempel« und die Sippe von *Hügel*), oder aber im Sinne von »eingehegter Raum«. Im letzteren Falle wäre von einem Bedeutungswandel von »biegen« zu »winden, flechten; Geflecht, Zaun« auszugehen. – In altgerm. Zeit bezeichnete das Wort wahrscheinlich zunächst den eingehegten Raum, der ein oder mehrere Gebäude umgibt, dann auch den von einem Gebäude oder von Gebäudeteilen umschlossenen Raum. Dann ging das Wort auch auf das von einem Hof eingeschlossene Gebäude bzw. den Gebäudekomplex über und entwickelte die Bedeutungen »Haus, Wohnung; Gehöft, Anwesen, Besitztum, Gut«, im Aengl. und Anord. auch die Bedeutung »Tempel«. Die weitere Bedeutungsgeschichte des Wortes im Dt. steht zum Teil unter dem Einfluss von afrz. *court*, frz. *cour*, beachte ›Hof‹ im Sinne von »Herrenwohnsitz; Fürstenwohnsitz, Palast, Schloss; der Fürst und die ihn umgebenden Edlen« und die Ableitungen ›hofieren, höfisch, höflich, Höfling‹ und ›hübsch‹. Die Bedeutung »Dunstkreis um Mond oder Sonne« ist für ›Hof‹ seit dem 15. Jh. bezeugt. Eine Kollektivbildung zu ›Hof‹ ist ↑Gehöft. – Abl.: **hofieren** (mhd. *hovieren* »gesellig sein, sich vergnügen; aufwarten, dienen; ein Ständchen bringen; galant sein, den Hof machen«; das Verb ist von mhd. *hof* mit roman. Endung abgeleitet); **höfisch** (mhd. *hövesch* »hofgemäß, fein, gebildet und gesittet; unterhaltend«; Lehnübersetzung von afrz. *corteis*, vgl. *hübsch*); **höflich** (s. d.); **Höfling** (mhd. *hovelinc*). Zus.: **Hofnarr** (16. Jh.); **Hofrat** (mhd. *hoverāt* »die Räte eines Fürsten«; seit dem 16. Jh. auch auf eine einzelne Person übertragen); **Hofstaat** (15. Jh.).

Hof

jmdm. den Hof machen
»sich um die Gunst einer Frau bemühen, eine Frau umwerben«
Auszugehen ist von ›Hof‹ als Bezeichnung für den Fürstenhof. Alle Menschen, die den Fürsten umgaben und ihm dienten, stellten seinen Hof dar, sie machten ihm den Hof. Das Umschmeicheln des Fürsten, das Werben um seine Gunst wurde dann auf das Umwerben einer Frau bezogen. Die Wendung ist eine Übersetzung vom frz. ›faire la cour‹.

H

Hoffart: Die verdunkelte Zusammensetzung geht zurück auf mhd. *hōchvart,* assimiliert *hoffahrt* »Art, vornehm zu leben; Hochmütigkeit, edler Stolz; äußerer Glanz, Pracht, Aufwand; Übermut« (vgl. *hoch* und *Fahrt*). Im Mhd. hatte das Verb ›fahren‹ auch die Bedeutung »sich befinden, leben«, vgl. die Zusammensetzung **Wohlfahrt** »Wohlergehen, Leben in Wohlstand« (im 16. Jh. für spätmhd. *wolvarn* »Wohlergehen«).

hoffen: Das ursprünglich auf den nördlichen Bereich des Westgerm. beschränkte Verb mhd. *hoffen,* mnd. *hopen,* niederl. *hopen,* engl. *to hope* ist vielleicht mit der Wortgruppe von ↑hüpfen verwandt und würde dann ursprünglich etwa »[vor Erwartung] zappeln, aufgeregt umherhüpfen« bedeutet haben. – Abl.: **hoffentlich** Adverb (mhd. *hof[f]entlich* Adjektiv »erhoffend, Hoffnung erweckend«; die Ableitung geht nicht vom Partizip, sondern vom Infinitiv aus); **Hoffnung** (mhd. *hoffenunge*). Präfixbildung: **verhoffen** weidmännisch für »stutzen, sich unruhig umblicken, sichern« (mhd. *verhoffen* »stark hoffen; die Hoffnung aufgeben«), dazu **unverhofft** »unerwartet« (16. Jh.).

höflich: Mhd. *hovelich, hoflich* »hofgemäß, fein, gebildet und gesittet« ist, wie auch ›höfisch‹ und ›hübsch‹, von mhd. *hof* im Sinne von »Fürstenhof, Hofstaat« (vgl. *Hof*) abgeleitet.

Hoheit ↑hoch.

hohl: Die Herkunft des altgerm. Adjektivs mhd., ahd. *hol,* niederl. *hol,* aengl. *hol* (substantiviert engl. *hole* »Loch«), aisl. *holr* ist nicht sicher geklärt. Es kann zu der Sippe von ↑hüllen (vgl. *hehlen*) gehören oder aber mit außergerm. Substantiven in der Bedeutung »Knochen, Stängel, Stiel« verknüpft werden, falls diese ursprünglich »Röhrenknochen, Hohlstängel« bedeutet haben. Vgl. z. B. griech. *kaulós* »Stängel; Stiel; Federkiel«, lat. *caulis* »Stängel; Stiel; Strunk; Kohl« (↑[1]Kohl), lit. *káulas* »Knochen; Bein; Kern«. Abl.: **Höhle** (mhd. *hüle,* ahd. *huli*); **höhlen** (mhd. *holn,* ahd. *holōn* mit Entsprechungen in den anderen germ. Sprachen), dazu **aushöhlen.** Zus.: **hohläugig** (16. Jh.); **Hohlspiegel** (18. Jh.); **Hohlweg** (17. Jh.).

Hohn: Mhd. *hōn* »Hohn; Schmach« und ahd. *hōna* »Hohn; Schimpf, Schmach« sind Substantivbildungen zu einem im Dt. untergegangenen germ Adjektiv, das im Got. als *hauns* »niedrig; demütig« und im Aengl. als *hēan* »niedrig; verachtet, arm, elend« bewahrt ist. Dieses Adjektiv, von dem auch das Verb **höhnen** »höhnisch reden; verspotten« (mhd. *hœnen,* ahd. *hōnen,* got. *haunjan,* aengl. *hīenan*) abgeleitet ist, geht mit verwandten Wörtern in anderen idg. Sprachen – z. B. griech. *kaunós* »schlecht« und lett. *kàuns* »Scham, Schande, Schimpf« – auf eine Wurzel **kau-* »niedrig; erniedrigen, herabsetzen« zurück. – Zu ›höhnen‹ gehört die Präfixbildung **verhöhnen** »höhnisch verspotten« (mhd. *verhœnen*). Abl.: **höhnisch** »voller Hohn« (mhd. *hœnisch*). Beachte auch den Artikel *verhohnepipeln.*

Höker »Kleinhändler, Krämer«: Das Wort gehört wahrscheinlich im Sinne von »jemand, der seine Waren auf dem Rücken schleppt« zu ›Hucke‹ »auf dem Rücken getragene Last« (vgl. [1]*Hocke*). Weniger wahrscheinlich ist die Verknüpfung mit dem Verb ›hocken, hucken‹ (s. d.), wonach ›Höker‹ als »jemand, der auf dem Marktplatz hockt« zu verstehen wäre. Nhd. *Höker,* älter *Höke,* geht auf eine Form mit ostmitteld. Lautung zurück (gegenüber mhd. *hocke, hucke* »Kleinhändler«).

Hokuspokus (Zauberformel der Taschenspieler, auch übertragen im Sinne von »Gaukelei, Blendwerk«): Zugrunde liegt wahrscheinlich eine im 16. Jh. bezeugte pseudolat. Zauberformel fahrender Schüler ›hax, pax, max, deus adimax‹, deren Anfang verstümmelt wurde und seit dem 17. Jh. – zunächst in England als *hocas pocas* – in verschiedener Form erscheint, z. B. Hockespockes, Okesbockes, Oxbox, Hokospokos.

hold: Das gemeingerm. Adjektiv mhd. *holt,* ahd. *hold* »günstig, gnädig; ergeben, dienstbar, treu«, got. *hulþs* »gnädig«, aengl. *hold* »gnädig, günstig, angenehm; treu«, schwed. *huld* »gnädig, freundlich« gehört wahrscheinlich im Sinne von »geneigt« zu der unter ↑Halde dargestellten Wortgruppe. Das Adjektiv ›hold‹ liegt auch dem Namen der Sagen- und Märchengestalt Frau Holle (↑Holle) und der Bildung **Unhold** (mhd. *unholde* »der Böse, Teufel«, ahd. *unholdo* »böser Geist«) zugrunde. Eine Substantivbildung zu ›hold‹ ist ↑Huld.

holen: Das westgerm. Verb mhd. *hol[e]n,* ahd. *holōn,* aengl. *ge-holian* steht im Ablaut zu der germ. Sippe von ahd. *halōn* »rufen, schreien« und stellt sich im Sinne von »[herbei]rufen« zu der unter ↑hell dargestellten Wortgruppe, zu der auch ↑Hall, hallen gehören. Das Verb ›holen‹, das mdal. auch in der Bedeutung »nehmen« gebräuchlich ist, erscheint auch in mehreren Zusammensetzungen, beachte ›ab-, auf-, aus-, ein-, nachholen‹. Wichtige Zusammensetzungen und Präfixbildungen sind **erholen** (mhd. *erholn,* ahd. *irholōn* »erwerben, sich verschaffen; gutmachen, nachholen, wieder einbringen; neue Kraft gewinnen«), dazu **Erholung** (16. Jh.); **überholen** »einholen und hinter sich lassen; übertreffen; überprüfen, ausbessern, in Ordnung bringen« (18. Jh.), dazu **Überholung** (19. Jh.); **verholen** seemännisch für »ein Schiff an eine andere Stelle bringen« (19. Jh.), beachte **Verholboje.** Vgl. die Artikel *hallo* und *holla.*

holla!: Die seit etwa 1500 bezeugte Interjektion geht wahrscheinlich auf den mit dem Ausruf ā verstärkten Imperativ von mhd. *hol[e]n,* ahd. *holōn* »holen« (daneben mhd. *halen,* ahd. *halōn,* vgl. *hallo*) zurück. Ursprünglich war ›holla‹ demnach Zuruf an den Fährmann im Sinne von »holüber!«.

Holle in ›Frau Holle‹: Der Name der Sagen- und Märchengestalt beruht auf dem unter ↑hold dargestellten Adjektiv mhd. *holt,* ahd. *hold* »günstig, gnädig; ergeben, dienstbar, treu«. Ahd. *holda* und mhd. *holde* bezeichnen einen [guten] weiblichen Geist, beachte ahd. *holdo* »Geist« (↑Unhold), mhd. *die guoten holden* »Hausgeister« und mhd. *holde* »Freundin, Dienerin«. In der heutigen Sagen- und Märchenwelt spielt Frau Holle eine unbedeutende Rolle. Allgemein verbreitet ist nur der Volksglaube, dass es schneit, wenn Frau Holle ihre Kissen schüttelt.

Hölle: Das gemeingerm. Wort mhd. *helle,* ahd. *hell[i]a,* got. *halja,* engl. *hell,* aisl. *hel,* das in altgerm. Zeit den Aufenthalt der Toten bezeichnete, ging nach der Christianisierung der germanischen Stämme auf den christlichen Begriff über. In der nordischen Mythologie tritt *hel* »Totenreich« auch personifiziert auf, beachte ›Hel‹ als Name der germanischen Todesgöttin. Die germ. Benennung des Totenreiches gehört zu der unter ↑hehlen dargestellten idg. Wurzel **k̂el-* »verhüllen, verbergen, schützen« und bedeutet demnach wahrscheinlich »die Bergende«, falls für die Vorstellung des Totenreiches nicht von dem »mit einem Zaun oder mit Steinplatten geschützten Sippengrab« auszugehen ist. – In Zusammensetzungen tritt ›Hölle‹ verstärkend auf, beachte z. B. ›Höllenangst, Höllenlärm, Höllenschmerz‹. Mit ›Hölle‹ im Sinne von »Ort der Verdammnis« ist identisch ›Hölle‹ als veraltete und mdal. Bezeichnung eines Raumes, in dem man etwas bergen kann, z. B. der Raum zwischen Ofen und Wand, beachte auch niederd. *Hellegat[t]* »Vorrats-, Gerätekammer auf Schiffen«.

¹Holm: Aus der Sondersprache des Holz- und Verschalungsbaus wurde ›Holm‹ als Bezeichnung für »Griffstange des Barrens; Längsstange der Leiter« von F. L. Jahn in die Turnersprache eingeführt. Das Wort, das eigentlich ein waagrechtes Holzstück, in das die Zapfen senkrechter Pfähle eingreifen, bezeichnet (beachte mnd. *holm* »Querbalken; Jochträger«), ist z. B. mit ↑²Helm »Stiel, Handhabe« und ↑¹Halfter »Zaum« verwandt und gehört zu der unter ↑Schild dargestellten idg. Wortgruppe.

²Holm: Der niederd. Ausdruck für »kleine Insel« (mnd. *holm*) gehört mit engl. *holm* »Insel, Werder; üppiges Uferland« und mit der nord. Sippe von schwed. *holme* »[kleine] Insel« (beachte den Ortsnamen Stockholm und den Inselnamen Bornholm) zu der idg. Wurzel **kel-* »ragen, sich erheben«. Die Bedeutung »Insel« hat sich aus »Ragendes, Erhebung« entwickelt, beachte asächs. *holm* »Hügel«. Aus anderen idg. Sprachen vergleichen sich z. B. griech. *kolōnós* »Hügel« und lat. *collis* »Hügel«, ferner lat. **-cellere* in *excellere* »herausragen« (↑exzellent), *columen, culmen* »Gipfel, Höhepunkt« und *columna* »Säule« (↑Kolumne, ↑Kolonne). Siehe auch den Artikel *Hallig.*

holo..., Holo...: Das Bestimmungswort von Zusammensetzungen mit der Bedeutung »ganz, vollständig, unversehrt« (z. B. in ›Holographie‹) ist entlehnt aus gleichbed. griech. *hólos,* das u. a. urverwandt ist mit lat. *salvus* »heil, gesund« (s. die Fremdwortgruppe um *Salve*). – Als Grundwort erscheint griech. *hólos* in dem Fremdwort ↑katholisch (Katholik, Katholizismus).

holpern: Die Herkunft des erst seit dem 16. Jh. bezeugten Verbs ist nicht sicher geklärt. – Abl.: **holperig** (18. Jh.; im 16. Jh. dafür ›hölpericht‹).

Holunder: Der auf das dt. Sprachgebiet beschränkte Pflanzenname (mhd. *holunder,* ahd. *holuntar*) ist, wie z. B. auch ↑Flieder, ↑Wacholder und ↑Rüster, mit dem germ. Baumnamensuffix *-đr[a]-* (vgl. *Teer*) gebildet. Der erste Wortteil ist wohl mit dän. *hyld,* südschwed. *hyll[e]* »Holunder« verwandt, beachte auch mengl. *hildir* »Holunder«. Weitere außergerm. Entsprechungen sind nicht gesichert. – In ahd. und mhd. Zeit war das Wort anfangsbetont. Mdal. Nebenformen von Holunder sind z. B. ›Holder, Holler‹.

Holz: Das altgerm. Wort mhd., ahd. *holz,* niederl. *hout,* engl. *holt,* schwed. *hult* gehört mit verwandten Wörtern in anderen idg. Sprachen, z. B. griech. *kládos* »Ast; Zweig; Trieb« und russ. *koloda* »Balken; Block; Baumstamm«, zu der Wurzelform **keld-* »schlagen, hauen, brechen, spalten«. Zu der unerweiterten idg. Wurzel **kel-* – daneben **skel-* »hauen, spalten, schneiden« (vgl. *Schild*) – stellen sich z. B. griech. *kláein* »[ab]brechen«, *klēros* »Holzstückchen oder Scherbe als Los« (↑Klerus) und lat. **-cellere* in *per-cellere* »zu Boden schlagen, zerschmettern«, *calamitas* »Schaden« (↑Kalamität). – Im Nhd. ist ›Holz‹ im Wesentlichen Stoffbezeichnung, während im Engl. und in den nord. Sprachen die Bedeutung »Gehölz, Wäldchen« bewahrt ist. Diese Bedeutung hat im Dt. die Kollektivbildung **Gehölz** (mhd. *gehülze*). Das Wort ›Holz‹ spielt auch in der Namengebung eine Rolle, beachte z. B. die Ländernamen ›Holland‹ und ›Holstein‹. – Abl.: **holzen** (mhd. *holzen, hülzen* »Holz fällen und aus dem Walde schaffen«; seit dem Anfang des 19. Jh.s, zunächst studentensprachlich, dann ugs. für »prügeln«, in der Fußballersprache »roh spielen«; beachte auch **abholzen**); **Holzer** (mhd. *holzer* »Holzhauer«; heute in der Fußballersprache »roher Spieler«); **Hol-**

H

zerei (19. Jh.; zunächst »Prügelei«, heute in der Fußballersprache »rohes Spiel«); **hölzern** (mhd. *hulzerīn, holzīn* »von Holz«); **holzig** (16. Jh.); **Holzung** (mhd. *holzunge* »Holzschlag«). Zus.: **Holzapfel** (mhd. *holzapfel* »wilder, d. h. im Walde wachsender Apfel«; heute als »holziger Apfel« verstanden); **Holzschnitt** (18. Jh.; das Wort bezeichnete zunächst das in eine Holzplatte eingeschnittene Bild, dann den Abdruck davon).

Holzweg

auf dem Holzweg sein; sich auf dem Holzweg befinden

(ugs.) »im Irrtum sein«

Auszugehen ist für diese Wendung von ›Holzweg‹ in der eigentlichen Bedeutung »Weg, der der Holzabfuhr dient; Waldweg«. Da so ein Weg nicht zur nächsten menschlichen Ansiedelung führt, kommt man nicht weiter, ist es der falsche Weg, wenn man die nächste Ortschaft erreichen will.

H

homo..., Homo..., (vor Vokalen:) hom..., Hom...: Das Bestimmungswort von Zusammensetzungen mit der Bedeutung »gleich, gleichartig, entsprechend« (z. B. in ↑Homosexualität und ↑Homonym) ist entlehnt aus griech. *homós* »gemeinsam; gleich; ähnlich«, das mit *homoĩos* »gleichartig, ähnlich« (↑homöo..., ...Homöo...) zur idg. Sippe von nhd. ↑sammeln gehört.

Homonym: Die seit dem 19. Jh. übliche sprachwissenschaftliche Bezeichnung für ein gleich lautendes, aber in der Bedeutung [und in der Herkunft] verschiedenes Wort beruht auf einer gelehrten Entlehnung aus griech.-lat. *(rhḗmata bzw. verba) homṓnyma,* das seinerseits zu griech. *hom-ṓnymos* »gleichnamig« gehört. Über das Grundwort (griech. *ónoma* »Name«) vgl. den Artikel *anonym.*

homöo..., Homöo..., (vor Vokalen:) homö..., Homö...: Das Bestimmungswort von Zusammensetzungen mit der Bedeutung »ähnlich, gleichartig« (z. B. in ↑Homöopathie) ist latinisiert aus griech. *homoĩos* »gleichartig, ähnlich«. Über weitere Zusammenhänge vgl. *homo..., Homo...*

Homöopathie »Heilverfahren, bei dem der Kranke mit den Mitteln behandelt wird, die beim Gesunden ähnliche Krankheitserscheinungen hervorrufen«: Das Wort ist eine gelehrte Bildung des Leipziger Arztes Samuel Hahnemann (1775–1843) aus griech. *homoĩos* »ähnlich, gleichartig« (vgl. *homöo..., Homöo...*) und griech. *páthos* »Leid, Schmerz; Krankheit« (vgl. *Pathos*). Als Vorbild diente der alte, im Volksglauben verwurzelte Grundsatz ›similia similibus curantur‹ »Gleiches wird durch Gleiches geheilt«.

Homosexualität: Die Bezeichnung eines auf Menschen gleichen Geschlechts gerichteten Sexualempfindens ist eine gelehrte Neubildung des 20. Jh.s. Grundwort – wie auch für das Adjektiv **homosexuell** – ist lat. *sexus* »Geschlecht« (vgl. *Sex*); das Bestimmungswort ist griech. *homós* »gemeinsam, gleich, ähnlich« (vgl. *homo..., Homo...*).

Homunkulus »künstlich in der Retorte erzeugter Mensch«: Das Fremdwort ist identisch mit lat. *homunculus* »Menschlein, Männlein, schwaches Geschöpf«. Dies ist Verkleinerungsform von lat. *homo* »Mensch«. Die heutige Bedeutung besteht seit Goethes Faust.

Honig: Der Honig ist nach seiner Farbe als »der [Gold]gelbe« benannt worden. Das altgerm. Substantiv mhd. *honec,* ahd. *hona[n]g,* niederl. *honing,* engl. *honey,* schwed. *honung* ist z. B. mit griech. *knēkós* »gelblich, saflorfarben« und aind. *kāñcana-ḥ* »golden« verwandt und gehört zu idg. **kenəko-* »gelb[lich], goldfarben«. – Zus.: **Honigmond,** älter **Honigmonat** »Flitterwochen« (18. Jh.; Lehnübersetzung von frz. *lune de miel,* das seinerseits Lehnübersetzung von engl. *honeymoon* ist).

Honorar »Vergütung (besonders für Arbeitsleistung in freien Berufen)«: Das Fremdwort wurde Ende des 18. Jh.s eingedeutscht aus lat. *honorarium* »Ehrengabe, Ehrensold; Belohnung«, das zu lat. *honor* »Ehre« (vgl. *honorieren*) gehört.

Honoratioren: Die Bezeichnung für »angesehene Bürger« wurde im 18. Jh. aus älterem ›Honoratiores‹ eingedeutscht, das auf lat. *honoratiores* »die mehr als andere Geehrten« (Komparativ Plural von *honoratus* »geehrt«) zurückgeht. Stammwort ist lat. *honor* »Ehre« (vgl. *honorieren*).

honorieren »ein Honorar bezahlen; vergüten, belohnen«: Das Verb wurde im 16. Jh. aus lat. *honorare* »ehren, auszeichnen; belohnen« entlehnt. Zugrunde liegt das etymologisch umstrittene Substantiv lat. *honor* (alat. *honos*) »Ehre, Ansehen«, zu dem auch die unter ↑Honoratioren, ↑Honorar und ↑honorig behandelten Wörter gehören.

honorig »ehrenhaft, freigebig, großzügig«: Das Adjektiv wurde in der Studentensprache des ausgehenden 18. Jh.s zu lat. *honor* »Ehre« (vgl. *honorieren*) gebildet.

Hooligan: Das Fremdwort, das einen »Randalierer und Schläger (bei Massenveranstaltungen)« bezeichnet, ist im Deutschen bereits seit Anfang des 20. Jh.s belegt, anfänglich jedoch in der Bedeutung »gewalttätiger Krimineller«. In der 2. Hälfte des 20. Jh.s taucht das Wort im Zusammenhang mit Krawallen in Fußballstadien auf, zunächst in Bezug auf englische, später auch auf deutsche Fußballrowdys. Die Herkunft des Wortes ›Hooligan‹ ist ungeklärt, möglicherweise geht es zurück auf eine gleichnamige irische Familie, deren Mitglieder notorische Raufbolde gewesen sein sollen.

Hopfen: Der auf das dt., niederl. und engl. Sprachgebiet beschränkte Pflanzenname (mhd. *hopfe,* ahd. *hopfo,* mnd. *hoppe,* niederl. *hop,* engl. *hop*) gehört wahrscheinlich zu der Sippe von schweiz.

Hupp[en] »buschige Quaste«, *Huppi* »knollen- oder kugelförmiger Auswuchs«. Das Wort bezog sich demnach ursprünglich auf die für das Bierbrauen allein wichtigen weiblichen Zapfen des Hopfens und ging dann auf die Pflanze selbst über.

Hopfen

bei jmdm./an jmdm. ist Hopfen und Malz verloren (ugs.) »bei jmdm. ist alle Mühe umsonst, jmd. ändert sich trotz aller Ermahnungen nicht mehr« Die Wendung bezieht sich auf die Bierbrauerei: Wenn der Brauvorgang nicht gelingt, dann sind die Bestandteile Hopfen und Malz verloren.

hoppeln: Das erst seit dem 17. Jh. bezeugte Verb, das heute speziell die eigentümliche Bewegungsart des Hasen bezeichnet, ist eine Iterativbildung zu mdal. *hoppen* (vgl. *hüpfen*).

hopsen: Das erst in nhd. Zeit bezeugte Verb ist eine Iterativbildung zu mdal. *hoppen* (vgl. *hüpfen*).

horchen: Das auf das Westgerm. beschränkte Verb mhd. *hǒrchen*, spätahd. *hōrechen*, mnd. *horken*, engl. *to hark* ist von dem unter ↑hören dargestellten Verb weitergebildet. Dem oberd. Sprachgebiet war ›horchen‹ in den älteren Sprachzuständen fremd. Erst seit dem 16. Jh. hat es sich allmählich gegenüber oberd. *losen* »hören« (s. unter *lauschen*) durchgesetzt. Das Verb ›horchen‹ wird, wie auch ›hören‹, im Sinne von »auf etwas hören, einem Rat oder einer Aufforderung nachkommen« gebraucht. Gewöhnlich steht dafür aber die ge-Bildung **gehorchen** (mitteld. *gehǒrchen* »zuhören; gehorsam sein«). – Abl.: **Horcher** (17. Jh.).

[1]**Horde** »umherziehende, wilde Schar«: Das seit dem 15. Jh. bezeugte Substantiv, das zunächst nur umherziehende Tatarenstämme bezeichnete, beruht auf Entlehnung aus türk. *ordu* »Heer« (< tatar. *urdu* »Lager«), das die europäischen Sprachen über den Balkan und Polen (beachte poln. *horda* »Horde«) erreichte.

[2]**Horde** ↑Hürde.

hören: Das gemeingerm. Verb mhd. *hœren*, ahd. *hōran, hōr[r]en*, got. *hausjan*, engl. *to hear*, schwed. *höra* gehört mit verwandten Wörtern in anderen idg. Sprachen, vgl. z. B. lat. *cavere* »sich in Acht nehmen« (↑Kaution) und griech. *akoúein* »hören; gehorchen« (↑akustisch), zu der idg. Wurzel **keu[s]-* »auf etwas achten, merken, bemerken, hören, sehen«. Eine mit s- anlautende Wurzelform **skeu-* liegt vermutlich der Wortgruppe von ↑schauen zugrunde. – Das Verb ›hören‹ wird wie das weitergebildete ↑horchen auch im Sinne von »auf etwas hören, einem Rat oder einer Aufforderung nachkommen« gebraucht, beachte auch die Adjektivbildung ↑gehorsam. Die ge-Bildung ↑gehören (dazu ›gehörig‹) hat sich in der Bedeutung vom einfachen Verb gelöst. Eine ähnliche Bedeutungsgeschichte wie ›gehören‹ hat das im Nhd. untergegangene Verb ›behören‹, zu dem sich die Substantivbildungen ↑Behörde und ↑Zubehör stellen. Auch in der Zusammensetzung **aufhören** (spätmhd. *ūfhœren*) ist die Bedeutung des einfachen Verbs völlig verblasst. Die Bedeutung »beenden, einstellen, nachlassen« hat sich wohl aus »aufhorchend von etwas ablassen« entwickelt. – Enger an das Simplex schließen sich an **erhören** (mhd. *erhœren* »hören, wahrnehmen; anhören, anhörend erfüllen«), dazu **unerhört** (spätmhd. *unerhōrt;* eigentlich »nie gehört, beispiellos«), **überhören** (mhd. *überhœren* »aufsagen lassen, lesen lassen, befragen; nicht hören; nicht befolgen«), **verhören** (mhd. *verhœren* »hören, anhören, vernehmen, prüfen; erhören; überhören«), dazu **Verhör** (mhd. *verhœre* »Vernehmung, Befragung«). Abl.: **Hörer** (mhd. *hœrer, hœrære* »Zuhörer«; heute wird Hörer auch im Sinne von »Telefonhörer« gebraucht); **hörig** (mhd. *hœrec* »hörend auf, folgsam; leibeigen«), substantiviert **Hörige; Gehör** (mhd. *gehœr[d]e* »das Hören; der Gehörsinn«). Zus.: **Hörensagen** (15. Jh.; aus der Verbindung ›ich habe es hören sagen‹ hervorgegangen); **Hörrohr** (18. Jh.); **Hörsaal** (18. Jh.).

Horizont »scheinbare Begrenzungslinie zwischen Himmel und Erde; Sichtgrenze; Gesichtskreis (auch im übertragenen Sinne)«: Das Substantiv wurde im 17. Jh. aus lat. *horizon* (Gen.: *horizontis*) entlehnt, das seinerseits aus griech. *horízōn* (ergänze: *kýklos*) »Grenzlinie, Grenzkreis, Gesichtskreis« stammt. Dies gehört zu griech. *horízein* »begrenzen«, das mit einer übertragenen Bedeutung »abgrenzen, genau bestimmen« auch in der Zusammensetzung *aph-orízein* (↑Aphorismus, aphoristisch) vorliegt. Stammwort ist griech. *hóros* »Grenze, Grenzstein, Ziel«, dessen Etymologie unsicher ist. – Dazu das Adjektiv **horizontal** »zum Horizont gehörig, waagrecht« (16. Jh.), das auch substantiviert als **Horizontale** »waagrechte Gerade« erscheint.

Hormon: Der medizinische Ausdruck für »körpereigener Wirkstoff« ist eine gelehrte Neubildung des 20. Jh.s zu griech. *hormān* »in Bewegung setzen, antreiben, anregen«, einer Ableitung von griech. *hormḗ* »Anlauf, Angriff; Antrieb«. Dies gehört zur idg. Sippe von ↑Rhythmus und ↑Strom.

Horn: Das gemeingerm. Wort mhd., ahd. *horn*, got. *haúrn*, engl. *horn*, schwed. *horn* ist, wie z. B. auch das verwandte lat. *cornu* »Horn«, eine Bildung zu der unter ↑Hirn dargestellten idg. Wurzel **k̂er[ə]-*, die ursprünglich das Horn bzw. Geweih auf dem Tierkopf bezeichnete. In früher Zeit wurde das Tierhorn hauptsächlich als Trinkgefäß und als Blasinstrument verwendet. Seit alters bezeichnet das Wort auch aus Horn hergestellte Gegenstände, ferner ist es Stoffbezeichnung und wird auch im Sinne von ›hornförmiges Gebilde‹ und ›hornartige Masse‹ gebraucht, beachte z. B. ›Horn‹ mdal. für »Landspitze«, **Hörnchen** »Gebäckart«, **Pulverhorn, Hornhaut, Hornbrille.** –

Abl.: **hornen, hürnen** veraltet für »hörnern« (mhd. *hürnīn, hornen,* ahd. *hurnīn*); **hörnern** (17. Jh.); **hornig** (16. Jh.); **Hornist** »Hornbläser« (19. Jh.; beachte schon got. *haúrnja* »Hornbläser«, *haúrnjan* »trompeten«).

Horn

sich die Hörner ablaufen/abstoßen
(ugs.) »durch Erfahrungen besonnener werden, sein Ungestüm in der Liebe ablegen«
Die Wendung bezieht sich wahrscheinlich auf eine alte studentische Aufnahmefeier, bei der der als Bock verkleidete Neuling sich die Hörner an einer Tür oder Säule abstoßen musste, um dadurch symbolisch seine tierische Vorstufe hinter sich zu lassen.

jmdm. Hörner aufsetzen
(ugs.) »den Ehemann betrügen«
Die Wendung meint eigentlich ›jmd. zum Hahnrei machen‹. (Das Wort ›Hahnrei‹, das heute nur noch im Sinne von »betrogener Ehemann« gebräuchlich ist, bezeichnete früher den kastrierten Hahn, den Kapaun.) Dem Hahnrei setzte man früher, um ihn aus der Hühnerschar herauszufinden, die abgeschnittenen Sporen in den Kamm, wo sie weiterwuchsen und eine Art von Hörnern bildeten.

H

Hornisse: Das Insekt ist nach seinen knieförmig gebogenen Fühlhörnern benannt. Der westgerm. Name mhd. *horniz̧ (-uz̧),* ahd. *hornaz̧, hurnuz̧,* mniederl. *hornet,* engl. *hornet* ist, wie z.B. auch die verwandten lat. *crabro* »Hornisse« und russ. *šeršen‹* »Hornisse«, eine Bildung zu der unter ↑Hirn dargestellten idg. Wurzel und bedeutet demnach eigentlich »gehörntes Tier«.

Hornung: Die alte einheimische Benennung des Februars bezieht sich wahrscheinlich auf die verkürzte Anzahl von Tagen dieses Monats im Vergleich zu den anderen elf Monaten und spiegelt somit bereits römische Kalendereinflüsse wider. Mhd., ahd. *hornunc* »Februar« entsprechen im germ. Sprachbereich afries. *horning* »Bastard«, aengl. *hornung[sunu]* »Bastard«, aisl. *hornungr* »Bastard, Kebssohn« (eigentlich »der aus der Ecke Stammende, der im Winkel Gezeugte«), die von dem gemeingerm. Wort **hurna-* »Horn; Spitze; Ecke« abgeleitet sind (vgl. *Horn*). Der Hornung ist also »der [in der Anzahl der Tage] zu kurz Gekommene«.

Horoskop »astrologische Zukunftsdeutung«: Das aus Schillers Wallenstein bekannte Fremdwort ist aus gleichbed. spätlat. *hōroscopium* entlehnt, das auf griech. *hōro-skopeĩon* zurückgeht. Es ist dies der Name eines Gerätes – eigentlich »Stundenschauer« –, das zur Ermittlung der Planetenkonstellation bei der Geburt eines Menschen diente und eine dementsprechende Schicksalsdeutung ermöglichte. – Das Grundwort von griech. *hōroskopeĩon* gehört (mit o-Ablaut) zu griech. *sképtesthai* »spähen, schauen, betrachten« (vgl. *Skepsis*). Bestimmungswort ist griech. *hōra* »Stunde« (vgl. den Artikel *Uhr*).

Horror: Das Fremdwort steht einerseits für »Abscheu, Widerwille«, andererseits für »Entsetzen, angsterfüllter Zustand«, wobei das Wort je nach Bedeutung auf zwei unterschiedlichen Wegen ins Deutsche gelangt ist. In beiden Bedeutungen geht es letztlich aber doch auf dasselbe Etymon zurück, nämlich auf lat. *horror* »das Zusammenfahren, das Sichaufsträuben, der Schauder«. Dieses bedeutet in der Sprache der röm. Ärzte auch »Fieberschauder, Schüttelfrost«. In dieser Bedeutung hat es die medizinische Fachsprache über die Jahrhunderte bewahrt. Im 18. Jh. wird es als erneute Übernahme aus dem Lat. im Sinne von »Schauder, Abscheu« gebräuchlich; eine Bedeutung, die im heutigen Deutsch z. B. in der Fügung ›vor etw. einen Horror haben‹ zutage tritt. In der 2. Hälfte des 20. Jh.s taucht ›Horror‹ noch in einer weiteren, leicht unterschiedlichen Bedeutung auf. Im Sinne von »schreckerfüllter Zustand, Entsetzen« handelt es sich um eine direkte Übernahme aus gleichbed. engl. *horror,* welches über afrz. *(h)orrour* ebenfalls auf lat. *horror* zurückgeht. In dieser zweiten Bedeutung findet es sich häufig in Zusammensetzungen wie **Horrortrip** oder **Horrorfilm.**

Horst: Die auf das Westgerm. beschränkte Substantivbildung mhd., ahd. *hurst* »Gesträuch, Hecke, Dickicht«, mnd. *horst* »Krüppelholz, niedriges Gestrüpp«, engl. *hurst* »Wäldchen, Gehölz; [bewaldeter] Hügel; Sandbank« gehört zu der unter ↑Hürde (eigentlich »Flechtwerk«) dargestellten idg. Wortgruppe. Beachte die ablautende Bildung asächs. *harst* »Flechtwerk; Lattenrost«, mnd. *harst* »Reisig; Gebüsch«. – Die heute übliche Bedeutung »Raubvogelnest« stammt aus der ostmitteld. Weidmannssprache und ist seit dem 18. Jh. gemeinsprachlich geworden; beachte auch die Zusammensetzung **Fliegerhorst.**

Hort: Das gemeingerm. Substantiv mhd., ahd. *hort* »Schatz; das Angehäufte, Fülle, Menge«, got. *huzd* »Schatz«, engl. *hoard* »Schatz; Vorrat«, aisl. *hodd* »Schatz, Gold« gehört im Sinne von »das Bedeckte, das Verborgene« zu der vielfach weitergebildeten und erweiterten idg. Wurzel **[s]keu-* »bedecken, umhüllen« (vgl. *Scheune*). Mit germ. **huzdō-* »Hort« näher verwandt sind die Sippen von ↑Haus und ↑Hose. – Im Nhd. wird ›Hort‹ – zunächst biblisch, auf Gott bezogen – auch im Sinne von »sicherer Ort, Schutz, Zuflucht« gebraucht. An diese Bedeutung schließt sich die Zusammensetzung **Kinderhort** »Einrichtung zur ganztägigen Betreuung schulpflichtiger Kinder« (19. Jh.) an. Abl.: **horten** »ansammeln, anhäufen« (20. Jh.).

Hortensie (Zierstrauch): Die asiatische Zierpflanze wurde von dem französischen Botaniker Commerson (1727–1773) im 18. Jh. nach der Astronomin Hortense Lepaute, der Frau seines Freundes, benannt. Der Vorname Hortense gehört zu lat. *hortus* »Garten« (vgl. *Garten*).

Hose: Mhd. *hose*, ahd. *hosa* »Bekleidung der [Unter]schenkel samt den Füßen«, asächs. *hosa* »eine Art Jagdstrumpf«, aengl. *hosa* »Strumpf, Bein- oder Fußbekleidung«, aisl. *hosa* »Langstrumpf, Hose« gehen auf germ. **husōn-* zurück, das in altgermanischer Zeit wahrscheinlich die mit Riemen um die Unterschenkel geschnürten Tuch- oder Lederlappen bezeichnete. Das germ. Wort gehört im Sinne von »Hülle, Bedeckung« zu der weit verästelten idg. Wortgruppe der Wurzel **[s]keu-* »bedecken, umhüllen« (vgl. *Scheune*) und ist näher verwandt mit den Sippen von ↑Haus und ↑Hort. – Bis zum Beginn der Neuzeit bezeichnete ›Hose‹ im Dt. lediglich die Bekleidung der [Unter]schenkel samt den Füßen, während das nicht mehr gebräuchliche **Bruch** (beachte engl. *breeches*) die Bekleidung des Unterleibs samt den Oberschenkeln bezeichnete. Als im 16. Jh. ein Kleidungsstück in Gebrauch kam, das den Unterleib und die Schenkel bis an die Füße bedeckte, ging ›Hose‹ auf dieses Kleidungsstück über. – Nach der Ähnlichkeit mit der Form einer Hose bzw. eines Hosenbeins spricht man auch von **Wasserhose** (18. Jh.) und **Windhose** (19. Jh.), beachte engl. *hose*, das auch »Schlauch« bedeutet. – Zus.: **Hosenmatz** (20. Jh.; ↑Mätzchen); **Hosenträger** (19. Jh.).

Hospital »Krankenhaus«, dafür veraltend, aber noch landsch., bes. österr. und schweiz. auch: **Spital:** Das früher auch im Sinne von »Armenhaus, Altersheim« gebrauchte Wort ist schon im Ahd. in der verdeutlichenden Zusammensetzung *hospitālhūs* (mhd. *hospitāl[e]*) bezeugt. Es geht wie frz. *hôtel* (↑Hotel) auf das lat. Adjektiv *hospitalis* »gastlich, gastfreundlich« zurück, das im Spätlat. substantiviert erscheint als *hospitale* »Gast[schlaf]zimmer«. Stammwort ist lat. *hospes (hospitis)* »Gastfreund«, das u. a. auch in unserem aus dem Engl. entlehnten Fremdwort ↑Hostess lebt. Mit den Ableitungen *hospitium* »Gastfreundschaft; Herberge« (↑Hospiz) und *hospitari* »Gast sein, als Gast bewirtet werden; einkehren« (↑hospitieren) gehört lat. *hospes* zur Wortfamilie von lat. *hostis* »Fremdling; Feind« und damit zur idg. Sippe des urverwandten Substantivs ↑Gast. Üblicherweise gilt dabei lat. *hospes* als alte Zusammensetzung **hosti-pot-s* »Herr des Fremden, Gastherr«, mit genauer Entsprechung in russ. *gospod'* »Herr, Gott«, wozu die russ. Anrede *gospodin* »Herr« gehört. Über weitere Zusammenhänge dieser Sippe und die Bedeutungsgeschichte vgl. den Artikel *Gast*.

hospitieren »als Gast zuhören (insbesondere von Studierenden während ihres Praktikums an [höheren] Schulen)«: Das Verb ist eine gelehrte Entlehnung des 18. Jh.s aus lat. *hospitari* »zu Gast sein, als Gast einkehren« (vgl. *Hospital*).

Hospiz »Beherbergungsbetrieb (mit christlicher Hausordnung); Einrichtung zur Pflege und Betreuung Sterbender«: Das Hospiz war ursprünglich eine christliche Herberge für Reisende, insbesondere für Pilger und Mönche, also eine Art Herbergskloster, wie es z. B. heute noch auf dem St.-Bernhard-Pass existiert. Das Wort wurde im 19. Jh. aus älterem Hospitium eingedeutscht, das aus lat. *hospitium* »Gastfreundschaft; Bewirtung; Herberge« stammt (vgl. *Hospital*).

Hostess: Das Fremdwort wurde im 20. Jh. aus engl. *hostess* »Stewardess; Begleiterin, Betreuerin, Führerin (auf Ausstellungen)«, eigentlich »Gastgeberin«, entlehnt. Engl. *hostess* geht auf afrz. *[h]ostesse* (frz. *hôtesse*) zurück, eine Femininbildung zu entsprechend afrz. *[h]oste* (frz. *hôte*) »Gastgeber; Gast«. Voraus liegt lat. *hospes* (Akkusativ: *hospit-em*) »Gastfreund« (vgl. *Hospital*).

Hostie »ungesäuertes geweihtes Abendmahlsbrot (in Form einer runden Oblate, die dem Katholiken und Lutheraner bei der Kommunion bzw. beim Abendmahl gereicht wird)«: Das Substantiv wurde in mhd. Zeit aus lat. *hostia* »Opfertier; Opfer, Sühneopfer« entlehnt. In den christlichen Wortschatz übernommen, wurde es zur sinnbildlichen Bezeichnung für das Opfer Christi, der als ›Opferlamm‹ die Schuld des Menschen vor Gott gesühnt hat. – Die Etymologie von lat. *hostia* ist umstritten.

Hotel »Haus mit einem bestimmten Komfort, in dem Gäste übernachten [und verpflegt werden] können«: Das Substantiv wurde im 18. Jh. aus frz. *hôtel* (afrz. *[h]ostel*) entlehnt, das auf spätlat. *hospitale* »Gast[schlaf]zimmer« zurückgeht (vgl. *Hospital*).

Hotline: Das Fremdwort ist gebräuchlich in der Bedeutung »Telefonanschluss für rasche Serviceleistungen«. Engl. *hot line*, (vgl. auch *Linie*) von dem es übernommen wurde, bedeutet wörtlich übersetzt »heißer Draht«. Dahinter dürfte die Vorstellung stecken, dass sich bei einer häufig benutzten Telefonverbindung die Drähte erhitzen.

Hub: Das seit dem 17. Jh. im Sinne von »das Heben; das Gehobene« bezeugte Wort, das heute im Wesentlichen in technischer Fachsprache gebräuchlich ist – beachte **Hubbrücke, Hubraum, Hubschrauber** –, ist eine Substantivbildung zu ↑heben.

Hube ↑Hufe.

hübsch: Afrz. *cortois* »hofgemäß, fein, gebildet und gesittet«, das eine Ableitung von afrz. *co[u]rt* »Hof; Fürstenhof; der Fürst und die ihn umgebenden Edlen« ist, wurde im 12. Jh. als *kurteis* zunächst ins Mhd. entlehnt, dann in mfränk. *hövesch, hüvesch*, mhd. *hüb[e]sch* nachgebildet. Das von dem unter ↑Hof dargestellten Substantiv abgeleitete ›hübsch‹ wandelte im 16. Jh. seine Bedeutung von »hofgemäß, fein, gebildet und gesittet« zu »schön, angenehm, nett«.

Hucke ↑[1]Hocke.

hucken ↑hocken.

huckepack

jmdn., etwas huckepack tragen
(ugs.) »auf dem Rücken tragen«
Das nur in der vorliegenden Wendung auftretende, im Wesentlichen kindersprachliche Wort hat sich vom Niederd. ausgehend seit dem 18. Jh. im dt. Sprachgebiet durchgesetzt. Niederd. *huckebak* ist zusammengesetzt aus *hucken* »eine Last auf den Rücken nehmen« (vgl. [1]*Hocke*) und *back* »Rücken« (vgl. [2]*Backe*).

Hudel (veraltet mdal. für: »Lappen; Lumpen; Lump«): Das erst spätmhd. bezeugte Wort (*hudel*, daneben auch *huder*) steht vielleicht im Ablaut zu der Sippe von ↑[1]Hader. – Abl.: **hudeln** »nachlässig sein oder handeln«, älter auch »hänseln, plagen« (16. Jh.; eigentlich wohl »zerfetzen; schlampen«; heute besonders in der Zusammensetzung **lobhudeln** »übertrieben loben« gebräuchlich), dazu **Hud[e]ler** »Stümper, Pfuscher« und **Hudelei** »Stümperei, Pfuscherei«.

Huf: Das altgerm. Wort mhd., ahd. *huof*, engl. *hoof*, schwed. *hov* hat lediglich im Indoiran. eine Entsprechung: aind. *śaphá-ḥ* »Huf; Klaue«, awest. *safa-* »Huf«. Da weitere Anknüpfungen fehlen, ist eine Deutung des Wortes nicht möglich. – Die Ableitungen ›-hufig‹ und ›-hufer‹ kommen nur in Zusammensetzungen vor, beachte z. B. **harthufig** und **Paarhufer.** Zus.: **Hufeisen** (mhd. *huofisen*, ahd. *huofisin*); **Huflattich** (mhd. *huofleteche*, ahd. *huoflettihha;* die Pflanze ist nach der Ähnlichkeit der Blätter mit der Form eines Pferdehufes benannt; zum zweiten Bestandteil ↑Lattich); **Hufschmied** (mhd. *huofsmit*).

Hufe »ein bestimmtes Acker- bzw. Landmaß; ehemaliges Durchschnittsmaß bäuerlichen Grundbesitzes, kleiner Hof«: Das auf das dt. und niederl. Sprachgebiet beschränkte Substantiv mhd. *huobe*, ahd. *huoba*, mnd. *hōve*, niederl. *hoeve* ist mit griech. *kēpos* »Garten, eingehegtes, bepflanztes Land« und alban. *kopshtë* »Garten« verwandt. – Das Wort ›Hufe‹ ist in mitteld.-niederd. Lautung hochsprachlich geworden; südd., österr. und schweiz. entspricht **Hube.** Die heute veraltete Ableitung ›Hufner, Hüfner‹, südd., österr. und schweiz. ›Huber, Hubner, Hübner‹ ist ein gebräuchlicher Familienname. Ähnlich wie mit dem Familiennamen Meier werden mit dem Familiennamen Huber in Süddeutschland Zusammensetzungen gebildet, beachte z. B. ›Krafthuber, Vereinshuber, Schwindelhuber‹.

Hüfte: Die germ. Körperteilbezeichnung mhd., ahd. *huf*, got. *hups*, engl. *hip* gehört im Sinne von »Biegung (am Körper), gebogener Körperteil, Gelenk« zu der b-Erweiterung der unter ↑hoch dargestellten idg. Wurzel **keu-* »biegen«. Vgl. aus anderen idg. Sprachen z. B. lat. *cubitum* »Ellenbogen«. Näher verwandt im germ. Sprachbereich sind die Sippen von ↑Haufe (eigentlich »Ausbiegung, Wölbung, Buckel, Berg«) und ↑hüpfen (eigentlich »sich [im Tanze] biegen«).

Hügel: Das seit dem Anfang des 16. Jh.s bezeugt mitteld. Wort, das durch Luthers Bibelübersetzung gemeinsprachliche Geltung erlangte, gehört zu der unter ↑hoch dargestellten Wortgruppe. Es ist eine im Ablaut zu frühnhd. *haug*, mhd. *houc*, ahd. *houg* »Hügel« stehende Verkleinerungsbildung.

Huhn: Im Ablaut zu gemeingerm. **hanan-* »Hahn (vgl. *Hahn*) steht germ. **hōnes-* »Huhn«, auf das mhd., ahd. *huon*, asächs. *hōn*, niederl. *hoen* (vgl. auch die nord. Sippe von schwed. *höns* »Huhn« zurückgehen.

Hühnerauge: Die erst seit dem Ende des 16. Jh.s bezeugte Zusammensetzung ist vermutlich eine Lehnübersetzung von mlat. *oculus pullinus.*

Huld: Mhd. *hulde*, ahd. *huldī* »Gunst, Wohlwollen, Freundlichkeit, Ergebenheit, Treue«, aengl. *hyldo* »Gunst, Gnade, Freundlichkeit; Treue, Ergebenheit; Schutz«, aisl. *hylli* »Gunst, Zuneigung« sind wie z. B. ›Fülle‹ zu ›voll‹ und ›Höhe‹ zu ›hoch‹ Abstraktbildungen zu dem unter ↑hold dargestellten Adjektiv.

Hülle

in/die Hülle und Fülle
»sehr viel, im Überfluss«
Die seit dem 16. Jh. bezeugte Wendung bedeutete zunächst »Kleidung und Nahrung« und bezog sich auf den allernotwendigsten Lebensunterhalt. Die Bedeutung »Nahrung« des Wortes ›Fülle‹ rührte aus »Füllung des Magens« her. Seit dem 17. Jh. wurde dann ›Fülle‹ in seiner üblichen Bedeutung verstanden und die ganze Wendung in ›Überfluss‹ umgedeutet.

hüllen: Das gemeingerm. Verb mhd. *hüllen*, ahd. *hullan*, got. *huljan*, aengl. *hyllan*, schwed. *hölja* »[ein]hüllen, bedecken, verbergen« gehört zu der unter ↑hehlen dargestellten idg. Wortgruppe. Sowohl das einfache Verb als auch die Zusammensetzungen und Präfixbildungen ›ein-, um-, verhüllen‹ (dazu ›Verhüllung‹) werden hauptsächlich in gehobener Sprache gebraucht. – Abl.: **Hülle** (mhd. *hülle* »Umhüllung; Mantel; Kopftuch«, ahd. *hulla* »Kopftuch«.

Hülse: Das auf das dt. und niederl. Sprachgebiet beschränkte Wort (mhd. *hülse*, ahd. *hulsa*, niederl. *huls*) ist eine Substantivbildung zu der unter ↑hehlen dargestellten idg. Verbalwurzel **kel-* »verhüllen, verbergen«. – Abl.: **enthülsen** (um 1800). Zus.: **Hülsenfrucht** (16. Jh.).

human »menschlich, menschenfreundlich; gesittet, gebildet«: Das Adjektiv wurde im 17. Jh. aus gleichbed. lat. *humanus* entlehnt, das mit seiner ursprünglichen Bedeutung »irdisch« zur Sippe von lat. *humus* »Erde, Erdboden« gehört (vgl. *Humus*). – Dazu stellt sich seit dem 16. Jh. das Substantiv **Humanität** »edle Menschlichkeit, hohe Gesittung«, auch »feine, höhere Bildung«, das aus gleichbed. lat. *humanitas* entlehnt ist. Das seit dem 18. Jh. bezeugte Substantiv **Humanist** »Anhänger des Humanismus, Verfechter humanistischer Ideale; Kenner der griechischen und römischen Sprache und Kultur« ist dagegen aus it. *umanista* (zu it. *umano* »menschlich« < lat. *humanus*) entlehnt. Dazu gebildet sind die seit dem 18./19. Jh. gebräuchlichen **Humanismus** und **humanistisch.** Sie sind vor allem historische Begriffe und beziehen sich auf jene Bewegung, die die Wiederbelebung des klassischen Altertums und seiner Bildungsideale anstrebte; vgl. hierzu das Kapitel zur Sprachgeschichte *Die Fremdwortflut des Humanismus*. Das Adjektiv **humanitär** »menschlich, dem Wohl des Menschen dienend« wurde im 19. Jh. aus gleichbed. frz. *humanitaire*, einer Bildung zu *humanité* (< lat. *humanitas*), entlehnt.

Humbug »Aufschneiderei, Schwindel, Unsinn«: Das Wort wurde im 19. Jh. aus gleichbed. engl. *humbug* entlehnt, einem Slangwort unbekannter Herkunft.

Hummel: Die Benennung der Hummel lässt sich verschieden deuten. Einerseits kann das Insekt nach seinem Summen benannt worden sein. Dann ließen sich mhd. *hummel, humbel*, ahd. *humbal*, engl. *humble-bee*, schwed. *humla* und die verwandte baltoslaw. Sippe von lit. *kamãnė* und russ. *šmel'* »Hummel« auf eine lautnachahmende Wurzel **kem-* »summen« zurückführen, vgl. mhd. *hummen* »summen«, engl. *to hum* »summen, brummen, murmeln, rauschen«. Andererseits kann der Name der Hummel als »Bewohnerin des Klumpens (Erdreiches, Mooses)« aufgefasst werden. Dann würde er zu der unter ↑hemmen dargestellten idg. Wurzel gehören, vgl. z. B. russ. *kom* »Klumpen«, lit. *kiminaĩ* »Moos«.

Hummer: Der Name des Schalentieres scheint sich von Skandinavien, an dessen norwegischer Küste seit alters gute Möglichkeiten für den Hummerfang bestehen, ausgebreitet zu haben. Im dt. Sprachgebiet war das Wort zunächst auf das Niederd. beschränkt. Seit dem 16. Jh. erlangte es gemeinsprachliche Geltung. Niederd. *hummer*, isl. *humar*, norw., schwed., dän. *hummer*, mit denen wahrscheinlich griech. *kámmaros* »eine Art Krebs« verwandt ist, gehören vermutlich im Sinne von »gewölbtes oder [mit einer Schale] bedecktes Tier« zu der unter ↑Hemd dargestellten idg. Wurzel **k̂em-* »bedecken, umhüllen«.

Humor »Gabe eines Menschen, der Unzulänglichkeit der Welt und der Menschen, den Schwierigkeiten und Missgeschicken des Alltags mit heiterer Gelassenheit zu begegnen«: Die seelische Gestimmtheit des Menschen ist nach antiken Anschauungen abhängig von verschiedenen, im Körper wirksamen Säften (s. hierzu auch die Bezeichnungen der Grundtemperamente *cholerisch, melancholisch, phlegmatisch, sanguinisch*). In der mittelalterlichen Naturlehre heißen diese Säfte *humores* »Feuchtigkeiten« (zu lat. *humor* »Feuchtigkeit«), woraus sich allmählich eine allgemeine Bedeutung »Temperament« im Sinne von »(schlechte oder gute) Stimmung, Laune« entwickelte. Die Entwicklung der heute allein üblichen positiven Bedeutung des Wortes ›Humor‹, das formal (in der Endbetonung) an entsprechend frz. *humeur* angeglichen ist, vollzog sich unter engl. Einfluss: In England entstand im 17./18. Jh. unter dem Namen *humour* (< afrz. *humour* < lat. *humorem*) eine besondere Stilgattung, deren Hauptanliegen die Darstellung der verspielten Heiterkeit war, die von komischen Situationen ausging. – Das zugrunde liegende Substantiv lat. *humor* (besser: *umor*) »Feuchtigkeit« gehört mit *umere* »feucht sein«, *umidus* »feucht« zu einer idg. Sippe, die im Germ. nur mit ↑Ochse (eigentlich: »Befeuchter, Besamer«) vertreten ist.

humpeln: Das ursprünglich niederd. Verb hat sich seit dem 18. Jh. über das dt. Sprachgebiet ausgebreitet. Niederd. *humpeln*, niederl. *hompelen* »hinken« sind vielleicht, wie z. B. auch ›rumpeln‹ und mdal. ›pumpern‹, lautmalenden Ursprungs oder können zu einer nasalierten Form **kumb[h]-* (vgl. *Humpen*) der unter ↑hoch dargestellten idg. Wurzel gehören (vgl. die Bedeutungsverhältnisse in der Sippe von ›hüpfen‹).

Humpen: Das erst seit dem 16. Jh., zunächst im ostmitteld. Schrifttum bezeugte Wort stammt vermutlich aus der Leipziger Studentensprache. Es gehört wohl zu der Sippe von niederd. *hump[e]* »Klumpen, Buckel«, nordd. *Humpel* »Unebenheit, Höcker, Buckel«, vgl. engl. *hump* »Buckel, Höcker«, norw. *hump* »Unebenheit; kleine Erhebung« und außergerm. z. B. aind. *kumbhá-ḥ* »Topf, Krug«, griech. *kýmbos* »Gefäß, Schale«. Es liegt vielleicht eine nasalierte Form **kumb[h]-* der unter ↑hoch dargestellten idg. Wurzel zugrunde.

Humus »fruchtbarer Bestandteil des Erdbodens«: Das Fremdwort ist identisch mit lat. *humus* »Erde, Erdboden«, das zur gleichbed. idg. Nominalwurzel **ĝhđem-, ĝh[đ]om-* gehört. In anderen idg. Sprachen entsprechen z. B. griech. *chthṓn* »Erde« mit dem Adjektiv *chthónios* »erdgebunden, unterirdisch«, ferner das griech. Adverb *chamaí* »zur Erde hin, auf der Erde« (als Bestimmungswort in ↑Chamäleon). Zur gleichen Wurzel gehört die bereits grundsprachliche Benennung des Menschen als eines »auf der Erde Lebenden, Irdischen«, so z. B. in lat. *homo* »Mensch, Mann«, *humanus* »menschlich; menschenwürdig, menschenfreundlich; fein gebildet« (↑human, Humanität, Humanismus, humanistisch, humanitär) und in ahd. *gomo* »Mensch, Mann« (entspr. got. *guma*, aisl. *gumi*), das nur noch in ↑Bräutigam erhalten ist.

Hund: Der Hund ist wahrscheinlich das älteste Haustier der Indogermanen. Gemeingerm. **hunđa-* »Hund«, das mhd., ahd. *hunt*, got. *hunds*, engl. *hound*, schwed. *hund* zugrunde liegt, geht mit verwandten Wörtern in den meisten anderen idg.

Sprachen – z. B. griech. *kýōn* »Hund« (↑zynisch) und lat. *canis* »Hund« – auf idg. **k̑úu̯ō[n], Gen. *k̑unós* »Hund« zurück – Die Rolle des Hundes kommt sprachlich sehr unterschiedlich zum Ausdruck. Einerseits gilt der Hund seit alters als treuer Begleiter und Diener des Menschen, als Helfer bei der Jagd und als Bewacher und Schützer der Herden und des Eigentums, beachte z. B. die Zusammensetzungen **Hundeblick** »treuer Blick«, **Hofhund, Jagdhund, Schäferhund, Schießhund,** eigentlich »Hund, der das angeschossene Wild aufzuspüren hat«, **Wachhund.** Andererseits gilt der Hund als niedere, getretene und geprügelte Kreatur und wird wegen seiner Unterwürfigkeit verachtet, beachte die Ableitung **hündisch** (s. u.), ›Hund‹ als Schimpfwort und die Zusammensetzung **Hundesohn** (s. u.), **Schweinehund,** ferner Zusammensetzungen wie **Hundeleben** oder **Hundelohn.** Außerdem steht ›Hund‹ in Zusammensetzungen verstärkend für etwas Schlechtes, z. B. in **hundsgemein, hundekalt, hundsmiserabel.** Die wichtige Stellung, die der Hund im Leben der Menschen einnimmt, spiegelt sich auch in zahlreichen Wendungen und Redensarten wider. In der Bergmannssprache bezeichnet ›Hund‹ – auch in der Form **Hunt** gebräuchlich – den Förderkarren (beachte zu ähnlichen Übertragungen von Tiernamen z. B. die Artikel *Kran* und *Wolf*). – Abl.: **hündisch** »kriecherisch, unterwürfig, gemein« (15. Jh.); **hunzen** (s. d.). Zus.: **Hundstage** »die Tage vom 24. Juli bis zum 23. August« (15. Jh., mhd. *hundetac* und *huntlīch tage;* Lehnübersetzung von lat. *dies caniculares;* die Tage, an denen es gewöhnlich sehr heiß ist, haben ihren Namen daher, weil sie unter dem Sternbild *canicula,* dem Hund des Orion, stehen).

Hund

auf den Hund kommen
(ugs.) »herunterkommen«
Die Herkunft der Wendung ist nicht sicher geklärt. Wahrscheinlich nimmt sie darauf Bezug, dass der Hund als niedere, getretene und geprügelte Kreatur verachtet wird, und meint »auf ein erbärmliches Niveau kommen« (vgl. Zusammensetzungen wie ›Hundeleben‹ und ›Hundelohn‹). Eine Beziehung zu dem alten Rechtsbrauch des Hundetragens (Missetäter mussten zur Strafe öffentlich einen Hund herumtragen) lässt sich nicht nachweisen. Fraglich ist auch, ob es sich um eine Abwandlung der alten Redensart ›vom Pferd auf den Esel kommen‹ handelt, also um eine Fortführung der absteigenden Reihenfolge der Tiere.

vor die Hunde gehen
(ugs.) »zugrunde gehen«
Die Wendung stammt wahrscheinlich aus der Jagd und meinte das Wild, das den Hunden zum Opfer fällt.

hundert: In frühmhd. Zeit wurde das Zahlwort ›hundert‹ aus asächs. *hunderod,* dem aengl. *hundred* und aisl. *hundrađ* entsprechen, entlehnt. Diese Formen beruhen auf einer Zusammensetzung, deren Grundwort germ. **raþa-* »Zahl« (vgl. *Rede*) ist. Das Bestimmungswort ist germ. **hunđa-* »hundert« (ahd. *hunt,* asächs. *hund,* got. *hunda* [Plural], aengl. *hund*), das mit verwandten Zahlwörtern in den meisten anderen idg. Sprachen – z. B. aind. *śatám,* griech. *hekatón* (↑hekto..., Hekto..., ↑Hektar) und lat. *centum* (↑Zentner, ↑Zentimeter, ↑Prozent) – auf idg. **k̑m̥tóm* »hundert« zurückgeht. Das idg. Zahlwort ist vermutlich eine uralte Bildung zu **dek̑m̥[t]-* »zehn« und bedeutete demnach ursprünglich »Zehnerdekade, Zehnheit von Zehnern«.

hundert

vom Hundertsten ins Tausendste kommen
(ugs.) »mehr und mehr vom eigentlichen Thema abkommen«
Die Wendung in ihrer heutigen Form ist an die Stelle von ›das Hundertste ins Tausendste werfen‹ getreten. Die ursprüngliche Bedeutung bezog sich auf die bis ins 17. Jh. viel benutzten Rechenbänke. Beim Rechnen auf diesen Rechenbänken konnte es beim Auflegen der Marken (Rechenpfennige) passieren, dass jemand auf 100 gleich 1 000 folgen ließ, also 200, 300, 400 usw. übersprang. Die Wendung meinte also ursprünglich einen Fehler beim Rechnen und wurde dann im Sinne von »alles durcheinander bringen, ohne Sinn und Verstand drauflosreden« gebraucht. Als die Rechenbänke außer Gebrauch kamen, verblasste die Beziehung, und mit der Wendung verband sich die Vorstellung, dass es sich um hundert und tausend Dinge handele, auf die man im Gespräch zu sprechen kommt.

Hüne: Das Wort für »Riese, großer, breitschultriger Mann« ist in niederd. Lautung – mhd. entspricht *hiune,* frühnhd. *Heune* – seit dem 19. Jh. gemeinsprachlich geworden. Es ist identisch mit mnd. *hūne,* mhd. *hiune* »Hunne; Ungar«, geht also auf den Namen des innerasiatischen Reitervolkes, das im 4. Jh. n. Chr. ins Gotenreich einbrach, zurück. Beachte mlat. *Hun[n]i* (daraus dt. *Hunnen*), spätgriech. *Hoūn[n]oi* und *hiung-nu* in alten chines. Quellen. – Abl.: **hünenhaft** (19. Jh.). Zus.: **Hünengrab** (16. Jh.).

Hunger: Das gemeingerm. Substantiv mhd. *hunger,* ahd. *hungar,* got. (mit gramm. Wechsel) *hūhrus,* engl. *hunger,* schwed. *hunger* gehört im Sinne von »Brennen, brennendes Verlangen« zu der idg. Wurzelform **kenk-* »brennen« (auch vom Schmerz, Durst, Hunger). Vgl. aus anderen idg. Sprachen z. B. griech. *kánkanos* »dürr«, *kénkei* »er hungert«, lit. *keñkti* »wehtun; schaden«. – Abl.: **hungern** (mhd. *hungern,* ahd. *hungiren,* mit

Entsprechungen in den anderen germ. Sprachen; beachte auch **aushungern** »durch Hunger zur Übergabe zwingen« und **verhungern** »an Hunger zugrunde gehen«); **hungrig** (mhd. *hungerec*, ahd. *hung[a]rag*). Zus.: **Hungerkünstler** (20. Jh.); **Hungerleider** (17. Jh.); **Hungersnot** (mhd. *hungernōt*).

Hungerkur ↑Kur.

Hungertuch

am Hungertuch nagen
(ugs.) »Hunger, Not leiden«
›Hungertuch‹ hieß früher das Tuch, mit dem in der Fastenzeit der Altar verhängt wurde. Aus dem Brauch, das Fastenvelum zu nähen, um mit diesem den Altar zu verhüllen und die Gläubigen zur Buße zu mahnen, ging die seit dem 16. Jh. bezeugte Wendung ›am Hungertuch nähen‹ hervor, die später in ›am Hungertuch nagen‹ umgedeutet wurde.

Hunt ↑Hund.

hunzen veraltet, noch mdal. für »wie einen Hund ausschimpfen oder behandeln, schinden, plagen«, auch »verderben«, dafür heute **verhunzen:** Das Verb ist erst in nhd. Zeit von ↑Hund abgeleitet. Ähnlich gebildet ist z. B. ›duzen‹ »jemanden ›du‹ nennen«.

Hupe: Das seit 1898 in der Bedeutung »Signalinstrument für Kraftfahrzeuge« bezeugte Wort hängt mit mdal. Ausdrücken für »Pfeife, Flöte« zusammen, die schallnachahmender Herkunft sind. Vgl. z. B. mdal. *Huppe* »kleine, schlecht klingende Pfeife« (19. Jh.), *Hub[en]* »aus Rinde geschnitzte Pfeife« (18. Jh.).

hüpfen: Die germ. Wortgruppe der Intensivbildung ›hüpfen‹ (mhd. *hüpfen*, niederd. *hüppen*) gehört im Sinne von »sich [im Tanze] biegen, sich drehen« zu der unter ↑hoch dargestellten idg. Wurzel **keu-* »biegen«. Andere Verbalbildungen sind mhd. *hopfen, hupfen* »springen, hüpfen«, nhd. (veraltet) *hupfen*, vgl. engl. *to hop*, schwed. *hoppa*, ferner nhd. mdal. *hoppen*, auch *huppen* »springen, hüpfen; hinken; wippen; schwanken«, dazu ›hoppeln‹ (s. d.) und ›hopsen‹ (s. d.), vgl. auch engl. *to hobble* »hinken, humpeln«. Hierher gehört vielleicht weiterhin als »[vor Erwartung] zappeln, aufgeregt umherhüpfen« die Sippe von ↑hoffen.

Hürde: Mhd. *hurt* »Flechtwerk (als Zaun, Tür, Brücke, Belagerungsmaschine, Falle, Scheiterhaufen)«, ahd. *hurd* »Flechtwerk aus Reisern oder Weiden, Hürde«, got. *haúrds* »Tür«, aengl. *hyrd* »Tür«, aisl. *hurð* »Tür[flügel]« gehören mit verwandten Wörtern in anderen idg. Sprachen zu der Wurzelform **ker[ə]-t-* »drehen, winden, flechten«. Im germ. Sprachbereich ist verwandt die Sippe von ↑Horst »Raubvogelnest«. Außergerm. vergleichen sich z. B. griech. *kýrtos* »Fischreuse; Käfig«, lat. *cratis* »Flechtwerk aus Ästen oder Ruten, Hürde, Rost« (↑Grill); lat. *crassus* »dick, derb, groß«, eigentlich »fest zusammengedreht, verflochten« (↑krass). – Mundartformen von nhd. *Hürde* sind ›Hurde‹ und **²Horde** »Flechtwerk; Pferch; Lattengestell; Rost«. Seit dem 19. Jh. wird ›Hürde‹ auch im Sinne von Flechtwerk oder Holzgestell als Hindernis beim Pferderennen oder Laufen gebraucht, beachte die Zusammensetzung **Hürdenlauf.**

Hure: Die germ. Substantivbildung mhd. *huore*, ahd. *huora*, niederl. *hoer*, engl. *whore*, schwed. *hora* gehört zu der Wortgruppe von ahd. *huor* »außerehelicher Beischlaf oder Ehebruch«, *huorōn* »außerehelichen Beischlaf oder Ehebruch treiben«. In anderen idg. Sprachen entsprechen in der Bildung z. B. lat. *carus* »lieb, teuer, wert« (↑Karitas) und lett. *kārs* »lüstern, begehrlich«. Das zugrunde liegende idg. **karo-s* »lieb; begehrlich« gehört zu der idg. Wurzel **kā-* »begehren, gern haben, lieben«.

hürnen ↑Horn

hurra!: Der in nhd. Zeit erst seit der 2. Hälfte des 18. Jh.s bezeugte Ausruf der Freude und Kampfruf setzt wahrscheinlich mhd. *hurrā!* fort, das ein mit dem Ausruf a verstärkter Imperativ zu mhd. *hurren* »sich schnell bewegen« ist. Ähnlich gebildet ist z. B. die Interjektion ›holla!‹ (s. d.).

Hurrikan: Die Bezeichnung für »verheerender tropischer Wirbelsturm« wurde im 20. Jh. aus engl. *hurrican* entlehnt, das seinerseits aus dem Taino, einer westindischen Sprache, stammt und durch span. Vermittlung (span. *huracán*) in die europäischen Sprachen gelangte. Gleicher Herkunft ist ↑Orkan.

hurtig: In der Blütezeit des französischen Rittertums wurde mhd. *hurt[e]* »Stoß, Anprall, stoßendes Losrennen« als Turnierausdruck aus gleichbed. afrz. *hurt* entlehnt, das eine Rückbildung aus afrz. *hurter* »stoßen« ist (vgl. frz. *heurter* und das entlehnte engl. *to hurt* »verletzen«). Von mhd. *hurt[e]* abgeleitet ist das Adjektiv *hurtec* »schnell, gewandt«, auf das nhd. *hurtig* zurückgeht. – Das afrz. Verb *hurter* seinerseits ist eine Ableitung von einem aus dem Altnord. entlehnten *hrūtr* »Widder« (eigentlich »gehörntes Tier«, vgl. *Hirn*) und bedeutete demnach ursprünglich »wie ein Widder stoßen«.

Husar: Das seit dem 16. Jh. bezeugte, aus ung. *huszár* »Straßenräuber; verwegener Reiter« entlehnte Substantiv bezeichnete ursprünglich den »ungarischen Reiter« schlechthin, später den leichten Reiter in ungarischer Nationaltracht. Husarenregimenter gab es in Deutschland bis zum ersten Weltkrieg. – Ung. *huszár* ist selbst ein Lehnwort. Es geht über serbokroat. *kursar* auf mlat. *cursarius* zurück, auf dem auch it. *corsare* »Seeräuber« – daher unser Fremdwort **Korsar** (16. Jh.) – beruht. Zugrunde liegt lat. *cursus* »Fahrt zur See« (s. *Kurs*).

huschen »flüchtig dahingleiten, sich rasch bewegen«: Das seit dem 16.Jh. (zunächst in der Lautung *hoschen*) bezeugte Verb ist von der Interjektion ›husch!‹ (mhd. *hutsch!*) abgeleitet. Die Interjektion, die wahrscheinlich lautnachahmender Herkunft ist, bezieht sich auf rasche bzw. flüchtige Bewegungen.

Husten: Germ. **hwōstan-* »Husten«, auf das mhd. *huoste*, ahd. *huosto*, niederl. *hoest*, aengl. *hwōsta*, schwed. *hosta* zurückgehen, ist eine Substantivbildung zu der das Hustengeräusch nachahmenden idg. Wurzel **ku̯ās-*, beachte z. B. aind. *kāsáḥ* »Husten«, *kā́satē* »er hustet« und die baltoslaw. Sippe von russ. *kašel'* »Husten«.

[1]**Hut:** Die westgerm. Benennung der Kopfbedeckung mhd., ahd. *huot*, mnd. *hōt*, niederl. *hoed* »Hut«, engl. *hood* »Haube, Kapuze« steht im Ablaut zu der anders gebildeten Sippe von schwed. *hatt*, engl. *hat* »Hut« und gehört zu der germ. Wortgruppe von ↑[2]Hut. Auf die Ähnlichkeit mit der Form eines Hutes beziehen sich die Zusammensetzungen **Fingerhut** (mhd., ahd. *vingerhuot*) und **Zuckerhut** (18.Jh.).

H

[2]**Hut:** Das westgerm. Substantiv mhd. *huote* »Bewachung, Behütung, Obhut, Fürsorge; Wache; Wächter; Nachhut; Distrikt eines Försters oder Waldaufsehers; Nachstellung; Hinterhalt, Lauer«, ahd. *huota* »Vorsorge, Bewachung, Behütung, Obhut«, mnd. *hōde* »Hut, Obhut«, niederl. *hoede* »Hut, Obhut« ist mit dem unter ↑[1]Hut behandelten Wort verwandt und geht auf eine Wurzel **kadh-* etwa »schützend bedecken, [be]hüten« zurück. Sichere außergerm. Anknüpfungen fehlen. – Zusammensetzungen mit ›[2]Hut‹ sind **Obhut** (17.Jh.), **Nachhut** (mhd. *nāchhuote*) und **Vorhut** (18.Jh.). Um das Verb **hüten** (mhd. *hüeten*, ahd. *huotan*, niederl. *hoeden*, engl. *to heed*) gruppieren sich **Hüter** (mhd. *hüetære*, ahd. *huoteri*) und die Präfixbildungen **behüten** (mhd. *behüeten* »bewahren; abhalten, verhindern; sich hüten«), dazu **behutsam** (16.Jh.), **verhüten** (mhd. *verhüeten* »behüten, bewahren; aufpassen, auflauern«).

Hutschnur

jmdm. über die Hutschnur gehen
(ugs.) »jmdm. zu viel sein; so arg sein, dass es jmdn. aufregt«
Bei dieser Wendung handelt es sich wahrscheinlich um eine scherzhafte Steigerung von ›jmdm. bis an den Hals gehen‹ (»jmdm. zu viel sein, zu arg sein«). Sehr fraglich ist, ob sich die Wendung ursprünglich auf Vorschriften für die Nutzung von Wasserleitungen bezog, wonach der Strahl nicht dicker als eine Hutschnur sein durfte.

Hütte: Die ursprünglich auf das hochd. Sprachgebiet beschränkte Substantivbildung (mhd. *hütte*, ahd. *hutta*) gehört zu der weit verzweigten idg. Wortgruppe der Wurzel **[s]keu-* »bedecken, umhüllen« (vgl. *Scheune*). Näher verwandt sind die Sippen von ↑Haut und ↑Hode. Das hochd. Wort drang schon früh in den niederd. Sprachbereich, beachte asächs. *hutt[i]a*, und wurde aus dem Niederd. in die nord. Sprachen entlehnt, beachte schwed. *hytt* »Kabine«, *hytta* »Hütte[nwerk]«. Auch frz. *hutte* »Hütte, Baracke«, aus dem engl. *hut* »Hütte« entlehnt ist, stammt aus dem Dt. – Das Wort ›Hütte‹, das in den älteren Sprachzuständen auch im Sinne von »Zelt« und »Verkaufsbude« gebraucht wurde, bezeichnete zunächst einen bedeckten Schutzort, einen mit einfachen Mitteln ausgeführten Bau als Zufluchtsstätte oder als Aufbewahrungsort. An diese Verwendung des Wortes schließen sich Zusammensetzungen wie **Bauhütte** und **Hundehütte**. Auch die Hütte im Bergbau war zunächst eine Art Schuppen, in dem Geräte und Erze aufbewahrt wurden. Bereits in mhd. Zeit ging das Wort auf das Gebäude bzw. Werk, in dem die Erze geschmolzen wurden, über, beachte die Zusammensetzungen **Hüttenwerk, Hüttenwesen, Eisenhütte, Glashütte** und die Ableitung **verhütten** »(Erze) in einem Hüttenwerk zu Metall verarbeiten« (19.Jh.), dazu **Verhüttung** (19. Jh.). In nhd. Zeit wird ›Hütte‹ auch im Sinne von »armselige Behausung« gebraucht.

Hutzel: Die Herkunft des mdal. Ausdruckes für »Dörrobstschnitzel« (mhd. *hutzel, hützel* »getrocknete Birne, Dörrobst«) ist dunkel. Um das Substantiv gruppieren sich **hutz[e]lig** »runzlig, dürr, welk« (18.Jh.) und **hutzeln** »wie eine Hutzel einschrumpfen« (18.Jh.; mhd. *verhützeln;* beachte dazu **verhutzelt**) sowie die Zusammensetzung **Hutzelbrot** »mit Hutzeln gebackenes Brot« (18.Jh.).

Hyäne »katzenartiges Raubtier (Afrikas und Asiens)«: Der Name stammt aus lat. *hyaena*, das seinerseits aus griech. *hýaina* entlehnt ist. Schon in ahd. Zeit ist *ijēna* bezeugt, wofür im Mhd. verdeutlichend ›hientier‹ und später ›hienna‹ steht. – Griech. *hýaina* ist abgeleitet von dem mit lat. *sus* und nhd. ↑Sau urverwandten Substantiv griech. *hȳ́s* »Schwein«. Man darf also vermuten, dass die Hyäne wegen ihres borstigen Rückens mit einem Schwein verglichen und danach benannt wurde.

Hyazinthe: Die im 16.Jh. aus Kleinasien eingeführte Pflanze (ein zwiebeltragendes Liliengewächs) wurde mit dem lat. Pflanzennamen *hyacinthus* benannt, der aus griech. *hyákinthos* stammt. Welche Pflanze das griech. Wort bezeichnete, ist unklar.

hydr..., Hydr... ↑hydro..., Hydro...

Hydra ↑[1]Otter.

Hydrant: Das Wort für »Zapfstelle zur Wasserentnahme aus Rohrleitungen« wurde im 19.Jh. aus gleichbed. engl.-amerik. *hydrant* entlehnt, einer Neubildung zu griech. *hýdōr* »Wasser« (vgl. *hydro..., Hydro...*).

hydraulisch »mit Flüssigkeitsdruck, mit Wasserantrieb arbeitend«: Das seit dem 19. Jh. in der Sprache der Technik gebräuchliche Wort ist aus lat. *hydraulicus* entlehnt, das seinerseits aus griech. *hydraulikós* »zur Wasserorgel gehörend« stammt. Das griech. Adjektiv ist von *hýdraulis* »Wasserorgel« abgeleitet, einer Bildung zu griech. *hýdor* »Wasser« (vgl. *hydro..., Hydro...*). – Abl.: **Hydraulik** (19. Jh.).

hydro..., Hydro..., (vor Vokalen:) hydr..., Hydr...: Das Bestimmungswort von Zusammensetzungen mit der Bedeutung »Wasser, Feuchtigkeit« ist entlehnt aus gleichbed. griech. *hýdōr* (Genitiv *hýdatos*), das urverwandt ist mit dt. ↑Wasser. – Vgl. den Artikel *Hydrant.*

Hygiene »Gesundheitspflege; Gesundheitslehre; Sauberkeit«: Das Fremdwort wurde im 18. Jh. zu dem griech. Adj. *hygieinós* »gesund, der Gesundheit zuträglich« gebildet, das mit *hygíeia* »Gesundheit« von *hygiḗs* »gesund, munter; gut, heilsam« (eigentlich: »gut lebend«) abgeleitet ist. Die Wortgruppe gehört zur idg. Sippe von ↑keck.

Hymne »feierlicher Festgesang, Lobgesang [für Gott], Weihelied«: Das Fremdwort wurde im 18. Jh. aus gleichbed. lat. *hymnus* entlehnt, das seinerseits aus griech. *hýmnos* stammt. Dies vergleicht man mit griech. *hymḗn* »Häutchen, feines Band« und stellt es mit diesem unter Annahme einer ursprünglichen Bedeutung »Band; Gefüge (etwa von Tönen)« zur idg. Sippe von ↑[2]Saum »Rand«. Die Begriffsbildung wäre dann ähnlich wie in griech. *harmonía* (↑Harmonie).

hyper..., Hyper...: Die Vorsilbe mit der Bedeutung »über, über ... hinaus, übermäßig«, in medizinischer und biologischer Fachsprache auch mit dem Begriff der »Überfunktion«, im Gegensatz zu ↑hypo..., Hypo..., ist entlehnt aus gleichbed. griech. *hypér,* das urverwandt ist mit lat. *super* (vgl. *super..., Super...*) und nhd. ↑über.

hyph..., Hyph... ↑hypo..., Hypo...

Hypnose »schlafähnlicher Bewusstseinszustand, Zwangsschlaf«: Das Wort ist eine gelehrte Neubildung des 19. Jh.s zum früher bezeugten Adjektiv **hypnotisch** »einschläfernd, den Willen lähmend«. Dies ist aus lat. *hypnoticus* entlehnt, das auf griech. *hypnōtikós* »schläfrig; einschläfernd« zurückgeht. Zugrunde liegt das griech. Substantiv *hýpnos* »Schlaf«, das mit verwandten Wörtern in anderen idg. Sprachen, z. B. lat. *sopor* »tiefer Schlaf«, *sopire* »einschläfern« und *somnus* »Schlaf«, zur idg. Wurzel **su̯ep-, sup-* »schlafen« gehört.

hypo..., Hypo..., (vor Vokalen meist:) hyp..., Hyp..., (vor h:) hyph..., Hyph...: Die Vorsilbe mit der Bedeutung »unter, darunter«, in der medizinischen und biologischen Fachsprache auch mit dem Begriff der »Unterfunktion«, ist entlehnt aus gleichbed. griech. *hypó,* das urverwandt ist mit lat. *sub* (↑sub..., Sub...) und nhd. ↑auf.

Hypochonder »eingebildeter Kranker«: Das Wort ist wie auch **Hypochondrie** »eingebildetes Kranksein« eine Rückbildung des 18. Jh.s – vermutlich nach dem Vorbild von frz. *hypocondre* bzw. *hypocondrie* – aus dem Adjektiv **hypochondrisch** »schwermütig, trübsinnig« (17. Jh.). Dies geht auf griech. *hypo-chondriakós* »am Hypochondrion leidend« zurück. Das Hypochondrion (griech. *hypo-chóndria*) bezeichnet eigentlich »das unter dem Brustknorpel Befindliche«, also die gesamten Organe des Unterleibs. Dort im Unterleib war nach antiken Anschauungen Sitz und Ursache von Gemütskrankheiten. Die Bedeutungsentwicklung ist ähnlich der von ↑hysterisch, Hysterie. – Stammwort ist griech. *chóndros* »Krümchen, Korn; Knorpel, Brustknorpel«, das zur idg. Sippe von ↑Grund gehört.

Hypothek »Pfandrecht an einem Grundstück zur Sicherung einer Forderung«: Das Fremdwort wurde im 16. Jh. eingedeutscht aus gleichbed. lat. *hypotheca,* das auf griech. *hypo-thḗkē* (eigentlich: »Unterlage«, übertragen »Unterpfand«) zurückgeht. Dies gehört zu griech. *hypotithénai* »darunter legen, stellen« (vgl. *hypo..., Hypo...* und *Theke*).

Hypothese »Unterstellung, Voraussetzung, Annahme, unbewiesener Grundsatz«: Das Fremdwort war ursprünglich ein philosophischer Fachausdruck, der im 18. Jh. aus griech.-spätlat. *hypóthesis* eingedeutscht wurde. Dies gehört zu griech. *hypo-títhénai* »[dar]unter stellen« (vgl. *hypo..., Hypo...* und *These*).

hysterisch »überspannt«: Das Adjektiv wurde im 18. Jh. aus gleichbed. lat. *hystericus* entlehnt, das seinerseits aus griech. *hysterikós* stammt. Dies bedeutet eigentlich »an der Gebärmutter leidend«. Bereits den antiken Ärzten galt die Hysterie (griech. *tà hysterikà páthē*) als typische Frauenkrankheit, die man auf krankhafte Vorgänge im Unterleib, in der Gebärmutter (griech. *hystéra*) zurückführte. Das Substantiv **Hysterie** ist eine medizinisch fachsprachliche Neubildung des 18. Jh.s zum Adjektiv.

...iater als Grundwort von Zusammensetzungen mit der Bedeutung »Arzt« (wie in *Psychiater* [↑Psyche]) und **...iatrie** als Grundwort von Zusammensetzungen im Sinne von »Heilkunde« sind entlehnt aus griech. *iatrós* »Arzt«, das auch in unseren Lehnwörtern ↑Arzt und ↑Arznei vorliegt. Das zugrunde liegende Verb griech. *iā́sthai* »heilen« ist nicht sicher gedeutet.

I

Das Mittelhochdeutsche

MITTEL	HOCH	DEUTSCH
zwischen dem Althochdeutschen und dem Frühneuhochdeutschen liegend	im Gebiet, das durch die 2. Lautverschiebung vom Niederdeutschen abgegrenzt ist	Überregionale Literatursprache: in der Volkssprache Ausgleichstendenzen

Vom Althochdeutschen zum Mittelhochdeutschen

Lautliche und sprachliche Veränderungen

Der sprachliche Aufbau des Mittelhochdeutschen weist deutliche Unterschiede gegenüber dem Althochdeutschen auf. Diese Veränderungen haben sich schon länger angebahnt, im ausgehenden 11. und im 12. Jahrhundert treten sie jetzt aber immer stärker auf.

Wir können diesen Wandel in der Sprache am besten erkennen, wenn wir einen althochdeutschen und einen mittelhochdeutschen Text miteinander vergleichen. Es handelt sich bei beiden Texten um den Anfang des christlichen Glaubensbekenntnisses, des so genannten Credos.

Althochdeutsch (Ende des 8. Jh.s)	Kilaubu in kot fater almahticun, kiskaft himiles enti erda
Mittelhochdeutsch (12. Jh.)	Ich geloube an got vater almechtigen, schepfære himels und der erde

Der althochdeutsche Text beginnt mit der Verbform *kilaubu* »ich glaube«. Die Endung des Verbs zeigt deutlich, dass es sich hier um die erste Person Singular handelt, ein Personalpronomen war zur Verdeutlichung nicht nötig. Im Mittelhochdeutschen aber hatte sich die Endung stark abgeschwächt, da es sich hier um eine nicht betonte Nebensilbe handelte. Ein Personalpronomen musste jetzt die entsprechende Person kennzeichnen.

Eine solche starke Abschwächung der unbetonten Endsilbe trat auch bei den Substantiven ein: Aus dem althochdeutschen *erda* wurde mittelhochdeutsch *erde.* Wo es im Althochdeutschen z. B. *heiligemo geiste* »dem Heiligen Geiste« heißen konnte, musste im Mittelhochdeutschen der Artikel zur Kenntlichmachung des Dativs gesetzt werden, es hieß jetzt *dem heiligen geiste.*

Eine weitere lautliche Veränderung können wir im althochdeutschen Adjektiv *almahtīg* erkennen, das im Mittelhochdeutschen zu *almehtec* wurde. Das *i,* das dem in der betonten Silbe stehenden Vokal *a* folgt, bewirkte, dass dieser Vokal umgelautet wurde (die *ä*-Schreibung kommt erst später). Andere Beispiele für diese Umlautung sind die Veränderungen z. B. von althochdeutsch *ubir* zu mittelhochdeutsch *über,* von althochdeutsch *hūsir* zu mittelhochdeutsch *hiuser* »Häuser«.

Wenn wir uns das Partizip *kiskaft* »geschaffen« und das mittelhochdeutsche Substantiv *schepfære* »Schöpfer« ansehen, so fällt uns auf, dass das althochdeutsche *sk* zu *sch* geworden ist (ein weiteres Beispiel hierfür: althochdeutsch *skif* wurde im Mittelhochdeutschen zu *schiff*). Ein *sch*-Laut hatte sich also gebildet. Im Frühneuhochdeutschen trat dieser Laut für das *s* im Anlaut auf: Mittelhochdeutsch *sne, swarz* wurden zu *Schnee* und *schwarz.*

Die Verhärtung eines »weichen« Konsonanten am Wortende ist ebenfalls eine für die Entwicklung des mittelhochdeutschen Lautsystems kennzeichnende Veränderung. Der unterschiedlichen Aussprache wurde auch in der Schrift Rechnung getragen. So wurde aus althochdeutsch *kind* im Mittelhochdeutschen *kint* (Genitiv: *kindes*), aus althochdeutsch *leid* wurde mittelhochdeutsch *leit* (Genitiv: *leides*), aus *tag* wird *tac* (Genitiv: *tages*).

Die Ostkolonisation

Unter dem späteren Kaiser Otto dem Großen (936 bis 973) wurde die Ostgrenze des Deutschen Reiches von der Ostsee bis hinunter in das Gebiet des heutigen Tschechiens durch Burgen mit deutschen Besatzungen militärisch gesichert.

Sorbisch – eine slawische Sprache in Deutschland

In der heutigen Ober- und Niederlausitz (Sachsen und Brandenburg) und hier besonders im Spreewald wohnte seit dem 7. Jahrhundert ein slawischer Volksstamm, die **Sorben.** Sie wurden während der ersten Etappe der Ostkolonisation unterworfen. Seit Beginn des 12. Jahrhunderts wurde sorbisches Gebiet immer stärker mit deutschen Bauern und Bürgern besiedelt, die nach und nach mit den Sorben verschmolzen. Die sorbische Sprache wurde allmählich verdrängt. Heute sprechen noch etwa 80 000 Menschen diese Sprache, die in das Nieder- und Obersorbische mit den Zentren Cottbus bzw. Bautzen gegliedert ist. Das Niedersorbische hat viel Gemeinsamkeiten mit dem Polnischen, das Obersorbische steht dem Tschechischen näher.

Die Gebiete östlich der Elbe wurden nach und nach von den Sachsen besiedelt. Ein Teil der Bayern drang nach Osten bis etwa zur heutigen österreichisch-ungarischen Grenze vor. Diese Leute nannten sich später *Österreicher,* das heißt »die im Ostreich Wohnenden«.

Ostmitteldeutsch und Ostniederdeutsch

Die Einwanderer in die östlichen Gebiete kamen aus den verschiedensten Dialektgebieten. In ihrer neuen Heimat entstanden nun die so genannten Siedlungsmundarten. Das waren »Mischmundarten«, in denen die einzelnen Wörter der Mundarten, die man früher zu Hause gesprochen hatte, so lange umgeformt und mit lautlichen und grammatischen Eigenheiten anderer Mundarten vermischt wurden, bis daraus eine eigene, neue Mundart wurde. Durch diesen Sprachausgleich bildeten sich neue mitteldeutsche Mundarten heraus, die zusammenfassend als das Ostmitteldeutsche bezeichnet werden. Die neuen niederdeutsch beeinflussten Mundarten im Nordosten werden als das Ostniederdeutsche bezeichnet.

Entlehnungen aus dem Slawischen

Aus den Sprachen der slawischen Bevölkerung wurde eine Reihe Wörter ins Ostmitteldeutsche und ins Ostniederdeutsche übernommen. Diese Wörter breiteten sich von den östlichen Gebieten langsam über das gesamte mittelhochdeutsche Sprachgebiet aus. Nach und nach wurden sie feste Bestandteile des Wortschatzes. Einige davon sind heute noch gebräuchlich. Zu diesen Wörtern gehört z. B. *Grenze* (russisch und polnisch *granica*), *Gurke* (polnisch *ogórek,* älter *ogurek*), *Peitsche* (obersorbisch *bič,* polnisch *bicz*), *Quark* (niedersorbisch *twarog*). Auch Tiernamen wie *Nerz* (obersorbisch *nórc*), *Plötze* (obersorbisch *płoíica*), *Schmetterling* (zu mundartlich *Schmetten* »Sahne«, vergleiche tschechisch *smetana*), *Stieglitz* (tschechisch *stehlec*), *Zeisig* (tschechisch *čižek*) und *Zobel* stammen aus dem Slawischen.

ich: Das gemeingerm. Personalpronomen mhd. *ich*, ahd. *ih*, mnd. *ik*, got. *ik*, engl. *I*, schwed. *jag* geht mit Entsprechungen in den anderen idg. Sprachen, z. B. griech. *egṓ[n]* und lat. *ego* (↑Egoismus), auf idg. **eĝom*, **eĝ[ō]* »ich« zurück. Die obliquen Kasus des Personalpronomens werden von anderen Stämmen gebildet. – Die substantivierte Form des Personalpronomens hat sächliches Geschlecht, beachte z. B. ›das bessere Ich‹. Abl.: **Ichheit** (14. Jh.). Zus.: **Ichsucht** (18. Jh.; als Ersatz für ›Egoismus‹), dazu **ichsüchtig** (18. Jh.).

ideal: Das schon im 17. Jh. in Zusammensetzungen wie ›Idealform‹ und ›Idealbild‹ im Sinne von »mustergültig, vorbildlich, vollkommen« bezeugte Adjektiv begegnet seit dem 18. Jh. zunächst in der Form ›idealisch‹, seit dem 19. Jh. in der daraus gekürzten heutigen Form. Die Bed. »vorbildlich, vollkommen« und »nur in der Vorstellung existierend« erscheinen beide auch in der Substantivierung **Ideal** »Sinnbild der Vollkommenheit, Leitbild, Wunschbild« (18. Jh.). Voraus liegt lat. *idealis*, das von griech.-lat. *idéa* abgeleitet ist (vgl. *Idee*). – Das Verb **idealisieren** »die Wirklichkeit verklären, etwas zum Ideal erheben« wurde im 18. Jh. – unter Einfluss von frz. *idéaliser* – zu ↑*Ideal* gebildet. Zum Adjektiv ↑ideal gehören dagegen die Substantivbildungen **Idealismus** und **Idealist.** Die heute übliche Bedeutung dieser Wörter »Streben nach Verwirklichung von Idealen« bzw. »Mensch, der nach der Verwirklichung von Idealen strebt; Schwärmer« führt wie bei ›ideal‹ auf die bei ↑Idee entwickelte philosophische und weltanschauliche Bedeutung zurück. In der Philosophie ist Idealismus die Lehre (Platons und Plotins) von der Scheinhaftigkeit alles Wirklichen (der konkreten Welt) im Verhältnis zu den Urbildern bzw. die Wissenschaft von den Ideen als dem nur im Denken seienden Wahren. Der Idealist ist der Vertreter dieser philosophischen Lehre.

Idee »Vorstellung; Leitgedanke; Plan; Einfall«: Ein ursprünglich rein philosophischer Terminus, der in der Lehre des altgriechischen Philosophen Platon verwurzelt ist und von dorther in die geistige Welt Europas und in die europäischen Sprachen eingedrungen ist. Griech. *idéa* (> lat. *idea*), das von dem mit lat. *videre* »sehen« und nhd. ↑wissen urverwandten Verb griech. *ideīn* (< **u̯ideīn*) »sehen, erkennen; wissen« abgeleitet ist, bedeutet zunächst »Erscheinung, Gestalt, Beschaffenheit, Form«, dann (bei Platon) vor allem »Urbild (als ewig unveränderliche Wesenheit der Dinge, jenseits ihres trügerischen Erscheinungsbildes)«. In diesem Sinne erscheint das Wort in den neueren philosophischen Systemen mit verschiedenen Modifikationen. – Die modernen Bedeutungen »Vorstellung; Leitgedanke; Einfall usw.« entwickelten sich – zum Teil unter dem Einfluss von frz. *idée* – im 17. und 18. Jh. Ausgangspunkt ist der aus griech.-lat. *idéa* ableitbare Begriff des nur »geistig Vorgestellten, Gedanklichen«. Es ist einerseits der dem schöpferischen Menschengeist vorschwebende [Leit]gedanke, der zur Verwirklichung in der künstlerischen Aussage drängt, auch der schöpferische Gedanke überhaupt, andererseits allgemein der Gedanke, die Vorstellung von etwas und der Plan zur praktischen Verwirklichung des Gedachten. In der Gemeinsprache entspricht der Gebrauch von ›Idee‹ im Sinne von »plötzliche Eingebung, Einfall«. Die Bedeutung »ein bisschen« ist der Umgangssprache zuzuordnen. Es handelt sich dabei um eine Übertragung, welche die Vorstellung von etwas als unscheinbar voraussetzt im Verhältnis zur Wirklichkeit; ›Idee‹ ist hier gleichsam nur der »Hauch eines Gedankens«. – Stärker noch als bei dem Wort ›Idee‹ kommen die Bedeutungen »Leitgedanke; Leitbild, Vorbild« zum Ausdruck bei den dazugehörigen Fremdwörtern ↑ideal, idealisieren, Idealismus, Idealist, ↑ideell (s. die einzelnen Artikel). – Zu griech. *ideīn* gehören noch verschiedene Nominalbildungen, die in unserem Wortschatz als Fremdwörter eine Rolle spielen: griech. *eīdos* »Aussehen, Gestalt, Beschaffenheit; Gattung; Zustand« (wozu als Hinterglied in Zusammensetzungen *...eidḗs* gehört, entsprechend in Fremdwörtern ...id, ...oïd im Sinne von »die Gestalt von etwas habend; ähnlich«); davon abgeleitet ist die Verkleinerungsform griech. *eidýllion* »Bildchen, Gedichtchen« (↑Idyll); griech. *eídōlon* »Bild, Gestalt; Trug-, Götzenbild« erscheint in ↑Idol und griech. *hístōr* »Wisser« (< **u̯íd-tōr*) in ↑Historie, historisch, Historiker, Histörchen und ↑Story.

ideell »die Idee betreffend; nur in der Vorstellung vorhanden; geistig«: Das Adjektiv ist eine deutsche Neubildung des 18./19. Jh.s zu ↑ideal, nach dem Vorbild von ›real‹ – ›reell‹.

identisch »ein und dasselbe bedeutend; völlig gleich (auch von Personen)«: Das Adjektiv ist eine Bildung des 18. Jh.s zu spätlat. *identitas* »[Wesens]einheit«, das schon vorher übernommen wurde als **Identität** »vollkommene Übereinstimmung zweier Dinge oder Personen«, auch »Echtheit«, wie noch in der im Österr. üblichen Zusammensetzung **Identitätsausweis** »Personalausweis« (entsprechend frz. *carte d'identité*). Zugrunde liegt das lat. Demonstrativpronomen *idem* (< **isdem*), *eadem, idem* »ebender, ein und derselbe«, das wohl als ein durch hinweisendes *-em* verstärktes *is (ea, id)* »er (sie, es)« anzusehen ist. Urverwandt ist dt. ↑er. – Zu ›identisch‹ stellt sich das seit dem 19. Jh. gebräuchliche Verb **identifizieren** »etwas genau wieder erkennen; die Identität einer Person feststellen« (wohl nach frz. *identifier*). Über dessen Grundwort lat. *facere* »machen, tun usw.« s. unter *Fazit.*

Ideologie »Gesamtheit der Ideen, auf die sich eine Weltanschauung oder ein Parteiprogramm gründet«: Das Fremdwort wurde im 19. Jh. aus frz.

idéologie »Ideenlehre« entlehnt, einer von dem französischen Philosophen Destutt de Tracy 1796 zu griech. *idéa* (vgl. *Idee*) geprägten Bezeichnung für eine neue philosophische Richtung. Dazu stellt sich **ideologisch** (20. Jh.; aus frz. *idéologique*).

idio..., Idio...: Das Bestimmungswort von Zusammensetzungen mit der Bedeutung »eigen, selbst; eigentümlich, besonder...« ist entlehnt aus gleichbed. griech. *ídios* (vgl. *Idiot*).

Idiom »die einem Einzelnen oder einer Gruppe zukommende Eigenart der Sprechweise, Spracheigentümlichkeit; Mundart«: Das Fremdwort wurde im 17. Jh. aus gleichbed. frz. *idiome* entlehnt, das über lat. *idioma* auf griech. *idíōma* »Eigentümlichkeit, Besonderheit« zurückgeht. Dies gehört zum griech. Adjektiv *ídios* »eigen, eigentümlich« (vgl. *Idiot*).

Idiot »hochgradig Schwachsinniger«, ugs. für: »Dummkopf, Trottel«: Das schon im 16. Jh. aus lat. *idiota, idiotes* < griech. *idiṓtēs* »Privatmann; gewöhnlicher, einfacher Mensch; unkundiger Laie, Stümper« entlehnte Substantiv wurde bis ins 19. Jh. noch ganz im Sinne des griech. Wortes gebraucht und entwickelte dann erst die heute übliche Bedeutung. – Das griech. Wort ist eine Bildung zum Adjektiv griech. *ídios* »eigen, privat; eigentümlich«, das auch in griech. *idíōma* »Eigentümlichkeit« (↑Idiom) vorliegt, ferner in verschiedenen Zusammensetzungen als Vorderglied (↑idio..., Idio...). – Dazu noch: **Idiotie** »hochgradiger Schwachsinn«, ugs. für: »Dummheit, Eselei« (Ersatzwort des 19. Jh.s für älteres ›Idiotismus‹); **idiotisch** (19. Jh.; aus lat. *idioticus* < griech. *idiōtikós* »eigentümlich; gewöhnlich; unwissend, ungebildet«.

Idol »Götzenbild, Abgott; abgöttisch verehrter Mensch«: Das Fremdwort wurde im 18. Jh. aus gleichbed. lat. *idolum* entlehnt, das auf griech. *eídōlon* »Gestalt, Bild; Trugbild, Götzenbild« zurückgeht. Dies gehört zur Sippe von griech. *ideīn* »sehen, erkennen, wissen« (vgl. *Idee*).

Idyll »Bild friedlichen und einfachen Lebens in (meist) ländlicher Abgeschiedenheit«: Das Fremdwort wurde im 18. Jh. aus lat. *idyllium* »kleines [Hirten]gedicht« entlehnt, das aus griech. *eidýllion* stammt. Dies ist eine Verkleinerungsbildung zu griech. *eĩdos* »Bild, Gestalt usw.« (vgl. *Idee*), bedeutet also eigentlich »Bildchen« und bezeichnet die Darstellung von Szenen aus dem ländlichen Leben vor allem in der Hirtendichtung.

Igel: Der altgerm. Name des Igels mhd. *igel,* ahd. *ĭgil,* niederl. *egel,* aengl. *ĭgel,* aisl. *ĭgull* ist, wie z. B. auch griech. *echĩnos* »Igel« und die baltoslaw. Sippe von russ. *ëž* »Igel«, eine Ableitung von dem idg. Wort für »Schlange«. Das von idg. **eĝhi-* »Schlange« (beachte die Artikel *Egel* und *Unke*) abgeleitete und substantivierte Adjektiv bedeutet eigentlich »der zur Schlange Gehörende«. Der Igel, der neben Insekten, Schnecken, Fröschen und Mäusen auch Schlangen jagt und vertilgt, ist also als »Schlangenfresser, Schlangentier« benannt worden. – Nach der Schnauzenform wird volkstümlich zwischen ›Hundsigel‹ und ›Schweinigel‹ (s. unter *Schwein*) unterschieden. Abl.: **einigeln,** sich »eine Igelstellung (zur Verteidigung nach allen Seiten) einnehmen« (20. Jh.).

...igkeit ↑...heit.

ignorieren »nicht wissen wollen, absichtlich übersehen, nicht beachten«: Das Verb wurde im 18. Jh. aus lat. *ignorare* »nicht kennen [wollen]« entlehnt, das im Ablaut zu lat. *ignarus* (< *in-gnarus*) »unwissend«, *gnarus* »einer Sache kundig, wissend« steht. Die Wörter gehören zur Wortfamilie von lat. *noscere* »erkennen, kennen lernen« (vgl. *nobel*).

ihm, ihn, ihr, ihrer ↑er.

il..., Il... ↑[1]in..., In..., [2]in..., In...

illegal ↑legal.

illegitim ↑legitim.

illuminieren »(Häuser, Straßen usw.) festlich erleuchten«: Das Verb wurde im 18. Jh. aus gleichbed. frz. *illuminer* entlehnt, das auf lat. *illuminare* »erleuchten« zurückgeht. Das zugrunde liegende Substantiv lat. *lumen* »Licht, Leuchte« stellt sich mit lat. *lucere* »leuchten«, lat. *lux* »Licht, Glanz« – dazu lat. *lucerna* »Leuchte« (↑Luzerne) und kirchenlat. *Lucifer* »Lichtbringer; Morgenstern« (↑Luzifer) – und mit lat. *luna* »Mond« (daraus unser Lehnwort ↑Laune) zu der unter ↑licht dargestellten idg. Wurzel **leuk-* »leuchten«.

Illusion »Wunschbild, Selbsttäuschung«: Das Fremdwort wurde im 17. Jh. aus gleichbed. frz. *illusion* entlehnt, das auf lat. *illusio* »Verspottung, Täuschung; eitle Vorstellung« zurückgeht. Dies gehört zu lat. *il-ludere* (< *inludere*) »hinspielen, sein Spiel treiben, verspotten; täuschen«. Stammwort ist das etymologisch umstrittene Substantiv lat. *ludus* »Spiel, Schauspiel; Schule; Kurzweil, Scherz, Spaß«.

illuster »glänzend; vornehm, erlaucht«: Das Adjektiv wurde im 19. Jh. aus gleichbed. frz. *illustre* entlehnt, das auf lat. *illustris* »im Licht stehend, strahlend; berühmt« (< **inlustris*) zurückgeht. Dies gehört zu lat. *lustrare* »hell machen, beleuchten« (vgl. *Lüster*). – Die von lat. *lustrare* abgeleiteten Wörter *illustrare* »erleuchten; erhellen, erläutern; ausschmücken« und *illustratio* »Erhellung; anschauliche Darstellung« erscheinen in dt. Texten bereits im 17. bis 18. Jh. als **illustrieren** und **Illustration.** Ihre moderne Bedeutung »(ein Buch, eine Zeitschrift) mit Bildern schmücken« erlangen sie allerdings erst im 19. Jh. mit dem Aufkommen bebilderter Textausgaben. Das gilt besonders für das adjektivisch gebrauchte Partizip **illustriert** (19. Jh.) und dessen Substantivierung **Illustrierte** (20. Jh.).

Iltis: Der auf das dt. Sprachgebiet beschränkte Tiername (mhd. *iltis, eltes,* ahd. *illi[n]tiso*) ist nicht sicher gedeutet. Es handelt sich jedenfalls um eine verdunkelte Zusammensetzung, deren Grundwort vermutlich germ. **wis[j]o-* »Wiesel« (vgl. *Wiesel*) ist. Allerdings kann das Grundwort auch mit aisl. *dīs* »weibliches göttliches Wesen« zusammenhängen und erst volksetymologisch an den Namen des Wiesels angeschlossen worden sein. Das Bestimmungswort ist vielleicht ahd. *elo* »gelbbraun« (vgl. *Elch*) oder aber ahd. *ellenti* »fremd« (vgl. *elend*). Im ersteren Falle wäre der Iltis als »gelbbraunes Wiesel«, im letzteren Falle als »fremdes Wiesel« benannt worden. – Von den überaus zahlreichen Mundartformen beachte z. B. ›Elledeis, Eltes, Ilte, Ilske, Ilk, Illink‹.

im ↑in.

im..., Im... ↑[1]in..., In..., [2]in..., In...

Image »Vorstellung, Bild (von jemandem); hohes Ansehen«: Das Fremdwort wurde in der 2. Hälfte des 20. Jh.s aus gleichbed. engl. *image* entlehnt, das über afrz. *imagene* auf lat. *imago* »Bild« (vgl. *imaginär*) zurückgeht.

imaginär »unwirklich, nur in der Vorstellung vorhanden, nicht wirklich«, in der Mathematik auch in der Fügung ›imaginäre Zahl‹ »durch eine positive oder negative Zahl nicht darstellbare Größe«: Das Adjektiv wurde in beiden Bedeutungen aus frz. *imaginaire* entlehnt, das auf lat. *imaginarius* »zum Bild gehörig, bildhaft; nur in der Einbildung bestehend« zurückgeht. Zugrunde liegt das Substantiv lat. *imago* »Bild, Bildnis, Abbild; Trugbild, Vorstellung«, das mit lat. *imitari* »nachahmen« (↑imitieren) zu lat. *aemulus* »wetteifernd« gehört.

Imbiss: Das Substantiv (mhd., ahd. *in-, imbīz̆*) ist eine Bildung zu dem untergegangenen zusammengesetzten Verb mhd. *enbīzen*, ahd. *enbīzan* »essend oder trinkend genießen« (vgl. *in* und *beißen*). In nhd. Zeit bezeichnete das Wort zunächst jede beliebige Mahlzeit, dann speziell das zweite Frühstück und schließlich eine außerhalb der Hauptmahlzeiten eingenommene kleinere Mahlzeit.

imitieren »nachahmen«: Das Verb wurde im 16. Jh. aus gleichbed. lat. *imitari* entlehnt, das mit lat. *imago* »Bild, Bildnis« verwandt ist (vgl. *imaginär*). Dazu: **imitiert** »nachgemacht, künstlich, unecht (besonders von Schmuck)«; **Imitation** »[minderwertige] Nachbildung besonders von Schmuck« (16. Jh.; aus lat. *imitatio* »Nachahmung, Nachbildung«); **Imitator** »Nachahmer« (aus gleichbed. lat. *imitator*).

Imker: Das Wort für den Bienenzüchter stammt aus dem niederl.-niederd. Sprachbereich. Erst im 19. Jh. erlangte es gemeinsprachliche Geltung und drängte die hochd. Ausdrücke ›Bienenvater‹ und ›Zeidler‹ zurück. Niederl.-niederd. *imker* ist eine Zusammensetzung, deren Bestimmungswort das unter ↑Imme behandelte Substantiv ist, während das Grundwort zu der germ. Sippe von mnd. *kar* »Korb, Gefäß« gehört. Und zwar ist das Grundwort eine ja-Bildung (Nomen Agentis), beachte das Verhältnis von ›Hirt‹ zu ›Herde‹ (vgl. *Kar*).

immanent ↑Menage.

Immatrikulation, immatrikulieren ↑Matrikel.

Imme: Der landsch. Ausdruck für »Biene« geht zurück auf mhd. *imme (imbe, impe)* »Bienenschwarm, Bienenstand«, ahd. *imbi* »[Bienen]schwarm«, beachte mnd. *imme* »Bienenschwarm; Biene«, aengl. *ymbe* »Bienenschwarm«. Erst in spätmhd. Zeit entwickelte sich aus dem kollektiven Sinn »Bienenschwarm« die Bed. »Biene«. Ähnlich ist die Bedeutungsgeschichte von ›Stute‹, das früher »[Pferde]herde« bedeutete. – Die weitere Herkunft des westgerm. Substantivs mit der Bed. »[Bienen]schwarm« ist nicht sicher geklärt. Falls die Bed. »Schwarm« aus »Wolke« hervorgegangen ist, könnte es zu der unter ↑Nebel dargestellten idg. Wortgruppe gehören. Siehe auch den Artikel *Imker*.

immens »unermesslich [groß]«: Das Adjektiv wurde im 19. Jh. aus gleichbed. lat. *im-mensus* (zu ↑[2]in..., In... und lat. *metiri* »messen«) entlehnt.

immer: Das Zeitadverb (mhd. *immer, iemer*, ahd. *iomēr*, mnd., niederl. *immer*) ist eine auf das dt. und niederl. Sprachgebiet beschränkte Zusammensetzung, deren erster Bestandteil das unter ↑je behandelte Adverb ist, während der zweite Bestandteil der unter ↑mehr dargestellte Komparativ ist. – Das Adverb, das hauptsächlich die Dauer und die Wiederholung ausdrückt und den Komparativ verstärkt, erscheint in mehreren Zusammenrückungen, beachte z. B. **immerdar, immerfort, immergrün**, substantiviert **Immergrün** (Pflanzenname), **immerhin, immerzu.**

Immobilien ↑Mobilien.

immun »unempfänglich gegenüber Krankheitserregern; unempfindlich; nicht zu beeindrucken; unter dem Rechtsschutz der Immunität stehend (von Abgeordneten und Diplomaten)«: Das Adjektiv wurde im 18. Jh. aus lat. *im-munis* »frei; unberührt, rein« (eigentlich: »frei von Leistungen«) entlehnt. Über weitere Zusammenhänge vgl. *[2]in..., In...* und *Kommune*. Das dazugehörige Substantiv **Immunität** (aus lat. *immunitas* »Freisein [von Leistungen]«) ist schon Anfang des 18. Jh.s bezeugt, in den modernen, dem Adjektiv entsprechenden Bedeutungen aber erst seit dem 19. Jh. Im politisch-rechtlichen Sinne bezeichnet es einmal den persönlichen Rechtsschutz der Parlamentarier vor strafrechtlicher Verfolgung, zum anderen auch die Befreiung der Diplomaten von der Gerichtsbarkeit des Gastlandes. – Eine junge Neubildung zu ›immun‹ ist das Verb **immunisieren** »unempfänglich machen für Krankheiten (z. B. durch Impfung)«.

Imperativ »Befehlsform«: Der grammatische Ausdruck ist aus gleichbed. lat. *(modus) imperativus* entlehnt. Das zugrunde liegende Zeitwort lat. *imperare* »anordnen, befehlen« gehört wohl zu lat.

parare »rüsten, bereiten, schaffen« (vgl. *parat*). – Zu lat. *imperare* gehört als Substantivbildung lat. *imperium* »Befehl; [Staats]gewalt, Herrschaft; [Kaiser]reich«, aus dem unser Fremdwort **Imperium** stammt. Vgl. auch den Artikel *Imperialismus.*

Imperfekt ↑perfekt.

Imperialismus »Bestrebung einer Großmacht, ihren politischen, militärischen und wirtschaftlichen Macht- und Einflussbereich weiter auszudehnen«: Das seit dem 19. Jh. gebräuchliche Fremdwort ist relatinisiert aus frz. *impérialisme* (bzw. engl. *imperialism*), einer Bildung zu dem spätlat. Adjektiv *imperialis* »die Staatsgewalt betreffend; kaiserlich«, das von lat. *imperium* »Befehl; Herrschaft, Staatsgewalt; [Kaiser]reich« abgeleitet ist (vgl. *Imperativ*). – Dazu: **Imperialist** »Vertreter des Imperialismus« (19. Jh.) und **imperialistisch** (20. Jh.).

Imperium ↑Imperativ.

impertinent »ungehörig, frech, unverschämt«: Das in allgemeiner Bedeutung seit dem 18. Jh. bezeugte Adjektiv stammt aus der Juristensprache, wo es schon im 17. Jh. im Sinne von »nicht zur Sache gehörig, nicht sachdienlich, abwegig« belegt ist. Quelle ist spätlat. *im-pertinens* »nicht zur Sache gehörend, nicht dazugehörig«, das zu ↑[2]in..., In... und lat. *per-tinere* »sich erstrecken, sich beziehen auf etwas« (vgl. *per..., Per...* und [1]*Tenor*) gehört.

impfen: Das Verb war ursprünglich ein Fachwort des Obst- und Gartenbaues mit der Bed. »ein Pfropfreis einsetzen, veredeln«. Es wurde als solches vor der hochdeutschen Lautverschiebung aus gleichbed. vlat. *imputare* entlehnt (ahd. *impfōn,* mhd. *impfen*), das seinerseits wohl Entlehnung aus griech. *em-phyteúein* »einpflanzen, pfropfen« ist. Im 18. Jh. wurde ›impfen‹ in die medizinische Fachsprache übernommen mit der Bedeutung »Krankheitserreger in abgeschwächter Form in den Körper übertragen zum Zwecke der Immunisierung gegen ansteckende Krankheiten«. In diesem Sinne erlangte das Wort gemeinsprachliche Geltung.

imponieren »Achtung einflößen, [großen] Eindruck machen«: Das Verb wurde im 18. Jh. aus lat. *imponere (in-ponere)* »hineinlegen; auf etwas stellen; auferlegen (insbesondere eine Last)« entlehnt, aber in der Bedeutung von frz. *imposer* (↑imposant) beeinflusst, das gleicher Herkunft ist und nach frz. *poser* (↑Pose) umgestaltet wurde. – Über weitere Zusammenhänge vgl. *Position.*

Import: Das Fremdwort für »Einfuhr« wurde Ende des 18. Jh.s aus engl. *import* entlehnt. Das engl. Wort ist das substantivierte Verb *to import* »einführen«, das über frz. *importer* auf lat. *importare (in-portare)* »hineinbringen; einführen« zurückgeht. Über weitere Zusammenhänge vgl. [1]*in..., In...* und *Porto.* – Unmittelbar aus lat. *importare* wurde schon im 17. Jh. **importieren** »Waren aus dem Ausland einführen« entlehnt. Das dazugehörende Substantiv **Importeur** »Großkaufmann, der gewerbsmäßig Waren aus dem Ausland einführt« ist hingegen eine sehr junge französierende Neubildung des 20. Jh.s, der im Frz. *importateur* entspricht.

imposant »eindrucksvoll, großartig, überwältigend«: Das Adjektiv wurde im 18. Jh. aus gleichbed. frz. *imposant* entlehnt. Dies gehört zu frz. *imposer* »eine Bürde auferlegen; Respekt einflößen« (vgl. *imponieren*).

impotent, Impotenz ↑potent.

imprägnieren »feste Stoffe mit Flüssigkeiten durchtränken (zum Schutz vor Wasser, Zerfall u. Ä.)«: Das Verb ist schon im 17. Jh. als handwerklicher Fachausdruck bezeugt. Daneben galt es lange Zeit als Fachwort der Gerichtssprache im Sinne des vorausliegenden lat. Verbs *im-praegnare* »schwängern«. Über das zugrunde liegende Adjektiv lat. *praegnas* »schwanger, trächtig« vgl. den Artikel *prägnant.* – Dazu das Substantiv **Imprägnation** (aus vlat. *impraegnatio*).

Impresario »Künstler-, Konzertagent«: Das Fremdwort wurde im 18. Jh. aus it. *impresario* »Theaterunternehmer« entlehnt, einer Bildung zu it. *impresa* »Unternehmen«.

Impression »Sinnes-, Gefühlseindruck«: Das Fremdwort wurde – vielleicht unter dem Einfluss von frz. *impression* – im 18. Jh. aus lat. *impressio* »Eindruck« entlehnt, einer Bildung zum Part. Perf. *impressus* von *imprimere* »[hin]eindrücken«.

Impressionismus »Eindruckskunst« (Bezeichnung einer im ausgehenden 19. Jh. aufkommenden Kunstrichtung): Das Fremdwort wurde Ende des 19. Jh.s aus frz. *impressionisme* entlehnt, einer Neubildung zu lat. *impressio* »Eindruck« nach dem Vorbild eines ›Impression‹ genannten Landschaftsbildes von Monet. – Zugrunde liegt das lat. Verb *imprimere* »eindrücken«. Dazu stellen sich die Bildungen **Impressionist** und **impressionistisch.**

Impressum »in Büchern, Zeitungen, Zeitschriften, elektronischen Publikationen Vermerk mit kurzen Angaben über Erscheinungsort und -zeit, Herausgeber, Verlag, Drucke usw.«: Das Fachwort der Druckersprache ist identisch mit lat. *impressum* »das Eingedrückte, Aufgedrückte«, dem substantivierten Part. Perf. Pass. von *im-primere.*

improvisieren »etwas ohne Vorbereitung, aus dem Stegreif tun«: Das Verb wurde im 18. Jh. aus it. *improvvisare* entlehnt, das zu *improvviso* »unvorhergesehen, unerwartet« gebildet ist. Das vorausliegende lat. *im-pro-visus* gehört zu ↑[2]in..., In... und lat. *pro-videre* »vorhersehen« (vgl. *pro..., Pro...* und *Vision;* s. auch den Artikel *Provision*). – Dazu seit dem 19. Jh. das Substantiv **Improvisation.**

Impuls »(äußerer oder innerer) Antrieb, Anstoß«: Das Fremdwort wurde im 18. Jh. aus gleichbed. lat. *impulsus* entlehnt. Dies gehört zu lat. *im-pellere* (< *in-pellere*) »anstoßen, stoßend in Bewegung setzen« (vgl. [1]*in..., In...* und *Puls*). – Das seit dem 19. Jh. bezeugte Adjektiv **impulsiv** »durch Impulse bedingt; lebhaft, rasch handelnd; spontan« ist wohl als psychologischer Fachausdruck aus gleichbed. engl. *impulsive* (< frz. *impulsif* < spätlat. *impulsivus*) entlehnt.

in: Die gemeingerm. Präposition mhd., ahd. *in,* got. *in,* engl. *in,* schwed. *i* geht mit Entsprechungen in den meisten anderen idg. Sprachen, z. B. griech. *en* »in« (↑en..., En...) und lat. *in* »in« (↑^{1}in..., In...) auf idg. **en* »in« zurück. Zu idg. **en* stellen sich die Bildungen **entós* »[von] innen«, vgl. z. B. lat. *intus* »von innen; drinnen« (↑intus), **enter* »zwischenhinein« (vgl. *unter*) und **[e]nei-,* Komparativ **nitero-* »nieder« (s. die Sippe von nhd. *nieder*). – Die Präposition ›in‹ gab ursprünglich Lage, Erstreckung und Bewegung in Raum und Zeit an, woraus sich die vielfältigen übertragenen Verwendungen entwickelten. Im Dt. steht ›in‹ mit dem Dativ und Akkusativ, beachte die Zusammenziehungen **im** (aus ›in dem‹) und **ins** (aus ›in das‹) sowie die Verbindungen mit dem substantivierten Neutrum des Adjektivs, wie z. B. ›im Allgemeinen, im Besonderen, im Stillen‹ und ›insbesondere, insgeheim, insgesamt‹. – Als Adverb fungierte in altgerm. Zeit eine verstärkte Form der gemeingerm. Präposition: got., aengl., aisl. *inn,* ahd., mhd. *in,* mit sekundärer Länge ahd., mhd. *īn,* auf das nhd. *ein* (↑^{2}ein) in Zusammensetzungen zurückgeht, beachte z. B. ›hinein, herein, d[a]rein‹ (mhd. *hin īn* usw.). Auf einer Lokativform dieses Adverbs beruht wahrscheinlich die germ. Sippe von nhd. *inne:* mhd. *inne,* ahd. *inna, -e, -i,* got. *inna,* aengl. *inne,* aisl. *inni.* Im heutigen Sprachgebrauch ist ›inne‹ weitgehend durch die Adverbien ›innen‹ (s. u.) und ›drin‹ ersetzt worden. Gebräuchlich ist es in der Verbindung **innewerden** »gewahr werden« und in den unfesten Zusammensetzungen **innehaben, innehalten, innewohnen.** Eine weitere germ. Adverbialbildung liegt vor in nhd. *innen,* mhd. *innen,* ahd. *innan[a],* got. *innana,* aengl. *innan,* aisl. *innan.* Eine komparativische Adjektivbildung ist nhd. *innere,* schweiz. auch mit sekundärem t **innert,** mhd. *inner* »inwendig«, als Adverb und Präposition »innen; innerhalb«, ahd. *innaro* »inwendig«. Dazu gehören die Ableitungen **Innerei** »Gekröse, essbare Tiereingeweide«, **innerhalb** (mhd. *innerhalp, innerhalbe[n],* Adverb und Präposition), **innerlich** (mhd. *innerlich*) und **erinnern** (s. d.). – Die Präposition ›in‹ steckt in zahlreichen Zusammensetzungen, teils erkennbar, wie z. B. in **Inbegriff** (↑greifen), **inbrünstig** (↑Brunst), **Ingrimm** (↑grimm), **Insasse** (mhd. *insæze* »Einwohner, Mietwohner«; zum zweiten Bestandteil vgl. *sitzen*), **inständig** (16. Jh.; Lehnübertragung von lat. *instans*), teils verdunkelt, wie z. B. in ›empor, entgegen, entzwei‹ (s. diese und beachte auch die Artikel *mitten* [↑Mitte], *neben, weg* [↑Weg], *zwischen*) und ›entschlafen‹, eigtl. »einschlafen«. In anderen Zusammensetzungen ist ›in‹ durch die Form ›ein‹ ersetzt worden, beachte z. B. **Eingeweide** (mhd. *ingeweide*), **eingedenk** (mhd. *indenke*). Andererseits ist ›in‹ in einigen Zusammensetzungen an die Stelle von ›inne‹ getreten, beachte z. B. **Inhalt** (mhd. *innehalt,* zu ›innehalten‹ in der Bedeutungswendung »enthalten«), **inwendig** (mhd. *innewendec*). Von den zahlreichen Zusammenrückungen beachte z. B. **indem, indessen, insofern, inwieweit.** Siehe auch die Artikel *innig, Innung* und *binnen.*

^{1}**in..., In...,** (vor Vokalen angeglichen zu:) il..., Il..., im..., Im..., ir..., Ir...: Die Vorsilbe von Fremdwörtern mit der Bedeutung »ein, hinein« ist entlehnt aus gleichbed. lat. *in[...],* das urverwandt ist mit dt. ↑in. Im Frz. wurde lat. *in[...]* zu *en[...],* das gleichfalls als Vorsilbe in Fremdwörtern, die aus dem Frz. stammen, erscheint. Zur lat. Sippe von ›in‹ gehören auch verschiedene andere Präpositionen, wie *inter, intra, intus;* außerdem Adjektive wie *intimus* (vgl. hierüber den Artikel *intus*).

^{2}**in..., In...,** (vor Konsonanten angeglichen zu:) il..., Il..., im..., Im..., ir..., Ir...: Die Vorsilbe mit der Bedeutung »un..., nicht, ohne«, wie in ›inkorrekt, illoyal, irregulär‹, ist entlehnt aus gleichbed. lat. *in... (*en...),* das urverwandt ist mit ↑un...

Inbegriff ↑greifen.

Inbrunst, inbrünstig ↑Brunst.

Index »alphabetisches [Stichwort]verzeichnis; Kennziffer (zur Unterscheidung gleichartiger Größen)«: Das seit dem 16. Jh. gebräuchliche Fremdwort ist entlehnt aus lat. *index* »Anzeiger; Register, Verzeichnis, Katalog«, das zu lat. *indicare* »anzeigen« gehört. Dessen Stammwort lat. *dicare* »feierlich verkünden« ist ein Intensivum zu *dicere* »sprechen, verkünden, reden« (vgl. *diktieren*).

indigniert »unwillig, entrüstet«: Das Adjektiv ist eigentlich das Part. Perf. des heute veralteten Verbs ›indignieren‹ »entrüsten«. Dies ist entlehnt aus lat. *indignari* »für unwürdig halten, sich entrüsten« (zu ↑^{2}in..., In... und lat. *dignus* »geziemend; würdig«, das verwandt ist mit lat. *decere* »zieren; sich schicken, sich geziemen«; vgl. *dezent*).

Indigo: Der älteste und wichtigste organische, heute synthetisch hergestellte Farbstoff (beachte die Zusammensetzung **Indigoblau**) war schon den alten Griechen bekannt. Sie nannten ihn nach seiner ostindischen Heimat griech. *indikón* »das Indische«. Über lat. *indicum* gelangte der Name ins Mhd. (mhd. *indich*), um jedoch später der span. Lautform *índigo* (17. Jh.) Platz zu machen, die sich endgültig einbürgerte.

Indikativ »Wirklichkeitsform des Verbs«: Der grammatische Fachausdruck ist eine Entlehnung aus gleichbed. lat. *(modus) indicativus* (eigentlich: »der zur Aussage, zur Anzeige geeignete Modus«). Dies gehört zu lat. *in-dicare* »anzeigen, aussagen«, dem Intensivum von *in-dicere* »ansagen, ankündigen«. Über die weiteren Zusammenhänge vgl. ^{1}*in..., In...* und *diktieren.*

indirekt »mittelbar«: Das Adjektiv wurde im 18. Jh. aus gleichbed. spätlat. *indirectus* (zu ↑[2]in..., In... und lat. *dirigere* »gerade richten« [vgl. *dirigieren*]) entlehnt.

indiskret ↑ diskret.

Individuum »der Mensch als Einzelwesen, die einzelne Person«: Das Wort ist eine Entlehnung des 16. Jh.s aus gleichbed. mlat. *individuum* < lat. *individuum* »das Unteilbare«, das als Lehnübersetzung von griech. *átomos* (↑ Atom) mit verneinendem ↑[2]in..., In... zu lat. *dividere* »trennen, zerteilen« gebildet ist (vgl. *dividieren*). – Der in dem Wort zum Ausdruck kommende Wertbegriff, der den Menschen als Einzelnen mit allen seinen Wesensgestimmtheiten einer Gemeinschaft bzw. der Masse gegenüberstellt, findet sich auch in den verschiedenen Ableitungen neuerer Zeit ausgeprägt, so in: **individuell** »dem Individuum eigentümlich; von betonter Eigenart« (18. Jh.; aus frz. *individuel* < mlat. *individualis*), für älteres **individual**, das nur noch als Bestimmungswort in Zusammensetzungen wie **Individualethik** lebt; **Individualität** »persönliche Eigenart« (18. Jh.; latinisiert aus frz. *individualité*); **Individualismus** »betonte Zurückhaltung eines Menschen gegenüber einer Gemeinschaft, ihren Gepflogenheiten, Regeln und Ansprüchen; Anschauung, die dem Individuum den Vorrang gegenüber der Gemeinschaft gibt« (20. Jh.); **Individualist** »Anhänger des Individualismus; betont eigenwilliger Mensch; Einzelgänger« (20. Jh.); **individualistisch** (20. Jh.).

Indiz »Hinweis, Anzeichen; Umstand, dessen Vorhandensein mit großer Wahrscheinlichkeit auf einen Sachverhalt schließen lässt (Rechtsw.)«: Das Fremdwort wurde im 19. Jh. aus lat. *indicium* »Anzeige; Anzeichen; Beweis« eingedeutscht. Dies gehört zu lat. *index* »Anzeiger« (↑ Index) und damit weiter zu lat. *in-dicare* »anzeigen«, *in-dicere* »ansagen, ankündigen« (vgl. [1]*in..., In...* und *diktieren*).

Industrie: Das Fremdwort tritt im Dt. im 18. Jh. zuerst in seiner eigentlichen (der Herkunft des Wortes entsprechenden) Bed. »Fleiß, Betriebsamkeit« auf. Seit der Mitte des 18. Jh.s wird es dann speziell im Sinne von »Gewerbefleiß, Gewerbe« verwendet, wodurch die gegen Ende des 18. Jh.s aufkommende, heute allein gültige Bed. »gewerbliche Fabrikation, Produktion materieller Güter« vorbereitet ist. Das Wort ist in allen Bedeutungen aus frz. *industrie* entlehnt, das seinerseits auf lat. *industria* »Fleiß, Betriebsamkeit« beruht. – Abl.: **industriell** »die Industrie betreffend« (19. Jh.; aus gleichbed. frz. *industriel*), dazu das Substantiv **Industrielle** »Eigentümer eines Industriebetriebes, Unternehmer« (19. Jh.; schon im Frz. substantivisch gebraucht); **industrialisieren** »eine Industrie auf- oder ausbauen« (20. Jh.; aus gleichbed. frz. *industrialiser*). Vgl. auch das Kapitel zur Sprachgeschichte *Die technische Entwicklung und ihr Wortschatz*.

infam »ehrlos, niederträchtig, schändlich«: Das Adjektiv war ursprünglich ein Wort der Rechtssprache, das im 17. Jh. aus lat. *in-famis* »berüchtigt, verrufen« entlehnt wurde. Dies gehört mit verneinendem ↑[2]in..., In... zu lat. *fama* »Sage, Gerücht, Ruf«. Über weitere Zusammenhänge vgl. die Artikel *famos* und *fatal*.

Infanterie »Fußtruppe«: Das seit Anfang des 17. Jh.s bezeugte Fremdwort ist wohl unmittelbar aus gleichbed. it. *infanteria* entlehnt, aus dem auch span. *infantería* und frz. *infanterie* stammen. Frz. *infanterie* kann in der Form eingewirkt haben. – It. *infanteria* ist eine Kollektivbildung zu *infante* (= span. *infante*, frz. *enfant*) in dessen heute veralteter militärischer Bed. »Fußsoldat«. Dies bedeutet eigentlich, entsprechend seiner Herkunft aus lat. *infans* (vgl. *infantil*), »kleines Kind«, auch »Knabe, Edelknabe«. – Dazu: **Infanterist** (1801).

infantil »kindlich, unentwickelt«: Das Adjektiv ist eine junge Entlehnung des 20. Jh.s aus lat. *infantilis* »kindlich«. Dies gehört zu lat. *infans* »kleines Kind«, das auch Quelle für das Fremdwort ↑ Infanterie ist. – Über weitere etymologische Zusammenhänge vgl. *fatal*.

Infarkt »durch Unterbrechung der Blutzufuhr abgestorbenes Gewebestück«, bes. in der Zusammensetzung **Herzinfarkt:** Der medizinische Fachausdruck ist eine gelehrte Bildung zu lat. *infar[c]tus*, dem Part. Perf. von lat. *in-farcire* »hineinstopfen« (vgl. [1]*in..., In...* und *Farce*). Die Bezeichnung bezieht sich also darauf, dass beim Infarkt ein Gefäß verstopft wird.

Infektion »Ansteckung (durch Krankheiten); Entzündung (als Folge einer Ansteckung)«: Das Fremdwort wurde im 16. Jh. aus spätlat. *infectio* entlehnt. Dies gehört zu lat. *inficere* »anstecken« (vgl. *infizieren*).

infektiös »ansteckend; entzündlich«: Das Adjektiv wurde im 19. Jh. aus gleichbed. frz. *infectieux* entlehnt. Dies gehört zu lat. *inficere* »anstecken« (vgl. *infizieren*).

infernalisch »höllisch, teuflisch«: Das Adjektiv wurde im 16. Jh. aus gleichbed. mlat. *infernalis* entlehnt, das auf spätlat. *infernalis* »unterirdisch« beruht. Dies gehört zu lat. *infernus* »der Untere« (vgl. *infra..., Infra...*). Auf die Substantivierung lat. *infernum* »das Untere; die Unterwelt« geht it. *inferno* »Hölle« zurück, aus dem – unter dem Einfluss von Dantes »Göttlicher Komödie« – im 19. Jh. unser Fremdwort **Inferno** »Hölle (im übertragenen Sinne)« übernommen wurde.

infiltrieren »einsickern, durchtränken«: Das Verb wurde im 19. Jh. aus gleichbed. frz. *infiltrer* (vgl. [1]*in..., In...* und *Filter*) entlehnt. Das mit der Ableitung **Infiltration** vor allem in der Medizin heimische Wort wird seit neuester Zeit auch im politischen Bereich verwendet. Hier bezeichnet es die ideologische Unterwanderung einer Organisation, eines Staatsgebietes.

Infinitiv »Grund-, Nennform (des Zeitwortes)«: Der grammatische Fachausdruck ist lat. *(modus) infinitivus* »nicht näher bestimmte Zeitwortform« (zu ↑ [2]in..., In... und lat. *finire* »begrenzen« [vgl. *Finale*]) entlehnt.

infizieren »anstecken« (Krankheiten übertragen): Das Verb wurde im 16. Jh. aus gleichbed. lat. *inficere* (eigentlich: »hineintun«) entlehnt, einer Bildung zu lat. *facere* (vgl. *Fazit*). Abl.: **desinfizieren** »keimfrei machen« (19. Jh.). Näher verwandt sind ↑ Infektion und ↑ infektiös.

Inflation »Geldentwertung (durch starke Vermehrung der umlaufenden Geldmenge)«: Das Fremdwort wurde im 19. Jh. aus lat. *inflatio* »das Sichaufblasen; das Aufschwellen« entlehnt und zunächst nur als medizinischer Fachausdruck verwendet. Die moderne Bedeutung ist bildlich zu verstehen, etwa im Sinne von »Aufblähung der Währung«. Das zugrunde liegende Verb lat. *flare* »blasen«, das hier als *inflare* »hinein-, aufblasen« erscheint – als *suf-flare* in ↑ soufflieren (Souffleur, Souffleuse) –, gehört zur idg. Sippe von nhd. ↑ [1]Ball »Spielball«.

informieren »benachrichtigen, Auskunft geben, belehren«: Das Verb wurde im 15. Jh. aus lat. *informare* entlehnt, und zwar in dessen übertragener Bedeutung »durch Unterweisung bilden, unterrichten«, eigentlich »eine Gestalt geben, formen, bilden« (zu ↑ [1]in..., In... und lat. *forma* »Gebilde, Gepräge, Gestalt« [vgl. *Form*]). Dazu stellen sich das Substantiv **Information** »Nachricht, Auskunft, Belehrung« (16. Jh.; aus lat. *informatio*), das Adjektiv **informativ** »belehrend, aufschlussreich« (19. Jh.) und die jungen Bildungen **Informand** »jemand, der [geheime] Informationen erhält«, **Informant** »jemand, der [geheime] Informationen liefert«, ferner **Informatik** »Wissenschaft von der Informationsverarbeitung, bes. von den elektronischen Datenverarbeitungsanlagen«, dazu **Informatiker** und das aus dem Engl. übernommene **Infotainment** »unterhaltende Darbietung von Informationen« als Kurzwort aus ›information‹ und ›entertainment‹ (alle 20. Jh.).

infra..., Infra...: Die Vorsilbe mit der Bedeutung »unter[halb]« ist entlehnt aus gleichbed. lat. *infra* (Adverb und Präposition), einem erstarrten Ablativ *(*inferad)* des Adjektivs *inferus* »der Untere«, das dem urverwandten ↑ unter »unterhalb« (vgl. *unter*) entspricht. – Eine Bildung zu lat. *inferus* ist das Adjektiv *infernus* »der Untere«, zu dem ↑ infernalisch und Inferno gehören.

Ingenieur »auf einer Hoch- oder Fachschule ausgebildeter Techniker«: Das Fremdwort ist seit dem 16. Jh. bezeugt, anfangs in der Form *ingegnier* (< it. *ingegnere*), die um 1600 von der frz. Form (frz. *ingénieur*) abgelöst wurde. Als Ersatzwort für ›Zeugmeister‹ bezeichnete ›Ingenieur‹ bis ins 18. Jh. ausschließlich den »Kriegsbaumeister«. Auch das zugrunde liegende Substantiv lat. *ingenium* »angeborene natürliche Beschaffenheit; natürliche Begabung; Scharfsinn, Erfindungsgeist«, das zur Sippe von lat. *gignere* »hervorbringen, erzeugen« gehört (vgl. hierüber *Genus*), entwickelte im Mlat. die Bedeutung »Kriegsgerät«.

Ingrimm, ingrimmig ↑ grimm.

Ingwer: Der Name der Gewürzpflanze (auch des daraus gewonnenen Gewürzes und der aromatischen, brennend scharf schmeckenden Teile des Wurzelstocks) wurde in mhd. Zeit (mhd. *ing[e]wer, ing[e]ber, gingibere*) aus vlat. *gingiber* entlehnt. Dies geht über lat. *zingiber* und griech. *ziggíberis* auf aind. *śṛṅgavera* zurück. Das aind. Wort bedeutet eigentlich »hornförmig«. Der Ingwer ist also nach der hornförmigen Form seiner Wurzel benannt.

inhaftieren »in Haft nehmen«: Das seit dem 18. Jh. bezeugte Verb ist eine Bildung der Gerichtssprache mit der Endung -ieren aus »in Haft« (vgl. die Artikel *in* und *Haft*).

inhalieren »einatmen«: Das Verb wurde im 20. Jh. aus lat. *in-halare* (eigentlich: »an-, hineinhauchen«) entlehnt (vgl. [1]*in..., In...* und *animieren*).

Inhalt ↑ in.

Initialen: Das Fremdwort für »große (meist durch Verzierung und Farbe hervorgehobene) Anfangsbuchstaben« ist aus der im 18. Jh. bezeugten Zusammensetzung ›Initialbuchstaben‹ rückgebildet. Zugrunde liegt das lat. Adjektiv *initialis* »am Anfang stehend; anfänglich«, das zu lat. *initium* »Anfang«, *in-ire* »hineingehen; beginnen« gehört (vgl. *Initiative*).

Initiative »erster Anstoß zu einer Handlung; Entschlusskraft, Unternehmungsgeist«: Das Wort wurde im 18. Jh. aus frz. *initiative* entlehnt, einem staatsrechtlichen Begriff mit der Bed. »Vorschlagsrecht«, wie er noch heute in der Schweiz gilt. Die allgemeine Bedeutung hat sich erst später im 19. Jh. entwickelt. Zugrunde liegt frz. *initier*, das auf lat. *initiare* »den Anfang machen, einführen; einweihen« zurückgeht (zu lat. *initium* »Eingang, Anfang«, *in-ire* »hineingehen; beginnen« [vgl. [1]*in..., In...* und *Abiturient*]). Siehe auch den Artikel *Initialen*.

Injektion »Einspritzung«: Der medizinische Fachausdruck wurde im 19. Jh. aus gleichbed. lat. *iniectio* (eigentlich: »das Hineinwerfen«) entlehnt. Zugrunde liegt das lat. Verb *iacere* »werfen, schleudern« (vgl. hierüber *Jeton*) in der Zusammensetzung *in-icere* »hineinwerfen; einflößen usw.«.

inklusive »einschließlich, inbegriffen«: Das Wort wurde im 16. Jh. aus mlat. *inclusive* entlehnt, der Adverbform des Adjektivs mlat. *inclusivus* »eingeschlossen«. Dies gehört zu lat. *in-cludere* »einschließen« (vgl. [1]*in..., In...* und *Klause*).

inkognito »unerkannt, unter fremdem Namen«, auch substantiviert als **Inkognito** »das Auftreten unter fremdem Namen«: Das Fremdwort wurde im 17. Jh. aus gleichbed. it. *incognito* entlehnt, das auf lat. *in-cognitus* »nicht erkannt« zurückgeht.

Dies gehört zu ↑[2]in..., In... und lat. *cognoscere* »kennen lernen, erkennen«. Über weitere Zusammenhänge vgl. *nobel.*

inkommodieren ↑kommod.

inkonsequent, Inkonsequenz ↑konsequent.

Inland ↑Land.

Inlett: Der Ausdruck für »Stoff, in den die Bettfedern eingenäht werden« stammt aus dem Niederd. und erlangte im Rahmen des nordd. Leinenhandels gemeinsprachliche Geltung. Das zugrunde liegende niederd. *inlāt* »Inlett« ist eine Bildung zum zusammengesetzten Verb *īnlāten* »einlassen« (vgl. *ein...* unter [2]*ein* und *lassen*), bedeutet also eigentlich »Einlass«.

innen, innere, innerhalb, innerlich ↑in.

innig: Das auf das dt. und niederl. Sprachgebiet beschränkte Adjektiv (mhd. *innec,* niederl. *innig,* mniederl. *innich*) ist von der unter ↑in dargestellten Präposition abgeleitet. Es bedeutete zunächst rein räumlich »innere, innerlich«, wurde dann auf Seelisch-Geistiges übertragen und in der religiösen Sphäre im Sinne von »andächtig, inbrünstig« gebraucht. Früher bezeugt als ›innig‹ ist das Adjektiv **inniglich** (mhd. *inneclich,* ahd. *inniglīh*).

Innung: Das auf das dt. Sprachgebiet beschränkte Substantiv (mhd. *innunge,* mnd. *inninge*) ist eine Bildung zu dem untergegangenen Verb mhd. *innen,* ahd. *innōn* »in einen Verband aufnehmen«, das zu der Wortgruppe von ↑in gehört. Das Substantiv bezeichnete zunächst die Aufnahme in einen Verband und ging dann auf den Verband selbst – speziell den Verband von Handwerkern, die Zunft – über.

in petto

etwas in petto haben
(ugs.) »etwas in Bereitschaft haben, vorhaben«
Der fast nur in dieser Wendung auftretende, seit dem 18. Jh. bezeugte Ausdruck ›in petto‹ stammt aus dem It. und bedeutet eigentlich »in der Brust, im Sinn«. It. *petto* »Brust« geht auf gleichbed. lat. *pectus* zurück.

Inquisition »katholische Ketzergerichte des Mittelalters; strenge Untersuchung, Verhör«: Das Fremdwort wurde bereits im Mittelalter aus lat. *inquisitio* »Untersuchung« entlehnt. Dies ist eine Bildung zu *inquisitus,* dem Part. Perf. von lat. *inquirere* »untersuchen« (aus lat. *in* und *quaerere* »suchen«).

ins ↑in.

Insasse ↑in.

Insekt »Kerbtier«: Das Fremdwort wurde im 18. Jh. aus lat. *insectum* eingedeutscht. Dies gehört zu lat. *in-secare* »einschneiden« (vgl. [1]*in..., In...* und *sezieren*) und bedeutet demnach eigentlich »eingeschnittenes (Tier)«. Es ist Lehnübersetzung von griech. *éntomon* »Insekt« (zu *entémnein* »einschneiden«).

Insel: Lat. *insula* »Insel« gelangte durch roman. Vermittlung (beachte entsprechend it. *isola,* afrz. *isle* > frz. *île*) schon früh ins Dt.: ahd. *īsila,* frühmhd. *īsele.* Auf einer erneuten Entlehnung unmittelbar aus dem Lat. beruht mhd. *insel[e],* das unserem nhd. Wort ›Insel‹ vorausliegt. Siehe auch den Artikel *isolieren.*

inserieren »eine [Zeitungs]anzeige aufgeben«: Das im 16. Jh. aus lat. *in-serere* »einfügen, einschalten« (vgl. [1]*in..., In...* und *Serie*) entlehnte Verb war bis ins 18. Jh. in der Verwaltungssprache heimisch und galt dort im Sinne von »einen ergänzenden, erklärenden Aktenvermerk in Schriftstücken anbringen«. Das Gleiche gilt von dem Substantiv **Inserat** »[Zeitungs]anzeige«, das im 17. Jh. aus Vermerken wie ›inserat‹ »er soll einfügen« oder ›inseratur‹ »es soll noch eingefügt werden« entstanden ist (ähnlich wie ↑Dezernat und *Referat* [↑referieren]). Beide Wörter wurden erst im 18. Jh. in die Zeitungssprache übernommen.

Insignien »Kennzeichen staatlicher oder ständischer Macht und Würde (z. B. Krone, Ritterssporen usw.)«: Das Wort wurde im 16. Jh. aus lat. *insignia* »Abzeichen« entlehnt, dem Neutrum Plural des Adjektivs *in-signis* »durch Abzeichen vor anderen kenntlich; auffallend«. Dies gehört zu ↑[1]in..., In... und lat. *signum* »Zeichen« (vgl. *Signum*).

Inspektion »Prüfung, Kontrolle; Aufsichtsbehörde«: Das im 16. Jh. aus lat. *inspectio* »Besichtigung; Untersuchung« entlehnte Fremdwort galt anfangs besonders im Bereich von Kirche und Schule, wie auch das gleichzeitig übernommene Substantiv **Inspektor** (aus lat. *inspector* »Besichtiger; Untersucher«), das heute im Sinne von »Aufseher, Vorsteher, Verwalter« verwendet wird, häufiger noch als Rangbezeichnung von Verwaltungsbeamten. Neben ›Inspektor‹ ist auch **Inspekteur** gebräuchlich, das aus frz. *inspecteur* (< lat. *inspector*) entlehnt ist. Es ist dies vor allem die Bezeichnung für die ranghöchsten, Aufsicht führenden Soldaten innerhalb der einzelnen Teilstreitkräfte der Bundeswehr. – Allen zugrunde liegt das lat. Verb *in-spicere* »hineinblicken, besichtigen, untersuchen« (vgl. *inspizieren*).

Inspiration »Eingebung, Erleuchtung«: Das Fremdwort wurde im 17. Jh. aus lat. *inspiratio* »das Einhauchen; die Eingebung« entlehnt. Dies gehört zu dem Verb lat. *in-spirare* »hineinblasen, einhauchen; begeistern«, das im 18. Jh. als **inspirieren** »anregen, erleuchten, begeistern« übernommen wurde. – Über das Stammwort lat. *spirare* »hauchen, atmen; leben« vgl. den Artikel *Spiritus.*

inspizieren »be[auf]sichtigen; prüfen«: Das Verb wurde um 1800 aus lat. *in-spicere* »hineinsehen, besichtigen; untersuchen« entlehnt. Aus dessen Part. Präs. *in-spiciens* stammt das in der Bühnensprache gebräuchliche **Inspizient** »Bühnen-, Spielwart; hinter den Kulissen tätige Hilfskraft des Regisseurs bei Proben und Aufführungen« (19. Jh.). Auf die Substantivbildungen lat. *inspectio* und *inspector* gehen unsere Fremdwörter ↑Inspektion (Inspektor, Inspekteur) zurück. Über weitere Zusammenhänge vgl. den Artikel *Spiegel*.

installieren »technische Anlagen einrichten, einbauen, anschließen«, auch reflexiv im Sinne von »sich häuslich niederlassen und einrichten«: Das Verb wurde im 16. Jh. aus mlat. *installare* »in eine Stelle, in ein [kirchliches] Amt einsetzen« entlehnt, aber erst in neuester Zeit übertragen verwendet. Das zugrunde liegende Substantiv mlat. *stallus* »[Chor]stuhl (als Zeichen der Amtswürde)« geht zurück auf germ. **stall-* »Stelle, Platz« (vgl. *Stall*). – Dazu stellt sich die seit dem 19. Jh. bezeugte Bildung **Installation** »Bestallung, Einsetzung in ein [geistl.] Amt«, heute vorwiegend ein technisches Fachwort im Sinne von »Einrichtung, Einbau, Anschluss von technischen Anlagen«. Die Ableitung **Installateur** »Einrichter, Prüfer von technischen Anlagen (wie Heizung, Wasser, Gas, Licht)« ist eine französierende Neubildung des 20. Jh.s.

inständig ↑in.

Instanz »zuständige Stelle (besonders von Behörden oder Gerichten)«: Mhd. *instancie* ist aus lat.-mlat. *instantia* entlehnt, dessen Grundbedeutung »(drängendes) Daraufstehen« in der Rechtssprache zu »beharrliche Verfolgung einer [Gerichts]sache« eingeengt wurde. Danach wurde die Behörde selber die »zuständige Stelle, vor der man sein Begehren zu Gehör bringt«. Lat. *instantia* ist abgeleitet von *instare* »auf etwas stehen« (zu ↑[1]in..., In... und lat. *stare* [vgl. *stabil*]).

Instinkt »angeborene Verhaltensweise und Reaktionsbereitschaft (besonders bei Tieren)«, oft übertragen gebraucht im Sinne von »sicheres Gefühl für etwas«: Das Fremdwort wurde im 18. Jh. aus mlat. *instinctus naturae* »Anreizung der Natur, Naturtrieb« entlehnt. Das zugrunde liegende Verb lat. *in-stinguere* »anstacheln, antreiben« ist eine Bildung zu lat. *stinguere* »stechen; (übertragen:) auslöschen«, das zur idg. Sippe von ↑Stich gehört. Dazu gehört das Adjektiv **instinktiv** »vom Instinkt geleitet; trieb-, gefühlsmäßig«, das seit dem 19. Jh. bezeugt ist und aus gleichbed. frz. *instinctif* übernommen wurde.

Institut »(wirtschaftliche) Einrichtung; Forschungs-, Bildungsanstalt«: Das Wort wurde im 18. Jh. aus lat. *institutum* »Einrichtung« entlehnt. Dies gehört zu lat. *in-stituere* »einsetzen, einrichten«, einer Bildung aus lat. *in* »in, hinein« (vgl. [1]*in..., In...*) und *statuere* »hin-, aufstellen« (vgl. *Statut*). – Zu lat. *instituere* gehört auch die Substantivbildung lat. *institutio*, auf die unser Fremdwort **Institution** »Einrichtung« zurückgeht.

instruieren »in Kenntnis setzen; unterweisen, anleiten«: Das Verb wurde im 16. Jh. aus lat. *instruere* »aufschichten, herrichten; ausrüsten; unterweisen« (zu ↑[1]in..., In... und lat. *struere* »schichten« [vgl. *Struktur*]) entlehnt. Dazu stellen sich **Instruktion** »Anleitung, Dienstanweisung, Vorschrift« (16. Jh.; aus lat. *instructio* »Herrichtung, Ausrüstung, Unterweisung«) und **instruktiv** »lehrreich, aufschlussreich« (18. Jh.; aus gleichbed. frz. *instructif*, einer Bildung zu frz. *instruire* < lat. *instruere*). Vgl. auch den Artikel *Instrument*.

Instrument »Mittel, Gerät, Werkzeug«: Das Substantiv wurde im 16. Jh. aus gleichbed. lat. *instrumentum* entlehnt, das im Sinne von »Ausrüstung« zu lat. *instruere* »aufschichten; ausrüsten; unterweisen« (vgl. *instruieren*) gehört. Bereits im Mhd. ist *instrument* in der Bed. »Urkunde, Beweismittel« bezeugt. – Dazu: **Instrumental** »das Mittel oder Werkzeug bezeichnender Fall«, verkürzt aus älterem ›Instrumentalis‹ (= nlat. *casus instrumentalis*). Abl.: **instrumentieren** »ein Musikstück für Orchesterinstrumente einrichten« (19. Jh.).

inszenieren ↑Szene.

intakt »unberührt; unversehrt, nicht schadhaft; voll funktionsfähig«: Das Adjektiv wurde – wohl unter dem Einfluss von frz. *intact* – im 19. Jh. aus lat. *in-tactus* »unberührt« (zu ↑[2]in..., In... und lat. *tangere [tactum]* »berühren« [vgl. *Tangente*]) entlehnt.

Intarsie, auch: Intarsia »Einlegearbeit aus andersfarbigem Holz, Elfenbein, Metall o. Ä.«: Das Fremdwort wurde im 19. Jh. aus gleichbed. it. *intarsio* entlehnt. Dies gehört zu gleichbed. it. *tarsia*, das auf arab. *tarṣī'* »das Besetzen (mit Edelsteinen)« (zu arab. *raṣṣa'a* »auslegen, einfügen, zusammensetzen«) zurückgeht.

integer »unbescholten, makellos«: Das Adjektiv wurde – wohl unter dem Einfluss von frz. *intègre* – im 19. Jh. entlehnt aus lat. *integer* (< **en-tag-ros*) »unberührt, unversehrt; ganz«, das mit verneinendem ↑[2]in..., In... zur Sippe von lat. *tangere* »berühren« (vgl. *Tangente*) gehört. – Eine besondere Rolle spielen im deutschen Wortschatz Ableitungen von lat. *integer*, nämlich lat. *integrare* »heil, unversehrt machen, wiederherstellen; ergänzen«, mlat. *integralis* »ein Ganzes ausmachend« und lat. *integratio* »Wiederherstellung eines Ganzen«. Aus ihnen sind die Fremdwörter **integrieren** (18. Jh.), **Integralrechnung** (17. Jh.) und **Integration** (19./20. Jh.) hervorgegangen.

Intellekt: Das Fremdwort für »Erkenntnis-, Denkvermögen, Verstand« wurde im 19. Jh. aus lat. *intellectus* »das Innewerden, die Wahrnehmung; geistige Einsicht, Erkenntnis; Erkenntnisvermögen; Verstand« entlehnt. Dies gehört zum Verb *intellegere* (vgl. *intelligent*). – Dazu stellt sich das Adjektiv **intellektuell** »geistig; [einseitig] verstandesmäßig«, das im 18. Jh. aus gleichbed. frz. *intellectuel* (< lat. *intellectualis*) entlehnt wurde.

intelligent: Das Adjektiv mit der Bedeutung »einsichtsvoll, [sach]verständig; klug, begabt« wurde im 18. Jh. aus lat. *intelligens, intelligentis* (Nebenform von *intellegens*) entlehnt. Dies ist Part. Präs. von *intellegere* (< **inter-legere*) »mit Sinn und Verstand wahrnehmen; erkennen, verstehen«, eigentlich »zwischen etwas wählen«, d. h. »durch kritische Auswahl charakteristische Merkmale einer Sache erkennen«. Die seit der 2. Hälfte des 20. Jh.s gebräuchliche Verwendung von ›intelligent‹ in Bezug auf elektronische Geräte, die in der Lage sind, durch logische Operationen Probleme zu lösen, ist wohl dem Vorbild von engl. *intelligent* zuzuschreiben. Über weitere Zusammenhänge vgl. *inter..., Inter...* und *Legion*. – Dazu stellt sich das Substantiv **Intelligenz** »geistige Fähigkeit; Klugheit«, auch im Sinne von »Schicht der wissenschaftlich Gebildeten«, das im 18. Jh. aus *intelligentia (intellegentia)* »Einsicht, Erkenntnisvermögen« übernommen wurde. – Zu lat. *intellegere* gehören noch die Fremdwörter ↑Intellekt, intellektuell.

I

Intendant: Die Bezeichnung für »Leiter eines Theaters, einer Rundfunk- oder Fernsehanstalt« wurde im 18. Jh. aus frz. *intendant* »Aufseher, Verwalter« entlehnt, das auf lat. *intendens (intendentis)*, Part. Präs. von *in-tendere* »hinstrecken, anspannen; seine Aufmerksamkeit anspannen und auf etwas ausrichten«, zurückgeht (vgl. [1]*in..., In...* und *tendieren*). Dazu: **Intendanz** »Amt und Büro eines Intendanten« (18. Jh.; aus frz. *intendance*). – Zu lat. *intendere* gehören noch die Fremdwörter ↑Intensität (intensiv, intensivieren), ↑Intention.

Intensität »Heftigkeit, Stärke; Wirksamkeit; Eindringlichkeit«: Das Substantiv ist eine Neubildung des 18. Jh.s – vielleicht unter Einfluss von frz. *intensité* – zu lat. *intensus* (s. u.). – Das Adjektiv **intensiv** »eindringlich; stark; gründlich; durchdringend« wurde im 18. Jh. aus gleichbed. frz. *intensif* entlehnt, einer Bildung zu lat. *intensus* »gespannt, aufmerksam; heftig«. Dies ist Part. Perf. von *in-tendere* (vgl. *Intendant*). Dazu: **intensivieren** »verstärken, steigern; gründlicher durchführen« (20. Jh.); **Intensivum** »Zeitwort, das die Intensität eines Geschehens kennzeichnet«.

Intention »Absicht, Vorhaben«: Das Fremdwort wurde im 16. Jh. aus lat. *intentio* »Anspannung, Aufmerksamkeit; Bestreben, Vorhaben« entlehnt. Dies gehört zu lat. *intendere* »anspannen« (vgl. *Intendant*).

inter..., Inter...: Die Vorsilbe mit der Bedeutung »zwischen, unter« (örtlich und zeitlich) stammt aus gleichbed. lat. *inter*. Dies gehört (mit ursprünglichem Komparativsuffix) zur Sippe von lat. *in* »in, hinein usw.« (vgl. [1]*in..., In...*). In der Bildung entspricht es genau dem urverwandten dt. unter »zwischen« (vgl. *unter*). Lat. *inter* ist Grundlage für verschiedene Bildungen. So wird ein Adjektiv **interus* vorausgesetzt für die Komparativ- und Superlativbildungen lat. *interior* »der Innere; enger, tiefer« und lat. *intimus* »innerst, vertrautest« (↑intim, Intimus, Intimität), ferner für das Adjektiv *internus* »inwendig; einheimisch« (wie lat. *externus* zu *exterus*; ↑extern) in den Fremdwörtern ↑intern, Interne, internieren, Internat, Internist. Erstarrte Ablative liegen vor in lat. *intra* (< **intera*) »innerhalb, innen, binnen« (↑intra...) und *intro* (< **intero[d]*) »hinein, inwendig« (↑intro..., Intro...). Von lat. *intra* wiederum ist das Verb *intrare* »hineingehen, betreten« abgeleitet, das z. B. in frz. *entrer* und in unserem Lehnwort ↑entern weiterlebt.

Interesse: Das seit dem 15. Jh. bezeugte Fremdwort geht zurück auf lat. *inter-esse* »dazwischen sein, dabei sein; teilnehmen; von Wichtigkeit sein« (vgl. *inter..., Inter...* und *Essenz*), das im Mlat. substantiviert als Rechtswort im Sinne von »aus Ersatzpflicht resultierender Schaden« erscheint. Daraus ergibt sich für das Wort ›Interesse‹ einerseits die Bed. »Zinsen« (vom Standpunkt eines Schuldners aus, der den Schaden zu tragen hat), andererseits aber auch (vom Standpunkt des Gläubigers aus) die Bed. »Gewinn, Nutzen, Vorteil«. Diese letztere Bedeutung hat sich bis heute gehalten, auch allgemeiner im Sinne von »persönliche Belange«, so auch in der Fügung ›seine (oder eines anderen) Interessen wahrnehmen‹. Die von einer Grundbedeutung »geistige Teilnahme« ausgehende Bed. »Aufmerksamkeit; Neigung« entwickelte sich erst im 18. Jh. unter dem Einfluss von frz. *intérêt* (< lat. *interest*). – Zu ›Interesse‹ stellen sich die Bildungen **interessieren** »Teilnahme, Aufmerksamkeit erwecken; jemanden für eine Sache oder Person erwärmen« (17. Jh.), auch reflexiv gebraucht (nach frz. *s'intéresser*); **interessiert** »in starkem Maße Anteil nehmend, aufmerksam« (am Ende des 16. Jh.s); **Interessent** »jemand, der sich für etwas interessiert; Teilnehmer; Bewerber« (17. Jh.). Das Adjektiv **interessant** »die Aufmerksamkeit erregend, fesselnd; bemerkenswert, aufschlussreich; vorteilhaft« wurde im 18. Jh. aus frz. *intéressant*, dem Part. Präs. von *intéresser* »interessieren«, entlehnt.

Interjektion »Ausrufe-, Empfindungswort«: Der grammatische Fachausdruck wurde im 16. Jh. aus lat. *interiectio* »das Dazwischenwerfen; Zwischenwort« entlehnt. Dies gehört zu ↑inter..., Inter... und lat. *iacere* »werfen« (vgl. *Jeton*).

Intermezzo »Zwischenspiel«: Das seit dem 18. Jh. bezeugte Fremdwort galt ursprünglich nur im Bereich der Bühne im Sinne von »komisches Zwischenspiel«. Es geht auf gleichbed. it. *intermezzo* zurück, das seinerseits auf lat. *intermedius* »in der Mitte befindlich« beruht (vgl. *inter..., Inter...* und *Medium*).

intern »innerlich; im engsten Kreis; persönlich«, (österr. auch:) »im Internat wohnend«: Das Adjektiv wurde im 18./19. Jh. aus lat. *internus* »inwendig« entlehnt (vgl. *inter..., Inter...*). – Dazu gehören die Substantivierung **Interne** »Schüler[in] eines Internats« und die junge Bildung **Internat** »Lehr- und Erziehungsanstalt, in der die Schüler zugleich wohnen und verpflegt werden« (19. Jh.). – Hierzu noch ↑internieren und ↑Internist.

international ↑Nation.

Internet: Das seit der 2. Hälfte des 20. Jh.s belegte Fremdwort bezeichnet den weltweiten Verbund von Computersystemen, in dem verschiedene Dienste angeboten werden. Es wurde übernommen aus gleichbed. engl. *internet*, einer Bildung aus ↑inter... und *network* »Netzwerk« (vgl. *Netz*). In diesem Sinne ist das Internet also eine »Gruppe untereinander verbundener Netzwerke«. – Zus.: **Internetadresse** »Angabe, unter der jmd. im Internet erreichbar ist«; **Internetnutzer, Internetuser** »jmd., der die Dienste des Internets nutzt«.

internieren »in staatlichen Gewahrsam nehmen, in Lagern unterbringen«: Das Verb wurde im 19. Jh. aus gleichbed. frz. *interner*, eigentlich »(von den Grenzen) in das Innere des Landes bringen«, entlehnt, einer Ableitung von frz. *interne* »innerlich; innen« (< lat. *internus;* vgl. *intern*).

Internist: Die Bezeichnung für »Facharzt für innere Krankheiten« ist eine junge Neubildung des 19./20. Jh.s zu lat. *internus* »innerlich, inwendig« (vgl. *intern*).

interpretieren »auslegen, deuten, erklären«: Das Verb wurde bereits in mhd. Zeit (md. *interpretieren*) aus gleichbed. lat. *inter-pretari* entlehnt. Dies gehört zu lat. *interpres* (Genitiv: *interpretis*) »Vermittler, Unterhändler; Ausleger, Erklärer, Dolmetscher«, einem Wort der Kaufmanns- und Rechtssprache, dessen 2. Bestandteil etymologisch nicht sicher gedeutet ist.

Interpunktion »Zeichensetzung«: Das Fremdwort wurde im 18. Jh. aus lat. *interpunctio* »Scheidung (der Wörter im Satz) durch Punkte« entlehnt. Dies gehört zu ↑inter..., Inter... und lat. *pungere* »stechen« (vgl. *Punkt*).

Intervall »Zeitabstand, Zeitspanne, Zwischenraum«: Das Fremdwort wurde im 18. Jh. – zuerst in der musikalischen Bed. »Abstand zwischen zwei Tönen« – aus lat. *intervallum* entlehnt, das mit seiner eigentlichen Bed. »Raum zwischen Schanzpfählen« zu lat. *vallus* »Schanzpfahl« gehört (vgl. *Wall*) und wohl aus der Fügung *inter vallos* hervorgegangen ist.

intervenieren »vermittelnd eingreifen; sich [protestierend] einschalten; sich in die Angelegenheiten eines anderen Staates einmischen«: Das Verb wurde im 17. Jh. als politischer Fachausdruck aus gleichbed. frz. *intervenir* entlehnt. Dies geht auf lat. *intervenire* »dazwischentreten, dazwischenkommen« zurück (vgl. *inter..., Inter...* und *Advent*). Zu ›intervenieren‹ stellen sich **Intervention** »das Intervenieren«, das gleichfalls im 17. Jh. aus frz. *intervention* (< lat. *interventio*) entlehnt wurde, und **Intervenient** »jemand, der interveniert« (19. Jh.).

Interview »für die Öffentlichkeit bestimmtes Gespräch zwischen [Zeitungs]berichterstatter und einer meist bekannten Persönlichkeit über aktuelle Tagesfragen oder sonstige Dinge, die besonders durch die Person des Befragten interessant sind«: Das Wort der Journalistensprache wurde in der 2. Hälfte des 19. Jh.s aus gleichbed. engl.-amerik. *interview* übernommen, das selbst auf frz. *entrevue* »verabredete Zusammenkunft« zurückgeht. Zugrunde liegt das Verb frz. *entrevoir* »einander (kurz) sehen, sich begegnen, treffen«, eine Neubildung zu frz. *voir* »sehen« (< lat. *videre*). Über weitere Zusammenhänge ↑Vision. – Abl.: **interviewen** »jemanden in einem Interview befragen«, **Interviewer** »jemand, der ein Interview macht« (beide 2. Hälfte des 19. Jh.s).

intim: Das seit dem 18. Jh. (zuerst in der Fügung ›intimer Freund‹) bezeugte Wort bedeutet »vertraut, eng befreundet; innig; gemütlich (besonders von Räumen)«. Es ist entlehnt aus lat. *intimus* »innerst, innigst, vertrautest« (vgl. *inter..., Inter...*), das schon im 17. Jh. substantiviert als **Intimus** »Busenfreund« erscheint, seit dem 20. Jh. auch analog als **Intima.** – Abl.: **Intimität** »intime Beziehung, Vertraulichkeit« (19. Jh.; wohl aus frz. *intimité*).

intolerant, Intoleranz ↑tolerieren.

intonieren »anstimmen, erklingen lassen«: Das Verb wurde im 16. Jh. aus mlat. *in-tonare* »anstimmen, ausrufen« entlehnt. Dies geht – vermutlich beeinflusst von lat. *tonus* »Ton« (vgl. [1]*Ton*) – auf lat. *intonare* »donnern; sich mit donnernder Stimme vernehmen lassen« (vgl. *Donner*) zurück. Abl.: **Intonation.**

intra...: Quelle für die Vorsilbe von Adjektiven mit der Bedeutung »innerhalb; während«, wie in ›intrazellular‹ »im Zellinneren«, ist gleichbed. lat. *intra* (vgl. *inter..., Inter...*).

Intrige »hinterhältige Machenschaften, Ränkespiel«: Das Fremdwort wurde im 17. Jh. aus gleichbed. frz. *intrigue* entlehnt, einer Bildung zum Verb frz. *intriguer*, das seinerseits im 18. Jh. ins Dt. als **intrigieren** »Intrigen anzetteln, Ränke schmieden« übernommen wurde. Das frz. Verb geht über it. *intrigare* auf lat. *in-tricare* »verwirren« (zu lat. *in* »in« und *tricae* »Unsinn, Possen; Widerwärtigkeiten«) zurück. – Das Adjektiv **intrigant** »auf Intrigen sinnend, hinterhältig« und die Substantivierung **Intrigant** »jemand, der intrigiert« wurden im 18. Jh. aus gleichbed. frz. *intrigant*, dem Part. Präs. von *intriguer*, entlehnt.

intro..., Intro...: Quelle für die Vorsilbe mit der Bedeutung »hinein, nach innen«, wie in ›introvertiert‹, ist gleichbed. lat. *intro* (vgl. *inter..., Inter...*).

Intubation ↑Tube.

Intuition »Eingebung, ahnendes Erfassen«: Das Fremdwort wurde im 18. Jh. aus mlat. *intuitio* »unmittelbare Anschauung« entlehnt. Dies gehört zu lat. *in-tueri* »anschauen, betrachten« (zu lat. *in* »in« und *tueri* »schauen«). – Dazu stellt sich das Adjektiv **intuitiv** »durch unmittelbare Anschauung (nicht durch Denken) erkennbar; auf Eingebung beruhend«, das aus gleichbed. frz. *intuitif* (zu lat. *intuitus*) übernommen wurde.

intus »innen, inwendig«, fast nur in der ugs. Wendung ›etwas intus haben‹ im Sinne von »etwas begriffen haben« oder »etwas im Bauch haben, etwas gegessen oder getrunken haben«: Das Wort stammt aus der Studenten- und Schülersprache. Es wurde im 19. Jh. aus lat. *intus* entlehnt, das mit entsprechendem griech. *entós* zur idg. Sippe von lat. *in* (vgl. [1]*in..., In...*) und nhd. ↑in gehört.

Inuit ↑Inuk.

Inuk, (meist im Plural:) **Inuit:** Das Wort für einen »Angehörigen eines in arktischen und subarktischen Gebieten lebenden Volkes« ist die Selbstbezeichnung dieser Ethnie und bedeutet in ihrer Sprache »Mensch«. Im Deutschen ist es seit dem Ende des 20. Jh.s gebräuchlich und ersetzt mehr und mehr das ältere Wort ↑Eskimo, das häufig als abwertend empfunden wird.

invalid[e] »dienst-, arbeitsunfähig (aufgrund von Gebrechen)«: Das zuerst im 18. Jh. als Substantiv **Invalide** im Sinne von »dienstuntauglicher, ausgedienter Soldat« bezeugte Fremdwort ist aus frz. *invalide* entlehnt, das auf lat. *in-validus* »kraftlos, schwach, hinfällig« zurückgeht. Über weitere Zusammenhänge vgl. [2]*in..., In...* und *Valuta.* Dazu: **Invalidität** »Erwerbs-, Dienst-, Arbeitsunfähigkeit« (im 19. Jh. aus frz. *invalidité* »Gebrechlichkeit« latinisiert).

Invasion »feindliches Einrücken von Truppen in fremdes Gebiet«: Das Fremdwort wurde im 17. Jh. aus gleichbed. frz. *invasion* entlehnt, das auf spätlat. *invasio* »das Eindringen, der Angriff« zurückgeht. Dies gehört zu lat. *invadere (invasum)* »auf einen Ort losgehen, eindringen, angreifen«. Das Stammwort lat. *vadere* »gehen, schreiten« ist urverwandt mit dt. ↑waten.

Inventar »Vermögensverzeichnis; Gesamtheit der Einrichtungsgegenstände eines Unternehmens«: Das Fremdwort wurde als Ausdruck der Kaufmannssprache im 15. Jh. aus gleichbed. lat. *inventarium* entlehnt. Dies gehört mit dem aus mlat. *inventura* stammenden Fremdwort **Inventur** »Bestandsaufnahme« zu lat. *in-venire* »auf etwas kommen, vorfinden; erwerben« und bedeutet eigentlich »das, was zum erworbenen Gut gehört« (vgl. [1]*in..., In...* und *Advent*).

investieren »Kapital (langfristig in Sachgütern) anlegen«: Das Verb wurde bereits in mhd. Zeit (mhd. *investieren*) in der Bed. »feierlich mit den Zeichen der Amtswürde bekleiden« (= »in ein Amt einführen«) aus mlat. *investire* (lat. *in-vestire* »einkleiden, bekleiden«) entlehnt. Die moderne wirtschaftliche Bed. »Kapital anlegen« hat sich erst in der 2. Hälfte des 19. Jh.s – vielleicht unter dem Einfluss von it. *investire* – herausgebildet. An diese Bedeutung schließen sich die Substantivbildungen **Investition** »langfristige Kapitalanlage« (19. Jh.) und **Investment** »Kapitalanlage, bei der die Sparer Anteile an einem Fonds erwerben« (2. Hälfte des 20. Jh.s, aus gleichbed. engl. *investment*) an. – Das Substantiv **Investitur** »Einweisung in ein geistliches Amt« hat die alte Bedeutung bewahrt. Es wurde – ebenfalls schon in mhd. Zeit – aus mlat. *investitura* (eigentlich: »Einkleidung«) entlehnt und bezeichnete im Mittelalter die feierliche Belehnung mit dem Bischofsamt durch den König. – Über weitere Zusammenhänge vgl. [1]*in..., In...* und *Weste.*

inwendig ↑in, ↑wenden.

Inzest: Die Bezeichnung für »Geschlechtsverkehr zwischen engsten Blutsverwandten« wurde im 19. Jh. aus gleichbed. lat. *incestus* entlehnt. Dies gehört zu lat. *in-cestus* »unkeusch; blutschänderisch«, einer Bildung aus lat. *in* »un..., nicht« (↑[2]in..., In...) und *castus* »keusch« (vgl. *Kaste*).

Inzucht ↑Zucht.

inzwischen ↑zwischen.

Ion: Die Bezeichnung für »elektrisch geladenes Teilchen von atomarer oder molekularer Größe« wurde im 19. Jh. aus gleichbed. engl. *ion* entlehnt. Dies ist eine gelehrte Prägung des englischen Physikers Faraday (1791–1867) zu griech. *íon,* dem Part. Präs. Neutr. von *iénai* »gehen« (zur idg. Sippe von ↑eilen). Der Name bezeichnet also eigentlich das »wandernde Teilchen«, wie es sich z. B. bei der elektrochemischen Spaltung chemischer Verbindungen (Elektrolyse) zu den Elektroden hinbewegt. – Abl.: **ionisieren** »Atome oder Moleküle in elektrisch geladenen Zustand versetzen« (aus gleichbed. engl. *to ionize*).

ir..., Ir... ↑[1]in..., In..., ↑[2]in..., In...

irden: Das Adjektiv mhd., ahd. *irdīn, erdīn* (entsprechend got. *aírþeins* »irden; irdisch«) ist von dem unter ↑Erde dargestellten Substantiv abgeleitet. Es bedeutete ursprünglich »aus Erde bestehend«, dann speziell »aus gebrannter Erde, aus Ton gefertigt«, beachte die Zusammensetzungen ›Irdengeschirr, Irdenware‹. Eine andere Adjektivbildung ist **irdisch** (mhd. *irdesch,* ahd. *irdisc*), das zunächst mit dem Adjektiv ›irden‹ gleichbedeutend war, dann aber – unter dem Einfluss von kirchenlat. *terrestris* – die Bed. »von der Erde stammend, zur Erde gehörig« (speziell im Gegensatz zu ›himmlisch‹) annahm, beachte die Zusammensetzungen **überirdisch** (18. Jh.) und **unterirdisch** (17. Jh.).

irgend: Das auf das dt. Sprachgebiet beschränkte Adverb, das heute fast nur noch in Zusammenrückungen – wie z. B. **irgendein, irgendwann, irgendwer, irgendwie, irgendwo** – gebräuchlich ist, geht auf mhd. *i[e]rgen[t]* »irgend[wo]« zurück, dem ahd. *io wergin* »je irgend[wo]« zugrunde liegt. Der erste Bestandteil ist das unter ↑je dargestellte Adverb, der zweite Bestandteil (ahd. *wergin*) ist zusammengesetzt aus ahd. *[h]wār* »wo« (vgl. *wo*) und einer Indefinitpartikel **-gin.* Das auslautende *-d* ist, wie auch in ›jemand‹ und

›niemand‹, sekundär. Die verneinte Form **nirgend** geht zurück auf mhd. *ni[e]rgen[t],* dem ahd. *ni io wergin* zugrunde liegt.

Iris »Regenbogen (Meteorologie); Regenbogenhaut des Auges (Medizin)«, auch Name einer Schwertliliengattung: Das Fremdwort stammt aus griech. *īris* (< **u̯īris*) »Regenbogen«, das vielfach auf schillernde, buntfarbene Dinge übertragen wurde. Dies gehört wohl zur Sippe von idg. **u̯ei-, u̯i-* »drehen, biegen«; vgl. hierüber den Artikel ↑[1]*Weide.*

Ironie »feiner, verdeckter Spott«: Das Fremdwort wurde im 18. Jh. aus gleichbed. lat. *ironia* entlehnt, das seinerseits aus griech. *eirōneía* »erheuchelte Unwissenheit, Verstellung; Ironie« stammt. Dies gehört zu griech. *eírōn* »jemand, der sich unwissend stellt, der sich verstellt«, dessen weitere Beziehungen unklar sind. Dazu das Adjektiv **ironisch** »voller Ironie; spöttisch« (16. Jh.; aus lat. *ironicus* < griech. *eirōnikós*).

irr[e]: nhd. *irre* »verirrt; verlustig, frei von; ketzerisch; wankelmütig, unbeständig, untreu; erzürnt; ungestüm; uneinig, verfeindet«, ahd. *irri* »verirrt; verwirrt; erzürnt«, got. *aírzeis* »verirrt, verführt«, aengl. *ierre* »irrend; verirrt; verkehrt; ketzerisch; verwirrt; zornig«. Das altgerm. Adjektiv ist näher verwandt mit der Sippe von lat. *errare* »umherirren; sich verirren; schwanken; sich irren« und geht mit der unter ↑rasen dargestellten Wortgruppe auf die idg. Wurzelform *er[ə]s- »sich [schnell, heftig oder ziellos] bewegen« zurück (vgl. *rinnen*). Der Begriff des Irrens und der Begriff der seelischen Erregtheit beruhen also auf der Vorstellung der heftigen oder ziellosen Bewegung. – Die Bed. »psychotisch wirkend, verstört«, in der das Adjektiv heute als diskriminierend empfunden wird, hat sich erst in nhd. Zeit entwickelt. An diesen Sinn von ›irr[e]‹ schließen sich die Bildungen **Irre** »psychotischer Mensch« und die Zusammensetzungen **Irrenanstalt** (19. Jh.), **Irrenhaus** (18. Jh.) an, beachte auch die Zusammensetzung **Irrsinn** (17. Jh.), dazu **irrsinnig** (19. Jh.). In der ursprünglichen Bedeutung gruppieren sich um das Adjektiv die Bildungen **Irre** (mhd. *irre* »Verirrung; Irrfahrt«, beachte got. *aírzei* »Verführung«), **irren** (mhd. *irren,* ahd. *irrōn,* daneben ein transitives *irran;* beachte die Zusammensetzungen **beirren** und sich **verirren**), **irrig** (mhd. *irrec* »zweifelhaft; hinderlich«), **Irrtum** (mhd. *irretuom,* ahd. *irrituom* »Irrglaube«, dann säkularisiert »Zwistigkeit, Streit, Hindernis, Schaden; Versehen«) und die Zusammensetzungen **Irrfahrt** (mhd. *irrevart*), **Irrgarten** (16. Jh.), **Irrlehre** (17. Jh.), **Irrlicht** (17. Jh.; vermutlich nach der unruhigen Bewegung benannt), **Irrwisch** »Irrlicht« (16. Jh.; zum 2. Bestandteil vgl. *Wisch*).

irreal ↑real.

irritieren »verwirren, beunruhigen, unsicher machen; stören«: Das Verb wurde im 16. Jh. aus lat. *ir-ritare* »[auf]reizen, erregen« entlehnt und zunächst in dessen Sinne verwendet. Die heutige Bedeutung kam erst im 19. Jh. durch volksetymologischen Anschluss an das Verb *irren* [↑irr[e]] auf.

is..., Is... ↑iso..., Iso...

Ischias: Die Bezeichnung für »Hüftschmerz« ist wie einige andere medizinische Fachausdrücke, z. B. ›Hämorrhoiden‹, ›Rheuma‹, gemeinsprachlich geworden. Das Wort stammt aus lat. *ischias,* das seinerseits aus griech. *ischiás (nósos)* »Hüftschmerz« (zu griech. *ischíon* »Hüftgelenk, Hüfte«) entlehnt ist.

Isegrim: Der seit dem 10. Jh. bezeugte Männername Isangrīm, eigentlich »Eisenhelm« (vgl. *Eisen* und *Grimasse*), wurde in der mittelalterlichen Tierdichtung zum Namen des Wolfes. Seit dem 18. Jh. wurde der Name des Wolfes – unter volksetymologischer Anlehnung des zweiten Bestandteiles an das Adjektiv ›grimm‹ – auf einen mürrisch trotzigen Menschen übertragen.

iso..., Iso..., (vor Vokalen meist:) is..., Is...: Quelle für das Bestimmungswort von Zusammensetzungen mit der Bedeutung »gleich«, wie in ›Isotop‹, ›Isobare‹, ist das etymologisch nicht sicher gedeutete griech. Adjektiv *ísos (ī̆sos)* »gleich« (an Zahl, Größe, Stärke, Bedeutung usw.).

isolieren »absondern, vereinzeln; einen Isolator anbringen (Elektrotechnik)«: Das besonders in der Partizipialform ›isoliert‹ »abgesondert, vereinzelt« auftretende Verb wurde am Ende des 18. Jh.s aus gleichbed. frz. *isoler* entlehnt, das seinerseits aus it. *isolare* stammt. Dies ist von it. *isola* »Insel« (lat. *insula;* vgl. *Insel*) abgeleitet und bedeutet eigentlich »zur Insel machen, etwas von allem anderen abtrennen (wie eine Insel vom Festland)«. – Dazu stellen sich die Bildungen **Isolation** (aus frz. *isolation*), **Isolierung** und **Isolator** »Stoff, der Energieströme schlecht oder gar nicht leitet«.

ja: Die Herkunft des gemeingerm. Adverbs mhd., ahd. *jā̆,* got. *ja,* engl. *yea* (daneben engl. *yes* ursprünglich »ja so«), schwed. *ja* ist nicht sicher geklärt. Das seit dem Anfang des 17. Jh.s bezeugte Verb **bejahen** bedeutete zunächst »bewilligen«, dann – als Gegenwort zu ›verneinen‹ – »Ja sagen«. – Zus.: **Jasager** (20. Jh.); **Jawort** (16. Jh.).

jachern ↑jagen.

Jacht: Das seit dem 16. Jh. bezeugte Substantiv ist eine Kurzform zu ›Jachtschiff‹ (daneben auch

›Jag[e]schiff‹). Die seemannssprachliche Schreibung Yacht beruht auf Anlehnung des dt. Wortes an engl. *yacht,* das aus älter niederl. *jaght[e]* »Jacht« entlehnt ist. Das Fahrzeug ist also als »Schnellschiff« oder als »Verfolgungsschiff« benannt (vgl. *jagen*).

Jacke: Die Bezeichnung des Kleidungsstücks wurde bereits in mhd. Zeit aus frz. *jaque* »enge, kurze Oberbekleidung mit Ärmeln, Panzerhemd« entlehnt. Dies gehört vermutlich zu frz. *jacques,* dem Spitznamen für den französischen Bauern, da dieses Kleidungsstück hauptsächlich von Bauern getragen wurde. Der Spitzname ist wohl identisch mit Jacques »Jakob«, weil dieser Name bei den Bauern häufig vorkam.

Jackett: Das Substantiv wurde im 19. Jh. als ›Jaquet‹ bzw. ›Jaquette‹ aus gleichbed. frz. *jaquette* entlehnt und dann an ›Jacke‹ in der Form angeglichen. Frz. *jaquette* ist eine Verkleinerungsbildung zu *jaque* (vgl. *Jacke*), bedeutet also eigentlich »Jäckchen«.

jagen: Das auf das dt. und niederl. Sprachgebiet beschränkte Verb (mhd. *jagen,* ahd. *jagōn,* mnd. *jagen,* mniederl. *jaghen*) hat keine sicheren außergerm. Entsprechungen. Die Verknüpfung mit der Wortgruppe von aind. *yalú-ḥ* »rastlos« ist zweifelhaft. Die nord. Sippe von schwed. *jaga* »jagen« ist aus dem Mnd. entlehnt. Im Engl. gilt *to hunt.* Über das altgerm. Wort für »jagen« s. den Artikel [2]*Weide* (beachte ›[aus]weiden, Weidmann, Weidwerk‹ usw.). – Das Verb ›jagen‹ bedeutet nicht nur »ein Wild verfolgen (um es zu fangen oder zu erlegen); auf die Jagd gehen«, sondern auch allgemein »verfolgen; hetzen, [ver]treiben« (beachte die Präfixbildung **verjagen**) und »sich schnell bewegen, rasen«. An den letzteren Sinn schließt sich die im Wesentlichen mitteld. und nordostd. Ableitung **jachern** »japsend [umher]laufen« an. Das Verbalabstraktum zu ›jagen‹ ist **Jagd** (mhd. *jaget, jagāt*), das – ebenso wie der substantivierte Infinitiv **Jagen** – auch im Sinne von »Jagdrevier« gebräuchlich ist. Dazu stellen sich die Ableitung **jagdbar** (17. Jh.; dafür mhd. *jagebǣre*) und die Zusammensetzungen **Jagdhund** (mhd. *jagethunt,* älter *jagehunt,* ahd. *jagahunt*) und **Jagdspieß** (mhd. *jage[t]spiez̧*). – Beachte auch den Artikel *Jacht.*

Jaguar: Der Name des südamerikanischen katzenartigen Raubtiers stammt aus der Tupisprache der Indianer Brasiliens (Tupi *jagwár[a]*). Er wurde im 18. Jh. durch port. Vermittlung bei uns bekannt.

jäh: Die Herkunft des Adjektivs mhd. *gǣhe,* ahd. *gāhi* ist dunkel. Die heute gemeinsprachliche Form mit j- beruht auf mdal. Aussprache des anlautenden g- (beachte ›jappen‹ neben ›gaffen‹, ›Jieper‹ neben ›Geifer‹ usw.) und ist seit dem 16. Jh. bezeugt. Die veraltete Form ›jach‹, oberd. mdal. *gach* geht auf das Adverb mhd. *gāch,* ahd. *gāho* zurück.

Jahr: Das gemeingerm. Substantiv mhd., ahd. *jār,* got. *jēr,* engl. *year,* schwed. *år* geht mit verwandten Wörtern in anderen idg. Sprachen – vgl. z. B. awest. *yārə* »Jahr«, griech. *hṓra* »Jahr[eszeit], Tageszeit, Stunde« (↑Horoskop und ↑Uhr) und russ.-kirchenslaw. *jara* »Frühling« – auf idg. **i̯ĕro-s* zurück. Die Bedeutung des idg. Wortes ist nicht sicher bestimmbar. Falls idg. **i̯ĕro-s* eine Substantivbildung zu der Wurzelform **i̯ā-*, **i̯ē-* der Wurzel **ei-* »gehen« (vgl. *eilen*) ist, bedeutete es ursprünglich etwa »Gang (der Sonne?); Lauf, Verlauf«. – In altgerm. Zeit spielte das Wort eine untergeordnete Rolle, weil der unter ›Winter‹ (s. d.) behandelte Name der Jahreszeit früher auch »Jahr« bedeutete und Zeitspannen und Lebensjahre vorwiegend nach Wintern gezählt wurden. – Abl.: **jähren,** sich »ein Jahr her sein« (17. Jh.; mhd. *jǣren, jāren* bedeutete dagegen »mündig, alt werden; alt machen; auf-, hinhalten«, beachte auch **bejahrt** und **verjähren**); **jährig** veraltet für »ein Jahr alt«, heute nur noch als 2. Bestandteil in Zusammensetzungen wie **einjährig, minderjährig, volljährig** (mhd. *jǣrec,* ahd. *jārig*); **jährlich** (mhd. *jǣrlich,* ahd. *jārlīh*); **Jährling** »ein Jahr altes Tier« (mhd. *jǣrlinc* »einjähriges Fohlen«). Zus.: **Jahrbuch** (17. Jh.; zunächst Plural als Lehnbildung von lat. *annales*); **Jahrgang** (mhd. *jārganc* »Jahreslauf; Ereignisse im Jahre«; in nhd. Zeit »was in einem Jahre hervorgebracht wird«); **Jahrhundert** (17. Jh.); **Jahrmarkt** (mhd. *jārmarket,* ahd. *iārmarchat*); **Jahreszeit** (17. Jh.). Siehe auch den Artikel *heuer.*

Jahr

nach Jahr und Tag

»nach einem längeren Zeitraum, in vielen Jahren«

Die Formel ›Jahr und Tag‹ stammt aus der alten Rechtssprache und bezeichnete ursprünglich eine genau festgelegte Frist von einem Jahr, sechs Wochen und drei Tagen. Mit der Zeit verband sich mit dieser Formel die Vorstellung eines längeren Zeitraums.

Jahrzehnt ↑zehn.

Jalousie »aus beweglichen (Holz-, Metall- oder Plastik)latten zusammengesetzter Fensterladen«: Das Fremdwort wurde im 18. Jh. aus gleichbed. frz. *jalousie* entlehnt, das seinerseits aus it. *gelosia* stammt. Dies ist eine Bildung zu it. *geloso,* älter *zeloso* »eifersüchtig« (aus vlat. **zelosus* [zu spätlat. *zelus* < griech. *zēlos* »Eifer; Eifersucht«]) und bedeutet eigentlich »Eifersucht«. Die Benennung bezieht sich darauf, dass der eifersüchtige Ehemann seiner Frau zwar gestatten wollte, auf die Straße zu sehen, sie aber nicht den Blicken anderer preisgeben wollte – bei Jalousien kann man nur von innen nach außen hindurchsehen und ist vor Blicken von außen sicher.

Jammer: Das westgerm. Adjektiv ahd. *jāmar,* asächs. *jāmar,* aengl. *geōmor* »traurig, betrübt«, das wahrscheinlich lautmalender Herkunft ist und sich aus einem Schmerzensruf entwickelt hat, ist im dt. Sprachgebiet in ahd. Zeit substantiviert worden: ahd. *jāmar,* mhd. *jāmer* »Traurigkeit, Herzeleid, schmerzliches Verlangen«. – Abl.: **jämmerlich** (mhd. *jæmer-, jāmarlich,* ahd. *jāmarlih*); dazu **Jämmerlichkeit** (17. Jh.); **jammern** (mhd. *[j]āmern,* ahd. *āmarōn*). Zus.: **Jammerlappen** (20. Jh.; eigentlich »zum Abwischen der Tränen dienendes Tuch«); **jammerschade** (18. Jh.; hervorgegangen aus der Formel ›Jammer und Schade sein‹).

Januar: Seit dem Jahre 153 v. Chr. wurde das römische Kalenderjahr nicht mehr von März bis Februar, sondern von Januar bis Dezember gerechnet. Demgemäß nannte man den das Jahr eröffnenden Monat *(mensis) Ianuarius* – nach dem altitalischen Gott Janus, dem Gott der Türen und Tore, symbolisch auch des Eingangs und [Jahres]anfangs. Mit den anderen römischen Monatsnamen wurde in mhd. Zeit auch lat. *Ianuarius* entlehnt – in seiner vlat. Form *Ienuarius* – zu *jenner.* Diese Form hat sich in **Jänner** bis ins 18. Jh. gehalten, wurde aber dann von der in gelehrter Entlehnung neu entwickelten Form ›Januar‹ (= frz. *janvier,* engl. *January*) in die oberd. Mundarten, besonders in den schweiz. und österr. Sprachraum abgedrängt. – Über die etymologischen Zusammenhänge von lat. *Ianus,* das ein personifiziertes lat. *ianus* »Torbogen« (ursprünglich: »Gang, Durchgang«) ist, vgl. den Artikel *eilen.*

jappen, japsen »den Mund aufsperren, lechzen, nach Luft schnappen«: Die beiden Verben, die vor allem in der nordd. und mitteld. Umgangssprache gebräuchlich sind, stellen sich zu niederd. *gapen* »den Mund aufsperren« (vgl. *gaffen*). Das anlautende j- beruht auf mdal. Aussprache des anlautenden g- (beachte den Artikel *jäh*).

Jargon: Der Ausdruck für »saloppe Sondersprache einer [Berufs]gruppe oder Gesellschaftsschicht« wurde im 18. Jh. aus gleichbed. frz. *jargon* übernommen, das ursprünglich etwa »unverständliches Gemurmel, Kauderwelsch« bedeutete und wohl zu einer Gruppe von Wörtern lautnachahmenden Ursprungs gehört, wie frz. *gargoter* »schmatzend und schlürfend essen oder trinken«.

Jasmin: Der Name des Zierstrauchs mit stark duftenden Blüten wurde im 16. Jh. durch arab.-span. Vermittlung aus pers. *yāsaman* entlehnt.

jäten: Die Herkunft des auf das dt. Sprachgebiet beschränkten Verbs (mhd. *jeten, geten,* ahd. *jetan, getan,* asächs. *[ūt]gedan*) ist dunkel. Im Gegensatz zur lautgesetzlichen Entwicklung ist im Nhd. ä durchgedrungen. Die Form mit anlautendem g- herrschte bis ins 18. Jh. vor.

Jauche: Das im ausgehenden Mittelalter aus dem Westslaw. – beachte sorb. *jucha* »Brühe; Suppe; Dungwasser, Jauche« – entlehnte *jūche* »trübe, stinkende Flüssigkeit, flüssiger Stalldünger« hat sich vom Ostmitteld. ausgehend im dt. Sprachgebiet durchgesetzt. Die baltoslaw. Sippe von sorb. *jucha* gehört mit verwandten Wörtern in anderen idg. Sprachen, vgl. z. B. aind. *yū́ḥ* »Brühe« und lat. *ius* »Brühe, Suppe; Saft«, zu einer idg. Verbalwurzel **i̯eu-* »rühren, vermengen (bei der Speisebereitung)«. Zu dieser Wurzel gehört auch die nord. Sippe von schwed. *ost* »Käse«.

jauchzen: Das auf das dt. Sprachgebiet beschränkte Verb (mhd. *jūchezen*) ist von der Interjektion ›juch!‹ (s. d.) abgeleitet und bedeutet demnach eigentlich »den Freudenschrei juch! ausstoßen«. Beachte zur Bildung das Verhältnis von ›ächzen‹ – ›ach!‹. – Abl.: **Jauchzer** (18. Jh.; bereits im 16. Jh., aber im Sinne von »der Jauchzende« bezeugt). Die Nebenformen **juchzen** und **Juchzer** sind im Wesentlichen ugs. gebräuchlich.

jaulen: Das um 1800 aus dem Niederd. ins Hochd. übernommene Verb ›jaulen‹ »jämmerlich wie ein Hund klagen« ist lautmalender Herkunft. Eine ähnliche, aber wohl unabhängige Lautnachahmung ist engl. *to yowl* »heulen, schreien«.

Jauner ↑ Gauner.

Jause: Der österr. Ausdruck für »Zwischenmahlzeit, Vesper« geht auf mhd. *jūs* zurück, das aus slowen. *južina* »Mittagessen, Vesper« entlehnt ist. Das slowen. Wort gehört mit Entsprechungen in den anderen slaw. Sprachen zu der Wortgruppe von russ. *jug* »Süden« und bedeutet also eigentlich »Mittagsmahlzeit«.

Jazz: Der Name dieser aus der Volksmusik der nordamerikanischen Schwarzen hervorgegangenen, stark rhythmisierten und im 20. Jh. von Amerika nach Europa eingeführten Musik wurde im 20. Jh. aus gleichbed. engl.-amerik. *jazz* entlehnt, dessen Herkunft unklar ist.

je: Das gemeingerm. Adverb mhd. *ie,* ahd. *io, eo,* got. *aiw,* aengl. *ā,* aisl. *ǣ* geht auf eine erstarrte Kasusform eines germ. Substantivs (i-Stamm) mit der Bedeutung »Zeit, Lebenszeit, Zeitalter« zurück, das zu der unter ↑ ewig dargestellten Wortgruppe gehört, beachte die verwandten Bildungen ahd. *ēwa* »Ewigkeit«, got. *aiws* »Zeit, Ewigkeit«, aisl. *ǣvi* »Lebensalter, Zeitalter«. – Das Adverb ›je‹ steckt auch in ›immer‹, ›irgend‹, ›jeder‹, ›jeglich‹, ›jemand‹ (s. diese Artikel). Beachte auch den Artikel *Jelängerjelieber.*

Jeans ↑ Bluejeans.

jeck ↑ Geck.

jeder: Das allein stehend und attributiv gebrauchte Pronomen, das im Gegensatz zum zusammenfassenden ›alle‹ eine Gesamtheit vereinzelt, hat sich aus mhd. *ieweder,* ahd. *ioweder, eohwedar* entwickelt, das aus ahd. *io, eo* »immer« (vgl. *je*) und *[h]wedar* »wer von beiden«, indefinit »irgendeiner von beiden« (vgl. *weder*) zusammengewachsen ist. – Das der gehobenen Sprache angehörige **jedermann** ist in mhd. Zeit aus *ieder* und *man* zusammengerückt. Beachte auch die Adverbien **jedenfalls** (18. Jh.) und **jedes Mal** (17. Jh.).

Jeep®: Die Bezeichnung für »geländegängiger Kraftwagen mit Vierradantrieb« wurde im 20. Jh. aus amerik. *jeep* entlehnt. Dies ist eine Kurzform, die aus den englisch ausgesprochenen Anfangsbuchstaben von *general purpose (car)* »Mehrzweckkriegslastkraftwagen« gebildet wurde.

jeglich: Das im heutigen Sprachgebrauch weitgehend durch ›jeder‹ (s. d.) zurückgedrängte Pronomen hat sich aus mhd. *ieclich*, älter *iegelich*, ahd. *iogilīh* entwickelt, das aus ahd. *io, eo* »immer« (vgl. *je*) und *gilīh* »gleich [welcher], jeder« (vgl. *gleich*) zusammengewachsen ist.

Jelängerjelieber: Der seit dem Anfang des 16. Jh.s – zuerst in der Form ›Ye lenger ye lieber‹ – bezeugte Pflanzenname bezeichnete zunächst den Roten Nachtschatten, dessen bittere Rinde umso süßer schmeckt, je länger man sie kaut, beachte auch die volkstümliche Benennung ›Bittersüß‹. Dann findet sich der Name auch für den Gelben Günsel (weil diese Pflanze immer lieblicher duftet, je länger man daran riecht) und für verschiedene andere Pflanzen, seit dem 19. Jh. speziell für das Geißblatt.

jemand: Das allein stehend gebrauchte Pronomen, das sich auf irgendeine beliebige, völlig unbestimmte Person bezieht, hat sich aus mhd. *ieman*, ahd. *ioman, eoman* entwickelt, das aus ahd. *io, eo* »immer« (vgl. *je*) und *man* »Mann, Mensch« (vgl. *Mann*) zusammengewachsen ist. Das auslautende -d ist, wie z. B. auch in ›irgend‹ und ›weiland‹, sekundär. Beachte auch den Artikel *niemand*.

jemine! ↑herrje!

jener: Das allein stehend und attributiv gebrauchte Pronomen, das im Gegensatz zu ›dieser‹ (s. d.) auf etwas Entfernteres hinweist, lautete in den älteren Sprachzuständen mhd. *[j]ener*, ahd. *[j]enēr*, got. *jains*, aengl. *geon*, aisl. (bestimmter Artikel) *inn*. Zugrunde liegt diesen germ. Formen vermutlich der idg. Pronominalstamm **eno-* »jener«, der im germ. Sprachbereich wohl unter dem Einfluss des Relativstammes **io-* und der Bildung **oino-s* (vgl. [1]*ein*) verschiedentlich umgestaltet worden ist. Beachte aus anderen idg. Sprachen z. B. die baltoslaw. Sippe von russ. *on* »er«. – Das seit dem 16. Jh. bezeugte **derjenige** ist aus ›derjene‹ weitergebildet, das aus spätmhd. *der* und *jene* zusammengerückt ist. Beachte zur Bildung das Verhältnis von ›derselbe‹ zu ›derselbige‹. – Aus mhd. *jensīt (jene sīte)* hat sich frühnhd. *jenseit*, mit sekundärem s (vgl. *Seite*) **jenseits** entwickelt. Die substantivierte Form **Jenseits** (um 1800) wird im Sinne von »Leben nach dem Tode« gebraucht.

Jet: Die Bezeichnung für ein »Düsenflugzeug« ist im Deutschen seit der 2. Hälfte des 20. Jh.s gebräuchlich. Sie wurde übernommen aus gleichbed. engl. *jet*, einer Kürzung aus *jet [air]liner, jet plane*. Eigentlich bedeutet *jet* »Düse, Strahl«, die Antriebsart steht also als Pars pro Toto für das gesamte Flugzeug. – Abl.: **jetten** »mit einem Jet fliegen, um möglichst schnell ein entferntes Reiseziel zu erreichen«.

Jetlag: Das im Deutschen seit der 2. Hälfte des 20. Jh.s belegte Substantiv steht für »körperliche Beschwerden nach schnellem Überfliegen mehrerer Zeitzonen« und geht zurück auf gleichbed. engl. *jet lag*, aus *jet* (vgl. *Jet*) und *lag* »das Zurückbleiben«.

Jeton »Rechenpfennig (früher); Spielmarke«: Das Fremdwort wurde im 18. Jh. aus gleichbed. frz. *jeton* entlehnt. Dies ist von frz. *jeter* »werfen« in dessen älterem übertragenen Sinn »(durch Aufwerfen der Rechensteine) [be]rechnen« abgeleitet. Voraus liegt vlat. **iectare*, das für klass.-lat. *iactare* »werfen, schleudern« steht. Dies ist ein Intensivum zu lat. *iacere* »werfen«, das durch etliche Zusammensetzungen in zahlreichen Fremdwörtern vertreten ist. Hierzu gehören: *ad-icere* »hinzuwerfen, -tun« (↑Adjektiv), *in-icere* »hineinwerfen, einflößen« (↑Injektion), *inter-icere* »dazwischenwerfen, einwerfen« (↑Interjektion), *ob-icere* »entgegenwerfen, -stellen« (↑Objekt, objektiv, Objektiv), *pro-icere* »räumlich hervortreten lassen; entwerfen« (↑projizieren, Projektion, Projektor, Projekt), *sub-icere* »unter etwas werfen; zugrunde legen« (↑Subjekt, subjektiv); schließlich noch *tra-icere* »hindurchwerfen, -bringen« im Lehnwort ↑Trichter. – Die idg. Zusammenhänge sind nicht eindeutig gesichert; formal und semantisch am nächsten steht die Familie von griech. *hiénai* »werfen; senden«.

Jetset: Das Fremdwort für eine »Gruppe reicher, den Tagesmoden folgender Menschen« ist im Deutschen seit der 2. Hälfte des 20. Jh.s belegt. Das gleichbed. engl. *jet set*, auf das es zurückgeht, ist eine Bildung aus *jet* »Düsenflugzeug« (vgl. *Jet*) und *set* »Gesellschaftsschicht«. Prägend für die Benennung des Jetsets war also damit die Vorstellung, die Angehörigen dieser Gesellschaftsschicht reisten häufig mit [Privat]jets um die Welt.

jetzt: Das Adverb hat sich samt seinen heute veralteten Nebenformen **itzt** und – ohne sekundäres -t – ›jetzo, itzo‹ aus mhd. *iezuo (ieze, iezō)* entwickelt, das aus den Adverbien *ie* »immer« (vgl. *je*) und *zuo* »zu« (vgl. *zu*) zusammengewachsen ist. – Abl.: **jetzig** (mhd. *iezec*). Zus.: **Jetztzeit** (Anfang des 19. Jh.s).

Jiu-Jitsu, (dafür eindeutschend:) Dschiu-Dschitsu: Der Name dieser in Japan beheimateten Kunst der waffenlosen Selbstverteidigung, deren sportliche Form ↑Judo heißt, wurde im 20. Jh. aus jap. *jūjutsu* »sanfte Kunst« entlehnt, einer Bildung aus jap. *jū* »geschmeidig, sanft« und *jutsu* »Kunst[griff]«.

Job: Der ugs. Ausdruck für »[Gelegenheits]arbeit; Beschäftigung, Stelle« wurde im 20. Jh. aus gleichbed. engl.-amerik. *job* entlehnt, dessen weitere Herkunft dunkel ist. Dazu stellen sich **jobben** »vorübergehend (zum Zweck des Geldverdienens arbeiten, einen Job übernehmen« und **Jobber** »Händler an der Börse; Börsenspekulant« (20. Jh.).

Joch: Die Benennung des Geschirrs zum Anspannen der Zugtiere ist eine Substantivbildung idg. Alters. Das gemeingerm. Wort mhd. *joch,* ahd. *joh,* got. *juk,* engl. *yoke,* schwed. *ok* geht mit Entsprechungen in anderen idg. Sprachen, z. B. aind. *yugá-m,* griech. *zygón* und lat. *iugum,* auf idg. **i̯ugo-m* »Joch« zurück, das eine Bildung zu der mit -g erweiterten Verbalwurzel **i̯eu-* »anschirren, zusammenbinden, verbinden« ist. Zu dieser Wurzel stellen sich aus anderen idg. Sprachen z. B. lat. *iungere* »verbinden« (↑Junta, ↑Konjunktion, ↑Konjunktiv, ↑konjugieren) und aind. *yṓga-ḥ* »das Anschirren; Verbindung« (↑Yoga). – Schon früh ging das Wort ›Joch‹ auf die unter einem Joch zusammengespannten Zugtiere über und bezeichnete dann auch ein Feldmaß, eigentlich »so viel Land, wie man mit einem Joch Ochsen an einem Tag pflügen kann«. Alt ist auch die Übertragung auf Dinge, die mit der Form eines Jochs Ähnlichkeit haben, beachte ahd. *joh* in der Bedeutung »Bergrücken, Pass«, mhd. *joch* in der Bedeutung »[Querbalken zu einem] Brückenjoch« und die Zusammensetzungen ›Jochbein, Bergjoch, Brückenjoch‹. An ›Joch‹ im Sinne von »Zwang, Unterdrückung, Knechtschaft« schließt sich **unterjochen** »unterwerfen, unterdrücken« (18. Jh.) an. Das einfache Verb **jochen** ist lediglich mdal. im Sinne von »in ein Joch spannen« gebräuchlich.

Jockei: Die Bezeichnung für den berufsmäßigen Rennreiter wurde Ende des 18. Jh.s aus engl. *jockey* entlehnt. Das engl. Wort ist eine Verkleinerungsform zu *Jock,* der schott. Form von engl. *Jack* »Hans«.

Jod: Der Name dieses chemischen Grundstoffes wurde zu Beginn des 19. Jh.s aus gleichbed. frz. *iode* entlehnt, einer gelehrten Bildung des französischen Chemikers B. Courtois (1777–1838) zu griech. *i-ṓdēs (io-eidḗs)* »veilchenfarbig«. Die Benennung bezieht sich darauf, dass bei der Erhitzung von Jod veilchenblaue Dämpfe entstehen. Bestimmungswort ist griech. *íon* »Veilchen«, das verwandt ist mit gleichbed. lat. *viola;* vgl. hierzu das Lehnwort *Veilchen.* Über das Grundwort griech. ...*eidḗs* vgl. *Idee.*

jodeln: Das von dem eigentümlichen Jodelruf ›jo‹ abgeleitete Verb stammt aus den dt. Alpenmundarten. Es ist schriftsprachlich seit dem Anfang des 19. Jh.s bezeugt. – Abl.: **Jodler** »jemand, der jodelt; Jodelruf«. Vgl. den Artikel *johlen.*

Joghurt »gegorene Milch«: Das Wort ist eine junge Entlehnung aus gleichbed. türk. *yoğurt.*

johlen: Das auf das dt. Sprachgebiet beschränkte Verb (mhd. *jōlen* »vor Freude laut singen, grölen«, mnd. *jōlen* »jubeln«) ist von dem lautmalenden Ruf ›jo‹ abgeleitet und bedeutet also eigentlich »jo schreien«. Aus dem gleichen ›jo‹ hat sich auch ›jodeln‹ (s. d.) entwickelt.

Joker: Das im 20. Jh. aus dem Engl. entlehnte Substantiv bezeichnet eine Spielkarte mit dem Bild eines Narren, die jede beliebige Karte ersetzen kann. So bedeutet denn auch engl. *joker* wörtlich »Spaßmacher«. Es ist abgeleitet von *joke* »Scherz, Spaß«, das wie frz. *jeu* und nhd. ↑Jux auf lat. *iocus* zurückgeht.

Jolle »kleines [einmastiges] Boot«: Die Herkunft des aus dem Niederd. stammenden Wortes (mnd. *jolle*) ist dunkel. Schwed. *julle,* niederl. *jol* (daraus wiederum engl. *yawl*) sind aus dem Niederd. entlehnt. – Zus.: **Jollenkreuzer** (20. Jh.).

Jongleur »Geschicklichkeitskünstler«: Das Substantiv ist bereits im 18. Jh. bezeugt, während das Verb **jonglieren** erst im 19./20. Jh. erscheint. Quelle ist frz. *jongleur* (bzw. frz. *jongler*), das selbst auf lat. *ioculator* »Spaßmacher« (vgl. *Jux*) zurückgeht.

Jota: Der ugs. Ausdruck für »kleinste Kleinigkeit« ist aus griech. *iō̃ta (ι)* entlehnt. Dies ist der aus dem Semit. stammende Name des 9. Buchstabens im griechischen Alphabet, der der kleinste ist und darum in der Bibel als Symbol der Kleinheit gilt.

Journal »Tageszeitung, Zeitschrift«: Das Fremdwort wurde im 17. Jh. aus frz. *journal* entlehnt und bis ins 18. Jh. im Sinne von »gelehrte Zeitschrift« gebraucht. Frz. *journal* ist entsprechend seiner Ableitung von frz. *jour* (= it. *giorno*) »Tag« eigentlich Adjektiv mit der Bedeutung »jeden einzelnen Tag betreffend«. Seit dem 15. Jh. erscheint es dann substantiviert im Sinne von »Nachricht über die täglichen Ereignisse«. Quelle für frz. *jour* (< afrz. *jorn*) – wie auch für it. *giorno* – ist lat. *diurnus* »täglich« in seiner vlat. Substantivierung *diurnum* »Tag«. Zugrunde liegt das zur idg. Sippe von ↑Zier gehörende Substantiv lat. *dies* »Tageslicht, Tag« (wozu auch ↑Diäten gehört) bzw. dessen adverbialer Lokativ *diu* »bei Tage«. – Um ›Journal‹ gruppieren sich die Bildungen **Journalist** »jemand, der beruflich für die Presse, den Rundfunk, das Fernsehen schreibt, publizistisch tätig ist« (17. Jh.; aus gleichbed. frz. *journaliste*), **journalistisch** (19. Jh.), **Journalistik** »Zeitungswesen« (19. Jh.), **Journalismus** (19. Jh.; aus gleichbed. frz. *journalisme*).

jovial »froh, heiter; leutselig, gönnerhaft«: Das seit dem 18. Jh. bezeugte Adjektiv steht für älteres ›jovialisch‹ (16. Jh.), das mit entsprechend frz. *jovial* und it. *gioviale* auf lat. *Iovialis* »zu Jupiter (lat. auch: *Iovis*) gehörend« zurückgeht. Für die Bedeutungsübertragung ist die mittelalterliche Astronomie verantwortlich, die den nach dem römischen Göttervater benannten Planeten Jupiter als Ursache für menschliche Fröhlichkeit und Heiterkeit ansah und danach den Heiteren mit *iovialis* »der im Sternbild des Planeten Jupiter Geborene« bezeichnete. Über weitere Zusammenhänge vgl. *Zier.*

jubilieren »frohlocken«: Das Verb wurde bereits in mhd. Zeit (mhd. *jubil[i]eren*) aus lat. *iubilare* »jauchzen, jodeln« entlehnt, das lautmalenden Ursprungs ist und zur Sippe von nhd. ↑jauchzen gehört. – Im Vlat. erscheint das Substantiv *iubilum* »das Jauchzen, das Frohlocken« – dafür kirchenlat. auch *iubilus* zur Bezeichnung des lang gezogenen jubelnden Ausklangs eines Kirchengesangs –, das in unserem, seit dem Beginn des 16. Jh.s bezeugten Lehnwort [1]**Jubel** weiterlebt. Dazu gehören verschiedene Zusammensetzungen wie **Jubelruf, Jubelgeschrei** und die Verbalbildungen **jubeln** (15. Jh.) und **verjubeln** (18./19. Jh.) – Letzteres ugs. im Sinne von »jubelnd (= sinnlos) verprassen«. Anders verhält es sich mit dem lautgleichen Substantiv [2]**Jubel,** das noch in Zusammensetzungen lebt, so in **Jubeljahr** (mhd. *jūbeljār*) »heiliges Jahr mit besonderen Ablässen in der kath. Kirche (alle 25 Jahre)« – wozu die Redensart ›alle Jubeljahre einmal‹ »selten« gehört –, **Jubelfeier, Jubelgreis, Jubelhochzeit, Jubelpaar** u. Ä. Quelle hierfür ist hebr. *yôvel* »Widderhorn; Freudenschall« (das Widderhorn wurde zu dem alle 50 Jahre gefeierten Halljahr, dem Erlassjahr der Juden, geblasen), das sich in der Vulgata mit dem oben genannten vlat. *iubilum* vermischt hat. Als Ergebnis erscheinen denn auch Formen wie spätlat. *(annus) iubilaeus* (in der schon erwähnten Lehnübersetzung ›Jubeljahr‹), ferner spätlat. *iubilaeum* »Jubelzeit«, aus dem **Jubiläum** »Jubel-, Fest-, Gedenkfeier; Ehren-, Gedenktag« (Ende 16. Jh.) stammt; schließlich noch mlat. *iubilarius* »wer 50 Jahre im gleichen Stand ist«, das im 18. Jh. zu **Jubilar** »wer ein Jubiläum begeht; Gefeierter« eingedeutscht wurde.

juch!: Die Interjektion (mhd. *jūch!*), die die ausgelassene Freude ausdrückt, tritt heute gewöhnlich nur noch in Verbindung mit anderen Ausrufen auf, beachte z. B. ›juchhe!, juchhei!, juchheirassa!‹. Von der Interjektion abgeleitet sind die beiden Verben ›juchen‹ (mdal. und ugs. für »jauchzen, aufkreischen«) und ›jauchzen‹. – Neben ›juch!‹ existiert auch eine Interjektion ›ju!‹ (mhd. *jū!*), die gleichfalls die Freude ausdrückt. Mit diesen beiden Interjektionen ist wahrscheinlich elementarverwandt z. B. griech. *iű.* Auch lat. *iubilare* »jauchzen« (↑jubilieren) ist von einer Interjektion **iu* abgeleitet.

juchzen, Juchzer ↑jauchzen.

jucken: Die Herkunft des nur westgerm. Verbs (mhd. *jucken,* ahd. *jucchen,* niederl. *jeuken,* engl. *to itch*) ist dunkel. Je nach der Konstruktion kann ›jucken‹ die Bedeutung »einen Juckreiz empfinden«, »einen Juckreiz verursachen, kitzeln« oder »kratzen (um den Juckreiz zu beseitigen)« haben. Im Volksglauben spielt der Juckreiz seit alters eine bedeutende Rolle. Beachte z. B. die Auslegungen, dass das Jucken der Hand auf Geldeinnahme, das Jucken der Nase auf [schlechte] Neuigkeiten hinweist.

Judas: Die Bezeichnung für »[heimtückischer] Verräter« geht zurück auf Judas Ischariot, den Jünger Jesu, der diesen durch einen heuchlerischen Kuss – den so genannten **Judaskuss** – verraten hat.

Judo: Der Name der sportlichen Form des Jiu-Jitsu wurde im 20. Jh. aus jap. *jūdō* (eigentlich »geschmeidiger Weg zur Geistesbildung«) entlehnt.

Jugend: Mhd. *jugent,* ahd. *jugund,* niederl. *jeugd,* engl. *youth* beruhen auf einer Substantivbildung zu dem unter ↑jung dargestellten idg. Adjektiv. Beachte aus anderen idg. Sprachen z. B. die lat. Bildung *iuventus* »Jugend«. – Abl.: **jugendlich** (mhd. *jugentlich,* ahd. *jugundlīh*). Zus.: **Jugendherberge** (20. Jh.); **Jugendstil** (Ende des 19. Jh.s, nach der Münchner Zeitschrift ›Jugend‹); **Jugendweihe** (20. Jh.).

Juli: Der 7. Monat des Jahres, der nach altrömischer Zählung (Jahresbeginn am 1. März) lat. *(mensis) Quintilis* »der fünfte (Monat)« hieß, wurde zu Ehren C. Julius Caesars, der den Kalender reformierte, lat. *(mensis) Iulius* genannt. Der lat. Name setzte sich bei uns in der Sprache der Kanzleien und der Humanisten seit dem 16. Jh. für ›Heumonat‹ durch. Die Eindeutschung ging – wie bei ↑Juni – vom Genitiv *Iulii* aus. Zum Sachlichen vgl. den Artikel *Januar.*

Jumbojet: Die im Deutschen seit der 2. Hälfte des 20. Jh.s belegte Bezeichnung für ein »Großraumflugzeug« wurde aus gleichbed. engl. *jumbo jet* übernommen. Der erste Teil der Zusammensetzung geht zurück auf den Namen eines Elefanten, den der amerikanische Zirkusdirektor Barnum 1882 dem Londoner Zoo abgekauft hatte. Das Bedeutungsmerkmal »besonders groß« ist vom Elefanten auf das Flugzeug übertragen worden. Zum zweiten Teil der Zusammensetzung vgl. *Jet.*

jung: Das gemeingerm. Adjektiv mhd. *junc,* ahd. *jung,* got. *juggs,* engl. *young,* schwed. *ung* geht, wie z. B. auch das substantivierte Adjektiv lat. *iuvencus* »junger Stier; junger Mensch«, auf eine Weiterbildung des idg. Adjektivs **i̯u̯en-* »jung« zurück. Beachte z. B. aus anderen idg. Sprachen aind. *yúvan-* »jung« und lat. *iuvenis* »jung«, wozu die Komparativbildung *iunior* »jünger« (↑Junior) gehört. Eine alte Substantivbildung zu idg. **i̯u̯en-* »jung« ist das unter ↑Jugend behandelte Wort. – Das Adjektiv ›jung‹ steht zunächst in Opposition zu ›alt‹ und wird ferner im Sinne von »frisch, neu; unreif, unausgegoren, unerfahren« und zeitlich im Sinne von »letzt, spät« gebraucht. – Die substantivierte Form der **Junge** bildet nicht nur den Gegensatz zu ›der Alte‹, sondern ist – besonders in nordd. und mitteld. Umgangssprache – auch im Sinne von »Knabe; Sohn« gebräuchlich. Dagegen hat das **Junge** die Bedeutung »neugeborenes bzw. junges Tier«. – Abl.: **jungen** »Junge werfen« (15. Jh.); **verjüngen** »jung machen«, reflexiv auch »nach oben spitz zulaufen, dünner werden« (16. Jh.; für veraltetes ›jüngen‹, mhd. *jungen,* ahd. *jungan* »jung machen«); **Jünger** (s. d.); **Jüngling** (s. d.); **jüngst** (s. d.). Zus.: **Jungbrunnen** (mhd. *juncbrunne* »verjüngender Brunnen«); **Jungfrau** (mhd. *juncvrou[we],* ahd. *juncfrouwa* »junge Herrin, Edelfräulein«, dann »junge, noch unverheiratete Frau [adligen Geschlechts]« und schließlich »junge, unberührte Frau«; ↑Jungfer), dazu **jungfräulich** »rein, unberührt« (mhd. *juncvrouwelich*); **Junggeselle** (15. Jh.; zunächst in der Bedeutung »junger Handwerksbursche«, dann »[junger] unverheirateter Mann«); **Junker** (s. d.).

Jünger: Der substantivierte Komparativ (mhd. *junger,* ahd. *jungiro*) von dem unter ↑jung behandelten Adjektiv bezeichnete – nach dem Muster von mlat. *iunior/senior* – zunächst den Untergebenen, den Lehrling, den Schüler im Gegensatz zum ›Herrn‹ (ahd. *hērro,* eigentlich »der Ältere«; s. d.). Dann wurde das Wort, in Wiedergabe des biblischen *discipulus,* speziell auf die Schüler Jesu bezogen.

Jungfer: Das Wort, das heute fast nur noch in der Verbindung ›alte Jungfer‹ gebräuchlich ist, hat sich in spätmhd. Zeit – unter Abschwächung des zweiten Bestandteils – aus mhd. *juncvrou[we]* »junge Herrin, Edelfräulein« (vgl. *Jungfrau* [↑jung]) entwickelt. Es bezeichnete dann eine junge, noch unverheiratete Frau [adligen Geschlechts], speziell auch ein adliges Fräulein, das einer Fürstin zur Aufwartung dient, beachte die Zusammensetzung ›Kammerjungfer‹, und ferner eine Frau, die die Keuschheit bewahrt, beachte die Bildungen **entjungfern** »das Jungfernhäutchen [beim ersten Geschlechtsverkehr] zerstören, deflorieren«, **Jungfernhäutchen** »Hymen« und **Jungfernschaft** »Jungfräulichkeit«. – Abl.: **jüngferlich** »altmodisch, verschroben, wie eine alte Jungfer« (17. Jh.; gebräuchlicher ist heute ›altjungfräulich‹). Zus.: **Jungfernfahrt** »erste planmäßige Fahrt [eines Schiffes]« (20. Jh.); **Jungfernrede** »erste Rede eines Abgeordneten vor dem Parlament« (19. Jh.; Lehnübersetzung von engl. *maiden speech*).

Jüngling: Das auf das Westgerm. beschränkte Wort (mhd. *jungelinc,* ahd. *jungaling,* niederl. *jongeling,* aengl. *geongling*) ist mit dem Suffix -ling von dem unter ↑jung dargestellten Adjektiv abgeleitet. Die nord. Sippe von schwed. *yngling* ist dem westgerm. Substantiv nachgebildet oder daraus entlehnt.

jüngst: An die Verwendung des unter ↑jung behandelten Adjektivs im Sinne von »neu« schließt sich das Adverb ›jüngst‹ »neulich, zuletzt« an, das sich aus mhd. *[ze] jungest,* ahd. *zi jungist* »zu neuest« entwickelt hat. – In den Verbindungen »Jüngstes Gericht« und »Jüngster Tag« bedeutet der Superlativ »allerletzt«.

Juni: Der Name des sechsten Monats geht – wie entsprechend frz. *juin,* engl. *June* – auf lat. *(mensis) Iunius* »Monat, welcher der Göttin Juno geweiht ist« zurück. Dieser Name setzte sich seit dem 16. Jh. in der Kanzleisprache durch und verdrängte alte deutsche Namen wie ›Brachmonat‹ und ›Heumonat‹. Die heutige Form bildete sich aus dem Genitiv *Iunii.*

Junior »der Jüngere«, auch im Sinne von »Jungsportler«: Das Wort wurde im 19. Jh. aus lat. *iunior* »jünger; der Jüngere« entlehnt, einer zur Familie von lat. *iuvenis* »jung« gehörenden Komparativbildung. Über weitere Zusammenhänge vgl. den Artikel *jung.*

Junker: Das Wort hat sich aus mhd. *juncherre* entwickelt – beachte die entsprechende Entwicklung von niederl. *jonker* aus mniederl. *jonchēre* – und bedeutet also eigentlich »junger Herr«. Im Mittelalter bezeichnete es speziell den Edelknaben, den noch nicht zum Ritter geschlagenen jungen Adligen, dann auch den sich auf den Ritterdienst vorbereitenden Knappen. Daran schließt sich die neuzeitliche Verwendung des Wortes an, einerseits im Sinne von »Sohn eines Adligen, besonders eines adligen Gutsbesitzers«, dann auch »Adliger, adliger Gutsbesitzer«, andererseits im Sinne von »zur Beförderung zum Offizier in die Armee eintretender junger Adliger; Offiziersanwärter«.

Junta »Regierung[sausschuss]« (besonders in Südamerika), häufig in der Zusammensetzung **Militärjunta:** Das Fremdwort wurde im 18./19. Jh. aus span. *junta* »Versammlung, Sitzung, Rat, Kommission« entlehnt. Dies ist das substantivierte Femininum von span. *junto* »vereinigt, verbunden«, das auf gleichbed. lat. *iunctus* zurückgeht.

Jura »die Rechte« (als umfassende Bezeichnung aller zur Rechtswissenschaft gehörenden Begriffe und Vorgänge): Das Fremdwort wurde aus dem Lat. übernommen. Lat. *iura* ist Plural von *ius* (< alat. *ious* < **ioụos*) »Recht als Gesamtheit der Gesetze und Satzungen«, das nur spärliche und unsichere Entsprechungen in anderen idg. Sprachen hat. Am ehesten stimmt dazu aind. *yōḥ* »Heil!«. – Neben den unmittelbar abgeleiteten Neubildungen ↑Jurist, juristisch, Juristerei gehören zur Sippe von lat. *ius* noch das Adjektiv *iustus* »gerecht« (mit der Ableitung *iustitia* »Gerechtigkeit«, ↑Justiz), das auch im Sinne von »recht, gehörig, billig; gerade« erscheint – wie besonders im Adverb lat. *iuste* und in mlat. *iustare* »berichtigen, in die gehörige Ordnung bringen« (↑just, justieren) –, ferner die Verbalbildung lat. *iurare* »das Recht durch Schwur bekräftigen, schwören« (↑Jury).

Jurist »Rechtskundiger (mit akademischer Ausbildung)«: Das Fremdwort wurde bereits in mhd. Zeit (mhd. *juriste*) aus mlat. *iurista* entlehnt, das zu lat. *ius (iuris)* »Recht« gehört. Über weitere Zusammenhänge vgl. *Jura.* – Dazu das Adjektiv **juristisch** »rechtswissenschaftlich; das Recht betreffend« (15./16. Jh.) und das im 16. Jh. gebildete Substantiv **Juristerei** »Rechtswissenschaft«, das der Umgangssprache angehört; dafür fachsprachlich **Jurisprudenz** (18. Jh., aus lat. *iuris prudentia* »Rechtsgelehrsamkeit«).

Jury »Schwurgericht; Preisgericht«: Das seit dem Anfang des 19. Jh.s bezeugte Fremdwort stammt aus dem Engl., wurde aber hauptsächlich durch frz. Vermittlung bei uns bekannt. Engl. *jury* geht selbst auf afrz. *jurée* »Versammlung der Geschworenen« zurück, das sich an frz. *juré* »Geschworener«, *jurer* »schwören« und an das vorausliegende lat. Verb *iurare* »schwören« anschließt. Beachte auch **Juror** »Mitglied einer Jury« (19. Jh.; aus gleichbed. engl. *juror*). Über weitere Zusammenhänge vgl. *Jura*.

just (veraltend für:) »eben, gerade; recht«: Das seit dem 16. Jh. bezeugte Adverb entspricht frz. *juste*, engl. *just*, niederl. *juist* und geht mit diesen auf lat. *iuste* »mit Recht, billig, gehörig; gerade« zurück, das Adverb zu *iustus* »gerecht; recht, gehörig«. Über weitere Zusammenhänge vgl. den Artikel *Jura*. – Von lat. *iustus* abgeleitet ist ein mlat. Verb *iustare* »berichtigen, in die gehörige Ordnung bringen«, aus dem unser Fremdwort **justieren** »(Geräte, Maschinen) genau einstellen, einspannen; ausrichten« entlehnt ist. Das Verb ist zuerst im 16. Jh. im Sinne von »Münzen ausgleichen, berichtigen (hinsichtlich ihres Gewichts)« und von »Maße eichen« belegt.

Justiz »Gerechtigkeit; Rechtspflege«: Das Fremdwort wurde im 17. Jh. aus lat. *iustitia* »Gerechtigkeit; Recht« entlehnt, das unmittelbar zu lat. *iustus* »gerecht; recht« (vgl. *just*), mittelbar zur Sippe von lat. *ius* »Recht« gehört (vgl. *Jura*).

Juwel »Edelstein; Schmuckstück«, oft übertragen im Sinne von »wertvolles, geschätztes Stück«: Das seit dem 15./16. Jh. bezeugte Substantiv wurde durch Vermittlung von mniederl. *juweel* aus afrz. *joël* »Schmuck« entlehnt. Das frz. Wort geht auf vlat. **iocellum* eigentlich »Scherzhaftes, Kurzweiliges« zurück, eine Bildung zu lat. *iocus* »Spaß, Scherz« (vgl. den Artikel *Jux*). – Dazu stellt sich die seit dem 18. Jh. bezeugte Berufsbezeichnung **Juwelier** »Goldschmied, Schmuckhändler« (aus mniederl. *ju[we]lier, jolier* < afrz. *joellier*), dafür älter: *jubelierer* (zu ›Jubel‹, einer früheren Nebenform von ›Juwel‹).

Jux (ugs. für:) »Scherz, Spaß«: Das seit dem 18. Jh. bezeugte Substantiv stammt aus der Studentensprache. Es ist aus gleichbed. lat. *iocus* entlehnt. Dies gehört – wohl mit einer ursprünglichen Bedeutung »Rederei, Geschwätz« – zur idg. Sippe des ahd. Verbs *jehan* »[aus]sagen; gestehen« (vgl. *Beichte*). – Das abgeleitete Verb **juxen** (ugs.) »scherzen, Spaß machen« ist jüngeren Datums. – Zu lat. *iocus*, das auch in frz. *jeu* »Spiel, Spaß« und in engl. *joke* (↑Joker) erscheint, gehören die Bildungen lat. *ioculator* »Spaßmacher« – näher zu *oiculus* »Späßchen« – und **iocalis* »spaßig, kurzweilig«, aus denen die Fremdwörter ↑Jongleur, jonglieren und ↑Juwel, Juwelier stammen.

K *k*

Kabarett »zeit- und sozialkritische Kleinkunstbühne«: Das Fremdwort, das auch in der Bed. »[drehbare] mit kleinen Fächern versehene Platte für Speisen« gebräuchlich ist, wurde Ende des 19. Jh.s aus frz. *cabaret* »Kleinkunst[bühne]; Restaurant; Satz Gläser mit Flasche« entlehnt. Das frz. Wort seinerseits stammt aus mniederl. *cabret* (Nebenformen von *cambret, cameret*), das zu dem unter ↑Kammer behandelten Wort gehört und eigentlich »Kämmerchen« bedeutet.

kabbeln, sich (ugs. für:) »sich zanken, sich streiten, sich necken«: Die Herkunft des aus dem Niederd. stammenden Verbs (mnd. *kabbelen*) ist nicht sicher geklärt. Vermutlich handelt es sich um eine Schall- oder Bewegungsnachahmung. Abl.: **Kabbelei** (19. Jh.).

Kabel: Das seit dem 13. Jh. bezeugte Substantiv wurde bis ins 19. Jh. ausschließlich in der Bed. »Ankertau, Schiffsseil« verwendet, in der es aus frz. *câble* entlehnt worden ist. Dieses geht auf mlat. *capulum* »Fangseil« zurück, dessen weitere Herkunft unsicher ist. Erst seit dem 19. Jh. wird das Wort auch im technischen Sinne von »überseeische Telegrafenleitung; isolierte Stromleitung« gebraucht. Schließlich nannte man auch die über ein solches Telegrafenkabel vermittelten Nachrichten einfach ›Kabel‹ (zuvor in Zusammensetzungen wie ›Kabeltelegramm‹). Dazu stellen sich das abgeleitete Verb **kabeln** »ein Überseetelegramm über Kabel aufgeben« (gegen Ende des 19. Jh.s nach gleichbed. engl. *to cable*) und die Zusammensetzung **Kabelfernsehen** (2. Hälfte des 20. Jh.s, Lehnübersetzung von engl. *cable television*).

Kabeljau: Der Name des zur Familie der Dorsche gehörenden Speisefischs, der in getrockneter Form ›Stockfisch‹ (s. unter Stock), getrocknet und gesalzen ›Klippfisch‹ genannt wird, gelangte im 16. Jh. aus mniederl. *cabbeliau* (= niederl. *kabeljauw*) über mnd. *kabelow, kabbelouw* ins Frühnhd. – Die Herkunft des niederl. Wortes, das zuerst im 12. Jh. in der latinisierten Form *cabellauwus* vorkommt, ist unklar.

Kabine: Das Substantiv erscheint zuerst am Anfang des 17. Jh.s mit der auch heute noch üblichen Bed. »Wohn- und Schlafraum auf Schiffen für Offiziere und Passagiere«. Es ist in diesem Sinne aus gleichbed. engl. *cabin* entlehnt. Heute bezeichnet man mit ›Kabine‹ vor allem auch einen kleinen, abgeteilten Raum (z. B. zum Umkleiden in Badeanstalten). Auf die Form von ›Kabine‹ hat in neuster Zeit das frz. Substantiv *cabine* »Koje; Kajüte; Kabine« eingewirkt, das selbst aus dem Engl. stammt. – Engl. *cabin* seinerseits führt über mengl. *caban[e]*, afrz. (= frz.) *cabane* »Hütte; Koje; Zelt«, gleichbed. aprov. *cabana* auf spätlat. *capanna* »Hütte (der Weinbergshüter)« zurück, eigentlich wohl »Zeltdach« (zu lat. *pannus* »Lappen, Tuch«; urverwandt mit dt. ↑Fahne).

Kabinett: Das seit dem Ende des 16. Jh.s bezeugte, aus frz. *cabinet* entlehnte Fremdwort tritt zuerst in der ursprünglichen Bedeutung des frz. Wortes »kleines Gemach, Nebenzimmer« auf. In der Folge werden verschiedene übertragene Bedeutungen des Wortes aus dem Frz. übernommen, wie »abgeschlossener Beratungs- und Arbeitsraum eines Fürsten oder Ministers« und »engster Beraterkreis eines Fürsten«. An die Letztere schließt sich die heutige Verwendung von ›Kabinett‹ im Sinne von »Kreis der die Regierungsgeschäfte eines Staates wahrnehmenden Minister« an. Die Bed. »Zimmer zur Aufbewahrung von Sammlungen«, die für ›Kabinett‹ schon im 18. Jh. bezeugt ist, lebt heute noch in Zusammensetzungen wie **Raritätenkabinett** (17. Jh.), **Wachsfigurenkabinett** (19. Jh.) und **Kabinettstück** »besonders gelungenes Prachtstück; Kunststück« (18. Jh.; bezeichnet eigentlich ein auserlesenes Stück, wie es für eine Sammlung geeignet wäre). – Frz. *cabinet* ist wahrscheinlich eine alte Verkleinerungsform zu dem etymologisch nicht geklärten Substantiv afrz. *cabine* »Spielhaus«.

Kabriolett ↑Kapriole.

Kabuse, Kabüse: Der vorwiegend in nordd. Mundarten gebräuchliche Ausdruck für »enge Kammer; kleine Hütte; schlechte Wohnung« stammt aus der niederd. Schiffersprache: mnd. *kabūse* »Bretterverschlag auf dem Schiffsdeck, der zum Kochen und Schlafen dient«, vgl. mniederl. *cabūse* »Schiffsküche, Vorratskammer«. Die weitere Herkunft des Wortes, das vielleicht eine verdunkelte Zusammensetzung mit niederd. *hūs* »Haus« ist, ist dunkel. Vgl. den Artikel *Kombüse.*

Kachel: Die nhd. Form des Wortes geht über mhd. *kachel[e]* auf ahd. *chachala* zurück. Bis in die mhd. Zeit hinein bedeutete das Wort ausschließlich »irdener Topf; irdenes Gefäß«. Daraus entwickelte sich dann die heute gültige Bed. »Ofenkachel, Fliese«. Quelle des Wortes ist eine vlat. Nebenform **caccalus* von lat. *caccabus* »Tiegel, Pfanne«, das seinerseits aus griech. *kákkabos* »dreibeiniger Kessel« entlehnt ist. – Zus.: **Kachelofen** (spätmhd. *kacheloven*).

kacken: Das seit dem 15. Jh. bezeugte Verb ist ein – auch in nichtidg. Sprachen verbreitetes – Lallwort der Kindersprache. Elementarverwandt sind z. B. lat. *cacare* »kacken« und russ. *kakat* »kacken«, beachte auch ung. *kakalni* »kacken«.

Kadaver »toter [Tier]körper; Aas«: Das Substantiv wurde im 16. Jh. aus gleichbed. lat. *cadaver* entlehnt, das mit einer ursprünglichen Bed. »gefallener (tot daliegender) Körper« zu lat. *cadere* »fallen« gehört. Über die weiteren Zusammenhänge vgl. den Artikel *Chance.*

Kadenz »das Abfallen der Stimme (am Ende eines Satzes, eines Verses); Akkordfolge als Abschluss eines Tonsatzes«: Das Fremdwort wurde im 16. Jh. aus gleichbed. it. *cadenza* entlehnt, das auf vlat. *cadentia* »das Fallen« zurückgeht. Über das Stammwort lat. *cadere* »fallen« vgl. den Artikel *Chance.*

Kader »erfahrener Stamm (eines Heeres, einer Sportmannschaft)«: Das Fremdwort wurde im 19. Jh. aus gleichbed. frz. *cadre* entlehnt, das eigentlich »Rahmen, Einfassung« bedeutet. Frz. *cadre* seinerseits stammt aus it. *quadro* »viereckig; Viereck; Kader« (< lat. *quadrus;* vgl. *Quader*). Im Sinne von »Gruppe von Personen, die wichtige Funktionen in Partei, Wirtschaft, Staat o. Ä. haben; Mitglied eines solchen Kaders« ist ›Kader‹ Bedeutungslehnwort von russ. *kadr.*

Kadett: Die Bezeichnung für »Zögling einer für Offiziersanwärter bestimmten Erziehungsanstalt« wurde im 18. Jh. aus frz. *cadet* »Offiziersanwärter« entlehnt, das auf gaskognisch *capdet* »kleines Haupt, (kleiner) Hauptmann« (= aprov. *capdel*) zurückgeht und ursprünglich speziell die von der Erbfolge ausgeschlossenen, nachgeborenen Söhne gaskognischer Edelleute bezeichnete, die als Offiziere *(cadets)* in den königlichen Dienst traten (daher dann auch die übertragene Bedeutung von frz. *cadet* »zweitgeboren, jünger«). Später bezeichnete das frz. Wort dann auch allgemein den jungen Adligen, der als »Offiziersanwärter« in den militärischen Dienst eintritt. – Aprov. *capdel* ist hervorgegangen aus lat. *capitellum* »Köpfchen«, einer Verkleinerung von lat. *caput* »Kopf; Spitze; Oberhaupt«. Über weitere Zusammenhänge vgl. den Artikel *Kapital.*

Kadettenkorps ↑Korps.

Kadi: Der »Richter« heißt im Vorderen Orient arab. *qāḍī.* Mit beliebten orientalischen Erzählungen wie ›Tausendundeine Nacht‹ wurde das Wort im 17./18. Jh. entlehnt. Später wurde es von der Umgangssprache als scherzhafte Bezeichnung des Richters aufgenommen.

Kadmium: Der Name des chemischen Grundstoffs ist eine gelehrte nlat. Bildung zu lat. *cadmea, cadmia,* das aus griech. *kadmía, kadmeía* »Zinkerz« entlehnt ist.

Käfer: Der Käfer ist wahrscheinlich nach seinen Mundwerkzeugen als »Kauer, Nager« benannt worden. Mhd. *kever,* ahd. *chevar,* daneben *cheviro,* niederl. *kever,* engl. *chafer* sind auf das Westgerm. beschränkte Substantivbildungen zu einem untergegangenen Verb mit der Bed. »kauen, nagen«, vgl. z. B. mhd. *ki-fe[r]n* »kauen, nagen« (↑²Kiefer). Die bekanntesten Zusammensetzungen mit ›Käfer‹ als Grundwort sind **Hirschkäfer, Maikäfer** und **Mistkäfer.**

K

Kaff (ugs. für:) »armselige Ortschaft, langweiliges, kleines Nest«: Das aus der Gaunersprache stammende Wort geht vermutlich auf zigeunerisch *gāw* »Dorf« zurück.

Kaffee: Die letzte sicher zu ermittelnde Quelle für die Bezeichnung des anregenden Getränks ist arab. *qahwa,* das sowohl »Wein« als auch »Kaffee« bedeuten konnte. Venezianische Kaufleute brachten als Erste den Kaffee mit seinem arab. Namen im 16./17. Jh. aus der Türkei (türk. *kahve*) nach Italien (it. *caffè*) und von dort weiter nach Südwesteuropa (beachte z. B. entsprechend frz. *café,* span. *café*). Auf unabhängiger Entlehnung beruhen hingegen wohl entsprechend niederl. *koffie* und engl. *coffee* (s. auch *Koffein*). Aus dem Engl. oder Niederl. stammt russ. *kofe.* Uns erreichte das Wort im 17. Jh. aus frz. *café,* das in unveränderter Lautform erhalten ist in dem jüngeren, erst Mitte des 18. Jh.s aufgenommenen Fremdwort **Café,** dem Ersatzwort für die ältere, heute noch in Österreich übliche Bezeichnung **Kaffeehaus** (18. Jh.; älter nach engl. Vorbild *Coffeehaus,* für Hamburg im 17. Jh. bezeugt). Engl. Einfluss verdanken wir auch die Bezeichnung für ein »Café oder Restaurant mit Selbstbedienung«, **Cafeteria** (2. Hälfte des 20. Jh.s; aus gleichbed. engl. *cafeteria,* das im amerik. Span. eigentlich »Kaffeegeschäft« bedeutet). – In der Zusammensetzung **Kaffeebohne** steckt als Grundwort arab. *bunn* »Kaffeebohne«, das volksetymologisch zu ›Bohne‹ umgedeutet wurde.

Käfig: Das westgerm. Subst. (mhd. *kevje* »Vogelbauer, Käfig«, ahd. *chevia,* niederl. *kevie*) beruht auf Entlehnung aus lat. *cavea* »Käfig, Behältnis«. – Gleichen Ursprungs ist das aus dem niederd. Sprachbereich aufgenommene Fremdwort ↑Koje.

Kaftan: Der Name des langen Obergewandes, wie es früher zur typischen Tracht der Ostjuden gehörte, geht auf arab. *quftān,* pers. *haftān* »[militärisches] Obergewand« zurück, das in neuerer Zeit durch Vermittlung von türk. *kaftan,* slaw. *kaftan* bei uns eindrang, nachdem schon im 17. Jh. das türk. Wort in seiner Bed. »langes Ehrenkleid (vornehmer Türken)« über frz. *cafetan* entlehnt worden war.

kahl: Das westgerm. Adjektiv mhd. *kal,* ahd. *chalo,* niederl. *kaal,* engl. *callow* ist nicht, wie vielfach angenommen, aus lat. *calvus* »kahl, glatzköpfig« entlehnt, sondern mit der baltoslaw. Sippe von russ. *golyj* »kahl, nackt, bloß« verwandt. Beachte noch aus dem Slaw.-Tschech. *holý* »nackt«, das dem Fremdwort ↑Halunke zugrunde liegt. Abl.: **Kahlheit** (15. Jh.).

Kahn: Das ursprünglich nur mitteld. und niederd. Wort wurde im 16. Jh. durch Luthers Bibelübersetzung hochsprachlich und hat heute gemeinsprachliche Geltung. Mitteld., mnd. *kane* »Boot, kleines Wasserfahrzeug« gehört wahrscheinlich zu der nord. Sippe von aisl. *kani* »Schüssel« und bedeutete dann ursprünglich »[muldenförmiges, trogartiges] Gefäß«. Außergerm. entspricht vermutlich mir. *gann* »Gefäß«. – Umgangssprachlich wird Kahn auch im Sinne von »Bett« und »Gefängnis« gebraucht.

Kai: Die Bezeichnung für den gemauerten Uferdamm wurde im 17. Jh. aus niederl. *kaai* entlehnt, das wie gleichbed. engl. *quay* auf frz. *quai* zurückgeht. Das Wort ist kelt. Ursprungs, vgl. kymr. *cae* »Gehege«, mittelbretonisch *kae* »Dornenhecke, Zaun«, gall. *caio-* »Umwallung«, und mit dt. ↑Hag verwandt.

Kaiser: Das altgerm. Substantiv (mhd. *keiser,* ahd. *keisar,* got. *kaisar,* niederl. *keizer,* aengl. *cāsere*) ist vermutlich das älteste lat. Lehnwort im Germanischen. Es geht auf den Beinamen des römischen Diktators C. Julius Caesar zurück, der von den Germanen als Gattungsname für ›Herrscher‹ übernommen wurde. Die Entlehnung fällt in eine Zeit (bereits vor Christi Geburt), in der das ae im Lat. noch diphthongisch gesprochen wurde (das got. *kaisar* kann indessen auch auf dem aus dem Lat. entlehnten griech. *Kaĩsar* beruhen). Das Wort lebt in diesem Sinne nicht in den roman. Sprachen, die stattdessen für »Herrscher« lat. *imperator* übernommen haben (vgl. z. B. frz. *empereur* »Kaiser«). Beachte in diesem Zusammenhang auch die slaw. Sippe von russ. *car'* »Zar, Kaiser« (daraus unser Fremdwort **Zar** für den ehemaligen Herrschertitel bei Russen, Serben und Bulgaren), entsprechend bulg. *car,* deren Quelle aslaw. **cěsarь* »Kaiser« ist, das seinerseits wohl unmittelbar aus got. *kaisar* stammt. – Vgl. auch den Artikel *Kaiserschnitt.*

Kaiserschnitt: Bei dem römischen Schriftsteller Plinius findet sich der wohl legendäre Versuch einer Deutung des altrömischen Namens ›Caesar‹ (vgl. den Artikel *Kaiser*). Danach soll der erste Träger dieses Namens bei der Geburt aus dem Leib seiner Mutter herausgeschnitten worden sein (zu lat. *caedere, caesum* »schlagen, hauen; herausschneiden«). Aufgrund dieser Legende prägte man in der mittelalterlichen Medizin für die operative Entbindung (die notwendig wird, wenn der natürliche Geburtsvorgang nicht möglich ist) die Bezeichnung mlat. *sectio caesarea* »cäsarischer Schnitt«. Dieser Terminus lebt in den modernen europäischen Sprachen fort (vgl. z. B. entsprechend engl. *Caesarian section* und frz. *césarienne*). Im Deutschen kamen dafür die Lehnübersetzungen ›kaiserlicher Schnitt‹ (18. Jh.) und ›Kaiserschnitt‹ (17. Jh.) auf, von denen sich die Letztere durchsetzte.

Kajak: Die Bezeichnung für ein »ein- oder mehrsitziges Sportpaddelboot« wurde im 17. Jh. aus der Sprache der Inuit entlehnt, wo das Wort ein einsitziges Männerboot bezeichnet (im Gegensatz zum Umiak, dem mehrsitzigen, offenen Frauenboot).

Kajüte »Wohn- und Schlafraum auf Schiffen«: Das

K

aus der nordd. Seemannssprache ins Hochd. übernommene Substantiv geht auf mnd. *kajūte* »Wohnraum an Bord eines Schiffes« zurück, dessen weitere Herkunft trotz aller Deutungsversuche unsicher ist.

Kakadu: Der Name der Papageienart wurde im 17. Jh. aus niederl. *kakatoe (kaketoe)* entlehnt, das seinerseits aus malai. *kaka[k]tua* stammt. Das malai. Wort ist wohl lautmalenden Ursprungs.

Kakao: Der Name der tropischen Frucht des Kakaobaumes und des aus ihr bereiteten Getränks ist seit dem Ende des 16. Jh.s bezeugt. Er ist wie u. a. auch ↑Mais, ↑Schokolade, ↑Tabak und ↑Tomate mittelamerik. Ursprungs (aztekisch *cacauatl*) und wurde den Europäern durch span. *cacao* vermittelt.

Kakao

jmdn. durch den Kakao ziehen
(ugs.) »jmdn. veralbern, lächerlich machen«
Bei ›Kakao‹ handelt es sich wahrscheinlich um einen verhüllenden Ausdruck für ›Kacke‹, sodass die Wendung als »jmdn. durch die Kacke (= Kot, Dreck) ziehen« aufzufassen ist.

Kakerlak »Küchenschabe«: Das seit dem 16. Jh. bezeugte Wort stimmt in der Lautung zu niederl. *kakkerlak* – woraus frz. *cancrelat* stammt –, das allerdings wesentlich später belegt ist. Der Zusammenhang mit dem u. a. auch im Engl. als *cockroach* vertretenen, gleichbedeutenden span. *cucaracha* ist unklar.

kako..., Kako...: Quelle für das Bestimmungswort von Zusammensetzungen mit der Bedeutung »schlecht, übel, miss...«, wie in ›Kakophonie‹, ist das gleichbedeutende griech. Adjektiv *kakós*, dessen weitere Herkunft dunkel ist.

Kaktus: Der Name der [stachligen] dickfleischigen Pflanze ist eine gelehrte Entlehnung des 18. Jh.s aus lat. *cactus* »Stachelartischocke«, das seinerseits aus griech. *káktos* (eine Distelart) übernommen ist. Die Herkunft des griech. Wortes ist dunkel. – Neben ›Kaktus‹ ist auch die Form **Kaktee** gebräuchlich.

Kalamität »[schlimme] Verlegenheit, Übelstand, Notlage«: Das Fremdwort wurde im 17. Jh. aus lat. *calamitas* »Schaden, Unglück« entlehnt, das wohl im Sinne von »Schlag« zu der unter ↑Holz dargestellten Sippe der idg. Wurzel **kel-* »schlagen, hauen« gehört.

Kalauer »fauler [Wort]witz«: Die seit 1858 bezeugte Bezeichnung ist wohl eine Umformung von frz. *calembour* »Wortspiel« nach dem Namen der niederlausitzischen Stadt Kalau.

Kalb: Die Vorgeschichte des gemeingerm. Wortes für »neugeborenes bzw. junges Rind« ist nicht mit Sicherheit zu klären. Mhd. *kalp*, ahd. *chalp*, got. *kalbō*, engl. *calf*, schwed. *kalv* stehen im Ablaut zu der Sippe von dt. mdal. *Kilber* »weibliches Lamm« (ahd. *chilburra*) und stellen sich – dem Anlaut nach – zu der unter ↑Kolben dargestellten idg. Wurzel **gelbh-* »[sich] ballen, klumpig werden, schwellen« (mutmaßliche Bedeutungsentwicklung: »Schwellung« zu »Mutterleib, Leibesfrucht«). Dagegen gehört das Wort – der Stammbildung und der Bedeutung nach – besser zu idg. **gᵘelbh-* »Gebärmutter; Mutterleib; Leibesfrucht; Junges«, vgl. z. B. aind. *gárbha-ḥ* »Mutterleib; Leibesfrucht«. Abl.: **kalbern, kälbern** »herumalbern, Späße treiben« (16. Jh.; eigentlich »wie ein junges Kalb umhertollen«). Zus.: **Kalbsnuss** (↑Nuss).

Kalb

das Goldene Kalb anbeten
(geh.) »die Macht des Geldes anbeten, von Geldgier erfüllt sein«
Das Goldene Kalb ist Sinnbild für Geld und Reichtum. Die Wendung bezieht sich auf die Bibelstelle 2. Moses 32, nach der die Israeliten allen Schmuck für das Goldene Kalb opferten, das sie dann umtanzten und anbeteten.

Kaldaune »Eingeweide; essbare Innereien bes. vom Rind«: Das seit mhd. Zeit (mhd., mniederd. *kaldūne*) bezeugte Wort ist aus mlat. *calduna, caldumen* »Eingeweide« entlehnt, das vermutlich zu lat. *cal[i]dus* »warm« gehört und demnach die warmen, dampfenden Teile frisch geschlachteter Tiere meint.

Kaleidoskop »Guckkasten mit bunten Glassteinchen oder Kunststoffstückchen, die sich beim Drehen zu verschiedenen Mustern und Bildern ordnen«, auch übertragen im Sinne von »lebendig-bunte Bilderfolge«: Das Fremdwort ist eine gelehrte Neubildung des 19. Jh.s zu griech. *kalós* »schön«, *eĩdos* »Gestalt, Bild« und *skopeĩn* »betrachten, schauen«, nach dem Vorbild von Fremdwörtern wie ›Mikroskop‹. Das Wort bedeutet also eigentlich etwa »Schönbildschauer«.

Kalender »Zeitweiser durchs Jahr«: Das Substantiv wurde im 15. Jh. aus gleichbed. mlat. *calendarius* entlehnt. Dies steht für lat. *calendarium* »Schuldbuch« (nach den am Monatsersten fälligen Zahlungen), das zu lat. *Calendae* »der erste Tag des Monats« gehört. Lat. *Calendae* ist wohl eine Bildung zu lat. *calare* »rufen« und bedeutet demnach eigentlich »das Ausrufen«, weil an diesem Tag Termine o. Ä. durch einen Priester ausgerufen wurden.

Kalesche: Die Bezeichnung für eine leichte, vierrädrige Kutsche wurde im 17. Jh. – anfangs auch in den Formen Kolesse, Kalesse – aus tschech. *kolesa*, poln. *kolaska* »Räderfahrzeug« entlehnt. Letzterem liegt poln. *koło* »Rad« zugrunde, das zur idg. Sippe von ↑Hals gehört.

Kalfakter, Kalfaktor: Das im 16. Jh. in der Schülersprache aufgekommene, aus mlat. *cal[e]factor* »Warmmacher« entlehnte Wort bezeichnete ursprünglich den mit dem Einheizen der Öfen betrauten Schüler, Hausmeister usw. Von dort ging das Wort in den allgemeinen Gebrauch über und wurde zur leicht abwertenden Bezeichnung für jemanden, der niedere Hilfsdienste verrichtet. In Mundartbereichen gilt es daneben auch übertragen im Sinne von »Nichtstuer, Schmeichler, Aushorcher«. Mlat. *cal[e]factor* ist abgeleitet von lat. *cal[e]facere* »warm machen, einheizen«, das auch die Quelle ist für die Fremdwörter ↑Chauffeur, chauffieren. Über weitere Zusammenhänge vgl. den Artikel *Fazit*.

kalfatern ↑Klabautermann.

Kaliber »lichte Weite von Rohren; Durchmesser«, in der Umgangssprache auch übertragen im Sinne von »Art, Schlag«: Das Substantiv wurde als militärischer Fachausdruck zu Beginn des 17. Jh.s aus gleichbed. frz. *calibre* entlehnt, das seinerseits aus arab. *qālib* »Schusterleisten; (allgemein:) Form, Modell« stammt. Voraus liegt – wie auch für türk. *kalıp* »Form, Modell« (> russ. *kalyp'* »Gießform«) – das griech. Substantiv *kālopódion* »Schusterleisten« (eigentlich »Holzfüßchen«), Verkleinerung von *kāló-pous* »Holzfuß«.

Kalif: Der Titel morgenländischer Herrscher wurde bereits in mhd. Zeit aus arab. *ḫalīfa*[h] »Nachfolger, Stellvertreter (insbesondere des Propheten Mohammed)« entlehnt. Dies ist eine Bildung zum Verb arab. *ḫalafa* »nachfolgen«.

Kalk: Das westgerm. Substantiv (mhd. *kalc* »Kalk; Tünche«, ahd. *kalk*, niederl. *kalk*, aengl. *cealc* »Kalk; Tünche« > engl. *chalk* »Kreide«) beruht auf früher Entlehnung aus lat. *calx (calcem)* »Spielstein; Kalkstein, Kalk«, das mit griech. *chálix* »kleiner Stein, Kies; Kalkstein, ungebrannter Kalk« verwandt oder auch aus diesem entlehnt ist. Der den Germanen vertraute Baustoff war der Lehm. Den Kalk lernten sie erst von den Römern kennen, und zwar zusammen mit anderen Ausdrücken aus dem Bereich des Stein- und Mauerbaues (vgl. zum Sachlichen den Artikel *Fenster*). – Zu lat. *calx* gehört die Verkleinerungsform *calculus* »Steinchen; Spielstein, Rechenstein«, die Ausgangspunkt für unsere Fremdwörter ↑kalkulieren, Kalkül ist.

kalkulieren »[be]rechnen, veranschlagen; überlegen, meinen«: Das Wort wurde als Ausdruck der Kaufmannssprache im 16. Jh. aus lat. *calculare* »mit Rechensteinen rechnen, berechnen« entlehnt. Das zugrunde liegende Substantiv lat. *calculus* »Steinchen, Rechenstein; Rechnung, Berechnung«, das als Verkleinerungsform zu lat. *calx* »Spielstein; Kalk[stein]« gehört (vgl. hierüber den Artikel *Kalk*), erscheint in dt. Texten des 17. Jh.s als ›Calculus‹ und ›Kalkul‹ im Sinne von »Berechnung«. In neuerer Zeit wurde es jedoch abgelöst von dem aus frz. *calcul* (einer Bildung zu frz. *calculer* »[aus-, be]rechnen« < lat. *calculare*) entlehnten Substantiv **Kalkül** »Berechnung, Überschlag«.

Kalorie: Die Bezeichnung für »Wärmeeinheit; Maßeinheit für den Energieumsatz des Körpers« ist eine gelehrte Neubildung des 20. Jh.s zu lat. *calor (caloris)* »Wärme, Hitze, Glut«, das zu lat. *calere* »warm, heiß sein, glühen« (urverwandt mit dt. ↑lau) gehört. – Beachte in diesem Zusammenhang noch die Fremdwörter ↑Kalfakter und ↑Chauffeur, chauffieren (denen die lat. Zusammensetzung *cal[e]facere* »warm machen, einheizen« zugrunde liegt).

kalt: Das gemeingerm. Adjektiv mhd., ahd. *kalt*, got. *kalds*, engl. *cold*, schwed. *kall* ist eigentlich das in adjektivische Funktion übergegangene 2. Partizip eines im Dt. untergegangenen starken Verbs, vgl. z. B. aengl. *calan*, aisl. *kala* »abkühlen, frieren«. Im Ablaut dazu steht die unter ↑kühl behandelte Sippe. Die gesamte germ. Wortgruppe gehört mit verwandten Wörtern in anderen idg. Sprachen – vgl. z. B. lat. *gelare* »gefrieren« (↑Gelee) – zu einer Wurzel **gel-* »abkühlen, [ge]frieren«, die vermutlich mit idg. **gel-* »[sich] ballen, klumpig werden« (↑Kolben) ursprünglich identisch war. – Abl.: **Kälte** »niedrige [Außen]temperatur« (mhd. *kelte*, ahd. *chaltī*); **erkalten** (mhd. *[er]kalten*, ahd. *[ir]kaltēn* »kalt werden«); **erkälten** »sich durch Kälteeinwirkung eine Infektion der oberen Luftwege zuziehen, Schnupfen, Husten bekommen« (mhd. *[er]kelten* »kalt machen«), dazu **Erkältung** (18. Jh.).

Kamel: Der Name des zu den wiederkäuenden Paarhufern gehörenden Wüsten- und Steppentieres geht auf griech. *kámēlos* »Kamel« zurück, das selbst semit. Ursprungs ist (beachte arab. *ǧamal* »Kamel«). Die frühsten Belege des Wortes im Deutschen (mhd. *kembel, kem[m]el, kamel*) weisen auf unmittelbare Entlehnung (im Verlauf der Kreuzzüge) aus griech.-mgriech. *kámēlos* hin. Die heute übliche Form des Wortes und die Endbetonung beruhen auf gelehrter Angleichung an lat. *camelus*. – In der biblischen Redensart »Eher geht ein Kamel durch ein Nadelöhr ...« steht ›Kamel‹ nicht für griech. *kámēlos* »Kamel«, sondern für *kámilos* »Tau, Seil«.

Kamelie: Die Zierpflanze wurde im 19. Jh. zu Ehren des Brünner Jesuitenpaters und Missionars Georg Josef Kámel benannt, der diese Pflanze aus Japan nach Europa brachte.

Kamelle

alte/olle Kamellen
(ugs.; abwertend) »altbekannte Geschichten, längst Bekanntes«
›Kamelle‹ ist die niederd. Form von ›Kamille‹. Mit ›alten Kamellen‹ sind also Kamillenblüten gemeint, die zu lange gelagert worden sind und keine Heilwirkung mehr haben. Die Fügung wurde durch Fritz Reuters Erzählung ›Olle Kamellen‹ (1859 ff.) allgemein bekannt.

Kamellen ↑Kamille.

Kamera »fotografisches Aufnahmegerät«: Das seit dem 19. Jh. bezeugte Substantiv ist aus nlat. *Camera obscura* (wörtlich »dunkle Kammer«) gekürzt, dem im 17. Jh. aufkommenden Namen jenes optischen Instrumentes, aus dem sich der moderne Fotoapparat entwickelt hat und das nach der hinter dem Objektiv gelegenen »lichtdichten Kammer« (= lat. *camera;* vgl. *Kammer*) benannt ist.

Kamerad: Zu it. *camera,* das wie dt. ↑Kammer auf lat. *camera* »Gewölbe, gewölbte Decke eines Zimmers; Raum mit gewölbter Decke« zurückgeht, stellt sich als Kollektivbildung it. *camerata* »Kammergemeinschaft, Stubengenossenschaft; Genosse, Gefährte«. Auf dieses Wort geht frz. *camerade* »Genosse, Gefährte« zurück, das im 16. Jh. ins Dt. entlehnt wurde (die frz. Hauptform *camarade* geht auf gleichbed. span. *camarada* zurück).

Kamille: Der Name der zu den Korbblütlern gehörenden Heilpflanze (mhd. *gamille, kamille*), deren getrocknete Blüten zu Aufgüssen und zur Bereitung von Tee verwendet werden, beruht auf Entlehnung und Kürzung aus mlat. *camomilla.* Dies geht über lat. *chamaemelon* auf griech. *chamaímēlon* »Kamille« zurück, das wörtlich etwa »Erdapfel« bedeutet (zu griech. *chamaí* »am Boden, an der Erde« und griech. *mēlon* »Apfel«). Der Name soll sich auf den apfelähnlichen Duft der Blüten beziehen.

Kamin »offene Feuerstelle in Wohnräumen«: Das Substantiv (mhd. *kámīn, kémīn,* ahd. *kémīn* »Schornstein; Feuerstätte«) ist aus lat. *caminus* »Feuerstätte, Esse, Herd, Kamin« entlehnt, das seinerseits aus griech. *káminos* »Schmelzofen; Bratofen« übernommen ist. – Im süddeutschen Raum gilt das Wort ›Kamin‹ auch noch für »Schornstein«, beachte die Zusammensetzung **Kaminfeger.**

Kamm: Der Name des zum Ordnen und Stecken der Haare dienenden Gerätes mhd. *kam[p],* ahd. *kamb,* niederl. *kam,* engl. *comb,* schwed. *kam* bedeutet eigentlich »Zähne« (kollektiv). Das altgerm. Wort beruht mit Entsprechungen in anderen idg. Sprachen auf idg. **ĝombho-s* »Zahn«, vgl. z. B. aind. *jámbha-ḥ* »Zahn«, griech. *gómphos* »Zahn, Pflock, Nagel« und russ. *zub* »Zahn«. Das idg. Substantiv ist eine Bildung zu der Verbalwurzel **ĝembh-* »beißen, zermalmen« und bedeutet demnach eigentlich »Zermalmer, Beißer«. – Wegen der Ähnlichkeit mit der Form eines Kammes spricht man auch vom ›Hahnenkamm, Bergkamm‹ (beachte auch die Zusammensetzungen ›Kammwanderung, Traubenkamm‹ und dgl.). – Vgl. auch den Artikel *Kimme.*

Kamm

alles über einen Kamm scheren
»alles gleich behandeln und dabei wichtige Unterschiede nicht beachten«
Die Wendung bezieht sich wohl darauf, dass der Bader für alle Kunden denselben Kamm benutzte.

Kammer: Das Wort kam schon früh mit dem römischen Steinbau zu den Germanen. Mhd. *kamer[e]* »Schlafgemach; Vorratskammer; Schatzkammer; öffentliche Kasse; Gerichtsstube usw.«, ahd. *chamara,* entsprechend niederl. *kamer* gehen auf lat.(-gemeinroman.) *camera* »gewölbte Decke, Zimmerwölbung; Gemach mit gewölbter Decke, Kammer« zurück, das seinerseits aus gleichbed. griech. *kamárā* entlehnt ist. Schon in den älteren Sprachzuständen haben sich aus der allgemeinen Bedeutung des Wortes »kleines, abgeteiltes Gemach des Hauses« zahlreiche spezielle Bedeutungen entwickelt, die sich in den Zusammensetzungen widerspiegeln, beachte z. B. ›Schlafkammer, Vorratskammer, Schatzkammer, Waffenkammer, Volkskammer, Kammergericht, Zivilkammer, Strafkammer‹. Schon in alter Zeit bezeichnete das Wort auch speziell die fürstlichen Wohnräume. Daran erinnern Zusammensetzungen wie **Kammerherr, Kammerdiener, Kammergut** (eigentlich »Domäne des Fürsten als Landesherrn«), **Kammerjäger** (ursprünglich »fürstlicher Leibjäger«, seit dem 17. Jh. scherzhafte Bezeichnung des gewerbsmäßigen Rattenfängers, danach heute »berufsmäßiger Vertilger von Ungeziefer«), **Kammermusik** (ursprünglich »die in den fürstlichen Gemächern dargebotene Musik«; danach heute Bezeichnung jeder für eine kleine solistische Gruppe bestimmten Kunstmusik, im Gegensatz zur Orchestermusik), dazu **Kammersänger** (heute als Titel für hervorragende Sänger). – Abl.: **Kämmerer** (mhd. *kamerære, kamerer,* ahd. *chamarāri;* das Wort bezeichnete im Mittelalter einen fürstlichen Hofbeamten, speziell den Aufseher über die Vorrats- und Schatzkammer; danach gilt es heute als Bezeichnung für den Leiter des [städtischen] Finanzwesens, beachte dazu die Zusammensetzung ›Stadtkämmerer‹). – Auf lat. *camera,* das auch die Quelle für unser Fremdwort ↑Kamera ist, beruhen aus dem roman. Sprachbereich z. B. it. *camera* »Kammer; [Schlaf]zimmer« (dazu it. *camerata* »Kammergemeinschaft, Stubengenossenschaft«; vgl. *Kamerad*) und entsprechend frz. *chambre* »[Schlaf]zimmer; Kammer usw.«. Vgl. auch den Artikel *Kabarett.*

Kampagne: Zu lat. *campus* »[flaches] Feld« (vgl. *Kampf*) stellt sich das Adjektiv spätlat. *campaneus [-ius]* »zum flachen Land gehörig«. Dessen substantivierter Neutr. Plur. spätlat. *campania* »flaches Land, Blachfeld« erscheint im It. als *campagna* und wird von dort ins Frz. als *campagne* »Ebene« übernommen. Daraus wurde im 17. Jh. unser Fremdwort ›Kampagne‹ entlehnt, zuerst mit der Bed. »Feldzug«, wie sie im übertragenen Sinn heute noch in Zusammensetzungen wie ›Presse-, Wahlkampagne‹ zum Ausdruck kommt. In der Kaufmannssprache entwickelte ›Kampagne‹ im 19. Jh. die Bed. »Geschäftszeit, Saison«.

K

Die Zeit des Rittertums

Das Lehnswesen

Das germanische Heer und auch die Streitmacht der fränkischen Könige wurde von den freien Männern des Reiches gebildet. In der Zeit vom 8. bis zum 10. Jahrhundert hatte sich das Kriegswesen in Europa gewandelt. Das Aufgebot aller Freien, das das Heer des Herrschers bildete, war durch ein schwer bewaffnetes und berittenes Berufskriegerheer ersetzt worden. Die Soldaten gingen also nach einer kriegerischen Auseinandersetzung nicht mehr nach Hause, sondern blieben in der Nähe ihres Dienstherrn oder auf einer ihm gehörenden Burg. Das Leben auf einer solchen Burg und der besondere Stand, dem sie angehörten, trennte sie aber immer mehr von der übrigen Bevölkerung ab.

Der Graf, Fürst oder Herzog, der Dienstherr dieser Soldaten war, hatte seinerseits eine Treueverpflichtung gegenüber dem Kaiser des Deutschen Reiches. Er war *Vasall* (mittelhochdeutsch *vassal* »Gefolgsmann«, aus gleichbedeutend altfranzösisch *vassal*) des Kaisers und musste eine Anzahl eigener Vasallen für dessen Heer zur Verfügung stellen.

Der Kaiser entlohnte seine Vasallen mit Landbesitz, dem *Lehen* (eine Bildung zum Verb *leihen*). Hiervon mussten diese dann ihren eigenen Leuten Teile als Belohnung abtreten.

Im Heer leisteten jetzt auch immer öfter unfreie Dienstleute, etwa Gutsverwalter, ihren Dienst. Sie waren nicht – wie die übrigen Vasallen – adliger Herkunft. Diesen *Ministerialen* (lateinisch *ministerialis* »kaiserlicher Beamter«, zu lateinisch *minister* »Diener«, vergleiche unser Fremdwort *Minister*) war durch den Waffendienst zu Pferde, der als äußerst ehrenvoll angesehen wurde, die Möglichkeit gegeben, Karriere zu machen. Denn auch die Adelsrechte wurden jetzt auf sie ausgedehnt. Sie erhielten Lehen, die ihnen feste Einkünfte sicherten. Aus den »kleinen« Vasallen und den Ministerialen bildete sich vom 11. Jahrhundert an eine neue soziale Schicht, der Stand der *Ritter*.

Das mittelhochdeutsche Wort *ritter* wurde im 12. Jahrhundert aus dem Mittelniederländischen (aus dem Niederländischen etwa in der Zeit von 1200 bis 1500) übernommen. Mittelniederländisch *riddere*, das zum Verb *rijden* »reiten« gehört, ist eine Lehnübersetzung von französisch *chevalier* »Ritter«.

Die höfische Dichtung

Besonders die Erfolge auf den Kreuzzügen (Ende des 11. bis Ende des 13. Jahrhunderts) machten das europäische Rittertum sehr selbstbewusst. Dichter aus dem Stande der Ritter begannen, von den großen Taten ihrer Standesgenossen zu erzählen. Die ersten großen Dichtungen des Rittertums entstanden in Frankreich. Bald darauf gab es auch in Deutschland eine blühende ritterliche Dichtkunst.

Es versteht sich von selbst, dass eine gesellschaftliche und kulturelle Entwicklung, wie sie sich uns im Rittertum zeigt, auch auf den Wortschatz Einfluss genommen hat. Bereits in der Sprache vorhandene Wörter wurden mit neuen Bedeutungen versehen, die die Lebensführung und die Ideale der Ritter bezeichneten, so z. B. *Tugend* (mittelhochdeutsch *tugent* »edle, feine Sitte«), *Zucht* (mittelhochdeutsch *zuht* »Anstand«), *edel* (ursprünglich »adlig, vornehm«).

Dichter wie etwa **Hartmann von Aue, Wolfram von Eschenbach, Gottfried von Straßburg** und **Walther von der Vogelweide** bemühten sich, so zu schreiben, dass sie möglichst in allen Landschaften des Reiches verstanden wurden, auch im niederdeutschen Gebiet. Sie ließen deshalb alle die Wörter weg, die im Norden niemand verstanden hätte oder umgekehrt niemand im Süden. Wir können also auch hier einen gewissen überregionalen Sprachausgleich feststellen, wenn auch nur in der Sprache des Adels.

Auf diese Weise entstand die mittelhochdeutsche höfische Dichtersprache. Die Ritter unterhielten sich jedoch untereinander keineswegs in dieser Sprache. Wie die übrige Bevölkerung benutzten sie im Gespräch ihre Mundart.

Der Einfluss des Französischen auf die höfische Dichtersprache

Das Rittertum in Frankreich und in Flandern war das Vorbild für die deutschen Ritter und Dichter. Mit den äußeren gesellschaftlichen Formen, die die deutschen Ritter übernahmen, gelangten jetzt auch viele Wörter aus dem Altfranzösischen (aus dem Französischen des 11. bis 13. Jahrhunderts) ins Mittelhochdeutsche. Sehr oft kamen diese Wörter über das Mittelniederländische zu uns, da sie bereits von den Rittern in Flandern und Brabant übernommen worden waren. Die meisten dieser Fremdwörter sind nach der Zeit des Rittertums aus der deutschen Sprache wieder verschwunden. Einige jedoch sind in den allgemeinsprachlichen Bereich übergegangen und begegnen uns heute noch.

Auf ins Turnier

Von den Wettkämpfen und Kampfspielen der Ritter kennen wir heute noch Wörter wie *Turnier* (gebildet zum altfranzösischen Verb *turnier* »am Turnier teilnehmen«), *Lanze* (altfranzösisch *lance*), *Panzer* (altfranzösisch *pancier*), *Visier* (französisch *visière*), *Preis* (mittelhochdeutsch *prīs* »Kampfpreis«, altfranzösisch *pris*).

Unserem Wort *hurtig* sehen wir heute gar nicht mehr an, dass es auch aus der ritterlichen Turniersprache kommt. Mittelhochdeutsch *hurtec* ist zum Substantiv *hurt* »Stoß, Anprall« gebildet, das vom altfranzösischen *hurt* herkommt. Das dazu gehörende französische Verb *heurter* wurde ins Englische entlehnt und dort zum Verb *to hurt* »verletzen«.

Beim Turnier konnte es auch vorkommen, dass ein Ritter mit der Lanze am Gegner vorbeistieß. Für dieses Nichttreffen hatten die französischen Ritter den Ausdruck *faillir.* Die deutschen Ritter, die dieses Wort auf den Turnierplätzen in Brabant oder Flandern oft hörten, übernahmen es bald und formten es um zu mittelhochdeutsch *vælen, vēlen,* das schließlich unser *fehlen* ergab.

»Ritterliche« Ritter

Die deutschen Ritter nahmen sich auch das ritterliche Benehmen und den höfischen Anstand der Franzosen zum Vorbild. Denn wer nach einem Turnier, in dem viele berühmte in- und ausländische Teilnehmer um Ruhm und Ehre gekämpft hatten, an einem großen Hof in festlicher *Tafelrunde* saß, der musste schon gute *Manieren* haben (aus altfranzösisch *manière* »Art und Weise«). Das mittelhochdeutsche *tavelrunde* hatte Wolfram von Eschenbach dem französischen *table ronde* nachgebildet. Es war die Bezeichnung für die Tischgesellschaft bei König Artus und bedeutet eigentlich »runder Tisch«. Denn der Tisch, an dem bei König Artus gespeist wurde, war rund, damit kein Ritter einen besseren Platz als ein anderer haben sollte.

Gute Manieren musste ein Ritter besonders dann an den Tag legen, wenn er auf einem Fest mit einer edlen Dame einen *Tanz* (aus altfranzösisch *danse*) wagen wollte. Andernfalls war er nicht *fein* (aus altfranzösisch *fin*) und wurde als *Tölpel* verspottet. Dieses Wort ist im frühen Neuhochdeutschen wohl mittelhochdeutsch *törper, dorpære* »unhöflicher Mensch« angelehnt worden. Das Wort stammt aus mittelniederdeutsch *dorper* (zu *dorp* »Dorf«). Es ist dem altfranzösischen *vilain* »Dorfbewohner« nachgebildet. Dieses Wort bezeichnete in der altfranzösischen Ritterdichtung den nicht vornehmen, ungehobelten

Menschen, der mit seinem bäurischen Benehmen im Gegensatz zum vornehmen Ritter stand.

In der Kleidermode war als Stoff *Samt* führend geworden. Französische Ritter hatten ihn während der Kreuzzüge in der Türkei kennen gelernt. Sie nannten ihn *samit,* mittelhochdeutsch wurde daraus *samît,* später unser *Samt,* das früher auch *Sammet* geschrieben wurde.

Aus dem Französischen wurden auch die Namen der damals beliebten Musikinstrumente *Posaune* (mittelhochdeutsch *busûne, busîne,* altfranzösisch *buisine*), *Flöte* (mittelhochdeutsch *vloite,* altfranzösisch *flaüte*) und *Schalmei* (mittelhochdeutsch *schalemie,* altfranzösisch *chalemel[l]e*) übernommen.

Im Bau- und Wohnungswesen wurden zu dieser Zeit aus dem Französischen die Wörter *Palast* (mittelhochdeutsch *palas,* altfranzösisch *palais*), *Pavillon* (mittelhochdeutsch *pavelûn[e],* altfranzösisch *pavillon* »Zelt«), *Turm* (mittelhochdeutsch *turm, turn,* über eine altfranzösische Form, die nicht schriftlich überliefert ist, zu lateinisch *turris,* Akkusativ: *turrem*) entlehnt.

-ieren, -ei, -lei

Wie stark der Einfluss der französischen Sprache auf das Deutsche im 12. und 13. Jahrhundert war, können wir daran sehen, dass nicht nur Wörter übernommen worden sind, sondern sogar bestimmte Wortbildungselemente. Zuerst gelangten mit Wörtern wie *turnieren* (altfranzösisch *tornier*) und *kurtoisîe* (altfranzösisch *courtoisie*) die französischen Endungen *-ier* und *-ie* in unsere Sprache. Dann wurden sie im Deutschen an lateinische Wörter angehängt (lateinisch *disputare* wird so zu mittelhochdeutsch *disputieren*), bald aber auch an deutsche Wörter wie mittelhochdeutsch *hovieren* (zu mittelhochdeutsch *hof* »[Königs]hof«), *stolzieren* (zu *stolz* »hochmütig«), *ketzerîe* (zu *ketzer* »Irrgläubiger«), *zouberîe* (zu *zouber* »Zauber«). Die Betonung auf der letzten Silbe bei den Substantiven auf *-îe* (heute auf *-ei*) zeigt deutlich die fremde Herkunft dieser Ableitungssilbe.

Auch die Nachsilbe *-lei* (z. B. in *einerlei, dreierlei, mancherlei*) ist aus dem Französischen entlehnt. Sie wurde im Mittelhochdeutschen in Verbindungen wie *aller leie* »allerlei«, *maneger leie* »mancherlei« gebraucht. Sie stammt von altfranzösisch *ley* »Art«, das selbst auf lateinisch *lex* (Akkusativ: *legem*) »Gesetz, Vorschrift« zurückgeht.

Kämpe »Kämpfer, alter Haudegen«: Das im 18. Jh. aus dem Niederd. ins Hochdeutsche übernommene Substantiv geht auf mnd. *kempe, kampe* »Kämpfer, Held« zurück, das mhd. *kempfe* »Wett-, Zweikämpfer« entspricht (vgl. Kämpfer unter *Kampf*).

Kampf: Das westgerm. Substantiv (mhd. *kampf* »Zweikampf; Kampfspiel; Kampf«, ahd. *champf,* mnd. *kamp,* aengl. *camp* »Feld; Kampf, Streit«; die nord. Sippe von entsprechend schwed. *kamp* stammt aus dem Mnd.) beruht wohl auf Entlehnung aus lat. *campus* »Feld; Schlachtfeld«. – Abl.: **kämpfen** (mhd. *kempfen,* ahd. *chamfan,* mnd. *kempen* »einen Zweikampf bestehen, kämpfen«); **Kämpfer** (spätmhd. *kempfer;* für mhd. *kempfe* »Zweikämpfer, Kämpfer, Streiter«, auf dessen mnd. Entsprechung *kempe* unser Substantiv ↑Kämpe beruht). – Zu lat. *campus* als Stammwort gehören zahlreiche Fremdwörter in unserem Wortschatz, beachte ↑Camp (campen, Camping), ↑Champignon, ↑kampieren, ↑Kampagne.

Kampfer: Der Name des aus dem Holz des ostasiatischen Kampferbaumes destillierten und vorwiegend für medizinische Zwecke verwendeten Stoffes (mhd. *kampfer*) führt über mlat. *camphora* auf arab. *kāfūr* »Kampferbaum« und weiter auf gleichbed. aind. *karpū́ra-h* zurück.

K

kampieren »[im Freien] lagern, übernachten«: Das Verb wurde in der Zeit des Dreißigjährigen Krieges in der Soldatensprache aus gleichbed. frz. *camper* entlehnt, einer Ableitung von frz. *camp* »Feldlager«. Voraus liegt it. *campo* »Feld; Feldlager«, das wie gleichbed. frz. *champ* auf lat. *campus* »Feld« zurückgeht. Über weitere Zusammenhänge vgl. den Artikel *Kampf.*

Kanal: Zu lat. *canna* »kleines Rohr, Schilfrohr, Röhre« stellt sich die Bildung lat. *canalis* »Röhre, Rinne, Wasserlauf, Kanal«, auf das it. *canale* zurückgeht. Dies wurde im 15. Jh. mit den Bedeutungen »Leitungsröhre; künstlich ausgegrabener Wasserlauf; Schifffahrtskanal« ins Dt. entlehnt. Unmittelbar aus lat. *canalis* stammt hingegen ahd. *kánăli* »Röhre, Rinne«, das in gleichbed. mhd. *kanel, kenel, känel* und in Mundartformen wie ›Kännel‹ und ›Kandel‹ fortlebt. – Abl.: **Kanalisation** »System von Rohrleitungen und Kanälen zum Abführen von Abwässern; Ausbau von Flüssen zu schiffbaren Kanälen« und **kanalisieren** »mit einer Kanalisation versehen; schiffbar machen; in eine bestimmte Richtung lenken«. Beide Wörter sind junge Bildungen des 19. Jh.s. – Lat. *canna* geht zurück auf griech. *kánna* »Rohr, Rohrgeflecht«, das selbst wohl aus babyl.-assyr. *qanū* »Rohr« (< sumer.-akkad. *gin* »Rohr«) entlehnt ist. Dazu gehören auch die unter ↑Kanon, ↑Kanone, ↑Kanister, ↑Kanüle und ↑[1]Knaster behandelten Fremdwörter.

Kanapee: Die veraltende Bezeichnung für »Sofa« wurde im 18. Jh. aus frz. *canapé* entlehnt, das über mlat. *canapeum* und lat. *conopeum* auf griech. *kōnōpeĩon* zurückgeht. Diese bedeuten eigentlich »feinmaschiges Mückennetz«, dann auch »Bett mit einem solchen Netz«. Das griech. Wort ist eine Bildung zu griech. *kṓnōps* »Mücke, Schnake«.

Kandare: Die Kandare, eine »zum Zaumzeug gehörende Gebissstange im Maul des Pferdes«, die gegenüber der einfachen Zäumung auf ↑Trense ein schärferes Zügeln des Pferdes gestattet, wurde von den Ungarn eingeführt. Sie wurde im 16. Jh. mit ihrem ung. Namen *kantár* »Zaum, Zügel«, zunächst als ›Kantare‹, übernommen. – Beachte dazu auch die seit dem 19. Jh. bezeugte Wendung ›jemanden an die Kandare nehmen‹ im Sinne von »jemanden unter Kontrolle stellen, streng vornehmen«.

Kandelaber: Die Bezeichnung für das säulenartige Gestell zum Tragen von Kerzen, Lampen und Räucherschalen wurde im 18. Jh. aus gleichbed. frz. *candélabre* entlehnt, das auf lat. *candelabrum* »Leuchter« zurückgeht. Über weitere Zusammenhänge vgl. den Artikel *Kandidat.*

Kandelzucker ↑Kandis[zucker].

Kandidat »[Amts]bewerber; Anwärter«: Das seit dem 16. Jh. bezeugte Fremdwort geht auf gleichbed. lat. *candidatus* zurück, das eigentlich ein von lat. *candidus* »glänzend, weiß« abgeleitetes Adjektiv mit der Bed. »weiß gekleidet« ist. Substantiviert bezeichnete es den Amtsbewerber, der sich dem Volk in der *toga candida,* in der glänzend weißen Toga vorzustellen pflegte. Zugrunde liegt das lat. Verb *candere* »glänzen, schimmern, hell glühen«, zu dem auch lat. *candela* »Kerze«, *candelabrum* »Leuchter« (↑Kandelaber) gehört. – Beachte dazu auch die Zusammensetzungen **Heiratskandidat** und **Todeskandidat,** die beide seit dem 19. Jh. bezeugt sind.

Kandis[zucker], dafür mdal. auch **Kandelzucker:** Die Bezeichnung für den an Fäden auskristallisierten Zucker ist seit dem 18. Jh. gebräuchlich. Bereits im 16. Jh. sind Formen wie ›Zuckerkandit‹ und ›Zuckerkandi‹ (noch heute gelten volkstümlich **Zuckerkand** und **Zuckerkandis**) bezeugt. Der fremde Bestandteil des Wortes ist aus it. *(zucchero) candito* bzw. älter *candi* entlehnt und stammt aus arab. *qandī* »gezuckert« (zu arab. *qand* »Rohrzucker«). Das Verb **kandieren** »Früchte einzuckern und dadurch haltbar machen« wurde im 17. Jh. dem von it. *candi* abgeleiteten Verb it. *candire* »einzuckern« und dem daraus entlehnten gleichbedeutenden frz. *candir* nachgebildet.

Kanditor ↑Konditor.

Känguru: Der Name des in Australien beheimateten und dort von Cook im 18. Jh. entdeckten Beuteltieres entstammt einer Sprache der Ureinwohner Australiens.

Kaninchen: Der Name des Hasentieres ist eine Verkleinerungsbildung zu **Kanin** »Kaninchen; Kaninchenfell«, das seinerseits über gleichbed. mnd. *kanīn* auf afrz. *conin* »Kaninchen« zurückgeht. Das afrz. Wort (im Frz. gilt dafür *lapin*) ist mit Suffixwechsel aus lat. *cuniculus* »Kaninchen« umgestaltet, das selbst vermutlich iberischen Ursprungs ist. – Auf einer älteren Verkleinerungsform ›Ka[r]nickelgen‹ (mniederd. *kaniken*) beruht landsch. **Karnickel** »Kaninchen«.

anister »tragbarer Behälter für Flüssigkeiten«: Das seit dem 18. Jh. mit der Bed. »Korb« bezeugte Fremdwort, das allerdings erst gegen Ende des 19. Jh.s in seiner modernen, durch entsprechend engl. *canister* beeinflussten Bedeutung allgemeiner bekannt wurde, ist aus it. *canestro* »Korb« entlehnt. Dies geht auf lat. *canistrum* zurück, das seinerseits aus griech. *kánistron* »aus Rohr geflochtener Korb« (zu griech. *kánna* »Rohr, Rohrgeflecht«; vgl. hierüber den Artikel *Kanal*) entlehnt ist.

anne: Die altgerm. Gefäßbezeichnung mhd. *kanne*, ahd. *channa*, niederl. *kan*, engl. *can*, schwed. *kanna* ist wahrscheinlich entlehnt aus lat. *canna* »Schilf, Rohr; Röhre« (vgl. *Kanal*), das demnach in der römischen Töpferei zunächst ein Gefäß mit einer Ausgussröhre bezeichnet haben musste.

annibale »Menschenfresser«, auch übertragen im Sinne von »roher, ungesitteter Mensch«: Das Fremdwort ist seit dem Anfang des 16. Jh.s – in der Pluralform Canibali – bezeugt. Es geht wie entsprechend frz. *cannibales* und engl. *cannibals* auf span. *caníbales* zurück, das zuerst in den von Chr. Kolumbus über seine Entdeckungsreisen geführten Tagebüchern begegnet und dort gleichbedeutend neben *caríbales* steht. Es ist also identisch mit dem Stammesnamen der die Antillen bewohnenden Kariben. – Dazu das Adjektiv **kannibalisch** »roh, ungesittet; grausam« (16. Jh.).

anon »Richtschnur, Maßstab; Regel; Leitfaden; Gesamtheit der für ein bestimmtes Gebiet geltenden Regeln; (nach strengen Regeln) aufgebauter Kettengesang«: Das Fremdwort wurde im 17. Jh. aus gleichbed. lat. *canon*, das seinerseits aus griech. *kanṓn* »Richtscheit, Richtschnur, Regel, Vorschrift« übernommen ist, entlehnt. Dies gehört wohl mit einer ursprünglichen Bedeutung »Rohrstab« zu griech. *kánna* »Rohr« (vgl. hierüber den Artikel *Kanal*).

anone »[schweres] Geschütz«, ugs. auch übertragen für »[Sport]größe, bedeutender Könner«: Das seit dem 16. Jh. bezeugte Substantiv ist aus it. *cannone* entlehnt. Dies ist eine vergrößernde Bildung zu lat.-it. *canna* »Rohr« (vgl. hierüber den Artikel *Kanal*) und bedeutete zunächst »großes Rohr«, dann in der militärischen Fachsprache als Pars pro Toto »schweres Geschütz«. – Zus.: **Kanonenfutter** (19. Jh.; freie Übersetzung von engl. *food for powder*). Abl.: **Kanonade** »anhaltendes Geschützfeuer; Trommelfeuer« (17. Jh.; aus gleichbed. frz. *canonnade*, zu frz. *canon* »Geschütz« < it. *cannone*); **Kanonier** »Soldat der Geschützbedienung« (17. Jh.; aus gleichbed. frz. *canonnier*); **kanonieren** »mit Kanonen schießen« (17. Jh.; aus gleichbed. frz. *canonner*), in diesem Sinne heute veraltet, aber ugs. noch übertragen in der Sportsprache gebraucht für »kraftvoll aufs Tor schießen«.

Kanone

unter aller Kanone
(ugs.) »sehr schlecht, unter aller Kritik«
Die Wendung stammt aus der Schülersprache und ist eine scherzhafte Umdeutung von lat. *sub omne canone* »unter aller Richtschnur«, d. h. »so schlecht, dass ein normaler Beurteilungsmaßstab versagt« (zu lat. *canon* »Richtschnur, Regel, Vorschrift« vgl. *Kanon*).

Kantare ↑Kandare.

Kantate »lyrisches Chorwerk mit Sologesängen und Instrumentalbegleitung«: Der musikalische Fachausdruck wurde um 1700 aus gleichbed. it. *cantata* entlehnt, dem 2. Part. von it. *cantare* »singen«. Es bedeutet also eigentlich »Gesungenes«. Das it. Verb geht auf lat. *cantare* zurück, dem Intensivum von lat. *canere* »singen« (vgl. *Kantor*).

Kante: Das im 17. Jh. aus dem Niederd. übernommene Wort für »Rand, Ecke« geht auf mnd. *kant[e]* »Ecke« zurück. Quelle des Wortes ist vermutlich lat. *cantus* »eiserner Radreifen, Radfelge«, das uns mit seiner im Roman. entwickelten Bed. »Ecke, Kreis, Rand« über afrz. *cant* »Ecke« (= it. *canto*) erreichte. – Abl.: **kanten** »auf die Kante stellen, wenden« (17./18. Jh.); **kantig** »Kanten habend« (18. Jh.). – Vgl. auch die Artikel *Kanton* und *kentern*.

Kante

etwas auf die hohe Kante legen
(ugs.) »Ersparnisse machen, sparen«
Die Herkunft der Wendung ist unklar. Man vermutet, dass mit ›hoher Kante‹ ein in größerer Höhe angebrachtes Wandbrett gemeint ist, an das man nur mit Mühe heranreicht. Ein anderer Deutungsversuch geht davon aus, dass Geldstücke, wenn sie abgezählt in Rollen verpackt werden, auf der Kante stehen, ›hoch‹ stehen.

Kantersieg: Die Bezeichnung für einen leichten, mühelosen Sieg enthält als ersten Bestandteil Kanter »kurzer, leichter Galopp«, das aus gleichbed. engl. *canter* entlehnt ist. Dies ist eine Kürzung aus *Canterbury gallop*, dem ursprünglichen Namen für diese Gangart des Pferdes. *To win in a canter* meinte also zunächst ein Rennen nur kurz, leicht galoppierend gewinnen.

Kantine »Erfrischungs-, Speise-, Verkaufsraum (in größeren Betrieben, Kasernen usw.)«: Das Fremdwort wurde im 19. Jh. – zunächst in der Bed. »Soldatenschenke« – aus frz. *cantine* entlehnt, das aber bereits im 18. Jh. bei uns mit der

Bed. »Feldflasche« erscheint. Frz. *cantine* seinerseits stammt aus it. *cantina* »Wein-, Flaschenkeller«, dessen weitere Herkunft unklar ist.

Kanton: Die Bezeichnung für die einzelnen Bundesstaaten der Schweizer Eidgenossenschaft ist seit dem 16. Jh. bezeugt (daneben bis ins 18. Jh. noch die Bezeichnungen ›Ort‹, ›Gebiet‹ und ›Stand‹). Das Wort stammt aus frz. *canton* »Ecke, Winkel; Landstrich, Bezirk«, das seinerseits aus gleichbed. it. *cantone,* einer Vergrößerungsbildung zu it. *canto* »Winkel, Ecke«, entlehnt ist. Über weitere Zusammenhänge vgl. den Artikel *Kante.*

Kantor »Leiter des Kirchenchores, Organist, Leiter der Kirchenmusik«: Das Fremdwort, das im 16. Jh. aus lat. *cantor* »Sänger« entlehnt wurde, bezeichnete zunächst den Vorsänger im gregorianischen Choral, dann überhaupt den Gesangsmeister in Kirche und Schule. Lat. *cantor* ist von *canere* »singen« abgeleitet, bedeutete also ursprünglich »Sänger« und ist urverwandt mit dt. ↑Hahn (eigentlich »Sänger«). – Zu lat. *canere* gehören einige Ableitungen und Zusammensetzungen, die im dt. Wortschatz als Fremdwörter eine Rolle spielen: lat. *cantio* »das Singen, der Gesang«, daraus it. *canzone* und frz. *chanson* (↑Chanson); ferner: lat.-it. *cantare* »singen« (↑Kantate), lat. *cantus* »Gesang«, lat. *accinere* »dazu tönen« (↑Akzent). Zu lat. *canere* gehört schließlich wohl auch lat. *carmen (*canmen)* »Gedicht, Lied«, das die Quelle ist für frz. *charme* »Zauber, Reiz, Anmut« (↑Charme, charmant).

Kanu: Die Bezeichnung für ein ein- oder mehrsitziges Sportpaddelboot wurde im 18. Jh. aus engl. *canoe* (frz. *canot* [älter: *canoë*], span. *canoa*) entlehnt, nachdem früher verschiedentlich aus Reiseschilderungen die span. und frz. Form unmittelbar bekannt geworden waren, ohne sich jedoch zu behaupten. Quelle des Wortes ist karib. *can[a]oa* »Baumkahn«.

Kanüle: Die fachsprachliche Bezeichnung für »Röhrchen; Hohlnadel an Injektionsspritzen« wurde im 19. Jh. aus gleichbed. frz. *canule* entlehnt, das seinerseits auf spätlat. *cannula* »kleines Rohr« (Verkleinerungsform zu lat. *canna* »kleines Rohr, Schilfrohr, Röhre«; vgl. *Kanal*) zurückgeht.

Kanzel: Das Wort bezeichnet in der christlichen Kirche den erhöhten [mit einer Brüstung umgebenen] Stand für den Prediger. Daneben hatte es früher (wie noch heute in Österreich) auch die Bed. »Lehrstuhl«. Im übertragenen Sinne wurde ›Kanzel‹ dann z. B. auch für die Pilotenkabine in Flugzeugen gebraucht. Das Substantiv (mhd. *kanzel,* ahd. *kancella*) wurde im Bereich der Kirchensprache in der Bed. »abgesonderter Platz für die Geistlichkeit in der Kirche« aus lat.-mlat. *cancelli* »Gitter, Schranken; das durch Schranken abgetrennte Lesepult für die Geistlichkeit in der Kirche« entlehnt. Es gehört zu lat. *cancer (cancri)* »Gitter, Schranke«, das vermutlich durch Dissimilation aus lat. *carcer* »Umfriedung; Kerker, Schranken« entstanden ist (vgl. das Lehnwort *Kerker*). – Abl.: **kanzeln** »jmdm. von der Kanzel herab eine Strafpredigt halten« (18. Jh.), heute nur mehr gebräuchlich in **abkanzeln** (18./19. Jh.) und **herunterkanzeln** (18. Jh.) mit der allgemeinen Bed. »streng zurechtweisen«. – Auf lat.-mlat. *cancelli* »Schranken, Gitter« geht auch das Substantiv **Kanzlei** (mhd. *kanzelīe*) zurück. Es bezeichnete ursprünglich einen mit Schranken umgebenen Dienstraum für Beamte und Schreiber an Behörden und Gerichtshöfen, danach die Schreibstube, das Büro (vor allem bei Behörden und Rechtsanwälten). – Der Vorsteher und Leiter einer Kanzlei war im Mittelalter der **Kanzler** (mhd. *kanzelære,* ahd. *kanzellāri;* aus gleichbed. spätlat. *cancellarius*), ein hoher Beamter, der insbesondere für die Ausfertigung von Staatsurkunden zuständig war. Daraus entwickelte sich der moderne Sprachgebrauch des Wortes als Bezeichnung für den Regierungschef eines Staates (beachte die Zusammensetzungen ›Reichskanzler‹ und ›Bundeskanzler‹).

Kap »Vorgebirge, vorspringender Teil einer Felsenküste«: Das seit dem Beginn des 17. Jh.s in hochd. Texten bezeugte Wort entstammt der niederd. Seemannssprache, wo es im 15. Jh. aus niederl. *kaap* entlehnt wurde. Dies stammt seinerseits aus gleichbed. frz. *cap* »Vorgebirge«, das über aprov. *cap* auf vlat. **capum* (= lat. *caput*) »Kopf, Spitze usw.« zurückgeht. Über weitere Zusammenhänge vgl. den Artikel *Kapital.*

Kapaun »kastrierter Masthahn«: Spätlat. *capo* (älter *capus,* vlat. **cappo*) »kastrierter Masthahn«, das zu der unter ↑schaben behandelten idg. Wurzel mit der Bed. »schneiden; hauen; spalten« gehört, gelangte schon früh als Lehnwort ins Deutsche (ahd. *kappo,* mhd. *kappe*). Eine spätere Neuentlehnung des Wortes über frz. *chapon* »Kapaun« bzw. frz. *capon* ergab mhd. *kappūn* »Kapaun«, das unserer nhd. Form ›Kapaun‹ zugrunde liegt.

Kapazität »Fassungsvermögen, [geistige] Aufnahmefähigkeit«, auch konkret gebraucht im Sinne von »hervorragender Fachmann«: Das seit dem 16. Jh. bezeugte Fremdwort geht auf lat. *capacitas* »Fassungsvermögen, geistige Fassungskraft« zurück. Das zugrunde liegende Adjektiv lat. *capax* »viel fassend; befähigt, tauglich« ist abgeleitet von lat. *capere* »nehmen, fassen; begreifen usw.« (vgl. *kapieren*).

[1]**Kapelle** »kleines, meist nur für eine Andacht und nicht für regelmäßige Gottesdienste einer Gemeinde bestimmtes Gotteshaus; abgeteilter Raum für Gottesdienste in einer Kirche oder einem größeren profanen Gebäude«: Das aus der Kirchensprache aufgenommene Wort (mhd. *kap[p]elle,* ahd. *kapella*) beruht auf Entlehnung aus mlat. *cap[p]ella* »kleines Gotteshaus«. Die ei-

gentliche Bedeutung des mlat. Wortes ist »kleiner Mantel«. Es ist eine Verkleinerungsform zu spätlat. *cappa* »eine Art Kopfbedeckung; Mantel mit Kapuze« (vgl. *Kappe*). Der Bedeutungsübergang von »kleiner Mantel« zu »Kapelle« stammt aus der Zeit der fränkischen Könige. Diese bewahrten den »Mantel« des heiligen Martin von Tours als Reliquie in einem privaten Heiligtum auf, das danach seinen Namen *(capella)* erhielt. Seit dem 7. Jh. ging dann die Bezeichnung *capella* auf jedes kleinere Gotteshaus (ohne eigene Geistlichkeit) über. Siehe auch den Artikel *Kaplan*. – Das Substantiv [2]**Kapelle** mit der Bed. »Instrumentalorchester«, das seit dem 16. Jh. belegt ist, ist dem Ursprung nach mit ›[1]Kapelle‹ identisch. Es beruht jedoch auf unmittelbarer Entlehnung aus it. *cappella* »Musikergesellschaft«, das ursprünglich den von einem Fürsten in seiner »Schlosskapelle« bei festlichen Anlässen versammelten Sänger- und Musikerchor bezeichnete und das danach in seiner Bedeutung verweltlicht wurde.

Kaper: Der Name der (in Essig eingelegten oder eingesalzenen) Blütenknospe des im Mittelmeergebiet vorkommenden Kapernstrauches wurde im ausgehenden 15. Jh. wohl durch roman. Vermittlung (beachte entsprechend it. *cappero*, woraus frz. *câpre* wird) aus gleichbed. lat. *capparis* entlehnt, das seinerseits aus griech. *kápparis* »Kapernstrauch; Kaper« stammt. Die weitere Herkunft des Wortes ist unbekannt.

Kaper: Dieses Wort war die früher übliche Bezeichnung für einen (privilegierten) Freibeuter, Seeräuber und dessen Kaperschiff. Das Wort wurde im 17. Jh. aus gleichbed. niederl. *kaper* entlehnt, das von niederl. *kapen* »durch Freibeuterei erwerben, kapern« abgeleitet ist. Das niederl. Wort gehört wahrscheinlich zu dem mit dt. Kauf (vgl. *kaufen*) verwandten Substantiv afries. *kāp* »Kauf«, das zum verhüllenden Ausdruck für »Seeraub« geworden war. – Abl.: **kapern** »als Kaper ein Schiff aufbringen« (17. Jh.).

kapieren »begreifen, verstehen« (ugs.): Das seit dem 18. Jh. bezeugte Wort stammt aus der Schülersprache. Es geht auf lat. *capere* »nehmen, fassen, ergreifen; begreifen, verstehen usw.« zurück, das mit dt. ↑heben urverwandt ist. Zu lat. *capere* gehören einige Ableitungen und Zusammensetzungen, die auch im dt. Wortschatz als Entlehnungen eine Rolle spielen, so z. B. lat. *capacitas* »Fassungsvermögen, geistige Fassungskraft« in ↑Kapazität, lat. *ac-cipere* »annehmen« (↑akzeptieren, akzeptabel), lat. *con-cipere* »zusammenfassen, aufnehmen, in sich aufnehmen, eine Vorstellung von etwas entwerfen; empfangen, schwanger werden« (↑konzipieren, ↑Konzept, Konzeption), lat. *re-cipere* »zurücknehmen, entgegennehmen, empfangen« (↑Rezept, ↑rezipieren, ↑Rezeption), ferner lat. **dis-cipere* »geistig zergliedern, um zu erfassen« (↑Disziplin). Mit dem Stamm von *capere* verbindet sich auch das nur in Zusammensetzungen als Grundwort auftretende Wurzelnomen *-ceps* »Nehmer, Greifer; fassend, greifend«, beachte z. B. lat. *particeps* »teilnehmend, beteiligt« (↑Partizip), lat. *princeps* »die erste Stelle einnehmend; Vornehmste, Fürst« (↑Prinz, Prinzessin, ↑Prinzip, prinzipiell) und lat. *manceps* »Aufkäufer, Unternehmer«, lat. *mancipium* »förmlicher Kaufvollzug durch Ergreifen mit der Hand« (↑emanzipiert, emanzipieren, Emanzipation).

Kapital »Geld für Investitionszwecke, Vermögen[sstamm]«, auch im Sinne von »Nutzen, Gewinn« in der Redewendung ›Kapital aus etwas schlagen‹: Das seit dem 16. Jh. bezeugte, aus it. *capitale* »Hauptsumme; Reichtum« (eigentlich »Kopfzahl einer Viehherde«) entlehnte Fremdwort ersetzt die in der älteren Sprache üblichen Ausdrücke ›Hauptgut, -geld, -summe‹, deren erster Bestandteil ›Haupt...‹ allerdings selbst eine Lehnübersetzung von lat. *capitalis* »vorzüglich, hauptsächlich« ist. Das lat. Adjektiv, das von dem mit dt. ↑Haupt urverwandten Substantiv lat. *caput* »Kopf; Spitze; Hauptsache usw.« abgeleitet ist und auf das auch it. *capitale* (s. o.) zurückgeht, erscheint bei uns im 17. Jh. als **kapital** in der Bed. »hauptsächlich, vorzüglich, besonders (groß, schön, schwerwiegend u. ä.)«. Im heutigen Sprachgebrauch begegnet es fast nur in Zusammensetzungen wie ›Kapitalfehler, Kapitalhirsch, Kapitalverbrechen‹. – Ableitungen von ›Kapital‹: **Kapitalismus** »Wirtschafts- und Gesellschaftsordnung, deren treibende Kraft das Gewinnstreben Einzelner ist« (19. Jh.); **Kapitalist** »Anhänger des Kapitalismus; jemand, der Kapital besitzt« (17. Jh.); **kapitalistisch** »den Kapitalismus betreffend«. – Zu lat. *caput* gehören einige Bildungen, die auch im dt. Wortschatz als Entlehnungen eine Rolle spielen. An erster Stelle ist der militärische Bereich zu nennen mit der übertragenen Bed. »Spitze, Anführer, Oberhaupt« von lat. *caput*, beachte die aus *caput* entwickelten Wörter frz. *chef* und it. *capo* in ↑Chef und ↑Korporal, beachte ferner spätlat. *capitaneus* »durch Größe hervorstechend; vorzüglich« in ↑Kapitän und lat. *capitellum* »Köpfchen« in ↑Kadett. In den militärischen Bereich gehören auch die Fremdwörter ↑kapitulieren und Kapitulation, die auf ein von lat. *capitulum* »Köpfchen; Hauptabschnitt« (↑Kapitel), einer Verkleinerungsform von lat. *caput*, abgeleitetes mlat. Verb *capitulare* »über einen Vertrag (bzw. dessen Hauptpunkte) verhandeln« zurückgehen. Vergleiche schließlich noch die hierher gehörenden Entlehnungen ↑Kapitell (lat. *capitellum* »Säulenköpfchen«), ↑Kap (it. *capo* »Spitze« < lat. *caput*) und ↑Kappes (mlat. *caputia* »Kohlkopf«).

Kapitän »Kommandant eines Schiffes (oder Flugzeuges); Anführer, Spielführer einer Sportmannschaft«: Zu lat. *caput* »Kopf; Spitze; Oberhaupt,

Anführer« (vgl. *Kapital*) stellt sich die Bildung spätlat. *capitaneus* »durch Größe hervorstechend, vorzüglich«, die in den roman. Sprachen die Bedeutung »Anführer, Hauptmann« entwickelte. In dieser Bedeutung wurde das Wort zuerst im Mhd. als *kapitān* aus afrz. (frz.) *capitaine,* ein zweites Mal zu Beginn des 16. Jh.s als *Capitan* »Schiffsführer« aus it. *capitano* entlehnt. – Das roman. Wort drang auch in die anderen europäischen Sprachen, beachte z. B. engl. *captain,* schwed. *kapten,* russ. *kapitan.*

Kapitel: Das aus lat. *capitulum* »Köpfchen; Hauptabschnitt«, einer Verkleinerungsform von lat. *caput* »Kopf; Spitze; Hauptsache usw.« (vgl. *Kapital*), entlehnte Substantiv erscheint in dt. Texten seit mhd. Zeit, zuerst in der noch heute üblichen Bed. »Hauptversammlung einer geistlichen Körperschaft« (daran schließt sich z. B. die Zusammensetzung ›Domkapitel‹ an). Diese Bedeutung geht allerdings von der bei uns erst zu Beginn des 16. Jh.s aufkommenden Hauptbedeutung des Wortes »Hauptabschnitt, Hauptstück« aus, denn in den geistlichen Versammlungen wurden zunächst die in Kapitel (= Abschnitte) eingeteilten Ordensregeln verlesen. Unter den »Hauptabschnitten« eines Buches verstand man damals vor allem jene der Bibel, wie noch das Adjektiv **kapitelfest** »bibelfest« (18. Jh.) zeigt.

K

Kapitell: Die Bezeichnung für »Säulenkopf, -knauf« wurde in mhd. Zeit aus gleichbed. lat. *capitellum* entlehnt, das als Verkleinerungsform von lat. *caput* »Kopf; Spitze« (vgl. *Kapital*) eigentlich »Köpfchen« bedeutet.

kapitulieren »sich [dem Feind] ergeben«: Das Verb wurde im 18. Jh. aus frz. *capituler* »bezüglich eines Vertrages (insbesondere eines Übergabevertrages) verhandeln, unterhandeln« entlehnt, das auf mlat. *capitulare* »über einen Vertrag (bzw. dessen Hauptpunkte) verhandeln« zurückgeht. Über weitere Zusammenhänge vgl. den Artikel *Kapital.* – Das zu frz. *capituler* gehörige Substantiv frz. *capitulation* »Übergabe[vertrag], Vergleich« erscheint in dt. Texten schon im 16. Jh. als **Kapitulation** »Ergebung[svertrag]«.

Kaplan: Die seit mhd. Zeit bezeugte Bezeichnung für einen katholischen Hilfsgeistlichen oder einen Geistlichen, der mit besonderen Aufgaben betraut ist (mhd. *kap[p]ellān, kaplān*), geht auf mlat. *capellanus* »Geistlicher, der den Gottesdienst an einer Kapelle hält« zurück. Dies gehört zu mlat. *cap[p]ella* »kleines Gotteshaus, Kapelle« (vgl. [1]*Kapelle*).

Kapo ↑Korporal.

Kaporal ↑Korporal.

kapores (ugs. für:) »entzwei, kaputt«, besonders in den Fügungen ›kapores gehen‹ und ›kapores sein‹: Das seit dem 18. Jh. bezeugte Adjektiv entstammt der Gaunersprache und gehört letztlich zu hebr. *kapạrôṯ* »Sühneopfer, Versöhnung«. Dabei muss man von dem jüdischen Brauch ausgehen, dass am Vorabend des Versöhnungsfestes Hühner ›kapores‹ geschlagen wurden.

Kappe »krempenlose Kopfbedeckung, Mütze«: Die Bezeichnung für die Kopfbedeckung (mhd. *kappe* »Mantel mit Kapuze; Bauernkittel; Mütze, Kappe«, ahd. *kappa* »Mantel mit Kapuze«, entsprechend niederl. *kap* »Kappe«, engl. *cap* »Mütze«) beruht auf einer Entlehnung aus spätlat. *cappa* »Mantel mit Kapuze; eine Art Kopfbedeckung«. – Abl.: **Käppi** »[Soldaten]mütze« (eine im 19. Jh. aus dem Schweiz. übernommene Verkleinerungsbildung zu ›Kappe‹). – Vgl. auch die Artikel *Cape, Kapuze,* [1]*Kapelle,* [2]*Kapelle* und *Kaplan.*

Kappe

etwas auf seine [eigene] Kappe nehmen
(ugs.) »die Verantwortung für etwas übernehmen«
Gemeint sind eigentlich die Schläge, die jemandes Kappe treffen. Vgl. die älteren deutschen Ausdrücke ›Kappen‹ (= Schläge auf den Kopf), ›Kappen geben‹ (= verprügeln) und andererseits das von ›Wams‹ abgeleitete ›verwamsen‹ (= verprügeln). Wer also etwas auf seine Kappe nimmt, ist bereit, die Prügel für etwas zu beziehen.

kappen »abschneiden, beschneiden (Baumspitzen, Zweige, Reben); abhauen (Mast, Ankertau)«: Das im 17. Jh. aus dem Niederd. ins Hochd. übernommene Verb geht zurück auf mniederl. *cappen* »abschneiden, abhauen, zerschneiden, zerhacken«, das vermutlich aus dem Roman. stammt (vgl. mlat. *cappare* »schneiden«, span. *capar* »verschneiden, kastrieren«).

Kappes: Der in westdt. Mundarten und in der Umgangssprache gebräuchliche Ausdruck für »dummes Zeug, törichtes Geschwätz; unbrauchbare Stümperarbeit« ist identisch mit dem noch mdal. üblichen Wort für »[Weiß]kohl« (mhd. *kabeȥ,* ahd. *kabuȥ;* mdal. *Kappes, Kappus* u. a.), das auf Entlehnung aus gleichbed. mlat. *caputia* »Kohlkopf, Weißkohl« beruht (zu lat. *caput, capitis* »Kopf; Spitze«, vgl. *Kapital*).

Käppi ↑Kappe.

Kapriole »drolliger Luftsprung; übermütiger Streich«: Das Fremdwort wurde um 1600 als Bezeichnung der kunstvollen Sprünge italienischer Tänzer aus it. *capriola* »Bocksprung« entlehnt, das zu it. *capro* < lat. *caper* »Bock« gehört. – Im Frz. erscheint it. *capriola* als *cabriole;* dazu gehört das Verb frz. *cabrioler* »Luftsprünge machen«. Das davon abgeleitete Substantiv frz. *cabriolet* wurde zur Bezeichnung leichter einspänniger Wagen (wohl wegen der charakteristisch hüpfenden Bewegung) und wurde in dieser Bedeutung auch ins Dt. entlehnt: **Kabriolett** (18. Jh.). Heute gilt dieses Fremdwort als Typenbezeichnung für einen sportlichen Personenkraftwagen mit vollständig zurückklappbarem Verdeck (dafür auch die Kurzform **Kabrio**). – Vgl. auch den Artikel *Köper.*

apsel: Das Substantiv wurde im 15. Jh. aus lat. *capsula* »Kästchen«, der Verkleinerungsform von lat. *capsa* »Behältnis« (vgl. *Kasse*), entlehnt. – Dazu stellen sich die Verbalableitungen **abkapseln** (20. Jh.) und **verkapseln** (20. Jh.).

aputt: Das seit dem 17. Jh., zuerst in der Wendung ›caput (capot) machen‹ bezeugte Fremdwort bedeutet »verloren [im Spiel]; zerschlagen, zerbrochen, entzwei«. Es wurde während des Dreißigjährigen Krieges aus frz. *capot* entlehnt, und zwar in den Wendungen *être capot* und *faire capot.* Das frz. Wort entstammt der Sprache der Kartenspieler und bedeutet eigentlich »ohne Stich; schwarz«. Die weitere Herkunft ist unsicher.

apuze »Mantelhaube«: Die seit etwa 1500 bezeugte Bezeichnung für das den Kopf und Hals einhüllende Kleidungsstück ist aus gleichbed. it. *cappuccio* entlehnt. Dies ist wahrscheinlich von spätlat.-it. *cappa* »Mantel mit Kapuze; eine Art Kopfbedeckung« (vgl. *Kappe*) abgeleitet. – Dazu stellt sich der Name der **Kapuzinermönche** (it. *cappuccino* [Singular]), die nach ihrer charakteristischen, an die Mönchskutte angenähten spitzen Kapuze benannt sind.

ar: Der aus den dt. Alpenländern stammende Ausdruck für »Mulde vor Hochgebirgswänden, Hochgebirgskessel« ist identisch mit dem noch mdal. bewahrten Substantiv ›Kar‹ »Gefäß, Topf, Pfanne« (mhd. *kar* »Schüssel, Geschirr, Korb«, ahd. *char* »Schüssel, Geschirr, Tonne«, got. *kas* »Gefäß«, aisl. *ker* »Gefäß«, vgl. auch den Artikel *Imker*). – Zugrunde liegt germ. **kasa-, *kaza-* »Gefäß«, auf das auch die Sippe von ↑Kasten zurückgeht. Die weitere Herkunft des germ. Wortes ist nicht sicher geklärt. Vielleicht handelt es sich um ein altes Wanderwort kleinasiatischen Ursprungs, vgl. z. B. assyr. *kāsu* »Schale«.

arabiner: Die Bezeichnung für das kurze Gewehr wurde um 1600 aus frz. *carabine* »kurze Reiterflinte« entlehnt, das von dem etymologisch nicht sicher deutbaren Substantiv frz. *carabin* »Reiter« abgeleitet ist.

Karacho

mit Karacho

(ugs.) »mit großer Geschwindigkeit, sehr schnell«

Das erst im 20. Jh. bezeugte, in der Umgangssprache meist in der Wendung verwendete Wort ›Karacho‹ stammt vermutlich aus span. *carajo* »[zum] Donnerwetter!«, einem derben Fluch, der eigentlich »Penis« bedeutet.

araffe: Die Bezeichnung für »bauchige Glasflasche« wurde um 1700 aus gleichbed. frz. *carafe* entlehnt, das seinerseits aus it. *caraffa* stammt. Dies geht auf arab. *ǧarrāfa*^{h} »weitbauchige Flasche« (zu arab. *ǧarafa* »schöpfen«) zurück, das den Europäern durch span. *garrafa* vermittelt wurde.

Karambolage: Das seit dem 19. Jh. bezeugte Fremdwort war zunächst nur ein Fachausdruck des Billardspiels. Es bezeichnet dort das Zusammenstoßen der roten Spielkugel mit den beiden anderen Kugeln. Von daher übertragen wird es heute allgemein im Sinne von »Zusammenstoß, Zusammenprall« verwendet. Das vorausliegende gleichbedeutende Substantiv frz. *carambolage* ist von dem frz. Verb *caramboler* abgeleitet (daraus dt. karambolieren »zusammenstoßen«; 19. Jh.), das seinerseits zu frz. *carambole* »roter Ball beim Billardspiel« gehört. Die weiteren Zusammenhänge des Wortes sind nicht sicher geklärt.

Karamell »gebrannter Zucker«: Das seit dem 19. Jh. bezeugte Fremdwort ist aus frz. *caramel* »Gerstenzucker, gebrannter Zucker« entlehnt, das über span., port. *caramelo* »Zuckerrohr; gebrannter Zucker« auf lat. *calamellus* »Röhrchen«, die Verkleinerungsform von lat. *calamus* (< griech. *kálamos*) »Schilfrohr«, zurückgeht. – Abl.: **Karamelle** »Rahmbonbon« (20. Jh.).

Karaoke: Die seit der 2. Hälfte des 20. Jh.s gebräuchliche Bezeichnung für eine Veranstaltung, bei der Laien zur Instrumentalmusik eines Schlagers den Text singen, stammt wie die Sache selbst aus Japan. Jap. *karaoke* bedeutet eigentlich »leeres Orchester«.

Karat: Dieses Substantiv ist die seit dem 16. Jh. übliche, aus dem Frz. übernommene Bezeichnung eines Gold- und Edelsteingewichtes. Frz. *carat* geht über mlat. *carratus* auf arab. *qīrāṭ* »Gold- und Edelsteingewicht« zurück, das seinerseits aus gleichbed. griech. *kerátion* stammt. Das griech. Wort ist eine Verkleinerungsbildung zu griech. *kéras (kératos)* »Horn«, das zu der unter ↑Hirn dargestellten idg. Wortsippe gehört. Das Wort bedeutet also eigentlich »Hörnchen«. Es bezeichnete speziell die hörnchenförmig gebogenen Samen der Schoten des Johannisbrotbaumes. Zur Gewichtsbezeichnung wurde es, weil man die Samen des Johannisbrotbaums zum Wiegen von Gold und Edelsteinen benutzte.

Karawane: Das Wort für »Gruppe von Reisenden, Kaufleuten o. Ä. (im Orient)« wurde im 16. Jh. durch Vermittlung von gleichbed. älter it. *caravana* aus pers. *kārwān* »Kamelzug, Reisegesellschaft« entlehnt. Dieselbe Herkunft besitzt engl. *caravan,* das neben der oben genannten Bedeutung auch im Sinne von »Wohnwagen« verwendet wird. In dieser Bedeutung wurde **Caravan** in der 2. Hälfte des 20. Jh.s ins Deutsche übernommen.

Karbid: Die junge gelehrte Neubildung zu lat. *carbo* »Kohle« (vgl. *karbo..., Karbo...*) bezeichnet in der Chemie eine Verbindung von Kohlenstoff und Metallen. Im allgemeinen Sprachgebrauch steht ›Karbid‹ für ›Kalziumkarbid‹.

karbo..., Karbo..., (vor Vokalen:) karb..., Karb..., im chemischen Schrifttum nur carb[o]...,

K

Carb[o]...: Dem Bestimmungswort von Zusammensetzungen mit der Bedeutung »Kohle« liegt lat. *carbo (-onis)* »[Holz]kohle« zugrunde, das zu der unter ↑Herd dargestellten idg. Sippe gehört. – Lat. *carbo* ist die Grundlage für einige gelehrte Neubildungen aus dem Bereich der Chemie wie ↑Karbol, ↑Karbonat, ↑Karbid. Eine Verkleinerungsbildung dazu ist lat. *carbunculus* »kleine Kohle«, das im übertragenen Gebrauch einen dunkelroten Edelstein (↑Karfunkel) bezeichnet.

Karbol: Der Name dieser als Desinfektionsmittel dienenden organischen chemischen Verbindung ist eine junge gelehrte Neubildung aus lat. *carbo* »Kohle« (vgl. *karbo..., Karbo...*) und lat. *oleum* »Öl«. Das Karbol wurde nämlich zuerst im Steinkohlenteer festgestellt.

Karbonat: Die Bezeichnung für »kohlensaures Salz« ist eine gelehrte Neubildung zu lat. *carbo* »Kohle« (vgl. *karbo..., Karbo...*), das in der Chemie »Kohlenstoff« bedeutet.

Kardinal: Der Titel des nach dem Papst höchsten katholischen Würdenträgers, der in dt. Texten schon mhd. bezeugt ist, geht auf spätlat. *cardinalis* zurück. Dies ist eine adjektivische Ableitung von lat. *cardo (cardinis)* »Türangel; Dreh-, Angelpunkt« (beachte auch das dazugehörende frz. *charnière* »Winkelgelenk« in unserem Lehnwort ↑Scharnier) und bedeutet eigentlich »zur Türangel gehörig«. Im übertragenen Gebrauch entwickelte es Bedeutungen wie »im Angelpunkt (d. i. auf einem zentralen, wichtigen Platz) stehend; vorzüglich«. So erscheint es in der Kirchensprache vornehmlich als Beiwort für die der Hauptkirche in Rom nächststehenden Geistlichen (z. B. kirchenlat. *cardinalis episcopus*). Das spätlat. Adjektiv *cardinalis* spielt auch im allgemeinen Sinne von »vorzüglich, grundlegend, Haupt..., Grund...« eine Rolle im deutschen Wortschatz, und zwar in Zusammensetzungen wie ›Kardinaltugenden, Kardinalfrage‹ und ›Kardinalzahl‹ »Grundzahl«.

Karenz »Wartezeit, Sperrfrist«, dafür meist die Zusammensetzung **Karenzzeit:** Das Wort wurde in neuerer Zeit aus mlat. *carentia* »das Nichthaben, das Entbehren« entlehnt, das zu lat. *carere* »frei sein, nicht haben« gehört.

Karfiol: Der vorwiegend südd. und österr. Ausdruck für »Blumenkohl« wurde um 1600 eingedeutscht aus it. *cavolfiore* »Kohlblume«. Dies ist zusammengesetzt aus it. *cavolo* (< lat. *caulis* »Kohl« [vgl. das Lehnwort [1]*Kohl*]) und it. *fiore* (< lat. *flos (floris)* »Blume« [vgl. [1]*Flor*]). Gleicher Herkunft sind gleichbed. span. *coliflor* und engl. *cauliflower*, während frz. *chou-fleur* wie dt. Blumenkohl eine Lehnübertragung des it. Wortes ist.

Karfreitag: Das Bestimmungswort, das als selbstständiges Wort in spätmhd. Zeit untergegangen ist, bedeutet »Klage, Trauer«, vgl. mhd. *kar*, ahd. *chara* »Wehklage, Trauer«, denen got. *kara* »Sorge«, engl. *care* »Kummer, Sorge« entsprechen. Von diesem germ. Substantiv ist das unter ↑karg behandelte Adjektiv abgeleitet. Die germ. Wortgruppe gehört mit verwandten Wörtern in anderen idg. Sprachen – vgl. z. B. griech. *gē̃rys* »Ruf, Stimme« und air. *gāir* »Geschrei« – zu der schallnachahmenden Wurzel **gā̆r-* »rufen, schreien, jammern«. – Neben ›Karfreitag‹ (mhd. *karvrītac*) ist auch die Zusammensetzung **Karwoche** (mhd. *karwoche*) gebräuchlich.

Karfunkel: Die Bezeichnung für feurig rote Edelsteine wurde in mhd. Zeit (mhd. *karfunkel*) aus lat. *carbunculus* (vgl. *karbo..., Karbo...*) entlehnt und nach dt. ›Funke‹ umgestaltet.

karg: Das westgerm. Adjektiv mhd. *karc*, ahd. *karag*, mnd. *karich*, engl. *chary* ist von dem unter ↑Karfreitag dargestellten Bestimmungswort mit der Bed. »Klage, Trauer, Kummer« abgeleitet. Es bedeutete demzufolge in den alten Sprachzuständen »traurig, bekümmert, besorgt«, woraus sich die Bedeutungen »sorgsam, schlau, listig; sparsam, knauserig, streng; spärlich, knapp« entwickelten.

kariert »gewürfelt, gekästelt«: Das Adjektiv wurde im 18. Jh. aus gleichbed. frz. *carré* entlehnt, das auf lat. *quadratus* »viereckig« (das adjektivisch gebrauchte Part. Perf. Pass. von lat. *quadrare* »viereckig machen«; vgl. *Karo*) zurückgeht. Das später hinzutretende Verb **karieren** »mit Würfelzeichnung mustern, kästeln« entspricht frz. *carrer* (lat. *quadrare*).

Karies: Der medizinische Fachausdruck für »Zahnfäule; Knochenfraß« ist eine gelehrte Entlehnung aus lat. *caries* »Fäulnis, Morschsein«.

Karikatur »Zerrbild, Spottbild, Fratze«: Das Wort wurde als Fachterminus der Malerei im 18. Jh. aus gleichbed. it. *caricatura* entlehnt, das eigentlich »Überladung« bedeutet, dann die übertriebene komisch verzerrte Darstellung charakteristischer Eigenarten von Personen oder Sachen bezeichnet. It. *caricatura* ist von it. *caricare* »beladen; übertrieben komisch darstellen« abgeleitet – daraus im 19. Jh. dt. *karikieren* –, das seinerseits zu gall.-lat. *carrus* »Karren« gehört (vgl. *Karre*).

Karitas »christliche Nächstenliebe, Wohltätigkeit«: Das Fremdwort ist entlehnt aus lat. *caritas* »Wert, Wertschätzung, Liebe«. Zugrunde liegt das lat. Adjektiv *carus* »begehrt, lieb, teuer, wert, hoch im Preis« (daraus frz. *cher* »lieb, geliebt«, wozu *chéri* »Liebling« gehört), das urverwandt ist mit dt. ↑Hure.

Karneval: Die seit dem 17. Jh. bezeugte Bezeichnung der Fastnacht und des während der Fastnachtszeit üblichen närrischen Treibens stammt wie gleichbed. frz. *carnaval* aus it. *carnevale*. Dessen genaue Herkunft ist bis heute ungeklärt. Am ehesten handelt es sich um eine volksetymologische Umdeutung von mlat. *carnelevale* »Fleischwegnahme (während der Fastenzeit)« oder von lat. *carrus navalis* »Schiffskarren« (wie er bei festlichen Umzügen zur Wiedereröffnung der Schifffahrt im Frühjahr begegnete), und zwar nach (lat.) *carne vale* »Fleisch, lebe wohl!«.

Karnickel ↑Kaninchen.

Karo »auf der Spitze stehendes (gleichseitiges) Viereck, Raute« (insbesondere als Stoffmuster und als Spielfarbe französischer Spielkarten): Das Fremdwort wurde im 18. Jh. aus gleichbed. frz. *carreau* entlehnt, das auf galloroman. **qua-drellum* zurückgeht, eine Verkleinerungsbildung zu spätlat. *quadrum* »Viereck, Quadrat«. Über die weiteren Zusammenhänge vgl. den Artikel *Quader*. Beachte noch das Fremdwort ↑kariert, dem ein von lat. *quadrus* »viereckig« abgeleitetes Verb lat. *quadrare* »viereckig machen« zugrunde liegt (s. auch *Quadrant* usw.).

Karosse: Die Bezeichnung für »Prunkwagen, Staatskutsche« wurde im 17. Jh. aus frz. *carrosse* entlehnt, das auf it. *carrozza* zurückgeht. Dies gehört zu it. *carro* »Wagen« (< gall.-lat. *carrus* »Wagen«; vgl. *Karre*). – Dazu stellt sich **Karosserie** »Wagenoberbau, -aufbau (von Kraftwagen)«, das im 20. Jh. aus frz. *carrosserie* entlehnt wurde.

Karotte: Das Wort wurde im 16. Jh. aus älter niederl. *karote* entlehnt, das über frz. *carotte*, lat. *carota* auf griech. *karōtón* »Möhre, Karotte« zurückgeht. Dies gehört wohl zur Familie von griech. *kárā* »Kopf«, das mit dt. ↑Hirn urverwandt ist.

Karpfen: Der Name des Süßwasserfisches (mhd. *karpfe*, mitteld. *karpe*, ahd. *karpho*) stammt wahrscheinlich aus einer unbekannten Sprache des Alpen- und Donaugebiets. In den Gewässern dieses Gebiets war der Karpfen, bevor er als gezüchteter Teichfisch Verbreitung fand, seit alters heimisch. Der von südgermanischen Stämmen übernommene Name drang später in die meisten europäischen Sprachen.

Karre, auch Karren »kleines ein- bis vierrädriges Fahrzeug (zum Schieben oder Ziehen)«: Das auf das dt. und niederl. Sprachgebiet beschränkte westgerm. Substantiv (mhd. *karre*, ahd. *karro, karra*, niederl. *kar*) beruht auf Entlehnung aus gall.-lat. *carrus* »Art vierrädriger Wagen, Karren« (bzw. mlat. *carra*), das mit der Sippe von lat. *currere* »rennen, laufen« (vgl. *Kurs*) verwandt ist. – Zu gall.-lat. *carrus* als Stammwort gehören einige Fremdwörter im dt. Wortschatz, vgl. hierzu im Einzelnen die Artikel *Karriere, Karikatur, Karosse, Karosserie* und *Charge*.

Karriere »[erfolgreiche] Laufbahn«: Das Fremdwort wurde im 18. Jh. aus frz. *carrière* »Rennbahn; Laufbahn« entlehnt, das – wohl durch aprov. *carriera* vermittelt – auf spätlat. *(via) carraria* zurückgeht. Stammwort ist gall.-lat. *carrus* »Wagen« (vgl. *Karre*).

Karst: Die Bezeichnung für »durch Wasser ausgelaugte, an der Oberfläche meist kahle Gebirgslandschaft aus Kalkstein« ist identisch mit dem Namen des jugoslawischen Kalkgebirges in den Dinarischen Alpen, serbokroat. *Kras* (zu serbokroat. *krš* »Fels«). Abl.: **verkarsten** »zu Karst werden«.

Kartätsche ↑Kartusche.

Karte: Das seit dem 15. Jh. bezeugte Substantiv, das zunächst »steifes Blatt Papier« bedeutete, dann alle möglichen unbeschriebenen, beschriebenen, bedruckten, bemalten Stücke dieser Art für die verschiedensten Zwecke bezeichnete (wie Spielkarte, Landkarte, Besuchskarte usw.), ist durch Vermittlung von frz. *carte* aus lat. *charta* entlehnt, das aus griech. *chártēs* »Blatt der ägyptischen Papyrusstaude; daraus zubereitetes Papier; dünnes Blatt usw.« stammt. Das Wort ist vermutlich ägyptischen Ursprungs. – Zahlreich sind die zu lat. *charta*, aus dem auch unser **Charta** »[Verfassungs]urkunde; Grundgesetz« stammt, bzw. zu dt. Karte gebildeten Ableitungen. Zunächst die rein deutschen Bildungen: **karten** »Karten spielen« (15./16. Jh.), auch übertragen gebraucht im Sinne von »etwas schlau einfädeln«, wofür allerdings heute die Zusammensetzung **abkarten** (18. Jh.; eigentlich »die Karten nach heimlicher Verabredung einsehen«) gilt (beachte besonders die Fügung ›abgekartetes Spiel‹). Aus diesem Bereich des Kartenspiels sind auch einige übertragene Redensarten zu nennen wie ›seine Karten aufdecken‹, ›mit verdeckten (oder offenen) Karten spielen‹, ›sich nicht in die Karten gucken lassen‹, ›alles auf eine Karte setzen‹. Das Substantiv **Kartei** »Zettelkasten«, nach dem Vorbild von ›Auskunftei‹ gebildet, erscheint im 19. Jh., zunächst als Warenzeichen. – An fremden Ableitungen sind zunächst die von it. *carta* »Papier; Karte« ausgehenden Entlehnungen ↑Karton, ↑Kartell ↑Kartusche, Kartätsche, ↑Skat, skaten zu erwähnen. Über das Engl. erreichen uns ↑Charter und *chartern*, für die von der Bed. »Urkunde« auszugehen ist. Von Interesse sind in diesem Zusammenhang schließlich noch einige gelehrte Zusammensetzungen, in denen ›Karte‹ als Bestimmungswort **(karto..., Karto...)** erscheint: **Kartothek** »Kartei, Zettelkasten« (nach dem Vorbild von ›Bibliothek‹ gebildet); **Kartographie** »Technik, Lehre, Geschichte der Herstellung von Landkartenbildern« (das Grundwort gehört zu griech. *gráphein* »schreiben«; vgl. *Grafik*), **Kartograph, kartographisch.** – Seit der 2. Hälfte des 20. Jh.s findet sich die in der Bedeutung »Steckkarte zur Wiedergabe von Tönen und Geräuschen bei Computern« verwendete Zusammensetzung **Soundkarte,** eine Lehnübersetzung von engl. *sound card*, sowie das im Sinne von »Steckkarte zur Erstellung von Grafiken auf Computermonitoren« verwendete Substantiv **Grafikkarte.**

Kartell: Das seit dem 16./17. Jh. bezeugte Fremdwort erscheint zuerst im Sinne von »schriftliche Vereinbarung der Kampfbedingungen in einem Turnier«, dann im Sinne von »schriftlicher Vertrag« (insbesondere zwischen Krieg Führenden). Daran an schließt sich die heute gültige Bed. »Zusammenschluss zwischen Unternehmungen (aufgrund von Vereinbarungen), die rechtlich

K

und wirtschaftlich weitgehend selbstständig bleiben«. In allen Bedeutungen ist das Wort aus frz. *cartel* entlehnt, das selbst auf it. *cartello* (eigentlich »kleines Schreiben, Zettel«) zurückgeht. Dies gehört als Verkleinerungsform zu it. *carta* (lat. *charta*) »Papier; auf Papier Geschriebenes; Urkunde« (vgl. *Karte*).

Karthothek ↑Karte.

karto..., Karto... ↑Karte.

Kartoffel: Die Heimat der zu den Nachtschattengewächsen gehörenden Kulturpflanze ist Südamerika. Von dort brachten sie die Spanier im 16. Jh. nach Europa, und zwar einmal unter dem aus der Quechuasprache der Inkas stammenden Namen span. *papa* »Kartoffel« (diese Bezeichnung blieb auf das Span. beschränkt), zum anderen auch als span. *batata, patata* (das Wort entstammt der Indianersprache von Haiti und bezeichnet eigentlich die zu den Windengewächsen gehörende Süßkartoffel, deren Wurzelknollen besonders in den Tropen ein wichtiges Nahrungsmittel sind). Die letztere Bezeichnung gelangte aus Spanien auch in einige andere europäische Sprachen (beachte z. B. it. *patata* »Kartoffel«, engl. *potato* »Kartoffel« und aus dem Engl. gleichbed. schwed. *potatis*). Andere europäische Sprachen wiederum prägten für die Kartoffel eigene Namen, die sich vorwiegend auf die knolligen Wurzeln dieser Pflanze beziehen. So gab es früher in Italien für die Kartoffel auch den Namen *tartufo, tartufolo*. Das Wort bezeichnet eigentlich den essbaren Trüffelpilz (< vlat. **terrae tufer*, italische Dialektform von spätlat. *terrae tuber* »Trüffel«, eigentlich »Erdknolle«; vgl. den Artikel *Trüffel*). Zur Bezeichnung für die Kartoffel wurde es aufgrund einer Verwechslung der unterirdisch heranwachsenden knollenartigen Fruchtkörper der Trüffel mit den Wurzelknollen der Kartoffel. Während das Wort *tartufolo* »Kartoffel« im It. nun hinter *patata* völlig zurückgetreten ist, lebt es in unserem daraus entlehnten Wort ›Kartoffel‹ (18. Jh., durch Dissimilation aus älterem Tartuffel, Tartüffel entstanden) fort. – In dt. Mundartbereichen gelten für ›Kartoffel‹ zahlreiche zusammengesetzte Bezeichnungen wie ›Erdapfel‹, ›Erdbirne‹, ›Grundbirne‹ (daraus entstellt rheinhess. und pfälz. ›Krumbeere‹) usw. Ähnlich heißt die Kartoffel im Frz. *pomme de terre* (eigentlich »Erdapfel«).

Kartoffelpuffer ↑Puff.

Kartoffelpüree ↑Püree.

Kartograph usw. ↑Karte.

Karton »Steifpapier, Pappe; Kasten, Hülle oder Schachtel aus solchem Material«: Das Substantiv wurde um 1600 aus gleichbed. frz. *carton* entlehnt, das seinerseits aus it. *cartone* übernommen ist. Dies ist eine Vergrößerungsform von it. *carta* (< lat. *charta*) »Papier« (vgl. *Karte*).

Kartusche: Das Fremdwort wurde im 17. Jh. aus gleichbed. frz. *cartouche* entlehnt, das seinerseits aus it. *cartuccia* »Papprolle; zylindrischer Behälter (zuerst aus Pappe) zur Aufnahme einer Pulverladung« stammt. Dies ist eine Bildung zu it. *carta* (< lat. *carta*; vgl. *Karte*). Auch im Sinne von »schildartiges Ornament mit reich verziertem Rand« ist ›Kartusche‹ aus frz. *cartouche* entlehnt, das aber in dieser Bedeutung auf eine Nebenform it. *cartoccio* zurückgeht. – Das hierher gehörende Fremdwort **Kartätsche** »Artilleriegeschoss« (mit Bleikugeln usw. gefüllt, wie es früher üblich war), das gleichfalls im 17. Jh. erscheint, geht auf it. *cartaccia* »grobes Papier« zurück, scheint aber durch engl. Vermittlung (älter engl. *cartage*) zu uns gelangt zu sein.

Karussell: Das Wort erscheint im Dt. seit etwa 1700 zunächst in der Bed. »Reiterspiel mit Ringelstechen«. Es wurde in diesem Sinne aus frz. *carrousel* entlehnt, das selbst aus it. *carosello* stammt. Die weitere Herkunft des Wortes ist dunkel. Vom Ende des 18. Jh.s an gewinnt das Wort allmählich seinen heute gültigen Sinn als Bezeichnung für die auf Rummelplätzen der Volksbelustigung dienenden Drehbahnen. Diese pflegte man früher mit herabhängenden Ringen zu versehen, die in einer Art Wettspiel herauszustechen bzw. herauszugreifen waren. Daran erinnern die noch landschaftlich üblichen Bezeichnungen wie ›Ringelspiel‹, ›Ringelreiten‹, ›Ringelrennen‹ u. a.

Karwoche ↑Karfreitag.

Karzer ↑Kerker.

Karzinom ↑Krebs.

Kaschemme »verrufene Kneipe«: Das seit dem 19./20. Jh. bezeugte Wort entstammt der Gaunersprache und geht auf *katšima* »Wirtshaus, Schenke« zurück, ein Wort aus der Sprache der Sinti und Roma.

kaschieren »(Mängel) verbergen, tarnen«: Das seit dem 17. Jh. bezeugte Verb ist aus gleichbed. frz. *cacher* entlehnt. Es gilt heute auch als Fachwort des Buchwesens im Sinne von »Pappeinbände (von Büchern) mit Buntpapier oder bedrucktem Papier überkleben«. – Frz. *cacher* hat sich aus galloroman. **coacticare* »zusammendrücken« entwickelt, einem Intensivum von lat. *coactare* »mit Gewalt zwingen«, das seinerseits Intensivum zu lat. *cogere* »zusammentreiben, zwingen« ist. Über das Grundwort lat. *agere* »treiben, führen usw.« vgl. *agieren.*

Käse: Die Germanen kannten Käse ursprünglich wohl nur in Form von Weichkäse (Quark). Das alte germ. Wort hierfür ist in den nord. Sprachen bewahrt (beachte schwed. *ost* »Käse«, urverwandt mit lat. *ius* »Brühe«). Den festen Labkäse lernten die (West)germanen von den Römern kennen. Deren Wort für den »(einzelnen) Käse«, lat. *caseus* (zur Etymologie vgl. den Artikel *Quas*), lebt dementsprechend in den westgerm. Sprachen als Lehnwort fort (ahd. *chāsi, kāsi*, mhd. *kæse*, niederl. *kaas*, engl. *cheese*).

Kasematte »bombensicherer Raum in Festungen;

durch Panzerwände geschützter Geschützraum eines Kriegsschiffes«: Das Wort wurde als Fachausdruck des Festungsbaues im 16. Jh. aus frz. *casemate* entlehnt, das seinerseits aus it. *casamatta* ›Wallgewölbe‹ übernommen ist. Dies geht auf mgriech. *chásma (chásmata)* »Spalte, Erdschlund, Erdkluft« zurück.

aserne: Die seit dem Ende des 17. Jh.s gebräuchliche Bezeichnung für die zur dauernden Unterkunft der Truppen bestimmten Gebäude ist aus gleichbed. frz. *caserne* entlehnt. Das frz. Wort bedeutete zunächst »kleiner Raum auf Festungsanlagen für die zur Nachtwache abgestellten Soldaten«, danach dann allgemeiner »kleines Quartier für Garnisonssoldaten«. Quelle des Wortes ist vlat. **quaderna* (für *quaterna*) »je vier, Gruppe von vier Personen«, das dem Frz. durch prov. *caserna* »Wachthaus für vier Soldaten« vermittelt wurde. – Stammwort ist lat. *quattuor* »vier« (vgl. den Artikel *Quader*).

asino »Gebäude mit Räumen für gesellige Zusammenkünfte; Speise- und Aufenthaltsraum (bes. für Offiziere); Spielbank«: Das Fremdwort wurde Ende des 18. Jh.s aus it. *casino* »Gesellschaftshaus, Klubhaus« entlehnt. Dies ist eine Verkleinerungsbildung zu it. *casa* »Haus« (< lat. *casa* »Hütte«).

askade »in Form von Stufen künstlich angelegter Wasserfall«: Das Fremdwort wurde im 17. Jh. (zusammen mit anderen Fachbezeichnungen französischer Gartenbaukunst wie ↑Bassin, ↑Fontäne) aus gleichbed. frz. *cascade* entlehnt, das seinerseits aus it. *cascata* »Wasserfall« übernommen ist. Das zugrunde liegende Verb it. *cascare* »fallen« geht auf vlat. **casicare* zurück. Über die weiteren Zusammenhänge vgl. den Artikel *Chance*.

asko »Schiffsrumpf; Fahrzeug (im Gegensatz zur Ladung)«: Das seit dem 18. Jh. bezeugte Fremdwort, das heute besonders in der Zusammensetzung **Kaskoversicherung** »Versicherung gegen Schäden an Transportmitteln« lebt, stammt aus dem Bereich des Seewesens. Es ist aus span. *casco* entlehnt, das als Ableitung von span. *cascar* »zerbrechen« eigentlich »abgebrochenes Stück, Scherbe« bedeutet. Das span. Wort hat dann neben verschiedenen anderen Bedeutungen wie »Schädel, Kopf; Helm« auch die Bed. »Bauch (eines Kessels); Schiffsrumpf« entwickelt. – Span. *cascar* geht auf vlat. **quassicare* »zerbrechen« zurück, das zu lat. *quassus* »zerbrochen« und weiter zu lat. *quatere* »schütteln; erschüttern; zerschlagen« gehört. Über weitere Zusammenhänge vgl. den Artikel *diskutieren*.

asper »lustige Hauptfigur des Puppenspiels; alberner Mensch«: Das Wort ist identisch mit dem männlichen Vornamen Kaspar, der auf Kaspar, den Namen eines der Heiligen Drei Könige, zurückgeht. Da der Kaspar in den mittelalterlichen Dreikönigsspielen als Mohr auftrat und lustige Einlagen brachte, wurde er allmählich zur lustigen Figur, beachte die Verkleinerungsform **Kasperle** und die Zusammensetzung **Kasperletheater**.

Kasse: Das seit dem 16. Jh. zuerst in der Form ›Cassa‹ (beachte die noch heute übliche Zusammensetzung ›Kassazahlung‹ »Barzahlung«) bezeugte Substantiv steht in einer Reihe mit anderen Fachwörtern der Kaufmannssprache und des Geldwesens wie ↑[2]Bank, ↑Prokura, ↑Konto usw., die alle it. Herkunft sind. Das vorausliegende it. *cassa* »Behältnis; Ort, an dem man Geld aufbewahren kann; Zahlungsraum, -schalter«, das im Einzelnen die Bedeutung von dt. Kasse bestimmte, geht wie frz. *châsse* »(Reliquien)kästchen« (↑Chassis) auf lat. *capsa* »Behältnis, Kasten« zurück. Über die idg. Zusammenhänge vgl. den Artikel *heben*. – Abl.: [1]**kassieren** »Geld einnehmen (und verbuchen)« (17. Jh.), steht für älteres, heute seltenes **einkassieren,** das nach it. *incassare* (wörtlich: »in die Kasse bringen«) gebildet ist (nicht verwandt ist ↑[2]kassieren »für ungültig erklären«); **Kassierer** »Rechnungsführer, Kassenverwalter« (17. Jh.); zu ›[1]kassieren‹ gebildet oder aus der älteren, heute noch in Süddeutschland und in Österreich bevorzugten Form **Kassier** (16. Jh.; aus it. *cassiere*) weitergebildet. Vgl. auch den Artikel *Kassette*.

Kasseler, auch: Kassler »gepökeltes und geräuchertes Schweinefleisch (besonders von der Rippe)«: Die Herkunft des Wortes ist – trotz aller Deutungsversuche (etwa zum Ortsnamen Kassel oder zu einem Fleischermeister namens Kassel) – dunkel.

Kasserolle »Schmortopf, -pfanne«: Das seit dem 17./18. Jh. bezeugte Fremdwort stammt aus gleichbed. frz. *casserole*. Dies ist von dem in nordfrz. Mundarten verbreiteten Substantiv *casse* »Pfanne« abgeleitet. Voraus liegen: aprov. *cassa,* vlat. *cattia* »Maurerkelle; Schöpflöffel; Schmelztiegel«. Die weitere Herkunft ist unsicher.

Kassette »Kästchen für Wertsachen; Schutzhülle für Bücher o. Ä.; lichtdichter Behälter für Platten und Filme in Aufnahmegeräten; Magnetband in einem flachen Kunststoffgehäuse«: Das Substantiv wurde im 18. Jh. aus frz. *cassette* »[Geld]kästchen« entlehnt, einer Verkleinerungsform zu frz. *casse* »Kasten«. Dies geht auf lat. *capsa* »Kasten, Behältnis« (vgl. *Kasse*) zurück.

[1]**kassieren** ↑Kasse.

[2]**kassieren** »für ungültig erklären, aufheben, annullieren«: Das Verb wurde in der Kanzleisprache des 16. Jh.s aus gleichbed. spätlat. *cassare* entlehnt. Dies gehört zu lat. *cassus* »leer; nichtig«. – Nicht verwandt ist ↑[1]kassieren.

Kastagnette »Handklapper (aus zwei Holzplättchen)«: Das Fremdwort wurde zu Beginn des 17. Jh.s aus span. *castañeta* entlehnt. Dies ist eine Verkleinerungsform von span. *castaña* »Kastanie«. Die Kastagnette verdankt also wohl ihrer

Ähnlichkeit mit einer Kastanie ihren Namen. – Über weitere Zusammenhänge vgl. *Kastanie*.

Kastanie: Dieses Wort ist die volkstümliche, zusammenfassende Bezeichnung für die essbare Edelkastanie (dafür auch ↑Marone) und die artverschiedene, nicht essbare, aber als Viehfutter verwendbare Rosskastanie (s. unter *Ross*). Der etymologisch nicht geklärte Name, griech. *kástanon* (für den Kastanienbaum), griech. *kastáneia* (für die Frucht), gelangte über lat. *castanea* »Kastanie« durch vlat.-roman. Vermittlung (roman. *castinea, castenea*) früh in den germ. Westen und lieferte ahd. *chestin[n]a*, mhd. *kesten[e]*, aengl. *ciesten-bēam*. Die heute übliche, durch Luther durchgesetzte Form des Wortes beruht auf einer erneuten Entlehnung in mhd. Zeit, und zwar unmittelbar aus lat. *castanea*. – Siehe auch *Kastagnette*.

Kastanie

[für jmdn.] die Kastanien aus dem Feuer holen
»eine unangenehme oder gefährliche Aufgabe für jmdn. übernehmen«
Die Wendung stammt aus einer Fabel von La Fontaine. In dieser Fabel veranlasst der Affe die Katze, die gerösteten Kastanien aus dem Feuer zu holen, die er dann sofort auffrisst. Vgl. frz. *tirer les marrons du feu.*

Kaste: Das seit dem 18. Jh. bezeugte Substantiv, das als Bezeichnung für die abgeschlossenen Stände Indiens aus frz. *caste* < port. *casta* entlehnt wurde, bezeichnet heute oft allgemein jede sich streng isolierende Gesellschaftsschicht. Das port. Wort *casta* ist eine von Indienreisenden geschaffene Neubildung zu dem Adjektiv span., port. *casto* »rein, keusch«, das auf gleichbed. lat. *castus* zurückgeht. Dazu gehört lat. *castigare* »zurechtweisen, züchtigen«, das unserem Lehnwort ↑kasteien zugrunde liegt.

kasteien »peinigen, martern«, heute fast nur reflexiv gebraucht, meist im Sinne von »sich als religiöse Buße Schmerzen, Entbehrungen und dgl. auferlegen, strenge Selbstzucht üben«: Das mit dem Vordringen des römischen Christentums aus der Kirchensprache aufgenommene Verb (mhd. *kestigen*, ahd. *chestigōn*, mitteld. *kastīgen*) geht auf lat.-kirchenlat. *castigare* »zurechtweisen, rügen, züchtigen« (eigentlich etwa »zu einer moralischen, keuschen Lebensweise anhalten«) zurück. Dies gehört zu lat. *castus* »rein, keusch« (vgl. *Kaste*). Die nhd. Form des Wortes, die durch Luther durchgesetzt wurde, hat sich aus mitteld. *kastīgen* entwickelt.

Kastell »fester Platz, Fort, Burg, Schloss«: Das im 15. Jh. aus lat. *castellum* »Kastell, Fort, Festung« (Verkleinerungsform zu lat. *castrum* »Schanzlager«) entlehnte Fremdwort, das heute nur noch historische Geltung hat, trat an die Stelle des alten Lehnwortes mhd., ahd. *kástel* »befestigte Ort, Kastell«. Das alte Wort lebt noch in zahlre chen Ortsnamen wie Mainz-Kastel, Bernkaste Kues u. a., die alle auf ein ehemaliges, am Ort vo handenes römisches Truppenlager hinweisen.

Kasten: Das auf das dt. und niederl. Sprachgebie beschränkte Wort mhd. *kaste*, ahd. *kasto*, nieder *kast* ist wahrscheinlich von dem unter ↑Kar be handelten germ. Substantiv **kasa-* »Gefäß« ab geleitet.

kastrieren »verschneiden, entmannen«: Das Ver wurde Ende des 16. Jh.s aus gleichbed. lat. *castra re* entlehnt.

Kasus: Der grammatische Terminus für »Beugefa (Gramm.); Fall, Vorkommnis, Vorfall« wurde ir 16. Jh. aus gleichbed. lat. *casus* entlehnt. Zugrun de liegt lat. *cadere* »fallen« (vgl. hierüber *Chan ce*). Als grammatischer Terminus ist lat. *casus* Be deutungslehnwort von griech. *ptōsis* »Fall, Ka sus« (zu griech. *píptein* »fallen«).

kata..., Kata..., (vor Vokalen und vor h:) kat.. Kat...: Die Vorsilbe mit der Bedeutung »von – he rab, abwärts; gegen; über – hin; gänzlich, völlig ist entlehnt aus gleichbedeutend griech. *katá*, da wahrscheinlich verwandt ist mit lat. *cum* »mit (dazu das Präfix lat. *com..., con...*; vgl. *kon.. Kon...*).

Katafalk »schwarz verhängtes Gerüst für den Sar bei Trauerfeiern«: Das seit dem 18. Jh. bezeugt Fremdwort ist aus gleichbed. frz. *catafalque* ent lehnt, das seinerseits aus it. *catafalco* entlehn ist. Dies geht auf vlat. **catafalicum* zurück. Glei cher Herkunft ist afrz. *chafaud* (= frz. *échafaud*, das unser Lehnwort ↑Schafott lieferte. In den vlat. Wort haben sich wahrscheinlich zwei Wör ter gekreuzt, lat. *catasta* »Schaugerüst (zur Aus stellung verkäuflicher Sklaven)« und lat. *fal* »hohes Gerüst«.

Katakomben: Die Bezeichnung für die altchristli chen unterirdischen Begräbnisstätten (beson ders in Rom) wurde bei uns im 18. Jh. bekann Die Quelle des Wortes, das uns durch it. *catacom be* vermittelt wurde, ist spätlat. *catacumbae*. Di weitere Herkunft des Wortes ist nicht sicher ge klärt.

Katalog: Die Bezeichnung für »Verzeichnis (vo Büchern, Bildern, Waren usw.)« wurde im 16. Jh aus lat. *catalogus* entlehnt, das seinerseits au griech. *katálogos* »Aufzählung, Verzeichnis stammt. Diesem liegt das griech. Verb *kata-légei* »hersagen, aufzählen« zugrunde. Über weiter Zusammenhänge vgl. den Artikel *Lexikon*.

Katalyse »Herbeiführung, Beschleunigung ode Verlangsamung einer Stoffumsetzung«: Der che mische Terminus ist eine gelehrte Entlehnun aus griech. *katálysis* »Auflösung«. Dies gehört z griech. *kata-lýein* »auflösen« (vgl. *kata..., Kata..* und *Analyse*).

Katapult: Die Bezeichnung für »Steinschleuder Schleuder zum Starten von Flugzeugen« ist ein

Entlehnung aus lat. *catapulta*, das seinerseits aus griech. *katapéltēs* »Wurf-, Schleudermaschine« übernommen ist. Dies gehört zum Grundverb griech. *pállein* »schwingen, schleudern«.

atarakt: Die Bezeichnung für »Stromschnelle, [niedriger] Wasserfall« wurde im 16. Jh. aus lat. *cataracta* entlehnt, das seinerseits aus griech. *kata-rrháktēs* »Wassersturz, -fall« (zu griech. *katarrháttein* »herabstoßen, herabstürzen«) stammt.

atarrh »Schleimhautentzündung (mit meist reichlichen Absonderungen)«: Das seit dem Beginn des 16. Jh.s bezeugte Fremdwort galt in der älteren Medizin speziell zur Bezeichnung des Schnupfens. Es ist aus lat. *catarrhus* entlehnt, das seinerseits aus griech. *katárrhous* »Schnupfen« stammt. Die wörtliche Bedeutung des griech. Wortes ist »Herabfluss« (zum Grundverb griech. *rheīn* »fließen«; über die weiteren Zusammenhänge vgl. den Artikel *Rhythmus*). Nach antiken Vorstellungen ist ein aus dem Gehirn herabfließender Schleim die Ursache dieser Krankheit. – Eine volkstümliche, in Leipziger Mundart erfolgte Eindeutschung des Wortes Katarrh vermutet man in [2]**Kater** »Katzenjammer«, das im 19. Jh. begegnet und durch die Studentensprache populär wurde. Allerdings ist das Wort dann zumindest volksetymologisch an ↑[1]Kater »männliche Katze« angeschlossen worden, wie überhaupt der alkoholische Rausch mit seinen Nachwirkungen gern scherzhaft mit Tiernamen bezeichnet wird (vgl. z. B. ›Affe‹).

ataster »amtliches Verzeichnis der Grundstücksverhältnisse, Grundbuch«, beachte die Zusammensetzung **Katasteramt:** Das schon im 17. Jh. in der nlat. Form ›Catastrum‹ bezeugte und im 18. Jh. eingedeutschte Wort stammt aus älter it. *catastro* (daraus auch entsprechend frz. *cadastre*) »Zins-, Steuerregister«. Dies geht über venezian. *catastico* auf mgriech. *katásthikon* »Register, Liste«, eigentlich »Reihe für Reihe« (zu griech. *katá* »von – herab« und *stíchos* »Reihe«), zurück.

atastrophe »entscheidende Wendung zum Schlimmen; Unheil, Verhängnis, Zusammenbruch«: Das Fremdwort wurde um 1600 aus griech.-lat. *katastrophḗ* »Umkehr, Wendung (insbesondere der Handlung im Drama); Vernichtung, Verderben« entlehnt. Dies gehört zu griech. *katastréphein* »umkehren, umwenden« (vgl. *kata...*, *Kata...* und *Strophe*).

ate (nordd. für:) »Kleinbauernhaus«: Das seit dem 17. Jh. bezeugte Wort ist eine jüngere Nebenform von **Kote** nordd. für »Häuslerwohnung; Hütte« (mnd. *kote*, vgl. niederl. *kot* »Hütte, Schuppen«, engl. *cot* »Hütte«, *cote* »Stall, Schuppen«, schwed. *kåta* »Hütte, Lappenzelt«). Dieses Substantiv bedeutete ursprünglich wahrscheinlich »Höhle, Loch, mit Flechtwerk abgedeckte Wohngrube« und gehört zu der unter ↑Keule dargestellten Wortgruppe. Abl.: **Kätner** »Besitzer einer Kate«.

Katechismus: Die Bezeichnung für »Lehrbuch (besonders der christlichen Religion) in Frage und Antwort« wurde im 16. Jh. aus kirchenlat. *catechismus* entlehnt, das seinerseits aus griech. *katēchismós* »Unterricht, Lehre« stammt. Dies gehört zu griech. *katēcheīn* »entgegentönen, umtönen, durch den Klang erfreuen«, und zwar in dessen spezieller Bed. »mündlich unterrichten, belehren«. Stammwort ist griech. *ēchḗ* »Schall, Ton« (vgl. *Echo*).

Kategorie: Das seit dem 18. Jh. bezeugte Substantiv war ursprünglich ein rein philosophischer Terminus und ist in dieser Verwendung etwa mit »Begriffs-, Denk-, Anschauungsform« wiederzugeben. Der allgemeine Gebrauch des Wortes im Sinne von »Klasse, Gattung« (beachte z. B. die Wendung ›Kategorie von Menschen‹) kam erst im 19. Jh. auf. Das Wort ist aus lat. *categoria* entlehnt, das seinerseits aus griech. *katēgoría* »Grundaussage« stammt. Das zugrunde liegende Verb griech. *agoreúein* »sagen, reden« gehört zu griech. *agorā́* »Markt« (also eigentlich »auf dem Markt öffentlich reden«), das zur idg. Wortfamilie von ↑Gremium gehört. Eine andere zu griech. *agoreúein* gehörende Zusammensetzung erscheint in ↑Allegorie.

[1]**Kater:** Die Benennung des männlichen Tieres mhd. *kater[e]*, ahd. *kataro*, mnd. *kater* ist von dem unter ↑Katze dargestellten Wanderwort abgeleitet. Ein anderes Wort ist [2]Kater »Katzenjammer« (↑Katarrh).

[2]**Kater** ↑Katarrh.

Katheder »Pult, Kanzel; Lehrstuhl (eines Hochschullehrers)«: Das Fremdwort wurde im 16. Jh. aus lat. *cathedra* »Stuhl, Sessel« entlehnt, das im Kirchenlat. die Bed. »Lehrstuhl, Lehramt; Bischofssitz« entwickelte (beachte auch das abgeleitete Adjektiv mlat. *cathedralis* »zum Bischofssitz gehörend«, das die Quelle für ↑Kathedrale ist). Lat. *cathedra* geht auf griech. *kathédra* »Sitz, Sessel« zurück. Grundwort ist griech. *hédra* »Sitz, Sessel, Wohnsitz usw.«, das zu dem mit dt. ↑sitzen urverwandten Verb griech. *hézesthai* »sitzen; sich setzen« gehört.

Kathedrale: Das seit dem Ende des 18. Jh.s gebräuchliche Substantiv (älter ist die Zusammensetzung ›Kathedralkirche‹) ist die übliche Bezeichnung für die »bischöfliche Hauptkirche«, besonders in Spanien, Frankreich und England (in Deutschland gilt dafür ↑Dom oder auch ↑Münster). Das Wort geht auf mlat. *ecclesia cathedralis* »zum Bischofssitz gehörende Kirche« zurück (über das Adjektiv mlat. *cathedralis* vgl. den Artikel *Katheder*).

Katheter: Der medizinische Ausdruck für »Röhrchen zum Einführen in Körperorgane« (besonders in die Blase) ist aus gleichbed. lat. *catheter* entlehnt, das seinerseits aus griech. *kathetḗr*

»Sonde« (zu griech. *kathiénai* »hinablassen, hinabschicken«) stammt.

Kathode: Die physikalisch-fachsprachliche Bezeichnung für die negativ geladene Elektrode wurde im 19. Jh. aus gleichbed. engl. *cathode* entlehnt. Dies geht zurück auf griech. *káth-odos* »der Weg hinab; die Rückkehr« (vgl. *kata...*, *Kata...* und *Periode*). Die Kathode ist demnach als »Austrittsstelle« der Elektronen aus dem geschlossenen Stromkreis benannt. Engl. *cathode* wurde in Deutschland durch die Entdeckungen Faradays bekannt.

katholisch: Das Adjektiv wurde im 16. Jh. aus kirchenlat. *catholicus* entlehnt, das seinerseits aus griech. *katholikós* »das Ganze, alle betreffend; allgemein« (zu griech. *hólos* »ganz«) stammt. Die katholische Kirche ist demnach ursprünglich die »allgemeine Kirche« gegenüber den Sonderkirchen. – Abl.: **Katholik** »Angehöriger der römisch-katholischen Kirche« (18. Jh.); **Katholizismus** »Geist und Lehre des katholischen Glaubens« (17. Jh., nlat. Bildung).

Kattun: Die Bezeichnung für das feste Baumwollgewebe wurde im 17. Jh. aus gleichbed. niederl. *katoen* entlehnt. Dies geht auf arab. *quṭun* »Baumwolle« zurück. Das arab. Wort, das vielleicht auch Ausgangspunkt für unser Wort ↑Kittel ist, kommt in fast allen europäischen Sprachen vor, weil die Araber durch ihren schon im 12. Jh. blühenden Handel den Europäern die Kenntnis von der Anpflanzung und Verarbeitung der Baumwolle überbrachten (so z. B. it. *cotone*, frz. *coton*, engl. *cotton*, span. [mit arab. Artikel] *algodón* »Baumwolle«; schwed. *kattun*, russ. *kutnja* »asiatischer halbseidener Stoff« [aus türk. *kutny* »Stoffgemisch aus Seide und Baumwolle«, zu arab. *quṭnī* »baumwollen«]). – Arab. *quṭun* ist selbst Lehnwort und hängt mit hebr. *kutonęṯ* »auf dem bloßen Leib getragenes Kleid« (= aram. *kithuna*) zusammen. Es handelt sich wohl um ein altes semit. Handelswort, das teils durch die Phönizier, teils vielleicht auch durch die Etrusker weite Verbreitung fand, beachte z. B. das aus dem Semit. stammende Lehnwort lat. *tunica* »Untergewand; Haut, Hülle« (↑tünchen).

Katze: Der Name der Katze ist ein altes Wanderwort, das seit dem ausgehenden Altertum in fast allen europäischen Sprachen erscheint, vgl. z. B. die kelt. Sippe von air. *cat*, spätlat. *catta, cattus*, mgriech. *kátta* und die baltoslaw. Sippe von russ. *kot*. Aus welcher Sprache der Katzenname stammt, ist unklar. Am ehesten handelt es sich um ein aus einem Lockruf entwickeltes nordgerm. Wort, das ursprünglich die Wildkatze bezeichnete. Möglich ist auch, dass der Katzenname aus einer nordafrikan. Sprache stammt (vgl. nubisch *kadīs* »Katze«) und durch die Kelten vermittelt wurde. – Mhd. *katze*, ahd. *kazza*, engl. *cat*, schwed. *katt* gehen auf germ. **kattōn*, **kattu-* »Katze« zurück, während die Bezeichnung des männlichen Tieres (↑[1]Kater) von einer Form ohne Geminata abgeleitet ist. Zus.: **Katzenauge** »Rückstrahler« (20. Jh.); **Katzengold** »Goldglimmer« (15. Jh.; wohl als »falsches Gold«); **Katzenjammer** (18. Jh.; aus der Studentensprache für »heulendes Elend, Unwohlsein nach dem Rausch«; anspielend auf die an Wehklagen erinnernden Laute der Katze, besonders in der Paarungszeit; **Katzenmusik** (18. Jh.; aus der Studentensprache für »misstönende Musik«; nach den jaulenden Lauten der Katze, besonders in der Paarungszeit).

Katze

die Katze im Sack kaufen

(ugs.) »etwas ungeprüft übernehmen, kaufen [und dabei übervorteilt werden]«

Die Wendung, ursprünglich in der Form ›etwas im Sack kaufen‹ bezeugt, meint eigentlich »etwas kaufen, ohne es vorher in Augenschein genommen zu haben«. Die Festlegung auf die Katze rührt daher, dass früher auf den Märkten oft eine wertlose Katze anstelle eines Ferkels, Kaninchens oder Hasen in den Sack getan wurde, um den unachtsamen Käufer hereinzulegen.

für die Katz sein

(ugs.) »vergeblich, nutzlos sein«

Die Wendung meint eigentlich, dass etwas wertlos, so schlecht ist wie Fischreste, Wurstpellen, Käserinden, die man der Katze zum Fressen vorwirft.

kauderwelsch: Der Ausdruck für »unverständlich, verworren, radebrechend« bezog sich ursprünglich auf die schwer verständliche Sprache der Rätoromanen aus dem Rheintal von Chur. Der Ortsname Chur lautet im Tirolischen Kauer. Über ›kaurerwelsch‹ entwickelte sich – wohl unter dem Einfluss von mdal. *kaudern* »kollern; plappern« oder mdal. *kaudern* »hausieren« (bezogen auf das Welsch der [italienischen] Hausierer) – ›Kauderwelsch‹, das also eigentlich »Churromanisch« bedeutet (vgl. *welsch*).

kauen: Das altgerm. Verb mhd. *kiuwen*, ahd. *kiuwan*, niederl. *kauwen*, engl. *to chew* (mit dissimiliertem Anlaut die nord. Sippe von schwed. *tugga* »kauen«) gehört mit verwandten Wörtern in anderen idg. Sprachen – vgl. z. B. pers. *ẖā'idan* »kauen« und russ. *ževat'* »kauen« – zu der idg. Wurzel **g[i̯]eu-* »kauen«. – Die nhd. Form ›kauen‹ geht auf mitteld. *kūwen* zurück, während die lautgerechte Entwicklung von mhd. *kiuwen* das heute veraltete ›keuen, käuen‹ ist, das in der Zusammensetzung **wiederkäuen** bewahrt ist. Dazu gebildet ist **Wiederkäuer** (19. Jh.).

kauern: Das erst seit dem 18. Jh. in hochd. Texten bezeugte Verb gehört mit mnd. *kūren* »lauern, spähen« und schwed. *kura* »hocken, kauern« zu der unter ↑Keule dargestellten idg. Wurzel **geu-*

»[sich] biegen« und bedeutete demnach ursprünglich »sich bücken, sich ducken, gekrümmt dasitzen«. Vgl. z. B. aus anderen idg. Sprachen lit. *gũrinti* »in gekrümmter Haltung gehen« und griech. *gȳrós* »gebogen, krumm«.

kaufen: Das gemeingerm. Zeitwort mit der ursprünglichen Bed. »Kauf- und Tauschhandel treiben« (mhd. *koufen,* ahd. *koufōn,* got. *kaupōn,* aengl. *cēapian,* schwed. *köpa*) beruht entweder auf einer frühen germ. Neubildung zu lat. *caupo* »Schenkwirt, Herbergswirt; Weinhändler, Gelegenheitshändler« oder aber auf Entlehnung aus dem von lat. *caupo* abgeleiteten Verb lat. *cauponari* »verschachern, verhökern«. Der die römischen Legionen begleitende Schank- und Kantinenwirt *(caupo)* spielte im Handelsverkehr mit den Germanen eine bedeutsame Rolle. Er handelte nicht nur mit dem bei den Germanen sehr begehrten Wein, sondern er war darüber hinaus der Klein- und Gelegenheitshändler schlechthin. Um das einfache Verb gruppieren sich die Präfixbildungen ›sich bekaufen‹ »unüberlegt, zu teuer kaufen« und ›verkaufen‹ (s. u.) und mehrere zusammengesetzte Verben, z. B. ›abkaufen, ankaufen (mit Ankauf, Ankäufer), aufkaufen (mit Aufkauf, Aufkäufer), einkaufen (mit Einkauf, Einkäufer)‹. – Eine alte Rückbildung aus dem gemeingerm. Verb ist das Substantiv **Kauf** mit einer ursprünglichen Bed. »Handel, Vertrag, Geschäft; Verkauf, Kauf« (mhd., ahd. *kouf,* niederl. *koop,* aengl. *cēap,* schwed. *köp*). – Abl. und Zus.: **Käufer** (mhd. *koufer, köufer,* ahd. *choufari* »wer kauft und verkauft; Händler, Kaufmann«); **käuflich** »durch Kauf zu erwerben« (mhd. *kouflich,* ahd. *chouflīh* »dem Handel, dem Geschäft entsprechend, im Handel getätigt«); **verkaufen** »zum Kauf geben, gegen Bezahlung abgeben« (mhd. *verkoufen,* ahd. *firkoufen*), dazu **Verkauf** (frühnhd.) und **Verkäufer** (mhd. *verkoufære*); **Kaufmann** (mhd. *koufman,* ahd. *choufman*), dazu als Plural **Kaufleute.** – Siehe auch den Artikel [2]*Kaper.*

Kaulbarsch: Das Bestimmungswort, das außer in ›Kaulbarsch‹ auch in ›Kaulkopf‹ »Groppe« und in ›Kaulquappe‹ »Froschlarve« steckt, bedeutet »Kugel; Dickkopf«, vgl. frühnhd. und dt. mdal. **Kaule** »Kugel, Kugelförmiges«, **kaulicht** »kugelig«, **Quarkkäulchen** »Kügelchen aus Quark« und dgl. Es geht zurück auf mhd. *kūle,* das aus mhd. *kugele* (vgl. *Kugel*) zusammengezogen ist.

Kaulquappe ↑Quappe.

kaum: Das auf das dt. Sprachgebiet beschränkte Adverb (mhd. *kūm[e],* ahd. *kūmo*) gehört im Sinne von »mit Mühe, schwerlich« zu ahd. *kūma* »[Weh]klage«, *kūmīg* »schwach, gebrechlich« (eigentlich »kläglich, jämmerlich«), *kūmen* »klagen, jammern usw.« Diese Sippe stellt sich mit den unter ↑Kauz und ↑Köter behandelten Wörtern zu der germ. Wortgruppe von ahd. *gi-kewen* »nennen, heißen« (germ. **kaujan* »rufen«), die lautnachahmenden Ursprungs ist. [Elementar]verwandt sind z. B. griech. *goān* »wehklagen, jammern« und lit. *gaũsti* »tönen, rauschen, summen«.

kausal »ursächlich«: Das seit dem 18. Jh. bezeugte Adjektiv ist entlehnt aus lat. *causalis* »zur Ursache gehörend«, einer Bildung zu lat. *causa* »Grund; Ursache; Sache« (vgl. *kosen*). Abl.: **Kausalität** »Zusammenhang von Ursache und Wirkung« (18. Jh.).

Kaution »Bürgschaft; Sicherheitsleistung in Form von Geldhinterlegung«: Das seit dem 16. Jh. bezeugte Rechtswort geht auf gleichbed. lat. *cautio* zurück. Dies bedeutet eigentlich »Behutsamkeit, Vorsicht« und ist eine Bildung zu dem lat. Verb *cavere (*covere)* »sich in Acht nehmen, Vorsorge treffen; Bürgschaft leisten«, das mit dt. ↑hören urverwandt ist.

Kautschuk »Milchsaft des Kautschukbaumes (Rohstoff für die Gummiherstellung)«: Das seit dem Anfang des 19. Jh.s bezeugte Fremdwort steht für ältere Formen des 18. Jh.s wie Cauchu, Kautschu und Cachuchu. Es stammt letztlich aus einer Indianersprache Perus, vermittelt durch span. *coucho, cauchu, cauchuc* (heute: *caucho*) und frz. *caoutchouc.*

Kauz: Der nur dt. Vogelname (spätmhd. *kūz[e]*) gehört wahrscheinlich zu der unter ↑kaum dargestellten Gruppe von Lautnachahmungen. Der Kauz wäre demzufolge nach seinem Geschrei benannt. Im übertragenen Gebrauch bedeutet ›Kauz‹ »seltsamer Mensch«, beachte die Ableitung **kauzig** »seltsam, schrullig« (19. Jh.).

Kavalier: Das seit etwa 1600 bezeugte Wort ist aus gleichbed. frz. *cavalier* entlehnt, das seinerseits aus it. *cavaliere* »Reiter, Ritter« stammt. ›Kavalier‹ war zunächst nur als Titel der Angehörigen eines ritterlichen Ordens gebräuchlich. Wenig später schon entwickelten sich daraus Bedeutungen wie »adliger Herr, Hofmann«, die ihrerseits den heute allein üblichen Gebrauch des Wortes im Sinne von »feiner und gebildeter, (besonders Frauen gegenüber) taktvoller Mann« vorbereiteten (beachte hierzu auch die entsprechende Geltung des Wortes ↑Dame). Auch it. *cavaliere,* span. *caballero* und frz. *chevalier* weisen die Bedeutungsentwicklung von »Reiter« über »Ritter« zu »Edelmann« auf. – It. *cavaliere* geht über aprov. *cavalier* auf lat. *caballarius* »Pferdeknecht« zurück. Dies ist eine Bildung zu dem etymologisch nicht sicher gedeuteten Substantiv lat. *caballus* »Pferd«, das im It. als *cavallo,* im Span. als *caballo* und im Frz. als *cheval* erscheint. Von Interesse ist in diesem Zusammenhang noch das Fremdwort ↑Kavallerie, das gleichen Stammes ist.

Kavallerie »Reiterei, Reitertruppen«: Das Fremdwort wurde 1600 aus frz. *cavalerie* entlehnt, das auf gleichbed. it. *cavalleria* zurückgeht. Dies ist eine Ableitung von it. *cavaliere* »Reiter« (vgl. *Kavalier*).

Kaviar: Die Bezeichnung für den Rogen des Störs

wurde im 17. Jh. aus gleichbed. türk. *havyar,* eigentlich »Eiträger«, entlehnt.

Kebse: Die Herkunft des heute wenig gebräuchlichen Ausdrucks für »Nebenfrau, Konkubine« ist dunkel. In den älteren Sprachzuständen entsprechen mhd. *kebes[e],* ahd. *kebis[a],* vgl. asächs. *kevis,* aengl. *ciefes,* zu denen sich aisl. *kefsir* »Sklave« stellt. Das Wort würde demnach eigentlich »Sklavin, weibliche Gefangene« (die zur Beischläferin gemacht wurde) bedeuten.

keck: Mhd. *kec, quec* »lebendig; lebhaft; frisch, munter; stark, fest; mutig«, ahd. *chec[h], quec[h]* »lebendig; lebhaft«, niederl. *kwi[e]k* »flink, lebhaft«, engl. *quick* »schnell; munter, frisch; stark«, schwed. *kvick* »schnell, flink; schlagfertig; witzig, geistreich« gehören mit dem anders gebildeten got. *qius* »lebendig« zu der vielgestaltigen idg. Wortgruppe der Wurzel **gu̯ei-* »leben«. Vgl. aus anderen idg. Sprachen z. B. griech. *zēn* »leben«, *zōḗ* »Leben«, *zōion* »Tier« (↑*zoo..., Zoo...,* wie z. B. in ↑Zoologie), *bíos* »Leben« (↑bio..., Bio..., wie z. B. in Biologie), *hygieinós* eigentlich »gut lebend« (↑Hygiene), lat. *vivere* »leben«, *vivus* »lebendig«, *vita* »Leben«, *vivarium* »Tiergarten« (↑Weiher) und die baltoslaw. Sippe von russ. *žit'* »leben«, *živoj* »lebendig«, *život* »Leben«. – Die nhd. Form ›keck‹ mit anlautendem k- geht auf eine in spätahd. Zeit entwickelte südd. Nebenform zurück. Der reguläre Anlaut ist dagegen bewahrt in ↑erquicken und ↑verquicken sowie in dem Pflanzennamen ↑Quecke und weiterhin in der Zusammensetzung, siehe die Artikel *Quecksilber* und *quicklebendig.*

K

keckern: Das seit dem 19. Jh. bezeugte Verb, das hauptsächlich die [Zornes]laute von Fuchs, Marder und Iltis wiedergibt, stellt sich als eine iterative Bildung zu dem heute veralteten lautnachahmenden ›kecken‹, beachte die teils veralteten, teils noch mdal. Lautnachahmungen ›köckern, kuckern, kakeln‹ sowie die lautmalende Sippe von ↑gackeln.

[1]**Kegel:** Mhd. *kegel* »Knüppel, Stock; Holzfigur im Kegelspiel; Eiszapfen«, auch »uneheliches Kind« (↑[2]Kegel), ahd. *chegil* »Pflock, Pfahl«, mnd. *kegel* »Knüppel; Holzfigur im Kegelspiel«, niederl. *kegel* »Eiszapfen; Holzfigur im Kegelspiel« gehen auf **kagila-* zurück, das eine Verkleinerungsbildung zu einem germ. Substantiv mit der Bed. »Ast, Pfahl, Stamm« ist, vgl. dt. mdal. *Kag* »Strunk«, niederl. *keg* »Keil«, schwed. mdal. *kage* »Baumstumpf«. Damit verwandt sind die unter ↑[1]Kufe »Laufschiene« behandelten Wörter. Außergerm. entspricht lediglich die baltoslaw. Sippe von lit. *žãgaras* »dürrer Zweig«. – Zu ›Kegel‹ im Sinne von »Holzfigur im Kegelspiel« stellt sich die Ableitung **kegeln** »Kegel schieben«, ugs. auch für »purzeln, rollen« (mhd. *kegelen* »Kegel schieben«), beachte auch **Kegler** (schon mhd. *kegeler* »Kegelschieber«), **Kegelbahn, Kegelklub** usw. An die landsch. Verwendung des Wortes im Sinne von »Gelenk[knochen]« schließt sich **auskegeln** ugs. für »ausrenken« (17. Jh.) an. Auf die Form eines Kegels beziehen sich die Zusammensetzungen ›Lichtkegel, Bergkegel‹ und dgl.

[2]**Kegel:** Das nur noch in der Formel ›mit Kind und Kegel‹ gebräuchliche Wort bedeutet eigentlich »uneheliches Kind«. Mhd. *kegel* in dieser Bedeutung ist wahrscheinlich identisch mit *kegel* »Knüppel, Stock; Holzfigur im Kegelspiel; Eiszapfen« (vgl. [1]*Kegel*). Die Bed. »uneheliches Kind« kann sich aus »Knüppel« entwickelt haben (beachte den Artikel *Bengel*) oder aber aus »Eiszapfen«, mit Bezug auf die überlieferte Vorstellung, dass einer untreuen Frau, die Schnee isst, ein Eiszapfen wächst.

Kehle: Das auf das Westgerm. beschränkte Substantiv mhd. *kel[e],* ahd. *kela,* niederl. *keel,* aengl. *ceole* ist mit dem unter ↑[2]Kiel behandelten Wort verwandt. Die germ. Wortgruppe geht mit verwandten Wörtern auf eine Wurzel **gel-* »verschlingen« zurück, vgl. z. B. air. *gelid* »verschlingt, verzehrt, frisst«. Auf einer Nebenform **gu̯el-* beruht z. B. lat. *gula* »Schlund; Speiseröhre« (↑Gully). Wie das zu ›schlingen‹ gebildete ›Schlund‹ (s. d.), so hat auch ›Kehle‹ die Bed. »Schlucht, Vertiefung« entwickelt, beachte die Orts- und Flurnamen mit ›Kehle‹ (z. B. ›Hundekehle, Silberkehle‹) und die Zusammensetzung **Kniekehle** (mhd. *kniekel*).

Kehraus ↑[2]kehren.

[1]**kehren** »[um]wenden«: Das auf das dt. und niederl. Sprachgebiet beschränkte Verb mhd. *kēren,* ahd. *kēran,* asächs. *kērian,* niederl. *keren* hat weder im germ. Sprachbereich noch in anderen idg. Sprachen gesicherte Verwandte. Während das einfache Verb im heutigen Dt. wenig gebräuchlich ist (dafür gewöhnlich ›umkehren‹, beachte auch ›einkehren‹), spielen die präfigierten Verben ↑bekehren und ↑verkehren eine bedeutende Rolle. Das Substantiv **Kehre** (mhd. *kēr[e],* ahd. *kēr[a]*) ist aus dem Verb rückgebildet.

[2]**kehren** »mit dem Besen reinigen«: Das vorwiegend in Süd- und Mitteldeutschland gebräuchliche Verb (mhd. *ker[e]n,* ahd. *kerian*) – in Norddeutschland gilt ↑fegen – geht auf westgerm. **karjan* zurück, das mit lit. *žerti* »scharren« verwandt ist. Abl.: **Kehricht** »Müll, Schmutz« (spätmhd. *kerach,* frühnhd. *keracht, kerecht*). Zus.: **Kehraus** »Schlusstanz« (18. Jh.; der letzte Tanz, bei dem die Tänzerinnen mit ihren Kleidern gewissermaßen den Tanzboden auskehren; aus ›kehre aus‹ entstanden).

keifen: Der Ursprung von mhd. *kīben,* mnd. *kīven,* niederl. *kijven* »scheltend zanken« ist dunkel. Die nord. Sippe von schwed. *kiva* ist wahrscheinlich aus dem Mnd. entlehnt. Die nhd. Form ›keifen‹ (statt lautgerechtem ›keiben‹) hat niederd. f, wie z. B. auch ›Hafer‹ und ›Hufe‹.

Keil: Das auf das dt. Sprachgebiet beschränkte Substantiv (mhd., ahd., mnd. *kīl*) gehört wahrscheinlich im Sinne von »Gerät zum Spalten« zu der Wortgruppe der Wurzel *ĝēi- »[sich] spalten, aufbrechen«, bes. von Pflanzen »keimen, knospen, aufblühen«, vgl. z. B. armen. *cił* »Halm« und lit. *žiedė́ti* »blühen«. Zu dieser Wortgruppe gehört auch das mit m-Suffix gebildete ↑Keim und wahrscheinlich auch das unter ↑Kien (eigentlich »abgespaltetes Holzstück«) behandelte Wort. Mit ›Keil‹ verwandt ist die nord. Sippe von aisl. *kīll* »schmale Bucht, langer Seearm«, beachte dazu den dt. Ortsnamen Kiel, niederd. *tom Kyle* eigentlich »an der keilförmigen Bucht«. Abl.: **keilen** ugs. für »prügeln« (spätmhd. *kīlen* »Keile eintreiben, um zu spalten oder zu befestigen«; die ursprüngliche Bedeutung ist noch bewahrt in ›fest-, einkeilen‹ und ›verkeilen‹; die bildhafte Verwendung des Wortes im Sinne von »hauen, schlagen, prügeln« stammt aus der Gauner- und Studentensprache), dazu **Keile** ugs. für »Prügel« (18. Jh.) und **Keilerei** ugs. für »Schlägerei« (19. Jh.). Siehe auch den Artikel *Keiler.*

Keiler »wilder Eber«: Das seit dem Anfang des 17. Jh.s bezeugte Wort ist eine Substantivbildung zu ›keilen‹ in der Bed. »hauen, schlagen« (vgl. *Keil*). Der Keiler ist also nach seinen Hauern benannt.

Keim: Das auf das dt. und niederl. Sprachgebiet beschränkte Substantiv mhd. *kīm[e]*, ahd. *kīmo*, niederl. *kiem* gehört zu der unter ↑Keil dargestellten Wortgruppe.

kein: Das allein stehend und attributiv gebrauchte Pronomen ist in mhd. Zeit durch Kürzung aus *de[c]hein* »irgendein« in Mischung mit älterem *ne[c]hein* »kein« entstanden, nachdem silbenanlautendes ch zu k geworden war. Die Entstehung von ahd. *deh[h]ein* »irgendein« ist unklar. Ahd. *nih[h]ein* »kein« ist zusammengerückt aus *nih* »und nicht, auch nicht« und dem unbestimmten Pronomen *ein* »einer«. Zus.: **keinerlei** (aus mhd. *keiner leie* »von irgendeiner bzw. keiner Art«; s. *...lei*); **keinesfalls** (19. Jh.); **keineswegs** (16. Jh.; aus mhd. *keins wägs*).

...keit ↑...heit.

Keks: Das Fremdwort wurde im 20. Jh. aus dem Plural *cakes* von engl. *cake* »Kuchen« entlehnt. Im Deutschen wurde es als Singular empfunden. Engl. *cake*, das aus dem Nord. entlehnt sein kann (beachte schwed. *kaka* »Kuchen«), steht im Ablaut zu dt. ↑Kuchen.

Keks

einen weichen Keks haben
(ugs.) »nicht recht bei Verstand sein, verrückt sein«
Die Wendung bezieht sich darauf, dass bestimmte Kekse, wenn sie längere Zeit nicht luftdicht verpackt sind, weich werden, nicht mehr ganz in Ordnung sind, und spielt mit der umgangssprachlichen Bedeutung »Kopf« von Keks.

Kelch: Die westgerm. Bezeichnung des Trinkgefäßes (mhd. *kelch*, ahd. *kelich*, niederl. *kelk*, aengl. *celc;* die nord. Sippe von schwed. *kalk* stammt aus dem Aengl.) beruht auf einer frühen Entlehnung im Bereich von Fachwörtern des Weinbaues (wie ↑Kelter, ↑Trichter, ↑Most, ↑Wein u. a.) aus lat. *calix (calicis)* »tiefe Schale, Becher, Kelch«. Das lat. Wort ist irgendwie verwandt mit griech. *kýlix* »Trinkschale, Becher« einerseits und mit griech. *kályx* »Fruchtkapsel, Blumenkelch, Blütenknospe« andererseits. Nach Letzterem entwickelte ›Kelch‹ im 17. Jh. die übertragene Bedeutung »Blütenkelch«.

Kelle: Der Ursprung von mhd., mnd. *kelle*, ahd. *kella* »Kelle, Schöpflöffel«, aengl. *cielle* »Feuerpfanne, Lampe« ist dunkel. – Zur genaueren Bestimmung des Gerätes dienen die Zusammensetzungen ›Maurer-, Schöpf-, Suppenkelle‹.

Keller: Das altgerm. Substantiv (mhd. *keller*, ahd. *kellari*, niederl. *kelder*, schwed. *källare*) gehört zu einer Gruppe von lat. Lehnwörtern aus dem Bereich des Stein- und Hausbaues (vgl. zum Sachlichen den Artikel *Fenster*), die früh ins Germ. aufgenommen wurden. Quelle des Wortes ist spätlat. *cellarium* »Speisekammer, Vorratskammer«, eine Bildung zu lat. *cella* »Vorratskammer; enger Wohnraum; Zelle« (vgl. *Zelle*). – Abl.: **Kellerei** »Gesamtheit der Kellerräume« (16. Jh.; heute vorwiegend im speziellen Sinne von »Wein-, Sektkellerei«); **kellern** »(Vorräte) in den Keller einlegen« (18. Jh.), dafür heute meist das zusammengesetzte Verb **einkellern.** – Siehe auch den Artikel *Kellner.*

Kellner: Das auf das dt. und niederl. Sprachgebiet beschränkte Substantiv mit der ursprünglichen Bed. »Kellermeister, Verwalter des [Wein]kellers« (mhd. *kelnære*, ahd. *kelnāri*, mniederl. *kelnāre;* demgegenüber niederl. *kelner* aus dem Hochd.) beruht wohl auf Entlehnung aus spätlat. *cellararius* »Kellermeister« (mit Dissimilation des ersten der beiden r zu n oder mit Übernahme des n aus Bildungen wie ahd. *wīzzināri* »Folterknecht«). Dies gehört zu spätlat. *cellarium* »Speisekammer, Vorratskammer« (vgl. *Keller*). Die heute gültige Bedeutung des Wortes Kellner im Sinne von »Bediensteter in Gasthäusern, der Getränke und Speisen serviert« entwickelte sich etwa im 18. Jh.

Kelter »Traubenpresse«: Das Substantiv (mhd. *kelter*, ahd. *kelcterre*) gehört zu einer Gruppe von lat. Lehnwörtern aus dem Bereich des Weinbaus (vgl. zur Kulturgeschichte den Artikel *Wein*). Es geht auf lat. *calcatura* »das Stampfen; das Keltern; die Kelter« zurück, das zu lat. *calcare* »mit der Ferse treten; mit den Füßen stampfen« und weiter zu lat. *calx* »Ferse; Fuß« gehört. Die Bezeichnung der Kelter erinnert also daran, dass in der ältesten Zeit (wie noch heute zuweilen in südlichen Gegenden) der Saft aus den Weintrauben mit den Füßen herausgestampft wurde.

kennen: Mhd. *kennen* »erkennen; kennen«, ahd. (in Zusammensetzungen) *chennan,* got. *kannjan* »bekannt machen, kundtun«, aengl. *cennan* »kundtun, bestimmen, erklären«, schwed. *känna* »kundtun, unterweisen; erkennen; kennen« gehen auf germ. **kannjan* zurück, das eine Kausativbildung zu dem unter ↑können dargestellten gemeingerm. Präteritopräsens ist und eigentlich »wissen lassen, verstehen machen« bedeutet. Wichtige Präfixbildungen sind ↑bekennen (dazu ›Bekenntnis‹; s. auch den Artikel *bekannt*) und *erkennen* (dazu ›erkenntlich, Erkenntnis; Urkunde‹), beachte auch **verkennen** »nicht erkennen, falsch beurteilen« (17. Jh.). Abl.: **Kenner** (16. Jh.; bereits im 14. Jh. mitteld. *kenner,* das aber »Erzeuger, Erkenner« bedeutet), dazu **kennerisch** (18. Jh.) und Zusammensetzungen wie **Kennerblick, Kennermiene; kenntlich** (14. Jh.; für älteres mhd. *ken[ne]lich* »erkennbar, offenbar, bekannt«); **Kenntnis** (mhd. *kentnisse, kantnisse* »Erkenntnis; Kenntnis«; aus dem 2. Partizip gebildet); **Kennung** seemännisch für »typisches Kennzeichen von Leuchtfeuern, Kennzeichen des Schiffsstandortes« (mhd. *kennunge* »Erkennung, Erkenntnis«).

K

kentern »umkippen (von Schiffen)«: Das aus der niederd. Seemannssprache ins Hochd. gelangte Verb geht auf niederd. *kanteren, kenteren* (= niederl. *kenteren*) »auf die (andere) Seite legen, umwälzen« zurück, das zu ↑Kante (mnd. *kant[e]* »Ecke«) gehört.

Keramik »[Kunst]töpferei und ihre Erzeugnisse, Töpfer-, Tonwaren«: Das Substantiv wurde im 19. Jh. aus gleichbed. frz. *céramique* entlehnt, das auf griech. *keramikḗ (téchnē)* »Töpferei« zurückgeht. Zugrunde liegt das etymologisch nicht sicher gedeutete Substantiv griech. *kéramos* »Töpfererde; Ziegel; Tongefäß«.

Kerbe

in dieselbe/die gleiche Kerbe hauen/schlagen
(ugs.) »die gleiche Auffassung vertreten und dadurch jmdn. unterstützen«
Die Wendung bezieht sich auf das Fällen von Bäumen. Die Holzfäller erreichen ihr Ziel am schnellsten, wenn sie immer wieder in dieselbe Kerbe hauen.

kerben: Das westgerm., ursprünglich starke Verb mhd. *kerben,* mnd. *kerven,* niederl. *kerven,* engl. *to carve* geht mit verwandten Wörtern in anderen idg. Sprachen – vgl. z. B. griech. *gráphein* »[ein]ritzen; schreiben« (s. die Fremdwörtergruppe um *Grafik*) – auf eine Wurzelform **gerbh-* »ritzen, kratzen« zurück. Damit verwandt sind wahrscheinlich die unter ↑krabbeln, kribbeln, ↑Krabbe und ↑Krebs behandelten Wörter, die auf einer Wurzelform **grebh-* beruhen. Abl.: **Kerbe** »[spitz zulaufender] Einschnitt« (mhd. *kerbe*).

Kerbholz

etwas auf dem Kerbholz haben
(ugs.) »etwas Unrechtes, eine Straftat begangen haben, sich etwas zuschulden kommen lassen haben«
Die Wendung bezieht sich auf das bis ins 18. Jh. verwendete Kerbholz, das dazu diente, Warenlieferungen, Arbeitsleistungen und Schulden aufzuzeichnen und abzurechnen. Und zwar wurden in einen längs gespaltenen Holzstab alle Vermerke eingekerbt. Je eine Hälfte behielten zur gegenseitigen Kontrolle der Schuldner und der Gläubiger. Die Bedeutung »sich etwas zuschulden kommen lassen haben« hat sich aus »Schulden haben« entwickelt.

Kerker »Verlies, Gefängnis«, österr. für »Zuchthaus[strafe]«: Das altgerm. Substantiv (mhd. *karkǣre, kerker,* ahd. *karkāri,* got. *karkara,* niederl. *kerker,* aengl. *carcern*) beruht auf einer frühen Entlehnung aus lat. *carcer (carceris)* »Umfriedung, Schranken; Kerker«. Aus der gleichen Quelle stammt das im 14. Jh. im Bereich der Universitäts- und Schulsprache aufgenommene Fremdwort **Karzer** »Schul-, Hochschulgefängnis; verschärfter Arrest«. – Vgl. auch den Artikel *Kanzel.*

Kerl: Das aus dem Niederd. stammende Wort ist erst in nhd. Zeit gemeinsprachlich geworden. Mnd. *kerle* »freier Mann nicht ritterlichen Standes; grobschlächtiger Mann«, dem niederl. *kerel* »Kerl« und engl. *churl* »Kerl, Tölpel, Bauer« entsprechen, steht im Ablaut zu ahd. *karal,* mhd. *karl[e]* »Mann; Ehemann; Geliebter« (bewahrt im Personennamen Karl) und der nord. Sippe von schwed. *karl* »Mann; Kerl; Bauer«. Die germ. Wortgruppe, für die von der Bedeutung »alter Mann« auszugehen ist, gehört zu der unter ↑Kern dargestellten idg. Wurzel **ĝer-* »reif, alt, morsch werden«, vgl. z. B. die verwandten Wörter griech. *gérōn* »Greis«, *gerousía* »Rat der Ältesten, Senat«, *gēras* »Alter« (beachte dazu medizinisch fachsprachlich ›Geriatrie‹ »Altersheilkunde«).

Kern: Mhd. *kerne,* ahd. *kerno* und die nord. Sippe von schwed. *kärna* gehen auf germ. **kernan-* »Kern« zurück, das im Ablaut zu dem unter ↑¹Korn dargestellten gemeingerm. Substantiv steht. Beide Bildungen gehören mit verwandten Wörtern in anderen idg. Sprachen zu der Wurzel **ĝer-* »reif, alt, morsch werden«, vgl. z. B. lat. *granum* »Korn, Kern« (s. die umfangreiche Fremdwörtergruppe von *Granit*) und die baltoslaw. Sippe von russ. *zerno* »Korn«. Die Begriffsbildung geht aber wohl nicht von der Vorstellung der Reife aus, sondern von einer älteren Bedeutung der Wurzel **ĝer-,* nämlich »reiben«, intrans. »[auf]gerieben werden« (auch durch Alter, Krankheit). Demnach wären ›Kern, Korn‹ als etwas »Geriebenes, Zerbröckeltes; Reibefrucht«

aufzufassen. Zu der Wurzel **ĝer-* in der Bedeutungswendung »reif, alt, morsch werden« stellt sich die unter ↑Kerl (eigtl. »alter Mann«) behandelte Wortgruppe. – Die übertragene Verwendung des Wortes im Sinne von »das Innerste, das Wesentlichste, das Beste« geht von ›Kern‹ in der Bed. »Fruchtkörper (im Gegensatz zur Schale), Mark (von Pflanzen)« aus. Abl.: **kernig** »Kerne enthaltend; kraftvoll, markig« (16. Jh.). Zus.: **Kernbeißer** »Finkenvogel« (16. Jh.); **kerngesund** »durch und durch gesund« (18. Jh.); **Kernobst** (Anfang des 18. Jh.s; im Gegensatz zum Steinobst); **Kernphysik** (20. Jh.); **Kernseife** (19. Jh.; zunächst »beste Seife«, dann »feste Seife« im Gegensatz zur Schmierseife, heute »einfache Seife« im Gegensatz zur Feinseife); **Kernwaffen** (20. Jh.).

erze »Wachs-, Talgleuchte«: Die Herkunft des Wortes (mhd. *kerze*, ahd. *charza, kerza*, mnd. *kerte*) ist nicht gesichert.

ess: Das in Berlin aus der Gaunersprache übernommene Wort ist erst im 20. Jh. im Sinne von »draufgängerisch; frech; flott, schick« umgangssprachlich geworden. Gaunersprachlich *keß* (19. Jh.) bedeutet »diebeserfahren, zuverlässig« und ist eigentlich der Name von jidd. *ch.* Der Anfangsbuchstabe *ch (chess)* steht verhüllend für jidd. *chōchem* »klug, gescheit«.

essel: Mhd. *keȥȥel*, ahd. *keȥȥil*, got. (nur Genitiv Plural) *katilē*, aengl. *cietel*, aisl. *ketill* gehen auf gemeingerm. **katila-* »Kessel« zurück, das in alter Zeit aus lat. *catinus* »Tiegel, Schale, Wasserbehälter an der Feuerspritze« (bzw. aus der Verkleinerungsbildung *catillus*) entlehnt worden ist. Mit der Sache übernahmen die Germanen von den Römern auch das Wort. – Im übertragenen Gebrauch bedeutet ›Kessel‹ »kesselförmige Bodenvertiefung« und »Platz, auf den das Wild von allen Seiten her zusammengetrieben wird«, beachte dazu **einkesseln** (19. Jh.), **Kesseljagen** (18. Jh.), **Kesseltreiben** (19. Jh.). Im 20. Jh. auch auf die Umschließung von Heereseinheiten bezogen, beachte **Kesselschlacht**.

etchup: Die Bezeichnung für »pikante Würztunke« ist eine junge Entlehnung des 20. Jh.s aus engl. *ketchup (catchup, catsup)*, das wohl auf malai. *kĕchap* »gewürzte Fischtunke« zurückgeht.

Kette »Schar, Reihe«: Das im heutigen Sprachgefühl als mit [2]Kette (s. d.) identisch empfundene Wort hat sich aus älterem *Kitte, Kütte*, mhd. *kütte*, ahd. *kutti* »Herde, Schar« entwickelt. Die weitere Herkunft des nur dt. Wortes ist dunkel.

Kette »aus ineinander greifenden Einzelgliedern gefügtes [Metall]band«, vielfach übertragen gebraucht im Sinne von »zusammenhängende Folge (von Ereignissen, gedanklichen Äußerungen u. a.)«: Das Substantiv (mhd. *keten[e]*, ahd. *ketĭna*), das nicht verwandt ist mit gleichlautend ↑[1]Kette, beruht auf Entlehnung aus gleichbed. lat. *catena* »Kette«. Nach gleichbed. engl. *chain* hat das Substantiv in jüngster Zeit auch die Bedeutung »Reihe von Geschäften, Dienstleistungsbetrieben o. Ä.« angenommen. – Abl.: **ketten** »mit einer Kette binden« (mhd. *ketenen* »an die Kette, in Ketten legen«), dazu **anketten** »an die Kette binden« (18. Jh.) und **verketten** »verknüpfen, verflechten« (15. Jh.).

Ketzer »jemand, der von der anerkannten Kirchenlehre abweicht, Irrgläubiger; einer, der sich gegen geltende Meinungen auflehnt«: Das seit dem Beginn des 13. Jh.s bezeugte Wort (mhd. *ketzer, kether*) rührt von mlat. *Cathari*, ait. *gassari*, dem Namen einer neumanichäischen Sekte, her. Dieser Name bedeutet eigentlich »die Reinen« (griech. *katharós* »rein«, beachte den weiblichen Vornamen Katharina, eigentlich »die Reine«; Kurz- und Koseform: Kathrin).

keuchen: Das seit dem 16. Jh. bezeugte Verb ist aus der Vermischung von mhd. *kūchen* »hauchen« und mhd. *kīchen* »schwer atmen« hervorgegangen. Beide Verben sind lautnachahmender Herkunft, vgl. zum ersten z. B. niederl. *kuchen* »hüsteln«, engl. *to cough* »husten«, zum zweiten z. B. schwed. *kika* »schwer atmen«, *kikhosta* »Keuchhusten«.

Keule: Die nur dt. Bezeichnung der Hieb- und Wurfwaffe (mhd. *kiule*) gehört im Sinne von »Stock mit verdicktem Ende, kugelförmiger Gegenstand« zu der vielfach weitergebildeten und erweiterten idg. Wurzel **gēu-* »biegen, krümmen«, nominal »Biegung, Rundung, Wölbung, Höhlung«. Zu der weit verzweigten Wortgruppe dieser Wurzel gehören aus dem germ. Sprachbereich ↑kauern (eigentlich »sich bücken, gekrümmt dasitzen«), ferner ↑Kate, Kote »Hütte, Häuslerwohnung, Kleinbauernhaus« und ↑Koben »Stall, Verschlag« (eigentlich »Erdhöhle, mit Flechtwerk abgedeckte Grube«), weiterhin ↑[2]kollern, kullern »purzeln, rollen« (eigentlich »kugeln«) und ↑Kugel, sowie ↑Kogge »dickbauchiges Hanseschiff« (eigentlich »Biegung, Schwellung, Rundung«). Vgl. aus anderen idg. Sprachen z. B. aind. *gōla-ḥ* »Kugel« und griech. *gý̄pē* »Erdhöhle«, *gȳrós* »gebogen, krumm, rund« (↑Giro). – In Nord- und Mitteldeutschland bezeichnet ›Keule‹ auch den Hinterschenkel (von Schlachtvieh, Wild, Geflügel). In Süddeutschland gilt dafür ›Schlegel‹ (s. d.).

keusch: Das Adjektiv (mhd. *kiusche*, ahd. *kūski*) wurde im Rahmen der frühmittelalterlichen Christianisierung aus got. kirchensprachl. **kuskeis* etwa »der christlichen Lehre bewusst« übernommen, das seinerseits aus lat. *conscius* »mitwissend, eingeweiht, bewusst« entlehnt ist. Aus der Bed. »der christlichen Lehre bewusst« entwickelten sich die Bed. »tugendhaft, sittsam, enthaltsam, rein«. Abl.: **Keuschheit** (mhd. *kiusch[e]heit*).

Khaki »schmutzig gelbbrauner Baumwollstoff bes. für Tropen und Freizeitkleidung«: Das im Dt. seit dem Beginn des 20. Jh.s gebräuchliche Fremdwort

K

stammt aus gleichbed. engl. *khaki.* Dies – ursprünglich ein Adjektiv – geht auf pers.-hind. *khākī* »staub-, erdfarben« zurück, das zu pers. *ḫāk* »Staub, Erde« gehört.

kichern: Das seit dem 16. Jh. bezeugte Verb ahmt den hellen Lachlaut nach, vgl. das ähnliche ahd. *kichazzen* und das den dunklen Lachlaut nachahmende ahd. *kachazzen,* das z. B. mit griech. *kacházein* »laut lachen« und aind. *kákhati* »lacht« elementarverwandt ist.

kicken ugs. für »Fußball spielen«: Das Verb der Fußballsprache (zu den Entlehnungen in diesem Bereich vgl. den Artikel *foul*) wurde im 20. Jh. aus engl. *to kick* »treten, stoßen; Fußball spielen« entlehnt. Die weitere Herkunft des engl. Wortes ist unsicher. – Dazu gehören die Substantive **Kick** »Tritt, Stoß« und **Kicker** »Fußballspieler«. Ersteres ist aus gleichbed. engl. *kick* entlehnt, Letzteres ist dagegen eine deutsche Bildung zu ›kicken‹.

Kid: Das meist im Plural ›Kids‹ vorkommende Wort wird im Sinne von »(Handschuh aus) Kalb-, Ziegen- oder Schafleder« verwendet, ugs. im Sinne von »Kind, Jugendlicher«. Das engl. Substantiv *kid,* von dem es abstammt, bedeutete zunächst »Kitz, Zickel«. Von dieser ältesten, seit dem 13. Jh. bezeugten Bedeutung haben sich die Bedeutungen »Leder« und »Kind« entwickelt: durch Übertragung vom Tier auf seine Haut (im Deutschen dann noch weiter von dem Material Leder auf das Produkt Handschuhe) und, unabhängig von dieser Bedeutungsentwicklung, vom jungen Tier zum Kind bzw. Jugendlichen. Im Deutschen findet sich diese letzte Bedeutung seit der 2. Hälfte des 20. Jh.s, sie ist damit über ein halbes Jahrhundert jünger als die Bedeutung »Leder[handschuh]«, die sie fast völlig verdrängt hat. Zur weiteren Herkunft des Wortes vgl. *Kitz,* mit dem es eng verwandt ist.

kidnappen »Kinder entführen, Menschen verschleppen«: Dem Verb (20. Jh.) liegt engl. *to kidnap* »Kinder stehlen« zugrunde, dessen Grundwort etymologisch nicht sicher gedeutet ist. Das Bestimmungswort *kid,* vgl. *Kid,* das eigentlich »Zicklein, Junges« bedeutet, entspricht nhd. ↑Kitz.

[1]Kiebitz: Der regenpfeiferartige Watvogel ist nach seinem eigentümlichen Lock- und Warnruf benannt, der etwa mit ›kiwit‹, ›kibit‹, ›giwit‹ wiederzugeben ist. – Die Form ›Kiebitz‹ geht auf eine ostmitteld. Form zurück, die nach Vogelnamen mit slaw. Endung (s. z. B. den Artikel *Stieglitz*) umgestaltet ist. Beachte im Gegensatz dazu mnd. *kīwit.*

[2]Kiebitz ↑kiebitzen.

kiebitzen: Der ugs. Ausdruck für »beim Karten- oder Brettspiel zuschauen« stammt aus gaunersprachlich *kiebitschen* »untersuchen, durchsuchen«. Dazu – unter Anlehnung an den Vogelnamen – **[2]Kiebitz** »Zuschauer beim Karten- oder Brettspiel« (20. Jh.).

[1]Kiefer: Der seit dem 16. Jh. bezeugte Name des Nadelholzgewächses ist wahrscheinlich eine verdunkelte Zusammensetzung, und zwar aus ↑Kien und ↑Föhre, beachte ahd. *kienforha* »Kiefer«.

[2]Kiefer: Die germ. Benennungen des Gesichtsschädelknochens mhd. *kiver,* daneben *kivel,* niederd. *keve,* ablautend asächs. *kaflos* (Plural), aengl. *ceafl,* schwed. *käft* gehören mit verwandten Wörtern in anderen idg. Sprachen zu einer Wurzel **ĝeph-,* **ĝebh-* »Kiefer; Mund«, verbal »nagen, essen, fressen«. Außergerm. vergleichen sich z. B. awest. *zafar-* »Mund, Rachen« und air. *gop* »Mund, Schnabel«. Verwandt ist die Sippe von ↑Käfer (eigentlich »Nager«).

kieken: Die Herkunft des vorwiegend nordd. ugs. Ausdrucks für »schauen« ist unklar. Vielleicht stammt mnd. *kīken* – wie z. B. auch ›kucken‹, ›gucken‹ – aus der Kindersprache oder ist lautnachahmender Herkunft, beachte das Verhältnis von dt. piepen »piep machen, pfeifen« zu engl. *to peep* »gucken«. Dazu **Kieker** seemännisch und ugs. für »Fernglas« (18. Jh.), beachte die Wendung ›jemanden oder etwas auf dem Kieker haben‹ für »[misstrauisch] beobachten«.

[1]Kiel »Schaft der Vogelfeder; Pflanzenstängel«: Die Herkunft des seit mhd. Zeit bezeugten Wortes ist dunkel. Mit mhd. *kil* ist wohl engl. *quill* »Federkiel« verwandt.

[2]Kiel: Der Ausdruck für »Grundbalken der Wasserfahrzeuge« stammt aus der niederd. Seemannssprache. Mnd. *kil, kel,* niederl. *kiel* »Kiel« und die nord. Sippe von schwed. *köl* »Kiel« gehören im Sinne von »Hals, halsförmig Geschwungenes« zu der Wortgruppe von ↑Kehle, vgl. aengl. *cele* »Schiffsschnabel«. Es handelt sich – wie z. B. auch bei ›Bug‹ (s. d.) und ›Hals‹ (↑[2]halsen) – also um eine Übertragung einer Körperteilbezeichnung. Zus.: **kielholen** »ein Schiff zur Ausbesserung auf die Seite legen« und »einen Menschen zur Strafe unter dem Schiffskiel durch das Wasser ziehen« (niederd. *kilhalen,* 17. Jh.; wohl nach niederl. *kielhalen,* wie auch engl. *to keelhaul,* schwed. *kölhala*); **kieloben** (19. Jh.); **Kielschwein** »auf dem Hauptkiel von Schiffen liegender Verstärkungsbalken oder -träger« (18. Jh.; aus niederd. *kilswīn,* das seinerseits aus schwed. *kölsvin* entlehnt ist; das schwed. Wort ist umgedeutet oder dissimiliert aus älterem *kölsvill* »Kielschwelle, -bohle«); **Kielwasser** »Wasserspur hinter einem fahrenden Schiff« (18. Jh.).

Kieme: Das seit dem 16. Jh. bezeugte Wort für »Atmungsorgan im Wasser lebender Tiere« ist die mitteld.-niederd. Form von nhd. ↑Kimme und bedeutet demnach eigentlich »Einschnitt, Kerbe«.

Kien: Die westgerm. Substantivbildung mhd. *kien,* ahd. *chien, chēn,* mnd. *kēn,* aengl. *cēn* gehört vermutlich im Sinne von »abgespaltenes Holzstück« zu der unter ↑Keil (eigentlich »Gerät zum Spalten«) dargestellten Wortgruppe. Vgl. z. B. aengl. *cīnan* »bersten, klaffen« (eigentlich »sich spalten«), *cinu* »Spalt, Ritze«. – Das Wort bezeichne-

K

te in alter Zeit den für die Beleuchtung unentbehrlichen Kienspan. Später ging es dann auf das harzreiche [Kiefern]holz und das daraus gewonnene Harz über. Vgl. auch den Artikel [1]*Kiefer* (eigentlich »Kienföhre«).

Kiepe: Der vorwiegend in Norddeutschland gebräuchliche Ausdruck für »Rückentragekorb« stammt aus dem Niederd., wo sich allem Anschein nach ein heimisches Wort mit einem aus lat. *cupa* (vgl. [2]*Kufe*) entlehnten Wort vermischt hat. Beachte das Nebeneinander der Formen *kipe, küpe, kupe* und der Bedeutungen »Korb, Kübel, Tonne«.

[1]**Kies:** Die Herkunft des seit mhd. Zeit bezeugten Wortes ist nicht sicher geklärt. Vielleicht ist mhd. *kis* »grobkörniger oder steiniger Sand« mit der baltoslaw. Sippe von lit. *žiezdrà* »Kies; Korn« verwandt. – Fachsprachlich bezeichnet ›Kies‹ ein sulfidisches oder arseniges Erzmineral, beachte z. B. die Zusammensetzungen **Kupferkies, Schwefelkies.** – Älter bezeugt als ›Kies‹ ist das davon abgeleitete **Kiesel** (mhd. *kisel*, ahd. *kisil;* aengl. *ciosol*). Landsch. bedeutet ›Kiesel‹ auch »Hagelkorn«, beachte die Ableitung **kieseln** landsch. für »hageln«.

[2]**Kies:** Der ursprünglich gaunersprachliche Ausdruck für »[Silber]geld«, der wahrscheinlich eine Umdeutung von ↑[1]Kies ist, wurde in der 1. Hälfte des 19. Jh.s in die Studentensprache übernommen und drang von dorther in die Umgangssprache.

Kiesel ↑[1]Kies.

kiesen (veralt. für:) »prüfen, [prüfend] wählen«: Das gemeingerm. Verb mhd. *kiesen*, ahd. *kiosan*, got. *kiusan*, engl. *to choose*, schwed. *tjusa* (aus aschwed. *kjusa*) geht mit den Sippen von ↑Kür und ↑[2]kosten auf die idg. Wurzel **ĝeus-* »aussuchen, prüfen, schmecken, genießen« zurück. Vgl. aus anderen idg. Sprachen z. B. aind. *juṣátē* »kostet; genießt; liebt« und griech. *geúesthai* »kosten; genießen«. Im Dt. wurde das starke Verb kiesen (kor, gekoren) im 17. Jh. durch das von ›Kür‹ abgeleitete ›küren‹ zurückgedrängt. Es findet sich seitdem nur noch vereinzelt in dichterischer Sprache. Auch die Präfixbildung **erkiesen** ist heute veraltet. Allerdings ist das 2. Partizip **erkoren** gebräuchlich, beachte auch **auserkoren** »auserwählt«.

Kiez: Die Herkunft des ugs. Ausdrucks für »Stadtteil; [abgelegener] Ort« ist nicht sicher geklärt. Vielleicht hängt er mit dem heute veralteten ›Kieze‹ »Tragkorb« zusammen. Auch ›Kober‹ »Korb« kommt als Name kleinerer Nebensiedlungen vor.

killen: Der ugs. Ausdruck für »kaltblütig töten« wurde im 20. Jh. aus engl. *to kill* »töten« entlehnt, dessen weitere Herkunft unsicher ist. Dazu stellt sich **Killer** »Mörder, Totschläger«, das aus gleichbed. engl. *killer* übernommen ist.

Kilogramm: Die Bezeichnung für »Gewichtseinheit von 1 000 g«, dafür meist die Kurzform **Kilo,** wurde im 19. Jh. aus frz. *kilogramme* übernommen. Über dessen Grundwort vgl. den Artikel *Gramm.* Das Bestimmungswort, das auch in ›Kilometer‹ (↑Meter) und ↑Kilowatt erscheint, geht auf griech. *chílioi* »tausend« zurück.

Kilowatt »Maßeinheit von 1 000 Watt«: Die Einheit der elektrischen Leistung wird in ›Watt‹ gemessen (nach dem engl. Ingenieur James Watt). Über das Bestimmungswort von Kilowatt vgl. den Artikel *Kilogramm.*

Kimm, älter ›Kimme‹: Der seemännische Ausdruck für »Horizontlinie zwischen Himmel und Meer« ist identisch mit dem unter ↑Kimme behandelten Wort. Die Bedeutungsentwicklung geht wohl von »äußerster Rand (der überstehenden Fassdauben)« oder von »Rundung (der Schiffswand)« aus.

Kimme: Das seit dem 16. Jh. bezeugte Wort für »Kerbe, Einschnitt«, das heute in der Bed. »Teil der Visiereinrichtung« gemeinsprachlich und in der Bed. »Gesäßspalte« umgangssprachlich ist, bezeichnete ursprünglich das überstehende Ende der Dauben vom Fassboden an. Da der überstehende scharfzackige Rand mit den Zähnen eines Kamms verglichen werden kann, steht das Wort wohl im Ablaut zu der unter ↑Kamm behandelten Wortgruppe, vgl. schwed. mdal. *kim* »Hahnenkamm«. Dann ging das Wort auf die Kerbung der Dauben, in der der Fassboden gehalten wird, über. Vgl. auch die Artikel *Kimm* und *Kieme.*

Kimono »weitärmeliger Morgenrock«: Der Name des Kleidungsstücks wurde Ende des 19. Jh.s aus jap. *kimono* »Gewand« entlehnt.

Kind: Mhd. *kint*, ahd., asächs. *kind* und niederl. *kind* gehen auf das substantivierte 2. Partizip germ. **kénþa-, *kenđa-* »gezeugt, geboren« zurück. Eng verwandt sind die nord. Sippe von aisl. *kind* »Geschlecht, Stamm« und engl. *kind* »Geschlecht, Gattung, Art« sowie die ablautende Bildung aisl. *kundr* »Sohn; Verwandter«. Die germ. Wortgruppe gehört mit verwandten Bildungen in anderen idg. Sprachen zu der Wurzel **ĝen[ə]-* »gebären, erzeugen«, vgl. z. B. aind. *jātá-* »geboren«, »Geschlecht, Art«, lat. *natus* (alat. *gnatus*) »geboren«, »Sohn«, »Tochter«, *natio* »Geburt, [Er]zeugung; Geschlecht, Stamm« (↑Nation), *natura* »Geburt; angeborene Beschaffenheit, Wesen« (↑Natur), *praegnas* »schwanger, trächtig« (↑prägnant). Die Wurzel »gebären, erzeugen« war ursprünglich vielleicht identisch mit **ĝenu-* »Knie« (vgl. *Knie*) und mit **ĝen-* »erkennen, kennen« (vgl. *können*), weil es in alter Zeit üblich war, in Kniestellung zu gebären, und weil der Vater das neugeborene Kind dadurch anerkannte, dass er es auf sein Knie setzte. – Zu der idg. Wurzel **ĝen[ə]-* »gebären, erzeugen« gehören ferner die germ. Wortgruppe von ↑König (»Mann aus vornehmem Geschlecht«) und aus anderen idg. Sprachen z. B. lat. *gens* »Geschlecht, Sippe« und *genus* »Geschlecht, Art, Gattung« (s. die weit verzweigte Fremdwörtergruppe von *Genus*). Abl.: **Kindheit** (mhd. *kintheit*, ahd. *kindheit*); **kindisch** (mhd. *kindisch*, ahd. *kindisc* »jung, kindartig, kindlich«, seit mhd. Zeit auch abwertend »albern, einfältig«); **kindlich** (mhd. *kintlich*, ahd. *chindlīh*). Zus.: **Kindergarten** (19. Jh.); **Kinderhort** (19. Jh.; vgl. *Hort*); **Kinderstube** (15. Jh.; zunächst im Sinne von »Schule«, seit dem Ende des 19. Jh.s dann im Sinne von »Erziehung, Manieren«); **Kindeskind** (mhd. *kindeskint;* gebildet wie ›Helfershelfer‹ und ›Zinseszins‹).

Kinematograph ↑Kino.

Kinkerlitzchen ugs. für »Nichtigkeiten, Albernheiten«: Die Herkunft des seit dem 18. Jh. – zunächst in der Bed. »Modeputz, Flitter, Tand« – bezeugten Wortes ist trotz aller Deutungsversuche unklar. Das Grundwort könnte eine Verkleinerungsbildung zu ↑Litze sein.

Kinn: Das gemeingerm. Wort mhd. *kinne*, ahd. *kinni*, got. *kinnus*, engl. *chin*, schwed. *kind* beruht mit verwandten Wörtern in anderen idg. Sprachen – vgl. z. B. griech. *génys* »Kinn, Kinnbacke« und lat. *gena* »Wange« – auf idg. **ĝenu-* »Kinn«. Die Bedeutung des Wortes schwankt in den älteren Sprachzuständen zwischen »Kinn«, »Unterkiefer« und »Wange«, beachte die Zusammensetzungen **Kinnbacke[n]** »Wange« (↑[1]Backe) und **Kinnlade** »Unterkiefer« (18. Jh.; ↑Lade »Behältnis, Gestell«, hier speziell im Sinne von »Behältnis der Zähne«).

K

Kino »Lichtspiel-, Filmtheater«: Das seit dem Beginn des 20. Jh.s gebräuchliche Substantiv ist eine volkstümliche Kürzung aus **Kinematograph** (ähnliche Kurzformen sind: Auto für ›Automobil‹ und ›Kilo‹ für ›Kilogramm‹). Der Kinematograph – das aus frz. *cinématographe* entlehnte Wort bezeichnet eigentlich einen Apparat zur Vorführung bewegter Bilder – ist eine Erfindung der französischen Brüder Lumière. Sie benannten ihn mit einer aus griech. Wortelementen gebildeten Zusammensetzung (griech. *kī́nēma* »Bewegung« und griech. *gráphein* »schreiben«), die also wörtlich »Bewegungsschreiber« bedeutet. – Im Frz. hat sich übrigens die unserem ›Kino‹ entsprechende Kurzform *cinéma* (auch: *ciné*) durchgesetzt, beachte auch engl. *cinema*.

Kiosk »Verkaufsbude für Zeitungen, Getränke u. a.«: Das Fremdwort wurde im 18. Jh. in der Bedeutung »offener Gartenpavillon« aus frz. *kiosque* entlehnt. Dies stammt aus türk. *köşk* »Gartenpavillon«, das seinerseits pers. Ursprungs ist (pers. *kūšk* »Pavillon; Gartenhaus«). Die moderne Bedeutung erscheint erst im 19. Jh.

Kipf: Der südd. Ausdruck für »länglich geformtes Brot« geht auf mhd. *kipf[e]*, ahd. *kipf[a]* »Wagenrunge« zurück, das aus lat. *cippus* »Pfahl« entlehnt ist. Das Brot ist also in mhd. Zeit nach der Ähnlichkeit mit der Form einer Wagenrunge benannt worden. Eine Verkleinerungsbildung dazu ist **Kipfel** österr.-schweiz. für »Hörnchen«.

kippen: Die Herkunft des Verbs, das vom Niederd.-Mitteld. ausgehend gemeinsprachliche Geltung erlangt hat, ist unklar. Vielleicht gehört es zu der germ. Wortgruppe von aisl. *kippa* »reißen, rücken« oder ist von dem Substantiv niederd.-mitteld. *kippe* (älter nhd. *Kipf*) »Spitze, Kante, Ecke« abgeleitet. Beachte dazu **[1]Kippe** ugs. für »Zigarettenrest« und **kippen** mdal. für »die Spitze abhauen«. Das seit dem 18. Jh. bezeugte Substantiv **[2]Kippe** ist im Sinne von »Punkt des Schwankens oder Umstürzens« heute nur noch in der Wendung ›auf der Kippe stehen‹ gebräuchlich. In der Turnersprache bedeutet es »Aufschwung am Reck«.

Kirche: Die Benennung des Gotteshauses, die schon früh auch auf die christliche Gemeinschaft übertragen wurde, ist aus spätgriech. *kyrikón* »Gotteshaus« entlehnt. Griech. *kyrikón* ist eine Vulgärform des 4. Jh.s für älteres *kyriakón* eigentlich »das zum Herrn gehörige« (ergänze ›Haus‹), eine Substantivierung des Adjektivs *kȳriakós* »zum Herrn (griech. *kȳ́rios*) gehörig«. Das Wort wurde wahrscheinlich im Rahmen der Bautätigkeit der konstantinischen Epoche im Raum Trier entlehnt und breitete sich von dort aus: ahd. *kiricha, chirihha*, mhd. *kirche*, asächs. *kirika*, aengl. *cirice* (engl. *church*). Die nord. Sippe von schwed. *kyrka* stammt aus dem Westgerm. – Abl.: **kirchlich** (mhd. *kirchlich*, ahd. *chirlich*). Zus.: **Kirchenvater** (17. Jh.; nach kirchenlat. *patres ecclesiae* (Plural) »Väter der Kirche«); **Kirchhof** (mhd. *kirchhof;* das Wort bezeichnete zunächst den eingefriedigten Raum um eine Kirche, dann, da dieser Raum vielfach als öffentliche Begräbnisstätte diente, den Friedhof); **Kirchspiel** »ländlicher Pfarrbezirk« (mhd. *kir[ch]spil, -spel* »Pfarrbezirk; Gemeinde«, eigtl. »Kirchenpredigt[bezirk]«; zum Grundwort – mhd. *spel* »Rede, Erzählung« – s. den Artikel *Beispiel*); **Kirchweih** (mhd. *kirchwīhe*, ahd. *chirichwīhī;* das Wort bedeutete zunächst »Einweihung einer Kirche, Kirchenweihfest«, dann auch »Fest zur Erinnerung an die Kircheneinweihung«; seit mhd. Zeit – mit Bezug auf die Belustigungen solcher Feste – speziell »Jahrmarkt, Volksfest«; mdal. Formen sind z. B. ›Kirb[e], Kerb[e], Kilbe‹). Siehe auch den Artikel *Kirmes*.

Kirche

die Kirche im Dorf lassen

(ugs.) »etwas im vernünftigen Rahmen belassen, nicht übertreiben«

Die Wendung beruht auf der Vorstellung, dass der angemessene Platz der Kirche in der Mitte eines Dorfes ist.

Kirmes: Der vorwiegend in Mitteldeutschland gebräuchliche Ausdruck für »Jahrmarkt, Volksfest« geht auf mhd. *kirmesse* zurück, das aus **kirchmesse* entstanden ist. Das Wort bezeichnete zunächst die zur Einweihung einer Kirche gelesene Messe, dann das Erinnerungsfest daran und schließlich – mit Bezug auf die weltlichen Belustigungen solcher Feste – den Jahrmarkt, das Volksfest (↑*Kirchweih* unter Kirche).

kirre »zahm, zutraulich«: Das heute fast nur noch in der Wendung ›kirre machen‹ gebräuchliche Adjektiv ist in ostmitteld. Lautung gemeinsprachlich geworden. Ostmitteld. kirre entsprechen mhd. *kürre* und mnd. *quer[r]e* sowie weiterhin got. *qaírrus* »sanftmütig« und aisl. *kvirr* »ruhig, still, freundlich«. Der Ursprung des altgerm. Adjektivs ist unklar.

Kirsch: Die seit dem 19. Jh. bezeugte Benennung des aus Kirschen hergestellten klaren Schnapses ist aus älterem ›Kirschgeist‹ gekürzt. Beachte die Artikel *Kümmel* und [2]*Korn*.

Kirsche: Als die Germanen durch die Römer veredelte Obstarten kennen lernten, übernahmen sie vielfach auch deren Benennungen (s. die Artikel *Birne, Pflaume, Pfirsich*). Der westgerm. Name der Kirsche mhd. *kirse*, ahd. *chirsa*, niederl. *kers*, aengl. *cirse* geht – wie auch die roman. Benennungen (beachte z. B. frz. *cerise*) – auf vlat. **cerasia*, **ceresia* »Kirsche« zurück. Dieses gehört zu lat. *cerasus* »Kirschbaum« (dazu *cerasum* »Kirsche«), das seinerseits aus griech. *kérasos* »Süßkirschbaum« (dazu *kerásion* »Süßkirsche«) entlehnt ist. – Das griech. Wort ist vermutlich kleinasiatischer Herkunft.

Kirste ↑Kruste.

Kismet »unabwendbares Schicksal, Los«: Das Wort wurde im 19. Jh. aus gleichbed. türk. *kısmet* entlehnt. Dies geht zurück auf arab. *qismah* »Anteil; das dem Menschen von Allah zugeteilte Los« (zum arab. Verb *qasama* »zuteilen«), einem zentralen Begriff der islamischen Religion.

Kissen: Die erst seit dem 18./19. Jh. allgemein übliche Form des Wortes steht für älteres ›Küssen‹ (mhd. *küssen, küssīn*, ahd. *kussī[n]*). Das Wort beruht auf Entlehnung aus afrz. *coissin, cussin* (= frz. *coussin*) »Kissen«, das seinerseits wohl ein galloroman. **coxinum* »Hüft-, Sitzkissen« (zu lat. *coxa* »Hüfte«) fortsetzt.

Kiste: Das altgerm. Substantiv mhd. *kiste*, ahd. *kista*, niederl. *kist*, engl. *chest*, schwed. *kista* beruht auf einer frühen Entlehnung aus lat. *cista* »Kiste, Kasten«. Das lat. Wort selbst ist aus griech. *kístē* »Korb; Kiste« entlehnt.

Kitsch: Das erst seit der 2. Hälfte des 19. Jh.s bezeugte dt. Wort für »Schund; Geschmacklosigkeit« gehört wahrscheinlich zu dem nur mdal. Verb **kitschen** »streichen, schmieren; zusammenscharren; entlangstreichen, rutschen, flitzen«, das wohl lautnachahmender Herkunft ist. Beachte zur Begriffsbildung z. B. schwed. *smörja* »Kitsch, Schund« zu *smörja* »schmieren« und *skräp* »Kitsch, Schund« zu *skrapa* »scharren«.

Kitt: Die westgerm. Benennung des Klebe- und Dichtungsmittels mhd. *küte*, ahd. *kuti, quiti*, niederl. *kit*, aengl. *cwidu, cudu* geht mit verwandten Wörtern in anderen idg. Sprachen auf **gu̯etú-* »Harz« zurück, vgl. z. B. aind. *játu-* »Gummi, Lack« und lat. *bitumen* »Erdharz« (↑Beton) sowie die ablautende nord. Sippe von schwed. *kåda* »Baumharz«. – Das Harz war für den Menschen in alter Zeit von großer Bedeutung. Es diente ihm zum Kleben und Dichten und zum Reinigen der Zähne, beachte z. B. russ. *žvak* »Lärchenharz als Zahnreinigungsmittel« (zu russ. *žvakat'* »kauen«, also eigentlich »das Gekaute«).

Kittchen: Der seit dem 19. Jh. bezeugte Ausdruck für »Gefängnis«, der aus der Gaunersprache in die Umgangssprache drang, gehört zu älterem ›Kitt[e], Kütte‹ »Haus; Herberge; Gefängnis«. Dieses Wort ist entweder mit ›Kaute‹ mdal. für »Grube, Loch« (mitteld., niederd. *kūte*, eigentlich »Einbiegung, Höhlung«) oder mit ↑Kate, Kote »Häuslerwohnung, Hütte« näher verwandt.

Kittel: Die seit dem 12. Jh. im dt. Sprachgebiet bezeugte Bezeichnung für ein hemdartiges Oberbekleidungsstück (mitteld. *kidel*, mhd. *kit[t]el*, mnd. *kedel[e]*) ist dunkler Herkunft. Vielleicht handelt es sich um eine Ableitung von dem unter ↑Kattun behandelten arab. Wort *quṭun* »Baumwolle«.

Kitz, Kitze »Junges von Reh, Gämse, Ziege«: Das auf das dt. Sprachgebiet beschränkte Wort (mhd. *kiz, kitze*, ahd. *chizzī[n]*) geht auf eine Verkleinerungsbildung zu germ. **kidja-* »Tierjunges« zurück, auf dem die nord. Sippe von schwed. *kid* »Zicklein« beruht. Aus dem Nord. stammt engl. *kid* »Tierjunges; Kind« (↑Kid). Germ. **kidja-* »Tierjunges« hat sich wahrscheinlich aus einem Lockruf entwickelt.

kitzeln: Das altgerm. Verb mhd. *kitzeln*, ahd. *kizzilōn*, niederl. *kittelen*, aengl. *citelian*, schwed. *kittla* ist wahrscheinlich lautnachahmender (bzw. bewegungsnachahmender) Herkunft. Abl.: **Kitzel** »leichter Juckreiz; Verlangen« (um 1500); **kitz[e]lig** »empfindlich gegen Kitzeln; heikel, riskant« (um 1500); **Kitzler** »Klitoris« (18. Jh.; eigentlich »Organ, das bei Berührung einen Sinnesreiz auslöst«).

Kiwi: Die Bezeichnung für einen flugunfähigen Vogel in Neuseeland und für eine exotische Frucht ist ein Maoriwort. Über gleichbed. engl. *kiwi* ist es in der 2. Hälfte des 20. Jh.s ins Deutsche gelangt.

klabastern ↑Klabautermann.

Klabautermann: Der seit der 1. Hälfte des 19. Jh.s bezeugte niederd. Ausdruck für einen Schiffskobold gehört wahrscheinlich zu dem Verb **kalfatern** seemännisch für »abdichten«. Nach dem Volksglauben klopft der Kobold gegen die Schiffswand, um mit seinem Klopfen zur Ausbesserung der schadhaften hölzernen Schiffswände zu mahnen oder den Untergang eines Schiffes anzukündigen. Zu der Form ›Klabautermann‹ – niederd. mdal. auch *Klafatersmann* – beachte z. B. das Nebeneinander von mecklenburg. *Klafat* und *Kalfat* »Schiffszimmermann«, *Klabatershamer*

»Dichthammer« und *kalfatern* »dichten« (s. o.). Zum Teil kann wohl auch Einfluss des lautnachahmenden **klabastern** mdal. für »poltern, klappern, lärmen« vorliegen.

klacken: Das seit dem 17. Jh. bezeugte Verb gehört zu der unter ↑klappen dargestellten Gruppe von Schallnachahmungen, vgl. die [elementar]verwandten niederl. *klakken* »klatschen; klecksen«, engl. *to clack* »klappern; plappern; gackern«, schwed. mdal. *klakka* »schlagen, klopfen« und mhd. *klac* »Knall; Krach; Riss, Spalt; Klecks, Fleck«. Von dieser Schallnachahmung gehen auch die unter ↑klecken, ↑Klecks und ↑kleckern behandelten Wörter aus. – Im Gegensatz zu ›klacken‹ gibt ›klicken‹ einen kurzen hellen Ton wieder.

Kladde »vorläufiger Entwurf, Konzept; [Schmier]heft; Geschäftsbuch«: Das seit dem 17. Jh. bezeugte Wort, das vielleicht aus ›Kladdebuch‹ gekürzt ist, stammt aus dem Niederd. Es bedeutet eigentlich »Schmutz, Schmiererei«, vgl. niederd. *kladde* »Schmutz, Unreinlichkeit«, *klad[d]eren* »schmieren, beschmutzen«, mniederl. *kladde* »Schmutz, Fleck«, schwed. *kladd* »Fleck, kleiner Klumpen«. Verwandt ist wohl auch ↑klittern. – Die Wortgruppe ist wahrscheinlich lautnachahmender Herkunft und geht von einem ähnlichen Klangeindruck wie ↑klatschen und ↑klacken (klecksen, kleckern) aus.

Kladderadatsch: Der ugs. Ausdruck für »Krach; Zusammenbruch; Misserfolg« hat sich aus der lautmalenden Interjektion **kladderadatsch!** entwickelt, die vorwiegend bei einem mit Krachen und Klirren verbundenen Fall ausgestoßen wird. Beachte dazu das ähnliche niederd. mdal. kladatsch! (davon ›kladatschen‹ »mit Geräusch fallen«) und den Artikel klatschen.

klaffen: Das im Sinne von »gespalten sein, offen stehen« gebräuchliche Verb ist identisch mit dem lautnachahmenden ›klaffen‹ veraltet für »klaff! machen, bellen« (mhd. *klaffen,* »schallen, tönen, klappern, schwatzen«, ahd. *klaffōn* »zusammenschlagen, krachen, schallen«). Die heutige Bedeutung hat sich in mhd. Zeit aus »mit Krachen bersten, mit Geräusch sich öffnen« entwickelt. Das gleiche Nebeneinander der Bedeutungen findet sich auch bei dem Substantiv **Klaff** »Krach, Schall, Gekläff« und »Spalte, schmale Öffnung«. Über ähnliche bzw. elementarverwandte Lautnachahmungen s. unter ↑klappen. Beachte auch den Artikel *kläffen.*

kläffen »bellen« (besonders von kleinen Hunden): Das seit dem 18. Jh. bezeugte Verb ist eine junge Nebenform von der unter ↑klaffen behandelten Lautnachahmung. Abl.: **Kläffer** »kleiner Hund« (18. Jh.).

Klafter: Der nur dt. Name des alten Längen- und Raummaßes (mhd. *klāfter,* ahd. *klāftra*) gehört im Sinne von »Armspanne, Armvoll« zu einem untergegangenen Verb mit der Bed. »[um]fassen, umarmen«, vgl. z. B. afries. *kleppa* »umarmen«. Eng verwandt ist die baltoslaw. Sippe von lit. *glėbti* »umarmen, umfassen«, *glėbỹs* »ausgebreitete Arme, Armvoll« (vgl. *Kolben*).

klagen: Das seiner Herkunft nach lautnachahmende Verb (mhd. *klagen,* ahd. *klagōn*) bedeutete zunächst »vor Trauer oder Schmerz schreien, jammern«. Der rechtliche Sinn des Wortes entwickelte sich schon früh aus dem Brauch, bei der Ertappung eines Verbrechers ein Not- und Hilfegeschrei zu erheben und den Täter vor Gericht mit Geschrei und Gejammer zu beschuldigen. So bedeutet auch das Substantiv **Klage** (mhd. *klage,* ahd. *klaga*) seit ahd. Zeit nicht nur »Schmerz-, Wehgeschrei, Jammer«, sondern auch »Beschuldigung, Anklage vor Gericht, Rechtssache«. Rechtliche Geltung haben auch die Ableitung **Kläger** (mhd. *klager,* spätahd. *clagare*) und die Zusammensetzungen und Präfixbildungen **anklagen** (mhd. *an[e]klagen*), dazu **Anklage, anklägerisch, Angeklagte[r], beklagen** (mhd. *beklagen,* ahd. *bic[h]lagōn*), dazu **Beklagte[r]** und **verklagen** (mhd. *verklagen*). – Das Verb ›klagen‹ gehört vermutlich zu der vielfach weitergebildeten lautnachahmenden Wurzel **gal-* »rufen, schreien«, vgl. z. B. aind. *gárhati* »klagt, tadelt«. Auf eine nasalierte Form dieser Wurzel geht vielleicht die germ. Sippe von ↑klingen zurück. – Abl.: **kläglich** (mhd. *klagelich,* ahd. *clagalīh* »klagend; beklagenswert, jämmerlich«).

Klamauk: Der ugs. Ausdruck für »Lärm; Ulk«, der erst im 20. Jh. von Berlin ausgehend in die Umgangssprache drang, hat sich vermutlich aus einer lautmalenden Interjektion – beachte das ähnliche ›pardauz!‹ – entwickelt.

klamm »knapp (an Geld); erstarrt, steif (vor Kälte); feucht (von der Wäsche)«: Das vorwiegend in Norddeutschland gebräuchliche Adjektiv (mhd., mnd. *klam* »eng; dicht zusammengepresst; gediegen, lauter; knapp, spärlich«) gehört zu der Sippe von ↑klemmen.

Klamm: Der oberd. Ausdruck für »Felsenschlucht [mit Sturzbach]« geht auf gleichbed. mhd. *klam* zurück, das mit mhd. *klam* »Klemme; Beklemmung; Krampf; Haft; Fessel; Klammer« identisch ist. Oberd. *Klamm* gehört demnach im Sinne von »Klemme, Enge« zu der Sippe von ↑klemmen.

Klammer: Die Bezeichnung des Geräts zum Zusammendrücken und Festklemmen gehört mit der Sippe von ↑klemmen zu der unter ↑klimmen dargestellten Wurzelform **glem[bh-]* »zusammendrücken«. Mit ›Klammer‹ (mhd. *klam[m]er*) eng verwandt ist im germ. Sprachbereich die nord. Sippe von aisl. *klombr* »Klemme, Klammer«. Abl.: **klammern** (16. Jh.; auf ›Klammer‹ als linguistischer und mathematischer Begriff beziehen sich die Zusammensetzungen ›einklammern‹ und ›ausklammern‹). Zus.: **Klammeraffe** (19. Jh.).

klammheimlich: Der seit dem Ende des 19. Jh.s bezeugte Ausdruck für »ganz heimlich«, der von

Nordostdeutschland ausgehend ugs. geworden ist, enthält vermutlich als Bestimmungswort lat. *clam* »heimlich« und wäre demnach eine tautologische Bildung.

Klamotte (ugs. für:) »zerbrochener Mauer-, Ziegelstein«, dann übertragen zur Bezeichnung eines zerbrochenen, wertlosen Gegenstandes überhaupt, so besonders im Plural »alte Kleidungsstücke; Kleider«, im Singular auch »derber Schwank, niveauloses Stück«: Die Herkunft des Wortes, das aus der Gaunersprache stammt, ist unsicher.

Klampfe: Die seit 1700 bezeugte oberd. Benennung der Gitarre gehört zu dem im Nhd. untergegangenen starken Verb mhd. *klimpfen* »fest zusammendrücken oder zusammenziehen«. Die Benennung bezieht sich wohl darauf, dass die Saiten beim Spielen des Instruments zusammengedrückt und gezupft werden. Andererseits kann die Klampfe als »Klammer (die die Saiten hält)« benannt worden sein. Dann ist das Wort identisch mit oberd. *Klampfe* »Klammer, Haken«.

Klang: Mhd. *klanc*, Genitiv *klanges*, »Tönen, Klang, Geräusch« ist eine ablautende Bildung zu dem unter ↑klingen behandelten Verb. Vgl. dazu die gleichbedeutende Bildung mhd. *klanc*, Genitiv *klankes*, ahd. *clanch*, die zu einem untergegangenen Verb klinken (↑Klinke und ↑Klinker) gehört.

klappen: Nhd. *klappen* stammt, falls es nicht eine unabhängige junge lautmalende Bildung ist (↑klappern), aus dem niederd.-mitteld. Sprachbereich und geht dann auf mnd. *klappen* »klatschen; schallen; plappern; schwatzen« zurück. Das mnd. Verb gehört mit mhd. *klapfen*, ahd. *klapfōn*, engl. *to clap* »klappen, schlagen« und schwed. *klappa* »klappen, klopfen« zu einer umfangreichen germ. Gruppe von Schallnachahmungen. Vgl. die ähnliche Klangeindrücke wiedergebenden *klaffen, kläffen, klacken, kleckern, klatschen, Kladderadatsch, klippen* (unter ›klipp‹) und *klopfen*. – Auf der Vorstellung, dass eine Handlung oder ein Vorgang mit einem Geräusch (klapp!) abschließen, beruht die ugs. Verwendung des Wortes im Sinne von »zustande kommen, gelingen, passen«. Zur genaueren Bestimmung von ›klappen‹ dienen die Zusammensetzungen ›auf-, um-, zusammenklappen‹. Abl.: **Klapp** veraltend für »Knall, Krach; Schlag«, dafür oberd. mdal. **Klapf** »Knall; Schlag; Ohrfeige«, beachte oberd. mdal. **kläpfen** »knallen, schlagen«; **Klappe** (17. Jh., mnd. *klappe* »Klapper«; eigentlich »Gegenstand, der mit einem Geräusch auf etwas auftrifft«, dann »Vorrichtung zum Verschließen, Gegenstand, der sich auf- und zuklappen lässt«, beachte die Zusammensetzungen ›Fliegenklappe, Ofenklappe, Achselklappe, Scheuklappe‹ usw.; ugs. wird das Wort im Sinne von »Maul, Mundwerk« und »Bett« gebraucht).

klappern: Das seit mhd. Zeit bezeugte Verb (mhd. *klappern*) gehört zu der unter ↑klappen dargestellten Gruppe von Schallnachahmungen. Abl.: **Klapper** »Gerät oder Spielzeug zum Klappern« (15. Jh.); **klapp[e]rig** »abgenutzt, alt; hinfällig« (16. Jh.). Zus.: **Klapperschlange** (18. Jh.; wohl Lehnübersetzung von engl. *rattlesnake*); **Klapperstorch** (18. Jh.). Siehe auch den Artikel *Klepper*.

klappern

Klappern gehört zum Handwerk
(ugs.) »wer mit seinen Fähigkeiten Erfolg haben will, muss auch lautstark auf sich aufmerksam machen; Reklame muss sein«
Die Redensart bezieht sich darauf, dass Verkäufer auf Märkten früher auch durch lautes Lärmen auf ihre Waren aufmerksam machten.

klapsen: Das seit dem 18. Jh. bezeugte Verb gehört zu der unter ↑klappen dargestellten Gruppe von Schallnachahmungen. Es wird heute vorwiegend im Sinne von »[leicht] schlagen, tätscheln« gebraucht.

klar: Das Adjektiv (mhd. *klār* »hell, lauter, rein, glänzend, schön; deutlich«) erscheint im Deutschen zuerst im 12. Jh. am Niederrhein. Es geht auf lat. *clarus* »laut, schallend; hell, leuchtend; klar, deutlich; berühmt« zurück, das zusammen mit den verwandten Wörtern lat. *calare* »ausrufen, zusammenrufen« (dazu lat. *concilium* »Versammlung« mit lat. *con-ciliare* »vereinigen, verbinden; geneigt machen«, s. die Fremdwörter *Konzil* und *konziliant*) und lat. *clamare* »laut rufen, schreien, ausrufen, verkünden« (dazu die Fremdwortgruppe um ↑Reklame, ↑reklamieren) zu der unter ↑hell dargestellten idg. Wortsippe gehört. – Ableitungen u. Zusammensetzungen: **Klarheit** (mhd. *klārheit* »Helligkeit, Reinheit, Glanz; Deutlichkeit«); **klären** »klarmachen; bereinigen« (mhd. *klǣren* »klarmachen; verklären; erklären, eröffnen«), mit den Zusammensetzungen und Präfixverben: **aufklären** »klar-, hell machen; verständlich machen, klarlegen, klarstellen; erforschen« (16./17. Jh.; häufig reflexiv gebraucht im Sinne von »hell werden, sich aufheitern«, meist vom Wetter; dafür auch das aus der niederd. Seemannssprache übernommene **aufklaren** »sich aufheitern«, das seemännisch auch im Sinne von »klar Schiff machen« üblich ist), dazu **Aufklärung** (im 18. Jh. als philosophischer Terminus gebildet) und **Aufklärer** »Vertreter der Aufklärung«, im 20. Jh. auch militärisches Fachwort mit der Bed. »Aufklärungsflugzeug«, **aufklärerisch** »aufklärend; im Sinne der Aufklärung«; **erklären** »klarmachen, erläutern; kundgeben« (mhd. *erklǣren* »klarmachen«), dazu **Erklärung** »Erläuterung; Äußerung, Feststellung« (15. Jh.); **verklären** »ins Überirdische erhöhen« (mhd. *verklǣren* »erhellen, erleuchten, verklären«; heute ist vorwiegend das adjektivisch gebrauchte zweite Partizip **verklärt** »selig entrückt« gebräuch-

lich). – Vgl. noch die zu lat. *clarus* gehörenden Fremdwörter ↑deklarieren (Deklaration) und ↑Klarinette.

Klarinette: Der Name des Holzblasinstrumentes, der seit dem 18. Jh. bezeugt ist, stammt aus it. *clarinetto*. Dies ist eine Verkleinerungsbildung zu it. *clarino*, das eine hohe Solotrompete bezeichnet und wörtlich etwa »hell Tönende« bedeutet. Zugrunde liegt das auf lat. *clarus* »hell, klar« (vgl. *klar*) zurückgehende Adjektiv it. *chiaro*, älter *claro*, das hier im Sinne von »hell tönend« erscheint.

Klasse: Das seit dem 16. Jh. bezeugte Substantiv wurde in der allgemeinen Bed. »Abteilung (auch von Schülern)« aus gleichbed. lat. *classis* entlehnt. Die jüngeren, im 18. Jh. aufkommenden Bedeutungen »Gruppe mit besonderen Merkmalen (wie Alter, Ausbildung, sozialer Stand usw.); Einteilung (nach besonderen Kennzeichen)« stehen unter dem Einfluss von frz. *classe*, das auf lat. *classis* zurückgeht. Das Substantiv ist im 20. Jh. auch in adjektivischen Gebrauch übergegangen und wird als **klasse** »großartig, ausgezeichnet« verwendet. Abl.: **...klassig,** nur in Zusammensetzungen wie ›erst-, zweitklassig‹ (20. Jh.); **klassifizieren** »in Klassen einteilen, einordnen« (18. Jh.; eine nlat. Bildung, Grundwort ist lat. *facere* »machen, tun«, vgl. *Fazit*), dazu **Klassifikation** »Einteilung, Sonderung in Klassen« (18. Jh.; nach frz. *classification*). Beachte ferner die auf das abgeleitete Adjektiv lat. *classicus* (> frz. *classique*) »die (ersten) Bürgerklassen betreffend« zurückgehende Wortgruppe von ↑klassisch. Zus.: **Klassenkampf** »Kampf der gegensätzlichen Klassen um die Entscheidungsgewalt in der Gesellschaft« (19. Jh.; von Karl Marx für frz. *lutte des classes* geprägt).

klassisch: Zu lat. *classis* »militärisches Aufgebot; Abteilung; Klasse« (vgl. *Klasse*) stellt sich das Adjektiv *classicus* »die (ersten) Bürgerklassen betreffend«, das dann im Sinne von »ersten Ranges, mustergültig« gebraucht wurde, so besonders in der Fügung *scriptor classicus* »klassischer Schriftsteller (der vor allem in sprachlicher Hinsicht Vorbild ist)«. Das aus dem lat. Adjektiv im 18. Jh. entlehnte ›klassisch‹ wurde in dieser Bedeutung übernommen; es bezieht sich auch heute noch hauptsächlich auf die literarischen, künstlerischen, dann auch wissenschaftlichen Leistungen des schöpferischen Menschen, sofern diese Leistungen die Merkmale einer ausgereiften Meisterschaft tragen. Unser Substantiv **Klassiker** (18. Jh.), das lat. *scriptor classicus* (= frz. *auteur classique*) fortsetzt, gilt entsprechend. Wie aber schon das Adjektiv ›klassisch‹ auch all das bezeichnet, was mit Griechen und Römern irgendwie im Zusammenhang steht, und in dieser Hinsicht zuweilen synonym für ↑antik gebraucht wird (beachte z. B.: Antike = klassisches Altertum), so bezeichnet das Substantiv ›Klassiker‹ auch die klassischen Schriftsteller der Antike. Dazu stellt sich das Substantiv **Klassik** als Bezeichnung einer Epoche kultureller Gipfelleistungen und ihrer mustergültigen Werke.

klatschen: Das seit dem 17. Jh. bezeugte Verb gehört mit gleichbed. frühnhd. *klatzen*, niederd. *klatsen* und niederl. *kletsen* zu der unter ↑klappen dargestellten Gruppe von Schallnachahmungen (beachte besonders die unter ↑Kladde behandelten Wörter). Das Verb ›klatschen‹ gibt hauptsächlich Klangeindrücke wieder, die beim Zusammenschlagen oder Aufprallen entstehen, und bedeutet speziell »mit den Händen klatschen, applaudieren«. Ugs. wird ›klatschen‹ im Sinne von »plaudern, [aus]schwatzen« gebraucht; beachte das Substantiv **Klatsch** (18. Jh.), das nicht nur »Knall, Schall, Schlag«, sondern auch »Geschwätz, übles Gerede« bedeutet. An den letzteren Sinn schließen sich z. B. an **klatschig, klatschhaft, Klatschbase, Klatschmaul, Klatschsucht** und **Kaffeeklatsch.** Die Zusammensetzung **Klatschmohn** bezieht sich auf das Geräusch, das entsteht, wenn man ein Blütenblatt dieser Pflanze gegen die Stirn drückt. Aus der Fachsprache der Drucker stammt der Ausdruck **Abklatsch** »[minderwertiger] Abdruck, Nachahmung« (19. Jh.), der ursprünglich den durch Klatschen mit der Bürste hergestellten ersten Probeabzug bezeichnete.

klauben »mit den Fingerspitzen, Nägeln oder Zähnen an etwas herumarbeiten, von der Hülse oder Schale befreien, pflücken, lesen, [aus]sondern, mit Mühe heraussuchen«: Mhd. *klūben*, ahd. *klūbōn*, mnd. *klūven* stehen im Ablaut zu dem unter ↑klieben behandelten Verb. Zur genaueren Bestimmung dienen die Zusammensetzungen ›auf-, aus-, herum-, zusammenklauben‹. Siehe auch den Artikel *Klüver.*

Klaue: Mhd. *klā[we]*, ahd. *klāwa*, mnd. *klā* »Kralle; Pfote, Tatze; Hornteil des gespaltenen Tierfußes« stehen im Ablaut zu der nord. Sippe von schwed. *klo* »Klaue; Kralle; Zinke« einerseits und zu der Sippe von aengl. *clēa* »Klaue; Huf; Haken« (beachte engl. *claw*) andererseits. Die germ. Bildungen gehen vermutlich auf eine Wurzelform **g[e]-leu-* der unter ↑Kolben dargestellten idg. Wurzel **gel-* »zusammendrücken, ballen« zurück (vgl. die Artikel *Kloß, Klotz, Knäuel*). Die Klaue wäre demnach als »die Zusammendrückende, die Packende« bzw. »die Geballte« benannt worden. – Ugs. wird ›Klaue‹ im Sinne von »schlechte Handschrift« und verächtlich für »Hand« gebraucht. Gleichfalls ugs. ist der Gebrauch des Verbs **klauen** im Sinne von »stehlen«. Die alte und eigentliche Bedeutung »mit den Klauen fassen, kratzen« ist nur mdal. bewahrt (vgl. ahd. *klāwēn*, mnd. *klouwen* »krallen, kratzen«).

Klause »weltabgeschiedene Behausung; Klosterzelle«: Das Substantiv (mhd. *klūse*, ahd. *klūsa*) beruht auf einer Entlehnung aus mlat. *clusa* »umschlossener, umhegter Raum; Klosterzelle; Ein-

K

siedelei«, das zu lat. *claudere (clausum,* Nebenform: *clusum)* »schließen, zusperren, verschließen; abschließen usw.« gehört. Das lat. Verb, das eigentlich »mit einem Nagel, Pflock, Haken oder Riegel verschließen« bedeutet, hängt mit lat. *clavus* »Nagel, Pflock« (s. die Fremdwörter *Clou, Enklave*) und lat. *clavis* »Schlüssel; (mlat.:) Taste« (in ↑Klavier) zusammen. Im außeritalischen Sprachbereich ist z.B. verwandt griech. *kleís* »Querriegel, Haken; Schlüssel« und griech. *kleíein* »(mit einem Haken, Riegel u.a.) verschließen«. – Um lat. *claudere* gruppieren sich zahlreiche Ableitungen und Zusammensetzungen, von denen einige in unserem Fremd- und Lehnwortschatz eine Rolle spielen. Beachte im Einzelnen: lat. *clausula* »Schluss, Ende; Schlusssatz, Schlussformel« (in ↑Klausel), spätlat. *clausura* »Verschluss; Einsperrung« (in ↑Klausur), lat.-kirchenlat. *claustrum* »Verschluss; Klausur; Mönchszelle« (in ↑Kloster), lat. *in-cludere* »einschließen« (↑inklusive) und lat. *ex-cludere* »ausschließen; absondern; abhalten, abschneiden« (↑exklusiv), dazu mlat. *exclusa* »Schleuse, Wehr« (↑Schleuse). – Hierher noch das Fremdwort ↑Klosett.

Klausel »vertraglicher Vorbehalt; Sondervereinbarung«: Das aus der Kanzleisprache stammende Substantiv wurde im 14. Jh. mit der Bed. »Schlussformel, Zusatzbestimmung« aus lat. *clausula* »Schluss; Schlusssatz, Schlussformel; Gesetzesformel« entlehnt. Dies gehört zu lat. *claudere (clausum)* »schließen, verschließen; abschließen« (vgl. *Klause*).

Klausur »abgeschlossenes Mönchsleben; abgesperrter Gebäudeteil eines Klosters; Prüfungsarbeit unter Aufsicht und unter Ausschluss der Öffentlichkeit«: Das Fremdwort wurde im 15. Jh. aus spätlat. *clausura* »Verschluss, Einschließung« entlehnt (vgl. *Klause*).

Klavier: Das seit dem 16.Jh. bezeugte Wort bedeutete ursprünglich »Tastenreihe, Tastenbrett«, in welchem Sinne es aus gleichbed. frz. *clavier* entlehnt wurde. Als Pars pro toto wurde das Wort seit dem 17.Jh. zum Namen des Musikinstrumentes. (Im Frz. heißt das Klavier heute *piano*, gelegentlich auch noch *clavecin* = dt. *Clavicembalo*, vgl. den Artikel *Cembalo*.) – Frz. *clavier* »Tastenbrett« beruht auf einer nlat. Bildung zu lat. *clavis* »Schlüssel, Riegel« (> frz. *clef*), das im Mlat. die übertragene Bed. »Taste« entwickelte. Lat. *clavis* gehört zum Stamm von lat. *claudere (clausum)* »schließen, verschließen« (vgl. den Artikel *Klause*).

Klavierpart ↑Part.

kleben: Das ursprüngliche intransitive Verb, das erst in spätmhd. Zeit auch transitive Geltung erlangte, ist eine Durativbildung zu einem altgerm. starken Verb: mhd. *klīben*, ahd. *klīban* »anhaften, [an]kleben«, aengl. *clīfan* »anhaften, kleben«, aisl. *klīfa* »klettern«. Nhd. *kleben* entsprechen in den älteren Sprachzuständen mhd. *kleben*, ahd. *klebēn*, asächs. *klibōn*, aengl. *clifian* »kleben«.

klecken: Das heute veraltete, aber noch mdal. im Sinne von »mit Geräusch fallen, klatschen, knallen; klecksen; vonstatten gehen; ausreichen« gebräuchliche Verb geht wahrscheinlich auf die unter ↑klacken behandelte Nachahmung knallender, platzender, klatschender Schalleindrücke zurück, vgl. mhd. *klac* »Knall; Krach; Riss, Spalte; Klecks, Fleck«. Mhd., ahd. *klecken* bedeuten nicht nur »platzen, krachen, bersten, [sich] spalten; klecksen; klatschen; schallend schlagen«, sondern auch »ausreichen, genügen, wirksam sein«. Zum Bedeutungsübergang von »ein Geräusch machen« zu »zustande bringen, gelingen, passen, ausreichen« s. den Artikel *klappen*. An den letzteren Sinn von ›klecken‹ schließt sich **erklecken** veraltet für »ausreichen, genügen« an, zu dem das Adjektiv **erklecklich** »genügend; beträchtlich« gebildet ist. Vgl. auch die Artikel *Klecks* und *kleckern*.

kleckern: »Kleckse, Flecken machen; in kleinen Mengen verschütten«: Das seit dem 17. Jh. bezeugte Verb, das im Wesentlichen ugs. gebräuchlich ist, ist eine Iterativbildung zu ↑klecken.

Klecks: Das seit dem 18.Jh. bezeugte Substantiv ist an die Stelle von älterem ›Kleck‹ »Fleck, Klümpchen« (16.Jh.) getreten, das aus dem Verb ↑klecken rückgebildet ist. Das Verb **klecksen** »Flecke machen, spritzen, beschmieren« (18.Jh.) ist wohl von ›Klecks‹ abgeleitet, kann aber auch Intensivbildung zu ›klecken‹ sein.

Klee: Die Pflanzengattung ist wahrscheinlich nach ihrem klebrigen Saft (besonders der Blüten) benannt. Der hochd. Pflanzenname, mhd. *klē*, ahd. *chlēo* und die anders gebildeten mnd. *klēver*, niederl. *klaver*, engl. *clover* »Klee« sind z.B. mit den unter ↑kleben und ↑Kleister behandelten Wörtern verwandt und gehören zu der Wortgruppe von ↑Klei.

Klee

jmdn., etwas über den grünen Klee loben
(ugs.) »jmdn., etwas über Gebühr, übermäßig loben«
Die Herkunft der Wendung ist nicht sicher zu klären. Vielleicht geht sie darauf zurück, dass der grüne Klee (»grüner Rasen [mit Kleeblumen]«) in der mittelalterlichen Dichtung und später dann im Volksmund als Inbegriff der Frische und des Frühlingshaften gepriesen wurde, und würde dann eigentlich bedeuten »etwas noch mehr loben als den Klee«.

Klei: Der im Wesentlichen nordd. Ausdruck für »fette, zähe Tonerde, schwerer Lehmboden« geht auf mnd., asächs. *klei* zurück, dem engl. *clay* »Ton, Lehm« entspricht. Der Klei fand in früheren Zeiten hauptsächlich im Hausbau Verwendung, zum Bewerfen und Verschmieren der Wände. Weiterhin verwandt sind im germ. Sprachbereich die unter ↑kleben und ↑Kleister sowie die unter ↑Kleie (»klebrige Masse«) und ↑Klee (nach dem klebrigen Saft) behandelten Wörter. Auch der Pflanzenname ↑Klette (nach den anhaftenden Blütenköpfen) und das Verb ↑klettern (eigentlich »sich anklammern, anhaften«) sind verwandt. Diese germ. Wortgruppe, zu der vermutlich auch ↑Kleid und ↑klein gehören, geht auf eine Wurzelform **glei-* »kleben, schmieren« der unter ↑Kolben dargestellten idg. Wurzel **gel-* »zusammendrücken, ballen« zurück. Vgl. dazu aus anderen idg. Sprachen z. B. griech. *glía* »Leim, Kleister«, *gloiós* »klebrige Masse« und die slaw. Sippe von russ. *glej* »Ton, Lehm«.

Kleid: Das westgerm. Substantiv mhd. *kleit*, mnd. *klēt*, niederl. *kleed*, engl. *cloth* ist vermutlich eine Bildung zu der unter ↑Klei »fette, zähe Tonerde« dargestellten Wurzelform **glei-* »kleben, klebrig, schmierig sein«. Das Wort bedeutete früher – wie engl. *cloth* noch heute – »Tuch«, woraus sich die Bed. »Kleidungsstück; Frauengewand« entwickelten. Da die Herstellung von Tuchen früher durch Walken unter Zusatz von fetter Tonerde vor sich ging, ist das westgerm. Substantiv wohl eine Partizipialbildung mit der Bed. »das mit Klei Gewalkte«.

Kleie: Die Kleie ist, da sie die zähen, schwer vermahlbaren äußeren Kleberschichten des Getreidekorns enthält, als »klebrige Masse, Kleister« benannt. Das nur dt. Wort (mhd. *klī[w]e*, ahd. *klī[w]a*, mnd. *klīe*) gehört zu der unter ↑Klei »fette, zähe Tonerde« dargestellten Wortgruppe.

klein: Mhd. *kleine* »rein; fein; klug, scharfsinnig; zierlich, hübsch, nett; zart, schmächtig, hager, dünn; unansehnlich, schwach, gering«, ahd. *kleini* »glänzend, glatt; sauber; sorgfältig; zierlich; dünn, gering«, niederl. *klein* »klein, gering, wenig«, engl. *clean* »rein, sauber, blank« sind eine westgerm. Adjektivbildung, und zwar wahrscheinlich zu der unter ↑Klei dargestellten Wurzelform **glei-* »kleben, schmieren«. Das westgerm. Adjektiv bedeutete demnach ursprünglich »[ein]geschmiert, [mit Fett] bestrichen« oder – vom Hausbau ausgehend – »verschmiert, verputzt, poliert«, dann »glänzend, glatt«, woraus sich die anderen Bedeutungen entwickelten. Heute ist ›klein‹ Gegenwort zu ›groß‹. – Abl.: **Klein** (mhd. *klein[e]*; substantivierte Form des Adjektivs; heute hauptsächlich in den Zusammensetzungen ›Gänse-, Hasen-, Hühnerklein‹ gebräuchlich); – **kleinern** älter nhd. »kleiner machen«, heute gebräuchlich sind die Präfixbildungen (zum Komparativ) **verkleinern** und **zerkleinern; Kleinigkeit** (mhd. *kleinecheit* »Kleines, Kleinheit«), dazu **Kleinigkeitskrämer** (18. Jh.); **kleinlich** »Kleinigkeiten übertrieben wichtig nehmend; engstirnig; nicht großzügig« (mhd. *kleinlich* »fein; genau, scharf; zierlich, zart; mager«, ahd. Adverb *kleinlīhho*), dazu **Kleinlichkeit** »kleinliches Wesen, Verhalten« (mhd. *kleinlīcheit* »Kleinheit, Zartheit, Dürftigkeit, Unbedeutendheit«); **Kleinod** (s. d.). Zus.: **Kleinbahn** »schmalspurige Nebenbahn« (19. Jh.); **Kleinbürger** (18. Jh.; zunächst »Arbeiter«, dann seit dem 19. Jh. »Spießbürger«), dazu **kleinbürgerlich** (19. Jh.) und **Kleinbürgertum** (19. Jh.); **Kleingärtner** »jemand, der einen kleinen Garten hat« (um 1800); **Kleingeld** »Geld (Münzen) zum Bezahlen kleinerer Beträge, zum Herausgeben und Wechseln« (18. Jh.); **kleingläubig** »ängstlich-zweifelnd, ohne rechtes Vertrauen« (16. Jh.); **kleinkariert** »engstirnig, spießbürgerlich« (20. Jh.; das Adjektiv bezieht sich nicht auf das kleine Karomuster von Stoffen, sondern auf das klein karierte Rechen- und Zeichenpapier, das ganz genaues und sorgfältiges Arbeiten notwendig macht); **Kleinkredit** (s. Kredit); **Kleinkunst** (19. Jh.; zunächst »Miniatur, kleine künstlerische Arbeit«, dann im 20. Jh. »Kabarett«); **kleinlaut** (15. Jh.; ursprünglich »schwach klingend«, dann »mutlos, niedergeschlagen«); **kleinmütig** »ohne Selbstvertrauen, verzagt« (mhd. *kleinmuotic*), dazu **Kleinmut** (16. Jh.; aus dem Adjektiv rückgebildet); **Kleinstadt** »kleinere Stadt« (19. Jh.; zu dem älter bezeugten **kleinstädtisch** – 17. Jh. – und **Kleinstädter** – 18. Jh. – gebildet); **Kleinwagen** »kleines Auto mit kleinem Hubraum« (20. Jh.).

Kleinod: Das mit demselben Suffix wie z. B. ›Einöde‹ und ›Heimat‹ gebildete Substantiv (mhd. *kleinōt, -œte*) schließt sich an ↑klein in dessen älterer Bedeutung »fein, zierlich« an. Es bezeichnete zunächst eine kunstvoll gearbeitete, zierliche Kleinigkeit (als Gastgeschenk oder Aufmerksamkeit überreicht), dann einen wertvollen Gegenstand, einen unersetzlichen Wert.

Kleister: Die seit dem 16. Jh. bezeugte Substantivbildung (mnd., mitteld., mhd. *klīster*) gehört im Sinne von »klebrige Masse« zu der unter ↑Klei dargestellten Wortgruppe. Ugs. wird das Wort für »zäher [Mehl]brei, schlechte Speise« gebraucht. Abl.: **kleisterig** »klebrig, schmierig« (17. Jh.); **kleistern** »kleben; basteln« (16. Jh.; mnd. *klīsteren*).

Klematis: Der Name der Kletterpflanze, die zur Gattung Waldrebe gehört, ist aus griech. *klēmatís* »biegsame Ranke« (zu griech. *klēma* »Zweig der Weinrebe, Schössling, Weinranke«) entlehnt.

Klementine: Die noch sehr junge, besonders süße Mandarinenart ist nach Père Clément (= Pater Clemens), dem Mönch eines Trappistenklosters in Misserghin (Algerien) benannt, der die Klementine als Erster züchtete.

klemmen: Das seit mhd. Zeit bezeugte Verb gehört mit den Bildungen ↑klamm »eng, knapp; erstarrt, steif; feucht«, ↑Klamm »Felsschlucht« und ↑Klammer »Gerät zum Zusammendrücken und Festklemmen« zu einem untergegangenen Verb mit der Bed. »zusammendrücken«, beachte z. B.

mhd. *klimmen* »drücken, zwicken, kneifen; packen« (vgl. *klimmen* »klettern«). Älter und besser bezeugt als das einfache Verb ›klemmen‹ (mhd. *klemmen*) ist die Präfixbildung **beklemmen** (ahd. *biklemmen;* asächs. *biklemmian;* aengl. *beclemman;* s. den Artikel *beklommen*). – Ugs. wird ›klemmen‹ im Sinne von »stehlen« (eigentlich »packen«) gebraucht. Abl.: **Klemme** »Gerät zum Klemmen, Spange; missliche Lage, Schwierigkeit« (mhd. *klemme, klemde* »Klemmung, Einengung«).

Klempner: Die seit dem 18. Jh. bezeugte, im Wesentlichen mittel- und nordd. Benennung des Blechschmieds ist aus älterem ›Klemperer‹ umgestaltet, etwa nach dem Vorbild von ›Kellner‹, ›Kürschner‹ usw. Die ursprünglich mitteld. Bildung ›Klemperer‹ entspricht oberd. *klampferer,* älter *klampfer* »Blechschmied«. Wie landsch. Spengler »Blechschmied« zu ›Spange‹ »Klammer« gehört, so stellen sich *klemperer, klampferer* zu mhd., ahd. *klampfer* »Spange«, mhd. *klampfern* »fest zusammenfügen, verklammern«, niederd. *klempern* »Blech hämmern«. Abl.: **klempnern** »Klempner sein oder spielen« (20. Jh.). Zus.: **Klempnerladen** ugs. für »mit übermäßig viel Orden geschmückte Brust« (20. Jh.); **Zahnklempner** ugs. für »Zahnarzt« (20. Jh.).

Klepper: Der seit dem 15. Jh. bezeugte, zunächst mitteld. Ausdruck für »Reitpferd« gehört zu einer heute veralteten Nebenform von ↑klappern (beachte mitteld. *kleppe[r]n,* mhd. *klepfern* »klappern«). Die Benennung bezieht sich wohl auf das klappernde Geräusch der Hufe oder eine eigentümliche klappernde Gangart, vgl. niederd. *klöpper* »Reitpferd«, das zu *kloppen* »klopfen« gehört. Heute wird ›Klepper‹ verächtlich für »[altes] schlechtes Pferd« gebraucht.

Kleptomanie »krankhafte Neigung zum Stehlen«: Das seit dem 19. Jh. bezeugte Fachwort der Psychiatrie ist eine gelehrte Bildung zu griech. *kléptein* »stehlen« und griech. *maniā́* »Raserei, Wahnsinn« (vgl. *Manie*).

Klerus »katholische Geistlichkeit, Priesterschaft, -stand«: Das Fremdwort entstammt dem Kirchenlatein, wo es seit dem 3. Jh. n. Chr. als *clerus* bezeugt ist. Dies geht seinerseits auf griech. *klē̃ros* »Los, durch Los zugefallener [Erb]anteil« zurück, bezeichnet also eigentlich den Stand, dem das Erbe Gottes zugefallen ist. – Griech. *klē̃ros* gehört mit einer Grundbedeutung »Steinscherbe, Holzstückchen (als Los gebraucht)« zum griech. Verb *kláein (klás[s]ai)* »brechen, abbrechen« und damit zur idg. Sippe von nhd. ↑Holz.

Klette: Die Pflanze ist nach ihren anhaftenden Blütenköpfen benannt. Der dt. Pflanzenname (mhd. *klette,* ahd. *cletha*) ist eine Bildung zu der unter ↑Klei dargestellten Wurzelform **glei-* »kleben«. Verwandt sind die anders gebildeten niederl. *klis* »Klette« und aengl. *cliđe* »Klette«, ablautend *clā̆te,* engl. *clote* »Klette«.

klettern: Das erst seit dem 15. Jh. bezeugte Verb gehört im Sinne von »sich anklammern, anhaften« zu der unter ↑Klei dargestellten Wurzelform **glei-* »kleben« (vgl. die Artikel *Klette* und *kleben*). Abl.: **Kletterer** (17. Jh.).

klicken ↑klacken.

klieben (veraltet, aber noch mdal. für:) »[sich] spalten«: Das altgerm. starke Verb mhd. *klieben,* ahd. *chliuban,* engl. *to cleave,* schwed. *klyva* geht mit verwandten Wörtern in anderen idg. Sprachen auf eine Wurzelform **gleubh-* »hauen, spalten, schneiden« zurück, vgl. z. B. lat. *glubere* »[ab]schälen« und griech. *glýphein* »ausmeißeln, einschneiden«. Im Ablaut zu klieben steht ↑klauben. Alte Substantivbildungen sind ↑Kloben und ↑[2]Kluft.

Klient »Kunde (eines Rechtsanwaltes, Steuerberaters o. Ä.)«: Das seit dem 16. Jh. bezeugte Fremdwort ist aus lat. *cliens (clientis)* »der Hörige« entlehnt. Speziell bezeichnete das lat. Wort den sich an einen ↑Patron schutzeshalber Anschließenden, also den Schutzbefohlenen einer Sippe. Das Verhältnis des Schutzbefohlenen zum Patron, die Schutzherrschaft wurde mit dem abgeleiteten Substantiv lat. *clientela* bezeichnet, das dann auch im Sinne von »Gesamtheit der Klienten« verwendet wurde. Das daraus entlehnte **Klientel** erscheint bei uns im 18. Jh. Heute ist es im Sinne von »Gesamtheit der Kunden eines Rechtsanwaltes o. Ä.« gebräuchlich. – Lat. *cliens* gehört wahrscheinlich zu dem mit dt. ↑[1]lehnen urverwandten Verb lat. **clinare* »biegen, beugen, neigen« (s. den Artikel *deklinieren*) und bedeutet dann eigentlich etwa »jemand, der Anlehnung gefunden hat«.

Kliff: Der nordd. Ausdruck für »steiler Abfall einer Felsenküste, Felsen« geht auf mnd. *klif* »schroffer Felsen« zurück, das mit gleichbed. engl. *cliff,* isl. *klif,* schwed. (ablautend) *klev* und dem anders gebildeten ↑Klippe verwandt ist. Diese Wörter gehören wahrscheinlich im Sinne von »glatter, schlüpfriger Felsen, Rutsche« zu der unter ↑Klei dargestellten Wurzelform **glei-* »kleben, schmieren«.

Klima: Das Fremdwort bezeichnet den »mittlerer Zustand der Witterungserscheinungen eines Ortes oder geographischen Raumes«. Es wurde im 16. Jh. aus lat. *clima* entlehnt, das seinerseits aus griech. *klíma* »Neigung, Abhang; Himmelsgegend, geographische Lage, Zone« stammt (über die etymologischen Zusammenhänge vgl. den Artikel *Klinik*). Die Übertragung des Wortes von der Witterung auf den Bereich der sozialen Beziehungen im Sinne von »gute oder schlechte Atmosphäre zwischen Personen, Gruppen o. Ä.« hat sich wahrscheinlich unter dem Einfluss von engl. *climate* vollzogen. Abl.: **klimatisch** »das Klima betreffend« (18. Jh.) und **klimatisieren** »Temperatur und Luftfeuchtigkeit in geschlossenen Räumen in ein bestimmtes Verhältnis bringen; mit einer Klimaanlage ausstatten« (20. Jh.). Vgl. den Artikel *akklimatisieren.*

Klimakterium: Die medizinische Bezeichnung für »Wechseljahre« ist eine gelehrte Bildung zu lat. *climakter* »kritischer Punkt im menschlichen Leben«, das aus griech. *klīmaktḗr* »Stufenleiter; kritischer Punkt im menschlichen Leben« entlehnt ist. Dies gehört zu griech. *klīmax* »Treppe, Leiter« (über die etymologischen Zusammenhänge vgl. den Artikel *Klinik*).

Klimbim (ugs. für:) »unwesentliches Drum und Dran, unnützer Aufwand«: Die junge lautmalende Bildung ist seit dem Ende des 19. Jh.s von Berlin ausgehend in die Umgangssprache gedrungen.

klimmen: Das heute wenig gebräuchliche Verb geht auf mhd. *klimmen* »klettern, steigen« zurück, das wahrscheinlich identisch ist mit mhd. *klimmen* »drücken, kneifen, ziehen, packen«. Dieses starke Verb geht mit der unter ↑klemmen behandelten Wortgruppe und verwandten Wörtern in anderen idg. Sprachen auf eine Wurzelform **glem-* »zusammendrücken« zurück. Die Bed. »klettern« hat sich demnach aus »sich festklammern« entwickelt. Vgl. dazu die auf die bh-Erweiterung **glembh-* zurückgehenden Formen ahd. *klimban,* mhd. *klimben* »klettern«, engl. *to climb* »klettern«, ablautend engl. *to clamber* »klettern, steigen«, aisl. *klembra* »drücken, klemmen« (s. auch den Artikel *Klammer*). Verwandt sind ferner die unter ↑Klempner und ↑Klumpen behandelten Wörter, die auf einer b-Erweiterung **glemb-* beruhen. Die Wurzelform **glem-* gehört weiterhin zu der unter ↑Kolben dargestellten idg. Wurzel. – Zu ›klimmen‹ stellt sich die gleichfalls wenig gebräuchliche Präfixbildung **erklimmen.** Zus.: **Klimmzug** »turnerische Übung« (20. Jh.). Siehe auch den Artikel *beklommen.*

klimpern: Das seit dem Ende des 17. Jh.s bezeugte Verb ist eine junge Lautnachahmung. Es bedeutet speziell »[stümperhaft] Klavier spielen«, beachte **Klimperei** (18. Jh.) und **Klimperkasten** ugs. für »Klavier« (19. Jh.).

Klinge: Mhd. *klinge* »Schwertschneide, Schwert« ist aus dem Verb mhd. *klingen* »hell tönen, erschallen« (vgl. *klingen*) rückgebildet. Die Klinge ist also nach dem hellen Klang, den sie beim Auftreffen auf Helm oder Panzer verursacht, benannt.

Klinge

über die Klinge springen lassen
1. (ugs.) »jmdn. töten«
2. »jmdn. mit Vorsatz zugrunde richten, ruinieren«
Diese Wendung kommt von der Hinrichtung mit dem Schwert und bezieht sich darauf, dass der Kopf des Hingerichteten nach dem Streich mit dem Schwert gewissermaßen über die Klinge springt.

klingeln: Das nur dt. Verb (mhd. *klingelen,* ahd. *klingilōn*) ist eine Verkleinerungsbildung zu dem unter ↑klingen behandelten Verb. Das Substantiv **Klingel** (17. Jh.) ist aus dem Verb rückgebildet.

klingen: Das nur dt. starke Verb (mhd., mnd. *klingen,* ahd. *klingan*) ist lautmalender Herkunft und kann auf eine nasalierte Wurzelform der unter ↑klagen dargestellten Lautnachahmung **gal-* zurückgehen. Eine Nebenform dazu ist mitteld. klinken »klingen«, dem gleichbed. niederl. *klinken,* engl. *to clink,* älter schwed. *klinka* entsprechen (↑Klinke und ↑Klinker). Zum starken Verb sind gebildet ↑Klinge und ↑Klang sowie ↑klingeln. Zusammensetzungen und Präfixbildungen mit ›klingen‹ sind **abklingen** (besonders übertragen »nachlassen«, z. B. von Schmerzen), **anklingen,** dazu **Anklang** »Ähnlichkeit, entsprechende Empfindung, Beifall« (um 1800), **erklingen** und **verklingen.**

Klinik »Krankenhaus«: Das seit dem 19. Jh. – zuerst in der Bed. »Anstalt zum Unterricht in der Heilkunde« – bezeugte Fremdwort geht auf griech. *klīnikḗ téchnē* »Heilkunst für bettlägerig Kranke« zurück. Zugrunde liegt das griech. Substantiv *klī́nē* »Lager, Bett«, das von dem mit dt. ↑[1]lehnen urverwandten Verb griech. *klī́nein* »[sich] neigen, [an]lehnen; beugen« abgeleitet ist. Andere Bildungen von griech. *klī́nein* sind z. B. griech. *klíma* »Neigung, Abhang; Himmelsgegend, geographische Lage, Zone« (↑Klima und ↑akklimatisieren) und griech. *klīmax* »Treppe, Leiter« (↑Klimakterium). – Zu ›Klinik‹ stellen sich die Bildungen **klinisch** »in der Klinik stattfindend; durch ärztliche Untersuchung festgestellt« (Ende 18. Jh.), **Kliniker** »an einer [Universitäts]klinik tätiger Arzt« (Ende 18. Jh.) und die Zusammensetzung ↑Poliklinik.

Klinke: Das seit dem 14. Jh. bezeugte mhd. (eigentlich mitteld.) *klinke* »Türriegel« ist eine Bildung zu [ost]mitteld. klinken »klingen«, einer Nebenform von ↑klingen. Der Türriegel ist demnach nach dem Geräusch, das der Fallriegel auf dem Klinkhaken verursacht, benannt. Abl.: **klinken** »eine Klinke bedienen« (17. Jh.; beachte die Zusammensetzungen ›ein-, aus-, zuklinken‹).

Klinker: Die besondere Art hart gebrannter Ziegelsteine wurde früher aus den Niederlanden eingeführt. Mit der Sache wurde auch das Wort niederl. *klinker[t]* übernommen, das zunächst im Niederd. und dann im Hochd. seit dem 18. Jh. bezeugt ist. Das Wort ist eine Bildung zu niederl. *klinken,* einer Nebenform von ↑klingen (s. auch *Klinke*). Der Klinker ist also nach dem hellen Klang, der beim Dagegenschlagen entsteht, benannt.

klipp: Die seit dem 18. Jh. bezeugte niederd. Formel ›klipp und klaar‹ »ganz klar« wurde im 19. Jh. ins Hochd. übernommen. Niederd. klipp bedeutet eigentlich »passend« und gehört zu dem lautnachahmenden Verb ›klippen‹ landsch. für »hell tönen, ein helles Geräusch verursachen; passen«, beachte auch die Interjektion ›klipp!‹. Zum Bedeutungsübergang von »ein Geräusch verursachen« zu »gelingen, passen« s. den Artikel *klappen.* – Mit dem lautnachahmenden Verb klippen hängt wohl auch das herabsetzende ›Klipp-‹ in nordd. Zusammensetzungen zusammen. Der Begriff des Kleinen oder des Geringen würde dann auf der Vorstellung eines kurzen, hellen Geräusches beruhen.

lipp, Clip »Klammer, Klemme, Einhänger; Schmuckstück, das festgeklemmt wird (z. B. Ohrclip)«: Das Wort wurde im 20. Jh. aus gleichbed. engl. *clip* entlehnt, das zu engl. *to clip* »festhalten, befestigen, anklammern« gehört.

lippe: Das im 14. Jh. aus mniederl. *clippe* »Felsen im oder am Meer, steiler Abfall einer Felsküste« entlehnte Wort gehört zu der Sippe von ↑Kliff.

lirren: Das seit dem 17. Jh. bezeugte, zunächst ostmitteld. Verb ist – wie z. B. auch ›schwirren, surren, knarren‹ – eine Lautnachahmung.

lischee »Druck-, Bildstock«, auch übertragen im Sinne von »Abklatsch, billige Nachahmung«: Das Wort wurde als Fachausdruck der Buchdruckersprache aus frz. *cliché* »Abklatsch«, dem substantivierten Part. Perf. von *clicher* »abklatschen«, entlehnt. Das Verb selbst erscheint bei uns im 20. Jh. als **klischieren** »ein Klischee herstellen; talentlos nachahmen«. Frz. *clicher* ist wohl lautmalenden Ursprungs und erinnert an dt. klitschen, klatschen.

listier: Das medizinische Fachwort für »Einlauf« wurde in mhd. Zeit aus gleichbed. lat. *clysterium* entlehnt, das seinerseits aus gleichbed. griech. *klystḗrion* (eigentlich etwa: »Spülung, Reinigung«) stammt. Dies ist eine Bildung zu dem mit nhd. ↑lauter urverwandten Verb griech. *klýzein* »spülen, reinigen«.

litschen: Das seit dem 16. Jh. bezeugte lautnachahmende Verb, das heute nur noch landschaftlich gebräuchlich ist, gibt im Gegensatz zu ›klatschen‹ (s. d.) helle Klangeindrücke wieder. Abl.: **Klitsch** vorwiegend mitteld. für »heller Schall, hell klatschender Schlag; breiige, weiche Masse« (18. Jh.); **klitschig** landsch. für »klebrig, lehmig, feucht, weich, unausgebacken« (19. Jh.; älter bezeugt ist niederd. *klitzig*). In diesen Zusammenhang gehört wahrscheinlich auch **Klitsche** ugs. für »ärmlicher kleiner Betrieb, Bauernhof; Schmierentheater« (19. Jh.).

littern »willkürlich darstellen, schnell oder unordentlich niederschreiben, zusammenstoppeln« (veraltet, aber noch mdal. für:) »schmieren, klecksen«: Das seit dem 16. Jh. bezeugte Verb ist mit frühnhd. *Klitter* »Klecks, Fleck« wahrscheinlich lautnachahmender Herkunft und gehört zu der unter ↑Kladde dargestellten Gruppe von Schallnachahmungen. Der heutige Gebrauch des Verbs und des Substantivs **Klitterung** schließt sich wohl an das von Fischart geprägte **Geschichtsklitterung** an.

Klo ↑Klosett.

Kloake: Die Bezeichnung für »Abzugskanal für Abwässer; Senkgrube« wurde im 16. Jh. aus gleichbed. lat. *cloaca (cluaca)* entlehnt. Dies gehört zu lat. *cluere* »reinigen«, das urverwandt ist mit dt. ↑lauter.

Kloben »Klotz, Stück Holz, Haken«: Zu dem unter ↑klieben »[sich] spalten« dargestellten Verb gehören im Sinne von »Gespaltenes, Spalt« mhd. *klobe* »gespaltenes Holz (zum Klemmen, Festhalten, Fangen); gabel- oder hakenförmige Halte- oder Schließvorrichtung; Spalt; Bündel, Büschel«, ahd. *klobo* »gespaltenes Stück Holz (besonders zum Vogelfang)«, asächs. *klobo* »gespaltenes Stück Holz (als Fußfessel oder zum Vogelfang)«, aengl. *clofe* »Schnalle«, aisl. *klofi* »Spalt; Kluft; Laderaum«. Abl.: **klobig** »klotzig, grob, ungeschlacht« (19. Jh.). Siehe auch den Artikel *Knoblauch.*

klönen (vorwiegend nordd. ugs. für:) »gemütlich plaudern, schwatzen«: Das im älteren Niederd. in den Bedeutungen »tönen; durchdringend oder weitschweifig reden; klagen« gebräuchliche Verb ist wahrscheinlich lautnachahmender Herkunft. Verwandt sind wohl niederl. *kleunen* »klopfen, schlagen«, aengl. *clynnan* »tönen; klopfen«.

klopfen: Das ursprünglich lautnachahmende Verb mhd. *klopfen,* ahd. *clophōn,* mnd. *kloppen,* niederl. *kloppen* gehört zu der unter ↑klappen dargestellten germ. Gruppe von Lautnachahmungen. Statt ›klopfen‹ ist im Nordd. und Mitteld. besonders in der Umgangssprache **kloppen** gebräuchlich, beachte **bekloppt** »verrückt« und **Kloppe** »Prügel, Schläge« (vgl. auch die Artikel *Klöppel* und *Klops*).

Klöppel: Das aus dem [Ost]mitteld. stammende Wort für »Glockenschwengel« (veraltet auch für »Trommelstock, Paukenschläger, Knüppel«) ist eine Bildung zu mitteld.-niederd. *kloppen* (vgl. *klopfen*) und bedeutet demnach eigentlich »Klopfer«. Die Form mit oberd. Lautung ›Klöpfel‹ ist heute veraltet. Als im 16. Jh. im erzgebirgischen Raum die kunstvolle Fertigung von Spitzen mittels kugelig gedrechselter Holzstäbchen aufkam, nannte man diese Holzstäbchen wegen ihrer Ähnlichkeit mit einem Glockenschwengel gleichfalls ›Klöppel‹, beachte das davon abgeleitete Verb **klöppeln** und die Zusammensetzung **Klöppelarbeit.**

kloppen ↑klopfen.

Klops: Der seit dem 18. Jh. bezeugte, zunächst nordostd. (ostpreuß.) Ausdruck für »Fleischkloß« ist eine Substantivbildung zu niederd.-mitteld. *kloppen* (vgl. *klopfen*). Zur Bildungsart vgl. z. B. ›Knicks‹ und ›Klecks‹.

Klosett »Toilettenbecken, -raum«, dafür ugs. meist die Kurzform **Klo:** Das seit dem 19. Jh. bezeugte Substantiv ist aus älterem ›Wasserklosett‹ bzw. ›Watercloset‹ gekürzt (beachte die noch heute übliche Abkürzung WC). Dies ist aus gleichbed.

engl. *water-closet* (eigentlich »abgeschlossener Ort mit Wasserspülung«) entlehnt, dessen Grundwort auf ein afrz. *closet*, Verkleinerungsform von frz. *clos* »Gehege«, zurückgeht (zu lat. *claudere* »[ab-, ver-]schließen« bzw. dessen substantiviertem Part. Perf. *clausum* »Verschluss«; vgl. den Artikel *Klause*). Die Endbetonung von ›Klosett‹ rührt wohl von älter frz. *closet* »kleiner abgegrenzter Platz« her.

Kloß: Mhd., ahd. *klōz̧* »Klumpen; Knolle; Knäuel; Kugel; Knauf; Klotz; Keil; Knebel«, mnd. *klōt* »Klumpen; Kugel; Ball; Hoden«, niederl. *kloot* »Kugel, Ball«, engl. *cleat* »Keil; Klampe; Leiste« gehen auf westgerm. **klauta-* »Klumpen, zusammengeballte Masse« zurück. Diese westgerm. Substantivbildung gehört mit den unter ↑Klotz und ↑Knäuel (mhd. *kliuwel*) behandelten Wörtern zu der Wurzelform **gleu-* der unter ↑Kolben dargestellten Wurzel **gel-* »zusammendrücken, ballen«. Vgl. aus anderen idg. Sprachen z. B. griech. *gloutós* »Hinterbacken« und russ. *gluda* »Klumpen, Kloß«.

Kloster: Das westgerm. Substantiv (mhd. *klōster*, ahd. *klōstar*, niederl. *klooster*) gehört zu einer Gruppe von lat. Lehnwörtern wie ↑Mönch, ↑Nonne, ↑Münster, die früh mit dem römischen Christentum aufgenommen wurden. Quelle des Wortes ist eine vlat. Nebenform *clostrum* von lat.-kirchenlat. *claustrum* »Verschluss; Klausur; Wohnraum und Wohngebäude für die in religiöser Abgeschiedenheit lebenden Mönche oder Nonnen«. Dies gehört zu lat. *claudere (clausum)* »[ver]schließen« (vgl. den Artikel *Klause*). Abl.: **klösterlich** »zum Kloster gehörend« (mhd. *klōsterlich*).

Klotz: Mhd. *kloz* »Klumpen; Kugel; Baumstumpf, Kloben«, dem engl. *clot* »Klumpen, Klunker« entspricht, steht im Ablaut zu dem unter ↑Kloß behandelten Wort. Das abgeleitete Verb **klotzen** ist nur sonder- und umgangssprachlich gebräuchlich, z. B. im Sinne von »[auf der Klotzmaschine] färben«, »[mit schweren Kalibern] schießen«, »zahlen, bezahlen« und »hart arbeiten; beeindruckend ins Werk setzen«.

Klotz

jmdm. ein Klotz am Bein sein
(ugs.) »sich etwas aufbürden«
Diese Wendung bezieht sich darauf, dass dem Vieh auf nicht eingezäunter Weide die Vorderbeine zusammengebunden werden und ein Holzklotz an die Beine gebunden wird, um es in seiner Bewegungsfreiheit einzuschränken. Auch Gefangene schmiedete man früher an einen Klotz, um ihnen die Bewegungsfreiheit zu nehmen.

Klub »[geschlossene] Vereinigung mit politischen, geschäftlichen, sportlichen u. a. Zielen«: Das Fremdwort wurde im 18. Jh. aus gleichbed. engl. *club* (mengl. *clubbe)* entlehnt, das eigentlich (so auch noch heute) »Keule« bedeutet und seinerseits wohl auf aisl. *klubba* »Knüppel, Stock, Keule« (verwandt mit dt. ↑Klumpen) zurückgeht. Die Bedeutungsübertragung auf »Vereinigung« erklärt sich aus dem alten Brauch, Einladungen zu Zusammenkünften durch das Herumsenden eines Kerbstockes, eines Brettes oder einer Keule zu übermitteln (vgl. zum Sachlichen auch den Artikel ²*laden*).

Klucke ↑Glucke.

¹Kluft »[alte] Kleidung, Uniform« (ugs.): Das am Ende des 18. Jh.s in der Studenten- und Soldatensprache aufkommende Wort stammt aus dem Rotwelschen und geht wohl auf hebr. *qĕlippā* »Schale, Rinde« zurück. Beachte zur Bedeutungsgeschichte die umgangssprachlich analoge Verwendung von ›Schale‹ im Sinne von »Anzug, Kleidung« in den Wendungen ›sich in Schale werfen‹ oder ›(toll) in Schale sein‹.

²Kluft: Das heute im Sinne von »Felsspalte, Schlucht; Trennung, Abstand« gebräuchliche Wort bedeutete in den älteren dt. Sprachzuständen auch »Spalte, Ritze, längs gespaltenes Holzstück, Zange, Schere«. Mhd., ahd. *kluft*, mniederl. *clucht* »B[ruch]stück, Teil«, engl. *cleft* »Spalte, Schlucht« beruhen auf einer westgerm. Bildung zu dem unter ↑klieben »[sich] spalten« behandelten Verb. – Das von ›Kluft‹ abgeleitete Verb ›zerklüften‹ ist heute nur noch im Partizipialadjektiv **zerklüftet** bewahrt.

klug: Die nhd. Form geht zurück auf mhd. *kluoc* »fein, zart, zierlich; hübsch; stattlich, tapfer; weichlich, üppig; gebildet, geistig gewandt, weise«, das im 12. Jh. aus dem Niederrhein. übernommen wurde, vgl. mnd. *klōk* »gewandt, behände; schlau« und niederl. *kloek* »tüchtig; rüstig; mutig; beherzt«. Der Ursprung dieses Adjektivs ist dunkel. Das abgeleitete Verb **klügeln** »klug tun, nachsinnen, ausdenken« (16. Jh.) ist heute durch die Zusammensetzung **ausklügeln** zurückgedrängt.

Klumpen, (nordd. auch) ›Klump‹: Das in frühnhd. Zeit aus dem Niederd. übernommene Wort (mnd. *klumpe*) gehört mit den gleichbedeutenden Entsprechungen niederl. *klomp*, engl. *clump*, schwed. *klump* zu der unter ↑klimmen dargestellten Wurzelform **glem-* »zusammendrücken, ballen«. Siehe auch den Artikel *Klub*.

Klüngel: Die nhd. Form geht über spätmhd. *klüngel*, *klungel*, mhd. *klungelīn* auf ahd. *clungilīn* zurück, das eine Verkleinerungsbildung zu ahd. *clunga* »Knäuel« ist und demnach eigentlich »kleines Knäuel« bedeutet. Der heutige übertragene Gebrauch des Wortes im Sinne von »Clique, Sippschaft, Parteiwirtschaft« breitete sich im 19. Jh. vom Raum Köln aus. – Ahd. *clunga* gehört mit der nord. Sippe von schwed. *klunga* »Klumpen, [Menschen]knäuel« und mit dem unter ↑Klunker behandelten Wort zu der germ. Wortgruppe von engl. *to cling* »festhalten« (vgl. *Kolben*).

Klunker: Der vorwiegend nordd. Ausdruck für »Klümpchen; Troddel, Quaste« ist mit der nord. Sippe von schwed. mdal. *klunk* »Klumpen« und weiterhin mit dem unter ↑Klüngel behandelten Wörtern verwandt. Ugs. wird ›Klunker‹ auch im Sinne von »[baumelndes] Schmuckstück« verwendet.

Klüver: Die seemännische Bezeichnung des Dreiecksegels am verlängerten Bugspriet wurde im 18. Jh. aus niederl. *kluver* (heute *kluiver* geschrieben) entlehnt. Das niederl. Wort gehört entweder zu niederl. *kluif* »Klaue« (so heißt auch der Leitring, an dem das Segel fährt) oder aber im Sinne von »Keil[förmiges]« (eigentlich »Spalter«) zu niederl. *kluiven* »klauben« (vgl. *klieben*). Zus.: **Klüverbaum** (18. Jh.).

knabbern: Das seit dem 18. Jh. bezeugte, ursprünglich niederd. Verb stellt sich mit der Nebenform **knappern**, mit variierendem Vokal auch **knuppern** (18. Jh.), und dem anders gebildeten niederd. *knabbeln* zu dem heute veralteten Verb **knappen** »nagen, fressen, schnappen« (niederd., niederl. *knappen*), beachte auch die Zusammensetzung **Knappsack** veraltet für »Proviantbeutel, Reisetasche«. Im Nord. sind z. B. verwandt schwed. *knapra* und norw. *knupra* »knabbern, nagen, fressen«. Die ganze Wortgruppe ist lautnachahmender Herkunft und geht auf einen ähnlichen Klangeindruck wie ›knacken‹ zurück.

Knabe: Mhd. *knabe* »Junge; Jüngling; Bursche, Kerl; Junggeselle; Diener; Page; Geselle«, ahd. *knabo* »kleiner Junge, Kind«, daneben gleichbedeutend mhd. *knappe*, ahd. *knappo* (↑Knappe), niederl. *knaap* »Junge, Jüngling, Bursche«, engl. *knave* »Bube, Schelm, Schurke« sind verwandt mit der nord. Sippe von schwed. mdal. *knabb* »Pflock« und mit der unter ↑Knebel behandelten Bildung. Die Wortgruppe beruht auf germ. **knab-* »Stock, Knüppel, Klotz«. Zum Bedeutungsübergang beachte z. B. ›Stift‹ im Sinne von »Halbwüchsiger, Lehrling«, ›Bengel‹ (eigentlich »Knüppel, Stock«) und ›Flegel‹ im Sinne von »Lümmel«. – Abl.: **knabenhaft** (17. Jh.). Zus.: **Knabenkraut** (15. Jh.; die Pflanze ist nach dem hodenförmig gestalteten Wurzelknollen benannt, vgl. den Artikel *Orchidee*).

Knäckebrot: Die Bezeichnung für »Schrotbrot in Form dünner Fladen« wurde im 20. Jh. aus schwed. *knäckebröd* (eigentlich »Knackbrot«) entlehnt. Das Brot ist nach dem knackenden bzw. krachenden Geräusch benannt, das beim Hineinbeißen entsteht (vgl. *knacken*).

knacken: Das Verb (mhd. *knacken* »krachen, platzen; einen Riss, einen Sprung bekommen«) gehört zu einer germ. Gruppe von Lautnachahmungen, beachte die ähnliche Schalleindrücke wiedergebenden mnd. *knaken* »knacken, krachen«, norw. *knake* »knacken, krachen«, aisl. *knoka* »klopfen, schlagen« (↑Knochen), schwed. *knäcka* »krachen, [auf]brechen« (↑Knäckebrot). – In der *Gaunersprache* ist ›knacken‹ im Sinne von »verhaften« gebräuchlich, vgl. dazu **verknacken** ugs. für »zu einer Gefängnisstrafe verurteilen« und **Knacki** ugs. für »jemand, der eine Gefängnisstrafe verbüßt (hat)«. – An den transitiven Gebrauch des Verbs im Sinne von »aufbrechen, öffnen« schließen sich z. B. die Zusammensetzungen **Nussknacker** und **Geldschrankknacker** an. Das Substantiv **Knack** »knackendes oder knallendes Geräusch; Riss, Sprung« (15. Jh.) ist entweder aus dem Verb rückgebildet oder eine Substantivierung der Interjektion ›knack!‹ Die junge Bildung **Knacker** wird ugs. im Sinne von »alter Mann; Geizhals« und auch kurz für »Knackwurst« gebraucht. Zus.: **Knackwurst** (16. Jh.; nach dem knackenden Geräusch, das beim Zerbeißen der Pelle entsteht).

Knacks »knackendes Geräusch, Riss, Sprung«: Das seit dem 18. Jh. bezeugte Substantiv ist entweder zu ↑knacken, Knack gebildet oder aber aus dem Verb ›knacksen‹ rückgebildet. Ugs. wird ›Knacks‹ besonders im Sinne von »Schaden, Beeinträchtigung« und »geistiges Verwirrtsein« gebraucht, beachte dazu auch **beknackt** ugs. für »dumm, töricht; unerfreulich«. Das Verb **knacksen** (19. Jh.) gehört, falls es nicht erst von ›Knacks‹ abgeleitet ist, als Intensivbildung zu ↑knacken. Beachte die Präfixbildung **verknacksen** ugs. für »verstauchen« (20. Jh.).

Knall: Das seit dem 16. Jh. bezeugte Substantiv ist eine Bildung zu dem im Nhd. untergegangenen starken Verb mhd. *[er-, zer]knellen* »schallen, hallen, krachen«, das wahrscheinlich lautnachahmender Herkunft ist. Ugs. wird ›Knall‹ auch im Sinne von »geistiges Verwirrtsein« gebraucht, beachte die Zusammensetzung **Knallkopf**. – An die Stelle des starken Verbs ist das von ›Knall‹ abgeleitete **knallen** (16. Jh.) getreten, beachte auch die Präfixbildung **verknallen,** sich ugs. für »sich verlieben« (um 1900; nach »sich verschießen, verschossen«, s. d.). Abl.: **knallig** »schreiend (von Farben), grell« (19. Jh.; beachte auch ›knallrot‹ usw.). Zus.: **Knalleffekt** (Anfang des 19. Jh.s; ursprünglich vom Feuerwerk).

Knall

Knall und/auf Fall

(ugs.) »plötzlich, auf der Stelle«

Die Formel stammt aus der Sprache der Jäger und meint eigentlich »so schnell, wie auf den Knall der Büchse der Fall des getroffenen Wildes folgt« (vgl. bei Grimmelshausen ›Knall und Fall war eins‹).

knapp: Die Herkunft des im 16. Jh. aus dem Niederd. übernommenen Adjektivs ist unklar. Vielleicht gehört niederd. *knap[p]* »kurz, eng, gering; hurtig; schmuck, hübsch« als aus **ge-hnap[p]* entstanden oder als Nebenform mit Anlautsvariation zu der germ. Wortgruppe von aisl. *hneppr* »knapp, gering«, *hneppa* »klemmen, zwingen«.

Knappe: Die (expressive) Nebenform des unter ↑Knabe behandelten Wortes war mit diesem in ahd. und mhd. Zeit im Wesentlichen gleichbedeutend. Speziell bezeichnete dann mhd. *knappe* den im Dienst eines Ritters stehenden Edelknaben und den Gesellen (im Bergbau), den Bergmann, beachte dazu **Knappschaft** »Zunft der Bergleute« (16. Jh.). Zum Nebeneinander von ›Knappe‹ und ›Knabe‹ beachte z. B. das Verhältnis von ›Rappe‹ zu ›Rabe‹.

knappe[r]n, Knappsack ↑knabbern.

knarren: Das seit dem 14. Jh., zuerst in der mitteld. Form *gnarren* bezeugte Verb ist lautnachahmender Herkunft. Beachte die ähnliche Klangeindrücke wiedergebenden ↑knirren, knirschen und ↑knurren. - Abl.: **Knarre** »Lärminstrument«, soldatensprachlich »Gewehr« (18. Jh.).

Knast (ugs. für:) »Freiheitsstrafe; Gefängnis«: Das seit dem 19. Jh. bezeugte Wort stammt aus der Gaunersprache, vgl. jidd. *knas* »Geldstrafe«, *kansen* »[mit Geldbuße] bestrafen«, hebr. *qěnạs* »[Geld]strafe«.

K

Knaster ugs. für »übel riechender Tabak«: Das seit der Zeit um 1700 bezeugte Wort, das aus ›Canastertobac, Knastertobak‹ gekürzt ist, bezeichnete ursprünglich einen edlen, würzigen Tabak, wie er in »Rohrkörben« gehandelt wurde. Erst die Studentensprache entwickelte den heutigen abwertenden Sinn des Wortes. ›Kanaster‹ geht auf das von griech. *kánna* »Rohr« (vgl. *Kanal*) abgeleitete Substantiv *kánastron* »aus Rohr geflochtener Korb«, das über span. *canasto* und niederl. *knaster* ins Dt. gelangte.

knattern: Das seit dem 17. Jh. bezeugte Verb ahmt im Gegensatz zu ↑knittern dunkle Klangeindrücke nach und bezieht sich heute vorwiegend auf Schuss- und Motorengeräusche. Elementarverwandt ist z. B. die nord. Sippe von schwed. *knattra* »knattern«.

Knäuel: Zu ahd. *kliuwa, -i,* mhd. *kliuwe* »Kugel, kugelförmige Masse« gehört als Verkleinerungsbildung mhd. *kliuwel[īn],* das zu *kniuwel[īn]* dissimiliert wurde. Auf diese dissimilierte Form geht nhd. *Knäuel* zurück, beachte daneben die mdal. Form *Knaul.* – Verwandt sind im germ. Sprachbereich z. B. niederl. *kluwen* »Knäuel« und engl. *clew* »[Garn]knäuel« und weiterhin die unter ↑Kloß behandelten Wörter (vgl. auch den Artikel *Klaue*).

Knauf: Das nur dt. und niederl. Wort (mhd. *knouf,* mnd. *knōp,* niederl. *knoop*) steht im Ablaut zu der unter ↑Knopf dargestellten Wortgruppe. In seiner Bedeutung unterschied es sich früher nicht wesentlich von ›Knopf‹. Heute bezeichnet es speziell eine knopf- oder kugelförmige Handhabe, das kugelförmige Ende eines Gegenstandes.

Knaus ↑Knust.

Knauser (ugs. für:) »Geizhals«: Das seit dem 17. Jh. bezeugte Wort hat sich vom Mitteld. (Schles.) ausgehend im dt. Sprachgebiet ausgebreitet. Es ist vermutlich eine Bildung zu dem untergegangenen Adjektiv frühnhd. *knaus* »hochfahrend«, mhd. *knūʒ* »keck; waghalsig; hochfahrend«, das im Ablaut zu der germ. Sippe von aengl. *cnēatian* »streiten« steht. ›Knauser‹ würde demnach eigentlich einen Menschen, der hochfahrend gegenüber den Armen ist, bezeichnen. – Abl.: **knaus[e]rig** ugs. für »geizig« (18. Jh.); **knausern** ugs. für »geizig sein« (18. Jh.).

Knaust ↑Knust.

knautschen (ugs. und landsch. für:) »zusammendrücken, quetschen, knittern; schmatzend essen; leise weinen«: Das seit dem 18. Jh. bezeugte Verb ist die verhochdeutschte Form von ↑knutschen. – Zus.: **Knautschkommode** ugs. für »Ziehharmonika« (20. Jh.).

Knebel »Holz- oder Metallstab zum Spannen von Stricken, zum Absperren oder dgl.; zusammengedrehtes Tuch, das jemandem in den Mund gesteckt wird, um ihn am Schreien zu hindern«: Mhd. *knebel,* ahd. *knebil* »Holzstück, Querholz (zum Fesseln oder dgl.), Pferdekummet«, niederl. *knevel* »Holzstück; Knebel; Knebelbart«, aisl. *knefill* »Baumast, Querstange« sind von germ. **knab-* »Stock, Knüppel, Klotz« abgeleitet. Auf diese germ. Grundform geht auch die unter ↑Knabe (eigentlich »Stock, Knüppel«) behandelte Sippe zurück. – Abl.: **knebeln** »fesseln, binden; den Mund verstopfen« (17. Jh.). Zus.: **Knebelbart** (16. Jh.; wohl deshalb so benannt, weil die beiden gedrehten Schnurrbartseiten mit Knebeln vergleichbar sind).

Knecht: Mhd., ahd. *kneht* »Knabe; Jüngling; Bursche, Kerl; Junggeselle; Diener; Knappe, Edelknabe; Krieger, Soldat; Held; Lehrling, Geselle«, niederl. *knecht* »Diener; Knecht; Geselle«, aengl. *cniht* »Knabe; Jüngling; Schüler; Diener; Krieger« (engl. *knight* »Ritter«) gehen zurück auf westgerm. **knehta-* »Knabe, Jüngling«, das vielleicht eigentlich »Knüppel, Stock, Klotz« bedeutet und dann verwandt ist mit ›Knagge[n]‹ nordd. für »Holzstütze, Leiste; Kleiderhaken[brett]; Zapfen, Pflock« (s. d.). Zum Bedeutungsübergang beachte z. B. ›Bengel‹ und ›Knabe‹ (eigentlich »Stock, Knüppel, Klotz«). – Von den zahlreichen Zusammensetzungen, die z. T. noch die älteren Bedeutungen des Wortes widerspiegeln, beachte z. B. ›Fußknecht, Landsknecht, Bootsknecht, Brauknecht, Reitknecht‹. – Abl.: **knechten** »unterdrücken, zum Sklaven machen« (19. Jh.); **knechtisch** (um 1500); **Knechtschaft** (16. Jh.).

kneifen: Das seit dem 16. Jh. bezeugte Verb ist die verhochdeutschte Form von ↑[1]kneipen. – Auf studentensprachlich ›kneifen‹ »bei der Mensur den Kopf vor dem Hieb einklemmen oder wegstecken« beruht die ugs. Verwendung des Verbs im Sinne von »sich vor etwas drücken, Angst haben«. Gebräuchlich ist auch die Präfixbildung

verkneifen »zusammenpressen«, beachte das 2. Partizip **verkniffen,** reflexiv »etwas unterlassen, sich etwas versagen«. – Abl.: **Kneifer** (19. Jh.; Lehnübertragung von frz. *pince-nez,* beachte ›Klemmer‹ und ›Zwicker‹). Zus.: **Kneifzange** (17. Jh.; ↑Zange). Siehe auch den Artikel *Kniff.*

Kneipe: Das seit dem 18. Jh. – zuerst in der Zusammensetzung ›Kneipschenke‹ – bezeugte Wort gehörte zunächst hauptsächlich der Studentensprache an und bezeichnete eine kleine schlechte Schenke und das dort abgehaltene Trinkgelage sowie das [kleine] Zimmer eines Studenten. Im Sinne von »kleine Schankwirtschaft, billiges [Bier- oder Wein]lokal« wurde es dann gemeinsprachlich. Das Wort gehört zu ↑[1]kneipen »klemmen, kneifen«, entweder im Sinne von »enger, beklemmender Raum« oder im Sinne von »Gefängniszelle« (eigentlich »Klemme, Vorrichtung zum Einschließen der Gefangenen«). – Abl.: **[2]kneipen** »eine Kneipe besuchen; zechen« (18. Jh.).

[1]kneipen (mdal. für:) »klemmen, zwicken«: Das durch die verhochdeutschte Form ↑kneifen in den Mundartenbereich zurückgedrängte Verb wurde in frühnhd. Zeit aus dem Niederd. übernommen. Mnd. *knīpen* »klemmen, zwicken« ist mit niederl. *knijpen* »kneifen« und schwed. *knipa* »klemmen, kneifen« wahrscheinlich lautnachahmenden Ursprungs, beachte das [elementar]verwandte lit. *gnýbti* »kneifen«. Siehe auch den Artikel *knipsen.*

[2]kneipen ↑Kneipe.

kneippen »eine Kur nach Kneipp machen«: Das seit den Zwanzigerjahren des 20. Jh.s gebräuchliche Verb ist von dem Familiennamen des Pfarrers Sebastian Kneipp (1821–1897) abgeleitet.

kneten: Das altgerm. starke Verb mhd. *kneten,* ahd. *knetan,* niederl. *kneden,* schwed. (umgestaltet) *knåda* ist mit der baltoslaw. Sippe von russ. *gnesti* »drücken, pressen« verwandt. Über die weiteren innergerm. Zusammenhänge s. die Artikel *knutschen, knüllen, Knopf, Knust.*

knicken: Das in frühnhd. Zeit aus dem Niederd. übernommene Verb geht auf mnd. *knicken* zurück, das im Ablaut zu der nord. Sippe von aisl. *kneikja* »biegen, zusammendrücken« steht. Die weiteren Beziehungen dieser germ. Wortgruppe sind unklar. Im Dt. hat ›knicken‹ z. T. lautmalenden Charakter und ahmt im Gegensatz zu ›knacken‹ helle Klangeindrücke nach. Früher hatte ›knicken‹ auch die Bedeutungen »eine Verbeugung machen« (↑Knicks) und »abzwacken, knausern«. An den letzteren Sinn schließt sich **[1]Knicker** ugs. für »Geizhals« an. Davon sind abgeleitet **knick[e]rig** ugs. für »geizig« (18. Jh.) und **knickern** ugs. für »geizig sein« (18. Jh.). Die seit dem 16. Jh. bezeugte Bildung **[2]Knicker** wird im Sinne von »zusammenklappbares Messer, Jagdmesser« gebraucht. – Abl.: **Knick** (17. Jh.; mnd. *knick*).

Knicks: Das seit dem 17. Jh. bezeugte Wort ist eine Bildung zu ↑knicken in dessen älterer Bedeutung »eine Verbeugung (durch Kniebeugung) machen«. Beachte zur Bildung z. B. ›Klecks‹ und ›Klops‹. – Abl.: **knicksen** (18. Jh.).

Knie: Die gemeingerm. Körperteilbezeichnung mhd. *knie,* ahd. *kneo,* got. *kniu,* engl. *knee,* schwed. *knä* geht mit verwandten Wörtern in anderen idg. Sprachen auf idg. **ĝenu-* »Knie« zurück, vgl. z. B. aind. *jā́nu* »Knie«, griech. *góny* »Knie« (↑diagonal) und lat. *genu* »Knie«. Über weitere Zusammenhänge s. den Artikel *Kind.* – Abl.: **knien** (mhd. *knie[we]n,* ahd. *kniuwen*), beachte die Präfixbildung **beknien** ugs. für »jemandem zusetzen« (20. Jh.). Zus.: **Kniefall** (18. Jh.; zu mhd. *knievallen* »auf die Knie stürzen«), dazu **kniefällig** (18. Jh.); **Kniekehle** (mhd. *kniekel;* ↑Kehle); **Kniescheibe** (mhd. *knieschībe*).

Knie

etwas übers Knie brechen
(ugs.) »etwas übereilt tun, erledigen«
Die Wendung bezieht sich auf das Zerkleinern des Holzes. Holz (Äste, Latten o. Ä.), das man über das (angezogene) Knie bricht, ist natürlich nicht so ordentlich zerkleinert, als wenn man die Axt oder Säge benutzt.

Kniff: Das zu ↑kneifen gebildete Substantiv (18. Jh.) bedeutete zunächst »Kneifen«, dann »[durch Kneifen entstandene] Falte«. An diesen Sinn schließt sich das abgeleitete Verb **kniffen** »in Falten legen« (19. Jh.) an. Weiterhin bezeichnete ›Kniff‹ speziell die betrügerische Kennzeichnung (Einkneifung) einer Spielkarte, worauf die Verwendung des Wortes im Sinne von »unerlaubter Kunstgriff, Trick, List« beruht. – Abl.: **kniffig** »listig, schlau« (19. Jh.).

kniff[e]lig »verwickelt, schwierig«: Das seit dem 19. Jh. bezeugte Adjektiv, das im heutigen Sprachgefühl als zu ›Kniff‹ gehörend empfunden wird, ist eine Bildung zu dem nur noch mdal. Verb *kniffeln, knüffeln* »mühselige Arbeit verrichten«.

Knilch ↑Knülch.

knipsen »ein knipsendes Geräusch verursachen, knips machen«, ugs. für »wegschnellen, schnippen; lochen; fotografieren«: Das seit dem 17. Jh. bezeugte Verb ist – wie auch das heute veraltete, aber noch mdal. *knippen* »schnellen, schnippen, abzwicken« – lautnachahmenden Ursprungs. Es hat sich in der Verwendung z. T. mit [1]kneipen (s. d.) vermischt.

Knirps: Das seit dem 18. Jh. – zuerst in der Form ›Knirbs‹ – bezeugte Wort für »kleiner Kerl, Zwerg« stammt aus ostmitteld. Mundarten. Die weitere Herkunft des Wortes ist unklar. Vielleicht ist es mit ↑Knorpel verwandt.

knirren: Das seit dem 16. Jh. bezeugte Verb gibt im Gegensatz zu ↑knarren und ↑knurren einen hellen Klangeindruck wieder. Es ist heute durch die Weiterbildung **knirschen** (16. Jh.) in den mdal. Bereich zurückgedrängt. Beachte den Artikel *zerknirscht.*

knistern: Das seit dem 16. Jh. bezeugte Verb ist lautmalenden Ursprungs und ahmt helle Klangeindrücke nach. Daneben finden sich auch Formen mit anlautendem g-, vgl. z. B. mitteld., mnd. *gnister[e]n.*

Knittel ↑Knüttel.

Knittelvers ↑Knüttel.

knittern: Das im 17. Jh. aus dem Niederd. übernommene Verb ist – wie auch ↑knattern – lautnachahmender Herkunft. Es wird heute gewöhnlich im Sinne von »[Papier, Stoff] in unregelmäßige Falten bringen, knüllen« gebraucht, beachte die Präfixbildungen und Zusammensetzungen **verknittern, zerknittern** und **knitterfest, knitterfrei.**

knobeln »[aus]losen, würfeln«: Das seit dem 19. Jh. bezeugte Verb, das zunächst in der Studentensprache gebräuchlich war, ist von dem Substantiv **Knobel** mdal. für »Knöchel; (aus Knöcheln geschnittener) Würfel« abgeleitet, beachte mhd. *knübel,* spätahd. *knovel* »[Finger]knöchel«. – Zus.: **Knobelbecher** »Würfelbecher« (19. Jh.; im 20. Jh. auch soldatensprachlich für »Schaftstiefel«).

Knoblauch: Der Name des Zwiebelgewächses ist zusammengesetzt aus den unter ↑Kloben (eigentlich »Gespaltenes, Spalt«) und ↑Lauch behandelten Wörtern. Das Gewächs ist nach seinem in Zehen gespaltenen Wurzelknopf als »gespaltener Lauch, Zehenlauch« benannt. Die nhd. Form ›Knoblauch‹ geht zurück auf mhd. *knobelouh,* spätahd. *cnufloch,* das aus ahd. *chlobi-, chlofalouh* dissimiliert ist (wie z. B. mhd. *kniuwel* aus *kliuwel,* ↑Knäuel). Die nicht dissimilierte Form (mhd. *klobelouh,* nhd. *Kloblauch*) hielt sich daneben bis ins 18. Jh.

Knöchel: Das von ↑Knochen abgeleitete Wort (spätmhd. *knöchel, knochel*) ist eine Verkleinerungsbildung und bedeutet demnach eigentlich »kleiner Knochen«. Heute wird ›Knöchel‹ im Sinne von »kleiner, hervorstehender Knochen am Fußgelenk oder am Finger« gebraucht.

Knochen: Das seit dem 14. Jh. im dt. Sprachgebiet bezeugte Wort hat ›Bein‹ im Sinne von »Knochen« weitgehend zurückgedrängt (s. den Artikel *Bein*). Mhd. *knoche,* mnd. *knoke,* niederl. *kno[o]k,* schwed. mdal. *knoka* »Knochen« sind zu einem ursprünglich lautnachahmenden Verb gebildet, das zu der unter ↑knacken behandelten Gruppe von Schallnachahmungen gehört. Vgl. mhd. *knochen* »drücken, pressen«, aengl. *cnocian* »schlagen, stoßen«, aisl. *knoka* »klopfen, schlagen«. Der Knochen ist also benannt als das, womit man anstößt oder gegen etwas schlägt. – Abl.: **Knöchel** (s. d.); **knöchern** »aus Knochen bestehend« (18. Jh.), dazu **verknöchern** (18. Jh., beachte besonders das Partizipialadjektiv **verknöchert,** das auch im Sinne von »[geistig] unbeweglich, spießig« gebraucht wird); **knochig** »mit [vielen] starken Knochen versehen, grobschlächtig« (15. Jh.).

Knödel: Der vorwiegend süd[ost]d. Ausdruck für »Kloß (als Speise)« geht zurück auf spätmhd. *knödel,* das eine Verkleinerungsbildung zu mhd. *knode, knote* »Knoten« (vgl. *Knoten*) ist und also eigentlich »kleiner Knoten« bedeutet. – Abl.: **knödeln** ugs. für »wie mit einem Knödel im Hals singen oder sprechen« (20. Jh.).

Knolle, Knollen: Mhd. *knolle* »Klumpen; [Erd]scholle; plumper Mensch«, niederl. *knol* »Knolle; Rübe«, engl. *knoll* »kleiner Hügel, Kuppe«, norw. *knoll* »Knolle« gehen auf germ. **knuzla-* oder **knuđlá-* »zusammengeballte Masse, Klumpen« zurück. Über die weiteren Zusammenhänge s. die Artikel *knüllen* und *knutschen.* – Abl.: **knollig** »in der Form einer Knolle, rundlich verdickt« (18. Jh.; für älteres ›knollicht‹). Zus.: **Knollenblätterpilz** (20. Jh.; für älteres ›Knollenblätterschwamm‹; nach der knolligen Verdickung am unteren Stielende).

Knopf: Mhd. *knopf* »Knorren; Knospe; Kugel; kugelförmiges Ende, Knauf; Knoten, Schlinge; Hügel«, ahd. *knopf* »Knoten, Knorren«, niederl. *kno[o]p* »Knopf; Knauf; Knospe«, engl. *knop* »Knospe; Knopf«, schwed. *knopp* »Knospe; Knauf« gehen zurück auf germ. **knuppa-* »zusammengeballte Masse, Klumpen«, das im Ablaut zu gleichbed. **knaupa-* (vgl. *Knauf*) steht. Von germ. **knuppa-* bzw. vom Stamm **knup-* sind abgeleitet die unter ↑knüpfen, ↑Knüppel und ↑Knospe behandelten Wörter (beachte auch *knuffen*). Weiterhin verwandt sind die Sippen von ↑Knoten und ↑Knust. Es handelt sich um eine umfangreiche Gruppe germ. Wörter, die mit kn- anlauten und von einer Bedeutung »[zusammen]drücken, ballen, pressen, klemmen« ausgehen (vgl. *knutschen, knüllen, kneten*). – Wie ›Knödel‹ zu ›Knoten‹ so stellt sich **Knöpfle** südwestd. für »Kloß« zu ›Knopf‹, beachte schweiz. **Knöpfli** »Spätzle«. Abl.: **knöpfen** (15. Jh.), beachte auch **abknöpfen** ugs. für »ab-, fortnehmen« und [sich jemanden] **vorknöpfen** ugs. für »zurechtweisen, maßregeln«, wohl eigentlich »jemanden an den Knöpfen heranziehen und vor sich hinstellen«.

knorke: Die Herkunft des ugs. Ausdrucks für »fabelhaft, tadellos« ist ungeklärt. Das Wort, das von Berlin ausgehend in den Zwanzigerjahren des 20. Jh.s in die Umgangssprache gelangte, soll eine scherzhafte Augenblicksprägung der Kabarettistin Claire Waldoff (1884–1957) sein.

Knorpel: Das seit dem 15. Jh. – zuerst in der Zusammensetzung ›knorpelbein‹ – bezeugte Wort ist vermutlich mit ↑Knirps und ↑Knorren verwandt. Abl.: **verknorpeln** (19. Jh.); **knorp[e]lig** (17. Jh.).

Knorren: Mhd. *knorre* »knotenförmige Verdickung; hervorstehender Knochen; Knorpel, Auswuchs, Buckel; kurzer, dicker Mensch« ist vermutlich mit den unter ↑Knorpel und ↑Knirps behandelten Wörtern verwandt, vgl. auch niederl. *knor* »Knoten, Knorren« und engl. *knar* »Knorren«. Die weiteren Zusammenhänge sind unklar. – Abl.: **knorrig** »krumm gewachsen und mit vielen Verdickungen; alt und zäh, wenig umgänglich« (15. Jh.). Siehe auch den Artikel *Knorz.*

Knorz: Der oberd. mdal. Ausdruck für »knotenförmige Verdickung, Knorpel, Auswuchs« geht auf gleichbed. ahd. *chnorz* zurück, das eine Weiterbildung von dem unter ↑Knorren behandelten Wort ist, beachte norw. *knort* »Knorren, Knoten«.

Knospe: Die nhd. Form geht auf spätmhd. *knospe* »Knorren« zurück, das wahrscheinlich aus mhd. **knofse, *knobze* umgestellt ist, wie z. B. mhd. *wespe* aus *wefse, webze* (↑Wespe). Das Wort beruht auf einer Weiterbildung des unter ↑Knopf dargestellten germ. Stammes. – In der heutigen Bedeutung ist ›Knospe‹ erst seit dem Ende des 17. Jh.s bezeugt.

Knoten: Die nhd. Form ›Knoten‹ geht zurück auf mhd. *knote,* ahd. *knoto* »knotenförmige Verdickung, Knospe, Knorren, Knorpel«, wozu auch die Bildungen ↑Knöterich und ↑Knüttel gehören. Daneben existierte früher die gleichbedeutende Form mhd. *knode,* ahd. *knodo,* zu der sich die Bildung ↑Knödel stellt. Verwandt sind die anders gebildeten Substantive mnd. *knutte* »Knoten«, engl. *knot* »Knoten; Bündel«, schwed. *knut* »Knoten« (↑Knute) sowie das Verb ↑knautschen, knutschen. Die ganze Sippe gehört zu einer umfangreichen Gruppe germ. Wörter, die mit kn- anlauten und von einer Bedeutung »[zusammen]drücken, ballen, pressen, klemmen« ausgehen (vgl. *Knopf, Knust, knüllen, kneten*). – Abl.: **knoten** »zu einem Knoten schlingen; mit einem Knoten verknüpfen« (im 13. Jh. mitteld. in: *entknoten* »den Knoten lösen«); **knotig** »voller Knoten« (15. Jh.).

Knöterich: Der seit dem 15. Jh. bezeugte Pflanzenname ist eine Bildung zu dem unter ↑Knoten behandelten Wort. Die Pflanze ist nach ihren knotenförmigen Stängelgelenken benannt.

knuffen: Das im 18. Jh. aus dem Niederd. übernommene Verb ist entweder – wie z. B. ›puffen‹ (s. d.) – lautnachahmenden Ursprungs oder gehört zu der germ. Wortgruppe von ↑Knopf. – Abl.: **Knuff** »[leichter] Schlag, Stoß« (18. Jh.).

Knülch, Knilch: Die Herkunft des ugs. Ausdrucks für »unangenehmer Mensch« ist nicht sicher geklärt. Vielleicht ist ›Knülch‹ durch Dissimilation aus **Knün[i]ch* entstanden, vgl. z. B. rhein. mdal. *knünich* »Kanonikus; Frömmling; verschlossener Mensch, Starrkopf«, das auf kirchenlat. *canonicus* »Kanonikus« zurückgeht.

knüll[e]: Der seit der 1. Hälfte des 19. Jh.s bezeugte, zunächst studentische Ausdruck für »bezecht, betrunken« gehört vermutlich zu ↑knüllen.

knüllen: Mhd. *knüllen* »stoßen, [er]schlagen«, aengl. *cnyllan* »klopfen, schlagen«, aisl. *knylla* »prügeln« gehen auf germ. **knuzljan* »[zusammen]drücken, stoßen, schlagen« zurück, das mit den Sippen von ↑verknusen, ↑Knust, Knaus und ↑Knolle verwandt ist. Heute ist ›knüllen‹ im Sinne von »knautschen, zerknittern« gebräuchlich. Siehe auch die Artikel *knüll[e]* und *Knüller.*

Knüller: Der ugs. Ausdruck für »Schlager, Reißer« ist eine junge, wahrscheinlich journalistische Prägung (vielleicht nach engl. *striker*), die sich an ↑knüllen in dessen mdal. Bedeutung »schlagen« anschließt.

Knüpfel ↑Knüppel.

knüpfen: Das nur dt. Verb mhd. *knüpfen,* ahd. *knupfen* ist von dem unter ↑Knopf dargestellten Substantiv in dessen alter Bedeutung »Knoten, Schlinge« abgeleitet und bedeutet demnach eigentlich »knoten, schlingen«. Zum Vokalverhältnis o : u, ü beachte z. B. das Verhältnis von ›voll‹ zu ›füllen‹ und von ›Zorn‹ zu ›zürnen‹.

Knüppel: Das seiner Lautgestalt nach aus dem Niederd.-[Ost]mitteld. stammende Wort – oberd. mdal. trifft man auf **Knüpfel** (mhd. *knüpfol*) – gehört im Sinne von »Knotenstock, Knorren« zu der Wortgruppe von ↑Knopf (beachte das Verhältnis von ›Knüttel‹ zu ›Knoten‹). In nhd. Zeit hat sich ›Knüppel‹ mit einem zu ↑klopfen, kloppen gebildeten ›Klüppel‹ (vgl. *Klöppel*) vermischt. Das abgeleitete Verb **knüppeln** »schlagen, prügeln« wird heute auch im Sinne von »gehäuft auftreten« verwendet; dazu die Zusammensetzungen **niederknüppeln** und **zusammenknüppeln.** Beachte auch die Zusammensetzungen ›Knüppeldamm, -weg, -brücke‹.

knuppern ↑knabbern.

knurren: Das seit dem 16. Jh. bezeugte Verb ist – wie auch ↑knarren und ↑knirren, knirschen – lautnachahmenden Ursprungs. Es gibt hauptsächlich den Laut wieder, den ein gereizter Hund oder ein leerer Magen von sich geben. – Abl.: **knurrig** »verdrießlich« (um 1800). Zus.: **Knurrhahn** (18. Jh.; der Fisch ist so benannt, weil seine Kiemendeckelknochen, sobald er an die Luft kommt, ein knurrendes Geräusch hervorbringen; übertragen auch »mürrischer Mensch«).

knuspern: Das seit dem 18. Jh. bezeugte, zunächst niederd. Verb ist – wie z. B. auch ›knuppern, knappern‹ (siehe *knabbern*) – lautnachahmenden Ursprungs. – Abl.: **knusp[e]rig** »hart gebacken oder gebraten; lecker« (19. Jh.; niederd. 18. Jh.).

Knust: Der nordd. Ausdruck für »Brotkanten; Brotrinde; Kruste« geht auf mnd. *knūst* »knotiger Auswuchs, Knorren« zurück, vgl. niederl. *knoest* »Knorren«, dän. *knyst* »Knorpel, Schwiele«. Die verhochdeutschte Form **Knaust** ist heute veraltet. Daneben existiert eine Form ohne t: südd. mdal. **Knaus,** beachte schweiz. *chnūs* »Knorren, Klumpen«, fläm. *knoes* »Knorren, Brotkanten«, aisl. *knauss* »Bergkuppe«. Die ganze Sippe gehört zu einer umfangreichen Gruppe germ. Wörter, die mit kn- anlauten und von einer Bedeutung »[zusammen]drücken, ballen, pressen, klemmen« ausgehen (vgl. *verknusen, knüllen, Knolle, Knopf, Knoten*).

Das Deutsche als Sprache der Gelehrten und Bürger

Die Sprache der Kirche und der Verwaltung blieb während des Mittelalters immer noch das Lateinische. Ebenso blieb es die Sprache der Schulen, die natürlich in engster Verbindung mit der Kirche standen. Als Mittellatein sprachen es die Gebildeten bis zur Renaissance, in der dann das klassische Latein neu belebt wurde.

Mit dem öffentlichen Auftreten von Mönchen aus den Bettelorden der Dominikaner und Franziskaner entwickelte sich die deutsche Predigt. Zum ersten Mal finden wir hier von Wander- und Bußpredigern vor einer breiten Öffentlichkeit Religiöses in einer verständlichen und volkstümlichen Sprache ausgedrückt.

Die deutsche Mystik

Auch in die komplizierten Bereiche der religiösen Philosophie wagte sich die deutsche Sprache jetzt vor. Die **Mystiker** (zu lateinisch *mysticus,* altgriechisch *mystikós* »geheimnisvoll, zur Geheimlehre gehörend«, daher auch unser Fremdwort *mystisch*) versuchten, in deutscher Sprache schwierige religiöse und philosophische Probleme auszudrücken. Diese Mystiker waren gläubige Menschen, die durch Meditation und Versenkung in die eigene Seele eine unmittelbare, direkte Vereinigung mit Gott erreichen wollten. Zu den bedeutenden Personen der deutschen Mystik gehören Meister Eckhart (etwa 1260–1327), Johannes Tauler (etwa 1300–1361), Hildegard von Bingen (1098–1179) und Mechthild von Magdeburg (etwa 1210–1277). In ihren Werken versuchten sie, ihre religiösen Empfindungen und Gefühle, ihre Gedanken und inneren Erlebnisse in deutscher Sprache darzustellen. Dazu brauchten sie oftmals neue Ausdrücke und schufen so deutsche Wörter für Glaubensdinge und Begriffe des Seelenlebens. Noch heute ist es uns kaum möglich, über Dinge im Bereich von Philosophie und Psychologie zu reden, ohne Begriffe zu verwenden, die von den Mystikern geprägt worden sind. Sie schufen vor allem eine große Zahl abstrakter Begriffe, wobei sie besonders die Ableitungssilben *-heit, -keit* und *-ung,* die bei Adjektiven gebrauchte Ableitungssilbe *-lich* und den substantivierten Infinitiv benutzten.

Wir verdanken ihnen Substantive wie *Gleichheit, Hoheit, Gemeinsamkeit, Erleuchtung, Unwissenheit, Vereinigung, Wesen* (mittelhochdeutsch *daz wesen,*

Substantivierung des Infinitivs *wesen* »sein, geschehen«). Sie bildeten neue Adjektive wie *anschaulich* (mittelhochdeutsch *anschouwelich* »beschaulich«), *bildlich* und *wesentlich* (eigentlich »Wesen habend, wirklich«).

Andere Neubildungen der Mystiker sind Wörter wie *Eindruck* (mittelhochdeutsch *īndruc*, Lehnübersetzung von lateinisch *impressio*), *einbilden* (mittelhochdeutsch *īnbilden* »in die Seele hineinprägen«, dann »vorstellen«), *ausbilden* (mittelhochdeutsch *ūzbilden* »zu einem Bild ausprägen«).

Nach und nach wurden auch wissenschaftliche Arbeiten in deutscher Sprache geschrieben. Am häufigsten finden sich jetzt deutsch geschriebene Arzneibücher, Kräuterbücher und Gesundheitsregeln sowie Chroniken.

Die mittelniederdeutsche Sprache ist hier Vorläuferin des Mittelhochdeutschen. Das erste bedeutende, in Prosa geschriebene Geschichtswerk in (nieder)deutscher Sprache ist eine um 1230 verfasste Darstellung der Weltgeschichte, die »Sächsische Weltchronik«.

Um 1220 gab der Ostfale Eike von Repgow seinen »Sachsenspiegel« heraus. *Spiegel* bedeutet hier »Regelbuch«. Es ist das erste Buch im juristischen Bereich, das in (nieder)deutscher Sprache erschien.

Im 13. Jahrhundert erlangte das Bürgertum in den Städten immer größere Eigenständigkeit und politische Bedeutung. Der Handel, das Handwerk und die Finanzwirtschaft blühten. Mit wachsendem Reichtum wuchs auch der Wunsch nach Bildung. Seit etwa 1200 stellten sich neben die Klosterschulen städtische Schulen, in denen die Bürgersöhne lesen und schreiben lernten und ihnen die Grundlagen für eine Verwaltungslaufbahn vermittelt wurden.
Ab dem 13. Jahrhundert begannen auch die städtischen Behörden, die die Urkunden ausstellten, die so genannten Kanzleien, mehr und mehr deutsch zu schreiben. 1235 erließ Kaiser Friedrich II. das erste Reichsgesetz in deutscher Sprache, den Mainzer Reichslandfrieden.

Knute »Riemenpeitsche«: Das Substantiv wurde im Anfang des 17. Jh.s aus russ. *knut* entlehnt, das ursprünglich »Knotenpeitsche« bedeutete und selbst aus aisl. *knūtr* »Knoten, Knorren« (verwandt mit dt. ↑Knoten) stammt.

knutschen: Das Verb, das seit dem Anfang des 20. Jh.s ugs. im Sinne von »heftig liebkosen, liebend und küssend an sich drücken« gebräuchlich ist, bedeutete früher »[zusammen]drücken, pressen, quetschen«, beachte z. B. mitteld. (13. Jh.) *zuknutschen* »zerdrücken«, mhd. *knutzen* »drücken, quetschen«, oberd. (um 1500) *knütschen* »drücken«. Die alte Bedeutung bewahrt die verhochdeutschte Form ↑knautschen. Über die weiteren Zusammenhänge s. den Artikel *Knopf.*

Knüttel, Knittel: Das auf das dt. Sprachgebiet beschränkte Substantiv (mhd. *knüt[t]el,* ahd. *chnutil*) ist eine Bildung zu dem unter ↑Knoten behandelten Wort in dessen älterer Bedeutung »Knorren« (beachte das zu ›Knopf‹ gehörige ›Knüppel‹, eigentlich »Knorren, Knotenstock«). – Zus.: **Knüttelvers, Knittelvers** »vierhebiger, paarweise gereimter Vers; holpriger, schlechter Vers« (16. Jh.; das Bestimmungswort bedeutet hier so viel wie »Reim«, beachte z. B. engl. *staff* »Stock, Stab« und »Vers, Stanze«; ›Knüttelvers‹ – daneben auch ›Knüppelvers‹ – diente dann auch zur Wiedergabe von griech.-lat. *versus rhopalicus* »Keulenvers«).

[1]ko..., Ko...: Das Präfix mit der Bedeutung »zusammen, mit« ist aus gleichbed. engl. *co...* (vgl. *kon..., Kon...*) entlehnt, beachte z. B. ›Kopilot, Koproduktion‹.

[2]ko..., Ko... ↑kon..., Kon...

Koalition »Vereinigung, [Parteien-, Staaten]bündnis«: Das politische Fachwort wurde im 18. Jh. aus gleichbed. frz. *coalition* entlehnt, das selbst aus dem Engl. übernommen ist. Gleichbed. engl. *coalition* geht auf mlat. *coalitio* »Vereinigung, Zusammenkunft« zurück. Dies gehört zu lat. *coalescere (coalitum)* »zusammenwachsen, sich vereinigen« (zu lat. *alere* »[er]nähren, großziehen«; vgl. *Alimente*).

Kobalt: Bis zum 17. Jh., als man Kobalt zur Blaufärbung zu nutzen begann, galt das Mineral als wertlos. Da die Bergleute in früheren Zeiten die Schädigung wertvoller Erze durch nicht nutzbare Erze oder Mineralien den Berggeistern zuschrieben, nannten sie das wertlose Mineral ↑Kobold (vgl. die Artikel *Quarz, Nickel, Wolfram*). Der Name ist seit dem 16. Jh. bezeugt (zunächst in den Formen *kobol[e]t, kobelt,* latinisiert *cobaltum*) und drang in die meisten europäischen Sprachen.

Kobel: Der vor allem in Süddeutschland und Österreich gebräuchliche Ausdruck für »Verschlag, Stall; Nest des Eichhörnchens« (mhd. *kobel*) gehört zu der Sippe von ↑Koben.

Koben: Mhd. *kobe* »[Schweine]stall; Verschlag, Käfig; Höhlung«, mnd. *kove[n]* »[Schweine]stall; armselige Hütte« (daher die Nebenform ›Kofen‹), engl. *cove* »Verschlag, Unterschlupf«, norw. *kove* »Verschlag« gehören im Sinne von »Erdhöhle, mit Flechtwerk abgedeckte Grube« zu der unter ↑Keule dargestellten Wortgruppe. Siehe auch den Artikel *Kobold.*

Kober: Der landsch. Ausdruck für »[Trag]korb besonders für Esswaren« (spätmhd. *kober*) gehört zu der Sippe von ↑Koben.

Kobold: Das nur dt. Wort (mhd. *kóbolt und kobólt*) bezeichnete ursprünglich einen guten Hausgeist, dann allgemein einen neckischen Geist, der Gutes tun oder Schaden anrichten kann (vgl. den Artikel *Kobalt*). Es handelt sich wahrscheinlich um eine verdunkelte Zusammensetzung, deren erster Bestandteil das unter ↑Koben »Verschlag, Stall, Häuschen« behandelte Wort ist, während der zweite Bestandteil zu ↑hold (vgl. ›Unhold‹ und ›Frau Holle‹) oder zu ↑*walten* (vgl. -walt in Zusammensetzungen) gehören kann. Demnach würde ›Kobold‹ eigentlich »Stall-, Hausgeist« bzw. »Stall-, Hauswalter« bedeuten.

Koch: Das altgerm. Substantiv (mhd. *koch,* ahd. *choch,* niederl. *kok,* engl. *cook,* schwed. *kock*) beruht auf einer frühen Entlehnung aus lat. *coquus* (vlat. *cocus*) »Koch« (vgl. *kochen*).

kochen: Das auf das Westgerm. beschränkte Verb (mhd. *kochen,* ahd. *kochōn,* mnd., niederl. *koken;* die nord. Sippe von entsprechend schwed. *koka* stammt aus dem Mnd.) beruht auf einer frühen Entlehnung aus lat. *coquere (coctum,* vlat. *cocere*) »kochen, sieden; reifen« (etymologisch verwandt z. B. mit griech. *péssein* »kochen; verdauen«, *pépōn* »durch die Sonne gekocht, reif«). – Abl.: **Kocher** »Gerät zum Kochen« (18./19. Jh.). – Um lat. *coquere* gruppieren sich die Bildungen lat. *coquus,* vlat. *cocus* »Koch« (s. das Lehnwort *Koch*), lat. *coquinus* (vlat. *cocinus*) »zum Kochen gehörig«, dazu das Substantiv spätlat. *coquina* (in vlat. Aussprache *cocina*) »Küche« (s. das Lehnwort *Küche*), daneben mit unklarer lautlicher Entwicklung gleichbed. lat. *culina* »Küche« (↑kulinarisch). – Beachte noch das hierher gehörende Fremdwort *Aprikose.*

Köcher: Die Herkunft der westgerm. Bezeichnung für das längliche Behältnis zum Aufbewahren und Tragen der Pfeile (mhd. *kocher, kochære,* ahd. *kochar, chochāri,* niederl. *koker,* aengl. *cocer*) ist nicht sicher geklärt.

Kocke ↑Kogge.

Kode, (auch:) **Code:** Die Bezeichnung für »System von verabredeten Zeichen; Schlüssel zur Entzifferung von Geheimnachrichten« wurde im 19. Jh. im Bereich der Fernmeldetechnik und des militärischen Nachrichtenwesens aus gleichbed. engl. *code* bzw. frz. *code* entlehnt und geht letztlich auf lat. *codex* »Schreibtafel; Buch; Verzeichnis« zurück (vgl. *Kodex*). – Abl.: **kodieren** »mithilfe eines Kodes verschlüsseln« (20. Jh.).

Köder: Das nur dt. Wort für »Lockspeise« (mhd. *kö[r]der, querder,* ahd. *querdar*) gehört wahrscheinlich im Sinne von »Fraß, Speise« zu der vielgestaltigen idg. Wurzel *g^{u}er[ə]- »fressen, verschlingen«, vgl. aus anderen idg. Sprachen z. B. aind. *giráti* »verschlingt«, lit. *gérti* »trinken« und lat. *gurgulio* »Schlund, Kehle« (↑Gurgel). Auch die unter ↑Kragen (ursprünglich »Schlund«) behandelte Sippe gehört zu dieser Wurzel. – Abl.: **ködern** »mit einem Köder fangen; verlocken« (mhd. *kerdern, querdern*).

Kodex »Handschrift; Gesetzbuch, Gesetzessammlung«, auch übertragen gebraucht in der Zusammensetzung **Ehrenkodex**: Das erst im 18. Jh. allgemeiner bekannt gewordene Fremdwort wurde in der Gelehrtensprache aus gleichbed. lat. *codex* übernommen. Dies bedeutet eigentlich »abgeschlagener Baum, gespaltenes Holz« (zu lat. *cudere* »schlagen«, das mit dt. ↑hauen urverwandt ist), dann übertragen »Schreibtafel (aus gespaltenem Holz); Buch; Verzeichnis usw.«. Auf lat. *codex* geht frz., engl. *code* (↑Kode) zurück.

Koffein: Das Substantiv ist die fachsprachliche Bezeichnung für einen besonders in der Kaffeebohne und im Teeblatt enthaltenen, synthetisch herstellbaren pflanzlichen Wirkstoff, der in der Medizin u. a. als [Kreislauf]anregungsmittel Verwendung findet. Das Wort ist eine gelehrte Bildung (19. Jh.) zu ↑Kaffee bzw. zu der entsprechenden engl. Form *coffee* »Kaffee«. Im Engl. selbst gilt dafür *caffeine* (aus gleichbed. frz. *caféine*).

Koffer: Das Substantiv erscheint zuerst im 14. Jh. am Niederrhein als *coffer, cuffer* mit der Bedeutung »Kiste, Truhe«. Im 16. Jh. gelangte es in dieser Bedeutung in die Hochsprache. Die heute gültige Bedeutung »Reisekoffer« setzte sich erst im 18./19. Jh. durch. – Was die Herkunft des Wortes betrifft, so wurde es durch niederl. Vermittlung aus frz. *coffre* »Kiste, Kasten, Truhe, Lade; Koffer« entlehnt, das seinerseits vermutlich (bei unklarem Suffix) auf spätlat. *cophinus* »Weidenkorb« beruht. Die letzte bekannte Quelle des Wortes ist dann griech. *kóphinos* »großer Weidenkorb«.

Kogel ↑Kugel.

Kogge: Das hochbordige, dickbauchige Segelschiff, wie es speziell von der Hanse verwendet wurde, ist nach seiner kugelartig runden Gestalt benannt. Die niederd. Form ›Kogge‹ geht auf mnd. *kogge* zurück, das mit älter nhd. *Kocke* (mhd. *kocke*, ahd. *kocho*) und engl. *cog* zu der Sippe von ↑Kugel gehört (vgl. *Keule*).

[1]**Kohl**: Wie mehrere andere Gemüsearten (beachte z. B. die Artikel *Kürbis* und *Zwiebel*), so lernten die Germanen auch den Kohl durch die Römer kennen und übernahmen mit der Pflanze auch das Wort. Ahd. *kōl, kōli, chōlo*, mhd. *kōl, kœl[e]*, asächs. *kōli*, aengl. *cā[u]l, cāwel* (engl. *cole*) sind entlehnt aus lat. *caulis* »Kohl«, das eigentlich »Strunk, Stängel, Stiel« bedeutet (vgl. *hohl*). Auf lat. *caulis* beruhen z. B. auch frz. *chou* und it. *cavolo* (↑Karfiol und ↑Kohlrabi).

[2]**Kohl** »Unsinn, Geschwätz« (ugs.): Das am Ende des 18. Jh.s in der Studentensprache aufkommende Wort stammt vermutlich aus hebr. *qôl* (> jidd. *kol*) »Gerücht«, eigentlich »Stimme, Rede«, hat sich aber früh an ↑[1]Kohl »Kraut« angelehnt. – Abl.: [1]**kohlen** »törichtes Zeug reden, schwindeln« (ugs.; 18. Jh.), dazu das Präfixverb **verkohlen** ugs. für »anführen« (19. Jh.).

Kohldampf »Hunger« (ugs.), häufig in der Wendung ›Kohldampf schieben‹: Das seit dem Ende des 19. Jh.s durch die Soldatensprache allgemein bekannt gewordene Wort stammt aus dem Rotwelschen. Grundwort ist ↑Dampf, das in der Gaunersprache für »Hunger« gebraucht wird, Bestimmungswort rotwelsch *Kohler, Kol[l]er* »Hunger« (vielleicht identisch mit ↑Koller »Wut«). Die Zusammensetzung hat jedenfalls tautologischen Charakter.

Kohle: Das altgerm. Wort mhd. *kol*, ahd. *kol[o]*, niederl. *kool*, engl. *coal*, schwed. *kol* bezeichnete zunächst die Holzkohle und ging dann auf die Braun- und Steinkohle über. Mit germ. **kula[n]-* »Holzkohle« ist ir. *gūal* »Kohle« verwandt. Die weiteren idg. Beziehungen sind unklar. – Auf den tiefschwarzen Farbton der Steinkohle beziehen sich z. B. die Zusammensetzungen **kohlschwarz, Kohlmeise** (mhd. *kolemeise;* nach dem schwarzen Kopf), **Kohlrabe** (18. Jh.), dazu **kohlrabenschwarz**. Abl.: [2]**kohlen** »schwelen; Kohlen brennen« (14. Jh.; beachte auch die Präfixbildungen **bekohlen** »mit Kohlen versorgen« und **verkohlen** »zu Kohle verbrennen«); **Köhler** (mhd. *koler, köler* »Kohlenbrenner«). Zus.: **Kohlensäure** (19. Jh.); **Kohlenstoff** (19. Jh.).

Kohlrabi: Der Anbau der Gemüseart, die bereits im Mittelalter in Mitteleuropa bekannt war, wurde in der Neuzeit von Italien ausgehend neu gefördert. In diesem Zusammenhang wurden aus it. hochsprachlich *cavoli rape* (Plural), mdal. *cauliravi* »Kohlrabi« (vgl. [1]*Kohl* und *Rübe*) die dt. Formen im 17./18. Jh. entlehnt. Die heute übliche Form ›Kohlrabi‹ hat sich im ersten Bestandteil an das Wort ›[1]Kohl‹ angelehnt. Die Form ›Kohlrübe‹, die in Teilen Deutschlands aber als Bezeichnung der Steckrübe (Weiße Rübe, Wruke) dient, hat sich im zweiten Bestandteil an ›Rübe‹ angeschlossen.

Koitus: Der medizinisch-fachsprachliche Ausdruck für »Beischlaf« ist aus gleichbed. lat. *coitus* (eigentlich »das Zusammengehen, das Zusammenkommen«) entlehnt. Über das Stammwort lat. *ire* »gehen« (*coire* »zusammengehen«) vgl. den Artikel *Abiturient*.

Koje »Schlafstelle [auf Schiffen]«, ugs. auch scherzhaft für »Bett«: Das Wort wurde um 1600 durch mnd. Vermittlung aus mniederl. *koye* (= niederl. *kooi*) »Schlafstelle auf Schiffen; Verschlag; Stall« entlehnt. Dies geht auf lat. *cavea* »Käfig, Behältnis« zurück, das auch das Lehnwort ↑Käfig lieferte.

Kojote: Der Name des nordamerikanischen Prärie-

K

wolfs wurde – wohl über engl. *coyote* – aus span.-mexikanisch *coyote* (aztek. *coyot*) entlehnt.

Kokain: Die wissenschaftliche Bezeichnung für das aus den Blättern des Kokastrauchs gewonnene Rauschgift, das in der Medizin als Betäubungs- und Arzneimittel eine Rolle spielt, entstand im 19. Jh. Der Kokastrauch ist in Südamerika beheimatet. Sein über die Quechua-Sprache aus der Aimara-Sprache stammender span. Name *coca* erscheint schon im 16. Jh. in nhd. Texten (heute besonders bekannt durch ›Coca-Cola‹). Die berauschende Eigenschaft der Blätter des Kokastrauchs lernten die Europäer von den peruanischen Indianern kennen, die diese Blätter – wie die Inder den Betel – zu kauen pflegen und sich dadurch in einen euphorischen Zustand körperlicher Hochleistungsfähigkeit versetzen. – In der Gaunersprache entwickelte sich aus ›Kokain‹ die heute ugs. gebräuchliche Form [3]**Koks** (dazu die Ableitungen **koksen** »Kokain schnupfen« und **Kokser** »jemand, der kokainsüchtig ist«).

kokeln ↑gaukeln.

kokett »eitel, gefallsüchtig«: Das Adjektiv wurde im 18. Jh. aus gleichbed. frz. *coquet* entlehnt, das als Ableitung von frz. *coq* »Hahn« eigentlich »hahnenhaft« bedeutet. Zu frz. *coquet* stellen sich die Ableitungen frz. *coqueter* und *coquetterie*, aus denen **kokettieren** »gefallsüchtig sein; liebäugeln« und **Koketterie** »Gefallsucht« (beide im 18. Jh.) entlehnt sind. Frz. *coq* ist gleichbedeutend mit engl. *cock* (das als Bestimmungswort in den Fremdwörtern ↑Cocktail und ↑Cockpit vorliegt). Beide, frz. *coq* und engl. *cock*, sind lautnachahmenden Ursprungs und gehen auf ›coco‹ zurück, das den Naturlaut der Hühner wiedergibt (beachte schon mlat. *coccus* »Hahn«). Gleicher Herkunft ist das in der Kindersprache entstandene Substantiv frz. *cocotte* »Hühnchen, Henne«, das im Frz. zur Bezeichnung für eine Prostituierte wurde und in dieser Bedeutung im 19. Jh. als **Kokotte** entlehnt wurde. Vgl. auch den Artikel *Kokon*.

Kokolores: Die Herkunft des ugs. Ausdrucks für »Getue; Unfug, Unsinn« ist nicht sicher geklärt. Vielleicht gehört er zu mnd. *gokeler* »Gaukler«.

Kokon: Die Bezeichnung der Hülle der Insektenpuppe wurde im 18. Jh. aus gleichbed. frz. *cocon* entlehnt, als Friedrich der Große nach französischem Vorbild in Preußen die Seidenraupenzucht einführte. Das frz. Wort geht auf prov. *coucoun* »Eierschale« zurück, eine Bildung zu *coco* »Hahn« (vgl. den Artikel *kokett*).

Kokosnuss: Das Wort ist eine verdeutlichende Zusammensetzung für älteres ›Kokos‹, das im 17. Jh. aus gleichbed. span., port. *coco* entlehnt wurde. Das span., port. Wort bedeutet eigentlich »Butzemann, Gespenst«, weil die Nuss mit ihren drei Samenöffnungen einem Gesicht ähnelt oder weil man daraus Gesichter schneiden kann. Es geht zurück auf lat. *coccus* (< griech. *kókkos*) »Kern, Beere; runder Auswuchs«.

Kokotte ↑kokett.

[1]**Koks** »(aus Stein- oder Braunkohle gewonnener) Brennstoff«: Das Substantiv wurde um 1800 aus dem Plural *cokes* von gleichbed. engl. *coke* entlehnt. Das engl. Wort, das aus mengl. *colk* »Kern[gehäuse]« hervorgegangen ist, gehört zu der unter ↑Kolben dargestellten idg. Sippe.

[2]**Koks:** Die um 1900 aufgekommene ugs. Bezeichnung für »steifer Hut« stammt vielleicht aus dem Jidd. (beachte jidd. *gag* »Dach«).

[3]**Koks** ↑Kokain.

kol…, Kol… ↑kon…, Kon…

Kolben, (veraltet:) Kolbe: Das Wort bezeichnete in ahd. und mhd. Zeit die Keule, wie sie speziell den Hirten und umherziehenden Narren als Waffe diente. Dann ging das Wort auf keulenförmige dicke Pflanzen oder Pflanzenteile über, beachte z. B. die Zusammensetzungen ›Maiskolben, Schilfkolben‹. Weiterhin wurde es auf keulenähnliche Gegenstände, Maschinenteile und Geräte übertragen, beachte z. B. die Zusammensetzungen ›Gewehrkolben, Zylinderkolben, Schiffskolben, Destillierkolben‹. – Mhd. *kolbe*, ahd. *kolbo*, mnd. *kolve* und die nord. Sippe von aisl. *kolfr* »Bolzen, Pfeil mit stumpfem Ende« gehören im Sinne von »Stock oder Stiel mit dickem Ende, klumpenförmiger Gegenstand« zu der umfangreichen Wortgruppe der vielfach erweiterten idg. Wurzel **gel[ə]-* »zusammendrücken, ballen; sich ballen, klumpig werden«, nominal »Geballtes, Klumpen, Kugel«. Eng verwandt ist z. B. lat. *globus* »Erdkugel« (↑Globus). Im germ. Sprachbereich sind weiterhin verwandt die Sippen von ↑Klumpen, ↑Klüngel, ↑Klunker, ↑Kloß, ↑Klotz, ↑Knäuel, ↑[1]Koks sowie vermutlich die unter ↑Kalb (eigentlich »Schwellung, Leibesfrucht«) behandelten Wörter. Außergerm. vergleichen sich z. B. lat. *glomus* »Kloß, Knäuel« (↑Konglomerat). – An die Bedeutungswendung »zusammendrücken, umklammern, packen« schließen sich an die Sippen von ↑klemmen, ↑klamm, ↑Klamm, ↑Klammer, Klampfe, ↑klimmen und ↑klettern (eigentlich »sich festklammern«), ↑Klette (nach den anhaftenden Blütenköpfen) sowie die Sippen von ↑Klaue (eigentlich »die Packende« oder »die Geballte«) und ↑Klafter (eigentlich »Arm voll, so viel man mit beiden Armen umfassen kann«). – Von der Bedeutungswendung »sich ballen, klumpig oder klebrig werden, kleben, schmieren« gehen aus die Sippen von ↑Klei »fette, zähe Tonerde«, ↑Kleie (eigentlich »klebrige Masse«), ↑Kleister, ↑kleben, ↑Klee (nach dem klebrigen Saft) sowie die Sippen von ↑Kleid (eigentlich »das mit Klei Gewalkte«) und ↑klein (eigentlich »mit Fett eingeschmiert« oder »verschmiert, verputzt«). Verwandt sind wahrscheinlich auch die unter ↑kalt behandelten Wörter, die auf eine Wurzel **gel-* »abkühlen, gefrieren« (wohl eigentlich »klumpig werden, gerinnen«) zurückgehen.

Kolchos, auch: **Kolchose:** Die Bezeichnung für

»landwirtschaftliche Produktionsgenossenschaft (in der Sowjetunion)« wurde in der 1. Hälfte des 20. Jh.s aus russ. *kolhoz,* Kurzform von russ. *kollektivnoe hozjajstvo* »Kollektivwirtschaft«, entlehnt.

Kolibri: Der Name des sehr kleinen, prächtig gefiederten exotischen Vogels wurde im 18. Jh. aus gleichbed. frz. *colibri* entlehnt. Die Franzosen lernten den Vogel wohl im Kolonialgebiet der Kleinen Antillen kennen. Aus welcher Sprache der Name stammt und was er eigentlich bedeutet, ist unklar.

Kolik »krampfartig auftretender Schmerz im Leib und seinen Organen«: Das Wort wurde im 16. Jh. als medizinischer Fachausdruck aus gleichbed. lat. *colica* entlehnt, das bereits in dt. Texten des 14. und 15. Jh.s auftritt. Das lat. Wort stammt aus griech. *kōlikḗ (nósos)* »Darmleiden«. Dies ist eine Bildung zu dem griech. Substantiv *kōlon,* das zunächst allgemein jedes Glied des menschlichen oder tierischen Körpers bezeichnete, auch den Darm, und das dann zur Benennung verschiedener gliedartiger Dinge wurde (beachte den Artikel *Semikolon*).

Kolkrabe: Der seit dem 16. Jh. bezeugte Vogelname enthält als Bestimmungswort ein lautnachahmendes ›kolk‹. Im Gegensatz zu anderen Rabenarten, die krächzen, gibt der größte Rabenvogel einen eigentümlichen, mit ›kolk‹ wiederzugebenden Laut von sich.

kollabieren »einen plötzlichen Schwächeanfall erleiden«: Das medizinische Fachwort wurde im 19. Jh. aus lat. *col-labi* »zusammensinken, zusammenbrechen« entlehnt, einer Bindung zu lat. *labi* »gleiten, schlüpfen; ausgleiten, straucheln« (vgl. hierüber *labil*). – Dazu gehört das Substantiv **Kollaps** »plötzlicher Schwächeanfall«, das aus mlat. *collapsus* »Zusammenbruch« übernommen ist.

Kollaborateur »jemand, der mit dem Feind, mit dem Angehörigen einer Besatzungsmacht zusammenarbeitet«: Das Fremdwort wurde während des 2. Weltkrieges aus gleichbed. frz. *collaborateur* entlehnt. Dies ist eine Bildung zu frz. *collaborer* »mitarbeiten«, das auf spätlat. *collaborare* zurückgeht. Über das zugrunde liegende Substantiv lat. *labor* »Mühe, Arbeit usw.« vgl. den Artikel *laborieren.*

Kollege »Amts-, Berufsgenosse; Mitarbeiter«: Das Substantiv wurde im 16. Jh. aus gleichbed. lat. *collega* (eigtl. »Mitabgeordneter«) entlehnt, das zu lat. *lex (legis)* »Gesetz« (vgl. *legal*) bzw. zu dem davon abgeleiteten Verb lat. *legare* »jemanden (aufgrund einer gesetzlichen Verpflichtung) zu etwas abordnen, bestimmen« gehört. – Dazu auch das Adjektiv **kollegial** »amtsbrüderlich; einträchtig, hilfsbereit« (17. Jh.; aus gleichbed. lat. *collegialis*).

Kollekte »Sammlung freiwilliger Gaben (Dankopfer) bei und nach dem Gottesdienst«: Das Fremdwort wurde im 16. Jh. aus lat. *collecta* »Beisteuer, Beitrag, Geldsammlung« entlehnt. Dies gehört zu lat. *colligere* »zusammenlesen, sammeln« (über die etymologischen Zusammenhänge vgl. den Artikel *Legion*). – Lat. *col-ligere* ist auch Ausgangspunkt für die Fremdwörter ↑Kollektion und ↑kollektiv, Kollektiv.

Kollektion »Mustersammlung (von Waren); Auswahl«: Das Fremdwort wurde im 18. Jh. aus gleichbed. frz. *collection* entlehnt, das auf lat. *collectio* »Aufsammeln; Sammlung« zurückgeht (vgl. den Artikel *Kollekte*).

kollektiv »gemeinschaftlich; umfassend«: Das Adjektiv ist – vielleicht unter Einfluss von gleichbed. frz. *collectif* – aus lat. *collectivus* »angesammelt« (zu lat. *col-ligere* »sammeln«, vgl. *Kollekte*) entlehnt. Es spielt auch in der Zusammensetzung eine Rolle, beachte z. B. ›Kollektivschuld‹. Das Substantiv **Kollektiv** »Arbeits-, Produktionsgemeinschaft (in der sozialistischen Wirtschaftsform)« wurde im 20. Jh. aus gleichbed. russ. *kollektiv* (< lat. *collectivus*) übernommen.

Koller: Der ugs. Ausdruck für »Wutausbruch, Tobsuchtsanfall« geht auf mhd. *kolre,* ahd. *kolero* »Wut« zurück. Quelle des Wortes ist – wie auch für frz. *colère* »Zorn, Wut« – griech.-lat. *choléra* »Gallenbrechdurchfall« (vgl. *Cholera*) mit der im Mlat. entwickelten übertragenen Bedeutung »galliges Temperament, Zornesausbruch« (↑cholerisch). – Siehe auch den Artikel *Kohldampf.*

[1]**kollern,** landsch. auch **kullern:** Das seit dem 17. Jh. bezeugte Verb ist wahrscheinlich lautnachahmender Herkunft und gibt hauptsächlich den Laut des Truthahns und die Balztöne einiger Vogelarten wieder.

[2]**kollern,** landsch. auch **kullern** »rollen, purzeln«: Das seit dem Anfang des 18. Jh.s bezeugte Verb ist von *Koller, Kuller* mdal., bes. mitteld. für »Kugel« abgeleitet. Dieses Substantiv ist weitergebildet aus gleichbed. mdal. *Kulle,* das aus mhd. *kugele* »Kugel« entstanden ist (vgl. *Kugel*).

kollidieren »zusammenstoßen; sich überschneiden, sich kreuzen«: Das Verb wurde im 17. Jh. aus lat. *col-lidere (collisum)* »zusammenstoßen, aufeinander prallen«, einer Bildung aus lat. *con...* »zusammen« (vgl. *kon..., Kon...*) und lat. *laedere* »verletzen, beschädigen« (vgl. *lädieren*), entlehnt. – Dazu stellt sich das Substantiv **Kollision** »Zusammenstoß; Widerstreit (von Interessen, Rechten, Pflichten usw.), Konflikt«, das im 16. Jh. aus lat. *collisio* übernommen wurde.

Kollier »Halsschmuck«: Das Fremdwort wurde zu Beginn des 19. Jh.s aus frz. *collier* »Halsring, Halsstück; Halsschmuck« entlehnt, das auf lat. *collare (collarium)* »Halsband« zurückgeht. Das zugrunde liegende Substantiv lat. *collum* »Hals« ist urverwandt mit dt. ↑Hals.

Kolonie »Ansiedlung (von Menschen außerhalb des Mutterlandes); auswärtiges Besitztum eines Staates«: Das Fremdwort wurde im 16. Jh. aus lat. *colonia* »Länderei, Vorwerk, Ansiedlung, Nieder-

K

lassung, Kolonie« entlehnt. Dies ist eine Bildung zu lat. *colere* »bebauen, [be]wohnen; pflegen, ehren« bzw. dem davon abgeleiteten Substantiv lat. *colonus* »Bebauer, Bauer, Ansiedler« (beachte das hieraus entlehnte frz. *colon* > engl. *clown* in ↑Clown). Zu lat. *colere* gehören auch die Substantive lat. *cultus* »Pflege; Bildung, Erziehung; Verehrung, Huldigung« und lat. *cultura* »Pflege (des Körpers und Geistes); Landbau usw.« (siehe hierzu die Artikel *Kult, kultivieren* und *Kultur*). Lat. *colere* gehört wahrscheinlich zu der unter ↑Hals dargestellten idg. Wurzel **kᵘel-* »[sich] drehen, [sich] herumbewegen«, sodass als ursprüngliche Bedeutung für *colere* etwa »emsig beschäftigt sein; sich gewöhnlich irgendwo aufhalten« anzusetzen wäre. – Abl.: **kolonial** »die Kolonien betreffend, aus ihnen stammend« (19. Jh.; aus frz. *colonial*), vorwiegend (und schon früher) in Zusammensetzungen gebraucht wie **Kolonialgebiet, Kolonialpolitik** (19. Jh.), **Kolonialwaren** (veraltete Bezeichnung für Lebens- und Genussmittel [aus Übersee], um 1800 aufgekommen), dazu **kolonialisieren** »in koloniale Abhängigkeit bringen« (20. Jh.); **Kolonist** »[An]siedler« (18. Jh.; aus engl. *colonist*); **kolonisieren** »Kolonien gründen und entwickeln« (18. Jh.; nach frz. *coloniser,* engl. *to colonize*); **Kolonisation** »Gründung und Entwicklung von Kolonien; wirtschaftliche Erschließung rückständiger Gebiete des eigenen Staates« (18./19. Jh.; nach frz. *colonisation,* engl. *colonization*).

Kolonne »Marschformation [der Truppe]; Gliederungseinheit; [Zahlen]reihe«: Das Wort wurde im 18. Jh. aus frz. *colonne* »Säule; senkrechte Reihe; Marschformation« entlehnt, das auf lat. *columna* »Säule« zurückgeht. – Dazu: **Kolonnade** »Säulengang, -halle« (18. Jh.; aus gleichbed. frz. *colonnade*).

kolorieren »mit Farben ausmalen, bemalen«: Das Verb wurde im 16. Jh. aus lat. *colorare* »färben« entlehnt.

Kolorit »Farb[en]gebung, Farbwirkung; eigentümliche Atmosphäre«: Das Fremdwort wurde im 18. Jh. aus it. *colorito* entlehnt, einer Bildung zu it. *colorire (= colorare)* »färben; Farbe, Schwung geben; ausschmücken«.

Koloss »Riesenstandbild, mächtiges Bauwerk; riesenhafte, unförmige Gestalt«: Das seit dem Ende des 16. Jh.s bezeugte Substantiv ist aus gleichbed. lat. *colossus* entlehnt, das seinerseits aus griech. *kolossós* »Riesenstatue« übernommen ist. Das griech. Wort stammt selbst wohl aus einer vorgriech. Mittelmeersprache.

kolportieren »Waren (besonders Bücher, Zeitschriften) herumtragen und feilbieten, hausieren; (übertragen:) Gerüchte verbreiten«: Das Verb wurde im 19. Jh. aus gleichbed. frz. *colporter* entlehnt, das – unter dem Einfluss von *porter à col* »auf den Schultern tragen« – aus älterem *comporter* hervorgegangen ist. Voraus liegt lat. *comportare* »zusammentragen« (vgl. *kon..., Kon...* und *Porto*). – Dazu das Substantiv **Kolportage** »Hausierhandel (besonders mit Büchern und Zeitschriften); Verbreitung von Gerüchten; literarisch minderwertiger, auf billige Wirkung abzielender Bericht« (19. Jh.; aus frz. *colportage*).

Kolumne »senkrechte Reihe, Spalte, [Druck]seite«: Das Wort der Druckersprache wurde im 16. Jh. aus lat. *columna* »Säule« entlehnt. – Abl.: **Kolumnist** »Journalist, dem eine bestimmte Spalte einer Zeitung ständig zur Verfügung steht« (20. Jh.; aus gleichbed. engl. *columnist*).

kom..., Kom... ↑kon..., Kon...

kombinieren »[planmäßig] zusammenstellen; berechnen, folgern; klug und harmonisch zusammenspielen«: Das seit dem 17. Jh. bezeugte Verb ist aus lat. *combinare* »vereinigen«, eigentlich »je zwei zusammenbringen« (zu lat. *bini* »je zwei«, lat. *bis* »zweimal«; vgl. *bi..., Bi...*), entlehnt. – Dazu stellt sich das Substantiv **Kombination,** das gleichfalls im 17. Jh. aus spätlat. *combinatio* »Vereinigung« übernommen wurde. Es bezeichnet neben der zweckmäßigen Verbindung zu einer Einheit auch die gedankliche Zusammenstellung verschiedener Möglichkeiten, ihre Untersuchung und die daraus resultierende Schlussfolgerung bzw. Vermutung. Ferner gilt es in der Mode im Sinne von »Zusammenstellung modisch aufeinander abgestimmter Kleidungsstücke«. In der Sportsprache wird ›Kombination‹ in den Bedeutungen »kluges, harmonisches Zusammenspiel, gemeinsame Wertung unterschiedlicher Sportdisziplinen zu einem Gesamtergebnis« verwendet. – Von Interesse ist in diesem Zusammenhang noch die Kurzform ›Kombi‹ in Zusammensetzungen wie **Kombiwagen, Kombischrank** und **Kombinationszange** (zur Bezeichnung mehrfacher Verwendbarkeit), aus ›Kombiwagen‹ verselbstständigt dann auch **Kombi** (20. Jh.).

Kombüse: Der seit dem Anfang des 18. Jh.s in hochd. Texten bezeugte seemännische Ausdruck für »Schiffsküche« stammt aus gleichbed. niederd. *kambüse,* das eine jüngere Nebenform mit m von mnd. *kabūse* »Bretterverschlag auf dem Schiffsdeck, der zum Kochen und Schlafen dient« ist (vgl. *Kabuse*).

Komet »Schweif-, Haarstern«: Das Wort (mhd. *komēte*) geht über lat. *cometa, cometes* auf griech. *komḗtēs* »Haarstern« zurück, das zu griech. *kómē* »[Haupt]haar« gebildet ist und eigentlich »haartragend, behaart« bedeutet.

Komfort »luxuriöse Ausstattung, Einrichtung; Bequemlichkeit«: Das Fremdwort wurde Anfang des 19. Jh.s aus engl. *comfort* »Behaglichkeit, Bequemlichkeit«, älter auch »Trost, Stärkung; Zufriedenheit«, entlehnt, das auf afrz. (= frz.) *confort* »Trost, Stärkung« zurückgeht. Dies ist eine Bildung zu afrz. *conforter* »stärken, trösten«, das auf kirchenlat. *con-fortare* zurückgeht. Zugrunde liegt das lat. Adjektiv *fortis* »stark, kräftig, fest«

K

(vgl. *Fort*). – Dazu das Adjektiv **komfortabel** »mit allen Bequemlichkeiten ausgestattet, behaglich, wohnlich« (19. Jh.; aus gleichbed. engl. *comfortable* < afrz. *confortable* »Trost, Stärkung bringend«).

komisch »possenhaft; zum Lachen reizend, belustigend; sonderbar, eigenartig«: Das seit dem 15. Jh. bezeugte Adjektiv, das bis ins 17. Jh. nur im Sinne von »zur Komödie gehörend« galt und erst dann unter frz. Einfluss die allgemeineren Bedeutungen annahm, geht auf lat. *comicus* zurück, das aus griech. *kōmikós* »zur Komödie gehörig« entlehnt ist. Dies ist eine Bildung zu dem griech. Substantiv *kōmos* »fröhlicher Umzug, lärmende Schar, festlicher Gesang«, das als Bestimmungswort in dem für das Adjektiv bedeutsamen Substantiv griech. *kōm-ǭdía* erscheint (↑Komödie). – Dazu stellen sich **Komik** »die Kunst, das Komische darzustellen; zum Lachen reizende Wirkung« (19. Jh.; aus frz. *le comique*) und **Komiker** »Darsteller komischer Rollen; Spaßvogel« (19. Jh.).

Komitee »leitender Ausschuss«: Das Fremdwort wurde im 18. Jh. aus frz. *comité* entlehnt, das auf gleichbed. engl. *committee* zurückgeht. Dies gehört zu engl. *to commit* (< frz. *commettre* < lat. *com-mittere*) »anvertrauen, übertragen«. Über das Grundverb lat. *mittere* »schicken; beauftragen usw.« vgl. den Artikel *Mission*.

Komma »Beistrich«: Der Name des Satzzeichens wurde im 17. Jh. aus lat. *comma* entlehnt, das seinerseits aus griech. *kómma* »Schlag; Abschnitt, Einschnitt« übernommen ist. Dies ist eine Bildung zu dem griech. Verb *kóptein* »stoßen, schlagen, hauen«, das wohl zu der unter ↑schaben dargestellten idg. Sippe gehört.

kommandieren »befehligen, befehlen«: Das Verb wurde um 1600 aus gleichbed. frz. *commander* entlehnt, das wie entsprechend it. *comandare* auf vlat. **com-mandare* zurückgeht. Dies steht für klass.-lat. *com-mendare* »anvertrauen, übergeben; Weisung geben«. Zum Grundverb lat. *mandare* »übergeben, anvertrauen; beauftragen« vgl. den Artikel *Mandat*. – Dazu: **Kommando** »Befehl, Befehlswort; Befehlsgewalt; Truppenabteilung mit Sonderauftrag« (um 1600 aus it. *comando*, zu it. *comandare* »befehlen«); **Kommandant** »Befehlshaber (eines Schiffes, einer Festung, einer Stadt usw.)« neben **Kommandeur** »Befehlshaber einer Truppenabteilung«, beide gleichfalls um 1600 aus dem Frz. entlehnt (frz. *commandant* und *commandeur*); **Kommandantur** »Dienstgebäude eines Kommandanten« (18./19. Jh.; nlat. Bildung). Hierher gehört auch das Substantiv **Kommodore** »Geschwaderführer (bei Marine und Luftwaffe); erprobter ältester Kapitän großer Schifffahrtslinien« (18./19. Jh.), das aus engl. *commodore* (älter: *commandore* < frz. *commandeur*) entlehnt ist.

kommen: Das gemeingerm. Verb mhd. *komen*, ahd. *koman, queman*, got. *qiman*, engl. *to come*, schwed. *komma* geht mit verwandten Wörtern in den meisten anderen idg. Sprachen auf die Wurzel **g^{u}em-* »gehen, kommen« zurück, vgl. z. B. lat. *venire* »kommen« (s. die unter *Advent* dargestellte Fremdwörtergruppe), griech. *baínein* »gehen« (↑Basis) und lit. *gim̃ti* »zur Welt kommen, geboren werden«. – Verbaladjektiv zu ›kommen‹ ist ↑bequem. Das Verbalabstraktum ›Kunft‹ »Kommen, Ankunft«, von dem ↑künftig abgeleitet ist, lebt heute nur noch in Zusammensetzungen (s. u.). Zusammensetzungen und Präfixbildungen: **abkommen** »weg-, loskommen; sich entfernen«, früher speziell »von einer Verhandlung mit jemandem loskommen, zu einem Ergebnis gelangen« (mhd. *abekomen*, ahd. *abachoman*), dazu **Abkommen** »Übereinkunft, Vertrag« (17. Jh.), **abkömmlich** (19. Jh.), **Abkunft** »Abstammung, Geschlecht«, früher auch »Übereinkunft« (17. Jh.); **ankommen** »erreichen, erlangen; eintreffen; abhängen, bedingt sein; überkommen, befallen; eingestellt werden, angenommen werden; Zuspruch finden, Erfolg haben« (mhd. *anekomen*, ahd. *anaqueman*), dazu **Ankömmling** (17. Jh.), **Ankunft** (16. Jh.); **aufkommen** »in die Höhe kommen, sich erheben; entstehen, sich regen; für etwas geradestehen, ersetzen; heranreichen, ebenbürtig sein; sich heranschieben, sich nähern« (mhd. *ūfkomen*, ahd. *ūfqueman*); **auskommen** »ausreichen, langen; sich vertragen«, eigentlich »aus etwas herauskommen oder bis zum Ende kommen« (mhd. *ūʒkomen*, ahd. *ūʒqueman*), dazu **auskömmlich** »ausreichend, genügend« (18. Jh.), **Auskunft** »Angabe, um sich in einer Angelegenheit zurechtzufinden; Bescheid, wie es sich mit einer Sache verhält«, früher »Weg oder Mittel, um aus etwas herauszukommen« (18. Jh.), dazu wiederum **Auskunftei** »Auskunftsstelle« (19. Jh.; gebildet wie ›Abtei‹, ›Pfarrei‹ usw.); **bekommen, bekömmlich** (s. d.); **einkommen** »eintreffen, hereinkommen (von Geld usw.); nachsuchen, bitten« (mhd. *īn komen*), dazu **Einkommen** »ständige Einnahme, Verdienst, Gehalt« (mhd. *īnkomen* »Eintreffen, Ankunft«), **Einkünfte** »Einnahmen, Ertrag, Verdienst« (mhd. *īnkunft* »Eintreffen, Ankunft«; die heutige Bedeutung seit dem 17. Jh.); **entkommen** »entrinnen, entwischen« (mhd. *entkomen*); **herkommen** »von etwas ausgehen oder herrühren; abstammen« (15. Jh.), dazu **Herkommen** »Abstammung; Gewohnheit, Brauch« (15. Jh.), **herkömmlich** »allgemein üblich« (18. Jh.), **Herkunft** »Abstammung, Ursprung« (17. Jh.); **nachkommen** »folgen, hinterhergehen oder -laufen; befolgen, erfüllen« (mhd. *nāch komen*); **Nachkomme** (mhd. *nāchkome* »Nachfolger«), dazu **Nachkommenschaft** (17. Jh.), **Nachkömmling** (mhd. *nāchkomelinc* »Nachfolger, Nachkömmling«); **niederkommen** »gebären« (mhd. *nider komen* »herabfallen, herunterkommen; zu Bett gehen, sich hinlegen«), dazu **Niederkunft** »Entbin-

dung« (17. Jh.); **überkommen** »befallen, sich bemächtigen; überliefert werden« (mhd. *über komen*, ahd. *ubarqueman*); **übereinkommen** »sich einigen« (16. Jh.), dazu **Übereinkunft** »Einigung, Abmachung« (17. Jh.); **umkommen** »zugrunde gehen, verderben; sterben« (mhd. *umbekomen*); **unterkommen** »Unterkunft oder eine Anstellung finden« (mhd. *under komen* in der Bedeutung »dazwischentreten, verhindern«; in der heutigen Bedeutung seit dem 17. Jh.), dazu **Unterkunft** »Obdach, Bleibe« (19. Jh.); **verkommen** »in einen schlechten Zustand geraten; sittlich verwildern« (mhd. *verkomen* »vorübergehen, zu Ende gehen, vergehen usw.«), dazu **Verkommenheit** »schlechter Zustand, sittliche Verwilderung« (19. Jh.); **vorkommen** »hervor-, heraustreten, in Erscheinung treten; geschehen, sich ereignen; sich finden, vorhanden sein; scheinen, dünken« (mhd. *vor-, vürkomen*, ahd. *furiqueman*), dazu **Vorkommnis** (19. Jh.); **vollkommen** (s. d.); **willkommen** (s. d.); **zukommen** »gebühren«, früher »sich auf etwas zubewegen, sich nähern (mhd. *zuokomen*, ahd. *zuoqueman*), dazu **Zukunft** »kommende Zeit; Aussichten, Möglichkeiten; (Grammatik:) Futur«, eigentlich »das Herannahen« (mhd. *zuokunft*, ahd. *zuochumft*), **zukünftig** (mhd. *zuokünftic*).

kommentieren »[politische, kulturelle u. a. Ereignisse] erläutern, besprechen; zu etwas Stellung nehmen; einen Text mit erläuternden und kritischen Anmerkungen versehen«: Das Verb wurde im 17. Jh. aus lat. *commentari* »etwas überdenken, Betrachtungen anstellen; erläutern, auslegen« entlehnt. Dies gehört zur Wortfamilie von lat. *mens (mentis)* »Denktätigkeit, Verstand; Gedanke, Vorstellung usw.« (vgl. hierüber den Artikel *Mentalität*). – Abl.: **Kommentar** »Erläuterung[sschrift], Auslegung; Bemerkung, Anmerkung« (im 18. Jh. eingedeutscht aus lat. *commentarius [liber]* »Notizbuch, Niederschrift; Kommentar«).

Kommers: Das seit dem 18. Jh. bezeugte Wort der Studentensprache ist identisch mit ›Kommerz‹ »Handel und Verkehr« (vgl. *kommerziell*). Die Studenten griffen das Wort auf und verwandten es zunächst zur Bezeichnung jeder Art von geräuschvoller Veranstaltung, von Umzügen und dgl., dann speziell zur Bezeichnung eines festlichen Trinkabends.

kommerziell »auf Gewerbe und Handel bezüglich«: Das seit dem 19. Jh. bezeugte Adjektiv ist eine Bildung mit französierender Endung zu dem Substantiv **Kommerz** »Handel und Verkehr«, das in dieser Bedeutung weitgehend veraltet ist, aber noch in der Zusammensetzung **Kommerzienrat** (Titel von hervorragenden Persönlichkeiten der Wirtschaft) und in dem Studentenwort ↑Kommers fortlebt. Heute wird das Wort in der neuen Bedeutung »wirtschaftliches, nur auf Gewinn bedachtes Interesse« verwendet. ›Kommerz‹ (älter: ›Commerce‹) ist aus gleichbed. frz. *commerce* entlehnt, das auf lat. *commercium* »Handel, Verkehr usw.« zurückgeht. Über die etymologischen Zusammenhänge vgl. den Artikel *Markt*.

Kommilitone »Mitstudent, Studiengenosse«: Das Wort der Studentensprache wurde im 16. Jh. aus lat. *com-milito* »Mitsoldat, Waffenbruder« entlehnt, einer Bildung zu lat. *miles* »Soldat« (vgl. *kon..., Kon...* und [1]*Militär*).

Kommiss »Truppe, Wehrmacht« (ugs.): Das seit dem 16. Jh. bezeugte Fremdwort bezeichnete zuerst die »Heeresvorräte«. Es geht wohl auf lat. *commissa* zurück, den Plural von lat. *commissum* »anvertrautes Gut«, das substantivierte Part. Perf. von lat. *com-mittere* »zusammenbringen; anvertrauen, anheim geben« (über das Grundverb lat. *mittere* »schicken; beauftragen usw.« vgl. den Artikel *Mission*).

Kommissar »[vom Staat] Beauftragter«, insbesondere als Dienstbezeichnung wie in ›Polizei-, Kriminalkommissar‹: Das schon im 15. Jh. in der Form *commissari* (Plural) bezeugte Fremdwort stammt wie das entsprechende frz. *commissaire* aus mlat. *commissarius* »mit der Besorgung eines Geschäftes Betrauter«, das zu lat. *com-mittere* »zusammenbringen; anvertrauen, anheim geben« gehört. Vgl. *kon..., Kon...* und über das Grundverb lat. *mittere* »schicken; beauftragen usw.« vgl. *Mission*.

Kommission »Ausschuss (von Beauftragten); Auftrag; Handel für fremde Rechnung«: Das Fremdwort wurde im 15. Jh. aus lat. *commissio* »Vereinigung, Verbindung« entlehnt, das im Mlat. die Bedeutung »Vorladung; Auftrag« entwickelte. Der kaufmännische Gebrauch des Fremdwortes steht unter dem Einfluss von it. *commissione*. Zugrunde liegt lat. *com-mittere* »anvertrauen, übertragen«, eine Bildung zu lat. *mittere* »schicken; beauftragen usw.« (vgl. *kon..., Kon...* und *Mission*).

kommod (besonders österr. für:) »bequem, angenehm«: Das Adjektiv wurde im 18. Jh. aus gleichbed. frz. *commode* entlehnt, das auf lat. *commodus* »angemessen; zweckmäßig, angenehm, bequem« (eigentlich »mit Maß«) zurückgeht. Über die etymologischen Zusammenhänge vgl. den Artikel *Modus*. – Dazu: **inkommodieren** »belästigen, bemühen« (veraltet; im 17. Jh. aus frz. *incommoder* < lat. *in-commodare;* zu lat. *in-commodus* »unangemessen, unbequem«, vgl. [2]*in..., In...*); **Kommode** »Truhe mit Schiebekästen« (18. Jh.; aus gleichbed. frz. *commode*, dem substantivierten Femininum des Adjektivs, entlehnt, eigentlich also »die Bequeme, die Zweckmäßige«).

Kommodore ↑kommandieren.

Kommune »Gemeinde«: Das Substantiv wurde bereits in mhd. Zeit aus gleichbed. (a)frz. *commune* entlehnt, das auf vlat. *communia* zurückgeht. Dies ist der substantivierte, als Femininum Singular aufgefasste Neutrum Plural von lat. *communis* »mehreren oder allen gemeinsam, allgemein; gewöhnlich«. – Dazu: **kommunal** »die Gemeinde betreffend, gemeindeeigen« (19. Jh.; aus gleichbed. lat. *communalis*), besonders häufig in Zusammensetzungen wie ›Kommunalpolitik, -verwaltung‹. Beachte ferner die Neuschöpfung ↑Kommunismus. Von Interesse sind schließlich die Bildungen lat. *communio* »Gemeinschaft« (↑Kommunion) und lat. *communicare* »etwas gemeinsam machen, gemeinsam beraten, einander mitteilen« (↑kommunizieren, ↑Kommunikation und ↑Kommuniqué). – Lat. *com-munis* (alat. *commoinis*) bedeutete ursprünglich wohl »mitverpflichtet, mitleistend« und gehört wie lat. *im-munis* »frei von Leistung« (↑immun) zu lat. *munia* (älter: *moenia*) »Leistungen, Pflichten« und lat. *munus* »Leistung, Amt; Abgabe; Geschenk, Liebesdienst« (zum 1. Bestandteil lat. *con...* vgl. *kon...*, *Kon...*). Es steht somit wie das entsprechend gebildete dt. Adjektiv ↑gemein im größeren Zusammenhang der unter ↑Meineid dargestellten Sippe der idg. Wurzel **mei-* »wechseln, tauschen; Tauschgabe, Leistung«.

Kommunikation ↑kommunizieren.

Kommunion: Die Bezeichnung des Abendmahls als »Gemeinschaftsmahl« der Gläubigen mit Christus in der katholischen Kirche wurde im 16. Jh. aus lat. *communio* »Gemeinschaft« – kirchenlat. »das heilige Abendmahl« – entlehnt. Dies gehört zu lat. *communis* »mehreren oder allen gemeinsam« (vgl. *Kommune*).

Kommuniqué »[regierungsamtliche] Mitteilung (über Sitzungen, Vertragsabschlüsse usw.), Denkschrift«: Das Fremdwort wurde im 19. Jh. aus frz. *communiqué* »Mitteilung« entlehnt. Dies ist das substantivierte 2. Partizip von frz. *communiquer* »etwas gemeinsam machen, gemeinsam beraten, einander mitteilen« (< lat. *communicare;* vgl. hierüber den Artikel *Kommune*).

Kommunismus: Das seit dem 19. Jh. bezeugte Wort ist – wohl über frz. *communisme* – aus engl. *communism* entlehnt. Dies ist eine Bildung zu lat. *communis* »mehreren oder allen gemeinsam, allgemein« (vgl. *Kommune*). Es bezeichnet die Weltanschauung des »Alles gehört allen gemeinsam«, die (nach K. Marx) dem Sozialismus folgende Entwicklungsstufe, in der die Vergesellschaftung der Produktionsmittel und Erzeugnisse erfolgt ist.

Kommunizieren: Das Verb wurde bereits im 18. Jh. aus lat. *communicare* »gemeinschaftlich tun; mitteilen« (zu lat. *communis* »allen gemeinsam«; vgl. *Kommune*) entlehnt. Abgesehen von der allgemeinen Bedeutung »mitteilen« war es bis ins 20. Jh. vor allem in der Physik im Sinne von »in Verbindung stehen« (beachte ›kommunizierende Röhren‹) und in der Theologie in der Bedeutung »zur Kommunion gehen« gebräuchlich. In der 2. Hälfte des 20. Jh.s wurde es unter dem Einfluss von engl. *to communicate* »sich verständigen, Informationen austauschen« zu einem zentralen Wort der Nachrichtentechnik und der Geistes- und Sozialwissenschaften. – Dazu stellt sich das Substantiv **Kommunikation** (18. Jh.; aus lat. *communicatio* »Mitteilung, Unterredung«, im 20. Jh. unter dem Einfluss von engl. *communication* »Verständigung, Informationsaustausch«).

Komödie »dramatische Ausdrucksform des Komischen; Lustspiel«, auch übertragen gebraucht im Sinne von »Vortäuschung, Täuschungsmanöver«: Das Substantiv wurde in frühnhd. Zeit aus lat. *comoedia*, das seinerseits aus griech. *kōmǭdía* übernommen ist, entlehnt. Das griech. Wort bedeutet eigentlich »das Singen eines Komos«. Der Komos – griech. *kōmos* (vgl. *komisch*) –, ein festlicher Umzug bezechter Jugend, ein Festgesang und ein Festgelage zugleich, war Inbegriff ausgelassener, lärmender Fröhlichkeit. Er stand ganz im Zeichen des Fruchtbarkeits- und Weingottes Dionysos. Aus diesen frühen kultischen Zusammenhängen entwickelte sich schließlich die selbstständige literarische Kunstgattung der Komödie. Der derbe ausgelassene Spaß, weit mehr noch der scharfe und gezielte Spott an den aktuellen politischen und kulturellen Zuständen wurde ihr wesentlicher Inhalt. – Über das Grundwort von griech. *kōm-ǭdía* vgl. den Artikel *Ode*. – Abl.: **Komödiant** »Schauspieler, Gaukler«: Das Substantiv kam um 1600 auf. Es geht von it. *commediante* aus, wurde aber wohl durch das Engl. ins Deutsche vermittelt. Es bezeichnete anfangs nicht nur den Komödienschauspieler, sondern den Berufsschauspieler allgemein. Seit dem 18. Jh. wurde das Wort wegen seines abschätzigen Nebensinns mehr und mehr durch ›Schauspieler‹ und ›Akteur‹ zurückgedrängt. Das Gleiche gilt von dem abgeleiteten Adjektiv **komödiantisch** »schauspielerisch; übertrieben« (17./18. Jh.).

Kompagnon »Teilhaber, Mitinhaber (eines Handelsunternehmens), Gesellschafter«: Das seit dem 16. Jh. in der Bedeutung »Geselle, Genosse«, seit dem 17. Jh. als Kaufmannswort bezeugte Fremdwort ist aus frz. *compagnon* »Geselle, Genosse« entlehnt, das auf mlat. *companionem*, den Akkusativ von mlat. *companio* »Brotgenosse, Gefährte« (vgl. *Kumpan*), zurückgeht.

kompakt »fest, dicht, gedrungen«: Das Adjektiv wurde im 18. Jh. aus gleichbed. frz. *compact[e]* entlehnt. Dies geht auf lat. *compactus* »untersetzt, gedrungen, dicht«, das Partizipialadjektiv von lat. *compingere* »zusammenschlagen, -fügen«, zurück. Das lat. Verb ist eine Bildung zu lat. *pangere* »befestigen, einschlagen« (vgl. *kon...*, *Kon...* und den Artikel *Pakt*). Im Zusammenhang mit Gebrauchsgegenständen wird das Adjektiv seit der 2. Hälfte des 20. Jh.s auch im Sinne von »klein, ökonomisch konstruiert« verwendet; eine Bedeutung, die aus engl. *compact* übernommen wurde.

Kompanie: Zu mlat. *companio* »Brotgenosse« (vgl.

K

Kumpan) gehört als Kollektivbildung mlat. *compagn[i]a* »Brotgenossenschaft, Kameradschaft, Gesellschaft«, das auf zwei verschiedenen Wegen in das Deutsche gelangte. Einmal im 14. Jh. über it. *compagnia* als Fachwort der Kaufmannssprache im Sinne von »Handelsgesellschaft« (meist in der Form ›Compagnie‹), als solches heute veraltet, aber noch in den Abkürzungen ›Co.‹ und ›Cie.‹ (hinter Firmennamen) gebräuchlich. Zum anderen erreicht uns das Wort um 1600 über frz. *compagnie* »Gesellschaft« als militärisches Fachwort zur Bezeichnung der Grundgliederungseinheit.

Komparativ: Der grammatische Terminus für »Vergleichsstufe (als Steigerungsstufe des Adjektivs)« ist aus lat. *(gradus) comparativus* »zum Vergleichen geeigneter Steigerungsgrad« entlehnt. Das zugrunde liegende Verb lat. *comparare* »gleichmachen, vergleichen« gehört zu lat. *par* »gleich« (vgl. den Artikel *Paar*).

Komparse »Statist ohne Sprechrolle« (Film, Theater): Das Wort der Theatersprache wurde im 18. Jh. aus gleichbed. it. *comparsa* entlehnt, das als Ableitung von it. *comparire* »erscheinen« eigentlich »Erscheinen« bedeutet, dann übertragen den Kreis der in einem Theaterstück Mitwirkenden bezeichnet, die eben nur in »Erscheinung« treten (als stumme Nebenpersonen). It. *comparire* geht auf lat. *com-parere* »erscheinen« zurück, eine Bildung zu lat. *parere* »erscheinen, sich zeigen; Folge leisten, gehorchen« (vgl. *kon...*, *Kon...* und [3]*parieren*).

K

Kompass »Gerät zur Bestimmung der Himmelsrichtung mithilfe einer Magnetnadel«: Das Fremdwort wurde im 15. Jh. aus it. *compasso* »Zirkel; Magnetnadel, Bussole« entlehnt. Dies gehört zu it. *compassare* »ringsum abschreiten, messen« (vgl. *Pass*).

Kompendium: Die Bezeichnung für »kurz gefasstes Lehrbuch, Abriss« wurde im 16. Jh. aus lat. *compendium* »die Ersparnis, die Abkürzung« (mlat. = Vereinfachung; schnelle Möglichkeit) entlehnt. Dies gehört zu lat. *com-pendere* »zusammen abwiegen« (vgl. *kon...*, *Kon...* und *Pensum*).

kompensieren »ausgleichen, aufwiegen; aufrechnen«: Das Verb wurde im 16. Jh. als juristischer Terminus aus lat. *com-pensare* »(zwei oder mehr Dinge) miteinander auswiegen, abwägen« entlehnt. – Dazu stellt sich das Substantiv **Kompensation** »Ausgleich[ung], Entschädigung; Aufrechnung«, das im 17. Jh. aus lat. *compensatio* »Ausgleichung« übernommen wurde. Über die etymologischen Zusammenhänge vgl. den Artikel *Pensum*.

kompetent »zuständig, maßgebend, befugt«: Das seit dem 18. Jh. allgemein gebräuchliche, aus der Juristensprache stammende Adjektiv geht auf gleichbed. lat. *competens* zurück, das adjektivisch gebrauchte Part. Präs. von lat. *com-petere* »zusammenlangen, -treffen; stimmen, zutreffen, entsprechen; zukommen«. Über das Grundverb lat. *petere* »zu erreichen suchen, streben nach« usw. vgl. den Artikel *Appetit*.

komplementär »ergänzend«, vorwiegend in Zusammensetzungen wie ›Komplementärfarbe‹ »Ergänzungsfarbe« (d. h.: Farbe, die eine andere zu Weiß ergänzt): Das Adjektiv wurde im 19. Jh. aus gleichbed. frz. *complémentaire* entlehnt, das von frz. *complément* (< lat. *complementum*) »Vervollständigung[smittel], Ergänzung« abgeleitet ist. Über die etymologischen Zusammenhänge vgl. den Artikel *Plenum*.

komplett »vollständig, abgeschlossen«: Das Adjektiv wurde im 17. Jh. aus gleichbed. frz. *complet* entlehnt, das auf lat. *completus*, das Partizipialadjektiv von lat. *com-plere* »voll machen, aus-, anfüllen«, zurückgeht. Über die etymologischen Zusammenhänge vgl. den Artikel *Plenum*.

komplex »zusammenhängend, umfassend«: Das Adjektiv wurde im 19. Jh. aus gleichbed. lat. *complexus*, dem Partizipialadjektiv von lat. *complecti* »umschlingen, umfassen, zusammenfassen«, entlehnt. Dies gehört zu lat. *plectere* »flechten, ineinander fügen« (vgl. den Artikel *kompliziert*). Aus dem Substantiv lat. *complexus* »das Umfassen; die Verknüpfung« ist unser Fremdwort **Komplex** »Zusammenfassung, Verknüpfung, Gesamtheit; Gebiet, Bereich; Gruppe, [Gebäude]block« (19. Jh.) entlehnt, das auch als psychologischer Terminus zur Bezeichnung einer gefühlsgebundenen und affektbetonten Verknüpfung verschiedener in sich zusammenhängender Vorstellungs- oder Erlebnisinhalte gilt.

Komplice ↑Komplize.

Komplikation ↑kompliziert.

Kompliment »Höflichkeitsbezeigung; Hochachtung; Artigkeit, Schmeichelei«: Das seit der Zeit um 1600 gebräuchliche Fremdwort ist aus gleichbed. frz. *compliment* entlehnt. Das frz. Wort seinerseits stammt aus älter span. *complimiento* (heute: *cumplimiento*), das als Ableitung von älter span. *complir* (heute: *cumplir*) »anfüllen, auffüllen; erfüllen« eigentlich »Anfüllung; Fülle«, dann auch »Überfluss; Überschwang, Übertreibung« bedeutet. Das Wort bezeichnet demnach etwa die von der feinen Gesittung und Lebensart her gebotene Hochachtung dem anderen gegenüber, die gerade beim Temperament des Südländers zu einer überschwänglichen Geste von übertriebener Höflichkeit und Schmeichelei wird. So wird das Wort schließlich auch zur Bezeichnung einer nichts sagenden Floskel mit zuweilen sogar negativem Nebensinn. Das zeigt sich besonders in dem zusammengesetzten Verb **hinauskomplimentieren** »jemanden mit höflichen, schönen Worten und Gesten hinauswerfen« (20. Jh.). Das einfache Verb **komplimentieren** »bewillkommnen« (17. Jh.), das heute veraltet ist, stammt aus gleichbed. frz. *complimenter*. – Über die etymologischen Zusammenhänge von span. *cumplir,* das auf lat. *com-plere* »anfüllen« zurückgeht, vgl. den Artikel *Plenum.*

Komplize, auch: **Komplice:** Der abwertende Ausdruck für »Mittäter, Teilnehmer an einer Straftat« wurde um 1600 aus gleichbed. frz. *complice* entlehnt, das auf spätlat. *complex (complicis)* »mit jemandem oder etwas eng verbunden; Verbündeter, Teilnehmer« zurückgeht. Dies ist eine Bildung aus lat. *com...* »zusammen mit« (vgl. *kon..., Kon...*) und lat. *plectere* »flechten, ineinander fügen« (vgl. den Artikel *kompliziert*).

kompliziert »verwickelt, schwierig; umständlich«: Das seit dem Ende des 18. Jh.s bezeugte Adjektiv, das nach gleichbed. frz. *compliqué* oder lat. *complicitus* gebildet ist, gehört formal zu dem Verb **komplizieren** »verwickeln, erschweren«. Da das Verb jedoch später als das Adjektiv ›kompliziert‹ belegt ist (19. Jh.), ist es wohl als Rückbildung aus dem Adjektiv anzusehen. – Dazu stellt sich das Substantiv **Komplikation** »Verwicklung, Erschwerung, Verschlimmerung« (19. Jh.; aus spätlat. *complicatio* »das Zusammenwickeln, Verwickeln«). Quelle ist lat. *complicare* »zusammenfalten, verwickeln, verwirren«, eine Bildung zu lat. *plicare* »falten, wickeln« (vgl. *kon..., Kon...*). Lat. *plicare* ist eine Intensivbildung zu lat. *plectere (plexum)* »flechten; ineinander fügen« und gehört mit diesem zur idg. Wortfamilie von dt. ↑flechten. An verwandten Wörtern im Lat. sind noch zu nennen lat. *ap-plicare* »anfügen, anwenden« (↑applizieren), lat. *com-plecti* »umschlingen, umfassen; zusammenfassen« mit lat. *complexus* »umschlingend, umfassend« (↑komplex, Komplex), ferner z. B. lat. *per-plexus* »verflochten, verschlungen, wirr durcheinander, verworren« (↑perplex) und spätlat. *complex (complicis)* »mit jmdm. oder etwas eng verbunden; Verbündeter, Teilnehmer« (↑Komplize). Über den in Letzterem vorkommenden zweiten Wortbestandteil *-plex* vgl. den Artikel *Duplikat.* – Siehe auch den Artikel *Plissee.*

Komplott: »Verschwörung, [Mord]anschlag«: Das Fremdwort wurde um 1700 aus gleichbed. frz. *complot* entlehnt, das ursprünglich »Gedränge, Menschenmenge« bedeutet, aber etymologisch nicht sicher gedeutet ist.

Komponente »Bestandteil eines Ganzen; Teilkraft, Seitenkraft«: Das seit dem Anfang des 20. Jh.s gebräuchliche Fremdwort ist eine Substantivierung von lat. *componens,* dem Part. Präs. von lat. *componere* »zusammenstellen, zusammenfügen« (vgl. *komponieren*).

komponieren »zusammenstellen, verfassen; aufbauen, gliedern« (vor allem im Bereich der Musik und der bildenden Kunst): Das in allgemeiner Bedeutung schon um 1500 bezeugte Verb (die speziellen Bedeutungen entwickelten sich später) geht auf lat. *com-ponere* »zusammenstellen« zurück, eine Bildung zu lat. *ponere* »hinsetzen, -stellen usw.« (vgl. *kon..., Kon...* und den Artikel *Position*). Hierher gehören ferner die Fremdwörter ↑Kompositum, ↑Komponente, ↑Kompost und ↑Kompott.

Kompositum: Der grammatische Terminus für »zusammengesetztes Wort« ist entlehnt aus lat. *compositum,* dem substantivierten Part. Perf. Pass. von lat. *com-ponere* »zusammensetzen, -stellen« (vgl. *komponieren*).

Kompost »Dünger (besonders aus pflanzlichen oder tierischen Wirtschaftsabfällen)«: Das Wort wurde Anfang des 19. Jh.s aus gleichbed. frz. *compost* entlehnt, das auf mlat. *compostum* »(aus verschiedenen Abfällen gemischter) Misthaufen, Dünger« zurückgeht. Dies gehört zu lat. *compositum* »Zusammengesetztes, Gemischtes«, dem substantivierten Neutrum des Part. Perf. von lat. *com-ponere* »zusammenstellen, -setzen« (vgl. *komponieren*).

Kompott: Die Bezeichnung für »[mit Zucker] gekochtes Obst, das als Nachtisch serviert wird« wurde Anfang des 18. Jh.s aus frz. *compote* »Eingemachtes« entlehnt. Dies geht auf vlat. **composita* »Zusammengesetztes, Gemischtes«, den als Femininum Singular aufgefassten substantivierten Neutrum Plural des Part. Perf. von lat. *componere* »zusammenstellen, -setzen« (vgl. *komponieren*), zurück. – Vlat. **composita* steht neben gleichbed. lat. *compositum* (beachte auch mlat. *compostum* »Misthaufen, Dünger« in ↑Kompost), das schon spätahd., mhd. *kumpost* »Eingemachtes« (insbesondere »eingemachtes Sauerkraut«) lieferte. Dies lebt u. a. in nordostdt. *Kumst* »Weißkohl, Sauerkohl« fort.

Kompresse, Kompression, Kompressor ↑komprimieren.

komprimieren »zusammenpressen, verdichten«: Das seit dem 18. Jh. vorwiegend als physikalisch-technisches Fachwort gebräuchliche Verb wurde in allgemeiner Bedeutung schon im 16. Jh. aus lat. *com-primere* »zusammendrücken« entlehnt, einer Bildung zu lat. *premere* »drücken, pressen usw.« (vgl. *kon..., Kon...* und den Artikel *Presse*). – Dazu gehören aus dem Bereich der Technik die Substantive **Kompression** »Zusammenpressung, Verdichtung von Gasen, Dämpfen usw.« (19. Jh.; aus lat. *compressio* »das Zusammendrücken«) und **Kompressor** »Verdichter« (20. Jh.; nlat. Bildung). Aus dem medizinischen Bereich gehört hierher das Fremdwort **Kompresse** »feuchter Umschlag«, das im 18. Jh. aus frz. *compresse* »Bäuschchen, Umschlag« übernommen wurde (zu afrz. *compresser* < lat. *compressare* »zusammenpressen«).

Kompromiss »Übereinkunft; Ausgleich«: Das Fremdwort wurde im 15. Jh. als Rechtsausdruck aus gleichbed. lat. *compromissum* entlehnt, dem substantivierten Neutrum des Part. Perf. von lat. *com-promittere* »sich gegenseitig versprechen (die Entscheidung eines Rechtsstreites einem selbst gewählten Schiedsrichter zu überlassen)«. Lat. *com-promittere*, eine Bildung zu lat. *pro-mittere* »[her]vorgehen lassen; in Aussicht stellen, versprechen« (zum Grundverb lat. *mittere* »loslassen, aufgeben, werfen, schicken« vgl. den Artikel *Mission*, zum 1. Bestandteil vgl. *kon..., Kon...*), wurde im Frz. zu *compromettre* und entwickelte dort die Bedeutung »jemanden in eine kritische Lage bringen, jemanden bloßstellen (indem man ihn dem Urteil eines Dritten aussetzt)«. Daraus wurde im 17. Jh. unser Verb **kompromittieren** »bloßstellen« entlehnt.

kon..., Kon..., vor b, m und p angeglichen zu kom..., Kom..., vor l zu kol..., Kol..., vor r zu kor..., Kor..., vor Vokalen und h erscheint ko..., Ko...: Die aus dem Lat. stammende Vorsilbe mit der Bedeutung »zusammen, mit« ist entlehnt aus lat. *con...* (ursprünglich) *com...*, das selbst zurückgeht auf ein idg. Adverb **kom* »neben, bei, mit«, zu dem vielleicht auch aus dem germ. Bereich die lat. *com...* entsprechende dt. Vorsilbe ↑ge..., Ge... gehört. Verwandt damit ist im Griech. wohl die Präposition griech. *katá* »entlang, über – hin; von – herab, abwärts; gegen« (↑kata..., Kata...), für die eine Wurzelform idg. **km̥-ta* anzusetzen wäre. – Aus dem Lat. ist in diesem Zusammenhang noch die Präposition lat. *contra* »gegenüber, gegen« zu nennen, die von *com...* mit Komparativsuffix *-tero* weitergebildet ist: italisch **com-tro* bezeichnet eigentlich das Beisammensein von zweien, dann das Gegenüber, Gegeneinander (s. den Artikel *kontra..., Kontra...*). Vgl. auch den Artikel [1]*ko..., Ko...*

kondensieren »verdichten; verflüssigen; eindicken«: Das Verb ist eine gelehrte Entlehnung des 18. Jh.s aus lat. *con-densare* »verdichten«, einer Bildung zum lat. Adjektiv *densus* »dicht, dicht gedrängt«, das mit gleichbed. griech. *dasýs* urverwandt ist (vgl. *kon..., Kon...*). – Dazu: **Kondensmilch** »kondensierte Milch«; **Kondensation** »Verdichtung; Verflüssigung von Gasen und Dämpfen« (19. Jh.; aus lat. *condensatio* »Verdichtung«) und **Kondensator,** eine junge nlat. Bildung mit der eigentlichen Bedeutung »Verdichter«. In der Technik bezeichnet das Wort ein Gerät zur Aufspeicherung von Elektrizität bzw. eine Anlage zur Kondensation von Dämpfen.

Kondition: Das schon im 16. Jh., zuerst als kaufmännischer Terminus im Sinne von »Bedingung, Zahlungsbedingungen« bezeugte Wort wird heute allgemeinsprachlich zur Bezeichnung der körperlich-seelischen Verfassung eines Menschen (besonders eines Sportlers) verwendet. Es ist aus mlat., vlat. *conditio* (für klass.-lat. *condicio*) »Übereinkunft, Stellung, Beschaffenheit, Zustand, Bedingung« entlehnt. Das zugrunde liegende Verb lat. *con-dicere* »verabreden, übereinkommen« ist eine Bildung zu lat. *dicere* »sprechen, verkünden; festsetzen, bestimmen« (vgl. *kon..., Kon...* und den Artikel *diktieren*).

Konditor: Die Bezeichnung für »Feinbäcker« wurde im 17. Jh. aus lat. *conditor* »Hersteller würziger Speisen« entlehnt. Seit dem 18. Jh. erscheint daneben durch Anlehnung an ›kandieren‹ (s. unter *Kandis*) eine noch jetzt mdal. gebräuchliche Nebenform **Kanditor**. Lat. *conditor* ist eine Bildung zu dem lat. Verb *condire* »einmachen, einlegen, würzen«.

kondolieren »sein Beileid bezeigen«: Das Verb wurde im 17. Jh. aus lat. *con-dolere* »mitleiden, Mitgefühl haben« entlehnt, einer Bildung zu lat. *dolere* »Schmerz empfinden, leiden« (vgl. *kon..., Kon...*).

Kondom: Der besonders fachsprachlich übliche Ausdruck für »Präservativ« ist aus gleichbed. engl. *condom* entlehnt, dessen Herkunft unklar ist.

Kondor: Der Name des südamerikanischen Geiervogels wurde aus span. *condor* entlehnt, das seinerseits aus Quechua (südamerik. Indianersprache) *cuntur* übernommen ist.

Konfekt »Zucker-, Backwerk«: Das schon im 16. Jh. in dieser Bedeutung allgemein gebräuchliche Wort stammt aus der Apothekersprache. Dort war es bereits im 15. Jh. bekannt und bezeichnete speziell alle Arten eingezuckerter oder eingekochter Früchte, wie man sie zu Heilzwecken verwendete. Es geht wie it. *confetto* (↑Konfetti) auf mlat. *confectum* »Zubereitetes« zurück, das substantivisch gebrauchte Part. Perf. von lat. *con-ficere (confectum)* »fertig machen, zubereiten usw.« (vgl. *kon..., Kon...* und den Artikel *Fazit*).

Konfektion »Anfertigung (von Kleidungsstücken); Fertigkleidung«: Das Fremdwort wurde im 19. Jh. aus gleichbed. frz. *confection* entlehnt, das auf lat. *confectio* »Anfertigung« zurückgeht. Über das zugrunde liegende Verb lat. *con-ficere* »fertig machen, zustande bringen, zubereiten« vgl. *kon..., Kon...* und den Artikel *Fazit*.

konferieren »eine Konferenz abhalten; sich beratschlagen; als Conférencier sprechen, ansagen«: Das Verb wurde im 16. Jh. – wohl vermittelt durch frz. *conférer* – aus lat. *con-ferre* »zusammentragen; Meinungen austauschen, sich besprechen« entlehnt (vgl. *kon..., Kon...* und den Artikel *offerieren*). – Dazu: **Konferenz** »Besprechung, Sitzung, Tagung« (16. Jh.; aus mlat. *conferentia*).

Konfession: Das Fremdwort für »Glaubensbekenntnis; [christliche] Bekenntnisgemeinschaft« wurde im 16. Jh. aus lat. *confessio* »Eingeständnis, Bekenntnis« entlehnt. Dies gehört zu lat. *con-fiteri* »eingestehen, bekennen«, einer Bildung zu lat. *fateri* »bekennen« (vgl. *kon..., Kon...* und den Artikel *fatal*).

Konfetti »Papierschnitzel«, österr. auch »Zuckergebäck«: Das seit dem 18. Jh. bezeugte Fremdwort ist aus it. *confetti* entlehnt, dem Plural von it. *confetto* »Zurechtgemachtes, Zubereitetes, Zuckerzeug« (identisch mit dt. ↑Konfekt). Die Bedeutung »Papierschnitzel« geht auf einen alten karnevalistischen Volksbrauch zurück, der noch heute geübt wird. Beim Karneval nämlich pflegten die Narren Zuckerzeug unter das Volk zu werfen, das man dann auch durch entsprechend geformte Gipsklümpchen und schließlich durch »Papierschnitzel« ersetzte.

Konfirmand, Konfirmation, konfirmieren ↑firmen.

Konfiskation, konfiszieren ↑Fiskus.

Konfitüre: Die Bezeichnung für »Einfruchtmarmelade (mit ganzen Früchten)« wurde im 17. Jh. aus frz. *confiture* »Eingemachtes« entlehnt, das auf lat. *confectura* »Verfertigung, Zubereitung« zurückgeht. Über das zugrunde liegende Verb lat. *con-ficere* »fertig machen, zubereiten« vgl. den Artikel *Konfekt.*

Konflikt »Zusammenstoß; [Wider]streit, Zwiespalt«: Das Fremdwort wurde im 18. Jh. aus lat. *conflictus* »Zusammenstoß, Kampf« entlehnt. Dies gehört zu lat. *con-fligere (conflictum)* »zusammenschlagen; zusammenprallen«, einer Bildung aus lat. *con...* (vgl. *kon..., Kon...*) und lat. *fligere* »schlagen«.

Konföderation ↑Föderation.

konform »einig, übereinstimmend (in den Ansichten)«, besonders in der Wendung ›konform gehen‹ »einig gehen, übereinstimmen«: Das Adjektiv wurde im 16. Jh. aus spätlat. *conformis* »gleichförmig, ähnlich« entlehnt (über das Stammwort lat. *forma* »Form, Gestalt usw.« vgl. den Artikel *Form*). – Dazu stellen sich die Bildungen **Konformist** »Anhänger einer stets um Anpassung bemühten Geisteshaltung« (18./19. Jh.; aus engl. *conformists,* das speziell die Anhänger der engl. Staatskirche bezeichnete), **Konformismus** »Geisteshaltung, die stets um Anpassung (an bestehende soziale, politische, kirchliche u. a. Verhältnisse) bemüht ist« (20. Jh.; aus engl. *conformism*) und **konformistisch** »den Konformismus betreffend« (20. Jh.).

konfrontieren »gegenüberstellen«: Das Verb wurde im 17. Jh. als Wort der Gerichtssprache aus mlat. *confrontare* »(einen Angeklagten oder Zeugen dem Gericht zur Vernehmung) gegenüberstellen« entlehnt. Dies bedeutet wörtlich etwa »mit der Stirn zusammen einander gegenüberstellen«. Es gehört zu lat. *frons (frontis)* »Stirn; Stirnseite« (vgl. *kon..., Kon...* und den Artikel *Front*). – Dazu das Substantiv **Konfrontation** »Gegenüberstellung« (17. Jh.; aus gleichbed. mlat. *confrontatio*).

konfus »verwirrt, verworren, wirr«: Das Adjektiv wurde im 16. Jh. aus gleichbed. lat. *confusus* (eigentlich »ineinander gegossen«) entlehnt, dem Partizipialadjektiv von lat. *con-fundere* »zusammengießen, -schütten, vermengen; verwirren« (vgl. *kon..., Kon...* und den Artikel *Fusion*).

kongenial ↑Genie.

Konglomerat »bunt Zusammengewürfeltes, Gemisch«: Das Fremdwort wurde im 18./19. Jh. – zuerst als geologischer Terminus zur Bezeichnung eines Steingemenges aus Geschiebestücken (in diesem Sinne noch heute fachsprachlich gebräuchlich) – aus frz. *conglomérat* entlehnt, einer gelehrten Ableitung von frz. *conglomérer* (< lat. *conglomerare*) »zusammenrollen, zusammenhäufen«. Das zugrunde liegende Substantiv lat. *glomus* »Kloß, Knäuel« gehört mit lat. *globus* »Kugel, Ball, Klumpen« (↑Globus) zu der unter ↑Kolben dargestellten idg. Wortfamilie.

Kongress »Fachversammlung, (wissenschaftliche, politische usw.) Tagung«: Das Fremdwort wurde im 17. Jh. aus lat. *congressus* »Zusammentreffen, Zusammenkunft; Gesellschaft« entlehnt. Dies gehört zu lat. *congredi (congressum)* »zusammentreffen, -kommen«, einer Bildung zu lat. *gradi* »schreiten, gehen« (vgl. *kon..., Kon...* und den Artikel *Grad*).

kongruent »deckungsgleich (Math.); übereinstimmend«: Das Adjektiv ist eine Entlehnung aus lat. *congruens* »übereinstimmend«, dem Part. Präs. von *con-gruere* »zusammentreffen; übereinstimmen« (vgl. *kon..., Kon...*), dessen Grundwort nicht sicher gedeutet ist. – Dazu stellt sich das Substantiv **Kongruenz** »Deckungsgleichheit (Math.); Übereinstimmung«.

König: Das altgerm. Wort bedeutet eigentlich »aus vornehmem Geschlecht stammender Mann«. Die Benennung bezieht sich demnach darauf, dass der König durch seine Abkunft, durch sein Geblüt ausgezeichnet ist. Mhd. *künic,* ahd. *kuning,* niederl. *koning,* engl. *king,* schwed. *konung, kung* gehen zurück auf germ. **kuninga-,* das mit dem die Herkunft und Zugehörigkeit ausdrückenden Suffix -ing/-ung gebildet ist, und zwar zu germ. **kunja-* »(vornehmes) Geschlecht«, (vgl. z. B. ahd. *kunni,* mhd. *künne* »Geschlecht«, verwandt mit lat. *genus* »Geschlecht«, vgl. *Kind*). – Die Form mit ö – gegenüber mhd. *künic* – beruht auf mitteld. Lautung. Der Nasal ist vor g geschwunden, wie z. B. in ›Honig‹ und ›Pfennig‹. – Abl.: **königlich** (mhd. *küniclich,* ahd. *kuni[n]glīh*); **Königtum** (Ende des 18. Jh.s; Ersatzwort für frz. *royauté;* die Bildung existierte schon früher, allerdings in der Bedeutung »Königreich«). Zus.: **Königskerze** (frühmhd. *kungeskerze;* die Pflanze ist entweder nach ihrer Ähnlichkeit mit einer brennenden Kerze benannt oder danach, dass sie früher in Pech getaucht und als Fackel verwendet wurde).

konjugieren »(ein Verb) abwandeln, beugen«: Der grammatische Terminus wurde im 16. Jh. aus lat. *con-iugare* »verbinden« entlehnt, das zu lat. *iugum* »Joch« gehört (vgl. *kon..., Kon...*). – Dazu das Substantiv **Konjugation** »Beugung des Verbs« (16. Jh.; aus lat. *coniugatio* »Verbindung; Beugung« in Übersetzung von griech. *syzygíā*).

Konjunktion »Bindewort«: Der grammatische Terminus wurde im 17. Jh. aus lat. *coniunctio* »Bindewort« (eigentlich »Verbindung«) entlehnt, das zu lat. *con-iungere* »verbinden« (vgl. *kon..., Kon...*) gehört.

Konjunktiv »Möglichkeitsform«: Der grammatische Terminus ist eine Entlehnung aus lat. *(modus) coniunctivus* »der (Satz)verbindung dienlicher Modus«. Dies gehört zu lat. *con-iungere* »verbinden«.

Konjunktur »wirtschaftliche Gesamtlage von bestimmter Entwicklungstendenz«: Das seit dem 17. Jh. im allgemeinen Sinne von »Lage der Dinge« bezeugte Fremdwort, das seit dem 18. Jh. vorwiegend als kaufmännischer bzw. wirtschaftlicher Ausdruck gebräuchlich ist, stammt aus dem Bereich der Astrologie. Es ist eine Bildung zu lat. *con-iungere* »verbinden«, die lat. *coniunctio* »Verbindung« entspricht. Wie dies bezeichnete das Wort in der Astrologie eine bestimmte Verbindung von Gestirnen, d. h. ihr Zusammentreffen in einem Tierkreiszeichen, ihre bestimmte Konstellation und die sich daraus ergebenden besonderen Einflüsse auf das menschliche Schicksal.

konkav »hohl, vertieft, nach innen gewölbt« (vor allem von Linsen): Das Adjektiv ist eine Entlehnung des 18. Jh.s aus lat. *concavus* »hohl, gewölbt, gekrümmt«. Dies gehört zu lat. *cavus* »hohl; nach innen gewölbt« (vgl. *kon..., Kon...*).

K

Konkordanz »alphabetisches Verzeichnis von Wörtern und Bücherstellen zum Vergleich ihres Vorkommens und ihres jeweiligen Sinngehaltes« (insbesondere für die Bibel): Das Fremdwort wurde im 16. Jh. aus mlat. *concordantia* »Übereinstimmung; Findeverzeichnis« entlehnt, das zu lat. *con-cordare* »übereinstimmen« gehört, beachte auch das aus mlat. *concordatum* übernommene **Konkordat** »Vertrag zwischen einem Staat und dem Vatikan«. Dies ist eine Ableitung von lat. *concors* »eines Herzens und eines Sinnes, einträchtig, übereinstimmend« (vgl. *kon..., Kon...* und über das Stammwort lat. *cor [cordis]* »Herz, Gemüt usw.« vgl. *Courage*).

konkret »anschaulich, greifbar, gegenständlich, wirklich« (im Gegensatz zu *abstrakt* [↑abstrahieren]): Das im 18. Jh. aus der Fachsprache der Philosophie übernommene Adjektiv geht auf lat. *concretus* »zusammengewachsen; verdichtet; gegenständlich« zurück, das Part. Perf. von lat. *concrescere* »zusammenwachsen, sich verdichten«. Vgl. *kon..., Kon...* und über das Stammverb lat. *crescere* »wachsen« vgl. *kreieren*.

konkurrieren »in Wettbewerb treten mit anderen, wetteifern«: Das aus lat. *con-currere* »zusammenlaufen, zusammentreffen, aufeinander stoßen« entlehnte Verb erscheint zuerst im 16. Jh. mit der allgemeinen Bedeutung »zusammentreffen«, während die heute übliche Bedeutung erst im 18. Jh. aufkommt. Lat. *con-currere* ist eine Bildung zu lat. *currere* »laufen, rennen« (vgl. *kon..., Kon...* und über die etymologischen Zusammenhänge des Stammworts vgl. den Artikel *Kurs*). – Abl.: **Konkurrent** »Mitbewerber, Rivale« (18. Jh.; aus dem Part. Präs. lat. *concurrens*); **Konkurrenz** »[wirtschaftlicher] Wettbewerb« (18. Jh.; aus mlat. *concurrentia*).

Konkurs: Das seit dem 17. Jh. bezeugte Fremdwort ist aus lat. *concursus [creditorum]* »Zusammenlauf [der Gläubiger] (zur gerichtlichen Teilung des unzureichenden Vermögens eines Schuldners)« entlehnt. Daraus ergab sich dann, vom Schuldner her gesehen, die Bedeutung »Zahlungseinstellung, Bankrott«. Lat. *concursus* gehört zu lat. *con-currere* »zusammenlaufen« (vgl. *kon..., Kon...* und über das Stammwort den Artikel *Kurs*).

können: Das gemeingerm. Verb (Präteritopräsens) bedeutete im Gegensatz zu heute früher »geistig vermögen, wissen, verstehen«. Diese alte Bedeutung spiegeln auch wider die Kausativbildung ↑kennen (eigentlich »wissen lassen, verstehen machen«), die Adjektivbildung ↑kühn (ursprünglich »wissend, erfahren, weise«), das Verbalabstraktum ↑Kunst (ursprünglich »Wissen, Verstehen«) und die Partizipialbildung ↑kund (eigentlich »gewusst, verstanden«). Mhd. *künnen, kunnen,* ahd. *kunnan,* got. *kunnan,* aengl. *cunnan* (engl. *can*); schwed. *kunna* gehen mit verwandten Wörtern in anderen idg. Sprachen auf die Wurzel **ĝen[ə]-* »erkennen, kennen, wissen« zurück, vgl. z. B. lat. *[g]noscere* »erkennen« (s. die Fremdwörtergruppe um *nobel*) und griech. *gi-gnō̆skein* »erkennen« (s. die Fremdwörtergruppe um *Diagnose*). Über die weiteren Zusammenhänge s. den Artikel *Kind*. – Abl.: **Könner** (17. Jh.).

Konsens »Zustimmung, Einwilligung«: Das Substantiv wurde in der Kanzleisprache im 15. Jh. aus lat. *consensus* »Übereinstimmung; Zustimmung« entlehnt. Dies gehört zu lat. *con-sentire* »zusammenstimmen, übereinstimmen, zustimmen« (vgl. *kon..., Kon...*).

konsequent »folgerichtig; bestimmt, beharrlich, zielbewusst«: Das Adjektiv wurde im 18. Jh. aus lat. *consequens* »folgerichtig« entlehnt, dem adjektivisch gebrauchten Part. Präs. von lat. *con-sequi* »mitfolgen, nachfolgen usw.«. – Dazu die Gegenbildung **inkonsequent** »nicht folgerichtig, unbeständig, wankelmütig« (18. Jh.; aus lat. *in-consequens;* vgl. *²in..., In...*), ferner das Substantivpaar **Konsequenz** »Folgerichtigkeit, Beharrlichkeit, Zielstrebigkeit« (16. Jh.; aus lat. *consequentia*) und **Inkonsequenz** »mangelnde Folgerichtigkeit, Unbeständigkeit, Widersprüchlichkeit; Wankelmütigkeit« (18. Jh.; aus lat. *inconsequentia*). – Das zugrunde liegende einfache Verb lat. *sequi* »folgen, nachfolgen« gehört u. a. zusammen mit lat. *secundus* (< **sequondos*) »(der Zeit oder der Reihe nach) folgend; Zweiter; begleitend, begünstigend« (s. die Fremdwortgruppe um *Sekunde*), lat. *socius* »gemeinsam; Genosse, Gefährte, Teilnehmer« (ursprünglich wohl: »mitgehend; Gefolgsmann«; s. die Fremdwortgruppe um *sozial*) und wohl auch lat. *secta* »befolgter Grundsatz, Richtlinie; Partei; philosophische

Lehre; Sekte« (↑Sekte) zu der unter ↑sehen (eigentlich »mit den Augen verfolgen«) dargestellten idg. Wortsippe. – Siehe auch den Artikel *Exekution.*

onservativ »erhaltend; am Alten, Hergebrachten festhaltend (besonders im staatlichen Leben)«: Das Adjektiv wurde im 19. Jh. aus gleichbed. engl. *conservative* entlehnt, das auf mlat. *conservativus* »erhaltend« zurückgeht. Über das zugrunde liegende Verb lat. *[con]servare* vgl. den Artikel *konservieren.*

onservator ↑konservieren.

onservatorium: Der seit dem 18. Jh. bezeugte Name der hochschulartigen Ausbildungsstätte für alle Sparten des musikalischen Berufes ist aus it. *conservatorio* relatinisiert. Dies ist von it. *conservare* »bewahren, erhalten« (< lat. *conservare;* vgl. *konservieren*) abgeleitet und bedeutet demnach eigentlich etwa »Stätte zur Pflege und Wahrung (musischer Tradition)«.

onservieren »erhalten; haltbar machen, einmachen«: Das Verb wurde im 16. Jh. aus lat. *con-servare* »bewahren, erhalten« entlehnt, einer Bildung zu gleichbed. lat. *servare* (vgl. *kon..., Kon...*). Andere Bildungen mit lat. *servare* sind lat. *observare* »Acht geben, hüten; beobachten« und lat. *reservare* »aufsparen, aufbewahren, vorbehalten«, die den Fremdwörtern ↑Observatorium und ↑reservieren (mit Reserve, Reservat, Reservist, Reservoir) zugrunde liegen. – Zu ›konservieren‹ gehören **Konserve** »haltbar gemachtes Nahrungs- oder Genussmittel; Dauerware« (als Apothekerwort schon im 16. Jh. aus mlat. *conserva* entlehnt), **Konservator** »für Erhaltung und Instandsetzung von Kunstdenkmälern verantwortlicher Beamter« (aus lat. *conservator* »Bewahrer, Erhalter«), ferner ↑konservativ und ↑Konservatorium.

onsistorium »Kirchenbehörde; Kardinalsversammlung unter Vorsitz des Papstes«: Das Fremdwort wurde im 16. Jh. aus lat. *consistorium* »Versammlungsort« entlehnt, einer Bildung zu lat. *consistere* »zusammentreten, sich aufhalten« (vgl. *kon..., Kon...* und über das Grundwort vgl. *assistieren*).

onsole »Kragstein; Wandgestell [für Gegenstände der Kleinkunst]«: Das Fremdwort wurde im 18. Jh. aus gleichbed. frz. *console* entlehnt, eine Kurzform von frz. *consolateur* »Gesimsträger, Karyatide, Pfeilerfigur«. Dies geht auf lat. *consolator* »Tröster« (zu lat. *consolari* »trösten«) zurück und bedeutet also eigentlich »Tröster, Stütze«.

onsolidieren »begründen, befestigen, sichern; [mehrere Staatsanleihen] zu einer Gesamtschuld vereinigen«: Das Verb wurde aus gleichbed. frz. *consolider* entlehnt, das auf lat. *con-solidare* »festmachen, sichern« zurückgeht. Dies gehört zu lat. *solidus* »fest, sicher« (vgl. *kon..., Kon...* und den Artikel *solid[e]*).

onsonant »Mitlaut«: Der grammatische Terminus wurde im 15. Jh. aus gleichbed. lat. *(littera) consonans* entlehnt. Dies gehört zu lat. *con-sonare* »zusammen-, mittönen«, einer Bildung zu lat. *sonare* »tönen« (vgl. *kon..., Kon...* und über das Grundwort vgl. *sonor*).

Konsorten: Das seit dem 16. Jh. bezeugte, aus lat. *con-sortes,* dem Plural von lat. *con-sors (consortis)* »gleichen Loses teilhaftig; Gefährte, Mitgenosse«, entlehnte Fremdwort wurde zuerst – ohne Wertung – im Sinne von »Schicksalsgenossen, Gefährten« gebraucht. Aber schon im 16. Jh. entwickelte das Wort – wohl in der Gerichtssprache – jenen verächtlichen Nebensinn, wie er heute ausschließlich in der Geltung des Wortes als Bezeichnung einer Clique von Mittätern und Mitangeklagten zum Ausdruck kommt, besonders in der Fügung ›... und Konsorten‹ (hinter Eigennamen). Über die etymologischen Zusammenhänge vgl. den Artikel *Sorte.* – Zu lat. *con-sors* gehört die Bildung lat. *consortium* »Teilhaberschaft, Mitgenossenschaft«, aus der im 17. Jh. unser Fremdwort **Konsortium** »Genossenschaft; [vorübergehende] Vereinigung von Unternehmen« entlehnt wurde.

konstant »ständig gleich bleibend«: Das Adjektiv wurde im 18. Jh. aus gleichbed. lat. *constans (-antis)* entlehnt, dem in adjektivische Verwendung übergegangenen Part. Präs. von lat. *con-stare* »feststehen« (vgl. *kon..., Kon...* und *stabil*). Siehe auch die Artikel *konstatieren,* [1]*kosten, Kosten* und *Kost.*

konstatieren »feststellen, bemerken«: Das Verb wurde im 18. Jh. aus gleichbed. frz. *constater* entlehnt, das seinerseits auf lat. *constat* »es steht fest« beruht, der 3. Person Sing. Präs. von lat. *constare* »feststehen« (vgl. *konstant*).

Konstellation: Das seit dem 16. Jh. bezeugte Fremdwort wurde als Terminus der Astrologie aus spätlat. *constellatio* »Stellung der Gestirne« (zu lat. *stella* »Stern«, urverwandt mit dt. ↑Stern) entlehnt und bezeichnete wie dies die Stellung der Gestirne zueinander und die sich daraus ergebenden Einflüsse auf das Schicksal des Menschen. Seit dem 18. Jh. wird das Wort vorwiegend im übertragenen Sinne von »Zusammentreffen von Umständen« gebraucht.

konsterniert »bestürzt, betroffen«: Das Adjektiv ist das 2. Partizip zu dem heute selten gebrauchten Verb **konsternieren** »verblüffen, verwirren«, das seit dem 17. Jh. bezeugt ist. Dies ist aus gleichbed. frz. *consterner* entlehnt, das auf lat. *consternare* »scheu, stutzig, bestürzt machen; verwirren« zurückgeht. Das lat. Verb gehört wohl als Intensivbildung zu lat. *consternere* »hin-, ausbreiten, niederstrecken« und stellt sich somit zu der unter ↑Straße aufgezeigten Wortfamilie.

Konstitution: Das Fremdwort erscheint zuerst im 16. Jh. als staatspolitischer Fachausdruck mit der Bedeutung »Staatsverfassung«. Es ist als solcher – wie entsprechend frz. *constitution* (s. unten ›konstitutionell‹) – aus gleichbed. lat. *constitutio* (eigentlich »die Hinstellung, die Einrichtung usw.«) entlehnt. Die heute allgemein übliche Bedeutung »körperliche oder seelische Verfassung«, in der das Wort seit dem 17. Jh. zunächst in der Zusammensetzung ›Leibeskonstitution‹ verwendet wird, ist ebenfalls schon im Lat. vorgegeben. Lat. *constitutio* gehört zu lat. *con-stituere* »feststehen machen, aufstellen, einrichten usw.«, einer Bildung zu lat. *statuere* »aufstellen« (vgl. *kon..., Kon...* und zum Stammwort den Artikel *Statut*). – Dazu stellt sich das Adjektiv **konstitutionell** »durch Staatsverfassung gebunden, eingeschränkt«, das Ende des 18. Jh.s aus gleichbed. frz. *constitutionnel* übernommen wurde.

konstruieren »(die Bauart eines Gebäudes, einer Maschine usw.) entwerfen; eine Figur zeichnerisch darstellen; etwas gestalten, errichten; Wörter oder Satzglieder zusammenordnen«: Das Verb wurde im 16. Jh., zuerst als grammatischer Terminus, aus lat. *con-struere* »zusammenschichten; erbauen, errichten; konstruieren«, einer Bildung zu lat. *struere* »schichten; aufbauen usw.«, entlehnt (vgl. *kon..., Kon...* und zum Stammwort den Artikel *Struktur*). – Dazu: **Konstruktion** »Bauart; (zeichnerische) Darstellung; Aufbau; Zusammenordnung usw.« (16. Jh.; aus lat. *constructio* »Zusammenschichtung usw.«); **konstruktiv** »[folgerichtig] aufbauend« (19. Jh.; nlat. Bildung); **Konstrukteur** »Erbauer, Gestalter, Erfinder« (20. Jh.; aus frz. *constructeur*); ferner ↑rekonstruieren; Rekonstruktion.

Konsul: Die Bezeichnung für den Vertreter eines Staates, der mit der Wahrnehmung bestimmter (besonders wirtschaftlicher) Interessen in einem anderen Staat beauftragt ist, entspricht formal dem Titel der höchsten Beamten in der altrömischen Republik, lat. *consul.* Die Bedeutung »Handlungsbevollmächtigter einer Nation«, wie sie schon im Mittelalter vorkommt (in dt. Quellen seit dem 15. Jh. bezeugt), scheint im Gebiet des Mittelmeeres aufgekommen zu sein. – Lat. *consul* (ältere Form *co[n]sol*) gehört wohl zum Verb *consulere* »um Rat fragen, sich beraten; überlegen, Fürsorge treffen« und bezeichnet demnach eigentlich den Beamten, der sich (in wichtigen Angelegenheiten) mit dem Senat (bzw. mit dem Volk) berät. Beachte in diesem Zusammenhang auch die Iterativbildung zu *consulere,* lat. *consultare* »um Rat fragen, sich beraten; reiflich überlegen«, die in ↑konsultieren, Konsultation erscheint.

konsultieren »[wissenschaftlichen] Rat einholen; (einen Arzt) zurate ziehen«: Das seit dem 18. Jh. bezeugte Verb steht für älteres *konsulieren.* Es geht auf lat. *consultare (consulere)* »um Rat fragen, sich beraten« zurück (vgl. *Konsul*). – Dazu stellt sich das Substantiv **Konsultation** »Befragung (eines Arztes); Beratung (eines Patienten)«, das im 16. Jh. aus lat. *consultatio* »Beratschlagung« entlehnt wurde.

konsumieren »verbrauchen, verzehren«: Das Verb wurde im 17. Jh. aus lat. *con-sumere* »aufnehmen, verwenden, verbrauchen, verzehren« entlehnt, einer Bildung zu lat. *sumere* »an sich nehmen, verbrauchen« (vgl. *kon..., Kon...* und über das Stammwort vgl. *Exempel*). – Dazu stellen sich **Konsument** »Verbraucher« (17. Jh.; aus lat. *con-sumens,* dem Part. Präs. von *con-sumere*) und **Konsum** »Verbrauch«, im 19. Jh. für älteres *Consumo,* das auf it. *consumo* »Verbrauch« zurückgeht. Heute wird ›Konsum‹ auch kurz für ›Konsumverein‹ und ›Konsumgenossenschaft‹ verwendet.

Kontakt »Berührung, Verbindung«: Das Fremdwort wurde im 17. Jh. aus gleichbed. lat. *contactus* entlehnt. Dies gehört zu lat. *con-tingere* »berühren«, einer Bildung zu gleichbed. lat. *tangere* (vgl. *kon..., Kon...* und zum Stammwort den Artikel *Tangente*).

konter..., Konter... ↑kontra..., Kontra...

Konterfei: Das seit dem 16. Jh. bezeugte, heute meist nur noch scherzhaft gebrauchte Wort für »Abbild, Bild, Porträt« ist aus frz. *contrefait* entlehnt. Dies bedeutet eigentlich »nachgemacht, nachgebildet« und ist das 2. Partizip von frz. *contrefaire* »nachmachen, nachbilden«, das auf gleichbed. spätlat. *contra-facere* zurückgeht (vgl. *kontra..., Kontra...* und den Artikel *Fazit*).

kontern »den angreifenden Gegner durch einen Gegenschlag abfangen; zurückschlagen«: Das Verb wurde im 20. Jh. – zunächst als Ausdruck des Boxsports – aus gleichbed. engl. *to counter* entlehnt und in der Lautung an lat. *contra* »gegen« (> dt. *kontra*) angeglichen. Dies ist die Quelle für das dem engl. Verb *to counter* zugrunde liegende Adverb *counter* »gegen, entgegen« (< frz. *contre* < lat. *contra*).

Kontinent »Festland; Erdteil«: Das Fremdwort wurde im 17. Jh. aus lat. *(terra) continens* »zusammenhängendes Land, Festland« entlehnt. Dies ist eigentlich das Part. Präs. von lat. *con-tinere* »zusammenhalten; zusammenhängen«, einer Bildung zu lat. *tenere* »halten« (vgl. *kon..., Kon...* und zum Stammwort den Artikel [1]*Tenor*). – Abl.: **kontinental** »festländisch«.

Kontingent »Anteil; [Pflicht]beitrag (insbesondere an Truppen, die ein Einzelstaat innerhalb einer Verteidigungsgemeinschaft zu stellen hat); begrenzte Höchstmenge (zur Verfügung stehender Waren)«: Das Fremdwort wurde im 17. Jh. aus gleichbed. frz. *contingent* entlehnt, das auf lat. *contingens,* das Part. Präs. von lat. *con-tingere* »berühren; treffen; zuteil werden, zustehen«, zurückgeht. Stammverb ist lat. *tangere* »berühren« (vgl. hierüber den Artikel *Tangente*).

kontinuierlich »stetig, fortdauernd, unaufhörlich«: Das Adjektiv ist von dem heute veralteten Verb *kontinuieren* »fortsetzen« abgeleitet, das über frz. *continuer* auf lat. *continuare* »zusammenhängend machen, ohne Unterbrechung fortsetzen« zurückgeht. Dies gehört zu lat. *continuus* »zusammenhängend« und weiter zu lat. *con-tinere* »zusammenhalten«, einer Bildung zu lat. *tenere* »halten« (vgl. *kon..., Kon...* und über das Stammwort vgl. [1]*Tenor*).

Konto »zahlenmäßige Gegenüberstellung von Geschäftsvorgängen in der Buchführung und im Bankwesen«: Das Wort ist seit dem 15. Jh. bezeugt. Seine ursprüngliche, heute veraltete Bedeutung ist »Rechnung«, wie sie noch in der Fügung **a conto** »auf Rechnung von ...« und in der Zusammensetzung **Akontozahlung** »Anzahlung, Abschlagszahlung« lebt. Wie die meisten Fremd- und Lehnwörter der Kaufmannssprache und des Bankwesens (s. hierüber den Artikel [2]*Bank*) stammt auch ›Konto‹ aus dem It. Das vorausliegende it. *conto* »Rechnung« geht wie entsprechend frz. *compte* (afrz. *conte*) auf spätlat. *computus* »Berechnung« zurück. Dies gehört zu lat. *computare* »zusammenrechnen, berechnen« (darauf beruhen auch frz. *compter* »[be]rechnen, zahlen«, beachte das davon abgeleitete Substantiv frz. *comptoir* »Zahltisch; Schreibstube«, das die Quelle ist für ↑Kontor, und engl. *to compute* »[be]rechnen«, zu dem *computer* »Rechner« [↑Computer] gebildet ist). Vgl. *kon..., Kon...* und über das Stammverb lat. *putare* »schneiden; reinigen, ordnen; berechnen; erwägen usw.« vgl. *amputieren.*

Kontor »Geschäftsraum eines Kaufmanns«: Das seit dem 15. Jh. im Niederd., zunächst in der Bedeutung »Rechen-, Zahltisch«, dann auch im Sinne von »Schreibstube«, bezeugte Fremdwort ist durch Vermittlung von mniederl. *contoor* und nordfrz. *contor* aus frz. *comptoir* »Zahltisch; Schreibstube« entlehnt (vgl. hierüber *Konto*).

kontra..., Kontra...: Quelle für die Vorsilbe mit der Bedeutung »gegen« (entsprechend gilt contre..., Contre... und eingedeutscht konter..., Konter... in Entlehnungen aus dem Frz.) ist lat. *contra* »gegen«, eine Weiterbildung von lat. *com...* »mit, zusammen« (vgl. hierüber den Artikel *kon..., Kon...*). Lat. *contra* erscheint auch selbstständig im Dt. als Adverb: **kontra** »gegen, entgegengesetzt«, ferner substantiviert als **Kontra** »Gegenansage (bei Kartenspielen); energischer Widerspruch«, beachte besonders die Wendung ›jemandem Kontra geben‹. – Vgl. noch die ebenfalls hierher gehörenden Fremdwörter *konträr* und *kontern.*

kontrahieren »zusammenziehen« (Grammatik), früher auch im Sinne von »sich zu einem Vertrag einigen«, daher studentisch für: »einen Zweikampf verabreden«: Das Verb wurde im 16. Jh. aus lat. *con-trahere* »zusammenziehen; eine geschäftliche Verbindung eingehen« entlehnt, einer Bildung zu lat. *trahere* »ziehen« (vgl. *kon..., Kon...* und zum Stammwort den Artikel *trachten*). – Dazu: **Kontrahent** »Vertragschließender, Vertragspartner; Gegner (beim Zweikampf); Rivale« (16. Jh.); **Kontrakt** »Vertrag, Abmachung« (in der Kanzleisprache des 15. Jh.s aus gleichbed. lat. *contractus* entlehnt).

Kontrapunkt: Das Wort bezeichnet musikalisch-fachsprachlich die Kunst des mehrstimmigen Tonsatzes. Es wurde Anfang des 16. Jh.s aus gleichbed. mlat. *contrapunctum* entlehnt, einer Bildung aus lat. *contra* »gegen« (vgl. *kontra..., Kontra...*) und lat. *punctus* »das Stechen, der Stich; der Punkt« (vgl. *Punkt*), das im Mlat. die Bedeutung »Note« entwickelte. Mlat. *contrapunctum* bezeichnete ursprünglich das Setzen einer Gegenstimme zur Melodie (*punctus contra punctum* »Note gegen Note«). – Siehe auch den Artikel *kunterbunt.*

konträr »entgegengesetzt, gegensätzlich«: Das Adjektiv wurde im 18. Jh. aus gleichbed. frz. *contraire* entlehnt. Dies geht – wie die bis zum 18. Jh. im Dt. gebräuchlichen Formen *contrar* und *contrari* – auf lat. *contrarius* »gegenüber befindlich, entgegengesetzt, zuwiderlaufend« zurück, das von lat. *contra* »gegen« (vgl. *kontra..., Kontra...*) abgeleitet ist.

Kontrast »[starker] Gegensatz; auffallender Unterschied (bes. von Farben)«: Das Fremdwort wurde im 18. Jh. – zunächst als Fachausdruck der Malerei – aus it. *contrasto* (daraus auch frz. *contraste*) entlehnt. Dies ist von it. (vlat.) *contrastare* »entgegenstehen« abgeleitet und gehört zu lat. *contra* »gegen« (vgl. *kontra..., Kontra...*) und lat. *stare* »stehen« (vgl. *stabil*).

Kontrolle »Aufsicht, Überwachung; Prüfung«: Das Fremdwort wurde im 18. Jh. aus gleichbed. frz. *contrôle* entlehnt. Dies ist aus *contre-rôle* (vgl. *kontra..., Kontra...*und *Rolle*) zusammengezogen und bedeutet eigentlich »Gegenrolle, Gegenregister«, d. h. »Zweitregister (wie man es zur Prüfung der Richtigkeit von Angaben in einem Originalregister verwendete)«. – Abl.: **kontrollieren** »[nach]prüfen, überwachen; unter Kontrolle haben, beherrschen« (um 1600; aus gleichbed. frz. *contrôler*); **Kontrolleur** »Aufsichtsbeamter, Prüfer« (17. Jh.; aus frz. *contrôleur*).

Kontroverse »[wissenschaftliche] Streitfrage; heftige Auseinandersetzung«: Das Fremdwort ist eine gelehrte Entlehnung des 17. Jh.s aus gleichbed. lat. *controversia* (eigentlich »die entgegengesetzte Richtung«), das von lat. *contro-versus* »entgegengewandt; entgegenstehend« abgeleitet ist (zu lat. *contra* »gegen« [vgl. *kontra..., Kontra...*] und lat. *vertere [verti, versum]* »wenden, drehen« [vgl. *Vers*]).

Kontur »Umriss[linie]«, meist Plural: Das Wort wurde im 18. Jh. als Fachausdruck der bildenden Kunst aus gleichbed. frz. *contour* entlehnt, das seinerseits aus it. *contorno* übernommen ist. Dies gehört zu it. *contornare* »umgeben, einfassen; Konturen ziehen« (aus vlat. **contornare*). Über weitere Zusammenhänge vgl. den Artikel *Turnus.*

Konvent »[regelmäßige] Versammlung (der stimmberechtigten Mitglieder eines Klosters, der evangelischen Geistlichen eines Kirchenkreises, der Mitglieder einer Studentenverbindung);

Kloster, Stift«: Das Fremdwort wurde in mhd. Zeit (mhd. *convent*) aus mlat. *conventus* »Klostergemeinschaft« entlehnt. Dies geht auf lat. *conventus* »Zusammenkunft, Versammlung« zurück, das zu lat. *con-venire* »zusammenkommen« (vgl. *kon...*, *Kon...* und *Advent*) gehört. – Hierher gehört noch das Fremdwort ↑Konvention.

Konvention: Das Fremdwort erscheint zuerst im 17. Jh. als staatsrechtlicher Terminus im Sinne von »Abkommen, Vertrag im öffentlichen und staatlichen Interesse«. Danach bezeichnet es heute speziell eine zwischenstaatliche Übereinkunft zur Wahrung bestimmter völkerrechtlicher Grundsätze. Aber auch im Privatrecht hat das Wort eine Rolle gespielt, wie noch die dazugehörige zusammengesetzte Bildung **Konventionalstrafe** »vereinbarte Geldbuße für den Fall der Nichterfüllung eines Vertrages« (18. Jh.) zeigt. Seit dem 18. Jh. wird ›Konvention‹ auch allgemein im Sinne von »Übereinkunft, Herkommen, Brauch« (dazu ›konventionell‹, s. u.) verwendet. Das Wort ist in allen seinen Bedeutungen aus frz. *convention* entlehnt, das auf lat. *conventio* »Zusammenkunft; Übereinkunft« zurückgeht. Dies gehört zu lat. *con-venire* »zusammenkommen« (vgl. *Konvent*). – Abl.: **konventionell** »herkömmlich« (18. Jh.; aus gleichbed. frz. *conventionnel*).

K

Konversation »Unterhaltung«: Das Fremdwort wurde im 16. Jh. aus frz. *conversation* »Unterhaltung; Verkehr, Umgang« entlehnt, das auf lat. *conversatio* »Umgang« zurückgeht. Dies gehört zu lat. *con-versari* »sich aufhalten, mit jemandem umgehen«, einer Bildung zu lat. *versari* »sich hinwenden, befinden« (vgl. *kon...*, *Kon...* und zum Stammwort den Artikel *Vers*).

Konvertit »zu einer anderen Glaubensgemeinschaft Übergetretener«: Das Fremdwort wurde Ende des 18. Jh.s aus gleichbed. älter engl. *convertite* entlehnt, das von engl. *to convert* »umwenden, umkehren; wechseln« abgeleitet ist. Dies geht über afrz. (= frz.) *convertir* auf lat. *con-vertere* »umwenden, umwandeln usw.« zurück, eine Bildung zu lat. *vertere* »kehren, wenden, drehen« (vgl. *kon...*, *Kon...* und zum Stammwort den Artikel *Vers*). Das Verb **konvertieren** »umwandeln, umkehren; den Glauben wechseln« erscheint erst im 19. Jh.

konvex »erhaben, nach außen gewölbt (vor allem von Linsen)«: Das Adjektiv ist eine Entlehnung des 17. Jh.s aus lat. *convexus* »nach oben oder unten gewölbt, gerundet, gekrümmt«.

Konvoi »Geleitzug (insbesondere von Schiffen)«: Das bereits um 1600 bezeugte, aus frz. *convoi* entlehnte Fremdwort galt lange Zeit nur im allgemeinen Sinne von »Geleit«. Später geriet das Wort unter den Einfluss des ebenfalls aus dem Frz. stammenden engl. *convoy* und wurde speziell zur Bezeichnung für die einer Handelsflotte zum Schutz beigegebenen Kriegsschiffe. Die engl. Aussprache wurde im 20. Jh. allgemein üblich. Die Bedeutung wurde auf den gesamten Geleitzug (Handels- und Geleitschiffe zusammen) ausgedehnt und wird in jüngster Zeit auch auf Kolonnen von [Transport]fahrzeugen auf Landwegen übertragen. – Frz. *convoi* »Geleit« ist von *convoyer* »begleiten, geleiten« abgeleitet, das auf vlat. **con-viare* zurückgeht. Stammwort ist lat. *via* »Weg«, das auch in ↑trivial erscheint.

konzentrieren: Das seit dem 17. Jh. bezeugte Verb ist aus frz. *concentrer* »in einem [Mittel]punkt vereinigen« entlehnt. Zuerst wurde es als Fachwort der Chemie im Sinne von »zusammendrängen, anreichern, gehaltreich machen (z. B. Flüssigkeiten)« verwendet, dann auch militärisch in der Bedeutung »militärische Kräfte an einem Ort zusammenziehen«, schließlich in der allgemeinen Bedeutung »zusammendrängen, sammeln«. Von besonderem Interesse ist der reflexive Gebrauch des Verbs im Sinne von »sich geistig sammeln, sich anspannen«. Beachte auch das Partizipialadjektiv **konzentriert** »angereichert (Chemie); angespannt, gesammelt«. Frz. *con-centrer* ist eine Bildung zu frz. *centre* »Mittelpunkt«, das unserem Fremdwort ↑Zentrum entspricht. – Abl.: **Konzentration** »Gehalt einer Lösung an gelöstem Stoff (Chemie); Zusammenballung, Zusammendrängung (von Kräften, Menschen usw.); geistige Sammlung, gespannte Aufmerksamkeit« (17./18. Jh.; aus frz. *concentration*), beachte auch die Zusammensetzung **Konzentrationslager** (Kurzform: KZ); **Konzentrat** »ein in einer Mischung aufgespeicherter Stoff; hochprozentige Lösung« (20. Jh.; nlat. Bildung). – Hierher gehört auch das Adjektiv **konzentrisch** »den gleichen Mittelpunkt habend (von Kreisen); umfassend«, das im 18. Jh. aus gleichbed. mlat. *concentricus* entlehnt wurde.

Konzept, Konzeption ↑konzipieren.

Konzern »wirtschaftlicher Zusammenschluss von Unternehmen, deren rechtliche Selbstständigkeit erhalten bleibt«: Das Fremdwort wurde im 19./20. Jh. aus engl. *concern* »Beziehung, Geschäftsbeziehung, Unternehmung« entlehnt, das von engl. *to concern* »betreffen, sich beziehen auf, angehen« abgeleitet ist. Dies geht über frz. *concerner* auf mlat. *concernere* »beachten, berücksichtigen; betreffen, sich beziehen auf«, eigentlich »Unterschiedliches zusammenmischen«, zurück (zu lat. *con...* [vgl. *kon...*, *Kon...*] und lat. *cernere* »unterscheiden«).

Konzert »öffentliche Musikaufführung; Komposition für Solo und Orchester«: Das Fremdwort wurde Anfang des 17. Jh.s aus gleichbed. it. *concerto* entlehnt, das eigentlich »Übereinstimmung, Vereinigung; Übereinkommen, Abmachung, Vertrag« bedeutet und zu it. *concertare* »in Übereinstimmung bringen, abstimmen; verabreden« gehört. Dies geht auf lat. *concertare* »wetteifern« zurück (über die etymologischen Zusammenhänge vgl. den Artikel *Dezernent*).

Das Verb **konzertieren** »ein Konzert geben« wurde im 17. Jh. aus gleichbed. it. *concertare* entlehnt. Es geriet dann unter den Einfluss von frz. *(se) concerter* und wurde früher auch im Sinne von »verabreden, übereinkommen« gebraucht, beachte das 2. Part. **konzertiert** »abgestimmt, verabredet« (›konzertierte Aktion‹ nach engl. *concerted action* oder frz. *action concertée*).

Konzession »Zugeständnis, Erlaubnis; behördliche Genehmigung (zur Ausübung eines Gewerbes)«: Das Fremdwort wurde im 16. Jh. aus lat. *concessio* »das Herantreten; das Zugeständnis« entlehnt, einer Bildung zu lat. *con-cedere* »beiseite treten; das Feld räumen; zugestehen usw.«. Dazu gehört auch das Adjektiv lat. *concessivus* »einräumend« (Bildung zum 2. Part. *concessum*), aus dem unser grammatischer Terminus **konzessiv** übernommen ist, beachte dazu die Zusammensetzung **Konzessivsatz** »Umstandssatz der Einräumung«.

Konzil »Versammlung der kirchlichen Würdenträger«: Das Fremdwort wurde in mhd. Zeit aus lat. *concilium* (< **con-caliom*) »Versammlung« entlehnt, einer Bildung zu lat. *con-calare* »zusammenrufen« (vgl. *kon..., Kon...* und über weitere Zusammenhänge vgl. den Artikel *klar*). – Von Interesse ist in diesem Zusammenhang noch ein von lat. *concilium* abgeleitetes Verb, lat. *conciliare* »vereinigen, verbinden; geneigt machen, gewinnen«, das Ausgangspunkt für ↑konziliant, Konzilianz ist.

konziliant »verbindlich, umgänglich, gewinnend, versöhnlich«: Das Adjektiv wurde in neuerer Zeit aus frz. *conciliant,* dem Part. Präs. von *concilier* »vereinigen, ausgleichen, geneigt machen, gewinnen«, entlehnt, das auf gleichbed. lat. *conciliare* (vgl. *Konzil*) zurückgeht. – Dazu das Substantiv **Konzilianz** »Umgänglichkeit, Verbindlichkeit, freundliches Entgegenkommen«.

konzipieren »eine Grundvorstellung von etwas entwickeln; verfassen, entwerfen«, (medizinisch) »schwanger werden«: Das Verb wurde in spätmhd. Zeit aus gleichbed. lat. *con-cipere* entlehnt, einer Bildung zu lat. *capere* »nehmen, fassen; begreifen« (vgl. *kon..., Kon...* und *kapieren*). Zu lat. *con-cipere* gehören die Bildungen lat. *conceptus* »das Zusammenfassen; Gedanke, Vorsatz«, aus dem unser Fremdwort **Konzept** »skizzenhafter, stichwortartiger Entwurf; Plan, Programm« entlehnt ist, und lat. *conceptio* »das Zusammenfassen; Inbegriff; Empfängnis«, aus dem unser Fremdwort **Konzeption** »geistiger, künstlerischer Entwurf, Leitgedanke; Empfängnis« übernommen ist.

Koog: Die Herkunft des niederd. Ausdrucks für »durch Eindeichung dem Meer abgewonnenes Land« ist dunkel. Das niederd. Wort steckt auch im Ortsnamen Cuxhaven, der auf ›Koogshaven‹ zurückgeht.

koordinieren »beiordnen; in ein Gefüge einbauen; aufeinander abstimmen«: Das Verb ist aus gleichbed. mlat. *co-ordinare* entlehnt (zu lat. *con...* »zusammen, mit« [vgl. *kon..., Kon...*] und lat. *ordinare* »ordnen« [vgl. *ordnen*]). – Dazu gehört als mathematischer Fachterminus das Substantiv **Koordinate** »zur Angabe der Lage eines Punktes in der Ebene oder im Raum dienende Zahl«.

Köper »Gewebe, bei dem die Fäden des Einschlags die Kettfäden schräg kreuzen und auf der Stoffoberfläche hervortreten«: Das aus dem Niederd. ins Hochd. gelangte Wort ist aus gleichbed. mniederl. *keper* entlehnt. Dies bedeutet eigentlich »Dachsparren«, das Gewebe ist also nach den diagonal verlaufenden Bindungslinien des Gewebes benannt. Mniederl. *keper* geht wohl auf ein lat. **capreus* »Strebebalken« (zu lat. *capra* »Ziege«; vgl. *Kapriole*) zurück.

Kopf: Das Wort ›Kopf‹ (mhd., ahd. *kopf*) war ursprünglich Gefäßbezeichnung für »Becher, Trinkschale«. Es beruht wohl (mit entsprechend engl. *cup* »Becher, Tasse«) auf einer Entlehnung aus spätlat.-gemeinroman. *cuppa* »Becher«. Zur Körperteilbezeichnung wurde das Wort aufgrund einer vermittelnden, zuerst im Mhd. fassbaren, bildlich übertragenen Bedeutung »Hirnschale« (der Bedeutungsübergang erinnert an das Verhältnis von lat. *testa* »Platte, [Ton]schale« zu dem daraus hervorgegangenen frz. Substantiv *tête* »Kopf«). Im Nhd. hat sich ›Kopf‹ als Körperteilbezeichnung gegenüber dem altererbten heimischen Wort ↑Haupt durchgesetzt, das heute nur noch in gehobener Sprache und im übertragenen Sinne gebräuchlich ist.

Kopie: Das seit dem 14. Jh. bezeugte, aus der Kanzleisprache stammende Fremdwort bedeutet »Abschrift, Doppel, Reproduktion eines Schriftstücks; Abzug; Doppel eines Films; genaue Nachbildung bes. eines Kunstwerks«. Es ist aus mlat. *copia* »(den Bestand an Exemplaren vermehrende) Abschrift« entlehnt. Dies geht zurück auf lat. *copia* »Fülle, Vorrat, Menge«, einer Bildung aus lat. *co[n]...* »zusammen, mit« (vgl. *kon..., Kon...*) und *ops, opis* »Macht, Vermögen, Reichtum usw.« (vgl. den Artikel *opulent*). – Abl.: **kopieren** »eine Kopie anfertigen, abschreiben, vervielfältigen; abziehen; nachbilden« (15. Jh., aus mlat. *copiare* »vervielfältigen«); **Kopierer** »Kopiergerät« (20. Jh.).

[1]**Koppel** »Leibriemen«: Lat. *copula* »Verknüpfendes, Band; Strick, Seil; Hundeleine; Zugleine« gelangte über afrz. *co[u]ple* »Band« (= frz. *couple* »Koppelriemen; zusammengekoppeltes Paar usw.«) im 13. Jh. ins Deutsche (mhd. *kuppel, koppel* »Band, Verbindung; Hundekoppel; Haufe, Schar; Revier, an dem mehrere gleiches [Weide]recht haben«). Auf dem mhd. Wort beruhen einerseits nhd. [1]Koppel (das) »Leibriemen«, andererseits [2]**Koppel** (die) »durch Riemen aneinander gebundene Tiere; Hundekoppel«, Letzteres auch mit der von Norddeutschland ausgehenden Bedeutung »Einfriedung eines Feldes; einge-

K

zäunte Weide«. Gleichfalls auf dem mhd. Wort beruhen die unter ↑kuppeln behandelten Wörter.

kor..., Kor... ↑kon..., Kon...

Koralle: Der Name des koloniebildenden Hohltieres warmer Meere, dessen meist rotes Kalkskelett den modischen Korallenschmuck liefert, wurde in mhd. Zeit aus afrz. *coral* (= frz. *corail*) entlehnt, das seinerseits auf spätlat. *corallum* (lat. *corallium*) zurückgeht. Dies stammt aus griech. *korállion*, dessen Herkunft unbekannt ist.

Korb: Die nhd. Form des Wortes geht über mhd. *korp* auf ahd. *chorp* zurück, das wahrscheinlich aus lat. *corbis* (Akkusativ *corbem*) »Korb« entlehnt ist. Das lat. Substantiv gehört wohl mit einer ursprünglichen Bedeutung »Geflochtenes« zu der unter ↑Harfe genannten idg. Wurzel.

Korb

jmdm. einen Korb geben
(ugs.) »eine Absage erteilen, abweisen«
Die Redensart verdankt ihre Entstehung vermutlich der Tatsache, dass in früheren Zeiten ein Liebhaber gelegentlich in einem Korb zum Fenster der Angebeteten emporgezogen wurde. War der Liebhaber ungebeten und unwillkommen, bekam er einen ›Korb‹ mit schadhaftem Boden, durch den er auf die Erde zurückfiel.

K

Kord: Die Bezeichnung für »geripptes [Baum]wollgewebe« ist eine junge Entlehnung des 20.Jh.s aus engl. *cord* »Schnur, Seil; Bindfaden, Zwirn; gerippter Stoff«, das auf gleichbed. frz. *corde* zurückgeht (vgl. hierüber den Artikel *Kordel*).

Korde ↑Kordel.

Kordel: Das westmitteldt. Wort für »gedrehte Schnur; Bindfaden« ist seit dem 15. Jh. bezeugt (als rhein. *kordel* und mnd. *kordeel*). Es beruht auf Entlehnung aus frz. *cordelle* »kurzes Seil«, das als Verkleinerungsform zu frz. *corde* »Seil; Schnur« gehört. Letzteres lieferte unser nur noch fachsprachlich übliches Substantiv **Korde** »schnurartiger Besatz« (mhd. *korde* »Seil, Schnur«). – Frz. *corde* geht auf lat. *chorda* »Darm; Darmsaite« zurück, das aus dem mit dt. ↑Garn urverwandten griech. *chordḗ* »Darm; Darmsaite« entlehnt ist. – Hierher gehört noch das Fremdwort ↑Kord.

Korinthe: Die kleinste, kernlose Art getrockneter Weinbeeren ist nach ihrem Hauptausfuhrhafen Korinth (in Griechenland) benannt. Schon um 1500 begegnen Formen wie kölnisch *carentken*, mniederl. *corente* (heute: *krent*), die wie die nhd. Form alle von frz. *raisin de Corinthe* »Weinbeere aus Korinth« ausgehen.

Kork: Das Wort bezeichnet zunächst die Rinde der Korkeiche, die alle 9 Jahre in Platten vom Stamm geschält und für verschiedene Zwecke verwendet wird. Im speziellen Sinn meint ›Kork‹ den aus der Rinde der Korkeiche hergestellten Flaschenstöpsel, den Korkstopfen – dafür gewöhnlich die Bezeichnung **Korken.** Das Wort wurde im 16. Jh. im niederd. Sprachraum aus niederl. *kurk* »Kork« übernommen, das seinerseits aus gleichbed. span. *corcho* entlehnt ist. Dies geht auf lat. *cortex (corticis)* »Baumrinde, Borke; Kork (als Stoffbezeichnung); Korkstöpsel« zurück. – Abl.: **korken** »mit einem Korken zupfropfen« (19. Jh.), heute meist nur in ›zukorken, verkorken, entkorken‹ gebräuchlich. Zus.: **Korkenzieher** (19./20. Jh.).

Kormoran: Der Name des pelikanartigen Schwimmvogels wurde um 1800 aus gleichbed. frz. *cormoran* entlehnt. Dies geht auf afrz. *cormare[n]g; corp mareng* (< spätlat. *corvus marinus*) zurück und bedeutet eigentlich »Meerrabe«.

¹Korn: Das gemeingerm. Substantiv mhd., ahd. *korn*, got. *kaúrn*, engl. *corn*, schwed. *korn* gehört zu der unter ↑Kern dargestellten Wortgruppe. Das Wort bezeichnete zunächst die samenartige Frucht von Pflanzen, speziell des Getreides, dann das Getreide selbst. Landschaftlich verschieden bezeichnet ›Korn‹ heute speziell die Getreidesorte, aus der das landesübliche Brot gebacken wird, daher hauptsächlich den Roggen. Beachte auch, dass schwed. *korn* speziell »Gerste«, engl.-amerik. *corn* speziell »Mais« bedeutet. – Dann ging das Wort auch auf kornförmige anorganische Gebilde über, beachte z. B. die Zusammensetzungen ›Hagelkorn, Sandkorn, Schrotkorn‹, und bezeichnete speziell die Bestandteile mineralischer Strukturen. An diese Verwendung schließt sich ›Korn‹ als Bezeichnung des Feingewichts einer Münze (bereits mhd.) und der Rasterungsart an, beachte die Zusammensetzungen ›Fein-, Grobkorn, fein-, grobkörnig‹. Nach der Ähnlichkeit mit der Form eines Korns heißt auch ein Teil der Visiereinrichtung ›Korn‹.

²Korn: Die seit dem 19. Jh. bezeugte Bezeichnung des aus Getreide hergestellten klaren Schnapses ist aus älterem ›Kornbranntwein‹ gekürzt. Beachte die Artikel *Kirsch* und *Kümmel.*

Korona: Lat. *corona* »Kranz«, das aus griech. *korṓnē* »Ring« stammt, bezeichnet in übertragener Bedeutung einen Kreis von Menschen, insbesondere von Zuhörern oder Zuschauern. In diesem Sinne wurde es in die Studentensprache übernommen und drang von dort aus in die Umgangssprache zur Bezeichnung einer »[fröhlichen] Runde, Schar«. In der Astronomie bezeichnet ›Korona‹ den Strahlenkranz der Sonne, in der Medizin ein kreisförmiges, kronenähnliches Gebilde, beachte **koronar** »zu den Herzkranzgefäßen gehörend«.

Körper: Das seit dem 13. Jh. bezeugte Substantiv (mhd. *korper, körper*) ist aus lat. *corpus, corporis* »Körper, Leib; Masse; Gesamtheit, Körperschaft« entlehnt. Das Lehnwort trat als Bezeichnung für den tierischen und menschlichen Körper an die Stelle des mit veränderter Bedeutung in ↑Leiche bewahrten einheimischen Wortes ahd. *līh[h]* »Körper, Leib usw.«, mhd. *līch.* Im modernen Sprachgebrauch wird das Wort vielfach übertragen verwendet, beachte z.B.: ›Körper‹ als »Stoffmasse«, ›Körper‹ als Bezeichnung für jedes Gebilde von räumlicher Ausdehnung und ›Körper‹ im Sinne von »Verband«. – Abl.: **körperlich** (Ende 16. Jh.); **Körperschaft** »mitgliedschaftlich organisierte Gemeinschaft; rechtsfähiger Verband« (Anfang 19. Jh.); **verkörpern** »Gestalt geben« (18. Jh.). – Zu lat. *corpus* als Stammwort gehören die folgenden Fremdwörter: ↑korpulent, Korpulenz, ↑Korps, Korporation, korporiert, ↑Korsett.

Korporal: Die seit dem Beginn des 17. Jh.s bezeugte, heute veraltete Bezeichnung des Unteroffiziers ist aus gleichbed. frz. *corporal* entlehnt. Dies ist nach frz. *corps* »Körper« aus *caporal* umgestaltet, das aus it. *caporale* »Hauptmann, Anführer« übernommen ist. It. *caporale* ist eine Bildung zu it. *capo* »Kopf; Spitze; Oberhaupt« (< lat. *caput* »Kopf«; vgl. *Kapital*). Unmittelbar aus dem It. stammt die Form *Kaporal*, die schon im 16. Jh. belegt ist, die aber im Wesentlichen auf oberd. Mundarten beschränkt blieb. – Sehr jung noch ist das aus frz. *caporal* im Soldatenjargon entwickelte Kurzwort **Kapo** für »Unteroffizier«, das auch einen Häftling eines Straflagers bezeichnet, der ein Arbeitskommando leitet.

Korporation, korporiert ↑Korps.

Korps: Das seit dem Beginn des 17. Jh.s bezeugte Fremdwort erscheint zuerst im militärischen Bereich in der Bedeutung »Abteilung, Schar« (hier bezeichnet es noch heute einen größeren Truppenverband), beachte Zusammensetzungen wie **Freikorps** (18. Jh.) und **Kadettenkorps** (18. Jh.). Die heute vor allem übliche Geltung von ›Korps‹ im akademischen Bereich, zur Bezeichnung bestimmter studentischer Verbindungen, kommt hingegen erst im 19. Jh. auf. Entlehnt ist das Wort aus frz. *corps* »Körper; Körperschaft; Heerhaufe, Abteilung«, das auf lat. *corpus* »Körper« (vgl. *Körper*) zurückgeht. – Hierher gehören aus der Studentensprache auch die Fremdwörter **Korporation** »Studentenverbindung« (daneben auch allgemein im Sinne von »Körperschaft, Innung«) und **korporiert** »einer studentischen Verbindung angehörend«. Ersteres erscheint im 18./19. Jh. durch Vermittlung von engl. *corporation* bzw. frz. *corporation* »Körperschaft« (< mlat. *corporatio*).

korpulent »beleibt«: Das Adjektiv wurde im 17. Jh. aus lat. *corpulentus* »wohlbeleibt, dick« entlehnt, das von lat. *corpus* »Körper, Leib« abgeleitet ist (vgl. das Lehnwort *Körper*). – Dazu das Substantiv **Korpulenz** »Beleibtheit« (18. Jh.; aus lat. *corpulentia*).

korrekt »richtig, ordentlich«: Das seit dem 16. Jh. bezeugte Adjektiv war ursprünglich, wie die dazugehörigen Substantive **Korrektor** »[Druck]berichtiger« (16. Jh.) und **Korrektur** »Berichtigung, Verbesserung« (16. Jh.), ein Fachwort der Druckersprache. Erst vom 18. Jh. an erlangte das Adjektiv gemeinsprachliche Geltung. Quelle für die Entlehnungen sind lat. *correctus* »zurechtgebracht, berichtigt«, lat. *corrector* »Berichtiger« und mlat. *correctura* »das Amt eines Korrektors; die Berichtigung« (vgl. den Artikel *korrigieren*).

korrespondieren »im Briefverkehr stehen«, gelegentlich auch noch im Sinne von »übereinstimmen« gebraucht: Das Verb wurde im 16./17. Jh. aus gleichbed. frz. *correspondre* entlehnt, das auf mlat. *cor-respondere* »übereinstimmen; in [geschäftlicher] Verbindung stehen, Briefe wechseln« (aus lat. *co[n]...* »zusammen, mit« [vgl. *kon..., Kon...*] und *respondere* »antworten; entsprechen«) zurückgeht. Aus dem Part. Präs. mlat. *correspondens* stammt unser Fremdwort **Korrespondent** »Briefeschreiber; Berichterstatter; Bearbeiter des kaufmännischen Schriftwechsels« (17. Jh.); dazu auch das Substantiv **Korrespondenz** »Briefwechsel; ausgewählter und bearbeiteter Stoff für Zeitungen« (17. Jh.).

Korridor »[Wohnungs]flur, Gang; schmaler Gebietsstreifen (der durch das Hoheitsgebiet eines fremden Staates zu einer Exklave führt)«: Das Fremdwort wurde im 18. Jh. als Fachwort des Bauwesens aus it. *corridore* »Läufer; Laufgang« entlehnt, das von it. *correre* (< lat. *currere*) »laufen« abgeleitet ist (vgl. den Artikel *Kurs*).

korrigieren »berichtigen, verbessern«: Das seit dem 14. Jh. bezeugte Verb geht auf lat. *cor-rigere (correctum)* »zurechtrichten, zurechtbringen, verbessern, berichtigen« zurück, eine Bildung aus lat. *co[n]...* »zusammen, mit« und *regere* »gerade richten; lenken; herrschen« (vgl. *kon..., Kon...* und *regieren*). Dazu stellen sich ↑korrekt, Korrektor, Korrektur. Vgl. auch den Artikel *Eskorte*.

korrumpieren ↑korrupt.

korrupt »verderbt, verdorben; bestechlich«: Das Adjektiv wurde im 15. Jh. aus gleichbed. lat. *corruptus*, dem adjektivisch gebrauchten Part. Perf. von lat. *cor-rumpere* »verderben, vernichten usw.«, entlehnt (vgl. *kon..., Kon...* und über das Stammwort lat. *rumpere* »brechen, zerbrechen usw.« vgl. *Rotte*). Aus lat. *corrumpere* stammt das Verb **korrumpieren** »bestechen, zu ungesetzlichen Handlungen verleiten«.

Korsar ↑Husar.

Korsett »Mieder, Schnürleibchen«: Das seit dem 18. Jh. bezeugte Fremdwort, das das heimische Wort ↑Mieder zurückgedrängt hat, ist aus gleichbed. frz. *corset* entlehnt. Dies ist eine Verkleinerungsbildung zu afrz. *cors* (= frz. *corps*) »Körper, Leib« (vgl. *Körper*); vgl. zur Bildung dt. *Leibchen* und ↑Leib.

Korso »Schaufahrt, Umzug« (beachte besonders die Zusammensetzung ›Blumenkorso‹): Das seit dem 18. Jh., zuerst in der Bedeutung »Straße, auf der Wettrennen und Schaufahrten stattfinden« bezeugte Fremdwort ist aus it. *corso* »[Um]lauf« entlehnt, das auf lat. *cursus* (vgl. *Kurs*) zurückgeht.

Das Neuhochdeutsche

NEU	HOCH	DEUTSCH
Veränderungen im Lautsystem	im Gebiet, das durch die 2. Lautverschiebung vom Niederdeutschen abgegrenzt ist	die Volks- und Schriftsprache im Deutschen Reich

Das Frühneuhochdeutsche

Zu Beginn der Neuzeit, also im ausgehenden 14. und 15. Jahrhundert, entwickelte sich aus dem Mittelhochdeutschen nun die Frühphase des Neuhochdeutschen. Dieser Vorgang dauerte natürlich einige Zeit. So, wie sich das Althochdeutsche erst allmählich zur mittelhochdeutschen Sprachstufe weiterbildete, setzte dieser Prozess etwa in der Mitte des 14. Jahrhunderts ein und fand etwa in der Mitte des 17. Jahrhunderts seinen Abschluss. Diese Übergangszeit zwischen dem Mittelhochdeutschen und dem Neuhochdeutschen bezeichnet man als das **Frühneuhochdeutsche.** Das im späten 14. und noch im 15. Jahrhundert gesprochene Deutsch wird auch **Spätmittelhochdeutsch** genannt.

Die wichtigsten Veränderungen im Frühneuhochdeutschen gegenüber dem Mittelhochdeutschen waren einmal die Umformung der langen mittelhochdeutschen Vokale *ī, ū, iu* zu *ei, au* und *eu* (mittelhochdeutsch *mīn niuwez hūs* wird zu neuhochdeutsch *mein neues Haus*), dann die Dehnung der Vokale in kurzen offenen Silben (mittelhochdeutsch *lọben* wird zu neuhochdeutsch *lọben, wẹge* wird zu *Wẹge*) und die Vereinfachung der mittelhochdeutschen Diphthonge *ie, uo, üe* zu neuhochdeutsch langem *i,* langem *u* und langem *ü* (mittelhochdeutsch *brief, muot, güete* werden zu *Brief, Mut, Güte*).
Die Beugung der Substantive wurde weiter vereinfacht, und bei den Verben wurden die Personalendungen noch mehr vereinheitlicht.

Alle diese Veränderungen setzten sich aber nicht gleichzeitig im gesamten deutschen Sprachraum durch. Auch waren bis zum 15. Jahrhundert die Unterschiede zwischen den einzelnen Mundarten immer größer geworden. Aber in den Amtsstuben der großen Fürstenhäuser und auch der großen Handelsstädte hatte sich gleichzeitig eine immer einheitlicher werdende Schreibweise herausgebildet. In Geschäftsbriefen und Urkunden wurden zunehmend Wörter vermieden, die zu sehr mundartlich waren und daher unter Umständen von anderen nicht verstanden wurden. Unter diesen »Schreibsprachen«, die sich so herausbildeten, bekam bald die des ostmitteldeutschen Raumes eine besondere Bedeutung. In dieser **Kanzleisprache** (so nannte man das Amtsdeutsch dieser Zeit) waren viele mundartliche Ausdrücke einander angeglichen und in eine einheitliche Form gebracht worden. Da in den ostmitteldeutschen Sprachraum zunehmend Siedler aus niederdeutschen, westdeutschen und besonders aus süddeutschen Gebieten eingewandert waren, hatte es sich als notwendig erwiesen, viele ihrer unterschiedlichen mundartlichen Ausdrücke in amtlichen Texten zu vereinheitlichen, damit keine Verständnisschwierigkeiten auftreten konnten.

Von großer Bedeutung für diese sprachliche Entwicklung waren auch die Gründungen zahlreicher vorindustrieller gewerblicher Großbetriebe (der so genannten Manufakturen), der Bergbau im Erzgebirge und im Harz sowie die wachsende Bedeutung von Leipzig als Messestadt, die diesem Sprachraum zu einer wirtschaftlichen Blüte verhalfen. Die kulturelle Entwicklung besonders der Städte Erfurt, Leipzig und Zwickau vom 13. bis zum 15. Jahrhundert spielte hierbei aber ebenfalls eine entscheidende Rolle.

Diese jetzt entstandene Schreib- oder Kanzleisprache war aber keineswegs die Sprache der einfachen Leute, sie war keine allgemeine Umgangssprache. Sie blieb die Sprache der Behörden. Zur wirklichen Volkssprache wurde sie erst, als Martin Luther sie für seine Bibelübersetzung benutzte.

Korste ↑Kruste.

Korvette: Die Bezeichnung für »leichtes Kriegsschiff« wurde im 18. Jh. aus frz. *corvette* »Rennschiff« entlehnt, dessen Herkunft nicht sicher geklärt ist.

koscher »rein, sauber, einwandfrei; ehrlich, unverdächtig«: Das seit dem 18. Jh. bezeugte Adjektiv ist hebr. Ursprungs (hebr. *kạšer* »recht, tauglich«) und wurde durch das Jidd., wo es speziell im Sinne von »nach jüdischen Speisegesetzen rein und ohne religiöse Bedenken genießbar« gilt, aber auch durch die Studentensprache allgemein bekannt.

kosen »zärtlich sein«: Lat. *causa* »Sache; Rechtssache; Ursache« gelangte im Bereich der Rechtssprache früh ins Dt. als ahd. *kōsa* »Rechtssache«. Davon abgeleitet ist das Verb ahd. *kōsōn* »verhandeln, erörtern, besprechen; erzählen; reden, plaudern« (beachte gleichbed. mhd. *kōsen*). Das einfache Verb kam im Nhd. außer Gebrauch. Es blieb jedoch lebendig in der Zusammensetzung **liebkosen** (mhd. *liepkōsen,* eigentlich »zuliebe sprechen«), aus der es im 18. Jh. zurückgewonnen wurde. Heute ist es in der Bedeutung »zärtlich sein, liebevoll streicheln« gebräuchlich.

K

kosmetisch »die Körper- und Schönheitspflege betreffend«: Das Adjektiv wurde im 18. Jh. aus gleichbed. frz. *cosmétique* entlehnt, das auf griech. *kosmētikós* »zum Schmücken gehörend« zurückgeht. Über das zugrunde liegende Verb griech. *kosmeīn* »anordnen, schmücken« vgl. den Artikel *Kosmos*. – Dazu stellt sich das Substantiv **Kosmetik** »Körper-, Schönheitspflege« (19. Jh.; nach griech. *kosmētikḗ [téchnē]* »Schmück-, Verzierkunst«).

Kosmonaut »[Welt]raumfahrer«: Das Fremdwort wurde im 20. Jh. aus gleichbed. russ. *kosmonavt* entlehnt, einer gelehrten Bildung zu griech. *kósmos* »Weltall« (vgl. *Kosmos*) und *naútēs* »Seefahrer«. Vgl. den Artikel *Astronaut.*

Kosmos »Weltall, Weltordnung«: Das Fremdwort wurde im 18. Jh. aus griech. *kósmos* entlehnt. Dies bedeutet eigentlich »Ordnung, Anstand, Schmuck« und bezeichnete dann im Griech. speziell die Weltordnung, das Weltall, die gesamte Menschheit. – Abl.: **kosmisch** »das Weltall betreffend, aus ihm stammend«.

Kost: Das im heutigen Sprachgefühl als zu ›²kosten‹ »schmecken; genießen« gehörig empfundene Wort geht auf mhd. *kost[e]* »Aufwand an oder für Nahrung, Speise, Futter« zurück, das mit mhd. *kost[e]* »Aufwand, Ausgaben, Wert, Preis« (vgl. *Kosten*) identisch ist.

kostbar ↑Kosten.

¹kosten »wert sein, einen bestimmten Preis haben«: Das seit dem 12./13. Jh. gebräuchliche Verb (mhd. *kosten* »aufwenden, ausgeben; zu stehen kommen, kosten«) geht über gleichbed. afrz. *coster* (= frz. *coûter*) auf vlat. **costare* zurück, das für klass.-lat. *con-stare* »feststehen; zu stehen kommen, kosten« steht (vgl. *konstant*). – Dazu gehören die Substantive ↑Kosten und ↑Kost.

²kosten »schmecken; genießen«: Das altgerm Verb mhd. *kosten,* ahd., asächs. *kostōn,* aengl. *costian,* aisl. *kosta* gehört zu der unter ↑kiesen »prüfen, wählen« dargestellten Wortgruppe. Eng verwandt sind z. B. lat. *gustare* »schmecken, genießen« und *gustus* »Geschmack, Genuss«.

Kosten: Zu dem unter ↑¹kosten »wert sein« genannten Verb vlat. **costare* »zu stehen kommen, kosten« gehört als Substantivbildung mlat. *costa* »Aufwand an Geldmitteln; Wert, Preis«, auf dem mhd. *kost[e]* »Wert, Preis; Geldmittel, Aufwand, Ausgaben« beruht. Dies lebt in seiner eigentlichen Bedeutung in nhd. ›Kosten‹ »Ausgaben, Aufwand an Geldmitteln«, in seiner speziellen Bedeutung »Aufwand für Nahrung und Speise; Lebensmittel, Futter« in nhd. ↑Kost »Nahrung, Speise« fort. – Ableitungen und Zusammensetzungen: **kostbar** »wertvoll« (mhd. *kost-bære,* eigtl. »hohe Kosten verursachend«); **kostspielig** »teuer« (18. Jh.; im Grundwort steckt mhd. *spildec* »verschwenderisch«, das unter Anlehnung an ›spielen‹ umgedeutet wurde); **köstlich** »wertvoll, prächtig, äußerst fein; von großem Genuss« (mhd. *kost[e]lich,* eigentlich »Kosten machend, viel kostend«); **Unkosten** »notwendige Ausgaben« (16. Jh.; eigentlich »unangenehme, vermeidbare Kosten«).

Kostüm: Am Anfang der Geschichte dieses Fremdwortes steht das lat. Substantiv *consuetudo* »Gewöhnung, Gewohnheit, Herkommen, Brauch, Sitte usw.«, das zu lat. *con-suescere* »sich gewöhnen, eine Gewohnheit annehmen« (aus lat. *co[n]...* »zusammen, mit« [vgl. *kon..., Kon...*] und *suescere* »sich gewöhnen«) gehört. Auf lat. *consuetudo* geht das it. Substantiv *costume* zurück, das in dt. Texten seit dem 18. Jh. in der Sprache der Kunst als Bezeichnung nationaler Eigenheiten und Zustände in den verschiedensten kulturellen Bereichen (und deren historisch getreuer Wiedergabe) erscheint. Es konnte sich auf Trachten, Möbel, Waffen, Gebäude und anderes beziehen. Am Ende des 18. Jh.s geriet das Wort unter den Einfluss des gleichfalls aus dem It. stammenden frz. Substantivs *costume,* das die Bedeutungsverengung unseres Fremdwortes auf den Bereich der [historischen] Kleidung maßgebend bestimmte. So wurde im 19. Jh. die Bedeutung »Tracht, Kleidung« allein üblich. Daraus entwickelte sich einerseits der Gebrauch im Sinne von »Verkleidung, Maskenanzug«, andererseits die sehr junge Bezeichnung einer bestimmten (aus Rock und Jacke bestehenden) Damenkleidung.

Kot: Das in mitteld. Lautgestalt gemeinsprachlich gewordene Wort bezeichnete zunächst die Ausscheidung aus dem tierischen und menschlichen Körper. Dann wurde es auch im Sinne von »Dreck, Schmutz« gebräuchlich, beachte die Zusammensetzung **Kotflügel.** Mitteld. *kōt,* mhd.

kāt, quāt, ahd. *quāt,* mnd. *quād* stehen im Ablaut zu aengl. *cwēad* »Kot, Dreck, Schmutz« und gehen mit verwandten Wörtern in anderen idg. Sprachen auf die dh-Erweiterung der idg. Wurzel **gᵘēu-* »Kot, Mist« zurück, vgl. z. B. aind. *gūtha-ḥ* »Kot, Exkrement«.

Kotau

einen/seinen Kotau machen
(ugs.) »sich unterwürfig verhalten, nachgeben« Das um 1900 aufgekommene, besonders in dieser Wendung vorliegende Fremdwort ›Kotau‹ entstammt dem chinesischen Hofzeremoniell und bezeichnet die Art, wie man sich (in China) vor dem Kaiser und seinen Vertretern unterwürfig zu Boden werfen und mit der Stirn den Boden berühren musste. Der chin. Ausdruck dafür ist *kotou,* wörtlich »schlagen (mit dem) Kopf«.

Kote ↑Kate.

Kotelett: Die Bezeichnung für »Rippenstück« wurde Anfang des 18. Jh.s aus frz. *côtelette* »Rippchen« entlehnt, einer Verkleinerungsbildung zu frz. *côte* »Rippe; Seite«. Dies geht auf afrz. *coste* zurück, das in der speziellen Bedeutung »Abhang« die Quelle für unser Lehnwort ↑Küste ist. – Nach der Ähnlichkeit mit einem Kotelett wird seit dem 19. Jh. der männliche Backenbart **Koteletten** genannt.

Köter: Der aus dem Niederd. stammende verächtliche Ausdruck für »Hund« gehört wahrscheinlich im Sinne von »Kläffer, Schreier« zu der unter ↑kaum dargestellten Gruppe von Lautnachahmungen, beachte mnd. *kūten* »schwatzen«, rhein.-fränk. *kauzen* »kläffen« und den Vogelnamen Kauz (s. d.).

Kotflügel ↑Kot.

[1]Kotze, Kotzen: Der Ursprung des landsch. Ausdrucks für »grobes Wollzeug, wollene Decke, wollener Mantel«, der auf mhd. *kotze,* ahd. *chozzo, chozza* zurückgeht, ist dunkel. Aus einem der ahd. Form entsprechenden afränk. **kotta* »Art Mantel aus grobem Wollstoff« ist afrz. *cotte* (= frz. *cotte* »Rock«) entlehnt, aus dem wiederum engl. *coat* »Rock« stammt, s. die Artikel *Dufflecoat, Petticoat* und *Trenchcoat.* Gleichfalls germ. Lehnwort ist mlat. *cotta* »Mönchsgewand«, das seinerseits unserem Substantiv ↑Kutte zugrunde liegt.

[2]Kotze ↑kotzen.

kotzen: Der derbe Ausdruck für »sich übergeben« ist wahrscheinlich im 15. Jh. aus *koppezen* entstanden, das eine Intensivbildung zu spätmhd. *koppen* »speien« ist (beachte mdal. *koppen* »Luft abschlucken, rülpsen«). Aus dem Verb rückgebildet ist **[2]Kotze** »Erbrochenes«. Neben **auskotzen** und **bekotzen** ist vor allem die Zusammensetzung **ankotzen** gebräuchlich, und zwar im Sinne von »anwidern, anekeln« und »anschreien, anfahren«.

Kotzen ↑[1]Kotze.

Krabbe: Das im 16. Jh. aus dem Niederd. übernommene Wort geht auf mnd. *krabbe* »kleiner Meerkrebs« zurück, das mit niederl. *krab,* engl. *crab* und der nord. Sippe von schwed. *krabba* verwandt ist. Die Krabbe ist als »krabbelndes Tier« benannt (vgl. *krabbeln*).

krabbeln: Das ugs. Verb für »kriechen, leicht berühren, jucken« (mnd. *krabbelen,* mhd. *krappelen*) ist verwandt mit niederl. *krabbelen, krabben* »kratzen, kritzeln« und den nord. Sippen von schwed. *krafsa* »scharren, kratzen« und *kravla* »kriechen«. Aus dem Nord. stammt engl. *to crawl,* aus dem wiederum dt. ↑[1]kraulen entlehnt ist. – Diese germ. Wortgruppe gehört mit den unter ↑Krabbe und ↑Krebs behandelten Wörtern zu der unter ↑kerben dargestellten Wurzel **g[e]rebh-* »ritzen, kratzen; kriechen, indem man sich festhakt«. – Siehe auch den Artikel *kribbeln.*

krachen: Das westgerm. Verb mhd. *krachen,* ahd. *krahhōn,* niederl. *kraken,* engl. *to crack* ist lautnachahmender Herkunft und gehört, falls es nicht eine unabhängige Bildung ist, zu der unter ↑krähen dargestellten Gruppe von Schallnachahmungen. – Das Verb ›krachen‹ ist auch im Sinne von »bersten, brechen, stürzen« und ugs. »sich streiten, sich entzweien« gebräuchlich, beachte **verkrachen** »Bankrott machen« (›eine verkrachte Existenz‹), ugs. *reflexiv* »sich streiten, sich entzweien«, veraltet »zusammenstürzen« (17. Jh.). – Aus dem Verb rückgebildet ist **Krach** »krachendes Geräusch, Getöse; Lärm; Streit, Zank; Zusammenbruch eines Unternehmens, Bankrott« (mhd. *krach,* ahd. *chrac*). Im Sinne von »Zusammenbruch, Bankrott« ist ›Krach‹ vermutlich von engl. *crash* beeinflusst und erst seit dem großen Krach von Wien (1873) allgemein gebräuchlich.

krächzen: Das seit dem 15. Jh. bezeugte Verb (spätmhd. *grachkiczen, krachitzen*) für »heisere, raue Töne von sich geben« ist eine Weiterbildung zu dem unter ↑krachen behandelten Verb, von dem es sich aber in der Bedeutung gelöst hat.

Krad ↑Kraft.

Kraft: Das altgerm. Wort mhd., ahd. *kraft,* niederl. *kracht,* engl. (mit der Bedeutung »Geschicklichkeit, Fertigkeit, List, Kunst, Handwerk«) *craft,* schwed. *kraft* gehört zu der unter ↑Kringel dargestellten Wortgruppe der idg. Wurzel **ger-* »drehen, winden, sich zusammenziehen, verkrampfen« (vgl. *Krapfen, Krampf*). Für den Begriff ›Kraft‹ war demnach die Vorstellung des Anspannens der Muskeln bestimmend. – In der Rechtssprache hat ›Kraft‹ die Bedeutung »Gültigkeit«, beachte dazu ›rechtskräftig‹ »rechtsgültig« und die Wendungen ›außer Kraft setzen‹, ›in Kraft treten oder bleiben‹ usw. – Aus den Verbindungen ›in Kraft‹, ›durch Kraft‹, ›aus Kraft‹ oder dgl. entwickelte sich im 16. Jh. in der Kanzleisprache die Verwendung von **kraft** (= Dativ Singular von ›Kraft‹) als Präposition, beachte z. B. ›kraft meines Amtes, kraft des Gesetzes‹. – Abl.: **verkraften** ugs. für »mit etwas fertig werden, vertragen können«, veraltet für »motorisieren« (20. Jh.); **entkräften** »schwächen; ungültig machen, widerlegen« (18. Jh.; früher gewöhnlich *verkräften*, mhd. *verkreften* »schwächen«); **kräftig** (mhd. *kreftic*, ahd. *chreftīg* »kraftvoll, stark; wirksam; gewaltig, groß; reichlich; gültig«), dazu **kräftigen** »stärken« (mhd. *kreftigen*, ahd. *chreftigōn*), beachte auch **bekräftigen** (16. Jh.). Zus.: **Kraftausdruck** (Anfang des 19. Jh.s); **Kraftbrühe** (um 1800); **Kraftfahrzeug** (20. Jh.; Ersatzwort für ›Automobil‹); **Kraftfeld** (↑Feld); **Kraftrad** (20. Jh.; Ersatzwort für ›Motorrad‹; in der Heeressprache zu **Krad** gekürzt); **Kraftwagen** (20. Jh.; wie auch ›Kraftfahrzeug‹ Ersatzwort für ›Automobil‹; heute dafür gewöhnlich nur ›Wagen‹); **Kraftwerk** (20. Jh.).

Krage, kragen ↑Kragen.

Kragen: Das seit frühmhd. Zeit bezeugte Wort bezeichnete zunächst den Hals und ging dann auf das den Hals bedeckende Kleidungsstück über, (beachte zum Bedeutungsübergang z. B. ›Leibchen‹ und ›Mieder‹). Die alte Bedeutung »Hals« lebt heute nur noch in bestimmten Wendungen, z. B. ›es geht um Kopf und Kragen‹. – Mhd. *krage* »Hals, Kehle, Nacken; Halskragen«, niederl. *kraag* »Hals; Halskragen«, engl. *craw* »Kropf« gehen mit verwandten Wörtern in anderen idg. Sprachen – vgl. z. B. air. *brāgae* »Hals, Nacken« – auf idg. **gᵘrōgh-* »Schlund« zurück, das zu der unter ↑Köder dargestellten idg. Wurzel **gᵘer-* »verschlingen, fressen« gehört. – Zu der Zusammensetzung **Kragstein** »vorspringender, als Träger verwendeter Stein« (mhd. *kragstein*, eigentlich »Halsstein«) stellen sich **Krage** »Konsole« und das Verb (ab-, aus-, vor)**kragen.** Siehe auch den Artikel [2]*Krug.*

Kragen

jmdm./jmdn. den Kragen kosten
(ugs.) »jmds. Existenz, Leben vernichten«
Das Wort ›Kragen‹ bezeichnete früher den Hals und wurde erst später für den den Hals bedeckenden Teil der Kleidung verwendet. In bestimmten Wendungen blieb die alte Bedeutung erhalten.

Krähe: Die Krähe ist nach ihrem heiseren Geschrei als »Krächzerin« benannt. Mhd. *krā[e], krǣje*, ahd. *krā[wa, -ja, -ha]*, niederl. *kraai*, engl. *crow* und die anders gebildete Sippe von schwed. *kråka* gehören zu der unter ↑krähen behandelten Lautnachahmung.

krähen: Das westgerm. Verb mhd. *krǣ[je]n*, ahd. *krāen*, niederl. *kraaien*, engl. *to crow*, zu dem der Vogelname ↑Krähe gehört, ist lautnachahmender Herkunft. Es geht mit verwandten Wörtern in anderen idg. Sprachen auf die vielfach weitergebildete und erweiterte idg. Wurzel **ger-* zurück, die besonders dumpfe und heisere Klangeindrücke wiedergibt. Zu dieser Wurzel gehören auch der idg. Vogelname ↑Kranich und wahrscheinlich die unter ↑krachen, ↑krächzen und ↑kreischen, ↑kreißen behandelten Wörter.

Krähwinkel: Der von Kotzebue in seinem Lustspiel ›Die deutschen Kleinstädter‹ (1803) verwendete Ortsname gilt seitdem als Inbegriff kleinstädtischer Beschränktheit. Beachte dazu **Krähwinkelei** »kleinstädtische Beschränktheit« und **Krähwinkler** »beschränkter Kleinstädter« (19. Jh.).

Kral »kreisförmig angelegtes, mit einer Hecke geschütztes Dorf (auch Viehgehege) bei afrikanischen Stämmen«: Das Wort ist aus gleichbed. afrikaans *kraal* entlehnt, das seinerseits aus port. *curral* »Pferch« stammt. Dies geht zurück auf mlat. *currate* »eingefriedigter Raum (für Wagen)« (zu lat. *currus* »Wagen«; vgl. *Kurs*).

Kralle: Das erst seit dem 16. Jh. bezeugte Wort gehört im Sinne von »die Gekrümmte« zu der unter ↑Kringel dargestellten idg. Wurzel **ger-* »[sich] drehen, [sich] winden, [sich] krümmen«. In den ahd. Glossen ist ein Maskulinum *kral* »Haken« bezeugt, davon abgeleitet ist das Verb spätahd. *bichrellen*, mhd. *krellen* »kratzen«, an dessen Stelle die junge Ableitung **krallen** »mit den Krallen zufassen; sich mit den Fingern, Zehen festhalten«, ugs. auch »entwenden« (17. Jh.) getreten ist.

Kram: Das auf das dt. und niederl. Sprachgebiet beschränkte Wort bezeichnete ursprünglich wahrscheinlich das gespannte (geflochtene) Schutzdach über dem Wagen oder der Bude des umherziehenden Kaufmanns. Im Rahmen der Handelsbeziehungen drang das Wort in mehrere europäische Sprachen, beachte z. B. die nord. Sippe von schwed. *kram* und die slaw. Sippe von poln. *kram*. – Ahd., mhd. *krām* »Zeltdecke; Bedachung eines Kramstandes; Krambude, Laden, Geschäft; Kaufmannsware«, mnd. *krām[e]* »Zeltdecke; mit einer Zeltdecke abgedeckte Handelsbude; die in einer Krambude verkaufte Ware; Kramhandel«, niederl. *kraam* »Krambude; Gardine bzw. Vorhang, wohinter die Wöchnerin liegt, Wochenbett« sind dunklen Ursprungs. – Heute wird ›Kram‹ vorwiegend ugs. im Sinne von »minderwertige Ware; Zeug; Sache, Angelegenheit« gebraucht. – Abl.: **kramen** ugs. für »herumsuchen, planlos wühlen; sich zu schaffen machen« (mhd. *krāmen* »Kramhandel treiben«; beachte auch die Bildungen ›aus-, herum-, vorkramen‹); **Krämer** veraltet, aber noch mdal. für »Kleinhändler« (mhd. *krāmæ̆re*, ahd. *krāmari;* beachte auch die Zusammensetzung ›Geheimnis-, Umstandskrämer‹). Siehe auch den Artikel *Krimskrams.*

Krambambuli: Der seit dem 18. Jh. bezeugte Ausdruck bezeichnete zunächst den Danziger Wacholderschnaps und wurde dann in der Studentensprache auf andere alkoholische Getränke (besonders aus Rum, Arrak und Zucker) übertragen. Es handelt sich vermutlich um eine scherzhafte lautspielerische Umgestaltung von ›Krammet‹ (veraltet für:) »Wacholder« (vgl. *Krammetsvogel*).

Krammetsvogel: Der mdal. Ausdruck für »Wacholderdrossel« hat sich aus mhd. *kran[e]witvogel* entwickelt. Das Bestimmungswort Krammet, veraltet für »Wacholder«, geht zurück auf mhd. *kranewite,* ahd. *kranawitu,* das eigentlich »Kranichholz« bedeutet und eine Zusammensetzung ist aus ahd. *krano* »Kranich« (vgl. *Kranich*) und ahd. *witu* »Holz, Wald« (vgl. *Wiedehopf*). Beachte dazu älter österr. *kranawet* »Wacholder«, wozu **Kranewitter** österr. für »Wacholderschnaps« gehört (↑Krambambuli). – Die Drosselart ist so benannt, weil sie gerne Wacholderbeeren frisst.

Krampe, Krampen: Der im 17. Jh. aus dem Niederd. übernommene Ausdruck für »Haken, Klammer« geht zurück auf asächs. *krampo* »Haken, Klammer«, dem ahd. *chramph* adjektivisch »krumm«, substantivisch »Haken« entspricht. Das Wort bedeutet demnach eigentlich »der Krumme, Gekrümmte« und ist mit den Sippen von ↑Krampf und ↑Krempe verwandt (vgl. *Kringel*). Eine Verkleinerungsbildung dazu ist [2]**Krempel** »Wollkamm; Auflockerungsmaschine« (18. Jh.; spätmhd. *krempel* »Haken, Kralle«), von der **krempeln** »mit dem Wollkamm bearbeiten, auflockern« (15. Jh.) abgeleitet ist. – Abl.: **krampen** »anklammern« (18. Jh.).

Krampf: Das westgerm. Substantiv mhd. *krampf,* ahd. *kramph[o],* niederl. *kramp,* engl. *cramp* gehört zu dem germ. Adjektiv **krampa-* »krumm, gekrümmt« (vgl. z. B. ahd. *chramph* »krumm«) und steht im Ablaut zu ahd. *krimphan* »krümmen«, mhd. *krimpfen* »[sich] krümmen, krampfhaft zusammenziehen, mitteld., mnd. *krimpen* »zusammenziehen, einschrumpfen lassen«, beachte landsch. **krimpen** »(angefeuchtetes) Tuch zusammenpressen«. Eng verwandt sind die Sippen von ↑Krampe, ↑Krempe und ↑krumm (vgl. *Kringel*). – Abl. **krampfen** »krampfartig zusammenziehen« (um 1800; dafür heute gewöhnlich ›zusammenkrampfen‹ und ›verkrampfen‹); **krampfhaft** »wie in einem Krampf, verbissen« (18. Jh.); **krampfig** »gequält und unnatürlich (wirkend)« (15. Jh.). Zus.: **Krampfader** »krankhaft erweiterte, hervortretende Vene« (16. Jh.).

Kran: Die Hebevorrichtung ist nach ihrer Ähnlichkeit mit einem Kranichhals als »Kranich« benannt (beachte zur Übertragung von Tiernamen auf Werkzeuge und Geräte z. B. die Artikel *Ramme* und *Wolf*). Spätmhd. *kran[e]* »Kranich« und »Kran« ist die nicht weitergebildete Form von ↑Kranich. Auch niederl. *kraan* und engl. *crane* bedeuten sowohl »Kranich« als auch »Kran«.

Kranewitter ↑Krammetsvogel.

Kranich: Der idg. Vogelname bedeutet eigentlich »Krächzer, heiserer Rufer« und gehört zu der unter ↑krähen dargestellten Schallnachahmung. Die Form ›Kranich‹ (mhd. *kranech,* ahd. *chranih, -uh,* mnd. *kranek;* entsprechend aengl. *cranoc*) ist eine Weiterbildung zu der Form ↑Kran »Hebevorrichtung«, früher »Kranich« (mhd. *krane,* ahd. *krano,* niederl. *kraan,* engl. *crane,* schwed. *trana*). Die nicht weitergebildete Form steckt auch in ↑Krammetsvogel und in **Kronsbeere** nordd. für »Preiselbeere« (17. Jh.; so benannt, weil sie von Kranichen gern gefressen wird). Außergerm. sind z. B. verwandt griech. *géranos* »Kranich; Kran« (↑Geranie) und armen. *krunk* »Kranich«.

krank: Mhd. *kranc* »schwach; schmal, schlank; schlecht, gering; nichtig; leidend, nicht gesund«, mnd. *kranc* »schwach; ohnmächtig; schlecht, gering«, niederl. *krank* »schwach; unwohl, krank« gehören im Sinne von »krumm, gekrümmt, gebeugt« zu der unter ↑Kringel dargestellten Wortgruppe. – Bis ins Spätmhd. galt für ›krank‹ das alte gemeingerm. Adjektiv ›siech‹ (s. d.), das durch ›krank‹ in die spezielle Bedeutung »(durch lange Leiden) hinfällig« abgedrängt wurde. – Abl.: **kränkeln** »nicht recht gesund sein« (17. Jh.; beachte dazu **angekränkelt**); **kranken** »an etwas leiden« (mhd. *kranken* »schwach, leidend werden oder sein«; beachte dazu **erkranken**); **kränken** »Kummer, Leid zufügen, beleidigen, verletzen« (mhd. *krenken* »schwächen, mindern, schädigen, zunichte machen, plagen, erniedrigen«), dazu **Kränkung** (17. Jh.); **krankhaft** »von einer Krankheit herrührend; nicht gesund; nicht normal« (17. Jh.); **Krankheit** »das Kranksein« (mhd. *kranc-heit* »Schwäche; Dürftigkeit, Not; Leiden«); **kränklich** »nicht richtig gesund« (mhd. *kranc-, krenclich* »schwächlich, gering, armselig, schlecht«).

Krankenschwester ↑Schwester.

Krankheitsherd ↑Herd.

Kranz: Das ursprünglich nur hochd. Wort (mhd., spätahd. *kranz*), das dann auch ins Niederd. drang und von dort in die nord. Sprachen entlehnt wurde, hat keine außergerm. Entsprechungen. Spätahd. *kranz* ist daher wahrscheinlich eine Rückbildung aus dem Verb ahd. *krenzen (*kreng-zen)* »umwinden«, das zu der Wortgruppe von ↑Kringel gehört. – Die bedeutende Rolle, die der Kranz im Brauchtum und im täglichen Leben spielt, spiegelt sich in zahlreichen Zusammensetzungen wider, beachte z. B. ›Myrtenkranz, Jungfernkranz, Totenkranz, Erntekranz, Richtkranz, Rosenkranz‹. Das Wort wird auch auf kranzförmige Dinge übertragen, beachte z. B. ›Kranz‹ im Sinne von »kranzförmiges Gebäck« und die Zusammensetzung ›Strahlenkranz‹, und wird ferner im Sinne von »Sammlung, Vereinigung, Zusammenkunft« gebraucht, beachte z. B. die Zusammensetzung ›Liederkranz‹ und die Verkleinerungsbildung **Kränzchen** »regelmäßige Zusammenkunft eines geselligen Kreises«, besonders ›Kaffeekränzchen‹.

Krapfen: Das Gebäck ist nach seiner ursprünglichen Form als »Haken« benannt. Nhd. *Krapfen* geht zurück auf mhd. *krāpfe* »hakenförmiges Gebäck«, das identisch ist mit *krāpfe* »Haken, Klammer« (ahd. *krāpho* »Haken, Kralle, Klaue«). Das

K

Wort gehört mit den unter ↑Krampe und ↑Krampf behandelten nasalierten Formen zu der Wortgruppe von ↑Kringel.

krass »grob; auffallend, ungewöhnlich«: Das Adjektiv wurde im 18. Jh. aus lat. *crassus* »dick, grob« entlehnt, das wohl mit einer ursprünglichen Bedeutung »zusammengeballt; verflochten« zu der unter ↑Hürde dargestellten idg. Sippe gehört.

Krater »trichterförmige Öffnung eines Vulkans; trichter- oder kesselförmige Vertiefung im Erdboden«: Das Fremdwort wurde im 18. Jh. aus gleichbed. lat. *crater* entlehnt, das seinerseits aus griech. *krātḗr* übernommen ist. Das griech. Wort bedeutet eigentlich »Mischkrug, Mischer« und ist eine Bildung zu griech. *kerannýnai* »[ver]mischen«, das wohl zur idg. Sippe von mhd. ↑rühren gehört.

Kratz, Kratzbeere, Kratzbürste, kratzbürstig, Kratze ↑kratzen.

Krätze: Der nur dt. Krankheitsname (mhd. *kretze*) ist eine Bildung zu dem unter ↑kratzen behandelten Verb. Die Krankheit ist so benannt, weil die juckende Hautentzündung zum Kratzen reizt. – Abl.: **krätzig** »mit Krätze behaftet« (spätmhd. *kretzec*).

K

kratzen: Das germ. Verb mhd. *kratzen* (daneben *kretzen*), ahd. *chrazzōn*, niederl. weitergebildet *krassen*, schwed. *kratta* hat keine sicheren außergerm. Entsprechungen. – Um das Verb gruppieren sich die Bildungen **Kratz** mdal. für »Schramme« (mhd. *kraz*), **Kratze** »Werkzeug zum Kratzen oder Scharren« (mhd. *kratze*), **Kratzer** ugs. für »Schramme« (20. Jh.) sowie ↑Krätze. Um ›kratzen‹ gruppieren sich die Präfixbildung **zerkratzen** (mhd. *zerkratzen*) und die Zusammensetzungen **abkratzen** ugs. auch für »sich davonmachen, sterben« (19. Jh.; die Sitte des Kratzfußes [s. u.] ironisierend), **aufkratzen** ugs. auch für »aufheitern«, meist im 2. Part. **aufgekratzt** ugs. für »munter, vergnügt« (18. Jh.). Zus.: **Kratzbeere,** in neuerer Zeit auch **Kroatzbeere** mdal. für »Brombeere« (mhd. *kratzber* »Brombeere«; nach den kratzenden Stacheln des Brombeerstrauches benannt); **Kratzbürste** »widerspenstiger Mensch« (17. Jh.; das Wort bezeichnete zunächst eine grobe Bürste zum Kratzen, wie sie z. B. von Metallarbeitern verwendet wird), dazu **kratzbürstig** »widerspenstig, unfreundlich« (20. Jh.); **Kratzfuß** »eine Art Verbeugung, bei der der Fuß scharrend nach hinten gezogen wird« (18. Jh.).

krauchen: Das seit dem 16. Jh. bezeugte Verb ist eine mdal. Nebenform von ↑kriechen und beruht auf mitteld. *krūchen*.

krauen: Das auf das dt. und niederl. Sprachgebiet beschränkte Verb (mhd. *krouwen*, ahd. *krouwōn*, mnd., niederl. *krauwen*) geht mit der unter ↑Krume dargestellten Sippe auf eine Wurzelform **greu-* »kratzen« zurück. Eine alte Substantivbildung dazu ist **Kräuel** mdal. für »Haken, Gerät mit hakenförmigen Zinken zum Kratzen« (mhd. *kröuwel*, ahd. *krouwil;* niederl. *krauwel*). Von ›krauen‹ weitergebildet ist **kraueln, ²kraulen** »sanft kratzen, streicheln« (15. Jh.).

¹kraulen »im Kraulstil schwimmen«: Das Verb wurde im 20. Jh. aus amerik.-engl. *to crawl* »kriechen, krabbeln; kraulen« entlehnt, das auf aisl. *krafla* »kriechen, krabbeln« (verwandt mit dt. ↑krabbeln) zurückgeht.

²kraulen ↑krauen.

kraus: Das verhältnismäßig spät bezeugte Adjektiv (mhd., mnd. *krūs*) gehört im Sinne von »gedreht, gekrümmt« zu der Wortgruppe von ↑Kringel. Im Ablaut dazu steht mnd. *krōs* »Eingeweide«, eigentlich »Krauses« (↑Gekröse). – Das Adjektiv ›kraus‹ wird gewöhnlich im Sinne von »lockig« gebraucht, wird aber auch übertragen im Sinne von »wirr, unordentlich« verwendet.

Kraut: Der Ursprung des nur dt. und niederl. Wortes (mhd., ahd. *krūt*, asächs. *krūd*, niederl. *kruid*) ist unklar. Das Wort bezeichnete zunächst eine [kleinere] Blattpflanze, dann auch lediglich das Blattwerk einer Pflanze, beachte z. B. die Zusammensetzungen ›Kartoffelkraut, Rübenkraut‹ und die Wendung ›ins Kraut schießen‹ »überhand nehmen«. Schon früh wurde ›Kraut‹ speziell von Pflanzen, die für den Menschen von Nutzen sind, gebraucht, beachte dazu **Unkraut** »unbrauchbare Pflanze« (mhd., ahd. *unkrūt*). An diesen Gebrauch des Wortes schließt sich die Verwendung von ›Kraut‹ im Sinne von »Gemüse«, besonders »Kohl«, an, beachte z. B. die Bildung **Kräutler** österr. für »Gemüsehändler« und die Zusammensetzung **Sauerkraut** landsch. für »Sauerkohl«. Weiterhin bezeichnet ›Kraut‹ – im Allgemeinen im Plural ›Kräuter‹ – speziell die zu Heilzwecken und zum Würzen verwendete Pflanze, beachte z. B. die Zusammensetzungen ›Bohnenkraut, Kräuterkäse, Kräutertee‹.

Kraut

gegen jmdn., etwas ist kein Kraut gewachsen
(ugs.) »gegen jmdn., etwas kommt man nicht an, gibt es kein Mittel«
Die Wendung bezieht sich auf den Gebrauch von Kräutern als Heilmittel; gegen eine Krankheit kann man nichts machen, wenn es kein Heilkraut gibt, um sie damit zu kurieren.

Krawall: Der im Zusammenhang mit den Unruhen von 1830 und 1848 aufgekommene Ausdruck für »Aufruhr, Lärm« geht wahrscheinlich auf älteres volkssprachliches *crawallen* »Lärmen« (16. Jh.) zurück, das seinerseits aus mlat. *charavallium* »Katzenmusik, Straßenlärm« entlehnt ist.

Krawatte: Die Bezeichnung für »Halsbinde; Schlips« wurde Ende des 17. Jh.s – wie it. *cravatta*, span. *corbata*, engl. *cravat* – aus frz. *cravate* entlehnt, das seinerseits aus dt. *Krawat*, einer Mundartform von ›Kroate‹, stammt. Das Wort bezeichnet also ursprünglich den Angehörigen des slawischen Volksstammes der Kroaten (= frz. *Croate*) und wird dann nach der charakteristischen Halsbinde, wie sie von kroatischen Reitern getragen wurde, zum Appellativum »die Kroatische (Halsbinde)«.

Kreation ↑kreieren.

Kreatur »[Lebe]wesen, Geschöpf«: Das Substantiv wurde bereits in mhd. Zeit aus kirchenlat. *creatura* »Schöpfung; Geschöpf« (vgl. *kreieren*) entlehnt, aber erst seit dem 17. Jh. volkstümlich, und zwar als verächtliche Bezeichnung eines minderwertigen Geschöpfes, das einem Höhergestellten knechtisch ergeben ist.

Krebs: Der Krebs ist nach seiner eigentümlichen Fortbewegungsart als »krabbelndes (kriechendes) Tier« benannt. Der auf das dt. und niederl. Sprachgebiet beschränkte Name des Krustentiers (mhd. *krebiȥ*, ahd. *crebiȥ, chrepaȥ[o]*, mnd. *krevet*, niederl. *kreeft*) gehört mit dem unter ↑Krabbe behandelten Wort zu der Wortgruppe von ↑krabbeln. Als Bezeichnung der Krankheit und als Name des Sternbilds ist ›Krebs‹ Bedeutungslehnwort nach lat. *cancer* und griech. *karkínos* (beachte medizinisch-fachsprachlich **Karzinom** »Krebsgeschwulst«). Die bösartige Geschwulst ist wohl so benannt, weil sich beim Krebs der Brustdrüsen die Brustvenen zuweilen krebsscheren- oder krebsfußartig ausbreiten. – Abl.: **krebsen** »Krebse fangen«, ugs. (besonders in der Zusammensetzung ›herumkrebsen‹) für »sich mühsam bewegen, sich mit etwas abmühen; rückwärts gehen« (mhd. *kreb[e]ȥen*). Zus.: **Krebsgang** »rückläufige, sich verschlechternde Entwicklung« (16. Jh.; nach der [falschen] Vorstellung, dass der Krebs sich rückwärts bewegt); **krebsrot** (19. Jh.).

Kredenz »Anrichte[tisch, -schrank]«: Die Bezeichnung des Möbelstücks wurde im 15. Jh. aus gleichbed. it. *credenza* entlehnt. Dessen eigentliche Bedeutung ist gemäß seiner Herkunft aus mlat. *credentia* (zu lat. *credere* »vertrauen auf, glauben«; vgl. *Kredo*) »Glaube, Vertrauen, Glaubwürdigkeit«. Die Bedeutung »Anrichtetisch« entwickelte sich aus der it. Wendung *far la credenza* »die Prüfung auf Treu und Glauben vornehmen«, welche die Aufgabe des Mundschenks oder Dieners an Herren- und Fürstenhöfen umschrieb, die Speisen und Getränke, ehe sie dem Herrn vorgesetzt wurden, an »Seitentischchen« vorzukosten und damit auf ihre Unschädlichkeit zu prüfen. – Abl.: **kredenzen** »(feierlich) darreichen, darbringen; auftischen« (15. Jh.; zuerst in der Bedeutung »vorkosten«).

Kredit: Das seit dem 16. Jh., zuerst in der Form ›Credito‹ bezeugte Substantiv ist aus it. *credito* »Leihwürdigkeit« entlehnt. Die heutige Form setzte sich etwa um 1600 unter dem Einfluss des gleichfalls aus dem It. stammenden frz. *crédit* durch. Das Wort war von Anfang an, wie schon das vorausliegende lat. *creditum* »das auf Treu und Glauben Anvertraute, das Darlehen« (substantiviertes Part. Perf. von lat. *credere* »vertrauen auf, glauben«), ein Terminus des Geldwesens. So bezeichnet auch heute ›Kredit‹ zunächst einmal das Vertrauen in die Fähigkeit und Bereitschaft einer Person oder Unternehmung, Verbindlichkeiten ordnungs- und fristgemäß zu begleichen, zum anderen die einer Person oder einem Unternehmen kurz- oder langfristig zur Verfügung stehenden fremden Geldbeträge oder Sachgüter. Beachte auch Zusammensetzungen wie **Kreditbank** und **Kreditbrief** (17. Jh.; Übersetzung von frz. *lettre de crédit*), **kreditfähig** (18./19. Jh.), **Kreditkarte** und **Kleinkredit** (beide 20. Jh.). – Im übertragenen Gebrauch wird ›Kredit‹ im Sinne von »Glaubwürdigkeit, Ansehen« verwendet. Als Gegenbildung zu ›Kredit‹ erscheint im 17. Jh. **Misskredit** »schlechter Ruf, mangelndes Vertrauen« (früher nur kaufmännisch im Sinne von »schlechter Kredit«, dafür anfangs auch die it. Form ›Discredito‹). Andere Ableitungen sind: **kreditieren** »Kredit gewähren; borgen« (17. Jh.; nach frz. *créditer*) und **diskreditieren** »in Verruf bringen« (17. Jh.; aus frz. *discréditer*, zu frz. *discrédit* = it. *discredito* »Misskredit«). Beachte ferner ↑akkreditieren.

K

Kredo »Glaubensbekenntnis«: Das seit mhd. Zeit gebräuchliche Wort ist eine Substantivierung der 1. Pers. Sing. Präs. Akt. von lat. *credere* »vertrauen auf, glauben« in der Einleitung des Apostolischen Glaubensbekenntnisses ›Credo in unum deum ...‹ »Ich glaube an den einen Gott ...«. – Lat. *credere* ist auch Ausgangspunkt für die Fremdwörter ↑Kredit, Misskredit, kreditieren, diskreditieren, ↑akkreditieren und ↑Kredenz, kredenzen.

Kreide: Das feinkörnige Kalkgestein, das im Altertum vorwiegend als Puder (z. B. zum Reinigen weißer Wollstoffe) verwendet wurde, hieß bei den Römern *creta*. Lat. *creta* »Kreide« ist vermutlich als *(terra) creta* »gesiebte Erde« zu deuten (zu lat. *cernere [cretum]* »scheiden, sichten«). – Nhd. *Kreide* geht auf mhd. *krīde*, spätahd. *krīda* zurück, das aus vlat. (galloroman.) *creda* entlehnt ist. – Auf die früher übliche Art, Zechen oder Schulden mit Kreide auf ein schwarzes Brett zu schreiben, beziehen sich **ankreiden** »als Schuld zuweisen, zum Vorwurf machen« und Wendungen wie z. B. ›in der Kreide stehen‹. – Abl.: **kreidig** (17. Jh.).

kreieren: Das schon im 16. Jh. in der Bedeutung »wählen, erwählen« bezeugte, aus lat. *creare* »erschaffen, zeugen; ins Leben rufen; ernennen, erwählen« entlehnte Verb erscheint im 19. Jh. als Bühnenwort im Sinne von »eine neue Rolle auf der Bühne darstellen«, neu vermittelt durch frz. *créer (un rôle)*. In jüngster Zeit wird ›kreieren‹ gleichfalls unter frz. Einfluss besonders im Sinne von »eine neue Mode entwerfen, schaffen« verwendet, beachte das zu frz. *créer* gehörige Substantiv frz. *création,* aus dem unser Fremdwort **Kreation** »Modeschöpfung, Modell« (20. Jh.) übernommen ist. – Zu lat. *creare,* das mit lat. *crescere* »wachsen, zunehmen« verwandt ist (↑Rekrut, ↑konkret) und mit diesem zu der unter ↑Hirse dargestellten idg. Wurzel **k̑er-* »wachsen; wachsen machen; nähren« gehört, stellt sich als Ableitung kirchenlat. *creatura* »Schöpfung, Geschöpf« (↑Kreatur).

Kreis: Mhd., ahd. *kreiz̧* »Kreislinie; Zauberkreis; abgegrenzter Kampfplatz; Gebiet, Bezirk; Umkreis«, mnd. *kreit, krēt* »Kreislinie, Umkreis; Kampfplatz«, ablautend niederl. *krijt* »Kampfplatz, Schranken« gehören im Sinne von »eingeritzte Linie« zu der Sippe von ↑kritzeln. Das Wort hatte ursprünglich offenkundig Geltung im magisch-religiösen Bereich, beachte die alte Bedeutung »Zauberkreis«. An ›Kreis‹ im Sinne von »Bezirk, Gebiet« schließen sich Zusammensetzungen an wie ›Kreisstadt, Kreisgericht, Wahlkreis‹. Auf die Verwendung des Wortes im Sinne von »Ring von Menschen, Menschengruppe« beziehen sich z. B. die Zusammensetzungen ›Familienkreis, Freundeskreis, Leserkreis‹. Von den zahlreichen anderen Zusammensetzungen mit ›Kreis‹ beachte z. B. ›Gesichtskreis, Tierkreis, Umkreis, Wendekreis, Blutkreislauf‹.

kreischen: Das nur dt. und niederl. Verb (mhd., mnd. *krīschen,* niederl. *krijsen*) ist lautnachahmender Herkunft und gehört mit ↑kreißen zu der unter ↑krähen dargestellten Gruppe von Schallnachahmungen.

Kreisel: Die Bezeichnung des Kinderspielzeugs geht auf älteres ›Kräusel‹ zurück, aus dem sich durch Anlehnung an ›Kreis, kreisen‹ die Form Kreisel (17. Jh.) entwickelte. ›Kräusel‹ ist wahrscheinlich Verkleinerungsbildung zu dem nur noch mdal. bewahrten ›Krause‹ »Krug, Topf« (mhd. *krūse*) und bedeutet demnach eigentlich »kleiner Topf«. Beachte dazu die älter oberd. Verwendung von ›Topf‹ im Sinne von »Kreisel«.

kreißen: Mhd. *krīz̧en* »gellend schreien, kreischen, stöhnen«, mnd. *krīten* »schreien, heulen«, niederl. *krijten* »schreien« sind lautnachahmenden Ursprungs (vgl. *kreischen*). Im 17. Jh. wurde ›kreißen‹ speziell auf das Schreien der gebärenden Frau bezogen und entwickelte so die Bedeutung »in Geburtswehen liegen«. – Zus.: **Kreißsaal** »Entbindungsraum im Krankenhaus« (20. Jh.).

Krem ↑Creme.

Krematorium: Die Bezeichnung für das Gebäude, in dem Feuerbestattungen vorgenommen werden, ist eine nlat. Bildung des 19. Jh.s zu lat. *cremare* »verbrennen, einäschern«. Dies stellt sich zu der unter ↑Herd behandelten idg. Wortsippe.

Krempe: Das im 17. Jh. ins Hochd. übernommene niederd. *krempe* »(aufgeschlagener) Hutrand« gehört im Sinne von »die Krumme, die Gekrümmte« zu dem unter ↑Krampf dargestellten Adjektiv **krampa-* »krumm« (vgl. auch *Krampe*). – Abl.: **krempen** »den Rand nach oben biegen, hochschlagen« (18. Jh.), dafür gewöhnlich die Bildung ›krempeln‹ (↑Krampe).

[1]**Krempel:** Der ugs. Ausdruck für »minderwertige, unbrauchbare Gegenstände, wertloses Zeug« geht zurück auf mhd. *grempel* »Kleinhandel«, das zu mhd. *grempe[l]n* »Kleinhandel, einen Trödelladen betreiben« gehört. Dies ist vermutlich aus älter it. *crompare* »kaufen« (aus *comprare* < lat. *comparare* »beschaffen«) entlehnt.

[2]**Krempel, krempeln** ↑Krampe.

Kremser: Der mehrsitzige, offene Mietwagen ist nach dem Berliner Fuhrunternehmer Kremser benannt, der die ersten Wagen dieser Art 1825 in Betrieb nahm.

Kren: Der in Süddeutschland und Österreich gebräuchliche Ausdruck für »Meerrettich« (mhd. *krēn, chrēn*) ist aus gleichbed. tschech. *křen,* älter *chřěn* entlehnt, vgl. russ. *chren,* serbokroat. *hren,* poln. *chrzan.* Bei dem slaw. Wort handelt es sich wohl um ein altes Wanderwort.

krepieren »bersten, platzen, zerspringen (von Sprenggeschossen)«, daneben in der Umgangssprache weit verbreitet im übertragenen Sinne von »sterben«: Das Fremdwort erscheint im Deutschen zuerst während des Dreißigjährigen Krieges im Soldatenjargon mit der übertragenen Bedeutung »sterben«. Seit dem Ende des 17. Jh.s ist es auch in seiner eigentlichen Bedeutung als militärisches Fachwort bezeugt. Das Wort ist in beiden Bedeutungen aus it. *crepare* entlehnt, das seinerseits auf lat. *crepare* »knattern, krachen usw.« (schallnachahmenden Ursprungs) beruht.

Krepp (Sammelbezeichnung für Gewebe mit krauser, angerauter Oberfläche): Das erst im 20. Jh. durch Zusammensetzungen wie ›Kreppsohle‹ und ›Krepppapier‹ allgemein bekannt gewordene Wort ist schon im 18. Jh. in der Form ›Crep‹ bzw. im 16. Jh. als ›Kresp‹ zur Bezeichnung lockeren Seidengewebes bezeugt. Während ›Kresp‹ uns durch Vermittlung von niederl. *crespe* aus afrz. *cresp[e]* (= frz. *crêpe*) erreichte, schließen sich die jüngeren Formen unmittelbar an frz. *crêpe* an. Letzte Quelle des Wortes ist das lat. Adjektiv *crispus* »kraus«, das mit nhd. ↑Rispe urverwandt ist.

kress ↑[1]Kresse.

[1]**Kresse:** Die Herkunft des westgerm. Pflanzennamens (mhd. *kresse,* ahd. *kresso, -a,* niederl. *kers,* engl. *cress*) ist unklar. Mit ›Kresse‹ werden heute verschiedene Arten der Kreuzblütler bezeichnet, z. T. Salatpflanzen, beachte ›Brunnenkresse‹, z. T. Zierpflanzen, beachte z. B. ›Kapuzinerkresse‹. Auf die Farbe der Kapuzinerkresse bezieht sich das heute veraltete Farbadjektiv **kress** »orange«.

[2]**Kresse:** Der landsch. Name des Gründlings (mhd. *kresse,* ahd. *chresso*) gehört zu dem untergegangenen Verb mhd. *kresen,* ahd. *chresan* »kriechen« (vgl. *Kringel*). Der Fisch ist also als »Kriecher« be-

nannt. Statt ›Kresse‹ ist auch die Bildung **Kressling** (15. Jh.) gebräuchlich.

Kreuz: Das in ahd. Zeit im Rahmen der Missionstätigkeit aus lat.-kirchensprachlich *crux* (Akkusativ *crucem*) entlehnte Wort (ahd., asächs. *krūzi*, mhd. *kriuz[e]*) wurde zunächst ausschließlich im Sinne von »Kreuz Christi« gebraucht. Es drängte das heimische Wort ↑Galgen, das seit der Frühzeit der Christianisierung germanischer Stämme als Bezeichnung für das Kreuz Christi verwendet wurde, allmählich zurück. Dann wurde das entlehnte Wort auch auf die Nachbildungen des Kreuzes Christi übertragen und bezeichnete das Kreuz als christliches Symbol, beachte z. B. die Zusammensetzungen **Kreuzfahrer, Kreuzritter, Kreuzzug, Kreuzgang** und die Wendungen ›ein Kreuz schlagen‹ »das Kreuzeszeichen machen« und ›zu Kreuze kriechen‹ »nachgeben, sich unterwerfen«. Die letztere Wendung bezog sich ursprünglich auf einen Teil der Karfreitagsliturgie. In den christlichen Bereich fällt auch die sich an die Bibel anschließende Verwendung des Wortes im Sinne von »Leid, Qual, Mühsal«. Aus dem Gebrauch von ›Kreuz‹ in Flüchen, beachte z. B. **Kreuzdonnerwetter,** hat sich wahrscheinlich verstärkendes ›kreuz-‹ entwickelt, beachte z. B. **kreuzbrav, kreuzfidel, kreuzunglücklich.** Auf ›Kreuz‹ als Bezeichnung eines weltlichen Zeichens beziehen sich z. B. **[1]Kreuzer** »Geldmünze« (s. d.), ›Rotes Kreuz, Eisernes Kreuz‹. Von der Form eines Kreuzes gehen z. B. **Kreuzblütler, Kreuzbein** aus, beachte auch ›Kreuz‹ als Notenzeichen und als Farbe im Kartenspiel sowie die Verwendung des Wortes im Sinne von »unteres Ende des Rückgrats (am Kreuzbein), Rücken«, woran sich Zusammensetzungen wie **Kreuzschmerzen, kreuzlahm** anschließen. Ferner wird ›Kreuz‹ als Richtungsbezeichnung verwendet, und zwar von zwei sich schneidenden Richtungen, beachte z. B. **kreuzweise, Kreuzfeuer, Kreuzverhör,** die feste Verbindung ›kreuz und quer‹, ›in die Kreuz und Quere‹. – Abl.: **kreuzen** (s. d.); **kreuzigen** (mhd. *kriuzigen*, ahd. *crūzigōn;* das Verb ist dem lat. *cruciare* »ans Kreuz schlagen, martern, foltern« nachgebildet), dazu **Kreuzigung** (mhd. *kriuzigunge*, ahd. *chrūzigunga*). Zus.: **Kreuzotter** (19. Jh.; nach dem kreuzähnlichen, dunklen Gebilde auf dem Kopf der Schlange); **Kreuzschnabel** (16. Jh.; nach dem eigentümlich gekrümmten Schnabel des Vogels, daher auch Krummschnabel; nach der Legende hat der Vogel seinen gekrümmten Schnabel daher, weil er die Nägel aus dem Kreuz Christi zu ziehen versuchte, deshalb auch ›Christvogel‹); **Kreuzspinne** (17. Jh.; nach dem weißlichen Kreuz auf dem Hinterleib der Spinne); **Kreuzworträtsel** (20. Jh.). Siehe auch den Artikel *Kruzifix*.

kreuzen: Das von dem unter ↑Kreuz behandelten Wort abgeleitete Verb (mhd. *kriuzen*, ahd. *krūzōn*) bedeutete ursprünglich »ans Kreuz schlagen, kreuzigen«, in mhd. Zeit dann auch »ein Kreuz schlagen, sich bekreuzigen« und »mit einem Kreuz bezeichnen«. In diesen Bedeutungen kam ›kreuzen‹ im Nhd. allmählich außer Gebrauch. Heute wird das Verb im Sinne von »kreuzweise übereinander legen« und – besonders reflexiv – »(sich) kreuzweise durchschneiden« verwendet, beachte **Kreuzung** »Schnittpunkt von Verkehrswegen oder dgl.« (19. Jh.), das – im Anschluss an biologisch-fachsprachlich ›kreuzen‹ »erbverschiedene Paare paaren« – auch die Bedeutung »Paarung erbverschiedener Paare« hat. Als seemännischer Ausdruck für »im Zickzack gegen die Windrichtung ansegeln« ist ›kreuzen‹ Bedeutungslehnwort aus niederl. *kruisen* (17. Jh.), beachte dazu **[2]Kreuzer** »kreuzendes (d. h. zu Aufklärungszwecken hin und her fahrendes) Schiff; eine Jachtart« (17. Jh.; nach niederl. *kruiser*).

[1]Kreuzer: Der Name der ehemaligen Geldmünze geht auf mhd. *kriuzer* zurück, das von *kriuz[e]* »Kreuz« (vgl. *Kreuz*) abgeleitet ist. Die seit dem 13. Jh. in Meran und Verona geprägte Münze ist nach dem aufgeprägten liegenden Kreuz benannt.

[2]Kreuzer ↑kreuzen.

Kreuzgang, kreuzigen, Kreuzigung, Kreuzotter, Kreuzschnabel, Kreuzspinne ↑Kreuz.

Kreuzung ↑kreuzen.

Kreuzworträtsel ↑Kreuz.

Kribbe ↑Krippe.

kribbeln: Das im Sinne von »sich unruhig hin und her bewegen, wimmeln; kitzeln« gebräuchliche Verb (mhd. *kribeln*) ist eine Nebenform mit ausdrucksbetontem i zu ↑krabbeln. – Abl.: **kribb[e]lig** ugs. für »unruhig, ungeduldig, gereizt« (16. Jh., in der Form ›kryblecht‹).

Kribskrabs ↑Krimskrams.

kriechen: Das starke Verb (mhd. *kriechen*, ahd. *kriochan*) gehört mit der Nebenform ↑krauchen und mit der eng verwandten Sippe von ↑Krücke zu der unter ↑Kringel dargestellten idg. Wurzel **ger-* »[sich] drehen, [sich] winden, [sich] biegen«.

Krieg: Der Ursprung des nur dt. und niederl. Wortes ist trotz aller Deutungsversuche dunkel. In den älteren Sprachzuständen entsprechen mhd. *kriec* »Anstrengung, Bemühen, Streben; Streit; Wortstreit; Rechtsstreit; Wettstreit; Widerstand, Zwietracht; Kampf; bewaffnete Auseinandersetzung«, ahd. *chrēg* »Hartnäckigkeit«, mniederl. *crijch* »Widerstand; Zwietracht; Streit, Kampf«. – Das abgeleitete Verb **kriegen** veraltet für »Krieg führen«, ugs. für »bekommen« (mhd. *kriegen*, mitteld., mnd. *krīgen*, niederl. *krijgen*) bedeutete zunächst »sich anstrengen, sich um etwas bemühen, streben«, dann auch »streiten, zanken; kämpfen, Krieg führen«. Die ugs. Verwendung des Verbs im Sinne von »bekommen« geht aus von der Präfixbildung mitteld. *erkrīgen* (gekürzt

K

mitteld., mnd. *krīgen*) »strebend erlangen, erringen«. – Abl.: **Krieger** (mhd. *krieger* »Streiter, Kämpfer«); **kriegerisch** (16. Jh.; für älteres mhd. *kriegisch* »trotzig, streitsüchtig«). Zus.: **Kriegserklärung** (18. Jh.; Lehnübersetzung von frz. *déclaration de guerre*); **Kriegsschauplatz** (18. Jh.; Lehnübersetzung von frz. *théâtre de la guerre*).

Kriegsfuß

mit jmdm. auf Kriegsfuß stehen
(ugs.) »mit jmdm. [über längere Zeit] Streit haben«
Diese aus dem 16. Jh. stammende Wendung ist gebildet nach frz. *sur le pied de guerre.*

kriminell »verbrecherisch; strafbar; das Strafrecht betreffend«: Das seit dem Ende des 18. Jh.s bezeugte, aus frz. *criminel* (< lat. *criminalis*) entlehnte Adjektiv steht für älteres **kriminal** (›kriminalisch‹), das unmittelbar dem Lat. entlehnt ist, das aber heute fast nur in Zusammensetzungen wie ›Kriminalbeamte, Kriminalpolizei‹ und ›Kriminalfilm, Kriminalroman‹ (für beide die Kurzform **Krimi**) üblich ist. Lat. *criminalis* »das Verbrechen betreffend, kriminell« ist von lat. *crimen* »Beschuldigung, Anklage; Vergehen, Verbrechen, Schuld« abgeleitet, dessen weitere Herkunft umstritten ist. – Abl.: **Kriminalität** »Straffälligkeit«; **Kriminalist** »Strafrechtslehrer; Beamter der Kriminalpolizei« (17./18. Jh.), dazu **kriminalistisch** »die Kriminalistik betreffend« und **Kriminalistik** »Lehre vom Verbrechen, seiner Bekämpfung, Aufklärung usw.«.

krimpen ↑Krampf.

Krimskrams: Der seit dem Ende des 18. Jh.s bezeugte ugs. Ausdruck für »Plunder; Durcheinander; Geschwätz« ist – wie z. B. auch ›Mischmasch‹ und ›Wirrwarr‹ – eine Reduplikationsbildung mit Ablaut (vielleicht unter Anlehnung an *krimmeln* nordd. für »kribbeln« und »Kram«). ›Krimskrams‹ hat die ältere, seit dem 16. Jh. bezeugte Bildung **Kribskrabs** (wohl unter Anlehnung an *kribbeln* und *krabbeln*) zurückgedrängt.

Kringel: Mhd. *kringel* »Kreis, ringförmiges Gebilde, Brezel« ist eine Verkleinerungsbildung zu mhd. *krinc* »Kreis; Ring; Bezirk«, das mit der nord. Sippe von aisl. *kringr* »Kreis, Ring« verwandt ist. Im Ablaut dazu stehen z. B. mhd. *kranc* »Kreis, Umkreis« und das unter ↑Kranz behandelte Wort. Diese germ. Sippe geht zurück auf eine nasalierte Erweiterung der idg. Wurzel **ger-* »drehen, biegen, krümmen; winden, flechten«. Auf die zahlreichen, z. T. nasalierten Erweiterungen dieser Wurzel gehen aus dem germ. Sprachbereich zurück ↑krank (eigentlich »gebeugt, gekrümmt, hinfällig«), ↑Krampf (eigentlich »Krümmung, Zusammenziehung der Muskeln«), ↑Krampe »Haken, Klammer« (nach der gekrümmten Form), ↑Krempe »aufgeschlagener (eigentlich gekrümmter) Hutrand« und ↑krumm. Weiterhin verwandt sind die Gebäckbezeichnung ↑Krapfen (eigentlich »Haken«, nach der krummen Form); ferner ↑Kropf (eigentlich »Ausbiegung, Krümmung, Rundung«), ↑Krüppel (eigentlich »Gekrümmter«), ↑Krücke (eigentlich »Krummstab, Stock mit gekrümmtem Griff«), ↑Kralle (eigentlich »Gekrümmte«) und die Sippe von ↑kraus (eigentlich »gewunden, gekrümmt«). Für die Sippe von ↑Kraft ist von der Vorstellung des Anspannens (d. h. Krümmens bzw. Zusammenziehens) der Muskeln auszugehen. Zu der Wurzel **ger-* in der Bedeutungswendung »winden, flechten« gehört ferner das unter ↑Krippe (eigentlich »Flechtwerk«) behandelte Wort. Auch die Sippe von ↑kriechen (eigentlich »sich winden, sich krümmen«) ist verwandt, beachte auch den Fischnamen ↑[2]Kresse (eigentlich »Kriecher«) und niederd. *krōp* »kriechendes Wesen« (s. den Artikel *Kroppzeug*). – Abl.: **kringelig** ugs. für »geringelt, gekräuselt« (für älteres *kringlicht,* 17. Jh.); **kringeln** ugs. für »Kreise ziehen; kräuseln, ringeln«.

Krippe: Die westgerm. Substantivbildung mhd. *krippe,* ahd. *krippa,* niederl. *krib,* engl. *crib* gehört im Sinne von »Flechtwerk, Geflochtenes« zu der unter ↑Kringel dargestellten idg. Wurzel **ger-* »drehen, winden, flechten«. Das Wort bezeichnete also zunächst den geflochtenen Futtertrog und ging dann auf hölzerne oder steinerne Futtertröge bzw. Futterrinnen über. Die alte Bedeutung »Flechtwerk« ist noch in fachsprachlicher Verwendung des Wortes bewahrt, beachte ›Krippe‹ als Bezeichnung eines Weidengeflechts oder Holzwerks zum Schutz von Deich- und Uferstellen, davon **krippen** »eine Deich- oder Uferstelle durch Flechtwerk schützen« (18. Jh.), beachte auch niederd. *Kribbe* »Buhne«. – Auf die Geburt Jesu in einer Krippe beziehen sich z. B. die Zusammensetzung ›Krippenspiel‹ und die Verwendung von ›Krippe‹ im Sinne von »Kinderheimstätte« (nach entsprechend frz. *crèche*).

Krise: Das seit dem 16. Jh. bezeugte Wort ist aus griech. *krísis* »Entscheidung, entscheidende Wendung« (daraus auch lat. *crisis*) entlehnt. Es erscheint zuerst in der Form ›Crisis‹ (beachte die noch heute übliche Nebenform **Krisis**) als Terminus der medizinischen Fachsprache zur Bezeichnung des Höhe- und Wendepunktes einer Krankheit. Im 18. Jh. beginnt unter dem Einfluss von frz. *crise* der allgemeine Gebrauch des Wortes im Sinne von »entscheidende, schwierige Situation«, und es setzt sich als Hauptform allmählich ›Krise‹ durch. – Abl.: **kriseln** (19./20. Jh.), nur unpersönlich ›es kriselt‹ »eine Krise steht drohend bevor«.

Kristall »fester, regelmäßig geformter, von ebenen Flächen begrenzter Körper«, auch (mit neutralem Geschlecht): »geschliffenes Glas«: Das Wort (ahd. *cristalla,* mhd. *cristalle*) ist aus mlat. *crystallum* (Plural: *crystalla*) entlehnt, das über lat. *crystallus* auf griech. *krýstallos* »Eis; Bergkristall« zurückgeht. Dies gehört zusammen mit griech. *krýos* »Eiskälte, Frost« zu der unter ↑roh dargestellten Wurzel.

Kriterium »unterscheidendes Merkmal, Kennzeichen; Prüfstein«: Das im 17. Jh. in der Gelehrtensprache aufkommende Fremdwort ist eine Latinisierung von gleichbed. griech. *kritḗrion* (vgl. *kritisch*).

kritisch »streng prüfend und beurteilend, anspruchsvoll; tadelnd; wissenschaftlich erläuternd; bedenklich, gefährlich«: Das Adjektiv wurde im 17. Jh. unter dem Einfluss von frz. *critique* aus lat. *criticus* entlehnt, das seinerseits aus griech. *kritikós* »zur entscheidenden Beurteilung gehörig, entscheidend, kritisch« stammt. Zugrunde liegt das griech. Verb *krínein* »scheiden, trennen; entscheiden, urteilen usw.«, das zu der unter ↑[1]scheren dargestellten weit verzweigten Wortsippe von idg. **[s]ker-* »schneiden« gehört. – Das gleichfalls seit dem 17. Jh. bezeugte Substantiv **Kritik** »[wissenschaftliche, künstlerische] Beurteilung; kritische Besprechung; Tadel« ist aus gleichbed. frz. *critique* entlehnt, das aus griech. *kritikḗ (téchnē)* »Kunst der Beurteilung« übernommen ist. Aus lat. *criticus* »kritischer Beurteiler« (< griech. *kritikós*) stammt **Kritiker** (19. Jh.). Das Verb **kritisieren** »beurteilen, beanstanden, bemängeln, tadeln« (17. Jh.) ist mit der Endung -isieren nach gleichbed. frz. *critiquer* entwickelt. – Zwei von griech. *krínein* abgeleitete Substantive sind noch von Interesse, und zwar griech. *kritḗrion* »entscheidendes Kennzeichen, Merkmal« (↑Kriterium) und griech. *krísis* »Entscheidung« (↑Krise, Krisis).

kritteln »kleinliche Kritik üben, tadeln«: Das seit dem 17. Jh. bezeugte volkstümliche Verb *grittelen* »mäkeln, unzufrieden sein, zanken«, dessen weitere Herkunft unklar ist, geriet im 18. Jh. unter den Einfluss von ›Kritik‹, ›kritisch‹, ›kritisieren‹. Gebräuchlicher als das einfache Verb sind **bekritteln** und **herumkritteln.**

kritzeln: Das seit dem 15. Jh. bezeugte Verb ist eine Verkleinerungsbildung zu mhd. *kritzen,* ahd. *krizzōn* »[ein]ritzen«, womit schwed. *kreta,* norw. *krita* »schnitzen« verwandt sind. Dieses Verb, zu dem das unter ↑Kreis (eigentlich »eingeritzte Linie«) behandelte Substantiv gehört, ist vermutlich eine Nebenform mit ausdrucksbetontem i von ↑kratzen.

Kroatzbeere ↑kratzen.

Krokant: Die Bezeichnung für Zuckerwerk aus zerkleinerten Mandeln (auch Nüssen) und Karamellzucker wurde im 19. Jh. aus frz. *croquante* »Knuspergebäck« entlehnt. Dies ist substantiviertes Femininum von *croquant,* dem Part. Präs. von *croquer* »krachen, knuspern«, das lautmalenden Ursprungs ist. – Zu frz. *croquer* gehört als Ableitung auch frz. *croquette* »Kartoffelkuchen, gebratenes Kartoffelklößchen«, aus dem im 20. Jh. **Krokette** übernommen wurde.

Krokodil: Der Name des in zahlreichen Arten vorkommenden, wasserbewohnenden Kriechtieres wurde im 16. Jh. aus lat. *crocodilus* entlehnt, das seinerseits auf griech. *krokódīlos* zurückgeht. Das griech. Wort bezeichnete zunächst die Eidechse und bedeutet wohl eigentlich »Kieswurm« (dissimiliert aus *krókē* »Kies« und *drīlos* »Wurm«).

Krokus: Der seit dem 17. Jh. bezeugte Name der im Frühling blühenden Gartenpflanze ist aus lat. *crocus* entlehnt. Dies stammt aus griech. *krókos* »Safran«, woraus schon ahd. *cruogo,* aengl. *crōg, crōh,* anord. *krog* – alle mit der Bedeutung »Safran« – entlehnt worden waren. Die Herkunft des griech. Wortes ist nicht sicher zu ermitteln.

Krone: Lat. *corona* »Kranz; Krone«, das aus griech. *korṓnē* »Ring, gekrümmtes Ende des Bogens« (zu griech. *korōnós* »gekrümmt«) entlehnt ist, bezeichnete speziell den aus Blumen, Zweigen und dgl. gewundenen Blütenkranz als Kopfschmuck oder als Kampf- und Siegespreis, andererseits (nach orientalischem Vorbild) den metallenen Kranz oder die goldene Krone als Symbol des Herrschers und der königlichen Würde. In diesen Bedeutungen gelangte das lat. Wort früh als Lehnwort in die westgerm. Sprachen (ahd. *corōna,* mhd., mnd. *krōne,* aengl. *corōna;* gleichbed. engl. *crown* beruht auf Neuentlehnung durch roman. Vermittlung. Die nord. Sippe von schwed. *krona* stammt aus dem Mnd.). Das Wort ›Krone‹ wird im Dt. auch übertragen verwendet, beachte dazu Zusammensetzungen wie **Kronleuchter** (18. Jh.), **Zahnkrone** (18. Jh.), **Baumkrone** (18. Jh.). In einigen europäischen Ländern ist ›Krone‹ auch Münzname (nach dem ursprünglich auf diesen Münzen eingeprägten Bild einer Krone). Auch in der Umgangssprache spielt ›Krone‹ eine Rolle, und zwar als scherzhaftes Synonym für »Kopf«, beachte z. B. die Wendung ›einen in der Krone haben‹ »betrunken sein«. – An ›Krone‹ in dessen eigentlicher Bedeutung schließen sich an die Ableitung **krönen** »die [Königs-, Kaiser]krone aufs Haupt setzen« (mhd. *krœnen* »kränzen, bekränzen; krönen; auszeichnen«; heute häufig auch übertragen im Sinne von »glanzvoll abschließen«) mit dem dazugehörigen Substantiv **Krönung** (15. Jh.) und Zusammensetzungen wie **Kronprinz** (Anfang 18. Jh.) und **Kronzeuge** (19. Jh.). Letzteres wurde zur Wiedergabe von engl. *King's evidence* geprägt, das im englischen Recht den von der Krone bzw. dem Vertreter der Krone (dem Staatsanwalt) als Hauptbelastungszeugen vorgeführten Straftäter bezeichnet, der durch die belastenden Aussagen gegenüber seinen Komplizen mit Strafmilderung oder Straffreiheit für sich selbst rechnet. Danach bedeutet Kronzeuge jetzt allgemein »Hauptbelastungszeuge«. – Siehe auch den Artikel *Korona.*

Kronsbeere ↑Kranich.

Kropf: Die Bezeichnung für »krankhafte Schilddrüsenvergrößerung beim Menschen; Vormagen der Vögel« gehört wahrscheinlich im Sinne von »Krümmung, Rundung, Ausbiegung« zu der Wortgruppe von ↑Kringel (vgl. den Artikel *Krüppel*). Mit mhd., ahd. *kropf* sind verwandt mnd. *krop* »Beule, Auswuchs; Kropf; Vogelkopf; Rumpf, Körper«, engl. *crop* »Kropf; Kopf; gestutztes Haar; Ernte« und die nord. Sippe von schwed. *kropp* »Rumpf, Körper«. Aus dem Afränk. stammt frz. *croupe* »Kreuz, Hinterteil«, aus dem wiederum ↑Kruppe entlehnt ist. – Abl.: **kröpfen** »fressen«, von Raubvögeln (mhd. *krüpfen* »den Kropf füllen«); **Kröpfer** »männliche Kropftaube« (18. Jh.).

Kroppzeug (ugs., vorwiegend nordd. für: »kleine Kinder; Gesindel; wertloses Zeug«): Das im 18. Jh. ins Hochd. übernommene niederd. *krōptūg* »kleine Kinder; Gesindel« enthält als Bestimmungswort niederd. (mnd.) *krōp* »[Klein]vieh«. Das niederd. Wort gehört im Sinne von »kriechendes Wesen« zu mnd. *krūpen* »kriechen« (vgl. *Kringel*).

Kröte: Der Ursprung der nur dt. Bezeichnung für die Froschlurchart (mhd. *kröte, krot[te], krete*, ahd. *krota, kreta*, mitteld. *krade, krate*) ist dunkel.

Krücke: Das altgerm. Wort mhd. *krücke*, ahd. *krucka*, niederl. *kruk*, engl. *crutch*, schwed. *krycka* gehört im Sinne von »Krummstab, Stock mit gekrümmtem Griff« zu der Wortgruppe von ↑Kringel. Eng verwandt ist die Sippe von ↑kriechen (eigtl. »sich krümmen, sich winden«). – Zus.: **Krückstock** (17. Jh.).

K

[1]Krug: Der Ursprung der westgerm. Gefäßbezeichnung (mhd. *kruoc*, ahd. *kruog*, aengl. *crōg*) ist unklar. Da man in alter Zeit Gefäße herstellte, indem man die Tonschicht auf ein Flechtwerk auftrug, gehört das Wort vielleicht im Sinne von »Flechtwerk, Geflochtenes« zu der unter ↑Kringel dargestellten Wurzel **ger-* »drehen, winden, flechten«. Es kann sich aber auch um ein altes Wanderwort handeln, beachte z. B. griech. *krōssós* »Krug« und das unter ↑Kruke behandelte Wort.

[2]Krug: Der aus dem Niederd. übernommene Ausdruck für »Schenke, Wirtshaus« geht zurück auf gleichbedeutend mnd. *krōch, krūch*, das wahrscheinlich im Ablaut zu ↑Kragen (ursprünglich »Hals, Kehle«) steht. Beachte dazu z. B. das Verhältnis von lat. *gurges, gurgulio* »Schlund, Kehle« zu *gurgustium* »Schenke, Kneipe«. Im heutigen Sprachgefühl wird das Wort als identisch mit ↑[1]Krug »Gefäß« empfunden.

Kruke: Der Ausdruck für »irdenes Gefäß, Tonflasche« wurde im 18. Jh. aus dem Niederd. übernommen. Mnd. *krūke*, niederl. *kruik*, aengl. *crūce* sind wahrscheinlich mit dem unter ↑[1]Krug behandelten Wort verwandt.

Krume: Mitteld. *krume*, mnd. *krume, krome* »[innerer] weicher, lockerer Teil (besonders des Brotes); kleiner Teil, Brocken«, niederl. *kruim* »Krume«, engl. *crumb* »Krume, Brocken«, schwed. *inkråm* »Krume; Gekröse, Eingeweide« gehören im Sinne von »Herausgekratztes« zu der unter ↑krauen dargestellten Wurzelform **greu-* »kratzen«. Vgl. aus anderen idg. Sprachen z. B. lat. *grumus* »Erdhaufen« (eigentlich »Zusammengekratztes«). Verkleinerungsbildung zu ›Krume‹ ist **Krümel** (15. Jh.), dazu **krümeln** »in Bröckchen zerteilen; sich in kleine Teilchen auflösen« (15. Jh.), beachte **verkrümeln,** sich ugs. für »sich [unauffällig] entfernen« (eigentlich »sich in Krümel auflösen, krümelweise verschwinden«).

krumm: Das westgerm. Adjektiv mhd. *krump*, ahd. *chrump*, niederl. *krom*, aengl. *crumb* gehört zu der Wortgruppe von ↑Kringel. Es steht mit der Nebenform ahd. *chrumph* »gebogen, gekrümmt« im Ablaut zu den unter ↑Krampf behandelten Formen, vgl. z. B. ahd. *chramph* »krumm«, ahd. *krimphan* »krümmen«. – Das Adjektiv wird heute gewöhnlich im Sinne von »bogen- oder wellenförmig« gebraucht. **Krumm nehmen** bedeutet eigentlich »schief auffassen«.

Kruppe »Kreuz [des Pferdes]«: Das Substantiv wurde im 19. Jh. aus frz. *croupe* »erhöhter Teil des Rückens von Tieren; Hinterteil; Kreuz« entlehnt, das seinerseits aus afränk. **kruppa* stammt und somit zu der unter ↑Kropf genannten Wortfamilie gehört. Beachte ferner den Artikel *Croupier*.

Krüppel: Die Bezeichnung für einen körperbehinderten Menschen geht zurück auf mhd. *krüp[p]el*, das durch mitteld. Vermittlung aus dem Mnd. übernommen worden ist. Mnd. *krop[p]el, kröpel*, niederl. *kreupel*, engl. *cripple* gehören im Sinne von »Gekrümmter« zu der Wortgruppe von ↑Kringel (s. auch den Artikel *Kropf*). In Zusammensetzungen bezieht sich ›Krüppel‹ auch auf das zurückgebliebene Wachstum von Pflanzen, beachte z. B. ›Krüppelbirke, Krüppelholz‹.

Kruste: Das Substantiv (mhd. *kruste*, ahd. *krusta*) wurde in ahd. Zeit aus lat. *crusta* »Rinde« entlehnt, das zu der unter ↑roh dargestellten idg. Wurzel gehört. Neben ›Kruste‹ finden sich Formen mit r-Umstellung: ›Korste, Kurste, Kirste‹, die landsch. und ugs. im Sinne von »Brotrinde« gebräuchlich sind.

Kruzifix: Die Bezeichnung für die Darstellung des gekreuzigten Christus geht zurück auf mhd. *crūzifix*, das aus mlat. *crucifixum (signum)* »Bild des ans Kreuz Gehefteten« entlehnt ist (vgl. *Kreuz*).

Krypta »Gruft; unterirdischer Kirchen-, Kapellenraum«: Das Fremdwort ist aus gleichbed. lat. *crypta* entlehnt, das seinerseits aus griech. *kryptḗ* »verdeckter unterirdischer Gang; Gewölbe« übernommen ist. Das griech. Wort ist auch die Quelle für ↑Grotte und ↑grotesk, Groteske, beachte auch **kryptisch** »unklar, schwer zu deuten« (aus spätlat. *crypticus* < griech. *kryptikós* »verborgen«). Zugrunde liegt das griech. Verb *krýptein* »verbergen, verstecken«.

Kübel: Der Gefäßname (mhd. *kübel*, ahd. **kubil*, entsprechend aengl. *cyfl*) beruht auf Entlehnung aus mlat. *cupellus* »kleines Trinkgefäß«, einer

Verkleinerungsform zu lat. *cupa* »Kufe, Tonne« (vgl. den Artikel [2]*Kufe*).

ubikmeter, Kubikwurzel, Kubikzahl, kubisch ↑Kubus.

ubismus: Die Bezeichnung für eine Richtung der modernen Malerei, die die Naturformen als Komposition geometrischer (kubischer) Formen darstellt, ist eine junge nlat. Bildung nach frz. *cubisme* zu lat. *cubus* »Würfel« (vgl. *Kubus*).

ubus »Würfel; dritte Potenz«: Der mathematische Terminus ist aus gleichbed. lat. *cubus* entlehnt, das seinerseits aus griech. *kýbos* stammt. Dessen Herkunft ist nicht sicher gedeutet. – Von lat. *cubus* ist das Adjektiv *cubicus* abgeleitet, auf das einerseits unser Adjektiv **kubisch** »würfelförmig; in der dritten Potenz befindlich« zurückgeht (beachte die Fügung ›kubische Gleichung‹ »Gleichung dritten Grades«), andererseits in Zusammensetzungen wie **Kubikmeter** »Raummeter«, **Kubikwurzel, Kubikzahl** erscheint. Eine nlat. Bildung zu lat. *cubus* liegt vor in ↑Kubismus.

üche: Das nur westgerm. Substantiv (mhd. *küchen,* ahd. *chuhhina,* mnd. *koke[ne],* niederl. *keuken,* engl. *kitchen;* die nord. Sippe von entsprechend schwed. *kök* stammt aus dem Mnd.) beruht auf einer frühen Entlehnung aus spätlat. *coquina* (vlat. *cocina*) »Küche«. Dies gehört zu lat. *coquere* »kochen« (vgl. das Lehnwort *kochen*). Die Küche ist also als »Kochraum« benannt. Gleicher Herkunft wie das westgerm. Wort sind aus dem roman. Sprachbereich z. B. frz. *cuisine* »Küche« und gleichbed. it. *cucina.*

uchen: Das Wort für »Feingebäck« stammt wahrscheinlich aus der Kindersprache und bedeutete ursprünglich wohl »Speise, Brei«. Mhd. *kuoche,* ahd. *kuocho,* mnd. *kōke,* niederl. *koek,* ablautend engl. *cake* (↑Keks), schwed. *kaka* »Kuchen« gehen zurück auf germ. **kōka-, *kaka-,* wahrscheinlich ein Lallwort wie z. B. auch ›Mama‹ und ›Papa‹ (beachte auch das Lallwort ›Papp‹ landsch. und ugs. für »Speise, Brei«).

üchenschelle: Der Name der Anemonenart ist seit dem 16. Jh. bezeugt. Das Grundwort ist wahrscheinlich ↑[1]Schelle, das sich auf die glockenförmige, im Winde hin und her schaukelnde Blüte der Pflanze bezieht. Das Bestimmungswort lässt sich nicht sicher deuten. Da die giftige Pflanze nicht in der Küche verwendet wird, kann ihr Name nicht mit ›Küche‹ zusammengesetzt sein. Vielleicht handelt es sich um ein mdal. *Gucke, Kucke* »halbe Eierschale«, das volksetymologisch an ›Küche‹, an ›Kühchen‹ oder an ›Kuckuck‹ angelehnt wurde.

üchlein ↑Küken.

ucken ↑gucken.

uckuck: Der Waldvogel ist nach seinem eigentümlichen Ruf benannt. Das lautnachahmende Wort hat vom mnd.-mitteld. Sprachbereich ausgehend den alten, gleichfalls lautnachahmenden Namen des Vogels **Gauch** (mhd. *gouch,* ahd. *gauh*) allmählich verdrängt. Ähnliche Nachahmungen des Kuckuckrufs wie mnd. *kukuk,* niederl. *koekoek* sind z. B. lat. *cuculus,* frz. *coucou,* engl. *cuckoo,* russ. *kukuška.* Seit dem 16. Jh. wird der Vogelname als verhüllender Ausdruck für den Teufel verwendet, beachte z. B. ›zum Kuckuck‹ und ›hol ihn der Kuckuck‹. – Ironisierend wird ›Kuckuck‹ als Bezeichnung für den Wappenadler gebraucht, daher ugs. die Bedeutung »Gerichtsvollziehersiegel«.

Kuddelmuddel: Der ugs. Ausdruck für »Durcheinander, Wirrwarr«, der sich seit der 2. Hälfte des 19. Jh.s von Berlin ausgehend ausgebreitet hat, ist eine Wortdoppelung, die von niederd. *koddeln* »nicht sauber waschen« bzw. niederd. *modder* »Schlamm, Schmutz« ausgehen kann.

[1]**Kufe:** Die Bezeichnung für »Laufschiene [eines Schlittens]« geht auf ahd. **kuocha* »Kufe« (nur in: *slitochōho* »Schlittenkufe«) zurück, beachte mnd. *kōke* »Kufe«. Das Wort, das eigentlich »Stange, Ast (als Laufholz)« bedeutet, steht im Ablaut zu [m]niederd. *kāk* »Schandpfahl« und gehört zu der Sippe von ↑[1]Kegel. In der nhd. Form ›Kufe‹ hat sich -f- aus -ch- nach k entwickelt. Die alte Lautung bewahrt dagegen schweiz. *kueche[n]* »Kufe«.

[2]**Kufe** »Bottich, Bütte«: Der noch mdal. gebrauchte Gefäßname (mhd. *kuofe,* ahd. *kuofa,* asächs. *kōpa*) ist aus mlat. *copa,* einer Nebenform von lat. *cupa* »Kufe, Tonne«, entlehnt. – Dazu gehört die in Südwestdeutschland übliche Berufsbezeichnung **Küfer** (mhd. *küefer*), einerseits für den ↑Böttcher (speziell für den Hersteller von Weinfässern), andererseits auch für den Kellermeister, der die Bereitung und Pflege des [Fass]weines besorgt. – Lat. *cupa* ist auch Quelle für die Lehnwörter ↑Kübel und ↑Kuppel.

Kugel: Das seit mhd. Zeit bezeugte Wort gehört mit dem Ostalpenwort **Kogel** »runder Berggipfel« und ↑Kogge »dickbauchiges Segelschiff« zu der Wortgruppe von ↑Keule. Mhd. *kugel[e]* »Kugel« – daneben zusammengezogen *kūle* (↑Kaulbarsch) und mitteld. *kulle* (↑[2]kollern, ↑kullern) – ist eng verwandt mit engl. *cudgel* »Knüppel«, eigentlich »Stock mit kugelförmig verdicktem Ende«. – Das Wort bezeichnet heute vorwiegend eine zum Schießen oder Spielen dienende Kugel, beachte z. B. die Zusammensetzungen ›Kugelhagel, kugelfest, Kugelstoßen‹. – Abl.: **kugeln** »mit Kugeln spielen; wie eine Kugel rollen« (15. Jh.); **kug[e]lig** (15. Jh.; mhd. *kugeleht* »kugelförmig«).

Kuh: Der altgerm. Tiername mhd., ahd. *kuo,* niederl. *koe,* engl. *cow,* schwed. *ko* beruht mit verwandten Wörtern in anderen idg. Sprachen auf idg. **g^{w}ōus* »(weibliches, männliches) Rind«, vgl. z. B. aind. *gáuḥ* »Rind; Kuh; Stier«, griech. *boūs* »Rind; Kuh; Ochse«, dazu griech. *boútȳron* »Butter«, eigtl. »Kuhquark« (↑Butter), lat. *bos* »Rind; Kuh; Ochse« (s. den Artikel *Posaune*). Welche Vorstellung der idg. Benennung des Rindes zugrunde liegt, ist unklar. Vielleicht ist von einer Nachahmung des Brülllautes, den wir heute mit ›muh‹ wiedergeben, auszugehen. – Im Germ. dient das Wort lediglich zur Bezeichnung des weiblichen Rindes. Im Dt. bezeichnet ›Kuh‹ in Zusammensetzungen das weibliche Tier, beachte z. B. ›Elefanten-, Hirschkuh‹. – Zus.: **Kuhhandel** ugs. für »unsauberes Geschäft« (Ende des 19. Jh.s, zunächst als Hohnwort für politischen Parteischacher; auf das Feilschen und Betrügen beim Kuhhandel anspielend).

Kuhhaut

auf keine Kuhhaut gehen
(ugs.) »unerhört sein«
Die Wendung geht auf die mittelalterliche Vorstellung zurück, dass der Teufel einem Sterbenden dessen Sündenregister auf einem aus Kuhhaut gefertigten Pergament vorhält. Es zeugt von besonderer Schlechtigkeit, wenn die Übeltaten nicht einmal auf einer großen Kuhhaut Platz finden. In der Regel wurden nur die Häute von Kälbern und Schafen für die Herstellung von Pergament verwendet.

K

kühl »ein wenig kalt; unfreundlich, abweisend, distanziert«: Das westgerm. Adjektiv mhd. *küele*, ahd. *kuoli*, niederl. *koel*, engl. *cool* gehört zu der Wortgruppe von ↑kalt. – Abl.: **Kühle** (mhd. *küele*, ahd. *chuolī*); **kühlen** (mhd. *küelen*, ahd. *chuolen* »kühl machen«), beachte dazu **abkühlen, unterkühlen, verkühlen.** Um ›kühlen‹ gruppieren sich zahlreiche Neubildungen aus dem Bereich der Technik, beachte z. B. **Kühler** »Kühlvorrichtung des Motors«, **Kühlschlange, Kühlschrank, Kühlturm.**

kühn: Zu dem unter ↑können behandelten Verb gehört die Adjektivbildung germ. **kōnia-* »jemand, der verstehen kann; erfahren, weise«. Darauf gehen zurück mhd. *küene*, ahd. *kuoni* »mutig, stark«, niederl. *koen* »mutig; herzhaft«, engl. *keen* »scharf; heftig; eifrig, erpicht«, aisl. *kœnn* »klug; tüchtig«. Die späteren Bedeutungen »mutig, stark, scharf usw.« entwickelten sich aus der speziellen Verwendung des Adjektivs im Sinne von »im Kampfe erfahren oder tüchtig«. Die ursprüngliche Bedeutung »weise« liegt auch im Personennamen Konrad vor. – Abl.: **erkühnen,** sich »wagen, etwas zu sagen oder zu tun« (mhd. *erküenen* »kühn machen«); **Kühnheit** (mhd. *küenkeit*, ahd. *chuonheit*).

Küken: Die aus dem Niederd. übernommene Bezeichnung für »junges Huhn« geht zurück auf mnd. *kǖken*, das mit niederl. *kuiken*, engl. *chick[en]* und der anders gebildeten Sippe von schwed. *kyckling* »Küken« verwandt ist. Es handelt sich um Verkleinerungsbildungen zu einem den Naturlaut des Huhns nachahmenden **k[j]ŭk*, beachte dazu z. B. dt. *Gockel* (↑gackeln) und die germ. Sippe von engl. *cock*, die gleichfalls lautnachahmenden Ursprungs sind. Die hochd. Form **Küchlein,** die heute durch das niederd. ›Küken‹ zurückgedrängt ist, beruht auf *kuchelīn*, einer Verkleinerungsbildung zu spätmhd., mitteld. *kuchen* »Küken«.

kulant »gefällig, entgegenkommend, großzügig (im Geschäftsverkehr)«: Das Adjektiv kam im 19. Jh. in der Kaufmannssprache auf. Es ist aus frz. *coulant* »fließend, flüssig; beweglich, gewandt, gefällig« entlehnt, dem adjektivisch gebrauchten Part. Präs. von *couler* »durchseihen, gleiten lassen; fließen«. Dies geht auf lat. *colare* »durchseihen« – zu lat. *colum* »Seihkorb, Seihgefäß« – zurück. – Abl.: **Kulanz** »Entgegenkommen, Großzügigkeit« (20. Jh.). – Zu frz. *couler* stellt sich als Ableitung das Substantiv *coulisse* »Rinne; Schiebefenster«, aus dem unser Fremdwort ↑Kulisse stammt.

Kuli »Tagelöhner«, meist übertragen im Sinne von »ausgenutzter, ausgebeuteter Arbeiter«: Das Substantiv wurde im 19. Jh. durch Vermittlung von engl. *coolie* aus Hindi *kūlī* entlehnt, dem Namen eines im westlichen Indien beheimateten Volksstammes, dessen Angehörige sich oft als Fremdarbeiter zu verdingen pflegten. Daher rührt – besonders auch im Chinesischen – der appellativische Gebrauch des indischen Wortes im Sinne von »Lastträger, Lohnarbeiter«.

kulinarisch »auf die (feine) Küche, die Kochkunst bezüglich«, besonders in der Fügung ›kulinarische Genüsse‹ »Tafelfreuden«: Das Adjektiv wurde im 18. Jh. aus gleichbed. lat. *culinarius* entlehnt, das von lat. *culina* »Küche« abgeleitet ist. Über die etymologischen Zusammenhänge vgl. den Artikel *kochen*.

Kulisse »Dekorations-, Seiten-, Schiebewand« (Bühne), auch übertragen gebraucht im Sinne von »Hintergrund« oder auch »vorgetäuschte Wirklichkeit«: Das Fremdwort kam im 18. Jh. in der Bühnensprache auf. Es ist aus frz. *coulisse* »Rinne; Schiebefenster, Schiebewand usw.« entlehnt, dem substantivierten Femininum eines alten Adjektivs *coulis* »zum Durchseihen, Durchfließen geeignet«, das zu frz. *couler* »durchseihen; fließen« gehört (vgl. *kulant*).

kullern ↑¹kollern, ↑²kollern.

Kult: Das im Sinne von »streng geregelter Gottesdienst; Verehrung, Hingabe« gebräuchliche Fremdwort wurde im 17. Jh. aus lat. *cultus* »Pflege; Bildung; Verehrung [einer Gottheit]« entlehnt (über die etymologischen Zusammenhänge vgl. den Artikel *Kolonie*). Neben ›Kult‹ findet sich im dt. Sprachgebrauch zuweilen noch die Form mit der lat. Endung **Kultus,** so vor allem in den Zusammensetzungen **Kultusminister, Kultusministerium.** Dass in diesem Fall das Bestimmungswort eigentlich für ↑Kultur steht, ist aus der Zeit der Bildung dieser Zusammensetzungen zu verstehen (19. Jh.). Damals waren Kult und Kultur im staatlichen Leben viel enger verknüpft als heute. Seit der 2. Hälfte des 20. Jh.s erscheint ›Kult‹ häufig in Zusammensetzungen mit Substantiven, wie z. B. **Kultfigur, Kultfilm, Kultstar,** in denen es ausdrückt, dass die genannte Sache oder Person von einer speziellen Anhängerschaft höchste Bewunderung genießt. – Abl.: **kultisch** (20. Jh.).

kultivieren »(Land) bearbeiten, urbar machen; (die Sitten) verfeinern; sorgsam pflegen«: Das Verb wurde im 17. Jh. aus gleichbed. frz. *cultiver* entlehnt, das auf mlat. *cultivare* »[be]bauen; pflegen« zurückgeht. Zugrunde liegt lat. *colere (colui, cultum)* »[be]bauen, [be]wohnen, pflegen« (vgl. *Kolonie*) bzw. ein davon abgeleitetes Adjektiv mlat. **cultivus* »bebaut, gepflegt«. – Abl.: **kultiviert** »gesittet, hochgebildet; gepflegt«.

Kultur: Das seit dem 17. Jh. bezeugte, aus lat. *cultura* »Landbau; Pflege (des Körpers und Geistes)« entlehnte Substantiv wurde von Anfang an im Sinne von »Felderbau, Bodenbewirtschaftung« einerseits (beachte z. B. die verdeutlichende Zusammensetzung ›Bodenkultur‹) und »Pflege der geistigen Güter« andererseits (beachte die Zusammensetzung ›Geisteskultur‹) verwendet. An die aus der letzteren Bedeutung erwachsene allgemeine Stellung des Begriffes Kultur als der Gesamtheit der geistigen und künstlerischen Lebensäußerungen (einer Gemeinschaft, eines Volkes) schließen sich zahlreiche Zusammensetzungen an, z. B. **Kulturgeschichte** (18. Jh.), **Kulturpolitik, Kulturfilm** (20. Jh.), ferner das Adjektiv **kulturell** »die Kultur betreffend« (20. Jh.; mit französisierender Endung gebildet). Über die etymologischen Zusammenhänge des Wortes ›Kultur‹ vgl. den Artikel *Kolonie.*

Kultus ↑Kult.

Kümmel: Der Name der zu den Doldenblütlern gehörenden Gewürzpflanze und ihrer als Gewürz verwendeten Früchte (mhd. *kümel,* ahd. *kumil, kumīn,* entsprechend aengl. *cymen,* engl. *cum[m]in*) beruht auf einer Entlehnung aus gleichbed. lat. *cuminum,* das seinerseits aus griech. *kýmīnon* »Kümmel« entlehnt ist. Das Wort ist letztlich wohl semit. Ursprungs.

Kummer: Mhd. *kumber* »Schutt, Müll; Belastung, Mühsal; Not; Gram; Beschlagnahme, Verhaftung« ist aus mlat. *cumbrus, combrus* »Verhau, Sperre, Wehr« entlehnt, das auf gallolat. **comboros* (eigentlich »Zusammengetragenes«) zurückgeht (beachte frz. *décombrer* »vom Schutt reinigen«, *encombre* »Hindernis; Schutt«). Die rechtliche Geltung hat ›Kummer‹ in nhd. Zeit verloren. Die alte Bedeutung »Schutt« hat das Wort noch im westlichen Mittel- und Norddeutschland. Die Ableitungen und Zusammensetzungen schließen sich an die Bedeutung »Mühsal, Beschwerlichkeit; Not, Dürftigkeit; Gram, Sorge« an: **kümmerlich** »dürftig, jämmerlich« (mhd. *kumberlich* »bedrückend; gramvoll; verhaftet«); **kümmern** »bedrücken, Sorge machen«, auch »kränkeln, schlecht gedeihen« (mhd. *kumbern, kummern* »belästigen, bedrücken, quälen; mit Arrest belegen«), dazu **bekümmern** »betrüben, Sorge bereiten« (mhd. *bekumbern, bekümbern*), beachte auch **unbekümmert** und **verkümmern** »schwächlich werden, nicht recht gedeihen, nachlassen, eingehen« (mhd. *verkumbern, verkümbern*); **Kümmernis** »Gram, Sorge« (mhd. *kumbernisse* »Bedrückung, Gram«).

Kummet, Kumt: Der landsch. Ausdruck für »(gepolstertes) Halsjoch der Zugtiere« geht auf gleichbed. mhd. *komat* zurück, das aus poln. *chomąto* »hölzerner, gepolsterter Ring um den Hals der Zugtiere« entlehnt ist. Die weitere Herkunft der slaw. Sippe von poln. *chomąto* ist unklar.

Kumpan »Kamerad, Begleiter, Genosse« (ugs.), oft abfällig gebraucht im Sinne von »Mittäter«: Das Substantiv (mhd. *kompan, kumpan*) ist aus afrz. *compain* »Genosse« entlehnt. Dies geht auf mlat. *companio* »Brotgenosse; Gefährte« zurück, einer Bildung zu lat. *panis* »Brot« (vgl. *panieren*). Auf einer volkssprachlichen Form ›kumpe‹ beruht das im 20. Jh. mit Verkleinerungssuffix gebildete Wort **Kumpel** »Arbeitskamerad; Bergmann«, das zuerst im Bereich des rheinisch-westfälischen Bergbaues auftrat, später durch die Soldatensprache populär wurde. – Beachte in diesem Zusammenhang auch die Fremdwörter ↑Kompagnon und ↑Kompanie, die beide von mlat. *companio* ausgehen.

Kumst ↑Kompott.

Kumt ↑Kummet.

kund: Zu dem unter ↑können behandelten Verb gehört die Partizipialbildung gemeingerm. **kunþa-* »gewusst, bekannt«, auf die mhd. *kunt,* ahd. *kund,* got. *kunþs,* aengl. *cūđ,* aisl. *kunnr* zurückgehen. – Das Adjektiv wird heute fast ausschließlich als Verbzusatz gebraucht, beachte z. B. **kundgeben,** dazu **Kundgebung** »Bekanntmachung; Demonstration« (19. Jh.), **kundtun, kundwerden.** Die Substantivierung [1]**Kunde** (der) (mhd. *kunde,* ahd. *kundo*) bedeutete früher »Bekannter, Einheimischer«, seit dem 16. Jh. dann speziell »der in einem Geschäft [regelmäßig] Kaufende« (s. unten ›Kundschaft, Kundsame‹). – Die Substantivbildung [2]**Kunde** (die) (mhd. *kunde,* ahd. *chundī*) wird heute gewöhnlich im Sinne von »Nachricht, Botschaft« verwendet. Der seit dem 17. Jh. übliche Gebrauch des Wortes im Sinne von »wissenschaftliche Kenntnis, Lehre« ist wahrscheinlich von niederl. *kunde* »Kenntnisse, Wissenschaft« beeinflusst, beachte dazu die Zusammensetzungen ›Altertumskunde, Erdkunde, Heilkunde‹ usw. – Das abgeleitete Verb **künden** (mhd. *künden, kunden,* ahd. *kundan* »bekannt machen, [an]zeigen«) war im Nhd. lange Zeit ungebräuchlich und wurde erst durch die neuere Dichtersprache wieder belebt. Beachte dazu die Bildungen **ankünden** und **verkünden,** daneben auch **ankündigen** und **verkündigen.** Neben ›künden‹ existiert auch die umlautlose Form *kunden* (mitteld.), beachte **bekunden** »Zeugnis ablegen, aussagen, zum Ausdruck bringen« (18. Jh.; aus der Rechtssprache Niedersachsens) und **erkunden** »festzustellen suchen, auskundschaften« (spätmhd. *erkunden, erkünden* »Kunde zu erlangen suchen, auskundschaften«), dazu **Erkundung** militärisch für »Untersuchung eines Geländes oder feindlicher Stellungen«. Die jüngere Form **erkundigen** ist heute nur noch reflexiv im Sinne von »nachfragen« gebräuchlich, dazu **Erkundigung.** – Die Adjektivbildung **kundig,** älter auch *kündig* »erfahren, bewandert, gut unterrichtet, kenntnisreich« (mhd. *kündec,* ahd. *chundig* »bekannt; klug, schlau«) spielt heute hauptsächlich in der Zusammensetzung eine Rolle, beachte z. B. ›offenkundig, ortskundig, sachkundig‹. Das davon abgeleitete Verb **kündigen** (mhd. *kündigen*) bedeutete früher »bekannt machen, kundtun«, beachte dazu **ankündigen** und **verkündigen,** die neben ›ankünden, verkünden‹ (s. o.) gebräuchlich sind. Die um 1800 aufkommende, heute allein übliche Verwendung des Wortes im Sinne von »[auf]lösen, aufheben; verweigern; entlassen« beruht darauf, dass das einfache Verb ›kündigen‹ für **aufkündigen** »die Auflösung eines Vertrags kundtun« verwendet wurde. Beachte dazu **Kündigung** »[Auf]lösung, Aufhebung; Verweigerung; Entlassung« (Anfang des 19. Jh.s; in der Bedeutung »Verkündigung« seit dem 15. Jh.). Die umlautlose Nebenform ›kundigen‹ ist in ›erkundigen‹ (s. o.) bewahrt. Die Bildung **Kundschaft** (mhd. *kuntschaft*) wird heute gewöhnlich in den Bedeutungen »Erkundung, eingezogene Nachricht« und »Gesamtheit der Käufer« gebraucht. Die letztere Bedeutung hat sich im Anschluss an ›Kunde‹ (s. o.) aus »Bekanntschaft« entwickelt. An die Verwendung des Wortes im Sinne von »Erkundung« schließen sich an **[aus]kundschaften** und **Kundschafter.** Das schweiz. **Kundsame** »Kundschaft« geht auf mhd. *kuntsame* »Nachricht; beeidigte Sachverständige, Schiedsrichter; Schiedsspruch« zurück.

Kunft ↑kommen.

künftig: Das nur dt. Adjektiv (mhd. *kümftic,* ahd. *kumftīg*) ist von dem zu ↑kommen gebildeten Verbalabstraktum *Kunft* veraltet für »Kommen, Ankommen« abgeleitet und bedeutet eigentlich »im Begriff zu kommen«.

kungeln, landsch. auch: kunkeln: Der ugs. Ausdruck für »heimlich absprechen, (in betrügerischer Weise) unter sich ausmachen« gehört wohl im Sinne von »am Spinnrocken schwatzen, heimlich bereden« zu dem heute veralteten *Kunkel* »Spinnrocken, Spindel«, das aus vlat. *conucula* »Spinnrocken« entlehnt ist.

Kunst: Das zu dem unter ↑können behandelten Verb gebildete Substantiv (mhd., ahd. *kunst*) bedeutete zunächst in enger Anlehnung an das Verb »Wissen, Weisheit, Kenntnis«, auch »Wissenschaft«, beachte ›die sieben freien Künste‹. Dann wurde das Wort auch im Sinne von »(durch Übung erworbenes) Können, Geschicklichkeit, Fertigkeit« verwendet, beachte z. B. die Zusammensetzungen ›Fechtkunst, Kochkunst, Staatskunst, Verführungskünste‹. Seit dem 18. Jh. bezieht sich ›Kunst‹ speziell auf die künstlerische Betätigung des Menschen und auf die Schöpfung des Menschengeistes in Malerei, Bildhauerei, Dichtung und Musik. An den Gebrauch des Wortes im Sinne von »künstlich Geschaffenes« (Kunst im Gegensatz zu Natur) schließen sich z. B. an die Zusammensetzungen **Kunstdünger, Kunsthonig, Kunststoff.** – Zur Bildung des Verbalabstraktums ›Kunst‹ beachte z. B. das Verhältnis von ›Gunst‹ zu ›gönnen‹ und von ›Brunst‹ zu ›brennen‹. Das abgeleitete Verb **künsteln** (16. Jh.) – beachte **gekünstelt** und **erkünstelt** – wurde früher auch nicht tadelnd im Sinne »an einem Werk bessern« gebraucht. Das dazu gebildete Substantiv **Künstler** (16. Jh.) hat sich an ›Kunst‹ angeschlossen. Von ›Künstler‹ abgeleitet ist **künstlerisch** (18. Jh.). Das Adjektiv **künstlich** (mhd. *künstlich*) bedeutete zunächst »klug, kenntnisreich; geschickt«, dann »von Menschenhand geschaffen; nicht natürlich; gewollt«.

kunterbunt: Das seit dem Ende des 15. Jh.s, zuerst in der Form ›contrabund‹ bezeugte Adjektiv ist aus dem unter ↑Kontrapunkt behandelten Wort hervorgegangen. Es bedeutete zunächst »vielstimmig«, bezog sich also auf das Durcheinander der Stimmen bei einem kontrapunktisch angelegten Tonsatz. Aus ›contrabund‹ entwickelte sich unter Anlehnung an ›bunt‹ die Form ›kunterbunt‹ mit der Bedeutung »verworren, durcheinander, (bunt) gemischt«.

Kupfer: Der altgerm. Name des Metalls (mhd. *kupfer,* ahd. *kupfar,* niederl. *koper,* engl. *copper,* schwed. *koppar*) beruht auf einer frühen Entlehnung aus spätlat. *cuprum* »Kupfer«, das für lat. *aes cyprium* (wörtlich »Erz von der Insel Zypern«) steht. Das Metall hat seinen Namen also von der östlichen Mittelmeerinsel Zypern (griech. *Kýpros,* lat. *Cyprus*), zu deren wichtigsten Bodenschätzen noch heute der Kupferkies gehört. Vgl. auch den Artikel *abkupfern.* – Über die altgerm. heimische Bezeichnung des Metalls vgl. den Artikel *ehern.*

Kupon ↑Coupon.

Kuppe: Das im 18. Jh. aus der mitteld. Volkssprache in die Schriftsprache gelangte Substantiv bedeutet einerseits speziell »Bergspitze, Gipfel« (beachte die verdeutlichende Zusammensetzung ›Bergkuppe‹ und die Bergnamen ›Wasserkuppe‹ und ›Schneekoppe‹), andererseits bedeutet es auch allgemein »äußerste Spitze«, beachte die Zusammensetzung ›Fingerkuppe‹ und das schon im 17. Jh. bezeugte abgeleitete Verb **kuppen** »die Spitze abhauen«. Das Wort geht auf mitteld. *kuppe* »Spitze, Bergspitze« zurück. Quelle des Wortes ist vermutlich spätlat.-gemeinroman. *cuppa* »Becher« (vgl. z.B. frz. *coupe*, span. *copa* »Becher, [Trink]schale«), das dann übertragen im Sinne von »schalenförmiger Gegenstand, Haube, Gipfel« verwendet wurde. Aus der gleichen Quelle (lat. *cuppa*) stammt wohl auch unser Lehnwort ↑Kopf, dessen Bedeutung sich ähnlich entwickelte.

uppel »halbkugelförmig gewölbtes Dach«: Das Substantiv wurde im 17. Jh. aus gleichbed. it. *cupola* entlehnt, das auf lat. *cupula* »kleine Kufe, Tönnchen; Grabgewölbe« zurückgeht. Dies ist eine Verkleinerungsbildung zu lat. *cupa* »Kufe, Tonne; Grabgewölbe« (vgl. den Artikel [2]*Kufe* »Bottich«).

:uppeln »koppeln, verbinden« (Technik), daneben **[2]kuppeln** »zur Ehe oder zum Beischlaf zusammenbringen« (dafür meist das Präfixverb **verkuppeln**): Beide Wörter gehen auf mhd. *kuppeln, koppeln* »an die Koppel legen, binden, fesseln; verbinden, vereinigen« zurück und gehören somit zu mhd. *kuppel, koppel* »Band, Verbindung; Verbundenes usw.« (über weitere Zusammenhänge vgl. den Artikel *Koppel*). – Zu [1]kuppeln stellt sich die Ableitung **Kupplung** »Vorrichtung zur Verbindung oder Trennung von Maschinenteilen, Wellen, Fahrzeugen usw. (bei Kraftfahrzeugen speziell zur Verbindung oder Trennung von Motor und Getriebe)«. Demgegenüber gehören zu [2]kuppeln die Ableitungen **Kuppelei** »Vermittlung einer Heirat; Duldung oder Vermittlung außerehelichen Sexualverkehrs (als Prostitution)« (17. Jh.) und **Kuppler** »Heiratsvermittler; jemand, der Kuppelei betreibt« (mhd. *kuppelære, kuppeler*), davon **Kupplerin** (14. Jh.) und das Adjektiv **kupplerisch** (Anfang 17. Jh.).

uppen ↑Kuppe.

ur: Das seit dem 16. Jh. bezeugte Substantiv wurde aus lat. *cura* »Sorge, Fürsorge, Pflege, Aufsicht usw.« in die medizinische Fachsprache übernommen. Dort gilt es seitdem im Sinne von »ärztliche Fürsorge und Betreuung« allgemein, späterhin speziell zur Bezeichnung eines Heilverfahrens bzw. einer unter ärztlicher Aufsicht durchgeführten Heilbehandlung. Zahlreiche Zusammensetzungen, in denen ›Kur‹ teils als Bestimmungs-, teils als Grundwort erscheint, zeigen die weite und allgemeine Verbreitung des Wortes, z.B.: **Kurort** (19. Jh.), **Kurgast** (18. Jh.), **Kurpfuscher** (18./19. Jh.; eigentlich »jemand, der ohne medizinische Vorbildung und ohne behördliche Genehmigung ärztlich tätig ist«, dann allgemein im Sinne von »schlechter, unzuverlässiger Arzt«; dazu noch das Verb **kurpfuschen**); **Hungerkur** (18. Jh.), **Wunderkur** (18. Jh.), **Pferdekur** »mit drastischen, groben Mitteln arbeitende Behandlung« (17. Jh.). – Zu lat. *cura*, das etymologisch ohne sichere Anknüpfungen ist, gehören zahlreiche Ableitungen, die in unserem Wortschatz als Fremdwörter erscheinen: lat. *curare* »Sorge tragen, besorgen, pflegen« (↑kurieren), lat. *curator* »Fürsorger, Pfleger; Vorsteher, Leiter usw.« (↑Kurator, Kuratorium), mlat. *curatela* »Vormundschaft« (↑Kuratel), lat. *curiosus* »voll Sorgfalt, voll Interesse, sorgsam; wissbegierig, neugierig« (↑kurios, Kuriosum, Kuriosität), ferner die Bildungen lat. *accurare* »mit Sorgfalt tun« (↑akkurat), lat. *pro-curare* »Sorge tragen, pflegen; verwalten, Geschäftsführer sein« (↑Prokura, Prokurist). Beachte schließlich noch lat. *se-curus* »sorglos, sicher«, das unserem Lehnwort ↑sicher zugrunde liegt, und die Zusammensetzungen ↑Maniküre und ↑Pediküre, in denen lat. *cura* (> frz. *cure*) als Grundwort steckt.

Kür: Zu dem unter ↑kiesen »prüfen, wählen« dargestellten gemeingerm. Verb gehören die Substantivbildungen mhd. *kür[e]*, daneben *kur[e]* (s. unten ›Kur-‹), ahd. *kuri*, aengl. *cyre*, aisl. *kør*. – Im Sinne von »Wahl« ist ›Kür‹ heute kaum noch gebräuchlich. Sportsprachlich **Kür** »wahlfreie Übung« ist erst aus ›Kürübung‹ gekürzt. Die Zusammensetzung ↑Willkür schließt sich an die mhd. Verwendung des Wortes im Sinne von »Entschluss, Beschluss« an. Die Nebenform **Kur** lebt heute nur noch in der Zusammensetzung, und zwar mit der alten Sonderbedeutung des Wortes »Recht zur Königswahl«, beachte z.B. **Kurfürst** (mhd. *kur-, kürvürste* »mit dem Recht der Königswahl ausgestatteter Reichsfürst«), dazu **kurfürstlich** (mhd. *kurvürstlich*), **Kurfürstentum** (mhd. *kurvürstentuom*); **Kurpfalz, Kurwürde.** – Abl.: **küren** »wählen« (17. Jh.). Siehe auch den Artikel *Walküre*.

Kürass »Brustharnisch«: Das seit dem 15. Jh. bezeugte Substantiv ist aus frz. *cuirasse* »[Leder]panzer« entlehnt. Aus dem davon abgeleiteten Substantiv frz. *cuirassier* »mit einem Kürass ausgerüsteter Reiter« wurde Anfang des 17. Jh.s **Kürassier** »schwerer Reiter«, ugs. auch für »stattliche Frau« übernommen. – Frz. *cuirasse* ist wohl durch it. *corazza* vermittelt und geht auf vlat. **coracea* zurück, das für klass.-lat. *(vestis) coriacea* »ledernes Gewand« steht. Das zugrunde liegende Substantiv lat. *corium* »dicke Haut, Fell; Leder« gehört zu der unter ↑[1]scheren entwickelten Wortfamilie.

Kuratel »Vormundschaft, Pflegschaft« (veraltet), ugs. noch in der Fügung ›unter Kuratel stehen‹ im Sinne von »unter strenger Aufsicht stehen« gebräuchlich: Das Fremdwort wurde im 18. Jh. aus mlat. *curatela* »Vormundschaft, Pflegschaft« entlehnt, in dem wohl lat. *curatio* »Fürsorge« (zu lat. *cura* »Sorge«, vgl. *Kur*) und lat. *tutela* »Fürsorge, Obhut« zusammengefallen sind.

Kurator: Die Bezeichnung für »Verwalter [einer Stiftung]; staatlicher Beamter in der Universitätsverwaltung« wurde im 16. Jh. aus lat. *curator* »Fürsorger, Pfleger, Verwalter« entlehnt (vgl. *Kur*). – Dazu das Substantiv **Kuratorium** »Aufsichtsbehörde« (aus dem Neutrum des lat. Adjektivs *curatorius* »zum Kurator gehörig« substantiviert).

Kurbel: Die seit dem 15. Jh. bezeugte Bezeichnung

K

für einen einarmigen, gebogenen Hebel zum Drehen einer Welle ist weitergebildet aus einem älteren Substantiv *Kurbe* »Winde (am Ziehbrunnen); Kurbel«, das auf mhd. *kurbe*, ahd. *churba* beruht. Quelle des Wortes ist ein vlat. **curva* »Krummholz«, das zu lat. *curvus* »gekrümmt; gewölbt« (vgl. *Kurve*) gehört. – Abl.: **kurbeln** »mittels einer Kurbel drehen, bewegen« (19. Jh.), dazu die Zusammensetzung **ankurbeln** im übertragenen Sinne von »in Gang setzen, in Bewegung bringen« (20. Jh.). Zus.: **Kurbelwelle** (19. Jh.).

Kürbis: Der Name der Gemüsepflanze und ihrer dickfleischigen Beerenfrucht, mhd. *kürbiȥ*, ahd. *kurbiȥ* (entsprechend aengl. *cyrfet*), beruht auf einer frühen Entlehnung aus lat. *cucurbita* »(Flaschen)kürbis« bzw. vlat. (ohne Verdopplung der Anlautsilbe) **curbita*.

Kurfürst ↑Kür.

Kurie »Gesamtheit der päpstlichen Behörden, päpstlicher Hof«: Das Fremdwort wurde im 19. Jh. aus lat. *curia* »Amtsgebäude«, ursprünglich »Abteilung der Bürgerschaft, Senatsversammlung«, entlehnt. Lat. *curia* geht zurück auf ein **co-viria* »vereinigte Männerschaft« (zu lat. *co[n]...* »zusammen, mit« [vgl. *kon..., Kon...*] und *vir* »Mann«).

Kurier »Eilbote [im diplomatischen Dienst]«: Das Fremdwort wurde Ende des 16. Jh.s aus gleichbed. frz. *courrier* entlehnt, das seinerseits vermutlich aus it. *corriere* übernommen ist. Dies gehört zu it. *correre* »laufen, rennen, eilen« (= frz. *courir*), das auf lat. *currere* »laufen, rennen« (vgl. *Kurs*) zurückgeht.

kurieren »ärztlich behandeln, heilen«: Das Verb wurde im 17. Jh. aus lat. *curare* »Sorge tragen, pflegen; ärztlich behandeln, heilen« entlehnt (vgl. *Kur*).

kurios: Das seit dem 17. Jh. bezeugte Adjektiv ist aus lat. *curiosus* »sorgfältig; interessiert, aufmerksam, wissbegierig; neugierig, vorwitzig; pedantisch« entlehnt und geriet dann unter den Einfluss von frz. *curieux*, das gleichfalls auf lat. *curiosus* zurückgeht. Das Adjektiv wurde zunächst im Sinne von »wissenswert«, dann im Sinne von »merkwürdig, seltsam, absonderlich, wunderlich« verwendet, beachte dazu die Substantivierung **Kuriosum** »Seltsamkeit, absonderliche Sache«. Die gleiche Entwicklung zeigt **Kuriosität** »Merkwürdigkeit, Sehenswürdigkeit« (16./17. Jh.), das aus lat. *curiositas* »Wissbegierde, Neugierde« übernommen ist und dann von frz. *curiosité* beeinflusst wurde. – Über die etymologischen Zusammenhänge des Wortes vgl. den Artikel *Kur*.

Kurpfalz ↑Kür.

Kurs: Das seit dem 15. Jh. bezeugte, auf lat. *cursus* »Lauf, Gang, Fahrt, Reise; Verlauf, Fortgang; Umlauf; Richtung« zurückgehende Substantiv geriet im Laufe seiner Geschichte unter den Einfluss der entsprechenden Wörter in den Nachbarsprachen oder wurde aus diesen neu entlehnt. Ein vereinzelter früher Beleg des 15. Jh.s im Sinne von »Ladezettel« deutet zunächst unmittelbare Ent lehnung in der Kaufmannssprache aus it. *cors* an. Seine Geltung als Kaufmanns- und Handels wort erlangte ›Kurs‹ aber erst im 17. Jh. Wiede rum ist it. *corso* bzw. frz. *cours* Ausgangspunkt Die kaufmannssprachlichen Bedeutungen »Ta ges-, Börsenpreis; Wertstand« (eigentlich: de veränderliche Wert des Geldes im »Umlauf«) gel ten noch heute, beachte z. B. Zusammensetzun gen wie ›Tageskurs‹ und ›Kurswert‹. – Gleichfall schon im 15. Jh. finden sich unter dem Einflus von niederl. *koers* und frz. *cours[e]* in der nauti schen Terminologie die Bedeutungen »Ausfahr zur See« und »Fahrtrichtung, Reiseroute«, di heute auch in allgemeinem Sinne gelten, beacht in diesem Zusammenhang die Zusammenset zungen **Kursbuch** »Buch mit Eisenbahnfahrplä nen« und **Kurswagen** »durchgehender Wagen der mit verschiedenen Zügen läuft«. – Frz. *cour* ist auch verantwortlich für die im 18. Jh. aufkom mende Bedeutung »Umlauf«, die ›Kurs‹ vor allen in den festen Wendungen ›in Kurs komme (bringen)‹ und ›außer Kurs kommen‹ zeigt. – Fü den akademischen Bereich schließlich gelten sei dem 16. Jh. für ›Kurs‹ die Bedeutungen »Lehr gang; Vortragsreihe über ein Wissensgebiet«; i diesem Sinne steht für ›Kurs‹ auch die Vollform mit lat. Endung **Kursus.** Es handelt sich dabei un eine gelehrte Entlehnung unmittelbar au lat.(-mlat.) *cursus*. – Das lat. Substantiv gehör zum Verb lat. *currere (cursum)* »laufen, renne eilen« (damit verwandt ist gall.-lat. *carrus* »vier rädriger Wagen«; über dessen Sippe vgl. den Ar tikel *Karre*), das auch sonst in unserem Wort schatz mit zahlreichen Ableitungen und Zusam mensetzungen vertreten ist. Dazu gehören in Einzelnen: lat. *cursare* »umherrennen; durchlau fen« (↑kursieren), mlat. *cursivus* »laufend« (↑kur siv), spätlat. *cursorius* »zum Laufen gehörig (↑kursorisch), lat. *con-currere* »zusammenlaufen aufeinander stoßen« (↑konkurrieren, Konkur rent, Konkurrenz und ↑Konkurs), lat. *ex-curre* »herauslaufen« (dazu lat. *excursio* und lat. *excur sus* »Ausflug; Streifzug« in ↑Exkurs, Exkursion lat. *per-currere* »durchlaufen« (↑Parcours). Be achte schließlich noch die von it. *corso* bzw. vo it. *correre* (< lat. *currere*) ausgehenden Fremd wörter ↑Korso, ↑Kurier und ↑Korridor.

Kürschner: Die Bezeichnung des Pelzverarbeiter geht zurück auf mhd. *kürsenære*, das zu mhd. *kür sen*, ahd. *kursin[n]a* »Pelzrock« gebildet ist. Die ses Wort ist, wie z. B. auch ›Zobel‹ und ›Nerz‹, in Rahmen des Pelzhandels mit den Slawen aus de Slaw. entlehnt, beachte aruss. *kъrzьno* »Pelz« tschech. *krzno* »mit Pelz verbrämter Mantel«. – Abl. **Kürschnerei** (17. Jh.).

kursieren »umlaufen, im Umlauf sein«: Das Ver wurde im 17./18. Jh. aus lat. *cursare* »umherlau fen« (vgl. *Kurs*) entlehnt und schloss sich dann a ›Kurs‹ an.

kursiv »schräg« (von Schreib- und Druckschrift): Das Adjektiv ist aus **Kursive** »schräge Druckschrift« (17. Jh.) rückgebildet. Dies geht auf mlat. *cursiva (littera)* »laufende Schrift« zurück (lat. *cursivus* »laufend«, vgl. *Kurs*).

kursorisch »fortlaufend, rasch durchlaufend, hintereinander«: Das Adjektiv ist eine gelehrte Entlehnung des 18. Jh.s aus spätlat. *cursorius* »zum Laufen gehörig« (vgl. *Kurs*).

Kurste ↑Kruste.

Kursus, Kurswagen ↑Kurs.

Kurtisane: Die historische Bezeichnung für die vornehme, elegante Hofdame (als Geliebte an Fürstenhöfen) wurde im 16. Jh. aus gleichbed. frz. *courtisane* entlehnt. Das frz. Wort selbst beruht auf it. *cortigiana* »Kurtisane«, das sich als weibliche Bildung zu it. *cortigiano* »Höfling« (daraus entsprechend frz. *courtisan*) stellt. Es gehört zu it. *corte* »Hof; Fürstenhof« (über weitere etymologische Zusammenhänge vgl. den Artikel *Gardine*).

Kurve »gekrümmte Linie, Bogen[linie]; Straßen-, Fahrbahnkrümmung«: Das seit dem 18. Jh., zuerst als geometrischer Terminus bezeugte Wort hat sich aus lat. *curva linea* »gekrümmte Linie« verselbstständigt. Das zugrunde liegende Adjektiv lat. *curvus* »gekrümmt; gewölbt«, das zu der unter ↑schräg dargestellten idg. Wortsippe gehört, ist auch Ausgangspunkt für das Lehnwort ↑Kurbel. In der Umgangssprache wird der Plural ›Kurven‹ im Sinne von »als erotisierend empfundene weibliche Körperformen« verwendet, beachte dazu die Zusammensetzung **Kurvenstar** »weiblicher Filmstar, dessen Wirkung auf den besonders hervorgehobenen Körperformen besteht«.

Kurve

die Kurve kratzen
(ugs) »sich davonmachen«
Diese und die folgende Wendung rühren vom Autofahren her. Die vorliegende Redensart bezieht sich wohl darauf, dass jemand, der sehr eilig in eine Kurve fährt, leicht aus der Kurve getragen wird und dabei mit dem Fahrzeug etwas streift oder ankratzt. Sie bedeutete dann ursprünglich »schnell verschwinden, sich eilig davonmachen«.

die Kurve kriegen
(ugs.) »rechtzeitig fertig werden, etwas [rechtzeitig] erreichen; nicht scheitern«
Die Wendung bezieht sich darauf, dass man sein Ziel nicht mehr oder nicht mehr rechtzeitig erreicht, wenn der Wagen aus der Kurve getragen wird und man verunglückt.

Kurwürde ↑Kür.

kurz: Das Adjektiv (mhd., ahd. *kurz*) ist in frühdeutscher Zeit vor der Lautverschiebung aus lat. *curtus* »verkürzt, gestutzt, verstümmelt« entlehnt, das im Sinne von »abgeschnitten« zu der idg. Wortgruppe von ↑[1]scheren gehört. – Abl.: **Kürze** (mhd. *kürze*, ahd. *kurzī*); **kürzen** (mhd. *kürzen*, ahd. *kurzen;* beachte auch **abkürzen** und **verkürzen**), dazu **Kürzung** (mhd. *kürzunge*); **kürzlich** (mhd. *kurzlīche*, ahd. *kurzlīhho* »vor kurzem, in kurzer Zeit«, Adverb zum Adjektiv mhd. *kurzlich*, ahd. *kurz[i]līch* »kurz«). Zus.: **Kurzschluss** (Ende des 19. Jh.s; auch auf Menschen übertragen, beachte die Zusammensetzung **Kurzschlusshandlung**, 20. Jh.); **kurzsichtig** (18. Jh.; wohl nach engl. *short-sighted*); **kurzum** »um es kurz zu machen« (16. Jh.; zunächst von einer schnellen Wendung); **Kurzwaren** »kleine Handelsgegenstände«, speziell »Nähbedarf« (19. Jh.); **Kurzweil** »Zeitvertreib« (mhd. *kurz[e]wīle* »kurze Zeit; Zeitverkürzung, Zeitvertreib, Vergnügen«), dazu **kurzweilig** »unterhaltend« (mhd. *kurzwīlec*); **Kurzwelle** (1. Hälfte des 20. Jh.s).

kusch! »nieder!, leg dich!«: Der Befehl an den abgerichteten Jagdhund wurde im 17. Jh. in der Jägersprache aus gleichbed. frz. *couche!*, dem Imperativ von frz. *coucher* »niederlegen« (frz. *se coucher* »sich niederlegen; schlafen gehen«), entlehnt. Frz. *coucher* geht zurück auf lat. *col-locare* »auf-, hinstellen, hinlegen usw.« (vgl. *kon...*, *Kon...* und zum Stammwort lat. *locus* »Ort, Platz, Stelle« vgl. den Artikel *lokal*). – Abl.: **kuschen** »sich lautlos niederlegen« (vom Hund), auch übertragen (ugs.) im Sinne von »sich ducken, sich fügen« gebraucht (18. Jh.), zu dem **kuscheln,** sich »sich [zärtlich] anschmiegen« (um 1900) gebildet ist.

küssen: Das altgerm. Verb mhd. *küssen*, ahd. *kussen*, niederl. *kussen*, engl. *to kiss*, schwed. *kyssa* ist lautmalenden Ursprungs. Es geht mit den [elementar]verwandten Verben got. *kukjan* »küssen« und z. B. griech. *kyneīn* »küssen«, hethit. *kuu̯ašzi* »küsst« auf ein den Laut des Lippenkusses nachahmendes **ku-* zurück. Eine alte Rückbildung aus dem Verb ist **Kuss** (mhd., ahd. *kus*, niederl. *kus*, engl. *kiss*, schwed. *kyss*). – Die Sitte des Küssens geht wahrscheinlich von der Vorstellung aus, dass bei der Berührung der Lippen oder Nasen ein Austausch der im Atem gedachten Hauchseelen stattfindet. Älter als der Lippenkuss ist allem Anschein nach der Nasen- oder Schnüffelkuss, der bei einigen Völkerschaften noch heute üblich ist. Beachte dazu z. B. aind. *ghrā-* »riechen, schnüffeln« und »küssen«.

Küste: Das seit dem 17. Jh. bezeugte Substantiv geht auf afrz. *coste* (= frz. *côte*) »Rippe; Seite; Abhang; Meeresstrand, Küste« zurück, das durch Vermittlung von niederl. *kust*, älter *kuste* (mniederl. *cost[e]*) »Küste« ins Dt. gelangte. Quelle des Wortes ist lat. *costa* »Rippe«. Aus afrz. *coste* stammt auch engl. *coast* »Küste«. Zu frz. *côte* in dessen eigentlicher Bedeutung »Rippe« gehört das Fremdwort ↑Kotelett.

Küster »Kirchendiener«: Die nhd. Form des Wortes geht über mhd. *kuster* auf ahd. *kustor* zurück, das aus mlat. *custor* »Hüter (des Kirchenschatzes);

Kirchenpfleger« entlehnt ist. Dies gehört zu lat. *custos* »Wächter, Aufseher, Hüter usw.«.

Kutsche: Das seit dem Ende des 15. Jh.s bezeugte Wort für »Pferdedroschke« ist aus gleichbed. ung. *kocsi* (eigentlich *kocsi szekér* »Wagen aus dem Ort Kocs«) entlehnt. – Abl.: **Kutscher** (16. Jh.); **kutschen** (16. Jh.); **kutschieren** (17. Jh.).

Kutte: Der Ausdruck für »[Mönchs]gewand« geht auf mhd. *kutte* zurück, das aus mlat. *cotta* »Mönchsgewand« entlehnt ist. Das mlat. Wort seinerseits stammt aus dem Germ. (vgl. [1]*Kotze*).

Kuttel, (gewöhnlich Plural:) Kutteln: Der südd. Ausdruck für »[essbares] Eingeweide« geht zurück auf das seit dem 13. Jh. bezeugte mhd. *kutel* »Eingeweide von Tieren«, dessen weitere Herkunft unklar ist.

Kutter: Die Bezeichnung für »einmastiges Segelfahrzeug« wurde im 18. Jh. aus gleichbed. engl. *cutter* entlehnt, das zu engl. *to cut* »schneiden« gebildet ist und eigentlich etwa »(Wogen)schneider« bedeutet.

Kuvert »Briefumschlag, -hülle«: Das Fremdwort wurde um 1700 aus gleichbed. frz. *couvert* (dafür jetzt frz. *enveloppe*) entlehnt. Dies gehört zu frz. *couvrir* »bedecken, einhüllen« und bedeutet eigentlich »etwas, mit dem etwas bedeckt wird«. Frz. *couvrir* geht zurück auf lat. *co-operire* »von allen Seiten vollständig bedecken« (vgl. *kon..., Kon...* und zum Grundverb lat. *operire* »verschließen, bedecken« *[< *op-u̯erire]* vgl. den Artikel *wehren*).

L

Kwass ↑Quas.

Kybernetik: Die Bezeichnung für »Forschungsrichtung, die Systeme verschiedenster Art auf selbsttätige Regelungs- und Steuerungsmechanismen hin untersucht« wurde in der Mitte des 20. Jh.s aus gleichbed. engl. *cybernetics* entlehnt. Dies ist eine Prägung des amerikanischen Mathematikers Norbert Wiener (1894–1964) nach griech. *kybernētikḗ (téchnē)* »Steuermannskunst« (zu griech. *kybernḗtēs* »Steuermann«, einer Bildung zu griech. *kybernān* »steuern; leiten, regieren«). – Abl.: **Kybernetiker** und **kybernetisch** (beide 20. Jh.).

Lab: Die Bezeichnung des in der Käseherstellung verwendeten Ferments (mhd. *lap*, ahd. *lab*, mnd. *laf*, niederl. *leb*) gehört im Sinne von »Gerinnmittel« zu mhd. *liberen*, mnd. *leveren* »gerinnen [machen]«. Auf die Verwendung pflanzlicher oder tierischer Zusätze zum Gerinnenmachen des Kaseins der Milch beziehen sich der Pflanzenname **Labkraut** (16. Jh.) und die Benennung **Labmagen** (17. Jh.).

labb[e]rig: Der vorwiegend nordd. ugs. Ausdruck für »fade, gehaltlos« gehört zu niederd. *labbern* seemännisch für »schlaff werden« (von Segeln), das aus niederl. *labberen* »sich schlaff hin und her bewegen« entlehnt ist. Das niederl. Verb ist wohl mit ›Lappen; schlapp, schlaff‹ verwandt (vgl. *Schlaf*).

laben: Das westgerm. Verb mhd. *laben*, ahd. *labōn*, niederl. *laven*, aengl. *lafian* ist wahrscheinlich eine alte Entlehnung aus lat. *lavare* »waschen; baden; benetzen« (s. die Fremdwörter *Lavendel* und *Latrine*). Auch das westgerm. Verb bedeutete in den älteren Sprachzuständen »waschen, mit Wasser oder dgl. benetzen«, woraus sich dann die Bedeutung »[durch Benetzen oder durch Tränken] erfrischen, erquicken« entwickelte. – Lat. *lavare* gehört zu der unter ↑Lauge dargestellten idg. Wortgruppe. – Abl.: **Labsal** »Erquickung« (mhd. *labesal*).

labern: Der seit dem 18. Jh. bezeugte ugs. Ausdruck für »einfältig oder unaufhörlich reden; schwatzen« gehört vermutlich zu mdal. *Labbe* »Lippe, Maul«, das im Sinne von »Hängelippe, schlaff Herabhängendes« mit den Sippen von ↑Lappen, ↑Lippe, ↑Lefze usw. verwandt ist (vgl. *Schlaf*).

labil »schwankend, veränderlich, unsicher; unzuverlässig«: Das Adjektiv wurde um 1900 aus spätlat. *labilis* »leicht gleitend« entlehnt, einer Bildung zu lat. *labi (labor, lapsum)* »gleiten, abgleiten, straucheln usw.«, das wohl mit lat. *labare* »wanken, schwanken« und lat. *labor* »Mühe, Last; Arbeit« (ursprünglich etwa: »das Wanken unter einer Last«; hierzu die Fremdwörter ↑laborieren, Laboratorium, Laborant und ↑Kollaborateur) zu der unter ↑Schlaf dargestellten Sippe der idg. Wurzel **[s]lĕb-, [s]lāb-* »schlaff herabhängen« gehört. – Beachte noch lat. *col-labi* »zusammensinken, -brechen« in den Fremdwörtern *kollabieren, Kollaps*, ferner die Substantivbildungen lat. *lapsus* »das Gleiten, das Straucheln« (↑Lapsus) und mlat. *labina* »Erd-, Schneerutsch« (↑Lawine).

Labkraut, Labmagen ↑Lab.

laborieren »sich herumplagen (insbesondere mit einem Leiden)«: Das Verb wurde im 16. Jh. als medizinischer Fachausdruck aus gleichbed. lat. *laborare* entlehnt. Dies gehört zu lat. *labor* »Anstrengung, Mühe, Last; Arbeit« (über weitere Zusammenhänge vgl. den Artikel *labil*). – Aus lat. *laborans (laborantis)*, dem Part. Präs. von *laborare*, stammt das seit dem 17. Jh. bezeugte Substantiv **Laborant** »Fachkraft in Labors und Apotheken«, eigentlich »Arbeitender«. Aus mlat. *laboratorium* »Arbeitsraum« wurde im 16. Jh. **Laboratorium** »Arbeits- und Forschungsstätte für biologische, chemische oder technische Versuche« entlehnt, das zunächst die Alchemistenwerkstatt bezeichnete. Statt ›Laboratorium‹ wird häufig die Kurzform **Labor** gebraucht. Vgl. auch den Artikel *Kollaborateur.*

Labsal ↑laben.

Labskaus: Der seit dem 19. Jh. im Niederd. bezeugte Name eines Seemannsgerichtes aus Fleisch, Fisch und Kartoffeln ist aus engl. *lobscouse* entlehnt. Dessen Herkunft ist dunkel.

Labyrinth: »Irrgang, -garten; Wirrsal, Durcheinander«: Das Fremdwort wurde um 1500 aus gleichbed. lat. *labyrinthus* entlehnt, das seinerseits aus griech. *labýrinthos* übernommen ist. Dies ist vorgriech. Ursprungs. Es stammt wohl aus dem kretisch-minoischen Kulturkreis und bedeutet wahrscheinlich eigentlich »Haus der Doppelaxt« (als Königsinsignie), zu voridg. *lábrys* »Beil« (für griech. *pélekys*). So war denn auch gerade der Sagenkreis des bedeutenden kretischen Labyrinths, das Dädalus im Auftrag des Königs Minos für den sagenhaften Minotaurus erbaut haben soll, für die Verbreitung des Wortes und seines Ideenkreises in der Renaissance verantwortlich.

Lache: Die Herkunft des westgerm. Wortes mhd. *lache,* ahd. *lahha,* mnd. *lake* (↑Lake), aengl. *lacu* ist nicht sicher geklärt. Es kann, falls es nicht eine alte Entlehnung aus lat. *lacus* »Wasseransammlung, See« (↑Lagune) ist, im Ablaut zu der nord. Sippe von aisl. *lœkr* »langsam fließender Bach« stehen und zu der unter ↑leck dargestellten Wurzel **leg-* »tröpfeln, sickern« gehören.

Lache ↑lachen.

lachen: Das gemeingerm. Verb mhd. *lachen,* ahd. *[h]lahhan, -ēn,* got. *hlahjan,* engl. *to laugh,* schwed. *le* ist lautnachahmenden Ursprungs. Es gehört mit der germ. Sippe von aisl. *hlakka* »schreien, krächzen« und mit verwandten Wörtern in anderen idg. Sprachen zu einer lautmalenden Wurzel **klĕg-,* vgl. z. B. lit. *klagéti* »gackern«. – Abl.: [2]**Lache** »kurzes Lachen, Auflachen« (mhd. *lache;* das Substantiv ist aus dem Verb rückgebildet); **lächeln** (mhd. *lecheln* »ein wenig lachen, auf hinterhältige Weise freundlich tun«); **Lacher** »Lachender; kurzes Lachen« (16. Jh.); **lächerlich** »zum Lachen reizend; töricht, unsinnig; unbedeutend, gering« (mhd. *lecherlich* »lächelnd; zum Lachen reizend«); **Gelächter** (s. d.).

Lachs: Mhd., ahd. *lahs,* mnd. *lass,* aengl. *leax,* schwed. *lax* gehen mit verwandten Wörtern in anderen idg. Sprachen auf idg. **lak̂so-s* »Lachs« zurück. Vgl. z. B. lit. *lašišà,* russ. *losos'* »Lachs«, tochar. B *laks* »Fisch«. Welche Vorstellung der Benennung des Lachses zugrunde liegt, ist nicht sicher geklärt. Vielleicht ist der Fisch nach seiner Tüpfelung benannt (zu lett. *làse* »Tupfen, Fleck, Tropfen«).

Lack: Das Substantiv wurde im 16. Jh. aus it. *lacca* entlehnt, das wie entsprechend span. *laca* und frz. *laque* aus arab. *lakk* übernommen ist. Dies geht über pers. *lāk* auf aind. *lākṣā* »Lack« zurück.

Lackel: Die Herkunft des südd. Ausdrucks für »unbeholfener oder ungeschliffener Mensch« ist unklar.

Lackmus: Der Name des blauen Farbstoffes, der in der Chemie als Indikator verwandt wird, wurde im 16. Jh. mit der Sache aus Holland aufgenommen (niederl. *lakmoes,* mniederl. *le[e]cmoes*). Die Herkunft des niederl. Wortes ist nicht sicher geklärt.

Lade: Mhd., mnd. *lade* »Behälter; Kasten, Truhe; Sarg«, niederl. *lade* »Kasten, Behältnis« und die nord. Sippe von schwed. *lada* »Scheune« gehören im Sinne von »Behältnis, in das man eine Last laden kann, Abladeplatz« zu dem unter ↑[1]laden behandelten Verb. Das Wort spielt heute hauptsächlich in der Zusammensetzung eine Rolle, beachte z. B. **Schublade** (16. Jh.) und **Kinnlade** (s. unter *Kinn*).

[1]**laden:** Das gemeingerm. Verb mhd. *laden,* ahd. *[h]ladan,* got. *[af]hlaþan,* engl. *to lade,* schwed. *ladda* geht mit verwandten Wörtern im Baltoslaw. auf eine Wurzel **klā-* »hinbreiten, aufschichten« zurück, vgl. z. B. lit. *klóti* »hin-, ausbreiten«, russ. *klast'* »legen«. Zum Verbum stellen sich die Substantivbildungen ↑Lade und ↑Last und die Verbalbildungen ›ab-, auf-, aus-, be-, ein-, ent-, über-, verladen‹. Mit ›laden‹ »eine Last auflegen, befrachten« ist identisch ›laden‹ »ein Geschoss einführen, mit einer Sprengladung oder dergleichen versehen«, das im heutigen Sprachgefühl als ein verschiedenes Wort empfunden wird. Die Verwendung des Verbs im letzteren Sinne geht von dem Einsatz schwerer Geschütze aus, die tatsächlich gewissermaßen mit einer Last versehen wurden. An ›laden‹ in diesem Sinne schließen sich an **Ladestock** (17. Jh.), **Hinterlader** (19. Jh.), **Vorderlader** (19. Jh.) und ›Ladung‹ (s. u.) und die Verwendung des Verbs in der Bedeutung »mit einer elektrischen Ladung versehen«, beachte z. B. ›eine Batterie laden‹ oder ›positiv, negativ geladen sein‹. In diesen Kontext gehört auch das Verb **herunterladen,** eine Lehnübersetzung von engl. *to load down* mit der Bedeutung »von einem meist größeren Computer auf den eigenen Arbeitsplatzcomputer übertragen«. – Abl.: [1]**Ladung** »das Aufgeladene, Last; Füllung; Sprengmunition; Elektrizitätsmenge« (mhd. *ladunge*).

laden

[auf jmdn.] geladen sein
(ugs.) »[auf jmdn.] sehr wütend sein«
Die Wendung geht von der geladenen Schusswaffe aus, die jeden Augenblick losgehen kann.

[2]**laden** »zum Kommen auffordern«: Das gemeingerm. Verb mhd. *laden,* ahd. *ladōn,* got. *laþōn,* aengl. *ladian,* aisl. *laða* ist wahrscheinlich von dem unter ↑Laden »Geschäft« behandelten Wort abgeleitet, das auf **laþan-* »Brett, Bohle« zurück-

geht (vgl. *Latte*). In alter Zeit war es üblich, Einladungen zu Zusammenkünften oder Aufforderungen zu Volksversammlungen oder dergleichen dadurch zu bewerkstelligen, dass man einen Boten mit einem [mit Zeichen eingekerbten] Brett oder Stück Holz herumschickte (s. zum Sachlichen auch den Artikel *Klub*). Das Verb bedeutete demnach ursprünglich etwa »durch die Übersendung eines Brettes oder dergleichen zum Kommen auffordern«. – Gebräuchlicher als das einfache Verb sind heute die Zusammensetzungen **einladen** (mhd. *īnlāden*, ahd. *īnladōn*) und **vorladen** (mhd. *vorladen*, ahd. *furiladōn*). – Abl.: [2]**Ladung** »Aufforderung zum Kommen, Ein-, Vorladung« (mhd. *ladunge*, ahd. *ladunga*).

Laden: Das auf das dt. Sprachgebiet beschränkte Substantiv (mhd. *laden* »Brett, Bohle; Fensterladen; Kaufladen«) ist mit der Sippe von ↑Latte verwandt. Das Wort bedeutete zunächst »Brett, Bohle« und »aus Brettern oder Bohlen Gefertigtes«. Dann bezeichnete es einerseits speziell das Brett zum Schutz des Fensters (beachte die Zusammensetzung **Fensterladen** [17. Jh.]) und andererseits das in einer Verkaufsbude herabgelassene, zur Warenauflage dienende Brett, dann auch den aus Brettern hergerichteten Verkaufsstand. Aus der Verwendung des Wortes im letzteren Sinne hat sich die heute allgemein übliche Bedeutung »Geschäft« entwickelt. Siehe den Artikel [2]*laden*.

L

lädieren »verletzen, beschädigen«: Das Verb wurde im 17. Jh. aus gleichbed. lat. *laedere* entlehnt und war früher auch im Sinne von »beleidigen« gebräuchlich. Zu lat. *laedere* gehört lat. *collidere* »zusammenstoßen« (↑kollidieren, Kollision).

Ladung ↑[1]laden, ↑[2]laden.

Lady ↑Laib.

Laffe (ugs. für:) »Geck, eitler, alberner Mensch«: Das seit dem 15. Jh. bezeugte Wort gehört entweder im Sinne von »Lecker« zu mhd. *laffen* »lecken« oder aber im Sinne von »Mensch, der mit herabhängender Lippe bzw. mit offenem Mund gafft« zu frühnhd. *Laffe* »Hängelippe, Maul«. Zur ersten Deutung beachte älter nhd. *Lecker* »Laffe, Trottel«. Über die weiteren Zusammenhänge vgl. den Artikel *Schlaf* (beachte auch den Artikel *läppisch*).

Lage: Das nur dt. Wort ist eine Bildung zu dem unter ↑liegen behandelten Verb. In den älteren Sprachzuständen entsprechen mhd. *lāge* »lauerndes Liegen, Nachstellung; das Liegen, das Gelegensein; Zustand, Umstände; Art, Beschaffenheit; [Waren]lager«, ahd. *lāga* »Hinterhalt, Nachstellung«. Heute wird das Wort häufig auch im Sinne von »Schicht«, »Tonhöhe« und ugs. im Sinne von »Runde (Bier oder dergleichen)« gebraucht. – Die Bildungen ›An-, Auf-, Aus-, Bei-, Ein-, Nieder-, Unterlage‹ usw. schließen sich in der Bedeutung eng an ›anlegen‹ usw. an; beachte auch, dass das zu ›liegen‹ gehörige ahd. *lāga* mit dem zu ›legen‹ gehörigen ahd. *laga* zusammenfie[l] (↑legen).

Lager: Zu dem unter ↑liegen behandelten Verb gehört die gemeingerm. Substantivbildung mhd. *leger*, ahd. *legar*, got. *ligrs*, engl. *lair*, schwed. *läger*. Die lautgerechte, auf mhd. *leger* beruhende Form ›Leger, Läger‹ hielt sich bis ins 17. Jh., dann wurde sie durch die seit dem 14. Jh. bezeugte Form mit mdal. a (unter Anlehnung an ›Lage‹) verdrängt. – Abl.: **lagern** (für älteres *legern, lägern*, mhd. *leger[e]n*), dazu **belagern** (spätmhd. *belegern*, eigentlich »mit einem Heerlager umgeben«) und **verlagern** (16. Jh.).

Lagune »seichter Strandsee«: Das bereits im 16. Jh. bezeugte, aber erst im 18. Jh. allgemein gebräuchliche Fremdwort ist aus it. *laguna* entlehnt. Es bezeichnete zunächst die Küstenseen in der Umgebung Venedigs. Quelle des Wortes ist lat. *lacuna* »Vertiefung; Grube; Lache, Weiher«, das zu lat. *lacus* »See« (> it. *lago* und frz. *lac*) gehört. Dies ist vielleicht mit unserem Substantiv ↑[1]Lache verwandt.

lahm: Das altgerm. Adjektiv mhd., ahd. *lam*, niederl. *lam*, engl. *lame*, schwed. *lam* gehört im Sinne von »gliederschwach, gebrechlich« zu einer Wurzel **lem-* »brechen«, vgl. z. B. die verwandte baltoslaw. Sippe von russ. *lomit'* »brechen«, *lom* »Bruch«. Zu dieser Wurzel gehören auch die unter ↑Lümmel behandelten Wörter. Vgl. den Artikel *belämmert*.

Laib: Das alte gemeingerm. Wort mhd. *leip*, ahd. *[h]leib*, got. *hlaifs*, aengl. *hlāf* (s. u.), aisl. *hleifr* bezeichnete wahrscheinlich das ungesäuerte Brot, während das unter ↑Brot behandelte Wort das gesäuerte Brot der Germanen bezeichnete. Germ. **hlaiba-* »[ungesäuertes] Brot«, dessen weitere Herkunft dunkel ist, wurde in mehrere europäische Sprachen entlehnt, beachte z. B. die slaw. Sippe von russ. *chleb* »Brot«. – Aengl. *hlāf* »Brot«, auf dem engl. *loaf* »Laib« beruht, steckt als Bestimmungswort in aengl. *hlǣfdīge* »Herrin, Frau« (eigentlich »Brotkneterin«), das sich über mengl. *lāvedi* zu engl. *lady* »Dame« entwickelte (beachte das Fremdwort **Lady**), und in aengl. *hlāford* »Herr« (aus **hlāfward* eigentlich »Brotwart, -schützer«), das sich über mengl. *lōverd* zu engl. *lord* »Herr« entwickelte (beachte das Fremdwort **Lord**). – Im Dt. wird ›Laib‹ heute nur noch im Sinne von »einzelnes, geformtes Brot, geformte Masse (aus Brotteig, aus Käse)« gebraucht. Die im 17. Jh. aufgekommene Schreibung des Wortes mit ai dient der Unterscheidung von Leib »Körper«. Siehe auch den Artikel *Lebkuchen*.

Laich: Der Ausdruck für die zur Befruchtung im Wasser abgelegten Eier von Wassertieren geht zurück auf gleichbed. spätmhd. *leich*, das eigentlich »Liebesspiel« bedeutet und identisch ist mit mhd. *leich* »Tonstück, Melodie, Gesang« (ursprünglich »Spiel, Tanz«, vgl. *Leich*). Beachte dazu das verwandte schwed. *lek*, das »Spiel« und

»Liebesspiel (der Tiere), Paarungsakt, Laich« bedeutet. Die im 18. Jh. aufgekommene Schreibung mit ai dient der Unterscheidung von ›Leiche‹ »toter Mensch«. – Abl.: **laichen** »den Laich ablegen« (spätmhd. *leichen*).

aie »Nichtfachmann«: Das Substantiv (mhd. *lei[g]e*, ahd. *leigo*) bezeichnete in den ältesten Sprachzuständen den Nichtgeistlichen (im Gegensatz zum Kleriker), dann auch in freierer Übertragung (da ja im Mittelalter vorwiegend die Geistlichkeit an der Bildung teilhatte) den Nichtgelehrten, Nichtgebildeten. Daraus entwickelte sich schließlich seit dem 14. Jh. allmählich die allgemeine Bedeutung »Nichtfachmann«. Das Wort wurde durch roman. Vermittlung aus kirchenlat. *laicus* »zum Volk gehörig, gemein; Nichtgeistlicher« entlehnt, das seinerseits auf gleichbed. griech. *lāïkós* beruht. Stammwort ist griech. *lāós* »Volk, Volksmenge; Kriegsvolk«. Dazu gehört auch griech. *lḗitos* »vom Volk gestaltet, öffentlich« als Bestimmungswort in griech. *leitourgía* »öffentlicher Dienst« (s. das Fremdwort *Liturgie*).

akai (früher für:) »herrschaftlicher Diener [in Livree]«, heute noch gelegentlich im übertragenen Sinne von »Kriecher« gebraucht: Das seit dem Beginn des 16. Jh.s zuerst in der Bedeutung »gemeiner Fußsoldat« bezeugte Substantiv ist aus frz. *laquais* »Diener« entlehnt, das span. *lacayo* entspricht. Die weitere Herkunft des Wortes ist dunkel.

ake »Salzlösung zum Konservieren von Fischen und Fleisch«: Das seit dem 14. Jh. bezeugte mnd. *lake* »[Herings]salzbrühe«, das im Rahmen des Heringshandels ins Hochd. übernommen wurde, ist identisch mit mnd. *lake* »stehendes Wasser« (vgl. [1]*Lache*).

aken: Das im 15. Jh. aus dem Niederd. übernommene Wort für »Betttuch« geht zurück auf asächs. *lakan* »Tuch, Decke; Vorhang; Gewand«, das mit der hochd. Entsprechung ahd. *lahhan*, mhd. *lachen* »Tuch, Decke« auf germ. **lakana-* »Tuch« beruht. Das Wort ist wahrscheinlich mit der germ. Sippe von mnd. *lak* »schlaff, lose« verwandt und gehört im Sinne von »[schlaff herabhängender] Lappen« zu der idg. Wurzel **[s]lĕ̄g-* »schlaff, matt sein«. Vgl. aus anderen idg. Sprachen z. B. lat. *laxus* »schlaff« (↑lax) und air. *lacc* »schlaff, schwach«. Verwandt ist wahrscheinlich auch die Wortgruppe von ↑link.

akonisch »kurz, einfach und ohne Erläuterungen«: Das seit dem 17. Jh. bezeugte Adjektiv ist aus gleichbed. griech. *lakōnikós* entlehnt. Dies ist eine Ableitung von *Lákōn*, dem Stammesnamen der Lakonier bzw. Lakedämonier, bedeutet also eigentlich »zu den Lakoniern gehörend«. Die Lakonier waren für die Kürze ihrer Ausdrucksweise bekannt.

akritz[e] »aus Süßholzsaft eingedickte, wohlschmeckende, süße schwarze Masse«: Das Substantiv (mhd. *lakerize, lekerize*, ahd. *lacricie*) ist aus mlat. *liquiricia, liquiritia* »Süßholz« entlehnt, das aus gleichbedeutend griech. *glykýrriza* stammt. Dies bedeutet eigentlich »Süßwurzel« (zu griech. *glykýs* »süß« und *rhíza* »Wurzel«).

lallen: Das Verb (mhd. *lallen;* entsprechend schwed. *lalla*, dän. *lalle*) beruht mit [elementar]verwandten Wörtern in anderen idg. Sprachen auf einem lautmalenden, kindersprachlichen **lal[l]a-*, vgl. z. B. griech. *laleĩn* »schwatzen«, lat. *lallare* »in den Schlaf singen«, russ. *lala* »Schwätzer«. Siehe auch den Artikel *lullen.*

Lama: Der seit dem Ende des 16. Jh.s bezeugte Name des südamerikanischen Schafkamels stammt aus der peruanischen Indianersprache (Quechua *llama*) und wurde den Europäern durch span. *llama* vermittelt (beachte it., frz. *lama*, engl. *llama*).

Lamäng ↑Manier.

Lamelle »das einzelne Blatt des Fruchtkörpers unter dem Hut der Blätterpilze; dünnes Blättchen, Scheibe«: Das Fremdwort wurde um 1800 aus gleichbed. frz. *lamelle* entlehnt. Dies geht zurück auf lat. *lamella* »dünne Scheibe, Blättchen«, das zuvor schon einmal im Mhd. als *lāmel* »Klinge« erschienen war. Lat. *lamella* ist eine Verkleinerungsbildung zu lat. *lamina (lamna)* »dünnes Holz-, Metallstück, Platte, Blatt, Scheibe usw.« (unsicherer Herkunft). – Gleichen Ursprungs ist ↑Lametta.

Lametta »dünner, schmaler, glitzernder Metallstreifen (als Christbaumschmuck)«, in der Umgangssprache auch scherzhaft für »Rangabzeichen, Orden«: Das Fremdwort wurde im 20. Jh. aus gleichbed. it. *lametta*, einer Verkleinerungsbildung zu it. *lama* »Metallblatt; Klinge«, entlehnt. Voraus liegt lat. *lamina (lamna)* »dünnes Holz-, Metallblatt usw.« (vgl. *Lamelle*).

Lamm: Die Herkunft des gemeingerm. Wortes für »Schafjunges« (mhd. *lamp*, ahd. *lamb*, got. *lamb*, engl. *lamb*, schwed. *lamm*) ist dunkel. Im Dt. bezeichnet das Wort auch das Junge von Ziegen.

Lampe: Die seit dem 13. Jh. gebräuchliche Bezeichnung des Beleuchtungskörpers (mhd. *lampe*) beruht wie auch entsprechend niederl., engl. *lamp* auf einer Entlehnung aus (a)frz. *lampe* (= it. *lampa*), das auf vlat. *lampada* (für klass.-lat. *lampas, lampadis*) »Leuchte, Fackel; Leuchter« zurückgeht. Dies stammt aus griech. *lampás (lampádos)* »Fackel, Leuchte«, das von griech. *lámpein* »leuchten« abgeleitet ist. – Dazu auch griech. *lamptḗr* »Leuchter, Fackel; Laterne« in unserem Lehnwort ↑Laterne. Vgl. den Artikel *Lampion.*

Lampion »Papierlaterne«: Das Fremdwort wurde im 18. Jh. aus gleichbed. frz. *lampion* entlehnt, das seinerseits aus it. *lampione* übernommen ist. Dies ist eine vergrößernde Ableitung von it. *lampa* (vgl. *Lampe*).

lancieren »in Gang bringen, in Umlauf setzen; geschickt an eine gewünschte Stelle, auf einen bestimmten Posten bringen«: Das Verb wurde im 18. Jh. aus frz. *lancer* »schleudern; loslassen; in

Schwung bringen« entlehnt, das auf spätlat. *lanceare* »die Lanze schwingen« zurückgeht (vgl. *Lanze*). – Siehe auch *Elan*.

Land: Das gemeingerm. Wort mhd., ahd. *lant,* got. *land,* engl. *land,* schwed. *land* steht im Ablaut zu der nord. Sippe von schwed. *linda* »Brache, Saatfeld« und vermutlich auch von schwed. *lund* »Hain, Wäldchen«. Diese germ. Wortgruppe geht mit verwandten Wörtern im Kelt. und Baltoslaw. auf **lendh-* »[freies] Land, Feld, Heide« zurück, vgl. z. B. air. *land* »freier Platz« und russ. *ljada* »Rodeland, niedriger Boden«. Die zahlreichen Ableitungen und Zusammensetzungen schließen sich an die verschiedenen Verwendungsweisen von ›Land‹ an, und zwar im Sinne von »bebaubares Land, [Acker]boden, Feld; Erdboden, fester Grund, Festland (im Gegensatz zum Wasser, zur Luft); offenes, freies Land, dörfliche Gegend (im Gegensatz zur Stadt); geographisch oder politisch abgeschlossenes Gebiet, Staat«. – Abl.: **landen,** landsch. **länden** »ans Ufer oder auf den Erdboden kommen, anlegen, erreichen; zur Landung bringen« (mhd. *lenden,* ahd. *lenten;* die seit dem 17. Jh. bezeugte Form ›landen‹ aus oder nach niederd. *landen* unter Anlehnung an ›Land‹), dazu **Lände** landsch. für »Landungsplatz« (ahd. *lenti*); **Ländereien** »Felder, zusammenhängendes Nutzland« (16. Jh.); **Ländler** »Volkstanz im langsamen Walzertakt« (Ende des 18. Jh.s; eigentlich Tanz, der im ›Landl‹, d. h. Oberösterreich, getanzt wird); **ländlich** »dörflich, bäurisch« (mhd. *lantlich*); **Landschaft** »Gegend, natürliche Geländeeinheit, abgeschlossenes Gebiet« (mhd. *lantschaft,* ahd. *lantscaf[t]*), dazu **landschaftlich** (18. Jh.); **Landser** ugs. für »Soldat« (1. Hälfte des 20. Jh.s; s. u. ›Landsknecht‹). Zus.: **Landenge** »schmaler Landstreifen zwischen Meeren oder Seen« (18. Jh.); **Landgraf** »gräflicher Landesherr« (mhd. *lantgrâve* »königlicher Richter und Verwalter eines Landes«); **Landjäger** südwestd., besonders schweiz. für »Gendarm«, auch Name einer Dauerwurst (19. Jh.); **Landkarte** (17. Jh.); **Landpomeranze** scherzhaft für »ländliche Schöne, Provinzlerin« (19. Jh.; wohl aus der Studentensprache); **Landratte** seemännisch scherzhaft für »am Land oder im Binnenland Lebender« (19. Jh.; Lehnübersetzung von engl. *landrat*); **Landregen** »anhaltender Regen« (15. Jh.; eigentlich »über ein ganzes Land ausgedehnter Regen«); **Landsknecht** (15. Jh.; eigentlich ein im kaiserlichen Land – im Gegensatz zum Schweizer – angeworbener Soldat, ↑Knecht; unter Anlehnung an ›Lanze‹ dafür früher auch ›Lanzknecht‹, zu dem die Kurzform ›Lanz[t]‹ gehört, davon ›Landser‹, s. o.); **Landstreicher** »jmd., der nicht sesshaft ist« (spätmhd. *lantstrîcher*); **Landsturm** »letztes Aufgebot der waffenfähigen Männer« (17. Jh.; nach dem Läuten der Sturmglocken zur Einberufung der letzten waffenfähigen Männer eines Landes); **Landtag** »Volksvertretung eines Bundeslandes« (mhd. *lanttac* »Versammlung zum Landgericht«); **Landwehr** »ältere Jahrgänge eines Heeres« (mhd. *lantwer,* ahd. *lantweri* »Befestigung, Landesverteidigung«, dann »Verteidiger eines Landes«); **Landwirt** »Bauer« (18. Jh.), dazu **Landwirtschaft** (18. Jh.); **Ausland** »fremdes Land« (18. Jh.; erst nach ›Ausländer, ausländisch‹ gebildet, mhd. *ûzlender* »Ausländer, Fremder«, *ûzlendic* »ausländisch, fremd«); **Inland** (17. Jh.; erst nach ›Inländer, inländisch‹ gebildet; mhd. dafür *inlende* »Heimat, Vaterland; Herberge«); **verlanden** »zu Land werden« (19. Jh.). Siehe auch die Artikel *elend* und *Gelände*.

Land

jmdn., etwas an Land ziehen
(ugs.) »jmdn., etwas für sich gewinnen«
Die Wendung bezog sich ursprünglich wahrscheinlich auf das Bergen und In-Besitz-Nehmen von Gütern und Schiffsteilen, die nach einem Schiffsunglück an Land gespült wurden. Vielleicht hat auch die Vorstellung mitgewirkt, dass ein gefangener Fisch, wenn er sehr groß ist, vom Angler an Land gezogen werden muss.

Landauer: Die seit dem 18. Jh. bezeugte Bezeichnung für einen viersitzigen, mit einem Verdeck versehenen Wagen ist von dem Ortsnamen Landau (Pfalz) abgeleitet. Diese Wagenart wurde zuerst in Landau hergestellt. Beachte auch frz. *landaulet* »[Halb]landauer«.

Landstrich ↑Strich.

lang: Das gemeingerm. Adjektiv mhd. *lanc,* ahd. *lang,* got. *laggs,* engl. *long,* schwed. *lång* geht mit verwandten Wörtern im Lat. und Kelt. auf **longho-s* »lang« zurück, vgl. z. B. lat. *longus* »lang«. – Die Adverbialform **lange** (mhd. *lange,* ahd. *lango*) ist heute nur noch im zeitlichen Sinne gebräuchlich. Auf dem adverbial erstarrten Genitiv Singular des Adjektivs mhd. *langes, lenges* »der Länge nach; vor langer Zeit« beruhen nhd. **längs** (Präposition und Adverb) und – mit sekundärem t – **längst** (Adverb) »vor langer Zeit«, beachte auch **unlängst** »vor nicht langer Zeit«. Abl.: **Länge** (mhd. *lenge,* ahd. *lengî*); **langen** »ausstrecken, greifen; reichen; auskommen, genügen« (mhd. *langen,* ahd. *langēn,* eigentlich »lang werden oder machen«; an die veraltete Verwendung des Verbs im Sinne von »kommen« schließt sich **anlangen** »ankommen« an; s. auch die Artikel *belangen, erlangen, verlangen*); **längen** (mhd. *lengen,* ahd. *lengan* »lang machen, in die Länge ziehen«); **länglich** (15. Jh.; für mhd. *lengeleht*); **langsam** (mhd. *lancsam,* ahd. *langsam* »lange dauernd«; das Adjektiv übernahm in mhd. Zeit die Bedeutung des untergegangenen Adjektivs ahd. *langseimi,* mhd. *lancseim* »zögernd, nach und nach vor sich gehend«). Zus.: **Lang[e]weile** (17. Jh., zusammengerückt aus ›lange Weile‹, dazu **langweilen** (18. Jh.) und

langweilig (15. Jh.); **Langfinger** »Dieb« (17. Jh.; beachte auch die Wendung ›lange Finger machen‹ »stehlen«); **langmütig** (mhd. *lancmüetec*, ahd. *langmuotig* »geduldig«, Lehnbildung nach spätlat. *longanimus*), dazu **Langmut** (16. Jh.; nach lat. *longanimitas*); **langwierig** »lange dauernd und daher schwierig, mühsam« (spätmhd. *lancwiric* »lange dauernd«; zum zweiten Bestandteil ↑währen). Siehe auch die Artikel *entlang* und *Lenz*.

Languste: Der Name des besonders in Mittelmeergegenden vorkommenden scherenlosen Krebses, der wegen seines schmackhaften Fleisches als Delikatesse sehr geschätzt ist, geht auf vlat. **lacusta* zurück. Ins Dt. wurde er durch aprov. *langosta* und frz. *langouste* vermittelt. Vlat. **lacusta* steht für klass.-lat. *locusta* »Heuschrecke« und »Heuschreckenkrebs, Languste«.

Lanze: Der Name der Waffe (mhd. *lanze*) ist aus afrz. (= frz.) *lance* entlehnt, das seinerseits auf lat. *lancea* »Speer mit Wurfriemen, Lanze« beruht. – Dazu stellen sich die Fremdwörter ↑lancieren und ↑Elan.

Lanze

für jmdn., für etwas eine Lanze brechen/einlegen
»für jmdn., für etwas eintreten«
Diese Wendung knüpft an Vorstellungen aus dem mittelalterlichen Turnierwesen an. Sie meint eigentlich, dass ein Ritter für jemanden, für jemandes Ehre o. Ä. einen Turnierkampf mit der Lanze austrägt.

lapidar »knapp, kurz und bündig«: Das seit dem 18. Jh. – zunächst in der Form ›lapidarisch‹ – bezeugte Adjektiv stammt wie entsprechend frz. *lapidaire* aus lat. *lapidarius* »zu den Steinen gehörig; Stein...«. Die Verwendung im Sinne von »knapp, kurz und bündig« geht vom gedrängten, knappen Stil altrömischer Steininschriften aus. – Stammwort ist lat. *lapis* »Stein; Edelstein«, das auch in Lapislazuli (↑Lasur) erscheint.

Lapislazuli ↑Lasur.

Lappalie: Das seit dem 17. Jh. bezeugte Fremdwort für »Kleinigkeit, Nichtigkeit« ist eine scherzhafte studentische Bildung zu ↑Lappen mit lat. Endung nach dem Muster von Kanzleiwörtern wie ›Personalien‹.

Lappen: Mhd. *lappe*, ahd. *lappo, lappa* »herabhängendes Stück Zeug, Stück Haut oder dgl.« und die verwandten Substantive niederl. *lap* »Lappen, Fetzen, Lumpen«, engl. *lap* »Läppchen, Zipfel«, schwed. *lapp* »Lappen, Flicken, Fetzen« gehören im Sinne von »schlaff Herabhängendes« zu der unter ↑Schlaf dargestellten Wortgruppe. Eng verwandt sind z. B. die unter ↑Laffe, ↑Lippe, ↑schlaff und ↑schlapp behandelten Wörter, außergerm. vergleicht sich z. B. griech. *lobós* »Ohrläppchen«. Siehe auch die Artikel *Lappalie* und *läppisch*.

Lappen

durch die Lappen gehen
(ugs.) »jmdm. entwischen, entgehen«
Die Wendung stammt aus dem Jagdwesen. Bei der Treibjagd spannte man Schnüre mit bunten Stofffetzen (Lappen), um dem Wild bestimmte Fluchtrichtungen zu versperren. Das Tier, das an diesen Stellen trotzdem entkam, war ›durch die Lappen gegangen‹.

läppern (veraltet für: »schlürfen«): Das seit dem 16. Jh. bezeugte Verb ist eine Iterativbildung zu mnd. *lapen* »lecken, schlürfen, schlappen« (vgl. *Löffel*). Gebräuchlich sind heute **zusammenläppern,** sich ugs. für »in kleinen Mengen allmählich zusammenkommen« und **verläppern** ugs. für »in kleinen Mengen allmählich verschwinden lassen«.

läppisch: Das seit dem 15. Jh. bezeugte Adjektiv ist eine Ableitung von dem durch ›Laffe‹ (s. d.) verdrängten Substantiv Lappe, mhd. *lappe* »einfältiger Mensch«. Dieses Sustantiv ist entweder identisch mit dem unter ↑Lappen behandelten Wort (beachte z. B. die Zusammensetzung ›Jammerlappen‹) oder aber eine Bildung zu dem veralteten Verb ›lappen‹ »schlaff herabhängen« (vgl. *Schlaf*).

Lapsus »Fehler, Schnitzer, Versehen«, auch in Fügungen wie ›Lapsus Linguae‹ »Sprechfehler«: Das Substantiv ist eine gelehrte Entlehnung aus lat. *lapsus* »das Gleiten, das Fallen; der Fehltritt, das Versehen«. Dies gehört zu lat. *labi* »gleiten, abgleiten, straucheln usw.« (vgl. *labil*).

Laptop: Das Fremdwort für einen »tragbaren Personalcomputer« wurde in der 2. Hälfte des 20. Jh.s aus gleichbed. engl. *lap top* übernommen, das aus *lap* »Schoß« und *top* »Platte« gebildet ist. Der Laptop ist demnach ein Computer, den man zum Arbeiten auf die Knie nehmen kann. In diesem Sinne handelt es sich wohl um eine Bildung nach dem Vorbild von *desk-top* (»Schreibtischplatte«; in Bildungen wie *desk-top publishing*).

Lärche: Der Name des zu der Gattung der Kieferngewächse gehörigen Nadelbaums (mhd. *larche, lerche*) geht auf ahd. **larihha* zurück, das aus lat. *larix* »Lärche« entlehnt ist. Das lat. Wort seinerseits stammt wahrscheinlich aus der Sprache der gallischen Alpenbewohner. – Die Schreibung mit ä dient lediglich zur Unterscheidung vom Vogelnamen ›Lerche‹.

largo »sehr langsam, gedehnt«: Die Vortragsanweisung in der Musik wurde im 18. Jh. aus gleichbed. it. *largo* entlehnt, das auf lat. *largus* »reichlich« zurückgeht.

Larifari: Der ugs. Ausdruck für »Geschwätz, Unsinn« wurde Anfang des 18. Jh.s aus den italienischen Tonbezeichnungen la, re, fa, re gebildet. Beachte auch **larifari** »papperlapapp« und »oberflächlich, nachlässig«.

L

Lärm: Das seit frühnhd. Zeit zuerst als *lerman, larman* »Lärm, Geschrei« bezeugte Substantiv ist durch Abfall des unbetonten Anlautes aus dem unter ↑Alarm behandelten Wort (spätmhd. *alerm,* frühnhd. *Alarm[a], Alerman*) hervorgegangen. – Abl.: **lärmen** (17. Jh.).

Larve »[Gesichts]maske« und »frühes Entwicklungsstadium bestimmter Tiere, das im Hinblick auf die Gestalt von der Form des ausgewachsenen Tieres stark abweicht«: Das seit dem 14. Jh. bezeugte Substantiv (mhd. *larve* »Maske; Gespenst«) ist aus lat. *larva* »böser Geist, Gespenst; Maske, Larve« entlehnt. Erst seit dem Ende des 18. Jh.s wird ›Larve‹ in der Zoologie als Bezeichnung für eine Jugendform mancher Insekten verwendet, in der gleichsam hinter einer Maske das wirkliche Erscheinungsbild des voll entwickelten Insekts noch verborgen ist.

lasch: Das im 18. Jh. aus dem Niederd. übernommene Adjektiv geht zurück auf mnd. *lasch* »schlaff, schlapp«, das mit aisl. *lǫskr* »träge, faul« und mit der verwandten Sippe von ↑lässig zu der Wortgruppe von ↑lassen gehört. – Auf das dt. Adjektiv hat wahrscheinlich frz. *lâche* »schlaff, feige« eingewirkt. Siehe auch den Artikel *Lasche.*

Lasche: Das vorwiegend in der Handwerkersprache gebräuchliche Wort für »angesetztes Stück Leder, Stück Stoff oder dgl.« geht auf mhd. *lasche* »Lappen, Fetzen« zurück, das wahrscheinlich im Sinne von »schlaff Herabhängendes« zu der Sippe von ↑lasch gehört.

Laser: Das Fremdwort bezeichnet ein »Gerät zur Verstärkung von Licht oder zur Erzeugung eines scharf gebündelten Lichtstrahles«. Es wurde in den Sechzigerjahren des 20. Jh.s, als diese Technik entwickelt wurde, aus gleichbed. engl. *laser* übernommen, einem Kurzwort aus *light amplification by stimulated emission of radiation.* – Abl.: **lasern** »mit Laserstrahl behandeln«.

lass ↑lässig, ↑letzen.

lassen: Das gemeingerm. starke Verb mhd. *lāȥen,* ahd. *lāȥȥan,* got. *lētan,* engl. *to let,* schwed. *låta* geht mit verwandten Wörtern in anderen idg. Sprachen auf die Wurzel **lē[i]-d-* »matt, schlaff werden, nachlassen, lassen« zurück, vgl. z. B. griech. *lēdeīn* »träge, müde sein«. – Zu dieser Wurzel gehören aus dem germ. Sprachbereich die Sippen von ↑lasch, ↑lässig, ↑letzt und von ↑letzen (letz, verletzen). Um das Verb gruppieren sich die Bildungen ahd., mhd. *lāȥ* »Loslassung; Unterbrechung; das Fahrenlassen«, nhd. *-lass* (in ›Ablass‹ usw., s. darüber bei den Verbalbildungen); mhd. *lāȥe* »Loslassung; Aderlass«; mhd. *lāȥer* »Aderlasser«; ferner mhd. *læȥlich* »was gelassen, d. h. unterlassen wird; erlässlich«, nhd. *lässlich* »[leichter] verzeihlich« (über ›anlässlich, verlässlich‹ usw. s. bei den Verbalbildungen); **-lässig** »lassend« in ›fahrlässig‹ (s. unter *fahren*), ›nachlässig und zuverlässig‹ usw. (s. u.). – Zusammensetzungen und Präfixbildungen: **ablassen** (mhd. *abelāȥen* »sich abwenden von, nachlassen, überlassen; ablaufen lassen«); **Ablass** (mhd. *ab[e]lāȥ,* ahd. *ablāȥ* »Erlass der Sünden«), **unablässig** »unaufhörlich, nicht ablassend« (17. Jh.); **anlassen** (mhd. *an[e]lāȥen,* ahd. *analāȥan* »loslassen, in Bewegung setzen«), dazu **Anlasser** »Vorrichtung zum Ingangsetzen« (um 1900); **Anlass** (mhd. *an[e]lāȥ* »Anfang, Beginnen; Startplatz; Ausgangspunkt, Beweggrund; Gelegenheit«), dazu **anlässlich** (19. Jh.) und **veranlassen** (mhd. *veranlāȥen* »[eine Streitsache auf eine Mittelsperson] übertragen«, eigentlich »loslassen«; seit dem 16. Jh. gewöhnlich »anregen, anordnen, bewirken«); **auslassen** (mhd. *ūȥlāȥen* »hinauslassen; landen; schmelzen lassen«), dazu **ausgelassen** »übermütig, munter« (eigentlich 2. Partizip von ›auslassen‹ in der Bedeutungswendung »los-, freilassen«); **einlassen** (mhd. *īnlāȥen,* ahd. *īnlāȥan* »hineinlassen, eintreten lassen«); **Einlass** (18. Jh.; vgl. den Artikel *Inlett*); **entlassen** (mhd. *entlāȥen,* ahd. *intlāȥan* »loslassen, lösen, fahren lassen«), dazu **Entlassung** (18. Jh.); **erlassen** (mhd. *erlāȥen,* ahd. *irlāȥan* »loslassen, wovon freilassen«); **Erlass** (18. Jh.); **unerlässlich** »unbedingt notwendig; unverzeihbar« (17. Jh.); **gelassen** (s. d.); **nachlassen** (spätmhd. *nāchlāȥen* »aufgeben; versäumen, nicht beachten«); **Nachlass** »Hinterlassenschaft, Erbschaft; Preisminderung; Verzicht« (18. Jh.); **nachlässig** »unordentlich; unbeteiligt« (15. Jh.), dazu **vernachlässigen** (18. Jh.); **niederlassen** (mhd. *niderlāȥen,* ahd. *nidarlāȥan* »nach unten bewegen, herunterlassen«), dazu **Niederlassung** (17. Jh.); [1]**überlassen** ugs. für »übrig lassen« (16. Jh.); [2]**überlassen** »abtreten; anheim stellen; gestatten« (17. Jh.); **unterlassen** (mhd. *underlāȥen,* ahd. *unterlāȥan* »wovon Abstand nehmen, nicht [mehr] tun«); **Unterlass** nur noch in ›ohne Unterlass‹ »unaufhörlich« (mhd. *āne underlāȥ,* ahd. *āno untarlāȥ* »ohne Pause«); **verlassen** (mhd. *verlāȥen,* ahd. *farlāȥan* »loslassen; fahren lassen; entlassen; preisgeben; erlassen, verzeihen; anordnen; zulassen, gestatten; überlassen, übergeben; übrig lassen, hinterlassen; unterlassen«); **Verlass** »Vertrauen, Sicherheit, Zuverlässigkeit« (in dieser Bedeutung zunächst niederd., 17. Jh.; veraltet sind die Bedeutungen »Verabredung« und »Hinterlassenschaft«, mhd. *verlāȥ* »Hinterlassenschaft; Untätigkeit«), **verlässlich** »vertrauenswürdig, sicher« (19. Jh.), **zuverlässig** »vertrauenswürdig, gewissenhaft, sicher« (18. Jh.); **zulassen** (mhd. *zuolāȥen* »gestatten, erlauben«); **zulässig** (18. Jh.).

lässig: Das nur dt. Adjektiv (mhd. *leȥȥic*) ist eine Bildung zu dem heute veralteten **lass** »matt, müde, schlaff«, mhd., ahd. *laȥ,* got. *lats* »träge, lässig«, engl. *late* »spät« (eigentlich »langsam«), schwed. *lat* »träge, faul«. Dieses gemeingerm. Adjektiv gehört zu der unter ↑lassen dargestellten idg. Wurzel, vgl. z. B. das verwandte lat. *lassus* »matt, müde«. Zu diesem Adjektiv, von dem die

Sippe von ↑letzen (verletzen) abgeleitet ist, gehört als Superlativ ↑letzt (eigentlich »langsamst, saumseligst«). – Nicht identisch mit ›lässig‹ »träge, langsam, bequem« ist ›lässig‹ in Zusammensetzungen wie z. B. ›fahrlässig, nachlässig, zulässig‹ (↑lassen).

ässlich ↑lassen.

asso »Wurfschlinge (zum Einfangen von Tieren oder Menschen)«: Das seit dem 18. Jh. bezeugte, durch Reiseschilderungen und Indianergeschichten verbreitete Wort stammt aus span. *lazo* »Schnur, Schlinge«, das auf lat. *laqueus* »Strick als Schlinge« zurückgeht (vgl. das Lehnwort *Latz*).

ast: Zu dem unter ↑[1]laden (ahd. *[h]ladan*) behandelten Verb stellt sich die westgerm. Substantivbildung **hlaÞ-sti-, -sta-* »Ladung«. Darauf gehen zurück mhd. *last*, ahd. *[h]last*, niederl. *last*, engl. *last*. – Im übertragenen Gebrauch bezieht sich ›Last‹ hauptsächlich auf das, was ein Mensch zu tragen hat (d. h., wofür er aufkommen muss) oder was einen Menschen seelisch bedrückt. Beachte z. B. die Wendungen ›einem zur Last fallen‹ und – ursprünglich kaufmännisch – ›einem etwas zur Last schreiben oder legen‹ »auf seine Rechnung setzen«; beachte ferner z. B. ›Last der Verantwortung‹ und den Gebrauch des Plurals ›Lasten‹ im Sinne von »Abgaben, Steuern«. Als Maßbezeichnung ist ›Last‹ heute veraltet. In der Seemannssprache bezeichnet ›Last‹ speziell den Vorratsraum unter Deck. – Abl.: **lasten** »drückend oder schwer auf etwas liegen« (18. Jh.; vorher transitiv, mhd. *lesten* »eine Last wohin legen; beladen; belästigen; beschuldigen«), beachte dazu die Präfixbildungen **belasten** und **entlasten; [1]Laster** ugs. für »Lastkraftwagen« (1. Hälfte des 20. Jh.s); **lästig** (s. d.). Siehe auch den Artikel *Ballast*.

Laster ↑Last.

Laster: Mhd. *laster*, ahd. *lastar* »Kränkung, Schmähung; Schmach, Schande; Tadel; Fehler, Makel«, niederl. *laster* »Verleumdung, Lästerung« gehen auf **lahstra-* »Tadel, Schmähung« zurück, das eine Bildung zu dem altgerm. Verb **lahan* »tadeln, schmähen« ist (vgl. z. B. ahd. *lahan* »tadeln«). Anders gebildet sind aengl. *leahtor* »Tadel; Schmähung, Kränkung; Fehler; Vergehen; Sünde« *(*lahtra-)* und die nord. Sippe von schwed. *last* »Laster« *(*lahstu-)*. – Im Dt. hat sich seit dem 16. Jh. die Verwendung des Wortes im Sinne von »Gewohnheitssünde, tadelnswerte, schändliche Angewohnheit« durchgesetzt. An diesen Wortgebrauch schließt sich **lasterhaft** »sittlich verdorben« (16. Jh.) an. Die alte Bedeutung von ›Laster‹ bewahrt dagegen **lästerlich** »schimpflich, schmählich« (mhd. *lester-, lasterlich*, ahd. *lastarlīch*), das sich an das Verb ›lästern‹ angelehnt hat und auch im Sinne von »lästernd« gebraucht wird. Auch das abgeleitete Verb **lästern** »[Gott] schmähen, beschimpfen; Bosheiten sagen« (mhd. *lestern*, ahd. *lastirōn*) spiegelt die alte Verwendungsweise des Substantivs wider und wird daher heute nicht mehr als zu ›Laster‹ gehörig empfunden.

lästig: Das seit dem 15. Jh. bezeugte Adjektiv (spätmhd. *lestec*) ist von ↑Last abgeleitet und bedeutet demzufolge zunächst »lastend, schwer«. Seit dem 18. Jh. wird es übertragen im Sinne von »unangenehm« gebraucht, beachte dazu **belästigen** »jemandem zur Last fallen, unangenehm, lästig werden« (15. Jh.).

Lasur »durchsichtiger Farbüberzug«: Das in dieser Bedeutung seit dem 18. Jh. bezeugte Substantiv geht auf mhd. *lāsūr[e], lāzūr[e]* »Blaustein; (aus dem Blaustein gewonnene) Blaufarbe« zurück, das seinerseits über mlat. *lazur (lazur[i]um, lasur[i]um)* »Blaustein; Blaufarbe« aus arab. *lāzaward* (< pers. *lāğward*) »Lasurstein; Lasurfarbe« entlehnt ist (vgl. *Azur*). – Auf einer roman. Nebenform *lazulum* von mlat. *lazur[ium]* beruht der Edelsteinname **Lapislazuli** (mlat. *lapis lazuli*).

lasziv »wollüstig, geschlechtlich erregt; schlüpfrig, zweideutig«: Das seit dem 17. Jh. bezeugte, aber erst im 19. Jh. allgemein gebräuchliche Adjektiv ist aus gleichbed. lat. *lascivus* entlehnt.

latent »vorhanden, aber noch nicht in Erscheinung tretend; versteckt, verborgen; ohne typische Merkmale (besonders von Krankheiten)«: Das Adjektiv wurde im 18. Jh. aus gleichbed. frz. *latent* entlehnt, das auf lat. *latens (latentis)*, dem Part. Präs. von lat. *latere* »verborgen, versteckt sein«, zurückgeht.

Laterne »wetterfeste Lampe«: Das Substantiv (mhd. *la[n]terne*) geht auf lat. *lanterna* (vlat. *laterna*) »Laterne, Lampe« zurück, das seinerseits (wohl durch etrusk. Vermittlung) aus griech. *lamptḗr* »Leuchter, Fackel, Laterne« entlehnt ist. Dies gehört zu griech. *lámpein* »leuchten« (vgl. das Lehnwort *Lampe*).

Latrine: Die Bezeichnung für »Abtritt; Senkgrube« wurde im 16. Jh. aus gleichbed. lat. *latrina* entlehnt. Dies ist zusammengezogen aus **lavatrina* (zu lat. *lavare* »[sich] baden, waschen«; vgl. das Lehnwort *laben*) und bedeutet demnach eigentlich »Wasch-, Baderaum«. Die heutige Bedeutung hat also verhüllenden Charakter, ähnlich wie bei ↑Lokus und dem dt. Wort ›Örtchen‹.

[1]Latsche, daneben auch Latsch[en]: Die Herkunft des seit dem 17. Jh. bezeugten ugs. Ausdrucks für »bequemer Hausschuh, abgetretener, schlechter Schuh« ist unklar. Die Formen ›Latsch‹ und ›Latsche‹ dienen auch als verächtliche Bezeichnung für einen schlürfend gehenden Menschen oder für eine schlampige Person, beachte dazu **Lulatsch** ugs. für »[hoch aufgeschossener] unbeholfener Kerl« (19. Jh.), dessen erster Bestandteil nicht sicher deutbar ist.

[2]Latsche: Die Herkunft des seit dem Ende des 18. Jh.s bezeugten Wortes für »Krummholzkiefer, Legföhre« ist dunkel.

Latte: Zu dem unter ↑Laden »Geschäft« behandelten Wort, das auf eine Vorform **laþan-* »Brett, Bohle« zurückgeht, stellen sich mit Gemination mhd. *lat[t]e,* ahd. *lat[t]a,* niederl. *lat,* engl. *lath* »Latte«. Die außergerm. Beziehungen dieser Sippe sind unklar.

Lattich: Der Name der Pflanzengattung (mhd. *lattech[e],* ahd. *lattūh*) wurde in alter Zeit aus lat. *lactuca* »Lattich, Kopfsalat« entlehnt. Die lat. Benennung ist von lat. *lac* »Milch« abgeleitet. Die Pflanzenart ist also nach dem milchartigen Saft der grünen Pflanzenteile benannt. – Nicht identisch ist damit -lattich in ›Huflattich‹ (s. unter *Huf*), das auf griech.-lat. *lap[a]tica* »eine Ampferart« zurückgeht. Im Dt. haben sich diese beiden Wörter vermischt.

Latz: Das Wort bezeichnet verschiedene, durch Schlingen oder Knöpfe befestigte Kleidungsteile, die durch Zusammensetzungen wie ›Brustlatz‹ und ›Hosenlatz‹ unterschieden werden. Es beruht auf mhd. *laz̧* »Band, Schleife, Fessel; Hosenlatz«, das durch roman. Vermittlung (beachte z. B. afrz. *laz* »Schnürband«, it. *laccio* »Schnur«, ferner span. *lazo* »Schnur, Schlinge« in unserem Fremdwort ↑Lasso) aus lat. *laqueus* »Strick als Schlinge« entlehnt ist. Das lat. Substantiv hängt mit lat. *lacere* »verlocken« (eigtl. etwa »in einem Fallstrick fangen, bestricken«) zusammen; dazu als Intensivbildung lat. *lactare* »locken, ködern« mit lat. *delectare* »ergötzen, amüsieren« (vgl. den Artikel *Dilettant*). – Zu ›Latz‹ gehört die Verkleinerungsbildung **Lätzchen** »(dem Kind beim Essen umgebundenes) Mundtuch« mit den ugs. Zusammensetzungen ›Sabberlätzchen‹ und ›Schlabberlätzchen‹.

lau: Die Adjektivbildung mhd. *lā,* ahd. *lāo,* niederl. *lauw* »etwas warm« ist mit den anders gebildeten Adjektiven aengl. *ge-hlēow* »sonnig, warm« und aisl. *hlǣr* »mild (vom Wetter)« verwandt. Im Ablaut dazu steht das unter ↑Lee, eigentlich »geschützte, milde Seite«, behandelte Wort. Diese germ. Wortgruppe geht zurück auf eine Erweiterung der idg. Wurzel **k̂el-* »brennend, warm«, beachte z. B. lat. *calere* »warm, heiß sein«, *calor* »Wärme, Hitze« (s. die Fremdwortgruppe von *Kalorie*).

Laub: Das gemeingerm. Wort mhd. *loup,* ahd. *loub,* got. *lauf,* engl. *leaf,* schwed. *löv* geht wahrscheinlich auf eine Erweiterung der idg. Wurzel **leu* »[ab]schneiden, [ab]schälen, [ab]reißen« zurück (vgl. [2]*Lohe*). Beachte aus anderen idg. Sprachen z. B. die baltoslaw. Sippe von russ. *lupit'* »abschälen, entrinden«. Demnach würde ›Laub‹ eigentlich etwa »Abgerissenes, Gerupftes« bedeuten. In früheren Zeiten wurde das Laub gerupft, um es in frischem oder getrocknetem Zustand zu verfüttern. – Ableitungen sind ↑Laube und das Verb mhd. *louben* »Laub bekommen; Laub suchen, abrupfen«, beachte **belauben,** sich und **entlauben,** sich. – Zus.: **Laubfrosch** (mhd. *loupvrosch,* ahd. *loupfrosc;* nach der laubgrünen Farbe); **Laubsäge** (Ende des 18. Jh.s; so benannt, weil diese feine Säge ursprünglich zum Aussägen von Dekorationen in Laubform diente).

Laube: Die Bezeichnung für »Gartenhäuschen« ist von dem unter ↑Laub behandelten Wort abgeleitet und bezog sich demnach ursprünglich auf ein aus Laub gefertigtes Schutzdach und die mit so einem Schutzdach versehene Hütte, beachte ahd. *louba* »Schutzdach, Hütte«, dann auch »Halle, Vorbau«, mhd. *loube* »Vorbau; Halle; Gang; Galerie; Speicher, Kornboden«. Siehe auch die Artikel *Lobby* und *Loge*.

Lauch: Der altgerm. Pflanzenname mhd. *louch,* ahd. *louh,* niederl. *look,* engl. *leek,* schwed. *lök* gehört wahrscheinlich zu der unter ↑Locke dargestellten idg. Wurzel **leug-* »biegen, winden, drehen«. Der Lauch wäre demzufolge nach seinen nach unten gebogenen Blättern oder aber als »gefaltete Pflanze« benannt. Von den zahlreichen Laucharten sind allgemein bekannt **Knoblauch** (s. d.) und **Schnittlauch** (mhd. *snitlouch,* ahd. *snitilouh;* so benannt, weil die Blätter zur Verwendung in der Küche frisch geschnitten werden).

lauern: Das im Dt. seit dem 14. Jh. bezeugte Verb fehlt auch in den alten Zuständen der anderen germ. Sprachen. Seine außergerm. Beziehungen sind dunkel. Mit mhd., mnd. *lūren* »im Hinterhalt liegen, [hinterhältig] spähen oder beobachten« sind verwandt niederl. *loeren* »lauern«, engl. *to lower* »düster oder drohend blicken« und schwed. *lura* »einnicken, dösen«. Auszugehen ist von einer Bedeutung »mit halb geschlossenen Augen blicken«.

laufen: Der Ursprung des gemeingerm. starken Verbs, das ursprünglich wahrscheinlich »[im Kreise] hüpfen, tanzen« bedeutete, ist nicht sicher geklärt. Mhd. *loufen,* ahd. *[h]louf[f]an* »laufen« entsprechen got. *(us)hlaupan* »(auf)springen«, engl. *to leap* »springen, hüpfen«, schwed. *löpa* »laufen«. Im heutigen dt. Sprachgebrauch ist die mit dem Verb ›laufen‹ verbundene Vorstellung der Schnelligkeit vielfach verblasst. Es wird auch im Sinne von »gehen, sich bewegen« und »in Gang sein, funktionieren« verwendet. Ferner drückt es die Entfernung und die Dauer aus. Auf Flüssigkeiten bezogen bedeutet es »fließen, rinnen, tröpfeln«. Das Verbalsubstantiv **Lauf** (mhd., ahd. *louf;* entsprechend aengl. *hleap,* aisl. *hlaup*) schließt sich an die verschiedenen Bedeutungen des Verbs an. Im Sport bezeichnet es den Wettkampf der Läufer, den Laufwettbewerb, beachte z. B. die Zusammensetzungen ›Hürdenlauf, Langstreckenlauf‹. Ferner bezeichnet es den umschlossenen Raum, in dem etwas läuft, beachte z. B. ›Gewehrlauf‹, und weidmännisch den Körperteil des Wilds, mit dem es läuft, beachte z. B. ›Vorderlauf, Hasenlauf‹. Der Plural ›Läufe‹ bedeutet in der Zusammensetzung »Ereignisse, Geschehnisse«, beachte z. B. ›Zeitläufe‹. Die Bildung

Läufer (mhd. *löufer,* ahd. *loufāri*) bedeutete zunächst »laufender Bote, Diener«, in mhd. Zeit dann auch »Rennpferd, Dromedar«. Heute bezeichnet ›Läufer‹ im Sport den an einem Laufwettbewerb Teilnehmenden und den Verbindungsspieler in Feldspielen, ferner einen länglichen Teppich, über den man laufen (gehen) kann, eine Figur im Schachspiel (im Gegensatz zum Springer) und fachsprachlich verschiedene Geräte und Maschinenteile. – Die Adjektivbildung **läufig** (mhd. *löufec* »gangbar, üblich; bewandert«) bedeutet seit dem 15. Jh. speziell »brünstig«, eigentlich »zum Laufen geneigt«, von Tieren. Die alte Bedeutung bewahrt die verstärkende Bildung **geläufig** »üblich, bekannt, vertraut« (17. Jh.), beachte auch die Zusammensetzungen ›beiläufig, landläufig, vorläufig, weitläufig‹. Wichtige Präfixbildungen und Zusammensetzungen sind: **ablaufen** »von etw. herabfließen«, **anlaufen** »sich in Lauf setzen, sich in Bewegung setzen; anstürmen, angreifen; ansteuern (einen Hafen); beginnen; beschlagen, sich verfärben; zunehmen, anwachsen« (mhd. *aneloufen,* ahd. *anahloufan*); **Anlauf** (mhd. *anelouf,* ahd. *ana[h]lauf* »Anrennen, Ansturm, Angriff«); **auflaufen** »in die Höhe steigen; auf Grund geraten, stranden« (mhd. *ūfloufen*); **Auflauf** »Zusammenlaufen erregter Menschen; im Ofen überbackene Speise« (mhd. *ūflouf* »Aufruhr«); **belaufen,** sich »einen Betrag ergeben, ausmachen«, früher auch »über etwas hinlaufen« und »bespringen, begatten« (mhd. *beloufen*); **einlaufen** »[im Lauf] eindrücken oder einschlagen; schrumpfen, kleiner werden«; **Einlauf** »Eingang; Überschreiten der Ziellinie; Darmspülung« (16. Jh., in der Bedeutung »Eindringen, Einfall«); **überlaufen** »zum Feinde übergehen, desertieren; überfließen« (mhd. *überloufen*), dazu **Überläufer** »Deserteur« (mhd. *überloufer*); **verlaufen** »[laufend oder fließend] sich entfernen oder verschwinden; dahingehen; vor sich gehen«, reflexiv »sich verirren« (mhd. *verloufen*), dazu **Verlauf** »Ablauf, Entwicklung« (15. Jh.); **zerlaufen** »auseinander gehen, zerfließen, schmelzen« (mhd. *zerloufen,* ahd. *zahloufan*). Zus.: **Laufbahn** (17. Jh., in der Bedeutung »Bahn zum Wettlaufen«; seit der 2. Hälfte des 18. Jh.s auch übertragen »Karriere«). Siehe auch den Artikel *Galopp.*

Laufpass

jmdm. den Laufpass geben
1. »die Beziehungen zu jmdm. abbrechen«
2. »jmdn. hinauswerfen«
Diese Wendung bewahrt das sonst heute nicht mehr gebräuchliche Wort ›Laufpass‹, das ursprünglich einen Ausweis bezeichnete, der Soldaten bei ihrer Entlassung aus dem Wehrdienst ausgestellt wurde.

Lauge: Das altgerm. Wort für »Wasch-, Badewasser« (mhd. *louge,* ahd. *louga,* niederl. *loog,* engl. *lye,* aisl. *laug*) gehört zu der idg. Wurzel **lou-* »waschen, baden«, vgl. z. B. griech. *loūsthai* »waschen, baden« und lat. *lavere, lavare* »waschen, baden« (s. die Fremdwörter *Lavendel* und *Latrine* sowie den Artikel *laben*). Das abgeleitete Verb **laugen** (17. Jh.) ist heute gewöhnlich nur noch in der Zusammensetzung **auslaugen** gebräuchlich.

Laune: Nach den Ansichten der mittelalterlichen Astrologie hingen die Stimmungen des Menschen in starkem Maße von dem wechselnden Mond ab. Das aus lat. *luna* »Mond« (vgl. *licht*) entlehnte mhd. *lūne* »Mond[phase, -wechsel]« wurde aus diesem Grunde zur Bezeichnung der dem Mondwechsel zugeschriebenen menschlichen Gemütszustände. – Von dem abgeleiteten Verb ›launen‹ »in vorübergehender Stimmung sein« (mhd. *lūnen*) ist nur noch das 2. Partizip **gelaunt** gebräuchlich.

Laus: Der altgerm. Insektenname mhd., ahd. *lūs,* niederl. *luis,* engl. *louse,* schwed. *lus* ist mit der kelt. Wortgruppe von kymr. *llau* »Läuse« verwandt. Da die weiteren Beziehungen unklar sind, lässt sich nicht ermitteln, welche Vorstellung der germ.-kelt. Benennung des Insekts zugrunde liegt. – Abl.: **lausig** ugs. für »schäbig, erbärmlich« (15. Jh.). Zus.: **Lausbub** (↑Bube). Siehe auch den Artikel *Wanze.*

lauschen: Das seit spätmhd. Zeit bezeugte Verb *lūschen* »aufmerksam zuhören« gehört zu der germ. Sippe von oberd., mdal. **²losen** »[zu]hören, horchen, aufpassen« (mhd. *losen,* ahd. *hlosēn*), vgl. z. B. dt. mdal. *laustern* »lauschen, aufpassen«, engl. *to listen* »zuhören«, schwed. *lystra* »horchen, aufpassen«. Diese germ. Wortgruppe geht zurück auf die s-Erweiterung der idg. Wurzel **k̂leu-* »hören« (vgl. *laut*), vgl. z. B. die verwandte baltoslaw. Sippe von russ. *slušat'* »zuhören«. – Abl.: **Lauscher** »Horcher«, weidmännisch für »Ohr des Haarwilds« (17. Jh.); **lauschig** (18. Jh., für älteres *lauschicht;* zunächst in der Bedeutung »gern horchend«, dann seit dem 19. Jh. »versteckt, heimlich, traulich«).

laut: Das westgerm. Adjektiv mhd. *lūt,* ahd. *[h]lūt,* niederl. *luid,* engl. *loud* geht zurück auf eine Partizipialbildung zu der idg. Verbalwurzel **k̂leu-* »hören« und bedeutet demnach eigentlich »gehört«. In anderen idg. Sprachen entsprechen z. B. griech. *klytós* »berühmt« und lat. *in-clutus* »berühmt« (eigentlich »gehört, kund, bekannt«). Zu dieser Wurzel gehört aus dem germ. Sprachbereich auch das unter ↑Leumund (eigtl. »[guter] Ruf«) behandelte Wort. Auf einer s-Erweiterung beruht die Wortgruppe von ↑lauschen. – Das Substantiv **Laut** (mhd. *lūt*) bezeichnete zunächst das mit dem Gehör Wahrnehmbare, eine hörbare Äußerung, dann auch den Inhalt eines [vorgelesenen] Schriftstückes, beachte z. B. die Zusammensetzung ›Wortlaut‹ und die Formel mhd. *nāch lūt*

»nach dem Inhalt«, aus der sich die Präposition **laut** »gemäß, entsprechend« entwickelt hat. In der Grammatikersprache bezeichnet ›Laut‹ das nicht mehr zerlegbare Element eines Wortes, beachte z. B. ›Gaumenlaut, Lippenlaut, Lautgesetz, Lautverschiebung‹, ferner auch ›Ablaut, Umlaut‹. – Verbalableitungen vom Adjektiv sind **lauten** »klingen, sich anhören; zum Inhalt haben, besagen« (mhd. *lūten,* ahd. *[h]lūtēn,* beachte auch **verlauten**) und **läuten** »klingeln; (Glocken) ertönen lassen« (mhd. *liuten,* ahd. *[h]lūt[t]an*). – Veraltet ist heute die Bildung ›lautbar‹ »bekannt«, von der das Verb **verlautbaren** »bekannt werden oder machen« (mhd. *verlūtbæren*) abgeleitet ist. – Zus.: **Lautsprecher** (1. Hälfte des 20. Jh.s; Lehnübersetzung von engl. *loudspeaker*).

Laute: Der Name des Musikinstrumentes (spätmhd. *lūte*) führt über gleichbed. afrz. *lëut* (= frz. *luth*) und aprov. *laiut* auf arab. (mit Artikel) *al-'ūd* »Laute, Zither« (eigentlich »Holz«, dann »Instrument aus Holz«) zurück.

lauten ↑laut.

lauter: Das altgerm. Adjektiv mhd. *lūter,* ahd. *[h]lūttar,* got. *hlūtrs,* mniederl. *lūter,* aengl. *hlūtor* gehört im Sinne von »gespült, gereinigt« zu der idg. Wurzel **k̂leu-* »spülen«; vgl. z. B. aus anderen idg. Sprachen griech. *klýzein* »spülen, reinigen«, dazu *klystḗr* »Reinigungsspritze« (↑Klistier), lat. *cluere* »reinigen«, dazu *cloaca* »Abzugskanal, Jauchegrube« (↑Kloake). – Aus dem alten Gebrauch des Adjektivs im Sinne von »rein, hell, klar« entwickelte sich im Dt. die spezielle Verwendung im Sinne von »frei von fremdartigen Beimischungen, unverfälscht« (von Edelmetallen), übertragen »grundehrlich, anständig« (vom Charakter). Außerdem wird ›lauter‹ auch im Sinne von »bloß, nichts als« gebraucht. Das abgeleitete Verb **läutern** (mhd. *liutern,* ahd. *[h]lūtaren*) wird im Sinne von »reinigen, säubern; bessern« verwendet. Die Präfixbildung **erläutern** (mhd. *erliutern*) wandelte bereits in mhd. Zeit ihre Bedeutung von »rein, klar machen« zu »erklären, darlegen« (beachte zum Bedeutungswandel z. B. ›erklären‹).

lauthals ↑Hals.

Lava: Die Bezeichnung für »feurig flüssiger vulkanischer Schmelzfluss« wurde im 18. Jh. aus it. *lava* (neapolitan. *lave*) entlehnt, dessen weitere Herkunft unklar ist.

Lavendel: Der Name der Heil- und Gewürzpflanze (mhd. *lavendele, lavendel*) stammt aus mlat. *lavandula,* älter it. *lavendola,* das von gleichbed. it. *lavanda* abgeleitet ist. Dies bedeutet eigentlich »etwas, was zum Waschen bzw. Baden dienlich ist«. Es gehört zu it. *lavare* »[sich] baden, waschen« (< gleichbed. lat. *lavare,* vgl. das Lehnwort *laben*). Die Pflanze ist also nach ihrer Verwendung als duftende Badeessenz benannt.

Lawine: Die gegen Ende des 18. Jh.s aus dem Schweiz. ins Hochd. übernommene Bezeichnung für »an Hängen niedergehende Schnee-, Eis-, Stein- oder Staubmassen« beruht auf ladinisch *lavina* »Schnee-, Eislawine«, das seinerseits auf mlat. *labina* »Erdrutsch; Lawine« zurückgeht. Dies gehört zu lat. *labi* »gleiten, schlüpfen, rinnen; ausgleiten usw.« (vgl. *labil*).

lax »schlaff, lässig; ungebunden, unbekümmert (besonders in sittlicher Beziehung)«: Das Adjektiv wurde Ende des 18. Jh.s aus gleichbed. lat. *laxus* entlehnt, das zu der unter ↑Laken dargestellten Wortfamilie der idg. Wurzel **[s]lĕ̄g-, [s]ləg-* »schlaff, matt sein« gehört.

Lazarett: Die Bezeichnung für »Militärkrankenhaus« wurde im 16. Jh. durch Vermittlung von frz. *lazaret* aus gleichbed. it. *lazzaretto,* venez. *lazareto* entlehnt. Das Wort ist, wie die im Venez. bezeugte Alternativform *nazareto* zeigt, wohl eine Ableitung vom Namen der venezianischen Kirche ›Santa Maria di Nazaret‹, in deren Umgebung im 15. Jh. ein Hospital für Aussätzige untergebracht war. Den Wechsel im Anlaut verdankt das Wort dem Einfluss von älter it. *lazzaro* »aussätzig; Aussätziger« (ursprünglich der biblische Name des armen, kranken Lazarus).

leben: Das gemeingerm. Verb mhd. *leben,* ahd. *lebēn,* got. *liban,* engl. *to live,* schwed. *leva* gehört wahrscheinlich im Sinne von »übrig bleiben« zu der unter ↑Leim dargestellten vielfach erweiterten idg. Wurzel. **[s]lei-* »feucht, schleimig, klebrig sein, kleben [bleiben]«. Eng verwandt ist die Wortgruppe von ↑bleiben (germ. Präfixbildung **bi-līban*). Eine alte Substantivbildung ist das unter ↑Leib »Körper« (früher »Leben«) behandelte Wort. An die Stelle von ›Leib‹ in dessen alter Bedeutung »Leben« trat in ahd. Zeit der substantivierte Infinitiv. Heute wird **Leben** als reines Substantiv empfunden. Beachte dazu z. B. die Zusammensetzung **Lebenslauf** (17. Jh.; Lehnübersetzung von lat. *curriculum vitae*), **Lebensmittel** (17. Jh.) und **Lebensqualität** (2. Hälfte des 20. Jh.s, nach engl. *quality of life*). – Wichtige Bildungen mit ›leben‹ sind z. B.: **ableben** »aufhören zu leben, sterben«, früher »zu Ende leben« (16. Jh.); **erleben** »mit ansehen, mitfühlen; mitmachen; Erfahrungen machen, erfahren« (mhd. *erleben*), dazu **Erlebnis** »miterlebtes Ereignis; starker Eindruck« (um 1800); **überleben** »am Leben bleiben; überdauern; veralten« (mhd. *überleben*); **verleben** »zubringen« (mhd. *verleben,* auch »ableben, verwelken«; beachte das 2. Partizip **verlebt** »verbraucht, heruntergekommen«). – Abl.: **lebendig** (mhd. *lebendec,* ahd. *lebendīg;* weitergebildet aus dem 1. Part. lebend); **lebhaft** (mhd. *lebehaft* »lebend; lebendig«); **lebig** südwestd. für »lebend« (mhd. *lebic;* beachte ›lang-, kurzlebig‹). Zus.: **Lebehoch** (um 1800; der substantivierte Ruf ›er lebe hoch!‹ ist Ersatzwort für ›vivat!‹); **Lebemann** (Ende des 18. Jh.s; Ersatzwort für frz. *bonvivant* und *viveur*); **Lebewesen** (16. Jh.).

L

Lebensfaden

jmdm. den Lebensfaden abschneiden
»jmdn. zugrunde richten, töten«
Diese Redewendung geht auf die alte Vorstellung von den Schicksalsgöttinnen zurück, die den Lebensfaden des Menschen spinnen und diesen bei seinem Tode durchschneiden.

eber: Der altgerm. Name der größten Drüse des menschlichen und tierischen Körpers (mhd. *leber[e]*, ahd. *lebara*, niederl. *lever*, engl. *liver*, schwed. *lever*) lässt sich nicht sicher deuten. Die germ. Benennung kann eine substantivierte Adjektivbildung zu der unter ↑bleiben (eigentlich »kleben [bleiben]«) dargestellten Wurzel sein und würde dann eigentlich »die Klebrige, Schmierige, Fette« bedeuten, vgl. z. B. griech. *liparós* »fett«. Andererseits kann die Leber als »Sitz des Lebens« benannt worden sein. Dann wäre das Wort eine Bildung zu dem unter ↑leben behandelten Verb. – Zus.: **Leberblume** (mhd. *liberblume*, 14. Jh.; nach den leberförmig gelappten Blättern benannt); **Leberfleck** (17. Jh.; Lehnübersetzung von medizinisch nlat. *macula hepatica;* nach dem Farbton benannt); **Lebertran** (19. Jh.; so benannt, weil aus der Leber verschiedener Fischarten hergestellt).

ebkuchen: Der südd. und westd. Ausdruck für die Honigkuchenart, die in anderen Teilen Deutschlands ›Pfefferkuchen‹ oder ›brauner Kuchen‹ heißt, geht auf mhd. *leb[e]kuoche* zurück. Die Herkunft des Bestimmungswortes ist unklar. Vielleicht handelt es sich um eine ablautende Form zu dem unter ↑Laib behandelten Wort, sodass Lebkuchen als »Brotkuchen« zu deuten wäre.

echzen: Das im Sinne von »verschmachten, gierig verlangen« gebräuchliche Verb geht zurück auf mhd. *lech[e]zen* »austrocknen; dürsten«, das eine Intensivbildung zu mhd. *lechen* »austrocknen, vor Trockenheit Risse bekommen, brennenden Durst verspüren« ist (beachte dazu niederl. *leken* »tröpfeln«, aisl. *leka* »Wasser durchlassen, rinnen, tröpfeln«; vgl. *leck*).

eck: Der Ausdruck für »undicht« (von Schiffen) wurde um 1600 aus der niederd. Seemannssprache übernommen. Niederd. *leck* entsprechen älter hochd. *lech*, niederl. *lek*, aengl. *lec*, aisl. *lekr* »undicht, rissig«. Das Adjektiv gehört mit den unter ↑lechzen behandelten Verben und vermutlich auch mit der Sippe von ↑[1]Lache (s. auch *Lake* und *Lackmus*) zu einer Wurzel **leg-* »tröpfeln, sickern«. Vgl. aus anderen idg. Sprachen z. B. air. *legaim* »löse mich auf, zergehe, schmelze«. – Dazu gehören **Leck** »Riss, der Wasser durchlässt, schadhafte Stelle am Schiffsboden« (18. Jh.) und **[1]lecken** »undicht sein, Wasser durchlassen, tröpfeln« (17. Jh.).

lecken ↑leck.

lecken »mit der Zunge über etwas entlangfahren«: Das westgerm. Verb mhd. *lecken*, ahd. *lecchōn*, niederl. *likken*, engl. *to lick* geht mit verwandten Wörtern in den meisten anderen idg. Sprachen auf eine Wurzel **[s]leiĝh-* »lecken« zurück (über die Formen mit s-Anlaut ↑schlecken). Vgl. aus anderen idg. Sprachen z. B. griech. *leíchein* »lecken«, lat. (nasaliert) *lingere* »lecken« und russ. *lizat'* »lecken«. – Abl.: **lecker** (mhd. *lecker* »fein schmeckend«), dazu **Leckerbissen** (16. Jh.) und **Leckermaul** (17. Jh.); **Lecker** weidmännisch für »Zunge«, veraltet für »Feinschmecker« und »Laffe, Schelm« (mhd. *lecker*, ahd. *lecchari*).

[3]lecken ↑löcken.

lecken

wie geleckt
(ugs.) »sehr sauber, adrett«
Dieser Wendung liegt eine Beobachtung aus der Tierwelt zugrunde: Katzen pflegen ihr Fell zu lecken, um sich zu säubern.

Leder: Die altgerm. Bezeichnung für die haltbar gemachte tierische Haut (mhd. *leder*, ahd. *ledar*, niederl. *le[d]er*, engl. *leather*, schwed. *läder*) ist entweder aus dem Kelt. entlehnt oder aber mit der kelt. Sippe von air. *lethar* »Leder« verwandt. Die weiteren Beziehungen sind dunkel.

ledig: Das germ. Adjektiv (mhd. *ledic*, niederl. *ledig, leeg*, schwed. *ledig*) ist wahrscheinlich von dem unter ↑Glied behandelten gemeingerm. Substantiv **liđu-* »Gelenk, Glied« abgeleitet und bedeutet demnach eigentlich »gelenkig«. Aus der Bedeutung »gelenkig, geschmeidig«, die z. B. noch im Schwed. bewahrt ist, enwickelten sich die Bedeutungen »unbehindert, ungebunden, frei«, im Dt. speziell »frei von; müßig; unverheiratet«. – Das abgeleitete Verb ›ledigen‹ (mhd. *ledegen* »frei machen, befreien«) lebt heute nur noch in **entledigen,** sich (mhd. *entledigen* »frei machen«) und **erledigen** (mhd. *erledigen* »frei machen; in Freiheit setzen«), beachte dazu **erledigt** ugs. für »fertig, am Ende, erschöpft«. – Abl.: **lediglich** »nur« (mhd. *ledecliche* »frei; völlig, gänzlich«).

Lee: Der aus der niederd. Seemannssprache stammende Ausdruck für »die dem Wind abgewandte Seite« gehört im Sinne von »[sonnig] warme, milde Stelle, Schutz« zu der Wortgruppe von ↑lau. Beachte aus den älteren Sprachzuständen mnd. *lē* »Ort, wo die See nicht dem Wind ausgesetzt ist«, aengl. *hlēo[w]* »Schutz, Obdach«, aisl. *hlē* »Schutz, windstille Seite, Lee«.

leer: Das westgerm. Adjektiv mhd. *lære*, ahd., asächs. *lāri*, aengl. *[ge]lǣre* ist eine Bildung zu dem unter ↑lesen »sammeln« behandelten Verb und bedeutet demnach eigentlich »was gelesen werden kann« (vom abgeernteten [Ähren]feld). Das Adjektiv hatte also ursprünglich einen ganz eng umgrenzten Anwendungsbereich.

Lefze: Das bis zum 16. Jh. nur oberd. Wort für »Lippe« (mhd. *lefs[e]*, ahd. *lefs*) ist heute im Sinne von »Tierlippe« gemeinsprachlich. Als sich im 16. Jh. durch Luthers Bibelübersetzung das niederd.-mitteld. Wort ›Lippe‹ als Bezeichnung für »Menschenlippe« ausbreitete, wurde ›Lefze‹ in den anderen Bedeutungsbereich abgedrängt. ›Lefze‹ bedeutet – wie auch das verwandte ↑Lippe – eigentlich »schlaff Herabhängendes« (vgl. *Schlaf*).

legal »gesetzlich, gesetzmäßig«: Das Adjektiv wurde im 17. Jh. aus gleichbed. lat. *legalis* entlehnt, auf das auch frz. *loyal* (↑loyal, Loyalität) zurückgeht. Die Gegenbildung **illegal** »ungesetzlich, unrechtmäßig« erscheint im 18. Jh. – Lat. *legalis* ist von lat. *lex (legis)* »Gesetz (als Satzung und Einzelbestimmung)« abgeleitet, das vermutlich mit einer Bedeutung »Sammlung (der Vorschriften)« zu lat. *legere* »sammeln; auslesen, auswählen; lesen« gehört (vgl. hierüber den Artikel *Legion*). Andere wichtige Ableitungen von lat. *lex* sind: lat. *legitimus* »gesetzmäßig, gesetzlich anerkannt« (↑legitim, Legitimation, legitimieren) und lat. *legare* »jemanden aufgrund eines Gesetzes oder einer vertraglichen Bindung zu etwas abordnen, bestimmen; eine gesetzliche Verfügung treffen«. Letzteres ist Quelle für die Fremdwörter ↑delegieren, Delegierte, Delegation und ↑Kollege, kollegial. – Vgl. auch die Artikel *Privileg* und *...lei*.

L

legen: Das gemeingerm. Verb mhd. *legen*, ahd. *leg[g]an*, got. *lagjan*, engl. *to lay*, schwed. *lägga* ist das Veranlassungswort zu dem unter ↑liegen behandelten Verb und bedeutet eigentlich »liegen machen«. Zu diesem Verb ist ↑Gelage, eigentlich »Zusammengelegtes«, gebildet (beachte auch den Artikel *Lage*). – Abl. und Zus.: **ablegen** »fortlegen, beiseite legen; wegschaffen; ausziehen; nicht mehr benutzen; ausführen, vollziehen, leisten, erfüllen; abfahren, in See stechen« (mhd. *ablegen*), dazu **Ableger** »Sprössling, sich bewurzelnder Zweig« (18. Jh.); **anlegen** »an etwas legen oder stellen, anlehnen; anziehen, ankleiden, umlegen; richten, zielen; abzielen; entwerfen, planen; gestalten; anrichten, anstiften, bewirken; nutzbringend oder zum Kauf verwenden; landen« (mhd. *an[e]legen*, ahd. *analeggan*), beachte **Anlage** »Beigefügtes; Verwendung, Nutzung; Veranlagung, Begabung; angelegte Grünfläche, Park« (mhd. *anlāge* »Anliegen, Bitte; Hinterhalt«); **auflegen** »auf etwas legen; auferlegen, anordnen; aufbürden, zuschreiben; die Auflage eines Buches oder dgl. besorgen, herausgeben« (mhd. *ūflegen*), beachte dazu das 2. Partizip **aufgelegt** im Sinne von »gestimmt, gelaunt« und **Auflage** »Aufgelegtes, Belag, Unterlage; Steuer; Anzahl gedruckter Exemplare«, veraltet für »Auferlegung, Anordnung; Aufbürdung, Beschuldigung« (mhd. *ūflāge* »Befehl, Gebot«); **auslegen** »ausgebreitet hinlegen; mit einem Belag, einer Einlage oder dgl. versehen; ausstellen, zur Schau stellen; verauslagen, vorschießen; auseinander setzen, erklären, deuten; eine Grund- oder Ausgangsstellung einnehmen« (mhd. *ūzlegen*), beachte **Auslage** »zur Schau gestellte Ware; verauslagtes Geld; Grund-, Ausgangsstellung« (um 1600); **beilegen** »beifügen; mitschicken; zuschreiben, beimessen; schlichten« (mhd. *bīlegen*), beachte **Beilage** »Zutat; Zukost«, veraltet für »hinterlegtes Geld, Depositum« (16. Jh.); **belegen** »bedecken; mit einem Belag versehen; in Beschlag nehmen, beanspruchen, reservieren; durch schriftliche Zeugnisse beweisen; beschälen [lassen], bespringen; aufbürden, versehen, ausstatten«, älter auch »eine Fabrik mit Arbeitskräften beschicken, ein Bergwerk betreiben« (mhd. *belegen*, ahd. *bilegan*), dazu **Beleg** »Beweis[urkunde]; Nachweis« (18. Jh.) und **Belegschaft** »die in einem Betrieb Beschäftigten« (1. Hälfte des 19. Jh.s, in der Bedeutung »Gesamtheit der Beschäftigten, die ein Bergwerk oder eine Hütte betreiben«); **einlegen** »hineintun; lagern, einkellern; haltbar machen, marinieren; hinzufügen, zugeben; mit einer Einlage versehen, verzieren; einzahlen; erwerben, verschaffen« (mhd. *īnlegen*), beachte **Einlage** »eingelegtes oder eingefügtes Stück Stoff, Holz oder dgl.; Zugabe; Zutat; eingezahltes Geld«; **erlegen** »zur Strecke bringen, töten; einzahlen« (mhd. *erlegen*, ahd. *irleccan*); **niederlegen** »absetzen, hinlegen; aufgeben«, veraltet für »eine Niederlage beibringen« (mhd. *niderlegen*, ahd. *nidarleggen*), beachte **Niederlage** »verlorener [Wett]kampf, Schlappe; Lager, Aufbewahrungsort; (veraltend:) Zweigstelle« (mhd. *niderlāge*); [1]**überlegen** »über etwas legen«, z. B. eine Decke über die Schultern (18. Jh.); [2]**überlegen** »erwägen, bedenken, nachdenken« (mhd. *überlegen* »bedecken, belegen, überziehen; überrechnen, zusammenrechnen; die Bedeutung »zusammenrechnen; erwägen, bedenken« wohl aus »[immer wieder] umdrehen«), dazu **Überlegung** »Erwägung« (18. Jh.); **unterlegen** »unterschieben; als Unterlage einfügen; zuschreiben, beimessen« (mhd. *underlegen*, ahd. *untarleggen*), beachte **Unterlage** »Grundlage; Beweisstück« (mhd. *underlāge*); **verlegen** »anderswohin legen; an einen falschen Platz legen; verschieben, umlegen, ändern; versperren; installieren; herausbringen, veröffentlichen« (mhd. *verlegen*, ahd. *ferlegen;* die Bedeutung »Bücher herstellen und verbreiten, herausbringen« hat sich aus »Geld, Kosten vorlegen, vorstrecken, für jemanden übernehmen« entwickelt), dazu **Verleger** »Verlagsbuchhändler« (17. Jh., seit dem 15. Jh. in der Bedeutung »Unternehmer«) und **Verlag** »Geschäftsunternehmen zur Herstellung und Verbreitung von Büchern; Vertrieb« (16. Jh., in der Bedeutung »Kosten, Geldauslagen«); **zerlegen** »in seine Teile auseinander legen, in Stücke schneiden« (mhd. *ze[r]legen*, ahd. *ze[r]leg[g]en*).

Legende: Das seit mhd. Zeit bezeugte, aus mlat. *legenda* – ursprünglich Neutrum Plural »die zu lesenden Stücke« – entlehnte Substantiv erscheint zuerst im kirchlichen Bereich in der Bedeutung »Lesung eines Heiligenlebens; Heiligenerzählung«. Im 16. Jh. entwickelte sich daraus die Bedeutung »unbeglaubigter Bericht, unglaubwürdige Geschichte«. – Mlat. *legenda* gehört zu lat. *legere* »lesen«. Über weitere etymologische Zusammenhänge vgl. den Artikel *Legion.*

leger »lässig, ungezwungen; oberflächlich; bequem, leicht«: Das Adjektiv wurde Ende des 18. Jh.s aus gleichbed. frz. *léger* entlehnt, das auf vlat. **leviarius* zurückgeht. Zugrunde liegt das lat. Adjektiv *levis* »leicht; leichtfertig«, das zu der unter ↑leicht dargestellten idg. Wortfamilie gehört.

legieren »mehrere Metalle zusammenschmelzen; Suppen und Soßen mit Ei oder Mehl binden«: Das Verb wurde im 17. Jh. aus it. *legare* [»zusammen]binden; binden; verbinden, vereinigen« entlehnt, das auf gleichbed. lat. *ligare* zurückgeht. – Lat. *ligare* ist auch Quelle für folgende Fremdwörter: ↑Liga (zu span. *ligar*), ↑liieren, Liaison (zu frz. *lier*), ↑Allianz, Alliierte (zu lat. *alligare* »anbinden; verbinden, verbindlich machen, verpflichten«, frz. *allier*), ↑obligat (zu lat. *obligare* »anbinden; verpflichten«).

Legion: Das seit dem 16. Jh. bezeugte, aus lat. *legio* entlehnte Fremdwort galt zunächst als Bezeichnung einer altrömischen Heeresabteilung von 4 200 bis 6 000 Mann. Dann wurde es auch allgemein zur Bezeichnung einer freiwilligen Söldnertruppe im fremden Heeresdienst gebraucht, beachte dazu die Zusammensetzung **Fremdenlegion** und die Ableitung **Legionär** »Soldat einer Legion, besonders der Fremdenlegion« (aus frz. *légionnaire*). Schließlich wird ›Legion‹ – ohne Artikel und im Plural – auch im Sinne von »unbestimmte große Anzahl« verwendet. – Lat. *legio* »Legion« bedeutet ursprünglich »ausgehobene, ausgelesene Mannschaft«. Es ist abgeleitet von lat. *legere* »auflesen, sammeln; auswählen; lesen«, das griech. *légein* »auflesen, sammeln; reden, sprechen« entspricht (s. hierüber die unter ↑Lexikon behandelte Wortfamilie). Zu lat. *legere* gehören zahlreiche Bildungen, die in unserem Wortschatz als Fremdwörter erscheinen: mlat. *legenda* »Lesung eines Heiligenlebens« (↑Legende), lat. *lectio* »das [Vor]lesen«, *lector* »[Vor]leser« und mlat. *lectura* »das Lesen« (↑Lektion, ↑Lektor und ↑Lektüre), lat. *lex* »Gesetz« (ursprünglich wohl: »Sammlung der Vorschriften«) mit den unter ↑legal behandelten Ableitungen; ferner lat. *e-ligere* »auslesen, auswählen« (↑elegant, Elegant, Eleganz und ↑Elite), lat. *intel-legere* »mit Sinn und Verstand wahrnehmen; erkennen, verstehen, einsehen« (↑intelligent, Intelligenz und ↑Intellekt, intellektuell), lat. *col-ligere* »zusammenlesen, sammeln« (↑Kollekte, ↑Kollektion und ↑kollektiv) und lat. *neg-legere* »vernachlässigen; gering schätzen« (↑Negligé).

legislativ »gesetzgebend«: Das Adjektiv wurde im 19. Jh. aus gleichbed. frz. *législatif* übernommen, beachte dazu die Substantivierung **Legislative** »gesetzgebende Versammlung; gesetzgebende Gewalt« (nach frz. *assemblée législative*). Frz. *législatif* ist eine Bildung zu frz. *législation* »Gesetzgebung« (< lat. *legislatio*) oder frz. *législateur* »Gesetzgeber« (< mlat. *legislator*). Auszugehen ist von lat. *legem ferre* »ein Gesetz einbringen« (vgl. zu lat. *lex* »Gesetz« den Artikel *legal* und zu lat. *ferre* [2. Part. *latum*] »tragen, bringen« den Artikel *gebären*).

legitim »gesetzmäßig, rechtmäßig, gesetzlich anerkannt«: Das Wort der Rechtssprache wurde im 18. Jh. aus gleichbed. lat. *legitimus* entlehnt. Dies ist eine Bildung zu lat. *lex (legis)* »Gesetz« (vgl. *legal*). – Dazu stellt sich als Gegenbildung **illegitim** »gesetzwidrig, gesetzlich nicht anerkannt« (18. Jh.; aus lat. *il-legitimus*); ferner gehören dazu **Legitimation** »Echtheitserklärung; [Rechts]ausweis; rechtliche Anerkennung« (17. Jh.; aus frz. *légitimation*, zu frz. *légitime*) und **legitimieren** »beglaubigen; für gesetzmäßig erklären; rechtlich anerkennen«, auch reflexiv ›sich legitimieren‹ »sich ausweisen« (16. Jh.; aus mlat. *legitimare* »rechtlich anerkennen«).

Lehen »zur Nutzung verliehener Besitz« (historisch): Das altgerm. Wort mhd. *lēhen*, ahd. *lēhan*, niederl. *leen*, aengl. *lǣn*, schwed. *lån* ist eine Bildung zu dem unter ↑leihen behandelten Verb. Das Wort bezeichnete in den älteren Sprachzuständen ganz allgemein etwas Geliehenes. Davon abgeleitet ist das Verb ↑²lehnen.

Lehm: Das westgerm. Wort mitteld.-mnd. *lēm[e]*, mhd. *leime*, ahd. *leimo*, niederl. *leem*, engl. *loam* gehört zu der unter ↑Leim behandelten Wortgruppe. Die heutige Form ›Lehm‹ stammt aus dem Mitteld.-Mnd. und hat sich im 18. Jh. gegenüber oberd. *Leim[en]* durchgesetzt. – Außergerm. entspricht z. B. lat. *limus* »Bodenschlamm, Kot, Schmutz«. Im Germ. bezog sich das Wort wahrscheinlich zunächst auf den zum Bewerfen und Verschmieren verwendeten Baustoff, dann auf die Erdart und den klebrigen Schmutz.

Lehne: Das auf das dt. Sprachgebiet beschränkte Wort (mhd. *lene*, ahd. *[h]lina*) ist eine Bildung zu der unter ↑¹lehnen dargestellten idg. Wurzel. Außergerm. entspricht z. B. griech. *klínē* »Bett, Lager, Bahre«.

¹lehnen »gestützt sein; an oder gegen etwas stellen«: In nhd. *lehnen* sind zwei verschiedene Verben zusammengefallen, erstens mhd. *lenen*, *linen*, ahd. *[h]linēn* intransitiv »lehnen«, zweitens mhd. *leinen*, mitteld. *lēnen*, ahd. *[h]leinen* trans. »lehnen« (vgl. niederl. *leunen* »[sich] lehnen«, engl. *to lean* »[sich] lehnen«). Diese westgerm. Verben gehören mit verwandten Wörtern in anderen idg. Sprachen zu einer Wurzelform **k̑lei-* »neigen, [an]lehnen, zusammenstellen« (vgl. *Halde*). Verwandt sind z. B. griech. *klínein* »nei-

L

gen, anlehnen« (s. die Artikel *Klinik* und *Klima*) und lat. *clinare* »neigen, beugen« (s. die Artikel *deklinieren* und *Klient*), *clemens* »milde, sanft« (beachte den Personennamen Klemens). Aus dem germ. Sprachbereich gehören zu dieser Wurzelform die Substantivbildungen ↑Lehne, ↑[2]Leiter und ↑Lid. – Wichtige Verbalbildungen sind **ablehnen** »zurückweisen, abschlagen« (16. Jh.; eigentlich »die Stütze wegnehmen«) und **auflehnen,** sich »sich aufstützen; aufbegehren, Widerstand leisten« (mhd. *ūfleinen*).

[2]**lehnen** »zu Lehen geben« (historisch), veraltet, aber noch mdal. für »leihen«: Das Verb mhd. *lēh[e]nen*, ahd. *lēhanōn*, engl. *to lend*, schwed. *låna* ist von dem unter ↑Lehen behandelten Substantiv abgeleitet. Beachte dazu die Präfixbildungen **belehnen** »in ein Lehen einsetzen« (mhd. *belēh[e]nen*) und **entlehnen** »entleihen, übernehmen« (mhd. *entlēh[e]nen*, ahd. *intlēhanōn*), ferner das veraltete ›darlehnen‹, zu dem sich **Darlehen** (16. Jh., in der Form ›Darlehn‹) stellt. – Zus.: **Lehnwort** »ein entlehntes fremdes Wort, das sich in Aussprache, Schreibung und Beugung der deutschen Sprache angeglichen hat« (19. Jh.).

Lehre: Das westgerm. Wort mhd. *lēre*, ahd. *lēra*, niederl. *leer*, engl. *lore* ist eine Bildung zu dem unter ↑lehren behandelten Verb. Mit ›Lehre‹ im Sinne von »Unterricht, Unterweisung« ist identisch ›Lehre‹ im Sinne von »Messwerkzeug, Muster, Modell«, beachte z. B. die Zusammensetzungen ›Lehrbogen, Schraublehre, Schublehre‹. Diese spezielle Verwendungsweise entwickelte sich – ausgehend von der Bedeutung »Anleitung« – bereits in mhd. Zeit in der Handwerkersprache.

lehren: Das altgerm. Verb mhd., ahd. *lēren*, got. *laisjan*, niederl. *leren*, aengl. *lǣran* ist mit den unter ↑lernen und ↑List behandelten Wörtern verwandt und gehört zu der Wortgruppe von ↑leisten. Es ist eine Kausativbildung zu einem im Got. bewahrten Präteritopräsens *lais* »ich weiß« (eigentlich »ich habe nachgespürt«) und bedeutete demnach ursprünglich »wissen machen«. – Das 2. Partizip **gelehrt** (mhd. *gelēr[e]t*, ahd. *galērit*) – beachte die Substantivierung **Gelehrter** – ging schon in ahd. Zeit in adjektivischen Gebrauch über. Es bezog sich zunächst auf geistliche, dann auch auf die wissenschaftliche Bildung. – Abl.: **Lehre** (s. d.); **Lehrer** »Lehrender; jemand, der an einer Schule unterrichtet« (mhd. *lērære*, ahd. *lērāri;* beachte got. *laisareis* »Lehrer«); **Lehrling** »jemand, der eine Lehre macht, Auszubildender« (14. Jh.); **gelehrig** »leicht auffassend, anstellig« (15. Jh.; verstärkende ge-Bildung zu dem ausgestorbenen Adjektiv ›lehrig‹); **gelehrsam** »gelehrig« (16. Jh.), dazu **Gelehrsamkeit** (17. Jh.).

Lehrstuhl ↑Stuhl.

...lei: Das Suffix, das bestimmte und unbestimmte Gattungszahlwörter bildet (beachte z. B. ›einerlei, mancherlei, keinerlei‹), geht zurück auf mhd. *lei[e]* »Art, Weise«, und zwar in genitivischen Verbindungen wie z. B. *einer leie, aller leie, manege leie*. Mhd. *lei[e]* ist aus afrz. *ley* »Art« entlehnt, das auf dem Akkusativ *legem* von lat. *lex* »Gesetz« beruht (↑legal).

Leib: Das altgerm. Wort mhd. *līp*, ahd. *līb*, niederl. *lijf*, engl. *life* (»Leben«), schwed. *liv* gehört zu dem unter ↑leben behandelten Verb. Die alte Bedeutung »Leben«, die im Engl. und im Nord. bewahrt ist, hielt sich im Dt. bis in mhd. Zeit. An diese Bedeutung schließen sich einige Bildungen und Wendungen an, beachte z. B. **leibeigen** (15. Jh.; hervorgegangen aus der mhd. Formel *mit dem lībe eigen* »mit dem Leben zugehörig«, dazu **Leibeigener** und **Leibeigenschaft**), **Leibrente** (14. Jh.; eigentlich »Rente auf Lebenszeit«) und ›beileibe nicht‹ »unter keinen Umständen« (eigentlich »bei Lebensstrafe nicht«). Auf die Verwendung des Wortes im Sinne von »Körper« beziehen sich z. B. **leibhaft, leibhaftig** »wirklich, selbst« (mhd. *līphaft[ic]* »mit Körper versehen, wohlgestaltet; persönlich«, älter »lebend, lebendig«, ahd. *lībhaft* »lebend«), **leiblich** »körperlich; blutsverwandt; dinglich« (mhd. *līplich* »körperlich, fleischlich; persönlich«, ahd. *līblīh* »lebend, lebendig«), **Leibchen** »westenartiges Kleidungsstück« (17. Jh.; eigentlich »kleiner Körper«), **Leibesübung** »Schulung des Körpers« (16. Jh.). Vielfach wird ›Leib‹ speziell im Sinne von »Bauch, Unterleib« gebraucht, beachte z. B. die Zusammensetzungen ›Leibschmerzen, Leibesfrucht, hartleibig‹ und die Bildung **beleibt** »dick«. Seit mhd. Zeit wird das Wort auch umschreibend für die ganze Person verwendet. Diese Verwendung spiegeln z. B. wider die Zusammensetzungen **Leibarzt** (16. Jh.; ursprünglich »Arzt eigens für die Person eines Fürsten«), **Leibgarde** (17. Jh.; ursprünglich »Garde eigens für die Person eines Fürsten oder eines Generals«), **Leibwache** (17. Jh.). – Das abgeleitete Verb **leiben** ist heute nur noch in Verbindungen wie z. B. ›wie er leibt und lebt‹ gebräuchlich, beachte auch **einverleiben,** sich »zu sich nehmen; in seinen Besitz bringen«.

Leich: Der seit dem 19. Jh. gebräuchliche Fachausdruck für das aus ungleichen Strophen gebaute Gedicht (mit durchkomponierter Melodie) der Minnesänger wurde in wissenschaftlichen Arbeiten aus dem Mhd. übernommen. Mhd. *leich* »Tonstück, Gesang aus ungleichen Strophen«, auch »abgelegte Eier der Wassertiere« (↑Laich), ahd. *leih* »Spiel, Melodie, Gesang«, got. *laiks* »Tanz«, aengl. *lāc* »Spiel, Kampf«, aisl. *leikr* »Spiel« beruhen auf einer gemeingerm. Bildung zum starken Verb got. *laikan* »hüpfen, springen«, aengl. *lācan* »springen, tanzen«, aisl. *leika* »spielen, tanzen«, beachte dazu das schwache Verb mhd. *leichen* »hüpfen, spielen, foppen« (s. den Artikel *Wetterleuchten*).

Leiche: Mhd. *līch* »Körper, Leib; Leibesgestalt; Aussehen, Teint; toter Körper, Toter«, ahd. *līh[h]* »Körper, Leib; Fleisch, toter Körper«, got. *leik*

»Körper, Leib; Fleisch; toter Körper«, aengl. *līc* »Körper; toter Körper«, schwed. *lik* »toter Körper, Toter« gehen zurück auf gemeingerm. **līka-* »Körper, Gestalt«, dessen Ursprung dunkel ist. Bereits in den alten Sprachzuständen wurde das Wort als verhüllender Ausdruck für den toten Körper bzw. für den toten Menschen gebraucht. Die eigentliche Bedeutung »Körper, Gestalt« ist bewahrt in ↑gleich (ursprünglich »denselben Körper, dieselbe Gestalt habend«) und im Suffix ↑...lich (eigentlich »die Gestalt habend«; s. auch die Artikel *solch* und *welch*). Eine alte Zusammensetzung ist **Leichnam** (mhd. *līchname,* ahd. *līh[i]namo,* Nebenform von mhd. *līchame,* ahd. *līhhamo,* niederl. *lichaam,* schwed. *lekamen*). Der zweite Bestandteil ist das unter ↑Hemd behandelte germ. **hama[n]-* »Hülle«. Die Zusammensetzung bedeutet also eigentlich »Leibeshülle« und war ursprünglich wohl eine Art dichterischer Ausdruck. Wie das Wort ›Leiche‹ wandelte auch ›Leichnam‹ seine Bedeutung von »Körper« zu »toter Körper« (s. auch den Artikel *Fronleichnam*).

leicht: Das gemeingerm. Adjektiv mhd. *līht[e],* ahd. *līht[i],* got. *leihts,* engl. *light,* schwed. *lätt* gehört zu der unter ↑gelingen dargestellten idg. Wurzel. – Abl.: **Leichtigkeit** »das Leichtsein; Mühelosigkeit« (mhd. *līhtecheit*).

leid: Das alte Adjektiv, das noch schweiz. mdal. im Sinne von »hässlich, ungut, unangenehm« gebräuchlich ist, wird heute nur noch prädikativ verwendet, beachte z. B. die Verbindung ›mir ist etwas leid‹. Mhd. *leit,* ahd. *leid* »betrübend, widerwärtig, unangenehm«, niederl. *leed* »unangenehm, leid«, engl. *loath* »unwillig, abgeneigt«, schwed. *led* »überdrüssig, unangenehm, scheußlich, böse« beruhen auf germ. **laiþa-* »widerwärtig, unangenehm«, dessen weitere Herkunft unklar ist. Das Adjektiv ist nicht mit dem Verb ↑leiden verwandt. – Alt ist die Substantivierung **Leid** (mhd. *leit,* ahd. *leid* »Bedrückung, Schmerz, Krankheit, Widerwärtigkeit«, niederl. *leed* »Kummer, Schmerz«, aengl. *lād* »Schmerz, Kummer, Plage«, schwed. *leda* »Überdruss, Ekel«). Davon abgeleitet ist **leidig** »lästig, unangenehm, unerfreulich« (mhd. *leidec,* ahd. *leideg*), zu dem sich **beleidigen** »kränken, verletzen« stellt (mhd. *beleidigen,* Präfixbildung zu mhd. *leidegen,* ahd. *leidegōn* »betrüben, kränken, verletzen«). – Eine Zusammensetzung mit ›Leid‹ ist das seit dem 17. Jh. bezeugte **Beileid** »Mitgefühl«, älter auch »Mitleid«. Nicht identisch mit ↑leiden »dulden, Schmerz empfinden« ist ›leiden‹ in **verleiden** »die Lust an etwas nehmen« (mhd. *verleiden,* ahd. *farleidōn*), das vom Adjektiv ›leid‹ abgeleitet ist. – Siehe auch den Artikel *leider.*

leiden: Das im heutigen Sprachgebrauch im Sinne von »dulden, ertragen, Schmerz, Kummer empfinden« gebräuchliche Verb bedeutete früher »gehen, fahren, reisen«. Im Sinne von »dulden, Schmerz empfinden« ist ahd. *līdan* vermutlich Rückbildung aus ahd. *irlīdan* »erfahren, durchmachen« (nhd. **erleiden**). Auf die Bedeutungsentwicklung hat wahrscheinlich die christliche Vorstellung vom Leben des Menschen als einer Reise durch das irdische Jammertal eingewirkt. Später wurde das Verb ›leiden‹ im Sprachgefühl mit dem nicht verwandten Substantiv ›Leid‹ (s. unter *leid*) verbunden. – Mhd. *līden,* ahd. *līdan,* got. *-leiþan,* aengl. *līđan,* aisl. *līđa* »gehen, fahren, reisen; vergehen« gehören mit verwandten Wörtern in anderen idg. Sprachen zu einer Wurzel **leit[h]-* »gehen, dahingehen« (vgl. z. B. tochar. A *lit-* »fortgehen«). Das Veranlassungswort zu diesem gemeingerm. Verb ist ↑leiten (eigentlich »gehen machen«). – Der substantivierte Infinitiv **Leiden** (mhd. *līden*) wird heute als reines Substantiv empfunden. Dazu gebildet ist **Leidenschaft** »stark bewegter Gemütszustand, heftige Zuneigung« (17. Jh., als Ersatzwort für frz. *passion*), davon **leidenschaftlich** (18. Jh.). Siehe auch den Artikel *Mitleid.* – Das Adjektiv **leidlich** »gerade noch ausreichend« (spätmhd. *līdelich*) ist eine Bildung zu dem Verb ›leiden‹ und bedeutet eigentlich »das, was zu leiden, zu ertragen ist«.

leider: Das vielfach als Interjektion verwendete Adverb (mhd. *leider,* ahd. *leidir*) ist eigentlich der Komparativ von ↑leid, und zwar vom Adverb mhd. *leide,* ahd. *leido.* Dagegen ist ›leider‹ in der Verbindung ›leider Gottes‹ wahrscheinlich aus der Beteuerung ›[beim] Leiden Gottes‹ entstanden.

leidlich ↑leiden.

Leier: Griech. *lýra,* der Name eines sieben- oder viersaitigen Zupfinstruments, gelangte über gleichbed. lat. *lyra* schon früh ins Deutsche: ahd. *līra,* mhd. *līre* (daraus die nhd. Form ›Leier‹). Im Mittelalter bezeichnete das Wort speziell die Drehleier, die mithilfe einer Kurbel mechanisch betrieben wurde und die ihre Fortsetzung in dem modernen **Leierkasten** gefunden hat (beachte auch die Zusammensetzung **Leierkastenmann**). An diesen Gebrauch schließen sich an die landschaftliche Verwendung von ›Leier‹ im Sinne von »Drehvorrichtung, Kurbel« und von ›Leier‹ im übertragenen Sinne als »ständig sich Wiederholendes, bis zum Überdruss oft Gehörtes« in der Wendung ›die alte Leier‹, ferner das abgeleitete Verb **leiern** »eine Kurbel drehen; etwas mechanisch und eintönig hersagen bzw. heruntersingen« (mhd. *līren* »die Leier spielen; zögern, sich verzögern«) mit **ableiern** (beachte ugs. **abgeleiert** »abgedroschen, wirkungslos, eindruckslos«; 19. Jh.), **ausleiern** (beachte ugs. **ausgeleiert** »abgebraucht«), **herleiern** und **herunterleiern** und die Bildung **Geleier** »monotoner Vortrag«. – Beachte noch das von griech. *lýra* abgeleitete Adjektiv griech. *lyrikós* »zum Spiel der Leier gehörig«, das die Quelle unserer Fremdwörter ↑Lyrik, lyrisch, Lyriker ist.

leihen: Das gemeingerm. Verb mhd. *līhen,* ahd. *līhan,* got. *leilvan,* aengl. *līon,* aisl. *ljā* gehört mit verwandten Wörtern in anderen idg. Sprachen zu der idg. Wurzel **leik*^{u}*-* »[zurück-, übrig] lassen«, vgl. z. B. griech. *leípein* »[zurück]lassen« (↑Ellipse) und lat. *linquere, re-linquere* »[zurück]lassen« (↑Reliquie). Eine alte Bildung zu diesem Verb ist das unter ↑Lehen behandelte Wort, von dem ↑^{2}lehnen abgeleitet ist. Beachte auch die Präfixbildungen ›be-, ent-, verleihen‹.

Leim: Das altgerm. Wort mhd., ahd. *līm,* niederl. *lijm,* engl. *lime* (»Kalk; Vogelleim«), schwed. *lim* (»Leim; mundartlich auch: Kalk«) bezeichnete ursprünglich eine zum Verschmieren, Verkleben oder dgl. dienende klebrige Erdmasse. Im Dt. ging das Wort auf den aus tierischen oder pflanzlichen Bestandteilen bzw. synthetisch hergestellten Klebstoff über. Eine wichtige Rolle spielte im Mittelalter der Leim in der Vogelfängerei: Hierauf bezieht sich die Verwendung des abgeleiteten Verbs **leimen** »[mit Leim] kleben, zusammenfügen« (mhd. *līmen,* ahd. *līman*) im Sinne von »anführen, betrügen«. – Eng verwandt mit dem altgerm. Wort ›Leim‹, das im Ablaut zu ↑Lehm steht, ist die Sippe von ↑Schleim. Diese germ. Wortgruppe gehört mit verwandten Wörtern in anderen idg. Sprachen zu der vielfach weitergebildeten und erweiterten idg. Wurzel **[s]lei-* »feucht, schleimig, klebrig, glitschig«, substantiviert »feuchte, klebrige Erdmasse, Schlamm, Schleim; schleimiges, klebriges Tier«, verbal »klebrig, schmierig sein, kleben [bleiben], bleiben; [be-, ver-]schmieren, streichen, verputzen, glätten; glitschig sein, rutschen, gleiten, schleifen«. Aus dem germ. Sprachbereich gehören ferner zu dieser Wurzel der Fischname ↑Schlei[e] (eigentlich »schleimiger, klebriger Fisch«), die Sippe von ↑schleichen (s. dort über ^{1}*Schlich; schlecht; schlicht*), von ↑^{1}schleifen (s. dort über *Schliff; schleppen; schlüpfrig*) und von ↑Schlitten. Von der Bedeutungswendung »klebrig sein, haften, kleben [bleiben], bleiben« gehen aus die Sippen von ↑leben (eigentlich »übrig bleiben«) und von ↑bleiben (alte Präfixbildung, eigentlich »kleben [bleiben]«). – Abl.: **leimig** (spätmhd. *līmig*).

> **Leim**
>
> **jmdm. auf den Leim gehen/kriechen**
> (ugs.) »auf jmdn., auf jmds. List hereinfallen«
> Die Wendung geht auf die Vogeljagd mit Leimruten zurück. Man legte dabei in Bäume oder Sträucher mit Leim bestrichene Stöcke, an denen die Vögel, die sich darauf setzten, hängen blieben.

Lein »Leinpflanze, Flachs«: Der gemeingerm. Pflanzenname mhd., ahd. *līn,* got. *lein,* aengl. *līn,* schwed. *lin* geht mit verwandten Wörtern in anderen idg. Sprachen auf **līno-* »Leinpflanze, Flachs« zurück, vgl. z. B. griech. *línon* »Leinpflanze; Flachs; Leinen; Leine« und lat. *linum* »Leinpflanze; Flachs; Leinen; Leine« (↑Linoleum), dazu von *linea* »Leine, Faden, [Richt]schnur« (↑Linea und ↑Linie). Der Pflanzenname kann, falls es sich nicht um ein altes Wanderwort handelt, eine Bildung zu der Wurzel **[s]lī-* »bläulich« sein, beachte z. B. lat. *livere* »bläulich, bleifarben sein« (vgl. *Schlehe*). Dann wäre der Lein nach der Farbe seiner Blüten benannt. – Im Germ. bezeichnet das Wort – wie z. B. auch im Griech. und Lat. (s. o.) – von alters her auch das aus Flachs Hergestellte, beachte dazu die Bildung ↑Leine und das abgeleitete Adjektiv **leinen** »aus Flachsgarn gewebt« (mhd., ahd. *līnīn*). Die Substantivierung dieses Adjektivs ist **Leinen** »aus Flachsgarn gewebter Stoff«. Neben ›leinen‹, ›Leinen‹ sind auch die ursprünglich niederd. Formen **linnen, Linnen** (mnd. *linen*) gebräuchlich, die durch den norddeutschen Leinenhandel Verbreitung fanden. Die Zusammensetzung **Leinwand** beruht auf mhd. *līnwāt* »Leinengewebe«, das in frühnhd. Zeit nach ›Gewand‹ umgebildet wurde, beachte mhd. *līngewant* »Leinenzeug, Leinengewand«. Im heutigen Sprachgefühl wird der zweite Bestandteil von ›Leinwand‹ als identisch mit ›Wand‹ empfunden, zumal gespannte Leinwand als Bildwand im Kino dient, beachte dazu die Zusammensetzung **Leinwandstar** (20. Jh.).

...lein: Das ursprünglich nur oberd. Verkleinerungssuffix (mhd. *-[e]līn,* ahd. *-[i]līn*) ist hervorgegangen aus der Verbindung eines l-Suffixes mit dem Verkleinerungssuffix -īn, das auch in dem Suffix ↑...chen enthalten ist. Beachte dazu z. B. ahd. *leffilīn* zu *leffil* »Löffel«, *fugilīn* zu *fogal* »Vogel«, danach dann *hūsilīn* zu *hūs* »Haus«, *fingarlīn* zu *fingar* »Finger« usw. – Im heutigen Sprachgebrauch überwiegen die Verkleinerungen mit ›...chen‹. Nach Wörtern, die auf -g oder -ch ausgehen, und gelegentlich in poetischer Sprache wird ›...lein‹ bevorzugt, beachte z. B. ›Äuglein, Bächlein, Kindlein‹. Das Suffix ›...lein‹ erscheint mdal. in mehreren Spielarten, z. B. aleman. (schweiz.) als -[e]li, beachte z. B. Fischli, Hüs[e]li, schwäb. als -le, beachte z. B. Häusle, Gärtle, bayr.-österr. als -el, -erl, beachte z. B. Weibel, Haserl, Hunde[r]l usw.).

Leine: Das altgerm. Wort mhd. *līne,* ahd. *līna,* niederl. *lijn,* engl. *line,* schwed. *lina* ist eine Ableitung von dem unter ↑Lein behandelten Namen des Flachses und bezeichnete demnach ursprünglich einen aus Flachs hergestellten Strick.

leise: Der Ursprung des nur dt. Adjektivs (mhd., mnd. *līse,* ahd. Adverb *līso* »sanft, sacht, langsam, schwach hörbar«) ist nicht sicher geklärt. Heute ist ›leise‹ speziell Gegenwort zu ›laut‹.

Leiste: Das westgerm. Wort für »Rand, Saum, Borte« (mhd. *līste,* ahd. *līsta,* niederl. *lijst,* engl. *list*) hat keine sicheren außergerm. Entsprechungen. Es wurde schon früh ins Nord. entlehnt, beachte die Sippe von schwed. *list* »Leiste, Borte«, und

[d]rang auch bereits in alter Zeit ins Roman., be[a]chte z. B. it. *lista* »Leiste; [Papier]streifen, Ver[z]eichnis«, aus dem wiederum dt. ↑Liste entlehnt [i]st. – Mit ›Leiste‹ »Rand, Saum, Borte« ist iden[t]isch ›Leiste‹ »Übergang vom Rumpf zum Ober[s]chenkel an der Körpervorderseite, von der Hüfte [z]ur Scham hin verlaufende Hautfalte«. In dieser [B]edeutung, an die sich z. B. die Zusammenset[z]ung **Leistenbruch** anschließt, ist das Wort seit [d]em 16. Jh. bezeugt.

[le]isten: Mhd., ahd. *leisten* »befolgen, nachkom[m]en, erfüllen, ausführen, tun«, asächs. *lēstian* »befolgen, erfüllen, tun«, got. *laistjan* »folgen, [n]achstreben«, aengl. *lǣstan* »befolgen; Gefolg[s]chaft leisten; aushalten« (engl. *to last* »dauern, [w]ähren«) beruhen auf einer Ableitung von dem [u]nter ↑Leisten (germ. **laisti-* »Fußspur«) behan[d]elten Substantiv. Das Verb, das im heutigen [S]prachgebrauch auch im Sinne von »können, [s]chaffen« verwendet wird, bedeutet demnach ei[g]entlich »einer Spur nachgehen, nachspüren«. – [D]iese germ. Sippe gehört mit verwandten Wör[t]ern im Lat. und Baltoslaw. (s. den Artikel *Gelei[s]e*) zu einer Wurzel **leis-* »Spur; Bahn; Furche«. [D]azu stellen sich im germ. Sprachbereich außer [d]en unter ↑Geleise behandelten Wörtern auch [d]ie Sippen von ↑lehren (eigentlich »wissend ma[c]hen«), ↑lernen (eigentlich »wissend werden«) [u]nd ↑List (eigentlich »Wissen«). Die Bedeutung »wissen« hat sich aus »nachgespürt haben« ent[w]ickelt, beachte z. B. got. *lais* »ich weiß«, eigent[l]ich »ich habe nachgespürt« (↑lehren).

[Le]isten »aus Holz oder Metall nachgebildeter Fuß [(]für Schusterarbeit); Schuhspanner«: Der Name [d]es Schuhmachergerätes bedeutet eigentlich »Spur, Fuß[abdruck]«. Mhd., ahd. *leist* »Spur, [W]eg; Schusterleisten«, got. *laists* »Spur«, aengl. *[l]ǣst* »Spur, Fußabdruck, Sohle« (engl. *last* »Leis[t]en«), aisl. *leistr* »Fuß; Socke« (schwed. *läst* »Leisten«) beruhen auf einer Bildung zu der un[t]er ↑leisten dargestellten Wurzel. Eng verwandt [i]st das unter ↑Geleise behandelte Wort.

[Le]itartikel ↑leiten.

[le]iten: Das altgerm. Verb mhd. *leiten*, ahd. *[l]eit[t]an*, niederl. *leiden*, engl. *to lead* (dazu älter [e]ngl. *load* »Führung, Weg«, ↑Lotse), schwed. *leda* [i]st das Veranlassungswort zu dem unter ↑leiden [u]rsprünglich »gehen, fahren« behandelten Verb. [E]s bedeutet demnach eigentlich »gehen oder fah[r]en machen«. Wichtige Präfixbildungen und Zu[s]ammensetzungen sind **anleiten** »mit etwas ver[t]raut machen, beibringen, einführen« (mhd. *[a]n[e]leiten*, ahd. *analeitan*), dazu **Anleitung** »Ein[f]ührung«; **einleiten** »beginnen, vorbereiten, in [G]ang bringen« (mhd. *īnleiten*), dazu **Einleitung** »Beginn, Einführung, Vorwort«; **geleiten** »[schützend oder helfend] führen, begleiten« [(]mhd. *geleiten*, ahd. *gileitan;* s. auch den Artikel *[B]egleiten*), dazu **Geleit** »[schützende] Beglei[t]ung« (mhd. *geleite*), beachte auch die Zusammensetzungen **Geleitzug, Geleitschutz; verleiten** »verführen« (mhd. *verleiten*, ahd. *farleitan*). – Abl.: **¹Leiter** »jemand, der etwas leitet« (mhd. *leitære*, ahd. *leitǣri* »Führer«); **Leitung** »das Leiten, Führung« (16. Jh.). Zus.: **Leitartikel** »kommentierender Artikel an bevorzugter Stelle einer Zeitung zu wichtigen aktuellen Themen« (19. Jh.; Lehnübersetzung von engl. *leading article*); **Leitfaden** (18. Jh., zunächst auf den Faden der Ariadne bezogen, dann im Sinne von »wissenschaftlicher Abriss, kurzes Lehrbuch«); **Leithammel** »der die Herde führende Hammel; Anführer« (16. Jh.); **Leitmotiv** »wiederkehrende Tonfolge von bestimmter Aussage« (19. Jh.); **Leitstern** »Polarstern; richtungweisender Mensch« (mhd. *leit[e]sterne*); **Leitwerk** »Schwanzsteuer am Flugzeug« (20. Jh.).

¹Leiter ↑leiten.

²Leiter: Die westgerm. Bezeichnung des Steiggeräts (mhd. *leiter[e]*, ahd. *leitara*, niederl. *leer*, engl. *ladder*) ist eine Bildung zu der unter ↑¹lehnen dargestellten Wurzel. Das Wort bedeutet demnach eigentlich »die Angelehnte, die Geneigte«. Es wird auch von leiterähnlichen Dingen gebraucht, beachte die Zusammensetzungen **Leiterwagen** (17. Jh.), **Tonleiter** (18. Jh.).

Leitung ↑leiten.

Lektion: Das seit dem 13. Jh. bezeugte, aus lat. *lectio* »das [Vor]lesen« entlehnte Substantiv erscheint zuerst in der Kirchensprache in der Bedeutung »Lesung eines Bibelabschnittes« (in diesem Sinne liegen die schon älteren Entlehnungen got. *laíktjō*, ahd. *lecza* und mhd. *lecze* voraus). Im 16. Jh. wurde das Wort in die Schulsprache übernommen und entwickelte dort die heute gültigen Bedeutungen »Behandlung eines bestimmten Abschnitts; Unterricht[sstunde]; Aufgabe« und – im übertragenen Gebrauch – »Zurechtweisung, derber Verweis«, beachte die Fügung ›jemandem eine Lektion erteilen‹. – Lat. *lectio* ist eine Bildung zu lat. *legere* »auflesen, sammeln; auswählen; lesen«. Über weitere Zusammenhänge vgl. den Artikel *Legion*.

Lektor »Sprachlehrer für praktische Übungen an einer Hochschule; [wissenschaftlicher] Mitarbeiter eines Verlags zur Begutachtung der eingehenden Manuskripte«: Das seit dem 15. Jh. bezeugte Fremdwort ist aus lat. *lector* »Leser; Vorleser« entlehnt. Dies ist eine Bildung zu lat. *legere* »auflesen, sammeln; auswählen; lesen«. Über weitere Zusammenhänge vgl. den Artikel *Legion*.

Lektüre »das Lesen; der Lesestoff«: Das Fremdwort wurde Anfang des 18. Jh.s aus gleichbed. frz. *lecture* entlehnt, das auf mlat. *lectura* »das Lesen« zurückgeht (daraus in der Schulsprache schon des 16. Jh.s ›Lectur‹). Zugrunde liegt das lat. Verb *legere* »auflesen, sammeln; auswählen; lesen«. Über weitere Zusammenhänge vgl. den Artikel *Legion*.

Lende: Mhd. *lende* »Lende«, ahd. *lentī* »Niere«,

Plural »Nieren, Lende«, niederl. *lende* »Lende«, aengl. *lendenu* (Plural) »Nieren, Lende«, schwed. *länd* »Lende« stehen im Ablaut zu der germ. Sippe von ahd. *lunda* »Nierenfett, Talg« und sind verwandt mit lat. *lumbus* »Lende« und mit der slaw. Sippe von russ. *ljadveja* »Lende; Schenkel«. Welche Vorstellung der Benennung des Körperteils zugrunde liegt, lässt sich nicht feststellen.

lenken: Das seit mhd. Zeit bezeugte Verb ist abgeleitet von dem unter ↑Gelenk behandelten Substantiv mhd. *lanke*, ahd. *[h]lanca* »Hüfte, Lende« (eigentlich »Biegung«). Mhd. *lenken*, dem aengl. *hlencan* »winden, flechten« entspricht, bedeutete zunächst »[um]biegen«, dann »eine andere Richtung geben«, woraus sich die heute üblichen Bedeutungen »eine bestimmte Richtung geben; leiten, führen« entwickelten.

Lenz: Der heute nur noch dichterisch verwendete Name der Jahreszeit (mhd. *lenze*, ahd. *lenzo*) geht zurück auf **lengzo* »Frühling«, das eine dt. Bildung zu dem unter ↑lang behandelten Adjektiv ist. Die Jahreszeit ist also nach den länger werdenden Tagen benannt. Neben dieser Bildung existiert im Westgerm. auch eine gleichbedeutende Zusammensetzung mit ›lang‹ als Bestimmungswort, vgl. ahd. *len[gi]zin*, asächs. *lentin*, aengl. *lencten* (engl. *lent* »Fasten[zeit]«). Der zweite Bestandteil dieser Zusammensetzung (germ. **tīna-*) bedeutet »Tag«. Beachte dazu auch die alte Bezeichnung für »März« **Lenzmonat** (ahd. *lengizinmānōth*).

lenzen: Der aus dem Niederd. stammende seemännische Ausdruck für »Bodenwasser aus einem Schiffskörper entfernen« ist abgeleitet von niederd. *lens* »leer« und bedeutet eigentlich »leer machen«. Von diesem Adjektiv – vgl. dazu niederl. *lens* »leer«, fläm. *len[t]s* »lose, schlaff« – geht auch aus ›lenzen‹ seemännisch für »im Sturm mit stark gereffter oder ohne Besegelung vor dem Winde laufen« (mnd. *lensen*, niederl. *lenzen*). – Zus.: **Lenzpumpe** (19. Jh.).

Leopard: Der Name der in Afrika und Asien heimischen Großkatze ist eine gelehrte Entlehnung des 14. Jh.s aus lat. *leopardus*, das zuvor schon im Ahd. in volkstümlichen Formen wie *lēbarto* und *lēbart[e]* erschienen war. Das lat. Wort ist aus lat. *leo* »Löwe« (vgl. *Löwe*) und lat. *pardus* (vgl. *Gepard*) zusammengesetzt.

Lepra »Aussatz«: Der Krankheitsname wurde im 18./19. Jh. aus gleichbed. griech.-lat. *lépra* entlehnt, das von griech. *leprós* »schuppig, uneben, rau, aussätzig« abgeleitet ist. Dies gehört zum griech. Verb *lépein* »[ab]schälen«.

Lerche: Der germ. Vogelname mhd. *lĕrche*, ahd. *lērahha*, niederl. *leeuwerik*, engl. *lark*, schwed. *lärka* lässt sich nicht sicher deuten. Das zugrunde liegende germ. **laiwrikōn*, das keine außergerm. Entsprechungen hat, enthält vielleicht als ersten Bestandteil ein lautmalendes ›lai-‹.

lernen: Das westgerm. Verb mhd. *lernen*, ahd. *lernēn, -ōn*, asächs. *līnōn*, engl. *to learn* ist mit den unter ↑lehren und ↑List behandelten Wörtern verwandt und gehört zu der Wortgruppe von ↑leisten (ursprünglich »einer Spur nachgehen, nachspüren«, vgl. got. *lais* »ich weiß«, eigentlich »ich habe nachgespürt«). Beachte dazu die Präfixbildung **verlernen** »(Gelerntes) vergessen, aus der Übung kommen« (mhd. *verlernen*). – Abl. **Lerner** »Lernender« (20. Jh.; Lehnübersetzung von engl. *learner*).

lesbisch »homosexuell (von Frauen)«: Das seit dem 19. Jh. gebräuchliche Adjektiv ist eine Bildung zum Namen der Insel Lesbos, bedeutet also eigentlich »zur Insel Lesbos gehörend«, und nimmt darauf Bezug, dass auf dieser Insel die griechische Dichterin Sappho lebte, die in ihren Liedern junge Mädchen leidenschaftlich besang.

lesen: Das gemeingerm. Verb mhd. *lesen*, ahd. *lesan*, got. *lisan*, aengl. *lesan*, schwed. *läsa* geht mit verwandten Wörtern auf eine Wurzel **les-* »verstreut Umherliegendes aufnehmen und zusammentragen, sammeln« zurück, vgl. z. B. die balt. Sippe von lit. *lèsti* »picken; aussuchen, auslesen«. Die alte Bedeutung »[auf-, ein]sammeln, aussuchen« hat sich im Dt. neben der jüngeren Bedeutung »Geschriebenes lesen« bis zum heutigen Tag gehalten, beachte z. B. ›Ähren, Trauben oder dgl. lesen‹. An diese Bedeutung schließen sich an das Substantiv **Lese** »das Sammeln, Ernte« (18. Jh.), beachte dazu ›Traubenlese, Blumenlese, Spätlese‹ usw., ferner die Präfixbildungen und Zusammensetzungen **auslesen** »aussuchen, auswählen« (mhd. *ūʒlesen*), dazu **Auslese** »Auswahl des Besten« (19. Jh.), **erlesen** veraltet für »aussuchen, erwählen« (mhd. *erlesen*, ahd. *irlesan*), dazu das in adjektivischen Gebrauch übergegangene 2. Partizip **erlesen** »ganz vorzüglich« (beachte auch **auserlesen**) und **verlesen** »Schlechtes, Unbrauchbares aussondern« (15. Jh.). Von dieser Bedeutung geht auch die alte Adjektivbildung ↑leer, eigentlich »etwas, was gesammelt werden kann« aus. – Die in ahd. Zeit beginnende Verwendung des Verbs im Sinne von »Geschriebenes lesen« erfolgte wahrscheinlich unter dem Einfluss und nach dem Vorbild von lat. *legere* »sammeln, aussuchen; Geschriebenes lesen«. Allerdings kann das Verb ›lesen‹ bereits in germ. Zeit auf das Einsammeln und Deuten der zur Weissagung ausgestreuten Stäbchen bezogen worden sein (s. auch den Artikel *Buchstabe*). An den Wortgebrauch im Sinne von »Geschriebenes lesen« schließen sich an die Ableitungen **lesbar** (17. Jh.), **Leser** (mhd. *lesære*), **leserlich** (17. Jh.), **Lesung** (16. Jh.) und Zusammensetzungen wie **Lesart** (18. Jh.), **Lesebuch** (18. Jh.), **Lesezeichen** (um 1800); ferner zahlreiche Präfixbildungen und Zusammensetzungen, z. B. ›ab-, durch-, vorlesen‹, beachte besonders **auslesen** »zu Ende lesen« (mhd. *ūʒlesen*), **belesen** veraltet für »durchlesen«, dazu das in adjektivischen Gebrauch übergegangene 2. Partizip **belesen**

»durch Lesen gebildet, kenntnisreich« (17. Jh.); **verlesen** »falsch lesen« und **zerlesen** »durch die Handhabung beim Lesen abnutzen oder beschädigen«. Siehe auch ›Federlesen‹ unter *Feder.*

ethargie »krankheitsbedingte Schlafsucht (Medizin); Trägheit, Gleichgültigkeit, Teilnahms-, Interesselosigkeit«: Das Wort wurde als Krankheitsbezeichnung im 16. Jh. aus gleichbed. griech.-lat. *lēthargía* entlehnt, wurde aber erst im 18. Jh. allgemein gebräuchlich. Griech. *lēthargía* gehört zu griech. *lḗthargos* »schlummerähnlicher Zustand«, das wohl ursprünglich ein aus griech. *lḗthē* »Vergessen« und griech. *argós* (< * *a-u̯ergós*) »untätig, träge« zusammengesetztes Adjektiv ist und demnach eigentlich etwa »durch Vergessen untätig oder träge« bedeutet. – Abl.: **lethargisch** »schlafsüchtig; teilnahmslos, gleichgültig«.

etzen (veraltet für:) »laben, erquicken«: Das gemeingerm. Verb mhd. *letzen,* ahd. *lezzen,* got. *latjan,* aengl. *lettan,* aisl. *letja* ist von dem unter ↑lässig behandelten Adjektiv ›lass‹ »matt, müde, schlaff« abgeleitet und bedeutet demnach eigentlich »schlaff, matt machen«. In den älteren Sprachzuständen ist das Verb in den Bedeutungen »aufhalten, hemmen, [be]hindern« und »bedrücken, quälen, schädigen« bezeugt. Die letzteren Bedeutungen bewahrt die Präfixbildung **verletzen** (mhd. *verletzen* »schädigen, verwunden«), dazu **verletzlich, Verletzung.**

etzt: Das Adjektiv ist eigentlich der Superlativ zu dem heute veralteten ›lass‹ »matt, müde, schlaff« (vgl. *lässig*). Die hochd. Form des Superlativs ahd. *laz̧z̧ōst, lezzist,* mhd. *lez̧z̧ist,* zusammengezogen (so noch oberd. mdal.) *lest* wurde durch die im 15. Jh. vordringende niederd. Form (mnd. *letst*) verdrängt. Im Engl. entspricht *last,* der Superlativ von *late.* – Im 17. Jh. wurde, als ›letzt‹ nicht mehr als Superlativ empfunden wurde, der Komparativ (der) **Letztere** gebildet. Nach dem Muster von ›erstens, zweitens‹ usw. ist das in Aufzählungen gebräuchliche **letztens** gebildet. – Abl.: **letztlich** »im Grunde, letzten Endes, schließlich« (16. Jh.).

etzt ↑letzen.

eu ↑Löwe.

euchte: Das auf das dt. Sprachgebiet beschränkte Substantiv (mhd. *liuhte,* ahd. *liuhta,* mnd. *lūchte*) gehört zu dem unter ↑licht behandelten Adjektiv. Im übertragenen Gebrauch bedeutet es »kluger Kopf, Könner«.

euchten: Das altgerm. Verb mhd., ahd. *liuhten,* got. *liuhtjan,* niederl. *lichten,* engl. *to light* ist von dem unter ↑licht behandelten Adjektiv abgeleitet. Wichtige Präfixbildungen und Zusammensetzungen mit ›leuchten‹ sind **beleuchten** »erhellen, mit Licht erfüllen, ins Licht setzen« (mhd. *beliuhten,* ahd. *biliuhtan*), dazu **Beleuchtung; durchleuchten** »mit Licht erfüllen; mit Röntgenstrahlen untersuchen« (mhd. *durchliuhten*), dazu **Durchleuchtung** und **durchlaucht** (s. d.); **einleuchten** »klar, deutlich werden« (mhd. *īnliuhten* eigentlich »wie Licht hell eindringen«), dazu **einleuchtend** »klar, deutlich, verständlich«; **erleuchten** »erhellen; sehend machen, eingeben« (mhd. *erliuhten,* ahd. *irliuhtan*), dazu **Erleuchtung** und **erlaucht** (s. d.). – Abl.: **Leuchter** »Kerzenhalter, Beleuchtungskörper« (mhd. *liuhtære*). Zus.: **Leuchtturm** (17. Jh.).

leugnen: Das gemeingerm. Verb mhd. *löugenen,* ahd. *louganen,* got. *laugnjan,* aengl. *liegnan,* aisl. *leyna* ist abgeleitet von einem im Dt. ausgestorbenen germ. Substantiv **laugna-* »Verborgenheit, Verheimlichung, Lüge« (beachte ahd. *lougna* »das Leugnen«). Das Substantiv gehört zu der Wortgruppe von ↑lügen. Beachte auch die Präfixbildung **verleugnen** »sich nicht zu jemandem, zu einer Sache bekennen« (mhd. *verlougen[en],* ahd. *farlougnen*).

Leukämie »Überproduktion an weißen Blutkörperchen (als Krankheitsbild)«: Der Krankheitsname ist eine gelehrte Neubildung zu griech. *leukós* »weiß« (vgl. *leuko..., Leuko...*) und griech. *haĩma* »Blut«.

leuko..., Leuko..., (vor Vokalen:) leuk..., Leuk...: Dem Bestimmungswort von Zusammensetzungen mit der Bedeutung »weiß, glänzend«, wie in ↑Leukämie, liegt das griech. Adjektiv *leukós* »hell, klar, weiß, glänzend« zugrunde, das zu der unter ↑licht dargestellten idg. Wortsippe gehört. – Beachte noch die griech. Zusammensetzung *leukó-ion* »Weißveilchen« in unserem Lehnwort ↑Levkoje.

Leumund »Ruf, Renommee«: Das auf das dt. Sprachgebiet beschränkte Wort (mhd. *liumunt, liumde,* ahd. *[h]liumunt*) ist eine alte Bildung zu der unter ↑laut dargestellten idg. Wurzel **kleu-* »hören« und bedeutet also eigentlich »Gehörtes«. Ähnlich gebildet ist got. *hliuma* »Gehör«. – Von der abgeschwächten Form mhd. *liumde* gehen aus mhd. *beliumden* »einen in den Ruf von etwas bringen«, beachte nhd. **beleumdet** (daneben auch **beleumundet**) und mhd. *verliumden* »in schlechten Ruf bringen«, nhd. **verleumden,** dazu **Verleumder** (16. Jh.), **verleumderisch** (17. Jh.), **Verleumdung** (16. Jh.).

Leute: Mhd. *liute,* ahd. *liuti,* asächs. *liudi,* aengl. *lēode* »Leute, Menschen« gehören zu dem gemeingerm. Wort für »Volk«: mhd., ahd. *liut,* asächs. *liud,* aengl. *lēod,* aisl. *ljōđr.* Dieses gemeingerm. Wort geht mit der baltoslaw. Sippe von russ. *ljud* »Volk« auf **leudho-* »Volk« zurück (s. auch den Artikel *liberal*). Das Substantiv **leudho-* ist eine Bildung zu der idg. Wurzel **leudh-* »wachsen« und bedeutet demnach eigentlich »Wuchs, Nachwuchs, Nachkommenschaft«. – Abl.: **leutselig** »huldvoll freundlich« (mhd. *liutsælec* »den Menschen wohlgefällig«; seit dem 16. Jh. dann in der Bedeutung »dem niederen Volke, den armen Leuten wohlgesonnen«, daher »wohlwollend herablassend«), dazu **Leutseligkeit** (mhd. *liutsælecheit* »Wohlgefälligkeit den Menschen gegenüber«).

Leutnant: Die militärische Rangbezeichnung wurde um 1500 aus frz. *lieutenant* entlehnt. Dies ist nach dem Vorbild von mlat. *locum tenens* »Statthalter, Stellvertreter« (zu lat. *locus* »Ort, Stelle« und lat. *tenere* »haben, halten«) aus frz. *lieu* (< lat. *locus*) »Ort« und frz. *tenir* (< lat. *tenere*) »halten« (Part. Präs.: *tenant*) gebildet. – Die gleiche Bezeichnung erscheint in anderen europäischen Sprachen, beachte z. B. engl. *lieutenant,* it. *luogotenente* (Kurzform: *tenente*) und span. *lugarteniente* (Kurzform: *teniente*).

leutselig, Leutseligkeit ↑Leute.

Levante: Die in dt. Texten seit dem 15. Jh. bezeugte Bezeichnung der Mittelmeerländer östlich von Italien stammt aus dem Italienischen. It. *levante,* das zu it. *levare* »in die Höhe heben, erheben« (< lat. *levare* »erheben«, medial: »sich erheben«), bedeutet eigentlich »Aufgang«. In übertragenem Sinne bezeichnet es dann die Länder des »Sonnenaufgangs«. Die gleiche Vorstellung liegt den Benennungen ↑Orient und *Morgenland* (↑¹Morgen) zugrunde. – Abl.: **Levantiner** »Morgenländer«.

Leviten

jmdm. die Leviten lesen
(ugs.) »jmdn. gehörig tadeln, zurechtweisen«
Die Wendung stammt aus dem Mönchswesen. Bereits im 8. Jh. gehörten bestimmte Andachts- und Bußübungen zum Ordensleben der Benediktiner. Dabei wurde meist ein Text aus der Bibel verlesen, sehr häufig aus dem dritten Buch Moses, das auch ›Levitikus‹ genannt wird, weil es vorwiegend Verhaltensmaßregeln für Priester (Leviten) enthält. Auf die Lesungen folgten oft noch Mahn- und Strafpredigten zur Besserung der verwilderten Geistlichkeit, sodass das Lesen des ›Levitikus‹ in der sprachlichen Überlieferung leicht als Umschreibung für Tadel und Ermahnung fest werden konnte.

Levkoje: Der Name der in zahlreichen Arten auftretenden Gartenpflanze, der in dieser Form seit dem 18. Jh. bezeugt ist (davor schon im 17. Jh. ›Leucoje‹), geht auf griech. *leukó-ion* (eigentlich »Weißveilchen«) zurück, das in ngriech. Aussprache übernommen wurde. Griech. *leukóion* ist eine Bildung aus griech. *leukós* »weiß, glänzend« (vgl. *leuko..., Leuko...*) und griech. *íon* »Veilchen«. Die Pflanze ist nach ihren hell leuchtenden, veilchenartig duftenden Blüten benannt.

Lexikon: Das seit dem 17. Jh. bezeugte Fremdwort, das zunächst allgemein »Wörterbuch« bedeutete, gilt heute speziell zur Bezeichnung eines alphabetisch geordneten Nachschlagewerks mit sachlichen (enzyklopädischen) Informationen. Es wurde auf gelehrtem Wege aus griech. *lexikón (biblíon)* »Wörterbuch« entlehnt. Das zugrunde liegende Adjektiv griech. *lexikós* »das Wort betreffend« gehört zu griech. *léxis* »Rede, Wort« und weiter zu griech. *légein* »auflesen, sammeln; reden, sprechen«. Griech. *lexikón* entspricht also in der Bildung mlat. *dictionarium* »Wörterbuch« (zu lat. *dicere* »sagen, sprechen«), das in frz. *dictionnaire* und engl. *dictionary* fortlebt. – Griech. *légein,* das verwandt ist mit lat. *legere* »auflesen, sammeln; auswählen; lesen« (s. hierüber die unter *Legion* aufgezeigte Wortfamilie), ist in unserem Fremdwortschatz mit zahlreichen Ableitungen und Zusammensetzungen vertreten. Dazu gehören im Einzelnen: griech. *lógos* »das Berechnen; der Grund; die Vernunft; das Sprechen; das Wort« (↑Logik, logisch), auch als Hinterglied in Suffixkomposita wie griech. *análogos* »der Vernunft gemäß; entsprechend« (↑analog, Analogie), griech. *diálogos* »Unterredung, Gespräch« (↑Dialog), griech. *katálógos* »Aufzählung« (↑Katalog), griech. *monológos* »mit sich selbst redend« (↑Monolog), griech. *prólogos* »Vorwort, Vorakt (↑Prolog), ferner als Grund- oder Bestimmungswort in ↑Etymologie, ↑Philologe, Philologie, ↑Theologie, Theologe und ↑Logarithmus, logarithmieren. Beachte noch die griech. Bildung *dialégesthai* »sich unterreden; sprechen« in den Fremdwörtern ↑Dialekt und ↑Dialektik, dialektisch.

Liaison ↑liieren.

Liane: Der Name der Schlingpflanze wurde im 18. Jh. aus frz. *liane* entlehnt, dessen weitere Herkunft unklar ist.

Libelle: Das vom Volksmund mit zahlreichen Namen wie ›Wasserjungfer‹, ›Schleifer‹, ›Augenstecher‹ bedachte Raubinsekt (mit vier glashellen Flügeln) wurde von den Zoologen im 18. Jh. mit dem lat. Wort *libella* »[Wasser]waage; waagrechte Fläche« (vgl. hierüber *Lira*) benannt, in Anspielung auf seinen gleichmäßigen, ausgewogenen Flug mit waagrecht ausgespannten Flügeln. Im Frz. gilt gleichbed. *libellule* (< nlat. *libellula*).

liberal: Das aus lat. *liberalis* »die Freiheit betreffend, freiheitlich; edel, vornehm, freigebig« entlehnte Adjektiv erscheint zuerst im 16. Jh., und zwar im heute veralteten Sinne von »freigebig, hochherzig«. Im 18. Jh. wurde es neu aus frz. *libéral* mit den noch heute gültigen Bedeutungen »vorurteilslos in politischer und religiöser Beziehung; freiheitlich gesinnt« übernommen. In diesem Sinne lebt das Wort aus dem Geist der Aufklärung, wie auch das Anfang des 19. Jh.s aufkommende Schlagwort **Liberalismus** zur Bezeichnung einer Grundform politischen Verhaltens, in der das Individuum mit seinem Recht auf Freiheit im Vordergrund steht. – Dazu stellen sich **Liberalist** »Anhänger des Liberalismus« und **liberalistisch** »den Liberalismus betreffend«. – Lat. *liberalis* ist von lat. *liber* »frei, freimütig, ungebunden« abgeleitet, das wohl wie entsprechend griech. *eleútheros* »frei, edel usw.« zu der unter ↑Leute dargestellten idg. Wurzel **leudh-* »wachsen«, **leudhi-* »Nachwuchs; Volk«, davon abgeleitet **leudhero-* »zum Volk gehörig; frei«, gehört. – Beachte noch das von lat. *liber* abgeleitete Verb lat. *liberare* »befreien«, das mit einer im Mlat. entwickelten Sonderbedeutung »freilassen, ausliefern« die Quelle für unser Lehnwort ↑liefern ist.

Libido ↑lieb.

.lich: Das überaus produktive Suffix (mhd. *-lich*, ahd. *-līch*, got. *-leiks*, engl. *-ly*, schwed. *-lig*) war ursprünglich ein selbstständiges Wort, identisch mit dem unter ↑Leiche behandelten germ. Substantiv **līka-* »Körper, Gestalt«. Als Grundwort in Zusammensetzungen bedeutete es »die Gestalt habend« (beachte die Artikel *gleich, solch, welch*). Als Suffix drückt es zunächst eine wesensgemäße Eigenschaft und dann Merkmale verschiedener Art aus.

Licht: Das westgerm. Adjektiv mhd. *lieht*, ahd. *lioht*, niederl. *licht*, engl. *light* gehört mit der Sippe von ↑[1]Lohe und mit verwandten Wörtern in anderen idg. Sprachen zu der idg. Wurzel **leuk-, leuk̂-* »leuchten, strahlen, funkeln«, vgl. z. B. griech. *leukós* »licht, glänzend« (↑leuko..., Leuko..., ↑Leukämie, ↑Levkoje), lat. *lux* »Licht« (↑Luzifer), *lucere* »leuchten, glänzen« (↑Luzerne), *lumen* »Licht, Leuchte« (↑illuminieren), *lustrare* »beleuchten, erhellen« (↑illuster, illustrieren, Illustration, Illustrierte und ↑Lüster), *luna* »Mond« eigentlich »die Leuchtende« (↑Laune) und die baltoslaw. Sippe von russ. *luč* »Strahl«. Eine alte idg. Bildung zu dieser Wurzel ist der unter ↑Luchs eigentlich »Funkler« behandelte Tiername. Im germ. Sprachbereich stellen sich zum Adjektiv ›licht‹ die Bildungen ↑Leuchte und ↑leuchten. Eine junge Ableitung ist das Verb **[1]lichten** »hell machen, kahl machen« (17. Jh.), dazu **Lichtung** »Waldblöße« (18. Jh.). Beachte auch **belichten** »dem Licht aussetzen« (16. Jh.; seit dem 19. Jh. fotografischer Fachausdruck für ›exponieren‹), dazu **Belichtung.** Das seit dem 16. Jh. bezeugte Adverb **lichterloh** »in hellen Flammen« ist hervorgegangen aus dem adverbiellen Genitiv frühnhd. *li[e]hter Lohe.* Seit dem 18. Jh. wird ›lichterloh‹ auch adjektivisch verwendet. – Eine alte Substantivierung des westgerm. Adjektivs ist **Licht,** Plural -er und -e (mhd. *lieht*, ahd. *lioht*, niederl. *licht*, engl. *light*). Das Substantiv wurde zunächst im Sinne von »Leuchten, Glanz, Helle« gebraucht. Dann bezeichnete es auch die (brennende) Kerze und Lichtquellen oder Beleuchtungskörper anderer Art. Der Plural ›Lichter‹ bezeichnet weidmännisch die Augen des Haarwilds. – Zus.: **Lichtbild** (18. Jh., in der Bedeutung »aus Lichtstrahlen gebildete Gestalt«, seit der Mitte des 19. Jh.s »Fotografie«); **Lichtdruck** »Flachdruckverfahren zur Vervielfältigung von Bildern« (19. Jh.); **Lichthof** (19. Jh.); **Lichtjahr** (19. Jh.); **Lichtmess** »Fest der Reinigung Mariä und Darstellung Christi« (mhd. *liehtmesse;* so benannt wegen der an diesem Tage stattfindenden Kerzenweihe und Lichterprozession); **lichtscheu** »das Licht scheuend; aus Angst vor Entdeckung die Öffentlichkeit scheuend« (16. Jh.); **Lichtspiel** »Film« (20. Jh.).

[1]lichten ↑licht.

[2]lichten: Der seit dem 17. Jh. bezeugte seemännische Ausdruck für »(den Anker) heben« beruht auf niederd. *līhten*, das hochd. *leichten* »leicht machen« entspricht (vgl. den Artikel *leicht*). Früher bedeutete ›lichten‹ auch »Schiffe entfrachten«.

lichterloh ↑licht.

lichtern ↑leicht.

Lid: Das altgerm. Wort für »Deckel, Verschluss« mhd. *lit*, ahd. *[h]lit*, niederl. *lid*, engl. *lid*, schwed. *led* ist eine Bildung zu der unter ↑[1]lehnen dargestellten idg. Wurzel und bedeutet eigentlich »das Angelehnte, das Zusammengestellte«. Eng verwandt ist die Sippe von ↑[2]Leiter. Die alte Bedeutung »Deckel, Verschluss« ist im Dt. nur noch mdal. bewahrt. Heute bezeichnet das Wort – wie auch im Niederl. und Engl. – den Augendeckel, d. h. die das Auge schützende Haut.

lieb: Das gemeingerm. Adjektiv mhd. *liep*, ahd. *liob*, got. *liufs*, engl. (veraltet) *lief*, schwed. *ljuv* geht mit verwandten Wörtern in anderen idg. Sprachen auf eine Wurzel **leubh-* »lieb, gern haben, begehren« zurück, vgl. z. B. die baltoslaw. Sippe von russ. *ljubo* »lieb, freundlich«, *ljubit* »lieben, gern haben« und lat. *libere* »belieben, gefällig sein«, *libido* »Begierde« (beachte den Fachausdruck **Libido** »Begierde, [Geschlechts]trieb«). Aus dem germ. Sprachbereich gehören zu dieser Wurzel ferner die Sippen von ↑loben und von ↑erlauben sowie ↑glauben (eigentlich »für lieb halten, gutheißen«), die im Ablaut zu dem gemeingerm. Adjektiv stehen. Das substantivierte Adjektiv **Lieb** (mhd. *liep*, ahd. *liub* »das Liebe, das Angenehme, Freude; Geliebte[r]«) wird heute nur noch vereinzelt im Sinne von »Geliebte[r]« gebraucht, beachte ›mein Lieb‹. Dazu gehört die Verkleinerungsbildung **Liebchen** (15. Jh.). Der Komparativ **lieber** (mhd. *lieber*, ahd. *lieber, liuber*) fungiert auch als Komparativ von ›gern‹ im Sinne von »vorzugsweise, eher«. Alte Bildungen zum Adjektiv sind **Liebe** (mhd. *liebe*, ahd. *liubī*) und **lieben** (mhd. *lieben*, ahd. *liuben, -ōn, -ēn* »lieb machen, lieb werden«), beachte dazu die Präfixbildungen **verlieben,** sich und **belieben** (s. d.), ferner das weitergebildete **liebeln** »flüchtig lieben« (18. Jh.), zu dem **Liebelei** »Flirt, flüchtige Liebe« (19. Jh.) gehört. Vom Genitiv des substantivierten Infinitivs gehen aus **liebenswert** (17. Jh.) und **liebenswürdig** (18. Jh.). – Abl.: **lieblich** »voller Anmut; angenehm« (mhd. *lieplich*, ahd. *liublīh*), dazu **Lieblichkeit** (16. Jh.); **Liebling** »jemand, der von jemandem besonders geliebt wird, besonders in jemandes Gunst steht« (17. Jh.); **Liebschaft** (mhd. *liep-, liebeschaft* »Liebe, Liebesverhältnis«). Zus.: **Liebhaber** (mhd. *liephaber* »Liebender, Freund, Anhänger«, eigentlich »jemand, der etwas oder jemanden lieb hat«), dazu **Liebhaberei** (18. Jh.). Beachte auch die Bildungen **liebäugeln** »sich in Gedanken mit etwas beschäftigen, etwas gerne haben wollen« (16. Jh.) und **liebkosen** (mhd. *liepkosen*, entstanden aus *einem ze liebe kosen* »einem zuliebe sprechen«, ↑kosen), dazu **Liebkosung** (15. Jh.).

Liebestrank ↑Trank.

Lied: Die Herkunft des altgerm. Wortes mhd. *liet,* ahd. *liod,* aengl. *lēođ,* aisl. *ljōđ* ist unklar. Vielleicht ist es im Sinne von »Preislied« mit lat. *laus (laudem)* »Lob«, *laudare* »loben« verwandt.

liederlich: Mhd. *liederlich* »leicht, gering, leichtfertig, oberflächlich«, dem aengl. *lȳđerlīc* »schlecht, gemein« entspricht, gehört im Sinne von »schlaff, schwach« zu der unter ↑schlummern dargestellten idg. Wurzel. Eng verwandt ist die Sippe von ↑lottern.

liefern: Das aus der niederd. Kaufmannssprache ins Hochd. gelangte Verb geht auf mnd. (-mniederl.) *lēveren* »liefern« zurück, das seinerseits aus frz. *livrer* »mit etwas ausstatten; liefern« (s. auch das Fremdwort *Livree*) stammt. Quelle des Wortes ist das zu lat. *liber* »frei« (vgl. *liberal*) gehörende lat. Verb *liberare* »befreien«, das im Mlat. die Sonderbedeutung »freilassen, frei machen, ausliefern« entwickelt hat. – Um ›liefern‹ gruppieren sich die Präfixbildungen und Zusammensetzungen **abliefern, ausliefern, beliefern,** ferner das meist in übertragener Bedeutung verwendete **überliefern** »(der Nachwelt) weitergeben, berichten« (16. Jh.), dazu **Überlieferung** »Tradition«. Von ›liefern‹ abgeleitet sind die Substantive **Lieferung** (Anfang 16. Jh.) und **Lieferant** »jemand, der einen anderen mit Waren beliefert« (Ende 17. Jh.; mit lat.-roman. Endung gebildet).

liefern

geliefert sein
(ugs.) »ruiniert, verloren sein«
Die Wendung ist eine Kürzung aus ›dem [Scharf]richter ausgeliefert sein‹.

liegen: Das gemeingerm. Verb mhd., ahd. *ligen,* got. *ligan,* engl. *to lie,* schwed. *ligga* geht mit verwandten Wörtern in anderen idg. Sprachen auf eine Wurzel **legh-* »sich legen, liegen« zurück, vgl. z. B. mir. *laigid* »legt sich« und russ. *ležat'* »liegen«. Um dieses Verb gruppieren sich die Bildungen ↑Lage, ↑Lager und das unter ↑Gelichter behandelte ahd. *lehtar* »Gebärmutter«, dem griech. *léktron* »Lager« entspricht. Eine alte Verbalbildung ist ↑[1]löschen (eigentlich »sich legen [machen]«). Das Veranlassungswort zu ›liegen‹ ist ↑legen (eigentlich »liegen machen«), zu dem ↑Gelage gebildet ist. Das 2. Partizip ↑gelegen (dazu ›Gelegenheit, gelegentlich‹) ging schon früh in adjektivischen Gebrauch über. Gleichfalls in adjektivischen Gebrauch übergegangene 2. Partizipien von Bildungen mit ›liegen‹ sind **entlegen** »fern«, ↑[1]überlegen »mächtiger, stärker« und ↑[1]verlegen »verschämt, befangen«. Wichtige Zusammensetzungen sind **anliegen** »angrenzen; sich (eng) anschmiegen; beigefügt sein; bevorstehen, sich ereignen«, veraltet auch für »mit Bitten bedrängen« (mhd. *aneligen,* ahd. *analigan*), dazu der substantivierte Infinitiv **Anliegen** »Bitte, Wunsch«, **Anlieger** »Angrenzer an Straßen oder Kanälen« und **angelegen** »wichtig« (eigtl. 2. Partizip), zu dem **Angelegenheit** (17. Jh.) gebildet ist; **unterliegen** »besiegt werden; unterworfen, ausgesetzt sein« (mhd. *underligen,* ahd. *untarligan*). – Abl.: **Liege** »Chaiselongue« (Mitte des 20. Jh.s); **Liegenschaft** »Grundbesitz« (19. Jh.).

Lift: Die Bezeichnung für »Aufzug, Fahrstuhl« wurde Ende des 19. Jh.s aus gleichbed. engl. *lift* entlehnt, das zu engl. *to lift* »lüften, in die Höhe heben« gehört. Dies ist aus aisl. *lypta* (zu aisl. *lopt* »Luft« übernommen (vgl. den Artikel *Luft*). – Zus.: **Liftboy.**

Liga »Bund, Bündnis« und »Spiel-, Wettkampfklasse (im Sport)«, beachte Zusammensetzungen wie ›Amateurliga, Oberliga, Bundesliga‹: Das Substantiv wurde im 15. Jh. aus span. *liga* »Bund, Bündnis« entlehnt, das von span. *ligar* »binden, verbinden, vereinigen« abgeleitet ist. Dies geht auf lat. *ligare* »[fest]binden« zurück. Dazu gehört spätlat. *ligatura* »Band, Bündel«, aus dem unser Fremdwort **Ligatur** »Buchstabenverbindung« übernommen ist (vgl. den Artikel *legieren*).

Liguster »Rainweide« (Ölbaumgewächs mit weißen Blütenrispen): Der Pflanzenname wurde in neuerer Zeit aus lat. *ligustrum* entlehnt, dessen weitere Herkunft unsicher ist.

liieren, sich »sich eng verbinden«, vorwiegend gebräuchlich ist das Partizipialadjektiv **liiert** »freundschaftlich, in Liebe verbunden«: Das Verb wurde Ende des 18. Jh.s aus gleichbed. frz. *lier* entlehnt, das auf lat. *ligare* »binden, festbinden« zurückgeht (vgl. *legieren*). – Dazu gehört das Substantiv **Liaison** »Verbindung; Liebesverhältnis, Liebschaft« (19. Jh.; aus gleichbed. frz. *liaison* [< lat. *ligatio* »das Binden, die Verbindung«]).

Likör »Branntwein mit Zuckerlösung und aromatischen Geschmacksträgern«: Das Fremdwort wurde Anfang des 18. Jh.s aus gleichbed. frz. *liqueur* (eigentlich »Flüssigkeit«) entlehnt. Dies geht auf lat. *liquor* »Flüssigkeit« zurück, das in der Form **Liquor** als Fachwort der Chemie und Pharmazie schon im 16. Jh. zur Bezeichnung »flüssiger Substanzen« eine Rolle spielt. ›Liquor‹ hat auch den Genuswechsel von ›Likör‹, das im Frz. weiblich ist, bestimmt. – Lat. *liquor* gehört wie lat. *liquidus* »flüssig« (↑liquidieren, Liquidation) zu lat. *liquere* »flüssig sein«.

lila »fliederblau«: Das seit dem 19. Jh. gebräuchliche Farbadjektiv, das aus der Zusammensetzung **lilafarb[en]** (18. Jh.) hervorgegangen ist, beruht auf dem Substantiv **Lila** (18. Jh.). Dies ist aus frz. *lilas* »Flieder; Fliederblütenfarbe« (älter: *lilac*) entlehnt, das seinerseits aus arab. *līlak* »Flieder« übernommen ist. Dies geht über pers. *līlak, nīlak* »Flieder« auf aind. *nīla* »Schwarz; schwärzlich; bläulich« zurück.

Lilie: Der Pflanzenname (mhd. *lilje,* ahd. *lilia*) wurde im Mittelalter aus lat. *lilia,* dem Plural von lat. *lilium* »Lilie«, entlehnt. Der Pflanzenname stammt aus einer östlichen Mittelmeersprache.

Liliputaner: Die heute als abwertend empfundene Bezeichnung für einen Menschen von zwergenhaftem Wuchs ist aus engl. *lilliputian* entlehnt, eigentlich »Bewohner von Lilliput«, dem Zwergenland in Jonathan Swifts Roman »Gullivers Reisen« (1726).

Limit »[Preis]grenze«: Das Fremdwort wurde im 20. Jh. aus gleichbed. engl. *limit* entlehnt, das über frz. *limite* auf lat. *limes (limitis)* »Grenzweg, Grenze, Grenzwall« zurückgeht.

Limonade: Die seit dem 17. Jh. bezeugte Bezeichnung für ein kaltes Fruchtgetränk (unter Zusatz von Zucker, Wasser und auch Kohlensäure) – zuerst nur für »Zitronenwasser« – stammt aus frz. *limonade.* Dies ist von frz. *limon* »dickschalige Zitrone« abgeleitet, das wie span. *limón* und it. *limone* (beachte das daraus entlehnte, besonders in Österreich gebräuchliche **Limone**) auf pers.-arab. *līmun* »Zitrone; Zitronenbaum« zurückgeht.

Limousine: Die Bezeichnung für einen Personenkraftwagen mit festem Verdeck (oder Schiebedach) wurde um 1900 aus gleichbed. frz. *limousine* entlehnt. Das frz. Wort bedeutet eigentlich »weiter, großer Schutzmantel« (wie ihn ursprünglich besonders die Fuhrleute in der französischen Landschaft Limousin trugen). – Die Benennung bezieht sich darauf, dass der geschlossene Wagen wie der Mantel der Fuhrleute vor Wind und Nässe schützt.

lind: Mhd. *linde,* ahd. *lindi* »weich, zart, mild«, asächs. *līđi* »mild, nachgiebig«, engl. *lithe* »biegsam, geschmeidig« beruhen mit verwandten Wörtern in anderen idg. Sprachen auf idg. **lento-s* »biegsam«, vgl. z. B. lat. *lentus* »biegsam; zäh; langsam«. – Neben dem einfachen ›lind‹, das im Wesentlichen der gehobenen Sprache angehört, ist auch die verstärkte Bildung **gelind[e]** (mhd. *gelinde*) gebräuchlich.

Linde: Der altgerm. Baumname mhd. *linde,* ahd. *linta,* niederl. *linde,* engl. *linden,* schwed. *lind* gehört mit verwandten Wörtern in anderen idg. Sprachen wahrscheinlich zu dem unter ↑lind behandelten idg. Adjektiv **lento-s* »biegsam«, vgl. z. B. russ. *lut* »Lindenbast, -rinde«, lit. *lentà* »Brett, Tafel« (ursprünglich aus Lindenholz). Die Linde wäre demzufolge nach ihrem biegsamen Bast oder nach ihrem weichen, biegsamen Holz benannt. Im Ablaut dazu steht das unter ↑Geländer behandelte Wort (eigentlich »Latte aus Lindenholz«).

Lineal »Gerät zum Linienziehen«: Das seit dem 15. Jh. bezeugte Substantiv beruht auf einer mlat. Bildung zu lat. *linea* »Strich, Linie; Richtschnur« (vgl. *Linie*) bzw. zu dem davon abgeleiteten Adjektiv lat. *linealis* »in Linien bestehend, in Linien gemacht«.

Linie »[gerader, gekrümmter] Strich; Strecke; Grenzlinie, Begrenzung; Umriss; Zeile; militärische Stellung, Front; regelmäßig befahrene, beflogene Verkehrsstrecke; Geschlechtslinie, Abstammungsreihe; Richtung, Parteilinie«: Das Substantiv (mhd. *linie,* ahd. *linia*) beruht auf Entlehnung aus lat. *linea* »Leine, Schnur, Faden; mit einer Schnur gezogene gerade Linie usw.«, das sich mit einer ursprünglichen Bedeutung »leinene Schnur« als substantiviertes Adjektiv (lat. *lineus, -ea, -eum* »aus Leinen«) zu lat. *linum* »Lein, Flachs; Faden, Schnur« stellt. Über weitere etymologische Zusammenhänge vgl. den Artikel *Lein.* – Dazu: **linear** »geradlinig, linienförmig« (älter ›linearisch‹, aus lat. *linearis* »aus Linien bestehend«); **lini[i]eren** »mit Linien versehen, Linien ziehen« (15. Jh.; nach lat. *lineare* »nach dem Lot einrichten«); **-linig** (18. Jh.) in Zusammensetzungen wie **geradlinig** und **krummlinig.** Siehe auch den Artikel *Lineal.*

link: Das seit mhd. Zeit bezeugte Adjektiv – im Ahd. ist nur das Substantiv *lenka* »linke Hand« belegt – trat an die Stelle des altgerm. Wortes für »link«: mhd. *winster,* ahd. *winistar,* aengl. *win[e]stre,* aisl. *vinstri.* Dieses Wort ist heute noch im Nord. gebräuchlich, beachte schwed. *vänster* »link«. Im Engl. wurde es durch *left* ersetzt, das eigentlich »lahm, schwach« bedeutet. Auch mhd. *linc* entspricht älter schwed. *link* »lahm«, beachte schwed. *linka* »hinken, humpeln«, *slinka* »schwanken, schlottern, hinken« (vgl. auch zur Begriffsbildung frz. *gauche* »link«, eigentlich »schwankend«). Die germ. Wörter gehen wahrscheinlich auf eine nasalierte Form der unter ↑Laken dargestellten Wurzel **[s]lĕg-* »schlaff, matt sein« zurück. – ›Link‹ ist nicht nur Gegenwort zu ›recht‹, es wird auch im Sinne von »unbeholfen, ungeschickt« gebraucht. An diese Verwendung schließt sich die Bildung **linkisch** (15. Jh.) an. Aus der Gaunersprache stammt die Verwendung von ›link‹ im Sinne von »schlecht, fragwürdig, hinterhältig«, beachte z. B. ›linke Geschäfte‹ oder ›linker Vogel‹. – Als Adverb fungiert seit dem 15. Jh. der Genitiv Singular **links.** Im Anschluss an frz. *gauche* bezeichnet das Substantiv **Linke** »linke Hand«, seit dem 19. Jh. auch die links vom Präsidenten sitzenden Parteien der Volksvertretung, da in der französischen Restaurationszeit die Gegner der Regierung ihre Plätze links vom Präsidenten einnahmen. Darauf beruht auch die Verwendung von ›links‹ im Sinne von »zur Linken, zu einer sozialistischen oder kommunistischen Gruppierung gehörend«.

link

mit dem linken Bein/Fuß [zuerst] aufgestanden sein

(ugs.) »schlecht gelaunt sein«

Die Wendung wurzelt in der abergläubischen Auffassung, dass die linke Seite die Unglücksseite ist. Wer mit dem linken, dem falschen Bein aufsteht, dem geht alles schief, dem droht Unheil.

Martin Luthers Einfluss auf den deutschen Wortschatz

Innerkirchliche Missstände wie beispielsweise der Ablasshandel, das Sinken des päpstlichen Ansehens und das Bestreben einiger deutscher Fürsten, von Papst und Kaiser unabhängig zu werden, führten zu einer Bewegung im Deutschen Reich, die die Erneuerung der Kirche anstrebte. Den entscheidenden Durchbruch dieser Bewegung bewirkte der als Professor der Theologie in Wittenberg lehrende Augustinermönch Martin Luther. Am 31. Oktober 1517 schlug er an der Schlosskirche zu Wittenberg 95 in lateinischer Sprache abgefasste Thesen an. Sie wurden innerhalb kürzester Zeit in ganz Deutschland übersetzt und fanden schnell weite Verbreitung. So wurde Luther zur führenden Person einer Reform, die weit über die von ihm anfänglich beabsichtigte Erneuerung nur innerhalb der Kirche hinausging.

Luther griff das Schlagwort von der immer wieder geforderten »Reformation der Kirche an Haupt und Gliedern« auf, und bald wurde das Wort *Reformation* (lateinisch *reformatio* »Umgestaltung, Erneuerung«) zur Bezeichnung der neuen Bewegung.

Als auf dem Speyerer Reichstag von 1529 die katholische Mehrheit der dort versammelten Reichsstände ein Verbot der Ausbreitung der Reformation durchsetzte, protestierten die lutherischen Reichsstände dagegen. Nach dieser feierlichen Protestation wurden dann die Anhänger der neuen Lehre *Protestanten* genannt (aus lateinisch *protestans,* Akkusativ: *protestantem,* 1. Partizip von *protestari* »öffentlich bezeugen, verkünden«, daher auch unser Fremdwort *protestieren*).

Luthers Bibelübersetzung – der Beginn einer deutschen Einheitssprache

Nachdem Luther einen Widerruf seiner Lehre abgelehnt hatte, verfiel er der Reichsacht. Der sächsische Kurfürst gewährte ihm Asyl auf der Wartburg. Hier schuf der große Reformator nun sein sprachliches Meisterwerk, das neben der großen theologischen Bedeutung, die ihm zukommt, auch die deutsche Sprache und ihre Entwicklung entscheidend beeinflusst hat: die Übersetzung des Neuen Testaments. Mit dieser Übersetzung trug er zur Ausbildung und Verbreitung einer einheitlichen (später »hochdeutsch« genannten) Schriftsprache bei.

Bei seiner Übersetzungstätigkeit war für Luther die gesprochene Volkssprache Vorbild. Er bemühte sich, klar und verständlich zu schreiben. Der Sinn dessen, was in der Bibel stand, sollte auch dem einfachen, nicht gebildeten Leser deutlich werden.

Die Erfindung des Buchdrucks sorgte für eine schnelle Verbreitung der Lutherbibel auch im süddeutschen Sprachraum. Dadurch wurden bald eine große Zahl mitteldeutscher, ostmitteldeutscher und auch niederdeutscher Wörter allgemeinsprachlich.

Vorrangstellung des Ostmitteldeutschen

Im Laufe der Zeit wurden sogar oftmals süddeutsche Bezeichnungen durch mittel- und niederdeutsche Wörter wie *Hügel* (für süddeutsch *Bühl*), *Lippe* (für süddeutsch *Lefze*), *Topf* (für süddeutsch *Hafen*), *Splitter* (für süddeutsch *Spreiß*), *schüchtern* (niederdeutsch, ursprünglich nur von Tieren gesagt), *Scheune* (für süddeutsch *Scheuer*), *bange* (ursprünglich nur als Adverb gebraucht), *Ufer* (für süddeutsch *Gestade*), *prahlen* (für frühneuhochdeutsch *geuden*, dies heute nur noch in *vergeuden*) verdrängt.

Vorhandenen Wörtern gab Luther oftmals einen neuen Inhalt. *Beruf* bedeutete ursprünglich nur »Ruf, Leumund« oder »Berufung«. Da er selbst aus einer Arbeiterfamilie stammte, wusste er, wie hoch die tägliche Arbeit des einfachen Mannes einzuschätzen war. Für ihn war selbstverständlich auch diese Lohnarbeit eine »Berufung durch Gott«, und bald gebrauchte er dann das Wort nur noch im Sinne von »Erwerbstätigkeit«. Dies führte dazu, dass »Arbeit« seine bisherige, nur abwertend gebrauchte Bedeutung »unwürdige, mühselige Tätigkeit« verlor. Es bezeichnete nunmehr das Tätigsein in einem bestimmten Beruf.

Mit der Verbreitung der Lehren Luthers und seiner Bibelübersetzung wurde auch seine Sprache, das Ostmitteldeutsche, immer mehr im gesamten deutschen Sprachraum bekannt. Es setzte sich zuerst im Norden verstärkt durch und verdrängte hier bis etwa zur Mitte des 17. Jahrhunderts das Mittelniederdeutsche als Schriftsprache völlig. Im süddeutschen Raum war der Einfluss der römisch-katholischen Kirche stärker, auch standen die süddeutschen Mundarten dem Ostmitteldeutschen nicht so nahe wie das Niederdeutsche. Hier war dadurch der Angleichungs- und Übernahmeprozess erst gegen Ende des 18. Jahrhunderts abgeschlossen.

linnen, Linnen ↑Lein.

Linoleum: Die Bezeichnung für den Fußbodenbelag wurde im 19. Jh. aus engl. *linoleum* entlehnt, einer gelehrten Neubildung aus lat. *linum oleum* »Leinöl« (Leinöl ist wesentlicher Bestandteil dieses Stoffes).

Linse: Der dt. Name der Hülsenfrucht (mhd. *linse*, ahd. *linsi*) stammt aus einer unbekannten Sprache, aus der auch lat. *lens* »Linse« und die baltoslaw. Sippe von lit. *lę̃šis* »Linse« entlehnt sind. – Seit dem 18. Jh. nennt man wegen der Ähnlichkeit mit der Form eines Linsensamens auch das geschliffene Glas für optische Geräte Linse. Von ›Linse‹ in dieser Bedeutung ist **linsen** ugs. für »schauen, blinzeln« abgeleitet.

Lippe: Das aus dem Niederd.-Mitteld. stammende Wort erlangte durch Luthers Bibelübersetzung seit dem 16. Jh. gemeinsprachliche Geltung. Das oberd. Wort für »Lippe« war früher ↑Lefze, das heute im Sinne von »Tierlippe« gemeinsprachlich ist. Das westgerm. Wort (mitteld., mnd. *lippe*, niederl. *lip*, engl. *lip*) bedeutet eigentlich »schlaff Herabhängendes« und gehört zu der unter ↑Schlaf behandelten Wortgruppe. Eng verwandt sind z. B. die Sippen von ↑Lappen und ↑Lefze. Vgl. aus anderen idg. Sprachen z. B. lat. *labium* »Lippe«. – Zus.: **Lippenstift** (20. Jh.).

L

liquidieren »eine Forderung in Rechnung stellen; eine Gesellschaft, ein Geschäft auflösen; beseitigen, tilgen; töten, umbringen«. Das Verb wurde um 1600 in der Kaufmannssprache aus it. *liquidare* »ins Reine bringen, klarlegen« entlehnt. Dies gehört zu it. *liquido* »rein, klar«, das auf lat. *liquidus* »flüssig« (vgl. *Likör*) zurückgeht. Die Bedeutung »beseitigen, aus dem Wege räumen, umbringen« ist erst im 20. Jh. unter dem Einfluss von gleichbed. russ. *likvidirorat'* aufgekommen. – Dazu stellt sich das Substantiv **Liquidation,** das im 17. Jh. aus frz. *liquidation* (bzw. it. *liquidazione*) übernommen wurde.

Liquor ↑Likör.

Lira (italienische Münzeinheit): It. *lira*, das ursprünglich den Gewichtswert von einem Pfund Kupfer bezeichnete, dann im Laufe der Zeit zur Bezeichnung von Silbermünzen sehr unterschiedlichen Wertes wurde, geht auf lat. *libra* »Waage; Gewogenes; Pfund; waagrechte Fläche« zurück. – Das lat. Substantiv ist wahrscheinlich ein Mittelmeerwort, das eine sichere Entsprechung nur in dem aus Sizilien stammenden griech. *lítra* »Pfund« hat (dies ist die Quelle für unser Fremdwort ↑Liter). Für beide gilt als gemeinsame Grundform **liþra*. – Von Interesse ist hier noch eine Verkleinerungsbildung zu lat. *libra*, lat. *libella* »kleine Waage; waagrechte Fläche«, das einerseits unseren Insektennamen ↑Libelle, andererseits über vlat. **libellus* und afrz. **livel* > *nivel*, frz. *niveau* »waagrechte Fläche; Wasserwaage« unsere Fremdwörter ↑Niveau, nivellieren lieferte.

lispeln: Das seit dem 12. Jh. bezeugte Verb ist eine Weiterbildung zu dem im Nhd. untergegangenen Verb mhd., ahd. *lispen* »mit der Zunge anstoßen« (mnd. *wlispen*, niederl. *lispen*, engl. *to lisp*, ablautend schwed. *läspa*). Es handelt sich um eine Lautnachahmung von der Art wie it. *bisbigliare*, *pispigliare* »flüstern«. – Vom 16. bis zum 19. Jh. wurde ›lispeln‹ auch im Sinne von »leise, verschämt sprechen, flüstern« gebraucht.

List: Das gemeingerm. Wort mhd., ahd. *list*, got. *lists*, aengl. *list*, schwed. *list* gehört zu der unter ↑leisten dargestellten Wortgruppe. Es bedeutete ursprünglich »Wissen« und bezog sich auf die Techniken der Jagdausübung und des Kampfes, auf magische Fähigkeiten und auf handwerkliche Kunstfertigkeiten. Allmählich entwickelte ›List‹ einen negativen Nebensinn und wurde im Sinne von »Trick, geschickte Täuschung, Ränke« gebräuchlich, beachte die Zusammensetzungen ›Arglist‹ und ›Hinterlist‹.

Liste »Verzeichnis«: Das seit dem Ende des 16. Jh.s bezeugte Substantiv beruht auf einer Entlehnung aus it. *lista* (= mlat. *lista*) »Leiste; [Papier]streifen, Verzeichnis«, das selbst germ. Ursprungs ist und aus dem unter ↑Leiste behandelten Wort (mhd. *līste*, ahd. *līsta* »Rand, Saum, Borte; bandförmiger Streifen«) stammt.

Liter (Hohlmaß von 1 000 cm³ Rauminhalt): Das Substantiv wurde im 19. Jh. aus gleichbed. frz. *litre* entlehnt und durch Gesetz als offizielle Maßbezeichnung eingeführt. Frz. *litre* beruht auf älterem *litron* (Hohlmaß von etwa 8/10 l), das seinerseits von mlat. *litra* abgeleitet ist. Voraus liegt griech. *lítra* »Pfund (als Gewicht und Münze)«, ein aus Sizilien stammendes Mittelmeerwort, das mit lat. *libra* »Waage; Pfund« identisch ist (vgl. den Artikel *Lira*).

Literatur »[schöngeistiges] Schrifttum; Schriftennachweis«: Das seit dem 16. Jh. bezeugte und bis ins 18. Jh. im umfassenden Sinne von »Wissenschaft, Sprachwissenschaft, Gelehrsamkeit; Gesamtheit der schriftlichen Geisteserzeugnisse« gebrauchte Fremdwort beruht auf einer gelehrten Entlehnung aus lat. *litteratura* »Buchstabenschrift; Sprachkunst«. Dies ist von lat. *littera* »Buchstabe; Schrift; schriftliche Aufzeichnung, Schriftstück usw.« abgeleitet. – Dazu: **literarisch** »die Literatur betreffend; schriftstellerisch« (18. Jh.; aus lat. *litterarius* »die Buchstaben, die Schrift betreffend; zum Lesen und Schreiben gehörig«); **Literat** »Schriftsteller« (16. Jh.; zunächst nur im Sinne von »Schriftkundiger; Sprachgelehrter«; substantiviert aus lat. *litteratus* »schriftkundig, gelehrt, wissenschaftlich gebildet«).

Litfaßsäule: Die Anschlagsäule ist nach dem Drucker Ernst Litfaß benannt, der im Jahre 1855 (mit dem Zirkusdirektor Renz) die erste Säule dieser Art in Berlin aufstellte.

Lithographie »Technik der künstlerischen Grafik,

Kunst des Steindrucks; Kunstblatt in Steindruck«: Die seit dem Anfang des 19. Jh.s gebräuchliche Bezeichnung ist eine gelehrte Bildung aus griech. *líthos* »Stein« und *gráphein* »schreiben« (vgl. *Grafik*) und bedeutet demnach eigentlich »Steinschrift«. – Dazu stellen sich die Bildungen **Lithograph, lithographieren** und **lithographisch** (19. Jh.).

Liturgie: Die Bezeichnung für die offizielle Ordnung des Gottesdienstes wurde im 17./18. Jh. aus gleichbed. kirchenlat. *liturgia* entlehnt, das auf griech. *leitourgía* »öffentlicher Dienst« zurückgeht. Dies ist eine Bildung aus griech. *lḗitos* »öffentlich«, das von *lāós* »Volk« (vgl. hierüber das Lehnwort *Laie*) abgeleitet ist, und zu griech. *érgon* »Werk, Arbeit, Dienst« (vgl. *Energie*). – Abl.: **liturgisch** (18. Jh.; nach griech. *leitourgikós* > mlat. *liturgicus*).

Litze »Besatzschnur, Tresse; biegsame Leitung aus dünnen Drähten«: Das Substantiv (mhd. *litze* »Schnur, Litze«) wurde durch roman. Vermittlung aus lat. *licium* »umschlungener Kettfaden (Weberei); Faden, Band« übernommen.

Livree »uniformartige Dienerkleidung«: Das Fremdwort wurde Anfang des 17. Jh.s aus gleichbed. frz. *livrée* entlehnt. Dies ist von frz. *livrer* »liefern« abgeleitet, aus dem unser Verb ↑liefern übernommen ist. Es bedeutet demnach eigentlich »Geliefertes«. Gemeint sind Kleidungsstücke, die ein Herr (vor allem ein Fürst) seiner Dienerschaft insbesondere zu festlichen Anlässen »lieferte, stellte«.

Lizenz »[behördliche] Erlaubnis, Genehmigung«: Das Fremdwort wurde Ende des 15. Jh.s aus lat. *licentia* »Freiheit; Erlaubnis« entlehnt. Dies gehört zu lat. *licere* »erlaubt sein, freistehen«.

Lob ↑loben.

Lobby »Wandelhalle im [britischen, amerikanischen] Parlamentsgebäude (wo Parlamentarier und Vertreter bestimmter Interessengruppen zusammentreffen); Interessengruppe, die die Entscheidung von Parlamentariern zu beeinflussen versucht«: Das Fremdwort wurde im 19. Jh. aus gleichbed. engl.-amerik. *lobby* entlehnt. Dies geht auf mlat. *lobia* »Laube; Galerie« zurück, das seinerseits germ. Ursprungs ist (vgl. die Artikel *Laube* und *Loge*).

loben: Das germ. Verb mhd. *loben*, ahd. *lobōn*, niederl. *loven*, aengl. *lofian*, schwed. *lova* gehört im Sinne von »für lieb halten, lieb nennen, gutheißen« zu der unter ↑lieb dargestellten Wortgruppe. Eine alte Rückbildung aus diesem Verb ist das Substantiv **Lob** (mhd., ahd. *lop*, niederl. *lof*, aengl. *lof*, schwed. *lof*). Wichtige Präfixbildungen und Zusammensetzungen mit ›loben‹ sind **ausloben** rechtssprachlich für »öffentlich eine Belohnung aussetzen« (16. Jh., in der Bedeutung »versprechen, bürgen«), dazu **Auslobung; geloben** »[feierlich] versprechen« (mhd. *geloben*, ahd. *gilobōn*), dazu **Gelöbnis** (15. Jh.) und ↑Gelübde; **verloben** »[feierlich] zur Ehe versprechen«, reflexiv »sich die Ehe versprechen« (mhd. *verloben*), dazu **Verlöbnis** (mhd. *verlobnisse*) und **Verlobung** (17. Jh.). Beachte auch das aus dem heute veralteten ›beloben‹ »lobend erwähnen, nennen« weitergebildete **belobigen** (19. Jh.). – Abl.: **löblich** »lobenswert« (mhd. *lob[e]lich*, ahd. *lob[e]līh*). Zus.: **lobhudeln** (↑Hudel).

Loch: Mhd. *loch*, ahd. *loh* »Verschluss; Versteck; Höhle, Loch; Gefängnis«, got. *usluk* »Öffnung«, engl. *lock* »Verschluss, Schloss, Sperre«, schwed. *lock* »Verschluss, Deckel« gehören zu einem im Dt. untergegangenen gemeingerm. Verb mit der Bedeutung »verschließen, zumachen«, beachte z. B. ahd. *lūhhan* »schließen«. Eng verwandt sind die unter ↑Luke und ↑Lücke behandelten Wörter. Die gesamte Wortgruppe gehört zu der unter ↑Locke dargestellten idg. Wurzel. – Abl.: **lochen** »mit einem oder mit mehreren Löchern versehen« (mhd. *lochen*); **Locher** »Locheisen, Lochmaschine« (18. Jh.); **löch[e]rig** »mit Löchern versehen« (15. Jh., für älteres mhd. *locherecht*); **löchern** ugs. für »mit Bitten oder Forderungen bestürmen« (mhd. *löchern* »durchlöchern«).

Loch

auf/aus dem letzten Loch pfeifen
(ugs.) »am Ende seiner Kraft, seiner [finanziellen] Möglichkeiten sein«
Die Wendung bezieht sich wahrscheinlich auf den Tonumfang eines Blasinstruments. Wenn man auf dem letzten (= höchsten) Loch geblasen hat, kann kein höherer Ton mehr hervorgebracht werden, die Möglichkeiten des Instruments sind erschöpft.

Locke: Das altgerm. Wort für »Haarringel, gekräuseltes Haar« (mhd., ahd. *loc*, niederl. *lok*, engl. *lock*, schwed. *lock*) gehört mit verwandten Wörtern in anderen idg. Sprachen zu der Wurzel **leug-* »biegen, winden, drehen«, vgl. z. B. lit. *lùgnas* »biegsam, geschmeidig« und lat. *luxus* »verrenkt« (↑Luxus). Aus dem germ. Sprachbereich gehören zu dieser Wurzel ferner der Pflanzenname ↑Lauch (wegen der nach unten gebogenen Blätter) und das gemeingerm. Verb **lūkan* »verschließen« (eigentlich »zusammenbiegen« oder »mit einem Flechtwerk versehen«). Zu diesem Verb stellen sich die unter ↑Loch, ↑Luke und ↑Lücke behandelten Wörter. – Abl.: **[1]locken** »in Locken legen, kräuseln« (ahd. *lochōn;* dann erst seit dem 18. Jh. wieder gebräuchlich); **lockig** »voller Locken« (18. Jh., für älteres *lockicht*, mhd. *lockecht*).

[1]locken ↑Locke.

[2]locken »anreizen, zur Annäherung bewegen«: Das altgerm. Verb mhd. *locken*, ahd. *lokkōn*, niederl. *lokken*, aengl. *loccian*, schwed. *locka* gehört wahrscheinlich zu der unter ↑lügen dargestellten

Wortgruppe. – Zus.: **Lockspeise** »Köder« (17. Jh.); **Lockspitzel** (19. Jh., als Ersatz für frz. *agent provocateur*); **Lockvogel** »gefangener Vogel, der durch seinen Lockton andere Vögel anlocken soll« (16. Jh.; heute gewöhnlich übertragen im Sinne von »jemand, der andere zu strafbaren Handlungen verlocken soll« verwendet).

löcken, älter auch: lecken »mit den Füßen ausschlagen«, nur noch in der Wendung ›wider den Stachel löcken‹ (vom Ochsen, der gegen den Stachelstock des Viehtreibers ausschlägt): Mhd. *lecken* »mit den Füßen ausschlagen, hüpfen«, das auch in ›frohlocken‹ »vor Freude hüpfen« (↑froh) steckt, ist mit der nord. Sippe von älter schwed. *lacka* »springen, hüpfen, laufen, rinnen« verwandt. Die weiteren Beziehungen sind unsicher.

locker: Das seit dem 15. Jh. bezeugte, zunächst nur mitteld. Adjektiv hängt mit mhd. *lücke, lugge* »locker« zusammen und ist wohl mit den unter ↑Lücke und ↑Loch behandelten Wörtern verwandt. – Abl.: **lockern** (18. Jh.).

lockig ↑Locke.

Lockspeise, Lockspitzel, Lockvogel ↑[2]locken.

Loden »[imprägniertes] grobes Wollgewebe«: Die Herkunft des altgerm. Wortes für »grobes Wollzeug, zottiger Mantel« (mhd. *lode*, ahd. *lodo*, aengl. *lođa*, aisl. *lođi*) ist unklar.

lodern: Das seit dem 15. Jh. bezeugte, zunächst niederd.-mitteld. Verb bedeutet wahrscheinlich eigentlich »emporwachsen« und gehört wie asächs. *liodan*, ahd. *liotan*, got. *liudan*, aengl. *lēodan* »wachsen« zu der idg. Wurzel **leudh-* »wachsen« (beachte westfäl. *lodern* »üppig wachsen, wuchern«). Der Bedeutungswandel von »emporwachsen« zu »aufflammen, flackern« wurde wohl durch die Anlehnung an ›Lohe‹ »flammendes Feuer« begünstigt.

Löffel: Der Löffel ist als »Gerät zum Lecken bzw. zum Schlürfen« benannt. Mhd. *leffel*, ahd. *leffil*, mnd., niederl. *lepel* »Löffel« beruhen auf einer Instrumentalbildung zu einem im Nhd. untergegangenen Verb **lapan* »lecken, schlürfen«, beachte ahd. *laffan*, mhd. *laffen* »lecken, schlürfen« (vgl. den Artikel *Laffe*), ferner die gleichbedeutenden Verben mnd. *lapen* (↑läppern), niederl. *leppen*, engl. *to lap*, schwed. *lapa*. Diese germ. Sippe gehört mit verwandten Wörtern in anderen idg. Sprachen zu der lautmalenden Wurzel **lab[h]-*, **lap[h]-* »schlürfend, schnalzend, schmatzend lecken«, vgl. z. B. griech. *láptein* »lecken, schlürfen« und lat. *lambere* »lecken«. – Bereits seit mhd. Zeit heißen die Ohren des Hasen wegen der löffelähnlichen Form in der Jägersprache ›Löffel‹ (heute auch ugs. für »Menschenohren«). – Abl.: **löffeln** »mit dem Löffel schöpfen oder essen« (16. Jh.).

Log »Schiffsgeschwindigkeitsmesser«: Der Name des seemännischen Geräts wurde Ende des 18. Jh.s aus dem Engl. entlehnt. Engl. *log*, das seinerseits aus aisl. *lāg* »umgefallener Baumstamm« entlehnt ist, bedeutet eigentlich »Holzklotz, unbehauenes Stück Holz«. Seit dem 16. Jh. bezeichnete es speziell den an einer Knotenschnur befestigten Klotz, der zur Bestimmung der Fahrgeschwindigkeit eines Schiffes ins Wasser gelassen wird (vgl. den Artikel *Knoten*). Schließlich ging das Wort auf das Gerät selbst über. – Zus.: **Logbuch** »Schiffstagebuch« (Anfang des 19. Jh.s; eigentlich »Buch, in das die Fahrgeschwindigkeit eingetragen wird«).

Logarithmus (mathematische Größe): Der seit dem 17. Jh. bezeugte mathematische Fachausdruck ist eine Prägung des schottischen Mathematikers John Napier (1550–1617) aus griech. *lógos* »Wort; Rechnung; Verhältnis« und griech. *arithmós* »Zahl«. – Dazu die Zusammensetzung **Logarithmentafel** (18./19. Jh.) und die Ableitung **logarithmieren** »mit Logarithmen rechnen; den Logarithmus errechnen« (20. Jh.).

Loge: Das unter ↑Laube behandelte germ. Wort (ahd. *louba*, entsprechend afränk. **laubja* »Laubhütte; Häuschen«) gelangte in die roman. Sprachen (mlat. *lobia*, [a]frz. *loge*) und wurde später zu verschiedenen Zeiten rückentlehnt. Als Bezeichnung eines abgeschlossenen Raumes (speziell im Theater) wurde ›Loge‹ im 17. Jh. aus gleichbed. frz. *loge* (vgl. *logieren, Logis*) übernommen. Die Verwendung im Sinne von »Freimaurervereinigung; [geheime] Gesellschaft«, die für ›Loge‹ seit dem 18. Jh. bezeugt ist, geht von engl. *lodge* (< afrz. *loge*) »Häuschen; Versammlungsort der Brüder; Geheimbund« aus. Aus it. *loggia*, das seinerseits aus frz. *loge* stammt, wurde im 17. Jh. der Fachausdruck der Baukunst **Loggia** »halb offene Bogenhalle; nach einer Seite offener, überdeckter Raum des Hauses« entlehnt. Vgl. auch den Artikel *Lobby*.

...loge: Das Grundwort von zusammengesetzten männlichen Substantiven mit der Bedeutung »Kundiger, Forscher, Wissenschaftler«, wie in ↑Philologe, *Zoologe* (↑Zoologie), gehört zu griech. *lógos* »Rede, Wort; Vernunft; wissenschaftliche Untersuchung usw.« (über die etymologischen Zusammenhänge vgl. den Artikel *Lexikon*). – Dazu auch **...logie** als Grundwort zusammengesetzter weiblicher Substantive mit der Bedeutung »Lehre, Kunde, Wissenschaft«, wie in *Philologie* (↑Philologe), ↑Biologie usw.

Loggia ↑Loge.

logieren »vorübergehend wohnen, [gegen Entgelt] übernachten«, älter auch »beherbergen«: Das Verb wurde um 1600 aus gleichbed. frz. *loger*, einer Ableitung von frz. *loge* »abgeschlossener Raum; Unterkunft (vgl. *Loge*), entlehnt. Eine Bildung zum frz. Verb *loger* ist frz. *logis* »Bleibe, Unterkunft«, aus dem um 1700 **Logis** »Unterkunft, Bleibe« übernommen wurde. Seit dem 19. Jh. wird ›Logis‹ in der Seemannssprache auch im Sinne von »Wohn- und Schlafraum der Matrosen auf einem Schiff« verwendet.

ogik »Lehre vom folgerichtigen Denken; folgerichtiges Denken«: Das Fremdwort wurde im 16. Jh. aus gleichbed. spätlat. *logica* entlehnt (davor finden sich schon mhd. die eingedeutschten Formen *lōicā, lōic, lōike* »Logik; Klugheit, Schlauheit«). Lat. *logica* seinerseits stammt aus griech. *logikḗ* »Lehre vom Denken«. Das zugrunde liegende griech. Adjektiv *logikós* »das Wort, die Vernunft, das Denken betreffend« ist von griech. *lógos* »das Sprechen, die Rede, das Wort; die Erzählung; das Berechnen; die Vernunft usw.« abgeleitet. Über weitere etymologische Zusammenhänge vgl. den Artikel *Lexikon.* – Dazu stellen sich **logisch** »folgerichtig, denkrichtig, schlüssig«, ugs. auch für »natürlich, klar, selbstverständlich« (um 1600; aus lat. *logicus* griech. *logikós;* die Gegenbildung ›unlogisch‹ erscheint im 18. Jh.) und **Logiker** »Wissenschaftler auf dem Gebiet der Logik; Mensch mit scharfem Verstand« (17. Jh.).

ogis ↑logieren.

Lohe »Flamme, flammendes Feuer«: Das seit mhd. Zeit bezeugte Wort gehört zu der unter ↑licht dargestellten idg. Wurzel. Mhd. *lohe* steht im grammatischen Wechsel zu der nord. Sippe von schwed. *låga* »Flamme« (im Ablaut dazu ahd. *loug,* aengl. *līeg,* aisl. *leygr* »Flamme, Feuer«).

Lohe »zum Gerben verwendete Rinde«: Das auf das dt. und niederl. Sprachgebiet beschränkte Wort (mhd., ahd. *lō,* Genitiv *lōwes,* niederl. *looi*) gehört im Sinne von »Abgeschältes, Losgelöstes« zu der idg. Wurzel **leu-* »[ab]schneiden, [ab]schälen, [ab]reißen«. Aus dem germ. Sprachbereich gehören zu dieser z. T. erweiterten Wurzel auch die Sippen von ↑los (lösen; [2]Losung; [2]löschen) und ↑verlieren (Verlies; Verlust), wahrscheinlich auch das unter ↑Laub (eigentlich »Abgerissenes, Abgerupftes«) behandelte Wort. In anderen idg. Sprachen sind z. B. verwandt griech. *lýein* »lösen« (↑Analyse) und lat. *luere* »büßen, zahlen« (eigentlich »einlösen«), *solvere* »lösen« (s. die Fremdwörtergruppe um *absolut*). – Die zum Gerben verwendete Rinde wird von verschiedenen Baumarten, bes. von (jungen) Eichen und Fichten, gewonnen. Mithilfe der Lohe lässt sich tierische Haut in Leder verwandeln. Heute werden in der Lederherstellung auch mineralische und synthetische Gerbstoffe verwendet.

ohn: Das gemeingerm. Wort mhd., ahd. *lōn,* got. *laun,* aengl. *lēan,* schwed. *lön* gehört mit verwandten Wörtern in anderen idg. Sprachen zu der Wurzel **lāu-* »(auf der Jagd oder im Kampf) erbeuten«, vgl. z. B. russ. *lov* »Jagdbeute, Fang« und lat. *lucrum* »Gewinn«. – Abl.: **lohnen** »vergelten, belohnen; Kosten, Mühe rechtfertigen; von Nutzen sein« (mhd. *lōnen,* ahd. *lōnōn* »Lohn geben, bezahlen, vergelten«), beachte dazu die Präfixbildungen **belohnen** »zum Dank, als Anerkennung mit etwas beschenken, auszeichnen«, **entlohnen** »Lohn für Dienste geben, bezahlen« und **verlohnen,** sich »sich lohnen«; **löhnen** (mhd. *lœnen* »Lohn geben, bezahlen, vergelten«, jüngere Nebenform von *lōnen*), dazu **Löhnung** (17. Jh.).

lokal »örtlich, örtlich beschränkt«: Das Adjektiv wurde im 18. Jh. aus gleichbed. frz. *local* entlehnt, das auf spätlat. *localis* »örtlich« zurückgeht. Dies ist eine Bildung zu *locus* »Ort, Platz, Stelle usw.« (alat. *stlocus*), das wohl zu der unter ↑stellen dargestellten idg. Wortgruppe gehört. Zu ›lokal‹ stellen sich **Lokal** »[Gast]wirtschaft«, älter »Örtlichkeit« (18. Jh.; aus frz. *local* »Raum, der einem bestimmten Zweck dient, Örtlichkeit«, dem substantivierten frz. Adjektiv); **Lokalität** »Örtlichkeit; Raum« (18. Jh.; aus gleichbed. frz. *localité* [< spätlat. *localitas* »Lage«]); **lokalisieren** »örtlich festlegen« (19. Jh.; aus gleichbed. frz. *localiser*). – Beachte in diesem Zusammenhang noch das von lat. *locus* abgeleitete Verb lat. *locare* »hinstellen« mit der Bildung lat. *collocare* »auf-, hinstellen, hinlegen usw.«, die den Wörtern ↑kusch, kuschen, kuscheln und ↑Couch zugrunde liegt.

Lokomotive, (Kurzform:) **Lok:** Das Wort wurde im 19. Jh. aus dem Engl. übernommen: engl. *locomotive (engine),* das wörtlich »Maschine, die sich von der Stelle bewegt« bedeutet, ist eine Neubildung zu lat. *locus* »Ort, Stelle« und lat. *movere* »bewegen«.

Lokus: Die seit dem 17. Jh. bezeugte ugs. Bezeichnung für »Toilette, Klosett« ist eine wohl in der Schulsprache entwickelte Kürzung aus lat. *locus necessitatis* »Ort der Notdurft«.

Lombard »Kredit gegen Verpfändung beweglicher Sachen« (z. B. Wertpapiere, Waren): Das seit dem 17. Jh. bezeugte Fremdwort war zunächst im Sinne von »Leihhaus« gebräuchlich und ist in dieser Bedeutung aus frz. *lombard* entlehnt. Dies steht für älteres *maison de Lombard* »Leihhaus«, eigentlich »Haus eines Lombarden«. Die Kaufleute aus der Lombardei waren vom 13. bis zum 15. Jh. die privilegierten Geldverleiher.

Look: Das Fremdwort für ein »bestimmtes (modisches) Aussehen, eine Moderichtung« wurde in der Mitte des 20. Jh.s aus gleichbed. engl. *look* übernommen, wobei die spezielle, auf die Mode bezogene Bedeutung des Wortes im Engl. aus derselben Zeit datiert, die allgemeine Bedeutung »Aussehen, Blick« im Engl. aber bereits seit dem 12. Jh. belegt ist.

Lorchel »Faltenschwamm«: Der seit dem 19. Jh. bezeugte Name der Pilzart ist vermutlich nach ›Morchel‹ aus älterem ›Lorche‹ umgestaltet. ›Lorche‹, in niederd. Form ›Lorken‹ (18. Jh.), ist wohl eine der Unterscheidung dienende willkürliche Bildung aus ›Morche‹ (s. *Morchel*). Lorcheln und Morcheln sind sehr ähnliche Pilzarten und werden häufig verwechselt.

Lord ↑Laib.

Lore: Die Bezeichnung für einen offenen, auf Schienen laufenden [kippbaren] Wagen wurde um 1900 aus gleichbed. engl. *lorry* entlehnt, dessen Herkunft dunkel ist.

los: Das gemeingerm. Adjektiv mhd., ahd. *lōs*, got. *laus*, engl. *-less*, schwed. *lös* (ablautend niederl. *lŏs*) gehört zu der s-Erweiterung der unter ↑ [2]Lohe dargestellten idg. Wurzel **leu-* »[ab]schneiden, [ab]schälen, [ab]reißen«. Eng verwandt ist das unter ↑ verlieren behandelte Verb, zu dem ↑ Verlies und ↑ Verlust gebildet sind. Vom Adjektiv abgeleitet sind die Verben ↑ lösen und ↑ [2]löschen »ausladen«. – Das Adjektiv spielt – ähnlich wie ›voll‹ (s. d.) – seit alters eine bedeutende Rolle in der Zusammensetzung, beachte z. B. ›achtlos, arglos, ausdruckslos, bodenlos, endlos, grenzenlos, inhaltslos, machtlos, rücksichtslos‹, die teils vom Genitiv, teils vom Stamm des Bestimmungswortes ausgehen. Auch als Verbzusatz kommt ›los‹ häufig vor, beachte z. B. ›losbrechen, loseisen, losgehen, loskommen, losschlagen‹. – Die Nebenform **lose** hat sich aus der Adverbialform (mhd. *lōse*) entwickelt. Sie wird im Sinne von »nicht fest, locker; unverpackt«, auch im moralischen Sinne von »leichtfertig, schlecht, verdorben« gebraucht.

Los: Das altgerm. Wort mhd. *lōʒ*, ahd. *hlōʒ*, got. *hlauts*, aisl. *hlautr* steht im Ablaut zu den gleichbed. niederl. *lot* (↑ Lotterie), engl. *lot*, schwed. *lott* und gehört mit diesen zu einem im Nhd. untergegangenen starken germ. Verb: ahd. *hlioʒan*, mhd. *lieʒen* »losen; wahrsagen; zaubern« usw. – Die Sitte des Losens entstammt dem magisch-religiösen Bereich. Das Losen diente ursprünglich der Schicksalsbefragung, besonders beim Opfer (beachte aisl. *hlautr* »Los« neben *hlaut* »Opferblut«). Später wurde das Losen bei den Germanen auch in der Rechtsprechung geübt. Schließlich diente es ganz allgemein dazu, eine vom Menschen unabhängige Entscheidung zu erzielen, daher auch zur Ermittlung des Gewinners in Glücksspielen. – Aus dem Germ. entlehnt sind frz. *lot*, it. *lotto* (↑ Lotto). – Abl.: **[1]losen** »durch Los ermitteln; ein Los ziehen« (mhd. *lōʒen;* beachte dazu **auslosen** und **verlosen**), dazu **[1]Losung** »Erkennungswort, Parole« (mhd. *lōʒunge* »das Loswerfen; Teilung«; in der heutigen Bedeutung seit dem 15. Jh.).

[1]löschen »aufhören zu brennen oder zu leuchten, ausgehen«: Das nur noch vereinzelt in der Dichtung verwendete starke Verb (mhd. *leschen*, ahd. *lescan*) ist eine auf das dt. Sprachgebiet beschränkte Weiterbildung zu dem unter ↑ liegen behandelten Verb und bedeutete demnach ursprünglich »sich legen«. Allgemein gebräuchlich sind dagegen die stark flektierenden Präfixbildungen **erlöschen** und **verlöschen**, beachte auch **auslöschen**. Mit diesem ›löschen‹ zusammengefallen ist das transitive schwache Verb *löschen* »ausmachen, ersticken; stillen; tilgen, beseitigen« (mhd. *leschen*, ahd. *lesken*), das eigentlich das Veranlassungswort zum starken Verb ist. Fachsprachlich wird ›löschen‹ im Sinne von »gebrannten Kalk mit Wasser behandeln« verwendet, beachte die Zusammensetzung **Löschkalk**.

[2]löschen: Der seemännische Ausdruck für »ausladen« ist entstellt aus ›lossen‹, das im 18. Jh. aus dem Niederd. übernommen wurde. Niederd.-niederl. *lossen* »ausladen« ist von dem unter ↑ los behandelten Adjektiv abgeleitet und bedeutet eigentlich »frei, leer machen«.

loseisen ↑ Eis.

[2]losen ↑ lauschen.

lösen: Das gemeingerm. Verb mhd. *lœsen*, ahd. *lōsen*, got. *lausjan*, aengl. *līesan*, schwed. *lösa* ist von dem unter ↑ los behandelten Adjektiv abgeleitet. Aus dem ursprünglichen Gebrauch des Verbs im Sinne von »losmachen, frei machen« haben sich mehrere spezielle Verwendungsweisen entwickelt, z. B. im Sinne von »aufheben, für nichtig erklären« (›eine Abmachung lösen‹), »raten, herausfinden, klären« (›ein Rätsel, Problem lösen‹), »kaufen« (›eine Fahr-, Eintrittskarte lösen‹), »zergehen lassen, flüssig machen« (›Pulver, Salz lösen‹). Auch die Präfixbildungen und Zusammensetzungen haben sich von der eigentlichen Bedeutung von ›lösen‹ teilweise stark entfernt, beachte **ablösen** »[vorsichtig] losmachen, entfernen; durch Zahlung tilgen; den Platz eines anderen einnehmen«, **auflösen** »losmachen, öffnen; aufheben, für nichtig erklären; raten, herausfinden; zergehen lassen, flüssig machen«, **auslösen** »loskaufen, eintauschen; betätigen, in Gang setzen; hervorbringen, verursachen«, dazu **Auslöser** »Hebel, Knopf oder Vorrichtung, um etwas in Gang zu setzen«; **einlösen** »[durch Bezahlung] zurückerwerben; erfüllen«; **erlösen** »(von Schmerzen, Not, Sünde oder dgl.) befreien« (mhd. *erlœsen*, ahd. *irlōsan* »losmachen, frei machen; befreien; erzielen, einnehmen«), dazu **Erlöser** (mhd. *erlœsære*, ahd. *irlōsāri*), **Erlösung** (mhd. *erlœsunge*, ahd. *irlōsunga*) und **Erlös** »Einnahme aus einem Verkauf; Bargewinn« (19. Jh.). – Abl.: **Lösung** (mhd. *lœsunge*, ahd. *lōsunga;* als chemischer Fachausdruck im 19. Jh. aus ›Auflösung‹ gekürzt). – Siehe auch den Artikel *[2]Losung*.

Löss, (auch:) **Löß**: Der seit der 1. Hälfte des 19. Jh.s bezeugte geologische Fachausdruck für die gelbliche, feinkörnige Moränen- oder Steppenstaubablagerung ist von dem Geologen v. Leonhard geprägt, und zwar wahrscheinlich aus aleman. *lösch* »locker«, das wohl zu der Wortgruppe von ↑ los gehört.

[1]Losung ↑ Los.

[2]Losung (weidmännisch für:) »Kot des Wildes und des Hundes«: Der seit dem 18. Jh. bezeugte weidmännische Ausdruck gehört zu ›losen‹ (Nebenform von ↑ lösen) weidmännisch für »den Kot auslassen« (vgl. *los*).

Lot: Das westgerm. Wort für »Blei[klumpen]« mhd. *lōt*, niederl. *lood*, engl. *lead* ist entweder mit mir. *lūaide* »Blei« verwandt oder aber aus diesem entlehnt. Im Engl. und Niederl. bezeichnet das Wort auch heute noch das Metall. Im Dt. hat sich dagegen als Metallname ↑ Blei durchgesetzt, während ›Lot‹ das aus Blei Hergestellte bezeichnet, so das Richtblei der Bauhandwerker, das Senkblei der Schiffer, ein kleines [Münz]gewicht und eine Metallmischung zum Verbinden zweier Metallstücke. – Abl.: **loten** »die senkrechte Richtung bestimmen; die Wassertiefe messen« (18. Jh.); **löten** »durch Lötmetall verbinden« (mhd. *lœten*), beachte dazu **Lötkolben** (17. Jh.).

Lot

etwas wieder ins [rechte] Lot bringen
»etwas bereinigen, wieder in Ordnung bringen«
Diese und die beiden folgenden Wendungen beziehen sich auf das Richtlot des Maurers. Mit dem Richtlot prüft er, ob eine Wand oder Mauer genau senkrecht und damit in Ordnung ist.

ins Lot kommen
»in Ordnung kommen, bereinigt werden«
Vgl. die vorangehende Wendung.

[nicht] im Lot sein
»[nicht] in Ordnung, [nicht] richtig sein«
Vgl. die Wendung ›etwas wieder ins rechte Lot bringen‹.

Lotse »Seemann, der die Führung von Schiffen auf schwierigem Fahrwasser, besonders in Häfen, übernimmt«: Das seit dem 17. Jh. bezeugte Substantiv ist aus ›Lootsmann‹ gekürzt, das seinerseits durch niederl.-niederd. Vermittlung aus engl. *loadsman*, älter *lodesman* »Geleitsmann; Steuermann« entlehnt ist. Bestimmungswort ist das veraltete Substantiv engl. *load*, älter *lode* »Führung, Leitung; Straße, Weg«, das zur germ. Wortfamilie von ↑leiten gehört. – Abl.: **lotsen** »ein Schiff durch schwieriges Fahrwasser oder in den Hafen führen« (18. Jh.), in neuerer Zeit auch ugs. übertragen gebraucht im Sinne von »jemanden mit Überredung wohin mitnehmen, locken«.

Lotterie »Los-, Glücksspiel, Verlosung«: Das seit dem 16. Jh. bezeugte Substantiv stammt wie auch ↑²Niete aus dem holländischen Lotteriewesen. Das vorausliegende Substantiv niederl. *loterij* gehört als Ableitung zu niederl. *lot*, das im Ablaut zu dt. ↑Los steht.

lottern landsch. für: »liederlich leben, schlampen«: Das seit dem 16. Jh. bezeugte Verb gehört mit **lott[e]rig** landsch. für »liederlich, schlampig« zu dem im Nhd. veralteten Adjektiv *lotter*, mhd. *lot[t]er*, ahd. *lotar* »locker, schlaff; leer, nichtig; leichtsinnig, leichtfertig«. Dieses Adjektiv ist mit dem unter ↑liederlich behandelten Wort eng verwandt und gehört zu der Wortgruppe von ↑schlummern (beachte mit anlautendem s speziell ›schlottern‹). – Beachte auch die Präfixbildung **verlottern** ugs. für »herunterkommen« (16. Jh.).

Lotto »Zahlenlotterie«: Das Fremdwort wurde Anfang des 18. Jh.s aus it. *lotto* »Losspiel, Glücksspiel« entlehnt, das seinerseits aus frz. *lot* »Los« übernommen ist und letztlich zu dem unter ↑Los genannten gemeingerm. Wort gehört.

Louis ↑Lude.

Löwe: Der Tiername (mhd. *lewe*, ahd. *le[w]o*, entsprechend z. B. niederl. *leeuw*) ist eine alte Entlehnung aus lat. *leo (leonis)* »Löwe«, das seinerseits aus gleichbed. griech. *léōn (léontos)* übernommen ist. Die weitere Herkunft des Wortes ist unbekannt. Eine heute nur noch dichterisch gebräuchliche Nebenform von ›Löwe‹ ist **Leu** (mhd. *löuwe, leu*). – Zus.: **Löwenanteil** (19. Jh.) bezeichnet nach einer alten Fabel Äsops den Großteil an einer Beute, den der Stärkere (in der Fabel der Löwe) für sich beansprucht; **Löwenmaul** (als Blumenname seit dem 16. Jh.; so benannt nach der mit einem aufgesperrten Löwenrachen verglichenen Blüte); **Löwenzahn** (als Pflanzenname seit dem 16. Jh.; der Name soll sich auf die spitz gezahnten Blätter der Wiesenpflanze beziehen). – Beachte noch die Tiernamen ↑Leopard und ↑Chamäleon, in denen das griech.-lat. Wort als Bestimmungs- oder Grundwort erscheint.

loyal »gesetzes-, regierungstreu; anständig«: Das Adjektiv wurde im 18. Jh. aus gleichbed. frz. *loyal* entlehnt, das auf lat. *legalis* »gesetzlich« (vgl. *legal*) zurückgeht. – Abl.: **Loyalität** »loyale Gesinnung« (19. Jh.; nach frz. *loyauté*).

Luchs: Das kleine Raubtier ist nach seinen funkelnden bernsteingelben Augen von ungewöhnlicher Sehschärfe als »Funkler« benannt. Die Scharfsichtigkeit des Luchses findet auch im Dt. ihren sprachlichen Ausdruck, beachte z. B. die Wendung ›aufpassen wie ein Luchs‹, die Zusammensetzungen **Luchsauge** (16. Jh.), **luchsäugig** (19. Jh.) und das abgeleitete Verb **luchsen** »scharf aufpassen, lauern; stibitzen« (18. Jh., beachte dazu ›ab-, be-, erluchsen‹). Der Tiername ist idg. Alters. Mhd., ahd. *luhs*, niederl. *los*, aengl. *lox*, schwed. (ohne weiterbildendes s) *lo* gehen mit verwandten Wörtern in anderen idg. Sprachen zurück auf **lŭ̄k-*, **lunk̂-* »Luchs«, das eigentlich »Funkler« bedeutet und Wurzelnomen zu **leuk̂-* »leuchten, strahlen, funkeln« ist (vgl. *licht*). Vgl. z. B. griech. *lýgx* »Luchs« (daraus entlehnt lat. *lynx*) und lit. *lū̃šis* »Luchs«.

Lucht ↑Luft.

Lücke: Das Substantiv (mhd. *lücke, lucke*, ahd. *luccha*) ist eng verwandt mit ↑Loch und ↑Luke und gehört zu der unter ↑Locke behandelten Wortgruppe. – Zus.: **Lückenbüßer** (↑büßen).

Lude: Der ugs. Ausdruck für »Zuhälter« ist aus dem Vornamen ›Ludwig‹ gekürzt, wobei ›Ludwig‹ für ›Louis‹ »Zuhälter« steht. ›Louis‹ ist die frz. Entsprechung von ›Ludwig‹. Die Verwendung im Sinne von »Zuhälter« bezieht sich wohl auf die gleichnamigen französischen Könige im 17. und 18. Jh., die wegen ihrer zahlreichen Mätressen bekannt waren.

Luder: Die Herkunft des nur dt. und niederl. Wortes (mhd. *luoder*, mnd. *lōder*, niederl. *loeder*) ist dunkel. Es handelt sich um einen alten Jagdausdruck für die Lockspeise (besonders in der Falkenjagd). Aus »Lockspeise, Köder« entwickelten sich bereits in mhd. Zeit einerseits die Bedeutung »Aas«, woran sich die Verwendung von ›Luder‹ als Schimpfwort anschließt, und andererseits die Bedeutung »Verlockungen, unsittliches Wohlleben, Schlemmerei«, beachte die Präfixbildung **verludern.** Vgl. auch *Schindluder.*

Luft: Die Herkunft des gemeingerm. Wortes mhd., ahd. *luft,* got. *luftus,* niederl. *lucht,* aengl. *lyft,* aisl. *lopt* ist nicht sicher geklärt. Mit dieser gemeingerm. Bezeichnung für das die Erde umgebende Gasgemisch ist vermutlich identisch das germ. Wort für »Boden[raum], Dachstube«, vgl. aisl. *lopt* »Bodengemach«, mniederl., mnd. *lucht* »Bodenraum, oberes Stockwerk«, daher nordd. **Lucht** »Boden[raum]« (zu niederl.-niederd. -cht statt hochd. -ft s. den Artikel *Gracht*). – Abl.: **lüften** »der frischen Luft aussetzen, frische Luft zuführen; [ein wenig] in die Höhe heben« (mhd. *lüften* »in die Höhe heben«, entsprechend aisl. *lypta,* s. den Artikel *Lift*), dazu **Lüftung; luftig** »der Luft, dem Wind ausgesetzt; hoch gelegen; luftartig, locker, leicht; leichtsinnig« (mhd. *luftec*), dazu **Luftikus** »leichtsinniger Mensch« (19 . Jh.; aus der Studentensprache, gebildet wie z. B. ›Pfiffikus‹ zu ›pfiffig‹). Zus.: **Luftballon** (18. Jh.); **luftdicht** (19. Jh.); **Luftdruck** (19. Jh.); **Luftpumpe** (18. Jh.); **Luftröhre** (mhd. *luftrœre*); **Luftschiff** (18. Jh.); **Luftschloss** »Traumgespinst, Fantasiegebilde« (17. Jh., nach der Redensart ›ein schloss in den lufft bawen‹, 16. Jh.); **Luftschutz** (1. Hälfte des 20. Jh.s); **Luftwaffe** (1. Hälfte des 20. Jh.s).

Lufthansa ↑Hanse.

Lug, Lüge ↑lügen.

lugen »ausschauen, spähen«: Das nur noch landsch. gebräuchliche Verb (mitteld. *lūgen,* mhd. *luogen,* ahd. *luogēn*) ist wahrscheinlich mit engl. *to look* »sehen, blicken« verwandt. Die weiteren außergerm. Beziehungen sind unklar.

lügen: Das gemeingerm. Verb mhd. *liegen,* ahd. *liogan,* got. *liugan,* engl. *to lie,* schwed. *ljuga* geht mit verwandten Wörtern im Baltoslaw. auf eine Wurzel **leugh-* »lügen« zurück, vgl. z. B. russ. *lgat'* »lügen«, *lož'* »Lüge«. Im germ. Sprachbereich sind verwandt die Sippen von ↑leugnen und ↑²locken. – Um das Verb gruppieren sich die Bildungen **Lug** (mhd. *luc,* ahd. *lug;* heute nur noch in der Verbindung ›Lug und Trug‹), **Lüge** (mhd. *lüge,* ahd. *lugī*), älter nhd. *Lügen* (mhd. *lügen[e],* ahd. *lugina*), dazu **Lügner** (mhd. *lügenære,* ahd. *luginā-ri*), davon wiederum abgeleitet **lügnerisch** (17. Jh.). Beachte auch die Präfixbildung **belügen** »durch Lügen täuschen, anschwindeln« und **verlügen** veraltet für »durch Lügen falsch darstellen«, dazu das in adjektivische Funktion übergegangene 2. Partizip **verlogen** »lügnerisch«.

Luke »[mit einer Klappe verschließbare] Öffnung in Böden, Wänden oder Dächern«, daneben **Luk** seemännisch für »Öffnung im Deck oder in der Schiffswand«: Das um 1600 aus der niederd. Seemannssprache übernommene Wort geht zurück auf mnd. *lūke* (entsprechend niederl. *luik,* dän. *luge*), das zu dem unter ↑Loch behandelten germ. Verb **lūkan* »verschließen« gehört. ›Luke‹ bedeutete also wie auch ›Loch‹ ursprünglich »Verschluss«.

lukrativ »Gewinn bringend, einträglich«: Das Adjektiv wurde Ende des 18. Jh.s aus gleichbed. frz. *lucratif* entlehnt, das auf lat. *lucrativus* »gewonnen, erübrigt« (zu lat. *lucrari* »gewinnen«) zurückgeht. Dies gehört zu lat. *lucrum* »Gewinn, Vorteil« (urverwandt mit dt. ↑Lohn).

Lulatsch ↑¹Latsche.

lullen: Frühnhd. *lullen* »saugen; leise, einschläfernd singen« und die entsprechenden gleichbedeutenden Verben niederl. *lollen,* engl. *to lull,* schwed. *lulla* sind lautnachahmenden Ursprungs und stammen wahrscheinlich wie das [elementar]verwandte ↑lallen aus der Kindersprache. Beachte dazu **Luller** oberd. mdal. für »Schnuller«.

Lümmel: Das seit dem 16. Jh. bezeugte Wort ist eine Bildung zu dem heute veralteten Adjektiv *lumm* »schlaff, locker«, das im Ablaut zu ↑lahm steht (beachte mhd. *lüeme,* ahd. *luomi* »matt, mild«). – Abl.: **lümmeln** ugs. für »flegelhaft herumstehen, -sitzen oder -liegen, sich unanständig benehmen« (17. Jh.).

Lump »schlechter Mensch, gemeiner Kerl, kleiner Gauner«: Das Wort ist identisch mit ↑Lumpen. Beide gehen auf spätmhd. *lumpe* »Lappen, Fetzen« zurück. Die Form ›Lump‹ entstand durch Verkürzung und wurde im 17. Jh. im Sinne von »Mensch in zerlumpter Kleidung« gebräuchlich. Die Form ›Lumpen‹ übernahm das n aus den obliquen Kasus in den Nominativ. – Spätmhd. *lumpe* »Lappen, Fetzen« steht im Ablaut zu mhd. *lampen* »welk niederhängen« und ist eng verwandt mit der Sippe von ↑Schlampe (vgl. *Schlaf*). Das Wort bedeutet also eigentlich »schlaff Herabhängendes«. – Eine scherzhafte latinisierte Bildung zu ›Lump‹ ist **Lumpazius,** auch verkürzt **Lumpazi** (19. Jh.). Das abgeleitete Verb **lumpen** bedeutet ugs. »unsolide leben« und »mit viel Alkohol tüchtig feiern«. Die jüngere, heute nicht mehr verwendete Bedeutung »jemanden einen Lump nennen« lebt noch weiter in der Wendung ›sich nicht lumpen lassen‹ »freigebig sein«.

Lumpen »Lappen, Fetzen, altes Kleidungsstück«: Das Wort ist identisch mit ↑Lump und geht wie dieses auf mhd. *lumpe* »Lappen, Fetzen« zurück.

Lunge: Die Lunge ist als »die Leichte« benannt. Die Benennung geht demnach von der Beobachtung aus, dass das Atmungsorgan (geschlachteter Tiere) auf Wasser schwimmt, beachte dazu z. B. engl. *lights* (Plural) »Tierlunge« zu *light* »leicht« und russ. *lëgkoje* »Lunge« zu *lëgkij* »leicht«. Die altgerm. Körperteilbezeichnungen mhd. *lunge,* ahd. *lunga, lungun[na],* niederl. *long,* engl. (Plural) *lungs*, schwed. *lunga* gehören zu der unter ↑gelingen dargestellten idg. Wurzel **le[n]g^uh-* »leicht«.

lungern (ugs. für:) »müßig herumstehen, sich herumtreiben«: Das seit dem Ende des 18. Jh.s schriftsprachliche Verb ist abgeleitet von dem im Nhd. untergegangenen Adjektiv mhd. *lunger*, ahd. *lungar* »schnell, flink« (vgl. *gelingen*). Das Verb bedeutete zunächst »auf etwas begierig sein, lauern«. Gebräuchlicher als das einfache Verb ist **herumlungern.**

Lunte: Das seit dem Anfang des 16. Jh.s bezeugte Substantiv bedeutete zunächst »Lappen, Fetzen«. Bereits im 16. Jh. wurde es im Sinne von »Lampendocht« und »Zündschnur« gebräuchlich. Als Bezeichnung für »Lampendocht« ist ›Lunte‹ heute veraltet. An den Wortgebrauch im Sinne von »Zündschnur« schließt sich die seit dem 18. Jh. bezeugte weidmännische Verwendung des Wortes im Sinne von »Fuchsschwanz« (wegen der feuerroten Farbe) an. – Der Ursprung des Wortes ist nicht sicher geklärt.

Lunte

Lunte riechen
(ugs.) »eine Gefahr frühzeitig bemerken«
Mit ›Lunte‹ ist in dieser Wendung die brennende Zündschnur an einem Geschütz, einer Sprengladung gemeint. Wer den stechenden Geruch der Lunte verspürt, der weiß, dass bald ein Schuss, eine Explosion zu erwarten ist.

Lupe »Vergrößerungsglas«: Das Fremdwort wurde um 1800 aus frz. *loupe* entlehnt, dessen Herkunft umstritten ist.

lüpfen, oberd. **lupfen** »[ein wenig] in die Höhe heben«: Der Ursprung des seit dem 13. Jh. bezeugten Verbs (mhd. *lüpfen, lupfen*) ist dunkel. Vielleicht ist es im Sinne von »in die Luft heben, lüften« mit der Sippe von ↑Luft verwandt.

Lupine: Der seit dem 18. Jh. bezeugte Name der Zier- und Futterpflanze ist aus gleichbed. lat. *lupinum, lupinus* »Wolfsbohne« entlehnt. Dies gehört zu lat. *lupus* »Wolf«. Das Benennungsmotiv ist allerdings unklar.

Lurch, älter und noch mitteld. Lorch[e], nordd. Lork: Das im 17. Jh. aus niederd. *lork* »Kröte« übernommene Wort wird seit dem Anfang des 19. Jh.s gewöhnlich im Plural ›Lurche‹ als dt. Bezeichnung für ›Amphibien‹ (Kategorie der systematischen Zoologie) gebraucht. Die alte Bedeutung »Kröte« bewahren die Mundartformen ›Lorch[e]‹ und ›Lork‹. – Der Ursprung des Wortes ist trotz aller Deutungsversuche dunkel.

Lust: Das gemeingerm. Wort mhd., ahd. *lust*, got. *lustus*, engl. *lust*, schwed. *lust* gehört wahrscheinlich im Sinne von »Neigung« zu dem germ. starken Verb **lūtan* »sich niederbeugen, sich neigen« (beachte aengl. *lūtan* »sich neigen, niederfallen«, aisl. *lūta* »sich neigen, sich niederbeugen«). Außergerm. ist z. B. verwandt die baltoslaw. Sippe von lit. *liū̃dnas* »traurig« (eigentlich »gebeugt, gedrückt«), *liū̃sti* »traurig sein«. – Die zahlreichen Ableitungen und Zusammensetzungen gehen teils von der Verwendung des Wortes im Sinne von »Verlangen, [geschlechtliche] Begierde« aus, teils von der Verwendung im Sinne von »angenehme Empfindung, Freude, Vergnügen«. – Abl.: **Lustbarkeit** »Vergnügen, Tanzveranstaltung, Fest« (mhd. *lustbæ̆recheit*, zum Adjektiv *lustbæ̆re* »Freude, Vergnügen erregend, angenehm«); **lüsten** veraltet für »nach etwas verlangen« (mhd. *lüsten*, ahd. *lusten*), wenig gebräuchlich ist auch das gleichbedeutende **gelüsten** (mhd. *gelüsten*, ahd. *gilusten*), beachte dazu **Gelüst[e]** »Verlangen, Begierde« (mhd. *gelüste*, daneben *geluste*, ahd. *gilusti*); **lüstern** (s. d.); **lustig** (s. d.); **Lüstling** »geiler Mensch« (17. Jh.). Zus.: **Lustgarten** (16. Jh.); **Lustmord** (19. Jh.); **Lustspiel** (16. Jh., in der Bedeutung »Spiel zum Vergnügen«; seit dem 18. Jh. Ersatzwort für ›Komödie‹); **lustwandeln** (17. Jh.; Ersatzwort für ›spazieren [gehen]‹, abgeleitet von dem heute veralteten ›Lustwandel‹. Siehe auch den Artikel *Wollust.*

Lüster »Kronleuchter«: Das Substantiv wurde im 18. Jh. aus gleichbed. frz. *lustre* (eigentlich »Glanz«) entlehnt, das seinerseits aus it. *lustro* »Glanz« stammt. Dies ist eine Bildung zu it. *lustrare* »hell machen, beleuchten«, das auf gleichbed. lat. *lustrare* (vgl. *licht*) zurückgeht.

lüstern »begierig, geil«: Das seit dem 16. Jh. bezeugte Adjektiv ist durch Erleichterung der Drittkonsonanz -rnd aus ›lüsternd‹ entstanden, dem 1. Partizip des heute veralteten Verbs ›lüstern‹ »verlangen, begierig sein« (vgl. *Lust*).

Lustgarten ↑Lust.

lustig: Das seit mhd. Zeit bezeugte Adjektiv (mhd. *lustec* »vergnügt, munter«) ist von dem unter ↑Lust behandelten Wort abgeleitet. – Dazu stellen sich die Bildungen **Lustigkeit** (15. Jh.) und **belustigen** (16. Jh.).

Lüstling, Lustmord, Lustspiel, lustwandeln ↑Lust.

lutschen: Das erst seit der 2. Hälfte des 18. Jh.s bezeugte Verb ist eine junge Nachahmung des Sauglauts. Gleichfalls lautmalend ist das mdal. Verb *nutschen* »saugen« (17. Jh.).

Luv: Der im 17. Jh. aus der niederd. Seemannssprache übernommene Ausdruck für »die dem Wind zugewandte Seite« stammt aus dem Niederl. Das niederl. *loef* »Luv«, das aus *loefzijde* »Luvseite« verkürzt ist, bedeutet eigentlich »Ruder«. Die Luvseite des Schiffes ist benannt nach einem gegen den Wind ausgesetzten flachen Hilfsruder, mit dessen Hilfe in früheren Zeiten der Schiffssteven gegen den Wind gehalten wurde. Niederl. *loef*, mnd. *lōv* sind verwandt mit got. *lōfa* und aisl. *lōfi* »flache Hand« und stehen im Ablaut zu ahd. *laffa* und *lappo* »flache Hand; Ruderblatt« (vgl. *Bärlapp*). Diese germ. Wortgruppe gehört mit verwandten Wörtern in anderen idg. Sprachen zu der Wurzel *lēp- »Fläche (der Hand), Sohle (des Fußes), Blatt (der Schulter, des Ruders oder dgl.)«, vgl. z. B. russ. *lapa* »Tatze, Pfote«, *lopata* »Schaufel«, *lopatina* »Steuerruder«.

Luxus »Verschwendung, Prunk, üppiger Aufwand«: Das Fremdwort wurde im 16. Jh. aus gleichbed. lat. *luxus* entlehnt, das wohl mit einer ursprünglichen Bedeutung »Ausrenkung, Verbogenheit, Ausschweifung« (im Sinne von »Abweichung vom Normalen«) zu lat. *luxus* »verrenkt« und damit zu der unter ↑Locke dargestellten Sippe der idg. Wurzel *leug- »biegen« gehört.

Luzerne: Der seit dem 18. Jh. bezeugte Name des Futterklees – dafür im Volksmund auch die Bezeichnungen ›Schneckenklee‹ und ›ewiger Klee‹ – ist aus frz. *luzerne* entlehnt. Dies stammt wahrscheinlich aus prov. *luzerno*, das zunächst »Glühwürmchen« bedeutet, dann übertragen auch »Luzerne« (wegen der hell glänzenden Samenkörner dieser Pflanze). Voraus liegen aprov. *luzerna*, vlat. **lucerna* (= klass.-lat. *lucerna*) »Leuchte, Lampe«. Stammwort ist lat. *lucere* »leuchten, glänzen« (vgl. hierüber den Artikel *illuminieren*).

Luzifer: Der Name des Morgensterns (Venus), zugleich der Beiname des Teufels, stammt aus kirchenlat. *Lucifer.* Dies bedeutet eigentlich »Lichtbringer« (zu lat. *lux* »Licht« und *ferre* »tragen, bringen«). Es überträgt den Mythos vom Höllensturz des Morgensterns (Jesaias 14, 12) auf den von Gott abgefallenen Engel, den Höllenfürsten.

Lymphe: Die medizinische Bezeichnung für »hellgelbe, eiweißhaltige Flüssigkeit in Gewebe und Blut« ist eine gelehrte Entlehnung des 17./18. Jh.s aus lat. *lympha* »klares Wasser; Flüssigkeit«. Das lat. Wort, in ältester Zeit in der Form ›lumpa‹ bezeugt, bedeutete ursprünglich »Wassergöttin, Quellnymphe« und erst sekundär »Wasser« selbst. Es handelt sich wahrscheinlich um eine Entlehnung aus griech. *nýmphē* »Braut, junge Frau; Nymphe, Quellnymphe« (vgl. *Nymphe*), mit Dissimilation des anlautenden Nasals gegen den Inlautnasal.

lynchen »jemanden ohne Richterspruch, ohne gesetzliche Handhabe wegen einer (als Unrecht angesehenen Tat) grausam misshandeln oder töten«: Das seit dem 19. Jh. gebräuchliche Verb ist aus gleichbed. engl.-amerik. *to lynch* entlehnt. Dies soll eine Bildung zu dem Namen eines amerikanischen Friedensrichters sein, angeblich Charles Lynch (1736–1796) aus Virginia. – Beachte dazu **Lynchjustiz** (19. Jh.).

Lyrik: Das erst seit dem Anfang des 19. Jh.s bezeugte Fremdwort ist substantiviert aus frz. *poésie lyrique* (dafür im 18. Jh. noch stets ›lyrische Poesie‹). Das zugrunde liegende frz. Adjektiv *lyrique*, aus dem im 18. Jh. unser Adjektiv **lyrisch** übernommen wurde, geht zurück auf lat. *lyricus* »zum Spiel der Lyra gehörig; mit Lyrabegleitung«. Dies stammt aus gleichbed. griech. *lyrikós*, einer Bildung zu griech. *lýra* (vgl. den Artikel *Leier*). Die Lyra war Symbol dichterischer Äußerung. Ihr Spiel begleitete den Vortrag gesungener Dichtung. So ist es nicht verwunderlich, dass sie gerade jener Dichtungsgattung ihren Namen gab, in der subjektives Erleben, Gefühle, Stimmungen usw. mit den Formmitteln von Reim und Rhythmus in Bilder gesetzt werden. – Abl.: **Lyriker** »lyrischer Dichter« (19. Jh.).

M*m*

Maat: Der seit dem Anfang des 18. Jh.s bezeugte seemännische Ausdruck für »Schiffsunteroffizier« beruht auf mnd. *mat[e]* »Kamerad, Geselle«, das eigentlich »Speise-, Essensgenosse« bedeutet. Das niederd. Wort, dem mhd. *ge-mazze*, ahd. *gi-mazzo* »Tischgenosse« entspricht, ist eine Bildung zu dem unter ↑Messer behandelten Substantiv **mat[i]-* »Speise« (vgl. [2]*Mast*).

machen: Das westgerm. Verb mhd. *machen*, ahd. *mahhōn*, niederd., niederl. *maken*, engl. *to make* geht mit verwandten Wörtern in anderen idg. Sprachen auf eine Wurzel **maĝ-* »kneten« zurück, vgl. z. B. griech. *mássein* »kneten; streichen; pressen; abbilden«, *mágis* »geknetete Masse, Teig, Kuchen«, *māza* »[Gersten]teig; [Metall]klumpen« (s. den Artikel *Masse*) und die baltoslaw. Sippe von russ. *mazat'* »bestreichen, beschmieren«, *maslo* »Butter, Öl«. – Aus der ursprünglichen Verwendung des Verbs im Sinne von »den Lehmbrei zum Hausbau kneten, die Flechtwand mit Lehm verstreichen, formen« entwickelten sich im germ. Sprachbereich die Bedeutung »bauen, errichten; zusammenfügen, zupassen, herstellen; bewerkstelligen; handeln; tun; bewirken«. Um das Verb in der Bedeutungswendung »zusammenfügen, zupassen« gruppieren sich die Bildungen ↑gemach ursprünglich »passend, geeignet, bequem« (dazu ›gemächlich‹ und ›allmählich‹) und ↑Gemach ursprünglich »Bequemlichkeit«. Von niederd., niederl. *maken* in der speziellen Bedeutung »handeln, den Zwischenhändler machen« gehen ↑makeln, mäkeln aus. Groß ist die Zahl der Zusammensetzungen mit ›machen‹, beachte ›an-, aus-, durch-, mit-, nach-, nieder-, vor-, zumachen‹. Wichtige Zusammensetzungen und Präfixbildungen sind **abmachen** »vereinbaren, übereinkommen; [ab]lösen, entfernen; (veraltet, noch landsch.:) abschließend zubereiten (von Speisen); erledigen«

(15. Jh.), dazu **Abmachung** »Vereinbarung, Übereinkunft«; **aufmachen** »öffnen; hübsch zurechtmachen, herausputzen« (mhd. *ūfmachen*), dazu **Aufmachung** »Ausstattung, Verpackung, Gestaltung«; **einmachen** »haltbar machen, konservieren« (17. Jh.), dazu das substantivierte 2. Partizip **Eingemachtes** »haltbar gemachte Früchte«; **vermachen** »als Erbe überlassen, schenken« (mhd. *vermachen*), dazu **Vermächtnis** »letztwillige Verfügung; Erbe« (17. Jh.). Abl.: **Mache** »Fertigung[sprozess], Bearbeitung; Aufmachung; Schein, Vortäuschung« (mhd. *mache*, ahd. *mahha*); **Machenschaft** »üble Handlungsweise, Intrige« (18. Jh.; zunächst im Sinne von »Art, Beschaffenheit«); **Macher** veraltet für »Hersteller, Bewirker« (mhd. *macher*, ahd. *[ga]mahhari;* beachte von den zahlreichen Bildungen z. B. ›Macherlohn, Schuhmacher, Stellmacher, Geschäftemacher, Scharfmacher‹), heute verwendet im Sinne von »jemand, der sich durch große Durchsetzungskraft, durch die Fähigkeit zum Handeln auszeichnet«; beachte auch Zusammensetzungen wie ›Filme-, Lieder-, Theatermacher‹. Zus.: **Machwerk** »schlechte Arbeit, minderwertiges Erzeugnis« (18. Jh.).

Macho: Der ugs. Ausdruck für den sich betont männlich gebenden Mann kam in den 80er-Jahren des 20. Jh.s zu ›Machismo‹ auf. Das Substantiv **Machismo** »übersteigertes Männlichkeitsgefühl (besonders in Lateinamerika)« wurde in den 70er-Jahren aus gleichbed. span. *machismo* entlehnt, einer Bildung zu span. *macho* »männlich«, das auf lat. *masculus* »männlich« zurückgeht (vgl. den Artikel *maskulin*).

Macht: Das altgerm. Wort mhd., ahd. *maht*, got. *mahts*, engl. *might* (anders gebildet aisl. *māttr*) ist das Verbalabstraktum zu dem unter ↑ mögen (ursprünglich »können, vermögen«) behandelten Verb. Dazu stellen sich die Bildungen **entmachten** »der Macht berauben« (20. Jh.) und ›mächtig‹ (s. u.). Groß ist die Zahl der Zusammensetzungen mit ›Macht‹, beachte z. B. **Machthaber** (16. Jh.), **Machtwort** (17. Jh.) und **Heeresmacht, Ohnmacht** (s. d.), **Streitmacht, Vollmacht** (s. unter *voll*), **Weltmacht.** Auch in der Namengebung spielt das Wort eine Rolle, beachte z. B. die weiblichen Vornamen ›Mathilde‹ und ›Mechthild[e]‹. – Altgerm. ist auch das abgeleitete Adjektiv **mächtig:** mhd. *mehtic*, ahd. *mahtig*, got. *mahteigs*, engl. *mighty* (vgl. aisl. *māttugr*). Das vom Adjektiv abgeleitete Verb ›mächtigen‹ ist heute nur noch in **bemächtigen,** sich und **ermächtigen** gebräuchlich. Zusammensetzungen mit ›mächtig‹ sind **allmächtig** (s. unter *all*) und **übermächtig** (spätmhd. *übermehtic*).

mächtig ↑ Macht.

Machwerk ↑ machen.

Macke: Der ugs. erst im 20. Jh. allgemein gebräuchliche Ausdruck für »Fehler, Defekt; Tick, absonderliche Eigenart« stammt aus jidd. *macke* »Fehler, Schaden«, eigtl. »Schlag« (< hebr. makkā »Schlag; Verletzung«).

Madam ↑ Dame.

Mädchen: Das Wort entstand im 17. Jh. durch Konsonantenerleichterung aus ›Mägdchen‹ (daneben ›Mä[g]dgen‹), ist also eigentlich Verkleinerungsbildung zu ↑ Magd, das früher »unverheiratete oder noch unberührte Frau« bedeutete. Vgl. dazu niederl. *maagdeke[n]* »Mädchen« (↑ Matjeshering). – Im heutigen Sprachgefühl wird ›Mädchen‹ nicht mehr als Verkleinerungsbildung empfunden. Siehe auch den Artikel *Mädel.*

Made: Das germ. Wort für »[kleiner] Wurm, fußlose Larve« mhd. *made*, ahd. *mado*, got. *maþa*, aengl. *maða*, aisl. (weitergebildet) *maðkr* ist vielleicht mit armen. *mat'il* »Laus« verwandt. Da weitere Beziehungen nicht gesichert sind, bleibt unklar, was das Wort eigentlich bedeutet.

Mädel: Das Wort, das vom Oberd. ausgehend gemeinsprachliche Geltung erlangte und die längere Form ›Mägdlein‹ zurückgedrängt hat, ist – wie auch Mädchen (s. d.) – Verkleinerungsbildung zu ↑ Magd.

madig

jmdm. etwas madig machen
(ugs.) »jmdm. etwas verleiden«
Das Wort ›madig‹ bedeutet eigentlich »von Maden befallen«, woraus sich in dieser und in den folgenden Wendungen die Bedeutung zu »nicht mehr genießbar« entwickelt hat.

jmdn. madig machen
(ugs.) »jmdn. herabsetzen, schlecht machen«
Vgl. die vorangehende Wendung.

sich madig machen
(ugs.) »sich unbeliebt machen«
Vgl. die Wendung ›jmdm. etwas madig machen‹.

Madonna: Die Bezeichnung für die Gottesmutter Maria und ihre bildliche Darstellung [mit dem Jesuskind] ist aus dem It. übernommen. It. *madonna* »Madonna«, das wörtlich »meine Herrin« bedeutet und wie entsprechend frz. *madame* ursprünglich als Anrede an vornehme Frauen, dann auch als Bezeichnung für die Geliebte galt, beruht auf lat. *mea domina* »meine Herrin« (zu lat. *domina* »Herrin«, *dominus* »Hausherr«; über weitere etymologische Zusammenhänge vgl. den Artikel *Dom*). Das Fremdwort erscheint im Dt. zuerst im 16. Jh. in der eigentlichen Bedeutung des it. Wortes als »Frau, Dame« (speziell zur Anrede), dann auch im abwertenden Sinne von »[schöne] Geliebte«. Die heute allein übliche Verwendung des Wortes setzte sich seit dem Anfang des 18. Jh.s durch.

Mafia: Der in dt. Texten seit dem Ende des 19. Jh.s bezeugte Name der erpresserischen Geheimorganisation ist aus gleichbed. it. *maf[f]ia*, eigentlich »Überheblichkeit, Anmaßung«, entlehnt. Der Ursprung des it. Wortes ist dunkel.

Magazin: Die Bezeichnung für »Vorrats-, Zeughaus, Lagerraum« wurde Anfang des 16. Jh.s aus gleichbed. it. *magazzino* entlehnt, das seinerseits aus arab. *mahāzin* (Plural von *mahzan*) »Warenlager« stammt. Das Wort wurde dann auch im Sinne von »Warenhaus, Laden« (18. Jh.; nach entsprechend frz. *magasin*) gebraucht, ferner als Bezeichnung für »Munitionskammer« (19. Jh.) und seit dem 18. Jh. auch als Titel periodisch erscheinender bebilderter Zeitschriften (nach entsprechend engl. *magazine*), hier gleichsam im Sinne von »Sammelstelle (von Neuigkeiten usw.)«.

Magd: Mhd. *maget* »Mädchen, Jungfrau; dienendes oder unfreies Mädchen, Dienerin«, ahd. *magad* »Mädchen, Jungfrau«, got. *magaþs* »Jungfrau«, aengl. *mæg[e]đ* »Mädchen, Jungfrau« (beachte engl. *maiden*) beruhen auf einer Bildung zu dem im Dt. untergegangenen gemeingerm. Wort für »Knabe, Jüngling«: asächs. *magu* »Knabe«, got. *magus* »Knabe«, aengl. *mago* »Knabe; Sohn; Krieger; Knecht«, aisl. *mǫgr* »Knabe, Sohn«. Dieses gemeingerm. Substantiv gehört mit verwandten Wörtern in anderen idg. Sprachen zu dem idg. Adjektiv **magho-s* »jung« (beachte z. B. awest. *majava-* »unverheiratet«). – Mit ›Magd‹ identisch ist die durch Zusammenziehung entstandene Form ↑Maid. Verkleinerungsbildungen zu ›Magd‹ sind ↑Mädchen und ↑Mädel, beachte auch **Mägdlein** (mhd. *magetlīn*).

M

Magen: Die altgerm. Körperteilbezeichnung mhd. *mage*, ahd. *mago*, niederl. *maag*, engl. *maw*, schwed. *mage* ist vermutlich verwandt mit der balt. Sippe von lit. *mākes* »Beutel« und mit kymr. *megin* »Blasebalg«. Demnach hätten die Germanen den erweiterten Teil des Verdauungskanals als »Beutel« benannt. – Zus.: **Magenbitter** »Bitterlikör zur Anregung der Magensäfte« (19. Jh.).

mager: Das altgerm. Adjektiv mhd. *mager*, ahd. *magar*, niederl. *mager*, aengl. *mæger*, schwed. *mager* gehört mit verwandten Wörtern in anderen idg. Sprachen zu der Wurzel **mak-* »dünn, schlank, hoch aufgeschossen«, vgl. z. B. griech. *makrós* »schlank; lang; groß« (↑makro..., Makro...) und lat. *macer* »dünn, mager«. Das abgeleitete Verb **magern** (mhd. *magaren*, ahd. *magarēn*) ist heute nur noch in der Zusammensetzung **abmagern** (17. Jh.) gebräuchlich.

Magier: Das Wort für »Zauberer, Zauberkünstler« wurde im 18. Jh. aus dem Plural *magi* des lat. Substantivs *magus* eingedeutscht, das selbst aus griech. *mágos* »Zauberer« entlehnt ist. Das griech. Wort bezeichnete zunächst das Mitglied einer medischen Priesterkaste und nahm erst dann die Bedeutungen »Traumdeuter, Zauberer; Betrüger« an. Es ist ein Lehnwort aus dem Iranischen (beachte apers. Magus, den Namen eines medischen Volksstammes mit priesterlichen Pflichten), dessen letzte Quelle nicht sicher zu ermitteln ist. – Dazu: **Magie** »Zauberkunst; Geheimkunst, die sich übersinnliche Kräfte dienstbar zu machen sucht« (16. Jh.; aus gleichbed. lat. *magia*, dies aus griech. *mageía, magía* »Lehre der Magier, Magie; Zauberei«); **magisch** »zauberisch, geheimnisvoll, bannend« (16. Jh.; aus gleichbed. lat. *magicus*, dies aus griech. *magikós* »zum Magier gehörend, magisch«.

Magister ↑Magistrat.

Magistrat: Die Bezeichnung für »Verwaltungsbehörde, Stadtverwaltung« ist eine gelehrte Entlehnung des 15. Jh.s aus lat. *magistratus* »obrigkeitliches Amt, höherer Beamter, Behörde, Obrigkeit«. Dies ist eine Bildung zu lat. *magister* »Vorsteher, Leiter; Lehrer«, aus dem unser Fremdwort **Magister** und unser Lehnwort ↑Meister stammen.

Magnat »einflussreiche Persönlichkeit«, insbesondere »Großgrundbesitzer, Großindustrieller«: Das seit dem 17. Jh. bezeugte Fremdwort ist aus mlat. *magnas, magnatis* (daneben: *magnatus*) »Größe, vornehmer Herr« entlehnt, das von lat. *magnus* »groß, stark; bedeutend, mächtig usw.« abgeleitet ist. – Zum Stamm von lat. *magnus*, das als Bestimmungswort in ↑Magnifizenz erscheint, stellen sich der Komparativ lat. *maior, maius* (< **mag-i̯o-s*) »größer, stärker, bedeutender usw.« (in den Fremdwörtern ↑Major, ↑Majorität und ↑Majestät), der Superlativ lat. *maximus* (< **mag-som-os*) »größter, mächtigster, bedeutendster usw.« (in den Fremdwörtern ↑Maxime, maximal), ferner das lat. Adverb *magis* »mehr, eher, vielmehr, in höherem Grade« mit dem dazugehörigen Substantiv lat. *magister* (< **mag-is-tero-s*) »Vorsteher, Leiter; Lehrer« (beachte dazu die Fremdwortgruppe um *Meister*). – Im außeritalischen Sprachbereich sind u. a. aind. *máhi* »groß« und griech. *mégas (megálē, méga)* »groß« verwandt (beachte die Vorsilben Mega... und Megalo... in fachsprachlichen Fremdwörtern wie ›Megahertz‹ und ›Megalomanie‹).

Magnesia, Magnesium ↑Magnet.

Magnet »Eisen- oder Stahlstück, das die Eigenschaft besitzt, Eisen (Kobalt und Nickel) anzuziehen und an sich haften zu lassen«: Das Wort wurde in mhd. Zeit (mhd. *magnēt[e]*) aus gleichbed. lat. *magnes* (Genitiv: *magnetis*) entlehnt. Dies stammt aus griech. *mágnēs* bzw. *magnē̃tis (líthos)* »Magnetstein«, eigentlich »Stein aus Magnesia«, wohl nach dem Namen einer Landschaft in Thessalien oder einer Stadt in Kleinasien, die im Altertum für das natürliche Vorkommen von Magnetsteinen bekannt gewesen sein musste. Beachte dazu auch griech. *magnēsíē (líthos)* »Magnetstein«, auf das über mlat. *magnesia* unser Fremdwort **Magnesia** »beim Verbrennen von Magnesium entstehendes weißliches Pulver« zurückgeht (so benannt nach der Ähnlichkeit in Form und Farbe mit dem Magnetstein oder nach der Beobachtung, dass das Pulver genauso an den Lippen hängen bleibt wie Eisen am Magnetstein). Dazu gebildet ist der Name des chemischen Elements **Magnesium**.

Magnifizenz: Das seit dem 16. Jh. bezeugte Fremdwort wurde zunächst (und bis ins 18. Jh.) in der Bedeutung »Großartigkeit, Erhabenheit« gebraucht, in welchem Sinne es aus lat. *magnificentia* (zu lat. *magnus* »groß; erhaben«, vgl. *Magnat,* und lat. *facere* »machen, tun, wirken«; vgl. *Fazit*) entlehnt ist. Im modernen Sprachgebrauch lebt das Wort als Titel und Anrede für Hochschulrektoren.

Magnolie: Die als Strauch oder Baum wachsende Zierpflanze mit großen, tulpenähnlichen Blüten ist eine nlat. Bildung (nlat. *Magnolia*) zum Namen des französischen Botanikers P. Magnol (1638–1715). Vorgeschlagen wurde die Benennung zu Ehren Magnols 1703 von dem französischen Botaniker Ch. Plumier.

Mahagoni: Die in dt. Texten seit dem 18. Jh. bezeugte Bezeichnung für das wertvolle Holz des Mahagonibaumes ist wohl ein karibisches Wort aus der Indianersprache Jamaikas. Eingeführt wurde ›Mahagoni‹ in die botanische Fachsprache von dem schwedischen Naturforscher Carl von Linné (1707–1778).

Mahd landsch. und dichterisch für »das Mähen; das Gemähte, Heu«, als Neutrum oberd., mdal. für »[Berg]wiese«: Das Substantiv (mhd. *māt,* ahd. *mād*), das als zweiter Bestandteil auch in ↑Grummet steckt, ist eine Bildung zu dem unter ↑mähen behandelten Verb. Im Engl. entspricht *math* in *aftermath* »Grummet«.

mähen: Das westgerm. Verb mhd. *mæjen,* ahd. *māen,* niederl. *maaien,* engl. *to mow* ist wahrscheinlich verwandt mit griech. *amáein* »schneiden; mähen; ernten«. Die weiteren Beziehungen sind unklar. Um das Verb gruppieren sich die Bildungen ↑Mahd »das Mähen; das Gemähte, Heu«, als Neutrum »Wiese« und ↑³Matte »[Berg]wiese«.

Mahl: Das der gehobenen Sprache angehörige Wort für »Essen« war ursprünglich identisch mit dem unter ↑¹Mal »Zeitpunkt« behandelten gemeingerm. Substantiv. Auch im Engl. (vgl. *meal*) und im Nord. (vgl. schwed. *mål*) entwickelte sich wie im Dt. aus der Bedeutung »Zeitpunkt, festgesetzte Zeit« die Bedeutung »Essenszeit, Essen«. Beachte auch, dass die seit dem 15. Jh. bezeugte Zusammensetzung **Mahlzeit** im Sinne von »Essen« gebraucht wird. Als Grundwort steckt ›Mahl‹ in mehreren Zusammensetzungen, beachte z. B. **Abendmahl** (↑Abend), **Gastmahl, Nachtmahl** österr. für »Abendbrot«, davon **nachtmahlen** österr. für »zu Abend essen«.

mahlen: Das gemeingerm. Verb mhd. *malen,* ahd. *malan,* got. *malan,* niederl. *malen,* schwed. *mala* geht mit verwandten Wörtern in den meisten anderen idg. Sprachen auf die Wurzel **[s]mel-* »zerreiben, zermalmen, mahlen« zurück, vgl. z. B. griech. *mýlē* »Mühle«, lat. *molere* »mahlen«, *mola* »Mühlstein, Mühle«, *molina* »[Wasser]mühle« (↑Mühle), *molinarius* »Müller« (↑Müller), *mollis* »weich, sanft, mild« (↑Moll), russ. *molot'* »mahlen«, *blin,* aruss. *mlinъ* »Fladen, Pfannkuchen«. Zu dieser vielfach weitergebildeten und erweiterten idg. Wurzel gehören aus dem germ. Sprachbereich die Sippen von ↑Mehl (eigentlich »Zerriebenes, Gemahlenes«), ↑Müll (eigentlich »Zerriebenes, Zerbröckeltes«), ↑malmen und von ↑schmelzen (s. d. über ›Schmalz‹ und ›Email[le]‹), ferner im Sinne von »zerrieben, gemahlen, fein, locker, weich« die unter ↑mollig, ↑mulmig und ↑mild[e] behandelten Wörter. Weiterhin gehören hierher die Maßbezeichnung ↑Malter (eigentlich »auf einmal gemahlene Menge Korn«), der Tiername ↑Milbe (eigentlich »Mehl machendes oder mahlendes Tier«), die Körperteilbezeichnung ↑Milz (eigentlich »die Weiche« oder »die Auflösende«) und das unter ↑Malz (eigentlich »Aufgeweichtes«) behandelte Wort. Siehe auch die Artikel *Mehltau* und *Maulwurf.*

Mähne: Das altgerm. Wort mhd. *man[e],* ahd. *mana,* niederl. *manen,* engl. *mane,* schwed. *man* beruht mit verwandten Wörtern in anderen idg. Sprachen auf idg. **mono-s* »Nacken« und air. *muin-* »Hals«. Das alte Wort für »Nacken, Hals«, vgl. z. B. aind. *mányā* »Nacken, Hals«, ging also im Germ. über auf das den Nacken oder den Tierhals bedeckende lange Haar. – Die nhd. Form ›Mähne‹ – gegenüber mhd. *man[e]* – hat sich in frühnhd. Zeit aus dem Plural *mene* entwickelt.

mahnen: Das westgerm. Verb mhd. *manen,* ahd. *manōn,* niederl. *manen,* aengl. *manian* gehört mit verwandten Wörtern in anderen idg. Sprachen zu der Wurzel **men[ə]-* »überlegen, denken, vorhaben, erregt sein, sich begeistern«. Vgl. dazu z. B. griech. *maínesthai* »aufgeregt sein, rasen, toben«, *manía* »Raserei, Wahnsinn« (↑Manie), *mnāsthai* »sich erinnern« (↑Amnestie, eigentlich »das Sich-nicht-Erinnern«), *autó-matos* »aus sich selber denkend und handelnd« (↑Automat), Méntōr (Eigenname, eigentlich »Denker«, ↑Mentor), lat. *mens* »Sinn, Verstand, Denken, Gedanke« (↑Mentalität; ↑Dementi, dementieren; ↑kommentieren, Kommentar), *monere* »[er]mahnen« (↑monieren und die Artikel ↑Monument, ↑Monstrum, ↑demonstrieren sowie das unter ↑Muster behandelte Lehnwort). Aus dem germ. Sprachbereich gehören hierher ferner die Sippen von ↑Minne (eigentlich »das Denken an etwas«) und ↑munter (ursprünglich »aufgeregt, lebhaft«). Um das Verb ›mahnen‹ gruppieren sich die Präfixbildungen **ermahnen** und **vermahnen** sowie **Mahnung** (mhd. *manunge* »Warnung, Aufforderung; rechtliche Forderung; Geldbuße«).

Mahnmal ↑²Mal.

Mahr: Der Ursprung der altgerm. Bezeichnung des bösen weiblichen Geistes, der nach dem Volksglauben das Albdrücken verursacht, ist nicht sicher geklärt. Mhd. *mar[e],* ahd. *mara,* niederl. (volksetymologisch umgestaltet) in *nacht-merrie,* engl. in *nightmare,* schwed. *mara* sind verwandt mit der slaw. Sippe von russ. *mora* in *kiki-*

M

mora »Nachtgespenst« und mit air. *mor-[r]-īgain* »Vampir, weiblicher Unhold« (eigentlich »Albkönigin«). Das den Kelten, Germanen und Slawen gemeinsame Wort gehört vielleicht im Sinne von »Zermalmerin« zu der unter ↑mürbe dargestellten Wurzel.

Mähre: Der verächtliche Ausdruck für »schlechtes Pferd« bedeutete früher »Stute«. Die abwertende Bedeutung kam im 17. Jh. auf und setzte sich dann durch. Mhd. *merhe,* ahd. *mer[i]ha* »Stute«, niederl. *merrie* »Stute«, engl. *mare* »Stute«, schwed. *märr* »Stute, Mähre« beruhen auf einer altgerm. Feminbildung zu einem den Germanen und Kelten gemeinsamen Wort für »Pferd«, das im Dt. noch in ↑Marschall und ↑Marstall bewahrt ist: mhd. *marc[h],* ahd. *marah,* aengl. *mearh,* aisl. *marr* »Pferd« und die kelt. Sippe von air. *marc* »Pferd«.

Mai: Der Monatsname (mhd. *meie,* ahd. *meio*) beruht mit roman. Entsprechungen wie it. *maggio* und frz. *mai* auf lat. *(mensis) Maius* »(Monat) Mai«. Der Monat heißt vermutlich nach einem altitalischen Gott Maius, der als Beschützer des Wachstums verehrt wurde. Dazu stellen sich **Maie** veraltend für »Maibaum; Birkengrün« und **maien** dichterisch für »Mai werden«.

Maid: Das heute veraltete, noch scherzhaft gebräuchliche Wort für »Mädchen« geht zurück auf mhd. *meit,* das durch Zusammenziehung aus mhd. *maget* »Mädchen, Jungfrau; Dienerin« entstanden ist (vgl. *Magd*).

M

Maie, maien ↑Mai.

Mail ↑E-Mail.

Mais: Der in dt. Texten seit dem 16. Jh. bezeugte Name der besonders in wärmeren Gebieten angebauten Getreidepflanze – in Süddeutschland vom Volksmund vielfach auch ›Welschkorn‹, ›türkischer Weizen‹ u. a. genannt – stammt aus Taino (Indianersprache der Karibik) *mays* »Mais«. Er wurde den europäischen Sprachen (z. B. frz. *maïs,* engl. *maize*) durch die Spanier (span. *maíz*) vermittelt.

Maisch, Maische »Gemisch aus pflanzlichen Bestandteilen, besonders bei der Bierherstellung«: Das westgerm. Wort mhd. *meisch,* mnd. *mēsch,* engl. *mash* gehört wahrscheinlich im Sinne von »feuchte, weiche Masse, Brei« zu der Wortgruppe von ↑Mist. Eng verwandt ist die slaw. Sippe von russ. *mezga* »weiche Teile von Rüben und Kartoffeln, Mus«.

Majestät »erhabene Größe, Herrlichkeit, Hoheit« (fast nur als Titel und Anrede für Kaiser und Könige): Das Substantiv (mhd. *majestāt*) geht auf lat. *maiestas (maiestatis)* »Größe, Hoheit, Erhabenheit, Majestät« zurück. Dies gehört zu lat. *maior, maius* »größer, bedeutender, erhabener«. Über weitere etymologische Zusammenhänge vgl. den Artikel *Magnat.* – Abl.: **majestätisch** »von erhabener Größe; hoheitsvoll« (16. Jh.).

Majonäse: Die Bezeichnung für eine pikante, aus Eigelb, Öl, Salz und Essig hergestellte Tunke wurde im 19. Jh. aus gleichbed. frz. *mayonnaise,* älter *mahonaise* entlehnt. Die weitere Herkunft des frz. Wortes ist unklar. Vielleicht gehört es zu frz. *mahonais* »aus Mahón« (Stadt auf der Insel Menorca).

Major: Die Offiziersrangbezeichnung wurde im 16. Jh. aus span. *mayor* »größer, höher; Vorsteher, Oberster; Hauptmann« entlehnt, das seinerseits auf lat. *maior* »größer, stärker; bedeutender usw.« beruht. Über weitere etymologische Zusammenhänge vgl. den Artikel *Magnat.*

Majoran: Der Name der zu den Lippenblütlern gehörenden Gewürz- und Heilpflanze (mhd. *meigramme, maiorān,* spätahd. *maiolan*) beruht wie z. B. auch entsprechend it. *maggiorana* und frz. *marjolaine* auf gleichbed. mlat. *majorana.* Dies geht – wohl unter volksetymologischer Anlehnung an lat. *maior* »größer« – auf lat. *amaracum* »Majoran« zurück, das seinerseits aus gleichbed. griech. *amárakon* (orientalisches Lehnwort) übernommen ist.

Majorität: Die Bezeichnung für »[Stimmen]mehrheit« wurde im 18. Jh. als parlamentarischer Terminus aus gleichbed. frz. *majorité* übernommen und nach dem vorausliegenden Substantiv mlat. *maioritas* relatinisiert. Dies gehört zu lat. *maior* »größer, stärker; bedeutender usw.« (vgl. den Artikel *Magnat*).

makaber »düster, grauenvoll, schaurig; mit Tod und Vergänglichkeit Scherz treibend«: Das Adjektiv wurde aus gleichbed. frz. *macabre* entlehnt. Dies ist eine Kürzung aus frz. *danse macabre* »(schauriger) Totentanz«, hervorgegangen aus *danse Macabré.* Die Deutung des Namens Macabré ist umstritten.

Makel »Schandfleck; Fehler«: Das seit mhd. Zeit zunächst auch in der konkreten Bedeutung »Fleck« bezeugte Substantiv (mhd. *makel*) ist aus lat. *macula* »Fleck, Mal; Schandfleck« entlehnt. – Dazu: **makellos** »ohne Fehl, ohne Tadel« (18. Jh.). Vgl. auch den Artikel *Makulatur.*

makeln »vermitteln, Vermittlergeschäfte machen«: Das aus dem Niederd.-(Niederl.) stammende Verb, das im 17. Jh. ins Hochd. übernommen wurde, ist eine Iterativbildung zu niederd.(-niederl.) *maken* »machen, tun, handeln«, dem hochd. ↑machen entspricht. Zur kaufmännischen Geltung des Verbs vgl. die Bedeutungsgeschichte von *handeln.* – Dazu stellt sich das Substantiv **Makler** »Vermittler« (17. Jh.; mnd. *makeler, mekeler,* mniederl. *makelare*). Die umgelautete Form **mäkeln** (mnd. *mekelen*), die früher gleichfalls im Sinne von »den Zwischenhändler machen, vermitteln« gebräuchlich war, entwickelte in Norddeutschland seit dem 18. Jh. die Bedeutung »etwas auszusetzen haben, tadeln, bemängeln«. Dieser Bedeutungswandel erklärt sich daraus, dass die Zwischenhändler häufig die Waren bemängelten, um den Preis zu drücken. Abl.: **mäklig** »wählerisch, herumnörgelnd«.

Make-up »Verschönerung [des Gesichts] mit kosmetischen Mitteln«: Das Fremdwort wurde im 20. Jh. aus gleichbed. engl. *make-up* entlehnt, das zu *to make up* »aufmachen, zurechtmachen« gehört und wörtlich »Aufmachung« bedeutet (zu engl. *to make* »machen« [identisch mit dt. ↑machen] und engl. *up* »auf« [identisch mit dt. ↑auf]).

Makkaroni: Die seit etwa 1800 bezeugte Bezeichnung der Röhrennudeln stammt aus dem It., und zwar aus einer Mundartform *maccarone* (Plural: *maccaroni*) von it. *maccherone (-oni)* »Röhrennudel«, älter auch »Kloß, Pfannkuchen«. – Auf die gleiche Quelle geht mit veränderter Bedeutung unser Wort **Makrone** »Gebäck aus Mandeln, Zucker und Eiweiß« zurück, das uns im 17. Jh. durch frz. *macaron* »Makrone« vermittelt wurde.

Makrele: Der seit dem 14. Jh. bezeugte Name des Speisefischs (mhd. *macrēl*) ist aus gleichbed. mniederl. *mak[e]reel* (= niederl. *makreel*) entlehnt. Der Name erscheint auch in anderen europäischen Sprachen (beachte z. B. frz. *maquereau*, engl. *mackerel*). Die Herkunft des Fischnamens ist nicht gesichert. Vielleicht hängt er mit mniederl. *makelare* »Vermittler« (↑makeln) zusammen. Nach dem Volksglauben folgt die Makrele dem Junghering und bringt die Weibchen mit den Männchen zusammen.

makro..., Makro..., (vor Vokalen meist:) makr..., Makr...: Das Bestimmungswort von Zusammensetzungen mit der Bedeutung »lang; groß«, wie in ›Makrokosmos‹, ›makroskopisch‹, ist entlehnt aus dem gleichbedeutenden griech. Adjektiv *makrós*, das urverwandt ist mit lat. *macer* »mager, dünn« und mit dt. ↑mager.

Makrone ↑Makkaroni.

Makulatur »beim Druck schadhaft gewordene und fehlerhafte Bogen, Fehldruck; Altpapier«, beachte auch die ugs. Wendung ›Makulatur reden‹ »Unsinn, dummes Zeug reden«: Das Wort der Druckersprache wurde Anfang des 16. Jh.s aus mlat. *maculatura* »beflecktes, schadhaftes Stück« entlehnt (zu lat. *maculare* »fleckig machen, besudeln« vgl. *Makel*).

[1]**Mal** »Zeitpunkt«: Das gemeingerm. Wort mhd., ahd. *māl*, got. *mēl*, älter engl. *meal*, schwed. *mål* gehört im Sinne von »Abgestecktes, Abgemessenes, Maß« zu der idg. Wurzel **mĕ[d]-* »wandern, [ab]schreiten; abstecken, messen«. Aus dem germ. Sprachbereich gehören ferner zu dieser Wurzel die Sippen von ↑messen, ↑Maß, ↑Muße und von ↑müssen (eigentlich »sich etwas zugemessen haben«). Außergerm. sind z. B. verwandt griech. *métron* »Maß« (↑Metrum und die Fremdwörtergruppe um *Meter*), lat. *metiri* »[ab]messen« (↑Dimension und ↑immens), *meditari* »[er]wägen, nachdenken« (↑meditieren), *medicus* »Arzt« (eigentlich »klug ermessender, weiser Ratgeber«, ↑Medizin), *modus* »Maß, Art und Weise« (s. die umfangreiche Fremdwörtergruppe um *Modus*). Eine alte Bildung zu der Wurzel **mĕ-* in der ursprünglichen Bedeutung »wandern« ist vermutlich das unter ↑Mond behandelte Wort, das demnach ursprünglich etwa »Wanderer (am Himmelszelt)« bedeutete. – Im heutigen Sprachgebrauch wird Mal gewöhnlich nur noch verwendet, um die Wiederholung einer gleichen Lage zu verschiedenen Zeitpunkten anzugeben und um die Multiplikation auszudrücken, beachte z. B. ›ein anderes Mal, manches Mal, mehrere Male‹, ferner **einmal** (s. d.), **manchmal, niemals** usw., beachte auch **malnehmen** »multiplizieren«. Mit ›Mal‹ »Zeitpunkt« war ursprünglich identisch das unter ↑Mahl »Essen« (eigentlich »Zeitpunkt, festgesetzte Zeit«) behandelte Wort, das heute orthographisch unterschieden wird. Siehe auch den Artikel [2]*Mal*.

[2]**Mal** »durch Verfärbung, Erhöhung oder Vertiefung sich abhebende Stelle, Zeichen, Markierung«: Mhd. *mail, meil*, ahd. *meil* »Fleck, Zeichen; Befleckung, Sünde, Schande«, got. *mail* »Runzel«, engl. *mole* »Leberfleck, Muttermal« gehören mit verwandten Wörtern in anderen idg. Sprachen zu der Wurzel **mei-* »sudeln, beschmieren« (vgl. z. B. griech. *miaínein* »besudeln, beflecken«, *miásma* »Befleckung«). Die nhd. Form ›Mal‹ entwickelte sich aus der Vermischung von mhd. *mail, meil* »Fleck, Zeichen; Befleckung, Sünde, Schande« mit mhd. *māl* »Zeit[punkt]; Mahlzeit« (vgl. [1]*Mal*) und mhd. *māl* »Zeichen, Fleck, Punkt, Markierung, Ziel« (vgl. *malen*). Das Wort spielt eine wichtige Rolle in der Zusammensetzung, beachte z. B. **Denkmal** (s. d.), **Mahnmal** (20. Jh.), **Merkmal** (17. Jh.), **Muttermal** (16. Jh.), **Wundmal** (16. Jh.).

Malaria »Sumpffieber, Wechselfieber«: Der Krankheitsname wurde im 19. Jh. aus gleichbed. it. *malaria* (< *mala aria* »schlechte Luft; Sumpfluft«) entlehnt. Vgl. den Artikel *maliziös*.

malen: Das auf den germ. Sprachbereich beschränkte Verb bedeutete ursprünglich »mit Zeichen versehen«. Mhd. *mālen*, ahd. *mālōn, -ēn* »mit Zeichen versehen; markieren; verzieren, schmücken; schminken; sticken; in Farben darstellen; schreiben, verzeichnen«, got. *mēljan* »schreiben«, aisl. *mǣla* »färben, malen« sind Ableitungen von dem gemeingerm. Substantiv **mēla-* »Zeichen, Fleck«: mhd. *māl*, ahd. *māl[i]*, got. *mēl*, aengl. *mǣl*, aisl. *māl* (vgl. [2]*Mal*). Dieses Substantiv gehört mit verwandten Wörtern in anderen idg. Sprachen zu der Wurzel **mel-* »[ver]schmieren, verputzen, tünchen, färben«, vgl. z. B. griech. *mélās* »schwarz«, *molýnein* »besudeln« und die balt. Sippe von lit. *mólis* »Lehm«. – Abl.: **Maler** (mhd. *mālǣre*, ahd. *mālari*); **Malerei** (16. Jh.); **malerisch** (17. Jh.); **Gemälde** (s. d.).

Malheur »Missgeschick, Unglück«: Das Fremdwort wurde im 18. Jh. aus gleichbed. frz. *malheur* entlehnt. Grundwort ist (wie in frz. *bonheur* »Glück«) frz. *heur* (afrz. *eür*) »glücklicher Zufall«, das auf vlat. *agurium* (< lat. *augurium*) »Vorzeichen, Wahrzeichen« zurückgeht. Bestimmungswort ist frz. *mal* »schlecht«, das auf lat. *malus* »schlecht, übel« zurückgeht (vgl. den Artikel *maliziös*).

maliziös »boshaft, hämisch«: Das Adjektiv wurde Ende des 17. Jh.s aus gleichbed. frz. *malicieux* entlehnt, das auf lat. *malitiosus* »schurkig, hinterlistig« zurückgeht (zu lat. *malitia* »schlechte Beschaffenheit; Schlechtigkeit, Arglist usw.«). Stammwort ist das lat. Adjektiv *malus* »schlecht; übel, böse, bösartig«, das auch in den Fremdwörtern ↑Malheur, ↑malträtieren und ↑Malaria steckt.

malmen: Das erst seit dem 16. Jh. bezeugte, zunächst mitteld. Verb gehört zu der Wortgruppe von ↑mahlen und ist eng verwandt mit den unter ↑mulmig behandelten Wörtern (vgl. mhd. *malm* »Staub«, got. *malma* »Sand« usw.). Gebräuchlicher als das einfache Verb ist **zermalmen** (16. Jh.).

Maloche: Der ugs. Ausdruck für »[schwere] Arbeit ist aus gleichbed. jidd. *melocho* entlehnt, das auf hebr. *mĕlāḵā̧* »Arbeit« zurückgeht. – Abl.: **malochen** »schwer arbeiten«.

Malter: Der Name des heute nicht mehr gebräuchlichen Raum- und Massenmaßes (mhd. *malter,* ahd. *maltar* »Getreidemaß«) gehört zu der unter ↑mahlen dargestellten Wortgruppe und bedeutete ursprünglich »auf einmal gemahlene Menge Korn«.

malträtieren »misshandeln, übel zurichten«: Das Verb wurde Ende des 18. Jh.s aus gleichbed. frz. *maltraiter* entlehnt, einer Bildung aus frz. *mal* »schlecht, übel« (vgl. *maliziös*) und frz. *traiter* »behandeln« (vgl. *traktieren*).

Malve: Der seit dem 16. Jh. bezeugte Name der im Volksmund ›Käsekraut‹ und ›Käsepappel‹ genannten Heil- und Zierpflanze ist aus it. *malva* entlehnt, das auf lat. *malva* zurückgeht. Dies stammt mit gleichbed. griech. *maláchē (moláchē)* aus einer Mittelmeersprache. – Früher bezeugt sind entsprechend frz. *mauve* und engl. *mallow* (aengl. *mealwe*), die unmittelbar auf lat. *malva* zurückgehen.

Malz »angekeimtes Getreide«: Das altgerm. Wort mhd., ahd. *malz,* niederl. *mout,* engl. *malt,* schwed. *malt* bedeutet eigentlich »Aufgeweichtes, weiche Masse«. Es gehört mit dem im Nhd. untergegangenen altgerm. Adjektiv mhd., ahd. *malz* »hinschmelzend, weich, kraftlos« zu der Sippe von ↑schmelzen (vgl. z. B. aengl. *meltan* »schmelzen, auflösen, verdauen«). Über die weiteren Zusammenhänge s. den Artikel *mahlen.*

Mama: Die familiäre Bezeichnung für »Mutter« wurde im 17. Jh. aus gleichbed. frz. *maman* entlehnt. Das Wort entstammt der kindlichen Lallsprache und ist elementarverwandt z. B. mit lat. *mamma* »Mutterbrust; Amme; [Groß]mutter« und griech. *mámma* »Mutter[brust]«, ferner mit mhd. *memme, mamme* »Mutterbrust; Mutter«. Letzteres lebt einerseits fort in der landsch. Bezeichnung ›Mamme‹ »Mutter«, andererseits in dem Schimpfwort ↑Memme. – Siehe auch den Artikel *Mutter.*

Mambo: Der Name des im 20. Jh. aufgekommenen Tanzes im $^4/_4$-Takt mit schnellen Schritten und ruckartigen Hüftbewegungen stammt aus dem Kreol. Haitis.

Mammon (abschätzig oder scherzhaft für:) »Reichtum, Geld«: Das seit etwa 1600 in dt. Texten bezeugte, durch die Bibelübersetzung Luthers bekannt gewordene Wort geht über kirchenlat. *mammona[s]* und griech. *mamōnā[s]* auf aram. *mạmônạ* »Besitz, Habe« zurück.

Mammut: Der in dt. Texten seit dem 18. Jh. bezeugte Name des ausgestorbenen Riesenelefanten ist durch Vermittlung von frz. *mammouth* aus russ. *mamont* entlehnt. In übertragenem Sinne erscheint ›Mammut‹ in Zusammensetzungen wie ›Mammutunternehmen, Mammutprogramm‹ zur Bezeichnung einer Sache von großen, riesenhaften Ausmaßen.

man: Das unbestimmte Pronomen der 3. Person (mhd., ahd. *man*) hat sich aus dem Nominativ Singular des unter ↑Mann behandelten Substantivs entwickelt (beachte die entsprechende Entwicklung von frz. *on* »man« – neben *homme* »Mann, Mensch« – aus lat. *homo* »Mann, Mensch«). Es bedeutete zunächst »irgendein Mensch«, dann »jeder beliebige Mensch« und umfasst heute singularische und pluralische Vorstellungen. – Damit nicht identisch ist ›man‹ nordd. ugs. für »nur«, beachte z. B. ›lass [es] man gut sein‹. Dieses ›man‹ geht zurück auf mnd. *man* »nur«, das sich aus *newan* »nur, ausgenommen« entwickelt hat.

Manager: Die Bezeichnung für »Leiter [eines großen Unternehmens]; Betreuer eines Berufssportlers, Filmstars usw.« wurde Ende des 19. Jh.s aus dem Amerik. übernommen. Das engl.-amerik. Substantiv *manager* »Geschäftsführer, Leiter, Betreuer usw.« ist eine Bildung zu dem engl. Verb *to manage* »handhaben, bewerkstelligen, deichseln; leiten, führen«, das auf it. *maneggiare* »handhaben, bewerkstelligen« zurückgeht (s. auch *Manege*). Stammwort ist lat. *manus* »Hand« (vgl. *manuell*) bzw. das daraus hervorgegangene it. *mano* »Hand«. – Nach ›Manager‹ wurden aus dem Amerik. auch das Verb **managen** »geschickt bewerkstelligen, zustande bringen; einen Künstler, Berufssportler o. Ä. betreuen« (engl. *to manage*) und das Substantiv **Management** »Leitung, Führung von Großunternehmen o. Ä.« (engl.-amerik. *management*) entlehnt.

manch[er]: Das allein stehend und attributiv gebrauchte Indefinitivpronomen, das zur Angabe einer unbestimmten Anzahl aus einer größeren Menge dient, hat sich in mhd. Zeit aus dem Adjektiv *manec (-ig)* »viel« entwickelt. Die ältere Lautung – im Gegensatz zu dem im Auslaut entwickelten -ch – bewahren die Zusammensetzungen **mannigfach** und **mannigfaltig.** Die ursprüngliche Bedeutung »viel« ist in der Bildung ↑Menge »Vielheit, Masse, Fülle« erhalten. Das gemeingerm. Adjektiv mhd. *manec,* ahd. *manag,* got. *managș,* engl. *many,* schwed. *mången* ist eng verwandt mit der kelt. Sippe von air. *menicc* »reichlich, häufig, oft« und mit der slaw. Sippe von russ. *mnogo* »viel«.

manchmal ↑[1]Mal.

Mandarine: Der Name der apfelsinenähnlichen Zitrusfrucht wurde im 19. Jh. aus frz. *mandarine* entlehnt, das seinerseits aus span. *(naranja) mandarina,* eigentlich wohl »Mandarinenorange« (zu ›Mandarin‹, der europäischen Bezeichnung hoher chinesischer Staatsbeamter), stammt. Die Benennung bezieht sich wohl darauf, dass die Mandarine als eine besonders auserlesene Apfelsinenart gilt und ihre gelbe Farbe der Farbe der Staatstracht des chinesischen Mandarins gleicht.

Mandat »Auftrag, [Vertretungs]vollmacht; Amt eines [gewählten] Abgeordneten«: Das Wort wurde in der Kanzleisprache des 14. Jh.s aus lat. *mandatum* »Auftrag, Weisung« entlehnt, dem substantivierten Part. Perf. von lat. *mandare* »übergeben, anvertrauen; beauftragen«. Aus dessen Part. Präs., lat. *mandans,* stammt das jüngere Fremdwort **Mandant** »Auftrag-, Vollmachtgeber (besonders eines Rechtsanwaltes)«. – Lat. *mandare* ist wohl eine Bildung aus lat. *manus* »Hand« (vgl. *manuell*) und lat. *dare* »geben« (vgl. *Datum*) und bedeutet dann eigentlich »in die Hand geben«. Dazu gehört lat. *com-mendare* »anvertrauen, übergeben; Weisung geben«, das Ausgangspunkt für die Fremdwörter ↑kommandieren, Kommandant, Kommando und ↑Kommodore ist.

Mandel: Der Name für die Früchte des zu den Rosengewächsen gehörenden Mandelbaumes (mhd. *mandel,* ahd. *mandala*) beruht auf einer Entlehnung aus spätlat. *amandula* (neben *amyndala*) »Mandel«, einer volkstümlich umgestalteten Nebenform von lat. *amygdala* (vlat. auch: *amiddula*) »Mandel, Mandelbaum«. Das lat. Wort seinerseits stammt aus gleichbed. griech. *amygdálē,* dessen weitere Herkunft dunkel ist.

Mandel »Gruppe von 15 aufgestellten Getreidegarben; Anzahl von 15 oder 16 Stück«: Das seit dem 15. Jh. bezeugte Wort ist entlehnt aus mlat. *mandala* »Bündel, Garbe«, das wohl im Sinne von »Hand voll« zu lat. *manus* »Hand« gehört (vgl. *manuell*). Es bezeichnete zunächst eine Anzahl von (gewöhnlich 15) zusammengestellten Garben. Aus diesem Wortgebrauch entwickelte sich die Bedeutung »Anzahl von 15 oder 16 Stück«. Heute ist ›Mandel‹ im Wesentlichen nur noch landschaftlich als Stückmaß (für Eier) gebräuchlich.

Mandoline: Der seit dem 18. Jh. bezeugte Name des lautenähnlichen viersaitigen Zupfinstrumentes mit stark gewölbtem Schallkörper ist aus frz. *mandoline* entlehnt, das seinerseits aus gleichbed. it. *mandolino* übernommen ist. Dies ist eine Verkleinerungsbildung zu it. *mandola* (älter: *mandora*) »Zupfinstrument« (eine Oktave tiefer als die Mandoline), das wohl aus gleichbed. it. *pandora* umgestaltet ist. Voraus liegt wahrscheinlich griech.-lat. *pandūra* »dreisaitiges Musikinstrument«.

Manege: Die Bezeichnung für die runde Fläche für Darbietungen oder Reitbahn im Zirkus wurde im 18. Jh. aus frz. *manège* »das Zureiten, die Reitschule; die Reitbahn« übernommen, aber erst im 19 Jh. eingebürgert. Das frz. Wort stammt selbst aus it. *maneggio* »Handhabung; Schulreiten; Reitbahn«, das von it. *maneggiare* »handhaben« abgeleitet ist (vgl. *Manager*).

Mangan: Der seit dem 18. Jh. bezeugte Name des chemischen Elements ist gekürzt aus älterem ›Manganesium‹, das aus frz. *manganèse* »schwarze Magnesia« entlehnt ist. Dies stammt aus gleichbed. it. *manganese,* einer entstellten Nebenform von it. *magnesia* (< mlat. *magnesia;* vgl. *Magnet*).

[1]**Mangel** »Glättrolle für Wäsche«, dafür mdal. auch noch die Form **Mange:** Das seit mhd. Zeit als *mange* bezeugte Substantiv bezeichnete ursprünglich nur eine Steinschleudermaschine. Die seit dem 14. Jh. bezeugte Verwendung des Wortes für »Glättrolle« geht wohl von der Ähnlichkeit mit den Steinkästen der Steinschleudermaschine aus. Mhd. *mangel* ist aus mlat. *manga, mangana, manganum* entlehnt, das auf griech. *mágganon* »Achse im Flaschenzug; eiserner Pflock, Bolzen; Schleudermaschine« zurückgeht. Die weitere Herkunft des griech. Wortes ist unklar. – Abl.: [1]**mangeln** »Wäsche auf der Mangel glätten« (mhd. *mangen,* in dieser Form heute noch mdal. gebräuchlich).

Mangel

jmdn. durch die Mangel drehen
(ugs.) »jmdm. sehr zusetzen«
In dieser und in der folgenden Wendung ist die Wäschemangel gemeint, in der die feuchten Wäschestücke unter großem Druck geglättet werden. Die Übertragung auf den Menschen will ausdrücken, dass man sehr großen Druck auf ihn ausübt, ihn auspresst, z. B. in einem Verhör.

jmdn. in die Mangel nehmen
(ugs.) »jmdm. sehr zusetzen«
Vgl. die vorangehende Wendung.

[2]**Mangel** ↑[2]mangeln.

[1]**mangeln** ↑[1]Mangel.

[2]**mangeln** »fehlen; entbehren«: Die Herkunft des Verbs (mhd. *mang[e]len,* ahd. *mangolōn*), das im germ. Sprachbereich keine Entsprechungen hat, ist unklar. Sowohl das einfache Verb als auch die

M

Präfixbildung **ermangeln** (17. Jh.) sind heute wenig gebräuchlich. – Abl.: [2]**Mangel** »Fehlen; ungenügender Vorrat; Fehler« (mhd. *mangel*), dazu **mangelhaft** (15. Jh.) und **bemängeln** (19. Jh.).

Mangold: Der seit dem 13. Jh. bezeugte Name der Nutzpflanze, aus deren Blättern und Stielen ein spinatähnliches Gemüse bereitet wird, ist dunklen Ursprungs.

Manie »Besessenheit, Leidenschaft; krankhaft übersteigerte Neigung«, auch als Grundwort von Zusammensetzungen wie ↑Kleptomanie: Das Fremdwort wurde im 18. Jh. als medizinisches Fachwort aus griech.-lat. *manía* »Raserei, Wahnsinn« entlehnt, das zu griech. *maínesthai* (< **mán-i̯esthai*) »rasen, toben, von Sinnen sein, verzückt sein« gehört. – Griech. *maínesthai* stellt sich schwundstufig zu der unter ↑mahnen dargestellten reich entwickelten Wortsippe der idg. Wurzel **men-* »denken; geistig erregt sein«. Aus dem Griech. gehören hierzu u. a. noch das Verb *mnāsthai* »sich erinnern« (↑Amnestie), ferner das Grundwort von griech. *autómaton* »aus eigenem Antrieb« (↑Automat, automatisch, automatisieren) und der griech. Eigenname Méntōr (eigentlich »Denker«; ↑Mentor).

Manier »Art und Weise, Eigenart« (nur Singular), der Plural **Manieren** ist im Sinne von »Umgangsformen« gebräuchlich: Das Substantiv wurde in mhd. Zeit (mhd. *maniere*) aus afrz. *manière* »Art und Weise, Gewohnheit; Benehmen« entlehnt, das von dem afrz. Adjektiv *manier (-ière)* »zur Hand; anstellig, geschickt, gewandt; gewohnt« abgeleitet ist. Stammwort ist lat. *manus* »Hand« (vgl. *manuell*), auf das frz. *main* »Hand« zurückgeht, beachte ugs. ›aus der Lamäng‹ »unvorbereitet, mit Leichtigkeit« (< frz. *la main*, eigentlich also »aus der Hand«). – Abl.: **manierlich** »gesittet, wohlerzogen; anständig« (um 1500); **manieriert** »gekünstelt, unnatürlich« (18. Jh.; nach gleichbed. frz. *maniéré*).

M

Manifest »Grundsatzerklärung, Programm einer Partei, Kunstrichtung o. Ä.«: Das Fremdwort wurde im 17. Jh. aus gleichbed. mlat. *manifestum*, dem substantivierten Neutrum des lat. Adjektivs *manifestus* »handgreiflich; offenbar, offenkundig« entlehnt. Dessen Bestimmungswort ist lat. *manus* »Hand« (vgl. *manuell*); der zweite Wortbestandteil ist unklar.

Maniküre: Das Fremdwort für »Hand-, Nagelpflege« und »weibliche Person, die die Hand-, Nagelpflege ausübt« wurde im 20. Jh. aus gleichbed. frz. *manicure, manucure* entlehnt. Dies gehört zu lat. *manus* (> frz. *main*) »Hand« (vgl. *manuell*) und lat. *cura* (> frz. *cure*) »Sorge; Pflege« (vgl. *Kur*). – Abl.: **maniküren** »die Hände, insbesondere die Fingernägel, durch Schönheitsmittel pflegen« (20. Jh.).

Manipulation »geschickte Handhabung, Handgriff, Kunstgriff; Machenschaft«: Das Fremdwort wurde Ende des 18. Jh.s – zuerst als Bezeichnung eines Heilverfahrens – aus gleichbed. frz. *manipulation* entlehnt. Dies ist eine Bildung zu frz. *manipule* »eine Hand voll« (< lat. *manipulus*), bezeichnete also zunächst eine Handhabung oder Behandlung mit einer Hand voll Kräuter oder Substanzen. Das Gleiche gilt von frz. *manipuler* »handhaben«, aus dem unser Verb **manipulieren** »handhaben, geschickt zu Werke gehen; durch bewusste Beeinflussung in eine bestimmte Richtung lenken« im 18. Jh. übernommen wurde.

Manko »Fehlbetrag; Ausfall; Mangel«: Das seit dem 19. Jh. bezeugte, aus der Kaufmannssprache stammende Substantiv, das für älteres ›Amanco‹ (18. Jh.) steht, geht auf it. *manco* »Mangel, Fehlbetrag« (bzw. älter it. *a manco* »im Ausfall, im Defizit«) zurück. Zugrunde liegt das lat. Adjektiv *mancus* »verstümmelt; unvollständig«.

Mann: Das gemeingerm. Wort mhd., ahd. *man*, got. *manna*, engl. *man*, schwed. *man* geht mit verwandten Wörtern in anderen idg. Sprachen auf **manu-* oder **monu-* »Mensch, Mann« zurück, vgl. z. B. aind. *mánu-ḥ* »Mensch, Mann«, Manuṣ »Stammvater der Menschheit«. Welche Vorstellung dieser Benennung des Menschen zugrunde liegt, ist nicht sicher zu klären. Vielleicht handelt es sich bei dem Wort um eine Bildung zu der unter ↑mahnen dargestellten idg. Verbalwurzel **men[ə]-* »überlegen, denken«. Dann wäre der Mensch als »Denkender« benannt worden (vgl. aind. *mánu-ḥ* »denkend, klug«). – Im heutigen Sprachgebrauch wird das Wort ›Mann‹ in der umfassenden Bedeutung »Mensch« hauptsächlich nur noch in bestimmten Formeln verwendet, beachte z. B. ›mit Mann und Maus‹ und ›etwas an den Mann bringen‹. Diese umfassende Bedeutung bewahrt auch das unbestimmte Pronomen ↑man (beachte auch ›jemand, niemand, jedermann‹). Sonst wird ›Mann‹ im Sinne von »Mensch männlichen Geschlechts« (im Gegensatz zu Frau), »erwachsener Mensch männlichen Geschlechts« (im Gegensatz zu Kind, Junge) und »Ehegatte« verwendet. – Neben dem allgemein üblichen Plural ›Männer‹ ist dichterisch auch die Form **Mannen** gebräuchlich, allerdings in der speziellen Bedeutung »Dienstleute, Lehnsleute, Kampfgenossen«. Als Koseform zu ›Mann‹ dient **Männe.** Eine alte Ableitung von dem gemeingerm. Substantiv ist das unter ↑Mensch behandelte Wort. Das in mhd. Zeit abgeleitete Verb ›mannen‹ »zum Mann werden, sich als Mann zeigen; sich aufraffen; heiraten; bemannen« ist heute veraltet. Gebräuchlich sind stattdessen die Präfixbildungen **bemannen** (mhd. *bemannen* »mit einer Mannschaft besetzen«), **entmannen** »zeugungsunfähig machen« (17. Jh.; schon mhd. *entmannen* »der Mannschaft berauben«), **ermannen, sich** »sich aufraffen« (mhd. *ermannen* »Mut fassen«) und die Zusammensetzung **übermannen** »überwältigen« (16. Jh.). – Abl.: **mannbar** »zeugungsfähig, erwachsen« (mhd. *manbære* »für einen Mann geeignet, heiratsfähig«, von Mädchen); **mannhaft** (mhd. *manhaft* »mutig, tapfer«); **Mannheit** (mhd. *manheit* »Männlichkeit; Tapferkeit; Mannesalter«); **männlich** (mhd. *manlich,* ahd. *manlīch* »dem Mann angemessen; tapfer, mutig«); **Mannschaft** »Gruppe von Spielern, kleine Einheit von Soldaten, Besatzung« (mhd. *manschaft* »Lehnsleute; Dienstleute; Lehnspflicht; Lehnseid«). Zus.: **Mannsbild** emotional für »Mann« (aus mhd. *mannes bilde* »Gestalt eines Mannes«, dann »Mannsperson«; ↑Bild); **mannstoll,** daneben auch **männertoll** »nymphoman« (18. Jh.); **Mannweib** (17. Jh.; Lehnübersetzung von griech. *andrógynos* »Zwitter«; seit dem 18. Jh. in der Bedeutung »männlich wirkende Frau«). Als Grundwort steckt ›Mann‹ in zahlreichen Zusammensetzungen, beachte z. B. ›Bergmann, Biedermann, Edelmann, Kaufmann, Landsmann, Steuermann, Tormann, Zimmermann‹. Siehe auch den Artikel *Mannequin.*

Mann

mit Mann und Maus untergehen
»untergehen, ohne dass einer gerettet wird«
Die stabreimende Formel verbindet das Wichtigste (die Menschen) und das Geringste (die Mäuse) an Bord eines Schiffes; damit macht diese Wendung bildhaft deutlich, dass bei einem Schiffsuntergang die Gesamtheit der Lebewesen untergeht.

Mannequin: Das seit dem 18. Jh. bezeugte Fremdwort war wie frz. *mannequin,* aus dem es entlehnt ist, zunächst nur im Bereich der bildenden Künste in der Bedeutung »Modellpuppe, Gliederpuppe« gebräuchlich. Über »Schneiderpuppe« und »Schaufensterpuppe« entwickelte das frz. Wort (in der Fügung *mannequin vivant* »lebende Puppe«) im Bereich des Schneiderhandwerks und der Haute Couture die Bedeutung »weibliche Person, die die neuesten Modeschöpfungen präsentiert, Vorführdame«. – Frz. *mannequin* stammt aus mniederl. *mannekijn* »Männchen«, einer Verkleinerungsbildung zu mniederl. *man* (= dt. ↑Mann).

mannhaft, Mannheit, männlich ↑Mann.

mannigfach, mannigfaltig ↑manch[er].

Mannsbild ↑Bild.

Mannschaft, mannstoll, Mannweib ↑Mann.

Manöver: Das Fremdwort wurde im 18. Jh. als militärischer Terminus zur Bezeichnung von Bewegungen militärischer Verbände, von Truppen- und Flottenübungen aus gleichbed. frz. *manœuvre* entlehnt. In übertragenem Gebrauch wird ›Manöver‹ auch im Sinne von »Kunstgriff, Kniff, Scheinmaßnahme« verwendet. – Frz. *manœuvre* bedeutet wörtlich »Handarbeit; Handhabung«. Es geht auf vlat. *manuopera* »Handarbeit« zurück (zu lat. *manu operari* »mit der Hand arbeiten«). Bestimmungswort ist lat. *manus* »Hand« (vgl. *manuell*), Grundwort lat. *opera* »Arbeit, Tätigkeit«, *operari* »tätig werden« (vgl. *operieren*).

Mansarde »Dachgeschoss; Dachzimmer«: Das Fremdwort wurde im 18. Jh. aus gleichbed. frz. *mansarde* entlehnt. Frz. *mansarde,* das aus Wendungen wie *comble à la Mansarde* »Dachstuhl à la Mansarde« hervorgegangen ist, gehört zu dem Namen des französischen Architekten Jules Hardouin-Mansart (1646–1708), der diese Dachbauweise häufig anwandte.

Mansch, manschen ↑Matsch.

Manschette »[steifer] Ärmelaufschlag, Ärmelstulpe«, auch im Sinne von »Papierkrause für Blumentöpfe« und als Bezeichnung eines »Würgegriffs« beim Ringen gebraucht: Das seit dem Ende des 17. Jh.s bezeugte Fremdwort bezeichnete ursprünglich die zu jener Zeit modischen, lang überfallenden Handkrausen aus Spitzen. Das Wort ist aus frz. *manchette* »Handkrause« (eigentlich »Ärmelchen«) entlehnt, einer Verkleinerungsbildung zu frz. *manche* »Ärmel«, das auf lat. *manica* »Ärmel« zurückgeht. Stammwort ist lat. *manus* »Hand« (vgl. *manuell*).

Manschette

[vor jmdm., vor etwas] Manschetten haben
(ugs.) »[vor jmdm., vor etwas] Angst haben«
Im 18. Jh. wurden große, überfallende Manschetten in der Herrenbekleidung Mode, die dem Träger beim Gebrauch seines Degens hinderlich waren. Die Wendung meinte wohl ursprünglich, dass jemand, der solche Manschetten trägt, modische Kleidung der Kampfbereitschaft überordne, also ein Schwächling und Feigling sei.

Mantel: Die Bezeichnung des Kleidungsstückes (mhd. *mantel,* ahd. *mantal*) ist aus lat. *mantellum* »Hülle, Decke« (bzw. gleichbed. vlat. **mantulum*) entlehnt, dessen weitere Herkunft dunkel ist. – Im modernen Sprachgebrauch wird ›Mantel‹ vielfach auch übertragen gebraucht, so z. B. als »Hülle von Hohlkörpern«, als »Blechmantel (bei Geschossen)«, ferner in der Stereometrie zur Bezeichnung der nicht zu den Grundflächen gehörenden Oberflächenteile eines Körpers. Zu ›Mantel‹ stellen sich die Zusammensetzung **Deckmantel** »zur Verschleierung der Wahrheit Vorgeschobenes« (mhd. *decke-mantel*) und das seit dem 16. Jh. bezeugte Präfixverb **bemänteln** »verbergen, vertuschen, beschönigen«.

manuell »mit der Hand, Hand..., handarbeitlich«: Das Adjektiv wurde im 20. Jh. aus gleichbed. frz. *manuel* übernommen, das auf lat. *manualis* »zur Hand gehörig, Hand...« zurückgeht. Das Stammwort, lat. *manus* »Hand«, das außerlat. Verwandte in den unter ↑Vormund genannten Wörtern (ahd. *munt* »Schutz, Schirm«, aisl. *mund* »Hand«) hat, ist auch sonst mit zahlreichen Ableitungen und Zusammensetzungen in unserem Wortschatz vertreten. Vgl. hierzu im Einzelnen die Artikel: ↑Manufaktur, ↑Maniküre, maniküren, ↑Manuskript, ↑Manipulation, manipulieren, ↑Manöver, ↑Mandat, Mandant, ↑kommandieren, Kommandant, Kommandeur, Kommando, ↑Kommodore, ↑emanzipiert, emanzipieren, Emanzipation, ↑Manifest, ↑Manier, Manieren, manierlich, manieriert, ↑Manschette, ↑Manege und ↑Manager, managen, Management.

Manufaktur: Die seit dem 17. Jh. bezeugte Bezeichnung für in Handarbeit hergestellte gewerbliche Erzeugnisse (z. B. Web-, Strick- und Tonwaren) und den [Groß]betrieb, in dem Waren in großer Zahl produziert werden, stammt aus gleichbed. frz. bzw. engl. *manufacture*. Quelle ist mlat. *manufactura* »mit der Hand ausgeführte Arbeit«. Dies gehört zu lat. *manus* »Hand« (vgl. *manuell*) und lat. *factura* »das Machen, die Herstellung« (lat. *facere* »machen«; vgl. *Fazit*).

Manuskript: Die Bezeichnung für »hand- oder maschinenschriftliche Ausarbeitung; Druckvorlage« wurde im 17. Jh. aus mlat. *manuscriptum* »mit der Hand Geschriebenes« entlehnt. Dies gehört zu lat. *manus* »Hand« (vgl. *manuell*) und lat. *scribere (scripsi, scriptum)* »schreiben« (vgl. das Lehnwort *schreiben*).

Mappe: Quelle des seit dem 15. Jh. bezeugten Wortes ist lat. *mappa* »Vortuch, Serviette; Tuch«, das im Mlat. in der Fügung *mappa mundi* die Bedeutung »Weltkarte, Landkarte« (eigentlich »Tuch aus Leinwand mit einer kartographischen Darstellung der Erdteile«) entwickelte. In dieser Bedeutung wurde das Wort ins Dt. übernommen. Die sich daran anschließende Verwendung im Sinne von »Umschlag[stuch] für Landkarten« vermittelte die im 18. Jh. aufgekommene, heute allein gültige Bedeutung des Wortes »flache Tasche, aus zwei aufklappbaren Deckeln bestehende Hülle für Schriftstücke o. Ä.«.

Mär ↑Märchen.

Marabu: Der Name des tropischen Storchenvogels, in dt. Texten seit dem 19. Jh. bezeugt, ist aus frz. *marabout* entlehnt. Das Wort ist identisch mit frz. *marabout* »muslimischer Einsiedler, Asket«. Die Übertragung auf den Vogelnamen spielt auf das ungewöhnlich würdevolle Wesen an, das der Marabu zur Schau trägt. – Das frz. Wort seinerseits stammt aus port. *marabuto*, das aus arab. *murābiṭ* »muslimischer Einsiedler, Asket« entlehnt ist.

Maräne ↑Plötze.

Märchen »Erzählung (ohne Bindung an historische Personen oder an bestimmte Örtlichkeiten), fantastische Dichtung; erfundene Geschichte«: Das seit dem 15. Jh. bezeugte Wort ist eine Verkleinerungsbildung zu dem heute veralteten Substantiv **Mär[e]** »Nachricht, Kunde, Erzählung«. Bis ins 19. Jh. war die aus dem Mitteld. stammende Verkleinerungsbildung, die das oberd. *Märlein* verdrängt hat, im Sinne von »Nachricht, Gerücht, kleine [unglaubhafte] Erzählung« gebräuchlich. Das Grundwort Mär[e] (mhd. *mære*, ahd. *māri*) ist eine Bildung zu dem im Nhd. untergegangenen gemeingerm. Verb mhd. *mæren*, ahd. *māren* »verkünden, rühmen usw.«, das von einem alten Adjektiv für »groß, bedeutend, berühmt« abgeleitet ist. Dieses Adjektiv, das im germ. Sprachbereich nur noch als zweiter Bestandteil in Personennamen bewahrt ist (beachte z. B. Dietmar, Reinmar, Volkmar), ist z. B. verwandt mit air. *mār* »groß« und griech. *-mōros* »groß, bedeutend«. Zugrunde liegt die idg. Wurzel **mē-, mō-* »groß, ansehnlich«, zu der auch die unter ↑mehr und ↑meist behandelten Formen gehören.

Marder: Die Herkunft des germ. Tiernamens (mhd. *marder*, ahd. *mard[ar]*, aengl. *mearđ*, schwed. *mård*) ist unklar. Falls das kleine Raubtier nach seiner Mordlust und seinem Blutdurst benannt worden ist, könnte der Name zu der Wortgruppe von ↑Mord gehören. Der Tiername wird auch übertragen gebraucht, beachte z. B. die Zusammensetzungen ›Automarder‹ und ›Briefmarder‹.

Märe ↑Märchen.

Margarine »der Butter ähnliches Speisefett (aus tierischen und pflanzlichen oder rein pflanzlichen Fetten)«: Das Substantiv wurde im 19. Jh. aus gleichbed. frz. *margarine* entlehnt. Dies ist eine gelehrte Bildung des französischen Chemikers Eugène Chevreul (1786–1889) zu frz. *acide margarique* »perlfarbene Säure«, dem von griech. *márgaron* »Perle« abgeleiteten Namen einer Säure, die angeblich in der Zusammensetzung der Margarine eine Rolle spielt, und der Endung *-ine* aus frz. *glycérine* »Glyzerin«. – Über griech. *márgaron* vgl. *Margerite*.

Margerite: Der Name der in den Mundarten mit zahlreichen Synonymen – wie ›Gänseblume‹ und ›Johannesblume‹ – bedachten volkstümlichen Wiesenblume ist aus frz. *marguerite* entlehnt. Das frz. Wort, das als Blumenname zunächst unser »Maßliebchen« bezeichnete, ist mit afrz. *margarite, margerite* »Perle« identisch, sodass der Benennung der Blume wohl ein Vergleich der Blütenköpfchen von Maßliebchen mit Perlen zugrunde liegt. Dem afrz. Wort *margarite* »Perle« liegen lat. *margarita* »Perle« und griech. *margarī́tēs* »Perle« voraus (daneben gleichbed. griech. *márgaron*, s. den Artikel *Margarine*), das seinerseits orientalisches Lehnwort ist. – Im dt. Sprachempfinden verbindet man den Pflanzennamen oft mit dem Mädchennamen ›Margarete‹, der übrigens etymologisch gleichen Ursprungs ist.

Marihuana: Der Name des Rauschgifts aus den weiblichen Blütenstauden (Blättern und Stängeln) des indischen Hanfs wurde im 20. Jh. aus engl.-amerik. *marihuana, marijuana* entlehnt. Dies ist aus mexikan.-span. *marijuana* übernommen, vermutlich einer Zusammenziehung aus den weiblichen Vornamen María und Juana.

Marinade ↑marinieren.

Marine »Seewesen; [Kriegs]flotte«: Das Fremdwort wurde Ende des 17. Jh.s aus gleichbed. frz. *marine* entlehnt. Dies ist von dem Adjektiv *marin* »das Meer, die See betreffend« abgeleitet, das auf gleichbed. lat. *marinus* zurückgeht. Stammwort ist das mit dt. ↑Meer urverwandte Substantiv lat. *mare* »Meer; Meerwasser, Seewasser«. – Vgl. den Artikel *marinieren.*

marinieren »[Fische] in Würztunke einlegen«: Das Verb wurde im 17. Jh. aus gleichbed. frz. *mariner* (= it. *marinare*) entlehnt. Dies gehört als Ableitung zu frz. *marin* »das Meer, die See betreffend« (vgl. *Marine*) und bedeutet eigentlich »in Meerwasser (= Salzwasser) einlegen«. – Dazu: **Marinade** »Würztunke [zum Einlegen von Fischen]«, um 1700 aus gleichbed. frz. *marinade.*

Marionette »(an Fäden oder Drähten aufgehängte und dadurch bewegliche) Gliederpuppe für Puppentheater«, auch übertragen gebraucht im Sinne von »willenloses Geschöpf«: Das Fremdwort wurde im 17. Jh. aus gleichbed. frz. *marionnette* entlehnt, das als Ableitung von dem Mädchennamen Marion, der Verkleinerungsbildung zu frz. Marie »Maria«, eigentlich »Mariechen« bedeutet.

¹Mark: Die Bezeichnung der Münzeinheit geht zurück auf mhd. *marc, marke* »Silberbarren von bestimmtem Gewicht, halbes Pfund Silber oder Gold«, das mit mhd. *marc* »Zeichen« (↑Marke und ↑merken) identisch ist. Das Wort bezeichnete demnach im Mittelalter zunächst das Zeichen der Obrigkeit auf einem Metallbarren und ging dann auf den Metallbarren selbst und das festgesetzte Gewicht über. Dann wurde es auf ein Geldstück (von bestimmtem Gewicht) übertragen, beachte dazu z. B. die it. Münzbezeichnung ↑Lira, eigentlich »Pfund«, und die engl. Münzbezeichnung *pound,* eigentlich »Pfund«. In der Neuzeit nahm das Gewicht und damit der Wert des Geldstücks ständig ab. Durch das Reichsmünzgesetz von 1873 wurde die Mark als Rechnungseinheitsmünze in Deutschland eingeführt. Beachte dazu die Zusammensetzungen **Rentenmark** (1923) und **Reichsmark** (1924) und die Bezeichnung **Deutsche Mark** (1948).

²Mark »Grenzland« (historisch): Mhd. *marc* »Grenze; Grenzland; Gau, Gebiet; Gesamteigentum einer Gemeinde an Grund und Boden«, ahd. *marcha* »Grenze«, got. *marka* »Grenze«, aengl. *mearc* »Grenze; Gebiet, Bezirk«, schwed. *mark* »Gebiet, Land, Feld« gehen mit verwandten Wörtern in anderen idg. Sprachen auf die Wurzel **mer[e]ĝ-* »Rand, Grenze« zurück, vgl. z. B. lat. *margo* »Rand, Grenze« und pers. *marz* »Landstrich, Gebiet«. Das gemeingerm. Wort bedeutete also zunächst »Grenze« und dann erst »an der Grenze gelegenes Land; aus einem größeren Territorium abgegrenztes Gebiet«. Im alten Sinne von »Grenze« war das Wort im Dt. bis in den Beginn der Neuzeit gebräuchlich. Dann wurde es durch das aus dem Slaw. entlehnte Wort ↑Grenze verdrängt. Aus dem Germ. stammt frz. *marche* »Grenze, Grenzland«. – Zus.: **Markgraf** (mhd. *markgrāve* »königlicher Richter und Verwalter eines Grenzlandes«); **Markstein** »wichtiger Punkt« (mhd. *marcstein* »Grenzstein«). Siehe auch den Artikel *Marke.*

³Mark »Innengewebe (in Knochen und Organen), Grundgewebe (in Pflanzen)«: Das altgerm. Wort mhd. *marc,* ahd. *mar[a]g,* niederl. *merg,* engl. *marrow,* schwed. *märg* geht mit verwandten Wörtern in anderen idg. Sprachen auf **mozgo-* »Mark, Gehirn« zurück, vgl. z. B. awest. *mazga-* »Mark, Gehirn« und die slaw. Sippe von russ. *mozg* »Gehirn«. Welche Vorstellung der Benennung des Innengewebes zugrunde liegt, ist unklar. – In Norddeutschland ist neben ›Mark‹ auch die Form **Marks** (eigentlich der erstarrte Genitiv) gebräuchlich. – Abl.: **markig** »voller Mark, kraftvoll, stark« (17. Jh.). Siehe auch den Artikel *ausmergeln.*

markant »bezeichnend; ausgeprägt, auffallend; scharf geschnitten (von Gesichtszügen)«: Das Adjektiv wurde im 19. Jh. aus gleichbed. frz. *marquant,* dem adjektivisch gebrauchten Partizip Präsens von *marquer* (vgl. *markieren*), entlehnt.

Marke »Handels-, Waren-, Fabrikzeichen; (durch eine Marke gekennzeichnete) Sorte; Wertzeichen; Berechtigungsnachweis, Ausweis«: Das seit dem Anfang des 18. Jh.s bezeugte Substantiv ist entlehnt aus frz. *marque* »auf einer Ware angebrachtes Zeichen, Kennzeichen«. Das frz. Kaufmannswort ist eine Bildung zum Verb *marquer* »kennzeichnen, bezeichnen; merken« (vgl. *markieren*). Die unter ›markieren‹ behandelte roman. Sippe beruht ihrerseits auf Entlehnung aus germ. **marka-* »Zeichen«, das wahrscheinlich im Sinne von »Grenzzeichen« mit dem unter ↑²Mark »Grenzland« dargestellten Wort identisch ist (s. auch die Artikel *merken* und *¹Mark*).

Marketender: Die früher übliche Bezeichnung für den die Feldtruppe begleitenden »Händler und Feldwirt«, in dt. Texten seit dem 16. Jh. in sehr unterschiedlichen, schwankenden Lautformen bezeugt, ist eine soldatensprachliche Umformung von it. *mercatante* »Händler«. Dies gehört zu it. *mercatare* »Handel treiben« und weiter zu it. *mercato* (< lat. *mercatus*) »Handel; Markt« (vgl. das Lehnwort *Markt*). – Abl.: **Marketenderin** (18. Jh.).

markieren »kennzeichnen; bezeichnen«, ugs. auch übertragen im Sinne von »vortäuschen; so tun, als ob«: Das Verb wurde im 17./18. Jh. aus gleichbed. frz. *marquer* (eigentlich »mit einer Marke, einem Zeichen versehen«) entlehnt. Das frz. Wort gehört seinerseits zu der unter ↑Marke genannten, ins Roman. entlehnten germ. Wortgruppe. Unmittelbar stammt es wohl aus entsprechend it. *marcare* »kennzeichnen« (zu it. *marca* < langob. **marka* »Merkzeichen«). – Abl.: **Markierung.** Vgl. den Artikel *markant,*

M

markig ↑ [3]Mark.

Markise: Die Bezeichnung für »leinenes Sonnendach, Schutzdach, Schutzvorhang« wurde im 18. Jh. aus gleichbed. frz. *marquise* entlehnt. Das frz. Wort ist eine weibliche Bildung zu frz. *marquis* »Markgraf« und bedeutet eigentlich »Markgräfin«. Die Soldatensprache griff das Wort auf und verwendete es zur scherzhaft-ironischen Bezeichnung für ein über das Offizierszelt gespanntes besonderes Zeltdach, welches das Offizierszelt vom Zelt des gemeinen Soldaten unterschied. Daraus entwickelte sich dann die allgemeine Bedeutung des Wortes.

Marks ↑ [3]Mark.

Markt: Das westgerm. Substantiv, mhd. *mark[e]t,* ahd. *markāt,* niederl. *markt* (entsprechend engl. *market*) beruht auf einer frühen Entlehnung aus lat. *mercatus* (bzw. vlat. **marcatus*) »Handel, Kaufhandel, Markt; Jahrmarkt, Messe«, das von lat. *mercari* »Handel treiben« abgeleitet ist. Stammwort ist das etymologisch nicht sicher gedeutete Substantiv lat. *merx (mercis)* »Ware«. – Zum gleichen Stammwort gehören auch die Fremdwörter ↑ Marketender[in], ↑ kommerziell, Kommerzienrat und ↑ Kommers.

Marktflecken ↑ Fleck.

Marktschreier, marktschreierisch ↑ schreien.

Marmel ↑ Marmor.

Marmelade »mit Zucker eingekochtes Fruchtmark, Fruchtmus«: Das Substantiv wurde um 1600 in der Bedeutung »Quittenmus« aus port. *marmelada* »Quittenmus« entlehnt, einer Ableitung von port. *marmelo* »Honigapfel, Quitte«. Dies geht auf gleichbed. lat. *melimelum* zurück, das seinerseits aus griech. *melímēlon* stammt (zu griech. *méli* »Honig« [vgl. *Melisse*] und griech. *mēlon* »Apfel« [vgl. *Melone*]).

Marmor: Die Bezeichnung des kristallinkörnigen Kalkgesteins (mhd. *marmel,* ahd. *marmul*) ist aus gleichbed. lat. *marmor* entlehnt, das seinerseits aus gleichbed. griech. *mármaros* (Nebenform: *mármaron*) übernommen ist. Das griech. Wort, das wohl zum Stamm von griech. *maraínein* »aufreiben, vernichten«, *márnasthai* »sich schlagen, kämpfen« (ursprünglich vermutlich: »sich zermalmen«; vgl. *mürbe*) gehört, bedeutete zunächst »Stein, Felsblock« (eigentlich etwa »der Gebrochene, der Brocken«) und dann erst durch Anschluss an griech. *marmaírein* »glänzen, schimmern«, *marmáreos* »glänzend, funkelnd« auch »Marmor«. – Die heutige Form des Wortes ›Marmor‹ (gegenüber ahd. *marmul,* mhd. *marmel*) wurde im 16. Jh. auf gelehrtem Wege durch Angleichung an das lat. Vorbild hergestellt. Demgegenüber ist die alte Form des Wortes in den landschaftlich gebräuchlichen Bezeichnungen **Marmel** und **Murmel** für die (marmornen) Spielkugeln der Kinder bewahrt. – Abl. von ›Marmor‹: **marmorieren** »marmorartig bemalen« (18. Jh.; nach lat. *marmorare* »mit Marmor überziehen«).

Marone: Das Wort für »essbare Edelkastanie« wurde um 1600 aus gleichbed. frz. *marron* entlehnt, das seinerseits aus it. *marrone* übernommen ist. Daraus direkt entlehnt ist die seit dem Beginn des 16. Jh.s bezeugte eingedeutschte schweiz. und bayr. Form **Marre.** – Die Herkunft des roman. Wortes ist dunkel.

Marotte: Der Ausdruck für »Schrulle, wunderliche Neigung« wurde im 18. Jh. aus frz. *marotte* »Narrenkappe, Narrenzepter mit Puppenkopf; Narrheit, Marotte« entlehnt. Das frz. Wort ist eine Verkleinerungsbildung zu frz. Marie »Maria« und bezeichnete ursprünglich eine kleine Heiligenfigur.

Marre ↑ Marone.

[1]Marsch »das Marschieren; geschlossene Bewegung eines militärischen Verbandes«, auch Bezeichnung für ein Musikstück im Zeitmaß des Marschierens: Das seit dem 17. Jh. bezeugte Substantiv wurde im Verlauf des 30-jährigen Krieges als militärisches Fachwort aus gleichbed. frz. *marche* entlehnt. Das frz. Wort ist eine Bildung zu frz. *marcher* »gehen, schreiten, marschieren« (afrz. »mit den Füßen treten«), aus dem zu Beginn des 17. Jh.s unser Verb **marschieren** »sich in gleichmäßigem Rhythmus fortbewegen (von Gruppen, Formationen)« übernommen wurde. – Quelle des frz. Verbs ist sehr wahrscheinlich afränk. **markōn* »eine Marke, ein Zeichen setzen; eine Fußspur hinterlassen«, das zu den unter ↑ merken genannten germ. Wörtern gehört.

Marsch

der lange Marsch [durch die Institutionen]
»die Verwirklichung [gesellschafts]politischer Ziele durch geduldige, zähe Arbeit innerhalb des bestehenden Systems«
Die Fügung nimmt Bezug auf die chinesische Revolution, bei der Mao Tsetung die kommunistischen Truppen in einem langen Fußmarsch nach Peking (und zum Sieg) führte.

[2]Marsch »Niederung vor Flachküsten oder an Flussläufen, angeschwemmter fruchtbarer Boden«: Das aus dem Niederd. stammende Wort (mnd. *marsch, mersch,* asächs. *mersc*) ist eine Bildung zu dem unter ↑ Meer behandelten Substantiv. Im Engl. entspricht *marsh* »Sumpfland«. Siehe den Artikel *Morast.*

Marschall: Das Wort (mhd. *marschalc,* ahd. *marahscalc*) bedeutete ursprünglich »Pferdeknecht«. Es ist zusammengesetzt aus mhd. *marc[h],* ahd. *marah* »Pferd« (vgl. *Mähre*) und aus mhd. *schalc,* ahd. *scalc* »Knecht, Diener« (vgl. *Schalk*). Im Mittelalter hatte der Marschall zunächst die Stellung eines Stallmeisters inne. Dann avancierte er zum Aufseher über das fürstliche Gesinde am Hofe und auf Reisen und zum Anführer der waffenfähigen Mannschaft und bekleidete schließlich eines der vier Hofämter. In der Neuzeit (seit dem 16. Jh.) wurde der Marschall zum obersten Befehlshaber der Reiterei und erhielt dann einen hohen oder den höchsten militärischen Rang. – Die nhd. Form ›Marschall‹ (gegenüber mhd. *marschalc*) ist von frz. *maréchal* beeinflusst, das seinerseits schon früh aus dem Dt. entlehnt wurde. Aus dem Frz. stammt engl. *marshal*. – Zus.: **Feldmarschall** (16. Jh.; Lehnübersetzung von frz. *maréchal de camp*).

Marstall: Die heute nur noch als Bezeichnung für den Reit- und Fahrstall einer fürstlichen Hofhaltung gebräuchliche Zusammensetzung (mhd. *mar[ch]stal*, ahd. *marstal*) bedeutete früher ganz allgemein »Pferdestall«. Über das Bestimmungswort (mhd. *marc[h]*, ahd. *marah* »Pferd«), das auch in ↑Marschall steckt, vgl. den Artikel *Mähre*.

Marter »Qual, Folter, Peinigung«: Das dem frühchristlichen Wortschatz entstammende Substantiv (mhd. *marter[e]* »Blutzeugnis, Leiden Christi; Qual, Folter«, ahd. *martira, martara*) ist aus kirchenlat. *martyrium* »Zeugnis; Blutzeugnis für die Wahrheit der christlichen Religion« entlehnt (beachte dazu das Fremdwort **Martyrium** »Opfertod, schweres Leiden; Folterqual«), das seinerseits aus griech. *martýrion* »Zeugnis« übernommen ist. Stammwort ist griech. *mártys* (dialektische Nebenform: *mártyr*) »Zeuge; Blutzeuge« (ursprünglich wohl abstrakt: »Erinnerung; Zeugnis«), das mit lat. *memor* »eingedenk, sich erinnernd« etymologisch verwandt ist (vgl. *memorieren*). – Dazu: **Märtyrer** »Blutzeuge (besonders des christlichen Glaubens); wegen seiner Überzeugung Verfolgter« (mhd. *marterǣre, marterer, merterer*, ahd. *martirāri*; die nhd. Form, die im 16./17. Jh. erscheint, beruht auf gelehrter Wiederangleichung an das griech.-lat. Vorbild); **martern** »quälen, peinigen, foltern« (mhd. *marter[e]n* »zum Märtyrer machen, ans Kreuz schlagen; peinigen, foltern«, ahd. *martirōn, martarōn*).

martialisch: Der veraltende Ausdruck für »kriegerisch, grimmig« ist von dem Namen des altrömischen Kriegsgottes Mars abgeleitet (vgl. den Artikel *März*).

März: Der Name für den dritten Monat des Kalenderjahres (mhd. *merz[e]*, ahd. *marceo, merzo*) ist aus gleichbed. lat. *Martius (mensis)* entlehnt. Der Monatsname ist vom Namen des altrömischen Kriegsgottes Mars, dem der März geheiligt war, abgeleitet.

Marzipan: Die seit dem 15. Jh. bezeugte Bezeichnung der aus Mandeln, Aromastoffen und Zucker hergestellten Süßware ist aus it. *marzapane* »Marzipan« entlehnt. Die weitere Herkunft des auch in anderen roman. Sprachen vertretenen Wortes (vgl. z. B. entsprechend frz. *massepain* und span. *mazapán*) ist nicht sicher geklärt. Vermutlich geht es auf arab. *mauṭabān* »sitzender König« zurück, dem Namen einer Münze mit dem thronenden Christus, die in der Zeit der Kreuzzüge in Umlauf war. Die Venezianer ahmten um 1200 diese Münze nach und nannten sie *mat[t]apan*. Mit diesem Wort wurde dann auch eine 10-prozentige Abgabe und eine Schachtel oder Kiste mit einem Rauminhalt von $^1/_{10}$ Scheffel bezeichnet, und in diesen Schachteln oder Kisten kam das Marzipan von Venedig aus in den Handel. Im Deutschen wurde it. *marzapane*, weil das Marzipan aus Venedig kam, volksetymologisch als *Marci panis* »Markusbrot« gedeutet.

Masche »kleine Schlinge (innerhalb eines größeren Gefüges), Schleife«: Das altgerm. Wort mhd. *masche*, ahd. *masca*, niederl. *maas*, engl. *mesh*, schwed. *maska* ist verwandt mit der balt. Sippe von lit. *mègzti* »knoten, knüpfen, stricken«, *mãzgas* »Knoten, Schlinge«. Das altgerm. Wort bedeutet also eigentlich »Knüpfung, Knoten«. – Im Dt. bezeichnete das Wort früher auch die beim Vogel- und Fischfang und auf der Jagd verwendeten Schlingen und Netze, beachte dazu die Redewendungen ›in die Maschen geraten‹ und ›durch die Maschen gehen‹. Daran schließt sich an der übertragene Gebrauch von ›Masche‹ im Sinne von »Trick; schlaues Vorgehen, gerissenes Verhalten«.

Maschine »Arbeitsgerät mit beweglichen Teilen; Triebwerk«, auch in zahlreichen Zusammensetzungen wie ›Schreibmaschine‹: Das Fremdwort wurde im 17. Jh. – zuerst als militärischer Fachausdruck im Sinne von »Kriegs-, Belagerungsmaschine« – aus gleichbed. frz. *machine* entlehnt, das auf lat. *machina* »Maschine« zurückgeht. Das lat. Wort stammt aus dem Griech., und zwar aus einer dorischen Dialektform *māchanā́* statt klass.-griech. *mēchanḗ* »Hilfsmittel, Werkzeug; Kriegsmaschine«, das seinerseits wiederum Quelle für die Fremdwortgruppe um ↑Mechanik ist. Stammwort ist das griech. Substantiv *mēchos* »[Hilfs]mittel; Möglichkeit«.

Maser: Der Ursprung des altgerm. Wortes für »Knorren, flammende Zeichnung des Holzes« (mhd. *maser*, ahd. *masar*, aengl. *maser*, schwed. *masur*) ist dunkel. – Abl.: **masern** (mhd. *masern*, spätahd. *masarōn* »knorrige Auswüchse bilden«), dazu **Maserung** »Zeichnung des Holzes«. Siehe auch den Artikel *Masern*.

Masern: Der seit dem 16. Jh. bezeugte Name des rötlichen, grobfleckigen Hautausschlags ist wahrscheinlich der Plural des unter ↑Maser »[flammende] Zeichnung des Holzes« behandelten Wortes. Der Name der Kinderkrankheit, der sich von Norddeutschland her ausgebreitet hat, kann beeinflusst sein von niederd. *maseln* »Masern« (beachte mnd. *masel[e]* »Pustel, Pickel«, mhd. *masel*, ahd. *masala* »Blutgeschwulst«).

Maske »Gesichtslarve; Verkleidung; kostümierte Person«: Das Wort wurde im 17. Jh. aus gleichbed. frz. *masque* entlehnt, das seinerseits wie entsprechend span. *máscara* aus it. *maschera* »Maske« stammt. Letzte Quelle des Wortes ist vermutlich arab. *mashara*[h] »Verspottung; Possenreißer; Possenreißerei«.

Maskottchen »Glück bringende Figur (als Anhänger), Talisman«: Das Fremdwort wurde im 20. Jh. aus gleichbed. frz. *mascotte* entlehnt, das selbst aus prov. *mascoto* »Zauber, Zauberei« stammt. Zugrunde liegt prov. *masco* »Zauberin«, das wohl ein in den langobardischen Gesetzen bezeugtes *masca* »Hexe« fortsetzt. Die weitere Herkunft des Wortes ist unsicher.

maskulin »männlich; männlichen Geschlechts«: Das Wort ist eine gelehrte Entlehnung aus gleichbed. lat. *masculinus.* Dies ist eine Bildung zu lat. *masulus* »männlich, männlichen Geschlechts«, einer Verkleinerungsbildung zu gleichbed. lat. *mas, maris.* – Dazu stellt sich **Maskulinum** »männliches Substantiv« (aus lat. *[nomen] masculinum*).

Maß: Die nhd. sächliche Form ›Maß‹ geht zurück auf spätmhd. *mā***ȥ**, das durch Vermischung von mhd. *māȥe* »zugemessene Menge, richtige Größe, abgegrenzte Ausdehnung; Art und Weise; Angemessenes, Mäßigung« mit mhd. *meȥ* »Messgerät; ausgemessene Menge; Ausdehnung, Richtung, Ziel« entstanden ist. Daneben ist im heutigen Sprachgebrauch bisweilen auch noch die weibliche Form (mhd. *māȥe*) üblich, beachte oberd. *Maß* »Flüssigkeitsmaß; Literkrug mit Bier« und die Verbindungen ›in Maßen‹, ›mit Maßen‹, ›über alle Maßen‹ und dgl., ferner auch die aus genitivischen Fügungen erwachsenen ›dermaßen, einigermaßen, gewissermaßen‹ usw. – Das Wort (mhd. *māȥe,* ahd. *māȥa*) ist eng verwandt mit der Sippe von ↑messen und gehört zu der unter ↑[1]Mal dargestellten idg. Wortgruppe. Es steckt in zahlreichen Zusammensetzungen, als Grundwort z. B. in ›Ebenmaß, Mittelmaß, Übermaß‹, als erster Bestandteil z. B. in **Maßnahme** »Regelung, Bestimmung« (19. Jh.), **Maßregel** »Richtlinie, Anordnung« (18. Jh.), dazu **maßregeln** »derb zurechtweisen, bestrafen« (19. Jh.; eigentlich »Maßregeln gegen jemanden ausüben«), **Maßstab** (15. Jh.; in der Bedeutung »Messlatte«). Ableitungen sind **mäßig** (s. d.) und **anmaßen,** sich »[unberechtigt] für sich in Anspruch nehmen« (mhd. *anemāȥen;* eigentlich »etwas für sich als angemessen ansehen«), dazu **Anmaßung** »[unberechtigter] Anspruch« (15. Jh.).

Massage ↑[2]massieren.

Massaker: Der Ausdruck für »Gemetzel, Blutbad« wurde im 17. Jh. aus gleichbed. frz. *massacre* entlehnt, dessen weitere Herkunft unsicher ist. – Abl.: **massakrieren** »niedermetzeln; quälen, misshandeln« (im Anfang des 17. Jh.s aus gleichbed. frz. *massacrer*).

Masse: Das Substantiv (mhd. *masse,* spätahd. *massa* »ungestalteter Stoff; [Metall]klumpen; Haufen«) beruht wie entsprechend frz. *masse* auf lat. *massa* »zusammengeknetete Masse, Teig, Klumpen; Haufen«, das seinerseits aus griech. *māza* »Teig aus Gerstenmehl; Fladen; [Metall]klumpen« übernommen ist. Stammwort ist griech. *mássein* (Aorist Passiv *magēnai*) »kneten; pressen, drücken; streichen, wischen«, das mit dt. ↑machen urverwandt ist. – Außer in der Bedeutung »ungeformter breiiger Stoff« wird ›Masse‹ auch im Sinne von »Haufen, große Menge« und »großer Teil der Bevölkerung, dem das individuelle, selbstständige Denken und Handeln fehlt« verwendet. An diesen Gebrauch schließt sich die Zusammensetzung **Massenmedien** (2. Hälfte des 20. Jh.s; Lehnübersetzung von gleichbed. engl. *mass media,* vgl. *Medium*) an. – Dazu: **massig** »schwer, gedrungen, mächtig« (19. Jh.); **[1]massieren** »anhäufen; Truppen zusammenziehen« (20. Jh.; nach gleichbed. frz. *masser*), nicht verwandt mit ↑[2]massieren »eine Massage machen«; **massiv** »schwer, fest, gediegen; roh, grob; massig, wuchtig« (17. Jh.; aus gleichbed. frz. *massif*), auch substantiviert: **Massiv** »Gebirgsstock« (so schon im Frz. [frz. *massif*]).

[1]massieren ↑Masse.

[2]massieren »den menschlichen Körper zur Kräftigung durch kunstgerechte Handgriffe streichen, reiben, kneten, klopfen usw.«: Das Verb wurde Ende des 18. Jh.s aus gleichbed. frz. *masser* entlehnt, das vermutlich auf arab. *massa* »berühren, betasten« zurückgeht und nicht mit frz. *masser* »aufhäufen, verstärken« identisch ist (vgl. *massieren* unter *Masse*), wie denn auch die Praktik des Massierens aus dem Orient stammt. – Abl.: **Massage** »das Massieren« (Anfang des 19. Jh.s aus gleichbed. frz. *massage*).

mäßig »Maß haltend; das richtige Maß nicht überschreitend; knapp, gering, unbefriedigend«: Das Adjektiv (mhd. *mæȥic,* ahd. *māȥīg*) ist von dem unter ↑Maß behandelten Substantiv abgeleitet. Es spielt heute eine überaus große Rolle als Suffix, beachte z. B. Bildungen wie ›arbeitsmäßig, gehaltsmäßig, wohnungsmäßig‹. – Vom Adjektiv abgeleitet ist das Verb **mäßigen** »dämpfen, mildern«, gewöhnlich reflexiv »sich zurückhalten, sich beherrschen« (mhd. *mæȥigen*), beachte auch die Präfixbildung **ermäßigen** »herabsetzen, senken« (19. Jh.), dazu **Ermäßigung** (19. Jh.).

Massiv ↑Masse.

Maßlieb[chen]: Der seit dem 15. Jh. bezeugte Blumenname ist aus mniederl. *matelieve* entlehnt (bzw. eine Lehnübersetzung des mniederl. Wortes). Die Blume ist wahrscheinlich, weil sie als appetitanregend gilt, als »Esslust« benannt worden. Das Bestimmungswort von *matelieve* wäre dann germ. **mat[i]-* »Speise, Essen« (↑Maat, ↑Mettwurst, ↑Messer).

Maßnahme, Maßregel, maßregeln, Maßstab ↑Maß.

[1]Mast »Stange, Ständer; Segelbaum«: Das westgerm. Wort mhd., ahd. *mast,* niederl. *mast,* engl. *mast* geht mit verwandten Wörtern in anderen idg. Sprachen auf **mazdo-s* »Stange, Holzstamm« zurück, vgl. z. B. ir. *maide* »Stock«. Zu der allgemeinen Bedeutung »Stange, Ständer« beachte z. B. die Zusammensetzungen ›Fahnen-, Leitungs-, Zirkusmast‹. Eine verdeutlichende Zusammensetzung ist **Mastbaum** (mhd. *mastboum,* ahd. *mastpoum*).

Mast »Mästung; Futter zur Mästung«: Das westgerm. Substantiv mhd., ahd. *mast,* niederl. *mast,* engl. *mast* gehört mit verwandten Wörtern in anderen idg. Sprachen zu der Wurzel **mad-* »von Feuchtigkeit oder Fett triefend, saftig, strotzend«, vgl. z. B. aind. *mēdas-* »Fett«, *mēdana-m* »Mästung« und lat. *madere* »nass sein, triefen, reifen«. Aus dem germ. Sprachbereich gehört zu dieser Wurzel auch das Substantiv **mat[i]-* »Speise, Essen«, das im Dt. bewahrt ist in ↑Maat (eigentlich »Speise-, Essensgenosse«), ↑Mettwurst (eigentlich »Fleischwurst«), ↑Messer (eigentlich »Speiseschwert«), ↑Mastdarm (eigentlich »Speisedarm«) und in ↑Maßliebchen (eigentlich »Esslust«). Im Ablaut dazu steht die germ. Sippe von ↑Mus (aus **mādso* »Brei, Speise«). – Abl.: **mästen** »fett machen, reichlich füttern« (mhd., ahd. *mesten*).

Mastdarm: Der Ausdruck für den untersten, im After endenden Teil des Dickdarms ahd., mhd. *arsdarm* (eigentlich »Arschdarm«) wurde im 15. Jh. durch *masdarm* eigentlich »Speisedarm« ersetzt. Aus spätmhd. *masdarm,* das also ein verhüllender Ausdruck ist, entwickelte sich die nhd. Form *Mastdarm.* Das Bestimmungswort ist mhd., ahd. *maz* »Speise« (vgl. [2]*Mast*).

mästen ↑[2]Mast.

masturbieren »sich selbst befriedigen, onanieren«: Das seit dem 19. Jh. gebräuchliche Verb ist aus gleichbed. lat. *masturbari* entlehnt, das wohl aus *manu stuprare* »mit der Hand schänden« hervorgegangen ist.

Matador »Stierkämpfer, der dem Stier den Todesstoß versetzt«, übertragen auch »Hauptperson, wichtigster Mann«: Das seit dem 18. Jh. bezeugte Fremdwort ist aus gleichbed. span. *matador,* eigentlich »Mörder, Totschläger«, entlehnt. Dies geht auf lat. *mactator* »Mörder, Schlächter« (zu lat. *mactare* »töten, schlachten«) zurück.

Match »Wettkampf; Spiel, das man als Wettkampf austrägt«: Der Ausdruck der Sportsprache wurde im 20. Jh. aus gleichbed. engl. *match* entlehnt. Dies geht unter Beeinflussung von engl. *to match* »es mit jemandem aufnehmen, sich mit einem Partner messen« auf mengl. *macche,* aengl. *[ge]mæcca* »Gefährte, Genosse« zurück (zu aengl. *ge-mæc* »zueinander passend«; vgl. *machen*).

Materie »Urstoff; Stoff, Inhalt; Gegenstand [einer Untersuchung]«: Das Substantiv wurde in mhd. Zeit (mhd. *materje*) aus lat. *materia* »Bauholz, Nutzholz; Material, Stoff; Aufgabe; Anlage, Talent; Ursache« entlehnt. Dies ist wahrscheinlich eine Bildung zu lat. *mater* (vgl. *Mutter*) und bezeichnete ursprünglich die *mater,* den hervorbringenden und nährenden Teil des Baumes (im Gegensatz zur Rinde und zu den Zweigen). Um ›Materie‹ gruppieren sich **Material** »Rohstoff, Werkstoff; Hilfsmittel; Unterlagen, Belege«, im 18. Jh. eingedeutscht aus mlat. *materiale* »das zur Materie Gehörige; der Rohstoff« (der Plural *materialien* jedoch schon im 15. Jh.!). Auf das zugrunde liegende Adjektiv lat. *materialis* »zum Stoff gehörig; stofflich« geht gleichbed. frz. *matériel* zurück, aus dem im 18. Jh. unser Fremdwort **materiell** »stofflich, körperlich; sachlich« übernommen wurde. Dies wird auch übertragen im Sinne von »nur auf materiellen Gewinn eingestellt, genusssüchtig« gebraucht. Aus dem Frz. übernommen oder nach frz. Vorbild gebildet ist **Materialismus** »philosophische Lehre, die alles Seiende auf Stoffliches, auf Kräfte oder Bedingungen der Materie zurückführt; Streben nach bloßem Lebensgenuss« (18. Jh.; frz. *matérialisme*).

Mathematik: Die Bezeichnung für die Lehre von den Raum- und Zahlengrößen wurde im 15. Jh. aus gleichbed. lat. *(ars) mathematica* entlehnt, das seinerseits aus griech. *mathēmatikḗ (téchnē)* übernommen ist. Das zugrunde liegende Adjektiv griech. *mathēmatikós* »lernbegierig; wissenschaftlich; mathematisch« ist von griech. *máthēma* »das Gelernte, die Kenntnis« abgeleitet, dessen Plural speziell »[mathematische] Wissenschaften« bedeutet. Stammwort ist griech. *manthánein* (Aorist: *matheīn*) »[kennen] lernen, erfahren«, das urverwandt ist mit dt. ↑munter.

Matinee: Die Bezeichnung für »[künstlerische] Vormittagsveranstaltung« wurde im 19. Jh. aus gleichbed. frz. *matinée* entlehnt, einer Ableitung von frz. *matin* »Morgen«. Das zugrunde liegende lat. Adjektiv *matutinus* »morgendlich, früh« – substantiviert: *matutinum (tempus)* »Frühzeit; Morgen« –, das auch Ausgangspunkt ist für unser Lehnwort ↑Mette, ist mit lat. *maturus* »reif; frühzeitig« verwandt (vgl. *Matur*).

Matjeshering »junger, mild gesalzener Hering«: Das Wort wurde im 18. Jh. aus niederl. *maatjesharing* entlehnt, das umgebildet ist aus älterem *maagdekens haering* »Mädchenhering« (d. i. junger Hering ohne Rogen oder Milch). Zu niederl. *maagdeke[n]* »Mädchen« vgl. den Artikel *Mädchen,* zu niederl. *haring* den Artikel *Hering.*

Matratze: Die in dieser Form seit dem 15. Jh. übliche Bezeichnung für »Bettpolster, federnde Bettunterlage« beruht auf einer Entlehnung aus gleichbed. älter it. *materazzo* (heute: *materassa*). Das it. Wort wie auch afrz. *materas* (> frz. *matelas*), aus dem mhd. *mat[e]raz* »mit Wolle gefülltes Ruhebett, Polsterbett« übernommen ist, stammen aus arab. *maṭraḥ* »Ort, wohin etwas geworfen oder gelegt wird; Bodenkissen«.

Mätresse »Geliebte [einer hoch stehenden Persönlichkeit]«: Das Fremdwort wurde im 17. Jh. aus gleichbed. frz. *maîtresse* (eigentlich »Herrin, Gebieterin, Meisterin«) entlehnt. Dies ist eine weibliche Bildung zu dem auf lat. *magister* »Vorsteher, Leiter; Lehrer« (vgl. *Meister*) beruhenden Substantiv frz. *maître* »Herr, Gebieter, Meister«.

Matrikel »öffentliches Verzeichnis«, insbesondere »Liste der an einer Hochschule Studierenden«: Das seit dem 15. Jh. – zuerst in der Form ›matrikul‹ – bezeugte Fremdwort ist aus lat. *matricula* »Stammrolle, öffentliches Verzeichnis« entlehnt, einer Verkleinerungsbildung zu lat. *matrix* »Gebärmutter; Stammmutter; Stammrolle« (vgl. *Matrize*). – Dazu: **immatrikulieren** »in die Liste der Studierenden einschreiben« (16. Jh.; aus mlat. *immatriculare*) mit dem Substantiv **Immatrikulation** (18. Jh.). Die Gegenbildungen **exmatrikulieren** »aus der Liste der Studierenden streichen« und **Exmatrikulation** erscheinen im 19. Jh.

Matrize »bei der Setzmaschine die in einem Metallkörper befindliche Hohlform zur Aufnahme des Prägestocks (der so genannten ↑Patrize); die von einem Druckstock hergestellte [Wachs]form«: Das Fachwort der Druckersprache wurde im 17. Jh. aus frz. *matrice* »Gussform, Matrize« entlehnt. Das frz. Wort bedeutet eigentlich »Gebärmutter«, dann im übertragenen Sinne allgemein »das, worin etwas erzeugt oder hergestellt wird«. Es geht auf lat. *matrix (matricis)* »Muttertier; Gebärmutter; Stammmutter« zurück, eine Ableitung von lat. *mater* »Mutter« (vgl. den Artikel *Matrone*). – Beachte auch die Verkleinerungsbildung lat. *matricula* »Stammrolle, öffentliches Verzeichnis«, die unserem Fremdwort ↑Matrikel zugrunde liegt.

M

Matrone »ehrwürdige ältere Frau«, in der Umgangssprache oft mit leicht abwertendem Nebensinn gebraucht: Das seit dem 14. Jh. bezeugte Fremdwort ist aus lat. *matrona* »ehrbare, verheiratete Frau« entlehnt, das zu lat. *mater* »Mutter; Stammmutter; Gattin, Weib, Ehefrau« gehört (wie das entsprechende lat. *patronus* »Schutzherr« zu lat. *pater* »Vater«; ↑Patron). – Zu lat. *mater* (daraus u. a. span., it. *madre* und frz. *mère*), das urverwandt ist mit dt. ↑Mutter, stellt sich ferner das abgeleitete Substantiv lat. *matrix* »Muttertier; Gebärmutter; Stammmutter« mit der Verkleinerungsbildung lat. *matricula* »Stammrolle, öffentliches Verzeichnis«. Diese liegen unseren Fremdwörtern ↑Matrize und ↑Matrikel, immatrikulieren, exmatrikulieren zugrunde.

Matrose »Seemann«: Das Wort wurde um 1600 wie entsprechend schwed., dän. *matros* aus niederl. *matroos* entlehnt, das aus frz. *matelots*, dem Plural von frz. *matelot* (afrz. *matenot*) »Seemann« umgebildet ist. Das frz. Wort selbst stammt vermutlich aus mniederl. *mattenoot*, das wohl eigentlich »Matten-, Schlafgenosse« bedeutet. Früher standen den Matrosen auf Schiffen nur je eine Matte oder Schlafstelle für zwei Mann zur Verfügung, auf der diese abwechselnd schlafen konnten.

Matsch: Der seit dem 18. Jh. bezeugte Ausdruck für »weiche, breiige Masse; nasser Straßenschmutz« gehört zu dem Verb **matschen** ugs. für »mischen, durcheinander mengen, herumsudeln«, das lautmalenden Ursprungs ist. Neben ›matschen‹ findet sich auch eine gleichbedeutende nasalierte Form **manschen** (17. Jh.), wie z. B. ›panschen‹ neben ›patschen‹; beachte auch **Mansch** ugs. für »Schneewasser; schlechtes Wetter; Suppe; wässeriges Essen«. – Abl.: **matschig** ugs. für »breiig; klebrig; schmutzig; überreif« (um 1800).

matt: Das seit mhd. Zeit bezeugte Adjektiv (mhd. *mat*) ist ursprünglich, wie auch heute noch, ein Fachausdruck des Schachspiels, der besagt, dass der (gegnerische) König geschlagen und damit die Partie entschieden ist. Das Wort stammt, wie das Schachspiel selbst und einige andere Fachausdrücke des Schachspiels (vgl. zum Sachlichen den Artikel *Schach*), aus dem Orient. Quelle ist arab. *māta* »gestorben, tot« in der Fügung *šāh māta* »der König ist tot« (beachte dazu unser ›schachmatt‹, schon mhd. *schāch unde mat*). Das Wort gelangte ins Dt. durch roman. Vermittlung (vgl. entsprechend it. *scacco matto* neben *matto*, frz. *échec et mat* neben *mat*, span. *jaque y mate* neben *mate*). – Seit dem 13. Jh. wird das Adjektiv matt (mhd. *mat*) auch allgemein im Sinne von »entkräftet, kraftlos, schwach«, dann auch in der Bedeutung »glanzlos, trübe« gebraucht. Daran schließt sich das Präfixverb **ermatten** »schlapp werden, matt und müde werden, nachlassen« (18. Jh.) an, vgl. auch den Artikel *mattieren*.

[1]**Matte** »Decke, Unterlage; Bodenbelag«: Das Wort (mhd., *matte*, ahd. *matta*) wurde in ahd. Zeit aus lat. *matta* »Decke aus Binsen- oder Strohgeflecht« entlehnt. Damit ursprünglich identisch ist [2]**Matte** mitteld. für »Quark, Topfen«, das gewöhnlich in der Zusammensetzung ›Käsematte‹ gebräuchlich ist. Das Wort bezeichnete demnach zunächst die Unterlage, auf der die geronnene Milch zum Trocknen ausgebreitet wird, und wurde dann auf die geronnene Milch selbst übertragen.

[3]**Matte** (dichterisch für:) »[Berg]wiese«: Das aus dem Aleman. in die allgemeine dichterische Sprache übernommene Wort gehört – wie auch die Bildung ↑Mahd »Mähen; Gemähtes; Wiese« – zu dem unter ↑mähen behandelten Verb. Es bedeutet also eigentlich »Wiese, die gemäht wird« im Gegensatz zu Weide. In seinem ursprünglichen Verbreitungsgebiet spielt das Wort auch in der geographischen Namengebung eine Rolle, beachte z. B. die schweiz. Ortsnamen Andermatt und Zermatt. – Mit mhd. *mat[t]e*, ahd. *matta* »Wiese« sind z. B. im germ. Sprachbereich verwandt niederl. *made* »Wiese« und engl. *meadow* »Wiese«.

mattieren »glanzlos, stumpf machen«: Das seit dem 19. Jh. gebräuchliche Verb ist aus gleichbed. frz. *mater, matir* entlehnt, einer Ableitung von frz. *mat* »matt« (vgl. den Artikel *matt*).

Mattscheibe

bei jmdm. ist Mattscheibe
(ugs.) »jmd. ist benommen, kann nicht mehr klar denken«
Diese und die folgende Wendung gehen von der Fotografie aus, wo mit ›Mattscheibe‹ eine nicht durchsichtige, sondern nur durchscheinende Platte mit einseitig mattierter Oberfläche zum Sichtbarmachen von Bildern bezeichnet wird.
Mattscheibe haben
(ugs.) »benommen sein, nicht mehr klar denken können«
Vgl. die vorangehende Wendung.

Matur, Maturum: Die veraltende Bezeichnung für »Reifeprüfung, Abitur« – in Österreich und in der Schweiz ist auch heute **Matura** das gebräuchliche Wort für »Abitur« – ist eine gelehrte Bildung des 20. Jh.s zu lat. *maturus* »reif; frühzeitig« oder eine Kürzung aus nlat. *examen maturum* »Reifeprüfung«. Im 19. Jh. galt die Bezeichnung ›Maturität‹ bzw. ›Maturitätsexamen‹ (aus lat. *maturitas* »Reife«).

Mätzchen: Der ugs. Ausdruck für »Possen, Unsinn; Kunstgriff, Trick« ist eine Verkleinerungsbildung zu dem heute veralteten Substantiv ›Matz‹ »törichter, alberner Kerl«. Dies ist eine Koseform des männlichen Vornamens Matthias (wie ›Hinz‹ zu ›Heinrich‹ und ›Kunz‹ zu ›Konrad‹). Als zweiter Bestandteil steckt ›Matz‹ in den Zusammensetzungen **Hemdenmatz, Hosenmatz** und **Piepmatz.** Wohl erst aus ›Hemdenmatz‹ oder ›Hosenmatz‹ gekürzt ist **Matz** familiär für »kleines [niedliches] Kind«.

mau: Der ugs. Ausdruck für »schwach, dürftig, flau«, der seit der 2. Hälfte des 19. Jh.s bezeugt ist, hat sich von Berlin ausgebreitet. Seine Herkunft ist trotz aller Deutungsversuche unklar.

mauen, maunzen, mauzen ↑miauen.

Mauer: Das altgerm. Substantiv (mhd. *mūre,* ahd. *mūra,* niederl. *muur,* aengl. *mūr,* anord. *mūrr)* wurde zusammen mit anderen Wörtern des römischen Steinbaues (vgl. zum Sachlichen den Artikel *Fenster)* früh aus dem Lat. entlehnt. Quelle des Wortes ist lat. *murus* (alat. *moerus, moiros)* »Mauer; Wall«. Das Lehnwort, das zunächst ein Maskulinum war, hat sein Geschlecht nach dem Vorbild von ›Wand‹ gewechselt. – Abl.: [1]**mauern** »eine Mauer bauen, als Maurer tätig sein, aufbauen« (mhd. *mūren*), dazu **untermauern** »mit Grundmauern versehen; etwas durch überzeugende Beweise erhärten, bekräftigen«, **vermauern** und **zumauern** »mit einer Mauer verschließen«; **Maurer** (als Handwerkerbezeichnung; mhd. *mūrære,* ahd. *mūrāri*). Siehe auch die Zusammensetzung ›Freimaurer‹ im Artikel *frei.* – In dem aus der Gaunersprache in die Umgangssprache gelangten Verb [2]**mauern** »übervorsichtig und zurückhaltend spielen, sein Blatt nicht ausreizen (bei Kartenspielen); auf Halten des Ergebnisses, übertrieben defensiv spielen (Fußball u. a.)« hat sich wohl rotwelsch *maure* (< jidd. *mora)* »Furcht, Angst« mit dem oben genannten Verb [1]mauern im übertragenen Sinne von »eine Mauer bilden, sich ängstlich verschanzen« vermischt.

Maul: Das altgerm. Wort mhd. *mūl[e],* ahd. *mūl[a],* niederl. *muil,* schwed. *mule* gehört mit zahlreichen [elementar]verwandten Wörtern in anderen idg. Sprachen zu der Lautnachahmung **mū-* (für den mit gepressten Lippen hervorgebrachten dumpfen Laut), vgl. z. B. griech. *mýllon* »Lippe«, *mȳ́ein* »sich schließen«, von den Lippen (↑Mysterium) und lat. *mugire* »brüllen«, *muttire* »halblaut reden, mucken« (↑Motto). Im germ. Sprachbereich beruhen auf dem lautnachahmenden **mŭ̄-* ferner die unter ↑muhen, ↑mucken, mucksen und ↑muffeln behandelten Wörter, wobei zu beachten ist, dass es sich zum guten Teil um unabhängige Bildungen unterschiedlichen Alters handelt. – Im heutigen Sprachgebrauch bezeichnet ›Maul‹ gewöhnlich die Schnauze von Tieren, wird aber auch, wie schon in mhd. Zeit, als derber Ausdruck für »Mund« verwendet. Die Verkleinerungsbildung **Mäulchen** ist landsch. auch im Sinne von »Kuss« gebräuchlich.

Maulaffe

Maulaffen feilhalten
(ugs.) »gaffen, müßig zuschauen«
Die Entstehung dieser Wendung ist nicht sicher geklärt. Als ›Maulaffe‹ bezeichnete man früher tönerne Kienspanen, die häufig in der Form eines [menschlichen] Kopfes mit weit aufgerissenem Mund gestaltet waren. Übertragen bezeichnete man dann auch Personen, die [mit offenem Mund] gaffend dastanden, als Maulaffen. Die Verbindung mit dem Verb ›feilhalten‹ dürfte später in Analogie zu anderen, heute nicht mehr gebräuchlichen Wendungen wie ›Affen, Narren feilhalten‹ entstanden sein.

Maulbeere: Der Name der brombeerähnlichen Frucht des Maulbeerbaums geht zurück auf mhd. *mūlber,* das aus älterem **mūrber,* ahd. *mūr-, mōrberi* »Maulbeere« entstellt ist. Das Bestimmungswort ahd. *mūr-, mōr-* ist aus lat. *morum* »Maulbeere; Brombeere« entlehnt.

Mäulchen ↑Maul.

Maulesel: Das Wort bezeichnet den durch Kreuzung von Pferdehengst und Eselstute entstandenen Bastard, der in der zoologischen Fachsprache von **Maultier,** der Bezeichnung für den Bastard aus der Kreuzung von Eselhengst und Pferdestute, unterschieden wird. Die Tierbezeichnungen sind verdeutlichende Zusammensetzungen mit mhd., ahd. *mūl* »Maultier« (= entsprechend niederl. *muildier, -ezel,* aengl. *mūl,* schwed. *mula, mulåsna*). Die germ. Wörter beruhen auf einer Entlehnung aus lat. *mulus* »Maultier«. – Vgl. auch den Artikel *Muli.*

Maulschelle ↑[2]Schelle.

Maultier ↑Maulesel.

M

Maulwurf: Der Name des Tieres lautete im Ahd. zunächst *mūwerf (-wurf)*. Der erste Bestandteil dieser Zusammensetzung entspricht aengl. *mūha, mūwa*, engl. *mow* »Haufen«, der zweite ist eine Bildung (Nomen Agentis) zu dem unter ↑werfen behandelten Verb. Der Tiername bedeutete also ursprünglich »Haufenwerfer«. Seit spätahd. Zeit wurde das Bestimmungswort des Tiernamens, das als selbstständiges Wort nicht mehr vorkam und daher nicht mehr verstanden wurde, volksetymologisch umgedeutet, und zwar nach ahd. *molta*, mhd. *molt[e]* »Erde, Staub« und mitteld., mnd. *mul[le]* »Erde, Staub« (vgl. *mahlen*). Spätahd. *mul[t]wurf*, mhd. *moltwerf* und ähnliche Formen bedeuten demnach eigentlich »Erd[auf]werfer«. Das Bestimmungswort dieser Benennung, das gleichfalls allmählich außer Gebrauch kam, wurde dann abermals umgedeutet, und zwar nach mhd. *mūl[e]* »Maul, Mund« (vgl. *Maul*). Auf dieser Umdeutung beruht die nhd. Form Maulwurf (eigentlich »Tier, das die Erde mit dem Maul wirft«).

maunzen ↑miauen.

Maurer ↑Mauer.

Maus: Der altgerm. Tiername mhd., ahd. *mūs*, niederl. *muis*, engl. *mouse*, schwed. *mus* geht mit Entsprechungen in den meisten anderen idg. Sprachen auf idg. **mūs* »Maus« zurück, vgl. z. B. aind. *mū́ṣ* »Maus« (↑Moschus und ↑Muskat), griech. *mȳs* »Maus« und lat. *mus* »Maus« (↑Muskel und ↑Muschel). Welche Vorstellung der Benennung der Maus zugrunde liegt, ist nicht sicher geklärt. Vermutlich gehört idg. **mūs* »Maus« zu der Sippe von aind. *muṣṇā́ti* »stiehlt, raubt« und bedeutet dann eigentlich »Diebin«. Seit der 2. Hälfte des 20. Jh.s findet sich ›Maus‹ auch in einer übertragenen Bedeutung, die von engl. *mouse* entlehnt wurde: In der EDV bezeichnet es ein »Gerät, das auf dem Tisch bewegt wird, um den Cursor auf dem Bildschirm zu positionieren«. – Abl.: **mausen** ugs. für »stehlen« (mhd. *mūsen* »Mäuse fangen; schleichen; listig sein«). Siehe auch die Artikel *mausetot* und *Fledermaus*.

Maus

da[von] beißt die Maus keinen Faden ab
(ugs.) »das ist unabänderlich, dagegen ist nichts zu machen«
Für die Entstehung dieser Redewendung bieten sich mehrere Erklärungen an. Sie ließe sich auf die Fabel vom Löwen und der Maus beziehen, in der die Maus das Schicksal des gefangenen Löwen wendet, indem sie das Netz zernagt. Sie könnte aber auch aus dem alten Volksglauben herrühren, dass man im Frühjahr keine Winterarbeit verrichtet, also auch nicht mehr spinnen soll. Den Frauen, die das trotzdem tun, beißen die Mäuse den Spinnfaden durch – nur wer sich unbeirrt an den Brauch hält, dem ›beißt die Maus keinen Faden ab‹.

mausern, sich »das Federkleid wechseln (von Vögeln)«, auch auf den Menschen übertragen im Sinne von »sich herausmachen; sich zum Vorteil verändern«: Das in dieser Form seit dem 18. Jh. bezeugte Wort ist eine Weiterbildung zu dem im Nhd. untergegangenen gleichbed. Verb *mausen* (mhd. *sich mūzen*, ahd. *mūzōn*), das aus lat.-mlat. *mutare* »[ver]ändern, wechseln, [ver]tauschen; das Federkleid wechseln« (mlat. *pennas mutare*) entlehnt ist. Das lat. Wort gehört vermutlich zu der unter ↑Meineid dargestellten Wortsippe der idg. Wurzel **mei-* »wechseln, tauschen«. – Zum Verb ›mausern‹ stellt sich das Substantiv **Mauser** »Federwechsel der Vögel«, das im 19. Jh. für älteres ›Mause‹ aufgekommen ist (mhd. *mūze*, aus gleichbed. mlat. *muta*).

mausetot: Das seit dem 17. Jh. bezeugte Adjektiv ist eine volksetymologische Umdeutung (»tot wie eine Maus, die nicht mehr zuckt«) von niederd. *mu[r]sdōt, morsdōt* »ganz tot«. Der erste Bestandteil ist niederd. *murs, mors* »gänzlich, plötzlich«. – Im heutigen Sprachgefühl wird das Bestimmungswort als Verstärkung empfunden, ähnlich wie ›Mäuschen‹ in ›mäuschenstill‹.

mausig

sich mausig machen
(ugs.) »sich frech und vorlaut äußern, benehmen«
Diese Wendung geht auf die Falkenjagd zurück. Der Falke, der gerade die Mauser überstanden hat (= mausig ist), ist besonders lebhaft und jagdlustig. Nach und nach trat bei der Wendung die Vorstellung des Übermütigen, Ungebärdigen und Vorlauten in den Vordergrund.

Mausoleum: Die Bezeichnung für »monumentales Grabmal« wurde um 1600 aus gleichbed. lat. *Mausoleum* entlehnt, das seinerseits aus griech. *Mausṓleion* übernommen ist. Das griech. Wort bezeichnete zunächst nur das berühmte Grabmal des Königs Mausolos (griech. Maúsōlos) von Karien, das diesem von seiner Gemahlin in Halikarnassos errichtet wurde und das im Altertum als eines der sieben Weltwunder galt.

mauzen ↑miauen.

Maxime »oberster Grundsatz, Leitsatz, Lebensregel«: Das Fremdwort ist eine gelehrte Entlehnung – wohl unter dem Einfluss von gleichbed. frz. *maxime* – aus mlat. *maxima* (ergänze: *regula* oder *sententia*) »höchste Regel, oberster Grundsatz«. Über das zugrunde liegende Adjektiv lat. *maximus* »größter, wichtigster, bedeutendster« vgl. den Artikel *Magnat*. Zu lat. *maximus* gebildet ist das Adjektiv **maximal** »sehr groß, größt..., höchst..., höchstens« (19. Jh.).

Mäzen »Förderer, freigebiger Gönner«: Das seit dem 18. Jh. bezeugte Fremdwort, das an die Stelle von *Mecenat* (16. Jh.) trat, gehört zu lat. Maecenas, dem Namen eines römischen Adligen, der besonders die Dichter Horaz und Vergil großzügig förderte. – Dazu stellen sich die Bildungen **Mäzenatentum** und **mäzenatisch.**

Mechanik »Lehre von der Bewegung der Körper; Getriebe, Triebwerk, Räderwerk«: Das Wort wurde im 17. Jh. aus lat. *(ars) mechanica* entlehnt, das seinerseits aus griech. *mēchanikḗ (téchnē)* »die Kunst, Maschinen gemäß der Wirkung von Naturkräften zu erfinden und zusammenzubauen« übernommen ist. Das griech. Adjektiv *mēchanikós* »Maschinen betreffend; erfinderisch« (> lat. *mechanicus*) ist von griech. *mēchanḗ* »Hilfsmittel, Werkzeug; Kriegsmaschine« abgeleitet (vgl. hierüber den Artikel *Maschine*). Die Verwendung von ›Mechanik‹ im Sinne von »Getriebe, Räderwerk, Mechanismus« beruht auf Einfluss von frz. *mécanique.* – Dazu: **mechanisch** »den Gesetzen der Mechanik entsprechend« (16. Jh.; aus lat. *mechanicus* < griech. *mēchanikós*, s. o.), seit dem 18. Jh. auch übertragen gebraucht im Sinne von »unbewusst, unwillkürlich, gewohnheitsmäßig« (= »gleichsam wie eine Maschine ablaufend«); **Mechaniker** »Fachmann für die Reparatur von Maschinen, Apparaten und dgl.; Feinschlosser« (19. Jh.; für älteres ›Mechanikus‹; aus dem substantivierten lat. Adjektiv *mechanicus* »Mechaniker«); **mechanisieren** »auf mechanischen Ablauf umstellen« (20. Jh.; nach frz. *mécaniser;* das Substantiv **Mechanisierung** aber schon im 19. Jh.); **Mechanismus** »alles maschinenmäßig Ablaufende; [selbsttätiger] Ablauf; mechanische Einrichtung, Triebwerk« (Anfang 18. Jh.; nlat. Bildung nach gleichbed. frz. *mécanisme*).

meckern: Das seit dem 17. Jh. bezeugte Verb gehört zu gleichbed. frühnhd. *mecken,* beachte spätmhd. *mechzen* »meckern«, mhd. *mecke* »Ziegenbock«. Die Sippe ist lautnachahmenden Ursprungs. Nachahmungen des Ziegenlauts sind z. B. auch die [elementar]verwandten Verben griech. *mēkāsthai* »meckern« und mlat. *miccire* »meckern«. Ugs. wird das Verb im Sinne von »nörgeln« gebraucht, beachte dazu auch **Meckerer** »Nörgler« und **Gemecker, Gemeck[e]re** »Ziegengeschrei; Nörgelei«.

Medaille »Denkmünze, Schaumünze«: Das Fremdwort wurde im 16. Jh. aus gleichbed. frz. *médaille* entlehnt, das seinerseits aus it. *medaglia* übernommen ist. Voraus liegt wahrscheinlich vlat. **metallia (moneta)* »Münze aus Metall«. Über das zugrunde liegende Substantiv lat. *metallum* »Metall« vgl. den Artikel *Metall.* – Zu it. *medaglia* stellt sich das mit Vergrößerungssuffix gebildete Substantiv it. *medaglione* »große Schaumünze«, aus dem frz. *médaillon* stammt. Daraus entlehnt ist das seit dem Anfang des 18. Jh.s bezeugte Fremdwort **Medaillon** »große Schaumünze; Bildkapsel; Rundbild[chen]«.

Medikament ↑Medizin.

meditieren »nachdenken; sinnend betrachten«: Das seit dem 14. Jh. bezeugte Verb ist aus gleichbed. lat. *meditari* entlehnt, das mit einer ursprünglichen Bedeutung »ermessen, geistig abmessen« zu der unter ↑[1]Mal dargestellten Wortsippe der idg. Wurzel **med-* »messen; ermessen« gehört.

Medium: Das seit dem 17. Jh. bezeugte Fremdwort ist aus dem substantivierten Neutrum des lat. Adjektivs *medius* »in der Mitte befindlich, mittlerer usw.« entlehnt. Es erscheint in sehr verschiedenen Verwendungsbereichen: einmal als naturwissenschaftlicher Terminus im Sinne von »Mittel, Vermittlungsstoff« zur Bezeichnung eines Trägers physikalischer oder chemischer Vorgänge, ferner allgemein im Sinne von »Vermittlung, vermittelndes Element«, schließlich im Bereich der Sprachlehre zur Bezeichnung einer medialen (am Aktiv wie am Passiv teilhabenden) Verhaltensrichtung des Verbs (wie sie z. B. für das Griechische typisch ist). Seit dem 19. Jh. spielt das Wort auch in Spiritismus und Okkultismus eine Rolle. Es gilt hier im Sinne von »vermittelnde Person im übersinnlichen Bereich«, danach auch allgemein im Sinne von »geeignete Versuchsperson«. Die Bedeutungserweiterung zu »(Massen-)Kommunikationsmittel« hat sich in der Mitte des 20. Jh.s wahrscheinlich unter dem Einfluss von engl. *medium* (im Plural *media*) vollzogen. In dieser Bedeutung wird meist der Plural **Medien** verwendet. – Lat. *medius,* das auch in ↑Intermezzo, ↑Meridian und ↑Milieu enthalten ist, ist mit den unter ↑Mitte genannten Wörtern urverwandt.

Medizin »Heilkunde; Heilmittel, Arznei«: Das Wort wurde im 13. Jh. aus gleichbed. lat. *(ars) medicina* entlehnt, einer Ableitung von lat. *medicus* »Arzt«. Dies gehört mit lat. *mederi* »heilen« zu der unter ↑[1]Mal dargestellten Wortsippe der idg. Wurzel **mē̆-[d]-* »messen; ermessen«, auch »Rat wissen« bzw. »klug ermessender, weiser Ratgeber; Heilkundiger« (beachte z. B. awest. *vī-mad-* »Heilkundiger, Arzt« und griech. Mēdos, Mḗdē, Agamḗdē »Heilgottheiten«). – Abl.: **medizinisch** »zur Heilkunde gehörend, sie betreffend« (17. Jh.); **Mediziner** »Arzt« (mhd. *medicinære* < mlat. **medicinarius*), seit dem 18. Jh. auch in der Bedeutung »Medizinstudent«; **Medikament** »Heilmittel, Arznei« (Ende 15. Jh.; aus gleichbed. lat. *medicamentum*).

Medley ↑Potpourri.

Meer: Das gemeingerm. Wort mhd. *mer,* ahd. *meri,* got. *mari-saiws* (»See«, eigentlich »See-See«), engl. *mere,* schwed. *mar-* geht mit verwandten Wörtern im Lat., Kelt. und Baltoslaw. auf westidg. **mō̆ri* »Sumpf, stehendes Gewässer, Binnensee« zurück, vgl. z. B. lat. *mare* »Meer« (↑Marine und ↑marinieren) und russ. *more* »Meer«. Im germ. Sprachbereich sind verwandt die unter ↑Moor und ↑[2]Marsch behandelten Wörter, die die ältere Bedeutung »Sumpf, stehendes Gewässer« bewahren. – Zus.: **Meerbusen** (Anfang des 17. Jh.s; Lehnübertragung von lat. *sinus maris*, ↑Busen); **Meerenge** (17. Jh.); **Meerkatze** (mhd. *mer[e]katze*, ahd. *merikazza;* die aus Afrika stammende Affenart ist so benannt, weil das Tier Ähnlichkeit mit einer Katze hat und über das Meer nach Europa gebracht worden ist); **Meerschaum** »weißes, feinerdig-poröses Mineral« (Anfang des 18. Jh.s; die Zusammensetzung ist schon seit dem 15. Jh. bezeugt, allerdings im Sinne von »Koralle« als Lehnübersetzung von lat. *spuma maris;* die Bezeichnung für »Koralle« wurde vermutlich zu Beginn des 18. Jh.s auf das Mineral übertragen); **Meerschweinchen** (17. Jh.; das aus Südamerika stammende kleine Nagetier ist so benannt, weil es Laute wie ein junges Schwein von sich gibt und weil es über das Meer nach Europa gebracht worden ist).

Meerrettich: Der seit dem 10. Jh. bezeugte Pflanzenname (ahd. *mēr[i]rātich*, mhd. *merretich*) enthält als ersten Bestandteil wahrscheinlich das unter ↑mehr behandelte Wort und bedeutet demnach eigentlich »größerer Rettich«. Später wurde der Pflanzenname umgedeutet zu »Rettich, der über das Meer zu uns gebracht worden ist« (vgl. die Zusammensetzungen ›Meerkatze‹ und ›Meerschweinchen‹).

Mehl: Das altgerm. Wort mhd. *mel*, ahd. *melo*, niederl. *meel*, engl. *meal*, schwed. *mjöl* gehört im Sinne von »gemahlene Getreidekörner, Zerriebenes« zu der Wortgruppe von ↑mahlen (beachte aus anderen idg. Sprachen z. B. die verwandten alban. *mjel* »Mehl« und lit. *mil̃ti* »Mehl«). – Abl.: **mehlig** (17. Jh.; in der Form ›mehlicht‹). Siehe auch den Artikel *Mehltau*.

Mehltau: Der Name der parasitischen Pilze, die bestimmte Pflanzenarten mehlartig überziehen und dadurch schädigen, lautete in den älteren Sprachzuständen mhd. *miltou*, ahd. *militou*. Der zweite Bestandteil dieser Zusammensetzung ist das unter ↑[1]Tau behandelte Wort, der erste Bestandteil ist wahrscheinlich gleichbedeutend mit mhd. *mel*, ahd. *melo* »Mehl« (vgl. *Mehl*) und gehört wie dies zu der Wortgruppe von ↑mahlen. Im 15. Jh. wurde das Bestimmungswort volksetymologisch an Mehl angeschlossen. Die nicht umgestaltete Form **Miltau** ist heute noch mdal. gebräuchlich. – Mit ›Mehltau‹ identisch ist das heute orthographisch unterschiedene **Meltau** »Honigtau, Blattlaushonig«. – Auch in den anderen germ. Sprachen sind entsprechende Zusammensetzungen gebräuchlich, beachte niederl. *meeldauw*, engl. *mildew*, schwed. *mjöldagg*.

mehr: Mhd. *mēr (mēre)*, ahd. *mēr (mēro)*, got. *mais (maizō)*, engl. *more*, schwed. *mer (mera)* beruhen auf einer Komparativbildung zu der unter ↑Märchen dargestellten idg. Wurzel **mē-* »groß, ansehnlich«. – Abl.: **mehren** (mhd. *mēren*, ahd. *mērōn* »größer, mehr machen«; gebräuchlicher ist die Präfixbildung **vermehren**, dazu **Vermehrung**); **mehrfach** »mehr als einmal« (Anfang des 19. Jh.s; Lehnübertragung nach frz. *multiple*); **Mehrheit** »größerer Teil einer bestimmten Anzahl« (18. Jh.; nach niederl. *meerderheid* und frz. *majorité*).

mehrstimmig ↑Stimme.

Mehrzahl ↑Einzahl.

meiden: Das westgerm. Verb mhd. *mīden*, ahd. *mīdan*, niederl. *mijden*, aengl. *mīđan* gehört im Sinne von »(den Ort) wechseln, [sich] verbergen, [sich] fern halten« zu der unter ↑Meineid dargestellten idg. Wortgruppe. Eng verwandt sind die Sippen von ↑miss... und ↑missen. – Beachte dazu die Präfixbildung **vermeiden** »umgehen, unterlassen« (mhd. *vermīden*, ahd. *farmīdan*).

Meile: Die westgerm. Bezeichnung des Längenmaßes, mhd. *mīle*, ahd. *mīl[l]a*, niederl. *mijl*, engl. *mile*, beruht auf einer frühen Entlehnung aus lat. *milia* »römische Meile«, das für *mille passuum*, *milia passuum* »tausend Doppelschritte« steht. – Stammwort ist das lat. Zahlwort *mille* »tausend«, das auch in ↑Mille, pro mille, Milli..., ↑Million, Millionär, Milliarde, Billion usw. erscheint. Vgl. auch das Lehnwort *Meiler*.

Meiler: »zum Verkohlen bestimmter Holzstoß«, in neuerer Zeit auch übertragen gebraucht in der Zusammensetzung ›Atommeiler‹: Das seit spätmhd. Zeit (als *mīler*) bezeugte Substantiv geht vermutlich (durch roman. Vermittlung) auf mlat. *miliarium* »Anzahl von tausend Stück« (zu lat. *mille* »tausend«, vgl. *Meile*) zurück. Die heutige Bedeutung des Wortes entwickelte sich wohl über eine Bedeutung »große Stückzahl (nämlich von aufgeschichtetem Holz)«.

Meineid: Der altgerm. Ausdruck für »wissentlicher Falscheid« (mhd. *meineit*, ahd. *meineid*, niederl. *meineed*, aengl. *mānād*, schwed. *mened*) ist zusammengesetzt aus dem unter ↑Eid behandelten Wort und einem im Nhd. untergegangenen germ. Adjektiv **maina-* »falsch«, vgl. z. B. mhd., ahd. *mein* »falsch, betrügerisch«. Noch in mhd. Zeit war statt der Zusammensetzung *meineit* auch *meiner eit* für »Falscheid« gebräuchlich. – Das Bestimmungswort germ. **maina-* »falsch« bedeutet eigentlich »verwechselt, vertauscht« und gehört mit verwandten Wörtern in anderen idg. Sprachen zu der mehrfach erweiterten Wurzel **mei-* »wechseln, tauschen«. Aus dem germ. Sprachbereich gehören zu dieser Wurzel ferner die Sippen von ↑gemein (eigentlich »mehreren abwechselnd zukommend«), ↑meiden (eigentlich »den Ort wechseln, [sich] verbergen, [sich] fern halten«) und von ↑miss... (eigentlich »verwechselt, vertauscht«; s. auch den Artikel *missen*). Außergerm. sind z. B. verwandt griech. *ameíbein* »wechseln, tauschen«, *amoibḗ* »Wechsel, Tausch« (↑Amöbe, nach der wechselnden Gestalt) und lat. *migrare* »wandern« (eigentlich »den Ort wechseln«, ↑emigrieren), *mutare* »ändern, tauschen« (↑mausern, sich), *munus* »Leistung, Dienst, Geschenk« (eigentlich »Tausch[gabe]«, ↑Kommune und ↑immun).

meinen: Das westgerm. Verb mhd. *meinen,* ahd. *meinan,* niederl. *menen,* engl. *to mean* ist verwandt mit aslaw. *měniti* »wähnen« und der kelt. Sippe von air. *mīan* »Wunsch, Verlangen«. Die weiteren Beziehungen sind unklar. – Aus der Verwendung des Verbs im Sinne von »seine Gedanken auf etwas richten, im Sinn haben« entwickelte sich in mhd. Zeit die Bedeutung »zugeneigt sein, lieben«, die in dichterischer Sprache bewahrt ist, beachte z. B. ›Freiheit, die ich meine‹. Neben dem einfachen Verb findet sich auch eine Präfixbildung **vermeinen** »[irrtümlich] glauben« (mhd. *vermeinen*), beachte dazu **vermeintlich** (16. Jh.). – Abl.: **Meinung** »Ansicht, Urteil« (mhd. *meinunge,* ahd. *meinunga*).

Meise: Der altgerm. Vogelname mhd. *meise,* ahd. *meisa,* niederl. *mees,* engl. *[tit-, coal-]mouse,* schwed. *mes* gehört wahrscheinlich zu einem im Dt. untergegangenen Adjektiv germ. **maisa-* »klein, dünn«, vgl. z. B. norw. mdal. *meis* »schwächlicher, magerer Mensch«. Der Singvogel wäre demnach nach seiner kleinen, schmächtigen Gestalt benannt.

Meißel: Der dt. und nord. Werkzeugname mhd. *meiȥel,* ahd. *meiȥil,* aisl. *meitill* ist eine Instrumentalbildung zu einem im Nhd. untergegangenen germ. Verb mhd. *meiȥen,* ahd. *meiȥan,* got. *maitan,* aisl. *meita* »[ab]schneiden, [ab]hauen«. Die Bildung bedeutet demnach »Gerät zum Hauen oder Schneiden«. S. auch den Artikel *Ameise.*

meist: Mhd., ahd. *meist,* got. *maists,* engl. *most,* schwed. *mest* beruhen auf einer gemeingerm. Superlativbildung zu dem unter ↑mehr behandelten Komparativ (vgl. *Märchen*).

Meister: Das Substantiv (mhd. *meister,* ahd. *meistar*) geht wie z. B. entsprechend it. *maestro* und frz. *maître* (s. das Fremdwort *Mätresse*) auf lat. *magister* »Vorsteher, Leiter; Lehrer« zurück. Über weitere etymologische Zusammenhänge vgl. den Artikel *Magnat.* – Abl.: **meisterlich** (mhd. *meisterlich,* ahd. *meistarlīch*); **meisterhaft** (17. Jh.); **meistern** (mhd. *meistern* »lehren, erziehen; anordnen; leiten; beherrschen«, ahd. *meistarōn* »vorstehen, beherrschen, anordnen«); **Meisterschaft** (mhd. *meisterschaft* »Unterricht, Zucht; höchste Gelehrsamkeit oder Kunstfertigkeit; Überlegenheit usw.«, ahd. *meistarscaft*). Vgl. auch den Artikel *Magistrat.*

Melancholie »Schwermut, Trübsinn«: Das Fremdwort wurde bereits im 14. Jh. (mhd. *melancoli[a], melancolei*) aus gleichbed. lat. *melancholia* entlehnt, das seinerseits aus griech. *melag-cholía* übernommen ist. Das griech. Wort bedeutet wörtlich »Schwarzgalligkeit« (zu griech. *mélās* »schwarz« und *cholḗ* »Galle«). Nach antiken medizinischen Anschauungen galt die Schwermut als Folge einer durch den Übertritt von verbrannter schwarzer Galle in das Blut verursachten Erkrankung. – Dazu: **melancholisch** »schwermütig, trübsinnig« (14. Jh.; aus gleichbed. lat. *melancholicus* < griech. *melagcholikós*).

Melange ↑meliert.

Melasse: Die Bezeichnung für den bei der Zuckergewinnung verbleibenden, als Futtermittel verwendeten sirupartigen Rückstand wurde im 18. Jh. aus frz. *mélasse* »Zuckersirup, Melasse« entlehnt, das seinerseits auf gleichbed. span. *melaza* zurückgeht. Dies gehört zu lat. *mel (mellis)* > span. *miel* »Honig« (vgl. *Melisse*).

melden: Die Herkunft des westgerm. Verbs mhd. *melden,* ahd. *meldōn,* niederl. *melden,* aengl. *meldian* ist unklar. Das Verb hatte in den älteren Sprachzuständen die Bedeutung »ein Geheimnis preisgeben, verraten«. In mhd. Zeit verblasste die Vorstellung des Geheimen, und das Verb wurde im Sinne von »ankündigen, mitteilen, nennen« gebräuchlich. Heute wird es oft im Sinne von »pflichtgemäß mitteilen« verwendet. Um das Verb gruppieren sich die Bildungen **Melder** »Nachrichtenübermittler; Meldevorrichtung« (mhd. *meldǣre,* ahd. *meldāri* »Verräter«) und **Meldung** »Mitteilung, Berichterstattung« (mhd. *meldunge,* ahd. *meldunga* »Verrat«), beachte auch die Bildungen und Zusammensetzungen ›ab-, an-, um-, vermelden‹.

meliert »gefleckt, gesprenkelt«, besonders noch in der Zusammensetzung ›grau meliert‹ gebräuchlich: Das seit dem 17. Jh. bezeugte Adjektiv ist eigentlich zweites Part. zu dem veralteten Verb **melieren** »mischen; sprenkeln«, das aus gleichbed. frz. *mêler* (afrz. *mesler*) entlehnt ist. Das frz. Wort selbst geht auf vlat. **misculare* »mischen« zurück, eine Weiterbildung von gleichbed. lat. *miscere* (vgl. den Artikel *mischen*). – Eine Bildung zu frz. *mêler* ist frz. *mélange* »Mischung«, aus dem zu Beginn des 18. Jh.s unser Fremdwort **Melange** »Mischung; Gemengsel« entlehnt wurde. Dies ist seit dem 19. Jh. durch österr. Vermittlung auch im Sinne von »Milchkaffee« gebräuchlich.

Melisse: Der Name der nach Zitronen duftenden, besonders im Mittelmeergebiet angebauten Heil- und Gewürzpflanze, in dt. Texten seit dem Anfang des 16. Jh.s bezeugt, stammt aus mlat. *melissa,* einer gelehrten Ableitung von griech.-lat. *melissó-phyllon* »Bienenblatt, Bienenkraut«. Das Bestimmungswort, griech. *mélissa* (attisch *mélitta*) »Biene« gehört zu griech. *méli* »Honig« (die Biene ist als »Honigtier« benannt). Damit urverwandt ist u. a. lat. *mel (mellis)* »Honig« (↑Melasse). Als Bestimmungswort erscheint griech. *méli* noch in griech. *melímēlon* »Honigapfel«, das die Quelle für unser Wort ↑Marmelade ist.

melken: Das germ. Verb mhd. *melken,* ahd. *melchan,* niederl. *melken,* engl. *to milk* gehört mit verwandten Wörtern in anderen idg. Sprachen zu der Wurzel **mē̆l[ə]ĝ-* »melken«, älter wohl »abstreifen, wischen«. Im germ. Sprachbereich gruppieren sich um dieses Verb die Bildungen ↑Molke und ↑Milch. Außergerm. sind z. B. verwandt griech. *amélgein* »melken«, lat. *mulgere* »melken«, *mulctra* »Melkkübel« (↑Mulde, ↑Molle und ↑Emulsion) und lit. *mélžti* »melken«. – Das transitive Verb wird gelegentlich auch intransitiv im Sinne von »Milch geben« verwendet. – Abl.: **Melker** (15. Jh.).

Melodie »in sich einheitlich gestaltete Tonfolge, Singweise; Wohlklang«: Griech. *melǭdía* »Gesang; Singweise«, das aus griech. *mélos* »Lied; Singweise« und griech. *ǭdḗ* »das Singen; das Lied« (vgl. *Ode*) gebildet ist, gelangte über spätlat. *melodia* im 13. Jh. ins Mhd. als *melodīe*. Daraus entwickelte sich lautgerecht die Form **Melodei** (frühnhd.), die auch heute noch in poetischer Sprache vorkommen kann. Die heute gültige Form ›Melodie‹ erscheint im 17. Jh. durch Anlehnung an lat. *melodia* bzw. an frz. *mélodie*. – Abl.: **melodisch** »wohlklingend, sangbar« (18. Jh.).

Melone: Der Name des in zahlreichen Arten angepflanzten Kürbisgewächses, in dt. Texten seit dem 15. Jh. bezeugt, ist aus it. *mellone* (bzw. frz. *melon*) entlehnt. Dies geht auf lat. *melo (melonis)* zurück, eine Kurzform von lat. *melopepo* »apfelförmige Melone, die erst vollreif genossen wird«, das seinerseits aus gleichbed. griech. *mēlo-pépōn* (wörtliche Bedeutung »reifer Apfel«) entlehnt ist. Dessen Bestimmungswort griech. *mēlon* »Apfel« erscheint als Grundwort in griech. *melí-mēlon* »Honigapfel, Quitte«, das die Quelle ist für unser Wort ↑Marmelade.

M

Meltau ↑Mehltau.

Membran[e] »zarte, dünne Haut im menschlichen und tierischen Organismus; Filterhäutchen; Schwingblättchen«: Das Fremdwort wurde bereits in mhd. Zeit (mhd. *membrāne* »Pergament«) aus lat. *membrana* »Haut, Häutchen; Schreibhaut, Pergament« entlehnt. Dies ist eine Bildung zu lat. *membrum* »Körperglied; Glied«.

Memme: Das seit dem 16. Jh. bezeugte Schimpfwort für einen Feigling geht zurück auf mhd. *memme, mamme* »Mutterbrust; Mutter« (beachte landsch. ugs. Memme »weibliche Brust«), das ein Lallwort der Kindersprache ist und elementarverwandt ist z. B. mit lat. *mamma* »Mutterbrust; Amme; [Groß]mutter« und griech. *mámma* »Mutterbrust; [Groß]mutter« (vgl. *Mama*). Das Schimpfwort richtet sich also gegen einen Menschen, der sich wie ein Muttersöhnchen oder ein altes Weib benimmt.

Memoiren »Lebenserinnerungen«: Das Fremdwort wurde Anfang des 18. Jh.s als Bezeichnung einer bestimmten Literaturgattung aus gleichbed. frz. *mémoires*, dem Plural von frz. *mémoire* »Erinnerung; Gedächtnis«, entlehnt. Dies geht zurück auf lat. *memoria* »Gedenken, Erinnerung usw.«, das zu lat. *memor* »eingedenk, sich erinnernd« gehört (vgl. *memorieren*).

Memorandum »[ausführliche diplomatische] Denkschrift«: Das seit dem 18. Jh. bezeugte, zunächst in der Bedeutung »Erinnerungsbuch« gebräuchliche Fremdwort ist eine Entlehnung aus dem substantivierten lat. Adjektiv *memorandus (-um)* »erwähnenswert« (zu lat. *memorare* »in Erinnerung bringen«; vgl. *memorieren*).

memorieren »auswendig lernen«: Das Verb wurde im 16. Jh. aus lat. *memorare* »in Erinnerung bringen« (zu lat. *memor* »eingedenk, sich erinnernd«) entlehnt. Lat. *memor* ist ein altes redupliziertes Nomen **me-mor*, das sich u. a. mit aind. *smárati* »erinnert sich, gedenkt«, griech. (schwundstufig) *mártys* »Zeuge; Blutzeuge« (ursprünglich abstrakt: »Erinnerung; Zeugnis«) – s. den Artikel *Marter* – unter einer idg. Wurzel **[s]mer-* »gedenken, sich erinnern« vereinigen lässt. – Hierher gehören noch ↑Memorandum und ↑Memoiren.

Menage: Das seit dem 18. Jh. in der heute veralteten Bedeutung »Haushalt, Wirtschaft« bezeugte Fremdwort, das heute noch gelegentlich für »Gewürzständer« und in Österreich für »Truppenverpflegung« gebraucht wird, ist aus frz. *ménage* »Haushalt, Wirtschaft; Hausrat usw.« (= afrz. *maisnage, ma[s]nage*) entlehnt. Dies geht auf ein von lat. *mansio* »das Bleiben; die Bleibe, die Wohnung« (> frz. *maison*) abgeleitetes galloroman. **mansionaticum* »das zum Wohnen, zum Haushalt Gehörige« zurück. Stammwort ist das lat. Verb *manere* »bleiben, verharren«, das mit griech. *ménein* »bleiben; [er]warten« urverwandt ist. Zu lat. *manere* gehören die Bildungen *im-manere* »bleiben, anhaften« und *per-manere* »fortdauern«, aus deren Part. Präs. *immanens* und *permanens* unsere Fremdwörter **immanent** »innewohnend« und **permanent** »anhaltend, ständig« entlehnt sind. – Eine Kollektivableitung von frz. *ménage* erscheint in frz. *ménagerie*, das ursprünglich »Haushaltung«, dann insbesondere »Verwaltung eines ländlichen Besitzes« bedeutete. In der Bedeutung »Haustierhaltung; Ort zur Haustierhaltung« und allgemein »Sammlung lebender Tiere« wurde das frz. Wort Anfang des 18. Jh.s ins Dt. entlehnt zu: **Menagerie** »Tierpark, Tierschau«. – Vgl. auch den Artikel *Mesner*.

Menge: Das altgerm. Wort mhd. *menige*, ahd. *managī*, got. *managei*, aengl. *menigu* ist eine Bildung zu dem unter ↑manch[er] behandelten gemeingerm. Adjektiv für »viel, reichlich«. Es ist gebildet wie z. B. ›Länge‹ zu ›lang‹ und ›Höhe‹ zu ›hoch‹.

mengen: Das westgerm. Verb mhd. *mengen*, asächs. *mengian*, niederl. *mengen*, aengl. *mengan* (weitergebildet engl. *to mingle*) ist z. B. verwandt mit der baltoslaw. Sippe von lit. *mìnkyti* »kneten« und bedeutete demnach ursprünglich »kneten, durcheinander rühren«. Im heutigen Sprachgebrauch ist das Verb ›mengen‹, das ins Hochd. aus dem Mitteld.-Niederd. übernommen wurde, durch das Lehnwort ↑mischen zurückgedrängt. Um das Verb gruppieren sich die Bildungen **Mengsel** landsch. für »Gemisch« (16. Jh.) und **Gemenge** »Gemisch« (mhd., mnd. *gemenge*), beachte auch die Präfixbildung **vermengen**.

Meniskus: Der medizinische Fachausdruck für den scheibenförmigen Zwischenknorpel im Kniegelenk ist eine gelehrte Entlehnung neuerer Zeit aus griech. *mēnískos* »Möndchen; Mondsichel«, einer Verkleinerungsbildung zu griech. *mḗnē* »Mond« (urverwandt mit dt. ↑Mond).

Mensa: Die Bezeichnung für eine restaurantähnliche Einrichtung in Hochschulen und Universitäten, wo Studierende verbilligt essen können, ist eine junge Kurzform für ›Mensa academica‹ »akademischer Mittagstisch«. Erster Bestandteil der Fügung ist lat. *mensa* »Tisch, Tafel; das Speisen«; zum zweiten Bestandteil vgl. den Artikel *Akademie*.

Mensch: Das auf das dt. und niederl. Sprachgebiet beschränkte Wort (mhd. *mensch[e]*, ahd. *mennisco*, älter *mannisco*, niederl. *mens*) ist eine Substantivierung des gemeingerm. Adjektivs ahd. *mennisc*, got. *mannisks*, aengl. *mennisc*, aisl. *mennskr* »menschlich, männlich«. Dieses Adjektiv ist von dem unter ↑Mann behandelten Substantiv abgeleitet. – Neben dem Maskulinum ist heute auch das Neutrum ›das Mensch‹ gebräuchlich, und zwar verächtlich für »Frau«, mdal. auch für »Mädchen, Geliebte, Ehefrau«. Das Neutrum tritt bereits in mhd. Zeit auf und war zunächst gleichbedeutend mit dem Maskulinum. Es wurde dann speziell im Sinne von »Dienstbotin, Magd, Mädchen; Geliebte« verwendet und erhielt erst im 17. Jh. verächtlichen Nebensinn. – Abl.: **Menschheit** »Gesamtheit der Menschen« (mhd. *mensch[h]eit*, ahd. *mennisgheit*, zunächst in der Bedeutung »menschliche Natur, Wesen«); **menschlich** »zum Menschen gehörig; nach Menschenart; barmherzig, gütig, human« (mhd. *menschlich*, ahd. *mannisclīh*), dazu **Menschlichkeit** (mhd. *menschlīcheit*); **Menschentum** (17. Jh.). Beachte auch die Präfixbildung **entmenschen** »der menschlichen Würde berauben; verrohen«, neben der gleichbedeutendes **entmenschlichen** steht. – Zus.: **Menschenfeind** (16. Jh.; Lehnübersetzung von griech.-lat. *misanthropus*); **Menschenfresser** (17. Jh.; Lehnübersetzung von griech.-lat. *anthropophagus*); **Menschenfreund** (17. Jh.; Lehnübersetzung von griech.-lat. *philanthropus*); **menschenmöglich** (18. Jh.; für älteres ›menschmöglich‹, das aus ›menschlich‹ und ›möglich‹ gekürzt ist; 16. Jh.); **Übermensch** »ein die Grenzen des menschlichen Wesens übersteigender Mensch, ungewöhnlicher, hoch begabter Mensch« (16. Jh.; zunächst in der Bedeutung »Mensch, der sich zu Höherem berufen fühlt«; Rückbildung zum Adjektiv ›übermenschlich‹); **Unmensch** »grausamer Mensch, Rohling« (mhd. *unmensch*; Rückbildung zum Adjektiv mhd. *unmenschlich*).

menstruieren »die Monatsblutung haben«: Das Verb ist eine neuere Entlehnung der medizinischen Fachsprache aus gleichbed. spätlat. *menstruare*. Stammwort ist lat. *mensis* »Monat; Monatsfluss«, das zu der unter ↑Mond dargestellten idg. Wortfamilie gehört. – Lat. *mensis* ist auch in ↑Semester enthalten. Abl.: **Menstruation** »Monatsblutung« (nlat. Bildung).

Mentalität »Denk-, Auffassungs-, Anschauungsweise; Sinnes-, Geistesart«: Das seit dem Anfang des 20. Jh.s bezeugte Fremdwort ist eine vom Engl. *(mentality)* ausgehende Neubildung zu dem mlat. Adjektiv *mentalis* »geistig, in Gedanken, in der Vorstellung vorhanden«, das seinerseits von lat. *mens (mentis)* »Sinn; Denktätigkeit, Verstand; Denkart; Gedanke, Vorstellung« abgeleitet ist. Dies gehört zu der unter ↑mahnen dargestellten weit verzweigten Wortsippe der idg. Wurzel **men-* »denken; geistig erregt sein«. Vgl. im Einzelnen: lat. *mentiri* »dichten; lügen« (↑Dementi, dementieren), lat. *commentari* »etwas überdenken, erwägen; erläutern« (↑kommentieren, Kommentar), ferner noch lat. *monere* »[er]mahnen« (s. die Wortgruppe um *monieren*).

Mentor »väterlicher Freund und Berater, Lehrer, Erzieher«: Das in dt. Texten seit dem 18. Jh. bezeugte Fremdwort ist identisch mit dem Namen des aus der Odyssee bekannten altgriechischen Helden, des vertrauten Odysseusfreundes, in dessen Gestalt die Göttin Athene den Odysseussohn Telemach auf der Suche nach seinem Vater begleitete. Der Gebrauch des Eigennamens als Gattungsname geht von dem Erziehungsroman des französischen Schriftstellers Fénelon ›Les Aventures de Télémaque‹ (1699) aus, in welchem dem Mentor eine bedeutsame Rolle als Führer, Berater und Erzieher des Telemach zugeteilt ist. – Der griech. Eigenname Méntōr bedeutet eigentlich »Denker«. Er stellt sich zu der unter ↑Manie dargestellten Wortfamilie.

Menü: Die Bezeichnung für »Speisenfolge; aus mehreren Gängen bestehende Mahlzeit« wurde im 19. Jh. aus gleichbed. frz. *menu* entlehnt. Dies ist aus dem frz. Adjektiv *menu* »klein, dünn« substantiviert und bedeutet eigentlich »Kleinigkeit; Detail«, dann »detaillierte Aufzählung der einzelnen zu einem Mahl gehörenden Gerichte; Speisenfolge; Mahlzeit«. Frz. *menu* geht zurück auf lat. *minutus* »vermindert; sehr klein«, das Partizipialadjektiv von lat. *minuere* »verkleinern, vermindern« (vgl. *minus*). – Die Verwendung von ›Menü‹ in der Datenverarbeitung im Sinne von »auf dem Bildschirm angebotene Programmauswahl« wurde in der 2. Hälfte des 20. Jh.s aus gleichbed. engl. *menu* (< frz. *menu*) übernommen.

Menuett: Der in dt. Texten seit dem 17./18. Jh. bezeugte Name eines mäßig schnellen Tanzes im $^3/_4$-Takt ist aus dem Frz. entlehnt. Frz. *menuet* bedeutet wörtlich etwa »Kleinschritttanz«. Es ist aus dem Adjektiv *menuet* »klein, winzig, zart« substantiviert, das seinerseits eine Verkleinerungsbildung zu frz. *menu* »klein, dünn« ist (s. den Artikel *Menü*).

Mergel: Die Bezeichnung für »Ton-Kalk-Gestein« (mhd. *mergel*, spätahd. *mergil*) wurde in spätahd. Zeit aus gleichbed. mlat. *margila* entlehnt. Das mlat. Wort ist eine Weiterbildung von lat. *marga* »Mergel«, das seinerseits aus dem Kelt. stammt. Nach der Überlieferung war die Mergeldüngung bei den Kelten bereits um den Beginn der Zeitrechnung üblich. Siehe auch den Artikel *ausmergeln.*

Meridian »Längenkreis«: Das seit dem Ende des 17. Jh.s belegte Fremdwort aus dem Bereich der Astronomie und Geographie, das für älteres ›Meridianzirkel‹ steht, bezeichnet eigentlich eine von Erdpol zu Erdpol reichende Kreislinie, die Orte der Erde miteinander verbindet, an denen die Sonne zur gleichen Zeit im ›Mittag‹ (d. i. am höchsten) steht. Daher auch die Bezeichnung »Mittagslinie«. Das Wort ist eine gelehrte Entlehnung aus lat. *(circulus) meridianus*, das wörtlich »Mittagskreis, Mittagslinie« bedeutet, aber im speziellen Sinne von »Äquator« galt. Lat. *meridianus* »mittägig« ist von lat. *meridies* »Mittag« abgeleitet, das aus einem Lokativ *meridie* »am Mittag« (dissimiliert aus **mediei die*) zurückgebildet ist. Bestimmungswort ist somit lat. *medius* »in der Mitte befindlich, mittlerer« (vgl. *Medium*), während das Grundwort lat. *dies* »Tag« ist (vgl. *Journal*).

merken: Das germ. Verb mhd. *merken*, ahd. *merchen*, niederl. *merken*, schwed. *märka* ist von dem unter ↑Marke behandelten germ. Substantiv **marka-* »Zeichen« abgeleitet und bedeutete demnach zunächst »mit einem Zeichen versehen, kenntlich machen«, dann »das kenntlich Gemachte beachten, Acht geben«. – Um das Verb gruppieren sich die Ableitung **merklich** »spürbar, deutlich, beträchtlich« (mhd. *merklich*) und die Zusammensetzungen **Merkmal** »Kennzeichen« (17. Jh.) und **merkwürdig** »seltsam«, älter »bemerkenswert, bedeutend« (17. Jh.). Beachte auch die Präfixbildungen und Zusammensetzungen **anmerken** »Merkmale erkennen; kennzeichnen, anstreichen; bemerken«, dazu **Anmerkung** »Fußnote« (17. Jh.; Lehnbildung nach lat. *observatio*); **aufmerken** »seine Beobachtung, seinen Sinn auf etwas richten«, dazu **aufmerksam** »gut aufpassend; höflich« (17. Jh.) und **Aufmerksamkeit; bemerken** »wahrnehmen; äußern, erwähnen« (mhd. *bemerken* »beobachten, prüfen«, ahd. *bimarchen* »kennzeichnen«), dazu **Bemerkung** »Äußerung« (17. Jh.); **vermerken** »aufschreiben, anrechnen«, dazu **Vermerk** »Notiz, Aufzeichnung« (17. Jh.).

Merkmal ↑[2]Mal.

meschugge »verrückt«: Das im 19. Jh. aus der Gaunersprache in die Umgangssprache eingedrungene Adjektiv stammt aus gleichbed. jidd. *meschuggo*. Dies geht auf hebr. *mĕšugaʿ* zurück, das Partizip von hebr. *šạgag* »hin und her schwanken, irren«.

Mesner (landsch. für:) »Kirchendiener, Küster«: Das im heutigen Sprachgefühl auf ›Messe‹ bezogene Wort geht zurück auf spätahd. *mesināri*, das aus mlat. *ma[n]sionarius* »Kirchendiener« entlehnt ist. Das mlat. Wort bedeutet eigentlich »Haushüter« und gehört zu lat. *mansio* »Bleibe, Wohnung« (vgl. *Menage*).

[1]**Messe** »kirchliche Feier des Kreuzopfers Christi« (in der katholischen Kirche), danach auch Bezeichnung eines geistlichen Tonwerks (für Soli, Chor und Orchester), wie es ursprünglich während des kirchlichen Hochamts aufgeführt wurde: Das aus der Kirchensprache stammende Substantiv mhd. *misse, messe*, ahd. *missa, messa*, niederl. *mis*, engl. *mass*, beruht auf einer Entlehnung aus kirchenlat. *missa* »liturgische Opferfeier, Messe«. Das Wort gehört zu lat. *mittere (missum)* »gehen lassen; schicken, senden; entlassen usw.« (vgl. *Mission*). Es ist jedoch unmittelbar hervorgegangen aus der (kirchen)lat. Formel *ite, missa est (concio)* »geht, die (gottesdienstliche) Versammlung ist entlassen«, mit der in der alten Kirche die zum Abendmahl nicht Zugelassenen nach dem Gottesdienst durch den Geistlichen weggeschickt wurden. – [2]**Messe:** Das unter ↑[1]Messe behandelte kirchenlat. *missa* hatte neben seiner eigentlichen Bedeutung »liturgische Opferfeier« noch die Bedeutung »Heiligenfest« (weil an einem solchen Heiligenfest eine besonders feierliche Messe zelebriert wurde). Aus dem »Heiligenfest« wurde ein »kirchlicher Festtag«, an dem üblicherweise ein großer Jahrmarkt abgehalten wurde. Aufgrund dieses Brauches entwickelte ›Messe‹ die seit dem 14. Jh. übliche Bedeutung »Jahrmarkt« (heute besonders »Großmarkt, internationale Großausstellung«). Vgl. dazu auch den Artikel *Kirmes.*

[3]**Messe:** Die Bezeichnung der Tischgenossenschaft von Offizieren an Bord eines Schiffes bzw. ihres gemeinsamen Speiseraumes, in dt. Texten seit dem 19. Jh. bezeugt, stammt aus gleichbed. engl. *mess*, das eigentlich »Gericht, Speise, Mahlzeit« bedeutet. Dies geht über afrz. *mes* (= frz. *mets*) »Gericht, Speise« auf vlat. *missum* »(aus der Küche) Geschicktes, zu Tisch Aufgetragenes« zurück (zu lat. *mittere* »schicken, senden usw.«; vgl. *Mission*).

messen: Das gemeingerm. Verb mhd. *meȥȥen*, ahd. *meȥȥan*, got. *mitan*, aengl. *metan*, schwed. *mäta* gehört mit verwandten Wörtern in anderen idg. Sprachen zu der unter ↑[1]Mal dargestellten idg. Wurzel **me-[d]-* »abstecken, messen«. Das Verbaladjektiv zu diesem Verb ist ↑gemäß. Die Bildung **Messer** (mhd. *meȥȥære*, ahd. *meȥȥari*) ist heute nur noch als zweiter Bestandteil in Zusammensetzungen gebräuchlich, beachte z. B. ›Durchmesser, Windmesser‹. Das adjektivisch verwendete 2. Partizip **gemessen** hatte zunächst die Bedeutung »genau abgemessen, knapp«. Seit dem 19. Jh. ist es im Sinne von »vorsichtig, zurückhaltend, würdevoll« gebräuchlich. Beachte auch die Zusammensetzung **anmessen** »Maß nehmen; nach Maß anfertigen«, dazu **angemessen** »passend« (18. Jh.) und die Präfixbildung [1]**vermessen** »ausmessen«, reflexiv »falsch messen, sich beim Messen versehen« (mhd. *vermeʒʒen*, ahd. *farmeʒʒan*), dazu [2]**vermessen** »verwegen, anmaßend« (mhd. *vermeʒʒan*, ahd. *farmeʒʒan;* von der Bedeutung »falsch messen, das Maß seiner Kraft falsch einschätzen« ausgehend), **Vermessenheit** »Kühnheit, Überheblichkeit« (mhd. *vermeʒʒenheit*, spätahd. *fermeʒʒenheit*).

Messer: Die Bezeichnung für das zum Schneiden dienende Tischgerät und Werkzeug ist eine verdunkelte Zusammensetzung, die eigentlich »Speiseschwert« bedeutet. Die westgerm. Zusammensetzung mhd. *meʒʒer*, ahd. *meʒʒira[h]s, meʒʒisahs*, niederl. *mes*, aengl. *meteseax* enthält als ersten Bestandteil das unter ↑[2]Mast behandelte germ. Substantiv **mat[i]-* »Essen, Speise«. Das Grundwort ist das im Nhd. untergegangene altgerm. Substantiv mhd., ahd. *sahs*, aengl. *seax*, aisl. *sax* »[kurzes] Schwert, Messer«. Dieses bedeutet eigentlich »Gerät zum Schneiden« und ist mit lat. *saxum* »Stein, Fels« (etwa »[Ab]gesplittertes«) verwandt (vgl. *Säge*). Es ist auch in dem Namen der Sachsen bewahrt.

Messias: Der Name des im Alten Testament verheißenen Heilskönigs geht auf aram. *mešīchā*, hebr. māšîaḥ »der Gesalbte« (zu hebr. māšaḥ »salben«) zurück, das den europäischen Sprachen durch griech.-kirchenlat. *Messías* vermittelt wurde. Das hebr. Wort ist übrigens auch Vorbild für die griech. Lehnübersetzung *Chrīstós* »der Gesalbte« (↑[1]Christ).

Messing »Kupfer-Zink-Legierung«: Die Herkunft des Wortes (frühmhd. *messinc*), das auch in anderen germ. Sprachen vorhanden ist (beachte z. B. entsprechend niederl. *messing* und schwed. *mässing*), ist nicht gesichert.

Met: Der altgerm. Ausdruck für das aus vergorenem Honig bereitete alkoholische Getränk (mhd. *met[e]*, ahd. *metu*, niederl. *mede*, engl. *mead*, schwed. *mjöd*) beruht mit Entsprechungen in den meisten anderen idg. Sprachen auf idg. **medhu-* »Honig; Honigwein«. Verwandt sind z. B. aind. *mádhu-* »Honig; berauschendes Getränk«, griech. *méthy* »Rauschtrank, Wein« und russ. *mlëd* »Honig; Met«. – Der Met ist das älteste, uns bekannte alkoholische Getränk der Indogermanen. Er wurde ursprünglich wohl als Rauschtrank bei kultischen Festen getrunken. Die Bereitung ging von der Beobachtung des Gärvorgangs beim wilden Honig aus.

meta..., Meta..., (vor Vokalen und h:) met..., Met...: Die Quelle für die Vorsilbe mit den Bedeutungen »nach, hinter (örtlich); nachher, später (zeitlich); um..., ver... (im Sinne einer Umwandlung, eines Wechsels)«, wie in ↑Metaphysik, ↑Methode, ist griech. *metá, méta* (Adverb und Präposition) »inmitten, zwischen; hinter; nach« (urverwandt mit dt. ↑mit).

Metall »chemischer Grundstoff, dem u. a. ein charakteristischer Glanz, gute Legierbarkeit und eine hohe Leitfähigkeit für Wärme und Elektrizität eigen sind«: Das seit dem 13./14. Jh. bezeugte Substantiv (mhd. *metalle*) ist aus lat. *metallum* »Metall; Grube, Bergwerk« entlehnt, das seinerseits aus griech. *métallon* »Mine, Erzader, Grube, Schacht; Mineral, Metall« übernommen ist. Die weitere Herkunft des Wortes ist dunkel. – Abl.: **metallen** »aus Metall« (15. Jh.); **metallisch** »aus Metall; wie Metall; hart klingend« (16. Jh.; nach lat. *metallicus*). Vgl. auch den Artikel *Medaille.*

Metapher »übertragener, bildlicher Ausdruck; Bild«: Das Fremdwort ist eine gelehrte Entlehnung des 17. Jh.s – zuerst in der Form ›Metaphor‹ – aus griech.-lat. *metaphora* »Übertragung (der Bedeutung); bildlicher Ausdruck«. Griech. *metaphorá* gehört zu griech. *meta-phérein* »anderswohin tragen; übertragen« (vgl. *meta..., Meta...* und *Peripherie*).

Metaphysik »philosophische Lehre von den letzten Gründen und Zusammenhängen des Seins«: Die in dt. Texten seit dem 14. Jh. bezeugte Bezeichnung griech. Ursprungs bezieht sich darauf, dass die Schriften des altgriechischen Philosophen Aristoteles über die eigentliche Philosophie in antiken Ausgaben des 1. vorchristlichen Jh.s hinter dessen Abhandlungen über die Natur angeordnet wurden. Man gab ihnen darum den nichts sagenden Titel *(tà) metá (tà) physiká* »das, was hinter der Physik steht«. Sehr bald entwickelte sich aus dem *post naturalia* (so die lat. Übersetzung) die Vorstellung des *trans naturalia*, der Begriff für die Philosophie des Übersinnlichen, Transzendenten, der als selbstständiges Wort zuerst in mlat. *metaphysica (-ae)* fassbar wird. Dies ist auch die unmittelbare Quelle unseres Fremdwortes. Über das griech. Adjektiv *physikós* »zur Natur gehörig; naturwissenschaftlich« vgl. *physisch* im Artikel *Physik*. – Abl.: **metaphysisch** »zur Metaphysik gehörend; überempirisch, jede mögliche Erfahrung überschreitend« (18. Jh.).

Meteor: Die Bezeichnung für eine Leuchterscheinung, die durch in die Erdatmosphäre eindringende feste kosmische Körper hervorgerufen wird, wurde im 17. Jh. aus griech. *meteōron* »Himmels-, Lufterscheinung« entlehnt, dem substantivierten Adjektiv griech. *met-éōros* »in die Höhe gehoben, in der Luft schwebend«. – Dazu: **Meteorologie** »Wetter-, Klimakunde« (18. Jh.; aus griech. *meteōrología* »Lehre von den Erscheinungen am Himmel und in der Luft«; zum 2. Bestandteil vgl. *...loge*).

Meter: Die Bezeichnung für die Maßeinheit der Länge wurde im 19. Jh. aus frz. *mètre* entlehnt und gilt seit 1868 durch Reichsgesetz als amtliche Bezeichnung. Frz. *mètre*, das aus griech. *métron* »Maß« (vgl. *Metrum*) entlehnt ist, wurde durch

M

einen Beschluss der französischen Nationalversammlung vom Ende des 18. Jh.s zur offiziellen Bezeichnung der Grundmaßeinheit im neu geschaffenen Maßsystem. – Auch in der Zusammensetzung spielt das Wort eine Rolle, z. B.: **Kilometer** »Maßeinheit von 1 000 m« (19. Jh.; aus frz. *kilomètre;* über das Bestimmungswort vgl. den Artikel *Kilogramm*); **Millimeter** »Maßeinheit von $^1/_{1000}$ m« (19. Jh.; aus frz. *millimètre;* über das Bestimmungswort lat. *mille* »tausend« vgl. den Artikel *Mille*); **Zentimeter** »Maßeinheit von $^1/_{100}$ m« (19. Jh.; aus frz. *centimètre;* über das Bestimmungswort lat. *centum* »hundert« vgl. *Zentner*). – Nicht zu verwechseln mit diesen Zusammensetzungen sind solche, in denen das Grundwort ›...meter‹ im Sinne von »Messgerät« steht, z. B. in ›Barometer‹ (unmittelbare Quelle ist hier griech. *métron*), oder im Sinne von »Vermesser«, wie in ›Geometer‹ (Quelle ist hier griech. *-métrēs* »Messer, Vermesser«). Beachte auch ›...metrie‹ »[Ver]messung«, z. B. in ›Geometrie‹ oder ›Symmetrie‹ (Quelle ist hier griech. *-metría* »Messung; Maß«).

Methode »Untersuchungs-, Forschungsverfahren; planmäßiges Vorgehen«: Das in dieser Form seit dem 17. Jh. bezeugte Fremdwort beruht – unter Einfluss von frz. *méthode* – auf einer gelehrten Entlehnung aus spätlat. *methodus,* das seinerseits aus griech. *méthodos* »Weg oder Gang einer Untersuchung, nach festen Regeln oder Grundsätzen geordnetes Verfahren« übernommen ist. Das griech. Wort bedeutet wörtlich etwa »das Nachgehen; der Weg zu etwas hin«. Es ist eine Bildung aus griech. *metá* »hinterher, nach usw.« und griech. *hodós* »Weg; Gang« (vgl. *Periode*). – Abl.: **methodisch** »planmäßig vorgehend, durchdacht, schrittweise« (18. Jh.; nach gleichbed. spätlat. *methodicus* < griech. *methodikós*).

Metier: Die Bezeichnung für »berufliche Tätigkeit; Beruf, Fach« wurde im 18. Jh. aus gleichbed. frz. *métier* entlehnt. Das frz. Wort (afrz. *menestier, mistier, mestier*) hat sich aus lat. *ministerium* »Dienst, Amt« entwickelt (vgl. *Minister*).

Metrik, metrisch ↑Metrum.

Metropole »Hauptstadt; Zentrum, Hochburg«: Das seit dem 16. Jh. in der Form ›Metropolis‹ bezeugte, aber erst im 19. Jh. – wohl unter dem Einfluss von frz. *métropole* – mit eingedeutschter Endung erscheinende Fremdwort ist aus gleichbed. griech.(-lat.) *mētrópolis* entlehnt. Dies bedeutet wörtlich »Mutterstadt« und ist aus griech. *mḗtēr* »Mutter« (urverwandt mit dt. ↑Mutter) und griech. *pólis* »Stadt; Staat« zusammengesetzt (vgl. *Politik*).

Metrum: Die Bezeichnung für das Versmaß ist eine gelehrte Entlehnung aus gleichbed. lat. *metrum,* das seinerseits aus griech. *métron* »Maß« stammt. Das griech. Wort beruht auf **méd-trom* und gehört zu der unter ↑[1]Mal dargestellten idg. Wortsippe. – Dazu stellen sich **Metrik** »Verskunst, Verslehre« (16. Jh.; aus gleichbed. lat. *[ars] metrica* < griech. *metrikḗ [téchnē]*) und **metrisch** »die Metrik betreffend« (16. Jh.; nach gleichbed. lat. *metricus* < griech. *metrikós*). Vgl. auch den Artikel *Meter.*

Mett ↑Mettwurst.

Mette »nächtliches Stundengebet; Frühmesse«: Das aus der Kirchensprache stammende Substantiv (mhd. *mettīn[e], met[t]en,* spätahd. *mattīna, mettīna*) geht auf kirchenlat. *mattina* zurück, das für *matutina* (ergänze: *hora* oder *vigilia*) »frühmorgendlicher Gottesdienst« steht. Über das zugrunde liegende Adjektiv lat. *matutinus* (> vlat., roman. *mattinus*) »in der Frühe geschehend, morgendlich« vgl. den Artikel *Matinee.*

Mettwurst: Die seit dem 16. Jh. bezeugte Bezeichnung für »Streichwurst aus gehacktem Schweinefleisch« stammt aus dem Niederd. (beachte mnd. *metworst*). Das Bestimmungswort niederd. *Mett,* mnd. *met* »[gehacktes] Schweinefleisch ohne Speck« geht zurück auf asächs. *meti* »Speise«, das mit mhd., ahd. *maz̧* »Speise« und engl. *meat* »Fleisch« auf germ. **mat[i]-* »Essen, Speise« beruht (vgl. [2]*Mast*).

metzeln: Das seit dem 15. Jh. bezeugte Verb ist aus mlat. *macellare* »schlachten« (beachte *macellarius* »Schlächter, Fleischer«) entlehnt. Das mlat. Verb gehört zu lat. *macellum* »Markt[platz], Fleisch-, Gemüsemarkt; Fleisch«, das aus griech. *mákellon* »Gehege, Gitter; Marktplatz, Lebensmittelhalle« entlehnt ist. Das griech. Wort seinerseits stammt aus hebr. *mikělạʿ* »Hürde, Umzäunung«. – Das Verb hatte im Dt. zunächst die Bedeutung »schlachten«, seit dem 16. Jh. wurde es im Sinne von »niedermachen« (im Kampf) verwendet, beachte dazu **Gemetzel** »Blutbad«. Statt des einfachen Verbs wird heute gewöhnlich **niedermetzeln** gebraucht.

Metzger: Der landsch. Ausdruck für »Fleischer« geht auf gleichbed. mhd. *metzjer,-ære* zurück, das wahrscheinlich aus mlat. *matiarius* »Fleischer, der Würste herstellt; jemand, der mit Därmen handelt« entlehnt ist. Das mlat. Wort gehört zu lat. *matia, mattea* »Darm; Wurst; eine Art Leckerbissen«, das aus griech. *mattýē* »eine Art Leckerbissen« (eigentlich »Geknetetes«) entlehnt ist.

meucheln (veraltet für:) »hinterrücks ermorden«: Das seit dem 16. Jh. zunächst in der Bedeutung »etwas heimlich tun; naschen« bezeugte Verb beruht auf einer Weiterbildung zu dem im Nhd. untergegangenen Verb mhd. *mūchen,* ahd. *mūhhōn* »[sich] verbergen, wegelagern«. Beachte dazu **Meuchler** »hinterhältiger Mörder« (mhd. *miucheler,* ahd. *mūhhilāri*), davon **meuchlerisch** »hinterhältig« (16. Jh.); **meuchlings** »hinterrücks« (mhd. *miuchelingen)* und ›Meuchel-‹ (mhd. *miuchel-* »heimtückisch, hinterhältig«), z. B. in **Meuchelmord** »hinterhältiger Mord« (16. Jh.), **Meuchelmörder** »hinterhältiger Mörder« (16. Jh.). – Diese ippe ist mit lat. *muger* »Falschspieler beim Würfelspiel« verwandt. Siehe auch den Artikel *mogeln*.

eute »Koppel Jagdhunde«, auch allgemein übertragen gebraucht im Sinne von »wilde Horde, Bande«: Das Substantiv wurde im 18. Jh. mit den Praktiken der französischen Parforcejagd aus gleichbed. frz. *meute* (afrz. *muete*) entlehnt, das auf vlat. **movita* »Bewegung« (vgl. *mobil*) zurückgeht. Die ursprüngliche Bedeutung des frz. Wortes war dementsprechend »Erhebung, Aufruhr«, wie sie in dem unter ↑meutern genannten frühnhd. Verb *meuten* »sich empören« erscheint, das gleichfalls auf frz. *meute* (afrz. *muete*) zurückgeht.

eutern »Aufruhr stiften, sich einem Befehl widersetzen«: Das seit dem 18./19. Jh. bezeugte Verb gehört mit **Meuterei** »Aufruhr« (Anfang 16. Jh.) und **Meuterer** »Aufrührer« (16. Jh.) zu frühnhd. *meutmacher* »Aufrührer« (älter nhd. *meuten* »sich empören«). Dessen Bestimmungswort ist aus frz. *meute* (afrz. *muete*) in dessen älterer Bedeutung »Aufstand, Aufruhr« (vgl. *Meute*) entlehnt. Im heutigen Frz. gilt dafür entsprechend *émeute*.

iauen: Das seit dem 17. Jh. bezeugte Verb ahmt den Katzenlaut nach. Früher bezeugt ist das gleichfalls lautnachahmende **mauen** »wie eine Katze schreien« (mhd. *māwen*), dazu die Weiterbildung **mauzen** (17. Jh.), nasaliert **maunzen** (16. Jh.) »kläglich oder bettelnd wie eine Katze schreien«. Siehe auch den Artikel *Mieze*.

idder ↑Garn.

ieder: Der Name des Kleidungsstücks geht zurück auf mhd. *müeder*, älter *muoder* »die Brust und den Oberleib umschließendes Kleidungsstück, Leibchen«, das identisch ist mit mhd. *muoder* »Bauch; Leib[esgestalt]; Haut«, ahd. *muodar* »Bauch« (beachte afries. *mōther* »Brustbinde der Frauen«). Das Wort bezeichnete also zunächst den Körperteil und ging dann – wie z. B. auch ›Leibchen‹ und ›Fäustling‹ – auf das den Körperteil bedeckende Kleidungsstück über. Es ist wahrscheinlich von dem unter ↑Mutter behandelten Substantiv abgeleitet und bedeutete demnach ursprünglich »Gebärmutter, Unterleib« (vgl. griech. *mētra* »Gebärmutter«). Die nicht entrundete Form ›Müder‹ hielt sich bis ins 18. Jh.

ief: Der seit dem Anfang des 20. Jh. bezeugte ugs. Ausdruck für »schlechte Luft« gehört wohl zu ↑[1]Muff landsch. für »dumpfer, modriger Geruch« (beachte **müffeln** landsch. für »dumpf riechen«).

iene »Gesichtsausdruck«: Das seit dem 17. Jh. zunächst in der Form ›Mine‹ bezeugte Substantiv ist aus gleichbed. frz. *mine* entlehnt, dessen weitere Herkunft nicht gesichert ist. – Die Schreibung des Wortes mit -ie- setzte sich im 18. Jh. zur besseren Abgrenzung von dem unverwandten Substantiv ↑Mine durch.

ies »übel, schlecht; hässlich, schäbig, widerwärtig« (ugs.): Das im 19. Jh. aus dem Rotwelschen ins Berlinische und von da in die Umgangssprache gelangte Adjektiv stammt aus jidd. *mis* »schlecht, miserabel, widerlich«. Dies geht auf hebr. *mĕ'is* »schlecht, verächtlich« zurück. – Zu ›mies‹ gehören die Bildungen **Miesmacher** »jemand, der etwas schlecht macht; Schwarzseher« und **vermiesen** »jemandem etwas verleiden, die Freude an etwas nehmen«.

Miesmuschel: Der seit dem 18. Jh. bezeugte Name der Muschelart, die sich – oft in großen Mengen – an Pfählen und Steinen festsetzt, bedeutet eigentlich »Moosmuschel«. Das Bestimmungswort (landsch. *Mies*, mhd. *mies*, ahd. *mios* »Moos«) steht im Ablaut zu ↑Moos.

[1]Miete »mit Stroh, Kraut o. Ä. abgedecktes Lager von Feldfrüchten«: Das im 18. Jh. aus dem Niederd. ins Hochd. gelangte Substantiv geht auf mnd. (= mniederl.) *mīte* »aufgeschichteter Heu- oder Holzhaufen« zurück, das aus lat. *meta* »kegelförmige Figur; kegelförmig aufgeschichteter Heuschober« entlehnt ist.

[2]Miete »Geldbetrag für das Benutzungsrecht einer Wohnung oder dgl.; Vertrag über die zeitweilige Überlassung einer Sache; Anrecht«: Das altgerm. Wort für »Lohn, Bezahlung« (mhd. *miet[e]*, ahd. *miata*, got. *mizdō*, engl. *meed*) geht mit verwandten Wörtern in anderen idg. Sprachen auf **mizdhó-s* »Lohn« zurück, vgl. z. B. griech. *misthós* »Lohn, Sold, Miete« und russ. *mzda* »Lohn, Entgelt«. – Abl.: **mieten** »gegen Entgelt benutzen« (mhd. *mieten*, ahd. *mietan*), beachte auch **vermieten** »für Entgelt benutzen lassen« (mhd. *vermieten*, ahd. *farmietan*); **Mieter** »jemand, der gegen ein Entgelt etwas benutzt, Wohnungsinhaber« (17. Jh.; schon mhd. *mietære* »Dienstbote, Knecht«), beachte auch **Untermieter** und **Vermieter**. Zus.: **Mietskaserne** abwertend für »sehr großes Wohnhaus« (19. Jh.).

> **Miete**
>
> **die halbe Miete sein**
> (ugs.) »das Erreichen eines Ziels schon sehr nahe rücken lassen, schon fast zum Erfolg führen«
> Die Wendung stammt aus der Sprache der Skatspieler und meinte zunächst »die Hälfte der zum Spielgewinn nötigen Punkte bringen« (von einem Stich mit 31 Augen).

Mietpartei ↑Partei.

Mieze: Das Kosewort für »Katze« hat sich aus dem Lockruf mi[-mi-mi] entwickelt (beachte z. B. ›Putput‹ kindersprachlich für »Huhn« und ›Wauwau‹ kindersprachlich für »Hund«. Siehe auch den Artikel *Kitz[e]*).

Migräne: Der Ausdruck für »halbseitig, einseitig auftretender heftiger Kopfschmerz« wurde um 1700 als medizinisches Fachwort aus gleichbed. frz. *migraine* entlehnt. Dies geht auf lat. *hemicra-*

M

nia zurück, das aus griech. *hēmikrānía* »Kopfschmerz an einer Kopfhälfte« stammt, einer Bildung aus griech. *hēmi...* »halb« (vgl. *hemi..., Hemi...*) und griech. *krānion* »Schädel« (vgl. *Karat*).

[1]**Mikado:** Die seit dem 19. Jh. bezeugte frühere Bezeichnung für den japanischen Kaiser gehört zu den wenigen Wörtern, die aus dem Jap. entlehnt wurden, so auch ↑Bonze, ↑Jiu-Jitsu, ↑Harakiri, ↑Kimono. Jap. *mikado* bedeutet wörtlich »erhabene Pforte«. – Die Bezeichnung wurde auch zum Namen eines Geschicklichkeitsspiels mit dünnen Holzstäbchen: [2]**Mikado.**

mikro..., Mikro...: Das Bestimmungswort von Zusammensetzungen mit den Bedeutungen »klein, gering, fein«, wie in ↑Mikroskop und ↑Mikrobe, stammt aus griech. *mīkrós (smīkrós)* »klein, kurz, gering usw.«.

Mikro ↑Mikrofon.

Mikrobe: Die seit dem 19. Jh. bezeugte, aus dem Frz. (= frz. *microbe)* übernommene Bezeichnung für mikroskopisch kleine pflanzliche oder tierische Lebewesen (Mikroorganismen) ist eine gelehrte Neubildung des französischen Militärarztes Charles Sédillot (1804–1883) aus griech. *mikrós* »klein« (vgl. *mikro..., Mikro...*) und griech. *bíos* »Leben« (vgl. *bio..., Bio...*).

Mikrofon: Die Bezeichnung für das Gerät zur Umwandlung von Schallwellen in elektrische Wechselspannungen, zur Schallverstärkung wurde in der 2. Hälfte des 19. Jh.s aus gleichbed. engl. *microphone* entlehnt. Dies ist eine gelehrte Neubildung aus griech. *mīkrós* »klein, kurz, gering« (vgl. *mikro..., Mikro...*) und griech. *phōnḗ* »Laut, Ton; Stimme« (vgl. *Phonetik*) und bedeutet eigentlich etwa »Leisestimme«. Neben ›Mikrofon‹ ist auch die Kurzform **Mikro** gebräuchlich.

Mikroskop: Die Bezeichnung des optischen Vergrößerungsgerätes ist eine gelehrte Neubildung des 17. Jh.s aus griech. *mīkrós* »klein« (vgl. *mikro..., Mikro...*) und griech. *skopeīn* »schauen« (vgl. *Skepsis*). Das Wort bedeutet also eigentlich »Kleinschauer«. – Abl.: **mikroskopisch** »nur durch das Mikroskop erkennbar; verschwindend klein« (18. Jh.).

Milbe: Der nur dt. Name des Spinnentiers (mhd. *milwe,* ahd. *mil[i]wa*) gehört zu der unter ↑mahlen behandelten Wortgruppe und bedeutet eigentlich »Mehl bzw. Staub machendes oder mahlendes Tier«. Eng verwandt sind damit got. *malō* »Motte« und die nord. Sippe von schwed. *mal* »Motte«, außergerm. z. B. russ. *mol'* »Motte, Schabe«.

Milch: Das gemeingerm. Wort mhd. *milch,* ahd. *miluh,* got. *miluks,* engl. *milk,* schwed. *mjölk* gehört zu dem unter ↑melken behandelten Verb. – Im übertragenen Gebrauch bezeichnet das Wort im Dt. z. B. den Saft mehrerer Pflanzenarten und den Samen von Fischen (wegen der Ähnlichkeit im Aussehen), beachte dazu die Bildung **Milcher, Milchner** »männlicher Fisch in der Laichzeit« (spätmhd. *milche[ne]r*). – Abl.: **milchig** »milchähnlich, trübweiß« (18. Jh.; für älteres *milchicht*) Zus.: **Milchglas** »Glas von milchig weißer Farbe (19. Jh.); **Milchstraße** (17. Jh.; Lehnübersetzung von lat. *via lactea*); **Milchzahn** (16. Jh.; so benannt weil dieser Zahn dem Kind in dem Alter, in dem e gestillt wird, wächst).

mild[e]: Das gemeingerm. Adjektiv mhd. *milde* ahd. *milti,* got. *mildeis,* engl. *mild,* schwed. *mil(d)* gehört im Sinne von »zerrieben, zermahlen; fein zart« zu der unter ↑mahlen dargestellten Wortgruppe. Außergerm. sind z. B. verwandt griech *malthakós* »weich, zart, mild« und weiterhin lat *mollis* »weich, sanft, mild« (↑Moll) und russ. *molodoj* »zart, frisch, jung« (s. auch den Artikel *mollig*). Zu dem Adjektiv gehört die Zusammensetzung **mildtätig** (17. Jh.), in der das Bestimmungswort die früher übliche Bedeutung »freigebig« hat.

Milieu: Der Ausdruck für »soziales Umfeld, Umwelt; Lebensumstände« wurde im 19. Jh. au gleichbed. frz. *milieu* entlehnt. Dies ist eine Bildung aus frz. *mi* (< lat. *medius*) »mitten; mittlerer« und frz. *lieu* (< lat. *locus*) »Ort, Stelle; Lage Umstand usw.«.

[1]**Militär** (Neutrum) »der Soldatenstand, das gesamte Heerwesen; Gesamtheit der Soldaten eines Staates«; [2]**Militär** (Maskulinum) »hoher Offizier«: Beide Wörter wurden Ende des 18. Jh.s au gleichbed. frz. *militaire* entlehnt. Dies geht au das lat. Adjektiv *militaris* »den Kriegsdienst betreffend, soldatisch« zurück, das zu lat. *miles* »Soldat; Heer« gehört. Beachte auch die lat. Bildung *militare* »Kriegsdienst leisten«, aus dessen Part. Präs. *militans (militantis)* unser Adjektiv **militant** »kämpferisch« übernommen ist. – Abl.: **militärisch** »das Militär betreffend, soldatisch; kriegerisch« (18. Jh.; nach frz. *militaire* »soldatisch« umgestaltet aus älterem, schon im 17. Jh. geläufigem ›militarisch‹ < lat. *militaris*); **Militarismus** »Vorherrschen militärischer Gesinnung; starker militärischer Einfluss auf die Politik« (nlat. Bildung des 19. Jh.s, die von entsprechend frz. *militarisme* »Militärherrschaft« ausgeht); **entmilitarisieren** »von Truppen und militärischen Anlagen entblößen« (20. Jh.), junge Präfixbildung nach entsprechend frz. *démilitariser* zu dem selten gebrauchten Verb **militarisieren** »militärische Anlagen errichten, das Heerwesen organisieren« (20. Jh.; aus gleichbed. frz. *militariser*). – Dazu noch ↑Miliz und ↑Kommilitone.

Miliz: Die Bezeichnung für »Bürgerwehr, Volksheer« (im Gegensatz zum stehenden Heer) wurde im 17. Jh. aus lat. *militia* »Kriegsdienst; Gesamtheit der Soldaten« entlehnt. Dies ist eine Ableitung von lat. *miles* »Soldat« (vgl. *Militär*).

Mille: Der ugs. Ausdruck für »tausend Mark« wurde im 19. Jh. in der Kaufmannssprache im Sinne von »das Tausend« aus dem lat. Zahlwort *mille* »1 000« (vgl. *Meile*) entlehnt, das auch in der

Wendung **pro mille** »für tausend, vom Tausend« (17. Jh.) erscheint. – Gleicher Herkunft ist **Milli...** als Bestimmungswort von Zusammensetzungen mit der Bedeutung »ein Tausendstel«, wie in **Millimeter** (vgl. *Meter*) und **Milligramm.**

Million: Zu it. *mille* »tausend«, das auf das lat. Zahlwort *mille* (vgl. *Meile*) zurückgeht, stellt sich das mit Vergrößerungssuffix gebildete it. *milione* »Großtausend«. In dieser Bedeutung gelangte das it. Wort seit dem 13. Jh. in die anderen europäischen Sprachen. In dt. Texten erscheint das Wort (spätmhd. *milion*) im 15. Jh., gleichfalls ohne festen Zahlenwert, im Allgemeinen nur zur Bezeichnung von sehr großen Summen im Geldverkehr. Zum allgemein geläufigen Zahlwort mit dem festen Zahlenwert »1 000 000« (= 1 000 × 1 000) wurde es erst im 17. Jh. – Abl.: **Millionär** »Besitzer von Millionen[werten]; schwerreicher Mann« (18. Jh.; aus gleichbed. frz. *millionnaire*); **Milliarde** »1 000 Millionen« (18. Jh.; aus frz. *milliard*, das mit Suffixwechsel zu frz. *million* gebildet ist); **Billion** »eine Million Millionen« (18. Jh.; aus frz. *billion* in dessen früherer Bedeutung »eine Milliarde«; das Wort ist eine gelehrte Neubildung zu frz. *million* mit dem lat. Zahlwortpräfix *bi...* »zweimal, doppelt« [vgl. *bi..., Bi...*], das hier zur Bezeichnung der ›zweiten‹ Potenz gebraucht wird; Entsprechendes gilt für ›Trillion, Quadrillion‹ usw.).

Miltau ↑Mehltau.

Milz: Die altgerm. Körperteilbezeichnung mhd. *milze*, ahd. *milzi*, niederl. *milt*, engl. *milt*, schwed. *mjälte* gehört mit dem unter ↑Malz behandelten Wort zu der Sippe von ↑schmelzen (vgl. *mahlen*). Die Milz ist entweder nach ihrer Konsistenz als »die Weiche« benannt oder aber als »die Auflösende«, weil man in früheren Zeiten dem lymphatischen Organ die Fähigkeit des Auflösens der Speisen zuschrieb.

Mime: Der veraltende Ausdruck für »Schauspieler« wurde im 18. Jh. aus gleichbed. lat. *mimus* entlehnt, das seinerseits aus griech. *mīmos* »Gaukler, Schauspieler« übernommen ist. Die weitere Herkunft des griech. Wortes ist unklar. – Dazu: **mimisch** »schauspielerisch, von Gebärden und Gesten begleitet« (18. Jh.; aus lat. *mimicus* < griech. *mīmikós*); **Mimik** »Gebärden- und Mienenspiel [des Schauspielers]« (18. Jh.; aus lat. *ars mimica*); **mimen** »schauspielern, so tun, als ob« (19. Jh.); siehe ferner die Artikel *Pantomime* und *Mimose.*

Mimose: Der in dt. Texten seit dem 18. Jh. bezeugte Name der hoch empfindlichen Pflanze beruht auf einer gelehrten Bildung zu lat. *mimus* »Schauspieler« (vgl. *Mime*). Die Benennung spielt auf die Eigenart der Mimose an, sich bei Berührung gleichsam mimenhaft, wie ein empfindsamer Schauspieler, zurückzuziehen. Daher spricht man auch bei einem empfindsamen Menschen von einem ›mimosenhaften Wesen‹ (19. Jh.).

minder »in geringerem Grade, nicht so sehr«: Mhd. *minner*, ahd. *minniro*, got. *minniza*, niederl. *minder*, schwed. *mindre* beruhen auf einer Komparativbildung zu einem im germ. Sprachbereich untergegangenen idg. Adjektiv **minu-s* »klein«, vgl. z. B. griech. *minýōros* »kurzlebig«, lat. *minus* »weniger« (↑minus), *minister* »Untergebener, Diener« (↑Minister), *minimus* »kleinster, geringster« (↑Minimum, minimal), *minuere* »verkleinern, verringern« (↑Minute, ↑minutiös, ↑Menü und ↑Menuett), russ. *menee* »weniger«. – Im heutigen Sprachgebrauch wird ›minder‹ als Komparativ zu ›wenig‹ verwendet, das früher keinen Komparativ und Superlativ hatte. – Der Superlativ lautet **mindest** »geringst« (mhd. *minnest*, ahd. *minnist*, got. *minnists*, niederl. *minst*, schwed. *minst*), beachte dazu **mindestens** »wenigstens; auf keinen Fall weniger als« (18. Jh.; genitivische Umbildung aus ›zum Mindesten‹). – Abl.: **Minderheit** »kleinerer Teil; zahlenmäßig unterlegene Gruppe« (18. Jh.; wohl Lehnübersetzung von frz. *minorité*); **mindern** »geringer werden lassen« (mhd. *minnern*, ahd. *minnirōn;* beachte auch die Präfixbildung **vermindern**). Zus.: **minderjährig** »nicht volljährig« (16. Jh.; Lehnübersetzung von mlat. *minorennis*); **Minderzahl** (19. Jh.).

minderwertig ↑wert.

Mine: Das seit etwa 1600 bezeugte Substantiv, das aus frz. *mine* (< mlat. *mina*) »Erzader; Erzgang, Erzgrube; unterirdischer Gang« (einem Wort vermutlich kelt. Ursprungs) entlehnt ist, erscheint bei uns zuerst als militärisches Fachwort zur Bezeichnung von Pulvergängen und Sprenggruben, wie man sie nach französischem Vorbild bei Belagerungs- und Stellungskämpfen anlegte. Daran schließt sich der junge Gebrauch des Wortes im Sinne von »Sprengkörper« an, beachte dazu Zusammensetzungen wie ›Luftmine, Minensuchboot‹. Die Bedeutung »Erzgrube«, die noch heute üblich ist, kam in der 2. Hälfte des 17. Jh.s auf, beachte dazu Zusammensetzungen wie ›Goldmine, Diamantenmine, Minenarbeiter‹. Jung ist die Verwendung von ›Mine‹ für das dünne Graphitstäbchen im [Dreh]bleistift und für die Kugelschreibermine. Vgl. auch den Artikel *Mineral.*

Mineral »in der Erdkruste vorkommende, meist kristallisierte, einheitlich aufgebaute anorganische Substanz«: Das Substantiv ist in dt. Texten seit dem 16. Jh. belegt. Es stammt wie entsprechend frz. *minéral* aus mlat. *(aes) minerale* »Grubenerz, Erzgestein«, einer Ableitung von mlat. *minera* »Erzgrube; Grubenerz« (zu mlat. *mina*, vgl. *Mine*). – Dazu die Adjektivableitung **mineralisch** »aus Mineralien entstanden, sie enthaltend« (16. Jh.), ferner die Bildungen **Mineralogie** »Lehre von der Zusammensetzung und dem Vorkommen der Mineralien und Gesteine« (17. Jh.), **Mineraloge** »Kenner und Forscher auf dem Gebiet der Mineralogie« (18. Jh.) und **mineralogisch** »die Mineralogie betreffend« (zum 2. Bestandteil vgl. *...loge*).

M

Neue Wörter in Handel und Wirtschaft

Vom 14. Jahrhundert an begann eine stürmische Entwicklung von Handel und Gewerbe im Deutschen Reich. Die Städte hatten ein rasches Wachstum der handwerklichen Produktion erlebt; sie waren nun führend im wirtschaftlichen und gesellschaftlichen Leben. Im Norden baute die Hanse ihre Handelsbeziehungen im Ostseeraum immer weiter aus. Die Handelsstädte im süddeutschen Raum standen in regem Geschäftsverkehr mit den norditalienischen Hafenstädten und dem Orient.

Die Kaufmannssprache bildete nach und nach ihren eigenen Wortschatz heraus, Wörter wie *Gesellschaft, Kaufhaus, Wechsel* (mittelhochdeutsch *wehsel,* Lehnübersetzung von italienisch *cambio* »Austausch von Waren und Geld«) entstanden. Auch die Fügung *ein Ausbund von ...* »Muster, Inbegriff von ...« ist ursprünglich ein Fachwort der Kaufmannssprache. Sie bedeutete eigentlich »das an einer Ware nach außen Gebundene (= das beste Stück einer Ware, das dem Käufer deutlich gezeigt werden sollte)«.

Kredit von der Bank – Einfluss des Italienischen

Die enge Verbindung mit dem italienischen Wirtschaftsgebiet führte dazu, dass die deutsche Kaufmannssprache im 15. und 16. Jahrhundert sehr viele Wörter aus dem Italienischen entlehnte.

Ein Geschäftsmann, der in eine fremde Stadt reiste, musste sein Geld gegen solches umtauschen, das hier am Ort *gang und gäbe* war (mittelhochdeutsch *genge* »verbreitet, üblich«, mittelhochdeutsch *gæbe* »annehmbar, gut«): Die seit dem 14. Jahrhundert übliche Wendung bedeutete eigentlich »was sich leicht (oder gut) geben lässt« und bezog sich besonders auf Münzen.

Zum Tauschen ging der Geschäftsmann zur *Bank* (italienisch *banco,* eigentlich »langer Tisch des Geldwechslers«, identisch mit unserem Wort *Bank* »Sitzgelegenheit«, das ins Romanische entlehnt worden ist). Hier konnte er auch einen *Kredit* erhalten (italienisch *credito*), um sein *Konto* (italienisch *conto* »Rechnung«) bei seinem Geschäftspartner auszugleichen.

Ein Kaufmann, der nicht richtig *kalkulieren* (aus lateinisch *calculare*) konnte und der dadurch ein zu großes geschäftliches *Risiko* (älter italienisch *ris[i]co,* dafür heute *rischio*) eingegangen war und kein *Kapital* (italienisch *capitale*) in seiner *Kasse* hatte (italienisch *cassa,* eigentlich »Behältnis, Kasten; Ort, an dem man Geld aufbewahren kann«), stand vor dem *Bankrott* (italienisch *bancarotta,* eigentlich »zerbrochener Tisch [des Geldwechslers]«, übertragen gebraucht). Das konnte ihm aber auch passieren, wenn er unvorsichtigerweise einem unerfahrenen Partner *Prokura* (»Handelsvollmacht«, italienisch *procura*) erteilt hatte, dieser aber für einen großen *Posten* minderwertiger Ware (italienisch *posta*) zu viel ausgegeben hatte.

Aus dem Italienischen stammen auch Fachwörter wie *Bilanz* (italienisch *bilancio* »vergleichende Gegenüberstellung von Gewinn und Verlust«, eigentlich »Gleichgewicht [der Waage]«), *Porto* (italienisch *porto* »Transportkosten«, eigentlich »das Tragen, Bringen«), *Rest* (italienisch *resto* »bei der Abrechnung übrig bleibender Geldbetrag«), *brutto* (italienisch *brutto,* eigentlich »roh« und das »rohe« Gewicht einer Ware und ihrer Verpackung bezeichnend) sowie *netto* (italienisch *netto,* eigentlich »rein«) zur Bezeichnung des Warengewichts ohne Verpackung.

Zuerst war es der Fernhandel mit dem Orient, der über die italienischen und auch französischen Hafenstädte am Mittelmeer bisher unbekannte Früchte und Gewürze nach Deutschland brachte. Mit den neuen Waren wurden auch die Bezeichnungen übernommen. Das Romanische (Französisch, Italienisch, Spanisch, Portugiesisch) und die orientalischen Sprachen (Arabisch, Indisch und Persisch) lieferten dem Deutschen zu dieser Zeit sehr viele neue Wörter. So übernahm im 15. und 16. Jahrhundert unsere Sprache Wörter wie *Dattel* (italienisch *dattilo,* letztlich wohl orientalischen Ursprungs), *Marzipan* (italienisch *marzapane*), *Melone* (italienisch *mellone*), *Muskat* (mittellateinisch *muscata*), *Olive* (lateinisch *oliva*), *Zitrone* (älter italienisch *citrone*).

Wörter aus der Neuen Welt – Indianisches im Deutschen

Die Entdeckung Amerikas am Ende des 15. Jahrhunderts erschloss den damaligen europäischen Großmächten Spanien und Portugal neue Gewinnquellen. Im 16. Jahrhundert wurde Südamerika schrittweise erobert und seine Silber- und Goldvorkommen rigoros ausgebeutet. Die europäischen Entdecker und Eroberer lernten neue Pflanzen und Früchte kennen und brachten sie in die alte Heimat. Ihre Namen stammen aus den Sprachen der süd- und mittelamerikanischen indianischen Ureinwohner und gelangten durch spanische und portugiesische Vermittlung in die übrigen europäischen Sprachen. Im 16. und 17. Jahrhundert wurden Wörter ins Deutsche übernommen wie *Ananas* (portugiesisch *ananas,* spanisch *ananá[s]*), *Kakao* (spanisch *cacao,* aus aztekisch *cacauatl*), *Mais* (spanisch *maiz*), *Tabak* (spanisch *tabaco*), *Schokolade* (spanisch *chocolate,* aus mexikanisch [Nahuatl] *chocolatl*) und *Tomate* (spanisch *tomate,* aus mexikanisch [Nahuatl] *tomatl*).

Mini... »Klein...« in Bildungen wie ›Minibar, Minigolf, Minikleid, Minipreis‹: Das Bildungselement wurde im 20. Jh. aus gleichbed. engl.-amerik. *mini...* entlehnt, einer Kürzung aus engl. *miniature* (vgl. den Artikel *Miniatur*).

Miniatur »Kleinmalerei«: Das Fremdwort wurde um 1600 aus it. *miniatura* »Kunst, mit Zinnoberrot zu malen; mit Zinnoberrot ausgeführte Ziermalerei; Kleinmalerei« entlehnt. Dies bezeichnete zunächst die Technik, die Initialen kostbarer Handschriften (mit Zinnoberfarbe) auszumalen. Wohl begünstigt durch den Anklang an lat. *minor* »kleiner; klein« entwickelte das it. Wort die Bedeutung »zierliche Kleinmalerei«. In diesem Sinne wurde es ins Dt. übernommen und wurde dann auch zur Bezeichnung geschmackvoll ausgeführter Gegenstände der Kleinkunst, insbesondere aber auch zur Bezeichnung des Zierlichen, Kleinen usw., so namentlich in Zusammensetzungen wie **Miniaturausgabe** und **Miniaturbild** (wie entsprechend engl. *miniature*, vgl. den Artikel *Mini...*). – It. *miniatura* geht auf gleichbed. mlat. *miniatura* zurück, eine Bildung zu mlat. *miniare* »mit Zinnober anstreichen; in Zinnoberfarbe malen«. Dies gehört seinerseits zu lat. *minium* »Zinnoberrot«.

Minimum »Mindestmaß, -wert, -preis«: Das Fremdwort wurde im 18. Jh. aus lat. *minimum* »das Kleinste, Geringste, Wenigste« entlehnt, dem substantivierten Neutrum von lat. *minimus* »kleinster« (vgl. *minus*). – Dazu die nlat. Ableitung **minimal** »sehr klein, winzig« (19. Jh.).

Minister: Die Bezeichnung für »oberster [Verwaltungs]beamter des Staates; Mitglied der Regierung« wurde im 17. Jh. aus gleichbed. frz. *ministre* (eigentlich »Diener«, dann etwa »Diener des Staates; mit einem politischen Amt Beauftragter«) entlehnt. Das zugrunde liegende lat. Substantiv *minister* »Diener, Gehilfe«, das in dieser Bedeutung schon im 15. Jh. in dt. Texten als Lehnwort erscheint, steht wohl in Zusammenhang mit der Wortgruppe um lat. *minor* »kleiner, geringer« (vgl. den Artikel *minus*). Auszugehen ist dabei von einer Vorform **minis-teros* < **minus-teros* »der Geringere, der Untergebene«. – Von lat. *minister* abgeleitet ist das Verb lat. *ministrare* »bedienen«, aus dessen Part. Präs. *ministrans (ministrantis)* unser Fremdwort **Ministrant** »Junge, der dem Priester während der katholischen Messfeier bestimmte Handreichungen macht, Messdiener« entlehnt ist. Beachte auch lat. *ad-ministrare* »zur Hand gehen, verrichten; verwalten, leiten« mit den Bildungen *administratio* »Handreichung; Verwaltung, Leitung« und *administrativus* »zur Ausführung geeignet, praktisch«, aus denen unsere Fremdwörter **administrieren** »verwalten«, **Administration** »Verwaltung«, **Administrator** »Verwalter« und **administrativ** »zur Verwaltung gehörend, behördlich« entlehnt sind. – Abl.: **Ministerium** »höchste Verwaltungsbehörde eines Landes mit bestimmtem Aufgabenbereich« (18. Jh.; relatinisiert aus frz. *ministère* < lat. *ministerium* »Dienst, Amt«); **ministerial** »den Staatsdienst betreffend; der Staatsregierung angehörend« (18. Jh.; aus spätlat. *ministerialis* »den Dienst beim Kaiser betreffend«), heute nur noch in Zusammensetzungen gebraucht wie **Ministerialbeamter, Ministerialdirigent; ministeriell** »von einem Minister oder Ministerium ausgehend« (18. Jh.; aus frz. *ministériel* < spätlat. *ministerialis*). – Vgl. noch den Artikel *Metier*.

Ministrant ↑Minister.

Minna: Der veraltende ugs. Ausdruck für »Hausangestellte, Dienstmädchen« ist identisch mit dem weiblichen Vornamen Minna (Kurzform von Wilhelmine), der früher überaus häufig vorkam. Worauf sich die Benennung ›grüne Minna‹ »Polizeiwagen zum Gefangenentransport« bezieht, ist unklar.

Minne »Liebe«: Mhd. *minne*, ahd. *minna*, niederl. *min* sind im germ. Sprachbereich eng verwandt mit der Sippe von schwed. *minne* »Erinnerung, Andenken, Gedächtnis« und gehören mit dieser zu der Wortgruppe von ↑mahnen. Aus der ursprünglichen Bedeutung »das Denken an etwas, [liebevolles] Gedenken« entwickelten sich schon im Ahd. die Bedeutungen »Zuneigung, Gefallen, Freude, Lust, Liebe«. In mhd. Zeit war *minne* das übliche Wort für »Liebe«. Seit dem 15. Jh. kam es allmählich außer Gebrauch. Im 18. Jh. wurde es im Rahmen der Beschäftigung mit der ritterlichen Liebeslyrik neu belebt und dann dichterisch, heute nur noch altertümelnd scherzhaft verwendet.

Minorität: Das Fremdwort für »Minderzahl, Minderheit« wurde im 18. Jh. aus gleichbed. frz. *minorité* entlehnt, das auf mlat. *minoritas* »Minderheit« zurückgeht. Dies gehört zu lat. *minor* »kleiner, geringer« (vgl. *minus*).

minus: Der Ausdruck für »weniger« (zur Bezeichnung der Subtraktion) wurde im 14. Jh. aus gleichbed. lat. *minus* übernommen, dem adverbial gebrauchten Neutrum von lat. *minor* »kleiner, geringer« (↑Minorität). Das lat. Wort, das die komparativische Steigerungsstufe zu einer vom gleichen Stamm nicht vorhandenen Grundstufe ist, gehört zusammen mit dem Substantiv lat. *minister* »Untergebener; Diener, Gehilfe« (↑Minister und ↑Metier), dem Superlativ lat. *minimus* »kleinster, geringster« (↑Minimum) und dem lat. Verb *minuere* »verkleinern, verringern« (↑Minute, ↑minutiös, ↑Menü und ↑Menuett) zu der unter ↑minder dargestellten idg. Wortgruppe. – Dazu die Substantivierung **Minus** »Minder-, Fehlbetrag, Verlust« (18. Jh.; Kaufmannssprache), besonders auch in Zusammensetzungen wie ›Minusgeschäft‹.

Minute: Zu lat. *minuere* »verkleinern, vermindern« (vgl. *minus*) gehört das Partizipialadjektiv lat. *minutus* »vermindert; sehr klein«. Aus der Fügung *pars minuta prima,* die im Sexagesimalsystem des Ptolemäus (2. Jh. n. Chr.) den ersten verminderten Teil (bei einer durch 60 teilbaren Größe) bezeichnete, entstand durch Verselbstständigung gleichbed. mlat. *minuta,* das in frühnhd. Zeit entlehnt wurde. Vgl. zum Sachlichen den Artikel *Sekunde.*

minutiös »peinlich genau«, früher auch für »kleinlich«: Das Adjektiv wurde im 18. Jh. aus gleichbed. frz. *minutieux* entlehnt, einer Ableitung von frz. *minutie* »Kleinigkeit; peinliche Genauigkeit, Kleinlichkeit«. Dies geht auf lat. *minuta* »Kleinheit; Kleinigkeit« zurück, das zu lat. *minuere (minutum)* »verkleinern, verringern, vermindern« gehört (vgl. *minus*).

Minze: Der westgerm. Name der zu den Lippenblütlern gehörenden Pflanzengattung (mhd. *minz[e],* ahd. *minza,* mniederl. *mente,* engl. *mint*) beruht auf einer Entlehnung aus lat. *menta* »Minze«, das aus der gleichen (unbekannten) Quelle stammt wie griech. *mínthē* »Minze«. – Von den Minzen ist am bekanntesten die **Pfefferminze** (18. Jh.), die als Heil- und Gewürzpflanze verwendet wird.

Mirabelle: Der seit dem Anfang des 19. Jh.s bezeugte Name der kleinfruchtigen, süßen Pflaumenart ist aus frz. *mirabelle* entlehnt, dessen weitere Herkunft unklar ist.

mischen: Das westgerm. schwache Verb (mhd. *mischen,* ahd. *miskan,* aengl. *miscian*) ist entweder mit lat. *miscere* »mischen, vermischen« urverwandt oder, was wahrscheinlicher ist, aus diesem entlehnt. – Lat. *miscere, mixtum* (roman. *miscere*), das außeritalische Verwandte z. B. in griech. *meígnymi* »ich mische, vermenge« und in aind. *mí-mikṣ-ati* »er mischt« hat, ist Stammwort verschiedener Fremdwörter im Deutschen. Siehe hierzu im Einzelnen die Artikel ↑mixen, Mixer, Mixedpickles, ↑meliert und ↑Melange. – Ableitungen und Zusammensetzungen von ›mischen‹: **Mischung** (mhd. *mischunge,* ahd. *miscunga*); **Mischling** »jemand, der von Eltern unterschiedlicher Volkszugehörigkeit abstammt« (17. Jh., heute weitgehend als abwertend empfunden); **Mischmasch** (ugs. für:) »Durcheinander, Gemengsel« (lautspielerische Reduplikationsbildung des 16./17. Jh.s); **Mischehe** »Ehe zwischen Partnern verschiedener Konfession«; **Gemisch** »Mischung« (Anfang 17. Jh.).

miserabel »schlecht, erbärmlich«: Das Adjektiv wurde im 17. Jh. aus gleichbed. frz. *misérable* entlehnt. Dies geht auf lat. *miserabilis* »jämmerlich« zurück, eine Bildung zu lat. *miserari* »beklagen, bejammern« (zu lat. *miser,* vgl. *Misere*).

Misere »traurige, unglückliche Lage, Trostlosigkeit«: Das Substantiv wurde im 18. Jh. aus gleichbed. frz. *misère* entlehnt, das auf lat. *miseria* »Elend, Not, Unglück« zurückgeht. Dies ist eine Bildung zu lat. *miser* »elend, kläglich, bejammernswert«. Vgl. den Artikel *miserabel.*

miss...: Das gemeingerm. Präfix mhd. *mis-, misse-,* ahd. *missa-,* got. *missa-,* engl. *mis-,* schwed. *mis-* hat sich aus einer alten Partizipialbildung zu der erweiterten idg. Wurzel **meit[h]-* »wechseln, tauschen« entwickelt (vgl. *Meineid* und die eng verwandte Sippe von ↑*meiden*). Diese Partizipialbildung, die als selbstständiges Wort im Dt. untergegangen ist, hatte ursprünglich die Bedeutung »verwechselt, vertauscht« (vgl. z. B. got. *missō* Adverb »wechselseitig« und aind. *mitháḥ* Adverb »abwechselnd«). Von dieser Bedeutung geht die Verwendung des Wortes als Präfix aus, nämlich zum Ausdruck des Verkehrten, des Verfehlten und des Verschiedenartigen (s. auch die Artikel *missen* und *misslich*). Die vollere Form des Präfixes ist noch bewahrt in **Missetat** »schändliche Tat, Verbrechen« (mhd. *missetāt,* ahd. *missitāt,* wohl aus got. kirchensprachlich *missadēþs* »Sünde«). Von den zahlreichen Bildungen mit ›miss...‹ beachte z. B. **missachten** »nicht beachten, nicht befolgen« (mhd. *misseahten*), dazu **Missachtung** (17. Jh.); **missbehagen** »nicht behagen« (15. Jh.; für mhd. *missehagen*), dazu **Missbehagen** (17. Jh., substantivierter Infinitiv); **missbilligen** »nicht billigen, tadeln« (17. Jh.; ↑billig); **Misserfolg** »schlechter, negativer Ausgang« (19. Jh.); **Missernte** »sehr schlechte Ernte« (19. Jh.); **Missgeburt** »mit Fehlbildungen geborenes Lebewesen« (abwertend; 16. Jh.); **missglücken** »nicht glücken« (17. Jh.); **missgönnen** »nicht gönnen« (16. Jh.); **Missgunst** (16. Jh.), **missgünstig** (16. Jh.); **misshandeln, Misshandlung** (↑handeln); **misshellig, Misshelligkeit** (↑einhellig); **missliebig** »unbeliebt« (19. Jh.; gekürzt aus älterem ›missbeliebig‹, 18. Jh.; Ersatzwort für ›antipathisch‹); **misslingen** »nicht gelingen« (mhd. *misselingen;* ↑gelingen); **Missmut** »schlechte Laune, verdrießliche Stimmung« (18. Jh.; rückgebildet aus dem Adjektiv ›missmutig‹); **missmutig** (17. Jh.; für älteres *missmütig*); **missraten** »nicht gelingen, schlecht ausfallen«, älter auch »abraten« (mhd. *misserāten* »einen falschen Rat erteilen; an eine falsche Stelle geraten, fehlschlagen«); **Missstand** »schlimmer Zustand« (16. Jh.); **Missstimmung** »gedrückte, gereizte Stimmung« (18. Jh.); **misstrauen** »nicht trauen« (mhd. *missetrūwen,* ahd. *missatrūēn*), dazu **Misstrauen** (mhd. *missetrūwen,* substantivierter Infinitiv); **misstrauisch** (17. Jh.); **Missverhältnis** »nicht richtiges Verhältnis« (18. Jh.; wohl Lehnübersetzung von lat. *disproportio*); **Missverständnis** (18. Jh.); **missverstehen** (18. Jh.).

Missbrauch, missbrauchen, missbräuchlich ↑brauchen.

missen »entbehren«: Das altgerm. Verb mhd., ahd. *missen,* niederl. *missen,* engl. *to miss,* schwed. *missa* ist von der unter ↑miss... behandelten Partizipialbildung abgeleitet und bedeutete ursprünglich etwa »verwechseln, verfehlen«. Beachte auch die verstärkende Präfixbildung **vermissen** (mhd. *vermissen,* ahd. *farmissen*).

M

misshandeln, Misshandlung ↑handeln.

misshellig, Misshelligkeit ↑einhellig.

Mission: Das aus lat. *missio* »das Gehenlassen; das Schicken, die Entsendung« entlehnte Substantiv erscheint in dt. Texten zuerst im 16. Jh. in der allgemeinen Bedeutung des lat. Wortes. Das Kirchenlat. vermittelte uns den seit dem 17. Jh. – auch in anderen Kultursprachen – allgemein üblichen Gebrauch des Wortes im Sinne von »(Ausschickung christlicher Sendboten zur) Bekehrung der Heiden«. Daran schließen sich die Ableitungen **Missionar** »in der [christlichen] Mission tätiger Geistlicher oder Laie« (17. Jh.; nlat. Bildung) und **missionieren** »Missionstätigkeit ausüben, zum christlichen Glauben bekehren« (20. Jh.). Jünger sind die Bedeutungen »Sendung, Auftrag; innere Aufgabe, Pflicht« und »Personengruppe mit einem bestimmten Auftrag; diplomatische Vertretung«, die ›Mission‹ am Ende des 18. Jh.s von entsprechend frz. *mission* übernimmt. – Lat. *missio* gehört als Substantivbildung zu lat. *mittere* »loslassen; werfen; schicken, senden usw.«, das auch noch mit zahlreichen anderen Ableitungen und Zusammensetzungen in unserem Lehn- und Fremdwortschatz vertreten ist. Beachte im Einzelnen: kirchenlat. *missa* »liturgische Opferfeier, Messe« in ↑[1]Messe, [2]Messe, und als Grund- oder Bestimmungswort in den Zusammensetzungen ↑Kirmes und *Lichtmess* (↑licht); vlat. *missum* »aus der Küche Herausgeschicktes, zu Tisch Aufgetragenes« in ↑[3]Messe; lat. *com-mittere* »zusammenbringen; anvertrauen, anheim geben« in ↑Kommission, ↑Kommissar, ↑Kommiss und ↑Komitee; lat. *pro-mittere* »hervorgehen lassen, in Aussicht stellen, versprechen« bzw. lat. *com-pro-mittere* »sich gegenseitig versprechen« in ↑Kompromiss, kompromittieren; lat. *re-mittere* »zurückschicken; nachlassen usw.« in ↑Remittende, ↑remis.

Misskredit ↑Kredit.

misslich: Zu dem unter ↑gleich behandelten gemeingerm. Adjektiv **ga-līka-* »dieselbe Gestalt habend« ist als Gegenwort **missalīka-* »verschiedene Gestalt habend« gebildet. Darauf beruhen mhd. *misselich,* ahd. *missalīh,* got. *missaleiks,* aengl. *mis[t]līc,* aisl. *mislīkr* (vgl. die Artikel *miss...* und *Leiche*). Die heutige Bedeutung »schlimm, unerfreulich« hat sich aus »etwas, was verschiedenartig ausgehen kann« entwickelt.

missliebig ↑miss...

misslingen ↑gelingen.

Missmut, missmutig, missraten, Missstand, Missstimmung, misstrauen, Misstrauen, misstrauisch, Missverhältnis, Missverständnis, Missverstehen ↑miss...

Mist: Die germ. Substantivbildung mhd., ahd. *mist,* got. *maíhstus,* niederl. *mest* gehört mit dem unter ↑Maisch[e] behandelten Wort zu einem im Dt. untergegangenen Verb mnd. *mīgen,* aengl. *mīgan,* aisl. *mīga* »harnen«. Das Wort bezeichnete also zunächst Harn und Kot (speziell aus dem tierischen Körper) und ging dann auf die damit getränkte Streu über. Das germ. Verb ist z. B. verwandt mit lat. *mingere* »harnen« und aind. *mẽhati* »harnt« und beruht auf einer idg. Wurzel **meiĝh-* »harnen«. Ugs. wird ›Mist‹ im Sinne von »Unsinn; Wertloses, Dreck« gebraucht, beachte auch abwertendes ›Mist‹ in Zusammensetzungen, z. B. in ›Mistkerl‹. Siehe auch den Artikel *Mistel.*

Mist

[nicht] auf jmds. Mist gewachsen sein
(ugs.) »[nicht] von jmdm. stammen, erarbeitet, veranlasst sein«
Mist war früher das wichtigeste Düngemittel in der Landwirtschaft. Ein Bauer brauchte für die Düngung seiner Felder keinen fremden Mist zu kaufen, seine Produkte waren auf dem eigenen Mist gewachsen.

Mistel: Der altgerm. Pflanzenname mhd. *mistel,* ahd. *mistil,* niederl. *mistel,* engl. *mistletoe,* schwed. *mistel* ist wahrscheinlich eine Bildung zu dem unter ↑Mist behandelten Wort. Die Benennung der auf Bäumen schmarotzenden Pflanze bezieht sich demnach darauf, dass die Samen dieser Pflanze durch den Vogelmist (besonders durch die Exkremente der Misteldrossel) auf Bäume gelangen.

mit: Das gemeingerm. Wort (Adverb, Präposition) mhd. *mit[e],* ahd. *mit[i],* got. *miþ,* schwed. *med* ist wahrscheinlich mit griech. *metá* »zwischen, mit, nach, hinter« (↑meta..., Meta...) verwandt. – Zus.: **Mitarbeiter** (16. Jh.; in Luthers Bibelübersetzung als Lehnübersetzung von griech. *sýnergos*); **Mitesser** (17. Jh.; Lehnübersetzung von mlat. *comedo;* die Talgausscheidungen verstopfter Hautporen hielt man bis ins 18. Jh. für in die Haut gezauberte Würmer, die den Menschen, besonders den Kindern, die Nahrung wegessen); **Mitgift** »Heiratsgut« (↑Gift); **Mitglied** »Angehöriger einer Gemeinschaft; jemand, der einem Verein, einer Partei o. Ä. beigetreten ist« (16. Jh.), dazu **Mitgliedschaft; Mitlaut** »Konsonant« (18. Jh.; für älteres Mitlauter, das zu ›mitlautend‹ – Lehnübersetzung von lat. *[littera] consonans* – gebildet ist); **Mitleid** (s. d.).

Mitbringsel ↑bringen.

Mitgift ↑Gift.

Mitglied ↑Glied.

Mitleid: Das seit dem 17. Jh. bezeugte Wort setzte sich vom Ostmitteld. ausgehend für älteres ›Mitleiden‹ (mhd. *mitelīden* »Mitgefühl, Anteilnahme, Barmherzigkeit«) durch. Der substantivierte Infinitiv mhd. *mitelīden* und die untergegangene Bildung mhd. *mitelīdunge* sind Lehnübersetzungen von lat. *compassio,* das seinerseits Lehnübersetzung von griech. *sympátheia* (↑Sympathie) ist.

Das zugrunde liegende Verb mhd. *mitelîden,* älter nhd. *mitleiden* hatte auch die Bedeutung »mit einem anderen am gleichen Übel teilhaben; an öffentlichen Lasten teilhaben«. An diesen Wortgebrauch schließt sich **Mitleidenschaft** (17. Jh.) an, das heute nur noch in der Wendung ›in Mitleidenschaft ziehen‹ verwendet wird.

Mittag: Die Bezeichnung der Tagesmitte (mhd. *mittetac,* ahd. *mittitac*) ist aus der erstarrten Verbindung ahd. *mitti tac* »mittlerer Tag« zusammengewachsen, beachte noch mhd. auch *mitter tac* »Mittag« und frühnhd. mit innerer Flexion *mittem tag.* Über das Adjektiv mhd. *mitte,* ahd. *mitti* s. den Artikel *Mitte.* Vgl. die anderen germ. Bezeichnungen niederl. *middag,* engl. *midday,* schwed. *middag.* – Das Wort ›Mittag‹ ist auch im Sinne von »Süden« (Lehnbedeutung nach lat. *meridies*) und im Sinne von »Mittagsmahlzeit« gebräuchlich. Das Adverb **mittags** (16. Jh.) ist der adverbiell erstarrte Genitiv Singular. – Erst in nhd. Zeit sind aus ›vor Mittag[e]‹ und ›nach Mittag[e]‹ die Bezeichnungen **Vormittag** und **Nachmittag** entstanden. – Abl.: **mittäglich** (mhd. *mittaglich,* ahd. *mittitagalīh*).

Mitte: Das altgerm. Substantiv mhd. *mitte,* ahd. *mitta,* aengl. *midde,* älter schwed. *midja* ist eine Bildung zu dem als selbstständigem Wort nicht mehr gebräuchlichen Adjektiv frühnhd., mhd. *mitte,* ahd. *mitti,* got. *midjis,* aengl. *midde,* aisl. *miđr* »in der Mitte befindlich, mittlerer«. Dieses gemeingerm. Adjektiv ist im Dt. bewahrt in dem Adverb **mitten** »in der Mitte« (mhd. *mitten;* adverbiell erstarrter Dativ Plural des Adjektivs) und in den aus erstarrten Verbindungen entstandenen Zusammensetzungen ↑Mittag, ↑Mitternacht und ↑Mittwoch, s. auch die unter ↑mittel behandelte Ableitung. Das gemeingerm. Adjektiv geht mit verwandten Wörtern in anderen idg. Sprachen auf idg. **medhi̯o-s* »in der Mitte befindlich, mittlerer« zurück, vgl. z. B. griech. *mésos* »mittlerer« und lat. *medius* »mittlerer« (s. die Fremdwörtergruppe um *Medium*).

Mitte

ab durch die Mitte
(ugs.) »schnell fort!; los, vorwärts!«
Diese Aufforderung, schnell zu verschwinden, stammt aus der Theatersprache, vgl. die Regieanweisungen ›ab nach rechts‹ und ›ab nach links‹ (von der Bühne).

mitteilen, Mitteilung ↑Teil.

mittel: Das westgerm. Adjektiv mhd. *mittel,* ahd. *mittil,* niederl. *middel,* engl. *middle* ist eine Weiterbildung von dem unter ↑Mitte behandelten gemeingerm. Adjektiv. Im Gegensatz zum Komparativ ›mittlere‹ und zum Superlativ ›mittelste‹ ist der Positiv ›mittel‹ heute nicht mehr gebräuchlich. Er ist bewahrt in **mittlerweile** (16. Jh.; aus *mittler Weile,* Dativ Singular) und als Bestimmungswort in zahlreichen Zusammensetzungen, beachte z. B. **Mittelalter** (17. Jh.; im Sinne von »mittleres Lebensalter«; im 18. Jh. dann in der heutigen Bedeutung »Zeitraum zwischen Altertum und Neuzeit« als Lehnübersetzung von lat. *medium aevum*); **Mittelpunkt** »im Zentrum des Interesses stehende Person oder Sache« (16. Jh.; zusammengezogen aus mhd. *der mittel punct*); **Mittelschule** (19. Jh.); **Mittelstand** (17. Jh.; im Sinne von »mittlerer Zustand« und »bürgerlicher Mittelstand«); **Mittelwort** (17. Jh.; Ersatzwort für ›Partizip‹; so benannt, weil es zwischen Adjektiv und Verb steht). Die substantivierte Form des Adjektivs ist **Mittel** (mhd. *mittel,* niederl. *middel,* engl. *middle*). Das Substantiv hatte zunächst die Bedeutung »Mitte, in der Mitte befindlicher Teil«. Dann wurde es im Sinne von »das zwischen zwei Dingen Befindliche« gebräuchlich. An diesen Wortgebrauch schließt sich an die Verwendung des Wortes im Sinne von »das, was zur Erreichung eines Zweckes dient« (eigentlich »das, was sich zwischen dem Handelnden und dem Zweck befindet«), beachte dazu **mittels[t]** »mithilfe von, durch« (17. Jh.; mit sekundärem t; Genitiv Singular von ›Mittel‹) und **vermittels[t]** »mithilfe von, durch« (16. Jh.). Ferner bezeichnet das Wort, gewöhnlich im Plural, auch das, worüber man verfügt (um irgendeinen Zweck zu erreichen), beachte dazu z. B. bemittelt »wohlhabend« (17. Jh.), **mittellos** »arm« (19. Jh.) und die Zusammensetzungen ›Lebens-, Nahrungs-, Geldmittel‹ und dgl. – Das vom Substantiv abgeleitete Verb **mitteln** (mhd. *mitteln* »zu etwas verhelfen, schlichten«) wird heute als einfaches Verb nicht mehr verwendet. Gebräuchlich sind dagegen die Bildungen **ermitteln** »herausfinden; feststellen«, **übermitteln** »überbringen, zu jemandem gelangen lassen« und **vermitteln** »eine Einigung erzielen, intervenieren; zustande bringen, herbeiführen; besorgen«.

Mittelfinger ↑Finger.

Mitternacht: Das seit mhd. Zeit bezeugte Wort ist eigentlich ein erstarrter Dativ. Mhd. *mitternaht* (Dativ Singular) ist aus Zeitbestimmungen wie z. B. *ze mitter naht* »mitten in der Nacht« hervorgegangen. Über das Adjektiv mhd. *mitte,* ahd. *mitti* »in der Mitte befindlich« s. den Artikel *Mitte.* – Abl.: **mitternächtlich** (16. Jh.).

Mittwoch: Die Bezeichnung des vierten Wochentages mhd. *mit[te]woche,* spätahd. *mittawehha* (Femininum) ist Lehnübersetzung von kirchenlat. *media hebdomas.* Ahd. *mittawehha* ist zusammengewachsen aus dem unter ↑Mitte behandelten Adjektiv ahd. *mitti* »in der Mitte befindlich« und dem unter ↑Woche behandelten Substantiv. Diese Bezeichnung wurde von der Kirche an die Stelle einer älteren Bezeichnung gesetzt, um die Erinnerung an die heidnischen Gottheiten auszulöschen. Die ältere Bezeichnung ist in den anderen germ. Sprachen bewahrt: niederl. *woensdag*, engl. *Wednesday*, schwed. *onsdag*, eigentlich »Wodans (Odins-)Tag«, für lat. *dies Mercurii* (beachte frz. *mercredi*). Die Wochenrechnung übernahmen die Germanen von den Römern im 4. Jh. (vgl. *Dienstag*). – Zus.: **Aschermittwoch** (s. d.).

mixen Das Verb mit der Bedeutung »mischen« (z. B. einen Cocktail) wurde im 20. Jh. aus gleichbed. engl. *to mix* entlehnt. Das engl. Verb ist aus engl. *mixed* (älter: *mixt*) »gemischt« rückgebildet, das über afrz. *mixte* auf lat. *mixtus*, das Part. Perf. von lat. *miscere* »mischen«, zurückgeht (vgl. den Artikel *mischen*). – Dazu: **Mix** »Mischung, besonderes Gemisch« (2. Hälfte des 20. Jh.s, aus gleichbed. engl. *mix*), **Mixer** »jemand, der alkoholische Getränke mischt«, besonders in der Zusammensetzung **Barmixer** (im 20. Jh. aus gleichbed. engl. *mixer* übernommen), heute auch als Bezeichnung für ein elektrisches Gerät zum Zerkleinern und Mischen gebräuchlich; **Mixedpickles, Mixpickles** »in Essig eingelegtes Mischgemüse« (im 18. Jh. aus gleichbed. engl. *mixed pickles* entlehnt; engl. *pickle* bedeutet eigentlich »Pökel«, dann »Eingemachtes«).

Mob: Der Ausdruck für »Pöbel« wurde im 18. Jh. aus dem Engl. entlehnt. Engl. *mob* bezeichnet eigentlich »die aufgebrachte, aufgewiegelte Volksmenge«. Es ist aus gleichbed. lat. *mobile vulgus* verselbstständigt. – Über das lat. Adjektiv *mobilis* »beweglich« vgl. den Artikel *mobil*.

M

Mobbing: Das in der 2. Hälfte des 20. Jh.s aus dem Engl. übernommene Fremdwort bezeichnet das »ständige Schikanieren von Arbeitskollegen mit der Absicht, sie vom Arbeitsplatz zu vertreiben«. Engl. *mobbing* meint dort ebenfalls die Schikane am Arbeitsplatz. Das Verb *to mob*, von dem es abgeleitet ist, bedeutet zunächst allgemein »belästigen, anpöbeln« und gehört zur Wortfamilie von *mob* »Pöbel« (↑Mob). – Dazu: **mobben.**

Möbel »Einrichtungsgegenstand für Wohn- und Arbeitsräume«: Das Substantiv wurde im 17. Jh. aus frz. *meuble* »bewegliches Gut; Hausgerät; Einrichtungsgegenstand« entlehnt, das auf mlat. *mobile* »bewegliches Hab und Gut« (vgl. *mobil*) zurückgeht. – Abl.: **möblieren** »einen Raum mit Möbeln ausstatten« (Ende 17. Jh.; aus frz. *meubler*); **aufmöbeln** (um 1900) bedeutete ursprünglich wohl »alte Möbelstücke aufarbeiten« und wurde dann in der Umgangssprache in der übertragenen Bedeutung »aufmuntern« gebräuchlich; **vermöbeln** (18. Jh.; zuerst in der auch heute zuweilen noch gebräuchlichen Bedeutung »vergeuden, verschleudern« [wohl ursprünglich von Möbelauktionen, bei denen Möbel für billiges Geld losgeschlagen werden]; in der Umgangssprache wird das Wort heute – mit unklarer Bedeutungsentwicklung – hingegen im Sinne von »durchprügeln« gebraucht).

mobil: Das Adjektiv bedeutet »beweglich«, ugs. wird es auch im Sinne von »wohlauf, munter« und militärisch für »marsch-, kampf-, einsatzbereit« verwendet, so besonders in der Zusammensetzung **Mobilmachung.** Das Adjektiv wurde im 18. Jh. – zuerst in der Militärsprache – aus frz. *mobile* »beweglich; marschbereit« entlehnt. Dies geht auf lat. *mobilis* »beweglich« (< **movibilis*) zurück, eine Bildung zum lat. Verb *movere (movi, motum)* »in Bewegung setzen; antreiben; verursachen«. – Dazu: **mobilisieren** »mobil machen; Geld flüssig machen; jemanden dazu bringen, aktiv zu werden, sich einzusetzen; verfügbar machen« (Anfang 19. Jh.; aus frz. *mobiliser*). In der Bedeutung »beweglich, ohne Kabel funktionierend« findet sich ›mobil‹ in den seit der 2. Hälfte des 20. Jh.s gebräuchlichen Zusammensetzungen **Mobilfunk** und **Mobiltelefon.** Zahlreich sind die zu lat. *mobilis* bzw. zum Verb lat. *movere* gehörenden Ableitungen und Zusammensetzungen, die in unserem Fremdwortschatz eine Rolle spielen. Im Einzelnen sind zu nennen: mlat. *mobile* »bewegliches Hab und Gut« (↑Möbel, möblieren, aufmöbeln, vermöbeln), mlat. *mobilia* (↑Mobilien, Immobilien, Mobiliar); vlat. **movitare* »bewegen« mit dem postverbalen Substantiv vlat. **movita* »Bewegung« in frz. *meute* »Erhebung; Jagdzug« (↑Meute, ↑meutern, Meuterer, Meuterei); lat. *motor* »Beweger« (↑Motor); spätlat.-mlat. *motivus* »bewegend; antreibend, anreizend« (↑Motiv, motivieren); lat. *pro-movere* »vorwärts bewegen; befördern« (↑Promotion, promovieren); lat. *momentum* (< **movimentum*) »Bewegungskraft, Antrieb; Übergewicht, das bei gleich schwebendem Waagebalken den Ausschlag gibt; kritischer Augenblick; Augenblick« (↑Moment). Beachte schließlich noch das aus dem Engl. stammende hierher gehörende Fremdwort ↑Mob.

Mobilien »bewegliches Vermögen«: Das Fremdwort wurde im 17. Jh. aus gleichbed. mlat. *mobilia* (vgl. *mobil*) eingedeutscht, einem juristischen Terminus, der für klass.-lat. *res mobiles* steht. Im Gegensatz dazu heißt das »unbewegliche Vermögen«, also die Liegenschaften und Grundstücke, lat. *res immobiles* oder lat. *im-mobilia (bona)*, aus dem im 17./18. Jh. unser **Immobilien** übernommen wurde. Eine junge Bildung zu mlat. *mobilia* – der Singular *mobile* liegt frz. *meuble* (↑Möbel) zugrunde – ist unser Fremdwort **Mobiliar** »bewegliche Habe; Hausrat, Möbelstücke« (Ende 18. Jh.).

Mode »Brauch, Sitte; Tages-, Zeitgeschmack; das Neueste, Zeitgemäße (in Kleidung, Haartracht usw.)«: Das Substantiv wurde im 17. Jh. aus frz. *mode* »Art und Weise; Brauch, Sitte; gerade herrschende Richtung in der Kleidung« entlehnt. Die neben ›Mode‹ anfangs häufiger gebrauchte Form ›Alamode‹ stammt aus frz. *à la mode* »nach der Mode«. – Frz. *mode* geht auf lat. *modus* »Maß; Maß und Ziel; Regel; Art und Weise« zurück (vgl. *Modus*). – Abl.: **modisch** »nach der Mode« (17. Jh., davor schon ›alamodisch‹), beachte auch die Zusammensetzungen **neumodisch** (18. Jh.) und **alt-**

modisch (18. Jh.); **Modistin** »Putzmacherin, Angestellte eines Hutgeschäftes« (19. Jh.; nach frz. *modiste*).

Modell: Das Substantiv bedeutet »Muster, Form; Vorbild; Entwurf; Person, die sich als Gegenstand bildnerischer oder fotografischer Darstellung zur Verfügung stellt; Mannequin«. Es wurde um 1600 als Fachausdruck der bildenden Kunst aus gleichbed. it. *modello* entlehnt, das auf vlat. **modellus* zurückgeht. Dies steht für klass.-lat. *modulus* »Maß; Maßstab«, eine Verkleinerungsbildung zu lat. *modus* »Maß« (vgl. *Modus*). Unmittelbar aus lat. *modulus* stammt [1]**Model** »Maß, Form, Muster« (schon ahd. *modul*, mhd. *model*), das durch ›Modell‹ zurückgedrängt wurde und heute nur noch in der Handwerkerfachsprache, in südd. Mundarten und in Österreich (hier speziell im Sinne von »Kuchenform«) lebendig ist, ferner in dem abgeleiteten Zeitwort [1]**modeln** »gestalten, in eine Form bringen« (mhd. *modelen*), beachte dazu **ummodeln** ugs. für »verändern«. Gleichfalls aus lat. *modulus* stammt engl. *module*, aus dem in der 2. Hälfte des 20. Jh.s unser **Modul** »Bau- oder Schaltungseinheit« übernommen wurde. Zur etwa selben Zeit aus dem Engl. übernommen wurde in der Bedeutung »Mannequin, Fotomodell« das zur selben Wortfamilie gehörende [2]**Model**. Hiervon abgeleitet wurde das Verb [2]**modeln** »als Fotomodell arbeiten«.

Moder »in Verwesung übergegangener Körper; Fäulnisstoffe; Schlamm[erde]«: Das seit dem 14. Jh. bezeugte Wort (mitteld., spätmhd. *moder*) gehört mit verwandten Wörtern in anderen idg. Sprachen zu der vielfach weitergebildeten und erweiterten idg. Wurzel **[s]meu-* »feucht; schimmelig; schmierig, schmutzig«, nominal »Feuchtigkeit; Schimmel; Schlamm, Schmutz«, verbal »feucht sein; schmieren; rutschen, gleiten«. Aus dem germ. Sprachbereich gehören zu dieser Wurzel ferner die Sippe von ↑Moos und mit anlautendem s- die Sippe von ↑Schmutz und das unter ↑schmausen (eigentlich »unreinlich essen und trinken, sudeln«) behandelte Verb, vermutlich auch die Wortgruppe von ↑schmiegen (eigentlich »rutschen, kriechen, sich ducken«). Außergerm. sind z. B. verwandt aind. *mū́-tra-m* »Harn«, griech. *mýdos* »Nässe, Fäulnis« und russ. *muslit'* »sabbern, geifern, lutschen«.

moderato: Der Ausdruck für »gemäßigt, mäßig schnell« wurde als musikalische Tempobezeichnung aus gleichbed. it. *moderato* entlehnt, das auf gleichbed. lat. *moderatus*, Partizipialadjektiv von lat. *moderare* »ein Maß setzen; mäßigen« (zu lat. *modus* »Maß«; vgl. *Modus*) zurückgeht. Aus lat. *moderare* »mäßigen« wurde bereits im 16. Jh. **moderieren** entlehnt, das in der Bedeutung »mäßigen, mildern« weitgehend veraltet und nur noch landsch. gebräuchlich ist, das aber in der 2. Hälfte des 20. Jh.s unter dem Einfluss von engl. *to moderate* »eine Versammlung, ein Gespräch leiten« in Rundfunk und Fernsehen im Sinne von »eine Sendung mit einleitenden und verbindenden Worten versehen, durch eine Sendung führen« verwendet wird, beachte dazu **Moderator** »jemand, der eine Sendung moderiert« und **Moderation** »Tätigkeit des Moderators«.

modern: Das seit dem Anfang des 18. Jh.s bezeugte Adjektiv ist aus frz. *moderne* »neu; modern« entlehnt, das auf lat. *modernus* »neu, neuzeitlich« zurückgeht. Es trat zunächst in der Bedeutung »neu; neuzeitlich« auf. In diesem Sinne steht ›modern‹ gleichsam im Gegensatz zu ↑antik, wie auch das Substantiv **Moderne** »neue, neueste Zeit; moderner Zeitgeist; moderne Kunstrichtung« (19. Jh.) zeigt. Die heute vor allem gültigen Bedeutungen von ›modern‹ »neuartig; auf der Höhe der Zeit; modisch, dem Zeitgeschmack entsprechend« zeigen deutlichen Einfluss des Wortes ↑Mode (Entsprechendes gilt für frz. *moderne*). – Lat. *modernus* ist abgeleitet von dem Adverb lat. *modo* »eben, eben erst« (eigentlich »mit Maß, auf ein Maß beschränkt«, dann auch »nur, bloß«) nach dem Vorbild von lat. *hodiernus* »heutig« (zu lat. *hodie* »heute«). Das Adverb *modo* ist eigentlich ein erstarrter Ablativ von lat. *modus* »Maß« (vgl. *Modus*). – Abl.: **modernisieren** »erneuern; modisch zurechtmachen, neuzeitlich herrichten« (18. Jh.; aus frz. *moderniser*).

modisch, Modistin ↑Mode.

Modul ↑Modell.

Modus »Art und Weise [des Geschehens oder Seins]; Vorgehen, Verfahrensweise; Aussageweise des Verbs« (z. B. Indikativ, Konjunktiv): Das Fremdwort wurde schon früh aus gleichbed. lat. *modus* entlehnt, das sich mit seiner eigentlichen Bedeutung »Maß« zu der unter ↑[1]Mal dargestellten Wortsippe der idg. Wurzel **mĕ-[d]-* »messen; ermessen« stellt. – Lat. *modus* ist Stammwort von zahlreichen Bildungen, die in unserem Wortschatz eine Rolle spielen. Vgl. im Einzelnen die Artikel: ↑Mode, modisch, Modistin, ↑modern, Moderne, modernisieren, ↑Modell, modellieren, Modelleur, Model, modeln, ummodeln, Modul, ↑moderato, moderieren, Moderation, Moderator, ↑kommod, Kommode, inkommodieren.

M

mogeln (ugs. für:) »dem Glück ein bisschen nachhelfen; kleine betrügerische Kniffe anwenden«: Die Herkunft des erst seit dem 18. Jh. bezeugten Verbs ist nicht sicher geklärt. Vielleicht handelt es sich um eine Nebenform von mdal. *maucheln* »heimlich oder hinterlistig handeln, betrügen« (vgl. *meucheln*).

mögen: Das gemeingerm. Verb (Präteritopräsens) mhd. *mügen*, ahd. *mugan*, got. *magan*, engl. *may*, schwed. *må* geht mit verwandten Wörtern in anderen idg. Sprachen auf die Wurzel **magh-* »können, vermögen« zurück, vgl. z. B. die slaw. Sippe von russ. *mogu* »ich kann«. Die heute übliche Bedeutung »gern wollen, gern haben« entwickelte sich in mhd. Zeit, und zwar in negativen Sätzen

(»nicht können, nicht imstande sein«, daher »abgeneigt sein, nicht wollen«). Von der alten Bedeutung gehen aus die Bildungen ↑Macht und **möglich** »ausführbar, erreichbar; in Frage kommend, denkbar« (mhd. *müg[e]lich*), dazu **Möglichkeit** (mhd. *müg[e]lichkeit*), beachte auch die Präfixbildung **vermögen** »imstande sein, können« (mhd. *vermügen*), dazu **Vermögen** »Fähigkeit, Kraft; Zeugungskraft; Mittel, Geld und Gut« (spätmhd. *vermügen;* substantivierter Infinitiv), **vermögend** »wohlhabend, reich« (18. Jh.).

Mohn: Der Name der alten Kulturpflanze (mhd. *mān, māhen,* ahd. *māho, mago*) hängt zusammen mit griech. *mḗkōn* »Mohn« und mit der slaw. Sippe von russ. *mak* »Mohn«. Der den Germanen, Slawen und Griechen gemeinsame Pflanzenname ist wahrscheinlich in sehr alter Zeit aus einer Mittelmeersprache entlehnt worden. Die Mohnpflanze stammt aus dem Mittelmeergebiet. – Im germ. Sprachbereich ist der Name außer im Dt. auch bewahrt in niederl. *maankop* »Mohnkopf« und in schwed. *vallmo* »Mohn« (eigentlich »Rauschmohn«).

Mohr: Die heute veraltete Bezeichnung für »dunkelhäutiger Afrikaner« geht zurück auf mhd.-ahd. *mōr,* das aus lat. Maurus »dunkelhäutiger Bewohner von Mauretania (= Gebiet in Nordwestafrika)« entlehnt ist.

Möhre: Der westgerm. Name der Nutzpflanze mhd. *morhe,* ahd. *mor[a]ha,* mniederl. *more,* aengl. *more* ist verwandt mit der slaw. Sippe von russ. *morkov'* »Möhre« und mit griech. *brákana* (Plural) »wildes Gemüse«. Welche Vorstellung dieser den Germanen, Slawen und Griechen gemeinsamen Pflanzenbezeichnung zugrunde liegt, ist dunkel. Neben der umgelauteten Form ›Möhre‹ ist auch die umlautlose Form in der Zus. **Mohrrübe** (17. Jh.) bewahrt. Siehe auch den Artikel *Morchel.*

M

mokieren, sich: Der veraltende Ausdruck für »sich lustig machen über jemanden, sich abfällig oder spöttisch über jemanden äußern« wurde im 17. Jh. aus gleichbed. frz. *se moquer* entlehnt, dessen Herkunft dunkel ist.

Mokka: Die Bezeichnung für »Kaffee einer besonders aromatischen Sorte mit kleinen halbkugelförmigen Bohnen; sehr starker [aus Mokkabohnen zubereiteter] Kaffee« wurde im 19. Jh. aus frz. *moka* übernommen. Dies geht auf Mokka (arab. *Al-Muḫā*), den Namen einer jemenitischen Hafenstadt, zurück. Diese Stadt war früher der Hauptausfuhrhafen für Mokkabohnen.

Molch »Schwanzlurch«: Der seit dem 15. Jh. bezeugte Tiername ist eine Weiterbildung von mhd. *mol[le],* ahd. *mol (molm, molt)* »Salamander, Eidechse«, dessen weitere Herkunft unklar ist. Siehe auch den Artikel *Olm.*

Mole: Die Bezeichnung für »Hafendamm« wurde im 16. Jh. aus gleichbed. it. *molo* entlehnt, das auf lat. *moles* »wuchtige Masse; Damm« zurückgeht. Das lat. Substantiv stellt sich zusammen mit lat. *moliri* »mit Anstrengung in Bewegung setzen; unternehmen, sich abmühen« (↑demolieren) und lat. *molestus* »beschwerlich« zu der unter ↑mühen dargestellten idg. Wortgruppe. – Vgl. auch den Artikel *Molekül.*

Molekül: Der chemisch fachsprachliche Ausdruck für »kleinste, aus verschiedenen Atomen bestehende Einheit einer chemischen Verbindung« wurde im 18./19. Jh. aus gleichbed. frz. *molécule* entlehnt, einer gelehrten Bildung zu lat. *moles* »[wuchtige] Masse; Damm; Klumpen usw.« (vgl. *Mole*). ›Molekül‹ bedeutet also eigentlich »kleine Masse«.

Molke, landsch. auch: Molken »Käsewasser«: Das westgerm. Wort mhd. *molken,* asächs., afries. *molken,* aengl. *molcen* ist eine Bildung zu dem unter ↑melken behandelten Verb und bedeutet demnach eigentlich »Gemolkenes«. Noch in mhd. Zeit wurde das Wort im alten Sinne von »Milch; aus Milch Bereitetes (Butter, Käse)« verwendet. An diese Bedeutung schließt sich die seit dem 19. Jh. bezeugte Bildung **Molkerei** »Milchwirtschaft, Meierei« an.

Moll: Die seit dem 16. Jh. bezeugte Bezeichnung der so genannten »weichen Tonart« (nach dem als ›weich‹ empfundenen Dreiklang mit kleiner Terz, im Gegensatz zum Dreiklang mit großer Terz in ↑Dur) ist aus mlat. *B molle* (für den Ton b) verselbstständigt, das schon einmal im Mhd. als *bēmolle* erscheint. Zugrunde liegt das lat. Adjektiv *mollis* »weich«, das zu der unter ↑mahlen dargestellten idg. Wortsippe gehört.

Molle ↑Mulde.

mollig (ugs. für:) »angenehm, behaglich; warm; rundlich«: Das seit dem 19. Jh., zunächst studentensprachlich bezeugte Adjektiv beruht vermutlich auf frühnhd. *mollicht* »weich, locker«, das in Studentenkreisen wahrscheinlich an lat. *mollis* »weich« angelehnt wurde. Das Wort kann – wie auch das landsch. Adjektiv **molsch, mulsch** »weich; mürbe; faulig« – mit lat. *mollis* (vgl. *Moll*) urverwandt sein und im Sinne von »zerrieben; fein, zart; weich« zu der Wortgruppe von ↑mahlen gehören.

Moloch: Der seit dem 17. Jh. gebräuchliche Ausdruck für eine alles verschlingende, grausame Macht geht zurück auf griech. *molóch,* hebr. *mo-lẹḵ,* die Bezeichnung eines [Kinder]opfers bei den Puniern und im Alten Testament, die als Name eines Gottes missdeutet wurde.

molsch ↑mollig.

[1]Moment (Neutrum) »ausschlaggebender Umstand; Merkmal; Gesichtspunkt«: Das Substantiv wurde im 17. Jh. aus lat. *momentum* in dessen Bedeutung »bewegende Kraft, Ausschlag« entlehnt. Lat. *momentum* (< * *movimentum*) gehört zu dem lat. Verb *movere* »bewegen« (vgl. *mobil*) und bedeutet also eigentlich »Bewegung«. Es wurde dann speziell im Sinne von »Übergewicht, das bei gleich schwebendem Waagebalken den Ausschlag in der Bewegung gibt« und »ausschlaggebender Augenblick« verwendet. In der Bedeutung »Augenblick, kurze Zeitspanne« lieferte das lat. Wort bereits mhd. *mōmente* »Augenblick«, das dem Substantiv ^{2}**Moment** (Maskulinum) »Augenblick« zugrunde liegt. Den Genuswechsel von ^{2}Moment bestimmte das entsprechende frz. Substantiv *(le) moment*, von dem auch die Verwendung im Sinne von »Zeitpunkt« ausgeht.

mon..., Mon... ↑mono..., Mono...

Monarch: Die Bezeichnung für »gekrönter [Allein]herrscher« (z. B. König oder Kaiser) wurde im 16. Jh. aus mlat. *monarcha* entlehnt, das aus griech. *mónarchos* »Alleinherrscher« stammt. Dies ist eine Bildung aus griech. *mónos* »allein, einzig« (vgl. *mono..., Mono...*) und griech. *árchein* »der Erste sein, herrschen« (vgl. *Archiv*). – Dazu: **Monarchie** »legitime Alleinherrschaft« (mhd. *monarchie;* aus griech.-lat. *monarchía*); **Monarchist** »Anhänger der Monarchie« (17. Jh.; aus frz. *monarchiste*).

Monat: Das gemeingerm. Wort mhd. *mānōt, mānōt,* ahd. *mānōd,* got. *mēnōþs,* engl. *month,* schwed. *månad* beruht mit den unter ↑Mond behandelten Wörtern auf idg. **mēnōt-* »Mond; Mondwechsel, Monat«. Das Wort hatte in den älteren Sprachzuständen auch die Bedeutung »Mond«, beachte z. B. ahd. *mānōdsioh* »mondsüchtig«. – In germ. Zeit war der Monat ein durch den Gestaltwandel des Mondes bestimmter Zeitraum, d. h. die Zeitspanne zwischen Vollmond und Vollmond. Der Monat diente zur zeitlichen Orientierung, aber nicht zur Jahrteilung. Die Gliederung des Jahres in Monate und die Rechnung nach Monaten übernahmen die Germanen von den Römern (vgl. die einzelnen Monatsnamen).

Mönch: Die westgerm. Bezeichnung für den Angehörigen eines geistlichen Ordens mit Klosterleben, mhd. *mün[e]ch,* mitteld. *mön[ni]ch,* ahd. *munih,* niederl. *monnik,* engl. *monk,* beruht auf einer Entlehnung aus vlat. **monicus,* einer Nebenform von kirchenlat. *monachus* »Mönch«. Dies stammt aus griech. *monachós* »einzeln, allein lebend; Einsiedler, Mönch«, das von griech. *mónos* »allein, vereinzelt« abgeleitet ist (vgl. *mono..., Mono...*).

Mond: Die gemeingerm. Bezeichnung des Himmelskörpers mhd. *mān[e],* ahd. *māno,* got. *mēna,* engl. *moon,* schwed. *måne* geht mit Entsprechungen in anderen idg. Sprachen auf idg. **mēnōt-* »Mond; Mondwechsel, Monat« zurück. Vgl. z. B. griech. *mḗn* »Monat; Mondsichel«, *mḗnē* »Mond«, *mēniskos* »Möndchen« (↑Meniskus) und lat. *mensis* »Monat; Monatsfluss«, *menstruus* »monatlich« (↑menstruieren), *seme[n]stris* »sechsmonatlich« (↑Semester). Das idg. Wort für »Mond« gehört wahrscheinlich zu der unter ↑^{1}Mal dargestellten idg. Verbalwurzel **mē̆[d]-* »wandern; abstecken, messen«. Es bedeutet aber kaum, wie vielfach angenommen, eigentlich »Messender, Zeitmesser«, sondern »Wanderer« (am Himmelszelt). – Auf idg. **mēnōt-* »Mond; Mondwechsel, Monat« beruht auch das unter ↑Monat behandelte Wort. Die nhd. Form ›Mond‹ beruht auf mhd. *mōnt, mānde,* einer Vermischung von mhd. *mōn[e], mān[e]* »Mond« und mhd. *mānōt, mōnōt* »Monat«. Die Form *mān[e], mōn[e]* ist bewahrt in der Zusammensetzung ↑Montag. – Das Wort ›Mond‹ wurde früher, gewöhnlich in dichterischer Sprache, auch im Sinne von »Monat« verwendet.

mondän »nach Art der großen Welt; betont modern, von auffälliger Eleganz«: Das erst seit dem Beginn des 20. Jh.s gebräuchliche Adjektiv ist aus gleichbed. frz. *mondain* (eigentlich »weltlich« bezogen auf das Leben in den großen Salons) entlehnt. Dies geht auf lat. *mundanus* »zur Welt gehörig, weltlich« zurück, eine Bildung zu lat. *mundus* »Welt; Weltall«.

Moneten: Die aus der Studentensprache in die Umgangssprache übergegangene Bezeichnung für »Geld«, in dt. Texten seit dem 18. Jh. bezeugt, geht auf lat. *moneta* (Plural *monetae*) »Münze[n]« zurück (vgl. den Artikel *Münze*).

monieren »mahnen; bemängeln, rügen«: Das seit dem 17. Jh. besonders in der Kaufmannssprache gebräuchliche Verb ist aus lat. *monere* »[er]mahnen« entlehnt. Dies ist u. a. verwandt mit lat. *meminisse* »sich erinnern, eingedenk sein« und lat. *mens* »Sinn; Verstand; Gesinnung usw.« (↑Mentalität), außerdem urverwandt mit dt. ↑mahnen. – Eine Bildung zu lat. *monere* ist lat. *monumentum* »Mahnmal«, aus dem unser Fremdwort ↑Monument übernommen ist. Gleichfalls zu lat. *monere* gehört das lat. Substantiv *monstrum* (< **monestrom*) »Mahnzeichen; widernatürliche Erscheinung als Wahrzeichen der Götter; Ungeheuer« mit seinen Ableitungen (vgl. hierüber den Artikel *Monstrum*).

mono..., Mono..., (vor Vokalen:) mon..., Mon...: Das Bestimmungswort von Zusammensetzungen mit der Bedeutung »allein, einzeln, einmalig«, wie in ↑monoton, ↑Monolog, ↑Monarch, ist aus dem griech. Adjektiv *mónos* »allein, einzeln, einzig« entlehnt, das auch Ausgangspunkt für die Lehnwörter ↑Mönch und ↑Münster ist.

Monogramm »künstlerisch ausgeführtes Namenszeichen, Verschlingung der Anfangsbuchstaben eines Namens«: Das Fremdwort wurde im 17. Jh. aus spätlat. *monogramma* »ein Buchstabe, der mehrere in sich fasst; Monogramm« entlehnt, einer gelehrten Bildung zu griech. *mónos* »allein, einzig« (vgl. *mono..., Mono...*) und griech. *grámma* »Schriftzeichen, Buchstabe« (vgl. *Grafik*).

Monokel: Die Bezeichnung für »Einglas« wurde im 19. Jh. aus gleichbed. frz. *monocle* entlehnt, das auf spätlat. *mon-oculus* »einäugig« zurückgeht. Dies ist eine hybride Bildung aus griech. *mónos*

»allein, einzig« (vgl. *mono..., Mono...*) und lat. *oculus* »Auge« (vgl. *okulieren*).

Monolog: Das Fremdwort für »Selbstgespräch« wurde im 18. Jh. aus gleichbed. frz. *monologue* entlehnt, das nach dem Vorbild von *dialogue* »Dialog« zu griech. *mono-lógos* »allein redend, mit sich selbst redend« gebildet ist (vgl. *mono..., Mono...* und den Artikel *Lexikon*).

Monopol: Der Ausdruck für »Vorrecht, alleiniger Anspruch; Recht auf Alleinhandel und Alleinverkauf« wurde Anfang des 16. Jh.s aus lat. *monopolium* entlehnt, das seinerseits aus griech. *mono-pṓlion* »Recht des Alleinhandels; Alleinverkauf« übernommen ist. Dies ist eine Bildung zu griech. *mónos* »allein, einzig« (vgl. *mono..., Mono...*) und griech. *pōleīn* »verkehren, Handel treiben; verkaufen«. – Abl.: **monopolisieren** »ein Monopol aufbauen« (18. Jh.; nach frz. *monopoliser*).

monoton »eintönig; gleichförmig«: Das Adjektiv wurde im 18. Jh. aus gleichbed. frz. *monotone* entlehnt, das über spätlat. *monotonus* auf griech. *monotónos* »eintönig« zurückgeht. Dies ist eine Bildung zu griech. *mónos* »allein, einzeln« (vgl. *mono..., Mono...*) und griech. *teínein* »spannen« (vgl. [2]*Ton*). – Dazu das Substantiv **Monotonie** »Eintönigkeit, Gleichförmigkeit« (18. Jh.; aus frz. *monotonie*).

Monster, Monster..., Monsterfilm ↑Monstrum.

monströs ↑Monstrum.

Monstrum »Ungeheuer; großer, unförmiger Gegenstand; Ungeheuerliches, Riesiges; Fehlbildung, Missgeburt (Med.)«: Das Fremdwort wurde im 16. Jh. aus gleichbed. lat. *monstrum* entlehnt, das mit einer Grundbedeutung »Mahnzeichen« zu lat. *monere* »mahnen« (vgl. *monieren*) gehört. – Ebenfalls auf lat. *monstrum* (über afrz. *monstre*) geht engl. *monster* zurück, aus dem unser Fremdwort **Monster** »Ungeheuer, Furcht erregendes Fabelwesen« entlehnt ist. – Dazu: **Monster...** als Bestimmungswort von Zusammensetzungen mit der Bedeutung »Riesen..., riesig« wie in ›Monsterfilm‹ »Film, der mit einem Riesenaufwand an Menschen und Material hergestellt wurde«; **monströs** »ungeheuerlich; fehlgebildet« (17. Jh., älter: *monstros;* aus lat. *monstr[u]osus* »ungeheuerlich; widernatürlich, scheußlich« bzw. frz. *monstrueux*). – Beachte noch das von lat. *monstrum* abgeleitete Verb lat. *monstrare* »zeigen, weisen, hinweisen, bezeichnen« in den Fremdwörtern ↑demonstrieren, Demonstration, demonstrativ, ferner in unserem Lehnwort ↑Muster und dessen Ableitungen.

Monsun: Der Name des besonders im Bereich des Indischen Ozeans wehenden, jahreszeitlich wechselnden Windes wurde Anfang des 17. Jh.s aus gleichbed. engl. *monsoon* entlehnt. Dies geht über mniederl. *monssoen* auf port. *monção* (älter: *moução*) zurück. Das port. Wort stammt aus arab. *mawsim* »(für die Seefahrt geeignete) Jahreszeit«.

Montag: Die germ. Bezeichnungen des zweiten Wochentages mhd. *mōn-, māntac,* ahd. *mānetac,* niederl. *maandag,* engl. *Monday,* schwed. *måndag* beruhen auf einer ins 4. Jh. zu datierenden Lehnübersetzung von lat. *dies Lunae,* das seinerseits Lehnübersetzung von griech. *hēméra Selḗnēs* ist. Die Wochenrechnung übernahmen die Germanen von den Römern im 4. Jh. (s. den Artikel *Dienstag*). – Zu der Wendung ›der blaue Montag‹ vgl. *blau.* Beachte dazu auch ugs. **blaumachen** »feiern, nicht arbeiten«. Siehe auch den Artikel *Rosenmontag.*

Montage ↑montieren.

montan »Bergbau und Hüttenwesen betreffend«, besonders in Zusammensetzungen wie **Montanindustrie** und **Montanunion:** Das Adjektiv ist eine junge gelehrte Entlehnung aus lat. *montanus* »Berge und Gebirge betreffend; bergisch«, das von lat. *mons (montis)* »Berg; Gebirge« abgeleitet ist. – Eine andere wichtige Ableitung von lat. *mons,* das mit lat. *minae* »hochragende Mauerzinnen; (übertragen:) Drohungen« und **minere* »ragen« verwandt ist (vgl. *eminent*), liegt in vlat. **montare* »den Berg besteigen, aufwärts steigen« vor. Auf dies geht die Fremdwortgruppe um *montieren* zurück.

Monteur ↑montieren.

montieren »(eine Maschine, ein Gerüst u. a.) aufbauen, aufstellen, zusammenbauen usw.«: Das schon in mhd. Zeit als *muntieren* »einrichten, ausrüsten« bezeugte, im technischen Sinne aber erst in neuerer Zeit allgemein übliche Verb ist aus frz. *monter* »aufwärts steigen; hinaufbringen; anbringen, ausstatten, ausrüsten, aufstellen usw.« entlehnt. Voraus liegt ein vlat. Verb **montare* »den Berg besteigen, aufwärts steigen« (vgl. *montan*). – Abl.: **Montage** »Aufstellung, Aufbau, Zusammenbau von Maschinen u. a.« (19. Jh.; aus gleichbed. frz. *montage*); **Monteur** »Montagefacharbeiter« (19. Jh.; aus gleichbed. frz. *monteur*); ferner die Gegenbildungen **demontieren** »abbauen, abbrechen« (Anfang 17. Jh.) und **Demontage** »Abbau, Abbruch (insbesondere von Industrieanlagen)« (Ende 19. Jh.). – Das gleichfalls hierher gehörende Substantiv **Montur,** das im 17. Jh. aus frz. *monture* »Ausrüstung« entlehnt wurde, galt zuerst zur Bezeichnung der Dienstkleidung und Dienstausrüstung des Soldaten. Heute ist es vor allem ugs. scherzhaft im Sinne von »[Arbeits]kleidung« gebräuchlich.

Monument: Die Bezeichnung für »großes Denkmal, Ehrenmal« wurde im 16. Jh. aus lat. *monumentum* »Erinnerungszeichen, Mahnmal, Denkmal« entlehnt, das zu lat. *monere* »mahnen, ermahnen« (vgl. *monieren*) gehört.

Moor: Das im 17. Jh. aus dem Niederd. ins Hochd. übernommene Wort geht zurück auf mnd., asächs. *mōr* »Sumpf[land]«, vgl. ahd. *muor* »Moor«, niederl. *moer* »Moor«, engl. *moor* »Moor, Heideland«. Dieses westgerm. Substantiv gehört zu der Wortgruppe von ↑Meer. – Abl.: **moorig** (18. Jh.).

Moos: Mhd., ahd. *mos* »Moos; Sumpf; Moor«, niederl. *mos* »Moos«, älter auch »Sumpf, Morast«, engl. *moss* »Moos; Torfmoor; Morast«, schwed. *mossa* »Moos«, *mosse* »Moor« gehören mit verwandten Wörtern in anderen idg. Sprachen – vgl. z. B. lat. *muscus* »Moos« – zu der Wortgruppe von ↑Moder. Im Ablaut zu ›Moos‹ steht das Bestimmungswort von ↑Miesmuschel. – Das Nebeneinander der Bedeutungen des altgerm. Wortes erklärt sich daraus, dass feuchte Waldstellen und Sumpfböden häufig mit Moospflanzen bewachsen sind.

Moped: Die Bezeichnung für »motorisiertes Fahrrad; Kleinkraftrad« ist ein aus *Mo*tor und *Ped*al gebildetes Kunstwort des 20. Jh.s.

Mopp: Die Bezeichnung für »Staubbesen mit langen Fransen« wurde im 20. Jh. aus gleichbed. engl. *mop* entlehnt. Dies geht wohl über afrz. *mappe* auf lat. *mappa* »Tuch« (vgl. *Mappe*) zurück.

Mops: Der seit dem Anfang des 18. Jh.s bezeugte Name der Hunderasse stammt aus niederd.-niederl. *mops*, das zu niederd. *mopen* »den Mund aufsperren oder verziehen«, älter niederl. *moppen* »murren, mürrisch sein« gehört (vgl. *muffeln*). Die aus den Niederlanden stammende Hunderasse ist demnach nach ihrem mürrisch-verdrießlichen Gesichtsausdruck benannt. – Das Wort wurde dann auch auf Menschen mit einem verdrießlichen oder mit einem langweilig-dümmlichen Gesichtsausdruck übertragen.

Moral: Das seit dem 16. Jh., zuerst in der Bedeutung »sittliche Nutzanwendung; Sittlichkeit« bezeugte Substantiv geht auf lat. *moralis (-ale)* »die Sitten betreffend, sittlich« zurück. Die jüngere Bedeutung »Sittenlehre«, die für ›Moral‹ seit dem 17. Jh. belegt ist, stammt von frz. *morale.* Diesem liegt der lat. Ausdruck *philosophia moralis* zugrunde. – Stammwort ist lat. *mos (moris)* »Sitte, Brauch; Gewohnheit; Charakter«, das wohl mit einer Grundbedeutung »Wille« (danach: »der zur Regel gewordene Wille«) zu den unter ↑Mut entwickelten Wörtern der idg. Wurzel **mē-, mō-, mə-* »heftigen, starken Willens sein; heftig begehren« gehört. – Dazu: **moralisch** »der Moral gemäß, sittlich« (16. Jh.); **Moralist** »Moralphilosoph, Sittenlehrer«, auch abschätzig für: »moralisierender Mensch, Sittenrichter« (17. Jh.); **moralisieren** »sittliche Betrachtungen anstellen; den Sittenprediger spielen« (16. Jh.; aus gleichbed. frz. *moraliser*); **demoralisieren** »sittlich verderben; entmutigen, zersetzen« (19. Jh.; aus gleichbed. frz. *démoraliser*).

Moräne: Der seit dem Anfang des 19. Jh.s vorkommende Ausdruck für »Gletschergeröll, Gletscherschutt« ist aus gleichbed. frz. *moraine* entlehnt. Der Ursprung des frz. Wortes ist unklar.

Morast »sumpfige schwarze Erde, Sumpfland; Schlamm«, zuweilen auch übertragen gebraucht im Sinne von »Sumpf, Schmutz (in sittlicher Hinsicht)«: Das seit etwa 1600 – mit anorganischem t der Endung – bezeugte Wort, das vom niederd. Sprachraum ins Hochdeutsche gelangte (mnd. *maras, moras,* mniederl. *marasch* = niederl. *moeras*), ist aus afrz. *maresc* (= frz. *marais*) »Sumpf, Morast« entlehnt. Der Wechsel des Vokals in der Stammsilbe von ›a‹ zu ›o‹ zeigt dabei Einfluss des sinnverwandten dt. Wortes ›Moor‹. Frz. *marais* selbst ist germ. Ursprungs. Es geht auf ein afränk. **marisk* zurück, das mit dem dt. Wort ↑²Marsch »fruchtbare Küstenniederung« identisch ist. – Abl.: **morastig** »sumpfig; schlammig« (mnd. *morastich*).

morbid »kränklich, angekränkelt; brüchig, morsch«: Das Adjektiv wurde im 19. Jh. aus gleichbed. frz. *morbide* entlehnt, das auf lat. *morbidus* »krank, siech« zurückgeht. Stammwort ist lat. *morbus* »Krankheit«, das zu der unter ↑mürbe dargestellten idg. Wortgruppe gehört.

Morchel: Der Name des zu der Gattung der Schlauchpilze gehörigen Speisepilzes geht zurück auf mhd. *morchel,* das identisch ist mit mhd. *morchel,* spätahd. *morhala, -ila* »Möhre, Waldrübe«, einer Weiterbildung zu dem unter ↑Möhre behandelten Wort. Siehe auch den Artikel *Lorchel.*

Mord: Das altgerm. Wort für »absichtliche, heimliche Tötung« mhd. *mort,* ahd. *mord,* niederl. *moord,* aengl. *morđ,* schwed. *mord* ist eine alte Bildung zu der idg. Verbalwurzel **mer[ə]-* »sterben« (eigentlich »aufgerieben werden«, vgl. *mürbe*). Es bedeutete ursprünglich und gelegentlich noch in den alten germ. Sprachzuständen »Tod«. – Außergerm. sind z. B. verwandt aind. *mr̥tá-m* »Tod« und lat. *mori* »sterben«, *mors, -tis* »Tod«, *mortuus* »tot«. – In Zusammensetzungen wird ›Mord‹ häufig verstärkend verwendet, beachte z. B. ›Mordshunger, Mordskrach, Mordsspaß, mordsmäßig‹. – Abl.: **morden** (mhd. *morden,* ahd. *murdan* »absichtlich töten«), beachte die Präfixbildung **ermorden; Mörder** (mhd. *mordære* »wer einen Mord begeht; Verbrecher, Missetäter«), dazu **mörderisch** »grausam, fürchterlich« (15. Jh., für mhd. *mordisch*) und **Mördergrube** (↑Grube); **mordio!** veraltet für »Mord!, zu Hilfe!«, nur noch in der Verbindung ›Zeter und Mordio schreien‹ »laut schreien« (15. Jh., neben *mordigō,* mhd. *mordajō;* Notruf, wie z. B. auch *feurio!* (↑Feuer) entstanden durch Anhängung einer Interjektion an das Substantiv). Siehe auch den Artikel *Moritat.*

Mores

jmdn. Mores lehren
(ugs.) »jmdn. energisch zurechtweisen«
Das in der Schulsprache des 15./16. Jh.s aufgekommene ›Mores‹ »Sitte und Anstand«, stammt aus dem Plural *mores* »Denkart, Charakter« von lat. *mos (mores)* (↑Moral).

[1]Morgen: Das gemeingerm. Wort mhd. *morgen,* ahd. *morgan,* got. *maúrgins,* engl. *morning,* schwed. *morgon* gehört wahrscheinlich zu der idg. Verbalwurzel **mer-* »flimmern, schimmern; dämmern« und bedeutet demnach eigentlich »Schimmer; Dämmerung«. Verwandt sind in anderen idg. Sprachen z. B. aind. *márīci-ḥ* »Lichtstrahl; Luftspiegelung« und russ. *morok* »Finsternis; Nebel«. – Seit dem 15. Jh. wird das Wort auch im Sinne von »Osten« verwendet, beachte dazu **Morgenland** »Land im Osten, Orient« (16. Jh., zuerst in Luthers Bibelübersetzung für griech. *anatolḗ*). Das Adverb **morgen** (mhd. *morgene,* ahd. *morgane*) ist der adverbiell erstarrte Dativ Singular und bedeutete zunächst »am Morgen«, dann »am Morgen des folgenden Tages, am folgenden Tage«. Davon abgeleitet ist das Adjektiv **morgig** (15. Jh., aus mhd. *morgenic* gekürzt). Das Adverb **morgens** (mhd. *morgen[e]s*) ist der adverbiell erstarrte Genitiv Singular. – Abl.: **morgendlich** (mhd. *morgenlich,* ahd. *morganlīh;* mit sekundärem d wie z. B. in ›irgend‹). – Zus.: **Morgenrot** (mhd. *morgenrōt,* spätahd. *morganrōt,* nach ahd. *tagarōt* »Tagesanbruch«), daneben **Morgenröte** (mhd. *morgenrœte*).

[2]Morgen: Die seit ahd. Zeit bezeugte Bezeichnung des Ackermaßes (mhd. *morgen,* ahd. *morgan*) ist identisch mit dem unter ↑[1]Morgen behandelten Wort und bedeutete ursprünglich »so viel Land, wie ein Mann mit einem Gespann an einem Morgen pflügen kann«.

Morgenstunde

Morgenstund[e] hat Gold im Mund[e]
»am Morgen lässt es sich gut arbeiten; wer früh mit der Arbeit anfängt, erreicht viel«
Dieses Sprichwort ist vielleicht aus der Übersetzung eines lateinischen Lehrbuchsatzes *(aurora habet aurum in ore)* entstanden, dem die Vorstellung einer personifizierten Morgenröte (Aurora), die Gold im Haar und im Mund trägt, zugrunde liegt. Schon früh wurde mit ›Morgenstund[e] hat Gold im Mund[e]‹ das lateinische Sprichwort *aurora musis amica* (= die Morgenröte ist der Freund der Musen) wiedergegeben, und zwar im Sinne von »morgens studiert man am besten«.

Moritat: Die seit dem 19. Jh. übliche Bezeichnung für die vom ↑Bänkelsänger zur Drehorgelmusik vorgetragenen und durch Bilder illustrierten Schauergeschichten mit moralisierendem Schluss ist wohl durch zerdehnendes Singen des Wortes ›Mordtat‹ (etwa: Mo-red-tat) entstanden.

Morpheus: Der Name des altgriechischen Gottes der Träume (griech. Morpheús > lat. Morpheus) erscheint in dt. Texten seit dem 17. Jh. Besonders bekannt ist die Wendung ›in Morpheus' Armen‹ »im Land seliger Träume, im süßen Schlaf«. Eine nlat. Bildung zu griech. Morpheús liegt vor in **Morphium** (19. Jh.), der allgemeinsprachlichen Bezeichnung des ›Morphins‹ (Hauptalkaloid des Opiums), das nach seiner einschläfernden und schmerzstillenden Wirkung benannt ist. – Dazu: **Morphinismus** »Morphiumsucht« und **Morphinist** »Morphiumsüchtiger« (beide 19. Jh.).

morsch »brüchig, zerfallend; faulig«: Das seit dem 16. Jh. in ostmitteld. Lautung bezeugte Adjektiv gehört mit dem älteren *mursch* (15. Jh.) und mit niederd. *murs* zu der Wortgruppe von ↑mürbe (beachte das Verb mhd. *zer-mürsen* »zermalmen, zerquetschen«).

morsen »mit dem Morseapparat Zeichen geben, eine Nachricht übermitteln«: Das Verb ist von dem Namen des amerikanischen Erfinders Samuel Morse (1791–1872) abgeleitet.

Mörser »schalenförmiges Gefäß zum Zerkleinern und Zerstoßen harter Stoffe«, auch (wohl von der Form her übertragen) gebraucht zur Bezeichnung eines großkalibrigen Geschützes: Die nhd. Form des Substantivs geht über mhd. *morsære, mörser* auf ahd. *morsāri,* (älter:) *mortāri* zurück. Dies ist aus lat. *mortarium* »Mörser (als Gefäß)« entlehnt, das auch die Quelle unseres Lehnwortes ↑Mörtel ist. – Lat. *mortarium* gehört vermutlich zu der unter ↑mürbe dargestellten Wortsippe der idg. Wurzel **[s]mer[ə]-* »[zer]malmen, [zer]reiben«.

Mörtel: Die Bezeichnung des aus Sand, Wasser und Kalk oder Zement hergestellten Bindemittels für Bausteine (mhd. *morter, mortel*) ist aus lat. *mortarium* »Mörtelpfanne; Mörtel« entlehnt, das mit seiner eigentlichen Bedeutung »Mörser (als Gefäß)« unserem Lehnwort ↑Mörser zugrunde liegt.

Mosaik »Einlegearbeit aus verschiedenfarbigen Steinchen oder Glassplittern«, auch übertragen gebraucht im Sinne von »bunte Vielfalt«: Das Fremdwort wurde im 18. Jh. aus gleichbed. frz. *mosaïque* entlehnt, das seinerseits aus it. *mosaico* stammt. Dies geht auf mlat. *musaicum* zurück, das mit Suffixwechsel aus lat. *musivum (opus)* »Einlegearbeit in Mosaik« umgestaltet ist. Letzte Quelle des Wortes ist griech. *moũsa* »Muse; Kunst, künstlerische Beschäftigung« (vgl. *Muse*) bzw. das davon abgeleitete Adjektiv griech. *moũseios* »den Musen geweiht; künstlerisch«.

Moschee: Die Bezeichnung für das islamische Gotteshaus wurde im 16. Jh. aus frz. *mosquée* entlehnt, das seinerseits aus it. *moschea (moscheta)* übernommen ist. Dies geht über span. *mezquita* auf arab. *masǧid* »Haus, wo man sich (zum Gebet) niederwirft; Gebetshaus« zurück.

Moschus: Die in dt. Texten seit dem 17. Jh. bezeugte Bezeichnung für das als Parfümduftstoff verwendete Drüsensekret aus dem Beutel einiger männlicher Säugetiere (insbesondere des Moschustieres und der Bisamratte) ist aus gleichbed. spätlat. *muscus* entlehnt, das seinerseits aus griech. *móschos* übernommen ist. Neben ›Moschus‹, das in der Lautung an das griech. Vorbild wieder angeglichen ist, findet sich anfangs auch die eingedeutschte Form ›Musch‹. Letzte Quelle des Wortes ist aind. *muṣká-ḥ* »Hode[nsack]« (eine Bildung zu aind. *mū́ṣ* »Maus«; vgl. das urverwandte *Maus*), das dem Griech. durch pers. *mušk* »Bibergeil, Moschus« vermittelt wurde. – Eine Ableitung von spätlat. *muscus,* nämlich mlat. *muscatus* »nach Moschus duftend«, erscheint in ↑Muskat.

mosern: Die Herkunft des ugs. Ausdrucks für »ständig etwas zu beanstanden haben, nörgeln« ist unklar.

Moskito: Die Bezeichnung für »Stechmücke« wurde im 16. Jh. aus gleichbed. span. *mosquito* entlehnt, einer Ableitung von span. *mosca* »Fliege«. Dies geht wie entsprechend it. *mosca* (↑Muskete) und frz. *mouche* auf lat. *musca* »Fliege« zurück, das mit dt. ↑Mücke verwandt ist.

Most »unvergorener Frucht-, besonders Traubensaft«, daneben in Süddeutschland und in der Schweiz auch für »Obstwein«: Das westgerm. Substantiv (mhd., ahd. *most* »frisch gekelterter Traubensaft; Obstwein«, niederl. *most,* engl. *must*) gehört zu einer Reihe von lat.-roman. Lehnwörtern auf dem Gebiet des Weinbaues (vgl. zum Kulturgeschichtlichen den Artikel *Wein*), die früh ins Germ. gelangten. Quelle des Wortes ist lat. *(vinum) mustum* »junger Wein; Most« (zu lat. *mustus* »jung, frisch, neu«). Gleicher Herkunft sind z. B. auch entsprechend it. *mosto* und frz. *moût* »Most«. – Eine roman. Ableitung von lat. *mustum* »Most« begegnet uns in den roman. Wörtern für den aus zerriebenen Senfkörnern und prickelndem Most (später Weinessig) hergestellten »Senf«, it. *mostarda,* span. *mostaza* und frz. *moutarde* (afrz. *mostarde*). Letzteres (afrz. *mostarde*) lieferte die im Deutschen landsch. gebräuchlichen Bezeichnungen für »Senf«, nordwestd. **Mostert** und nordostd. **Mostrich** (schon mhd. *mostert, musthart*).

Motiv »Beweggrund, Antrieb; Leitgedanke; Gegenstand einer künstlerischen Darstellung; Thema, Bild als Bestandteil eines künstlerischen, literarischen Werkes; kleinste Einheit eines musikalischen Themas«: Das seit dem 16. Jh. bezeugte Substantiv ist aus mlat. *motivum* »Beweggrund, Antrieb«, dem substantivierten Neutrum des spätlat.-mlat. Adjektivs *motivus* »bewegend, antreibend, anreizend« entlehnt (vgl. hierüber *mobil*). Die im 18. Jh. aufkommende Verwendung von ›Motiv‹ in der Kunst im Sinne »Gegenstand einer künstlerischen Darstellung usw.« erfolgte unter dem Einfluss von entsprechend frz. *motif.* – Abl.: **motivieren** »begründen; zu etwas bewegen, anregen, Antrieb geben« (18. Jh.; aus frz. *motiver;* die in der 2. Hälfte des 20. Jh.s aufkommende Verwendung im Sinne von »zu etwas bewegen, anregen« erfolgte unter dem Einfluss von engl. *to motivate*), beachte dazu **Motivation** (20. Jh.).

Motor: Die Bezeichnung für »Kraftmaschine« ist eine gelehrte Entlehnung des 19. Jh.s aus lat. *motor* »Beweger«. Dies gehört zu lat. *movere (motum)* »bewegen; antreiben« (vgl. *mobil* und das Kapitel zur Sprachgeschichte *Die technische Entwicklung und ihr Wortschatz*).

Motte: Der seit dem 15. Jh. bezeugte Insektenname stammt aus mnd. *motte, mutte,* das mit niederl. *mot,* engl. *moth,* schwed. *mott* verwandt ist. Die Herkunft dieses altgerm. Insektennamens ist dunkel.

Motto: Das Fremdwort für »Wahl-, Leitspruch« wurde im 18. Jh. aus it. *motto* »Witzwort; Wahlspruch« entlehnt, das wie entsprechend frz. *mot* »Wort« (↑Bonmot) auf vlat. *muttum* »Muckser; Wort« zurückgeht. Dies gehört zu einer Reihe von schallnachahmenden Wörtern wie lat. *muttire* »mucken, mucksen, halblaut oder kleinlaut reden«, lat. *mutus* »stumm«, die elementarverwandt sind mit der unter ↑Maul dargestellten Wortgruppe.

motzen: Der im 20. Jh. aus den Mundarten in die Umgangssprache übernommene Ausdruck für »unzufrieden und missgelaunt sein, nörgeln« ist eine Nebenform von ›mucksen‹ (vgl. *mucken*). Um ›motzen‹ gruppieren sich **anmotzen** »jemanden motzend ansprechen«, [1]**aufmotzen** »motzend aufbegehren« und **herummotzen,** ferner **motzig** und **Motz[er].** – Nicht verwandt ist ugs. [2]**aufmotzen** »effektvoller gestalten, augenfällig gestalten« (spätmhd. *ūfmutzen* »herausputzen«, zu: *mutzen* »schmücken«).

Möwe: Die Herkunft des germ. Vogelnamens (mnd. *mēwe,* niederl. *meeuw,* aengl. *mǣw,* aisl. *mār*) ist nicht sicher geklärt. Vermutlich handelt es sich um eine den eigentümlichen Schrei dieses Vogels nachahmende Bildung (beachte besonders fries. *meau, mieu*). Der aus dem Niederd. übernommene Vogelname wurde bis ins 18. Jh. hinein ›Mewe‹ geschrieben.

Mücke: Die germ. Bezeichnungen mhd. *mücke,* ahd. *mucka,* niederl. *mug,* engl. *midge,* schwed. *mygg* beruhen mit verwandten Bildungen in anderen idg. Sprachen auf einem den Summton der Mücken und Fliegen nachahmenden **mu-* (vgl. z. B. griech. *myĩa* »Fliege«, lat. *musca* »Fliege« und russ. *mucha* »Fliege«, *moška* »kleine Fliege, Mücke«). Die umlautlose Form ›Mucke‹ (mhd. *mucke*) ist heute noch im Oberd. gebräuchlich. Ugs. wird diese Form – im Allgemeinen im Plural ›Mucken‹ – im Sinne von »Laune« verwendet (zuerst im 16. Jh.; vgl. den Artikel *Grille*).

Muckefuck: Der seit dem Ende des 19. Jh.s, zuerst im rhein.-westfäl. Raum bezeugte ugs. Ausdruck für »dünner Kaffee« ist kaum, wie früher angenommen, aus frz. *mocca faux* »falscher Mokka« eingedeutscht, sondern aus rhein. *Mucken* »braune Stauberde, verwestes Holz« und rhein. *fuck* »faul« gebildet.

mucken: Der ugs. Ausdruck für »einen dumpfen

M

Laut von sich geben, leise murren, aufbegehren« ist lautnachahmenden Ursprungs und ist [elementar]verwandt mit den unter ↑muhen und ↑muffeln behandelten Wörtern (vgl. *Maul*). – Älter bezeugt als ›mucken‹ (frühnhd., mnd. *mucken*, niederl. *mokken*) ist die Weiterbildung **mucksen** ugs. für »einen Laut von sich geben, leise murren, aufbegehren, sich rühren« (mhd. *muchzen*, ahd. *[ir]muccazzan*). Beachte auch **muckisch** landsch. für »verdrießlich«, **muckschen** landsch. für »verärgert, mürrisch sein«. – Abl.: **Mucks,** daneben auch **Muckser** ugs. für »leiser, halb unterdrückter Laut« (17. Jh.).

müde: Das altgerm. Adjektiv mhd. *müede*, ahd. *muodi*, niederl. *moede*, aengl. *mēðe*, aisl. *mōðr* ist eine Bildung zu dem unter ↑mühen behandelten Verb und bedeutet eigentlich »sich gemüht habend«. – Abl.: **ermüden** (mhd. *ermüeden*, Präfixbildung zu *müden*, ahd. *muoden* »müde machen; müde werden«).

[1]**Muff** (landsch. für:) »dumpfer, modriger Geruch, Kellerfeuchtigkeit«: Die Herkunft des erst seit dem 17. Jh. bezeugten Wortes ist unklar. Beachte dazu [1]**muffen** landsch. für »dumpf riechen« (17. Jh.), **müffeln** landschaftl. für »dumpf riechen« (spätmhd. *müffeln*), [1]**muffig, müffig** landsch. für »dumpf, modrig, faul« (17. Jh.). Siehe auch den Artikel *Mief*.

[2]**Muff:** Die Bezeichnung für »Handwärmer aus Pelz« wurde im 16. Jh. durch niederl.-niederd. Vermittlung aus frz. *moufle* »Pelzhandschuh« entlehnt, das aus gleichbed. mlat. *muffula* stammt. Die weitere Herkunft des Wortes ist unsicher. – Nach der äußeren Ähnlichkeit mit einem ›Muff‹ nennt man heute in der Fachsprache der Technik ein »Röhrenverbindungs- oder Ansatzstück« **Muffe** (Ende 18. Jh.).

muffeln: Der ugs. Ausdruck für »murren, mürrisch, verdrießlich sein« ist lautnachahmenden Ursprungs und ist [elementar]verwandt mit den unter ↑muhen und ↑mucken behandelten Wörtern (vgl. *Maul*). Neben dem weitergebildeten ›muffeln‹ findet sich landsch. auch noch [2]**muffen** »murren, verdrießlich sein« (mhd. *muffen, mupfen* »den Mund verziehen«, *muff, mupf* »Verziehen des Mundes, Hängemaul«; s. den Artikel *Mops*). Beachte dazu die Bildungen **muff[e]lig** und [2]**muffig** ugs. für »mürrisch, verdrießlich« sowie **Muffel** ugs. für »verdrießlicher Mensch«, beachte dazu Bildungen wie ›Morgen-, Krawatten-, Sexmuffel‹. Neben ›muffig‹ ist landsch. auch die Form ›müpfig‹ gebräuchlich, zu der **aufmüpfig** »aufsässig, widersetzlich« gehört.

muhen »muh machen, wie eine Kuh brüllen«: Das seit dem 15. Jh. bezeugte Verb ist lautnachahmenden Ursprungs und ist elementarverwandt z. B. mit griech. *mȳkáomai* »ich brülle« und russ. *myčat'* »brüllen«.

mühen: Das altgerm. Verb mhd. *müe[je]n*, ahd. *muoen*, got. **mōjan* (in *afmauiþs* »ermüdet«), niederl. *moeien* geht mit verwandten Wörtern in anderen idg. Sprachen auf die Wurzel **mō-* »sich anstrengen, sich mühen« zurück, vgl. z. B. russ. *majat'* »ermüden, plagen« und lat. *moliri* »sich abmühen, mit Anstrengung wegschaffen« (↑demolieren), *moles* »Anstrengung, Mühe; Wucht; Masse« (↑Mole und ↑Molekül). – Um das Verb gruppieren sich die Bildungen ↑müde und **Mühe** (mhd. *müe[je]*, ahd. *muohī*), **Mühsal** »Anstrengung, Plage« (mhd. *müesal*, wohl erst aus dem Adjektiv *müesalic* »mühselig« rückgebildet), **mühsam** »anstrengend; beschwerlich, schwierig« (16. Jh.), **mühselig** »anstrengend, beschwerlich« (mhd. *müesalic*, spätahd. *muosalig*), dazu **Mühseligkeit** (16. Jh.); beachte auch die Präfixbildung **bemühen** [sich] »in Anspruch nehmen; sich Mühe geben, sich anstrengen« (mhd. *bemüejen*). Siehe auch den Artikel *Mut*.

Mühle: Das in alter Zeit aus spätlat. *molina* entlehnte Wort (mhd. *mül[e]*, ahd. *mulin, mulī*, niederl. *molen*, engl. *mill*, dän. *mølle*) bezeichnete zunächst die durch Wasserkraft betriebene Mühle, die die Germanen durch die Römer kennen lernten. Das entlehnte Wort verdrängte im Dt. die alte gemeingerm. Bezeichnung für die mit der Hand betriebene Mühle (mhd. *kürn*, ahd. *quirn[a]* »Mühlstein, Mühle«). Als Grund- und Bestimmungswort steckt ›Mühle‹ in zahlreichen Zusammensetzungen, beachte z. B. ›Mühlrad, Mühlstein, Dampfmühle, Sägemühle, Windmühle, Tretmühle‹ und ↑Zwickmühle. Seit dem 17. Jh. ist ›Mühle‹ auch als Name eines Brettspiels gebräuchlich. – Spätlat. *molina* »[Wasser]mühle« gehört zu der unter ↑mahlen behandelten Wortgruppe.

Mühsal, mühsam, mühselig, Mühseligkeit ↑mühen.

Mulde: Mhd. *mulde* »längliches, halbrundes Gefäß, Mehl-, Backtrog« ist wahrscheinlich umgebildet aus gleichbed. mhd. *mu[o]lter*, das auf ahd. *muolt[e]ra, mulhtra* beruht. Das ahd. Wort ist entlehnt aus lat. *mulctra* »Melkkübel«, einer Bildung zum Verb *mulgere* »melken« (vgl. *melken*). Die Verwendung des ahd. Wortes im Sinne von »Mulde, Trog« erklärt sich daraus, dass die früher üblichen Melkgefäße eine längliche, muldenähnliche Gestalt hatten. Im Nhd. wird ›Mulde‹ auch übertragen im Sinne von »muldenförmige Vertiefung (im Erdreich, Stein, Flöz), Talsenkung« gebraucht. – Der mhd. Form *mulde* entspricht mnd. *molde, molle*, worauf berlin. **Molle** »Bierglas, Glas Bier« beruht.

Muli: Die besonders in Österreich und in der Schweiz gebräuchliche Bezeichnung für »Maulesel« gehört zu dem unter ↑Maulesel behandelten lat. *mulus* »Maultier«.

[1]**Mull:** Die Bezeichnung für »feinfädiges, weitmaschiges Baumwollgewebe« wurde im 18. Jh. aus dem Engl. übernommen. Engl. *mull* ist aus *mulmull* gekürzt, das seinerseits aus Hindi *malmal* »feiner Musselin« (< gleichbed. pers. *malmal*, eigentlich wohl »sehr weich«) entlehnt ist.

M

Müll: Das heute gemeinsprachliche Wort für »Abfall, Kehricht«, das früher nur in Nord- und Mitteldeutschland Geltung hatte, gehört im Sinne von »Zerriebenes, Zerbröckeltes« zu der Wortgruppe von ↑mahlen. Mnd. *mül* »lockere Erde; Staub; Schutt; Kehricht«, daneben die Kollektivbildung *gemül,* mhd. *gemülle,* ahd. *gimulli* »Staub; Schutt; Kehricht«, niederl. *mul* »feine Erde«, aengl. *myll* »Staub« stellen sich zu dem im Ablaut zu ›mahlen‹ stehenden Verb mhd. *müllen,* ahd. *mullen* »zerreiben, zermalmen« usw. – Die umlautlose Nebenform **²Mull** ist in der Zusammensetzung **Torfmull** »Streutorf«, eigentlich »Torferde« (19. Jh.) bewahrt. – Junge Zusammensetzungen (20. Jh.) mit ›Müll‹ sind ›Müllabfuhr, Mülldeponie, Mülleimer, Müllschlucker‹. Beachte auch Zusammensetzungen wie ›Sonder-, Sperrmüll‹.

Müller: Das Wort geht zurück auf mhd. *müller,* das sich aus älterem *mülner, mülnære,* ahd. *mulināri* entwickelt hat. Ahd. *mulināri* ist entlehnt aus spätlat. *molinarius* »Müller«, das zu der Wortgruppe von ↑mahlen gehört (s. *Mühle*).

mulmig: Der ugs. Ausdruck für »bedenklich, gefährlich; unwohl, übel«, der sich von Berlin ausgehend seit dem Anfang des 20. Jh.s ausgebreitet hat, bedeutet eigentlich – wie die ältere Adjektivbildung ›mulmicht‹ (19. Jh.) – »faul, verwittert«. Das Adjektiv ist abgeleitet von **Mulm** »verfaulendes Holz, zerfallende Erde« (17. Jh.; gleichbed. niederd. *molm*), das im Ablaut zu mhd., ahd. *melm* und mhd. *malm* »Staub, Sand« (vgl. *malmen*) steht und zu der Wortgruppe von ↑mahlen gehört.

mulsch ↑mollig.

multi..., Multi...: Das Bestimmungswort von Zusammensetzungen mit der Bedeutung »viel; vielfach«, wie in ›Multimillionär‹, ist entlehnt aus dem lat. Adjektiv *multus (-a, -um)* »viel; groß, stark«.

Multimedia: Das häufig in Zusammensetzungen auftretende Fremdwort bezeichnet das »Zusammenwirken von verschiedenen Medientypen wie Texten, Bildern, Grafiken, Ton, Animationen und Videoclips«. Es wurde in der 2. Hälfte des 20. Jh.s aus gleichbed. engl. *multimedia* übernommen, aus der Vorsilbe *multi-* »viel, vielfach« (< lat. *multus,* vgl. hierzu auch *multi..., Multi...*) und engl. *media* »Medien« (↑Medium).

multiplizieren »vervielfachen, malnehmen«: Das seit dem 15. Jh. bezeugte Fremdwort ist aus gleichbed. lat. *multiplicare* entlehnt, das von lat. *multiplex* »vielfältig, vielfach« abgeleitet ist. Dessen Bestimmungswort ist lat. *multus (-a, -um)* »viel, groß, stark« (vgl. *multi..., Multi...*). Über den zweiten Wortbestandteil vgl. *Duplikat.*

Mumie: Die Bezeichnung für »einbalsamierter Leichnam« wurde im 16. Jh. durch Vermittlung von it. *mummia* aus gleichbed. arab. *mūmiya*^{h} entlehnt. Dies gehört zu pers. *mūm* »Wachs« (die Perser und Babylonier pflegten ihre Toten mit Wachs zu überziehen). – Dazu stellt sich **mumifizieren** »zur Mumie machen, einbalsamieren« (19. Jh.; Grundwort ist lat. *facere* »machen«, vgl. *Fazit*).

Mumm: Der seit dem Ende des 19. Jh.s bezeugte ugs. Ausdruck für »Mut, Tatkraft, Entschlossenheit« ist wahrscheinlich eine studentensprachliche Kürzung aus lat. *animum* in der Wendung ›keinen animum haben‹. Über lat. *animus* »Seele; Geist; Sinn, Verlangen; Mut« vgl. *animieren.*

mümmeln »mit kleinen, schnellen Bewegungen Nahrung zerkleinern, fressen (vom Hasen); [mit schnellen Bewegungen] kauen, essen«: Das Verb, das durch die Hasengeschichte ›Mümmelmann‹ von Hermann Löns verbreitet wurde, ist wie die mundartliche Nebenform ›mummeln‹ lautnachahmenden Ursprungs.

mummen (veraltet für:) »einhüllen (in eine Maske)«: Das seit dem 16. Jahrhundert bezeugte Verb, an dessen Stelle heute die Bildungen **einmummen** und **vermummen** gebräuchlich sind, ist von dem heute veralteten Substantiv ›Mumme‹ »Maske, verkleidete Gestalt« abgeleitet. Dieses Substantiv ist wohl ein Lallwort der Kindersprache, wie z. B. auch im roman. Sprachbereich span., port. *momo* »Fratze, Maske«, beachte auch afrz. *momer* »sich vermummen«, *momon* »Vermummung«. Das Substantiv steckt auch als Bestimmungswort in ›Mummenschanz‹ und in ›Mumpitz‹. – Die seit dem 16. Jh. bezeugte Zusammensetzung **Mummenschanz** »Lustbarkeit vermummter Gestalten, Maskenfest« bezeichnete zunächst ein Glücksspiel mit Würfeln, das vorwiegend von vermummten Personen zur Fastnachtszeit gespielt wurde, und ging dann erst auf das närrische Treiben vermummter Personen über. (Zum Grundwort s. den Artikel *²Schanze.*) – Der seit der 2. Hälfte des 19. Jh.s gebräuchliche Ausdruck **Mumpitz** ugs. für »Unsinn, Schwindel« stammt aus dem Berliner Börsenjargon. Wie älteres ›Mummelputz‹ »Vogelscheuche« (17. Jh.) und hess. *Mombotz* »Schreckgestalt« bedeutet auch das Wort ›Mumpitz‹ eigentlich »[vermummte] Schreckgestalt, Schreckgespenst« (vgl. *putzig*). Im Börsenjargon bezeichnete es zunächst ein erschreckendes oder lügnerisches Gerede.

Mumps: Der seit dem Anfang des 19. Jh.s bezeugte Name für die meist harmlos verlaufende ansteckende Entzündung der Ohrspeicheldrüse – dafür im Volksmund Bezeichnungen wie ›Bauernwetzel‹ und ›Ziegenpeter‹ (s. unter *Ziege*) – ist aus dem Engl. entlehnt. Das engl. Substantiv *mumps* ist wohl verwandt mit dem ursprünglich lautmalenden Verb *to mump* »stumm und verdrießlich sein, einen niedergeschlagenen Eindruck machen« (älter: »brummeln«) und bezeichnet dann eigentlich die mit dieser Krankheit verbundene verdrießliche Stimmung.

Mund: Das gemeingerm. Wort mhd. *munt,* ahd. *mund,* got. *munþs,* engl. *mouth,* schwed. *mun* ist

M

doppeldeutig. Es kann einerseits mit lat. *mentum* »Kinn« und kymr. *mant* »Kinnlade, Mund« verwandt sein und würde dann ursprünglich »Kinn[lade]« bedeutet haben, andererseits kann es im Sinne von »Kauer« zu der idg. Wurzel **menth-* »kauen« gehören (vgl. z. B. lat. *mandere* »kauen«). – Das Wort wurde früher auch übertragen im Sinne von »Mündung, Öffnung, Loch« gebraucht. – Abl.: **munden** »gut schmecken« (16. Jh.); **münden** »sich ergießen, hineinfließen; hinführen, enden« (Anfang des 19. Jh.s, später bezeugt als das Substantiv ›Mündung‹); **mündlich** »gesprächsweise, nicht schriftlich« (16. Jh.); **Mündung** »Stelle, an der etwas (ein Fluss, eine Straße) mündet; vorderes Ende des Laufs oder Rohrs einer Feuerwaffe« (18. Jh.), beachte dazu Zusammensetzungen wie ›Mündungsgebiet, Mündungsfeuer‹. Zus.: **Mundart** »regional gebundene ursprüngliche Sprachform innerhalb einer Sprachgemeinschaft« (17. Jh., als Ersatzwort für ›Dialekt‹), dazu **mundartlich** (19. Jh.); **mundfaul** »nicht bereit zu reden« (Anfang des 19. Jh.s); **Mundharmonika** (1. Hälfte des 19. Jh.s); **Mundschenk** historische Bezeichnung für den »Hofbeamten, der für die Getränke verantwortlich war« (17. Jh.; vgl. *schenken*); **Mundwerk** »Redefreudigkeit« (16. Jh., in der Bedeutung »Rede[gabe]«).

Mündel »minderjährige oder entmündigte volljährige Person, die unter Vormundschaft steht«: Das seit dem 16. Jh. bezeugte Rechtswort ist von dem unter ↑Vormund behandelten Substantiv älter nhd. *Mund* »Schutz, Vormundschaft« abgeleitet.

M

münden, mundfaul, Mundharmonika ↑Mund.

mündig »volljährig, geschäftsfähig«: Das Adjektiv (mhd. *mündec*) ist von dem unter ↑Vormund behandelten Substantiv älter nhd. *Mund* »Schutz, Vormundschaft« abgeleitet. – Abl.: **entmündigen** (Anfang des 19. Jh.s).

mündlich, Mundschenk ↑Mund.

mundtot: Das seit dem 17. Jh. bezeugte Adjektiv enthält als Bestimmungswort das unter ↑Vormund behandelte Substantiv älter nhd. *Mund* »Schutz, Vormundschaft«. Es war zunächst ein Rechtsausdruck und bedeutete »unfähig, Rechtshandlungen vorzunehmen«, dann wurde es volksetymologisch nach der Körperteilbezeichnung ›Mund‹ umgedeutet und im Sinne von »zum Schweigen gebracht« verwendet.

Mündung, Mundwerk ↑Mund.

Munition »Schießmaterial für Feuerwaffen«: Das seit dem 16. Jh. bezeugte Fremdwort, das zuerst auch allgemein »Kriegsmaterial, Kriegsbedarf« bedeutete (gemäß der eigentlichen Bedeutung des Wortes), ist aus gleichbed. frz. *munition (de guerre)* entlehnt. Voraus liegt lat. *munitio* »Befestigung, Verschanzung; Schanzwerk«, das von lat. *munire* (alat. *moenire*) »aufmauern, aufdämmen; befestigen, verschanzen« abgeleitet ist, einer Bildung zu lat. *moene* (Plural: *moenia*) »Ringmauer der Stadt (als Schutzwehr)«.

munkeln »im Geheimen reden, gerüchteweise von etwas sprechen«: Das Verb, das vom Niederd. (mniederd. *munkelen*) in die Umgangssprache gelangt ist, ist lautnachahmenden Ursprungs.

Münster: Das bei uns vorwiegend in Süddeutschland gebräuchliche westgerm. Wort für »Stiftskirche; Hauptkirche, Dom« (mhd. *munster, münster* »Klosterkirche; Münster«, ahd. *munist[i]ri* »Kloster«, engl. *minster* »Stiftskirche; Kathedrale«) beruht auf einer frühen Entlehnung aus einer vlat. Nebenform **monisterium* von kirchenlat. *monasterium* »Kloster«. Letzte Quelle des Wortes ist griech. *monastḗrion* »Einsiedelei; Kloster«, das zu griech. *monázein* »allein leben, sich absondern« und weiter zu griech. *mónos* »allein, vereinzelt« (vgl. *mono..., Mono...*) gehört.

munter: Das nur dt. Adjektiv (mhd. *munter,* ahd. *muntar*) beruht mit der baltoslaw. Sippe von lit. *mañdras* »munter, lebhaft; aufgeweckt, klug« und russ. *mudryj* »klug, weise« auf einer Bildung zu der idg. Wurzel **mendh-* »aufpassen, aufgeregt, lebhaft sein« (Zusammenrückung von **men-* und **dhē-*, eigentlich »seinen Sinn auf etwas setzen«, vgl. *mahnen*). Zu dieser Wurzel gehört z. B. auch griech. *manthánein* »lernen« (↑Mathematik).

Münze: Die westgerm. Bezeichnung für »geprägtes Metallstück, Geldstück« (mhd. *münze,* ahd. *munizza,* niederl. *munt,* engl. *mint;* die nord. Sippe von entsprechend schwed. *mynt* stammt wohl unmittelbar aus dem Aengl.) beruht auf einer frühen Entlehnung aus lat. *moneta* »Münzstätte; Münze«. Das lat. Wort ist der zur Gattungsbezeichnung gewordene Beiname der altrömischen Göttin ›Juno Moneta‹, in deren Tempel sich die römische Münzstätte befand. – Abl.: **münzen** »Münzen, Geld prägen« (mhd. *münzen,* ahd. *munizzōn*). Der in der Umgangssprache weit verbreitete übertragene Gebrauch des Verbs (nur unpersönlich) im Sinne von »auf jemanden zielen oder anspielen« (so seit dem 17. Jh.) geht wohl von den früher zuweilen hergestellten Gedenkmünzen mit eingeprägten, versteckten satirischen Anspielungen aus. – Lat. *moneta* ist auch die Quelle für frz. *monnaie* »Münze, Geld« (s. das Fremdwort *Portemonnaie*), für engl. *money* »Geld« (unmittelbar aus dem Afrz.) und für unser Fremdwort ↑Moneten.

mürbe: Das dt. und niederl. Adjektiv (mhd. *mür[w]e,* ahd. *mur[u]wi,* niederl. *murw*) gehört im Sinne von »zermalmt, zerrieben, weich« zu der vielfach erweiterten idg. Wurzel **[s]mer[ə]-* »[zer]malmen, [zer]quetschen, [zer]reiben«. Aus dem germ. Sprachbereich gehören ferner zu dieser Wurzel die unter ↑morsch, ↑murksen und ↑Mahr (eigentlich »Zermalmerin«) behandelten Wörter und mit anlautendem s- die Sippe von ↑Schmerz. In anderen idg. Sprachen sind z. B. verwandt griech. *maraínein* »aufreiben; vernichten«, *mármaros* »Stein, Felsblock« (↑Marmor), lat. *mortarium* »Mörser; Mörtelpfanne, Mörtel« (↑Mörser und ↑Mörtel). Verwandt ist auch die unter ↑Mord dargestellte idg. Wortgruppe, die auf einem alten Bedeutungswandel von »aufgerieben werden« zu »sterben« beruht, und lat. *morbus* »Krankheit« (vgl. *morbid*).

Murkel ↑murksen.

murksen (ugs. für:) »ungeschickt oder unordentlich arbeiten«: Das seit dem 19. Jh. bezeugte Verb, aus dem das Substantiv **Murks** ugs. für »schlechte Arbeit« rückgebildet ist, gehört zu älter nhd. *Murk* »Brocken; Krümel; Knirps« (beachte die Verkleinerungsbildung **Murkel** landsch. für »Knirps, Wickelkind«), **murken** »zerdrücken, zerknittern, zerbrechen, zerschneiden« (beachte gleichbed. landsch. ›murkeln‹), mnd. *morken* »zerdrücken«, niederd. *murk[s]en* »töten« (↑abmurksen). Diese Sippe gehört zu der Wortgruppe von ↑mürbe.

Murmel ↑Marmor.

murmeln: Das seit ahd. Zeit bezeugte Verb (mhd. *murmeln,* ahd. *murmulōn, -rōn*) ist lautnachahmenden Ursprungs und ist [elementar]verwandt z. B. mit lat. *murmurare* »murmeln; murren; rauschen«, *murmur* »Murmeln; Brausen, Getöse« und griech. *mormýrein* »murmeln; rauschen«. Siehe auch den Artikel *murren.*

Murmeltier: Der Name des vorwiegend die Alpen bewohnenden Nagetieres ist eine verdeutlichende Zusammensetzung. Das Bestimmungswort geht auf ahd. *murmunto, murmuntīn* zurück, das durch roman. Vermittlung aus lat. *mus* (Akkusativ: *murem*) *montis* »Bergmaus« entlehnt ist. Das nicht verstandene Wort wurde volksetymologisch nach dem Zeitwort ›murmeln‹ umgestaltet.

murren »unwillig sein, sich auflehnen«: Das germ. Verb mhd. *murren,* niederl. *morren,* schwed. *morra* ist lautnachahmenden Ursprungs und ist mit den unter ↑murmeln behandelten Wörtern [elementar]verwandt. Die Bedeutung »unwillig sein« entwickelte sich aus »murmeln, brummen, knurren«. – Abl.: **mürrisch** »unwillig, verdrießlich« (16. Jh.).

Mus »breiartige Speise«: Das westgerm. Substantiv mhd., ahd. *muos,* niederl. *moes,* aengl. *mōs* bedeutete früher allgemein »Speise, Essen, Nahrung« und gehört zu der Wortgruppe von ↑²Mast. Kollektivbildung dazu ist ↑Gemüse.

Muschel: Der Name des Schalentieres mhd. *muschel,* ahd. *muscula* (beachte entsprechend engl. *mussel* »Muschel«) beruht auf einer Entlehnung aus vlat.-roman. **muscula,* das für lat. *musculus* »Miesmuschel« steht. Das lat. Wort ist letztlich identisch mit lat. *musculus* »Mäuschen; Muskel« (vgl. den Artikel *Muskel*). Die Bedeutungsübertragung von »Mäuschen« auf »Miesmuschel« resultiert wohl aus einem Vergleich der Muschel mit Form und Farbe einer Maus.

Muse: Das seit dem 17. Jh. in dt. Texten begegnende Fremdwort, das zunächst wie das zugrunde liegende lat. *musa* (< griech. *moũsa*) eine der neun altgriechischen Schutzgöttinnen der Künste bezeichnet, wird übertragen auch im Sinne von »(den Dichter beflügelnde) Inspiration; künstlerische Begeisterung« verwendet. – Dazu: **musisch** »die schönen Künste betreffend; künstlerisch [gebildet, begabt], kunstempfänglich« (19. Jh.; nach gleichbed. griech. *moũsikós*); ferner ↑Musik, ↑Museum und ↑Mosaik.

Museum: Das seit dem 16. Jh. bezeugte Fremdwort, das zuerst nur »Studierzimmer« bedeutete und erst im 17. Jh. in den Bedeutungen »Kunstsammlung; Altertumssammlung« erscheint – danach heute auch »Ausstellungsgebäude für Kunstgegenstände und wissenschaftliche Sammlungen« –, ist aus lat. *museum* »Ort für gelehrte Beschäftigung; Bibliothek; Akademie« entlehnt. Dies stammt aus griech. *mouseĩon* »Musensitz, Musentempel«, einer Bildung zu griech. *moũsa* »Muse; Kunst; Wissenschaft, feine Bildung« (vgl. *Muse*).

Musik: Das Wort für »Tonkunst« (mhd. *music,* ahd. *musica*) ist aus gleichbed. lat. *(ars) musica* entlehnt, das seinerseits aus griech. *mousikḗ (téchnē),* eigentlich »Musenkunst«, übernommen ist. Dies gehört zu griech. *moũsa* »Muse; Kunst; Wissenschaft, feine Bildung« (vgl. *Muse*). Bis ins 16./17. Jh. trug das Fremdwort den Ton noch ausschließlich auf der Stammsilbe. Die dann aufkommende Endbetonung steht unter dem Einfluss von entsprechend frz. *musique,* von dem auch die Bedeutungen »Tonstück; musikalische Aufführung, Vortrag« herrühren. – Abl.: **musikalisch** »die Musik betreffend; musikbegabt; Musik liebend« (16. Jh.; aus mlat. *musicalis*); **Musiker** »jemand, der [fachlich geschult] beruflich Musik ausübt; Tonkünstler« (um 1800); **musizieren** »Musik machen, Musikstücke spielen« (16. Jh.); **Musical** »Gattung des Musiktheaters mit Elementen aus Schauspiel, Operette und Revue« (20. Jh.; aus gleichbed. engl.-amerik. *musical [comedy oder play],* eigentlich »musikalische Komödie« oder »musikalisches Stück«).

musisch ↑Muse.

Muskat: Die Bezeichnung für die als Gewürz verwendeten Samenkerne des auf den Molukken beheimateten, jetzt in den Tropen weit verbreiteten Muskatnussbaumes (mhd. *muscāt* »Muskatnuss«) ist aus afrz. *muscate,* das auf mlat. *(nux) muscata* »Muskatnuss« zurückgeht, entlehnt. Dies gehört zu mlat. *muscatus* »nach Moschus duftend« (vgl. den Artikel *Moschus*).

Muskel: Die im Dt. seit dem Anfang des 18. Jh.s bezeugte Bezeichnung der fleischigen Teile des tierischen oder menschlichen Körpers, die durch Zusammenziehung und Erschlaffung Bewegung vermitteln, ist aus lat. *musculus* »Muskel« entlehnt. Dies ist eine Verkleinerungsbildung zu lat. *mus* »Maus« (urverwandt mit dt. ↑Maus) und bedeutet demnach eigentlich »Mäuschen«. Die Bedeutungsübertragung des Wortes, die vielleicht auf einem Vergleich der unter der Haut zuckenden Muskeln mit einer laufenden Maus beruht, findet sich entsprechend auch in anderen Sprachen. Vgl. z.B. griech. *mŷs* »Maus; Muskel« und dt. Maus im Sinne von »Muskel an Arm und Fuß« (schon ahd.), insbesondere »Muskelballen des Daumens«. – Lat. *musculus* wurde auch in der Bedeutung »Miesmuschel« gebraucht; in diesem Sinne ist es die Quelle für unser Lehnwort ↑Muschel. – Abl.: **muskulös** »mit starken Muskeln versehen; äußerst kräftig« (18. Jh.; aus gleichbed. frz. *musculeux* < lat. *musculosus*); **Muskulatur** »Gesamtheit der Muskeln eines Körpers oder Organs, Muskelgefüge« (19. Jh.; nlat. Bildung wohl nach gleichbed. frz. *musculature*).

Muskete: Der in dt. Texten seit dem 16. Jh. bezeugte Name der früher üblichen schweren Luntenflinte stammt aus dem Roman. Letzte Quelle des Wortes ist lat. *musca* »Fliege« (vgl. den Artikel *Moskito*). Zu dem daraus hervorgegangenen gleichbed. it. *mosca* stellt sich die Ableitung it. *moschetto*, das zunächst einen gleichsam wie mit »Fliegen« gesprenkelten Sperber bezeichnete, dann in weiterer übertragener Bedeutung eine Art Wurfgeschoss und schließlich ein Luntenschlossgewehr. Der übertragene Gebrauch von Tiernamen zur Bezeichnung verschiedener Kriegsgeräte, insbesondere auch von Raubvogelnamen zur Bezeichnung von Schießgeräten, war zu allen Zeiten recht beliebt. Beachte z.B. die Bezeichnung ›Falkonett‹ »leichtes Geschütz« (zum Namen des ›Falken‹). It. *moschetto* gelangte als Lehnwort teils unmittelbar ins Dt., teils auch, wie die frühesten Belege zeigen, durch Vermittlung von span. *mosquete* und frz. *mousquet*. Die frz. Form hat sich bei uns schließlich durchgesetzt. – Abl.: **Musketier** früher für »Musketenschütze; Fußsoldat« (im 18. Jh. für älteres, schon um 1600 übliches ›Musketierer‹; nach frz. *mousquetaire*).

Muskulatur, muskulös ↑Muskel.

Muße »Untätigkeit, Ruhe; freie Zeit«: Die nur dt. Substantivbildung (mhd. *muoȥe*, ahd. *muoȥa*) ist eng verwandt mit dem unter ↑müssen behandelten Verb und gehört mit der Sippe von ↑messen zu der umfangreichen Wortgruppe von ↑[1]Mal »Zeitpunkt«. Das Wort bedeutete ursprünglich etwa »Gelegenheit oder Möglichkeit, etwas tun zu können«. – Abl.: **müßig** »unbeschäftigt, untätig; unnütz, überflüssig« (mhd. *müeȥec*, ahd. *muoȥīg*), beachte **müßig gehen** (mhd. *müeȥec gān*), dazu **Müßiggang** (mhd. *müeȥecganc*).

Musselin: Die Bezeichnung für »feines, locker gewebtes Baumwollgewebe« wurde Anfang des 18. Jh.s aus frz. *mousseline* entlehnt, das seinerseits aus it. *mussolina* übernommen ist, einer Ableitung von gleichbed. it. *mussolo*. Dies ist eigentlich der it. Name der Stadt Mossul am Tigris, in der dieses Gewebe zuerst hergestellt wurde.

müssen: Das altgerm. Verb (Präteritopräsens) mhd. *müeȥen*, ahd. *muoȥan*, got. in *ga-mōtan*, niederl. *moeten*, engl. *must* steht im Ablaut zu der Sippe von ↑messen und gehört im Sinne von »sich etwas zugemessen haben, Zeit, Raum, Gelegenheit haben, um etwas tun zu können« zu der Wortgruppe von ↑[1]Mal »Zeitpunkt«. Eng verwandt ist die unter ↑Muße behandelte Substantivbildung.

Muster »Vorlage, Modell; Vorbild; Probestück; Zeichnung, Figur«: Das seit etwa 1400 bezeugte Substantiv ist aus it. *mostra* (= afrz. *monstre*) »das Zeigen, die Darstellung; die Ausstellung; das Ausstellungsstück, das Muster« entlehnt, das zu it. *mostrare* (lat. *monstrare*) »zeigen, weisen, hinweisen, bezeichnen« gehört. Über weitere etymologische Zusammenhänge vgl. den Artikel *Monstrum*. – Ableitungen und Zusammensetzungen: **musterhaft** »vorbildlich« (Ende 18. Jh.); **mustergültig** »vorbildlich, nachahmenswert; einwandfrei« (19./20. Jh.); **mustern** »prüfend betrachten; Rekruten auf ihre militärische Tauglichkeit untersuchen« (15. Jh.), dazu das Substantiv **Musterung** »kritische Besichtigung und Prüfung (insbesondere der Rekruten auf ihre militärische Tauglichkeit); Gewebszeichnung, Gewebsmuster« (Ende 15. Jh.).

Mut: Das gemeingerm. Wort mhd., ahd. *muot*, got. *mōþs*, engl. *mood*, schwed. *mod* gehört mit verwandten Wörtern in anderen idg. Sprachen zu der Verbalwurzel **mē-, mō-* »nach etwas trachten, heftig verlangen, erregt sein«, vgl. z.B. griech. *mōsthai* »streben, trachten, begehren« und lat. *mos* »Sitte; Brauch; Gewohnheit«, ursprünglich »Wille« (↑Moral). Verwandt ist wahrscheinlich auch die unter ↑mühen behandelte Wortgruppe. Das gemeingerm. Wort bezeichnete ursprünglich die triebhaften Gemütsäußerungen und seelischen Erregungszustände und wurde in den alten Sprachzuständen häufig im Sinne von »Zorn« verwendet. Dann bezeichnete es den Sinn und die wechselnden Gemütszustände des Menschen. Die heute vorherrschende Bedeutung »Tapferkeit, Kühnheit« setzte sich erst seit dem 16. Jh. stärker durch. – Kollektivbildung zu ›Mut‹ ist das unter ↑Gemüt behandelte Wort (s. auch den Artikel *gemütlich*). Das abgeleitete Verb **muten** »seinen Sinn worauf richten, begehren« (mhd. *muoten*, ahd. *muotōn*) ist heute veraltet. Gebräuchlich sind dagegen die Bildungen **anmuten** »den Eindruck erwecken, in bestimmter Weise berühren« (in der heutigen Bedeutung seit etwa 1800, wohl unter Einfluss von ›anmutig, Anmut‹; mhd. *anemuoten* »ein Verlangen an jemanden richten, zumuten«); **vermuten** »für wahrscheinlich halten, annehmen« (15. Jh., zunächst unpersönlich; aus dem Niederd. ins Hochd. gedrungen), dazu **vermutlich** (16. Jh.) und **Vermutung** (16. Jh.); **zumuten** »ein Ansinnen an jemanden richten, Ungebührliches verlangen«

(spätmhd. *zuomuoten*), dazu **Zumutung** (15. Jh.). – Adjektivbildungen sind **gemut** (mhd. *gemuot* »den Sinn habend, gestimmt«), das heute nur noch in **frohgemut** »fröhlich, zuversichtlich« (mhd. *vrōgemuot*), **wohlgemut** »froh gestimmt, unbekümmert« (mhd. *wolgemuot*) gebräuchlich ist, und **mutig** »tapfer, kühn« (mhd. *muotec*), dazu **entmutigen** und **ermutigen.** – Das Wort ›Mut‹ steckt in zahlreichen Zusammensetzungen, beachte z. B. **mutmaßen** »für wahrscheinlich halten, annehmen« (14. Jh., abgeleitet von einer untergegangenen Zusammensetzung ›Mutmaße‹, mhd. *muotmāʒe* »Abschätzung«), dazu **mutmaßlich** (18. Jh.); **Mutwille** »Übermut« (mhd. *muotwille*, ahd. *muotwillo* »eigener, freier Entschluss«), dazu **mutwillig** (mhd. *muotwillec*); **Übermut** »ausgelassene Stimmung, Mutwille, Anmaßung« (mhd. *übermuot*, ahd. *ubermuot*), dazu **übermütig** (mhd. *übermüetec*, ahd. *ubarmuotīg*). Siehe auch die Artikel *Anmut* und *Demut*.

Mutter: Die altgerm. Verwandtschaftsbezeichnung mhd., ahd. *muoter*, niederl. *moeder*, engl. *mother*, schwed. *moder* beruht mit Entsprechungen in den meisten anderen idg. Sprachen auf idg. **mātér-* »Mutter«, vgl. z. B. aind. *mātár-* »Mutter«, griech. *mḗtēr* »Mutter« (↑Metropole), lat. *mater* »Mutter« (↑Matrone), *matrix* »Muttertier, Gebärmutter« (↑Matrize, ↑Matrikel, im-, exmatrikulieren). Der alte idg. Verwandtschaftsname, der mit demselben Suffix gebildet ist wie die Verwandtschaftsbezeichnungen ›Vater‹, ›Bruder‹, ›Tochter‹ (s. d.), ist eine Bildung zu dem Lallwort der Kindersprache **mă̄[ma]-* (↑Mama und ↑Memme). – Im übertragenen Gebrauch bezeichnete ›Mutter‹ Dinge, die etwas wie ein Mutterschoß oder wie eine Gebärmutter aufnehmen oder umschließen, daher bergmännisch für »Gesteinshülle«, technisch für »Hohlschraube mit Innengewinde, die den Schraubenbolzen aufnimmt« usw. (s. auch *Perlmutter* [↑Perle]). Eine Ableitung von ›Mutter‹ ist wahrscheinlich das unter ↑Mieder behandelte Substantiv. – Abl.: **bemuttern** »umsorgen« (19. Jh.); **mütterlich** (mhd. *müeterlich*, ahd. *muoterlīh*). Zus.: **Mutterkorn** »giftiger Schmarotzerpilz in Kornähren« (18. Jh.; das Myzel des Pilzes wurde früher als Heilmittel bei Schmerzen in der Gebärmutter verwendet; die Alkaloide des Mutterkorns werden heute noch u. a. als Wehenmittel verwendet); **Muttermal** »angeborenes Mal« (16. Jh.; ↑²Mal); **Mutterschwein** »Sau« (mhd. *muoterswīn*); **mutterseelenallein** »ganz allein« (18. Jh.; ausgehend von älter nhd. *Mutterseele* »Mensch«, eigentlich »menschenallein, von allen Menschen verlassen«); **Muttersöhnchen** »verwöhnter Junge oder junger Mann« (18. Jh.); **Muttersprache** »Sprache, die ein Mensch als Kind lernt und die er primär gebraucht« (16. Jh.; niederd. *mōdersprāke*, 15. Jh.; wohl nach lat. *lingua materna*); **Mutterwitz** »angeborener Witz« (17. Jh.).

Mutwille ↑Mut.

Mütze: Die Bezeichnung der Kopfbedeckung, spätmhd. *mutze, mütze* (aus mhd. *almuʒ, armuʒ* »Chorkappe der Geistlichen; Kopfbedeckung«) beruht wie z. B. auch entsprechend frz. *aumusse* »Pelzmantel der Geistlichen; Chorkappe« auf mlat. *almutium, almutia* »Umhang um Schultern und Kopf der Geistlichen«. Die weitere Herkunft des Wortes ist unklar.

Myrrhe: Die Bezeichnung des bitteraromatischen Gummiharzes (mhd. *mirre*, ahd. *myrra, mirra*), das als Räuchermittel und für Arzneien verwendet wird, ist aus griech.-lat. *mýrrha* »Myrrhenbaum; Myrrhe« entlehnt, das selbst semit. Ursprungs ist (aram. *mūrā*, hebr. *mor*, arab. *murr* »Myrrhe«).

Myrte: Der Name des immergrünen Gewächses (schon mhd. *mirtelboum*, ahd. *mirtilboum*), dessen weiß blühende Zweige als Brautschmuck verwendet werden, ist aus griech.-lat. *mýrtos* »Myrte« entlehnt, das wohl semit. Ursprungs ist.

Mysterium »Geheimlehre, Geheimkult; [religiöses] Geheimnis«: Das in dt. Texten seit dem 16. Jh. bezeugte Fremdwort geht – wie auch frz. *mystère* und engl. *mystery* – auf lat. *mysterium* zurück, das seinerseits aus griech. *mystḗrion* »kultische Weihe, Geheimkult« übernommen ist. Dies ist eine Bildung zu griech. *mýstēs* »der (speziell in die Eleusinischen Geheimlehren) Eingeweihte«, das selbst von einem nicht bezeugten Adjektiv griech. **mystós* »verschwiegen« abgeleitet ist. Stammwort ist das griech. Verb *mýein* »sich schließen (von Lippen und Augen)«, das elementarverwandt ist mit den unter ↑Maul dargestellten Wörtern schallnachahmenden Ursprungs. – Dazu: **mysteriös** »geheimnisvoll, rätselhaft, dunkel« (18. Jh.; aus gleichbed. frz. *mystérieux;* zu frz. *mystère*); **Mystik** »religiöse Bewegung (des Mittelalters), die den Menschen durch innere Versenkung und Hingabe zu persönlicher Vereinigung mit Gott bringen will«, ein bis in die Spätantike zurückreichendes Wort (beachte mlat. *theologia mystica* und *unio mystica*), das sich aus dem Adjektiv lat. *mysticus* (< griech. *mystikós* »zu den Mysterien gehörend; geheim, geheimnisvoll«) entwickelte. Danach das Adjektiv **mystisch** »die Mystik betreffend; geheimnisvoll« (um 1700). Vgl. hierzu auch das Kapitel zur Sprachgeschichte *Das Deutsche als Sprache der Gelehrten und Bürger.*

Mythos »Sage und Dichtung (von Göttern, Dämonen und Helden) aus der Vorzeit eines Volkes«, daneben mit latinisierter Endung **Mythus** und eingedeutscht **Mythe:** Das Fremdwort ist eine Entlehnung aus griech.(-lat.) *mȳthos* »Wort, Rede; Erzählung, Fabel, Sage«. – Dazu das Adjektiv **mythisch** »die Mythen betreffend, sagenhaft« (aus griech. *mȳthikós*, lat. *mythicus*) und die Zusammensetzung **Mythologie** »Gesamtheit der überlieferten Mythen; Mythenforschung« (aus griech. *mȳthología*).

M

Nn

Nabe: Die altgerm. Bezeichnung für »Mittelteil des Rades, durch das die Achse geht« (mhd. *nabe,* ahd. *naba,* niederl. *naaf,* engl. *nave,* schwed. *nav*) beruht mit dem unter ↑Nabel behandelten Wort auf idg. **[e]nebh-* »Nabel; Nabe«. In anderen idg. Sprachen sind z. B. verwandt aind. *nā́bhi-ḥ* »Nabel; Nabe«, pers. *nāf* »Nabel« und apreuß. *nabis* »Nabel; Nabe«. – Das idg. Wort bezeichnete ursprünglich die rundliche Vertiefung in der Mitte des Bauches und wurde, als die Indogermanen den Wagenbau kennen lernten, auf das Mittelteil des Rades übertragen (vgl. die Artikel *Achse* und *Achsel*).

Nabel: Das altgerm. Wort mhd. *nabel,* ahd. *nabalo,* niederl. *navel,* engl. *navel,* schwed. *navle* beruht mit verwandten Wörtern in anderen idg. Sprachen auf der unter ↑Nabe behandelten idg. Bezeichnung für die rundliche Vertiefung in der Mitte des Bauches. – Zus.: **Nabelschnur** (18. Jh.).

nach: Das als Adverb und Präposition verwendete Wort (mhd. *nāch,* ahd. *nāh;* mnd. *nā*) gehört zu dem unter ↑nah[e] behandelten Adjektiv. Es bedeutete zunächst »nahe bei, in die Nähe von«, dann »auf etwas hin« und schließlich »hinter etwas her; zufolge, gemäß«.

N

nachahmen »nachmachen, imitieren; nacheifern«: Das seit dem 16. Jh. bezeugte Verb gehört zu mhd. *āmen* »[aus]messen«, das von mhd. *āme* »Flüssigkeitsmaß« abgeleitet ist. Die Präfixbildung bedeutete demnach ursprünglich »nachmessen, nachmessend einrichten oder gestalten«.

Nachbar: Das westgerm. Wort mhd. *nāchgebūr[e],* ahd. *nāhgibūr[o],* niederl. *nabuur,* engl. *neighbour* ist zusammengesetzt aus den unter ↑nah[e] und ↑[3]Bauer behandelten Wörtern und bedeutet eigentlich »nahebei Wohnender«.

nachdenken, nachdenklich ↑denken.

Nachen (landsch. und dichterisch für:) »Boot, Kahn«: Das altgerm. Wort mhd. *nache,* ahd. *nahho,* niederl. *aak,* aengl. *naca,* aisl. *nǫkvi* ist vielleicht mit aind. *nā́ga-ḥ* »Baum« verwandt und bedeutete dann ursprünglich »[ausgehöhlter] Baum; Einbaum«.

Nachfahr ↑fahren.

nachgeben ↑geben.

nachgiebig ↑geben.

nachhaltig »lange nachwirkend, stark«: Das seit dem Ende des 18. Jh.s bezeugte Adjektiv ist eine Ableitung von dem heute veralteten Substantiv *Nachhalt* »etwas, das man für Notzeiten zurückbehält, Rückhalt«, das zu dem gleichfalls veralteten *nachhalten* »andauern, wirken« (vgl. *nach* und *halten*) gehört.

Nachhut ↑[2]Hut.

Nachkomme, nachkommen, Nachkommenschaft, Nachkömmling ↑kommen.

Nachlass, nachlassen, nachlässig ↑lassen.

Nachmittag ↑Mittag.

Nachricht: Das seit dem 17. Jh. gebräuchliche Wort trat an die Stelle von älter nhd. *Nachrichtung* (vgl. *nach* und *richten*) und bedeutete wie dies zunächst »das, wonach man sich zu richten hat, Anweisung«. Dann wurde es im Sinne von »Mitteilung (die Anweisungen enthält), Botschaft, Neuigkeit« gebräuchlich. – Abl.: **benachrichtigen** »in Kenntnis setzen, informieren« (19. Jh.).

Nachruf »Würdigung für einen kürzlich Verstorbenen«: Das Wort wurde im 17. Jh. als Ersatzwort für ›Echo‹ geschaffen, setzte sich aber in der Bedeutung »Nach-, Widerhall« nicht durch. Es wurde dann im Sinne von »Abschiedsworte für einen Scheidenden«, seit dem 19. Jh. speziell im Sinne von »Abschiedsworte für einen Verstorbenen« gebräuchlich.

nachschaffen ↑schaffen.

Nachschub ↑Schub.

nachsehen ↑sehen.

nachsetzen ↑setzen.

Nachsicht ↑sehen.

nachstellen ↑stellen.

Nächstenliebe ↑nah[e].

Nacht: Das gemeingerm. Wort mhd., ahd. *naht,* got. *nahts,* engl. *night,* schwed. *natt* beruht mit verwandten Wörtern in den meisten anderen idg. Sprachen auf idg. **nokụ[t]-* »Nacht«, vgl. z. B. aind. *nák* »Nacht«, lat. *nox,* Genitiv *noctis* »Nacht«, *nocturnus* »nächtlich« (↑nüchtern) und russ. *noč'* »Nacht«. – In alter Zeit bezeichnete das Wort nicht nur den Zeitraum zwischen Sonnenuntergang und Sonnenaufgang, sondern auch den Zeitraum zwischen Sonnenuntergang und Sonnenuntergang, also den Gesamttag (von 24 Stunden). Der Gesamttag begann dementsprechend mit dem Sonnenuntergang, daher bedeutete das Wort ›Nacht‹ früher auch »Vorabend« (vgl. die Artikel *Fastnacht* und *Weihnacht*). Man rechnete – so auch noch in germ. Zeit – nach Nächten statt nach Tagen, was sprachlich noch in engl. *fortnight* »vierzehn Tage« zum Ausdruck kommt. – Das Adverb **nachts** (mhd., ahd. *nahtes*) ist Analogiebildung zu ›tags‹, dem adverbiell erstarrten Genitiv Singular von ›Tag‹ (s. d.). – Abl.: **übernachten** »über Nacht bleiben« (17. Jh.); **umnachten** dichterisch für »mit Nacht oder mit Dunkelheit umgeben; geistig verwirren« (18. Jh.); **nächtigen** »über Nacht bleiben«, österr. für »übernachten« (19. Jh.); **nächtlich** (ahd. *nahtlīh*). Zus.: **Nachtschatten** (mhd. *nahtschate,* ahd. *nahtscato;* die Pflanze ist wohl nach ihren dunkelblauen Blüten oder nach ihren schwarzen Beeren so benannt). Siehe auch den Artikel *Nachtigall.*

Nachteil, nachteilig ↑Teil.

Nachtigall: Der westgerm. Vogelname mhd. *nahtegal,* ahd. *nahtgala,* niederl. *nachtegaal,* engl. *nightingale* bedeutet eigentlich »Nachtsängerin«. Das Grundwort (westgerm. **galōn* »Sängerin«) ist eine Bildung zu dem untergegangenen Verb ahd. *galan* »singen«, das zu der Wortgruppe von ↑gellen gehört.

Nachtmahl, nachtmahlen ↑Mahl.

nachwachsen, Nachwuchs ↑[2]wachsen.

nachziehen, Nachzügler ↑ziehen.

Nacken: Die dt. und nord. Bezeichnung für »hinterer, äußerer Teil des Halses« (mhd. *nac[ke],* ahd. *[h]nach;* schwed. *nacke*) steht im Ablaut zu gleichbed. mhd. *nec[ke]* (s. die Kollektivbildung *Genick*), niederl. *nek,* engl. *neck.* Mit dieser germ. Wortgruppe sind vermutlich verwandt tochar. A *kñuk* »Genick« und air. *cnocc* »Buckel, Hügel«. – Abl.: **hartnäckig** »eigensinnig an etwas festhaltend; beharrlich« (15. Jh.). Zus.: **Nackenschlag** »Schicksalsschlag; Demütigung« (18. Jh.).

nackt: Das gemeingerm. Adjektiv mhd. *nacket,* ahd. *nachot,* got. *naqaÞs,* engl. *naked,* aisl. *nøkkviðr* beruht mit verwandten Wörtern in anderen idg. Sprachen auf idg. **nog$^{u̯}$-* »nackt«, vgl. z. B. aind. *nagná-ḥ* »nackt«, griech. *gymnós* (aus *nymnós*) »nackt« (↑Gymnastik, ↑Gymnasium) und lat. *nudus* »nackt« (↑Nudismus). Die starken Abweichungen der einzelnen Formen erklären sich zum Teil daraus, dass das idg. Adjektiv schon früh tabuistisch entstellt worden ist. – Eine Form mit sekundärem n ist nhd. **nackend** (mhd. *nakent*). Die Weiterbildungen **nackig** und **nackicht** sind seit dem 17./18. Jh. gebräuchlich. Jung ist die vom Nordd. ausgegangene Bildung **Nackedei** scherzhaft für »nacktes Kind«, auch »nackte Person«.

Nadel: Das gemeingerm. Substantiv mhd. *nādel[e],* ahd. *nād[a]la,* got. *nēÞla,* engl. *needle,* schwed. *nål* ist eine Instrumentalbildung zu dem unter ↑nähen behandelten Verb und bedeutete demnach urspr. »Gerät zum Nähen«.

Nagel: Das altgerm. Wort mhd. *nagel,* ahd. *nagal,* niederl. *nagel,* engl. *nail,* schwed. *nagel* gehört mit verwandten Wörtern in anderen idg. Sprachen zu idg. **[o]nogh-* »Nagel an Fingern und Zehen; Kralle, Klaue«, vgl. z. B. griech. *ónyx* »Nagel, Kralle« (↑Onyx), lat. *unguis* »Nagel« und russ. *noga* »Fuß, Bein« (ursprünglich »Klaue«), *nogot'* »Nagel«. Die Bedeutung »spitzer Holz- oder Eisenstift« ist also sekundär und hat sich erst in germ. Zeit aus »Finger-, Zehennagel; Kralle« entwickelt. – Eine Verkleinerungsbildung zu ›Nagel‹ ist der unter ↑Nelke behandelte Blumenname. – Abl.: **nageln** »mit einem Nagel, mit Nägeln befestigen; Nägel einschlagen« (mhd. *nagelen,* ahd. *nagalen*). Zus.: **nagelneu** (spätmhd. *nagelniuwe,* 15. Jh.; ursprünglich von neu genagelten Gegenständen), dazu verstärkend **funkelnagelneu** (18. Jh.).

Nagel

ein Nagel zu jmds. Sarg sein
(ugs.) »jmdm. sehr viel Kummer bereiten«
In dieser Redewendung wird die Vorstellung, dass Kummer das Leben eines Menschen verkürzen kann, am Zusammenschlagen der Bretter zum Sarg veranschaulicht.

den Nagel auf den Kopf treffen
(ugs.) »den Kernpunkt einer Sache [in einer Äußerung] erfassen«
Wahrscheinlich stammt diese Wendung aus der Sprache der Schützen; ein Nagel bezeichnete früher den Mittelpunkt der Zielscheibe.

Nägel mit Köpfen machen
(ugs.) »etwas richtig anfangen, konsequent durchführen«
Die Wendung bezieht sich darauf, dass Nägel mit Köpfen in der Regel brauchbarer als einfache Drahtstifte sind, die sich beim Nageln leichter verbiegen.

etwas an den Nagel hängen
(ugs.) »etwas aufgeben, etwas künftig nicht mehr machen«
Die Wendung geht wohl darauf zurück, dass man früher sein Arbeitsgerät, seine Dienstkleidung o. Ä. in einer Baubude, Baracke oder Unterkunft ordentlich an einem Nagel aufhängte, wenn man eine Arbeit oder die Ausübung eines Berufes beendete.

jmdm. auf den Nägeln brennen
(ugs.) »für jmdn. sehr dringlich sein«
Die Herkunft dieser Wendung ist nicht sicher geklärt. Man könnte sie von der mittelalterlichen Folter herleiten, bei der dem Delinquenten glühende Kohlen auf die Fingerspitzen gelegt wurden. Eine andere Erkärung führt die Wendung auf die frühere Gepflogenheit von Mönchen zurück, sich kleine Wachskerzen auf die Daumennägel zu kleben, wenn es im Winter zur Frühmesse noch nicht hell genug war, um im Gebetbuch zu lesen.

nagen: Das altgerm. Verb mhd. *nagen,* ahd. *[g]nagan,* engl. *to gnaw,* schwed. *gnaga* gehört mit verwandten Wörtern in anderen idg. Sprachen zu der vielfach erweiterten Wurzel **gh[e]nə-* »nagen, beißen, kratzen« (vgl. z. B. awest. *aiwi-γnixta* »angenagt, angefressen«). – Intensivbildung zu ›nagen‹ ist ↑necken. – Abl.: **Nager** »Säugetier mit Nagezähnen« (17. Jh.). Zus.: **Nagetier** (18. Jh.).

nah[e]: Die Herkunft des gemeingerm. Wortes (Adjektiv und Adverb) mhd. *nāch,* ahd. *nāh,* got. *nēh[a],* aengl. *nēah,* aisl. *na-* ist unklar. Um ›nah[e]‹ gruppieren sich die Bildungen **Nähe** »das Nahesein; geringe Entfernung« (mhd. *næhe,* ahd. *nāhī*), **nahen** »sich nähern« (mhd. *nāhen,* vgl. got.

nēhjan, aengl. *nǣgan,* schwed. *nå*) und **nähern,** sich »herankommen, auf jemanden zukommen« (mhd. *nǣhern*), beachte auch den substantivierten Superlativ **Nächster** »Mitmensch«, dazu **Nächstenliebe** (18. Jh.). Erst in nhd. Zeit sind durch Zusammenziehung entstanden **beinah[e]** »fast« und **nahezu** »fast«. Siehe auch den Artikel *nach.*

nähen: Das nur dt. und niederl. Verb (mhd. *nǣjen,* ahd. *nājen,* niederl. *naaien*) gehört mit verwandten Wörtern in anderen idg. Sprachen zu der vielfach weitergebildeten und erweiterten idg. Wurzel **[s]nē-* »Fäden zusammendrehen, knüpfen, weben, spinnen«. Eng verwandt mit diesem Verb, zu dem die Substantivbildungen ↑Naht und ↑Nadel gehören, sind z. B. griech. *néein* »spinnen«, *nēma* »Gespinst, Faden« und lat. *nere* »spinnen«, *nemen* »Gespinst, Gewebe«. Zu den verschiedenen Erweiterungen dieser Wurzel gehören aus dem germ. Sprachbereich ↑nesteln »knüpfen, schnüren«, ↑Netz (eigentlich »Geknüpftes) und ↑Nessel (als »Gespinstpflanze«), ferner mit anlautendem s- die Sippen von ↑Schnur und von ↑schleunig (eigentlich »[sich] schnell drehend«). – Zus.: **Nähmaschine** (19. Jh.; Lehnübersetzung von engl. *sewing-machine*).

nähern, sich ↑nah[e].

nähren: Das altgerm. Verb mhd. *ner[e]n,* ahd. *nerian,* got. *nasjan,* aengl. *nerian* ist das Veranlassungswort zu dem unter ↑genesen behandelten Verb und bedeutete demnach ursprünglich »davonkommen machen, retten, am Leben erhalten«. Eng verwandt damit ist das im Nhd. untergegangene Substantiv ahd. *nara,* mhd. *nar* »Heil; Rettung; Nahrung; Unterhalt«, von dem **nahrhaft** (17. Jh.) und **Nahrung** (mhd. *narunge*) abgeleitet sind. – Zus.: **Nährboden** (19. Jh.); **Nährwert** (19. Jh.). – Beachte auch die Präfixbildung **ernähren** (mhd. *erner[e]n,* ahd. *irnerian*), dazu **Ernährer** (19. Jh.) und **Ernährung** (19. Jh.).

Naht: Das auf das dt. und niederl. Sprachgebiet beschränkte Wort (mhd., ahd. *nāt,* niederl. *naad*) ist eine Bildung zu dem unter *nähen* behandelten Verb.

naiv »natürlich, unbefangen; kindlich; treuherzig, arglos; einfältig«: Das Adjektiv wurde Anfang des 18. Jh.s aus gleichbed. frz. *naïf* entlehnt, das auf lat. *nativus* »durch Geburt entstanden; angeboren, natürlich« zurückgeht. Dies gehört zu lat. *nasci (natum)* »geboren werden, entstehen«. Über weitere etymologische Zusammenhänge vgl. den Artikel *Nation.*

Name: Das gemeingerm. Wort mhd. *name,* ahd. *namo,* got. *namō,* engl. *name,* schwed. *namn* beruht mit verwandten Wörtern in anderen idg. Sprachen auf idg. **[e]nōmn̥-* »Name«, vgl. z. B. lat. *nomen* »Name, Benennung, Wort« (s. die Fremdwortgruppe um *Nomen*) und griech. *ónoma,* Dialektform *ónyma* »Name, Benennung, Wort« (s. die Fremdwortgruppe um *anonym*). – Eine alte Ableitung von dem gemeingerm. Substantiv ist das unter ↑nennen behandelte Verb. – Abl.: **namentlich** »ausdrücklich (mit Namen genannt); vornehmlich, besonders« (mit sekundärem t aus mhd. *name[n]lich,* wie z. B. ›eigentlich‹ aus ›eigenlich‹); **namhaft** »mit Namen bekannt, berühmt, bedeutend« (mhd. *namehaft,* ahd. *namohaft*); **nämlich** »genauer gesagt« (mhd. *nemelīche* »um es ausdrücklich zu nennen; vorzugsweise; fürwahr; auf gleiche Weise«, Adverb zu mhd. *namelich,* ahd. *namolīh* »mit Namen genannt, ausdrücklich«, beachte **der Nämliche** »derselbe«, mhd. *der nemelīche,* eigentlich »der eben mit Namen Genannte«). Zus.: **Namenstag** »Tag des Namenspatrons« (17. Jh.); **Namensvetter** »jemand, der den gleichen Namen trägt« (18. Jh.).

Napf: Die Herkunft der altgerm. Gefäßbezeichnung (mhd. *napf,* ahd. *[h]napf,* niederl. *nap,* aengl. *hnæpp,* schwed. *napp*) ist dunkel. – Zus.: **Napfkuchen** »in einer Napfform gebackener Kuchen« (18. Jh.).

Narbe: Das seit dem 12. Jh. bezeugte Wort (frühmhd. *narwa,* mhd. *narwe;* mnd. *nar[w]e*) ist die substantivierte weibliche Form des im Dt. untergegangenen westgerm. Adjektivs **narwa-* »eng«, vgl. asächs. *naro,* niederl. *naar,* engl. *narrow* »eng« (s. den Artikel *Nehrung*). Das Wort bedeutet also eigentlich »Enge« und bezeichnete demnach ursprünglich die Verengung der Wundränder. Im übertragenen Gebrauch bezeichnet ›Narbe‹ die Unebenheiten auf der Haarseite des gegerbten Fells und die mit Wurzelfasern durchsetzte Oberfläche des Erdbodens, beachte die Zusammensetzung **Grasnarbe.** – Abl.: **vernarben** »abheilen« (19. Jh.); **narbig** »mit Narben bedeckt« (18. Jh., für älteres *narbicht*).

Narkose »durch ein Mittel bewirkter schlafähnlicher Zustand, in dem die Schmerzempfindung ausgeschaltet ist«: Das seit dem 19. Jh. bezeugte Fremdwort, das zuvor schon in der Form ›Narcosis‹ (Anfang 18. Jh.) erscheint, beruht auf einer gelehrten Entlehnung aus griech. *nárkōsis* »Erstarrung«. Dies gehört zu griech. *nárkē* »Krampf, Lähmung, Erstarrung« bzw. zu dem davon abgeleiteten Verb griech. *narkān* »erstarren«. – Dazu: **narkotisch** »betäubend, berauschend« (bereits im 16. Jh.; aus griech. *narkōtikós* »erstarren machend«), ferner die Neubildungen **narkotisieren** »betäuben« (19. Jh.) und **Narkotiseur** »Narkosearzt« (20. Jh., mit französierender Endung).

Narr: Die Herkunft des nur dt. Wortes (mhd. *narre,* ahd. *narro*) ist nicht sicher geklärt. Vielleicht ist ahd. *narro* aus spätlat. *nario* »Nasenrümpfer, Spötter« entlehnt. – Abl.: **narren** »zum Narren haben« (16. Jh.; mhd. *[er]narren,* ahd. *irnarrēn* »zum Narren werden, sich wie ein Narr benehmen«, beachte auch mhd. *vernarren* »ganz zum Narren werden«, nhd. **vernarren,** sich »sich verlieben«).

N

Narr

einen Narren an jmdm., an etwas gefressen haben (ugs.) »jmdn., etwas sehr gern haben; sich in jmdn., in etwas vernarrt haben«
Die Wendung geht auf die Vorstellung zurück, dass derjenige, der bis zur Albernheit in jemanden oder etwas verliebt ist, einen kleinen Narren in seinem Inneren (= gefressen) habe.

Narzisse: Der seit dem 16. Jh. belegte Name der als Gartenblume beliebten, stark duftenden Zwiebelpflanze ist aus lat. *narcissus* entlehnt, das seinerseits aus griech. *nárkissos* übernommen ist. Es handelt sich dabei wohl um ein Wanderwort ägäischen Ursprungs, das dann im Griech. volksetymologisch an griech. *nárkē* »Krampf; Lähmung, Erstarrung« angeschlossen wurde (wegen des intensiven, betäubenden Duftes der Pflanze; vgl. *Narkose*).

naschen »Süßigkeiten genießerisch verzehren«: Das dt. und nord. Verb (mhd. *naschen,* ahd. *naskōn,* dän. *naske,* schwed. mdal. *naska*) ist lautnachahmenden Ursprungs und bedeutete ursprünglich etwa »knabbern, schmatzen«. Gleichfalls lautnachahmend sind die gleichbed. Verben niederd. *gnaschen,* dän. *gnaske,* schwed. *snaska.* – Abl.: **naschhaft** »gern naschend« (17. Jh.).

Nase: Die germ. Bezeichnungen des Geruchsorgans mhd. *nase,* ahd. *nasa,* niederl. *neus,* engl. *nose,* schwed. *näsa* beruhen mit der unter ↑Nüster behandelten Bildung auf idg. **nas-* »Nase«, ursprünglich wahrscheinlich »Nasenloch« (beachte z. B. aind. *nā́sa* Nom. Dualis »Nase«, eigentlich »die beiden Nasenlöcher«). In anderen idg. Sprachen sind z. B. verwandt lat. *nasus* »Nase« und russ. *nos* »Nase«. – Abl.: **näseln** »durch die Nase sprechen« (15. Jh.). Zus.: **Nasenstüber** »leichter Puff gegen die Nase, Rüffel« (17. Jh., in der Form ›Nasenstieber‹; der zweite Bestandteil gehört zu ↑stieben); **naseweis** »vorlaut« (mhd. *nasewīse* »scharf witternd, spürnasig«, vom Jagdhund); **Nashorn** (Anfang des 16. Jh.s; Lehnübersetzung von griech.-lat. *rhīnocerōs,* s. den Artikel *Rhinozeros*). Siehe auch den Artikel *nuscheln.*

Nase

sich an die eigene Nase fassen (ugs.) »sich um die eigenen Fehler und Schwächen kümmern«
Diese Wendung geht vielleicht auf einen alten normannischen Rechtsbrauch zurück. Wer einen anderen beleidigt hatte, musste sich beim öffentlichen Widerruf der Beleidigung mit der Hand an die Nase fassen.

nass: Die Herkunft des Adjektivs (mhd., ahd. *naz,* niederl. *nat*) ist dunkel. Eine alte Ableitung von diesem Adjektiv ist das unter ↑netzen behandelte Verb. – Abl.: **Nass** (mhd. *naz;* Substantivierung des Adjektivs); **Nässe** (mhd. *nezze,* ahd. *nazzi*); **nässen** »nass machen; Feuchtigkeit absondern« (17. Jh.), beachte dazu auch die Bildung **Bettnässer**. Zus.: **nassforsch** »übertrieben forsch« (20. Jh.); **nasskalt** »regnerisch und kalt« (18. Jh.).

nassauern: Der ugs. Ausdruck für »auf Kosten anderer leben, schmarotzen« gehört wahrscheinlich zu ›nass‹ in dessen früher üblicher Verwendungsweise im Sinne von »arm, ohne Geld; umsonst« und ist eine Scherzbildung zum Ortsnamen Nassau. – Abl.: **Nassauer** »jemand, der auf Kosten anderer lebt, sich von anderen freihalten lässt«.

Nation: Das seit dem Ende des 14. Jh.s bezeugte Fremdwort geht auf lat. *natio (nationis)* »das Geborenwerden; das Geschlecht; der [Volks]stamm, das Volk« zurück, das zu lat. *nasci* (< **gnasci*) »geboren werden, entstehen« bzw. zu dem Partizipialadjektiv *natus (gnatus)* »geboren« gehört (über weitere etymologische Zusammenhänge vgl. den Artikel *Kind*). So bezeichnet ›Nation‹ also eigentlich den natürlichen Verband der durch »Geburt« im gleichen Lebensraum zusammengewachsenen und zusammengehörenden Menschen, ein Volk in seiner Gesamtheit und geschichtlichen Eigentümlichkeit. In diesem Sinne galt ›Nation‹ bis ins 18. Jh. Seitdem ist der Begriff vielfach umstritten, wird aber im Wesentlichen nach französischem Vorbild durch politische Merkmale enger definiert, etwa als »Lebensgemeinschaft von Menschen mit dem Bewusstsein gleicher politisch-kultureller Vergangenheit und dem Willen zum Staat«. – Von besonderem Interesse ist in diesem Zusammenhang das zu ›Nation‹ gebildete Adjektiv **national** »die Nation betreffend; einem Volke eigentümlich; vaterländisch«, das in der Zusammensetzung **Nationalversammlung** bereits im 16. Jh. bezeugt ist, aber erst im 18. Jh. unter frz. Einfluss als staatspolitisches Wort allgemeine Verbreitung findet. Es lebt darüber hinaus nicht nur in einer Fülle von Zusammensetzungen wie **international** »zwischenstaatlich; nicht national beschränkt, allgemein« (19. Jh.), **Nationalhymne** (19. Jh.; nach frz. *hymne national*) und **Nationalsozialismus** (20. Jh.), **Nationalsozialist** (abwertende Kurzform **Nazi**), sondern auch in den folgenden Bildungen: **Nationalität** »Volkstum; Staatsangehörigkeit« (Ende 18. Jh.; nach entsprechend frz. *nationalité*); **Nationalismus** »übersteigertes Nationalbewusstsein« (zuerst 1740, aber noch allgemein im Sinne von »nationales Denken«; als politisches Schlagwort seit dem 19. Jh. nach frz. *nationalisme*), **Nationalist** »Verfechter des Nationalismus« (19. Jh.), **nationalistisch** (19./20. Jh.). Vgl. ferner die Artikel *naiv, Natur* und *Renaissance.*

Natrium: Der Name des chemischen Grundstoffs ist eine gelehrte Bildung mit latinisierender Endung (auf Vorschlag des schwedischen Chemikers J. Berzelius [1779–1848]) zu ›Natron‹. Die Benennung bezieht sich darauf, dass das Natrium aus Ätznatron gewonnen wurde.

Natron: Das natürlich vorkommende Laugensalz wurde von den alten Ägyptern *nṯr[j]* genannt. Diese Bezeichnung gelangte in die europäischen Sprachen, und zwar einerseits über arab. *naṭrūn*, auf das frz., engl. *natron*, span. *natrón* und dt. *Natron* (16. Jh.; für älteres ›Natrum‹ unter dem Einfluss von frz., engl. *natron*) zurückgehen. Andererseits wurde uns das ägyptische Wort durch griech. *nítron* »basisches Salz, Soda, Natron« und gleichbed. lat. *nitrum* vermittelt. Letzteres erscheint zuerst in frühnhd. *Sal[n]iter* »Salpeter« (= lat. *sal nitrum*) und später als **Nitrum** »Salpeter«. Dies spielt eine Rolle in zahlreichen gelehrten Bildungen wie **Nitrogenium** »Stickstoff« (so benannt, weil der Stickstoff ein »Salpeterbildner« ist) und **Nitroglyzerin** (hochexplosiver Sprengstoff), ferner in den abgeleiteten Bezeichnungen **Nitrat** »Salz der Salpetersäure« und **Nitrit** »Salz der salpetrigen Säure«.

Natter: Das westgerm. Wort mhd. *nāter*, ahd. *nāt[a]ra*, asächs. *nādra*, aengl. *nǣdre* steht im Ablaut zu gleichbedeutend got. *nadrs* und aisl. *nađr* und ist mit lat. *natrix* »Wasserschlange« und air. *nathir* »Schlange« verwandt. Das den Germanen, Kelten und Italikern gemeinsame Wort gehört vielleicht im Sinne von »die Sichwindende« zu der unter ↑nähen behandelten idg. Wurzel. – Siehe auch den Artikel [2]*Otter*.

N

Natur »das ohne fremdes Zutun Gewordene, Gewachsene; die Schöpfung, die Welt«, häufig übertragen gebraucht im Sinne von »Wesen, Art; Anlage, Charakter«: Das Substantiv (mhd. *natūre*, ahd. *natūra*) ist aus lat. *natura* »das Hervorbringen; die Geburt; natürliche Beschaffenheit, Wesen; Natur, Schöpfung usw.« entlehnt, das wie lat. *natio* »das Geborenwerden; das Geschlecht; der [Volks]stamm usw.« (vgl. *Nation*) zum Partizipialstamm *natus* »geboren« von lat. *nasci* »geboren werden, entstehen« gehört. Über weitere etymologische Zusammenhänge vgl. den Artikel *Kind*. – Ableitungen und Zusammensetzungen: **natürlich** »von Natur aus (oft im Gegensatz zu ›künstlich‹); gewiss, selbstverständlich; ungezwungen« (mhd. *natiurlich*, ahd. *natūrlīh*); **Naturforscher** (17. Jh.); **Naturkunde** (17. Jh.); **Naturwissenschaft** (18. Jh.; als Sammelbezeichnung für die Wissenschaft von den Vorgängen und Gegebenheiten in der Natur, z. B. Physik, Chemie, Biologie usw.). – Zu lat. *natura* bzw. dem darauf beruhenden gleichbedeutenden frz. *nature* gehören noch die folgenden Fremdwörter: **Natural...** »die Natur bzw. die Naturerzeugnisse betreffend; Sach...« (aus lat. *naturalis* »zur Natur gehörig, natürlich«), nur gebräuchlich in Zusammensetzungen wie ›Naturallohn‹ »Entlohnung in Form von Sachwerten oder Lebensmitteln«; dazu das Substantiv **Naturalien** »Naturerzeugnisse; Lebensmittel, Waren; Dienstleistungen« (17. Jh.; aus dem Neutrum Plural *naturalia* von lat. *naturalis*). – **naturalisieren** »(einen Ausländer) in den eigenen Staatsverband rechtlich aufnehmen, einbürgern« (17. Jh.; aus gleichbed. frz. *naturaliser*). – **Naturalismus** »Weltanschauung, die alles Seiende aus der Natur und diese allein aus sich selbst zu erklären versucht; Wirklichkeitstreue«, ferner Bezeichnung für eine gesamteuropäische Richtung des ausgehenden 19. Jh.s, die eine möglichst getreue Wiedergabe der Wirklichkeit in der Kunst anstrebte. Das Wort ist eine nlat. Bildung des 18. Jh.s nach entsprechend frz. *naturalisme;* dazu das Substantiv **Naturalist** »Vertreter des Naturalismus« (18. Jh.; nach gleichbed. frz. *naturaliste*).

Naturell »natürliche Veranlagung, natürliche Wesensart, Gemütsart, Temperament«: Das Fremdwort wurde im 17. Jh. aus gleichbed. frz. *naturel* entlehnt, dem substantivierten Adjektiv frz. *naturel* (< lat. *naturalis*) »natürlich, naturgemäß, von Natur aus vorhanden«.

Navigation »Kurs- und Standortbestimmung in der See-, Luft- und Raumfahrt«: Das seit dem 16. Jh. bezeugte Fremdwort, dessen Bedeutung bis in die neueste Zeit viel allgemeiner war, etwa »Schifffahrt, Kunst der Schiffsführung«, ist aus lat. *navigatio* »Schifffahrt« entlehnt. Zugrunde liegt das von lat. *navis* »Schiff« (urverwandt mit gleichbed. griech. *naũs*) abgeleitete Verb lat. *navigare* »zur See fahren«, aus dem unser Verb **navigieren** »Kurs- und Standortbestimmung eines Schiffes, Flugzeuges vornehmen« übernommen ist (20. Jh.). Der für die Navigation zuständige Spezialist an Bord eines Schiffes oder Flugzeuges heißt entsprechend **Navigator** (20. Jh.; nach lat. *navigator* »Schiffer, Seemann«).

Nebel: Das dt. und niederl. Wort (mhd. *nebel*, ahd. *nebul*, niederl. *nevel*) gehört mit verwandten Wörtern in anderen idg. Sprachen zu der vielgestaltigen idg. Wurzel **[e]nebh-* »Feuchtigkeit, Dunst, Dampf, Nebel, Wolke«, vgl. z. B. griech. *néphos* »Nebel, Wolke«, *nephélē* »Nebel, Wolke«, lat. *nebula* »Dunst, Nebel, Wolke«, *nimbus* »Sturm-, Regenwolke; Platzregen«. Von lat. *nebula* ist *nebulosus* »neblig« abgeleitet, auf das frz. *nébuleux* »neblig, dunstig, verschwommen, unklar« zurückgeht. Daraus entlehnt ist unser **nebulös**, auch: **nebulos**. – Abl.: **nebeln**, südd. **nibeln** (mhd. *nebelen, nibelen*, ahd. *nibulen*), beachte dazu die Bildungen **benebeln, umnebeln, vernebeln; nebelhaft** »neblig; undeutlich, verschwommen« (17. Jh.); **neb[e]lig** »voller Nebel« (15. Jh.). Siehe auch den Artikel *Imme*.

neben: Die Präposition mhd., ahd. *neben* ist gekürzt aus mhd. *eneben*, ahd. *ineben*, das sich aus der adverbiell gebrauchten Fügung **in ebanī*, **an ebanī* »auf gleiche Weise; zusammen, nebeneinander« entwickelt hat (zum Substantiv *ebanī* vgl. *eben*). In Zusammensetzungen drückt ›neben‹ gewöhnlich die Unterordnung, seltener die Gleichstellung aus, beachte z. B. einerseits **Nebenbahn, Nebenfrau, Nebensache** (17. Jh.), dazu **nebensächlich** (17. Jh.), andererseits z. B. **Nebenbuhler** (↑Buhle). – Abl.: **nebst** »zugleich mit« (17. Jh., entstanden aus ›nebenst‹, einer Weiterbildung der Präposition mit adverbiellem Genitiv-s, frühnhd. *nebens*).

necken: Das seit dem 14. Jh., zunächst ostmitteld. bezeugte Verb ist eine Intensivbildung zu dem unter ↑nagen behandelten Verb und bedeutet demnach eigentlich »kräftig nagen oder beißen«. Früher wurde ›necken‹ im Sinne von »boshaft reizen, plagen« verwendet, heute ist es im Sinne von »ein übermütiges Spiel oder harmlose Scherze mit jemandem treiben« gebräuchlich. – Abl.: **neckisch** »lustig, schelmisch, verschmitzt« (mhd., mitteld. *neckisch* »boshaft, tückisch«).

Neffe »Bruder-, Schwestersohn«: Die altgerm. Verwandtschaftsbezeichnung mhd. *neve*, ahd. *nevo*, niederl. *neef*, aengl. *nefa*, aisl. *nefi* beruht mit verwandten Wörtern in anderen idg. Sprachen auf idg. **nepōt-* »Enkel, Neffe«, vgl. z. B. aind. *nápāt* »Enkel, Nachkomme« und lat. *nepos* »Enkel[kind]; Neffe«. Das idg. Wort ist vermutlich zusammengesetzt aus der Verneinungspartikel **ne-* (vgl. *nicht*) und aus **poti-s* »Herr, Gebieter« (vgl. *potent*) und bedeutet demnach eigentlich etwa »Unmündiger«. Siehe auch den Artikel *Nichte*.

Negation, negativ ↑negieren.

Neger: Die in dt. Texten seit dem 17. Jh. bezeugte, heute meist als abwertend aufgefasste Bezeichnung für die Angehörigen der auf dem afrikanischen Kontinent beheimateten Menschenrasse, deren hauptsächliches Kennzeichen eine dunkelbraune bis schwarze Hautfarbe ist, ist aus gleichbed. frz. *nègre* entlehnt, das seinerseits auf lat. *niger* »schwarz« zurückgeht, vermittelt durch span., port. *negro* (unmittelbar aus lat. *niger* stammt hingegen frz. *noir* »schwarz«).

negieren »verneinen, bestreiten«: Das Verb wurde im 16. Jh. aus lat. *negare* »Nein sagen, verneinen, bestreiten usw.« entlehnt. – Zu lat. *negare* stellen sich die Bildungen lat. *negatio* »Verneinung, Verleugnung«, aus dem im 16. Jh. **Negation** »Verneinung; Verneinungswort« entlehnt wurde, und lat. *negativus* »verneinend«, aus dem im 18. Jh. **negativ** »verneinend, ablehnend; ergebnislos; ungünstig, schlecht« übernommen wurde. Fachsprachlich wird ›negativ‹ als Gegenwort zu ›positiv‹ verwendet, einerseits in der Physik von elektrischen Ladungen, andererseits in der Fotografie im Sinne von »in den Originalfarben verkehrt, vertauscht«. Beachte dazu auch die Substantivierung **Negativ** »Gegenbild, Kehrbild« (Ende 19. Jh.; unter dem Einfluss von oder entlehnt aus gleichbed. frz. *négatif*, engl. *negative*). Vgl. auch den Artikel *Renegat*.

Negligé: Die Bezeichnung für »Hauskleid, Morgenrock« wurde im 18. Jh. aus frz. *(habillement) négligé* entlehnt, das wörtlich etwa »vernachlässigte, lässig-intime Kleidung« bedeutet. Das zugrunde liegende frz. Verb *négliger* »außer Acht lassen, vernachlässigen« geht zurück auf gleichbed. lat. *neg-legere* (eigentlich etwa »nicht auswählen«), eine verneinende Bildung zu lat. *legere* »[auf]lesen, sammeln; auswählen« (vgl. *Legion*).

nehmen: Das gemeingerm. Verb mhd. *nemen*, ahd. *neman*, got. *niman*, aengl. *niman*, aisl. *nema* geht mit verwandten Wörtern in anderen idg. Sprachen zurück auf die idg. Wurzel **nem-* »zuteilen«, medial »sich selbst zuteilen, nehmen«, vgl. z. B. griech. *némein* »[zu]teilen; Weideland zuteilen; weiden« (↑Nomade und ↑...nom). Das Verbaladjektiv zu ›nehmen‹ ist ↑genehm. Die beiden Substantivbildungen mhd. *nāme*, ahd. *nāma* »das [gewaltsame] Nehmen, Raub« und mhd. *nunft*, ahd. *numft* »das Nehmen, das Ergreifen« sind heute nur noch in Zusammensetzungen bewahrt, beachte die zu den entsprechenden Präfixbildungen und Zusammensetzungen gehörigen ›Ab-, Auf-, Aus-, Ein-, Ent-, Nach-, Über-, Zunahme‹ und das zu ›vernehmen‹ gebildete ↑Vernunft. – Wichtige Präfixbildungen und Zusammensetzungen sind **annehmen** »in Empfang nehmen, entgegennehmen; akzeptieren, billigen; sich zu Eigen machen; vermuten, glauben, meinen« (mhd. *anenemen*, ahd. *ananeman*; die Bedeutung »vermuten« hat sich aus »die Ansicht eines anderen als wahr akzeptieren, etwas als wahr, wahrscheinlich ansehen« entwickelt), dazu **Annahme** »das Annehmen; Vermutung, Ahnung«; **benehmen** »wegnehmen, entziehen«, reflexiv (seit dem 18. Jh.) »sich betragen, sich aufführen« (mhd. *benemen*, ahd. *biniman*), dazu das adjektivisch verwendete 2. Partizip **benommen** »schwindlig, betäubt« (eigentlich »dem Bewusstsein entzogen«), der substantivierte Infinitiv **Benehmen** »Betragen« und **Benimm** ugs. für »Betragen, Verhalten« (substantivierter Imperativ ›benimm [dich]!‹), beachte auch **unbenommen** in der Verbindung ›jemandem unbenommen sein‹ »jemandem freigestellt, überlassen sein« (mhd. *unbenommen* »nicht versagt; zugestanden«); **unternehmen** »beginnen, betreiben, machen« (mhd. *undernemen*), dazu der substantivierte Infinitiv **Unternehmen** »Vorhaben; Geschäft, Betrieb« und **Unternehmer** »Geschäftsmann, Fabrikant« (nach frz. *entrepreneur*, engl. *undertaker*); **vernehmen** »gewahr werden, wahrnehmen, hören; verhören, gerichtlich befragen« (mhd. *vernemen*, ahd. *firneman*), dazu **vernehmlich** »laut, deutlich« (eigentlich »hörbar«) und **Vernehmung** »Verhör, gerichtliche Befragung«. – Siehe auch den Artikel *vornehm*.

Nehrung: Die Bezeichnung für »schmaler, lang gestreckter Landstreifen, der Strandseen vom Meer trennt« gehört zu dem unter ↑Narbe behandelten Adjektiv **narwa* »eng« und bedeutet demnach eigentlich »die Enge«. Die seit dem 16. Jh. bezeug-

N

te Form ›Nehrung‹ ist aus ›nerge‹ entstanden, beachte *kūrische Nerge* »Kurische Nehrung« (14. Jh.).

Neid: Die Herkunft des gemeingerm. Wortes für »Hass, Groll, feindselige Gesinnung« (mhd. *nīt,* ahd. *nīd,* got. *neiþ,* aengl. *nīđ,* aisl. *nīđ*) ist unklar. Die heute allein übliche Bedeutung »Missgunst« entwickelte sich schon früh aus der Bedeutung »Hass«. – Abl.: **neiden** »missgönnen« (mhd. *nīden,* ahd. *nīdōn, -en;* das einfache Verb wird heute nur noch in gehobener Sprache verwendet; allgemein gebräuchlich ist die Präfixbildung **beneiden**); **neidisch** »abgünstig« (mitteld. *nīdisch,* 13. Jh.). Zus.: **Neidhammel** »neidischer Mensch« (16. Jh.; beachte die Zusammensetzung ›Streithammel‹).

neigen: Das altgerm. Verb mhd. *neigen,* ahd. *hneigan,* niederl. *neigen,* aengl. *hnǣgan,* aisl. *hneigja* ist das Veranlassungswort zu dem im Nhd. untergegangenen starken Verb mhd. *nīgen,* ahd. *hnīgan* »sich neigen, sich beugen, sinken« usw. Eine Intensiv-Iterativ-Bildung zu diesem starken Verb ist ↑nicken. Mit dieser germ. Wortgruppe ist z. B. verwandt lat. *niti* »sich stemmen, sich stützen«, eigentlich »sich auflehnen« (↑renitent), *nictare* »nicken, zublinzeln, zwinkern«. Das adjektivisch verwendete 2. Partizip **geneigt** wird gewöhnlich im Sinne von »wohlgesinnt, gnädig; gewillt« gebraucht, beachte auch **abgeneigt** »nicht gewillt« (17. Jh.). Präfixbildung und Zusammensetzung mit ›neigen‹ sind **verneigen,** sich »sich verbeugen« (mhd. *verneigen*), dazu **Verneigung** »Verbeugung«, und **zuneigen** »einen Hang zu etwas haben, wohlgesinnt sein« (mhd. *zuoneigen*), dazu **Zuneigung** »Gewogenheit, Liebe«. – Abl.: **Neige** (mhd. *neige* »Neigung, Senkung; Tiefe«, seit dem 15. Jh. auch »letzter Inhalt eines Gefäßes, Rest«); **Neigung** (mhd. *neigunge* »Gewogenheit, Liebe; Lust; Zustimmung«).

nein: Das verneinende Antwortadverb mhd., ahd. *nein* (entsprechend niederl. *neen*) ist aus der Negationspartikel ahd. *ni* und dem Neutrum des unbestimmten Artikels ahd. *ein* (vgl. [1]*ein*) entstanden und bedeutet demnach eigentlich »nicht eins«. Die Negationspartikel ahd. *ni* steckt z. B. auch in ↑nicht und ↑nie (vgl. *un...*). Heute wird ›nein‹ auch als Ausruf des Erstaunens verwendet. – Abl.: **verneinen** »Nein sagen, abschlagen« (mhd. *verneinen*).

nekro..., Nekro...: Dem Bestimmungswort von Zusammensetzungen mit der Bedeutung »Toter, Leiche«, wie z. B. in ›Nekrolog‹, liegt griech. *nekrós* »tot, gestorben; Toter, Verstorbener, Leichnam« zugrunde.

Nektar: Der Name des den Göttern (der griechischen Sage) ewige Jugend, Unsterblichkeit spendenden Trankes wurde im 16. Jh. aus lat. *nectar* entlehnt, das seinerseits aus gleichbed. griech. *néktar* übernommen ist. Das griech. Wort ist ohne sichere Deutung.

Nelke: Die nhd. Form ›Nelke‹ hat sich über ›neilke‹ aus mnd. *negelke* entwickelt. Das mnd. Wort ist wie auch mhd. *negellīn* eine Verkleinerungsbildung zu dem unter ↑Nagel behandelten Substantiv und bedeutet also eigentlich »Nägelchen, Näg[e]lein«. Sowohl mnd. *negelken* als auch mhd. *negellīn* bezeichneten zunächst die Gewürznelke, d. h. die aus Übersee stammenden getrockneten Blütenknospen des Gewürznelkenbaums, die in ihrer Form Ähnlichkeit mit einem kleinen Nagel haben. Im 16. Jh. wurde das Wort dann auf die Gartennelke übertragen, weil die Blume einen gewürznelkenartigen Duft hat.

nennen: Das gemeingerm. Verb mhd. *nennen,* ahd. *nemnen,* got. *namnjan,* aengl. *nemnan,* schwed. *nämna* ist von dem unter ↑Name behandelten Substantiv abgeleitet und bedeutet eigentlich »mit einem Namen belegen«. Vgl. dazu z. B. das von lat. *nomen* »Name« abgeleitete Verb *nominare* »nennen« (↑nominieren). – Präfixbildungen mit ›nennen‹ sind **benennen** (mhd. *benennen*), dazu **Benennung,** und **ernennen** (mhd. *ernemnen*), dazu **Ernennung.** – Abl.: **Nenner** »Zahl unter dem Bruchstrich« (Ende des 15. Jh.s, für mlat. *denominator;* so benannt, weil die Zahl unter dem Bruchstrich den Bruch nennt).

neo..., Neo...: Das Bestimmungswort von Zusammensetzungen mit der Bedeutung »neu, erneuert, jung«, wie z. B. in ›Neokolonialismus, Neofaschismus‹, ist entlehnt aus dem griech. Adjektiv *néos* (< * *néu̯-os*) »neu, frisch, jung«, das mit dt. ↑neu urverwandt ist.

neppen »[durch ungerechtfertigt hohen Preis] übervorteilen, begaunern«: Die Herkunft des aus der Gaunersprache in die Umgangssprache gelangten Verbs ist nicht gesichert. – Abl.: **Nepp** »das Neppen, Übervorteilung«.

Nerv »Strang, der der Reizleitung zwischen Gehirn, Rückenmark und Körperorgan dient«: Das in dt. Texten seit dem 16. Jh. bezeugte Substantiv ist aus lat. *nervus* »Sehne, Flechse; Band; Muskelband« (urverwandt mit gleichbed. griech. *neũron;* vgl. *neuro..., Neuro...*) entlehnt. Es trat zuerst in der allgemeinen Bedeutung »Sehne, Flechse« auf, wie sie noch in dem abgeleiteten Adjektiv **nervig** »sehnig; voll angespannter Kraft, kraftvoll« (18. Jh.) anklingt. Der medizinische Gebrauch des Wortes zur Bezeichnung der aus Ganglienzellen bestehenden Körperfasern, die die Reizleitung zwischen Gehirn, Rückenmark und Körperorganen besorgen, entwickelte sich im 18. Jh., zuerst wohl im Engl. Seit dem 17. Jh. gilt ›Nerv‹ auch im übertragenen Sinne von »innere Kraft, Gehalt, Wesen; kritische Stelle«, beachte besonders die heute vorwiegend scherzhaft verwendete Fügung ›Nervus Rerum‹ »Hauptsache; Geld als wichtigste Lebensgrundlage« (wörtlich »Nerv der Dinge«). – Abl.: **nervlich** »die Nerven, das Nervensystem betreffend«; **nervös** »nervenschwach; reizbar, fahrig, aufgeregt« (19. Jh.; nach frz. *nerveux,* engl. *nervous;* aber schon im 17. Jh. ›nervos‹ »nervig«; Quelle ist lat. *nervosus* »sehnig, nervig«); **Nervosität** »Nervenschwäche; Reizbarkeit, Erregtheit, Unrast« (19. Jh., nach frz. *nervosité;* Quelle ist lat. *nervositas* »Stärke einer Faser, Kraft«). Eine junge Bildung des 20. Jh.s ist ugs. **nerven** »jemandem auf die Nerven gehen; nervlich strapazieren; hartnäckig bedrängen«.

Nerz, älter Nörz: Die seit dem 15. Jh. bezeugte Bezeichnung für das Wasserwiesel und dessen Fell wurde im Rahmen des Fellhandels mit den Slawen aus ukrain. *noryća* »Nerz, Nerzfell« entlehnt (vgl. russ. *norka,* sorb. *nórc* »Nerz«). Das slaw. Wort bedeutet eigentlich »Taucher«, beachte slowak. *norit‹* »untertauchen«. Im heutigen Sprachgebrauch wird ›Nerz‹ gewöhnlich im Sinne von »Pelz aus Nerzfellen« verwendet.

Nessel: Der altgerm. Pflanzenname mhd. *neȥȥel,* ahd. *neȥȥila,* niederl. *netel,* engl. *nettle,* schwed. *nässla* ist abgeleitet von einem im Dt. untergegangenen Wort für »Nessel«: ahd. *naȥȥa* »Nessel« usw. Dieses Wort ist mit den Sippen von ↑Netz und ↑nesteln verwandt und gehört zu der idg. Wortgruppe von ↑nähen. Die Nessel, aus deren Fasern in früheren Zeiten Gewebe bereitet wurden, ist also als »Gespinstpflanze« benannt. – Zus.: **Nesselsucht** (Anfang des 18. Jh.s; so benannt, weil sich bei dieser Krankheit Hautschwellungen wie nach der Berührung mit Brennnesseln bilden).

Nest: Das westgerm. Wort mhd., ahd. *nest,* niederl. *nest,* engl. *nest* beruht mit verwandten Wörtern in anderen idg. Sprachen auf idg. **nizdo-s* »Nest«, vgl. z. B. lat. *nidus* »Nest« und mir. *net* »Nest«. Das idg. Wort ist eine alte Zusammensetzung und bedeutet eigentlich »Stelle zum Nieder- oder Einsitzen«. Der erste Bestandteil ist idg. **ni-* »nieder« (vgl. *nieder*), der zweite Bestandteil gehört zu der idg. Wurzel **sed-* »sitzen« (vgl. *sitzen;* s. auch den Artikel *Ast*). – Abl.: **nisten** (s. d.).

nesteln »knüpfen, schnüren; herumfingern«: Das nur dt. und niederl. Verb (mhd. *nesteln,* ahd. *nestilen,* niederl. *nestelen*) ist eine Ableitung von einem im Dt. nur noch landsch. gebräuchlichen Wort für »Schnur, Binde, Bandschleife«: landsch. **Nestel,** mhd. *nestel,* ahd. *nestila,* niederl. *nestel.* Eng verwandt sind die Sippen von ↑Nessel und ↑Netz (vgl. *nähen*).

nett »schmuck; zierlich, niedlich; freundlich«: Das seit etwa 1500 bezeugte, vom Niederrhein her gemeinsprachlich gewordene Adjektiv ist durch Vermittlung von mniederl. *net* aus frz. *net* »sauber, rein, klar; unvermischt« entlehnt. Dies ist identisch mit it. *netto* »rein, glatt; unvermischt« (↑netto) und geht wie dies auf lat. *nitidus* »glänzend, schmuck« zurück. Stammwort ist lat. *nitere* »glänzen, blinken«.

netto: Der Ausdruck für »rein, ohne Abzug, ohne Verpackung« (im Gegensatz zu ↑brutto) wurde als Wort der Kaufmannssprache im 15. Jh. aus it. *(peso) netto* »rein, unvermischt« (vgl. *nett*) entlehnt. – Das Wort erscheint auch in Zusammensetzungen wie ›Nettogewicht, Nettopreis‹.

Netz: Das gemeingerm. Wort mhd. *netze,* ahd. *nezzi,* got. *nati,* engl. *net,* schwed. *nät* gehört im Sinne von »Geknüpftes« zu der unter ↑nähen dargestellten idg. Wortgruppe. Eng verwandt sind im germ. Sprachbereich die unter ↑nesteln und ↑Nessel behandelten Wörter und außergerm. z. B. lat. *nodus* »Knoten«, *nassa* »Fischreuse«. – Auf die Verwendung des Netzes zum Fisch- und Vogelfang beziehen sich Wendungen wie z. B. ›ins Netz gehen‹, ›ein Netz stellen‹. Seit der 2. Hälfte des 20. Jh.s wird ›Netz‹ auch im Sinne von »System von Verteilungsleitungen für die Versorgung mit Strom, Wasser, Gas u. Ä.« (vgl. z. B. von Kernkraftwerken ›ans Netz gehen‹) sowie in jüngster Zeit in der Bedeutung »Internet« verwendet. – Zus.: **Netzhaut** »innerste, lichtempfindliche Haut des Augapfels« (18. Jh.).

netzen: Das germ. Verb mhd. *netzen,* ahd. *nezzen,* mnd. *netten,* got. *natjan* ist von dem unter ↑nass behandelten Adjektiv abgeleitet und bedeutet eigentlich »nass machen«. Sowohl das einfache Verb als auch die Präfixbildung **benetzen** gehören im Sinne von »an-, befeuchten« der gehobenen Sprache an.

neu: Das gemeingerm. Adjektiv mhd. *niuwe,* ahd. *niuwi,* got. *niujis,* engl. *new,* schwed. *ny* beruht mit verwandten Wörtern in den meisten anderen idg. Sprachen auf idg. **neu̯[i̯]o-s* »neu«, vgl. z. B. griech. *néos* »neu« (↑neo..., Neo...) lat. *novus* »neu« (↑Novum, ↑Novelle und ↑Novize), *novare* »erneuern« (↑renovieren) und russ. *novyj* »neu«. Verwandt sind wahrscheinlich auch die unter ↑nun und ↑neun behandelten Wörter. – Abl.: **neuen** veraltet für »neu machen« (mhd. *niuwen,* ahd. *niuwōn*), dazu **erneuen** »neu machen« (in gehobener Sprache); **neuern** »neu einzuführen trachten« (mhd. *niuwern* »neu machen«), dazu **Neuerer** »einer, der neue Ideen oder Methoden einzuführen sucht« (18. Jh.) und die Präfixbildung **erneuern** »neu machen, renovieren; wiederholen; auswechseln« (mhd. *erniuwern*); **Neuheit** »das Neusein; Neuartiges« (spätmhd., mitteld. *nūweheit,* 14. Jh.); **Neuigkeit** »Neuheit; neue Nachricht« (mhd. *niuwecheit, niuwekeit*); **neulich** »kürzlich« (mhd. *niuwelīche,* Adverb »vor kurzem, jüngst, eben, erst«; seit dem 16. Jh. ist ›neulich‹ auch als Adjektiv gebräuchlich); **Neuling** »in einem Kreis unbekannter, auf einem Gebiet unerfahrener Mensch« (15. Jh.). Zus.: **Neubau** »noch im Bau befindliches oder eben fertig gestelltes Gebäude« (18. Jh.); **neuerdings,** Adverb »in letzter Zeit, erst vor kurzem« (18. Jh., aus älterem ›neuer Dinge‹, vgl. zur Bildung z. B. ›allerdings‹ unter *all*); **Neugier** (um 1700; in der Bedeutung »Verlangen, etwas Neues zu machen oder kennen zu lernen«), **Neugierde** (17. Jh.), **neugierig** (16. Jh.); **Neujahr** (16. Jh.); **Neuzeit** (19. Jh., zusammengerückt aus ›neue Zeit‹), dazu **neuzeitlich** (19. Jh.).

Fach- und Berufssprachen

Die Sprache der Seeleute

Mit der Ausweitung des Seehandels wurde auch die seemännische Fachsprache mit neuen Ausdrücken bereichert. Vom 15. bis zum frühen 17. Jahrhundert sind es vor allem Wörter aus den romanischen Sprachen, die ins Deutsche aufgenommen wurden. Dazu gehören *Golf* (»Meeresbucht«, italienisch *golfo*), *Kap* (»Vorgebirge«, über niederländisch *kaap* aus französisch *cap*), *Kapitän* (italienisch *capitano*), *Kompass* (italienisch *compasso*), *Kurs* (im 15. Jahrhundert im Sinne von »Fahrt auf See« beeinflusst von niederländisch *koers*, französisch *cours[e]*), *Mole* (»Hafendamm«, italienisch *molo*). Im Niederdeutschen gab es schon früh das Wort mittelniederdeutsch *vlōte* »Wasserfahrzeug, Floß«. Es wurde als *flotta* ins Italienische entlehnt, von wo es im 16. Jahrhundert zurückwanderte und unser Wort *Flotte* ergab.

Im 17. und 18. Jahrhundert wurde die Seemannssprache dann durch niederdeutsche und niederländische Fachwörter erweitert wie z. B. *Abstecher* (eigentlich »kurze Fahrt mit dem Beiboot«, zu seemannssprachlich *abstechen* [niederländisch *afsteken*] »mit dem Bootshaken abstoßen«), *bugsieren* (im 17. Jahrhundert *buxiren, büksieren,* aus niederländisch *boegseeren*), *Deck* (niederdeutsch, niederländisch *deck*), *Heck* (mittelniederdeutsch *heck* »Umzäunung«; der Platz des Steuermanns auf dem hinteren Oberteil des Schiffs war früher mit einem Gitter umgeben, um ihn gegen über das Schiff gehende Sturzseen zu schützen), *kentern* (niederdeutsch *kanteren, kentern* »auf die andere Seite legen«, zu mittelniederdeutsch *kant[e]* »Ecke«), *Kogge* (»Hanseschiff«, eigentlich »kugelförmiges Schiff«), *leck* (niederdeutsch *leck,* eigentlich »tröpfelnd, sickernd«), *Lotse* (gekürzt aus *Lootsmann,* aus älter englisch *lodesman, loadsman,* zu älter englisch *lode, loade* »[Wasser]weg«), *Matrose* (niederländisch *matroos,* aus französisch *matelot,* eigentlich »jemand, mit dem man in der gleichen Hängematte auf dem Schiff schläft«), *Steuerbord* (»rechte Schiffsseite«, hier war ursprünglich das Steuerruder angebracht) und das etwas jüngere *Backbord* (»linke Schiffsseite«, zu niederdeutsch *back* »Rücken«; in der alten Schifffahrt hatte der Mann am Steuerruder an der rechten hinteren Schiffsseite diese Seite im Rücken).

Die Sprache der Bergleute

Auch andere Berufssprachen bildeten im 15. und 16. Jahrhundert verstärkt ihren Fachwortschatz aus. Viele dieser Fachwörter wurden bald allgemeinsprachlich und werden noch heute verwendet.

Dies gilt z. B. für viele Ausdrücke der Bergmannssprache, die wir heute sowohl als Fachwörter als auch als Wörter der Alltagssprache wieder finden können. Bereits im 13. Jahrhundert wurden in der Berufssprache der Bergleute zahlreiche Wörter, die allgemein üblich waren, als Fachbegriffe mit spezieller, eingeschränkter Bedeutung verwendet, so z. B. *Zeche* (»Bergwerk«, eigentlich die an einem solchen Bergwerk beteiligte bergmännische Genossenschaft), *Schacht* (mittel- und niederdeutsche Form von *Schaft*, mittelhochdeutsch *schaft* »abgeschnittener Ast, Stab«; der senkrecht nach unten führende Bergwerkseingang ist wahrscheinlich nach der beim Bau benutzten Messstange benannt worden), *Stollen* (eigentlich wohl »mit Pfosten abgestützter Gang«, mittelhochdeutsch *stolle* »Pfosten, Stütze«).

Im 15. und 16. Jahrhundert kommen als neue Wörter oder als Wörter mit neuer Bedeutung hinzu *Ausbeute, fördern* (mittelhochdeutsch *vürdern* »nach vorn bringen«), *Fundgrube* (ursprünglich »Fundstelle«), *fündig* (mittelhochdeutsch *vündec* »erfinderisch«), *Gewerkschaft* (ursprünglich »Bergarbeitergenossenschaft«), *Halde* (»Aufschüttung von taubem Gestein«, heute: »Vorratsberg«; mittelhochdeutsch *halde* »Abhang«), *schürfen* (im 16. Jahrhundert *schürffen, schorfen;* mittelhochdeutsch *schürpfen* »aufschneiden; schlagen«), *Stichprobe* (»beim Anstich des Hochofens entnommene Probe«). Das Verb *bestechen* (mittelhochdeutsch *bestechen*) bedeutete zuerst fachsprachlich »durch Hineinstechen prüfend untersuchen«, dann wurde es allgemein übertragen im Sinne von »mit Geschenken vorfühlen, ob jemand zu beeinflussen ist« gebraucht. Schon um 1300 bedeutete das Wort *Schicht* in der Bergmannssprache »waagerechte Gesteinslage« und zugleich auch »nach Stunden eingeteilte Arbeitszeit« (im Sinne von »Zeit, die zum Abbau einer Gesteinslage benötigt wird«).

Buchdruck und Druckersprache

Um 1450 erfand Johannes Gutenberg den Buchdruck. Er goss einzelne Buchstaben aus Metall und stellte sie zu Wörtern, Sätzen, ganzen Seiten zusammen. Die so zusammengestellte Buchseite wurde dann mit schwarzer Farbe eingefärbt und mithilfe einer Handpresse auf Papier abgedruckt. Jetzt konnte ein handgeschriebener Text schnell gedruckt und verarbeitet werden. In den Druckereien hergestellte Flugblätter und Bücher wurden bald zu wichtigen Informationsquellen. Das Buchdruckerhandwerk gewann so schnell an Bedeutung. Seine Fachsprache hat Begriffe geprägt, die heute noch gebraucht werden und vielfach auch allgemeinsprachlich geworden sind.

Ein zentrales Wort der Druckersprache ist das Verb *drucken,* die süddeutsche Form von *drücken.* Das Abdrücken von gegossenen Druckbuchstaben auf Papier war im Gegensatz zum handgeschriebenen Buch das wesentliche Kennzeichen des neuen Verfahrens. Zum Verb wurden gebildet *Druck* (»Druckvorgang; Gedrucktes«), *Drucker* und *Druckerei.* Derjenige, der die Druckbuchstaben zusammensetzte, wurde im Druckgewerbe *Setzer* genannt. Die Probeseiten eines Druckes mussten auf Druckfehler überprüft werden, denn nur wenn alles *korrekt* (lateinisch *correctus* »berichtigt«) war, durfte im großen Umfang gedruckt werden. Diese Überprüfung nahm ein *Korrektor* (lateinisch *corrector* »Berichtiger«) vor, der dort, wo es erforderlich war, die notwendige *Korrektur* (lateinisch *correctura* »Berichtigung«) ausführte. Alle diese Wörter gehen zurück auf lateinisch *corrigere* (2. Partizip: *correctum*) »verbessern, berichtigen«, aus dem bereits im 14. Jahrhundert unser Verb *korrigieren* entlehnt worden ist.

Weitere Fachwörter aus diesem Bereich sind *Autor* (frühneuhochdeutsch *auctor,* lateinisch *auctor* »Urheber«), *Exemplar* (»einzelner Abdruck eines Buches, aus lateinisch *exemplar* »Abbild, Muster«), *Format* (»genormte Größe eines Papierbogens«, aus lateinisch *formatum* »Geformtes, Genormtes«), *Kolumne* (»Druckspalte«, aus lateinisch *columna* »Säule«), *Verlag* (ursprünglich »vorgelegtes Geld für die Druckkosten eines Buches«, zu veraltet *verlegen* = Geld vorlegen, dazu auch *Verleger*).

neumodisch ↑Mode.

neun: Das gemeingerm. Zahlwort mhd., ahd. *niun,* got. *niun,* engl. *nine,* schwed. *nio* beruht mit Entsprechungen in den meisten anderen idg. Sprachen auf idg. **[e]neu̯en-* »neun«, vgl. z. B. aind. *náva* »neun«, lat. *novem* »neun« und griech. *ennéa* »neun«. Das idg. Zahlwort gehört vielleicht zu dem unter ↑neu behandelten idg. Adjektiv. Die Neun wäre dann als »neue Zahl« (in der dritten Viererreihe) benannt worden, vgl. den Artikel *acht.* – Abl.: **neunte** Ordnungszahl (mhd. *niunte,* ahd. *niunto;* entsprechend got. *niunda,* engl. *ninth,* schwed. *nionde*). Zus.: **neunzehn** (mhd. *niunzehen,* ahd. *niunzehan*); **neunzig** (mhd. *niunzec,* ahd. *niunzug;* vgl. *...zig*); **Neunauge** Fischname (mhd. *niunouge,* ahd. *niunouga;* so benannt, weil man fälschlicherweise die sieben Kiemenlöcher des Fisches auch für Augen hielt); **Neuntöter** Vogelname (16. Jh.; so benannt, weil der Vogel nach dem Volksglauben neun Tiere tötet, bevor er eins verzehrt, oder weil er jeden Tag neun andere Vögel tötet).

neun

[ach,] du grüne Neune!
Ausruf der Überraschung, des Erschreckens
Dieser Ausdruck geht möglicherweise auf das Tanzlokal ›Conventgarten‹ zurück, das im 19. Jh. in Berlin, Blumenstraße 9, Haupteingang ›Am Grünen Weg‹, existierte und im Volksmund ›die grüne Neune‹ hieß. Da das Tanzlokal rasch an Niveau einbüßte, lässt sich ›ach, du grüne Neune‹ im Sinne von »um Himmels willen« verstehen.

neuro..., Neuro..., (vor Vokalen:) neur..., Neur...: Quelle für das Bestimmungswort gelehrter Zusammensetzungen aus dem Bereich der Naturwissenschaften und der Medizin mit der Bedeutung »Nerv; Nervengewebe, -system«, wie z. B. in ›Neuralgie‹, ist das griech. Substantiv *neũron* »Sehne, Flechse, Band; Nerv«, das urverwandt ist mit entsprechend lat. *nervus* (vgl. *Nerv*). – Beachte noch den Artikel *Neurose.*

Neurose: Die Bezeichnung für eine psychische Störung ist eine gelehrte Neubildung des 19. Jh.s zu griech. *neũron* »Sehne; Nerv« (vgl. *neuro..., Neuro...*). – Dazu stellen sich das Adjektiv **neurotisch** »im Zusammenhang mit einer Neurose stehend, durch diese bedingt« (20. Jh.) und das Substantiv **Neurotiker** »an einer Neurose Leidender« (20. Jh.).

neutral: Quelle dieses Fremdwortes ist das lat. Adjektiv *neutralis,* das von lat. *neuter* »keiner von beiden« (vgl. *Neutrum*) abgeleitet ist. Es wurde als grammatischer Terminus mit der Bedeutung »sächlich« (= »weder männlichen noch weiblichen Geschlechts«) verwendet und in diesem Sinne von den deutschen Grammatikern übernommen. Im Mlat. entwickelte lat. *neutralis* die Bedeutung »keiner Partei angehörend«, und daraus wurde im 16. Jh. – wohl unter dem Einfluss von frz. *neutre* – unser Adjektiv ›neutral‹ »keiner [Krieg führenden] Partei angehörend« übernommen, das dann auch allgemeinsprachlich im Sinne von »nichts Besonderes aufweisend, zu allem passend«, fachsprachlich im Sinne von »weder basisch noch sauer« (Chemie) und »weder positiv noch negativ, nicht elektrisch geladen« (Physik) verwendet wurde. Beachte dazu **Neutron** »Elementarteilchen ohne elektrische Ladung als Baustein des Atomkerns«, das aus gleichbed. engl. *neutron* entlehnt ist, einer Bildung des britischen Physikers E. Rutherford (1871–1937) in Analogie zu engl. *electron* (vgl. *Elektron* [↑*elektrisch*]). – Abl.: **Neutralität** »neutrales Verhalten; Nichtbeteiligung; Parteilosigkeit« (15. Jh.; wohl unter Einfluss von frz. *neutralité* aus mlat. *neutralitas*); **neutralisieren** »ausgleichen, aufheben; außer Wirkung setzen« (18. Jh.; aus gleichbed. frz. *neutraliser*).

Neutrum »sächliches Geschlecht; sächliches Substantiv«: Der grammatische Ausdruck wurde im 18. Jh. aus gleichbed. lat. *neutrum (genus)* entlehnt. Dies ist die substantivierte sächliche Form von lat. *neuter* (< *ne-uter*) »nicht einer von beiden, keiner von beiden« und bedeutet demnach eigentlich »keines von beiden Geschlechtern (weder das männliche noch das weibliche)«. – Siehe auch den Artikel *neutral.*

Neuzeit, neuzeitlich ↑neu.

nicht: Das heute als Adverb verwendete Wort (mhd. *niht,* ahd. *niwiht*) ist aus ahd. *ni [eo] wiht* »nicht [irgend]etwas« entstanden. Die Negativpartikel ahd. *ni* steckt z. B. auch in ↑nein und ↑nie (vgl. *un...*); über ahd. *eo, io* »immer, irgend[einmal]« s. den Artikel *je;* über ahd. *wiht* »etwas« s. den Artikel *Wicht.* – In ahd. und auch in mhd. Zeit wurde ›nicht‹ als Indefinitpronomen und als Substantiv verwendet. Dieser Wortgebrauch war noch bis ins 16. Jh. hinein üblich, beachte dazu die bewahrten Kasusformen in ›mitnichten‹, ›zunichte machen‹ usw. Seit dem 14. Jh. setzte sich als Substantivpronomen für mhd. *niht* allmählich mhd. *niht[e]s* durch (↑nichts). – Abl.: **nichtig** »unbedeutend, wertlos« (16. Jh.), dazu **Nichtigkeit** (15. Jh.).

Nichte »Bruder-, Schwestertochter«: Das seit dem 17. Jh. gebräuchliche Wort stammt aus dem Niederd. Mnd. *nichte* (mit niederd.-niederl. *-cht* für hochd. *-ft,* vgl. *Gracht*) ist verwandt mit gleichbed. ahd. *nift,* niederl. *nicht,* aengl. *nift,* aisl. *nipt.* Diese altgerm. Verwandtschaftsbezeichnung beruht mit verwandten Wörtern in anderen idg. Sprachen auf idg. **neptī-* »Enkelin, Nichte«, vgl. z. B. lat. *neptis* »Enkelin, Nichte« und air. *necht* »Nichte«. Das idg. Wort ist die weibliche Form zu idg. **nepōt-* »Enkel, Neffe« (vgl. *Neffe*).

nichts: Das Indefinitpronomen (mhd. *niht[e]s*) ist eigentlich der Genitiv Singular von dem unter ↑nicht behandelten Wort. Es entstand aus der im

N

Mhd. üblichen Verstärkung *nihtes niht* »nichts von nichts« unter Weglassung des zweiten *niht*. – Die Substantivierung das **Nichts** ist seit dem 16. Jh. bezeugt. Eine ugs. scherzhafte Mischbildung ist **nichtsdestotrotz,** und zwar aus ›nichtsdestoweniger‹ (zusammengezogen aus ›nichts desto weniger‹) und ›trotzdem‹.

Nickel: Der seit der 2. Hälfte des 18. Jh.s bezeugte Metallname ist entlehnt aus schwed. *nickel,* einer Kürzung aus schwed. *kopparnickel* »Rotnickelkies« (nach dt. *Kupfernickel*). Das Metall wurde 1751 von dem schwed. Mineralogen v. Cronstedt entdeckt und so benannt, weil die Erzart Kupfernickel – schwed. *kopparnickel* – den höchsten Gehalt des neuen Metalls aufwies. – Die seit der 1. Hälfte des 18. Jh.s bezeugte dt. Bezeichnung ›Kupfernickel‹ bedeutet eigentlich »Kupferkobold«. Da die Bergleute aus der kupferfarbenen Erzart vergeblich Kupfer zu gewinnen suchten, schrieben sie die Schuld einem Kobold zu (vgl. die Artikel *Kobalt* und *Quarz*). Das Grundwort ist das heute nicht mehr gebräuchliche ›Nickel‹ »Kobold, eigensinniger, kleiner Mensch«, das eine Kurz- oder Koseform des Männernamens Nikolaus ist.

nicken: Das Verb mhd. *nicken,* ahd. *nicchen* ist eine Intensiv-Iterativ-Bildung zu dem unter ↑neigen behandelten Verb und bedeutet demnach eigentlich »heftig oder wiederholt neigen«. Das ugs. *nicken* »ein Schläfchen machen« – dazu **Nicker[chen]** ugs. für »Schläfchen« – geht zurück auf mhd. *nücken* »nicken; stutzen; leicht schlummern«.

N

nie: Das Adverb mhd. *nie,* ahd. *nio* ist zusammengesetzt aus der Negationspartikel ahd. *ni* (vgl. *un...*) und ahd. *io, eo* »immer, irgendeinmal« (vgl. *je*). – Zus.: **niemals** (16. Jh.; mit pleonastischem ›...mals‹ wie auch ›jemals‹, vgl. [1]*Mal*); **niemand** (mhd. *nieman,* ahd. *nioman,* vgl. den Artikel *jemand*); **nimmer** (mhd. *nimmer,* älter *niemĕr,* ahd. *niomēr* »nie mehr, nie fortan«, vgl. *mehr*).

nieder: Das altgerm. Wort (Präposition und Adverb) mhd. *nider,* ahd. *nidar,* niederl. *neder,* aengl. *niđer,* schwed. *neder* beruht mit aind. *nitarā́m* »niederwärts, nach unten« auf einer alten Komparativbildung zu idg. **ni-* »nieder«, vgl. z. B. aind. *ní* »hinab, nieder« und russ. *niz-* »herab-« (s. auch den Artikel *Nest*). – Abl.: **Niederung** »tief gelegenes Land, Ebene« (in der heute üblichen Bedeutung 18. Jh.; mhd. *niderunge,* ahd. *nidarunga* »Erniedrigung«, zu dem heute veralteten Verb *niedern,* mhd. *nider[e]n,* ahd. *nidarren* »niedrig machen«); **niedrig** (16. Jh.), dazu **erniedrigen** »herabsetzen, demütigen«. Zus.: **Niedertracht** »schäbige Gesinnung, Gemeinheit« (Anfang des 19. Jh.s; Rückbildung aus dem Adjektiv ›niederträchtig‹); **niederträchtig** »gemein; schäbig« (mhd. *nidertrehtic* »gering geschätzt, verächtlich«; zum zweiten Bestandteil vgl. *tragen*).

niederkommen, Niederkunft ↑kommen.

Niederlage ↑legen.

niederlassen, Niederlassung ↑lassen.

niederlegen ↑legen.

niedermetzeln ↑metzeln.

niederstrecken ↑strecken.

niedlich: Das seit dem 16. Jh. gebräuchliche Adjektiv stammt aus dem Niederd. In den älteren Sprachzuständen ist nur das Adverb bezeugt, vgl. asächs. *niudlīko* »mit Verlangen, eifrig« (entsprechend mhd. *nietlīche* »mit Verlangen, eifrig, fleißig«), das zu einem im Dt. untergegangenen Substantiv mit der Bedeutung »Verlangen, Begierde, Eifer« gehört: asächs. *niud,* ahd. *niot,* mhd. *niet,* aengl. *nēod* »Verlangen, Begierde, Eifer«. – Das Adjektiv, das demnach eigentlich »Verlangen, Eifer erweckend« bedeutet, wurde zunächst im Sinne von »appetitlich, lecker«, seit dem 18. Jh. dann im Sinne von »zierlich, klein« verwendet.

niedrig ↑nieder.

niemals ↑[1]Mal, ↑nie.

niemand ↑nie.

Niere: Die altgerm. Benennung des Ausscheidungsorgans mhd. *nier[e],* ahd. *nioro,* niederl. *nier,* mengl. *nēre,* schwed. *njure* beruht mit verwandten Wörtern in anderen idg. Sprachen auf idg. **neg*ᵘ*h-ró-s* »Niere; Hode«, vgl. z. B. griech. *nephrós* »Niere« (beachte dazu medizinisch fachsprachlich *Nephritis* »Nierenentzündung«, *Nephrose* »Nierenerkrankung«). Welche Vorstellung der Benennung der Niere zugrunde liegt, ist unklar. Auch in ahd. Zeit wurde das Wort noch in den beiden Bedeutungen »Niere« und »Hode« verwendet.

Niere

jmdm. an die Nieren gehen
(ugs.) »jmdn. sehr bewegen, aufregen, angreifen«
Die Nieren galten früher (ähnlich wie die Leber) als Sitz der Gemütsbewegungen, auch allgemein als Sitz der Lebenskraft. Hierauf bezieht sich die vorliegende Wendung.

niesen: Das altgerm. Verb mhd. *niesen,* ahd. *niosan,* niederl. *niezen,* aisl. *hnjōsa,* schwed. *nysa* ist lautnachahmenden Ursprungs. Auf ähnlichen Nachahmungen des Nieslautes und Schnaubgeräusches beruhen die unter ↑schnauben behandelten Wörter.

Nießbrauch, Nießnutz ↑genießen.

[1]**Niete,** (fachsprachlich:) **Niet:** Der technische Ausdruck für »Metallbolzen zum Verbinden von metallenen Werkstücken« geht zurück auf mhd. *niet[e]* »breit geschlagener Nagel, Nietnagel«, das zu dem starken Verb ahd. *pi-hniutan* »befestigen« (entsprechend aisl. *hnjōđa* »schlagen, klopfen«) gehört. Mhd. *niet[e]* entsprechen mnd. *nēt* und älter niederl. *neet.* – Abl.: **nieten** »metallene Werkstücke durch Metallbolzen verbinden« (mhd. *nieten* »den Nagel umschlagen oder breit schlagen, mit Nietnägeln befestigen«).

Niete »Los, das nicht gewonnen hat«: Das seit dem 18. Jh. bezeugte Wort wurde mit der Übernahme des holländischen Lotteriewesens aus niederl. *niet* »Niete« entlehnt (vgl. den Artikel *Lotterie*). Das niederl. Wort bedeutet eigentlich »Nichts« und ist substantiviertes *niet* »nicht«, das die niederl. Entsprechung von hochd. ↑nicht ist. Übertragen wird ›Niete‹ im Sinne von »Reinfall; Versager« verwendet.

Nihilismus: Die seit 1799 bezeugte Bezeichnung für die geistige Grundhaltung einer bedingungslosen Verneinung bestehender Lehr- und Glaubenssätze, allgemein gültiger Werte und Anschauungen ist eine nlat. Bildung zu lat. *nihil* »nichts«. – Dazu auch: **Nihilist** »Vertreter des Nihilismus« (18./19. Jh.) und **nihilistisch** »im Sinne des Nihilismus; verneinend; zerstörerisch«.

Nikotin: Die Bezeichnung für den in der Tabakpflanze enthaltenen giftigen Wirkstoff wurde im 19. Jh. aus frz. *nicotine* entlehnt. Dies ist eine Bildung zu älter frz. *nicotiane* »Tabakpflanze« (nlat. *herba Nicotiana*), benannt zu Ehren des französischen Diplomaten Jean Nicot (1530–1600), der im 16. Jh. als französischer Gesandter in Lissabon Tabaksamen an Katharina von Medici sandte und als erster Tabakpflanzen nach Frankreich brachte.

nimmer ↑nie.

Nippel »kurzes Rohrstück mit Gewinde«, ugs. auch »kurzes ab- oder vorstehendes [Anschluss]stück«: Das erst seit dem Anfang des 20. Jh.s gebräuchliche Substantiv ist wahrscheinlich aus engl. *nipple* »Schmiernippel; Brustwarze« entlehnt. Dies geht auf älter engl. *neble* zurück, eine Bildung zu *neb, nib* »Schnabel«.

nippen »mit ganz kurzer Öffnung der Lippen trinken, kosten«: Das seit dem 17. Jh. gebräuchliche Verb stammt aus dem Mitteld.-Niederd. In oberd. Mundarten entspricht gleichbed. *nipfen*. Niederd.-niederl. *nippen* ist wahrscheinlich eine Intensivbildung zu mnd. *nipen* »kneifen«, niederl. *nijpen* »kneifen, klemmen, drücken« und bezieht sich demnach auf das Zusammenpressen der Lippen am Gefäßrand.

Nippes: Der Ausdruck für »kleine Zierfiguren und dgl. [aus Porzellan]« wurde im 18. Jh. aus frz. *nippes* »modisches Zubehör; elegante Damenwäsche« entlehnt. Die weitere Herkunft des Wortes ist nicht gesichert.

nirgend ↑irgend.

Nische »Mauervertiefung«: Das seit dem Ende des 17. Jh.s belegte Substantiv ist aus gleichbed. frz. *niche* entlehnt. Dies ist postverbales Substantiv von afrz. *nichier* (= frz. *nicher*) »ein Nest bauen; hausen«, dem ein gleichbed. vlat. **nidicare* vorausliegt. Stammwort ist lat. *nidus* »Nest« (< **nizdos*), das in der Bildung dem urverwandten dt. ↑Nest entspricht.

Niss, Nisse »Lausei«: Das westgerm. Wort mhd. *niz[ze]*, ahd. *[h]niz*, niederl. *neet*, engl. *nit* ist z. B. verwandt mit griech. *konís* »Ei von Läusen, Flöhen und Wanzen« und weiterhin mit einer Reihe anders lautender Wörter, vgl. z. B. die nord. Sippe von schwed. *gnet* »Lausei«, russ. *gnida* »Lausei« und mir. *sned* »Lausei«. Alle diese Formen beruhen wahrscheinlich auf einem alten idg. Wort für »Lausei«, das schon früh tabuistisch und euphemistisch entstellt wurde oder aber einzelsprachlich an Verben mit der Bedeutung »kratzen, nagen, beißen« volksetymologisch angeschlossen wurde.

nisten »ein Nest bauen, ein Nest bewohnen«: Das westgerm. Verb mhd., ahd. *nisten*, aengl. *nistan* ist von dem unter ↑Nest behandelten Substantiv abgeleitet.

Nitrat, Nitrit, Nitrogenium, Nitroglyzerin ↑Natron.

Niveau »waagrechte Fläche, Höhenlage«, vor allem auch übertragen gebraucht im Sinne von »[Bildungs]stufe, Rang«: Das aus frz. *niveau* »Grundwaage, Wasserwaage; waagrechte Fläche; [Bildungs]stufe« entlehnte Fremdwort erscheint zuerst im 17. Jh. als bautechnischer Terminus mit der Bedeutung »Wasserwaage«. Die Verwendung in übertragener Bedeutung ist seit dem 18. Jh. bezeugt. – Frz. *niveau* (afrz. *nivel* < *livel*) geht auf vlat. **libellus* zurück, das für klass.-lat. *libella* »kleine Waage, Wasserwaage; waagrechte Fläche« steht. Über weitere Zusammenhänge vgl. den Artikel *Lira*. – Dazu: **nivellieren** »gleichmachen, einebnen; Unterschiede ausgleichen« (18. Jh.; aus frz. *niveler*).

Nix »Wassergeist«: Das altgerm. Wort mhd. *nickes*, ahd. *nicchus*, niederl. *nikker*, aengl. *nicor*, schwed. *näck* beruht auf einer Partizipialbildung zu der idg. Verbalwurzel **neiu̯* »waschen, baden«, vgl. z. B. griech. *nízein* »waschen« und air. *nigrid* »wäscht«. Das Wort, das in den älteren germ. Sprachzuständen auch im Sinne von »Wasserungeheuer, Flusspferd, Krokodil« verwendet wurde, bezeichnete demnach ursprünglich ein badendes oder im Wasser plätscherndes Wesen. – Statt ›Nix‹ ist heute im Allgemeinen die Femininbildung **Nixe** »Wasserelfe, Seejungfrau« (mhd. *nickese*, ahd. *nicchessa*) gebräuchlich.

nobel »edel, vornehm«, daneben ugs. im Sinne von »freigebig, großzügig«: Das Adjektiv wurde im 17. Jh. aus gleichbed. frz. *noble* entlehnt, das auf lat. *nobilis* »kenntlich, bekannt; vornehm, edel; adlig« zurückgeht. Stammwort ist das lat. Verb *noscere (gnoscere)* »erkennen, anerkennen«, das zu der unter ↑können dargestellten idg. Wortsippe gehört. – Ableitungen oder Zusammensetzungen von lat. *noscere* erscheinen in den Fremdwörtern ↑ignorieren, ↑inkognito und ↑Notiz. Zu lat. *noscere* gehört wohl auch lat. *nota* »Kennzeichen, Merkzeichen« mit den Ableitungen lat. *notare* »kennzeichnen; anmerken« und lat. *notarius* »[Schnell]schreiber; Sekretär« (vgl. die Artikel *Note, notieren* und *Notar*). Allerdings sind die Beziehungen wegen der verschiedenen Quantität des Stammvokals -ŏ- in *noscere* und *nŏta* nicht gesichert.

noch ↑nun.

Nocken »verschiedengestaltiger Vorsprung an einer Welle oder Scheibe«: Die Herkunft des seit der 1. Hälfte des 20. Jh.s bezeugten technischen Ausdrucks ist nicht sicher geklärt. Vielleicht gehört ›Nocken‹ zu der germ. Wortgruppe des aus dem Niederd. übernommenen Seemannsausdrucks **Nock** »Ende einer Rahe, Spitze eines Rundholzes« (vgl. niederl. *nok* »Nock; Spitze; Gipfel; First«, schwed. *nock[e]* »Nock; Halm; First«, *nocka* »Zapfen, Holznagel; Steven«). Zu dieser Wortgruppe gehört wohl auch oberd. mdal. [2]**Nock** »Felskopf; Hügel« und **Nocke[n]** »Kloß, Knödel«, beachte dazu die Verkleinerungsbildung **Nockerl** österr. für »[Suppen]einlage, Klößchen«.

...nom: Zu dem Grundwort von Zusammensetzungen mit der Bedeutung »Sachkundiger; Walter, Verwalter«, wie z. B. in ›Astronom‹, stellt sich auch **...nomie** als Grundwort zusammengesetzter weiblicher Substantive mit der Bedeutung »Sachkunde; Verwaltung« wie in ›Astronomie‹ und ›Ökonomie‹. Quelle ist griech. *-nómos* »verwaltend; Verwalter« bzw. das hinzugebildete griech. *-nomía* »Sachkunde; Verwaltung«. Beide treten nur als Hinterglieder in Zusammensetzungen auf und gehören zum griech. Verb *némein* »teilen, zuteilen; Weideland zuweisen, weiden; bebauen; verwalten« (vgl. *Nomade*).

Nomade »Angehöriger eines Hirten-, Wandervolks«, auch scherzhaft übertragen gebraucht für »wenig sesshafter, ruheloser Mensch«: Das Substantiv wurde im 16. Jh. aus griech.(-lat.) *nomás (nomádos)* entlehnt, das eigentlich ein Adjektiv ist und »Viehherden weidend und mit ihnen umherziehend« bedeutet. Es ist eine Bildung zu griech. *nomé* bzw. *nomós* »Weideland«. Stammwort ist griech. *némein* »teilen, zuteilen; Weideland zuweisen; weiden, weiden lassen; bebauen; verwalten«, das sich zu der unter ↑nehmen dargestellten idg. Wortsippe stellt. – Beachte auch den Artikel *...nom*.

Nomen »Substantiv; deklinierbares Wort, das weder Pronomen noch Artikel ist (Substantiv und Adjektiv)«: Der grammatische Terminus ist aus lat. *nomen* »Name, Benennung; Nomen«, das urverwandt mit dt. ↑Name ist, entlehnt. – Zu lat. *nomen* als Stammwort gehören ↑Nominativ, ↑nominell (nominal) und ↑nominieren, ferner ↑Pronomen und ↑Renommee.

Nominativ: Der grammatische Terminus für »1. Fall, Werfall« (Grammatik) ist eine gelehrte Entlehnung des 16. Jh.s aus lat. *(casus) nominativus* »Nennfall, Nominativ«. Dies gehört zu lat. *nominare* »[be]nennen«; vgl. *nominieren*.

nominell »den Nennwert betreffend; [nur] dem Namen nach [vorhanden], vorgeblich«: Das Adjektiv wurde – in der Form ›nominal‹ – im 18. Jh. aus frz. *nominal* (< lat. *nominalis*) »zum Namen gehörig, namentlich« entlehnt. Im 19. Jh. wurde es in der Endung nach dem Vorbild von Adjektiven wie ›reell‹ und ›speziell‹ umgebildet. Die Form ›nominal‹ ist heute in grammatischer und wirtschaftlicher Fachsprache gebräuchlich, beachte auch Zusammensetzungen wie ›Nominalsatz, Nominalstil‹ und ›Nominalwert‹. – Über das Stammwort lat. *nomen* »Name; Benennung« vgl. den Artikel *Nomen*.

nominieren »benennen; ernennen, namentlich vorschlagen«: Das Verb wurde im 18./19. Jh. aus gleichbed. lat. *nominare* entlehnt. Dies ist eine Ableitung von lat. *nomen* »Name; Benennung« (vgl. den Artikel *Nomen*).

Nonne: Die Bezeichnung für die Angehörige eines weiblichen Klosterordens, mhd. *nunne, nonne,* ahd. *nunna* (vgl. z. B. entsprechend gleichbed. engl. *nun* und schwed. *nunna*), ist aus gleichbed. kirchenlat. *nonna* »Nonne« entlehnt. Das Wort ist bereits in spätlat. Inschriften mit der Bedeutung »Amme, Kinderwärterin« bezeugt. Es entstammt der kindlichen Lallsprache. Der Bedeutungsübergang des Wortes von »Amme« zu »Nonne« in der Kirchensprache führt wohl über eine vermittelnde Bedeutung wie etwa »Mütterchen, ehrwürdige Mutter«.

Nonsens »Unsinn, törichtes Gerede«: Das Fremdwort wurde bereits im 18. Jh. in literarischer Sprache aus gleichbed. engl. *nonsense* (aus engl. *non-* »nicht-« und *sense* »Sinn, Verstand«) entlehnt.

Noppe: Das altgerm. Wort für »Knötchen im Gewebe, Wollflocke« (spätmhd.-mnd. *noppe,* niederl. *nop,* aengl. *[wull]hnoppa,* schwed. *noppa*) gehört wahrscheinlich zu der germ. Wortgruppe von got. *dis-hniupan* »zerreißen«, vgl. mhd. *noppen* »stoßen«, aengl. *hnoppian* »reißen, pflücken«, schwed. *nypa* »kneifen, zwicken«. Das abgeleitete Verb **noppen** (spätmhd. *noppen*), das früher »ein Gewebe von Noppen reinigen« bedeutete, wird heute gewöhnlich im Sinne von »ein Gewebe mit Noppen versehen« verwendet.

Nord: Der altgerm. Name der Himmelsrichtung mhd. *nort,* ahd. *nord,* engl. *north,* schwed. *norr* ist mit griech. *nérteros* »unterer; tieferer« und umbr. *nertru* »links« verwandt und beruht mit diesen auf einer Komparativbildung zu der idg. Wurzel **ner-* »unten«. Das altgerm. Wort, das ein substantivisch gebrauchtes Richtungsadverb ist, bedeutete demnach eigentlich »hinunter, weiter nach unten« und bezeichnete die untere Krümmung der scheinbaren Sonnenbahn, beachte die Wendungen ›die Sonne geht unter‹, ›die Sonne sinkt tiefer‹ (vgl. den Artikel *Süd*). Statt ›Nord‹, das nur noch vereinzelt und dann gewöhnlich im Sinne von »Nordwind« verwendet wird, ist heute **Norden** (mhd. *norden,* ahd. *nordan*) gebräuchlich. Auch ›Norden‹ ist ein substantiviertes Richtungsadverb, vgl. mhd. *norden,* ahd. *nordana,* aengl. *norđan,* schwed. *nordan* »von, im Norden«. – Abl.: **nordisch** »den Norden betreffend« (16. Jh., in der Bedeutung »nördlich«); **nördlich** (18. Jh., für älteres *nord[en]lich*). Zus.: **Nordlicht** »Polarlicht« (18. Jh.; Lehnübersetzung von dän.-norw. *nordlys*); ugs. scherzhaft auch »aus Norddeutschland stammende Persönlichkeit« (aus süddeutscher, besonders bayrischer Sicht). **Nordpol** (17. Jh.); **Nordsee** (17. Jh., für älteres *Nordersee*, mhd. *nordermer;* benannt aus niederländischer Sicht als Gegensatz zur Zuiderzee »Südsee«).

nörgeln »etwas auszusetzen haben, mäkeln«: Das seit dem 17. Jh. bezeugte Verb ist lautmalenden Ursprungs und ist mit der unter ↑schnarren dargestellten Gruppe von Lautnachahmungen [elementar]verwandt. Die heute übliche Bedeutung hat sich aus »murren, brummen« entwickelt. – Abl.: **Nörgler** (18. Jh.).

Norm »Richtschnur, Regel, Maßstab; [Leistungs]soll; sittliches Gebot oder Verbot als Grundlage der Rechtsordnung; Größenanweisung (für die Technik)«: Das Substantiv wurde in mhd. Zeit (mhd. *norme*) aus lat. *norma* »Winkelmaß; Richtschnur, Regel, Vorschrift« entlehnt, das seinerseits, wahrscheinlich durch etrusk. Vermittlung, aus griech. *gnṓmona*, dem Akkusativ von griech. *gnṓmōn* »Kenner, Beurteiler; Maßstab, Richtschnur«, hervorgegangen ist. Dies gehört zu griech. *gi-gnṓ-skein* »erkennen, kennen lernen, urteilen« (vgl. *Diagnose*). – Abl.: **normen** »einheitlich festsetzen, gestalten, [Größen] regeln« (20. Jh.), dafür schon im 19. Jh. **normieren** (aus frz. *normer* < lat. *normare* »nach dem Winkelmaß abmessen; so, wie es angenehm ist, einrichten«); **Normung** »einheitliche Gestaltung, [Größen]regelung« (20. Jh.); **normal** »der Norm entsprechend, regelrecht; üblich, gewöhnlich« (18. Jh.; aus lat. *normalis* »nach dem Winkelmaß gerecht; der Norm entsprechend«); **normalisieren** »normal gestalten, auf ein normales Maß zurückführen« (20. Jh.; aus frz. *normaliser*); **anormal** »regelwidrig, krankhaft, ungewöhnlich« (mlat. *anormalis*, aus *a-* »un-, nicht« und *normalis* »normal«), ferner ↑abnorm (abnormal, Abnormität) und ↑enorm.

Nostalgie »Sehnsucht nach Vergangenem, schwärmerische Rückwendung zu einer früheren, in der Vorstellung verklärten Zeit; [krank machendes] Heimweh«: Die Form ›Nostalgie‹ geht zurück auf ›Nostalgia‹, eine gelehrte Bildung des Schweizer Mediziners Johannes Hofer (17. Jh.) aus griech. *nóstos* »Rückkehr (in die Heimat)« und *álgos* »Schmerz« nach dem Muster medizinisch-fachsprachlicher Bildungen auf ›...algie‹ wie ›Neuralgie‹. Mit ›Nostalgia‹ wollte Hofer einen medizinischen Fachausdruck für »Heimweh« einführen. – Bis in die 2. Hälfte des 20. Jh.s wurde ›Nostalgie‹ nur im Sinne von »Heimweh« – vor allem im medizinischen Schrifttum – gebraucht. Dann wurde es unter dem Einfluss von gleichbed. engl.-amerik. *nostalgia* im Sinne von »Sehnsucht nach Vergangenem, schwärmerische Rückwendung zu einer früheren Zeit« allgemein üblich. – Dazu stellen sich die Bildungen **nostalgisch** »die Nostalgie betreffend; verklärend vergangenheitsbezogen« und **Nostalgiker** »jemand, der sich der Nostalgie überlässt, Sehnsucht nach Vergangenem hat«.

Not: Das gemeingerm. Wort für »Zwang, Bedrängnis« (mhd., ahd. *nōt*, got. *nauþs*, engl. *need*, schwed. *nöd*) ist mit der baltoslaw. Sippe von russ. *nuda* »Zwang, Nötigung«, *nudit'* »zwingen, nötigen« verwandt. Alle weiteren Anknüpfungen sind unsicher. – Abl.: **nötig** »[dringend] erforderlich, benötigt, unentbehrlich« (mhd. *nœtic*, daneben *nōtec*, ahd. *nōtag*), dazu **nötigen** »jemanden gegen seinen Willen zu etwas veranlassen, zu etwas zwingen« (mhd. *nōtigen*, ahd. *nōtigōn*). Zus.: **Notbehelf** »Hilfe in einer Zwangslage, ungenügender Ersatz« (18. Jh.); **Notdurft** »notwendiger Bedarf; natürliches Bedürfnis« (mhd. *nōtdurft*, ahd. *notduruft*, entsprechend got. *naudiþaúrfts;* zum 2. Bestandteil vgl. *dürftig;* der verhüllende Gebrauch des Wortes findet sich schon in mhd. Zeit, beachte mhd. *sīne nōtdurft tuon* »sein natürliches Bedürfnis verrichten«), dazu **notdürftig** »eben hinreichend, behelfsmäßig« (mhd. *nōtdürfic* »notwendig; bedürftig«); **Notlüge** »Unwahrheit, um sich aus einer Zwangslage zu befreien« (16. Jh.); **Notnagel** »Nagel, den man in einer Zwangslage einschlägt; Helfer in einer Zwangslage« (18. Jh.); **Notpfennig** »Ersparnis für Zeiten des Mangels« (17. Jh.); **Notstand** »durch unvorhergesehene Umstände bedingte Zwangslage« (17. Jh.); **Notwehr** »Abwendung eines rechtswidrigen Angriffes« (mhd. *nōtwer*); **notwendig** »unbedingt erforderlich, unerlässlich« (Anfang des 16. Jh.s, eigentlich »die Not wendend«, vgl. *wenden*), dazu **Notwendigkeit** (16. Jh.); **Notzucht** »durch Anwendung von Gewalt oder durch Drohung erzwungener Geschlechtsverkehr« (16. Jh.), Rückbildung aus spätmhd. *nōtzücht[i]gen* »schänden, vergewaltigen«, nhd. **notzüchtigen.**

Notar: Zu lat. *nota* »Kennzeichen, Merkzeichen; schriftliche Anmerkung; Schriftstück« (vgl. *Note*) gehört das abgeleitete Adjektiv lat. *notarius* »zum [Schnell]schreiben gehörig«, das substantiviert »Schnellschreiber; Schreiber; Sekretär« bedeutet. Über mlat. *notarius* »durch kaiserliche Gewalt bestellter öffentlicher Schreiber« gelangte das Wort in ahd. Zeit in die dt. Kanzleisprache (ahd. *notāri*, mhd. *noder, notari[e]*). Im juristischen Sprachgebrauch wurde es dann zur Bezeichnung eines staatlich vereidigten Volljuristen, der die Beglaubigung und Beurkundung von Rechtsgeschäften besorgt. – Abl.: **notarisch** »von einem Notar ausgefertigt und beglaubigt« (16. Jh.), dafür auch **notariell** (20. Jh.; mit französierender Endung gebildet); **Notariat** »Amt eines Notars« (16. Jh.; aus mlat. *notariatus*).

Note: Lat. *nota* »Kennzeichen, Merkzeichen;

N

Buchstabenzeichen; Schriftstück; erklärende Anmerkung usw.«, dessen etymologische Zugehörigkeit nicht eindeutig gesichert ist (vgl. hierüber den Artikel *nobel*), ist in dt. Texten seit mhd. Zeit (mhd. *nōte*) mit einer im Mlat. entwickelten Sonderbedeutung »musikalisches Tonzeichen« gebräuchlich. Die zahlreichen anderen Bedeutungen von ›Note‹, die fast alle schon im Lat. vorgebildet sind, stellen sich erst später (in der Zeit vom 16. bis 18. Jh.) ein: »Kennzeichen, Merkmal« (16. Jh.), »schriftliche Bemerkung, erklärende Anmerkung« (18. Jh.; beachte die Zusammensetzung ›Fußnote‹), »Zensururteil« (18. Jh.), »diplomatisches Schriftstück im zwischenstaatlichen Verkehr« (Ende 18. Jh.; nach entsprechend frz. *note;* beachte die Zusammensetzung ›Notenwechsel‹), »Banknote« (Ende 18. Jh. in der Kaufmannssprache; nach entsprechend engl. *[bank]note*), »Art, persönliche Eigenart« (Ende 19. Jh.). – Ableitungen von lat. *nota* erscheinen in den Fremdwörtern ↑notieren und ↑Notar.

notieren »aufzeichnen, vormerken«, im Handelswesen speziell im Sinne von »den Kurs eines Wertpapiers bzw. den Preis einer Ware festsetzen«: Das seit dem 16. Jh. gebräuchliche Verb, das jedoch schon mhd. mit der Sonderbedeutung »in musikalischen Noten aufschreiben« bezeugt ist, geht auf lat. *notare* »kennzeichnen, bezeichnen; anmerken« (bzw. mlat. *notare* »in Notenschrift aufzeichnen«) zurück. Dies ist von lat. *nota* »Kennzeichen, Merkzeichen usw.« (vgl. *Note*) abgeleitet.

nötig ↑Not.

Notiz »Aufzeichnung, Vermerk; Nachricht, Meldung, Anzeige«, auch im Sinne von »Kenntnis, Beachtung« in der Wendung ›[keine] Notiz von jemandem (bzw. etwas) nehmen‹: Das Fremdwort wurde Ende des 17. Jh.s aus lat. *notitia* »Kenntnis (die man einem anderen übermittelt); Nachricht, Aufzeichnung« entlehnt, das von lat. *notus* »bekannt; kennend«, dem Partizipialadjektiv zu lat. *noscere* »kennen lernen, erkennen«, abgeleitet ist. Über weitere Zusammenhänge vgl. den Artikel *nobel.* – Zus.: **Notizbuch** »Merkbuch« (19. Jh.).

Notlüge, Notnagel, Notpfennig, Notstand, Notwehr, notwendig, Notwendigkeit, Notzucht, notzüchtigen ↑Not.

Novelle: Ausgangspunkt für dieses Fremdwort ist das lat. Adjektiv *novellus* »neu; jung«, eine Verkleinerungsbildung zu lat. *novus* »neu« (vgl. *Novum*). Schon in der antiken Rechtssprache war lat. *novella (lex, constitutio)* Fachwort und bezeichnete ein neues, gerade herausgegebenes Gesetz. Daran schließt sich der seit dem 18. Jh. bezeugte juristische Gebrauch von ›Novelle‹ im Sinne von »(abänderndes oder ergänzendes) Nachtragsgesetz« an. – Unabhängig davon entwickelte sich im It. über »kleine Neuigkeit« die Bedeutung »Erzählung einer neuen Begebenheit, kurze poetische Erzählung«. Aus it. *novella* »kurze poetische Erzählung« wurde im 16./17. Jh. ›Novelle‹ übernommen und im 18. Jh. als literarischer Gattungsbegriff für die kurze [pointierte] Prosaerzählung einer besonderen Begebenheit durchgesetzt. – Früher wurde ›Novelle‹ auch allgemein im Sinne von »Neuigkeit, neue Begebenheit« gebraucht.

November: Der schon mhd. bezeugte Name für den elften Monat des Jahres, der im Ahd. noch *herbistmānōth* »Herbstmonat« genannt wurde, ist aus lat. *(mensis) November* entlehnt. Dies ist eine Ableitung von lat. *novem* »neun« (urverwandt mit dt. ↑neun) und bezeichnete ursprünglich den 9. Monat des ältesten, mit dem Monat März beginnenden altrömischen Kalenderjahres (vgl. zum Sachlichen auch den Artikel *Januar*).

Novize: Das seit mhd. Zeit (mhd. *novize*) bezeugte Substantiv bezeichnet den »Neuling« im klösterlichen Leben während seiner Probezeit. Es geht auf lat. *novicius* »neu, jung; Neuling« (bzw. klosterlat. *novicia* »Neulingin«) zurück, das von lat. *novus* »neu« (vgl. *Novum*) abgeleitet ist. Seit dem Anfang des 17. Jh.s wird ›Novize‹ auch allgemein im Sinne von »Neuling« gebraucht.

Novum »Neuheit; neuer Gesichtspunkt«: Das Fremdwort wurde im 18. Jh. aus lat. *novum* »Neues« entlehnt, dem substantivierten Neutrum des Adjektivs *novus* »neu« (urverwandt mit dt. ↑neu). Dazu stellen sich die Bildungen lat. *novellus* »neu; jung« (↑Novelle), lat. *novicius* »neu, unerfahren; Neuling« (↑Novize) und lat. *re-novare* »erneuern« (↑renovieren).

Nu ↑nun.

Nuance »Abstufung, feiner Übergang; [Ab]tönung, Ton; Schimmer, Spur, Kleinigkeit«: Das Fremdwort wurde im 18. Jh. aus gleichbed. frz. *nuance* entlehnt. Dies gehört vermutlich zu frz. *nue* (< vlat. **nuba* = klass.-lat. *nubes*) »Wolke« oder zu dem davon abgeleiteten Verb frz. *nuer* »bewölken; abstufen, abschattieren«. Frz. *nuance* bezeichnete dann ursprünglich etwa die vielfarbigen Lichtreflexe an den von der Sonne angestrahlten Wolken.

nüchtern: Das Adjektiv mhd. *nüchtern*, ahd. *nuohturn, nuohtarnīn* war ursprünglich ein Klosterwort und bedeutete »noch nichts gegessen oder getrunken habend«. Der erste Gottesdienst in den Klöstern wurde in der Frühe vor der Einnahme der Morgenmahlzeit abgehalten. Ahd. *nuohturn* ist aus lat. *nocturnus* »nächtlich« (vgl. *Nacht*) entlehnt und nach ahd. *uohta* »Morgendämmerung« umgestaltet. Bereits seit mhd. Zeit ist das Adjektiv auch Gegenwort zu ›betrunken‹. Heute wird es auch im Sinne von »schwunglos, langweilig« und im Sinne von »besonnen« verwendet.

Nudel »Eierteigware; Teigröllchen zum Mästen der Gänse«: Die Herkunft des erst seit dem 16. Jh. bezeugten Wortes ist dunkel. Das dt. Wort wurde in zahlreiche europäische Sprachen entlehnt, vgl. z. B. engl. *noodle*, schwed. *nudel*, frz. *nouille*.

Nudismus: Der Ausdruck für »Freikörperkultur« ist eine nlat. Bildung des 20. Jh.s zu lat. *nudus* »nackt«, das urverwandt ist mit dt. ↑nackt.

Nugat: Die im Dt. seit dem 19. Jh. gebräuchliche Bezeichnung der aus Zucker und Nüssen oder Mandeln (zuweilen auch Kakao und Honig) hergestellten Süßware ist aus frz. *nougat* entlehnt. Dies geht über prov. *nougat*, aprov. *nogat* »Nusskuchen« auf vlat. **nucatum* »aus Nüssen Bereitetes« zurück. Stammwort ist lat. *nux* »Nuss« (vgl. den Artikel *nuklear*).

nuklear »den Atomkern betreffend; auf Kernenergie beruhend; die Kernwaffen betreffend«: Das Adjektiv wurde im 20. Jh. aus gleichbed. engl. *nuclear* entlehnt. Dies gehört zu lat. *nucleus* »Fruchtkern; Kern« und war früher vor allem in der Fachsprache der Biologie und Astronomie gebräuchlich. – Lat. *nucleus* ist eine Bildung zu dem auch dem Fremdwort ↑Nugat zugrunde liegenden Substantiv lat. *nux (nucis)* »Nuss« (verwandt mit dt. ↑Nuss).

null »nichtig«: Das seit dem 16. Jh. bezeugte, aus der Rechtssprache stammende Adjektiv, das heute vorwiegend noch in der Wendung ›null und nichtig‹ gebraucht wird, ist aus lat. *nullus* »keiner« entlehnt (wohl < **n(e) oin(o)los* »nicht ein Einziger«). Das Substantiv **Null** »Zahlzeichen für den Begriff des Nichts« hingegen wurde im 15. Jh. aus it. *nulla* (eigentlich »Nichts«, dann »Zahlzeichen für den Begriff des Nichts« nach arab. *ṣifr*, ↑Ziffer) entlehnt. Es wird seit dem 18. Jh. auch übertragen im Sinne von »wertlose Sache, unbedeutende Person« verwendet. – Zus.: **Nullpunkt** »Gefrierpunkt beim Thermometer« (19. Jh.), auch übertragen im Sinne von »seelischer Tiefpunkt«. – Beachte in diesem Zusammenhang noch das abgeleitete Verb spätlat. *annullare* »zunichte machen« in ↑annullieren.

Nummer »Zahl, die etwas kennzeichnet, eine Reihenfolge angibt«, auch vielfach übertragen gebraucht, z. B. im Sinne von »[Schuh]größe; Ausgabe einer fortlaufend erscheinenden Zeitung oder Zeitschrift; einzelne Darbietung« (Zirkus, Varieté) und ugs. »auf bestimmte Weise besondere Mensch; Type«: Das Substantiv wurde im 16. Jh. in der Kaufmannssprache aus it. *numero* »Zahl[enzeichen]« entlehnt. Die nicht eingedeutschte Form ›Numero‹ ist heute veraltet, hat sich aber in der Abkürzung ›No.‹ halten können. Quelle des Wortes ist das lat. Substantiv *numerus* »Zahl; Anzahl, Menge; Verzeichnis usw.«, das als grammatischer Terminus unmittelbar übernommen wurde: **Numerus** »Zahlform des Nomens«. – Abl.: **numerisch** »zahlenmäßig, der Zahl nach« (18. Jh. aus gleichbed. nlat. *numericus*), dafür gelegentlich auch **nummerisch** (20. Jh.; unmittelbar zu ›Nummer‹); **nummerieren** »beziffern, zählen« (16. Jh.; aus gleichbed. lat. *numerare*), dafür auch zuweilen **nummern** (20. Jh.).

nun: Das gemeingerm. Adverb mhd. *nŭ[n]*, ahd. *nŭ*, got. *nŭ*, engl. *now*, schwed. *nu* beruht mit verwandten Wörtern in anderen idg. Sprachen auf idg. **nŭ* »nun«, das wahrscheinlich im Ablaut zu dem unter ↑neu behandelten idg. Adjektiv steht. Außergerm. sind z. B. verwandt aind. *nū́* »nun« und griech. *ný*, *nŷn* »jetzt«. – Die Form mit auslautendem -n kam im 13. Jh. auf und erlangte im 17. Jh. schriftsprachliche Geltung. Die n-lose Form ist bewahrt in der Substantivierung **Nu** (mhd. *nū*), die heute gewöhnlich nur noch in der Verbindung ›im Nu‹ gebräuchlich ist. – Das Adverb **noch** (mhd. *noch*, ahd. *noh*, got. *naúh*) beruht auf der Zusammensetzung von germ. **nŭ* mit der Verbindungspartikel germ. *-h* (verwandt mit lat. *-que* »und«) und bedeutet eigentlich »auch jetzt«.

nur: Das Adverb ist entstanden aus mhd. *newǣre*, ahd. *niwāri* und bedeutet eigentlich »nicht wäre, es wäre denn«. Der erste Bestandteil ist die Negationspartikel ahd. *ni* (vgl. *un...*), der zweite Bestandteil ist der Konjunktiv Präteritum von ahd. *sīn* »sein« (vgl. *sein*).

nuscheln (ugs. für:) »undeutlich reden«: Das seit dem 16. Jh. bezeugte Verb gehört wie die gleichbedeutenden Mundartformen ›nus[s]eln‹ und ›nüs[s]eln‹ mit gefühlsbetonter Vokalvariation zu dem unter ↑Nase behandelten Wort und bedeutet demnach eigentlich »durch die Nase sprechen«.

Nuss: Das altgerm. Wort mhd. *nuz̧*, ahd. *[h]nuz̧*, niederl. *noot*, engl. *nut*, schwed. *nöt* ist verwandt mit lat. *nux* »Nuss« (↑nuklear und ↑Nugat) und mit der kelt. Sippe von ir. *cnū* »Nuss«. Das Wort bezeichnete ursprünglich die Haselnuss (vgl. den Artikel *Hasel*), dann auch die Walnuss und die hartschaligen Früchte anderer Gewächse, beachte die Zusammensetzungen ›Erd-, Kokos-, Muskat-, Paranuss‹. Wegen der Ähnlichkeit mit der Form eines Nusskerns bezeichnet ›Nuss‹ auch einen bestimmten Teil der Keule von Schlachttieren, beachte die Zusammensetzungen ›Nussschinken‹ und ›Kalbsnuss‹. Im übertragenen Gebrauch wird das Wort im Sinne von »schwierige Aufgabe, Problem« verwendet. – Zus.: **Nussknacker** (18. Jh., für älteres ›Nussbrecher‹, mhd. *nuz̧breche*, ahd. *nuz̧brecha*).

Nüster, meist im Plural ›Nüstern‹ »Nasenloch« (besonders beim Pferd): Das im 18. Jh. aus dem Niederd. ins Hochd. übernommene Wort geht zurück auf gleichbed. mnd. *nuster*, *nöster*, das eine Bildung zu dem unter ↑Nase behandelten Substantiv ist.

Nut, nicht fachsprachlich auch **Nute** »Fuge, Rille«: Das im germ. Sprachbereich nur im Dt. gebräuchliche Wort (mhd., ahd. *nuot*) ist eine Bildung zu dem im Nhd. untergegangenen Verb mhd. *nüejen*, ahd. *nuoen* »glätten, genau zusammenfügen«, das außergerm. z. B. verwandt ist mit griech. *knē̄n* »schaben, kratzen«. – Mit ›Nute‹

N

identisch ist das mit Doppel-t geschriebene **Nutte** vulgär für »Prostituierte« (eigentlich »Ritze, Spalt [der weiblichen Scham]«). Der vulgäre Ausdruck hat sich von Berlin ausgehend seit dem Anfang des 20. Jh.s ausgebreitet.

Nutz ↑Nutzen.

nütze: Das altgerm. Adjektiv mhd. *nütze,* ahd. *nuzzi,* got. *[un]nuts,* aengl. *nytt* ist eine Bildung zu dem unter ↑genießen behandelten gemeingerm. Verb und bedeutet eigentlich »etwas, was gebraucht werden kann«. Heute wird das Adjektiv nur noch prädikativ verwendet.

Nutzen: Die seit dem 17. Jh. gebräuchliche Form ›Nutzen‹ hat sich aus der älteren stark flektierenden Form ›Nutz‹ (mhd., ahd. *nuz*) unter Einwirkung des schwach flektierenden frühnhd. *Nutze* (mhd. *nutze*) entwickelt. Das Substantiv ›Nutz‹ ist heute nur noch in bestimmten Wendungen bewahrt, beachte z. B. ›zu Nutz und Frommen‹, und steckt in zahlreichen Zusammensetzungen, beachte z. B. ›Eigennutz, Nutznießung, nutzbringend‹. Von ›Nutz‹ abgeleitet sind **nutzbar** »sich nutzen lassend« (mhd. *nutzebære*) und **nützlich** »Nutzen bringend, brauchbar« (mhd. *nützelich*). Neben ahd. *nuz* findet sich auch gleichbed. ahd. *nuzza,* von dem das Verb ahd. *nuzzōn,* mhd. *nutzen,* nhd. **nutzen** abgeleitet ist, beachte dazu die Bildungen ›abnutzen, ausnutzen, benutzen‹. Daneben ist ahd. *nuzzen,* mhd. *nützen,* nhd. **nützen** gebräuchlich. – Diese Wortgruppe gehört mit der alten Adjektivbildung ↑nütze zu dem unter ↑genießen behandelten gemeingerm. Verb.

Nylon: Der Name der Chemiefaser wurde im 20. Jh. aus gleichbed. engl.-amerik. *nylon,* einem Kunstwort ohne sichere Deutung, entlehnt.

Nymphe »weibliche Naturgottheit der griechischen Sage«: Das Wort wurde im 17. Jh. aus griech.(-lat.) *nýmphē* »Braut; junge Frau; Nymphe, Quellnymphe« entlehnt, das wahrscheinlich auch die Quelle unseres Fremdwortes ↑Lymphe ist. Die Herkunft des griech. Wortes ist unklar.

Oase: Das Fremdwort für »fruchtbare Wasserstelle in der Wüste« wurde im 19. Jh. eingedeutscht aus gleichbed. griech.-spätlat. *Óasis,* das selbst ägypt. Ursprungs ist.

[1]**ob** »über; oben«: Das gemeingerm. Wort (Präposition und Adverb) mhd. *ob[e],* ahd. *oba,* got. *uf,* aengl. *ufe-,* aisl. *of* ist eng verwandt mit den unter ↑obere, ↑offen und ↑über behandelten Wörtern (vgl. *auf*). Im heutigen Sprachgebrauch wird ›ob‹ als selbstständiges Wort nicht mehr verwendet. Es ist bewahrt in Ortsnamen, wie z. B. ›Rothenburg ob der Tauber‹, und steckt in einer Reihe von Zusammensetzungen: **Obacht** »Aufmerksamkeit« (17. Jh.; heute gewöhnlich nur noch in der landsch. Wendung ›Obacht geben‹; vgl. [2]*Acht*), dazu **beobachten** »aufmerksam und lange betrachten; feststellen; einhalten, wahren« (17. Jh., wohl nach lat. *observare,* frz. *observer*); **Obdach** »Unterkunft, Zuflucht« (mhd., ahd. *ob[e]dach* »Überdach; Vorhalle; Schutz, Unterkunft«), dazu **obdachlos** »ohne Unterkunft« (19. Jh.; beachte dazu **Obdachlosenasyl,** 19. Jh.); **Obhut** »Schutz, Fürsorge« (17. Jh.; vgl. [2]*Hut*); **Obmann** »Vorsteher, Vertrauensmann« (mhd. *obeman*). – Mit dem Adverb [1]ob nicht identisch ist die Konjunktion [2]**ob** (mhd. *ob[e],* ahd. *obe, ibu,* got. *ibai,* engl. *if,* schwed. *om*), deren Ursprung nicht sicher geklärt ist. Beachte dazu die zusammengesetzten Konjunktionen ›obgleich, obschon, obwohl, obzwar‹.

ob..., Ob..., vor folgenden Konsonanten meist angeglichen zu: oc..., Oc... (vor lat. c) oder eingedeutscht ok..., Ok..., ferner zu of..., Of... (vor f), zu op..., Op... (vor p): Der erste Bestandteil von Fremdwörtern mit der Bedeutung »[ent]gegen«, wie z. B. in ↑Objekt, stammt aus lat. *ob* »auf – hin, gegen – hin, entgegen usw.«, das mit dem unter ↑After genannten ahd. *aftar* »hinten; später; nach« verwandt ist.

Obacht, Obdach, obdachlos, Obdachlosenasyl ↑[1]ob.

Obduktion »Leichenöffnung«: Das seit dem 18. Jh. bezeugte Fremdwort geht auf lat. *obductio* »das Verhüllen, das Bedecken« zurück. Die merkwürdige Bedeutungsumkehrung ist vermutlich vom Abschluss der Obduktion her zu verstehen, wo die geöffnete Leiche mit Tüchern wieder abgedeckt und verhüllt wird. – Das dem lat. *obductio* zugrunde liegende Verb *ob-ducere* »überziehen, bedecken«, aus dem später **obduzieren** »eine Obduktion vornehmen« (19. Jh.) übernommen wurde, ist eine Bildung zu lat. *ducere* »führen; ziehen« (vgl. hierüber den Artikel *Dusche*).

obere: Das Adjektiv mhd. *obere,* ahd. *obaro* beruht auf einer Komparativbildung zu dem unter ↑[1]ob behandelten Wort. Die Substantivierung **Oberer** (16. Jh.) wird im Sinne von »Vorgesetzter« verwendet. Dazu gebildet ist die weibliche Form **Oberin** »Vorsteherin im Kloster; Leiterin einer Schwesternschaft« (18. Jh.). Neben ›Oberer‹ findet sich auch die Form [1]**Ober** »Spielkarte«. Dagegen ist [2]**Ober** »Kellner« erst aus ›Oberkellner‹ gekürzt. Der Superlativ zu ›ober‹ lautet **oberst** (mhd. *oberst,* ahd. *obarōst*), substantiviert **Oberster** »höchster Vorgesetzter, Leiter«, daraus verkürzt die militärische Rangbezeichnung **Oberst** (16. Jh.), gelegentlich noch in der altertümlichen Form **Obrist.** – Abl.: **Obrigkeit** »die öffentliche Gewalt innehabende Regierung oder Behörde« (spätmhd. *oberecheit,* für älteres *oberkeit*). Zus.:

Oberfläche (17. Jh.; Lehnübersetzung von lat. *superficies*), dazu **oberflächlich** »nicht gründlich, flüchtig« (Ende des 18. Jh.s; ↑flach); **Oberhand** »Vorrang, Vorherrschaft« (mhd. *oberhant*, aus *diu obere hant* »Hand, die den Sieg davonträgt«; heute gewöhnlich nur noch in ›die Oberhand gewinnen oder behalten‹).

Oberwasser

Oberwasser bekommen/kriegen
(ugs.) »in eine günstigere Lage kommen; widrige Umstände überwinden«
Das Wasser, das überhalb einer Mühle durch ein Wehr gestaut wird, damit es auf das oberschlächtige Mühlrad geleitet werden kann und so die Mühle antreibt, bezeichnet man als Oberwasser (15. Jh.). Wer (in übertragenem Gebrauch; seit dem 19. Jh.) Oberwasser hat, verfügt somit über die Antriebskraft, ohne die die Mühle nicht arbeiten kann. Darauf beziehen sich diese und die folgende Wendung.
Oberwasser haben
(ugs.) »im Vorteil sein, [wieder] in einer günstigen Lage sein«
Vgl. die vorangehende Wendung.

Obhut ↑[1]ob, ↑[2]Hut.

Objekt: Das seit dem 14. Jh. bezeugte Fremdwort geht zurück auf lat. *obiectum*, das substantivierte Neutrum des Part. Perf. von lat. *ob-icere* »entgegenwerfen, entgegenstellen; vorsetzen, vorwerfen« (über das Stammwort vgl. den Artikel *Jeton*). Es bedeutet demnach eigentlich »das Entgegengeworfene, der Gegenwurf, der Vorwurf«. Im Gegensatz zu ↑Subjekt bezeichnet es sodann den Gegenstand oder Inhalt der Vorstellung, aber auch das Ziel, auf das sich eine Tätigkeit, ein Handeln erstreckt. Letzteres gilt speziell auch für den seit dem 17. Jh. üblichen grammatischen Gebrauch des Wortes im Sinne von »[Sinn-, Fall]ergänzung eines Verbs« (beachte z. B. die Zusammensetzungen ›Akkusativ-, Dativobjekt‹). In wirtschaftlicher Hinsicht schließlich bezeichnet ›Objekt‹ jede Sache, die Gegenstand eines Vertrages, eines Geschäftes sein kann (beachte Zusammensetzungen wie ›Wert-, Tauschobjekt‹). – Abl.: **objektiv** »auf ein Objekt bezüglich, gegenständlich, tatsächlich; sachlich; unvoreingenommen« (18. Jh.; aus nlat. *obiectivus*); **Objektiv** »die dem zu betrachtenden Gegenstand zugewandte Linse oder Linsenkombination eines optischen Gerätes« (im Anfang des 18. Jh.s gekürzt aus ›Objektivglas‹; das Wort ist eine Parallelbildung zu ↑Okular).

Oblate: Das aus der Kirchensprache stammende Substantiv (mhd., ahd. *oblāte)* bezeichnete ursprünglich das als Hostie gereichte Abendmahlsbrot (daher noch heute im kirchlichen Bereich die spezielle Bedeutung »noch nicht geweihte Hostie«). Seit dem 13. Jh. spielt das Wort auch im weltlichen Bereich eine Rolle mit der Bedeutung »feines Backwerk«. Daher versteht man unter ›Oblate‹ im heutigen Sprachgebrauch vorwiegend eine Art dünner Waffel, insbesondere eine sehr dünne Weizenmehlscheibe als Gebäckunterlage. Quelle des Wortes ist mlat. *oblata (hostia)* »als Opfer dargebrachtes Abendmahlsbrot«. Dies geht seinerseits zurück auf lat. *oblatus* »entgegen-, dargebracht«, das als Part. Perf. von lat. *of-ferre* »entgegenbringen, darreichen; anbieten usw.« fungiert (vgl. *offerieren*).

obligat »unerlässlich, unentbehrlich, erforderlich«: Das Adjektiv wurde im 16. Jh. aus lat. *obligatus* »verbunden, verpflichtet« entlehnt, dem Partizipialadjektiv von lat. *ob-ligare* »anbinden; verbindlich machen, verpflichten«. Dies ist eine Bildung zu lat. *ligare* »binden; verbinden, vereinigen« (vgl. *legieren*). – Dazu: **Obligation** »persönliche Haftung für eine Verbindlichkeit; Schuldverschreibung« (16. Jh.; aus lat. *obligatio* »das Binden; die Verbindlichkeit, die Verpflichtung«).

Obmann ↑[1]ob.

Oboe: Der seit dem 17./18. Jh. (zuerst als ›Hautbois‹ und ›Hoboe‹) bezeugte Name des Holzblasinstrumentes ist aus gleichbed. frz. *hautbois* entlehnt. Das frz. Wort ist aus *haut* »hoch« und *bois* »Holz« (vgl. *Busch*) zusammengesetzt. Es bedeutet demnach wörtlich »hohes (nämlich: hoch klingendes) Holz«. Die heute im Deutschen allein gültige Form ›Oboe‹ ist von it. *oboe* »Oboe« beeinflusst, das selbst aus dem Frz. stammt.

Obolus »Scherflein, kleiner Beitrag«, häufig in der Wendung ›seinen Obolus entrichten‹: Das seit dem 18./19. Jh. gebräuchliche Fremdwort geht zurück auf den griech. Münznamen *obolós* (der sechste Teil der alten Drachme), der über gleichbed. lat. *obolus* ins Deutsche gelangte. Das griech. Wort ist eine Dialektform von griech. *obelós* »[Brat]spieß« (wahrscheinlich waren die ersten »Münzen« dieser Art kleine, spitze Metallstücke).

Obrigkeit ↑obere.

Observatorium »astronomische, meteorologische, geophysikalische Beobachtungsstation«: Das seit dem Ende des 17. Jh.s bezeugte Fremdwort ist eine gelehrte Bildung zu lat. *ob-servare* »beobachten« bzw. zu dem davon abgeleiteten Substantiv lat. *observator* »Beobachter«. Stammwort ist lat. *servare* »bewahren, erhalten; behüten, beobachten« (vgl. *konservieren*).

obskur »dunkel, unbekannt; verdächtig, zweifelhafter Herkunft«: Das seit dem 17. Jh. bezeugte Adjektiv ist aus gleichbed. lat. *ob-scurus* entlehnt, das mit einer ursprünglichen Bedeutung »bedeckt« zu der unter ↑Scheune dargestellten Wortsippe der idg. Wurzel **[s]keu-* »bedecken« gehört.

Obst: Das westgerm. Wort ist eine verdunkelte Zusammensetzung und bedeutet eigentlich »Zukost«. Mhd. *obeʒ*, ahd. *obaʒ*, niederl. *ooft*, aengl. *ofet[t]* sind zusammengesetzt aus der unter ↑ ¹ob behandelten Präposition und einer Bildung zu dem unter ↑ essen behandelten Verb mit der Bedeutung »Essen, Speise« (vgl. den Artikel *Aas*). Das Wort bezeichnete in alter Zeit alles das, was außer den Hauptnahrungsmitteln Brot und Fleisch während einer Mahlzeit gegessen wurde, also auch Hülsenfrüchte, Gemüse oder dgl.

obszön »unanständig, schlüpfrig, schamlos«: Das Adjektiv wurde um 1700 aus lat. *obscoenus* (richtiger: *obscaenus, obscenus*) »anstößig, unzüchtig« entlehnt, dessen etymologische Zugehörigkeit nicht eindeutig geklärt ist.

Obus ↑ Omnibus.

oc..., Oc... ↑ ob..., Ob...

Ochse, österr. und ugs. auch: Ochs »verschnittenes männliches Rind«: Das gemeingerm. Wort mhd. *ohse*, ahd. *ohso*, got. *aúhsa*, engl. *ox*, schwed. *ox* beruht mit verwandten Wörtern in anderen idg. Sprachen – vgl. z. B. aind. *ukṣā́* »Stier« – auf einer Bildung zu der idg. Wurzel **ŭgh-* »feucht; feuchten, [be]spritzen«. Diese Bildung bedeutet demnach eigentlich »Befeuchter, [Samen]spritzer« und bezeichnete also den [Zucht]stier. Zu der zugrunde liegenden Wurzel gehören z. B. aind. *ukṣáti* »befeuchtet, bespritzt« und lat. *uvidus* »feucht, nass«, *umere* »feucht sein«, *umor* »Feuchtigkeit« (vgl. *Humor*). – Abl.: **ochsen** ugs. für »eifrig lernen« (19. Jh., aus der Studentensprache; eigentlich »schwer arbeiten wie ein als Zugtier verwendeter Ochse«; vgl. *büffeln* (↑ Büffel). – Zus.: **Ochsenziemer** »schwere Peitsche, Züchtigungswerkzeug« (18. Jh.; der zweite Bestandteil ist entweder aus ›Sehnader‹ »Glied [des Ochsen]« umgebildet oder ist identisch mit ›Ziemer‹ »Rückenbraten [von Wild]; Glied [von Ochsen u. a.]«, mhd. *zim[b]ere;* diese Peitsche wurde früher aus dem getrockneten Zeugungsglied eines Stiers hergestellt).

Ocker: Die Bezeichnung der gelbbraunen Farberde (mhd. *ogger, ocker,* ahd. *ogar*) ist aus spätlat. *ochra* entlehnt, das seinerseits aus griech. *ṓchra* übernommen ist. Dies ist eine Bildung zu griech. *ōchrós* »blass, blassgelb«.

Ode »erhabenes, feierliches Gedicht«: Das Fremdwort wurde Anfang des 17. Jh.s – wohl unter Einfluss von frz. *ode* – aus lat. *ode* entlehnt, das seinerseits aus griech. *ǭdḗ* (< *aoidḗ*) »Gesang, Gedicht, Lied« übernommen ist. Dies gehört zu griech. *aeídein* »singen«. – Griech. *ǭdḗ* steckt auch in einigen Zusammensetzungen, so in den Fremdwörtern ↑ Komödie, ↑ Tragödie, ↑ Melodie und ↑ Parodie.

öd[e] »leer, verlassen, einsam; langweilig, fade«: Das gemeingerm. Adjektiv mhd. *œde*, ahd. *ōdi*, got. (Akkusativ Singular) *auÞjana*, aengl. *īeđe*, schwed. *öde* beruht mit verwandten Wörtern in anderen idg. Sprachen – vgl. z. B. griech. *aútōs* »vergeblich, nichtig« – auf einer Bildung zu der idg. Wurzel **au-*, **au̯e-* »von etwas weg, fort«. Zu der zugrunde liegenden Wurzel gehören z. B. aind. *áva* »von etwas herab« und lat. *au-* »fort-, weg-«, vgl. z. B. *auferre* »forttragen«. Siehe auch den Artikel *Westen*.

Odem ↑ Atem.

oder: Die nhd. Form der ausschließenden Konjunktion geht zurück auf mhd. *oder,* ahd. *odar.* Diese Form hat sich – wahrscheinlich unter dem Einfluss der unter ↑ aber und ↑ weder behandelten Wörter – aus mhd. *od[e]*, ahd. *odo*, älter *eddo* entwickelt. Ahd. *eddo* entsprechen got. *aíÞÞau* »oder« und aengl. *eđđa, ođđe* »oder« (daraus engl. *or*).

Odyssee »abenteuerliche Irrfahrt«: Die Anfang des 19. Jh.s in Frankreich aufgekommene und von dort (frz. *odyssée*) später übernommene Bezeichnung geht auf den Namen des berühmten homerischen Epos (griech. *Odýsseia* > lat. *Odyssea*) zurück, in dem die abenteuerliche, mit mancherlei Irrfahrten verbundene Heimkehr des altgriechischen Helden Odysseus aus dem Trojanischen Krieg geschildert wird.

of..., Of... ↑ ob..., Ob...

Ofen: Das gemeingerm. Wort mhd. *oven*, ahd. *ovan*, got. *aúhns*, engl. *oven*, schwed. *ugn* beruht mit verwandten Wörtern in anderen idg. Sprachen auf idg. **auk^u̯[h]-* »Kochtopf; Glutpfanne«, vgl. z. B. aind. *ukhá-ḥ* »Topf, Kochtopf; Feuerschüssel« und griech. *ipnós* »Ofen; Küche; Laterne«. Das Wort bezeichnete also ursprünglich nicht eine Vorrichtung zum Heizen, sondern ein Gefäß zum Kochen oder zum Bewahren der Glut. Auch in germ. Zeit muss das Wort zunächst noch ein zum Kochen dienendes Gefäß bezeichnet haben, beachte die Bildung aengl. *ofnet* »Gefäß« (zu aengl. *ofen* »Ofen«).

offen: Das altgerm. Adjektiv mhd. *offen*, ahd. *offan*, niederl. *open*, engl. *open*, schwed. *öppen* ist eng verwandt mit den unter ↑ ¹ob und ↑ obere behandelten Wörtern und gehört zu der Wortgruppe von ↑ auf. – Abl.: **offenbar** »deutlich, klar ersichtlich, eindeutig« (mhd. *offenbar, -bære*, ahd. *offanbār*), dazu **offenbaren** »offen zeigen, enthüllen, kundtun« (mhd. *offenbæren*), **Offenbarung** »Kundgabe, Bekenntnis« (mhd. *offenbārunge*); **Offenheit** »Aufrichtigkeit, Freimut« (18. Jh.); **öffentlich** »allgemein, allen zugänglich, für alle bestimmt« (mhd. *offenlich*, ahd. *offanlīh*), dazu **Öffentlichkeit** »Allgemeinheit« (18. Jh.), **Öffentlichkeitsarbeit** (2. Hälfte des 20. Jh.s, Lehnübersetzung von engl. *public relations*) und **veröffentlichen** »öffentlich bekannt geben; publizieren« (19. Jh.); **öffnen** »aufmachen« (mhd. *offenen*, ahd. *offinōn*), dazu **Öffnung** »offene Stelle, Loch, Lücke, Mündung« (mhd. *offenunge*, ahd. *offanunga*).

offensiv »angreifend; angriffsfreudig«: Das seit dem 16. Jh. bezeugte Adjektiv ist eine Bildung zu lat. *of-fendere (offensum)* »anstoßen, verletzen, beschädigen« (vgl. *defensiv*).

fferieren »anbieten; überreichen«: Das bereits im 16. Jh. belegte, aber erst seit dem 19. Jh. in der kaufmännischen Bedeutung »(Waren) zum Kauf anbieten« bezeugte Fremdwort ist aus lat. *offerre* (< *ob-ferre*) »entgegentragen; anbieten, antragen usw.« entlehnt. – Dazu gehört das Substantiv **Offerte** »[Waren]angebot; Anerbieten« (17. Jh.; entlehnt aus frz. *offerte*, dem substantivierten Femininum des Part. Perf. von frz. *offrir* »anbieten« < lat. *offerre*). – Stammwort von lat. *of-ferre* ist das lat. Verb *ferre* »tragen, bringen« (verwandt mit dt. ↑gebären), das auch mit zahlreichen anderen Bildungen in unserem Fremdwortschatz vertreten ist. Im Einzelnen sind zu nennen: lat. *conferre* »zusammentragen; Meinungen austauschen« (↑konferieren, Konferenz), lat. *referre* »zurücktragen; überbringen; berichten, mitteilen« (↑referieren, Referat, Referent, Referenz, Referendar) und kirchenlat. *Lucifer* »Lichtbringer« (↑Luzifer).

ffiziell »amtlich, öffentlich; förmlich«: Das Adjektiv wurde im 18. Jh. aus gleichbed. frz. *officiel* entlehnt, das auf lat. *officialis* »zur Pflicht, zum Amt gehörend« zurückgeht. Das lat. Adjektiv erscheint daneben auch unmittelbar im Dt., aber nur in Zusammensetzungen wie ›Offizialverteidiger‹. Das Adjektiv **offiziös** »halbamtlich, nicht verbürgt« wurde im 19. Jh. aus frz. *officieux* »diensteifrig; gleichsam amtlich« übernommen, das auf lat. *officiosus* »diensteifrig, beflissen« zurückgeht. Lat. *officialis* und *officiosus* sind Bildungen zu lat. *officium* »Pflicht, Amt« (vgl. den Artikel *Offizier*).

ffizier »militärische Rangstufe (vom Leutnant aufwärts)«: Die seit dem 16./17. Jh. bezeugte militärische Rangbezeichnung ist aus gleichbed. frz. *officier* entlehnt, das auf mlat. *officiarius* »Beamteter, Bediensteter« zurückgeht. Zugrunde liegt lat. *officium* (< **opifaciom*) »Dienstleistung; Obliegenheit, Pflicht; Dienst, Amt«, dessen Grundwort zu lat. *facere* »machen, tun« gehört (vgl. *Fazit*). Über das Bestimmungswort vgl. den Artikel *operieren*. – Von lat. *officium* abgeleitet sind die Adjektive lat. *officialis* »zur Pflicht, zum Amt gehörig« und *officiosus* »diensteifrig« (vgl. *offiziell, offiziös*).

ffnen, Öffnung ↑offen.

ft: Mhd. *oft[e]*, ahd. *ofto*, got. *ufta*, engl. *often*, schwed. *ofta* gehören wahrscheinlich im Sinne von »übermäßig« zu dem unter ↑[1]ob »über; oben« behandelten Wort.

heim, zusammengezogen: **Ohm** »Mutter-, Vaterbruder, Onkel«: Das westgerm. Wort mhd., ahd. *ōheim*, niederl. *oom*, aengl. *ēam* bezeichnete ursprünglich den Bruder der Mutter, während das unter ↑Vetter behandelte Wort ursprünglich den Bruder des Vaters bezeichnete. Die westgerm. Verwandtschaftsbezeichnung geht zurück auf **awa-haima-*. Das Bestimmungswort dieser Zusammensetzung gehört zu idg. **au̯o-s* »Großvater« (mütterlicherseits), vgl. z. B. lat. *avus* »Großvater, Ahn« und aus dem germ. Sprachbereich aisl. *afi* »Großvater« und got. *awō* »Großmutter«. Das Grundwort ist wahrscheinlich das germ. Adjektiv **haimaz* »vertraut, lieb«, das zu der Wortgruppe von ↑Heim gehört. Der Mutterbruder ist demnach von den Germanen als »lieber Großvater« oder »der dem Großvater Vertraute« benannt worden, vgl. das von lat. *avus* »Großvater« abgeleitete *avunculus* »Mutterbruder«, das eigentlich »Großväterchen« bedeutet (↑Onkel).

Ohm ↑Oheim.

ohne: Die altgerm. Präposition mitteld. *ōne*, mhd. *ān[e]*, ahd. *āno*, mniederl. *aen*, aisl. *ān* steht im Ablaut zu got. *inu* »ohne« und ist z. B. mit griech. *áneu* »ohne« verwandt. Vgl. den Artikel *ungefähr*.

Ohnmacht »Schwächeanfall mit Bewusstlosigkeit«: Die nhd. Form ›Ohnmacht‹ (frühnd. *onmacht*) hat sich durch Anlehnung an das unter ↑ohne behandelte Wort aus mhd. *āmaht* entwickelt. Das Nominalpräfix ahd., mhd. *ā-* »fort, weg, fehlend, verkehrt«, mit dem z. B. auch der Tiername Ameise (s. d.) gebildet ist, ist seit ahd. Zeit nicht mehr produktiv. Zum zweiten Bestandteil vgl. *Macht*. – Abl.: **ohnmächtig** »bewusstlos« (mhd. *āmehtec*, ahd. *āmahtīg*).

Ohr: Das gemeingerm. Wort mhd. *ōre*, ahd. *ōra*, got. *ausō*, engl. *ear*, schwed. *öra* beruht mit verwandten Wörtern in den meisten anderen idg. Sprachen auf idg. **ōus-* »Ohr«, vgl. z. B. griech. *oũs* »Ohr« und lat. *auris* »Ohr«. Welche Vorstellung der idg. Benennung des Gehörorgans zugrunde liegt, ist unklar. Zu ›Ohr‹ gebildet ist ↑Öhr. – Das Ohr spielt in zahlreichen Redewendungen eine Rolle, beachte z. B. ›jemandem einen Floh ins Ohr setzen‹ »argwöhnisch machen«, ›die Ohren hängen lassen‹ »niedergeschlagen sein«. Vgl. auch S. 570. – Zus.: **Ohrfeige** »Schlag auf die Backe, Backpfeife« (15. Jh.; der zweite Bestandteil ist der unter ↑Feige behandelte Name der Frucht des Feigenbaums; beachte dazu niederl. *muilpeer* »Ohrfeige«, eigentlich »Maulbirne«), dazu **ohrfeigen** (Anfang des 19. Jh.s); **Ohrwurm** (14. Jh.; so benannt, weil das Insekt nach dem Volksglauben gern in Ohren kriecht; im 20. Jh. ugs. scherzhaft auch für »leicht eingängige Melodie«).

Öhr: Das auf das dt. Sprachgebiet beschränkte Substantiv (mhd. *œr[e]*, ahd. *ōri*) ist von dem unter ↑Ohr behandelten Wort abgeleitet und bedeutet eigentlich »ohrartige Öffnung«. Heute bezeichnet ›Öhr‹ gewöhnlich nur noch das Loch in der Nadel, durch das der Faden gezogen wird.

Ohrenschmalz ↑Schmalz.

oje!, ojemine! ↑herrje!

o. k., O. K. ↑okay.

ok…, Ok… ↑ob…, Ob…

okay, auch **o. k., O. K.**: Der ugs. Ausdruck für »abgemacht, einverstanden; in Ordnung« wurde im 20. Jh. aus gleichbed. engl.-amerik. *OK (okay)* übernommen. Trotz zahlreicher Deutungsversu-

Ohr

ganz Ohr sein
(ugs.) »gespannt, mit ungeteilter Aufmerksamkeit zuhören«
Die Wendung drückt aus, dass jemand, der sehr konzentriert zuhört, nichts anderes mehr wahrnimmt, also nur noch Hörender (bildlich gesprochen: Ohr) ist.

jmdm. klingen die Ohren
(ugs.) »jmd. spürt, dass in seiner Abwesenheit über ihn gesprochen wird«
Der leise, hohe Ton, den man gelegentlich in den Ohren hat, wird im Volksglauben damit in Verbindung gebracht, dass ein anderer über einen redet. Darauf geht diese Wendung zurück.

die Ohren spitzen
(ugs.) »aufmerksam lauschen«
Möglicherweise geht diese Wendung auf die Beobachtung von Tieren zurück, die – wie z. B. Hunde und Katzen – ihre Ohren aufrichten, sodass die Spitzen nach oben zeigen, wenn etwas die Aufmerksamkeit der Tiere erregt. Vielleicht heißt ›die Ohren spitzen‹ im Grunde aber nur so viel wie »die Ohren scharf machen«, d. h. zum genauen Hören bereitmachen. Man sagt ja auch von jemandem, der gut hört, dass er ein ›scharfes‹ Gehör habe.

die Ohren auf Durchfahrt/Durchzug stellen
(ugs.) »sich etwas anhören, es aber nicht beherzigen, es gleich wieder vergessen«
Wie ein Eisenbahnzug, der an einem Bahnhof durchfährt, also nicht anhält, oder wie die Luft durch ein Zimmer mit geöffneten Fenstern zieht (Durchzug), so geht das Gehörte zu einem Ohr hinein und zum anderen wieder hinaus, bleibt also im Gedächtnis nicht haften.

die Ohren steif halten
(ugs.) »nicht den Mut verlieren«
Dieser Wendung liegt die Beobachtung von Tieren (besonders von Pferden und Hunden) zugrunde. Das Tier, das die Ohren (den Kopf) nicht hängen lässt, ist wach und munter.

sich etwas hinter die Ohren schreiben
(ugs.) »sich etwas gut merken«
Diese Wendung geht auf einen alten Rechtsbrauch zurück. Bei Grenzfestlegungen und Grenzbegehungen wurden Knaben als Zeugen mitgenommen, die sich die Lage der Grenzsteine genau einprägen sollten. Um ihnen dies ganz deutlich zu machen, wurden sie an jedem Grenzstein geohrfeigt, hinter die Ohren geschlagen – man hat ihnen damit die Lage der Grundstücksgrenzen ›hinter die Ohren geschrieben‹.

jmdn. übers Ohr hauen
(ugs.) »jmdn. betrügen«
Diese Wendung stammt aus der Fechtsprache und bedeutete ursprünglich »jmdn. mit der Waffe am Kopf (oberhalb der Ohren) treffen«. Später wurde sie allgemein im Sinne von »jmdm. übel mitspielen« gebräuchlich.

bis über die/über beide Ohren verliebt sein
(ugs.) »sehr verliebt sein«
Dieser Wendung liegt wahrscheinlich das Bild eines Ertrinkenden oder im Sumpf Versinkenden zugrunde, der kaum noch zu retten ist, wenn er bereits über die Ohren versunken ist.

es gibt [gleich] rote Ohren
(ugs.) Drohrede
Diese Redensart spielt auf die Rötung der Ohren an, die durch Schläge verursacht wird.

che (z. B. für *all correct*) ist die Herkunft von engl.-amerik. *OK* dunkel.

okkult »verborgen, heimlich; geheim (von übersinnlichen Dingen)«: Das Adjektiv wurde im 18./19. Jh. aus lat. *occultus* »verborgen, versteckt, heimlich«, dem Partizipialadjektiv von lat. *oc-culere* (< * *ob-celere*) »verdecken, verbergen«, entlehnt. Dessen Grundwort gehört zu der auch in lat. *celare* »verbergen, verhehlen« und in lat. *cella* »Vorratskammer; enger Wohnraum; Zelle« (s. den Artikel *Zelle*) vorliegenden idg. Verbalwurzel **k̂el-* »bergen, verhüllen« (vgl. *hehlen*). – Dazu stellt sich seit dem Ende des 19. Jh.s als gelehrte Bildung das Substantiv **Okkultismus** »die Geheimwissenschaft von den übersinnlichen Kräften und Dingen«. Die Anhänger dieser Geheimlehre heißen **Okkultisten.**

okkupieren »in Besitz nehmen; fremdes Gebiet militärisch besetzen«: Das Verb wurde im 16. Jh. aus lat. *oc-cupare* »einnehmen, besetzen« entlehnt, einer Bildung zu lat. *capere* »nehmen, fassen, ergreifen« (vgl. *ob..., Ob...* und *kapieren*). – Dazu das Substantiv **Okkupation** »[militärische] Besetzung fremden Gebietes« (17. Jh.; aus lat. *occupatio* »Einnahme, Besetzung«).

Ökologie: Bei dem Fremdwort für die »Lehre von den Beziehungen der Lebewesen zur Umwelt« handelt es sich um eine gelehrte Bildung des 19. Jh.s zu griech. *oĩkos* »Haus, Haushaltung« und *-logie* (↑...loge), möglicherweise aber auch um eine Kreuzung aus ›Ökonomie‹ (↑Ökonom) und ›Biologie‹. Zuerst findet sich das Wort 1858 im Englischen bei Thoreau, im Deutschen erstmals 1866 bei dem Zoologen Haeckel. In der 2. Hälfte des 20. Jh.s wird ›Ökologie‹ zu einem der Schlagwörter der Umweltbewegung; in diesem Kontext steht das Wort für den angestrebten »ungestörten Haushalt der Natur«. Das dazu gebildete Kurzwort **Öko** wird zum Bestimmungswort zahlreicher Zusammensetzungen, z. B. **Ökosystem,**

Ökosteuer, Ökoladen. – Abl.: **Ökologe, ökologisch.**

Ökonom: Die heute nur noch selten gebrauchte Bezeichnung für »Landwirt, Verwalter [landwirtschaftlicher Güter]«, die in der DDR aber in der Bedeutung »Wirtschaftswissenschaftler; Fachmann auf dem Gebiet der Ökonomie« verwendet wurde und in dt. Texten seit dem Beginn des 17. Jh.s bezeugt ist, wurde aus lat. *oeconomus* entlehnt, das seinerseits aus griech. *oiko-nómos* ›Haushalter, Verwalter, Wirtschafter« übernommen ist. Dies ist eine Bildung aus griech. *oĩkos* ›Haus; Haushaltung« (vgl. *Ökumene*) und griech. *-nómos* »verwaltend; Verwalter (in Zusammensetzungen)« (vgl. *...nom*). Sehr gebräuchlich hingegen sind heute die dazugehörigen Wörter **Ökonomie** »Wirtschaft; Wirtschaftlichkeit; sparsame Lebensführung« (16. Jh., zunächst im Sinne von »Haushaltsführung«; aus lat. *oeconomia* »gehörige Einteilung« < griech. *oikonomía* »Haushaltung, Verwaltung«) und **ökonomisch** »haushälterisch, wirtschaftlich, sparsam« (17. Jh.; nach lat. *oeconomicus* < griech. *oiko-nomikós* »die Hauswirtschaft betreffend; geschickt in der Haushaltsführung, wirtschaftlich«).

Oktave: Die musikalisch-fachsprachliche Bezeichnung für den achten Ton der diatonischen Tonleiter vom Grundton an (mhd. *octāv*) und danach auch für ein Intervall im Abstand von acht Tönen beruht auf mlat. *octava (vox).* Das zugrunde liegende Adjektiv lat. *octavus* »der Achte« gehört als Ordinalzahl zu dem mit dt. ↑acht urverwandten Zahlwort lat. *octo* »acht«. Auf dem gleichen Ordnungszahlwort (lat. *octavus*) beruht auch das im 18. Jh. aufgekommene Fachwort des Buchgewerbes **Oktav** als Bezeichnung der Achtelbogengröße im Buchformat. – Siehe auch den Monatsnamen *Oktober.*

Oktober: Der schon mhd. bezeugte Name für den zehnten Monat des Jahres, der im Ahd. *windume-mānōth* »Weinlesemonat« (aus lat. *vindemia* »Weinlese«) genannt wurde, ist aus lat. *(mensis) October* entlehnt. Dies ist eine Ableitung von lat. *octo* »acht« (vgl. *Oktave*) und bezeichnete ursprünglich den 8. Monat des ältesten, mit dem Monat März beginnenden altrömischen Kalenderjahres (vgl. zum Sachlichen den Artikel *Januar*).

Okular: Die Bezeichnung für »die dem Auge zugewandte Linse oder Linsenkombination eines optischen Gerätes« ist ein junges physikalisch-technisches Fachwort, das aus der älteren Zusammensetzung ›Ocularglas‹ gekürzt ist (18./19. Jh.). Zugrunde liegt das von lat. *oculus* »Auge« (vgl. *okulieren*) abgeleitete spätlat. Adjektiv *ocularis* »zu den Augen gehörig«.

okulieren: Das seit dem 17. Jh. bezeugte Verb gehört der Gärtnersprache an und wird im Sinne von »die geschlossene Knospe (= Auge) eines edlen Gewächses in die gespaltene Rinde eines artverwandten, unedlen Gewächses einsetzen; durch Äugeln veredeln« verwendet. Es geht auf gleichbed. lat. *in-oculare* zurück. Stammwort ist das mit dt. ↑Auge urverwandte lat. Substantiv *oculus* »Auge; Pflanzenauge, Knospe«, das auch ↑Okular und ↑Monokel zugrunde liegt.

Ökumene: Die Bezeichnung für »die bewohnte Erde als ständiger menschlicher Lebens- und Siedlungsraum; die Gesamtheit der Christen und christlichen Kirchen« ist aus lat. *oecumene* entlehnt, das seinerseits aus griech. *oikouménē (gẽ)* »die bewohnte Erde« stammt. Das zugrunde liegende Verb griech. *oikeĩn* »bewohnen« ist von griech. *oĩkos* (< **u̯oĩkos*) »Haus, Wohnung; Hausstand, Hauswesen; Haushaltung, Wirtschaft usw.« abgeleitet, das mit lat. *vicus* »Häusergruppe; Dorf« urverwandt ist (s. den Artikel *Weichbild*). – Abl.: **ökumenisch** »die ganze Erde betreffend, allgemein, Welt...; die katholischen Christen auf der ganzen Welt betreffend; die christlichen Konfessionen und Kirchen betreffend« (16. Jh.). – Neben griech. *oikeĩn* spielt auch das Stammwort griech. *oĩkos* selbst eine unmittelbare Rolle als Bestimmungswort in Zusammensetzungen wie ↑Ökonom, Ökonomie, ökonomisch.

Okzident: Das seit mhd. Zeit belegte Fremdwort (mhd. *occident[e]*) bezeichnet im Gegensatz zu ↑Orient den Teil der bewohnten Erde, der in Richtung der »untergehenden Sonne« liegt, also den Westen, das Abendland (s. unter *Abend*). Es geht auf lat. *occidens (sol)* »untergehende Sonne; Westen, Abendland« zurück. Das zugrunde liegende Verb lat. *oc-cidere* »niederfallen; untergehen« ist eine Bildung zu lat. *cadere* »fallen« (vgl. *ob...*, *Ob...* und *Chance*). – Abl.: **okzidentalisch** »westlich; abendländisch« (Anfang 18. Jh.; aus lat. *occidentalis*).

Öl: Das westgerm. Substantiv mhd. *öl[e]*, ahd. *oli*, niederl. *olie*, aengl. *œle* (gegenüber engl. *oil*, das aus dem Afrz. stammt) bezeichnete ursprünglich primär das Olivenöl und erst sekundär die verschiedensten flüssigen Fette, die je nach Verwendung von Zusammensetzungen wie ›Speise-, Salb-, Haut-, Maschinen-, Motoröl‹ usw. unterschieden werden. Die gemeinsame Quelle des westgerm. Wortes ist lat. *oleum* (bzw. vlat. **olium*) »Olivenöl; Öl«, das seinerseits aus gleichbed. griech. *élaion* entlehnt ist. Über weitere Zusammenhänge vgl. den Artikel *Olive.* Das griech.-lat. Wort lebt auch in fast allen anderen europäischen Sprachen fort. Vgl. z. B. aus den roman. Sprachen gleichbed. it. *olio*, span. *óleo* und frz. *huile* (afrz. *olie, oile;* aus dem Afrz. stammt engl. *oil*), aus den nordgerm. Sprachen z. B. schwed. *olja* und älter dän. *olje*, heute: *olie* (die unmittelbar wohl aus dem Mnd. oder Afries. stammen), ferner aus den slaw. Sprachen z. B. poln. *olej.* – Ableitungen und Zusammensetzungen: **ölen** »mit Maschinenöl abschmieren; salben« (mhd. *ölen*), dazu das Substantiv **Ölung** »Salbung mit Öl; Ölzufuhr« (mhd.

ölunge); **ölig** »fettflüssig wie Öl« (16. Jh.); **Ölbaum** (mhd. *ölboum,* ahd. *oliboum*); **Ölgötze** »unbewegt und teilnahmslos dastehender Mensch« (zuerst Anfang des 16. Jh.s bei Luther bezeugt; vielleicht gekürzt aus ›Ölberggötze‹ als Bezeichnung für die stumm zurückweichenden Söldner der Kohorte auf dem Ölberg).

...ol ↑Alkohol.

Oleander: Der Name des als Topfpflanze beliebten immergrünen Strauches (oder Baumes) des Mittelmeergebietes ist in dt. Texten seit dem 16. Jh. belegt. Er ist aus it. *oleandro* entlehnt, das unter Anlehnung an lat. *olea* »Olivenbaum« aus mlat. *lorandum* »Oleander« entstellt ist. Dies ist seinerseits nach lat. *laurus* »Lorbeerbaum« aus griech.-lat. *rhododéndron* (daraus unser Pflanzenname ›Rhododendron‹) umgestaltet, wohl wegen der lorbeerähnlichen Blätter des Oleanders.

Ölgötze ↑Öl.

Olive: Der seit dem Anfang des 16. Jh.s bezeugte Name für die Früchte des Ölbaumes (beachte schon mhd. *olīve* »Ölbaum«), aus denen das Olivenöl gewonnen wird, ist aus lat. *oliva* »Ölbaum; Olive« entlehnt, das seinerseits aus gleichbed. griech. *elaíā* bzw. einer Dialektform **elaíu̯ā* übernommen ist. Das Wort stammt letztlich wohl aus einer unbekannten Mittelmeersprache. – Der Ölbaum ist von alters her eine der wichtigsten Kulturpflanzen des Mittelmeergebietes. Das aus den Oliven hergestellte Olivenöl gehörte im Altertum (wie auch heute gerade in den südlichen Ländern) als Speiseöl, Salböl usw. zum täglichen Lebensbedarf. So ist es nicht verwunderlich, dass die griech. Bezeichnung für das Olivenöl (griech. *élaion* < **élaiu̯on*) über das Lat. in fast alle europäischen Kultursprachen gelangte (vgl. hierzu den Artikel *Öl*).

Olm: Der Ursprung der Benennung des lang gestreckten Schwanzlurches (mhd., ahd. *olm*) ist unklar. Vielleicht handelt es sich bei ahd. *olm* um eine Entstellung aus ahd. *molm* (↑Molch).

Ölung ↑Öl.

Oma, auch: Omama (ugs. für:) »Großmutter«: Das seit dem 19. Jh. bezeugte Wort ist eine kindersprachliche Umbildung von ›Großmama‹.

Omelett, Omelette: Die Bezeichnung für »Eierkuchen« wurde Anfang des 18. Jh.s aus gleichbed. frz. *omelette* entlehnt. Die weitere Herkunft des frz. Wortes ist unsicher.

Omen »(gutes oder schlechtes) Vorzeichen; Vorbedeutung«: Das Fremdwort wurde im 16. Jh. aus gleichbed. lat. *omen (ominis)* übernommen, dessen weitere Zugehörigkeit unsicher ist. – Abl.: **ominös** »von schlimmer Vorbedeutung, unheilvoll; bedenklich; verdächtig, anrüchig« (17. Jh.; aus gleichbed. frz. *omineux,* das auf lat. *ominosus* »voll von Vorbedeutungen« zurückgeht).

Omnibus: Das Substantiv wurde im 19. Jh. aus gleichbed. frz. *omnibus* (eigentlich wohl *voiture omnibus* »Wagen für alle«) entlehnt (lat. *omnibus* »für alle« ist der Dativ von lat. *omnes* »alle«). Häufiger als die Vollform ›Omnibus‹ ist die Mitte des 19. Jh.s aus dem Engl. aufgekommene Kurzform **Bus.** – Beachte auch **Autobus** (20. Jh.; zusammengezogen aus ›Auto‹ und ›Omnibus‹) und **Obus** (20. Jh.; zusammengezogen aus ›*O*berleitungsomni*bus*).

Onanie: Die in der medizinischen Fachsprache des 18. Jh.s aus dem Engl. übernommene Bezeichnung für die geschlechtliche Selbstbefriedigung (älter engl. *onania,* dafür heute engl. *onanism*) ist eine gelehrte Bildung zum Namen der biblischen Gestalt ›Onan‹ (1. Mos. 38; der dort beschriebene Vorfall, dass Onan sich geweigert habe, seinem verstorbenen Bruder Kinder zu zeugen und deshalb seinen Samen auf die Erde verspritzt habe, wurde dabei fälschlich als Selbstbefriedigung angesehen). – Abl.: **onanieren** »sich geschlechtlich selbst befriedigen« (19. Jh.).

Onkel: Die seit dem Anfang des 18. Jh.s bezeugte Verwandtschaftsbezeichnung ist aus gleichbed. frz. *oncle* entlehnt, das auf lat. *avunculus* »Mutterbruder« (vgl. *Oheim*) zurückgeht.

online: Das seit der 2. Hälfte des 20. Jh.s gebräuchliche Adjektiv bedeutet »in direkter Verbindung mit der Datenverarbeitungsanlage arbeitend«. Engl. *online,* von dem es übernommen wurde, ist eine Zusammensetzung der Präposition *on* »an, auf« und des Substantivs *line* »(Verbindungs-)Linie; Leitung«. In jüngster Zeit wird ›online‹ auch speziell in der Bedeutung »an das Internet angeschlossen« verwendet. In dieser Bedeutung findet es sich in zahlreichen Zusammensetzungen, wie z. B. **Onlinebanking, Onlineshopping.**

Onyx: Der Name des zumeist schwarz-weiß gebänderten Halbedelsteins geht auf gleichbed. griech.-lat. *ónyx* zurück. Die eigentliche Bedeutung des griech. Substantivs, das mit dt. ↑Nagel verwandt ist, ist »Kralle, Klaue; [Finger]nagel«. Der Onyx ist also vermutlich nach seiner weißlichen Färbung benannt, welche der des menschlichen Fingernagels ähnlich ist.

op..., Op... ↑ob..., Ob...

Opa, auch: Opapa (ugs. für:) »Großvater«: Das seit dem 19. Jh. bezeugte Wort ist eine kindersprachliche Umbildung von ›Großpapa‹.

Opal: Der seit dem 17. Jh. belegte Name des in einigen farbenprächtigen Spielarten (milchig weiß bis hyazinthrot) vorkommenden Halbedelsteins ist aus lat. *opalus* entlehnt, das seinerseits aus griech. *oállios* stammt. Dies ist aus aind. *úpala-ḥ* »Stein« übernommen.

Oper »musikalisches Bühnenwerk; Opernhaus«: Das seit dem 17. Jh. zuerst als ›Opera‹ bezeugte Substantiv stammt wie die meisten musikalischen Bezeichnungen aus dem It. Das it. Wort *opera (in musica)* bedeutet eigentlich »(Musik)werk«. Es ist ein Kunstwort, das auf lat. *opera* »Mühe, Arbeit; erarbeitetes Werk« (vgl. *operieren*) basiert. – Zu it. *opera* stellt sich als Verkleinerungsbildung *operetta* (eigentlich »Werkchen«). Daraus wurde im 18. Jh. – zunächst in der Form ›Operetta‹ – unser **Operette** als Bezeichnung eines musikalischen Bühnenstücks mit heiter-beschwingten, tänzerischen und komischen Szenen, das vorwiegend der leichten Unterhaltung dient, entlehnt.

operieren: Das seit dem 16. Jh. bezeugte Verb erscheint zuerst mit der allgemeinen Bedeutung »verfahren, handeln; wirken (besonders von Arzneien)«, die auch im modernen Sprachgebrauch noch lebendig ist. Schon früh gelangte das Wort auch in die medizinische Fachsprache, wo es in der speziellen Bedeutung »einen chirurgischen Eingriff vornehmen« gebraucht wird. Quelle des Wortes ist lat. *operari* »werktätig sein, arbeiten, beschäftigt sein, sich abmühen« (daneben im sakralen Bereich »der Gottheit durch Opfer dienen«; s. dazu den Artikel *opfern*), das als Ableitung zu lat. *opera* »Mühe, Arbeit; erarbeitetes Werk« (s. dazu den Artikel *Oper*) oder zu dem stammverwandten Substantiv lat. *opus (operis)* »Arbeit, Beschäftigung; erarbeitetes Werk« (s. den Artikel *Opus*) gehört. Die lat. Wörter *opus* und *opera* gehören letztlich zu der unter ↑üben dargestellten Wortsippe der idg. Wurzel **op-* »arbeiten, verrichten; zustande bringen; erwerben«. Von verwandten Wörtern im italischen Sprachraum sind noch zu nennen: lat. *ops (opis)* »Reichtum, Vermögen; Macht; Hilfsmittel; Beistand«, dazu lat. *opulentus* »reich an Vermögen; reichlich, reichhaltig« (↑opulent), lat. *copis, cops* »reichlich ausgestattet«, *copia* »Fülle, Reichtum« (in den Fremdwörtern ↑Kopie, kopieren) und lat. *optimus* »bester, hervorragendster« (in den Fremdwörtern ↑Optimum, ↑Optimismus), ferner das Bestimmungswort in lat. *officium* (< **opi-faciom*) »Dienstleistung; Obliegenheit, Pflicht; Amt« (s. dazu die Artikel *Offizier* und *offiziell, offiziös*). Vgl. auch den Artikel *Manöver.* – Unmittelbar zu lat. *operari* bzw. zu dem darauf beruhenden frz. Verb *opérer* stellen sich noch die folgenden Wörter: **Operation** »Verrichtung, Arbeitsvorgang; chirurgischer Eingriff; zielgerichtete Bewegung eines Heeresverbandes« (16. Jh.; aus lat. *operatio* »das Arbeiten, die Verrichtung usw.«); **operativ** »die chirurgische Operation betreffend; strategisch« (nlat. Bildung jüngster Zeit); **Operateur** »operierender Arzt; Kameramann« (als medizinischer Terminus im 18. Jh. aus gleichbed. frz. *opérateur* übernommen); **operabel** »operierbar« (20. Jh.; aus gleichbed. frz. *opérable*).

opfern: Das aus der Kirchensprache stammende Verb mhd. *opfern,* ahd. *opfarōn* (ursprünglich »etwas Gott als Opfergabe darbringen«) ist entlehnt aus lat.-kirchenlat. *operari* »werktätig sein, arbeiten; einer religiösen Handlung obliegen, der Gottheit durch Opfer dienen; Almosen geben«. Über weitere etymologische Zusammenhänge vgl. den Artikel *operieren.* – Eine alte Rückbildung aus dem Verb ›opfern‹ ist das Substantiv **Opfer** (mhd. *opfer,* ahd. *opfar*).

Opium: Die Bezeichnung für das aus dem Milchsaft des Schlafmohns gewonnene Rauschgift und Betäubungsmittel wurde im 15. Jh. aus lat. *opium* »Mohnsaft, Opium« entlehnt, das aus gleichbed. griech. *ópion* übernommen ist. Dies ist eine Verkleinerungsbildung zu griech. *opós* »Pflanzenmilch«.

opponieren »sich widersetzen; widersprechen«: Das seit dem 15. Jh. belegte Verb ist aus lat. *opponere* »entgegensetzen; einwenden« entlehnt (vgl. *ob..., Ob...* und *Position*), aus dessen Part. Präs. *opponens* im 17. Jh. das Fremdwort **Opponent** »Gegner [im Redestreit]« übernommen wurde. Aus der spätlat. Bildung *oppositio* »das Entgegensetzen« wurde im 16. Jh. **Opposition** »Gegenüberstellung; Gegensatz; Widerstand; Widerspruch« (16. Jh.) entlehnt, das seit dem Ende des 18. Jh.s unter dem Einfluss von engl. (und frz.) *opposition* auch in politischem Sinne zur Bezeichnung der Gesamtheit aller von der jeweiligen Regierung ausgeschlossenen und mit deren Politik nicht einverstandenen Parteien und Gruppen gilt.

opportun »passend, nützlich, angebracht, günstig; zweckmäßig«: Das Adjektiv wurde im 17./18. Jh. aus gleichbed. lat. *opportunus* entlehnt. Dies ist eine Bildung aus lat. *ob* »auf – hin« (vgl. *ob..., Ob...*) und lat. *portus* »Hafen« und bedeutete demnach ursprünglich »auf den Hafen zu (wehend und daher günstig, vom Wind)«. – Dazu stellt sich die aus dem Frz. übernommene Bildung **Opportunist** »jemand, der sich aus Nützlichkeitserwägungen schnell und bedenkenlos der jeweils gegebenen Lage anpasst«, zunächst speziell politisches Schlagwort zur Kennzeichnung des Gelegenheitspolitikers ohne feste Grundsätze (19. Jh., aus gleichbed. frz. *opportuniste,* Bildung zu frz. *opportun*).

Opposition ↑opponieren.

Optik »Lehre vom Licht; der die Linsen enthaltende Teil eines optischen Gerätes; optischer Eindruck, optische Wirkung«: Das seit dem 16. Jh. zuerst als ›Optica‹ bezeugte Fremdwort ist aus lat. *optica (ars)* entlehnt, das seinerseits aus griech. *optikḗ (téchnē)* »die das Sehen betreffende Lehre« stammt. Das zugrunde liegende Adjektiv griech. *optikós* »zum Sehen gehörig, das Sehen betreffend«, dem im 16. Jh. unser Adjektiv **optisch** nachgebildet wurde, gehört zu dem u. a. in griech. *ósse* »die beiden Augen«, griech. *ópsesthai* »sehen werden« und griech. *ómma* (< **op-mn̥*) »Auge« vertretenen Stamm *op-* (< **ok*$^{u̯}$*-*) »sehen; Auge«. Über die idg. Zusammenhänge vgl. den Artikel *Auge.*

optimal ↑Optimum.

Optimismus: Das Wort wurde im 18. Jh. aus gleichbed. frz. *optimisme* entlehnt, einer Bildung zu lat. *optimus* »bester, hervorragendster« (vgl. *Optimum*). Es galt zunächst als philosophisches Schlagwort für Leibniz' Theodizee, die Lehre, dass diese Welt die beste von allen möglichen sei und dass das geschichtliche Geschehen ein Fortschritt zum Guten und Vernünftigen sei. Aber auch schon im 18. Jh. erscheint das Wort mit seiner heute üblichen Bedeutung »heitere, zuversichtliche Lebensauffassung«. Es steht hier im Gegensatz zu dem später geprägten ↑Pessimismus.

Optimum: Das Fremdwort für »das Wirksamste; der Bestwert; das Höchstmaß« ist eine Entlehnung des 20. Jh.s aus lat. *optimum*, dem Neutrum von *optimus* »bester, hervorragendster« (über etymologische Zusammenhänge vgl. den Artikel *opulent*). – Dazu gebildet ist das Adjektiv **optimal** »sehr gut, bestmöglich«.

optisch ↑Optik.

opulent »üppig, reichlich«: Das seit dem Anfang des 18. Jh.s bezeugte Adjektiv ist aus lat. *opulentus* »reich an Vermögen; reichlich, reichhaltig« entlehnt. Stammwort ist lat. *ops* (Genitiv: *opis*) »Reichtum, Vermögen; Macht; Hilfsmittel; Hilfe, Beistand«, das auch den lat. Wörtern *copis, cops* »reichlich versehen mit« (< **co-op-is*) – dazu lat. *copia* »Fülle, Reichtum« (↑Kopie usw.) – und *optimus* »bester, hervorragendster« (s. die Artikel *Optimum* und *Optimismus*) zugrunde liegt. Üblicherweise verbindet man lat. *ops* mit den unter ↑operieren genannten Wörtern, lat. *opus* »Arbeit, Beschäftigung; erarbeitetes Werk« und *opera* »Mühe, Arbeit«, wobei dann die Bedeutung »Reichtum (wohl ursprünglich an Feldfrüchten), Fülle« als resultativ anzusehen wäre: der Reichtum als Ergebnis und Lohn mühsamer (landwirtschaftlicher) Arbeit.

Opus: Das seit dem 16. Jh. bezeugte Fremdwort ist identisch mit lat. *opus* »Arbeit, Beschäftigung; erarbeitetes Werk« (vgl. *operieren*). Es galt zunächst allgemein im Sinne von »Werk« zur Bezeichnung wissenschaftlicher, literarischer und künstlerischer Arbeiten. Seit dem 19. Jh. ist es dann auch ein spezieller Terminus in der Musik, der die chronologisch geordneten einzelnen Schöpfungen eines Komponisten numerisch benennt (Abk.: op.).

Orakel: Das seit dem 16. Jh. bezeugte Fremdwort ist aus lat. *oraculum* entlehnt. Wie dies bezeichnete es zunächst einen Ort, an dem die Götter geheimnisvolle Weissagungen erteilen, dann die dunkle Weissagung selbst, den Götterspruch. Schließlich wurde es auch allgemeiner im Sinne von »geheimnisvoller Ausspruch, rätselhafte Andeutung« verwendet, beachte dazu die jungen Ableitungen **orakelhaft** »dunkel, undurchschaubar, rätselhaft« und **orakeln** »in dunklen Andeutungen sprechen«. – Lat. *oraculum* bedeutet wörtlich etwa »Sprechstätte«. Es ist abgeleitet von dem aus dem Bereich der Sakral- und Rechtssprache stammenden Verb lat. *orare* »eine Ritualformel wirksam hersagen; vor Gericht verhandeln; reden, sprechen; bitten, beten«.

Orange: Der Name der Südfrucht wurde im 17./18. Jh. aus gleichbed. frz. *orange* (älter auch: *pomme d'orange*) entlehnt. Die frühesten Belege im Deutschen stammen aus Norddeutschland, wo durch Vermittlung von niederl. *oranjeappel* im 17. Jh. ›Oranienapfel‹ erscheint. Im Süden begegnet dafür etwas später die Zusammensetzung ›Orangenapfel‹ (nach frz. *pomme d'orange*). – Quelle des frz. Wortes, wie z. B. auch für entsprechend it. *arancia* (↑Pomeranze), ist arab. *nāranǧ* (< pers. *nāringˇ*) »bittere Orange«, das den europäischen Sprachen durch gleichbed. span. *naranja* vermittelt wurde. Das anlautende o- von frz. *orange* (gegenüber dem in den anderen Sprachen bewahrten ursprünglichen a-) beruht auf einer volksetymologischen Umdeutung des Wortes (vielleicht nach frz. *or* »Gold« wegen des goldgelben Aussehens der Früchte oder nach der südfranzösischen Stadt Orange, über die die Frucht importiert wurde). Andere Bezeichnungen der Südfrucht s. unter *Apfelsine* und *Pomeranze*.

Orang-Utan: Der in dt. Texten seit dem 17. Jh. bezeugte Name des auf Borneo und Sumatra beheimateten Menschenaffen entstammt dem Malaiischen. Es handelt sich dabei um eine von Europäern vorgenommene irrtümliche oder scherzhafte Übertragung von malai. *orang [h]utan* »Waldmensch«, womit die Malaien der Großen Sundainseln die in wilden Stämmen lebenden Ureinwohner benannten.

Orchester: Zu griech. *orcheĩsthai* »tanzen, hüpfen, springen« (über die idg. Zusammenhänge vgl. *rinnen*) gehört die Substantivbildung griech. *orchḗstrā* »Teil des Theaters, wo der Chor sich bewegt; Tanzplatz«. Über lat. *orchestra*, das zunächst den für die Senatoren bestimmten Ehrenplatz vorn im Theater bezeichnete, später dann auch jenen Teil der vorderen Bühne, auf der die Musiker und Tänzer auftraten, gelangte das Wort in die roman. Sprachen (it. *orchestra*, frz. *orchestre*) und von da Anfang des 18. Jh.s ins Deutsche mit der Bedeutung »Raum für die Musiker vor der Bühne«. Seit der Mitte des 18. Jh.s wird ›Orchester‹ dann vor allem im Sinne von »größeres Ensemble von Instrumentalisten unter der Leitung eines Dirigenten« verwendet.

Orchidee: Der Name der zu den Knabenkrautgewächsen gehörenden Zierpflanze wurde im 18./19. Jh. aus frz. *orchidée* übernommen. Dies ist eine gelehrte Neubildung zu griech. *órchis* »Hoden«, das im übertragenen Gebrauch eine Pflanze mit hodenförmigen Wurzelknollen bezeichnet, wie sie für die Orchideen charakteristisch sind. – Beachte auch die ähnliche Benennung ›Knabenkraut‹ im Artikel *Knabe*.

Orden: Das Substantiv mhd. *orden* »Regel, Ordnung; Reihe[nfolge]; Verordnung, Gesetz; Rang, Stand; christlicher Orden« (gegenüber ahd. *ordena* »Reihe, Reihenfolge«) ist aus lat. *ordo (ordinis)* »Reihe; Ordnung; Rang, Stand« entlehnt (vgl. dazu das Lehnwort *ordnen*). Aus einem ursprünglich freieren Gebrauch hat das Wort im Laufe der Zeit spezielle Anwendungsbereiche erlangt. Insbesondere wurde es früh zur Bezeichnung der für bestimmte christliche (insbesondere klösterliche), später auch weltliche Gemeinschaften und Brüderschaften verbindlichen [Ordens]regeln und danach auch zur Bezeichnung solcher Gemeinschaften selbst. Nach den Ordensabzeichen, die die Mitglieder dieser Gemeinschaften zur Ehre des Ordens und zum Zeichen ihrer Zugehörigkeit zur Ordensgemeinschaft trugen, bedeutet ›Orden‹ heute auch »Ehrenzeichen, Auszeichnung«. – An die ursprüngliche Bedeutung von ›Orden‹ »Reihenfolge, Ordnung« schließt sich das abgeleitete Adjektiv **ordentlich** »der Ordnung, der Vorschrift gemäß; ordnungsliebend, sauber, anständig; tüchtig; wohl geordnet; regelrecht, planmäßig« an (mhd. *ordenlich,* ahd. [Adverb] *ordenlīcho;* das jüngere -t- im Auslaut der Stammsilbe ist ein unorganischer Gleitlaut, ähnlich wie in *eigentlich* [↑eigen]).

Order »Befehl, Anweisung; Bestellung, Auftrag«: Das Fremdwort wurde im 17. Jh. aus gleichbed. frz. *ordre* (afrz. *ordene*) entlehnt, das auf lat. *ordo (ordinis)* »Ordnung; Rang; Verordnung« (vgl. *Orden*) zurückgeht. Die Verwendung im kaufmännischen Bereich steht wohl unter dem Einfluss von engl. *order* »Bestellung, Auftrag«. – Abl.: **ordern** »eine Bestellung abgeben, einen Auftrag erteilen« (20. Jh., wohl unter dem Einfluss von gleichbed. engl. *to order*); **beordern** »jemanden wohin bestellen; beauftragen« (Ende 17. Jh.).

ordinär: Das seit dem 17. Jh. bezeugte Adjektiv wurde bis ins 18. Jh. im Sinne von »ordentlich; allgemein üblich, gewöhnlich« verwendet, dann entwickelte es – als Gegensatz zum ›Außerordentlichen, Feinen und Vornehmen‹ – die heute übliche Bedeutung »gewöhnlich, niedrig, gemein, vulgär«. Es ist aus frz. *ordinaire* entlehnt, das auf lat. *ordinarius* »in der Ordnung, ordentlich« zurückgeht. Dies gehört zu lat. *ordo (ordinis)* »Reihe; Ordnung; Rang« (vgl. *Orden*).

Ordinarius: Die Bezeichnung für »ordentlicher Professor an einer Hochschule« ist aus ›Professor ordinarius‹ gekürzt. Das lat. Adjektiv *ordinarius* »ordentlich« gehört zu lat. *ordo* »Reihe, Ordnung« (vgl. *Orden*).

ordnen: Das Verb (mhd. *ordenen,* ahd. *ordinōn* »in Ordnung bringen, gehörig einrichten; anordnen usw.«) ist aus lat. *ordinare* »in Reihen zusammenstellen, ordnen; anordnen« entlehnt. Dies ist von lat. *ordo (ordinis)* »Reihe; Ordnung; Rang, Stand« abgeleitet (vgl. den Artikel *Orden*). – Abl.: **Ordner** »jemand, der für Ordnung sorgt; Vorrichtung zum Einordnen von Schriftstücken« (mhd. *ordenǣre*); **Ordnung** »Tätigkeit des Ordnens; Geregeltheit; Aufgeräumtheit, Sauberkeit; systematische Zusammenfassung; Reihe, Grad; Regel, Vorschrift« (mhd. *ordenunge,* ahd. *ordinunga*). Um ›ordnen‹ gruppieren sich die Bildungen **abordnen** (dazu: **Abgeordneter** und **Abordnung**), **anordnen** (dazu: **Anordnung**) und **verordnen** (dazu: **Verordnung**).

Ordonnanz: Das seit dem 16. Jh. bezeugte Fremdwort war zunächst in der heute veralteten Bedeutung »Befehl, Anordnung« gebräuchlich. Seit dem 17. Jh. bezeichnet es in der militärischen Fachsprache einen Soldaten, der einem Offizier zur Befehlsübermittlung zugeteilt ist. Entlehnt ist es aus frz. *ordonnance* »Befehl, Anordnung; Ordonnanz«, das von frz. *ordonner* (afrz. *ordener*) »anordnen, vorschreiben« abgeleitet ist. Dies geht auf lat. *ordinare* »ordnen; verordnen« zurück (vgl. den Artikel *ordnen*).

Organ: Das seit dem 18. Jh. belegte Fremdwort, das jedoch schon im 16.–18. Jh. in den nicht eingedeutschten Formen ›Organum‹, ›Organon‹ (Plural ›Organa‹) auftritt, ist aus lat. *organum* »Werkzeug; Musikinstrument, Orgel« entlehnt, das seinerseits aus griech. *órganon* »Werkzeug, Instrument; Körperteil« stammt. – Zunächst wurde ›Organ‹ allgemein im Sinne von »Werkzeug, Hilfsmittel« gebraucht. Dann bezeichnete es (wie schon griech. *órganon*) in der Medizin jeden Körperteil mit einer einheitlichen Funktion, wie einerseits die inneren Organe (Herz, Leber usw.), wie andererseits aber auch die Sinnesorgane und die Sprechwerkzeuge. Daher bedeutet ›Organ‹ übertragen auch »Sinn, Empfindung, Empfänglichkeit«, was besonders in der Wendung ›[k]ein Organ für etwas haben‹ zum Ausdruck kommt, und »menschliche Stimme« (beachte dazu die Wendung ›ein lautes Organ haben‹). Im öffentlichen Leben schließlich bezeichnet ›Organ‹ (wohl nach entsprechend frz. *organe*) einmal eine Person oder [Zeit]schrift, durch die sich eine Gruppe oder Gemeinschaft äußert (beachte z. B. die Zusammensetzung ›Parteiorgan‹), zum andern im speziell juristischen Sinne den durch Satzung oder Gesetz bestimmten Vertreter einer juristischen Person (beachte die Fügung ›ein ausführendes Organ‹). Griech. *órganon* »Werkzeug, Gerät, Instrument« (das auch die Quelle für unser Lehnwort ↑Orgel ist), ist eine ablautende Bildung zum Stamm von griech. *érgon* »Werk; Dienst« (vgl. den Artikel *Energie*). – Um ›Organ‹ gruppieren sich die Bildungen **organisch** »ein Organ oder den Organismus betreffend; geordnet, ineinander greifend; zum belebten Teil der Natur gehörend; die Verbindungen des Kohlenstoffs (in tierischen und pflanzlichen Organismen) betreffend« (18. Jh.; Neubildung nach lat. *organicus* < griech. *organikós* »als Werkzeug dienend; wirksam«. Die Nichtkohlenstoffverbindungen, wie sie vor allem in der unbelebten Natur vorkommen, heißen entsprechend **anorganisch** (19. Jh.; vgl. das verneinende Präfix ›an-‹ (↑[2]*a..., A...*). **Organismus** »Gefüge; einheitliches, gegliedertes [lebendiges] Ganzes; Lebewesen« (18. Jh.; aus gleichbed. frz. *organisme*). Vgl. den Artikel *organisieren.*

organisieren: Das seit dem 18. Jh. bezeugte Verb

O

wurde zunächst allgemein im Sinne von »planmäßig ordnen, gestalten, einrichten, aufbauen« gebraucht, dann auch – vor allem reflexiv – im Sinne von »[sich] zu wirtschaftlichen, politischen u.a. Zweckverbänden zusammenschließen«. In der Umgangssprache schließlich ist ›organisieren‹ als verhüllender Ausdruck für »sich etwas [auf nicht ganz rechtmäßige Weise] beschaffen« gebräuchlich. Es ist aus frz. *organiser* »einrichten, anordnen, gestalten, organisieren« entlehnt, das als Ableitung von frz. *organe* »Organ; Werkzeug« (= dt. ↑Organ) eigentlich »mit Organen versehen« bedeutet, dann etwa auch »zu einem lebensfähigen Ganzen zusammenfügen«. – Dazu: **Organisation** »Aufbau, Einrichtung, Gliederung, planmäßige Gestaltung; Gruppe, Verband (mit [sozial]politischen Zielen)« (17./18. Jh.; aus gleichbed. frz. *organisation*), **Organisator** »Gestalter, Planer; Anstifter« (20. Jh.; nlat. Bildung).

Orgasmus: Die seit dem 19. Jh. bezeugte Bezeichnung für den Höhepunkt der geschlechtlichen Erregung ist eine gelehrte Bildung zu griech. *orgān* »strotzen, schwellen; vor Liebesverlangen glühen«.

Orgel: Der Name des Musikinstruments, mhd. *orgel* (neben *organa, orgene*), ahd. *orgela* (neben *organa*), geht zurück auf lat.-kirchenlat. *organa*, die als Femininum Singular aufgefasste Pluralform von lat.-kirchenlat. *organum* »Werkzeug, Instrument; Musikinstrument; Orgelwerk, Orgel«. Letzte Quelle des Wortes ist griech. *órganon* »Werkzeug, Instrument« (vgl. den Artikel *Organ*).

Orgie »ausschweifendes Gelage; Ausschweifung«: Das in dieser Bedeutung seit dem 18. Jh. gebräuchliche Fremdwort ist griech. Ursprungs. Es stammt aus dem zum Stamm von griech. *érgon* »Werk; Dienst« (vgl. *Energie*) gehörenden griech. Substantiv *órgia* (Neutr. Plur.) »heilige Handlung, geheimer Gottesdienst«, das speziell die Geheimfeiern des Bacchusdienstes und die damit verbundenen wilden und ausgelassenen nächtlichen Schwärmereien bezeichnete. Über lat. *orgia* (Neutr. Plur.) »nächtliche Bacchusfeier« gelangte das Wort im 17. Jh. – zunächst als Plural ›Orgien‹ – ins Dt.

Orient: Das seit mhd. Zeit bezeugte Fremdwort (mhd. *orient*) bezeichnet im Gegensatz zu ↑Okzident die vorder- und mittelasiatischen Länder, aber auch die östliche Welt und deren Kulturen. Entlehnt ist das Wort aus lat. *oriens (sol)*, das wörtlich »aufgehende Sonne« bedeutet, dann übertragen »Land, das in Richtung der aufgehenden Sonne liegt; Osten, Morgenland«. Das zugrunde liegende Verb lat. *oriri* »aufstehen, sich erheben; entstehen, entspringen«, das auch Stammwort für lat. *origo (originis)* »Ursprung, Quelle; Stamm« ist (↑original), gehört zu der unter ↑rinnen dargestellten idg. Wortfamilie. Vgl. auch den Artikel *orientieren*.

orientieren »jemanden von etwas unterrichten«, meist reflexiv im Sinne von »sich zurechtfinden; sich umsehen, sich erkundigen, sich unterrichten; sich nach jemandem, nach etwas ausrichten, sich auf jemanden, auf etwas einstellen«: Das Verb wurde im 18. Jh. aus gleichbed. frz. *[s']orienter*, einer Bildung zu frz. *orient* »Sonnenaufgang, Osten; Orient« (< lat. *oriens*, ↑Orient), entlehnt. Auszugehen ist dabei von einer ursprünglich geographischen Bedeutung »die Himmelsrichtung nach dem Aufgang der Sonne bestimmen«. – Das vom Verb abgeleitete Substantiv **Orientierung** »Kenntnis von Weg und Gelände; geistige Einstellung, Ausrichtung« ist seit dem 19. Jh. belegt.

original »ursprünglich, echt; urschriftlich«, auch in Zusammensetzungen wie ›Originalausgabe, Originaltext‹: Das seit dem 18. Jh. bezeugte Adjektiv ist aus lat. *originalis* »ursprünglich« entlehnt, das von lat. *origo (originis)* »Ursprung, Quelle, Stamm« abgeleitet ist. Über weitere Zusammenhänge vgl. den Artikel *Orient*. – Dazu: **Original** »Urschrift, Urfassung; Urtext; Urbild, Vorlage« (14. Jh.; aus mlat. *originale [exemplar]* »ursprüngliches Exemplar«), auch übertragen gebraucht für einen eigentümlichen Menschen, der sich durch ausgeprägte Eigenart, durch Besonderheiten in liebenswerter Weise von anderen abhebt (so seit dem 18. Jh. belegt); **Originalität** »Ursprünglichkeit, Echtheit, Selbstständigkeit; Besonderheit, wesenhafte Eigentümlichkeit« (18. Jh.; aus gleichbed. frz. *originalité*); **originell** »eigenartig, einzigartig; urwüchsig, komisch« (18. Jh.; aus gleichbed. frz. *originel*).

Orkan: Die Bezeichnung für »äußerst starker Sturm« wurde im 16./17. Jh. aus gleichbed. niederl. *orkaan* entlehnt, das wie frz. *ouragan*, it. *uragano*, engl. *hurricane* (s. den Artikel *Hurrikan*) auf span. *huracán* »Wirbelsturm« zurückgeht. Das Wort stammt letztlich aus dem Taino, einer westindischen Indianersprache.

Ornament: Das seit dem 14. Jh. bezeugte Substantiv für »Verzierung« ist aus lat. *ornamentum* »Ausrüstung; Schmuck, Zierde; Ausschmückung« entlehnt. Dies ist eine Bildung zu lat. *ornare* »ordnen, ausrüsten; schmücken« (vgl. *Ornat*).

Ornat: Die Bezeichnung für »feierliche [kirchliche] Amtstracht« (mhd. *ornat*) wurde im 14. Jh. aus lat. *ornatus* »Ausrüstung, Ausstattung; Schmuck; schmuckvolle Kleidung« entlehnt. Stammwort ist lat. *ornare* (< **ord[i]nare*) »ordnen, ausrüsten, ausstatten; schmücken« (zu lat. *ordo* »Reihe, Ordnung«; vgl. *Orden*), das auch dem Fremdwort ↑Ornament zugrunde liegt.

Ort: Mhd., ahd. *ort* »Spitze (bes. einer Waffe oder eines Werkzeugs); äußerstes Ende, Punkt; Ecke, Rand; Stück; Gegend, Stelle, Platz«, niederl. *oord* »Gegend, Landstück; Stelle, Platz«, aengl. *ord* »Spitze; Speer; äußerstes Ende«, schwed. *udd* »Spitze, Stachel« beruhen auf germ. **uzđa-* »Spitze«, das wahrscheinlich mit alban. *usht* »Ähre« und lit. *usmìs* »Distel« verwandt ist. – Die ursprüngliche Bedeutung »Spitze« spiegelt im heutigen Sprachgebrauch noch die Verwendung von ›Ort‹ im Sinne von »Ahle, Pfriem« wider. Die Bedeutungen »Spitze, äußerstes Ende, Ecke« sind bewahrt in geographischen Namen, beachte z. B. ›Darßer Ort, Ruhrort‹, und in der Bergmannssprache, in der ›Ort‹ im Sinne von »Ende einer Strecke, Abbaustelle« verwendet wird, vgl. die Fügung ›vor Ort‹, die heute auch übertragen im Sinne von »unmittelbar am Ort des Geschehens« gebräuchlich ist, und **örtern** bergmännisch für »an der Schichtstrecke Örter anschlagen« (s. auch den Artikel *erörtern*). Gewöhnlich wird ›Ort‹ heute in den Bedeutungen »Stand[punkt], Platz, Stelle« und »Siedlung, Dorf, Stadt« verwendet. An diesen Wortgebrauch schließen sich an die Bildungen **orten** »die augenblickliche Position bestimmen« (20. Jh.), dazu **Ortung; örtlich** »eine bestimmte Stelle oder Ortschaft betreffend« (18. Jh.), dazu **Örtlichkeit; Ortschaft** »Flecken, Dorf, kleine Stadt« (18. Jh.). Die Verkleinerungsbildung **Örtchen** wird als verhüllender Ausdruck für »Abtritt« gebraucht, vgl. den Artikel [1]*Abort*.

ortho..., Ortho..., (vor Vokalen gelegentlich:) orth..., Orth...: Dem Bestimmungswort von Zusammensetzungen mit der Bedeutung »gerade, aufrecht; richtig, recht«, wie in ↑orthodox, ↑Orthographie, orthographisch u. a., liegt das griech. Adjektiv *orthós* »gerade, aufrecht; richtig, wahr« zugrunde.

orthodox »rechtgläubig, strenggläubig; der strengen Lehrmeinung gemäß; der herkömmlichen Anschauung entsprechend«, auch übertragen gebraucht im Sinne von »starr, unnachgiebig«: Das Adjektiv wurde im 16. Jh. aus spätlat. *orthodoxus* entlehnt, das seinerseits aus griech. *orthódoxos* »recht meinend, die richtige Anschauung habend; rechtgläubig« übernommen ist. Dies ist eine Bildung aus griech. *orthós* »aufrecht; recht« (vgl. *ortho..., Ortho...*) und griech. *dóxa* »Meinung, Anschauung; Lehre; Glaube«.

Orthographie: Das Fremdwort für »Rechtschreibung« wurde in der Schul- und Kanzleisprache des 15. Jh.s aus gleichbed. griech.(-lat.) *orthographía* entlehnt. Dies ist eine Bildung aus griech. *orthós* »aufrecht; recht, richtig« (vgl. *ortho..., Ortho...*) und griech. *-graphia* (zu *gráphein* »schreiben«; vgl. *Grafik*). – Abl.: **orthographisch** »rechtschreiblich« (16. Jh.).

Orthopädie »Teil der Medizin, der sich mit der Behandlung angeborener und erworbener Fehler des menschlichen Bewegungsapparats befasst«: Die Bezeichnung wurde im 18. Jh. aus gleichbed. frz. *orthopédie* übernommen, einer gelehrten Bildung des französischen Arztes Nicolas Andry (1658–1752) aus griech. *orthós* »aufrecht, gerade; richtig« (vgl. *ortho..., Ortho...*) und griech. *paideía* »Übung, Erziehung« (zu griech. *paĩs* »Kind, Knabe«, vgl. *Pädagoge*). – Dazu stellen sich die Bildungen **Orthopäde** »Facharzt für Orthopädie« und **orthopädisch** »die Orthopädie betreffend«.

Öse: Das seit dem 15. Jh., zuerst in der mitteld. Form *ōse* bezeugte Wort beruht wahrscheinlich auf einer Form, die im grammatischen Wechsel zu dem unter ↑Ohr behandelten Wort steht (vgl. got. *ausō* »Ohr«). Es bedeutet demnach eigentlich – wie auch die Bildung ↑Öhr – »ohrartige Öffnung«.

Osten: Der Name der Himmelsrichtung mhd. *ōsten*, ahd. *ōstan* ist das substantivisch gebrauchte altgerm. Richtungsadverb mhd. *ōsten[e]* »nach, im Osten«, ahd. *ōstana*, aengl. *ēastan[e]*, aisl. *austan* »von Osten«. Die kürzere Form **Ost** – in Analogie zu ›Nord‹ und ›Süd‹ – ist erst seit dem 15. Jh. gebräuchlich. Daneben war früher auch das Richtungsadverb und Adjektiv mhd. *ōster*, ahd. *ōstar* »nach, im Osten« und »östlich« gebräuchlich, das z. B. im Ländernamen ›Österreich‹ bewahrt ist. – In den anderen germ. Sprachen sind als Bezeichnung der Himmelsrichtung gebräuchlich niederl. *oosten*, engl. *east*, schwed. *öster* »Osten«. Die germ. Wortgruppe gehört mit verwandten Wörtern in anderen idg. Sprachen zu der idg. Wurzel **au̯es-*, **aus-* »leuchten (vom Tagesanbruch), hell werden«, vgl. z. B. griech. *ēṓs* »Morgenröte« und lat. *aurora* »Morgenröte«. Zu dieser Wurzel gehört wohl auch das unter ↑Ostern behandelte Wort. – Osten ist demnach also die Himmelsgegend der Morgenröte. – Abl.: **östlich** (16. Jh.).

Ostern: Der Name des Festes der Auferstehung Christi (mhd. *ōsteren*, ahd. *ōstarun* [Plural]) ist in seiner Herkunft nicht sicher geklärt. Das Wort hängt offensichtlich mit ↑Osten in seiner eigentlichen Bedeutung »Morgenröte« zusammen (verwandt sind hierzu z. B. aind. *uṣrā́*, griech. *ēṓs* und lat. *aurora* »Morgenröte«). Möglicherweise handelt es sich eigentlich um ein germanisches Fest zu Ehren einer (namentlich nicht sicher bezeugten) Göttin der Morgenröte, wobei der Bezug zwischen Fest und Name aber unklar ist. Der Name ›Ostern‹ für das christliche Fest könnte aber auch durch die Bedeutung »Morgenröte« motiviert sein, die im liturgischen Kontext durchaus eine Rolle spielt. Seit dem 5. Jh. ist die lat. Bezeichnung *albae (paschalis)* für ›Ostern‹ bezeugt; lat. *alba* bedeutet »weiß«, womit Bezug auf die weißen Kleider der Getauften genommen wird. Da dieses Adjektiv vlat. auch die Bedeutung »Morgenröte« hatte, könnte hierdurch die dt. Benennung des Festes (als Lehnübersetzung) motiviert sein. – Außer im Dt. ist der Name des Festes im germ. Sprachbereich nur noch im Engl. gebräuchlich, vgl. engl. *Easter*, während die anderen germ. Sprachen kirchenlat. *pascha* entlehnt haben: niederl. *Pasen*, schwed. *påsk*, beachte got. *pāska*. – Abl.: **österlich** (mhd. *ōsterlich*, ahd. *ōstarlīh*). Zus.: **Osterei** (15. Jh., im Sinne von »zu Ostern abzulieferndes Zinsei«, seit dem 16. Jh. im heutigen Sinne); **Osterhase** (17. Jh.).

[1]**Otter:** Der altgerm. Name der im Wasser lebenden Marderart mhd. *ot[t]er*, ahd. *ottar*, niederl. *otter*, engl. *otter*, schwed. *utter* beruht mit verwandten

O

Wörtern in anderen idg. Sprachen auf idg. **udro-s* »Wassertier, Otter«, vgl. z. B. aind. *udrá-ḥ* »Wassertier«, griech. *hýdros, -ā* »Wasserschlange« (beachte die aus der griech. Mythologie bekannte Hydra [von Lerna]), russ. *vydra* »Otter«. – Das idg. Wort ist eine Bildung zu der unter ↑Wasser dargestellten idg. Wurzel und bedeutet eigentlich »der zum Wasser Gehörige«. Zur Unterscheidung von ›²Otter‹ »Schlange« wird statt des einfachen Wortes oft die Zusammensetzung ›Fischotter‹ verwendet.

²Otter »Schlange«: Das seit dem 16. Jh. bezeugte Wort ist entstanden aus älterem *nŏter* (15. Jh.), der ostmitteld. Entsprechung von mhd. *nāter* »Schlange« (vgl. *Natter*). Der Verlust des anlautenden n- erklärt sich daraus, dass man es fälschlicherweise für das -n des vorausgehenden unbestimmten Artikels hielt (ostmitteld. *ein nŏter*). Auf diese Weise entstanden z. B. auch niederl. *adder* »Natter, Schlange« aus mniederl. *nadre,* engl. *adder* »Schlange« aus aengl. *nǣdre.* – In der zoologischen Fachsprache bezeichnet man mit ›Ottern‹ eine Familie kleinerer Giftschlangen.

out: Das engl. Adverb *out,* dessen Bedeutung etwa mit »aus, heraus« umschrieben werden kann, wurde im Deutschen zunächst im Bereich des Sports übernommen. Bereits in der 1. Hälfte des 20. Jh.s bezeichnet es den Raum »außerhalb eines Spielfeldes«. Seit der 2. Hälfte des 20. Jh.s wird ›out‹ für alles verwendet, was »nicht mehr im Brennpunkt des Interesses, nicht mehr modern, nicht mehr gefragt« ist. Eine Ableitung des engl. Adverbs *out* ist das Verb *to out.* Mit seiner Bedeutung »jmds. Homosexualität ohne dessen Zustimmung öffentlich bekannt machen« (eigentlich *to come out*) wird es in der 2. Hälfte des 20. Jh.s in der Form **outen** ins Deutsche übernommen.

Outfit: Das im Sinne von »Kleidung, Ausrüstung« verwendete Fremdwort ist seit der 2. Hälfte des 20. Jh.s im Deutschen belegt. Das gleichbed. engl. Substantiv *outfit,* von dem es übernommen wurde, ist eine Ableitung des engl. Verbs *to fit out* »ausstatten«.

Ouvertüre: Das seit dem Ende des 17. Jh.s bezeugte Fremdwort bezeichnet ein eröffnendes, einleitendes Instrumentalstück zu einer Oper, einem Oratorium u. a. Es ist aus gleichbed. frz. *ouverture* entlehnt, das eigentlich allgemein »Öffnung, Eröffnung« bedeutet. Dies geht auf ein vlat. **opertura* zurück, das für klass.-lat. *apertura* »[Er]öffnung« steht. Über das Stammwort lat. *aperire* »öffnen« vgl. den Artikel *Aperitif.*

oval »eirund, länglich rund«: Das Adjektiv wurde Anfang des 17. Jh.s aus spätlat. *ovalis* »eiförmig« entlehnt. Dies ist eine Bildung zu lat. *ovum* »Ei« (verwandt mit dt. ↑Ei). – Abl.: **Oval** »ovale Fläche oder Anlage« (17. Jh.).

Ovation »Huldigung, Beifall«: Das Fremdwort wurde im 16. Jh. aus lat. *ovatio* »kleiner Triumph« (wenn der Feldherr nach dem Sieg nicht auf einem Wagen, wie beim üblichen Triumph, sondern nur zu Pferd oder zu Fuß mit einem Myrtenkranz auf dem Kopf Einzug hielt) entlehnt. Dies ist eine Bildung zu lat. *ovare* »triumphieren; siegreich Einzug halten«.

Overall »einteiliger Schutzanzug« (für Mechaniker, Sportler u. a.): Der Name des Kleidungsstücks wurde im 20. Jh. aus gleichbed. engl. *overall* entlehnt, einer Bildung aus engl. *over* »über« und *all* »alles«, eigentlich also »(das, was) über alles (angezogen wird)«.

Oxid, (nicht fachsprachlich:) **Oxyd:** Die seit dem ausgehenden 18. Jh. bezeugte Bezeichnung der Sauerstoffverbindung eines chemischen Grundstoffs ist aus frz. *oxyde* entlehnt. Dies ist eine gelehrte Neubildung zu dem griech. Adjektiv *oxýs* »scharf, spitz; sauer« (verwandt mit dt. ↑Ecke). – Abl.: **oxidieren,** (nicht fachsprachlich:) **oxydieren** »sich mit Sauerstoff verbinden, verbrennen« (aus entspr. frz. *oxyder*); dazu das Substantiv **Oxidation,** (nicht fachsprachlich:) **Oxydation** »Verbindung eines chem. Stoffes mit Sauerstoff« (aus entsprechend frz. *oxydation*).

Ozean: Griech. *ōkeanós,* das in vorklassischer Zeit den sagenhaften, die Erde umfließenden Weltstrom bezeichnete, gelangte in seiner späteren Bedeutung »Weltmeer« über lat. *oceanus* und mlat. *occeanus* ins Mhd. (mhd. *occene*). Die heute übliche, seit dem 17. Jh. bezeugte Lautform entspricht dem von Humanisten des 16. Jh.s eingeführten lat. *oceanus.*

Ozon: Das seit dem 19. Jh. bezeugte Fremdwort bezeichnet eine besondere Form des Sauerstoffs. Dieser Stoff wurde wegen seines äußerst starken Geruchs von dem Schweizer Chemiker Chr. Friedrich Schönbein (1799–1868) mit dem Part. Präs. Neutrum von griech. *ózein* »riechen, duften«, griech. *(tò) ózon* »das Duftende«, benannt.

Paar: Die Bezeichnung für zwei zusammengehörende oder als zusammengehörig empfundene Dinge von gleicher oder ähnlicher Beschaffenheit, insbesondere für zwei in einer Lebensgemeinschaft verbundene Menschen oder für zwei [als Männchen und Weibchen] zusammengehörende Tiere, mhd., ahd. *par* »zwei Dinge von gleicher Beschaffenheit« (adjektivisch: »einem ande ren gleich«), geht zurück auf lat. *par (paris)* »gleichkommend, gleich«, (substantiviert:) »jemand, der sich einem anderen von gleicher Beschaffenheit zugesellt, Genosse; Gatte, Gattin; das Paar«. Nicht identisch damit ist ›Paar‹ in der heute veraltenden Wendung ›zu Paaren treiben‹ »in die Enge treiben; niederschlagen, zwingen«, das aus älter ›zum baren bringen‹ umgestaltet ist und wohl eigentlich »ins Netz bringen« bedeutet (mhd. *ber[e]* »sackförmiges Fischnetz«, aus lat. *pera* »Beutel«). – Abl.: **paaren** »zu Paaren zusammenfügen; Tiere zur Fortpflanzung zusammenbringen« (16. Jh.; zuvor schon spätmhd. *paren* »gesellen«), heute vorwiegend reflexiv gebraucht im Sinne von »sich begatten« (meist von Tieren). – Vgl. auch die auf Bildungen zu lat. *par* beruhenden Fremdwörter *Parität, paritätisch, Komparativ* und *Paroli*.

Pacht »vertraglich vereinbartes Recht zur Nutzung einer Sache gegen Entgelt«: Die nhd. Form des Wortes beruht auf der schriftsprachlich gewordenen westmitteld. Entsprechung von mhd. *pfaht[e]* »Recht, Gesetz; Abgabe von einem Zinsgut, Pacht«. Das Wort wurde vor der hochd. Lautverschiebung aus vlat. *pacta* entlehnt, dem als Femininum Singular aufgefassten Neutrum Plural von lat. *pactum* »Vertrag, Vergleich, Vereinbarung« (vgl. den Artikel *Pakt*). – Abl.: **pachten** »in Pacht nehmen« (westmitteld. *pachten* = mhd. *pfahten* »gesetzlich oder vertraglich bestimmen«), dazu das Substantiv **Pächter** »jemand, der etwas in Pacht hat« (Ende 18. Jh.; für älteres *Pachter*, 17. Jh.).

[1]**Pack** »Bündel«: Das im 16. Jh. aus dem Niederd. ins Hochd. übernommene Wort stammt aus mniederl. *pac* »Bündel, Ballen« (12. Jh.), das im Rahmen des flandrischen Wollhandels auch in andere Sprachen übernommen wurde, beachte z. B. engl. *pack* und älter frz. *pacque* (↑Paket). Die Nebenform **Packen** entstand im 16. Jh. aus einem schwach flektierenden, heute veralteten *Packe* (mnd. *packe*). Um ›[1]Pack‹ gruppieren sich die Bildungen ↑Gepäck und ↑packen und die Verkleinerungsbildung **Päckchen,** beachte auch die Zusammensetzung **Packeis** »zusammen-, übereinander geschobene Eisschollen« (18. Jh.). Mit ›[1]Pack‹ identisch ist [2]**Pack** »Gruppe von Menschen, die als asozial, verkommen u. ä. verachtet, abgelehnt wird«. Die heute übliche Bedeutung entwickelte sich aus der Verwendung des Wortes im Sinne von »Gepäck, das im Tross mitgeführt wird; Tross« (vgl. die Bedeutungsgeschichte von *Bagage*). Der Bedeutungswandel erklärt sich daraus, dass die Trossmannschaft im Verhältnis zur kämpfenden Mannschaft als minderwertig galt.

packen: Das seit dem 16. Jh. bezeugte Verb ist von dem unter ↑[1]Pack behandelten Substantiv abgeleitet und ist wie dieses aus dem Niederd. übernommen (beachte mnd. *paken*). Es bedeutete zunächst »bündeln, einen Packen machen«, daher dann »zum Versand, zur Beförderung fertig machen; in ein Gepäckstück hineintun«, beachte dazu ›aus-, be-, ein-, verpacken‹. Bereits seit dem 16. Jh. wird das Verb auch reflexiv verwendet, und zwar im Sinne von »sich davonmachen, eilig verschwinden« (eigentlich »sich bepacken, um fortzugehen«). Im Sinne von »fassen, ergreifen; überwältigen« ist ›packen‹ aus **anpacken** gekürzt, beachte dazu das adjektivisch verwendete 1. Partizip **packend** »spannend«. – Abl.: **Packung** (17. Jh.).

Päd...: Dem aus dem Griech. stammenden Bestimmungswort von Zusammensetzungen mit der Bedeutung »Kind«, wie in ↑Pädagoge und Pädiatrie »Kinderheilkunde« liegt das Substantiv griech. *pais (paidós)* »Kind, Knabe« zugrunde, das mit dt. ↑Fohlen verwandt ist; dazu gehört griech. *paideía* »Übung, Erziehung« (vgl. den Artikel *Orthopädie*). – Von Interesse ist in diesem Zusammenhang noch die zu griech. *pais* gehörende Verbalableitung griech. *paideúein* »ein Kind erziehen; erziehen; bilden, unterrichten«, die Ausgangspunkt für die Fremdwörter ↑Pedant, pedantisch, Pedanterie ist.

Pädagoge »Lehrer, Erzieher; Erziehungswissenschaftler«: Das Fremdwort wurde im 15. Jh. aus lat. *paedagogus* entlehnt, das seinerseits aus griech. *paid-agōgós* übernommen ist. Dies bedeutet wörtlich »Kinder-, Knabenführer« (ursprünglich Adjektiv; zu griech. *pais, paidós* »Kind, Knabe« [↑Päd...] und griech. *ágein* »führen« bzw. griech. *agōgós* »führend; Leiter, Führer«; vgl. *Achse*) und bezeichnete ursprünglich einen Sklaven, der die Kinder aus dem Hause der Eltern in die Schule oder in das Gymnasium und von dort wieder nach Hause zurückgeleitete. Dann wurde das griech. Wort im Sinne von »Aufseher, Betreuer der Knaben« und schließlich im Sinne von »Erzieher, Lehrer« verwendet. Im Dt. war ›Pädagoge‹ zunächst im Sinne von »Privat-, Hauslehrer« gebräuchlich. – Dazu: **Pädagogik** »Erziehungswissenschaft« (18. Jh.; aus griech. *paidagōgikḗ [téchnē]* »Erziehungskunst«); **pädagogisch** »die Pädagogik betreffend; erzieherisch« (18. Jh.).

Paddel: Die Bezeichnung für die Stange mit einem Blatt an einem oder an jedem Ende zur Fortbewegung eines Bootes wurde im 19. Jh. aus gleichbed. engl. *paddle* entlehnt, dessen weitere Herkunft dunkel ist.

paffen »stark rauchen«: Das seit dem 17. Jh. bezeugte Verb, das zunächst im Sinne von »paff machen, knallen; schießen« verwendet wurde, ist lautnachahmenden Ursprungs. Im Sinne von »stark rauchen« bezieht sich ›paffen‹ auf das Geräusch, das die Lippen beim heftigen Rauchen der Tabakspfeife verursachen.

Pagode: Die Bezeichnung für den ostasiatischen Tempel mit mehreren Stockwerken, von denen jedes ein ausladendes Dach hat, wurde im

16. Jh. aus gleichbed. frz. *pagode* entlehnt, das seinerseits aus port. *pagode* übernommen ist. Dies stammt aus einer drawidischen Sprache und bezeichnete ursprünglich das Götter- oder Götzenbild. Quelle ist aind. *bhaggarat* »heilig«.

Paket »größeres Päckchen, [zum Versand, zur Beförderung] Verpacktes«: Das seit dem 16. Jh. bezeugte Substantiv ist aus gleichbed. frz. *paquet* entlehnt, das zu älter frz. *pacque* »Bündel, Ballen, Packen« gebildet ist (vgl. [1]*Pack*).

Pakt »Vertrag, Übereinkommen; politisches oder militärisches Bündnis«: Das Substantiv wurde im 15. Jh. aus lat. *pactum* »Vertrag, Vergleich, Vereinbarung« entlehnt, das auch die Quelle für unser Lehnwort ↑Pacht ist. Lat. *pactum* ist das substantivierte Neutrum des Part. Perf. von lat. *pacisci* »einen Vertrag festmachen, ein Übereinkommen treffen«. Dies gehört zusammen mit lat. *pax* »Friedensvertrag, Frieden« (dazu lat. *pacificus* »Frieden stiftend, schließend; friedlich«; ↑Pazifik, ↑Pazifismus, Pazifist), lat. *pangere (pactum)* »festmachen, einschlagen« (↑kompakt), lat. *palus* (< **pak-slo-s*) »Pfahl« (s. das Lehnwort *Pfahl* und das Fremdwort *Palisade*), lat. *propago* »(in die Erde gesteckter) Setzling, Ableger« (↑[1]pfropfen und ↑Propaganda, propagieren) und mit lat. *pagus* »Landgemeindeverband, Dorf; Gau« (eigentlich etwa »Zusammenfügung«) zu der unter ↑Fach dargestellten idg. Wortsippe. – Abl.: **paktieren** »einen Vertrag, ein Bündnis schließen; ein Abkommen treffen, gemeinsame Sache machen« (16. Jh.).

Paladin: Der Ausdruck war zunächst die historische Bezeichnung der zum Heldenkreis am Hofe Karls des Großen gehörenden Ritter, der dann auch allgemein im Sinne von »Hofritter, Berater eines Fürsten« verwendet wurde; heute wird das Wort im übertragenen Sinne von »treuer Gefolgsmann« gebraucht. ›Paladin‹ wurde im 17. Jh. aus frz. *paladin* entlehnt, das über entsprechend it. *paladino* auf lat. *palatinus* »kaiserlich; Palastdiener« (vgl. *Palast*) zurückgeht (unmittelbar aus lat. *palatinus* stammt spätmhd. *palatīn, paletīn* »Held«).

Palais ↑Palast.

Palast »schlossartiges Gebäude«: Das seit dem ausgehenden 12. Jh. bezeugte Substantiv (mhd. *palas* »Hauptgebäude [einer Burg] mit Fest- und Speisesaal; königliches oder fürstliches Schloss«, später mit unorganischem -t die Form ›palast‹) ist aus gleichbed. (a)frz. *palais* (afrz. auch *pales*) entlehnt, das seinerseits auf lat. *palatium* »Palast, kaiserlicher Hof« beruht. Dies war ursprünglich der Name eines der sieben Hügel Roms, auf dem Kaiser Augustus und seine Nachfolger ihre Wohnung hatten. – Das frz. Wort wurde im 17. Jh. zum zweiten Mal als **Palais** »Palast, Schloss« entlehnt. Vgl. auch die Artikel *Paladin* und *Pfalz*.

Palatschinke: Der österr. Ausdruck für »dünner, zusammengerollter und mit Marmelade o. Ä. gefüllter Eierkuchen« ist aus gleichbed. ung. *palacsinta* entlehnt, das wohl über rumän. *plăcintă* auf lat. *placenta* »flacher Kuchen« zurückgeht. – Lat. *placenta* »flacher Kuchen« wurde von römischen Soldaten im Donauraum eingeführt.

Palaver: Lat. *parabola* »Gleichnisrede; Erzählung, Bericht« (vgl. *Parabel*) gelangte ins Port. als *palavra* »Unterredung, Erzählung« (heute: »Wort«). Portugiesische Händler brachten das Wort an die afrikanische Küste und verwendeten es speziell zur Bezeichnung der meist langwierigen Verhandlungen zwischen Weißen und Ureinwohnern. Auch die Ureinwohner selbst übernahmen das fremde Wort und nannten ihre religiösen und gerichtlichen Versammlungen Palaver. Mit diesen Bedeutungen kehrte das Wort nach Europa zurück. In dt. Texten erscheint es im 19. Jh. durch Vermittlung von gleichbed. engl. *palaver.* Heute lebt das Wort nur noch in der Umgangssprache in der übertragenen Bedeutung »endlos langes, sinnloses Gerede«. – Abl.: **palavern** »lange und nutzlos über Nichtigkeiten reden« (ugs.; 20. Jh.).

Palette »Farbenmischbrett; Vielfalt«: Das Substantiv wurde im 18. Jh. aus frz. *palette* »Malertafel, Farbenmischbrett des Malers« entlehnt, nachdem zuvor schon Anfang des 17. Jh.s entsprechendes it. *paletta* eingedrungen war und als ›Polite‹ im bayr.-österr. Sprachraum eine Rolle gespielt hatte. Frz. *palette* und it. *paletta* beruhen auf einer roman. Verkleinerungsbildung zu lat. *pala* »Spaten, Wurfschaufel; schaufelähnlicher Gegenstand« und bedeuten eigentlich »kleine Schaufel«. Die neuere Bedeutung »Vielfalt« ist wohl übertragen nach der Vielfalt der Farben auf dem Farbenmischbrett entstanden.

Palisade »Schanzpfahl; Pfahlzaun«: Das Fremdwort wurde Ende des 16. Jh.s aus gleichbed. frz. *palissade* entlehnt. Dies ist – wie entsprechend span. *palizada* und it. *palizzata* – eine zu lat. *palus* »Pfahl« (vgl. das Lehnwort *Pfahl*) gehörende Kollektivbildung, die wohl durch das Aprov. vermittelt wurde (beachte aprov. *palissa* »Pfahlzaun« und gleichbed. aprov. *palissada*).

Palme: Der Name des in zahlreichen Arten vorkommenden tropischen und subtropischen Baumes (mhd. *palm[e]*, ahd. *palma*) beruht auf lat. *palma* »Palme«, das durch die Bibel in die europäischen Sprachen gelangte (vgl. z. B. entsprechend niederl. *palm,* engl. *palm*). Lat. *palma,* das zu der weit verzweigten, unter ↑Feld entwickelten idg. Wortsippe gehört, bedeutet primär »flache Hand«. Die sekundäre Bedeutung »Palme« bezieht sich auf das fächerförmig angeordnete Blatt der Palmen, das einer Hand mit ausgestreckten Fingern vergleichbar ist.

Palme

die Palme erringen
(geh.) »Sieger werden«
Diese Wendung geht auf den alten Brauch zurück, den Sieger eines Kampfes oder Wettbewerbs mit der Siegespalme auszuzeichnen.

jmdn. auf die Palme/(selten:) Pinie bringen
(ugs.) »jmdn. wütend machen«
Dieser Wendung liegt die Vorstellung zugrunde, dass Wut und Ärger einen Menschen auffahren, ›hochgehen‹ lassen.

Pampe ↑pampig.

Pampelmuse: Der Name der Zitrusfrucht wurde im 18. Jh. – unter Einfluss von frz. *pamplemousse* – aus niederl. *pompelmoes* entlehnt. Dies geht auf Tamil (Sprache in Vorderindien) *bambolmas* zurück.

pampig: Der seit der 1. Hälfte des 20. Jh.s gebräuchliche ugs. Ausdruck für »frech, unverschämt« geht zurück auf niederd. *pampig* »breiig, klebrig, moddrig«, das zu nordd. **Pampe,** niederd. *pamp[e]* »Brei, Modder« gehört (beachte dazu nordd., ostd. **Pamps,** südd. **Pampf** »dicker Brei« und nordd., ostd. **pamp[s]en,** südd. **pampfen** »sich voll stopfen, viel essen«).

pan..., Pan...: Quelle für das Bestimmungswort von Zusammensetzungen mit der Bedeutung »all, ganz, gesamt, völlig«, wie in ↑Panorama, ist das Neutrum des griech. Adjektivs *pās, pāsa, pān* »ganz, all, jeder«.

Panier ↑Banner.

panieren »in geschlagenes Eigelb oder Milch tauchen und mit Semmelbröseln bestreuen«: Das Verb wurde im 18. Jh. aus frz. *paner* »mit geriebenem Brot bestreuen« entlehnt, einer Ableitung von frz. *pain* »Brot«. Dies geht zurück auf lat. *panis* »Brot« (wohl als **pa-st-nis* »Nahrung« zu lat. *pascere* »weiden lassen; füttern«; vgl. *Pastor*), das auch ↑Kumpan, Kumpel, ↑Kompanie, ↑Kompagnon zugrunde liegt. – Dazu die Zusammensetzung **Paniermehl** (20. Jh.).

panisch: Im altgriechischen Volksglauben lebte die Vorstellung vom bocksgestaltigen, in der Landschaft Arkadien heimischen Wald- und Hirtengott Pan (griech. *Pān*), dessen plötzliche und unsichtbare Nähe als Ursache für jenen undeutbaren Schrecken angesehen wurde, der Menschen in freier Natur oft unvermittelt befällt und sie wie aufgescheuchte Tiere flüchten lässt. Die Griechen nannten solche grundlose Furcht *pānikós* »vom Pan herrührend«. Darauf geht frz. *panique* zurück, das im 16. Jh. ins Dt. übernommen wurde. Es findet sich zuerst in auch heute noch üblichen Fügungen wie ›panische Angst‹, ›panisches Entsetzen‹, also im Sinne von »wild; lähmend«. – Das Substantiv **Panik** »plötzliches Erschrecken; Massenangst« wurde im 19. Jh. aus dem substantivierten frz. *panique* entlehnt.

Panne »Störung, Schaden (besonders bei Kraftfahrzeugen)«, ugs. auch für »Missgeschick«: Das Substantiv wurde Anfang des 20. Jh.s aus gleichbed. frz. *panne* entlehnt. Dies stammt aus der Seemannssprache, wo es zunächst im Sinne von »Segelwerk; Aufbrassen der Segel« galt. Aus Wendungen wie *mettre (les voiles) en panne* »die Segel so stellen, dass sie keinen Fahrtwind bekommen« und (danach) *rester en panne* »in der Flaute bleiben, liegen bleiben« entwickelte sich die übertragene Bedeutung »in der Patsche sitzen« *(être en panne)*. Frz. *panne* wurde dann speziell in der Bühnensprache im Sinne von »Steckenbleiben« gebräuchlich und drang von da im Sinne von »Missgeschick« in die Umgangssprache. – Frz. *panne* ist eine Nebenform von frz. *penne* »äußerstes Ende der Segelstange«, eigentlich »Feder« (aus lat. *penna* »Feder«, nach der Ähnlichkeit des Endes der Segelstange mit einer Feder).

Panorama »Rundblick, Ausblick; Rundgemälde«: Das seit etwa 1800 gebräuchliche Fremdwort ist aus gleichbed. engl. *panorama* entlehnt. Dies ist eine gelehrte Neuschöpfung aus griech. *pān* »alles« (Neutrum von *pās* »all, jeder, ganz«, vgl. *pan..., Pan...*) und griech. *hórāma* »das Sehen; das Geschaute, die Erscheinung« (zu griech. *horān* »sehen«). Es bedeutet demnach eigentlich »Allschau«.

panschen, pantschen (ugs. für:) »mischen, verfälschen (z. B. Wein); mit den Füßen im Wasser herumstrampeln, planschen«: Das seit dem 18. Jh. bezeugte Verb ist lautmalenden Ursprungs und kann eine nasalierte Nebenform von ›patschen‹ sein oder auf Kreuzung von ›patschen‹ mit ›manschen‹ beruhen. Älter bezeugt sind ›Panschenwein‹ (15. Jh.) und ›Bierpantscher‹ (17. Jh.).

Pansen: Die Bezeichnung für den ersten großen Abschnitt des Magens bei Wiederkäuern wurde in mhd. Zeit (mhd. *panze*) aus afrz. *pance* »Magen, Wanst« entlehnt, das zu lat. *pantex* »Wanst« (vgl. *Panzer*) gehört.

Panther »Leopard«: Der Tiername (mhd. *pantēr, pantier*) ist aus lat. *panther* entlehnt, das seinerseits aus griech. *pánthēr* übernommen ist. Die weitere Herkunft von griech. *pánthēr* ist unklar.

Pantine »Holzschuh, Holzpantoffel«: Zu frz. *patte* »Pfote«, das etymologisch nicht sicher gedeutet ist, stellt sich als Ableitung frz. *patin* »Schuh mit Holzsohle; Stelzschuh«. Dies gelangt um 1400 durch Vermittlung von mniederl. *patijn* als *patīne* in die nord- und nordostdeutsche Umgangssprache. Die seit dem 19. Jh. durchdringende Form ›Pantine‹ steht wohl unter dem Einfluss des anklingenden und in der Bedeutung nahe stehenden Wortes ↑Pantoffel.

Pantoffel: Die Bezeichnung für den leichten Hausschuh wurde Ende des 15. Jh.s aus gleichbed. frz. *pantoufle* entlehnt. Das frz. Wort, das auch in andere europäische Sprachen gelangte (beachte z. B. it. *pantofola,* span. *pantuflo*), ist etymologisch nicht sicher gedeutet.

Pantoffel

den Pantoffel schwingen
(ugs.) »den Ehemann unterdrücken, beherrschen«
Der Pantoffel war früher die für Ehe- und Hausfrauen typische Fußbekleidung. Bei ehelichen Auseinandersetzungen konnte mit dem Pantoffel auch geschlagen oder geworfen werden. Die Wendung meint also eigentlich, dass eine Frau ihren Mann durch Schläge mit dem Pantoffel unterdrückt.

unter den Pantoffel kommen
(ugs.) »von der Ehefrau beherrscht werden«
Diese Wendung kann auf einen alten Hochzeitsbrauch zurückgehen, bei dem die Frischvermählten versuchen mussten, sich gegenseitig auf den Fuß zu treten. Wem das zuerst gelang, dem sagte man die Herrschaft in der Ehe voraus. Möglich ist aber auch, dass der Pantoffel, die früher typische Fußbekleidung der Ehe- und Hausfrau, als Pars pro Toto für die Ehefrau steht (vgl. die vorangehende Wendung).

Pantomime »Darstellung einer Szene nur mit Gebärden, Mienenspiel und tänzerischen Bewegungen«, als Maskulinum »Darsteller einer Pantomime«: Das Wort wurde im 17. Jh. aus gleichbed. lat. *pantomimus* entlehnt, das seinerseits aus griech. *pantómīmos* (ursprünglich Adjektiv mit der Bedeutung »alles nachahmend«) übernommen ist. Dies ist eine Bildung zu griech. *pās (pantós)* »alles, ganz« (vgl. *pan..., Pan...*) und griech. *mīmeīsthai* »nachahmen« (vgl. *Mime*).

pantschen ↑panschen.

Panzer »metallener Rumpfschutz; feste Schutzhülle; Stahlmantel (z. B. um Panzerschränke); gepanzertes Kriegsfahrzeug, Panzerwagen«: Das seit dem Ende des 12. Jh.s bezeugte Substantiv (mhd. *panzier* »Brustpanzer«) ist aus afrz. *pancier[e]* »Leibrüstung, Brustpanzer« entlehnt. Dies ist eine Bildung zu afrz. *pance* »Magen, Wanst« (vgl. *Pansen*), das auf einem vlat. **pantica* zu lat. *pantex (panticis)* »Wanst« beruht.

Papa: Das dem Frz. entlehnte, in der Kinder- und Umgangssprache weit verbreitete Kosewort für »Vater« ist in dt. Texten seit dem 17. Jh. bezeugt. Frz. *papa* entstammt der kindlichen Lallsprache.

Papagei: Der in dieser Form seit dem 15. Jh. bezeugte Vogelname (zuvor schon mhd. *papegān*) ist entlehnt aus älter frz. *papegai*, für das heute im Frz. die Bezeichnung *perroquet* gebräuchlich ist. Die weitere Herkunft des Wortes, das in ähnlicher Form auch in anderen roman. Sprachen begegnet (vgl. z. B. entsprechend span. *papagayo* und it. *pappagallo*) ist nicht gesichert. Vielleicht ist es aus arab. *babbağā'* »Papagei« übernommen, das aus einer afrik. Sprache stammt.

Papier: Die seit dem 14. Jh. (mhd. *papier)* bezeugte Bezeichnung für den vorwiegend aus Pflanzenfasern hergestellten blattförmigen Werkstoff (zum Beschreiben, Bedrucken und für Verpackungszwecke) ist aus lat. *papyrum* entlehnt, einer Nebenform von lat. *papyrus* »Papyrusstaude; (aus dem Bast der Papyrusstaude hergestelltes) Papier«. Das lat. Wort stammt aus gleichbed. griech. *pápȳros*, das selbst Lehnwort unbekannten Ursprungs ist. – Das griech.-lat. Wort gelangte auch in andere europäische Sprachen, vgl. z. B. entsprechend frz. *papier* und (unmittelbar aus dem Afrz.) engl. *paper*, das auch im Sinne von »Schriftstück, Aufzeichnung, Vertrag o. Ä.« verwendet wird; eine Bedeutung, die das deutsche Substantiv ›Papier‹ in der 2. Hälfte des 20. Jh.s übernommen hat.

Papierdrachen ↑Drache.

papp ↑papperlapapp!

Papp, Pappe (familiär und ugs. für:) »Brei als Kinderspeise; breiartige Masse, Kleister«: Das seit dem 15. Jh. bezeugte Wort ist ein Lallwort der Kindersprache und ist z. B. [elementar]verwandt mit niederl. *pap* »Brei«, engl. *pap* »Brei« und lat. *pap[p]a* »Brei, Speise«. An ›Papp[e]‹ mit der Bedeutung »Brei, Kleister« schließen sich an die Bildungen **pappen** familiär und ugs. für »mit Brei füttern; kleistern, kleben« (15. Jh.), dazu **päppeln** familiär und ugs. für »mit Brei füttern; hätscheln« (mhd. *pepelen;* beachte dazu ›auf-, groß-, verpäppeln‹), und **pappig** ugs. für »breiartig, klebrig« (Anfang des 19. Jh.s). Auf der Verwendung des Wortes im Sinne von »breiartige Masse, aus der Papier hergestellt wird, Kleister zum Buchbinden« beruht die heute gemeinsprachliche Verwendung der weiblichen Form **Pappe** im Sinne von »aus grobem Papierbrei hergestellter Werkstoff«. Der Werkstoff wurde früher im Handbetrieb hergestellt, indem die einzelnen Papierlagen mit dicken Kleisterschichten vom Buchbinder verbunden wurden.

Pappe

nicht von Pappe sein
(ugs.) »stark, kräftig, nicht zu unterschätzen sein«
›Papp‹ oder ›Pappe‹ ist eine mundartliche Bezeichnung für ›Brei‹, besonders ›Kinderbrei‹. Wer ›nicht von Pappe‹ ist, der wurde nicht mit Brei ernährt, sondern er bekam kräftiges Essen und wurde dadurch gesund und stark.

Pappel: Der Name des Laubbaumes mhd. *pappel[e]*, ahd. (verdeutlichend) *popelboum, papilboum* geht auf lat. *populus* (mlat. auch *papulus*) »Pappel« zurück. Welche Vorstellung der Benennung des Baumes zugrunde liegt, ist unklar.

pappeln ↑papperlapapp!

päppeln ↑Papp.

Pappenstiel

kein Pappenstiel sein
(ugs.) »nicht wenig sein«
Das nur noch in bestimmten Wendungen auftretende Substantiv ›Pappenstiel‹ »Wertloses, Kleinigkeit«, ist eine seit dem 17. Jh. bezeugte, wahrscheinlich verkürzte Zusammensetzung aus ›Pappenblumenstiel‹, sie bezeichnet also eigentlich den Stängel der Pappenblume. Der Name ›Pappenblume‹ stammt aus niederd. *pāpenblōme* »Löwenzahn«, eigentlich »Pfaffenblume«. Die Verwendung von ›Pappenstiel‹ im Sinne von »Wertloses« geht wahrscheinlich von dem Bild der vom Wind verwehten Federkronen des Löwenzahnstiels aus.

keinen Pappenstiel wert sein
(ugs) »nichts wert sein«
Vgl. die vorangehende Wendung.

papperlapapp!: Die seit dem 18. Jh. bezeugte Interjektion, die zum Ausdruck der Abweisung eines leeren Geredes dient, ist eine lautspielerische Bildung und gehört zu der lautnachahmenden Wortgruppe von **papp**, in der Wendung ›nicht mehr papp sagen können‹ »sehr satt sein«, **pappeln** und **babbeln** (s. d.) landsch. für »schwatzen«.

pappig ↑Papp.

Paprika: Der Name der Gemüsepflanze und des daraus gewonnenen scharfen Gewürzes wurde im 19. Jh. durch ung. Vermittlung aus serb. *pàprika* entlehnt. Dies gehört zu serb. *pàpar* »Pfeffer«, das wie dt. ↑Pfeffer aus gleichbed. lat. *piper* stammt.

Papst: Die Bezeichnung für das Oberhaupt der römisch-katholischen Kirche, mhd., ahd. *bābes* (seit dem 13. Jh. mit unorganischem -t die Form *bābest*), geht auf kirchenlat. *pap[p]as*, eine Nebenform von *papa* »Vater; Bischof« zurück. Die nhd. Form des Wortes mit anlautendem p- beruht auf gelehrter Wiederangleichung an das lat. Vorbild. – Quelle von lat.-kirchenlat. *papa* ist das der kindlichen Lallsprache entstammende griech. Wort *páppa* (eigentlich Vokativ von *páppas*) »Papa«.

para..., Para..., (vor Vokalen:) par..., Par...: Die Vorsilbe mit der Bedeutung »bei, entlang; über – hinaus; gegen, abweichend«, wie in ↑parallel und ↑paradox, ist entlehnt aus griech. *pará, pára* (Präposition und Vorsilbe) »entlang, neben, bei; über – hinaus; gegen«. Dies ist mit dt. ↑vor urverwandt.

Parabel »Gleichnis; lehrhafte Erzählung, Lehrstück«, daneben als mathematischer Terminus Benennung eines Kegelschnittes: Das bereits seit ahd. Zeit in der Bedeutung »Beispiel; Gleichnis« bezeugte Wort ist aus lat.-kirchenlat. *parabola* »Gleichnisrede, Gleichnis; Erzählung, Spruch« entlehnt, das seinerseits aus griech. *parabolḗ* »das Nebeneinanderwerfen, die Vergleichung; das Gleichnis« übernommen ist (zu griech. *para-bállein* »danebenwerfen; vergleichen«; vgl. *ballistisch* und zum 1. Bestandteil *para..., Para...*). Die mathematische Bedeutung des Wortes – im Dt. seit dem 16. Jh. nachweisbar – ist bereits für das Griech. bezeugt, eigentlich »das Nebeneinandersetzen einer gegebenen Fläche zu einer gegebenen Geraden« (und die daraus entstehende Kurve). – Neben kirchenlat. *parabola* muss ein in der Volkssprache daraus entstelltes gleichbed. vlat. **paraula* bestanden haben, das vorausgesetzt wird von port. *palavra* »Unterredung, Erzählung« (↑Palaver, palavern), von frz. *parole* »Wort, Rede, Spruch« (↑Parole) und von frz. *parler* »sprechen, reden« (s. hierzu den Artikel *parlieren*).

Parade ↑[1]parieren.

Paradies: Der biblische Name für den Garten Eden, mhd. *paradīs[e]*, ahd. *paradīs* (vgl. aus anderen europ. Sprachen z. B. it. *paradiso*, span. *paraíso*, frz. *paradis*), geht über kirchenlat. *paradisus* auf griech. *parádeisos* »Paradies«, eigentlich »Tiergarten, Park« zurück, das aus mpers. **pardēz* (= awest. *pairi-daēza*) »Einzäunung« stammt. – Abl.: **paradiesisch** »das Paradies betreffend« (18. Jh.).

paradox »der allgemein üblichen Meinung entgegenstehend; widersinnig«: Das Adjektiv wurde im 17. Jh. aus spätlat. *paradoxus* entlehnt, das seinerseits aus griech. *pará-doxos* »unerwartet, sonderbar« übernommen ist. Dies ist eine Bildung zu griech. *pará* im Sinne von »gegen, entgegen« (vgl. *para..., Para...*) und griech. *dóxa* »Meinung«.

Paragraph »(in Gesetzbüchern, wissenschaftlichen Werken u. a.) ein fortlaufend nummerierter kleiner Abschnitt und das Zeichen (§) dafür«: Das Wort wurde in mhd. Zeit (mhd. *paragraf* »Buchstabe, Zeichen«) aus spätlat. *paragraphus* »grammatisches Zeichen in Gestalt eines S, das die Trennung des Stoffes anzeigen soll« entlehnt. Dies stammt aus griech. *parágraphos (grammḗ)* »nebengeschriebene Linie, Strich mit einem Punkt darüber am Rande der antiken Buchrolle zur Kennzeichnung der Vortragsteile für den Chor im Drama« (zu griech. *para-gráphein* »danebenschreiben«, vgl. *para..., Para...* und *Grafik*).

parallel »in gleichem Abstand nebeneinander verlaufend, gleichlaufend«: Das Adjektiv wurde im 16. Jh. als mathematischer Terminus aus gleichbed. lat. *parallelus* entlehnt, das seinerseits aus griech. *par-állēlos* übernommen ist. Dies ist eine Bildung aus griech. *pará* »neben, neben – hin, entlang« (vgl. *para..., Para...*) und griech. *állos (állo)* »ein anderer«, *allēlōn* »einander« (vgl. *allo..., Allo...*). – Abl.: **Parallele** »gleichlaufende Linie; Vergleich, vergleichbarer Fall« (zuerst im 16. Jh. in der Form ›parallel‹; die heutige Form seit dem Anfang des 18. Jh.s wohl nach entsprechend frz. *parallèle*).

paraphieren »mit der Paraphe, dem Namenszug versehen; einen Vertrag o. Ä. abzeichnen, unterzeichnen«: Das Verb wurde im 19. Jh. aus gleichbed. frz. *parapher* entlehnt, einer Ableitung von frz. *paraphe* »Namenszug, Namenswurzel«. Dies ist eine Nebenform von frz. *paragraphe,* das auf spätlat. *paragraphus* (vgl. den Artikel *Paragraph*) zurückgeht.

Paraphrase, paraphrasieren ↑Phrase.

Parasit »[tierischer oder pflanzlicher] Schmarotzer«: Das seit dem 15. Jh. bezeugte Fremdwort ist aus lat. *parasitus* »Tischgenosse; Schmarotzer« (insbesondere als ausgeprägter Komödientyp) entlehnt, das seinerseits aus gleichbed. griech. *pará-sītos* stammt. Dies ist eigentlich ein Adjektiv und bedeutet wörtlich »neben oder mit einem anderen essend« (vgl. *para..., Para...;* Grundwort ist griech. *sītos* »Speise«). – Abl.: **parasitisch** »schmarotzerartig« (18. Jh.), **parasitär** »schmarotzerhaft« (vornehmlich fachsprachlich; Neubildung nach entsprechend frz. *parasitaire*).

parat »[gebrauchs]fertig; bereit«: Das Adjektiv wurde im ausgehenden 16. Jh. aus lat. *paratus* »bereit[stehend], gerüstet, ausgerüstet usw.« entlehnt, dem in adjektivische Funktion übergegangenen Part. Perf. von lat. *parare* »[zu]bereiten, rüsten; verschaffen usw.«. – Auf Bildungen zu lat. *parare,* das auch Ausgangspunkt für ↑[1]parieren »einen Angriff abwehren« und ↑[2]parieren »ein Pferd zum Stehen bringen« ist, beruhen die Fremdwörter ↑Apparat, Apparatur, ↑reparieren, Reparatur, ↑separat, Séparée, ↑präparieren, Präparat und ↑Imperativ, Imperialismus.

Parcours: Die Bezeichnung für »abgesteckte Hindernisbahn im Springreiten« wurde im 20. Jh. aus frz. *parcours* »durchlaufene Strecke; Umlaufbahn« entlehnt. Dies geht auf spätlat. *percursus* »das Durchlaufen« (zu lat. *per-currere* »durchlaufen«; vgl. *Kurs*) zurück.

P

Pard, Pardel, Parder ↑Gepard.

Pardon: Der veraltende Ausdruck für »Verzeihung, Gnade, Nachsicht«, der heute noch in der Wendung ›[kein(en)] Pardon geben‹ allgemein üblich ist, wurde im 16. Jh. aus gleichbed. frz. *pardon* entlehnt, das zu frz. *pardonner* »Gnade schenken; verzeihen« gehört. Dies geht auf spätlat. *perdonare* »vergeben« (eigentlich »völlig schenken«) zurück, eine Bildung zu lat. *donare* »geben, schenken« (zu lat. *donum* »Gabe, Geschenk«). Über weitere etymologische Zusammenhänge vgl. den Artikel *Datum.*

Parfüm: Die Bezeichnung für eine wohlriechende Flüssigkeit, in der Duftstoffe gelöst sind, wurde Anfang des 18. Jh.s aus gleichbed. frz. *parfum* (eigentlich »Wohlgeruch«) entlehnt. Dies ist eine Bildung zu frz. *parfumer* »durchduften«, aus dem mit seiner von *parfum* abhängigen Bedeutung »Parfüm anlegen; wohlriechend machen« um 1600 unser Verb **parfümieren** übernommen wurde. Das dazugehörige Substantiv **Parfümerie** »Betrieb zur Herstellung oder zum Verkauf von Parfümen« (Ende 18. Jh.) ist mit französierender Endung gebildet (das entsprechende frz. *parfumerie* erscheint erst im Anfang des 19. Jh.s). – Frz. *parfumer* stammt aus älter it. *perfumare* »heftig dampfen; durchduften« (zu lat. *fumare* »rauchen, dampfen«, *fumus* »Rauch, Dampf«; vgl. den Artikel *Thymian*).

[1]parieren »einen Angriff abwehren«: Das seit dem 15. Jh. bezeugte, aus der Fachsprache der Fechtkunst in die Gemeinsprache gelangte Verb (ursprünglich »einem Hieb oder Stich geschickt ausweichen, ihn vereiteln«) ist wie entsprechend frz. *parer* aus it. *parare* »vorbereiten; Vorkehrungen treffen; sich verteidigen, einen Angriff parieren« entlehnt. Dies geht auf lat. *parare* »bereiten, rüsten, sich rüsten; verschaffen usw.« (vgl. *parat*) zurück. – Dazu: **[1]Parade** »Abwehr eines Angriffs« (15. Jh., aus gleichbed. it. *parata;* später hat gleichbed. frz. *parade,* das in diesem Sinne selbst aus dem It. stammt, eingewirkt). – Gleichen Ursprungs wie ›[1]parieren‹ (lat. *parare*) ist das seit dem 16. Jh. als reiterliches Fachwort bezeugte Verb **[2]parieren** »ein Pferd (durch reiterliche Hilfen) in eine mäßigere Gangart oder zum Stehen bringen«, das jedoch in dieser Bedeutung über gleichbed. frz. *parer* aus span. *parar* »anhalten, aufhalten, zum Stehen bringen« (eigentlich »herrichten, zurichten; Vorkehrungen treffen, abwehren«) übernommen worden ist. Dazu das Substantiv **[2]Parade** »Anhalten, Zügeln eines Pferdes« (17. Jh.; aus gleichbed. frz. *parade* < span. *parada*), das etwa gleichzeitig auch in der heute allgemein üblichen Bedeutung »Truppenschau, Vorbeimarsch, prunkvoller Aufmarsch« aufkommt. Diese letzteren Bedeutungen entwickelte das Wort im Frz. in Anlehnung an frz. *parer* (< lat. *parare*) »herrichten, ausschmücken, elegant aufmachen, arrangieren«. Beachte dazu Zusammensetzungen wie ›Truppenparade, Parademarsch, Paradepferd‹ u. a.

[3]parieren »(unbedingt) gehorchen«: Das Verb wurde im 16. Jh. aus lat. *parere* »sich einstellen; Folge leisten, gehorchen« entlehnt. Die eigentliche Bedeutung des lat. Wortes ist »erscheinen, sichtbar sein«. Sie lebt noch fort in den von lat. *com-parere* »erscheinen« und mlat. *trans-parere* »durchscheinen« ausgehenden Fremdwörtern ↑Komparse und ↑transparent, Transparent. – Nicht verwandt sind ↑[1]parieren »abwehren« und [2]parieren »ein Pferd parieren«.

Parität »Gleichstellung, Gleichberechtigung«, auch als Fachterminus der Wirtschaft gebraucht zur Bezeichnung des im Wechselkurs zum Ausdruck kommenden Tauschverhältnisses zwischen verschiedenen Währungen: Das Fremdwort wurde im 17. Jh. aus lat. *paritas* »Gleichheit« entlehnt. Dies ist eine Bildung zum lat. Adjektiv *par (paris)* »gleich« (vgl. den Artikel *Paar*). – Abl.: **paritätisch** »gleichgestellt, gleichberechtigt« (18. Jh.).

ark: Mlat. *parricus* »eingeschlossener Raum, Gehege«, das früh ins Westgerm. entlehnt wurde (vgl. das Lehnwort *Pferch*), erscheint im Frz. als *parc* »eingeschlossener Raum; Tiergehege«. Aus frz. *parc* stammen sowohl gleichbed. it. *parco*, span. *parque* und engl. *park* als auch unser für den niederrheinischen Sprachraum des 15. Jh.s bezeugtes *parc* »Einzäunung; Zwinger«, das jedoch keine nennenswerte Weiterentwicklung erlebte. Das frz. Wort dagegen entwickelte im Laufe der Zeit verschiedene neue Bedeutungen wie »großflächig angelegte, umschlossene Grünanlage«, »militärisches Depot für Waffen, Geschütze u. a.« und (in Analogie dazu) »reservierter städtischer Abstellplatz für Fahrzeuge«, die gleichfalls an die Nachbarsprachen weitergegeben wurden. Danach erscheint Anfang des 18. Jh.s in einer neuen Entlehnung unser Wort ›Park‹ im Sinne von »großflächige, waldartige, umschlossene Grünanlage«, das in dieser Bedeutung allerdings – mehr noch als von frz. *parc* von gleichbed. engl. *park* abhängig ist. – ›Park‹ im Sinne von »Sammelplatz, Depot« erscheint bei uns gleichfalls Anfang des 18. Jh.s (zuerst militärisch). Es lebt allerdings nur noch in Zusammensetzungen wie ›Fuhrpark, Wagenpark‹. – Abl.: **parken** »ein Kraftfahrzeug vorübergehend (auf der Straße, auf einem Platz) abstellen« (20. Jh.; nach gleichbed. engl.-amerik. *to park*). Dazu stellen sich die Zusammensetzungen **Parkplatz** und die hybride Neubildung **Parkometer** »Parkuhr« (über das Grundwort ›...meter‹ »Messgerät« vgl. den Artikel *Meter*). – Vgl. noch das hierher gehörende Fremdwort *Parkett*.

arka: Die Bezeichnung für einen »knielangen, warmen Anorak mit Kapuze« kommt wie das Kleidungsstück selbst aus den USA, wo der Parka ursprünglich eine Militärjacke war. Bei dem Wort handelt es sich um eine von der Inselgruppe der Aleuten stammende gleich lautende Entlehnung, welche selbst aus dem Russ. übernommen wurde. Im Russ. bedeutet *párka* »Felljacke«.

arkett »getäfelter Fußboden; zu ebener Erde liegender [vorderer] Teil eines Zuschauerraums«: Das Fremdwort wurde im 18. Jh. aus frz. *parquet* »kleiner, abgegrenzter Raum; hölzerne Einfassung« entlehnt, einer Verkleinerungsbildung zu frz. *parc* in dessen ursprünglicher Bedeutung »eingehegter Raum« (vgl. *Park*).

arkometer, Parkplatz ↑Park.

arlament »Volksvertretung (mit beratender oder gesetzgebender Funktion)«: Zu afrz. (= frz.) *parler* »sprechen, reden« (vgl. *parlieren*) gehört die Bildung afrz. *parlement* »Gespräch, Unterhaltung; Erörterung«, die mit dieser Bedeutung ins Mhd. als *parlament, parlemunt* gelangte. Die jüngere politische Bedeutung »Volksvertretung« übernahm das Wort gegen Ende des 17. Jh.s von entsprechend engl. *parliament* (< afrz. *parlement*), das in dieser Bedeutung auch auf frz. *parlement* »Volksvertretung« zurückgewirkt hat. Die Geschichte des Wortes spiegelt also die Entwicklung des von England ausgehenden demokratischen Parlamentarismus wider. – Dazu: **Parlamentarier** »Abgeordneter, Mitglied des Parlaments« (18. Jh.; nach engl. *parliamentarian*); **parlamentarisch** »das Parlament betreffend, vom Parlament ausgehend« (Ende 18. Jh., nach engl. *parliamentary*); **Parlamentarismus** »Regierungsform, in der die Regierung dem Parlament verantwortlich ist« (19. Jh.; nlat. Bildung). – Vgl. auch den Artikel *Parlamentär*.

Parlamentär: Die Bezeichnung für »Unterhändler (zwischen feindlichen Heeren)« wurde um 1800 als militärisches Fachwort aus gleichbed. frz. *parlementaire* entlehnt. Dies ist eine Bildung zu frz. *parlementer* »in Unterhandlungen treten«, einer Ableitung von frz. *parlement* »Gespräch« in der speziellen Bedeutung »Verhandlung, Unterhandlung zwischen feindlichen Heeren« (vgl. *Parlament*).

parlieren »plaudern; leichte Konversation machen«: Das Verb wurde in mhd. Zeit (mhd. *parlieren* »sprechen, reden«) aus gleichbed. (a)frz. *parler* entlehnt, das auf vlat. **paraulare* »sprechen« zurückgeht (zu vlat. **paraula* < kirchenlat. *parabola* »Gleichnisrede; Rede, Erzählung«; vgl. den Artikel *Parabel*). Gegen Ende des 16. Jh.s wurde ›parlieren‹ in erneuter Übernahme oder unter dem Einfluss von frz. *parler* im Sinne von »französisch, vornehm, gewählt sprechen« gebräuchlich, danach im Sinne von »plaudern, Konversation machen«. – Beachte noch die zu frz. *parler* gehörenden Fremdwörter ↑Parlament, ↑Parlamentär und ↑Polier.

Parodie »komisch-satirische Nachahmung eines meist künstlerischen, oft literarischen Werkes oder des Stils eines Künstlers«, in der Musik »Verwendung von Teilen einer eigenen oder fremden Komposition für eine andere Komposition; Vertauschung von geistlichen und weltlichen Texten und Kompositionen«: Das Fremdwort wurde im 17. Jh. aus gleichbed. frz. *parodie* entlehnt, das auf griech. *par-ǭdía* zurückgeht. Dies ist eine Bildung aus griech. *pará* »entlang, neben« (vgl. *para..., Para...*) und griech. *ǭdḗ* »Gesang, Gedicht, Lied« (vgl. *Ode*) und bedeutet demnach eigentlich etwa »Nebengesang, Beilied«, dann »nachahmendes, verzerrendes Lied; Parodie«.

Parole »Kennwort; Losung, Leitspruch«: Das Wort wurde im 17. Jh. in der Militärsprache aus gleichbed. frz. *parole* entlehnt. Das frz. Wort bedeutet eigentlich »Wort; Spruch« und war bereits in mhd. Zeit (mhd. *parol[l]e* »Wort, Rede«) einmal entlehnt worden. Quelle von frz. *parole* ist vlat. **paraula* (< kirchenlat. *parabola*) »Gleichnisrede; Spruch« (vgl. hierüber *Parabel*).

P

Die lateinischen Fremdwörter in der Rechts- und Verwaltungssprache

Wenn es auch im ausgehenden Mittelalter eine vereinheitlichte Behördensprache gab, so war doch die Fachsprache der Beamten und Juristen immer noch das Lateinische. Selbst die deutschen Texte der Kanzleien waren mit vielen lateinischen Fremdwörtern durchsetzt und waren so für den normalen Bürger kaum zu verstehen. Das verstärkte sich noch, als zum Ende des 15. Jahrhunderts das so genannte römische Recht im Deutschen Reich eingeführt wurde. Im 15. und 16. Jahrhundert kamen so ins Deutsche *Akte* (lateinisch *actus* »Handlung, Vorgang«), *Advokat* (lateinisch *advocatus* »der zur Beratung Herbeigerufene«), *adoptieren* (lateinisch *adoptare,* eigentlich »hinzuwählen«), *Amnestie* (lateinisch *amnestia,* altgriechisch *amnēstía* »Vergessen, Vergebung«), *Arrest* (mittellateinisch *arrestum*), *Distrikt* (lateinisch *districtus* »Umgebung der Stadt«), *Familie* (lateinisch *familia*), *Jurist* (mittellateinisch *iurista*), *Konferenz* (mittellateinisch *conferentia,* eigentlich »das Zusammentragen von Meinungen«), *Polizei* (lateinisch *politia* »Staatsverwaltung«, aus altgriechisch *politeía*), *Residenz* (mittellateinisch *residencia*), *Termin* (lateinisch *terminus* »Grenze; Ziel, Ende«).

Zu den bei einem Verhör angewandten Methoden des römischen Rechts gehörte auch die dem germanischen Rechtswesen fremde *Folter* (aus mittellateinisch *poledrus* = Fohlen, dann Bezeichnung für ein der Form nach einem kleinen Pferd ähnelnden Foltergestell; im Anlaut an »Fohlen« angeglichen). Die Bezeichnungen für die Folterwerkzeuge sowie für die Begriffe des Strafvollzugs blieben im Wesentlichen deutsch. Dies zeigt uns z. B. eine Wendung wie *jemandem [die] Daumenschrauben anlegen/ansetzen,* die ausdrückt, dass jemand unter Druck gesetzt wird, in rücksichtsloser Weise zu etwas gezwungen wird.

Der *Steckbrief* war zu dieser Zeit nicht bloß die Beschreibung eines Täters (so erst seit dem 17. Jahrhundert). Er war der Haftbefehl, die Urkunde, die eine Behörde veranlasste, einen gesuchten Verbrecher »ins Gefängnis zu stecken«. Wurde der Verhaftete zum Tode verurteilt, durfte er sich seine *Henkersmahlzeit,* das letzte Essen vor seiner Hinrichtung, selbst aussuchen. Diese etwas makabre Bezeichnung benutzen wir heute noch scherzhaft für eine letzte, meist gemeinsam eingenommene Mahlzeit vor einem Abschied oder einer Trennung für längere Zeit.

Das neue römische Recht sorgte auch dafür, dass die Gerichtsverhandlungen immer umständlicher wurden. In den Gerichtssälen häuften sich die Aktenbündel. Diejenigen Akten, die man nicht sofort in einem Rechtsstreit benötigte, wurden in bankähnlichen Aktentruhen bis zu ihrer Bearbeitung oder bis zur Gerichtsverhandlung gelagert. Auf diese Art der »Ablage« spielt die Wendung *auf die lange Bank schieben* an. »Lang« bezieht sich hier aber wohl nicht auf die Form der Truhen, sondern auf die lange Dauer.

Die Fremdwortflut des Humanismus

Schon seit dem 14. Jahrhundert besuchten immer mehr Söhne der bürgerlichen Familien Schulen und Universitäten. Wenn auch noch fast neunzig Prozent der damaligen Bevölkerung weder lesen noch schreiben konnten, so war die Bildung dennoch nicht mehr nur der Oberschicht vorbehalten. Die Sprache der Wissenschaft war aber immer noch das Lateinische, ebenso wie es die Sprache der Theologen war. Aus diesen Bereichen waren bisher so gut wie keine Fremdwörter in die Alltagssprache eingedrungen. Die neue bildungstragende Schicht wurde im späten Mittelalter und zu Anfang des 16. Jahrhunderts von einer neuen geistigen Strömung stark beeinflusst, und mit ihr ergoss sich eine Flut lateinischer Wörter in unsere Sprache.

Seit der Mitte des 14. Jahrhunderts hatten – zuerst in Italien – Gelehrte begonnen, in Klosterbibliotheken nach den Werken der antiken Dichter und Philosophen zu suchen. Die Helden und großen Persönlichkeiten des Altertums wurden zu bewunderten Vorbildern. Es begann die Zeit des **Humanismus.**
Die neuen Anschauungen wurden auch bald in Deutschland bekannt. Das gebildete Bürgertum eignete sich mehr und mehr das antike Gedankengut an. Viele junge Deutsche studierten jetzt an italienischen Universitäten und lehrten später selbst an deutschen Hochschulen. Hochmütig sahen die Humanisten auf die herab, die kein gutes Latein sprechen und schreiben konnten.

Es wurden jetzt auch erstmals altgriechische Wörter direkt ins Deutsche entlehnt. Dies geschah aber oft durch Vermittlung des Lateinischen. Die Fachsprache der Medizin und der Naturwissenschaften nahm eine große Zahl von Wörtern aus dem Lateinischen und Griechischen oder bildete sie mithilfe von Bestandteilen dieser Sprachen neu.

Schule und Universität

Die Wörter aus dem Bereich der Schule und der Universität haben sich bis in unsere Zeit als Fremd- oder Lehnwörter erhalten. Kinder aus wohlhabenden bürgerlichen Familien gingen aufs *Gymnasium* (altgriechisch *gymnásion,* eigentlich »Sportplatz«), mussten *Mathematik* (lateinisch *[ars] mathematica,* aus altgriechisch *mathēmatikḗ [téchnē]*) lernen und *addieren* (lateinisch *addere*), *dividieren* (lateinisch *dividere*), *multiplizieren* (lateinisch *multiplicare*), *subtrahieren* (lateinisch *subtrahere*). In der *Geometrie* (lateinisch *geometria,* aus altgriechisch *geōmetría*) wurden Figuren mit dem *Lineal* (zu lateinisch *linea* »Strich, Linie«, lateinisch *linealis* »in Linien bestehend«) gezeichnet.

Die Schüler in der *Klasse* (lateinisch *classis,* eigentlich »Abteilung«) hatten Unterricht in *Geographie* (lateinisch *geographia,* altgriechisch *geōgraphía*), in *Grammatik* (lateinisch *[ars] grammatica,* altgriechisch *grammatikḗ [téchnē]*) und *Rhetorik* (lateinisch *rhetorica,* altgriechisch *rhētorikḗ [téchnē]*) und mussten sich im Latein- und Griechischunterricht mit manch schwerer *Vokabel* (lateinisch *vocabulum,* eigentlich »Benennung, Bezeichnung«) plagen und lernen, ein *Verb* (lateinisch *verbum*) richtig zu *konjugieren* (lateinisch *coniugare* »verbinden«).

Hatten sie immer ihre *Lektionen* (lateinisch *lectio* »das Vorlesen«, in der Schulsprache dann »Unterrichtspensum, Aufgabe«) gelernt und in allen Fächern eine gute *Zensur* (lateinisch *censura* »Beurteilung; Prüfung«) bekommen, konnten sie zum weiteren *Studium* (lateinisch *studium,* eigentlich »eifriges Streben«) auf eine *Akademie* (lateinisch *Academia,* altgriechisch *Akadḗmeia,* Name der Philosophenschule Platons) gehen. Wer als *Student* (lateinisch *studens,* Akkusativ: *studentem*) fleißig war und ein gutes *Examen* (lateinisch *examen* »Untersuchung; Prüfung«) ablegte, konnte später selbst *Professor* (lateinisch *professor,* eigentlich »jemand, der sich [berufsmäßig und öffentlich zu einer wissenschaftlichen Tätigkeit] bekennt«) werden.

Die hier genannten Wörter sind nur eine kleine Auswahl aus der großen Zahl neuer Begriffe, die in die Fachsprachen entlehnt wurden. Eine Reihe neuer Wissenschaften und die dazugehörigen Fachbegriffe wurden fester Bestandteil unseres Bildungswesens, z. B. *Arithmetik, Astrologie* (im Sinne von *Astronomie*), *Bibliothek, Kritik, Logik, Minute, Null, Parallele, Sekunde, Symbol, Thema, Theologie, Zylinder.*

Alchemie und Medizin

Im Bereich der Naturwissenschaften waren neben der Mathematik und der Geographie die Alchemie (als Vorgängerin der modernen Chemie), die Pharmazie und die Medizin die Bereiche, deren Wissenschaftssprachen besonders von den humanistischen Strömungen beeinflusst worden sind. Die Chemie des späten Mittelalters bis zum 17. Jahrhundert war nicht Chemie im heutigen Sinn, sondern ein Experimentieren mit den verschiedenen Stoffen, um mithilfe übernatürlicher Kräfte etwas besonders Wertvolles hervorzubringen, z. B. den so genannten *Stein der Weisen.* Diese Bezeichnung ist eine Übersetzung von alchemistenlateinisch *lapis philosophorum,* das wiederum eine Übersetzung von arabisch *al-iksīr* ist. Das arabische Wort bedeutet etwa »trockene Substanz mit magischen Eigenschaften« und wurde schon im 13. Jahrhundert als *elixirium* ins Alchemistenlatein entlehnt (daraus unser Fremdwort *Elixier* »Heil-, Zaubertrank«).

Aus dem Arabischen stammt auch der Begriff *Alchemie* selbst (arabisch *al-kīmiyā',* eigentlich »Kunst des Legierens«, wohl aus gleichbedeutend altgriechisch *chymeía*), ebenso wie *Alkali* (über das Französische und Spanische aus arabisch *al-qalī*) und *Alkohol* (über das Spanische aus arabisch *al-kuḥl*). Arabisch *al* ist der jeweils zusammen mit dem Wort übernommene Artikel.

Medizinisch-pharmazeutische Fachwörter dieser Zeit sind z. B. *Anatomie* (lateinisch *anatomia,* altgriechisch *anatomía,* zu altgriechisch *anatémnein* »aufschneiden, sezieren«), *Doktor* (lateinisch *doctor* »Lehrer«; seit dem 16. Jahrhundert zur Unterscheidung des durch Hochschulstudium ausgebildeten Arztes vom einfachen Heilpraktiker gebraucht), *Medikament* (lateinisch *medicamentum*), *Patient* (lateinisch *patiens,* Akkusativ: *patientem,* »Leidender«), *Pille* (lateinisch *pilula* »Kügelchen«), *Rezept* (lateinisch *receptum* »genommen«, ursprünglich Bestätigung des Apothekers für das *recipe!* »nimm!« des Arztes auf dessen schriftlicher Verordnung, dann als Bezeichnung für die Verordnung selbst gebraucht).

Es gab im 15. und 16. Jahrhundert aber auch einige gelehrte deutsche Neubildungen, die in unserer Sprache erhalten geblieben sind, so z. B. *Dreieck, Ebene, Fläche, Würfel* (als Fachausdrücke der Mathematik mit neuer Bedeutung belegt), *Gerstenkorn* (= Drüsenentzündung am Lid als Lehnübersetzung von lateinisch *hordeolus,* zu: *hordeum* = Gerste), *Sodbrennen, Zwerchfell* als medizinische Fachausdrücke (aus *zwerch* »quer« und *Fell* in seiner alten Bedeutung »Haut«).

Paroli

jmdm., einer Sache Paroli bieten
(veraltend:) »jmdm., einer Sache wirksam entgegentreten«
Das nur in der vorliegenden Wendung gebräuchliche, seit dem 18. Jh. bezeugte Fremdwort war ursprünglich ein Wort des Kartenspiels. Es bezeichnete dabei das Mit- bzw. Gegenhalten im Spiel und die damit verbundene Dopplung des Einsatzes. Von daher wurde es dann übertragen gebraucht. Es ist entlehnt aus frz. *paroli*, das seinerseits aus älter it. *paroli* (Plural von gleichbed. *parolo*) »Verdopplung des Spielstocks« (wörtlich »das Gleiche« wie im ersten Einsatz; zu it. *pari* < lat. *par* »gleich«) übernommen ist.

Part »Anteil«: Das seit mhd. Zeit gebräuchliche Wort (mhd. *part[e]* »Teil, Anteil, Zugeteiltes«) ist aus (a)frz. *part* »[An]teil« entlehnt. Dies geht auf gleichbed. lat. *pars (partis)* zurück (vgl. den Artikel *Partei*). – ›Part‹ wird heute nur noch selten gebraucht. Es erscheint noch als Bezeichnung für die Stimme eines Instrumental- oder Gesangsstückes (besonders in Zusammensetzungen wie ›Klavierpart‹). Außerdem lebt es noch in den Zusammensetzungen **halbpart** »zu gleichen Teilen« (17. Jh.; wohl in Gauner- und Spielerkreisen aufgekommen) und **Widerpart** »Gegner[schaft], Gegenspieler« (mhd. *widerpart[e]*).

Partei: Das seit mhd. Zeit als *partīe* »Abteilung; Personenverband« bezeugte Wort bezeichnet zunächst allgemein eine Gruppe von Personen, die sich zusammenschließen, um gemeinsame Interessen und Zwecke zu verfolgen. Insbesondere gilt es dann im Sinne von »politische Organisation«. Ferner bezeichnet man mit ›Partei‹ die Gegner im Zivilprozess (beachte die Zusammensetzung ›Prozesspartei‹) und die innerhalb einer größeren Wohngemeinschaft lebenden Mitmieter (beachte die Zusammensetzung ›Mietpartei‹), auch dann, wenn diese Parteien jeweils nur aus Einzelpersonen bestehen. Beachte dazu auch Wendungen wie ›Partei ergreifen‹ »sich auf jemandes Seite stellen«. – ›Partei‹ ist identisch mit dem später entlehnten ↑Partie. Beide stammen aus frz. *partie* »Teil; Anteil; Abteilung; Gruppe; Beteiligung usw.«, das von frz. *partir* (< vlat. **partire* = klass.-lat. *partiri*) »teilen, trennen usw.« abgeleitet ist. – Das zugrunde liegende lat. Stammwort *pars (partis)* »Teil, Anteil; Abteilung; Partei usw.« ist auch sonst mit zahlreichen Ableitungen und Weiterbildungen in unserem Wortschatz vertreten. Vgl. hierzu im Einzelnen die Fremdwörter ↑Part, ↑partial, partiell, ↑Partikel, ↑Parzelle, ↑Partitur, ↑Partizip, ↑Partisan, ↑Partner, ↑Party, ↑apart, Apartheid, ↑Appartement, Apartment, ↑Portion, ↑Proportion. – Ableitungen und Zusammensetzungen: **parteiisch** »voreingenommen, befangen, nicht objektiv« (15. Jh.), **unparteiisch** »neutral, objektiv« (15. Jh.); **parteilich** »eine Partei betreffend« (16. Jh.); **Parteibuch** (20. Jh.), **Parteigenosse** (19. Jh.), **Parteitag** (20. Jh.).

Parteiorgan ↑Organ.

Parterre »Erdgeschoss«: Das aus dem Frz. entlehnte Fremdwort erscheint bei uns zuerst im 17. Jh. als Terminus der Gartenbaukunst im Sinne von »ebenes Gartenbeet«, seit dem 18. Jh. auch als Bezeichnung des zur ebenen Erde liegenden Zuschauerraums im Theater. Für beide, heute nicht mehr üblichen Verwendungsweisen ist das vorausliegende Substantiv frz. *parterre* Vorbild, das aus der adverbialen Fügung frz. *par terre* »zu ebener Erde« (daraus gleichbed. dt. *parterre*) hervorgegangen ist. Die heute übliche Verwendungsweise im Sinne von »Erdgeschoss« ist eine rein deutsche Entwicklung ohne Vorbild im Frz.

partial »teilweise [vorhanden]; anteilig; einseitig«: Das schon im 15. Jh. bezeugte Adjektiv, das auf spätlat. *partialis* »[an]teilig« zurückgeht (zu lat. *pars, partis* »Teil«; vgl. *Partei*), ist heute veraltet, erscheint aber gelegentlich noch in fachsprachlichen Zuammensetzungen wie ›Partialbruch‹ (Mathematik). Heute gilt vielmehr das gleichbedeutende Adjektiv **partiell**, das im 18. Jh. aus entsprechend frz. *partiel* entlehnt wurde.

Partie: Das seit dem 17. Jh. bezeugte Fremdwort ist im Grunde identisch mit dem schon älteren Lehnwort ↑Partei. Beide sind – zu verschiedenen Zeiten und mit verschiedenen Bedeutungen – aus frz. *partie* »Teil; Anteil; Abteilung; Gruppe; Beteiligung usw.« entlehnt. ›Partie‹ ist allgemein im Sinne von »Teil, Abschnitt, Ausschnitt« (beachte Zusammensetzungen wie ›Gesichtspartie‹) gebräuchlich, daneben wird es speziell in den Mundarten in der Bedeutung »[gemeinsamer] Ausflug« (beachte die Zusammensetzung ›Landpartie‹) verwendet. In der Kaufmannssprache findet sich das Wort im Sinne von »Warenposten«. Als musikalisches Fachwort bezeichnet es die einzelne ausgeschriebene Stimme in Oper, Operette usw. (beachte die Zusammensetzung ›Gesangspartie‹). In Spiel und Sport bezeichnet ›Partie‹ einen Durchgang, eine Runde in einem Wettkampf (beachte die Zusammensetzung ›Schachpartie‹). Schließlich wird das Wort auch übertragen gebraucht für »Heiratsmöglichkeit, Heirat« (beachte dazu die Wendung ›eine gute Partie machen‹).

partiell ↑partial.

Partikel: Das seit dem 15. Jh. belegte Fremdwort erscheint zuerst in der auch heute noch gültigen allgemeinen Bedeutung »Teilchen«. Es ist aus gleichbed. lat. *particula* entlehnt, einer Verkleinerungsbildung zu lat. *pars (partis)* »Teil« (vgl. *Partei*), das mit einer vlat. Form **particella* auch Ausgangspunkt für ↑Parzelle ist. Seit dem 17. Jh. gilt ›Partikel‹ nach lat. Vorbild auch speziell als Terminus der Grammatik zur zusammenfassenden Bezeichnung all jener unveränderlichen

Wörter (Umstands-, Verhältnis- und Bindewörter), die nicht einer der Hauptwortarten zuzuordnen sind.

Partisan: Die Bezeichnung für »bewaffneter, aus dem Hinterhalt operierender Widerstandskämpfer« wurde im 17. Jh. aus gleichbed. frz. *partisan* entlehnt, das wörtlich etwa »Parteigänger, Anhänger« bedeutet und seinerseits aus it. *partigiano* übernommen ist. Dies ist eine Ableitung von it. *parte* (< lat. *pars, partis*) »Teil, Anteil« (vgl. *Partei*).

Partitur »Aufzeichnung sämtlicher Stimmen eines Tonstückes taktweise untereinander«: Der musikalische Fachausdruck wurde Anfang des 17. Jh.s aus gleichbed. it. *partitura* entlehnt, das seinerseits auf mlat. *partitura* »Teilung; Einteilung« beruht. Über das zugrunde liegende Verb lat. *partiri* »[ein]teilen« vgl. den Artikel *Partei.*

Partizip, Partizipium »Mittelwort«: Der seit dem 15. Jh. in der Form ›participium‹, seit dem 18. Jh. in der eingedeutschten Form gebräuchliche grammatische Ausdruck ist aus gleichbed. lat. *participium* entlehnt, einer Ableitung von lat. *particeps* »teilhabend« (zu lat. *pars, partis* »Teil« [↑Partei] und lat. *capere* »nehmen, fassen«). Die Benennung bezieht sich also auf die Mittelstellung des Partizips zwischen Verb und Adjektiv. Es nimmt an beiden Wortarten teil.

Partner »Teilhaber, Teilnehmer, Kompagnon; Mitspieler, Gegenspieler; Genosse, Gefährte«: Das Wort wurde Anfang des 19. Jh.s aus gleichbed. engl. *partner* entlehnt. Das engl. Wort ist unter dem Einfluss von engl. *part* »Teil« umgestaltet aus mengl. *parcener* »Teilhaber«, das seinerseits aus afrz. *parçonier* »Teilhaber« stammt. Dies ist eine Ableitung von afrz. *parçon* (< lat. *partitio, partitionis*) »Teilung«. Über weitere etymologische Zusammenhänge vgl. den Artikel *Partei.* – Abl.: **Partnerin** (19. Jh.); **Partnerschaft** (19. Jh.).

Party »zwangloses, privates Fest«: Das Fremdwort wurde im 20. Jh. aus engl.-amerik. *party* »Partei; Gesellschaft; Fest« entlehnt, das seinerseits aus frz. *partie* »Teil; Beteiligung; Abteilung usw.« (vgl. *Partie*) stammt.

Parzelle: Die Bezeichnung für »vermessenes, kleines Grundstück« wurde im 18./19. Jh. aus frz. *parcelle* »Teilchen, Stückchen; Grundstück« entlehnt, das auf vlat. **particella* »Teilchen« zurückgeht. Dies steht für klass.-lat. *particula* »Teilchen« (vgl. *Partikel*). – Abl.: **parzellieren** »[Großflächen] in Parzellen aufteilen« (18./19. Jh.; aus frz. *parceller* »in kleine Stücke teilen«).

Pascha: Türk. *paša* »Exzellenz«, der höchste zivile und militärische Titel in der alten Türkei, gelangte Anfang des 16. Jh.s ins Dt., zuerst als ›Wascha‹, ›Bassa‹ und ›Bascha‹. In unserer Umgangssprache wird das Wort seit dem 18. Jh. als Bezeichnung eines herrischen, rücksichtslosen Menschen oder auch eines Menschen, der sich gern bedienen und verwöhnen lässt, verwendet.

Paspel »schmale Borte in Form eines kleinen Wulstes, besonders an Nähten und Rändern von Kleidungsstücken«: Das Fremdwort wurde im 18. Jh. aus gleichbed. frz. *passepoil* entlehnt, einer Bildung zu frz. *passer* »überschreiten, darüber hinausgehen« und frz. *poil* »Haar; Tuch-, Gewebehaar«.

Pass »amtliches Dokument, das der Legitimation (im Ausland) dient; Übergang über einen Gebirgskamm, enger Durchgang; Zuspiel, Vorlage (im Ballspiel); Passgang, Gangart von Vierbeinern«; Quelle dieses Wortes ist letztlich lat. *passus* »Schritt« (eigentlich das »Ausspreizen« der Füße beim Gehen), das verwandt ist mit lat. *patere* »sich erstrecken; offen stehen« (vgl. den Artikel *Patent*). Vermittelt wurde das Wort jedoch vor allem durch entsprechend frz. *pas,* daneben auch engl. *pass.* Es erscheint zuerst Anfang des 15. Jh.s in der Bedeutung »Gebirgsübergang, Durchgang«, beachte dazu Zusammensetzungen wie ›Bergpass‹ und ›Engpass‹. Um 1500 setzt dann die Verwendung im Sinne von »Ausweis, amtliches Dokument« ein. Hier allerdings gehen die zusammengesetzten Bildungen ›passbrif‹ und ›passport‹ (aus frz. *passeport* »Geleitbrief, Passierschein«; zu frz. *passer* »überschreiten« und frz. *port* »Hafen«, eigentlich »Durchgang, Durchlass«) voraus. Beachte auch die jüngere Zusammensetzung **Reisepass** (17. Jh.). Die seit der 1. Hälfte des 20. Jh.s belegte Zusammensetzung **Passwort** mit der Bedeutung »Kennwort (in der EDV)« ist wahrscheinlich eine Lehnübersetzung aus engl. *password,* aus *pass* »das Vorbeigehen« und *word* »Wort«. – Die Verwendung von ›Pass‹ zur Bezeichnung einer bestimmten Gangart von Vierbeinern ist aus dem Französischen übernommen, während der Gebrauch in der Sportsprache im Sinne von »Zuspielen, Vorlage« von engl. *pass* ausgeht. – Zu lat. *passus* gehört das abgeleitete Verb vlat. **passare* »Schritte machen; durchschreiten, durchgehen«, auf dem frz. *passer* »überschreiten; vorübergehen usw.« (↑passieren und ↑passen), it. *passare* (vgl. *Passagier* [↑passieren]) und span. *pasar* (↑Passat) beruhen. Beachte ferner die Bildungen vlat. **compassare* »ringsherum abschreiten« (in ↑Kompass) und vlat. **expassare* »sich ausbreiten« (im Lehnwort ↑Spaß). Vgl. auch den Artikel *Passus.*

passabel ↑passen.

Passage, Passagier, Passant ↑passieren.

Passat »gleichmäßig wehender tropischer Ostwind (zwischen den Wendekreisen und der äquatorialen Tiefdruckrinne)«, oft in der verdeutlichenden Zusammensetzung ›Passatwind‹: Das Wort ist zuerst im 17. Jh. als seemannssprachlicher Ausdruck für den niederd. Sprachraum bezeugt. Es ist aus niederl. *passaat[wind]* entlehnt, dessen Herkunft nicht sicher geklärt ist. Vielleicht stammt es aus *passade wind* »Wind, der für die Überfahrt (zur See) günstig ist« (aus gleichbed.

span. **viento de pasada;* zu span. *pasar* »vorbeigehen; überfahren usw.«, das unserem ↑passieren entspricht).

passé ↑passieren.

passen: Frz. *passer* »gehen, vorübergehen usw.«, das auch die Quelle für unser Fremdwort ↑passieren ist, erscheint bei uns durch niederl. Vermittlung bereits im 13. Jh. am Niederrhein, und zwar entlehnt zu *[ge]passen* »zum Ziel kommen, erreichen«. Davon und z. T. von (m)niederl. *passen* geht die nhd. Bedeutungsentfaltung des Verbs aus, die drei Hauptanwendungsbereiche kennt: 1. »angemessen sein, gelegen kommen; angenehm, willkommen sein«, dann auch »gut sitzen, genau entsprechen, gut anstehen, mit etwas harmonieren«; dazu die Adjektivbildung **unpässlich** »nicht recht gestimmt; leicht krank; unwohl« (17. Jh.), das Adjektiv **passabel** »annehmbar; leidlich« (im 17. Jh. aus frz. *passable* übernommen, zunächst in dessen eigentlicher Bedeutung »gangbar, überschreitbar«), ferner die Verbbildungen **anpassen** »auf etwas abstimmen; angleichen« (18. Jh.; häufig reflexiv gebraucht im Sinne von »sich einordnen, sich einfügen«; entsprechend niederl. *aanpassen*) und [1]**verpassen** ugs. für »jemandem etwas anmessen; gegen seinen Willen geben, verabreichen« (20. Jh.). – 2. »mit wachen Sinnen Vorübergehendes verfolgen; aufmerksam auf etwas harren, warten«, heute nur noch erhalten in **aufpassen** »aufmerksam sein, Acht geben; beaufsichtigen« (18. Jh.; dazu das Substantiv **Aufpasser**) und in [2]**verpassen** »(harrend) etwas versäumen, verfehlen« (17. Jh.). – 3. »ein Spiel vorübergehen lassen, darauf verzichten, das Spiel zu machen«, im 17. Jh. zunächst in der Sprache der Kartenspieler, danach dann auch allgemein »nicht mithalten, verzichten«. – Im Sinne von »(den Ball) zuspielen, eine Vorlage geben« ist ›passen‹ Bedeutungslehnwort nach engl. *to pass* (vgl. die entsprechende Bedeutung von ›Pass‹).

passieren: Das Verb ist – wie auch ↑passen – aus frz. *passer* entlehnt, und zwar in den folgenden Bedeutungen: 1. »vorübergehen, vorüberfahren, vorüberziehen; durchreisen, durchqueren« (16. Jh.). 2. »geschehen, sich ereignen; zustoßen« (17. Jh., nach entsprechend frz. *se passer*). 3. »durchlaufen lassen, durchseihen« (20. Jh.), besonders häufig in der verdeutlichenden Zusammensetzung **durchpassieren**. An den Gebrauch des Wortes in der ersten ursprünglichen Bedeutung, wie sie der Herkunft von frz. *passer* aus vlat. **passare* »Schritte machen; durchschreiten, durchgehen« (zu lat. *passus* »Schritt«; vgl. *Pass*) entspricht, schließen sich folgende Bildungen an: **Passant** »Fußgänger, Vorübergehender« (Anfang des 18. Jh.s; aus frz. *passant,* dem substantivierten Part. Präs. von *passer*), **Passage** »Durchfahrt, Durchgang; Überfahrt; [Flug-, Schiffs]reise; Lauf, Gang (in einem Musikstück)« (schon mhd. *pasāsche* »Weg, Furt«, im frühen 16. Jh. erneut entlehnt aus frz. *passage*), **Passagier** »Schiffsreisender, Fahrgast, Fluggast« (im 16. Jh. zunächst entlehnt aus älter it. *passeggiere* »Reisender«, das zu it. *passare* »reisen«, der Entsprechung von frz. *passer,* gehört; seit dem Ende des 16. Jh.s dann dem entsprechenden frz. *passager* angeglichen), das der Umgangssprache angehörende **passé** »vorübergegangen (in zeitlicher Hinsicht), vorbei, vergangen, abgetan« (es entspricht dem Part. Perf. von frz. *passer*) und die Wendung ↑en passant.

Passion: Das seit mhd. Zeit bezeugte Substantiv (mhd., mnd. *passie,* später mhd. *passiōn*) erscheint zuerst mit der auch heute noch üblichen Bedeutung »Leiden[sgeschichte] Christi«. Dazu stellen sich Zusammensetzungen wie ›Passionszeit‹ und ›Passionssonntag‹. Quelle des Wortes ist spätlat. *passio* (Akkusativ: *passionem*) »Leiden, Erdulden; Krankheit« (bzw. kirchenlat. *passio* »Leiden Christi«). Im 17. Jh. übernahm ›Passion‹ dann von entsprechend frz. *passion* die Bedeutung »Leidenschaft, leidenschaftliche Hingabe; Vorliebe, Liebhaberei«, wie sie auch in dem Partizipialadjektiv **passioniert** »einer Sache leidenschaftlich zugetan; begeistert« (17. Jh.; zu dem veralteten Verb **passionieren** »sich begeistern«; nach frz. *passionner* bzw. *passionné*) fortlebt. – Spätlat. *passio* ist eine Bildung zu lat. *pati (passum)* »[er]dulden, erleiden« (verwandt mit dt. ↑Feind), das auch den Fremdwörtern ↑passiv, Passiv, Passiva, Passivität und ↑Patient zugrunde liegt.

passiv »duldend, sich zurückhaltend; untätig, teilnahmslos«: Das Adjektiv wurde im 18. Jh. – wahrscheinlich unter dem Einfluss von gleichbed. frz. *passif* – aus lat. *passivus* »duldend; empfindsam« entlehnt. Über das Stammwort lat. *pati (patior, passum)* »[er]dulden, leiden usw.« vgl. den Artikel *Passion.* – Früher als das Adjektiv ist im Dt. das Substantiv **Passiv** »Leideform des Verbs« bezeugt (zuerst und bis in das ausgehende 18. Jh. in der Form ›Passivum‹). Es wurde als grammatischer Fachausdruck aus gleichbed. lat. *passivum* (ergänze: *genus verbi*) übernommen. – Auf dem substantivierten Neutrum Plural von lat. *passivus* beruht **Passiva** »Schulden, Verbindlichkeiten«, ein Fachausdruck der Kaufmannssprache, der im frühen 18. Jh. zusammen mit dem Gegenwort *Aktiva* (↑aktiv) aufkam. Das Substantiv **Passivität** »passives Verhalten, Untätigkeit, Teilnahmslosigkeit« wurde im 18. Jh. aus gleichbed. frz. *passivité* übernommen.

Passus »Abschnitt, Textstelle«: Das seit dem 16. Jh. bezeugte Fremdwort wurde in der Kanzleisprache aus gleichbed. mlat. *passus* übernommen, das auf lat. *passus* »Schritt« (vgl. *Pass*) zurückgeht.

Pasta: Das Fremdwort wurde im Deutschen zunächst synonym mit ↑Paste gebraucht. Seit der

2. Hälfte des 20. Jh.s ist es im Sinne von »Teigwaren« gebräuchlich. In dieser Bedeutung handelt es sich um eine Entlehnung aus gleichbed. it. *pasta*. Zur weiteren Herkunft vgl. *Paste*.

Paste »streichbare Masse; Teigmasse (als Grundlage für Arzneien und kosmetische Mittel)«: Das Substantiv wurde im 15. Jh. (spätmhd. *pasten*) aus mlat. *pasta* »Teig« entlehnt und geriet dann unter den Einfluss von gleichbed. it. *pasta*. Es geht zurück auf griech. *pástē* »Mehlteig, Brei«, das zu griech. *pássein* »streuen, besprengen« gehört und demnach eigentlich »Gestreutes« bedeutet. – Dazu stellen sich die Fremdwörter ↑Pasta, ↑Pastell und ↑Pastete.

Pastell: Die Technik, Bilder mit Pastellfarben, d. h. mit trockenen (aus einer Mischung von Gips, Kreide und Ton, Farbstoffen und einem Bindemittel hergestellten) Farben, zu malen, ist eine italienische Erfindung des 15./16. Jh.s, die in der Folge allerdings erst durch französische und niederländische Maler feiner ausgebildet wurde. So stammt denn auch die Bezeichnung für das mit dem Farbstift in trockenen Pastellfarben gemalte Bild aus dem Französischen. Ausgangspunkt ist it. *pasta* »Teig, Brei« (vgl. *Paste*) in der speziellen Bedeutung »Brei, in dem die Farben für die Pastellstifte gemischt werden«. Die dazu gebildete Verkleinerungsform it. *pastello* »geformter Farbteig; Farbstift« gelangte Anfang des 18. Jh.s ins Dt., teils unmittelbar, teils durch Vermittlung von entsprechend frz. *pastel*, und zwar zuerst in der Bedeutung »Malerstift«.

Pastete »Fleisch-, Fisch- oder Gemüsespeise in [Blätter]teighülle«: Das seit dem 14. Jh. bezeugte Substantiv (mhd. *pasteden*) stammt wahrscheinlich aus gleichbed. mniederl. *paste[i]de*, das seinerseits auf afrz. *pastee* »Teig, Brei« (< mlat. *pasta*; vgl. *Paste*) zurückgeht.

Pastor: Die Bezeichnung für »Pfarrer, Seelsorger« (mhd. *pastor*) ist aus mlat. *pastor* »Seelenhirte« entlehnt, das auf lat. *pastor* »Hirte« zurückgeht (nach dem biblischen Bild von Christus als dem guten Hirten). Lat. *pastor* ist eine Bildung zu lat. *pascere (pastum)* »fressen lassen, weiden lassen, füttern« (*pasci* »fressen, weiden«), das – wohl zusammen mit lat. *panis* »Brot als Nahrung« (vgl. die Wortgruppe um *panieren*) – zu der unter ↑¹Futter dargestellten idg. Wortfamilie gehört.

Pate: Die Bezeichnung des christlichen Taufzeugen, der im christlichen Sinne mitverantwortlich ist für die Erziehung und das Wohlergehen seines Patenkindes (mhd. *pade*, mnd. *pade*), ist entlehnt aus mlat. *pater spiritualis* »geistlicher Vater, Taufzeuge« (zu lat. *pater* »Vater« vgl. den Artikel *Pater*).

Patent: Das seit dem 16. Jh. gebräuchliche Wort ist aus der Fügung mlat. *(littera) patens* »landesherrlicher offener Brief« hervorgegangen. Es gilt seitdem einerseits im Sinne von »Offizierspatent« (die vom Landesherrn ausgesprochene und in einem offenen Brief beurkundete Ernennung zum Offizier), andererseits bezeichnet es das amtlich verliehene Recht zur alleinigen Benutzung und gewerblichen Verwertung einer Erfindung (ursprünglich die in einem offen vorzuzeigenden amtlichen Brief bestätigte Anerkennung der Qualität einer Ware). Dass man sich bei einer solchen, durch ein Patent geschützten Ware auch allgemein eine Qualitätsware vorstellte, zeigt das Adjektiv **patent** »geschickt, praktisch, tüchtig; sehr brauchbar, großartig« (ugs. und mdal.; um 1800), das sich wohl aus Zusammensetzungen wie ›Patentwaren, Patentknopf‹ herausgelöst hat. – Das von ›Patent‹ abgeleitete Verb **patentieren** »Patentschutz erteilen« erscheint gegen Ende des 18. Jh.s. – Lat. *patens* »offen, offen stehend« ist das Part. Präs. von lat. *patere* »sich erstrecken, offen stehen«, das mit den verwandten Wörtern lat. *pandere (passum)* »ausbreiten« und *passus* »Schritt« (vgl. *Expansion* und die unter *Pass* behandelten Wörter) zur idg. Wortfamilie von dt. ↑Faden gehört.

Pater »katholischer Ordensgeistlicher«: Das Substantiv wurde in der Kirchensprache aus lat. *pater* »Vater« (urverwandt mit dt. ↑Vater) bzw. mlat. *pater monasterii* »Klostervater; Abt; Ordensgeistlicher« übernommen. – Lat. *pater*, das als mlat. *pater spiritualis* »geistlicher Vater« unserem Lehnwort ↑Pate zugrunde liegt, ist ferner Ausgangspunkt für die Fremdwörter ↑Patrize, ↑Patrizier, ↑Patron und ↑Patrone. Im It. wurde lat. *pater* zu *padre*, im Frz. zu *père*.

¹Paternoster: Die seit mhd. Zeit gebräuchliche Bezeichnung für das Vaterunser (mhd. *paternoster* »Vaterunser; Gebetsschnur mit aufgereihten Kügelchen«) stammt aus lat. *pater noster* »unser Vater«, den Anfangsworten des lat. Vaterunsergebets (nach Matth. 6,9). **²Paternoster:** Die Bezeichnung für einen Aufzug mit mehreren vorne offenen Kabinen, die ständig in der gleichen Richtung umlaufen, ist aus älterem ›Paternosterwerk‹ (18. Jh.) gekürzt. Dies war – besonders im Bergbau – die Benennung eines [Hebe]werks mit Tragkörben o. Ä. an einer endlosen Kette (nach einem Vergleich mit den auf der Paternoster-Gebetsschnur aufgereihten Kügelchen).

pathetisch ↑Pathos.

Pathologie: Der seit dem 16. Jh. bezeugte Fachausdruck bezeichnet den Teil der Medizin, der sich mit den Krankheiten, ihrer Entstehung und den durch sie hervorgerufenen organisch-anatomischen Veränderungen beschäftigt. Er ist aus mlat. *pathologia* entlehnt, einer gelehrten Neubildung zu griech. *páthos* »Leid, Leiden, Schmerz; Krankheit usw.« (vgl. *Pathos*) und griech. *lógos* »Wort, Rede; Kunde; Lehre usw.« (vgl. *Logik*).

Pathos: Das Fremdwort für »Leidenschaft, feierliche Ergriffenheit; übertriebene Gefühlsäußerung« wurde Ende des 17. Jh.s aus griech. *páthos*

»Leid, Leiden, Schmerz; Unglück; Leidenschaft« entlehnt, einer Bildung zu griech. *páschein* »erfahren, erdulden, leiden«. – Dazu: **pathetisch** »ausdrucksvoll, gefühlvoll, feierlich« (17. Jh.; aus gleichbed. lat. *patheticus* < griech. *pathētikós* »leidend; gefühlvoll, leidenschaftlich«), heute meist abschätzig gebraucht im Sinne von »salbungsvoll«. Beachte ferner die zu griech. *páthos* gehörenden Fremdwörter ↑Pathologie, ↑Apathie, apathisch, ↑Antipathie, ↑Sympathie, sympathisch und ↑Homöopathie, homöopathisch, Homöopath.

Patient: Die Bezeichnung für einen Kranken in ärztlicher Behandlung wurde im 16. Jh. substantiviert aus lat. *patiens (patientis)* »[er]duldend, leidend«, dem adjektivisch gebrauchten Part. Präs. von lat. *pati* »[er]dulden, leiden usw.« (vgl. hierüber den Artikel *Passion*).

Patina: Die Bezeichnung für »grünliche Schutzschicht auf Kupfer oder Kupferlegierungen; Edelrost« wurde im 18. Jh. aus gleichbed. it. *patina* (ursprünglich »Firnis, Glanzmittel für Felle«) übernommen, dessen weitere Herkunft unklar ist.

Patriarch: Der Amts- und Ehrentitel einiger höchster kirchlicher Würdenträger wurde in mhd. Zeit (mhd. *patriarche, patriare*) aus gleichbed. kirchenlat. *patriarcha* entlehnt, das seinerseits aus griech. *patriárchēs* »Stammvater, Sippenoberhaupt« übernommen ist. Dies ist eine Bildung zu griech. *patḗr* »Vater« (vgl. *Vater*) und griech. *árchein* »an der Spitze stehen, herrschen« (vgl. *Archiv*). – Abl.: **patriarchalisch** »den Patriarchen betreffend; das Patriarchat betreffend; in der Art eines Patriarchen, [autoritär] bestimmend« (18. Jh.; nach spätlat. *patriarchalis*).

Patriot: Die Bezeichnung für einen vaterländisch gesinnten Menschen wurde im 16. Jh. – wohl unter dem Einfluss von frz. *patriote* »Landsmann; Vaterlandsfreund« – aus spätlat. *patriota* »Landsmann« entlehnt. Dies stammt aus griech. *patriṓtēs* »Landsmann; Mitbürger«, einer Bildung zu griech. *patriá* »väterliche Abstammung, Geschlecht, Familie« (zu griech. *patḗr* »Vater«, urverwandt mit dt. ↑Vater). – Dazu: **patriotisch** »vaterländisch, vaterlandsliebend« (17. Jh.; nach gleichbed. frz. *patriotique* < spätlat. *patrioticus* < griech. *patriōtikós* »zum Patrioten gehörig«); **Patriotismus** »Vaterlandsliebe, vaterländische Gesinnung« (18. Jh.; aus gleichbed. frz. *patriotisme*).

Patrize »Stempel, Prägestock«: Das Fachwort der Buchdruckersprache wurde im 18. Jh. zu lat. *pater* »Vater« (vgl. *Pater*) neu gebildet, in Analogie zu dem Gegenwort ↑Matrize.

Patrizier: Lat. *patricius*, das eine Ableitung von lat. *pater* »Vater« (vgl. *Pater*) bzw. von dessen Plural *patres* »Väter; Vorfahren; Stadtväter, Senatoren« ist, bezeichnete im alten Rom die Nachkommen der römischen Sippenhäupter, den Geburtsadel. Im Mittelalter wurde das Wort als Ehrenname für die begüterten und ratsfähigen Stadtadelsgeschlechter übernommen, vor allem in den freien deutschen Reichsstädten. Danach nennt man auch heute noch alte, einflussreiche Bürgerfamilien Patrizier.

Patron: Das Fremdwort wurde in mhd. Zeit (mhd. *patron[e]*) aus lat. *patronus* »Schutzherr, Schirmherr, rechtlicher Vertreter (insbesondere der schutzbefohlenen Freigelassenen und Klienten)« entlehnt, einer Bildung zu lat. *pater* »Vater, Hausherr« (vgl. *Pater*). Im geistlichen Bereich wird ›Patron‹ zum einen im Sinne von »Schutzheiliger einer Kirche oder einer Berufs- oder Standesgruppe« verwendet (beachte die Zusammensetzung ›Schutzpatron‹), zum anderen bezeichnet es den »Kirchenpatron«, der das Vorschlags- oder Ernennungsrecht für die Besetzung von Pfarrstellen hat. Im weltlichen Bereich ist es in der Bedeutung »Schutzherr, Schirmherr, Gönner« gebräuchlich, daneben auch im Sinne von »Schiffsherr, Schiffseigner; Handelsherr« (beachte die Zusammensetzung ›Schiffspatron‹). In der Umgangssprache schließlich wurde das Wort zu einer verächtlichen Bezeichnung für »übler Genosse, Kerl; Schuft«.

Patrone »Geschoss und Treibladung (bei Handfeuerwaffen)«, daneben von der Form her übertragen »Behälter für Kleinbildfilme«: Das seit dem 16. Jh. bezeugte Fremdwort tritt zuerst mit der Bedeutung »Musterform, Modellform« auf, seit dem Ende des 16. Jh.s dann auch in der Bedeutung »Musterform (Papierhülle) für Pulverladungen«. Das Wort ist aus frz. *patron* »Musterform« (eigentlich etwa »Vaterform«) entlehnt, das über mlat. *patronus* »Musterform« auf lat. *patronus* »(väterlicher) Schutzherr, Schirmherr« (vgl. *Patron*) zurückgeht. Die Bedeutungsübertragung geht von der Vorstellung aus, dass der Familienvater Vorbild und Musterbild für Gestalt und Charakter des Sohnes ist.

Patsche

in der Patsche sitzen/stecken
(ugs.) »in Schwierigkeiten, in Verlegenheit sein«
›Patsche‹ steht ugs. für »Straßenschmutz, Schneematsch«. Die Wendung bedeutet also eigentlich »in Straßenschmutz treten, fallen oder darin stecken bleiben«.

patschen: Das seit dem 15. Jh. bezeugte Verb ist lautmalenden Ursprungs und bedeutet eigentlich »patsch machen«. Es ahmt Geräusche nach, die durch einen leichten Schlag, durch Hineintreten in Matsch, durch Spritzen oder dgl. entstehen, vgl. die Interjektion ›patsch!‹ (17. Jh.). Dazu stellen sich **Patsch** ugs. für »klatschender Schlag; Ohrfeige; Straßenschmutz« (16. Jh.) und die Nebenform **Patsche** ugs. für »klatschender Schlag; flacher Gegenstand zum Schlagen; Hand; Straßenschmutz, Schneematsch« (16. Jh.); beachte dazu die Zusammensetzungen **Patschhand** und **patschnass** (nochmals verstärkt **pitschepatschenass**).

patt: Der seit dem 19. Jh. bezeugte Ausdruck für bestimmte Stellungen im Schachspiel, die zur Folge haben, dass eine Partei (bei nicht angegriffenem König) zugunfähig wird, ist aus gleichbed. frz. *pat* entlehnt, dessen Herkunft unklar ist. Dazu das Substantiv **Patt,** das auch übertragen im Sinne von »Situation, in der niemand einen Vorteil erringen, den anderen nicht besiegen kann« verwendet wird.

patzen (ugs. für:) »kleinere Fehler machen, schlecht arbeiten«, österr. auch für »klecksen«: Das seit dem 19. Jh. gebräuchliche Verb gehört wahrscheinlich zu dem mdal. Substantiv *Patzen* »Klecks, Schmutzfleck« und bedeutet demnach eigentlich »klecksen, sudeln«. Neben dem einfachen Verb ist auch die Präfixbildung **verpatzen** ugs. für »verderben« gebräuchlich. – Abl.: **Patzer** ugs. für »[leichter] Fehler, Versehen; Mensch, der fehlerhaft oder schlecht arbeitet oder spielt« (19. Jh.).

patzig (ugs. für:) »unverschämt; barsch, schroff«: Die nhd. Form ›patzig‹ hat sich aus frühnhd. *batzig* »aufgeblasen, frech« (16. Jh.) entwickelt, das von dem unter ↑Batzen behandelten Substantiv abgeleitet ist und eigentlich »klumpig; feist, dick« bedeutet.

Pauke: Die Herkunft des seit mhd. Zeit bezeugten Namens des Musikinstruments (mhd. *pūke*) ist dunkel. Vielleicht gehört er zu der unter ↑pochen dargestellten Gruppe von Schallnachahmungen. Aus dem Dt. entlehnt sind niederl. *pauk* und schwed. *puka*. – Das abgeleitete Verb **pauken** »die Pauke schlagen« (mhd. *pūken*) findet sich seit dem 17. Jh. auch in der Bedeutung »schlagen«. Von dieser Bedeutung geht der studentensprachliche Gebrauch von ›pauken‹ im Sinne von »fechten« aus, beachte dazu **Paukant** studentensprachlich für »Mensurfechter« und **Paukboden** studentensprachlich für »Fechtboden; Fechtstunde«. Studentensprachlich ist auch die Verwendung des Verbs im Sinne von »eine Rede halten«. Daran schließt sich ›Pauke‹ im Sinne von »Rede« an, beachte die Zusammensetzung **Standpauke** »Strafpredigt« (s. unter *Stand*). – Von der Bedeutung »schlagen« geht auch die seit dem 18. Jh. bezeugte Verwendung von ›pauken‹ im Sinne von »unterrichten« aus, beachte dazu **Pauker** ugs. für »Lehrer« (19. Jh.; aus ›Arschpauker‹ gekürzt, eigentlich »jemand, der beim Unterrichten den Arsch der Schüler versohlt«). Ugs. wird ›pauken‹ heute besonders im Sinne von »eifrig lernen, büffeln« gebraucht.

Pausback (landsch. für:) »Mensch mit runden Wangen«: Die Zusammensetzung ist seit dem 16. Jh. bezeugt, und zwar in westmitteld. Lautung (gegenüber älter oberd. *pfausback*). Das Bestimmungswort gehört zu dem untergegangenen Verb frühnhd. *pausen, pfausen*, spätmhd. *pfūsen* »pustend oder schnaubend atmen, keuchen; aufblähen«. Dieses Verb ist lautnachahmenden Ursprungs und ist [elementar]verwandt mit den unter ↑pusten und ↑böse behandelten Wörtern (vgl. *Beule*). – Gleichfalls seit dem 16. Jh. gebräuchlich ist **Pausbacken** »runde Wangen«.

Pauschale »Gesamtabfindung, Gesamtbetrag«: Das seit dem 19. Jh. gebräuchliche Kaufmannswort stammt aus der österr. Amtssprache und ist eine latinisierende Bildung zu dem heute kaum noch gebräuchlichen Substantiv **Pausch[e]** »Wulst (am Sattel)«, einer Nebenform von ↑Bausch »Wulst«.

[1]**Pause** »Unterbrechung [einer Tätigkeit]; Aufenthalt; kurze Zeit der Rast und Erholung«: Das seit dem 13. Jh. bezeugte Substantiv (mhd. *pūse*) beruht auf einer durch das Roman. vermittelten Entlehnung (vgl. z. B. it. *posa* und afrz. *pose* »Ruhe«) aus lat. *pausa* »das Innehalten, die Pause«. Dies stammt zusammen mit dem erst spätlat. bezeugten (aber vielleicht schon lange vorher in der gesprochenen Volkssprache vorhanden gewesenen) Verb *pausare* »innehalten, ausruhen« wahrscheinlich aus griech. *paúein* (Aorist: *paũsai*) »aufhören machen; aufhören, ablassen«, (das griech. Substantiv *paũsis* »das Aufhörenmachen« kommt u. a. wegen seiner späten Bezeugung als unmittelbare Quelle für lat. *pausa* nicht infrage). – Vgl. auch den Artikel *Pose*.

[2]**Pause** ↑pausen.

pausen »durchzeichnen«, dafür meist die Zusammensetzung **durchpausen:** Das seit dem 18. Jh. bezeugte Verb, das zuerst als ›bausen‹ erscheint, ist vermutlich – umgestaltet nach frz. *ébaucher* »entwerfen« – aus frz. *poncer* »mit Bimsstein abreiben; durchpausen« entlehnt. Dies gehört zu frz. *ponce* »Bimsstein« (< gleichbed. vlat. **pomex*, Akkusativ **pomicem* = klass.-lat. *pumex;* vgl. das Lehnwort *Bimsstein*). – Dazu stellen sich das Substantiv [2]**Pause** »Durchzeichnung« (18. Jh.; zuerst ›Bause‹) und die Zusammensetzung **Pauspapier** (20. Jh.).

Pavian: Der Name des in Afrika heimischen Affen erscheint in dt. Texten seit dem 15. Jh., zunächst als *bavian*. Er ist aus niederl. *baviaan* entlehnt, das über mniederl. *baubijn* auf (a)frz. *babouin* zurückgeht. Dies gehört wohl zu der Wortgruppe von frz. *babine* »Lefze, Lippe«. Der Name würde sich dann auf die vorspringende Schnauze des Tiers beziehen.

Pavillon: Quelle dieses Fremdwortes ist lat. *papilio* »Schmetterling«, das schon im Spätlat. auch übertragen »Zelt« bedeutete, wohl aufgrund eines Vergleichs des aufgespannten Zeltes mit den Flügeln eines Schmetterlings. Zum ersten Mal erscheint das lat. Wort im Mhd. als *pavelun[e], pavilun[e]* »Zelt« in der Sprache des höfischen Epos, vermittelt durch entsprechend afrz. *pavillon.* Mit dem Untergang der höfischen Kultur verschwand das Wort. Um 1600 wurde es erneut aus frz. *pavillon* entlehnt, zuerst im Sinne von »Kriegs-, Schutzzelt«. Seit dem 18. Jh. ist es im Sinne von »Festzelt; kleines Gartenhaus, Gartenlaube; meist halb offener Rundbau in Parks o. Ä.« gebräuchlich.

Pazifik: Dem im 19. Jh. aus dem Engl. übernommenen Namen des ›Stillen Ozeans‹, engl. *Pacific (Ocean)*, liegt das lat. Adjektiv *pacificus* »Frieden schließend; friedlich« zugrunde (zu lat. *pax* »Friede« [vgl. *Pakt*] und lat. *facere* »machen« [vgl. *Fazit*]). Der Name spielt auf die ohne Sturm und Unwetter verlaufenen Ozeanüberquerungen des Seefahrers Magellan an.

Pazifismus: Die um 1900 aufkommende Bezeichnung für jene Anschauung, die (aus ethischen oder religiösen Gründen) den Krieg in jeder Form ablehnt und sich für die friedliche Verständigung zwischen den Völkern um jeden Preis einsetzt, ist aus gleichbed. frz. *pacifisme* entlehnt. Dies ist eine Bildung zu frz. *pacifique* »friedlich, friedliebend«, das zu frz. *pacifier* »Frieden bringen« gehört. Das frz. Verb geht auf lat. *pacificare* (zu lat. *pax, pacis* »Friedensvertrag; Friede« [vgl. den Artikel *Pakt*] und lat. *facere* »machen« [vgl. den Artikel *Fazit*]) zurück. – Die Anhänger des Pazifismus heißen **Pazifisten** (um 1900, aus gleichbed. frz. *pacifiste*), beachte auch die Adjektivbildung **pazifistisch** »den Pazifismus betreffend, dem Pazifismus anhängend« (um 1900).

Pech: Die Bezeichnung für den dunkelfarbigen, zähklebrigen, teerartigen Rückstand bei der Destillation organischer Stoffgemenge (mhd. *bech, pech*, ahd. *beh, peh*) ist aus lat. *pix (picis)* »Pech, Teer« (urverwandt u. a. mit gleichbed. griech. *píssa* < **pík-i̯a*) entlehnt. – Seit dem 18. Jh. wird ›Pech‹ auch im Sinne von »Unglück, Missgeschick« gebraucht, beachte dazu die Wendung ›Pech haben‹ und die Zusammensetzung **Pechvogel** »Unglücksrabe, vom Unglück verfolgter Mensch«. Diese Verwendung entwickelte sich zuerst in der Studentensprache. Sie geht wohl einerseits von der schon im Ahd. bezeugten symbolischen Verwendung des Wortes ›Pech‹ für »Höllenfeuer, Hölle« aus, andererseits mag die Vorstellung von der klebrigen und besudelnden Eigenschaft des Teerpechs eingewirkt haben. Vgl. auch den Artikel *erpicht*.

Pedal »Tretvorrichtung«: Das seit dem 16. Jh. – zuerst in der Bedeutung »Orgel-, Klavierpedal« – bezeugte Fremdwort geht auf nlat. *pedale* zurück, das substantivierte Neutrum von lat. *pedalis* »zum Fuß gehörig«. Dies ist eine Bildung zu lat. *pes, pedis* »Fuß« (urverwandt mit dt. ↑Fuß), das auch Ausgangspunkt für die Fremdwörter ↑Pionier, ↑expedieren, Expedient, Expedition, ↑Spediteur, Spedition ist. Als Bestimmungswort erscheint lat. *pes* in ↑Pediküre. Siehe auch den Artikel *Moped*.

Pedant »Kleinigkeits-, Umstandskrämer, Haarspalter«: Das Fremdwort wurde um 1600 aus frz. *pédant* »Schulmeister; engstirniger Kleinigkeitskrämer« entlehnt, das seinerseits aus gleichbed. it. *pedante* stammt. It. *pedante* gehört wohl zu griech. *paideúein* »erziehen, unterrichten« (vgl. *Päd...*). – Abl.: **pedantisch** »übergenau, kleinlich; engstirnig, engherzig« (17. Jh.; nach gleichbed. frz. *pédantesque* < it. *pedantesco*); **Pedanterie** »übertriebene Genauigkeit, kleinliche Gesinnung« (17. Jh.; aus gleichbed. frz. *pédanterie* < it. *pedanteria*).

Pediküre »Fußpflegerin; Fußpflege«: Das Fremdwort wurde im 20. Jh. aus gleichbed. frz. *pédicure* entlehnt, einer gelehrten Bildung zu lat. *pes, pedis* (> frz. *pied*) »Fuß« (vgl. *Pedal*) und lat. *cura* (> frz. *cure*) »Sorge, Pflege« (vgl. *Kur*).

Pegel: Der im 18. Jh. aus dem Niederd. ins Hochd. übernommene Ausdruck für »Wasserstandsmesser« geht zurück auf mnd. *pegel* »Merkzeichen an Gefäßen, Eichstrich; Maß zum Bestimmen des Wasserstandes«, dessen weitere Herkunft unklar ist. Von ›Pegel‹ abgeleitet sind die unter ↑peilen und ↑picheln behandelten Verben.

peilen »die Wassertiefe, Himmelsrichtung oder dgl. bestimmen; visieren«: Das aus der niederd. Seemannssprache ins Hochd. übernommene Verb geht zurück auf mnd. *pegelen* »die Wassertiefe messen, eine Flüssigkeitsmenge bestimmen«, das von mnd. *pegel* »Wasserstandsmesser; Merkzeichen an [Trink]gefäßen« abgeleitet ist (vgl. *Pegel*).

Pein: Das Wort (mhd. *pīne* »Strafe, Leibesstrafe; Qual, Not, Mühe; eifrige Bemühung«, ahd. *pīna*) ist aus mlat. *pena* »[Höllen]strafe« entlehnt, das auf lat. *poena* »Bußgeld, Sühnegeld; Buße, Strafe; Kummer, Qual, Pein« beruht (daraus auch frz. *peine* »Strafe; Schmerz, Kummer; Mühe, Schwierigkeit«, s. dazu den Artikel *penibel*). Das lat. Wort seinerseits ist aus griech. *poinḗ* (oder dorisch *poinā́*) »Zahlung, Buße, Sühne; Strafe, Rache« übernommen. – Abl.: **peinigen** »Schmerzen zufügen, quälen; martern« (mhd. *pīnegen* »strafen; quälen; martern«; für gleichbed. mhd. *pīnen* < ahd. *pīnōn*), dazu die Substantive **Peiniger** »Quälgeist, Folterer« (spätmhd. *pīneger*) und **Peinigung** »Misshandlung, Folterung« (spätmhd. *pīnegunge*, für mhd. *pīnegunge*); **peinlich** »unangenehm, beschämend; pedantisch genau, sorgfältig« (mhd. *pīnlich* »strafwürdig; quälend, schmerzlich; grausam, folternd«; beachte dazu das auf einer rheinischen Nebenform beruhende **pingelig** ugs. für »übertrieben gewissenhaft, pedantisch genau«). – Auf einer späteren Entlehnung aus lat.-mlat. *poena* beruht mhd. *pēne* »Strafe« (s. den Artikel *verpönt*).

Peitsche: Das Wort geht zurück auf ostmitteld. *pītsche, pīcze*, das im 14. Jh. aus dem Westslaw. entlehnt wurde, vgl. poln. *bicz*, obersorb. *bič*, tschech. *bič* »Peitsche«. Die westslaw. Wörter beruhen auf einer Bildung zu einem slaw. Verb mit der Bedeutung »schlagen«, vgl. russ. *bit'* »schlagen«, das zu der idg. Wortgruppe von ↑Beil gehört. – Vor der Entlehnung wurde das unter ↑Geißel behandelte Wort im Sinne von »Peitsche« verwendet. – Abl.: **peitschen** (16. Jh.).

pekuniär »geldlich«: Das Adjektiv wurde im 18. Jh. aus gleichbed. frz. *pécuniaire* entlehnt, das auf lat. *pecuniarius* »zum Geld gehörig« zurückgeht. Das zugrunde liegende Substantiv lat. *pecunia* »Geld« stellt sich mit einer ursprünglichen Bedeutung »Vermögen an Vieh« zu lat. *pecu(s)* »Vieh« (urverwandt mit dt. ↑Vieh).

Pelikan: Der Name des tropischen und subtropischen Schwimmvogels (mhd. *pel[l]ikān*) ist aus gleichbed. kirchenlat. *pelicanus* entlehnt, das seinerseits aus gleichbed. griech. *pelekán* übernommen ist. Dies ist eine Bildung zu griech. *pélekys* »Beil«, der Vogel ist also nach der beilähnlichen Form seines Schnabels benannt.

Pelle: Das vorwiegend in Norddeutschland, aber auch sonst in der Umgangssprache weit verbreitete Wort für »dünne Haut, Wursthaut, Schale« geht auf mnd. (= mniederl.) *pelle* »Schale« zurück. Quelle des Wortes ist das mit dt. ↑Fell urverwandte Substantiv lat. *pellis* »Fell, Pelz; Haut«. – Auf einer mlat. Ableitung von lat. *pellis* beruht das Lehnwort ↑Pelz.

Pelle

jmdm. auf die Pelle rücken
(ugs.) »jmdn. bedrängen«
Das Wort ›Pelle‹ steht häufig im umgangssprachlichen Gebrauch für die menschliche Haut. Diese und die folgenden Wendungen geben also bildhaft der Vorstellung engster Bedrängtheit Ausdruck.

jmdm. auf der Pelle liegen/sitzen
(ugs.) »jmdn. nicht in Ruhe lassen, aufdringlich bei jmdm. bleiben«
Vgl. die vorangehende Wendung.

jmdm. von der Pelle gehen
(ugs.) »jmdn. in Ruhe lassen«
Vgl. die Wendung ›jmdm. auf die Pelle rücken‹.

Pelz »weich behaarte Tierhaut; zum Kleidungsstück verarbeitetes Tierfell«, in der Umgangssprache gelegentlich auch auf die »menschliche Haut« übertragen (beachte dazu Redensarten wie ›jemandem auf den Pelz rücken‹): Das Substantiv mhd. *belliz, bellez, belz,* ahd. *pelliz, belliz* ist aus mlat. *pellicia* (ergänze etwa: *vestis*) »Fellkleidungsstück, Pelz« entlehnt. Das zugrunde liegende Adjektiv mlat. *pellicius* »aus Fellen gemacht« ist eine Ableitung von lat. *pellis* »Fell, Pelz; Haut« (vgl. *Pelle*).

Pendant: Das Fremdwort für »Gegen-, Seitenstück; Ergänzung« wurde im 18. Jh. aus gleichbed. frz. *pendant* entlehnt. Dies ist das substantivierte Part. Präs. zu frz. *pendre* (< lat. *pendere*) »hängen« (vgl. *Pendel*) und bedeutet demnach eigentlich »das Hängende«. Die Bedeutungsübertragung geht wohl von dem Bild des Gegengewichtes einer Waage aus, das einem anderen Gewicht die Balance hält.

Pendel: Die Bezeichnung für »um eine Achse oder einen Punkt frei schwingender Körper« wurde im 18. Jh. aus mlat. *pendulum* »Schwinggewicht« entlehnt, dem substantivierten Neutrum von lat. *pendulus* »[herab]hängend; schwebend«. Zugrunde liegt das lat. Verb *pendere* »hängen, schweben«, das mit lat. *pendere* »aufhängen; wägen« (vgl. die Fremdwortgruppe um *Pensum*) verwandt ist.

penetrant »durchdringend; aufdringlich«: Das Adjektiv wurde im 17. Jh. aus gleichbed. frz. *pénétrant* entlehnt, dem Part. Präs. von *pénétrer* »durchdringen«. Dies geht auf lat. *penetrare* »eindringen, durchdringen« zurück.

penibel »kleinlich bedacht; sorgfältig, genau; empfindlich«: Das seit dem Anfang des 18. Jh.s – zunächst mit der eigentlichen Bedeutung »mühsam, beschwerlich« – bezeugte Adjektiv ist aus frz. *pénible* »mühsam, beschwerlich; schmerzlich« entlehnt. Dies gehört als Ableitung zu frz. *peine* »Strafe; Schmerz; Mühe, Schwierigkeit«, das auf lat. *poena* »Sühne, Strafe; Schmerz« zurückgeht (vgl. den Artikel *Pein*).

Penicillin ↑Penizillin.

Penis ↑Pinsel.

Penizillin, (fachspr. auch:) Penicillin: Der Name des Antibiotikums ist aus gleichbed. engl. *penicillin* entlehnt. Der englische Bakteriologe Sir A. Fleming entdeckte 1928 einen zunächst für die Vernichtung von Bakterienkulturen geeigneten Wirkstoff, der aus verschiedenen Schimmelpilzarten gewonnen wurde. Eine besondere Rolle spielte dabei der so genannte »Pinselschimmel«, nach dessen wissenschaftlichem Namen ›Penicillium notatum‹ (zu lat. *penicillum* »Pinsel«) dieser Wirkstoff benannt wurde.

Pennal: Zu lat. *penna* »Feder« (verwandt mit dt. ↑Feder) gehört die Bildung mlat. *pennale* »Federbüchse«, die in dieser Bedeutung Ende des 15. Jh.s ins Dt. übernommen wurde. Das Wort drang später (17. Jh.) als spöttische Bezeichnung für den »angehenden Studenten (der immer seine Federbüchse mit sich trägt)« in die Studentensprache und von dort im 19. Jh. in die Schülersprache, wo es seitdem als Bezeichnung für »[höhere] Schule« gebräuchlich ist. Weitaus häufiger als ›Pennal‹ wird jedoch heute [1]**Penne** »[höhere] Schule« (20. Jh.) gebraucht, das von dem aus der Gaunersprache stammenden ↑[2]Penne »Herberge, Schlafstelle« beeinflusst ist.

[1]**Penne** ↑Pennal.

[2]**Penne:** Die aus der Gaunersprache stammende Bezeichnung für »einfaches Nachtquartier, Schlafstelle, Herberge« erscheint zuerst im 17. Jh.

als ›Bonne‹, dann im 18. Jh. als ›Benne‹. Die Herkunft des Wortes ist nicht gesichert. Vielleicht ist es aus *štilepen* »Gefängnis« aus der Sprache der Sinti und Roma übernommen, beachte rotw. *stille Penne* »Gefängnis«. Davon abgeleitet ist vermutlich das Verb **pennen** »schlafen«. – Dazu: **Penner** ugs. für »Land-, Stadtstreicher; unangenehmer Mensch« (20. Jh.).

Pension: Das seit dem 15. Jh. bezeugte Fremdwort ist aus frz. *pension* »Gehalt; Ruhegehalt« entlehnt, das auf lat. *pensio* (Akkusativ: *pensionem*) »das Abwägen; das Zuwägen; die [Aus]zahlung« zurückgeht (vgl. *Pensum*). Es erscheint zuerst in den Bedeutungen »jährliche Bezüge, Gehalt, Besoldung; Ehrensold«, danach im Sinne von »Ruhegehalt, Altersunterstützung; Witwengeld« (18. Jh.). Die um 1700 dazukommende Bedeutung »Kostgeld«, insbesondere »Zahlungen für die Unterbringung und Verpflegung in einem Heim, einer Erziehungs- oder Bildungsanstalt«, ist dafür verantwortlich, dass man derartige Heime und Bildungsanstalten schließlich auch selbst als Pension bezeichnete (18. Jh.). Daran schließt sich im 19. Jh. die Verwendung des Wortes im Sinne von »Fremden-, Familien-, Erholungsheim« an. – Abl.: **Pensionär** »Ruhegehaltsempfänger« (in diesem Sinne seit dem Anfang des 19. Jh.s, aber zuvor schon mit der Bedeutung »Kostgänger; Zögling« belegt; aus gleichbed. frz. *pensionnaire*); **pensionieren** »in den Ruhestand versetzen« (16. Jh.; zuerst im Sinne von »mit einem Ehrensold ausstatten«; aus gleichbed. frz. *pensionner;* die moderne Bedeutung des Wortes erscheint erst im 18. Jh.).

Pensum: Das Fremdwort für »zugeteilte Aufgabe, Arbeit; Abschnitt, Lehrstoff« wurde im 17. Jh. aus lat. *pensum* »zugewiesene Tagesarbeit; Aufgabe« übernommen. Ursprünglich bezeichnete das lat. Wort die einer Spinnerin als Tagesarbeit »zugewogene« Wollmenge. Es ist das substantivierte Partizipialadjektiv von lat. *pendere (pensum)* »zum Wiegen an die Waage hängen; wägen; abwägen, erwägen, beurteilen; Metall (zur Bezahlung) zuwiegen, [be]zahlen«, das mit lat. *pendere* »hängen, schweben« (vgl. *Pendel*) verwandt ist. – Von Interesse sind in diesem Zusammenhang einige zu lat. *pendere* (bzw. zum Partizip Perf. *pensum*) gehörende Bildungen, die in unserem Fremd- und Lehnwortschatz eine Rolle spielen. Beachte im Einzelnen: lat. *pensio* »das Abwägen; das Zuwägen; die [Aus]zahlung« (in ↑Pension, Pensionär, pensionieren), lat. *com-pensare* »(zwei oder mehr Dinge) miteinander auswiegen, abwägen« (in ↑kompensieren, Kompensation), lat. *expendere* »abwägen; auszahlen; Geld ausgeben, aufwenden« (in ↑spenden, Spende, spendieren, ↑Spind, ↑Speise, speisen, ↑Spesen), lat. *sus-pendere* »aufhängen; in der Schwebe lassen; aufheben, beseitigen« (in ↑suspendieren), lat. *...pendium* »das Wägen« in Bildungen wie lat. *compendium* »das Zusammenwägen; die Ersparnis; die Abkürzung« (↑Kompendium) und lat. *stipendium* »das Geldzuwägen; Soldatenlöhnung, Sold; Unterstützung« (↑Stipendium). Beachte schließlich auch das hierher gehörende Substantiv lat. *pondus* »Gewicht«, das unserem Lehnwort ↑Pfund zugrunde liegt.

per..., Per...: Die Vorsilbe mit der Bedeutung »[hin]durch; durch und durch, völlig«, wie in ↑Perspektive, ↑perfekt, ↑pervers u. a., ist entlehnt aus lat. *per* (Präposition und Vorsilbe) »[hin]durch; über – hin; während; durch und durch«, das in der Kaufmannssprache auch als selbstständiges Wort gebraucht wird, und urverwandt mit dt. ↑ver... ist.

perfekt »vollendet, vollkommen; abgemacht«: Das Adjektiv wurde im 16. Jh. aus lat. *perfectus* »vollendet, vollkommen« entlehnt, dem Partizipialadjektiv von lat. *perficere* »fertig machen, zustande bringen« (aus lat. *per* [vgl. *per..., Per...*] und lat. *facere* »machen« [vgl. *Fazit*]). – Dazu gehören als grammatische Termini: **Perfekt** »Verbform in der zweiten Vergangenheit, vollendeten Gegenwart« (17. Jh.; aus gleichbed. lat. *perfectum* [ergänze: *tempus*]); **Imperfekt** »Verbform in der ersten (unvollendeten) Vergangenheit« (Bildung zu lat. *im-perfectus* »unvollendet«, für klass.-lat. *tempus minus quam perfectum*); **Plusquamperfekt** »Verbform in der Vorvergangenheit« (17. Jh.; aus gleichbed. lat. *tempus plus quam perfectum*). – Ferner gehört hierher **Perfektion** »höchste Vollendung, vollkommene Meisterschaft« (16. Jh.; aus gleichbed. frz. *perfection* < lat. *perfectio*) mit den Bildungen **Perfektionismus** »übertriebenes Streben nach Vollkommenheit« (19./20. Jh.), **Perfektionist** »jemand, der übertrieben nach Vollkommenheit strebt« (20. Jh.) und **perfektionistisch** »bis in alle Einzelheiten vollständig, vollkommen« (20. Jh.).

perforieren »gleichmäßig mit kleinen Löchern versehen, durchlöchern; durchbrechen«: Das Verb ist aus lat. *per-forare* »durchlöchern, durchbohren« entlehnt, einer Bildung aus lat. *per* »durch« (vgl. *per..., Per...*) und lat. *forare* »bohren« (vgl. *bohren*). – Abl.: **Perforation** (aus lat. *perforatio* »Durchbohrung«).

Pergament »Schreibmaterial aus geglätteter und enthaarter Tierhaut«, auch Bezeichnung für alte Handschriften auf solchem Material: Das Wort wurde in mhd. Zeit aus gleichbed. mlat. *pergamen[t]um* entlehnt. Dies steht für lat. *(charta) Pergamena,* das bereits gleichbed. ahd. *pergamīn* geliefert hatte. Die Bezeichnung ist vom Namen der antiken kleinasiatischen Stadt Pergamon abgeleitet, weil die Verarbeitung von Tierhäuten zu Schreibmaterial dort erfunden worden sein soll.

Pergola: Die Bezeichnung für einen berankten Laubengang wurde Anfang des 17. Jh.s aus gleichbed. it. *pergola* entlehnt, das auf lat. *pergula* »Vor-, Anbau« zurückgeht.

peri..., Peri...: Die Vorsilbe mit der Bedeutung

»um – herum, umher; über – hinaus usw.«, wie in ↑Peripherie, ↑Periode u. a., ist entlehnt aus griech. *perí, péri* (Präposition und Vorsilbe) »um – herum, ringsum, über, über – hinaus usw.«, das urverwandt mit der dt. Vorsilbe ↑ver... ist.

Periode »Kreislauf; [Zeit]abschnitt; regelmäßig Wiederkehrendes; Monatsblutung«: Das seit dem 16. Jh. zuerst als grammatischer Terminus mit der Bedeutung »(mehrfach zusammengesetzter, kunstvoll gebauter) Gliedersatz« bezeugte Fremdwort ist eine gelehrte Entlehnung aus (m)lat. *periodus*, das aus griech. *perí-odos* »Umgang, Umlauf, Kreislauf; abgerundeter Redesatz« stammt. Dies ist eine Bildung aus griech. *peri* »um – herum« (vgl. *peri..., Peri...*) und griech. *hodós* »Weg, Gang; Mittel und Weg«. Das griech. Substantiv stellt sich ablautend zu einer idg. Wurzel **sed-* »gehen« (vgl. aus anderen idg. Sprachen z. B. russ. *chod* »Gang, Verlauf«), die letztlich identisch ist mit der unter ↑sitzen entwickelten idg. Wurzel **sed-* »sich setzen; sitzen«. Der Bedeutungsübergang von **sed* »sich setzen« zu **sed-* »gehen« vollzog sich grundsprachlich wohl ursprünglich in Präfixverben mit der Bedeutung »sich absetzen« (vgl. z. B. awest. *apa-had-* »sich wegsetzen, wegrücken«). – Abl.: **periodisch** »regelmäßig wiederkehrend bzw. auftretend; zeitweilig« (18. Jh.; nach gleichbed. [m]lat. *periodicus*, griech. *peri-odikós*). – Zu griech. *hodós* gehören noch einige andere Bildungen, die in unserem Fremdwortschatz eine Rolle spielen. Vgl. hierzu im Einzelnen die Artikel *Anode, Episode, Kathode, Methode*.

Peripherie »Umfangslinie (bes. des Kreises); Randgebiet; Stadtrand«: Das Wort wurde im 17. Jh. als mathematischer Terminus aus gleichbed. lat. *peripheria* entlehnt, das seinerseits aus griech. *periphéreia* »das Herumtragen; der Umlauf, die Peripherie« stammt. Das zugrunde liegende Verb griech. *periphérein* »herumtragen« ist eine Bildung zu griech. *phérein* »tragen, bringen« (urverwandt mit dt. ↑gebären; zum ersten Bestandteil vgl. *peri..., Peri...*). – Griech. *phérein* steckt auch in ↑Metapher, ↑Phosphor, ↑Ampel, ↑Ampulle und ↑Eimer.

Perle: Die Bezeichnung für die aus der Schalensubstanz der Perlmuscheln und anderer Weichtiere gebildeten harten, glänzenden Kügelchen (mhd. *berle, perle*, ahd. *per[a]la*) ist aus dem Roman. entlehnt. Das Wort beruht wie z. B. entsprechend frz. *perle* und it., span. *perla* vermutlich auf vlat.-roman. **per[n]ula*, einer Verkleinerungsbildung zu lat. *perna* »Hinterkeule von Tieren«, das daneben im übertragenen Sinne eine Meermuschel bezeichnete (wohl von der Muschelform, die mit einer Hinterkeule verglichen werden kann). – Dazu gehört die Zusammensetzung **Perlmutter**, gekürzt auch **Perlmutt**. Diese Zusammensetzung (spätmhd. *perlīnmuoter*) bezeichnete als Lehnübersetzung von mlat. *mater perlarum* ursprünglich die Perlmuschel, die gleichsam wie eine Mutter die Perle hervorbringt. Es ging dann als Bezeichnung auf die stark irisierende Innenschicht der Weichtierschalen (besonders von Muscheln) über, die aus dem gleichen Stoff besteht wie die Perle selbst und aus der die verschiedensten Gebrauchs- und Schmuckgegenstände gefertigt werden.

permanent ↑Menage.

perplex »verwirrt, verblüfft, bestürzt« (ugs.): Das Adjektiv wurde Anfang des 17. Jh.s (vielleicht durch Vermittlung von entsprechend frz. *perplexe*) aus lat. *perplexus* »verflochten, verschlungen; verworren« entlehnt. Dies ist Partizipialadjektiv von lat. **per-plectere* »umflechten, verwickeln« (vgl. *per..., Per...* und zum zweiten Bestandteil den Artikel *kompliziert*).

persiflieren »(auf geistreiche Art) verspotten«: Das Verb wurde im 18. Jh. aus gleichbed. frz. *persifler* entlehnt, einer latinisierenden Bildung zu frz. *siffler* »[aus]pfeifen« (< vlat. *sifilare* »pfeifen«). – Dazu: **Persiflage** »feiner, geistreicher Spott« (18. Jh.; aus gleichbed. frz. *persiflage*).

Person: Das seit dem 13. Jh. bezeugte Wort (mhd. *persōn[e]*) ist entlehnt aus lat. *persona* »Maske des Schauspielers; Rolle, die durch diese Maske dargestellt wird; Charakterrolle; Charakter; Mensch, Person«, das selbst wohl aus dem Etrusk. stammt (vgl. etrusk. *phersu* »Maske«). ›Person‹ bezeichnet zunächst den Menschen als Individuum, den Menschen in seiner besonderen Eigenart, nach dem Vorbild von frz. *personne* – meist abschätzig – speziell auch eine Frau; ferner wird es im Sinne von »Figur, Gestalt in einer Dichtung o. Ä.« verwendet und gibt als grammatischer Fachausdruck den Träger der Handlung eines Verbs an. – Abl.: **persönlich** »die Person betreffend; in eigener Person« auch »einem Menschen zu nahe tretend, beleidigend« (mhd. *persōnlich*), dazu **Persönlichkeit** »in sich gefestigter Mensch; bedeutende Person des öffentlichen Lebens« (15. Jh.). – Vgl. auch die auf lat. *persona* beruhenden Fremdwörter ↑Personal, Personalien, ↑personifizieren. Die Bildung **Unperson** für eine »(von den Medien) bewusst ignorierte Person« stammt aus engl. *unperson*, welches durch den Roman ›1984‹ von George Orwell geprägt wurde, der 1950 in deutscher Übersetzung erschien.

Personal: Das zu lat. *persona* »Maske; Schauspieler, Mensch« (vgl. *Person*) gehörende Adjektiv spätlat. *personalis* »persönlich«, das als solches bei uns in Zusammensetzungen wie ›Personalpronomen‹ »persönliches Fürwort« lebt, entwickelte im Mlat. die Bedeutung »dienerhaft« (nach entsprechend mlat. *persona* »Diener«). Aus dem substantivierten Neutrum Singular mlat. *personale* stammt unser Fremdwort ›Personal‹, das noch um 1800 in der Form ›Personale‹ gebräuchlich war. Es bezeichnet heute einerseits die Gesamtheit der Dienerschaft, der Hausange-

P

stellten (beachte die Zusammensetzung ›Hauspersonal‹), andererseits gilt es insbesondere im Sinne von »Belegschaft, Angestelltenschaft«. – Aus dem Neutrum Plural spätlat. *personalia* »persönliche Dinge, Lebensumstände einer Person« wurde im 17. Jh. in der Rechtssprache **Personalien** »Angaben zur Person wie Name, Lebensdaten usw.« entlehnt.

personifizieren »(Götter, leblose Dinge oder Begriffe) vermenschlichen«: Das Verb ist eine Bildung des 18. Jh.s (nach entsprechend frz. *personnifier*) aus lat. *persona* »Maske; Schauspieler; Mensch« (vgl. *Person*) und lat. *facere* »machen« (vgl. *Fazit*).

persönlich, Persönlichkeit ↑Person.

Perspektive »Ausblick; Zukunftsaussicht; Blickwinkel; dem Augenschein entsprechende ebene Darstellung räumlicher Verhältnisse und Gegenstände«: Das Fremdwort wurde im 16. Jh. aus mlat. *perspectiva (ars)*, eigentlich »durchblickende Kunst« entlehnt. Das zugrunde liegende Adjektiv spätlat. *perspectivus* »durchblickend« gehört zu lat. *per-spicere* »mit dem Blick durchdringen, deutlich sehen, wahrnehmen« (vgl. *per...*, *Per...* und den Artikel *Spiegel*).

Perücke: Die Bezeichnung für »unechtes Haar (als Ersatz für fehlendes Kopfhaar, zur Kostümierung o. Ä.)« wurde im 17. Jh. aus gleichbed. frz. *perruque* entlehnt, das ursprünglich nur »Haarschopf« bedeutete. Das etymologisch nicht sicher gedeutete Wort ist auch in anderen roman. Sprachen vertreten, beachte z. B. entsprechend it. *parrucca* (daraus gleichfalls im 17. Jh. dt. *Parucke*, eine Form, die sich jedoch nicht durchgesetzt hat).

pervers: Das Adjektiv mit der Bedeutung »als widernatürlich empfunden; schlimm, absurd« wurde im 16. Jh. – vielleicht durch Vermittlung von entsprechend frz. *pervers* – aus lat. *perversus* »verdreht, verkehrt; schlecht« entlehnt. Zugrunde liegt lat. *per-vertere* »umkehren, umstürzen; verderben«, eine Bildung zu lat. *vertere* »kehren, wenden, drehen« (vgl. *per...*, *Per...* und den Artikel *Vers*). – Dazu: **Perversität** »als widernatürlich empfundenes Verhalten; Verkehrung ins Krankhafte, Abnorme« (18./19. Jh.; aus lat. *perversitas* »Verkehrtheit«), in der Bedeutung identisch mit **Perversion** (19. Jh.; aus spätlat. *perversio* »Verdrehung«). Das Verb **pervertieren,** das schon im 16. Jh. in der Bedeutung »umkehren, zerrütten« bezeugt ist, setzt in diesem Sinne formal lat. *pervertere* fort. Mit der heute gültigen Bedeutung »vom Normalen abweichen; verfälschen«, die erst im 20. Jh. aufkommt, ist es jedoch unmittelbar von dem Adjektiv ›pervers‹ abhängig.

Perzent ↑Prozent.

Pessimismus: Die seit dem 18. Jh. bezeugte Bezeichnung für eine negative Grundhaltung gegenüber den Erwartungen des Lebens ist eine nlat. Bildung zu lat. *pessimus* »der schlechteste, sehr schlecht«, und zwar als Gegenbildung zu ↑Optimismus. – Dazu stellen sich die Bildungen **Pessimist** »von Pessimismus erfüllter Mensch, Schwarzseher, Schwarzmaler« (19. Jh.); **pessimistisch** »von Pessimismus erfüllt, schwarzseherisch; gedrückt« (19. Jh.).

Pest: Der Name der meist tödlich verlaufenden Krankheit wurde im 16. Jh. aus lat. *pestis* »Seuche; Unglück, Untergang« entlehnt, dessen weitere Herkunft unklar ist. – Dazu: **verpesten** »verstänkern, verunreinigen, verseuchen« (18. Jh.).

Petersilie: Der Name des zu den Doldengewächsen gehörenden Küchenkrautes (mhd. *pētersil[je]*, ahd. *petersilie, petrasile;* vgl. aus anderen germ. Sprachen z. B. niederl. *peterselie, pieterselie* und schwed. *persilja*) ist aus gleichbed. mlat. *petrosilium* entlehnt, das für lat. *petroselinum* steht. Dies stammt aus griech. *petro-sélīnon* »Felsen-, Steineppich«. Dessen Bestimmungswort ist griech. *pétros* »Stein, Fels«, das Grundwort ist das unserem Lehnwort ↑Sellerie zugrunde liegende Substantiv griech. *sélīnon* »Eppich«.

Petroleum: Das seit dem Anfang des 15. Jh.s bezeugte Fremdwort bezeichnet ein in der Verbrauchswirtschaft zu verschiedenen Zwecken (u. a. als Heizöl und Leuchtöl) verwendetes Destillationsprodukt des Erdöls. Es handelt sich um eine aus dem Mlat. übernommene hybride Neubildung (mlat. *petroleum*) zu griech. *pétros* »Stein, Felsen« und lat. *oleum* »Öl« (vgl. den Artikel *Öl*). Wörtlich bedeutet das Wort demnach eigentlich »Steinöl«.

Petticoat: Die Bezeichnung für den versteiften, weiten Unterrock wurde in der 2. Hälfte des 20. Jh.s aus dem Engl. übernommen. Engl. *petticoat* steht für älteres *petty coat* und bedeutet demnach wörtlich »kleiner Rock«. Bestimmungswort ist engl. *petty* (< frz. *petit*) »klein, gering«. Über das Grundwort vgl. [1]*Kotze*.

petzen (schülersprachlich und familiär für:) »angeben; verraten«: Das seit dem 18. Jh. bezeugte Verb, das zunächst in der Studentensprache der Hallenser Universität gebräuchlich war, stammt vermutlich aus dem Rotwelschen und hängt mit hebr. *pạẓạh* »den Mund auftun« zusammen. – Dazu stellen sich die Bildungen **Petze** »Angeber[in], Verräter[in]« und die Präfixbildungen **verpetzen** »verraten«.

Pfad »schmaler Fußweg«: Die Herkunft des westgerm. Wortes (mhd. *pfat*, ahd. *pfad*, niederl. *pad*, engl. *path*) ist dunkel. – Zus.: **Pfadfinder** »Angehöriger eines internationalen Jugendbundes« (19. Jh.; Lehnübersetzung von engl. *pathfinder*).

Pfaffe: Das Substantiv (mhd. *pfaffe*, ahd. *pfaffo* »Geistlicher, Priester«) wurde schon früh – vor der hochdeutschen Lautverschiebung – aus der griech. Kirchensprache entlehnt, und zwar aus spätgriech. *papâs* »(niedriger) Geistlicher«, aus dem auch **Pope** »niederer Geistlicher der russisch-orthodoxen Kirche« (< russ. *pop*) stammt.

Es bezeichnete zunächst wertfrei den Weltgeistlichen; der abschätzige Gebrauch kam erst nach der Reformation auf.

Pfahl: Das altgerm. Substantiv (mhd. *pfāl,* ahd. *pfāl,* niederl. *paal,* engl. *pole,* schwed. *påle*) beruht – zusammen mit anderen Fachwörtern des römischen Bauwesens (vgl. hierzu den Artikel *Fenster*) – auf einer frühen Entlehnung aus lat. *palus* »Pfahl«. Das lat. Wort gehört wohl im Sinne von »Werkzeug zum Befestigen« *(palus < *păk-slo-s)* zum Stamm von lat. *pangere (pactum)* »befestigen, einschlagen« (vgl. hierzu den Artikel *Pakt*). – Auf einer roman. Bildung zu lat. *palus* »Pfahl« beruht unser Fremdwort ↑Palisade.

Pfalz: Die historische Bezeichnung für die wechselnde Residenz deutscher Kaiser und Könige im Mittelalter (mhd. *pfalz[e],* ahd. *pfalanza, falinza*) ist aus vlat. *palantia* »fürstliche Wohnung, Hof, Palast« entlehnt, einer Nebenform von spätlat. *palatia.* Dies ist der Plural von lat. *palatium* und bezeichnete demnach ursprünglich die alle Bauten umfassende Anlage des *palatium* (vgl. *Palast*). Das Wort bezeichnete dann das Wohn- und Amtsgebäude des Kaisers oder Königs, in dem als Vertreter des Kaisers bzw. Königs ein Pfalzgraf seinen Sitz haben konnte, und ging dann auf das Land über, das dem Pfalzgrafen zum Lehen gegeben worden war (daher ›Rheinpfalz, Oberpfalz, Kurpfalz‹).

Pfand: Die Herkunft des nur dt. und niederl. Wortes (mhd., ahd. *pfant,* mnd. *pant,* niederl. *pand*) ist unklar. Die nord. Sippe von schwed. *pant* »Pfand« stammt aus dem Mnd. – Vielleicht ist ›Pfand‹ aus einem mlat. **pantum* entlehnt, das auf lat. **panctum,* einer Nebenform von lat. *pactum* »Übereinkommen, Vertrag, Abmachung« (↑Pakt), beruhen könnte, vgl. das zugrunde liegende Verb lat. *pangere* »befestigen; festsetzen; verfassen«. – Von ›Pfand‹, das die zur Sicherung einer Verpflichtung gegebene Sache bezeichnet, ist das Verb **pfänden** (mhd. *pfenden,* ahd. nur im 2. Partizip *gifantōt*) abgeleitet, beachte die Präfixbildung **verpfänden** »zum Pfand geben« (mhd. *verpfenden*). Die Zusammensetzung **Unterpfand** (mhd. *underpfant*) war ursprünglich ein Rechtsausdruck und bezeichnete das Pfand, das der Pfandempfänger dem Verpfändenden belässt. Heute wird ›Unterpfand‹ nur noch in gehobener Sprache im Sinne von »Beweis, Zeichen dafür, dass etwas anderes besteht, Gültigkeit hat« verwendet.

Pfanne: Das altgerm. Wort mhd. *pfanne,* ahd. *phanna,* niederl. *pan,* engl. *pan,* schwed. *panna* ist eine frühe Entlehnung aus vlat. *panna,* das auf lat. *patina* »Schüssel, Pfanne« beruht. Das lat. Wort seinerseits ist aus griech. *patánē* »Schüssel« (vgl. *Faden*) entlehnt. – Im übertragenen Gebrauch bezeichnet ›Pfanne‹ im Dt. die Vertiefung am Gewehr für das Pulver, die Gelenkkapsel und landsch. den Dachziegel. – Zus.: **Pfannkuchen** »Eierkuchen, Omelett; in Fett gebackenes [gefülltes, kugelförmiges] Gebäckstück aus Hefeteig« (mhd. *pfankuoche,* ahd. *pfankuocho*).

Pfarre: Die Herkunft der nur deutschen Bezeichnung für den Bezirk eines (katholischen oder evangelischen) Geistlichen und für dessen Seelsorgeramt (mhd. *pfarre,* ahd. *pfarra*) ist nicht gesichert. Das Wort hängt vielleicht mit dem unter ↑Pferch behandelten mlat. Wort für »eingehegter Platz« zusammen, etwa im Sinne von »eingehegter Platz, in dem der Geistliche die ihm anvertrauten Menschen wie Schafe hütet«. – Abl.: **Pfarrer** »Geistlicher, Seelsorger« (mhd. *pfarræ̅re,* ahd. *pfarrāri*).

Pfau: Der westgerm. Name des in Indien beheimateten Vogels, mhd. *pfā[we],* ahd. *pfāwo,* niederl. *pauw,* älter engl. *pea* (daneben aisl. *pāi,* das wohl unmittelbar aus dem Aengl. stammt), beruht auf einer Entlehnung aus gleichbed. lat. *pavo.*

pfauchen ↑fauchen.

Pfeffer: Der westgerm. Name des in Ostasien beheimateten Gewürzstrauches, dessen Früchte halb reif den schwarzen Pfeffer und reif den weißen Pfeffer liefern (mhd. *pfeffer,* ahd. *pfeffar,* niederl. *peper,* engl. *pepper*), beruht auf einer frühen Entlehnung aus gleichbed. lat. *piper,* das seinerseits aus gleichbed. griech. *péperi* entlehnt ist. Dies stammt letztlich aus aind. *pippalī* »Beere; Pfefferkorn«, das durch pers. Vermittlung zu den Griechen gelangte. – Ableitungen und Zusammensetzungen: **pfeffern** »mit Pfeffer würzen« (mhd. *pfeffern,* spätahd. *pfefferōn),* in der Umgangssprache auch übertragen gebräuchlich (beachte Fügungen wie ›gepfefferter Witz‹), ferner im Sinne von »mit Wucht irgendwohin werfen, schießen, schleudern« (wohl zu ›Pfeffer‹ in dessen gelegentlicher übertragener Verwendung im Sinne von »Schießpulver, Gewehrladung«); **Pfefferminze** (s. unter *Minze*); **Pfefferkuchen** »stark gewürzter Honigkuchen« (15. Jh.); **Pfeffersack** »Großkaufmann, [reicher] Geschäftsmann« (16. Jh., eigentlich »Sack mit Pfefferkörnern«, dann spöttisch für den Kaufmann, der damit handelt [und durch den Pfefferhandel reich geworden ist]). – Vgl. auch die Artikel *Pfifferling* und *Paprika.*

Pfeffer

jmdn. dahin wünschen, wo der Pfeffer wächst
»jmdn. weit weg wünschen«
Diese Wendung bezieht sich auf das Herkunftsland des Pfeffers, Indien, das für die Menschen früher in einer fast unerreichbaren Ferne lag.

Pfeife: Die germ. Bezeichnungen des Blasinstruments (mhd. *pfīfe,* ahd. *pfīfa,* niederl. *pijp,* engl. *pipe,* schwed. *pipa*) beruhen auf einer frühen Entlehnung aus vlat. **pipa* »Rohrpfeife, Schalmei, Röhre«, das zu lat. *pipare* »piepen« gehört (vgl.

pfeifen). Im übertragenen Gebrauch bezeichnet ›Pfeife‹ im Nhd. Dinge, die einen pfeifenden Ton hervorbringen oder Ähnlichkeit mit der Form des Blasinstruments haben, so z. B. das Gerät zum Tabakrauchen (seit dem 17. Jh.), das Blasrohr der Glasbläser, die Dampfpfeife an Lokomotiven oder dergleichen. In der Umgangssprache wird ›Pfeife‹ auch im Sinne von »ängstlicher Mensch, Versager« verwendet, ausgehend wohl davon, dass die Pfeife als minderwertiges Blasinstrument galt, oder von ›alte Pfeife‹ »nicht mehr richtig ziehende Tabakspfeife«. – Im Engl. schließt sich an *pipe* in der Bedeutung »Rohr, Röhre« die Zusammensetzung *pipeline* »Rohrleitung für Erdöl« an, aus dem im 20. Jh. **Pipeline** entlehnt wurde. – Siehe auch den Artikel *Pipette*.

pfeifen: Das westgerm. Verb mhd. *pfīfen*, mnd. *pīpen* (s. u.), niederl. *pijpen*, engl. *to pipe* ist aus lat. *pipare* »piepen« entlehnt (vgl. den Artikel *Pfeife*). Das lat. Verb ist – wie z. B. auch griech. *pip[p]ízein* »piepen« – lautmalenden Ursprungs und ahmt besonders den Laut junger Vögel nach. Mnd. *pīpen* (vgl. niederl. *piepen*, engl. *to peep*) braucht nicht aus lat. *pipare* entlehnt zu sein, sondern kann damit auch [elementar]verwandt sein, beachte das seit dem 17. Jh. bezeugte ›piep!‹, das den Laut von Mäusen und Vögeln nachahmt (vgl. den Artikel *piepen*). – Das zusammengesetzte Verb **anpfeifen**, das neben der Verwendung im Sinne von »(ein Spiel) durch einen Pfiff beginnen lassen« in der Umgangssprache auch in der Bedeutung »derb zurechtweisen« gebräuchlich ist, bedeutete zunächst »jemandem durch Pfeifen seine Missachtung ausdrücken« (so bei Luther), beachte dazu das Substantiv **Anpfiff**. – Das Präfixverb **verpfeifen** »verraten« (19. Jh.) stellt sich zu gaunersprachl. *pfeifen* mit der Bedeutung »ein Geständnis ablegen, aussagen, eingestehen«. Vgl. auch den Artikel *Pfiff*.

P

Pfeil »Bogengeschoss«, auch übertragen gebraucht im Sinne von »Richtungsanzeiger in Pfeilform«: Das westgerm. Substantiv (mhd., ahd. *pfīl*, niederl. *pijl*, engl. *pile* »Pfahl; [älter] Lanze; Grashalm«) beruht auf einer frühen Entlehnung aus lat. *pilum* »Wurfspieß (der römischen Fußsoldaten)«.

Pfeiler: Die nhd. Form des Wortes geht über mhd. *pfīlære* auf ahd. *pfīlāri* zurück. Das Wort gehört zu einer Reihe von Fachwörtern des römischen Steinbaues, die als Lehnwörter ins Germ. gelangten (vgl. zum Sachlichen den Artikel *Fenster*). Quelle des Lehnwortes (wie z. B. auch für entsprechend niederl. *pijler*) ist mlat. *pilarium*, *pilarius* »Pfeiler, Stütze, Säule«, eine Weiterbildung von lat. *pila* »Pfeiler«.

Pfennig: Die Herkunft der westgerm. Münzbezeichnung (mhd. *pfenni[n]c*, ahd. *pfenning*, *pfenting*, niederl. *penning*, engl. *penny*) ist nicht sicher geklärt. Der Name der Münze kann auf einer Bildung zu lat. *pannus* »Stück Tuch« beruhen, weil in der Frühzeit Tuche als Tausch- und Zahlungsmittel verwendet wurden. – Die Münze, die im frühen Mittelalter in Europa in Umlauf kam, war zunächst eine Silbermünze (von wechselndem Wert). Im 15. Jh. wurde der Pfennig in Deutschland Scheidemünze, und seit dem 18. Jh. wird er in Kupfer geprägt.

Pferch: Das westgerm. Substantiv mhd. *pferrich* »Einfriedung«, ahd. *pferrih*, mnd. *perk*, *park*, mniederl. *per[ri]c*, älter engl. *parrock* beruht auf einer frühen Entlehnung aus mlat. *parricus* »eingeschlossener Raum, Gehege«, das seinerseits wohl mit der iberischen Sippe von span. *parra* »Weinlaube« zusammenhängt. – Abl.: **pferchen** »in einen Pferch sperren; (übertragen:) auf engstem Raum zusammenzwängen« (16. Jh.), dafür heute gewöhnlich **einpferchen** und **zusammenpferchen**. – Vgl. auch den Artikel *Park*.

Pferd: Der Name des Reit- und Zugtieres führt über verschiedene Zwischenformen (mhd. *pfert*, *pfärt*, *pfärit*, *pfärvrit*, ahd. *pfärfrit*, *pfarifrit*) auf mlat. *para-veredus* »Kurierpferd (auf Nebenlinien)« zurück, eine Bildung mit dem griech. Präfix *para* »neben, bei, neben – hin« (↑para..., Para...) zu spätlat. *veredus* »Postpferd« (gall. Ursprungs). Das fremde Wort hat sich gegenüber den einheimischen Bezeichnungen des Tieres (↑Ross und ↑Gaul) in der Schriftsprache weitgehend durchgesetzt. ›Ross‹ gilt vorwiegend in gehobener dichterischer Sprache sowie – mit dem Plural ›Rösser‹ – im Südd., Österr. und Schweiz., während ›Gaul‹ noch landschaftlich und sonst meist im abwertenden Sinne gebräuchlich ist.

Pferdekur ↑Kur.

Pfiff »kurzer Pfeifton«, ugs. für »etw., was den besonderen Reiz einer Sache ausmacht; (veraltend) Kunstgriff«: Das seit dem 18. Jh. bezeugte Substantiv ist eine Rückbildung aus dem Verb ↑pfeifen. Die Verwendung des Wortes im Sinne von »Kunstgriff«, an den sich die Adjektivbildung ›pfiffig‹ (s. u.) anschließt, stammt aus der Sprache der Vogelsteller oder aber aus der Gaunersprache und bezieht sich entweder auf den Lockpfiff der Vogelsteller oder aber auf den zur Ablenkung ausgestoßenen Pfiff der Taschenspieler. – Abl.: **pfiffig** »listig, schlau; einen besonderen Reiz habend« (18. Jh.), dazu **Pfiffikus** ugs. für »Schlaukopf« (18. Jh., studentensprachliche Bildung mit lat. Endung, wie z. B. auch ›Luftikus‹).

Pfifferling: Der Name des Speisepilzes, mhd. *pfefferlinc*, *pfifferling* (zuvor schon ahd. *phifera*), ist eine Bildung zu dem unter ↑Pfeffer behandelten Wort. Der Pfifferling ist also nach seinem pfefferähnlichen Geschmack benannt.

pfiffig, Pfiffikus ↑Pfiff.

Pfingsten: Das christliche Fest der Ausgießung des Heiligen Geistes ist danach benannt, dass es am 50. Tag nach Ostern gefeiert wird. Das Wort ist zwar erst seit mhd. Zeit bezeugt (mhd. *pfingesten*, eigentlich Dativ Plural), es beruht aber auf einer alten Entlehnung aus griech. *pentēkostḗ (hēméra)* »der 50. Tag (nach Ostern); Pfingsten« (zu griech. *pentḗkonta* »fünfzig« und weiter zu dem mit dt. ↑fünf urverwandten griech. Zahlwort *pénte* »fünf«), das durch Vermittlung von gleichbed. got. *paíntēkustē* im Rahmen der arianischen Mission zu den Germanen gelangte (vgl. z. B. entsprechend niederl. *Pinkster[en]*).

Pfirsich: Die Heimat des Pfirsichbaumes ist Ostasien (vermutlich China). Von dort gelangte er in den Vorderen Orient und weiter nach Europa. Die alten Römer lernten den Baum von den Persern kennen und nannten ihn deshalb *persica arbor* »persischer Baum« oder einfach *persicus.* Entsprechend nannten sie seine Frucht *persicum (malum)* »persischer (Apfel)«. Diese Bezeichnung und das dafür in der Volkssprache eingetretene vlat. *persica* wurde allgemein üblich; sie lebt nicht nur in den roman. Sprachen fort (vgl. z. B. entsprechend it. *pesca* und frz. *pêche*), sondern wurde auch früh in die germ. Sprachen entlehnt (vgl. z. B. entsprechend niederl. *perzik,* aengl. *persic, persoc* und schwed. *persika*). Im Ahd. ist das Lehnwort zufällig nicht bezeugt. Es wird aber durch die Lautverschiebung des Anlauts in mhd. *pfersich* (> nhd. *Pfirsich*) als alt erwiesen.

Pflanze: Das Substantiv (mhd. *pflanze,* ahd. *pflanza*) – vgl. frz. *plante,* engl. *plant* – ist aus lat. *planta* »Setzling« entlehnt. Dies gehört wohl zu einem lat. Verb **plantare* »feststampfen«, einer Ableitung von lat. *planta* »Fußsohle« (zu idg. **plat-;* vgl. *Fladen*). Das Festtreten der Erde um den Setzling gibt diesem den Namen. Später wurde der Begriff auf alle Gewächse ausgedehnt, ohne dass die ursprüngliche Bedeutung »Kulturpflanze« ganz verloren ging. – Abl.: **pflanzen** »zum Anwachsen mit den Wurzeln in die Erde stecken« (mhd. *pflanzen,* ahd. *pflanzōn*). Näher verwandt sind ↑²Plan und ↑Plantage.

Pflaster: Das Substantiv (mhd. *pflaster,* ahd. *pflastar* »Wundpflaster; Zement, Mörtel, zementierter Fußboden; Straßenpflaster«; entsprechend mniederl. *pla[e]ster,* engl. *plaster*) ist aus mlat. *(em)plastrum* »Wundpflaster; aufgetragener Fußboden- oder Straßenbelag« entlehnt, das auf lat. *emplastrum* »Wundpflaster« zurückgeht. Dies ist aus griech. *émplast[r]on* (ergänze: *phármakon*) »das Aufgeschmierte, die zu Heilzwecken aufgetragene Salbe, der Salbenverband« übernommen. Das griech. Wort gehört zum Verb *em-plássein* »aufschmieren, bestreichen«, einer Bildung zu griech. *plássein* »aus weicher Masse formen, bilden, gestalten« (vgl. den Artikel *plastisch*). – Abl.: **pflastern** (mhd. *pflastern* »ein Wundpflaster auflegen; den Fußboden oder die Straße pflastern«).

Pflaume: Der Name der Steinfrucht (mhd. *pflūme, pfrūme,* ahd. *pfrūma;* entsprechend z. B. niederl. *pruim* und engl. *plum*) ist aus gleichbed. lat. *prunum* (bzw. vlat. **pruna*) entlehnt, das seinerseits aus gleichbed. griech. *pro-ūmnon* übernommen ist. Das Wort ist letztlich wohl kleinasiatischen Ursprungs. Der ugs. Gebrauch von ›Pflaume‹ im Sinne von »untauglicher, schwächlicher Mensch« geht wohl vom Bild der überreifen, weichen und schmierigen Frucht aus.

pflaum[en]weich ↑Flaum.

pflegen: Das westgerm. Verb mhd. *pflegen,* ahd. *pflegan,* niederl. *plegen,* aengl. (mit grammatischem Wechsel) *plēon* ist dunklen Ursprungs. Es bedeutete zunächst »für etwas einstehen, sich für etwas einsetzen«. Daraus entwickelten sich bereits in den alten Sprachzuständen einerseits die Bedeutung »sorgen für, betreuen, hegen« und andererseits die Bedeutung »sich mit etwas abgeben, betreiben, gewohnt sein«. Das Verb wurde früher, heute nur noch in altertümelnder und poetischer Sprache stark gebeugt (pflog, gepflogen), beachte dazu die Substantivbildung **Gepflogenheit** »Gewohnheit« (19. Jh., aus der österr. Kanzleisprache). – Um das Verb gruppieren sich im Dt. die Bildungen **Pflege** »Sorge, Obhut, Betreuung« (mhd. *pflege,* spätahd. *pflega*), **Pfleger** »Fürsorger, Betreuer, Krankenwärter« (mhd. *pflegære,* spätahd. *flegare*) und **pfleglich** »fürsorglich, sorgsam« (mhd. *pflegelich*), beachte auch die Präfixbildung **verpflegen** »mit Nahrung versehen, beköstigen« (mhd. *verpflegen*), dazu **Verpflegung.** Eine alte Bildung zu ›pflegen‹ ist das unter ↑Pflicht behandelte Substantiv.

Pflicht: Das westgerm. Substantiv mhd., ahd. *pflicht,* niederl. *plicht,* engl. *plight* ist eine Bildung zu dem unter ↑pflegen (ursprünglich »für etwas einstehen«) behandelten Verb. Das von ›Pflicht‹ abgeleitete Verb älter nhd. *pflichten* »in einem Dienstverhältnis stehen, in ein Dienstverhältnis nehmen« (mhd. *pflichten*) ist bewahrt in **beipflichten** »zustimmen, Recht geben« und **verpflichten** »in Dienst nehmen, durch ein Versprechen binden«, dazu **Verpflichtung.** Die Adjektivbildung ›pflichtig‹ »verpflichtet, abhängig« (mhd. *pflichtic*) ist heute nur noch in Zusammensetzungen gebräuchlich, beachte z. B. ›dienstpflichtig‹.

Pflock: Das seit dem 14. Jh. bezeugte Substantiv (mhd. *pfloc*), dem gleichbedeutend mnd. *plock, pluck* entspricht, ist verwandt mit niederl. *plug* »Zapfen, Spund, Dübel«, engl. *plug* »Pflock, Stöpsel« und schwed. *plugg* »Pflock, Zapfen«. Die weitere Herkunft des Wortes, das sowohl im Westgerm. als auch im Nord. in den alten Sprachzuständen fehlt, ist dunkel.

pflücken: Das westgerm. Verb mhd. *pflücken,* mnd. *plücken,* niederl. *plukken,* engl. *to pluck* beruht auf einer frühen Entlehnung aus vlat. **piluccare* »auszupfen, enthaaren, rupfen, abbeeren«, auf das auch it. *piluccare* »zupfen, rupfen, pflücken« und frz. *éplucher* »zupfen, rupfen« (afrz. *pelucher,* vgl. *Plüsch*) zurückgehen. Das Verb ›pflücken‹ wurde wie zahlreiche andere Ausdrücke des

Obst- und Weinbaus von den Römern am Mittelrhein übernommen und breitete sich von dort aus (beachte die nord. Sippe von schwed. *plocka* »pflücken«).

Pflug: Die Herkunft des altgerm. Wortes mhd. *pfluoc,* ahd. *pfluoh,* niederl. *ploeg,* engl. *plough,* schwed. *plog* ist – trotz zahlreicher Deutungsversuche – unklar. Mit diesem Wort bezeichneten die Germanen wahrscheinlich eine weniger primitive Form des Hakenpflugs, der ursprünglich aus einem starken gekrümmten Ast bestand, oder aber den neuen Räderpflug. Andere Wörter für »Pflug« im germ. Sprachbereich, die durch die neue Bezeichnung z. T. verdrängt wurden, sind got. *hōha* »Pflug« (eigentlich »Ast«), aengl. *sulh* »Pflug« (z. B. verwandt mit lat. *sulcus* »Furche«), aisl. *arđr* »Pflug« (z. B. verwandt mit lat. *arare* »pflügen«).

Pforte: Das vor allem in gehobener Sprache gebräuchliche Wort für »Tür, kleines Tor; Eingang, Durchgang; Gebirgsdurchgang« (mhd. *pforte,* ahd. *pforta*) ist aus lat. *porta* »Tür, Tor; Zugang« entlehnt (urverwandt mit dt. ↑Furt). – Abl.: **Pförtner** »Türhüter, Hausmeister; Magenausgang« (mhd. *p[f]ortenære*). – Vgl. noch die zu lat. *porta* gehörenden Fremdwörter ↑Portal und ↑Portier.

Pfosten »Stützpfeiler (meist aus Holz)«: Das westgerm. Substantiv (mhd. *pfost[e],* ahd. *pfosto,* niederl. *post,* engl. *post*) beruht auf einer frühen Entlehnung aus lat. *postis* »[Tür]pfosten«. Vgl. den Artikel *Poster.*

Pfote »in Zehen gespaltener Tierfuß«: Das seit dem 16. Jh. im Hochd. gebräuchliche Wort ist eine verhochdeutschte Form von gleichbed. niederrhein. *pōte* (14. Jh.), das mit afrz. *poue,* prov. *pauta,* katalan. *pota* »Pfote« aus einer voridg. Sprache stammt. Das Wort ist also vom Nordwesten des dt. Sprachgebiets ausgehend gemeinsprachlich geworden. Ugs. wird ›Pfote‹ auch für »menschliche Hand; Handschrift« verwendet.

P

Pfriem »Ahle, Vorstecher«: Das auf das dt. und niederl. Sprachgebiet beschränkte Wort (mhd. *pfriem[e],* mnd. *prēme,* niederl. *priem*) ist verwandt mit den anders gebildeten Wörtern aengl. *prēon* »Pfriem, Nadel, Spange« und schwed. *pryl* »Pfriem«. Die weitere Herkunft dieser germ. Wortgruppe ist dunkel. – Eine alte Bezeichnung für das Gerät zum Vorstechen ist das unter ↑Ahle behandelte Wort. Landsch. wird auch ›Ort‹ im Sinne von »Vorstecher« verwendet (vgl. *Ort*).

Pfropf ↑Pfropfen.

¹pfropfen »Pflanzen durch ein Setzreis veredeln«: Das Verb (mhd. *pfropfen*) ist von dem im Mhd. untergegangenen Substantiv ahd. *pfropfo* »Setzreis, Setzling« abgeleitet, das aus lat. *propago* »der weitergepflanzte, gesetzte Zweig, Setzling, Ableger« entlehnt ist. Dies gehört (mit lat. *propagare* »weiter ausbreiten, ausdehnen; fortpflanzen«, s. den Artikel *Propaganda*) zum Stamm von lat. *pangere (pactum)* »befestigen, einschlagen« (vgl. *Pakt*), wohl im Sinne von »das Feststecken (des Setzlings in die Erde)«.

²pfropfen ↑Pfropfen.

Pfropfen, daneben auch **Pfropf:** Das seit dem Anfang des 18. Jh.s gebräuchliche Wort ist eine verhochdeutschte Form von niederd. *propp[en],* mnd. *prop[pe]* »Stöpsel, Kork« (vgl. niederl. *prop* »Pfropfen«). Das Wort geht wahrscheinlich von einer Lautnachahmung aus oder gehört zu einer Mischform aus niederd. *prampen, prumpsen* »drücken, pressen« und niederd. *stoppen* »verschließen, füllen« (vgl. *stopfen*). In der Umgangssprache wird häufig die nicht verhochdeutschte Form **Proppen** verwendet, beachte die Zusammensetzungen **proppenvoll** und **Wonneproppen.** – Abl.: **²pfropfen** »mit einem Korken oder Stöpsel verschließen; voll machen« (mnd. *proppen*).

Pfründe: Die Bezeichnung für ein mit Einkünften verbundenes Kirchenamt (mhd. *pfrüende, pfruonde* »Kirchenamt mit Einkünften; Unterhalt; Nahrung, Lebensmittel«, ahd. *pfruonta, pfrovinta* »Unterhalt; Nahrung, Lebensmittel; Aufwand«) ist – unter dem Einfluss von lat. *providere* »versorgen« – aus mlat. *provenda* »Reichtum« entlehnt. Dies geht auf lat. *praebenda* »das Darzureichende« (zu lat. *prae-bere* »darreichen, gewähren«) zurück. – Im übertragenen Gebrauch wird ›Pfründe‹ heute im Sinne von »gute Einnahmequelle« verwendet.

Pfuhl »große Pfütze; Sumpf, Morast«: Die Herkunft des westgerm. Wortes mhd., ahd. *pfuol,* niederl. *poel,* engl. *pool* (daraus **Pool** »Gewinnverteilungskartell«, beachte auch ›Swimmingpool‹) ist unklar. Es kann, falls es aus dem Illyr. stammt, mit der baltoslaw. Sippe von lit. *balà* »Sumpf, Morast« verwandt sein.

pfui!: Die Interjektion (mhd. *pfui, pfiu*), mit dem man Missfallen, Abscheu, Ekel o. Ä. ausdrückt, ist lautmalenden Ursprungs und ahmt wohl das Geräusch des Ausspuckens (als Zeichen der Verachtung) nach.

Pfund: Die gemeingerm. Gewichtsbezeichnung (mhd. *pfunt,* ahd. *pfunt,* got. *pund,* niederl. *pond,* engl. *pound,* schwed. *pund*) beruht auf einer sehr frühen Entlehnung aus dem indeklinablen Substantiv lat. *pondo* »ein Pfund an Gewicht« (ursprünglich Ablativ von einem nicht bezeugten Substantiv **pondus, pondi* »Gewicht«), das mit lat. *pondus (ponderis)* »Gewicht« im Ablaut steht zu lat. *pendere (pensum)* »zum Wiegen an die Waage hängen; wägen; erwägen; zuwiegen usw.« (vgl. hierüber das Kapitel zur Sprachgeschichte *Römischer Kultureinfluss* und den Artikel *Pensum*). – Dazu das von ›Pfund‹ abgeleitete, in der Umgangssprache weit verbreitete Adjektiv **pfundig** »großartig, außerordentlich, beachtlich, ansehnlich« (20. Jh.), beachte dazu verstärkendes ›Pfund‹ in Zusammensetzungen wie ›Pfundskerl, Pfundssache‹.

pfuschen »schlecht, oberflächlich, unfachmännisch arbeiten«: Das seit dem 16. Jh. gebräuchliche Verb gehört wahrscheinlich zu der Interjektion ↑futsch! (landsch. auch *pfu[t]sch!*), die Geräusche nachahmt, die beim Abbrennen von Pulver, beim Reißen von schlechtem Stoff oder dgl. entstehen. Der Wortgebrauch geht also von der Anschauung des schnell abbrennenden Pulvers aus. Um ›pfuschen‹ gruppieren sich die Bildungen **Pfuscher** (16. Jh.), **Pfuscherei** (17. Jh.), **Pfusch** (20. Jh.) und **verpfuschen** »verderben« (18. Jh.).

Pfütze: Die Herkunft des in allen germ. Sprachen (mit Ausnahme des Got.) vorhandenen Substantivs, mhd. *pfütze* »Brunnen; Wasserlache«, ahd. *p[f]uzza* »Brunnen, Wasserloch«, niederl. *put* »Brunnen, Grube«, engl. *pit* »Grube« (s. auch das Fremdwort *Cockpit*), dän. *pyt* »Pfütze, Lache«, ist nicht sicher geklärt. Vielleicht handelt es sich um eine sehr alte Entlehnung aus lat. *puteus* »Brunnen, Grube«.

Phalanx »Schlachtreihe; geschlossene Front«: Das Fremdwort wurde im 18. Jh. aus gleichbed. lat. *phalanx* entlehnt, das seinerseits aus griech. *phálagx* »Schlachtreihe« stammt. Das griech. Wort ist mit seiner eigentlichen Bedeutung »Walze; Balken, Baumstamm« auch Ausgangspunkt für unser Lehnwort ↑Planke.

Phallus ↑[1]Ball.

Phänomen »[Natur]erscheinung; Vorhandensein; seltenes Ereignis, Wunder[ding]; außerordentlich begabter und gescheiter Kopf, ungewöhnlicher Mensch«: Das Fremdwort wurde im 17. Jh. aus lat. *phaenomenon* »[Luft]erscheinung« entlehnt, das seinerseits aus griech. *phainómenon* »das Erscheinende; das Einleuchtende; die Himmelserscheinung« übernommen ist. Das zugrunde liegende Verb griech. *phaínein* (< **phán-i̯ein*) »sichtbar machen«, *phaínesthai* »sichtbar werden, erscheinen« stellt sich zu der unter ↑bohnern dargestellten Wortfamilie der idg. Wurzel **bhā-, bhō-, bhə-* »glänzen, leuchten, scheinen«. – Zu griech. *phaínein* gehören einige Bildungen oder stammverwandte griech. Wörter, die in unserem Fremdwortschatz eine Rolle spielen: griech. *phantázesthai* »erscheinen, sichtbar werden«, dazu griech. *phántasma* »Erscheinung; Traumbild, Trugbild« und griech. *phantasía* »Erscheinung; geistiges Bild, Vorstellung« (↑Fantasie), griech. *phásis* »Erscheinung, Aufgang eines Gestirns« (↑Phase), griech. *phānós* »Leuchte, Fackel« (↑Fanal) und schließlich noch griech. *pháos, phōs* »Licht, Helle« (s. die unter *foto..., Foto...* genannten Wörter). – Beachte noch das zu ›Phänomen‹ gehörende Adjektiv **phänomenal** »außerordentlich, auffallend, erstaunlich, unglaublich, einzigartig«, das im 19. Jh. aus gleichbed. frz. *phénoménal* (Ableitung von frz. *phénomène*) entlehnt wurde.

Pharmazie »die Wissenschaft von den Arzneimitteln, ihrer Zusammensetzung, Herstellung, Verwendung usw.«: Das seit dem 15. Jh. gebrauchte, aber erst seit dem Anfang des 18. Jh.s in fachwissenschaftlichen Texten gebräuchliche Fremdwort ist aus spätlat. *pharmacia* entlehnt, das seinerseits aus griech. *pharmakeía* »Gebrauch von Heilmitteln, Giften bzw. Zaubermitteln; Arznei« übernommen ist. Dies ist eine Bildung zu griech. *phármakon* »Heilmittel; Gift; Zaubermittel«. – Dazu: **Pharmazeut** »in der Pharmazie ausgebildeter Wissenschaftler; Apotheker« (18./19. Jh.; aus griech. *pharmakeutḗs* »Hersteller von Arzneimitteln; Giftmischer«); **pharmazeutisch** »zur Pharmazie gehörig« (18./19. Jh.; nach griech. *pharmakeutikós* »die Kenntnis und Herstellung von Arzneimitteln und Giften betreffend«).

Phase »Abschnitt einer [stetigen] Entwicklung, Stufe; Zustand; Schwingungszustand einer Welle (Physik); eine der drei Leitungen des Drehstromnetzes (Elektrotechnik); veränderlicher Zustand, wechselnde Lichtgestalt von nicht selbstleuchtenden Himmelskörpern (Astronomie)«: Das zuerst bei Luther im Sinne von »Lichterscheinung, Wolkensäule« bezeugte Fremdwort, das sich jedoch erst im 18. Jh. – zunächst als astronomischer Terminus – einbürgerte, ist aus gleichbed. frz. *phase* entlehnt, das aus griech. *phásis* »Erscheinung; Aufgang eines Gestirns« stammt. Über weitere Zusammenhänge vgl. den Artikel *Phänomen.*

Philatelie: Die Bezeichnung für »Briefmarkenkunde« wurde im 19. Jh. aus gleichbed. frz. *philatélie* entlehnt. Dies ist eine gelehrte Neubildung des französischen Briefmarkensammlers M. Herpin aus griech. *phílos* »liebend; Freund, Liebhaber« (vgl. *Philo...*) und griech. *atéleia* »Steuer-, Abgabenfreiheit« und bedeutet demnach eigentlich etwa »Liebe zur (Marke der) Gebührenfreiheit«. – Dazu stellt sich **Philatelist** »Briefmarkensammler; jemand, der sich mit Briefmarkenkunde beschäftigt« (19. Jh.; aus gleichbed. frz. *philatéliste*).

Philharmonie: Das aus griech. Wortelementen gebildete Fremdwort (griech. *phílos* »liebend; Freund« und griech. *harmonía* »Fügung; Einklang, Wohlklang; Musik«; vgl. die Artikel *Philo...* und *Harmonie*) bedeutet wörtlich etwa »Liebe zur Musik«. Es erscheint bei uns seit dem 19. Jh. als Name für musikalische Gesellschaften, Konzertsäle und Spitzenorchester. Die einer Philharmonie angehörenden Künstler heißen **Philharmoniker.** Beide Fremdwörter ›Philharmonie‹ und ›Philharmoniker‹ gehen von dem Adjektiv **philharmonisch** (in der Fügung ›philharmonisches Orchester‹) aus, das auf entsprechend frz. *philharmonique* und it. *filarmonico* beruht.

Philo..., (vor Vokalen und h:) Phil...: Quelle für das Bestimmungswort von Zusammensetzungen mit der Bedeutung »Freund, Verehrer (von etwas), Liebhaber, Anhänger, Wissenschaftler« (wie in ↑Philosoph, ↑Philologe) oder mit der Bedeutung »Liebe, Verehrung; wissenschaftliche Beschäftigung« (wie in den entsprechenden Abstrakta *Philosophie, Philologie*) ist griech. *phílos* (Adjektiv und Substantiv) »liebend; Freund«.

Philologe: Die Bezeichnung für einen Wissenschaftler, der sich mit Texten in einer bestimmten Sprache, mit der Literatur und Sprache eines Volkes beschäftigt, wurde im 16. Jh. aus gleichbed. lat. *philologus* entlehnt, das seinerseits aus griech. *philó-logos* »Freund der Wissenschaften; Sprach-, Geschichtsforscher« übernommen ist. Dies ist ursprünglich ein Adjektiv mit der Grundbedeutung »das Wort, die Sprache liebend« und ist gebildet aus griech. *phílos* »liebend; Freund« (vgl. *Philo...*) und griech. *lógos* »Rede, Wort; wissenschaftliche Forschung« (vgl. *Logik*). – Dazu: **Philologie** »Wissenschaft, die sich mit der Erforschung von Texten in einer bestimmten Sprache beschäftigt; Sprach- und Literaturwissenschaft« (16. Jh.; aus griech.-lat. *philologia* »gelehrte Beschäftigung mit Sprache und Geschichte«); **philologisch** »die Philologie betreffend« (17. Jh.).

Philosoph: Das seit dem Ende des 15. Jh.s bezeugte Fremdwort ist aus lat. *philosophus* entlehnt, das seinerseits aus griech. *philó-sophos*, eigentlich etwa »Freund der Weisheit« (aus griech. *phílos* »liebend; Freund« und griech. *sophía* »Weisheit«), übernommen ist. Während das griech. Wort ursprünglich ganz allgemein denjenigen benannte, der sich um Erkenntnisse in irgendeinem beliebigen Wissensgebiet (insbesondere auch in der Rhetorik und Dialektik) bemüht, wurde es seit Sokrates und Plato zur speziellen Bezeichnung des Denkers schlechthin, der nach allgemeinen, jenseits der in den Einzelwissenschaften gültigen Wahrheiten sucht, und dessen Fragen und Forschen auf den Sinn des Lebens, das Wesen der Welt und die Stellung des Menschen in der Welt, auf die letzten Gründe des Seins gerichtet ist. – Dazu: **Philosophie** (in mhd. Zeit aus griech.-lat. *philosophía* »Liebe zur Gelehrsamkeit, zu den Wissenschaften usw.«); **philosophisch** »die Philosophie betreffend; durchdenkend; weise« (16. Jh.; nach spätlat. *philosophicus*); **philosophieren** »tiefgründig über etwas nachdenken, grübeln; sich philosophisch über einen Gegenstand verbreiten« (16. Jh.; nach frz. *philosopher* und lat. *philosophari* »Philosophie betreiben«).

P

Phlegma »[Geistes]trägheit, Schwerfälligkeit; Gleichgültigkeit; Dickfelligkeit«: Das seit dem 13. Jh. belegte Substantiv ist ein Fachausdruck der antiken Temperamentenlehre (vgl. zum Sachlichen die Artikel *cholerisch, Melancholie* und *sanguinisch*). Es geht auf griech.-lat. *phlégma* »Brand, Flamme, Hitze« zurück, das seit Hippokrates zur Bezeichnung eines »kalten und zähflüssigen Körperschleimes« wurde (nach antiken Vorstellungen die Ursache vieler Erkrankungen). Das zugrunde liegende griech. Verb *phlégein* »entzünden; verbrennen« ist mit dt. ↑blecken verwandt. – Abl.: **phlegmatisch** »träg, schwerfällig; gleichgültig« (16. Jh.; aus lat. *phlegmaticus*, griech. *phlegmatikós* »schleimig, am zähflüssigen Schleim leidend«).

Phlox: Der Name der beliebten Zier- und Gartenpflanze ist aus griech. *phlóx* »Flamme« (zu griech. *phlégein* »brennen«, urverwandt mit dt. ↑blecken) entlehnt. Der Name bezieht sich auf den farbenprächtigen Blütenstand, der bei einigen Arten von intensivem flammendem Rot ist. Man nennt diese Pflanze deshalb auch ›Flammenblume‹.

Phonetik: Die Bezeichnung für »Lautlehre; Stimmbildungslehre« ist eine gelehrte Bildung des 19. Jh.s zu griech. *phōnḗ* »Laut, Ton; Stimme« (*phōnētikós* »zum Tönen, Sprechen gehörig«), das ablautend zu dem mit dt. ↑Bann verwandten griech. Verb *phánai* »sagen, sprechen usw.« gehört. – Als Grundwort erscheint griech. *phōnḗ* in zahlreichen Fremdwörtern wie ↑Grammophon, ↑Telefon und ↑Sinfonie. Beachte ferner den Artikel *Blasphemie*.

Phosphor: Der im 17. Jh. entstandene Name des nichtmetallischen chemischen Grundstoffs beruht auf einer gelehrten Bildung aus dem griech. Adjektiv *phōs-phóros* »lichttragend« (zu griech. *phōs* »Licht« und griech. *phérein* »tragen«; vgl. die Artikel *foto..., Foto...* und *Peripherie*). Der Phosphor ist demnach nach seiner Leuchteigenschaft benannt. – Das Verb **phosphoreszieren** (18./19. Jh.) bezieht sich auf die Eigenschaft mancher Stoffe, nach vorausgegangener Bestrahlung wie Phosphor im Dunkeln nachzuleuchten.

Phrase: Zu griech. *phrázein* »anzeigen; sagen, aussprechen usw.« gehört die Bildung griech. *phrásis* »das Sprechen; Ausdruck; Ausdrucksweise«. Diese gelangte im 16. Jh. über spätlat. *phrasis* ins Dt. in der neutralen Bedeutung »Redewendung, Redeweise«, die allerdings heute nicht mehr lebendig ist. Im 18. Jh. geriet das Wort unter den Einfluss von entsprechend frz. *phrase* (bzw. wurde daraus neu entlehnt) und gilt seitdem mit dem im Frz. entwickelten abwertenden Sinn von »abgegriffene, leere Redensart; Geschwätz«. Beachte dazu die Wendung ›Phrasen dreschen‹ und die Bildung **Phrasendrescher.** – Zu griech. *phrázein* gehört griech. *para-phrázein* »etwas erklärend hinzufügen; umschreiben« mit dem Substantiv griech. *paráphrasis* »erklärende Umschreibung«. Daraus entlehnt ist unser Fremdwort **Paraphrase** »verdeutlichende Umschreibung eines Textes mit anderen Wörtern; freie Übertragung; freie Umspielung oder Ausschmückung einer Melodie« (16. Jh.); davon abgeleitet ist das Verb **paraphrasieren** »umschreiben« (17. Jh.).

Physik: Die Bezeichnung für diejenige Naturwissenschaft, die die Grundgesetze der Natur, die Strukturen, Eigenschaften und Bewegungen, die Erscheinungs- und Zustandsformen der unbelebten Materie untersucht, wurde in mhd. Zeit (als *fisike* »Naturkunde«) aus lat. *physica* »Naturlehre« entlehnt, das seinerseits aus griech. *physikḗ (theōría)* »Naturforschung, -untersuchung« übernommen ist. Das zugrunde liegende Adjektiv griech. *physikós* »von der Natur geschaffen, natürlich; naturgemäß«, das über gleichbed. lat. *physicus* in unserem Adjektiv **physisch** »in der Natur begründet, natürlich; körperlich« (16. Jh.) fortlebt, ist eine Ableitung von griech. *phýsis* »Natur; natürliche Beschaffenheit«. Dies gehört zu griech. *phýein* »hervorbringen; entstehen«, *phýesthai* »werden, entstehen, wachsen« (urverwandt mit dt. ↑bauen). Vgl. auch die Artikel *Physiognomie* und *Physiologie.*

Physiognomie »Erscheinungsbild, Ausdruck eines Gesichts; in bestimmter Weise geprägtes Gesicht«: Das Fremdwort wurde bereits in mhd. Zeit als *phisonomy, phisionomia* aus mlat. *phiso(no)mia, phisionomia* entlehnt und im 16. Jh. im Schriftbild an das zugrunde liegende griech. *physiognōmía* »Lehre vom Urteilen nach der Erscheinung der Natur, des Körperbaus, der Gesichtszüge« angeglichen bzw. daraus neu entlehnt.

Physiologie: Die Bezeichnung für die Wissenschaft von den Lebensvorgängen wurde im 16. Jh. aus lat. *physiologia* »Naturkunde« entlehnt, das seinerseits aus griech. *physiología* »Naturkunde, Lehre von der Beschaffenheit der natürlichen Körper« übernommen ist. Dies ist eine Bildung aus griech. *phýsis* »Natur« (vgl. *Physik*) und griech. *lógos* »Wort; Kunde, Wissenschaft« (vgl. *...loge*).

physisch ↑Physik.

piano »leise, schwach«: Das musikalische Fachwort wurde im 17. Jh. aus gleichbed. it. *piano* entlehnt, das auf lat. *planus* »flach, eben« (vgl. *plan*) zurückgeht. – Dazu gehört die Steigerungsform **pianissimo** »sehr leise« (17. Jh.). – Mit dem Adjektiv formal identisch ist das Substantiv **Piano** »Klavier«, das als Bezeichnung für das »Hammerklavier« aus dem älteren **Pianoforte** (18. Jh.) gekürzt ist. Dies ist aus gleichbed. frz. *piano-forte* entlehnt, das seinerseits aus it. *pianoforte* übernommen ist. Das ›Pianoforte‹ – dafür auch mit Umstellung der Wörter ›Fortepiano‹ – wurde nach seiner charakteristischen Eigenart benannt, dass man seine Tasten im Gegensatz zu Spinett und Klavichord sowohl »leise« (= piano) als auch »stark und laut« (= ↑forte) anschlagen kann. – Zu ›Piano‹ gehört die Bildung **Pianist** (19. Jh.; aus gleichbed. frz. *pianiste)* zur Bezeichnung des künstlerisch ausgebildeten und in der Öffentlichkeit auftretenden Klavierinterpreten (im Gegensatz zum bloßen Klavierspieler).

picheln: Der seit dem 18. Jh. gebräuchliche ugs. Ausdruck für »trinken, zechen« hat sich aus einem von ↑Pegel abgeleiteten Verb entwickelt, vgl. niederd. mdal. *pegeln* »saufen, zechen«. Das Verb schließt sich an ›Pegel‹ in dessen früher auch üblicher Verwendung im Sinne von »Merkzeichen an [Trink]gefäßen« an und bezieht sich darauf, dass man bei Gelagen nach Pegeln (d. h. nach diesen Eichzeichen) zu trinken pflegte.

Pick ↑²Pik.

Picke »Spitzhacke«: Die heute übliche Form ist durch Anlehnung an das Verb ›picken‹ aus älter nhd. *Bicke* (mhd. *bicke)* entstanden (vgl. *picken*). Gebräuchlich ist auch die Bildung **¹Pickel** »Spitzhacke«, älter *Bickel* (mhd. *bickel*), beachte die Zusammensetzung ›Eispickel‹.

¹Pickel ↑Picke.

²Pickel »Hautunreinheit, Pustel«: Das erst in neuerer Zeit gemeinsprachlich gewordene Wort ist eine Verkleinerungsbildung in mdal. Lautung zu dem unter ↑Pocke behandelten Substantiv (vgl. niederl. *pukkel* »Pickel« zu niederl. *pok* »Pocke«).

Pickelhaube: Die volkstümliche Bezeichnung für den 1842 eingeführten preußischen Infanteriehelm mit Spitze ist durch Anlehnung an das Wort ¹Pickel »Spitzhacke« aus frühnhd. *bickel-, beckelhaube,* mhd. *beckenhūbe* entstanden. Diese Zusammensetzung (vgl. *Becken* und *Haube*) bezeichnete eine beckenförmige Blechhaube, wie sie seit dem Mittelalter von Kriegsknechten als Kopfschutz getragen wurde.

picken: In der nhd. Form ›picken‹ sind wahrscheinlich zwei oder sogar drei ursprünglich verschiedene Verben zusammengefallen. Einerseits ein lautnachahmendes ›picken‹, das also eigentlich »pick machen« bedeutet und speziell das Geräusch nachahmt, das entsteht, wenn ein Vogel mit schnellen Schnabelhieben Futter aufnimmt (beachte die ähnlichen Lautnachahmungen ›ticken‹ und ›klicken‹). Andererseits ein älteres nhd. Verb *bicken* »stechen, hauen« (mhd. *bicken,* ahd. in *ana-bicken*), das vermutlich mit gallolat. *beccus* »Schnabel« zusammenhängt, beachte z. B. frz. *bec,* it. *becco* »Schnabel«, it. *beccare* »hacken«. Zu diesem Verb gehört das Substantiv ↑Picke (älter *Bicke*) »Spitzhacke«. Ferner kann Vermischung eingetreten sein mit einem niederd. Verb, das entweder aus frz. *piquer* »stechen« (vgl. *pikiert*) stammt oder zu einem germ. Substantiv mit der Bedeutung »Spitze« gehört (vgl. mnd. *peik* »Spitze, Stachel«). Beachte dazu **piken,** weitergebildet **piksen** ugs. für »stechen; wehtun, schmerzen«. – Zum Teil auf Vermischung beruhen auch die verwandten Verben niederl. *pikken* »picken«, engl. *to pick* »picken; hacken, aufhauen; pflücken, [aus]lesen«, schwed. *picka* »picken«.

Picknick: Der Ausdruck für »gemeinsame Mahlzeit im Grünen, Verzehr mitgebrachter Speisen im Freien bei einem Ausflug« wurde in der 1. Hälfte des 20. Jh.s aus gleichbed. engl. *picnic* entlehnt, das seinerseits aus frz. *pique-nique* »gesellschaftliches Mahl in einem Wirtshaus; Feier, zu der jeder Speisen o. Ä. mitbringt« stammt. Das frz. Wort war schon im 18. Jh. ins Dt. übernommen worden und bis ins 19. Jh. in seiner ursprünglichen Bedeutung gebräuchlich. Frz. *pique-nique* ist vermutlich – wie z. B. auch dt. ›Mischmasch‹ oder ›Wirrwarr‹ – eine Reduplikationsbildung zu frz. *piquer* »picken; stechen« oder eine Bildung aus frz. *piquer* »picken; stechen« und frz. *nique* »Nichtigkeit, Spötterei«.

picobello: Der seit dem Anfang des 20. Jh.s gebräuchliche ugs. Ausdruck für »tadellos, sehr schön, hervorragend (gemacht)« ist wahrscheinlich eine scherzhafte italienisierende Bildung aus niederd. *pük* »erlesen, ausgezeichnet« (vgl. *piekfein*) und it. *bello* »schön«.

Piefke: Die Herkunft des ugs. Ausdrucks für »eingebildeter Angeber, dümmlicher Wichtigtuer« – in Österreich als abwertende Bezeichnung für »Preuße, [Nord]deutscher« gebräuchlich – ist trotz aller Deutungsversuche nicht gesichert. Vielleicht ist er mit dem besonders in Berlin häufigen Familiennamen Piefke identisch, der auch in der Literatur, besonders in Volksstücken des 19. und 20. Jh.s eine Rolle spielt und dadurch allgemein bekannt wurde.

piekfein: Der ugs. Ausdruck für »ganz besonders fein« ist seit der 2. Hälfte des 19. Jh.s gebräuchlich. Das Bestimmungswort dieser verstärkenden Zusammensetzung ist entstanden aus niederd. *pük* »erlesen, ausgesucht« (entsprechend niederl. *puik*), einer im Hansehandel verwendeten Gütebezeichnung.

piepen: Das seit dem 16. Jh. im Hochd. gebräuchliche Verb ist wahrscheinlich aus dem Niederd. übernommen und geht zurück auf mnd. *pīpen* »piep machen, einen leisen Pfeifton hören lassen, pfeifen« (vgl. *pfeifen*). Das Verb wird in der Umgangssprache häufig übertragen verwendet, beachte z. B. ›das ist zum Piepen‹ »das ist zum Lachen«, beachte auch ›einen Piep haben‹ ugs. für »nicht ganz bei Verstand sein« und **Piepmatz** ugs. für »Vogel« (zum zweiten Bestandteil vgl. *Mätzchen*). Neben ›piepen‹ ist seit dem 17. Jh. auch **piepsen** gebräuchlich, das besonders den Laut [junger] Vögel und Mäuse wiedergibt und ugs. im Sinne von »mit schwacher Stimme reden« verwendet wird, beachte **piepsig** ugs. für »leise, schwächlich, kränklich«.

piepen

bei jmdm. piepts
(ugs.) »jmd. ist nicht recht bei Verstand«
Nach dem Volksglauben wird geistige Verwirrtheit durch Tiere hervorgerufen, die im Kopf nisten. Auf das Piepen von Mäusen oder Vögeln, die jemand im Kopf haben soll, bezieht sich die vorliegende Wendung.

Pier: Der seemännische Ausdruck für »Hafendamm; Landungsbrücke« wurde im 19. Jh. aus gleichbed. engl. *pier* entlehnt, das zu mlat. *pera* »Uferbefestigung, Hafendamm« passt. Die weitere Herkunft des Wortes ist unsicher.

Piercing: Das Fremdwort bezeichnet das »Durchstechen oder Durchbohren der Haut zur Anbringung von Körperschmuck«. Das Substantiv, das wie die Mode selbst gegen Ende des 20. Jh.s aufgekommen ist, geht zurück auf gleichbed. engl. *piercing*, eine Substantivierung des Verbes *to pierce* »durchstechen, durchbohren«. – Dazu: **piercen.**

piesacken: Der seit dem 18. Jh. bezeugte ugs. Ausdruck für »quälen«, der sich von Norddeutschland her ausgebreitet hat, gehört wahrscheinlich zu niederd. *[ossen]pesek* »[Ochsen]ziemer« und bedeutet demnach eigentlich »mit dem Ochsenziemer bearbeiten«. Das Grundwort niederd. *pesek* beruht auf mnd. *pese* »Sehne«.

Pietät »Frömmigkeit; Ehrfurcht; Rücksichtnahme«: Das seit dem 16. Jh. bezeugte Fremdwort ist aus lat. *pietas (pietatis)* »Pflichtgefühl; Frömmigkeit, Gottesfurcht« entlehnt. Dies ist eine Bildung zu dem lat. Adjektiv *pius* »pflichtgemäß handelnd; fromm, rechtschaffen«, das auch den Vornamen Pius und Pia zugrunde liegt. Heute wird ›Pietät‹ gelegentlich auch im Sinne von »Bestattungsinstitut« verwendet. – Dazu stellt sich als nlat. Bildung **Pietismus** (17. Jh.) zur Bezeichnung einer religiösen Erweckungsbewegung des 17. und 18. Jh.s innerhalb des Protestantismus, die den lebendigen Glauben und die »Frömmigkeit« des einzelnen Christen in den Mittelpunkt stellte. Die Anhänger des Pietismus heißen **Pietisten.**

Pigment: Die Bezeichnung für »Körperfarbstoff« ist eine gelehrte Entlehnung des 18. Jh.s aus lat. *pigmentum* »Färbestoff, Farbe; Gewürz; Kräutersaft« (vgl. den Artikel *Piment*). Dies ist wie lat. *pictor* »Maler« (vgl. den Artikel *pittoresk*) eine Bildung zu lat. *pingere (pictum)* »mit der Nadel sticken; malen«.

[1]Pik »Spielkartenfarbe«: Die seit dem 18. Jh. bezeugte Bezeichnung – dafür im deutschen Kartenblatt ›Schippen‹ (vgl. unter *Schippe*) – ist aus gleichbed. frz. *pique* entlehnt, das eigentlich »Spieß, Lanze« bedeutet (vgl. *Pike*). Die Bedeutungsübertragung bezieht sich auf den stilisierten Spieß mit schwarzem Blatt auf den Spielkarten der Pikfarbe.

[2]Pik: Der ugs. Ausdruck für »heimlicher Groll« – besonders in der Wendung ›einen Pik auf jemanden haben‹ gebräuchlich – ist mit der Nebenform **Pick** seit dem 17. Jh. bezeugt. Er ist – teilweise durch niederl.-niederd. Vermittlung – aus gleichbed. frz. *pique* entlehnt, das in dieser Bedeutung eine Übertragung von frz. *pique* »Lanze, Spieß« (vgl. *Pike*) ist.

pikant »scharf [gewürzt]; prickelnd, reizvoll; anzüglich, schlüpfrig«: Das Adjektiv wurde Ende des 17. Jh.s aus gleichbed. frz. *piquant* entlehnt, dem adjektivisch gebrauchten Part. Präs. von frz. *piquer* »stechen; anstacheln, reizen, aufreizen usw.« (vgl. *pikiert*).

Pike

von der Pike auf dienen
»sich in seinem Beruf von der untersten Stufe emporarbeiten«:
›Pike‹ bedeutet »[Landsknechts]spieß, Lanze«, die vorliegende Wendung ist also ursprünglich auf das Kriegswesen zu beziehen in der Bedeutung »als gemeiner Soldat den Kriegsdienst beginnen und sich allmählich hocharbeiten«. Das Wort ›Pike‹ wurde um 1500 aus gleichbed. frz. *pique* entlehnt, das wohl zu frz. *piquer* »stechen usw.« (vgl. *pikiert*) gehört. – Gleichen Ursprungs sind ↑[1]Pik »Spielkartenfarbe« und ↑[2]Pik »heimlicher Groll«.

[P]iken ↑picken.

[P]ikiert »gereizt, verletzt, [leicht] beleidigt, verstimmt«: Das in diesen Bedeutungen seit dem 17. Jh. bezeugte Wort ist Partizipialadjektiv zu dem vom 16. bis zum 19. Jh. häufig vorkommenden Verb **pikieren** »stechen; (übertragen:) anstacheln, reizen; verstimmen«, das heute aus dem allgemeinen Sprachgebrauch verschwunden ist, aber noch fachsprachlich verwendet wird (so z. B. in der Gärtnersprache im Sinne von »[junge Pflanzen] auspflanzen, vertopfen«). Das Verb ist aus frz. *piquer* »stechen; anstacheln, reizen; verstimmen« entlehnt, das auf ein auch in anderen roman. Sprachen vertretenes, aber etymologisch nicht sicher gedeutetes vlat. **piccare* zurückgeht (beachte it. *piccare*, span. *picar* »stechen«). – Zu frz. *piquer* gehören auch die unter ↑pikant, ↑[1]Pik, ↑[2]Pik und ↑Pike behandelten Wörter.

[P]ikkolo: Die im 19. Jh. aufkommende Bezeichnung für den »Kellnerlehrling« geht auf it. *piccolo* »klein« zurück. Der Pikkolo ist also eigentlich »der Kleine«. – Gleichen Ausgangspunkt haben **[2]Pikkolo,** das als Kurzform für ›Pikkoloflöte‹ »kleine Querflöte in C oder Des« (19. Jh.; nach it. *flauto piccolo*) steht, und **[3]Pikkolo,** das ugs. kurz für ›Pikkoloflasche‹ »kleine Sektflasche« verwendet wird.

[P]iksen ↑picken.

[P]ilger »Wallfahrer; Wanderer«: Die nhd. Form des Wortes führt über mhd. *pilgerīn, pilgerīm* auf ahd. *piligrīm* zurück. Das aus der Kirchensprache stammende Wort ist entlehnt aus vlat.-kirchenlat. *pelegrinus* »Fremder; Wanderer; Pilger« (im kirchlichen Sinne wohl ursprünglich »der nach Rom wallfahrende Fremde«), das für klass.-lat. *peregrinus* »fremd, ausländisch; der Fremde, Fremdling« steht. Gleicher Herkunft sind z. B. entsprechend it. *pellegrino* und frz. *pèlerin* »Pilger«. – Abl.: **pilgern** »wallfahren; wandern« (18. Jh.).

[P]ille »Arzneimittel in Kügelchenform«: Das seit dem 16. Jh. bezeugte Substantiv steht für älteres spätmhd. *pillule*, frühnhd. *pillel[e]*, aus dem es – wohl durch Silbenvereinfachung – hervorgegangen ist. Quelle des Wortes ist lat. *pilula* »kleiner Ball; Kügelchen; Pille«, das als Verkleinerungsbildung zu lat. *pila* »Ball« gehört. Die neuere Bedeutung »Antibabypille« ist wohl durch das Engl. beeinflusst. – Dazu die Zusammensetzung **Pillendreher** (18./19. Jh.), einerseits als scherzhafte Bezeichnung des Apothekers, andererseits als Name eines Käfers.

Pilot »Flugzeugführer«: Das seit dem Anfang des 16. Jh.s (zuerst als ›Piloto‹) bezeugte Fremdwort wurde zunächst im Sinne von »Steuermann, Lotse« verwendet, seit dem Beginn des 18. Jh.s – unter dem Einfluss von frz. *pilote* – dann auch im Sinne von »Luftschiffer« und mit der Entwicklung des Flugzeugs schließlich speziell im Sinne von »Flugzeugführer«. Die moderne Bedeutung kommt erst im 20. Jh. mit der Entwicklung des Flugwesens auf. Quelle des Wortes ist ein zu griech. *pēdón* »Ruderblatt; Steuerruder« gehörendes mgriech. **pēdṓtēs* »Steuermann«, das über Sizilien ins It. und in die anderen roman. Sprachen gelangte (beachte it. *pilota, piloto* »Steuermann«, älter *pedoto, pedotta;* frz. *pilote*). Ins Dt. gelangte das Wort aus dem It., später geriet es dann unter frz. Einfluss oder wurde aus frz. *pilote* neu entlehnt.

Pilz: Der Name der Sporenpflanze (mhd. *büleʒ, bülz*, ahd. *buliʒ*) ist aus lat. *boletus* »Pilz« (speziell: »Champignon«) entlehnt. Die weitere Herkunft des lat. Wortes ist unklar. – Zus.: **Glückspilz** (↑Glück).

Piment: Der Name des Gewürzes (mhd. *pīment[e]*) ist aus gleichbed. (m)frz. *piment* entlehnt, das auf lat. *pigmentum* »Färbestoff, Farbe; Gewürz, Spezerei; Kräutersaft« zurückgeht (vgl. den Artikel *Pigment*).

Pimmel: Der seit dem ausgehenden 19. Jh. gebräuchliche ugs. Ausdruck für »Penis« geht wahrscheinlich auf niederd. *pümpel* »Stößel (im Mörser)« zurück. Beachte dazu auch niederd. *pümpern* »mit dem Stößel im Mörser zerstoßen«, auf dem ugs. **pimpern** »koitieren« beruht.

pimpern ↑Pimmel.

Pimpf ↑Pumpernickel.

pingelig ↑Pein.

Pingpong: Die heute veraltete Bezeichnung für »Tischtennis«, die noch gelegentlich scherzhaft-abwertend im Sinne von »nicht turniermäßig betriebenes Tischtennis« verwendet wird, wurde um die Jahrhundertwende aus dem Engl. übernommen. Engl. *ping-pong* selbst ist lautmalenden Ursprungs.

Pinguin: Der seit der Zeit um 1600 in Reisebeschreibungen bezeugte Name des in der Antarktis beheimateten flugunfähigen Meeresvogels (mit flossenähnlichen Flügeln) ist etymologisch dunkel. Ganz fraglich ist die Herleitung aus dem Kelt. als »Weißkopf« (walisisch *pen* »Kopf« und *gwyn* »weiß«). Danach müsste ›Pinguin‹ zunächst den Alk bezeichnet haben, der weiße Flecken um die Augen hat.

P

Pinie »zur Familie der Kieferngewächse gehörender Nadelbaum«: Der seit dem 18. Jh. belegte Baumname ist aus lat. *pinea* »Fichtenkern; Fichte« entlehnt, einer Substantivierung von lat. *pineus* »fichten«. Dies ist von lat. *pinus* »Fichte; Föhre, Kiefer; Pinie« abgeleitet.

Pinke ↑Pinkepinke.

Pinkel: Die Herkunft des ugs. Ausdrucks für »Mann« – vor allem in der Verbindung ›feiner Pinkel‹ »jemand, der sich als vornehmer Herr ausgibt« gebräuchlich – ist trotz aller Deutungsversuche nicht gesichert.

pinkeln (ugs. für:) »Harn lassen, urinieren«: Das seit dem 16. Jh. bezeugte Verb geht wahrscheinlich von einem kindersprachlichen ›pi‹ aus, beachte kindersprachlich **Pipi** »Urin« in der Verbindung ›Pipi machen‹ »urinieren«. Vgl. dazu gleichbed. dän. *pinke* und schwed. *pinka.*

pinken ↑Pinkepinke.

Pinkepinke, auch: **Pinke:** Der aus der Gaunersprache stammende ugs. Ausdruck für »Geld« gehört zu einem nur noch landsch. gebräuchlichen Verb **pinken** »hämmern, hart auf etwas schlagen, sodass ein heller, metallischer Klang entsteht«, das lautmalenden Ursprungs ist. Benennungsmotiv wäre demnach das Klimpern der Münzen.

Pinscher: Die Herkunft des seit dem Anfang des 19. Jh.s bezeugten Namens der Hunderasse ist unklar. Möglicherweise ist ›Pinscher‹ aus ›Pinzgauer‹ entstanden und bezeichnete dann ursprünglich eine Hundeart, die aus dem Pinzgau (Salzachtal, Österreich) stammt.

Pinsel: Die Bezeichnung des aus einem meist längeren [Holz]stiel mit eingesetztem Haar- oder Borstenbüschel bestehenden Gerätes (mhd. *bensel, pinsel*) ist durch Vermittlung von gleichbed. afrz. *pincel* (= frz. *pinceau*) aus vlat. **penicellus* (für lat. *penicillus*) »Pinsel« entlehnt. Dies ist eine Bildung zu lat. *peniculus* »Schwänzchen; Bürste; Schwamm; Pinsel«, einer Verkleinerungsbildung zu lat. *penis* »Schwanz; männliches Glied«, aus dem **Penis** »männliches Glied« stammt.

Pin-up-Girl: Das im 20. Jh. aus dem engl.-amerik. *pin-up girl* übernommene Wort bezeichnet ein erotisch anziehendes, meist leicht bekleidetes Mädchen, wie es häufig in Magazinen und in Illustrierten abgebildet ist und dessen Fotos ausgeschnitten und an die Wand geheftet werden können. So bedeutet denn auch engl. *pin-up girl* wörtlich »Anheftmädchen«. Es ist eine Bildung mit dem engl. Verb *to pin up* »anheften«.

Pinzette: Die Bezeichnung für das zangenähnliche Gerät mit federnden Schenkeln zum Fassen winziger Dinge wurde Anfang des 18. Jh.s aus gleichbed. frz. *pincette* (eigentlich »kleine Zange«) entlehnt, einer Verkleinerungsbildung zu frz. *pince* »Zange«. Zugrunde liegt das etymologisch nicht sicher gedeutete Verb frz. *pincer* »kneifen, zwicken«.

Pionier »Soldat der technischen Truppe«, auch übertragen gebraucht im Sinne von »Wegbereiter, Vorkämpfer, Bahnbrecher«: Das Substantiv wurde Anfang des 17. Jh.s als militärischer Fachausdruck aus gleichbed. frz. *pionnier* entlehnt. Das frz. Wort (afrz. *peonier*) bedeutet eigentlich »Fußsoldat, Infanterist«. Es ist eine Bildung zu frz. *pion* (afrz. *peon*) »Fußgeher, Fußsoldat«, das auf vlat. *pedo* (Akkusativ *pedonem*) »Fußgeher, Fußsoldat« zurückgeht. Über das Stammwort lat. *pes (pedis)* »Fuß« vgl. den Artikel *Pedal.*

Pipeline ↑Pfeife.

Pipette: Die Bezeichnung für »Saugröhrchen; Stechheber« wurde im 19. Jh. aus frz. *pipette* »Pfeifchen, Röhrchen; Pipette« entlehnt, das als Verkleinerungsbildung zu frz. *pipe* (< vlat. **pipa*) »Rohrpfeife; Röhre« gehört (vgl. *Pfeife*).

Pipi ↑pinkeln.

Pirat »Seeräuber«: Das Fremdwort wurde im 15. Jh. aus gleichbed. it. *pirata* entlehnt, das über lat. *pirata* auf griech. *peirā́tēs* »Seeräuber« zurückgeht. Dies ist eine Bildung zu griech. *peirãn* »versuchen; wagen, unternehmen«. Stammwort ist griech. *peĩra* »Erfahrung; Versuch, Wagnis«, das mit lat. *periculum* »Gefahr« und mit ahd. *fāra* »Nachstellung, Gefährdung« (↑Gefahr) verwandt ist. – Abl.: **Piraterie** »Seeräuberei« (19. Jh.; aus gleichbed. frz. *piraterie*).

Pirol: Der Singvogel ist nach seinem eigentümlichen, etwa mit ›piro‹ wiederzugebenden Paarungsruf benannt, vgl. mhd. *(bruoder) piro* »(Bruder) Pirol«.

pirschen »auf die Schleichjagd gehen, beschleichen«: Die nhd. Form geht über älter nhd. *birschen* auf mhd. *birsen* »jagen« zurück, das aus afrz. *berser* »[mit dem Pfeil] jagen« entlehnt ist. – Aus dem Verb rückgebildet ist **Pirsch** (16. Jh.). Siehe auch den Artikel *preschen.*

pissen: Das seit dem 14./15. Jh. bezeugte Verb, das vom Niederd. aus gemeinsprachlich wurde und heute in der Umgangssprache allgemein üblich ist, beruht wie entsprechend engl. *to piss* auf frz. *pisser* »urinieren«, das mit gleichbed. it. *pisciare* lautmalenden Ursprungs ist. Vgl. den Artikel *pinkeln.* – Dazu: **Pisse** »Urin« (aus dem Niederd., 15. Jh.); **Pissoir** »öffentliche Bedürfnisanstalt für Männer« (19. Jh.; aus gleichbed. frz. *pissoir*).

Pistazie: Der seit dem 16. Jh. bezeugte Name des vorwiegend in Ostasien und im Mittelmeergebiet wachsenden Balsam- oder Terebinthenbaumes und seines wohlschmeckenden Samenkerns (Pistazienmandel, -nuss) ist aus lat. *pistacia* »Pistazienbaum« entlehnt. Dies ist aus gleichbed. griech. *pistákē* übernommen, das seinerseits aus pers. *pista^{h}* »Pistazienbaum; Pistazienfrucht« stammt.

Piste »abgesteckte Ski- oder Radrennstrecke; Rollbahn auf Flugplätzen; Einfassung der Manege im Zirkus«: Das Wort wurde im 19. Jh. (zunächst im Sinne von »Spur, Fährte«) aus gleichbed. frz. *piste* entlehnt, das seinerseits aus it. *pista,* einer Nebenform von it. *pesta* »gestampfter Weg; Fährte, Spur«, stammt. Das zugrunde liegende Verb, it. *pestare* (älter *pistare*) »stampfen«, geht auf gleichbed. spätlat. *pistare* zurück (zu lat. *pinsere [pistum]* »zerstoßen, zerstampfen«).

Pistole: Die Bezeichnung der kurzen Handfeuerwaffe wurde Anfang des 15. Jh.s während der Hussitenkriege aus tschech. *píšťala* »Pistole«, eigentlich »Pfeife; Rohr«, entlehnt. Das tschech. Wort gehört zu der slaw. Wortgruppe von tschech. *pískat* »pfeifen«, die lautmalenden Ursprungs ist. – Die Pistole ist also als »Rohr« oder als »Pfeife« benannt worden, wobei die Vorstellung der pfeifenden Kugeln mitgewirkt haben kann.

pittoresk »malerisch, von eigenartigem Reiz«: Das Adjektiv wurde im 18. Jh. aus gleichbed. frz. *pittoresque* entlehnt, das seinerseits aus it. *pittoresco* »malerisch [schön]« übernommen ist. Dies ist eine Bildung zu it. *pittore* (< lat. *pictor*) »Maler«. Über dessen Stammwort lat. *pingere* »sticken; malen« vgl. den Artikel *Pigment.*

placieren ↑platzieren.

placken, Plackerei ↑Plage.

plädieren »vor Gericht die Interessen der Anklage (als Staatsanwalt) oder des Angeklagten (als Verteidiger) in den Schlussvorträgen der Hauptverhandlung vertreten«: Das Verb wurde im 18. Jh. in der Rechtssprache aus frz. *plaider* »vor Gericht verhandeln« entlehnt. Es drang dann auch in die Gemeinsprache und wird dort im Sinne von »sich für etwas aussprechen, etwas befürworten« verwendet. Frz. *plaider* ist eine Ableitung von frz. *plaid* (afrz. *plait*) »Rechtsversammlung; Klage; Prozess«, das auf lat. *placitum* »Überzeugung, geäußerte Willensmeinung« zurückgeht. Stammwort ist lat. *placere* »gefallen; für gut befinden, für etwas stimmen« (vgl. *Plazet*). – Dazu: **Plädoyer** »Schlussvortrag des Staatsanwaltes oder Verteidigers vor Gericht« (18. Jh.; aus gleichbed. frz. *plaidoyer*).

Plage »quälendes Übel, Mühsal; Belästigung; anstrengende Arbeit; Unheil, Missgeschick«: Das Substantiv mhd. *plāge,* spätahd. *plāga* »Strafe des Himmels, göttliche Heimsuchung; Missgeschick; Qual, Not« ist aus lat.-kirchenlat. *plaga* »Schlag, Streich; Wunde; Strafe des Himmels« entlehnt, das seinerseits wohl auf griech. *plēgḗ* (oder dorisch *plāgā́*) »Schlag, Hieb; Wunde« beruht. Das griech. Substantiv stellt sich mit dem Stammverb griech. *plḗssein* (< **plā́k-i̯-ein*) »schlagen, verwunden« zu der idg. Wortfamilie um dt. ↑fluchen. – Abl.: **plagen** »quälen, belästigen; schinden« (mhd. *plāgen* »mit göttlichen Plagen heimsuchen; strafen, züchtigen«; aus kirchenlat. *plagare* »peinigen, quälen«), seit dem 15. Jh. auch reflexiv gebraucht im Sinne von »sich abmühen, sich herumquälen«. Dazu gehört als Intensivbildung das ugs. Verb **placken** »lästig quälen« (15. Jh.; heute fast nur reflexiv gebräuchlich im Sinne von »sich abquälen, sich abmühen«) mit dem dazu gebildeten Substantiv **Plackerei** »Schinderei; schwere, anstrengende Arbeit« (16. Jh.).

Plagiat: Der Ausdruck für »Diebstahl geistigen Eigentums« wurde im 18. Jh. aus gleichbed. frz. *plagiat* entlehnt, das zu frz. *plagiaire* »jemand, der geistiges Eigentum stiehlt« gebildet ist. Dieses geht auf lat. *plagiarius* »Seelenverkäufer, Menschenräuber« zurück, einer Bildung zu lat. *plagium* »Menschenraub, Seelenverkauf«. – Dazu: **Plagiator** »jemand, der ein Plagiat begeht; Abschreiber« (19. Jh.; nach lat. *plagiator* »Menschenräuber«); **plagiieren** »ein Plagiat begehen« (Ende 19. Jh.; nach spätlat. *plagiare* »Menschenraub begehen«).

Plakat »öffentlicher Aushang; [Werbe]anschlag«: Das Fremdwort wurde im 16. Jh. aus gleichbed. niederl. *plakkaat* (mniederl. *plackae[r]t*) übernommen, das seinerseits aus frz. *placard* »[Tür-, Wand]verkleidung; Anschlagzettel, Aushang« entlehnt ist. Dies gehört zu frz. *plaquer* »belegen, bekleiden, überziehen«, das aus dem Germ., und zwar aus den mit dt. *Placken* »Flicklappen« verwandten Wörtern mniederl., niederd. *placken* »einen Flicken auflegen, ankleben; flicken«, hervorging. – Das Fremdwort **Plakette** »kleine, eckige [meist geprägte] Platte mit einer Reliefdarstellung (als Gedenkmünze, Anstecknadel u. a.)« wurde Anfang des 20. Jh.s aus frz. *plaquette* »kleine Platte, Gedenktäfelchen« entlehnt, das als Verkleinerungsbildung zu dem von frz. *plaquer* (s. o.) abgeleiteten Substantiv frz. *plaque* »Platte, Täfelchen« gehört.

plan »flach, eben«: Das Adjektiv wurde im 16. Jh. aus gleichbed. lat. *planus* entlehnt, das mit dt. ↑Feld verwandt ist. – Dazu gehören: **¹Plan** »Ebene, ebener Platz; Kampfplatz« (in mhd. Zeit aus mlat. *planum* »ebene Fläche« entlehnt), heute veraltet und fast nur noch in einigen Wendungen gebräuchlich; **planieren** »[ein]ebnen« (16. Jh.; wohl über niederl. *planeren* aus gleichbed. frz. *planer* < spätlat. *planare;* ›planieren‹ trat an die Stelle des mhd. *plānen* »[ein]ebnen«). Im It. wurde lat. *planus* zu *piano* (vgl. den Artikel *piano*).

Plan

jmdn. auf den Plan rufen

»jmds. Erscheinen, Handeln herausfordern«

In dieser und in der folgenden Wendung hat das Wort ›Plan‹ die ursprüngliche Bedeutung »Ebene, Kampffeld«. Wer dorthin gerufen wird, ist bereit, zu kämpfen, zu handeln.

auf den Plan treten

»erscheinen, auftreten«

Vgl. die vorangehende Wendung.

¹Plan ↑plan.

[2]**Plan** »Grundriss, Entwurf; Vorhaben«: Das Substantiv wurde im 18. Jh. aus gleichbed. frz. *plan* (älter: *plant*) entlehnt. Das frz. Wort, das erst sekundär mit frz. *plan* »Oberfläche« zusammengefallen ist, geht vermutlich auf lat. *planta* »Fußsohle« (vgl. *Pflanze*) zurück und hat sich nach dem Vorbild von entsprechend it. *pianta* (< lat. *planta*) »Fußsohle; Grundriss eines Gebäudes« (vermittelnde Bedeutung etwa »Grundfläche«) entwickelt. – Abl.: **planen** »entwerfen, vorhaben« (19. Jh.).

Plane: Die Bezeichnung für »grobe Leinwand, [Wagen]decke« hat sich aus einer ostmitteld. Nebenform von landsch. *Blahe* »grobe Leinwand, [Wagen]decke« (mhd. *blahe,* ahd. *blaha*) entwickelt. Damit sind verwandt im germ. Sprachbereich dän. *blaar* und schwed. *blånor* »Abfall von Hanf oder Flachs; Werg« und weiterhin lat. *floccus* »Wollflocke«. Die Form ›Plane‹ hat sich erst im 19. Jh. in der Schriftsprache durchgesetzt.

Planet: Die Bezeichnung für den Wandelstern (im Gegensatz zum Fixstern) wurde in mhd. Zeit als *plānēte* aus gleichbed. spätlat. *planeta* entlehnt, das aus griech. *planḗtēs* »Wandelstern« (eigentlich »Umherschweifender, Wanderer«) übernommen ist. Das griech. Wort ist eine Bildung zu griech. *plánēs* »Umherschweifender, Wanderer«, das zu griech. *planān* »umherschweifen, irregehen« gehört. – Abl.: **planetarisch** »die Planeten betreffend« (Anfang des 19. Jh.s, nlat. Bildung); **Planetarium** »Gebäude mit einer Kuppel, in dem mithilfe eines Gerätes die Bewegung von Sonne, Mond und Planeten o. Ä. dargestellt wird« (19. Jh.; nlat. Bildung).

planieren ↑plan.

Planke »starkes Brett, Bohle«: Das Substantiv (mhd. *planke*) beruht wie z. B. entsprechend niederl. *plank* und frz. *planche* auf spätlat.-roman. *planca* »Planke, Bohle«, einer volkstümlichen Umbildung von lat. *p[h]alanga* (vlat. **palanca*) »Stange, Tragebaum; Rolle, Walze«. – Quelle des Wortes ist das auch unserem Fremdwort ↑Phalanx zugrunde liegende griech. Substantiv *phálagx* (Akkusativ: *phálagga*) »Walze; Stamm, Balken; Schlachtreihe«, das urverwandt ist u. a. mit dt. ↑Balken.

plänkeln »sich Vorpostengefechte liefern, den Kampf eröffnen«, mdal. auch »schwingen, pendeln« und »mit dem Flegel dreschen«: Die nhd. Form geht über älter nhd. *blenkeln* auf mhd. *blenkeln* »hin und her bewegen« zurück. Das mhd. Verb ist wohl eine Iterativbildung zu mhd. *blenken* »[sich] hin und her bewegen, unstet umherfahren« (eigentlich »blinkend, blank machen«, vgl. *blank*). Um ›plänkeln‹ gruppieren sich die Bildungen **Plänkelei, Geplänkel** und **Plänkler** (19. Jh., für frz. *tirailleur*).

Plankton: Die seit dem Ende des 19. Jh.s belegte naturwissenschaftliche Bezeichnung für die Gesamtheit der im Wasser schwebenden niederen Organismen (ohne große Eigenbewegung) ist eine gelehrte Neubildung zu griech. *plázein* »umherirren machen; (passivisch:) umherschweifen« oder zu dessen Verbaladjektiv griech. *plagktós* »umherirrend; umhergetrieben«.

planschen ↑plätschern.

Plantage: Die Bezeichnung für einen landwirtschaftlichen Großbetrieb in tropischen Gegenden wurde im 17. Jh. aus gleichbed. frz. *plantage* entlehnt, das zu frz. *planter* (< lat. *plantare*) »pflanzen« gehört (vgl. das Lehnwort *Pflanze*).

plantschen ↑plätschern.

plappern: Das erst seit dem 16. Jh. bezeugte Verb ist, wie z. B. auch ↑klappern und ↑schnattern, lautnachahmenden Ursprungs.

plärren (ugs. für:) »laut und anhaltend weinen, unangenehm schrill schreien«: Das Verb (mhd. *blerren, blēren*) ist lautnachahmenden Ursprungs und ist [elementar]verwandt mit niederl. *blèren* »plärren« und engl. *to blare* »schmettern«, beachte auch nordd. *blar[r]en* »weinen« (mnd. *blarren*). – Das Verb wurde früher auch auf tierische Laute bezogen und speziell im Sinne von »blöken« gebraucht.

Pläsier: Der veraltende, aber noch scherzhaft gebrauchte Ausdruck für »Vergnügen, Spaß; Unterhaltung« wurde Ende des 16. Jh.s aus gleichbed. frz. *plaisir* entlehnt. Das frz. Wort setzt ein substantiviertes afrz. Verb *plaisir* »gefallen« fort – dafür heute frz. *plaire* –, das auf lat. *placere* »gefallen« (vgl. *Plazet*) zurückgeht.

Plasma »Lebenssubstanz aller pflanzlichen, tierischen und menschlichen Zellen, Protoplasma; flüssiger Teil des Blutes, Blutplasma«: Das Fremdwort ist eine gelehrte Entlehnung des 19. Jh.s aus griech. *plásma* »Gebildetes, Geformtes, Gebilde« (zu griech. *plássein* »formen, bilden«; vgl. *plastisch*). **Protoplasma** – ebenfalls im 19. Jh. gebildet –, dessen Bestimmungswort griech. *prōtos* »erster, frühester; am Anfang stehend« ist, bedeutet also eigentlich etwa »Urstoff, Ursubstanz (nämlich des Lebens)«.

[1]**Plastik** »Bildhauerkunst; von einem Bildhauer geschaffenes Kunstwerk; körperhafte Anschaulichkeit, Ausdruckskraft«, in der Medizin auch »operativer Ersatz von Gewebs- und Organteilen«: Das Substantiv wurde im 18. Jh. aus frz. *plastique* »Bildhauerkunst« entlehnt, das auf gleichbed. griech.(-lat.) *plastikḗ (téchnē)* zurückgeht (zu griech. *plastikós* »zum Bilden, Formen, Gestalten gehörig«, vgl. den Artikel *plastisch*).

[2]**Plastik** ↑plastisch.

plastisch: Das Adjektiv mit der Bedeutung »modellierfähig; bildhaft; einprägsam; die Plastik betreffend« wurde im 18. Jh. aus frz. *plastique* »formbar; anschaulich« entlehnt, das auf lat. *plasticus* »formbar« zurückgeht. Dies ist aus griech. *plastikós* »zum Bilden, Formen, Gestalten gehörig« übernommen, einer Ableitung von griech. *plástēs* »Bildner; bildender Künstler, Bildhauer«, das zu griech. *plássein* (< **pláth-i̯ein*) »aus weicher Masse bilden, formen, gestalten« gehört. Dies stellt sich – mit den Bildungen griech. *plásma* »Geformtes, Gebilde« (↑Plasma, Protoplasma) und griech. *émplastron* »das Aufgeschmierte« (↑Pflaster) – zu der unter ↑Feld behandelten idg. Wortfamilie. – Gleichen Ursprungs wie ›plastisch‹ ist engl. *plastic* »formbar, knetbar, weich«, aus dessen Substantivierung *plastic[s]* »Kunststoff« im 20. Jh. unser [2]**Plastik** »Kunststoff« übernommen wurde. Hierzu die seit der 2. Hälfte des 20. Jh.s belegte, im Sinne von »Kreditkarte« verwendete Zusammensetzung **Plastikgeld,** eine Lehnübersetzung zu engl. *plastic money.* Auch die ugs. Substantive **Plast** und **Plaste** »Kunststoff« sind gelehrte Bildungen des 20. Jh.s zu griech. *plássein* (< **pláth-i̯ein*) (s. o.).

Platane (Laubbaum mit ahornähnlichen Blättern): Der Baumname wurde im 18. Jh. aus lat. *platanus* entlehnt, das seinerseits aus gleichbed. griech. *plátanos* übernommen ist. Griech. *plátanos* »Platane« ist vermutlich selbst Lehnwort aus einer fremden (asiatischen) Sprache und erst nachträglich an das Adjektiv griech. *platýs* »platt, breit, flach« (vgl. *platt*) als »breitwüchsig, breitästig, breitblättrig« oder »glattrindig« angeschlossen worden.

Platin: Das im 18. Jh. in Südamerika entdeckte Edelmetall wurde nach seinem silbrig glänzenden Aussehen mit dem span. Wort *platina* »kleines Silberkörnchen« (heute dafür span. *platino*) benannt. In dt. Texten erscheint das Wort bereits im 18. Jh., und zwar zuerst als ›Platine‹. – Span. *platina* ist Verkleinerungsbildung zu span. *plata (de argento)* »Silberplatte; Silber«, das auf vlat. **platta* »Metallplatte« zurückgeht. Über das zugrunde liegende Adjektiv vlat. **plattus* »flach, platt« vgl. den Artikel *platt.* – Unmittelbar aus dem Frz. entlehnt ist das Fachwort der Feinmechanik und Elektronik **Platine** »kleine Montageplatte zur Halterung der Anschlüsse einzelner elektronischer Bauelemente« (frz. *platine,* 20. Jh.).

platonisch »nicht sinnlich, rein seelisch-geistig«: Das seit dem 18. Jh. gebräuchliche Adjektiv ist eine Bildung (nach griech. *Platōnikós*) zu Platon, dem Namen des griechischen Philosophen, und bedeutet eigentlich »Platon, die Philosophie Platons betreffend«. Die Verwendung im Sinne von »nicht sinnlich, rein seelisch-geistig« geht von Platons »Symposion« aus, wo er von der rein geistigen Liebe spricht.

platschen ↑plätschern.

plätschern: Das seit dem 16. Jh. bezeugte Verb ist eine Intensivbildung zu dem lautnachahmenden **platschen** (15. Jh.), das also eigentlich »platsch machen« bedeutet und Geräusche nachahmt, die beim Aufprall schwererer [weicher] Körper, beim Schlagen ins Wasser oder dgl. entstehen. – Eine Nebenform mit gefühlsbetonter Nasalierung ist **planschen,** älter auch **plantschen** (18. Jh.).

platt »flach«: Das Anfang des 17. Jh.s aus dem Niederd. ins Hochd. übernommene Adjektiv geht zurück auf gleichbed. mnd. (= mniederl.) *plat[t],* das aus (a)frz. *plat* »flach« entlehnt ist. Quelle des frz. Wortes ist das griech. Adjektiv *platýs* »eben, platt, breit« (etymologisch verwandt mit den unter ↑Fladen genannten Wörtern), das über gleichbed. vlat. **plattus* in die roman. Sprachen gelangte (vgl. z. B. entsprechend it. *piatto* »platt, flach«). – Abl.: **plätten** »bügeln« (aus mnd. *pletten,* eigentlich »platt, glatt machen«), dazu die Berufsbezeichnung **Plätterin.** Zus.: **plattdeutsch** »niederdeutsch« (17. Jh., aus niederd. [niederl.] *plat* »flach« im übertragenen Sinne von »gemeinverständlich, vertraut«), dazu das Substantiv **Platt** »Niederdeutsch«, auch allgemein »Dialekt, Mundart«. – Vgl. noch die zum gleichen Stammwort (griech. *platýs* > vlat. **plattus*) gehörenden Fremd- und Lehnwörter ↑platzieren, ↑Platane, ↑Platin, ↑Platte, ↑Plattform und ↑[1]Platz.

Platte: Das aus mlat. *platta* »Metallplatte; Tonsur« (zu vlat. **plattus* »flach«, vgl. *platt*) entlehnte Substantiv bezeichnete in den ältesten Sprachzuständen (ahd. *platta, blatta*) nur die Tonsur des Geistlichen (danach bedeutet ›Platte‹ seit dem 17. Jh. auch allgemein »Glatze«). Im heutigen Sprachgebrauch bezeichnet ›Platte‹ die verschiedensten flächig gearbeiteten Gegenstände (z. B. Metallplatten, Steinplatten, flache Schüsseln u. a.). Es setzt in dieser Verwendung teilweise mhd. *blate, plate* »metallener Brustpanzer, Plattenpanzer; Felsplatte; flache Schüssel usw.« fort, das sekundär von mlat. *plata (= platta)* »Metallplatte« und dem darauf beruhenden afrz. *plate* beeinflusst wurde.

Plattform »an einem erhöhten Ort geschaffene ebene Fläche«: Das Wort wurde im 16. Jh. als Fachausdruck des Bauwesens aus frz. *plate-forme* »Flachdach; Söller; erhöhter, rings eingeschlossener Platz« entlehnt, das wohl Lehnübersetzung von it. *piattaforma* ist. – Das frz. Wort ist gebildet aus frz. *plat* »flach« (vgl. *platt*) und frz. *forme* »Form« (< lat. *forma,* vgl. *Form*). Seit dem 19. Jh. bezeichnet ›Plattform‹ auch die Fläche am vorderen oder hinteren Ende von Straßen- oder Eisenbahnwagen. Die gleichfalls seit dem 19. Jh. bezeugte Verwendung im Sinne von »Basis, Grundlage; Parteiprogramm« kam unter dem Einfluss von gleichbed. engl. *platform* auf.

[1]**Platz** »freie, umbaute [Straßen]fläche; Ort, Stelle; Stellung, Position; verfügbarer Raum«, auch kurz für »Sitzplatz« und »Sportplatz«: Das seit dem Ende des 13. Jh.s bezeugte Substantiv (mhd. *plaz, platz*) ist aus gleichbed. (a)frz. *place* entlehnt, das seinerseits wie entsprechend it. *piazza* »Platz« auf lat.-vlat. *platea* »breite, öffentliche Straße; Platz« beruht. Dies ist aus griech. *plateĩa* (ergänze: *hodós*) »die breite (Straße)« entlehnt. Über das zugrunde liegende Adjektiv griech. *platýs* »eben, platt, breit usw.« vgl. den Artikel *platt.* Vgl.

auch das zu frz. *place* gehörende *platzieren.* – Ursprünglich identisch mit ›[1]Platz‹ ist vermutlich der seit dem 15. Jh. landschaftlich gebräuchliche Gebäckname [2]**Platz** (eigentlich »flach geformter Kuchen«). Dessen Verkleinerungsform **Plätzchen** hat als Bezeichnung für Kleingebäck eine selbstständige gemeinsprachliche Geltung erlangt.

platzen: Das seit mhd. Zeit bezeugte Verb (mhd. *platzen, blatzen*) ist lautmalenden Ursprungs. Es ahmte früher vor allem Geräusche nach, die bei einem Aufprall, beim Abfeuern eines Schusses und beim Bersten eines Gegenstandes entstehen, beachte die Zusammensetzungen **Platzpatrone** »nur knallende, nicht scharfe Patrone« (19. Jh.) und **Platzregen** »niederprasselnder starker Regen« (15. Jh.). Heute wird ›platzen‹ gewöhnlich im Sinne von »bersten, reißen, auseinander gehen« verwendet.

platzieren »an eine bestimmte Stelle bringen, einen Platz zuweisen; Kapitalien anlegen oder unterbringen; einen gezielten Schuss, Hieb oder Schlag abgeben«, reflexiv auch: »einen der vorderen Plätze erringen (bei Sportwettkämpfen)«: Das Verb wurde im frühen 18. Jh. aus frz. *placer* »auf einen Platz stellen usw.« entlehnt. Dies ist eine Ableitung von frz. *place* »Platz« (vgl. [1]*Platz*). – Abl.: **deplatziert** »fehl am Platz, unangebracht« (18. Jh.; aus gleichbed. frz. *déplacé*).

plaudern: Die nhd. Form geht auf gleichbed. spätmhd. *plūdern* zurück, das mit mhd. *plōdern* und *blōdern* »rauschen; schwatzen« lautnachahmenden Ursprungs ist. Eine ähnliche Schallnachahmung ist z. B. lat. *blaterare* »schwatzen, dummes Zeug reden«. Neben ›plaudern‹ ist (besonders südostd.) auch **plauschen** »sich gemütlich unterhalten« gebräuchlich, beachte dazu die Bildung **Plausch** »gemütliche Unterhaltung«. – Abl.: **Plauderei** (17. Jh.).

plausibel »einleuchtend, verständlich, überzeugend, triftig«: Das Adjektiv wurde im 17. Jh. aus gleichbed. frz. *plausible* entlehnt, das auf lat. *plausibilis* »Beifall verdienend; einleuchtend« zurückgeht. Dies gehört zu lat. *plaudere* »klatschen, schlagen; Beifall klatschen«, das auch mit zwei Bildungen, lat. *ap-plaudere* »Beifall klatschen« (↑applaudieren, Applaus) und lat. *ex-plodere* »klatschend heraustreiben, ausklatschen« (↑explodieren, Explosion, explosibel, explosiv), in unserem Fremdwortschatz vertreten ist.

Playboy: Die Bezeichnung für einen [wirtschaftlich unabhängigen] Mann, der vor allem seinem Vergnügen lebt, wurde im 20. Jh. aus gleichbed. engl.-amerik. *playboy* entlehnt. Das engl.-amerik. Wort bedeutet eigentlich etwa »Spieljunge«; es gehört zu engl. *to play* »spielen, sich amüsieren« und engl. *boy* »Junge«.

Plazet: Der im 16. Jh. aufgekommene Ausdruck für »Genehmigung, Bestätigung« war ursprünglich ein Wort der Kanzleisprache. Es ist auf ähnliche Weise entstanden wie z. B. ↑Dezernat, nämlich aus einer verbalen Formel in der 3. Person Singular Präsens, lat. *placet* »es gefällt, es entspricht meiner Vorstellung; ich stimme zu, ich genehmige« (als Aktenvermerk und dergleichen). – Das zugrunde liegende Verb lat. *placere* »gefallen, gut scheinen« (eigentlich etwa »eben sein«), das verwandt ist mit dt. ↑flach, ist auch Ausgangspunkt für die Fremdwörter ↑Pläsier und ↑plädieren, Plädoyer.

Plebs: Die im 19. Jh. aufkommende abfällige Bezeichnung für das niedere, ungebildete Volk geht auf das lat. Substantiv *plebs (plebis)* »Volksmenge, Volk« zurück. Die pejorative Bedeutungsentwicklung ist die gleiche wie in ↑Pöbel. Lat. *plebs* gehört vermutlich mit einer Grundbedeutung »Menge, Haufen« zu der unter ↑viel behandelten idg. Wortgruppe. – Dazu stellt sich das zusammengesetzte Fremdwort **Plebiszit** »Volksentscheid; Volksbefragung« (15. Jh.; aus gleichbed. lat. *plebiscitum;* dessen Grundwort ist lat. *scitum* »Verordnung, Beschluss«; in neuerer Zeit wirkte auch entsprechend frz. *plébiscite* auf Bedeutung und Gebrauch ein).

Pleite »Zahlungsunfähigkeit, Bankrott; Reinfall (ugs.)«: Das aus der Gaunersprache stammende, im 19. Jh. in die Umgangssprache gelangte Wort geht auf hebr. *pĕlețā* »Flucht, Rettung« zurück (jidd. *pleto* »Flucht, Entrinnen; Bankrott«). Die Bedeutungsentwicklung zu »Bankrott« geht wohl davon aus, dass sich der zahlungsunfähige Schuldner vor seinen Gläubigern nur durch »Flucht« retten konnte. – Dazu stellen sich das Adjektiv **pleite** »zahlungsunfähig, bankrott« (19. Jh.) und die Zusammensetzung **Pleitegeier** als scherzhafte Bezeichnung für den »Kuckuck« des Gerichtsvollziehers. Letzteres ist wahrscheinlich umgedeutet aus ›Pleitegeher‹ »betrügerischer Bankrotteur« (›-geier‹ ist die jidd. Aussprache für ›-geher‹).

plempern: Der ugs. Ausdruck für »gießen, schütten, spritzen« ist wohl – wie ostfries. *plempen* »ein Geräusch im Wasser machen« – lautmalenden Ursprungs. Gebräuchlicher ist die Präfixbildung **verplempern** »vergießen, verschütten«, die übertragen im Sinne von »vergeuden, vertun« gebräuchlich ist.

plemplem: Die Herkunft des ugs. Ausdrucks für »nicht recht bei Verstand« ist dunkel.

Plenum: Die Bezeichnung für »Vollversammlung einer politischen Körperschaft (insbesondere des Parlaments)« wurde im 19. Jh. aus gleichbed. engl. *plenum* entlehnt, das aus lat. *plenum consilium* »vollzählige Versammlung« gekürzt ist. – Dazu stellt sich **Plenar...** »vollständig, vollzählig, gesamt« als Bestimmungswort von Zusammensetzungen wie **Plenarsitzung** (19. Jh.) oder **Plenarsaal** (20. Jh.). Auch hier ist das entsprechende engl. Adjektiv *plenary* (< spätlat. *plenarius* »vollständig«) Vorbild. – Lat. *plenus* (daraus auch it. *pieno* und frz. *plein*) gehört mit lat. *plere* »voll machen«, *com-plere* »vervollständigen, anfüllen« und den Bildungen lat. *completus* »vollständig« und lat. *complementum* »Vervollständigung« (s. hierzu die Fremdwörter *komplett, komplementär* und *Kompliment*) zu der unter ↑viel dargestellten idg. Wortgruppe.

Pleuel[stange] ↑Bleuel.

plinkern »durch rasche Bewegungen der Lider immer wieder für einen kurzen Augenblick [unwillkürlich] die Augen schließen«: Das erst im 20. Jh. gemeinsprachlich gewordene Verb ist eine Iterativbildung zu niederd. *plinken,* einer Nebenform von ↑blinken.

Plissee: Die Bezeichnung für ein mit [dauerhaften] Falten versehenes Gewebe wurde im 19. Jh. aus gleichbed. frz. *plissé* entlehnt, das zu frz. *plisser* »falten, fälteln« gehört. Das frz. Verb, aus dem unser **plissieren** »fälteln« übernommen ist, ist von frz. *pli* »Falte« abgeleitet, das zu frz. *plier* »in Falten legen, [zusammen]falten« (aus gleichbed. afrz. *ploier* > frz. *ployer* umgestaltet) gehört. Dies geht auf lat. *plicare* »[zusammen]falten« (vgl. *kompliziert*) zurück.

Plombe: Das seit dem 18. Jh. bezeugte Fremdwort bezeichnete zunächst ein Metallsiegel (ursprünglich aus Blei) zum Verschluss von Behältern und Räumen. In diesem Sinne ist es unmittelbar aus frz. *plomb* »Blei; Blei-, Metallverschluss« entlehnt, das auf lat. *plumbum* »Blei« zurückgeht. Hingegen ist ›Plombe‹ als zahnmedizinischer Terminus im Sinne von »Zahnfüllung« (zuerst 1801 gebucht) eine Rückbildung aus dem gleichfalls aus dem Frz. entlehnten Verb **plombieren** »einen Zahn mit einer Füllung versehen« (18. Jh.; aus frz. *plomber*), das wie das frz. Verb auch »mit einer Plombe versiegeln« bedeutet. Die Bedeutung »Zahnfüllung« wird im Frz. nicht mit *plomb,* sondern mit dem von *plomber* abgeleiteten Substantiv *plombage* bezeichnet.

Plötze: Der seit dem 15. Jh. bezeugte Name des Rotkarpfens ist aus dem Westslaw. entlehnt, vgl. kaschub. *plocica,* poln. *płocica* »Plötze« (Verkleinerungsbildung zu kaschub. *ploć,* poln. *płoć* »Plötze«, eigentlich wohl »Plattfisch«). Da der Fischfang an der Ostgrenze des dt. Sprachgebiets in früherer Zeit hauptsächlich in den Händen der Slawen lag, drangen einige slaw. Fischnamen in den dt. Wortschatz, so z. B. auch **Maräne** »Felchen« (16. Jh.; kaschub. *moranka).*

plötzlich: Das seit spätmhd. Zeit gebräuchliche Wort ist eine Bildung zu dem heute veralteten lautnachahmenden Substantiv *Plotz* »klatschender Schlag; schneller Fall; Knall«, beachte die älter nhd. Wendung *auf den Plotz* »Knall und Fall«. Es bedeutet demnach eigentlich etwa »auf einen Schlag, im Augenblick eines Knalls«. – Auf einer ähnlichen Schallnachahmung beruht das unter ↑platzen behandelte Verb.

Plumeau: Die Bezeichnung für »Federdeckbett« wurde im 19. Jh. aus gleichbed. frz. *plumeau* entlehnt. Das Wort ist von frz. *plume* »Feder« abgeleitet, das auf lat. *pluma* »Feder« (vgl. *Flaus*) zurückgeht.

plump »grob, derb, unförmig; unbeholfen«: Das im 16. Jh. aus dem Niederd. ins Hochd. übernommene Adjektiv (mnd. *plump, plomp*) gehört zu der Interjektion [m]niederd. *plump!* Diese Interjektion gibt vorwiegend das Geräusch an, das beim Fallen und Aufprallen eines schweren Körpers entsteht. Das Adjektiv bedeutet demnach eigentlich etwa »plumpsend, mit dumpfem Geräusch auftretend oder fallend«. – Statt ›plump‹ wird heute die Interjektion **plumps** verwendet, wie auch **plumpsen** »mit einem dumpfen klatschenden Geräusch fallen, auftreffen« (18. Jh.) das ältere Verb *plumpen* (mnd. *plumpen*) verdrängt hat.

Plunder: Die Herkunft des Wortes (mhd. *blunder,* mnd. *plunder;* entsprechend mniederl. *plunder*) ist unklar. Das heute im verächtlichen Sinne von »alter Kram, wertloses Zeug« verwendete Wort bedeutete früher »Hausgerät; Kleider; Wäsche, Bettzeug«. Die Bedeutung »Wäsche, Bettzeug« ist noch mdal. bewahrt. An diesen Wortgebrauch ohne herabsetzenden Nebensinn schließt sich das abgeleitete Verb **plündern** (mhd. *plundern,* mnd. *plunderen;* entsprechend niederl. *plunderen*) an. Das Verb bedeutet demnach eigentlich »Hausgerät, Kleider, Wäsche wegnehmen«.

Plural »Mehrzahl«: Der grammatische Terminus (im Gegensatz zu Singular [↑singulär]) wurde Anfang des 17. Jh.s aus gleichbed. lat. *pluralis (numerus)* entlehnt. Zugrunde liegt lat. *plus* »mehr« bzw. dessen Pluralform *plures* »mehrere« (vgl. den Artikel *plus*).

plus »zuzüglich, und, vermehrt um« (zur Bezeichnung der Addition, im Gegensatz zu ↑minus; Zeichen: +): Das Wort wurde im 15. Jh. als mathematischer Terminus aus gleichbed. lat. *plus* übernommen, dem Adverb zu lat. *plus, pluris* »mehr, größer, zahlreicher«. – Dazu die Substantivierung **Plus** »das Mehr, der Mehrbetrag; Gewinn, Überschuss; Vorteil« (16. Jh.). Beachte ferner das abgeleitete Adjektiv lat. *pluralis* »aus mehreren bestehend« in ↑Plural.

Plüsch: Der seit dem 17. Jh. bezeugte Name des samtigen Florgewebes mit senkrecht stehenden Fasern ist aus gleichbed. frz. *peluche* (Nebenform: *pluche*) entlehnt. Dies ist eine alte Ableitung von dem afrz. Verb *pelucher* »auszupfen«, das über ein galloroman. **piluccare* auf lat. *pilare* »enthaaren« zurückgeht. Dies ist von lat. *pilus* »Haar« abgeleitet. – Vgl. auch den Artikel *pflücken.*

Plusquamperfekt ↑perfekt.

plustern, sich »die Federn sträuben, sich aufblasen«: Das zu Beginn des 17. Jh.s aus dem Niederd. ins Hochd. übernommene Verb geht zurück auf mnd. *plūsteren* »[zer]zausen, herumstöbern«. Das mnd. Wort gehört zu niederd. *plūsen* »zupfen«, niederl. *pluizen* »[aus]fasern, zausen; stöbern«, dän. *pluske* »[zer]zausen«, deren weitere Her-

P

kunft unklar ist. Statt ›plustern‹ wird heute – vor allem in der Umgangssprache reflexiv im Sinne von »sich wichtig tun« – **aufplustern** verwendet.

Plutonium: Der Name des radioaktiven chemischen Elements wurde im 20. Jh. aus gleichbed. engl. *plutonium* übernommen, einer gelehrten Bildung des amerikanischen Chemikers G. Th. Seaborg und seiner Mitarbeiter zum Planetennamen Pluto. Der Name bezieht sich darauf, dass im Planetensystem Pluto auf Neptun folgt (dementsprechend das Plutonium mit der Ordnungszahl 94 auf das Neptunium mit der Ordnungszahl 93 im Periodensystem der chemischen Elemente).

Pöbel »ungebildete, in der Masse gewaltbereite Menschen; Mob«: Lat. *populus* »Volk; Volksmenge, Leute«, das auch Ausgangspunkt für die Fremdwörter ↑populär, Popularität ist, lebt u. a. in span. *pueblo* »Dorf« und in frz. *peuple* (afrz. *poblo, pueble*) »Volk« fort. Aus dem Frz. (afrz. *poblo, pueble*) stammt einerseits engl. *people* »Volk«, andererseits mhd. *bovel, povel* »Volk, Leute«. Dies wurde später an frz. *peuple* angeglichen. Die Form ›Pöbel‹ findet sich zuerst bei Luther (neben Vorformen wie ›Pübel‹, ›Pubel‹ und ›Pobel‹), verdeutscht etwa mit »gemeines Volk«, zunächst noch ohne verächtlichen Nebensinn.

pochen: Die germ. Verben mhd. *bochen, puchen,* mnd. *boken,* niederl. *beuken,* schwed. mdal. *boka* sind lautmalenden Ursprungs und gehen von einer Nachahmung dunkler Schalleindrücke aus, wie sie z. B. durch Klopfen und Schlagen hervorgerufen werden. Gleichfalls lautnachahmenden Ursprungs sind mnd. *poken* »stoßen, stechen, stochern«, niederl. *poken* »schüren«, engl. *to poke* »stoßen; puffen; stochern, schüren«.

Pocke »Pustel, Blatter«: Das im 16. Jh. aus dem Niederd. ins Hochd. übernommene Wort geht auf gleichbed. mnd. *pocke* zurück, das mit niederl. *pok* »Pustel, Blatter« und engl. *pock* »Pustel, Blatter« verwandt ist. Es gehört wahrscheinlich im Sinne von »Schwellung, Blase« zu der unter ↑Beule dargestellten idg. Wortgruppe, vgl. z. B. aus anderen idg. Sprachen lat. *bucca* »aufgeblasene Backe«. – Im heutigen Sprachgebrauch wird das Wort gewöhnlich im Plural **Pocken** als Krankheitsname verwendet. – Vgl. den Artikel *Pickel.*

Podest »[Treppen]absatz, Stufe; Podium«: Die Herkunft des seit dem 19. Jh. gebräuchlichen Fremdworts ist unklar. Vielleicht geht es auf eine Kreuzung von lat. *podium* »Erhöhung« (vgl. *Podium*) und lat. *suggestum* »Erhöhung, Tribüne« zurück.

Podex: Die seit dem 17. Jh. bezeugte scherzhafte Bezeichnung für »Gesäß« ist aus lat. *podex* »Gesäß« entlehnt, das im Ablaut zu lat. *pedere* »furzen« steht und demnach eigentlich »Furzer« bedeutet. – Vgl. auch den Artikel *Popo.*

Podium: Die Bezeichnung für »trittartige Erhöhung (für Schauspieler, Musiker u. a.); Rednerpult« wurde im 19. Jh. aus lat. *podium* »Tritt, trittartige Erhöhung; Fußgestell« entlehnt, das seinerseits aus griech. *pódion* (eigentlich »Füßchen«) übernommen ist. Dies ist eine Bildung zu griech. *poús (podós)* »Fuß« (urverwandt mit dt. ↑Fuß), das auch in dem Fremdwort ↑Antipode erscheint.

Poesie »Dichtung, Dichtkunst (insbesondere die Versdichtung im Gegensatz zur ↑Prosa)«; auch übertragen gebraucht im Sinne von »dichterischer Stimmungsgehalt, Zauber«: Das Substantiv wurde Ende des 16. Jh.s aus gleichbed. frz. *poésie* entlehnt, das auf lat. *poesis* »Dichtkunst« zurückgeht. Dies ist aus griech. *poíēsis* »das Machen, das Verfertigen; das Dichten, die Dichtkunst« übernommen, einer Bildung zum griech. Verb *poieĩn* »machen, verfertigen; schöpferisch tätig sein; dichten«. – Dazu stellen sich: **Poet** »Dichter« (mhd. *pōēte;* aus lat. *poeta* (»Dichter«, das aus griech. *poiētḗs* »schöpferischer Mensch; Dichter« stammt) und **poetisch** »die Poesie betreffend, dichterisch; bilderreich, ausdrucksvoll« (Ende 16. Jh.; unter Einfluss von frz. *poétique* aus lat. *poeticus* »dichterisch«, das aus griech. *poiētikós* »das Machen, Verfertigen, Dichten betreffend; dichterisch« übernommen ist).

Pogrom ↑grimm.

Pointe: Der Ausdruck für »überraschender [geistreicher] Schlusseffekt (z. B. eines Witzes)« wurde im 18. Jh. aus gleichbed. frz. *pointe* entlehnt, das wörtlich »Spitze, Schärfe« bedeutet und auf vlat. *puncta* »Stich« zurückgeht. Dies ist das substantivierte Femininum des Part. Perf. von lat. *pungere* »stechen« (vgl. *Punkt*).

Pokal: Die Bezeichnung für »[kostbares] Trinkgefäß mit Fuß und Deckel« wurde im 16. Jh. aus it. *boccale* »Krug, Becher« entlehnt, das über spätlat. *baucalis* »tönernes Kühlgefäß« auf griech. *baúkalis* »enghalsiges Gefäß« (wohl ägypt. Ursprungs) zurückgeht. Der Anlautwechsel von b- zu p- ist wohl von dem zwar in der Bedeutung nahe stehenden, etymologisch aber unverwandten Substantiv lat. *poculum* »Trinkgeschirr, Becher« beeinflusst.

Pökel »Salzlake«: Das im 17. Jh. aus dem Niederd. ins Hochd. übernommene Wort geht auf gleichbed. mnd. *pekel* zurück, das mit niederl. *pekel* »Salzlake« und engl. *pickle* »Salzlake« verwandt ist. Die weiteren Beziehungen sind dunkel. Im heutigen Sprachgebrauch ist ›Pökel‹ gewöhnlich nur noch als Bestimmungswort in Zusammensetzungen üblich, beachte z. B. ›Pökelfleisch‹ und ›Pökelhering‹. Auch das Verb **pökeln** »in Salzlake einlegen«, das namentlich in der Zusammensetzung **einpökeln** gebräuchlich ist, stammt aus dem Niederd. (niederd. *pekeln*).

Poker: Der Name des Kartenglücksspiels wurde Anfang des 20. Jh.s aus gleichbed. engl.-amerik. *poker* entlehnt, dessen weitere Herkunft unklar ist. – Abl.: **pokern** »Poker spielen« (Anfang 20. Jh.).

Pol »Endpunkt der Erdachse«: Das Substantiv wurde im frühen 18. Jh. aus gleichbed. lat. *polus* entlehnt, das seinerseits aus griech. *pólos* »Drehpunkt, Achse; Erdpol« übernommen ist. Stammwort ist griech. *pélein* »in Bewegung sein«, das zu der unter ↑Hals dargestellten Wortsippe der idg. Wurzel *k^u̯el-* »[sich] drehen« gehört. – In der Physik bezeichnet ›Pol‹ den Aus- oder Eintrittspunkt magnetischer Kraftlinien, in der Elektrotechnik den Aus- oder Eintrittspunkt des Stromes bei einer elektrischen Stromquelle, beachte dazu das abgeleitete Verb **polen** »an einen elektrischen Pol anschließen«. – Abl.: **polar** »am Pol befindlich, die Pole betreffend« (18. Jh.; nlat. Bildung), auch übertragen gebraucht im Sinne von »entgegengesetzt wirkend, gegensätzlich«, dazu das Substantiv **Polarität** »Vorhandensein zweier Pole; Gegensätzlichkeit« (18./19. Jh.); beachte auch Bildungen wie ›Polarkreis, Polarnacht, Polarwind‹.

olemik: Die Bezeichnung für »intellektuelle Auseinandersetzung um literarische, wissenschaftliche u. a. Fragen; scharfer Angriff ohne sachliche Argumente« wurde Anfang des 18. Jh.s aus gleichbed. frz. *polémique* entlehnt. Dies ist die Substantivierung des frz. Adjektivs *polémique* (s. unten ›polemisch‹), das ursprünglich »kriegerisch, streitbar« bedeutete. Es geht auf griech. *polemikós* »den Krieg betreffend; kriegerisch« (Ableitung von griech. *pólemos* »Krieg«) zurück. – Dazu: **polemisch** »in der Art einer Polemik« (Anfang 18. Jh.; aus gleichbed. frz. *polémique*); **polemisieren** »eine Polemik ausfechten; gegen jemanden polemisch losziehen« (um 1800 mit französierender Endung gebildet).

olen ↑Pol.

olenta ↑Pollen.

olice: Die Bezeichnung für »Versicherungsschein, -urkunde« wurde um 1600 in der Kaufmannssprache aus gleichbed. frz. *police* entlehnt, das seinerseits aus it. *polizza* »Urkunde, Vertrag« übernommen ist.

olier »Vorarbeiter der Maurer und Zimmerleute; Bauführer«: Das Substantiv erscheint in diesem Sinne bereits in spätmhd. Zeit als *parlier, parlierer,* das als Ableitung von mhd. *parlieren* »sprechen« (vgl. *parlieren*) eigentlich »Sprecher«, dann etwa »Wortführer« bedeutet. Die seit dem 19. Jh. gebräuchliche Form ›Polier‹ beruht auf volksetymologischer Angleichung an das unverwandte Verb ↑polieren.

olieren »glätten, schleifen; glänzend machen, blank reiben, putzen«: Das Verb wurde in mhd. Zeit – wohl durch Vermittlung von gleichbed. afrz. (= frz.) *polir* – aus lat. *polire* »abputzen, glätten; polieren« entlehnt. – Dazu stellt sich **Politur** »glatte, glänzende Schicht; Poliermittel« (18. Jh.; aus lat. *politura* »das Glätten«).

oliklinik: Die Bezeichnung für die einer Klinik angegliederte Abteilung für ambulante Krankenbehandlung ist eine gelehrte Bildung des 19. Jh.s aus griech. *pólis* »Stadt« (vgl. *Politik*) und *klīnikḗ téchnē* »Heilkunst für bettlägerige Kranke« (vgl. *Klinik*). Das Wort bedeutet also eigentlich »Stadtkrankenhaus«.

Politik »auf die Durchsetzung bestimmter Ziele (besonders eines Staates) und die Gestaltung des öffentlichen Lebens gerichtetes Handeln von Regierungen, Parteien, Gruppierungen«, auch übertragen gebraucht im Sinne von »berechnendes, zielgerichtetes Vorgehen«: Das Fremdwort wurde im 17. Jh. aus gleichbed. frz. *politique* entlehnt, das auf spätlat. *politice* »Staatskunst, Politik« zurückgeht. Dies ist aus griech. *polītikḗ (téchnē)* »Kunst der Staatsverwaltung« übernommen. Das zugrunde liegende Adjektiv griech. *polītikós* »den Bürger, die Bürgerschaft betreffend; zur Staatsverwaltung gehörig« (s. unten ›politisch‹) ist von griech. *polítēs* »Stadtbürger, Staatsbürger« abgeleitet (dazu auch griech. *polīteía* »Bürgerrecht; Staatsverwaltung« in unserem Fremdwort ↑Polizei). Stammwort ist griech. *pólis* »Stadt, Stadtburg; Bürgerschaft; Staat«, das auch in Fremdwörtern wie ↑Metropole und ↑Poliklinik steckt. – Abl.: **Politiker** »jemand, der Politik treibt, ein politisches Amt hat; Staatsmann« (18. Jh.; nach mlat. *politicus,* griech. *polītikós* »Staatsmann«); **Politikum** »Tatsache, Vorgang von politischer Bedeutung« (20. Jh.; nlat. Bildung); **politisch** »die Politik betreffend, staatsmännisch« (16. Jh.; aus gleichbed. frz. *politique,* das auf lat. *politicus* [< griech. *polītikós* »den Bürger, die Bürgerschaft betreffend; zur Staatsverwaltung gehörig«] zurückgeht).

Politur ↑polieren.

Polizei »Sicherheitsbehörde, die über die Wahrung der öffentlichen Ordnung zu wachen hat«: Das seit dem 15. Jh. bezeugte Substantiv, das bis ins 18. Jh. noch ganz allgemein im Sinne von »Regierung, Staatsverwaltung, Politik usw.« gebraucht wurde, ist aus mlat. *policia,* spätlat. *politia* »Staatsverwaltung; Staatsverfassung« entlehnt, das seinerseits aus griech. *polīteía* »Bürgerrecht; Staatsverwaltung; Staatsverfassung« übernommen ist. Über das zugrunde liegende Substantiv griech. *polítēs* »Stadtbürger, Staatsbürger« vgl. den Artikel *Politik.*

Polka: Der im Jahre 1831 in Prag aufgekommene und von dort übernommene Rundtanz im $^2/_4$-Takt trägt seinen Namen zu Ehren der damals unterdrückten Polen: tschech. *polka* »polnischer Tanz« (poln. *Polka* »Polin«, *polka* »Polka«). – Siehe auch den Artikel *Polonäse.*

Pollen: Der botanische Fachausdruck für »Blütenstaub« wurde im 14./15. Jh. aus lat. *pollen* »sehr feines Mehl, Mehlstaub; Staub« übernommen. Dies ist verwandt mit lat. *polenta* »Gerstengraupen« (daher durch it. Vermittlung unser Fremdwort **Polenta** als Bezeichnung für ein italienisches Maisgericht mit Käse) und lat. *pulvis* »Staub« (↑Pulver), ferner im außeritalischen Sprachbereich u. a. mit griech. *pálē* »feines Mehl; Staub« und vielleicht auch mit aind. *pálala-m* »zerriebene Sesamkörner; Brei; Schmutz«.

Polonäse: Der seit dem 18. Jh. bezeugte Name eines

Tanzes in mäßig bewegtem, feierlichem $^3/_4$-Takt ist aus frz. *polonaise* (ergänze: *danse*) entlehnt und bedeutet »polnischer (Tanz)«. Der Tanz wurde zu Ehren der damals unterdrückten Polen benannt und als Eröffnungstanz eingeführt. Siehe auch den Artikel *Polka*.

Polster: Das altgerm. Wort mhd. *polster, bolster,* ahd. *polstar, bolstar,* niederl. *bolster,* engl. *bolster,* schwed. *bolster* ist eng verwandt mit der Sippe von ↑Balg und gehört zu der unter ↑¹Ball dargestellten idg. Wortgruppe. Es bedeutet demnach eigentlich »Aufgeschwollenes«.

poltern: Das seit dem 15. Jh., zuerst in der Form ›boldern‹ bezeugte Verb ist lautnachahmenden Ursprungs, vgl. mnd. *bolderen, bulderen* »poltern, lärmen«, niederl. *bulderen* »poltern; toben; tosen«, schwed. *bullra* »poltern, lärmen, rumoren«. Ähnliche Lautnachahmungen sind **ballern** nordd. für »knallen; lärmen; schießen; schlagen« (mnd. *balderen,* entsprechend schwed. mdal. *ballra* »lärmen«) und **bullern** ugs. für »poltern, lärmen, rumoren; aufwallen« (18. Jh., für älteres *bollern,* mhd. *bollern* »lärmen, poltern«). – Zus.: **Polterabend** »Abend vor der Hochzeit« (16. Jh.; so benannt, weil an diesem Abend durch Lärmen und durch Zertrümmern von Geschirr Unheil und böse Geister von der Ehe fern gehalten werden sollten); **Poltergeist** »polternder Kobold, Klopfgeist« (16. Jh.).

Polyp: Die heute fachsprachlich veraltete, aber noch volkstümliche Bezeichnung des Tintenfisches erscheint in dt. Texten seit dem 16. Jh. Sie ist aus gleichbed. lat. *polypus* entlehnt, das seinerseits aus griech. *polýpous* (eigentlich »Vielfuß«; zu griech. *polýs* »viel« und griech. *poús* »Fuß«) übernommen ist. Die seit dem 16. Jh. übliche medizinisch-fachsprachliche Verwendung des Wortes zur Bezeichnung einer gestielten Geschwulst, insbesondere auch von Wucherungen im Nasenrachenraum (meist im Plural **Polypen**), ist gleichfalls schon für das griech. und das lat. Wort bezeugt.

P

pomade

jmdm. pomade sein
(berlin.) »jmdm. egal sein«
Diese Wendung geht auf den poln. Ausdruck *po malu* zurück, der so viel wie »allmählich« bedeutet und zunächst in Zusammenhängen verwendet wurde, bei denen man ausdrücken wollte, dass man sich wegen einer Sache nicht sonderlich beeilen wollte, sich nicht aus der Ruhe bringen ließ. Der fremdsprachige Ausdruck wurde später volksetymologisch an ›Pomade‹ angelehnt, vgl. auch ›pomadig‹ im Sinne von »blasiert, lässig, träge«.

Pomade »wohlriechendes Haarfett«: Das seit dem Anfang des 17. Jh.s bezeugte Fremdwort ist aus gleichbed. frz. *pommade* entlehnt, das seinerseits aus it. *pomata* »wohlriechende Salbe« übernommen ist. Das it. Wort ist eine Ableitung von it. *pomo* »Apfel« (< lat. *pomum* »Baumfrucht«). Anscheinend wurde einer der Hauptbestandteile dieses Schönheitsmittels ursprünglich aus dem Fruchtfleisch des Apisapfels genommen.

Pomeranze: Der seit dem 15. Jh. bezeugte Name einer bitteren Apfelsinenart ist aus gleichbed. mlat. (= ait.) *pomarancia* entlehnt. Dies ist eine verdeutlichende Zusammensetzung aus it. *pomo* »Apfel« (< lat. *pomum* »Baumfrucht«) und it. *arancia* (< pers. *nārinğ*) »Apfelsine«. Vgl. zum Grundwort den Artikel *Orange*.

Pommes frites ↑frittieren.

Pomp »[übertriebener] Prunk, glanzvoller Aufzug«: Das schon mhd. bezeugte Substantiv (mhd. *pomp[e]*) wurde im 17. Jh. unter dem Einfluss von entsprechend frz. *pompe* neu belebt. Es ist aus gleichbed. lat. *pompa* entlehnt, das aus griech. *pompḗ* »Geleit; festlicher Aufzug« übernommen ist. Stammwort ist griech. *pémpein* »schicken; geleiten«. – Abl.: **pompös** »[übertrieben] prunkhaft, glanzvoll« (18. Jh.; aus frz. *pompeux* < spätlat. *pomposus*).

Pontifikat: Die Bezeichnung für »Amtsdauer und Würde des Papstes oder eines Bischofs« wurde im 15. Jh. aus lat. *pontificatus* »Amt und Würde eines Oberpriesters« entlehnt. Zugrunde liegt lat. *pontifex* »Oberpriester« (nach antiker Anschauung gedeutet als »Brückenmacher« zu lat. *pons* »Brücke« [vgl. *Ponton*] und lat. *facere* »machen« [vgl. *Fazit*], bei unklarer sakraler Bedeutungsentwicklung), das in der Fügung *pontifex maximus* »oberster Priester« seit dem 5. Jh. Titel des Papstes ist.

Ponton: Das seit dem 16. Jh. bezeugte, aus der militärischen Fachsprache stammende Fremdwort bezeichnet ein flaches [hochbordiges] Wasserfahrzeug bzw. einen kahnähnlichen Schwimmkörper, der im Pionierbrückenbau und zum Übersetzen von Truppen verwendet wird. Es ist aus frz. *ponton* entlehnt, das auf lat. *ponto (pontonis)* »Brückenschiff, flaches Fährboot« zurückgeht. Dies ist eine Bildung zu lat. *pons (pontis)* »Brücke«, das zu der unter ↑finden dargestellten Wortgruppe der idg. Wurzel **pent-* »treten, gehen; (nominal:) Pfad, Furt; Brücke« gehört. Als Bestimmungswort erscheint lat. *pons* in ↑Pontifikat.

¹Pony: Die Bezeichnung für »Zwergpferd« wurde im 19. Jh. aus gleichbed. engl. *pony* (älter *powny*) entlehnt, dessen weitere Herkunft dunkel ist. – Nach der Mähne eines Ponys nennt man seit dem Ende des 19. Jh.s eine [weibliche] Frisur, bei der die Haare fransenartig in die Stirn hängen ›Ponyfrisur‹. Dafür ist die Kurzform **²Pony** gebräuchlich.

Pool ↑Pfuhl.

Pop: Die Sammelbezeichnung für Popmusik, Popkunst, Popliteratur u. Ä. wurde in der 2. Hälfte des 20. Jh.s aus gleichbed. engl. *pop* entlehnt, einer Kürzung aus engl. *pop art* (*pop music* u. Ä.), eigentlich *popular art* »volkstümliche Kunst«.

Engl. *popular* »volkstümlich« geht über afrz. *populeir* auf lat. *popularis* »volkstümlich« zurück (vgl. *populär*). – Abl.: **poppig** »mit Stilelementen der Popkunst; auffällig«.

Popanz »Schreckgestalt; willenloses Geschöpf«: Das seit dem 16. Jh. im ostmitteld. Sprachraum bezeugte und von dort verbreitete Substantiv ist wahrscheinlich aus dem Slaw. entlehnt (vgl. tschech. *bubák* »Schreckgestalt«).

Pope ↑Pfaffe.

Popel: Der seit dem 19. Jh. gebräuchliche ugs. Ausdruck für »verhärteter Nasenschleim« ist dunklen Ursprungs. – Abl.: **popeln** ugs. für »in der Nase bohren, Popel mit dem Finger entfernen«; **pop[e]lig** ugs. für »armselig, schäbig; ganz gewöhnlich«.

Popelin, auch: **Popeline:** Die seit dem 18. Jh. bezeugte Bezeichnung für feinere ripsartige Stoffe in Leinenbindung ist aus gleichbed. frz. *popeline* entlehnt. Die Herkunft des frz. Wortes ist nicht sicher geklärt. Vielleicht geht es auf Poperinghe, den Namen einer Stadt in Flandern, zurück. Diese Stadt war im Mittelalter ein bedeutendes Zentrum der Tuchherstellung.

Popo: Der seit dem 18. Jh. bezeugte familiäre Ausdruck für »Gesäß« stammt wahrscheinlich aus der Ammensprache und ist zu dem im 17. Jh. entlehnten ↑Podex (durch Kürzung und anschließende Doppelung) gebildet.

populär »volkstümlich, beliebt, allbekannt; gemeinverständlich«: Das Adjektiv wurde im 18. Jh. aus gleichbed. frz. *populaire* entlehnt, das auf lat. *popularis* »zum Volk gehörig; volkstümlich« zurückgeht. Dies ist eine Bildung zu lat. *populus* »Volk« (vgl. *Pöbel*). – Abl.: **popularisieren** »populär machen« (18. Jh.; aus gleichbed. frz. *populariser*); **Popularität** »Volkstümlichkeit, Beliebtheit« (18. Jh.; aus gleichbed. frz. *popularité* [< lat. *popularitas*]).

Pore »feine [Haut]öffnung«: Das Substantiv wurde im 15. Jh. aus gleichbed. spätlat. *porus* entlehnt, das seinerseits aus griech. *póros* »Durchgang; Öffnung; Pore« übernommen ist. Dies ist eine Bildung zum Stamm der mit dt. ↑fahren urverwandten Verben griech. *perān* »durchdringen; hinüberbringen«, *peírein* (< **pér-i̯-ein*) »durchdringen, durchbohren; durchfahren«. – Abl.: **...porig** »mit Poren versehen«, so besonders in ›großporig‹; **porös** »durchlässig; löchrig« (18. Jh.; aus gleichbed. frz. *poreux,* abgeleitet von frz. *pore* »Pore«).

Pornographie: Die Bezeichnung für die einseitige Darstellung sexueller Akte in Sprache und/oder Bild wurde im 19. Jh. aus gleichbed. frz. *pornographie* entlehnt. Dies ist eine Bildung zu frz. *pornographe* »Verfasser unzüchtiger Schriften«, das aus griech. *pornográphos* »jemand, der über Prostituierte schreibt« entlehnt ist. Das griech. Wort enthält als ersten Bestandteil griech. *pórnē* »Prostituierte«; zum zweiten Bestandteil griech. *gráphein* »schreiben« vgl. den Artikel *Grafik*.

Porree: Der Name des als Gemüse angebauten Lauchs ist aus frz. landsch. *porrée* »Lauch« (einer Nebenform von frz. *poireau* »Lauch«) entlehnt. Dies geht auf eine Bildung zu lat. *porrum* »Lauch« zurück. Das lat. Wort, das mit gleichbed. griech. *práson* verwandt ist, gelangte früh in den westgerm. Sprachbereich: ahd. *forro, phorro,* asächs. *porro,* aengl. *porr;* daneben verdeutlichende Zusammensetzungen wie mnd. *porlōk,* aengl. *porlēac*.

Portal »prunkvolles Tor, architektonisch besonders gestalteter Haupteingang«: Das seit dem 15. Jh. zuerst in der Bedeutung »Vorhalle; Eingangstür« bezeugte Fremdwort, das seine heutige Bedeutung erst im 16./17. Jh. unter dem Einfluss italienischer und französischer Baukunst erlangte, geht auf mlat. *portale* »Vorhalle« zurück. Zugrunde liegt das von lat. *porta* »[Stadt]tor; Eingang« (vgl. *Pforte*) abgeleitete mlat. Adjektiv *portalis* »zum Tor gehörig«.

Portemonnaie: Die Bezeichnung für »Geldbörse« wurde im 19. Jh. aus gleichbed. frz. *porte-monnaie* übernommen, einer jungen Bildung aus dem Imperativ *porte!* »trage!« von frz. *porter* »tragen« (vgl. *Porto*) und aus frz. *monnaie* »Münze, Geld« (vgl. *Münze*).

Portier »Pförtner; Hauswart«: Das Fremdwort wurde im 18. Jh. aus gleichbed. frz. *portier* übernommen, das auf spätlat. *portarius* »Türhüter« zurückgeht. Dies ist eine Bildung zu lat. *porta* »[Stadt]tor; Eingang« (vgl. *Pforte*).

Portion: Die Bezeichnung für »[An]teil; abgemessene Menge« wurde im 16. Jh. aus lat. *portio* »zugemessener Teil, Anteil« entlehnt. Das lat. Wort, das zuerst in der Fügung *pro portione* »entsprechend dem Verhältnis der Teile zueinander« bezeugt ist (daraus lat. *proportio* »entsprechendes Verhältnis; Ebenmaß«; vgl. *Proportion*), gehört wahrscheinlich zu lat. *pars (partis)* »Teil« (vgl. *Partei*). Der Vokalismus ist jedoch nicht sicher erklärt.

Porto: Die Bezeichnung für »Beförderungsgebühr für Postsendungen« wurde im 17. Jh. aus it. *porto* »das Tragen; der Transport; die Transportkosten« für den Bereich des Postwesens entlehnt. It. *porto* ist postverbales Substantiv zu älter it. *portare* »tragen, bringen usw.« (< lat. *portare* »tragen«), das mit dt. ↑fahren verwandt ist. – Zahlreiche Bildungen zu lat. *portare* spielen in unserem Fremdwortschatz eine Rolle. Vgl. hierzu im Einzelnen die Artikel ↑apportieren, ↑Deportation, deportieren, ↑Export, exportieren, ↑Import, importieren, ↑kolportieren, Kolportage, ↑Reporter, Reportage, ↑Sport, ↑transportieren, Transport, Transporter. Siehe auch den Artikel *Portemonnaie*.

Porträt »Darstellung, Bildnis eines Menschen« (in der Malerei, Plastik und Fotografie): Das Fremdwort wurde im 17. Jh. aus gleichbed. frz. *portrait* entlehnt, dem substantivierten Part. Perf. des afrz. Verbs *po[u]rtraire* »entwerfen; darstellen«.

Dies geht auf lat. *pro-trahere* »hervorziehen; ans Licht bringen« zurück (vgl. *pro..., Pro...* und *trachten*). – Abl.: **porträtieren** »ein Porträt anfertigen« (18. Jh.).

Porzellan: Die seit dem ausgehenden 15. Jh. bezeugte Bezeichnung für das ursprünglich aus China und Japan über Italien importierte keramische Erzeugnis (aus Kaolin, Quarz und Feldspat) ist aus dem It. entlehnt. It. *porcellana* bezeichnet eigentlich eine Art weißer Meeresschnecke. Erst sekundär wurde das Wort auf das feine asiatische Porzellan übertragen, weil man glaubte, dass dieses Erzeugnis aus der pulverisierten Substanz der weiß glänzenden Schale solcher Schnecken hergestellt werde. – Das it. Wort *porcellana* ist von it. *porcella* »kleines weibliches Schwein« abgeleitet, das auch selbst landsch. in der Bedeutung »Meeresschnecke« begegnet (vgl. in dieser Bedeutung venez. *porzela, porzeleta*). Das it. Wort geht auf lat. *porcella* »kleines weibliches Schwein« zurück, eine Bildung zu dem mit dt. ↑Ferkel urverwandten lat. *porcus* »Schwein, Sau«, auch »weibliche Scham, Vagina«. Die Bedeutungsgeschichte ist nicht sicher geklärt. Vielleicht erfolgte die Benennung der Schnecke nach der Ähnlichkeit mit dem Geschlechtsteil eines weiblichen Schweins.

Posaune: Der Name des Blasinstruments (mhd. *busūne, busīne*) ist – wie entsprechend niederl. *bazuin* – aus afrz. *buisine (boisine)* entlehnt, das auf lat. *bucina* (bzw. vlat. **bucina*) »Jagdhorn, Signalhorn« zurückgeht. Das lat. Wort ist vermutlich eine Bildung *(*boucana)* aus lat. *bos, bovis* »Rind« und lat. *canere* »singen, tönen, klingen, spielen usw.« und bezeichnete dann ursprünglich ein aus einem Rinderhorn hergestelltes Blasinstrument. – Abl.: **posaunen** »Posaune blasen« (mhd. *busūnen, busīnen*), auch übertragen gebraucht im Sinne von »einen dröhnenden Laut von sich geben, laut sprechen«, dazu **ausposaunen** »eine diskrete Angelegenheit allgemein bekannt machen«; **Posaunist** »Posaunenspieler« (20. Jh.).

P

Pose »gekünstelte, gezierte Stellung; unnatürliche, affektierte Haltung«: Das Fremdwort wurde im 19. Jh. aus gleichbed. frz. *pose* entlehnt, das eine Bildung zu frz. *poser* »auf einen Platz stellen, hinstellen« ist. In älteren Sprachzuständen bedeutete das frz. Verb noch »innehalten, ausruhen«. Dies ist auch die ursprüngliche Bedeutung des Wortes, das auf spätlat. *pausare* »innehalten, ausruhen« (vgl. [1]*Pause*) zurückgeht. Der Wechsel im Vokalismus und in der Bedeutung vollzog sich im Roman. unter dem Einfluss des anklingenden, aber unverwandten lat. Verbs *ponere (positum)* »setzen, stellen, legen«. – Abl.: **posieren** »eine Pose annehmen, schauspielern« (19. Jh.; aus gleichbed. frz. *poser*).

Position »[An]stellung, Posten; Stelle, Lage; Standort (eines Schiffes oder Flugzeuges)«: Das Fremdwort wurde im 16. Jh. – wohl unter Einfluss von frz. *position* – aus lat. *positio* »Stellung, Lage« entlehnt. Dies gehört zu lat. *ponere (positum)* »setzen, stellen, legen«, das auch sonst mit zahlreichen Bildungen in unserem Fremdwortschatz vertreten ist. Vgl. hierzu im Einzelnen die Artikel ↑Posten, ↑Post, ↑positiv, ↑Apposition, ↑apropos, ↑deponieren, ↑Depot, ↑disponieren, ↑Exponent, ↑imponieren, ↑imposant, ↑komponieren, ↑Komponente, ↑Kompositum, ↑Kompost, ↑Kompott, ↑opponieren, ↑Präposition und ↑Propst.

positiv: Das sowohl allgemeinsprachlich als auch fachsprachlich vielfach verwendete Adjektiv, das in den meisten Fällen den Gegensatz von ›negativ‹ (↑negieren) wiedergibt, wurde im 18. Jh. – wohl unter dem Einfluss von frz. *positif* – aus spätlat. *positivus* »gesetzt, gegeben« (vgl. *Position*) entlehnt. Allgemein bedeutet ›positiv‹ »bejahend; zutreffend«, dann auch »wirklich gegeben, konkret«, »bestimmt, sicher, gewiss« und »günstig; vorteilhaft, gut«. In der Mathematik gilt es im Sinne von »größer als Null« (Zeichen: +), in der Physik gibt es eine der beiden Formen elektrischer Ladung an. In der Fotografie bezeichnet ›positiv‹ die der Natur entsprechende Licht- und Schattenverteilung eines Bildes. – Dazu das Substantiv [1]**Positiv** »über das Negativ gewonnenes, seitenrichtiges, der Natur entsprechendes Bild« (s. auch *Diapositiv*). – Ein Fachwort der Grammatik schließlich ist das substantivierte [2]**Positiv,** das die Grundstufe des Adjektivs bezeichnet (gegenüber dem Komparativ und Superlativ). Es setzt gleichbed. spätlat. *gradus positivus* fort.

Possen »derber Streich, Unfug«: Das Substantiv ist seit dem 15. Jh. (spätmhd. *possen*) bezeugt, zuerst als Bezeichnung für verschiedene reliefartige und figürliche Bildwerke an Bauwerken (wie Brunnen und dgl.), dann insbesondere für das verschnörkelte, oft komische und groteske bildnerische Beiwerk an derartigen Bauten. Daran schließt sich der seit dem 16. Jh. bezeugte übertragene Gebrauch des Wortes im Sinne von »Unfug, närrisches Zeug usw.« (neben dem Maskulinum ›Possen‹ wurde in diesem Sinne auch ein Femininum ›Posse‹ gebraucht; heute wird das Substantiv meist nur in der Verbindung ›jemandem einen Possen spielen‹ im Singular verwendet, sonst ist der Plural ›Possen‹ üblich). Spätmhd. *possen* ist aus frz. *bosse* »Beule, Höcker; Erhöhung; erhabene Bildhauerarbeit« entlehnt, dessen weitere Herkunft nicht gesichert ist. – Abl. und Zus.: **Possenreißer** »Witzbold« (16. Jh.; eigentlich »jemand, der komisches oder groteskes bildnerisches Beiwerk auf dem Reißbrett entwirft«); **Possenspiel** »derbkomisches Bühnenspiel, Schwank« (18. Jh.), daraus verkürzt oder identisch mit dem Femininum ›Posse‹ (s. o.) gleichbed. **Posse** (18. Jh.); **possierlich** »spaßig, drollig« (16. Jh.; gebildet zu dem heute veralteten Verb *possieren* »Spaß treiben, sich lustig machen«).

possessiv »besitzanzeigend«, besonders in der Zusammensetzung **Possessivpronomen:** Das Adjektiv wurde im 16. Jh. als grammatischer Fachausdruck aus gleichbed. lat. *possessivus* (bzw. *pronomen possessivum*) entlehnt. Dies ist eine Bildung zu lat. *possidere* »besitzen«.

possierlich ↑Possen.

Post: Name und Sache stammen aus dem It., das uns – zum Teil durch frz. Vermittlung – auch andere Bezeichnungen aus dem Bereich des Post- und Verkehrswesens lieferte wie ↑Porto, ↑franko, frankieren und ↑Kurier. Die ersten postähnlichen Einrichtungen wurden im 14./15. Jh. in Italien vom Papst und auch von kleineren weltlichen Fürsten zur raschen Beförderung von Nachrichten und Briefen geschaffen. Beförderungsmittel war der reitende Bote. Die Beförderungsroute war in zahlreiche, von einem Postmeister verwaltete Stationen eingeteilt, an denen die Pferde und auch der Bote gewechselt wurden. Eine derartige Wechselstation wurde im It. *posta* genannt (eigentlich »festgesetzter Aufenthaltsort«, aus lat. *posita statio* oder *mansio;* vgl. *Posten*). Auf die gesamte Beförderungseinrichtung übertragen, gelangte das Wort am Ende des 15. Jh.s ins Frz. (als *poste*) und ins Dt. und bezeichnete dann auch das Postamt und die durch die Post beförderten Briefe. Vgl. hierzu auch das Kapitel zur Sprachgeschichte *Die Zusammensetzung unseres Wortschatzes: Erbwort – Fremdwort – Lehnwort.* – Ableitungen und Zusammensetzungen: **Postamt** (17. Jh.); **Postanweisung** (19. Jh.); **Postbote** (16. Jh.); **Postkarte** (19. Jh.); **postlagernd** (eine Lehnübertragung des 19. Jh.s von frz. *poste restante*); **postwendend** »umgehend« (20. Jh.; eigentlich »mit der nächsten Post Rückantwort gebend«); **postalisch** »die Post betreffend, Post...« (19. Jh.; nlat. Bildung nach entsprechend frz. *postal*).

post..., Post...: Quelle für die Vorsilbe mit der Bedeutung »nach, hinter« (räumlich und zeitlich) ist gleichbed. lat. *post* (Adverb und Präposition). – Vgl. auch den Artikel *postum.*

postalisch, Postamt, Postanweisung, Postbote ↑Post.

[1]**Posten** »Rechnungsbetrag, Warenmenge«: Das Substantiv wurde im 15. Jh. in der Kaufmannssprache aus gleichbed. it. *posta* entlehnt, das auf lat. *posita summa* »aufgestellte, festgesetzte Summe« zurückgeht. Über das zugrunde liegende Adjektiv lat. *positus* »[fest]gesetzt, hingestellt« vgl. den Artikel *Position.* – Neben it. *posta* »Rechnungsbetrag« findet sich it. *posta* »Standort« (< lat. *posita statio* oder *mansio* »festgesetzter Stand-, Aufenthaltsort«). Dies lieferte einerseits unser Lehnwort ↑Post, andererseits das Lehnwort [2]**Posten** »Standort für eine militärische Wache; auf Wache stehender [Soldat]«, das in dieser Form Anfang des 18. Jh.s erscheint, aber bereits vorher als ›Post[e]‹ (Maskulinum), ›Post‹ (Femininum) und auch als ›Posto‹ (Maskulinum) bezeugt ist. Das männliche Geschlecht einiger Formen, insbesondere aber die Form ›Posto‹, weisen darauf hin, dass neben it. *posta* auch it. *posto* »Standort« (< lat. *positus locus*) bei der Entlehnung des Wortes eine Rolle gespielt hat. – Neben der militärischen Verwendung findet sich ›[2]Posten‹ auch in uneigentlicher Verwendung im Sinne von »Stelle, Anstellung, Amt« (so auch schon it. *posto*). – Abl.: **postieren** »aufstellen, hinstellen, einen Platz zuweisen« (17. Jh.; als militärischer Fachausdruck aus frz. *poster* »Soldaten an einem festgesetzten Ort aufstellen«).

Poster: Die Bezeichnung für ein künstlerisches, dekoratives [Werbe]plakat wurde in der 2. Hälfte des 20. Jh.s aus gleichbed. engl.-amerik. *poster* entlehnt. Dies ist eine Bildung zu engl. *to post* »[Plakate] anschlagen«, einer Bildung zu engl. *post* »Pfosten«, das auf lat. *postis* »Pfosten« zurückgeht (vgl. den Artikel *Pfosten*).

posthum ↑postum.

Postkarte, postlagernd ↑Post.

postulieren »fordern«: Das seit dem Anfang des 15. Jh.s bezeugte Verb ist aus lat. *postulare* »fordern, verlangen« entlehnt. Dessen Part. Perf. liegt substantiviert unserem Fremdwort **Postulat** »Forderung; als logisch und sachlich notwendig geforderte Annahme« zugrunde, das gleichfalls im 15. Jh. erscheint (lat. *postulatum* »Forderung«). Das Stammwort lat. *posco* (< **pr̥[k̂]-sko*) »ich fordere, verlange« hat eine idg. Entsprechung in dt. ↑forschen.

postum: Der Ausdruck für »nachgelassen (von Werken, die erst nach dem Tode des Verfassers erscheinen)« wurde im 18. Jh. aus lat. *postumus* »letzter; nachgeboren; nach dem Tode eintretend« entlehnt, das als superlativische Bildung zu lat. *post* »hinter, nach« (vgl. *post..., Post...*) gehört. Die lat. Nebenform *posthumus* (daraus entsprechend dt. *posthum*) ist volksetymologisch an lat. *humus* »Erde« bzw. an das davon abgeleitete Verb lat. *humare* »beerdigen« angeschlossen.

postwendend ↑Post.

potent »beischlafs-, zeugungsfähig; zahlungskräftig, finanzstark; stark, mächtig, einflussreich«: Das der medizinischen Fachsprache entstammende Adjektiv ist in dieser Bedeutung eine junge Rückbildung des 20. Jh.s aus **impotent** »zeugungsunfähig«, das bereits für das 18. Jh. belegt ist (dazu das Substantiv **Impotenz** »Zeugungsschwäche, -unfähigkeit«; gleichfalls im 18. Jh.). In der Bedeutung »mächtig« ist ›potent‹ vereinzelt seit 1800 bezeugt. Zugrunde liegt das lat. Adjektiv *potens* »mächtig« (bzw. lat. *im-potens* »nicht mächtig, schwach«, lat. *impotentia* »Unvermögen«), das eigentlich das Part. Präs. zu einem verloren gegangenen Verb **potere* »mächtig sein« ist. Das Stammwort lat. *potis* »vermögend, mächtig« hat idg. Entsprechungen z. B. in aind. *páti-ḥ* »Herr, Besitzer; Gemahl« und im Grundwort von griech. *despótēs* »Gewaltherrscher« (↑Despot). –

Dazu: **Potenz** »Fähigkeit zum Geschlechtsverkehr, Zeugungskraft« (19. Jh.; rückgebildet aus ›Impotenz‹), zuvor schon im 17. Jh. in der Bedeutung »Kraft, Macht«, seit dem Anfang des 18. Jh.s auch als mathematischer Terminus im Sinne von »Produkt gleicher Faktoren« gebräuchlich (aus lat. *potentia* »Vermögen, Kraft, Macht«); **potenzieren** »erhöhen, steigern; (math.:) zur Potenz erheben« (19. Jh.); **Potenzial** »vorhandene Leistungskapazität; Stärke eines Kraftfeldes« (19. Jh.; eine Bildung zu dem spätlat. Adjektiv *potentialis* »nach Vermögen; tätig wirkend«); **potenziell** »möglich, denkbar; der Anlage oder der Kraft nach vorhanden« (19. Jh.; aus gleichbed. frz. *potentiel* < spätlat. *potentialis* »nach Vermögen«); **Potentat** »Machthaber, regierender Fürst« (16. Jh.; aus lat. *potentatus* »Macht; Oberherrschaft«). – Beachte ferner den Artikel *Hospital*.

Potpourri: Die Bezeichnung für »aus verschiedenen Melodien zusammengestelltes Musikstück, Melodienstrauß« wurde im 18. Jh. aus gleichbed. frz. *pot-pourri* entlehnt, das eigentlich ein aus verschiedenen Gemüsen und Fleisch zusammengekochtes Eintopfgericht bezeichnet. Die wörtliche Bedeutung des frz. Wortes ist etwa »verfaulter Topf« (zu frz. *pot* »Topf« und frz. *pourrir* < vlat. **putrire* »faulen, verwesen«). Es handelt sich dabei um eine Lehnübersetzung von span. *olla podrida* »Eintopfgericht; buntes Allerlei« (wörtlich ebenfalls »verfaulter Topf«, mit unklarer Bedeutungsentwicklung). Im heutigen Sprachgebrauch ist ›Potpourri‹ stark durch das aus dem Engl. übernommene **Medley** (engl. *medley* eigentlich »Gemisch«) zurückgedrängt worden.

Pott (besonders westmitteld., nordd. für:) »Topf«: Mnd. *pot* erscheint im 12. Jh. am Niederrhein und entspricht niederl. *pot,* frz. *pot* (vgl. den Artikel *Potpourri*). Um 600 ist spätlat. *potus* »Trinkgefäß« (an lat. *potus* »Trank« angelehnt) am merowingischen Königshof bezeugt. Seine richtige Form **pottus* kommt schon früher in den Inschriften von Trierer Töpferwaren der Römerzeit vor, wo der Personenname Pottus Spitzname von Fabrikanten ist. Möglicherweise ist ein vorkeltisches Handwerkerwort von den Franken in Trier übernommen worden und hat sich später im europäischen Nordwesten ausgebreitet (z. B. auch engl. *pot,* dän. *potte,* schwed. *potta*). – Zus.: **Pottasche** (18. Jh.; aus niederl. *potas,* engl. *potash.* Zur Gewinnung wurde Pflanzenasche in Töpfen gekocht); **Pottwal** (18. Jh.; älter ist niederl. *potvis.* Der riesige Kopf des Tieres wurde mit einem Pott verglichen).

poussieren »flirten, eine Liebelei haben; schmeicheln«: Das seit dem 17. Jh. bezeugte Verb ist aus frz. *pousser* »stoßen; drücken« (< lat. *pulsare;* vgl. *Puls*) entlehnt und wurde wie dies zunächst in der Bedeutung »stoßen, antreiben; drücken« gebraucht. In der Studentensprache entwickelte sich dann die seit dem 19. Jh. belegte Bedeutung »den Hof machen, flirten; eine Liebschaft haben«, die in die Umgangssprache und in die Mundarten übernommen wurde. Für den Bedeutungswandel ist wohl von »an sich drücken, knutschen« auszugehen.

prä..., Prä...: Die aus dem Lat. stammende Vorsilbe mit der Bedeutung »vor, voran, voraus« (räumlich, zeitlich und übertragen), z. B. in Fremdwörtern wie ↑Präposition, ↑Präfix, ↑Prädikat, stammt aus lat. *prae* (Präposition und Präverb), das aus alat. *prai* hervorgegangen ist und das sich zu dem unter ↑ver... dargestellten, vielfach erweiterten und weitergebildeten idg. **per* »vorwärts, über – hinaus« stellt.

Präambel: Die Bezeichnung für »feierliche Vorrede, Einleitung (bei Urkunden, Verträgen o. Ä.)« wurde im 15. Jh. aus mlat. *praeambulum* »Einleitung« entlehnt. Spätlat. *praeambulus* »vorangehend« gehört zu lat. *prae-ambulare* »vorangehen« (vgl. *prä..., Prä...* und *ambulant*).

Pracht »Aufwand, strahlender Glanz, Prunk«: Die auf das dt. Sprachgebiet beschränkte Substantivbildung (mhd. *braht* »Lärm, Geschrei, Prahlerei«, ahd. *praht* »Lärm«) gehört zu der unter ↑brechen dargestellten Wortgruppe und ist eng verwandt mit mhd. *brach* »Lärm«, asächs. *brakōn* »krachen«, *brahtum* »Lärm, Menge«, aengl. *breahtm* »Geschrei, Lärm«, schwed. *braka* »krachen, platzen«, *brak* »Krach, Lärm«. Außergerm. ist z. B. lat. *fragor* »Krach, Getöse« verwandt. Die heute übliche Bedeutung von ›Pracht‹ hat sich erst in nhd. Zeit aus »Lärm, Krach« entwickelt. In Zusammensetzungen wird ›Pracht‹ verstärkend (anerkennend) gebraucht, beachte z. B. ›Prachtkerl‹ und ›Prachtexemplar‹. – Abl.: **prächtig** (16. Jh., in der Bedeutung »stolz, hochmütig«, dann »stattlich, herrlich, schön«).

prädestinieren »vorherbestimmen«: Das seit dem 15./16. Jh. bezeugte, der theologischen Fachsprache entnommene Fremdwort ist fast nur noch in dem in adjektivische Funktion übergegangenen zweiten Partizip **prädestiniert** »vorherbestimmt, von Anfang an ausersehen (insbesondere zur ewigen Seligkeit oder zur ewigen Verdammnis)« gebräuchlich und aus kirchenlat. *prae-destinare* »im Voraus bestimmen« entlehnt, einer Bildung aus lat. *prae* »vor« (vgl. *prä..., Prä...*) und lat. *destinare* »festmachen, befestigen; beschließen, bestimmen«.

Prädikat »Satzaussage (Grammatik); Rangbezeichnung; Bewertung[snote]; Zensur«: Das Fremdwort wurde im 17. Jh. (zuerst in der Bedeutung »Rangbezeichnung«) aus lat. *praedicatum* entlehnt, dem substantivierten Neutrum des Part. Perf. von *prae-dicare* »öffentlich ausrufen; laut sagen, aussagen; rühmen«, das auch die Quelle für unser Lehnwort ↑predigen ist (zum ersten Bestandteil vgl. *prä..., Prä...*).

Präfix »Vorsilbe«: Der grammatische Terminus ist eine gelehrte Entlehnung des 17. Jh.s aus lat. *praefixum,* dem Neutrum des Part. Perf. von lat. *prae-*

figere »vorn anheften, vorstecken«. Grundverb ist lat. *figere* »anheften« (vgl. [1]*fix*).

prägen »Münzen schlagen; einpressen; formen, bilden«: Mhd. *præchen, bræchen* »einpressen, abbilden«, ahd. *brāhhan* »mit dem Grabstichel arbeiten, gravieren, einpressen«, aengl. *ābrācian* »einritzen, gravieren« gehören vermutlich im Sinne von »aufbrechen, aufreißen« zu der Wortgruppe von ↑brechen. An den übertragenen Gebrauch von ›prägen‹ schließen sich die Bildungen **ausprägen** »deutlich gestalten« und **einprägen** »fest ins Gedächtnis bringen« an. – Abl.: **Gepräge** »Münzbild; Eigenart, Kennzeichen« (mhd. *gebræche, -præche;* ahd. *gabrācha* »erhabenes Bildwerk«).

pragmatisch: Das Adjektiv wurde im 17. Jh. aus lat. *pragmaticus* »geschäftskundig« entlehnt, das seinerseits aus griech. *prāgmatikós* »geschäftig; geschäftskundig« übernommen ist. Dies ist von griech. *prā́gma* »Handeln, Handlungsweise; Tatsache; Wirklichkeit« abgeleitet, eine Bildung zu griech. *prā́ssein* »tun, verrichten« (vgl. *Praxis*). – ›Pragmatisch‹ wurde zunächst im Sinne von »geschäftskundig, sachkundig [und tüchtig]«, dann auch im Sinne von »nützlich, der Allgemeinheit dienend« gebraucht. Ein ›pragmatischer Beamter‹ war früher ein [in alle Amtsgeschäfte eingeweihter und daher] fest angestellter Beamter, unter ›pragmatischer Geschichtsschreibung‹ verstand man die Geschichtsschreibung, die aus der Untersuchung von Ursache und Wirkung historischer Ereignisse Erkenntnisse für künftige Entwicklungen zu gewinnen sucht. In der 2. Hälfte des 20. Jh.s wird ›pragmatisch‹ – wohl unter engl. Einfluss – im Sinne von »auf die anstehende Sache und ihre Umsetzung, auf die Anwendung bezogen« verwendet und vielfach mit ›praktisch‹ gleichbedeutend verwendet. – Dazu stellen sich die Bildungen **Pragmatik** »Orientierung auf das Nützliche, Sachbezogenheit, Sinn für Tatsachen und Anwendungsbezogenheit; Lehre vom sprachlichen Handeln« (19. Jh.); **Pragmatiker** »jemand, der pragmatisch vorgeht« (20. Jh.) und **Pragmatismus** »pragmatische Einstellung, Handlungsweise; philosophische Lehre, die das Handeln über die Vernunft stellt und die Wahrheit und Gültigkeit von Ideen und Theorien nur nach ihrem Erfolg bemisst« (19. Jh.).

prägnant »gehaltvoll, eindrucksvoll; gedrängt [im Ausdruck]; knapp, aber bedeutsam«: Das Adjektiv wurde im ausgehenden 17. Jh. aus gleichbed. frz. *prégnant* entlehnt, das auf lat. *praegnans, -antis* »schwanger, trächtig; voll, strotzend« zurückgeht. Dies steht für gleichbed. lat. *praegnas,* das vermutlich aus einer Fügung **prai gnatid* »vor der Geburt« entstanden ist, sodass es in den etymologischen Zusammenhang der unter ↑Kind entwickelten Wörter der idg. Wurzel **ĝen[ə]-* »gebären; erzeugen« gehört (beachte im Lat. *[g]nasci* »geboren werden«, *[g]natus* »geboren«). – Dazu: **Prägnanz** »Bedeutungsgehalt, Bedeutsamkeit; Gedrängtheit, inhaltsschwere Knappheit; Schärfe, Genauigkeit« (19. Jh.). Vgl. auch den Artikel *imprägnieren.*

prahlen »großtun, sich rühmen«: Das seit dem Beginn des 16. Jh.s bezeugte Verb, das durch Luthers Bibelübersetzung gemeinsprachliche Geltung erlangte, ist lautnachahmenden Ursprungs und bedeutete ursprünglich wahrscheinlich »brüllen, schreien, lärmen«, beachte schweiz.-schwäb. *brallen* »lärmen, schreien« .

Prahm: Die Bezeichnung für einen kastenförmigen großen Lastkahn (mniederd., mhd. *prām*) ist aus dem Slaw. entlehnt, vgl. z. B. tschech. *prám* »Fähre«.

Praktik »Ausübung; Verfahrensart, Handhabung«: Das Fremdwort wurde Ende des 15. Jh.s aus mlat. *practica* < spätlat. *practice* »Ausübung; Vollendung« entlehnt, das auf griech. *prāktikḗ (téchnē)* »Lehre vom aktiven Tun und Handeln« zurückgeht. Unter dem Einfluss von entsprechend frz. *pratiques* entwickelte ›Praktik‹ speziell im Plural ›Praktiken‹ die Sonderbedeutung »(unsaubere) Kunstgriffe, Kniffe«. – Das dem griech. *prāktikḗ* zugrunde liegende Adjektiv *prāktikós* »tätig, auf das Handeln gerichtet; tunlich, tauglich« (vgl. *Praxis*) lebt in unserem Adjektiv **praktisch** »die Praxis betreffend; ausübend; gut zu handhaben, zweckmäßig; durch tätige Übung erfahren, geschickt; pfiffig« fort, das im 18. Jh. aus spätlat. *practicus* übernommen wurde. Es steht meist im Gegensatz zu ›theoretisch‹ (↑Theorie). – Dazu: **Praktiker** »Mann mit praktischer Erfahrung« (18. Jh.); **Praktikum** »praktische Übung in der [akademischen] Ausbildung zur Anwendung theoretischer Kenntnisse« (20. Jh.; nlat. Bildung); **praktizieren** »seinen Beruf ausüben (insbesondere vom Arzt); eine Sache betreiben; ins Werk setzen; [Methoden] anwenden« (im 15. Jh. »ausüben«; unter Einfluss von frz. *pratiquer* aus mlat. *practicare* »eine Tätigkeit ausüben«); **Praktikant** »jemand, der ein Praktikum absolviert« (17. Jh.; zuvor schon im 16. Jh. im Sinne von »jemand, der unsaubere Praktiken betreibt«); **praktikabel** »brauchbar, benutzbar, zweckmäßig« (18. Jh.; unter Einfluss von frz. *praticable* aus mlat. *practicabilis* »tunlich, ausführbar«).

Prälat: Die Bezeichnung für einen [katholischen] geistlichen Würdenträger wurde in mhd. Zeit als *prēlāt[e]* aus gleichbed. mlat. *praelatus* entlehnt. Dies ist das substantivierte Part. Perf. lat. *praelatus* von lat. *prae-ferre* »vorantragen; den Vorzug geben« und bedeutet demnach eigentlich »der Vorgezogene« (vgl. *prä..., Prä...* und *offerieren*).

Praline: Die seit dem 19. Jh. gebräuchliche Bezeichnung für die mit verschiedenen Füllungen hergestellte Süßigkeit ist aus frz. *praline* »gebrannte Mandel (in Schokolade)« entlehnt. Das Wort ist angeblich vom Namen des französischen Marschalls Plessis-Praslin abgeleitet, dessen Küchenmeister diese Süßigkeit erfunden haben soll.

Der Einfluss des Französischen im 17. Jahrhundert

Bereits vor dem Dreißigjährigen Krieg war es besonders die französische Sprache, die an den deutschen Fürstenhöfen großen Anklang fand. Vorbild für die deutschen Fürsten war der 1519 gewählte Kaiser Karl V., der Enkel Kaiser Maximilians. Er war in den Niederlanden geboren und aufgewachsen. Im burgundisch-niederländischen Kulturkreis fühlte er sich zu Hause; seine Muttersprachen waren Französisch und Flämisch, das Deutsche beherrschte er nur unvollkommen und bloß in mundartlicher Form. So ist es nicht verwunderlich, dass der Schriftwechsel zwischen dem Hof des Kaisers und den anderen deutschen Fürstenhöfen oftmals in französischer Sprache geführt wurde.

Alamodezeit

Während der Kriegswirren in der ersten Hälfte des 17. Jahrhunderts hatte das geistig-kulturelle Leben im Deutschen Reich sehr gelitten. Die allgemeine Not im Lande ließ kein Interesse an Kunst und Wissenschaft mehr zu. Frankreich, das als Siegermacht aus dem Dreißigjährigen Krieg hervorgegangen war, wurde jetzt das Vorbild in Sprache, Kunst, Mode und sogar in den täglichen Umgangsformen. Das Leben am französischen Königshof, die französische Gesellschaft, die Kunst und die Literatur Frankreichs wurden – wie zuvor das Militärwesen – Vorbild in Europa. Das Französische wurde jetzt die Umgangssprache der oberen Gesellschaftsschicht. Deutsch sprachen nur noch die einfachen Bürger, Handwerker und Bauern.

Wer besonders gebildet wirken wollte, gebrauchte zu passender, aber auch zu unpassender Gelegenheit französische Wörter, daneben auch Ausdrücke aus dem Italienischen, seltener auch aus dem Spanischen. Das französische Vorbild setzte sich in Sprache, Kunst, Sitte, Tracht, ja sogar in den alltäglichen Umgangsformen durch. Man orientierte sich nach der Mode (französisch *à la mode*) von Paris. Diese Zeit der Orientierung des gesellschaftlichen und kulturellen Lebens am französischen Vorbild bezeichnet man daher auch als **Alamodezeit.**

Diese Entwicklung hatten deutsche Grammatiker und Schriftsteller schon früh kritisiert. So sind die meisten dieser Fremdwörter aus dieser Zeit entweder nie im Deutschen heimisch geworden oder sie sind, wenn sie sich längere Zeit halten konnten, heute veraltet. Geblieben ist aber zum Beispiel die Form der Anrede *(Monsieur, Madame, Mademoiselle),* sie wurde aber als *mein*

Herr, gnädige Frau, gnädiges Fräulein ins Deutsche übertragen. Auch die alten Verwandtschaftsbezeichnungen wurden durch ihre französischen Entsprechungen ersetzt, und man sagte für »Mutter« und »Vater« jetzt *Mama* und *Papa*, aus »Muhme« und »Oheim« wurden *Tante* und *Onkel*, aus »Base« und »Vetter« wurden *Cousine* und *Cousin*. Auch diese Bezeichnungen sind bis heute erhalten geblieben.

Galante Kavaliere, Puder und Perücken

Die *Garderobe* (französisch *garde-robe* »Kleidung«, ursprünglich »Kleiderzimmer«) des *eleganten* Herrn (französisch *élégant*, eigentlich »wählerisch, geschmackvoll«) war ganz nach französischem Vorbild ausgerichtet. Zum Anzug trug er eine seidene *Weste* (französisch *veste*, aus lateinisch *vestis* »Kleid«), und aus seinen Rockärmeln sahen Spitzenmanschetten hervor. *Manschette* (französisch *manchette*) ist eine Verkleinerung von französisch *manche* »Ärmel« und bedeutete also eigentlich »Ärmelchen«.

Machte ein *Kavalier* (französisch *cavalier*, eigentlich »Reiter, Ritter«) einer von ihm verehrten *Dame* (französisch *dame*, aus lateinisch *domina* »[Haus]-herrin«) eine *Visite* (französisch *visite* »Besuch«), hatte er sich zuvor *rasieren* lassen (aus französisch *raser*, über das Niederländische entlehnt), seine *Perücke* (französisch *peruque*, ursprünglich »Haarschopf«) kräftig mit *Puder* (französisch *poudre*, eigentlich »Staub, Pulver«) bestreut und auch nicht mit *Parfüm* (französisch *parfum*, eigentlich »Wohlgeruch«) gespart. Selbstverständlich pflegten sich auch die Damen zu *parfümieren* (aus französisch *parfumer*) und gaben durch Pudern ihrem *Teint* (französisch *teint*, eigentlich »Färbung, Tönung«) das gewünschte Aussehen. Als man in späterer Zeit keine Perücken mehr trug, sorgte man mit viel *Pomade* (französisch *pommade*, italienisch *pomata*, zu italienisch *pomo* »Apfel«, das Haarfett wurde vermutlich aus dem Fleisch einer bestimmten Apfelsorte hergestellt), dass die *Frisur* (im Deutschen gebildet zum französischen Verb *friser* »das Haar kräuseln«, entlehnt über das Niederländische, daraus unser Verb *frisieren*) in Form blieb.

Wer sich so herausgeputzt und entsprechend *Toilette* gemacht hatte (französisch *toilette*, zu französisch *toile* »Tuch« und ursprünglich »Tuch, worauf man sein Wasch- und Frisierzeug legt«) und sich *galant* verhielt (französisch *galant* »liebenswürdig«, zu altfranzösisch *galer* »sich unterhalten; sich erfreuen«), der brauchte sich nicht zu *genieren* (aus französisch *[se] gêner*, zu französisch *gêne* »Hemmung«).

prall »straff, stramm; kräftig, stark; voll«: Das im 18. Jh. aus dem Niederd. ins Hochd. übernommene Adjektiv gehört im Sinne von »zurückfedernd, fest gestopft« zu dem unter ↑prallen behandelten Verb.

prallen: Das auf das dt. Sprachgebiet beschränkte Verb mhd. *prellen* (Präteritum *pralte*) »aufschlagen; zurückfahren, sich schnell fortbewegen; fortstoßen; werfen« (vgl. *prellen*) ist dunklen Ursprungs. Zu diesem Verb gehören ›ab-, an-, auf-, zusammenprallen‹ und die unter ↑prall behandelte Adjektivbildung. Das Substantiv **Prall** »heftiger Stoß, Schlag« ist seit dem 17. Jh. bezeugt.

Prämie »Belohnung, Preis; Zusatzleistung; Vergütung«: Das Fremdwort wurde im 16. Jh. aus lat. *praemia*, dem als Femininum Singular angesehenen Neutrum Plural von lat. *praemium* »Belohnung, Preis; Vorteil, Gewinn«, entlehnt. Über die weiteren etymologischen und bedeutungsgeschichtlichen Zusammenhänge des lat. Wortes vgl. den Artikel *Exempel*. – Abl.: **prämieren,** auch: **prämiieren** »auszeichnen; belohnen« (19. Jh.; nach spätlat. *praemiare* »belohnen«).

prangen: Das seit mhd. Zeit bezeugte Verb (mhd. *prangen, brangen*) gehört zu der Sippe von ↑Prunk. Es wurde zunächst im Sinne von »prahlen, großtun« und »sich zieren« verwendet. Aus dem ersteren Wortgebrauch entwickelten sich im Nhd. die Bedeutungen »mit Prunk auftreten, sich durch Schönheit oder Glanz auszeichnen, hervorleuchten«. – Abl.: **Gepränge** »Pracht, Prunk« (15. Jh.).

Pranger: Die nhd. Form geht auf mhd. *pranger* zurück, das im 14. Jh. aus dem Mnd. übernommen wurde. Mnd. *prenger* »Schandpfahl« gehört zu mnd. *prangen* »drücken, pressen, klemmen«, *prange* »Schranke; Klemme; Maulkorb«, *prank* »Druck«, vgl. die verwandten mhd. *pfrengen* »pressen, drücken, drängen«, got. *ana-praggan* »bedrängen«, mengl. *prengen* »pressen«. Der Pranger ist demnach nach dem drückenden Halseisen benannt, mit dem die Verbrecher an den Schandpfahl angekettet wurden. – Abl.: **anprangern** »öffentlich anklagen, bloßstellen«.

P

Pranger

am Pranger stehen/an den Pranger kommen
»öffentlich beschuldigt, angeprangert werden«
Im Mittelalter war es üblich, bestimmte Verbrechen damit zu bestrafen, dass man die Übeltäter an einen auf einem öffentlichen Platz stehenden Pfahl ankettete, um sie der allgemeinen Verachtung preiszugeben. Darauf bezieht sich diese und die folgende Wendung.

jmdn. an den Pranger stellen
»jmdn. öffentlich beschuldigen, etwas öffentlich anprangern«
Vgl. die vorangehende Wendung.

Pranke »Raubtiertatze«: Das seit etwa 1300 bezeugte Substantiv (mhd. *pranke*) ist durch roman. Vermittlung aus gleichbed. spätlat. *branca* entlehnt, das vermutlich gall. Ursprungs ist.

präparieren: Das seit dem 16. Jh. bezeugte Verb ist aus lat. *prae-parare* »vorbereiten, aufbereiten« entlehnt und wurde zunächst wie dies im Sinne von »vorbereiten« verwendet. In der Schulsprache steht es heute veraltend für »ein Kapitel, einen Lehrstoff vorbereiten«, daneben reflexiv »sich auf einen Lehrstoff vorbereiten«. Im naturwissenschaftlich-medizinischen Bereich ist es im Sinne von »menschliche, tierische oder pflanzliche Körper (zu Lehrzwecken) zerlegen bzw. [die zerlegten Teile] haltbar machen« gebräuchlich. Daran schließt sich das Substantiv **Präparat** »konservierter pflanzlicher, tierischer oder menschlicher Körper[teil]« an, das außerdem auch im Sinne von »(kunstgerecht zubereitetes) Arzneimittel« gilt. Es wurde im 18. Jh. aus lat. *praeparatum* »das Zubereitete«, dem substantivierten Part. Perf. von lat. *praeparare*, entlehnt. – Über etymologische Zusammenhänge vgl. *prä..., Prä...* und den Artikel *parat*.

Präposition »Verhältniswort«: Der grammatische Terminus wurde im 14./15. Jh. aus gleichbed. lat. *praepositio* (wörtlich »das Voransetzen«) entlehnt, das entsprechend griech. *pró-thesis* übersetzt. Über das zugrunde liegende Verb lat. *praeponere* »voranstellen, -setzen« vgl. den Artikel *Position*.

Prärie: Die in dt. Texten seit dem 19. Jh. bezeugte Bezeichnung für die Grassteppen im mittleren Westen Nordamerikas ist aus frz. *prairie* »Wiese, Wiesenlandschaft; Prärie« entlehnt. Dies ist eine kollektivische Ableitung von frz. *pré* (< lat. *pratum*) »Wiese«.

Präsens »Zeitform der Gegenwart«: Der grammatische Terminus ist aus lat. *(tempus) praesens* »gegenwärtige Zeit« entlehnt. Lat. *praesens* »gegenwärtig, anwesend; jetzig, sofortig; dringend«, das auch Ausgangspunkt für die Fremdwörter ↑präsent, Präsenz, präsentieren, Präsent und für ↑repräsentieren, Repräsentation, Repräsentant ist, ist das Partizipialadjektiv zu lat. *prae-esse* »vorn sein, zur Hand sein« (vgl. *prä..., Prä...* und den Artikel *Essenz*).

präsent »gegenwärtig, anwesend; zur Hand«: Das Adjektiv wurde im 19. Jh. aus lat. *praesens, -entis* »gegenwärtig, anwesend« entlehnt (vgl. *Präsens*).

Präsent »Geschenk, kleine Aufmerksamkeit«: Das Fremdwort wurde bereits in mhd. Zeit (mhd. *prēsent, prēsant, prisant* »Geschenk«) aus frz. *présent* »Geschenk« entlehnt. Dies ist eine (postverbale) Bildung zu frz. *présenter* »darbieten, vorstellen usw.« (< spätlat. *praesentare* »gegenwärtig machen, zeigen«, vgl. *präsentieren*).

präsentieren »überreichen, darbieten; vorlegen, vorzeigen; (reflexiv:) sich zeigen, sich aufführen«: Das Verb wurde bereits in mhd. Zeit (mhd.

prēsentieren) aus spätlat. *praesentare* »gegenwärtig machen, zeigen, darbieten« entlehnt, einer Ableitung von lat. *praesens, -entis* »gegenwärtig, anwesend« (vgl. *Präsens*). – **Präsenz:** Das Fremdwort für »Gegenwart, Anwesenheit« wurde im 17. Jh. aus gleichbed. frz. *présence* entlehnt, das auf lat. *praesentia* »Gegenwart« zurückgeht. Dies ist eine Bildung zu lat. *praesens* »gegenwärtig« (vgl. *Präsens*).

Präservativ: Die Bezeichnung für die Hülle aus feinem Gummi für den Penis als Mittel zur Empfängnisverhütung oder zum Schutz gegen Geschlechtskrankheiten ist aus gleichbed. frz. *préservatif* entlehnt, das auf mlat. *praeservativus* »vorbeugend, bewahrend« (zu spätlat. *prae-servare* »vorher beobachten«) zurückgeht. Das mlat. Wort war schon vorher direkt ins Dt. übernommen worden und im Sinne von »vorbeugendes Medikament, Bewahrmittel« gebräuchlich.

Präses ↑präsidieren.

präsidieren »den Vorsitz führen (in einem Gremium, einer Versammlung u. a.)«: Das Verb wurde im 16. Jh. aus gleichbed. frz. *présider* entlehnt, das auf lat. *prae-sidere* »voransitzen; vorsitzen, leiten« zurückgeht. Dies ist eine Bildung zu lat. *sedere* »sitzen« (vgl. *prä..., Prä...* und den Artikel *Assessor*). – Dazu stellen sich: **Präsident** »Vorsitzender, Leiter; Staatsoberhaupt« (16. Jh.; aus gleichbed. frz. *président*, das auf lat. *praesidens*, dem Part. Präs. von *prae-sidere*, beruht); **Präsidium** »Vorsitz, Leitung; Amtsgebäude eines [Polizei]präsidenten« (19. Jh.; aus lat. *praesidium* »Vorsitz«); **Präses** »Vorsitzender einer evangelischen Synode; Kirchenpräsident und Vorsitzender der Kirchenleitung in einigen Landeskirchen« (schon im 14. Jh. als »Vorsitzer; Beschützer; Statthalter usw.« bezeugt; entlehnt aus lat. *prae-ses, praesidis* »vor etwas sitzend; leitend; Vorsteher, Vorgesetzter«).

prasseln: Die nhd. Form hat sich aus gleichbed. mhd. *brasteln* entwickelt, das eine Iterativ-Intensiv-Bildung zu mhd. *brasten*, ahd. *brastōn* »krachen, dröhnen« ist, vgl. aengl. *brastlian* »brüllen; krachen; prasseln« und aisl. *brasta* »sich laut brüsten, prahlen«. Über die weiteren Zusammenhänge s. den Artikel *bersten*.

prassen »schlemmen, schwelgen«: Das aus dem Niederd. stammende Verb (mnd. *brassen*), das um 1500 ins Hochd. drang, ist wahrscheinlich lautnachahmenden Ursprungs und [elementar]verwandt mit der nord. Sippe von norw. *brase* »brutzeln, braten; prasseln; knistern«. Im Niederl. entspricht *brassen* »prassen«. Die Bedeutung »schlemmen, schwelgen« entwickelte sich demnach aus »lärmen, Krach machen«, beachte die Bedeutungsentwicklung von ›Saus‹ (in der Wendung ›in Saus und Braus leben‹). Die Präfixbildung **verprassen** »vergeuden, durchbringen« ist seit dem 16. Jh. gebräuchlich. – Abl.: **Prasser** »Schlemmer« (mnd. *brasser*).

Präteritum »Zeitform der Vergangenheit«: Der grammatische Terminus ist aus lat. *(tempus) praeteritum* »vergangene Zeit« entlehnt. Lat. *praeteritus* »vergangen« ist das Part. Perf. von lat. *praeter-ire* »vorübergehen, vergehen« (zum Grundwort lat. *ire* »gehen« vgl. den Artikel *Abiturient*).

Praxis: Das seit dem Anfang des 17. Jh.s bezeugte Fremdwort tritt zuerst in der Bedeutung »[Berufs]ausübung, Tätigkeit; Verfahrensart« auf. Im 18. Jh. findet es sich dann als Gegensatz zu ↑Theorie als Bezeichnung für die tätige Auseinandersetzung mit der Wirklichkeit und die daraus gewonnene [Lebens]erfahrung. Gleichfalls seit dem (frühen) 18. Jh. ist die Verwendung im Sinne von »Tätigkeitsbereich, insbesondere eines Arztes oder Anwaltes« bezeugt. Daran anschließend bezeichnet man mit ›Praxis‹ auch die »Arbeitsräume« dieser Personen. – Das Wort ist aus gleichbed. lat. *praxis* entlehnt, das seinerseits aus griech. *prãxis* »das Tun, die Tätigkeit; Handlungsweise; Geschäft, Unternehmen; Wirklichkeit, Tatsächlichkeit« übernommen ist. Dies ist eine Bildung zu griech. *prā́ssein, prā́ttein* (< **prā́k-i̯ein*) »tun, verrichten, ausführen, vollbringen usw.« – Beachte noch das von griech. *prā́ttein* abgeleitete Adjektiv griech. *prāktikós* »tätig; tunlich, tauglich usw.«, das Ausgangspunkt ist für die Fremdwörter ↑Praktik, praktisch, Praktiker, Praktikum, praktizieren, Praktikant, praktikabel.

Präzedenzfall »(vorangegangener) Musterfall«: Das Bestimmungswort dieser seit dem 19. Jh. gebräuchlichen Zusammensetzung geht auf lat. *praecedens*, das Part. Präs. von lat. *prae-cedere* »vorangehen, vorausgehen«, bzw. auf das dazu gebildete *praecedentia* »das Vorangehen« zurück (vgl. *prä..., Prä...* und den Artikel *Prozess*).

präzis[e] »genau, bestimmt; unzweideutig, klar«: Das Adjektiv wurde im 17. Jh. aus gleichbed. frz. *précis* entlehnt, das auf lat. *praecisus* »vorn abgeschnitten, abgekürzt; zusammengefasst« zurückgeht. Das zugrunde liegende Verb, lat. *praecidere*, »vorn abschneiden« *(praecisum)* ist eine Bildung zu lat. *caedere* »schlagen, hauen« (vgl. *prä..., Prä...*). – Dazu stellen sich: **Präzision** »Genauigkeit; Feinheit« (18. Jh.; aus gleichbed. frz. *précision* < lat. *praecisio* »das Abschneiden«); **präzisieren** »genauer bestimmen; knapp zusammenfassen« (19. Jh.; aus gleichbed. frz. *préciser*, einer Ableitung von frz. *précis* »genau«).

predigen »das Wort Gottes [in der Kirche] verkünden«: Das aus der Kirchensprache stammende Verb, mhd. *bredigen, predigen*, ahd. *bredigōn, predigōn*, ist aus gleichbed. kirchenlat. *praedicare (predicare)* entlehnt, das lat. *prae-dicare* »öffentlich ausrufen, verkünden; aussagen« (vgl. *Prädikat*) fortsetzt. Aus der gleichen Quelle stammen z. B. auch entsprechend niederl. *prediken (preken)* und frz. *prêcher* (aus dem Afrz. entsprechend engl. *to preach* »predigen«). – Lat. *prae-dicare* ist eine Bildung zu lat. *dicare* »feierlich sagen, verkünden; weihen, widmen«, das als Intensivbildung zu lat. *dicere (dictum)* »sagen, sprechen« (vgl. *diktieren* und zum ersten Bestandteil *prä..., Prä...*) gehört. – Dazu: **Prediger** »jemand, der das Wort Gottes verkündet« (mhd. *bredigære*, ahd. *bredigāri*); **Predigt** »Verkündigung des Wortes Gottes« (mit unorganischem -t für mhd. *bredige*, ahd. *brediga*).

Preis: Das seit dem Ende des 12. Jh.s bezeugte Wort (mhd. *prīs* »Ruhm, Herrlichkeit; Lob, Anerkennung, Belohnung, Kampfpreis; Wert«), das seit dem 16. Jh. – wohl unter niederl. Einfluss – auch im Sinne von »Geldwert, Kaufwert« verwendet wird, ist entlehnt aus afrz. *pris* (= frz. *prix*) »Preis, Wert; Ruhm, Herrlichkeit; Verdienst; Lob, Belohnung«. Dies geht auf lat. *pretium* »Wert, Preis; Kaufpreis; Lohn, Belohnung usw.« zurück. – Das ursprünglich schwache, heute starke Verb **preisen** »rühmen, verherrlichen, hoch schätzen, [Gott] loben« (mhd. *prīsen*) ist aus afrz. *preisier* (= frz. *priser*) »im Wert abschätzen; wertschätzen« entlehnt und in der Bedeutung an mhd. *prīs* angelehnt. Das frz. Verb geht auf spätlat. *pretiare* »im Wert abschätzen; hoch schätzen« zurück. – Nicht verwandt ist das Bestimmungswort von ↑preisgeben.

Preiselbeere: Das Bestimmungswort dieser Zusammensetzung ist aus alttschechisch *bruslina* »Preiselbeere« entlehnt, vgl. tschech. *brusinka*, poln. *brusznica*, russ. *brusnika* »Preiselbeere«. Die slaw. Benennungen der Frucht des Heidekrautgewächses gehören zu der slaw. Sippe von russ.-kirchenslaw. *[o]brusiti* »streifen, streichen; wetzen«. Die Beere ist demnach so benannt, weil sie sich leicht abstreifen lässt.

preisgeben »ausliefern, aufgeben, im Stich lassen; verraten«: Das seit dem 16. Jh. bezeugte (lange Zeit getrennt geschriebene) zusammengesetzte Verb enthält als Vorderglied das unter ↑Prise behandelte, aus dem Frz. entlehnte und eingedeutschte Substantiv (frz. *prise* »Weggenommenes; das Nehmen, Ergreifen; die Beute«). Es übersetzt frz. *donner [en] prise* und bedeutet demnach eigentlich etwa »zum Nehmen, zur Beute hingeben«. – Abl.: **Preisgabe** »Auslieferung; Verzicht; Verrat« (20. Jh.).

prellen »mit Wucht stoßen; mit einem straff gespannten Tuch hochschleudern; betrügen, übervorteilen«: Das Verb gehört zu dem unter ↑prallen behandelten mhd. *prellen* »aufschlagen; zurückfahren; sich schnell fortbewegen; fortstoßen, werfen«. Die Bedeutungsentwicklung zu »betrügen, übervorteilen« erklärt sich aus dem früher üblichen Brauch, Menschen zur Strafe oder zum Scherz auf einem straff gespannten Tuch in die Höhe zu schleudern. An diesen Brauch schloss sich das besonders im 17. und 18. Jh. übliche Prellen von Füchsen an, das der Belustigung von Jagdgesellschaften diente. Der gefangene Fuchs, der die Freiheit zu erlangen suchte, wurde auf einem Prellnetz längere Zeit wieder und wieder in die Höhe geschleudert. Man prellte (d. h. »betrog«) also das gefangene Tier um die Freiheit. In der Studentensprache, in der ›Fuchs‹ seit alters im Sinne von »junger Student (im ersten Studienjahr)« verwendet wird, bildete sich dann der Wortgebrauch von ›prellen‹ im Sinne von »betrügen, eine Rechnung nicht begleichen« heraus. Die älteren Semester ließen sich von den Fuchsstudenten bewirten, ohne die Rechnung zu bezahlen. An diesen Wortgebrauch schließen sich die Bildungen **Preller** und **Prellerei** an, die heute gewöhnlich nur noch in den Zusammensetzungen **Zechpreller** und **Zechprellerei** (19. Jh.) verwendet werden.

Premiere »Erst-, Uraufführung«: Das Fremdwort wurde im 19. Jh. aus frz. *première (représentation)* »erste Aufführung« entlehnt. Frz. *premier, ...ière* »Erster, Erste« geht auf lat. *primarius* »einer der Ersten; ansehnlich« zurück, das im Galloroman. die Bedeutung »Erster« entwickelte. Über das Stammwort lat. *primus* »Vorderster, Erster« vgl. den Artikel *Primus*.

Presbyter ↑Priester.

preschen »eilen, rennen«: Das ursprünglich nordd. mdal. gebräuchliche Verb hat sich durch Umstellung aus dem unter ↑pirschen behandelten Verb entwickelt und bedeutet demnach eigentlich »jagen«.

pressant ↑pressieren.

Presse: Das aus mlat. *pressa* »Druck, Zwang« (zu lat. *premere, pressum* »drücken, pressen; [be]drängen«) entlehnte Substantiv erscheint im Ahd. als *pressa, fressa* mit der Bedeutung »Obstpresse, Kelter« (vgl. mhd. *[wīn]presse* »Kelter«). Diese Bedeutung ist von lat. *pressura* »das Drücken, der Druck; das Keltern des Weins« beeinflusst. Seit dem Anfang des 13. Jh.s ist mhd. *presse* »Gedränge; Haufe, Schar« bezeugt, das aus gleichbed. afrz. *presse* (zu afrz. = frz. *presser* < lat. *pressare* »drücken, pressen; bedrängen«) entlehnt ist. Spätere Neuentlehnungen aus frz. *presse* bringen dem Wort ›Presse‹ die auf französischem Boden entwickelten Sonderbedeutungen »Buchdruckerpresse« (um 1500) und »Gesamtheit der Druckerzeugnisse« (Ende 18. Jh.). An die letztere Bedeutung schließt sich die seit der Mitte des 19. Jh.s gebräuchliche, heute allgemein übliche Verwendung des Wortes im Sinne von »Gesamtheit der Zeitungen und Zeitschriften; Zeitungswesen« an; beachte dazu die Zusammensetzung **Pressefreiheit** (19. Jh.). – Zu lat. *premere (pressum)* »drücken, pressen; [be]drängen« (s. o.), das den hier behandelten Wörtern zugrunde liegt, gehört eine Reihe von Bildungen, die in unserem Wortschatz eine Rolle spielen. Vgl. hierzu im Einzelnen die Artikel *pressen, pressieren (pressant), deprimieren (deprimiert, Depression,* *depressiv), Express, Expressionismus, Espresso, Impressum, Impressionismus, komprimieren (Kompression, Kompressor, Kompresse).*

pressen »[zusammen]drücken, zusammendrängen; durch Druck bearbeiten«: Das Verb mhd. *pressen,* ahd. *pressōn,* das im Sprachgefühl als unmittelbar zu dem Substantiv ↑Presse gehörig empfunden wird, ist aus lat. *pressare* »drücken, pressen« entlehnt, einer Intensivbildung zu lat. *premere (pressum)* »drücken, pressen; [be]drängen« (vgl. den Artikel *Presse*). – Dazu stellt sich das Präfixverb **erpressen** »jemanden durch Gewalt oder Drohung zu etwas zwingen, jemandem etwas abnötigen« (Ende 16. Jh.).

pressieren »drängen, treiben; in Eile sein« (nur unpersönlich gebraucht): Das vorwiegend im Südd., Österr., Schweiz. und in der Umgangssprache gebräuchliche Verb wurde Anfang des 17. Jh.s aus frz. *presser* »pressen; bedrängen, drängen; eilig sein« entlehnt. Dies geht auf lat. *pressare* »drücken, pressen« zurück (vgl. *Presse*). – Dazu gehört das gleichfalls mdal. **pressant** »eilig, dringlich« (17. Jh.; aus gleichbed. frz. *pressant,* dem adjektivisch gebrauchten Part. Präs. von *presser*).

Prestige »Ansehen, Geltung«: Das Fremdwort wurde im 19. Jh. aus gleichbed. frz. *prestige* entlehnt, das zunächst »Blendwerk, Zauber« bedeutete und auf spätlat. *praestigium* (= klass.-lat. *praestigiae*) »Blendwerk, Gaukelei« zurückgeht. Dies gehört zu lat. *prae-stringere* »blenden« (eigentlich »vorn zubinden«), dessen Stammverb Quelle für unser Fremdwort **stringent** »zwingend« (18. Jh.) ist.

prickeln: Das im 18. Jh. aus dem Niederd. in die hochd. Schriftsprache übernommene Verb geht auf mnd. *prickeln* zurück, das zu mnd. *pricken* »stechen«, *prick* »Spitze; Stachel« gehört. Damit verwandt sind im germ. Sprachbereich niederl. *prik* »Spitze; Stachel; Stich«, *prikken* »stechen«, *prikkelen* »prickeln, reizen, anregen«, engl. *prick* »Spitze; Stachel, Dorn; Ahle; Penis«, *to prick* »stechen, prickeln, anregen«, norw. mdal. *prika* »stochern«. Die weiteren außergerm. Beziehungen sind dunkel.

Priel: Der seit dem 18. Jh. bezeugte niederd. Ausdruck für »schmaler Wasserlauf im Wattenmeer« ist dunklen Ursprungs.

Priem: Der Ausdruck für »Stück Kautabak« wurde um 1800 aus gleichbed. niederl. *pruim* entlehnt, das identisch ist mit niederl. *pruim* »Pflaume« (vgl. *Pflaume*). Der Priem ist so benannt, weil er in Form und Farbe einer Backpflaume gleicht.

Priester: Die aus der Kirchensprache aufgenommene Bezeichnung für den ordinierten katholischen Geistlichen, mhd. *priester,* ahd. *prēstar,* ist durch roman. Vermittlung (vgl. entsprechend afrz. *prestre* > frz. *prêtre*) aus kirchenlat. *presbyter* »Gemeindeältester; Priester« entlehnt. Das kirchenlat. Wort seinerseits ist aus griech. *presbýteros* »älter; ehrwürdig; der Ältere, der verehrte Senior einer Gemeinde, der Gemeindeobere« (Komparativ von griech. *présbys* »alt; ehrwürdig«) übernommen. – Beachte auch das aus der gleichen Quelle stammende **Presbyter** »Mitglied eines evangelischen Kirchenvorstandes«.

prima: Das Wort stammt aus der Kaufmannssprache und war zunächst Bezeichnung der Qualität einer Ware (»vom Besten, erstklassig«). Es erscheint erst im 19. Jh., herausgelöst aus it. Fügungen wie *prima sorte* »die erste, feinste Warensorte«. Das zugrunde liegende it. Adjektiv *primo, prima* »erster, erste« geht auf gleichbed. lat. *primus* zurück (vgl. *Primus*). Heute ist ›prima‹ vorwiegend in der Umgangssprache mit der Bedeutung »vorzüglich, prächtig, wunderbar« gebräuchlich. – Zum gleichen Grundwort (lat. *primus*) gehört das Substantiv **Prima** als Name der beiden letzten Klassen (Unter- und Oberprima) einer höheren Schule. Die Bezeichnung wurde im 16. Jh. aus spätlat. *prima classis* »erste Abteilung« entlehnt. Vgl. zum Sachlichen den Artikel *Sexta.*

Primadonna: Die Bezeichnung für »Darstellerin der weiblichen Hauptrolle in der Oper, erste Sängerin«, auch übertragen gebraucht für einen durch Beifall verwöhnten und darum eitlen und empfindlichen Menschen, wurde im 18. Jh. aus it. *prima donna* entlehnt, das wörtlich »erste Dame« bedeutet (< lat. *prima domina;* vgl. *prima* und den Artikel *Dom*).

primär »zuerst vorhanden; ursprünglich; vordringlich; wesentlich, grundlegend«: Das Adjektiv wurde im 19. Jh. aus gleichbed. frz. *primaire* entlehnt, das wie entsprechend frz. *premier* »Erster« (↑Premiere) auf lat. *primarius* »zu den Ersten gehörig« zurückgeht. Stammwort ist lat. *primus* »Erster« (vgl. *Primus*).

Primas: Das seit dem 15. Jh. bezeugte Fremdwort, das aus spätlat., kirchenlat. *primas, primatis* »der dem Range nach Erste, der Vornehmste« entlehnt ist (zu lat. *primus* »Erster«; vgl. *Primus*), ist [Ehren]titel für den ranghöchsten Erzbischof eines Landes. Gleichen Ausgangspunkt (lat. *primus* »Erster«) hat das Fremdwort **Primat** »bevorzugte Stellung, Vorrang; Vorherrschaft, Stellung des Papstes als Inhaber der obersten Kirchengewalt« (15./16. Jh.), das auf lat. *primatus* »die erste Stelle, der erste Rang, der Vorrang« zurückgeht.

Primel: Der Name der zu den Schlüsselblumengewächsen gehörenden Zierpflanze erscheint im 18. Jh. als eingedeutschte Kurzform der botanischen Bezeichnung nlat. *primula veris* »Erste (Blume) des Frühlings«. Das zugrunde liegende Adjektiv lat. *primulus* »Erster« gehört als Verkleinerungsbildung zu gleichbed. lat. *primus* (vgl. *Primus*).

primitiv »urzuständlich, urtümlich; [geistig] unterentwickelt, einfach; dürftig, behelfsmäßig«: Das Adjektiv wurde im 18. Jh. aus gleichbed. frz. *primitif* entlehnt, das auf lat. *primitivus* »der Erste in seiner Art« zurückgeht, Stammwort ist lat. *primus* »der Erste« (vgl. *Primus*).

Primus: Der Ausdruck für »der beste Schüler einer Klasse« wurde im 16. Jh. aus lat. *primus* »Vorderster, Erster« entlehnt, dem Superlativ zu dem stammverwandten Komparativ lat. *prior* »Ersterer; eher, früher; vorzüglicher« (↑Prior, Priorität). – Lat. *primus* ist darüber hinaus Ausgangspunkt für zahlreiche andere Fremdwörter in unserem Wortschatz wie ↑prima, Prima, ↑primär, ↑Premiere, ↑Primas, Primat, ↑Primel, ↑primitiv. Als Bestimmungswort schließlich erscheint es in den Fremd- und Lehnwörtern ↑Primadonna, ↑Prinz, Prinzessin, ↑Prinzip, prinzipiell.

Primzahl: Die mathematische Bezeichnung für eine Zahl größer als 1, die nur durch 1 und sich selbst teilbar ist, wurde im 16. Jh. nach lat. *numerus primus* (zu lat. *primus* »Erster«; vgl. *Primus*) gebildet. Die wörtliche Bedeutung ist also etwa »erste Zahl, Ausgangszahl, Elementarzahl«.

Printe: Der seit dem 19. Jh. bezeugte Name des pfefferkuchenartigen Gebäcks ist aus dem Niederl. entlehnt. Niederl. *prent* bedeutet eigentlich »Abdruck, Aufdruck« (zu afrz. *preindre* < lat. *premere* »[ab-, auf]drücken«; vgl. *Presse;* vgl. auch engl. *to print* »drucken«) und erst sekundär »Pfefferkuchen«. Der Name bezieht sich vermutlich darauf, dass diesem Gebäck vielfach [Heiligen]figuren aufgedrückt sind.

Prinz »nicht regierender Verwandter eines regierenden Fürsten«: Das seit dem Anfang des 13. Jh.s bezeugte Substantiv (mhd. *prinze* »Fürst, Statthalter«) ist aus afrz. (= frz.) *prince* »Prinz, Fürst« entlehnt, das auf lat. *princeps (principis)* »im Rang der Erste, der Angesehenste, Gebieter, Fürst« zurückgeht. Das lat. Wort beruht auf einer Zusammensetzung **primo-caps* »die erste Stelle einnehmend« zu lat. *primus* »Erster« (vgl. *Primus*) und lat. *capere* »fassen, [er]greifen, nehmen« (vgl. *kapieren*). – Abl.: **Prinzessin** »Fürstentochter« (Anfang 17. Jh.; für älteres *princess[e]*, das im 15. Jh. am Niederrhein aus frz. *princesse* »Fürstin« aufgenommen wurde). – Beachte noch die auf Ableitungen von lat. *princeps* beruhenden Fremdwörter ↑Prinzip, prinzipiell.

Prinzip »Anfang, Ursprung, Grundlage; Grundsatz«: Das Fremdwort wurde im 18. Jh. aus lat. *principium* »Anfang, Ursprung; Grundlage; erste Stelle, Vorrang« entlehnt, das eine Bildung zu lat. *princeps, -ipis* »die erste Stelle einnehmend; Erster, Vornehmster, Fürst« ist (vgl. den Artikel *Prinz*). – Dazu stellt sich das Adjektiv **prinzipiell** »grundsätzlich« (19. Jh.; französierende Bildung nach lat. *principialis* »anfänglich, ursprünglich«).

Prior: Die Bezeichnung für »Klosteroberer; Klostervorsteher« wurde in mhd. Zeit (mhd. *prior*) aus gleichbed. mlat. *prior* (eigentlich »der Vordere; der dem Rang nach höher Stehende«) entlehnt, dem substantivierten lat. *prior* »Ersterer; eher, früher; vorzüglicher« (vgl. *Primus*). – Zum gleichen Grundwort (lat. *prior*) stellt sich das Fremdwort **Priorität** »zeitliches Vorhergehen; Vorrecht, Vorrang; Erstrecht« (17. Jh.; wohl unter Einfluss von entsprechend frz. *priorité* aus mlat. *prioritas*).

Prise: Das Fremdwort ist seit dem 16. Jh. bezeugt, zuerst in der allgemeinen Bedeutung von »Weggenommenes, Beute«, dann in der speziellen Bedeutung »Kriegsbeute; aufgebrachtes feindliches Schiff«. Seit dem 18. Jh. wird das Wort auch als Bezeichnung für eine besonders kleine Menge pulveriger oder feinkörniger Substanz (z. B. Schnupftabak, Salz, Pfeffer usw.) verwendet. Es meint dabei eigentlich das, was mit zwei Fingerspitzen »gegriffen« werden kann. Quelle des Wortes ist in allen Bedeutungen frz. *prise* (eigentlich »das Genommene; das Nehmen, Ergreifen«), das substantivierte Part. Perf. von frz. *prendre* »nehmen, ergreifen«. Dies geht auf lat. *prehendere* (< **prai-hendere*) »fassen, ergreifen« zurück. Das nicht bezeugte einfache Verb lat. **hendere* ist verwandt mit dt. ↑vergessen. – Vgl. auch den Artikel *preisgeben*.

Prisma: Die seit dem 16. Jh. bezeugte Bezeichnung eines für die Lichtbrechung geeigneten, von ebenen Flächen begrenzten [Glas-, Kristall]körpers ist aus gleichbed. lat. *prisma* entlehnt, das seinerseits aus griech. *prĩsma* »dreiseitige Säule, Prisma« (wörtlich: »das Zersägte, das Zerschnittene«) übernommen ist. Dies ist eine Bildung zu griech. *príein* »sägen, zerschneiden«.

Pritsche: Die nhd. Form geht zurück auf ahd. *britissa* »Bretterverschlag«, das von ahd. *bret*, Plural *britir* »Brett« abgeleitet ist (vgl. *Brett*). Gemeinsprachlich ist ›Pritsche‹ heute nur in den Bedeutungen »harte, einfache, meist aus einem Holzgestell bestehende Liegestatt« und »Ladefläche eines Lastkraftwagens mit herunterklappbaren Seitenwänden«. Landsch. wird es auch im Sinne von »Sitzbrett (am Schlitten)«, »Schlegel, Schlagholz«, »Wehr« und früher von »Boden, Speicher« verwendet. ›Pritsche‹ bezeichnet aber auch einen in dünne Brettchen geschlitzten Schlagstock, wie er früher speziell von Ordnern auf Schützen- und Volksfesten, dann auch von Narren als Zeichen ihrer Narrenwürde getragen wurde. Daher ist ›Pritsche‹ auch heute noch in Karnevalsgegenden der Name für ein Gerät, mit dem man Schläge austeilt oder ein klapperndes Geräusch erzeugt, beachte **pritschen** mdal. für »mit der Pritsche schlagen« (16. Jh.).

privat »persönlich; vertraulich, familiär; nicht öffentlich, außeramtlich«: Das Adjektiv wurde im 16. Jh. aus lat. *privatus* »(der Herrschaft) beraubt; gesondert, für sich stehend; nicht öffentlich« entlehnt, dem Partizipialadjektiv von lat. *privare* »berauben; befreien; sondern«. Dies gehört zu lat. *privus* »für sich stehend, einzeln«, das als Bestimmungswort in ↑Privileg erscheint. – Ablei-

P

tungen und Zusammensetzungen: **Privatmann** (18. Jh.); **Privatdozent** »Hochschullehrer ohne Amtscharakter« (18. Jh.); **privatisieren** »als Privatmann, als Rentner leben; in Privatvermögen umwandeln« (17. Jh.; französierende Bildung).

Privileg »Vorrecht, Sonderrecht«: Das Fremdwort wurde im 13. Jh. (mhd. *privilēgje*) aus lat. *privilegium* »besondere Verordnung, Ausnahmegesetz; Vorrecht« entlehnt. Dies ist eine Bildung zu lat. *privus* »für sich stehend, einzeln; eigentümlich« (vgl. *privat*) und lat. *lex, legis* »Gesetz, Verordnung usw.« (vgl. *legal*). – Dazu: **privilegieren** »eine Sonderstellung, ein Vorrecht einräumen« (14. Jh.; aus gleichbed. mlat. *privilegiare*).

[1]**pro..., Pro...**: Die Vorsilbe mit den Bedeutungen »vor; vorwärts; hervor« (wie in ↑progressiv, ↑produzieren und ↑prominent), »für, zu jemandes Gunsten, zum Schutze von jemandem« (wie in ↑protegieren u. a., ferner in Bildungen wie ›prodeutsch‹), »anstelle von« (wie in ↑Pronomen) und »im Verhältnis zu« (wie in ↑Proportion) ist aus dem Lat. entlehnt. Lat. *pro* (Präfix und Präposition), das in allen Bedeutungen Vorbild ist, erscheint im Dt. auch selbstständig als Präposition und Adverb **pro** z. B. in Fügungen wie ›pro Kopf‹, ›pro Nase‹ und ›pro eingestellt sein‹. Es ist verwandt mit der dt. Vorsilbe ↑ver... und mit dem genau entsprechenden griech. *pró* (Präposition und Präfix) »vor; vorher, im Voraus, zuvor«. Letzteres lieferte unsere gleichbedeutende Vorsilbe [2]**pro..., Pro...** in Fremdwörtern und Lehnwörtern wie ↑Prolog, ↑Programm, ↑Prognose, ↑Prophet.

Probe »Prüfung, Untersuchung; Beweisverfahren; Bewährung[sversuch]; Muster, Teststück; (die einer künstlerischen Darbietung vorausgehende) Probeaufführung«: Das seit dem 15. Jh. bezeugte Substantiv ist aus mlat. *proba* »Prüfung, Untersuchung; Bewährungsversuch, Erfahrungsversuch« entlehnt, das zu lat. *probare* »billigen; prüfen usw.« (vgl. den Artikel *prüfen*) gehört. – Dazu stellt sich das Verb **proben** »ausprobieren; eine Probeaufführung machen; etwas einstudieren; testen« (mitteld. *prōben, prūben*) mit der Präfixbildung **erproben** »auf die Probe stellen, testen« (beachte das in adjektivische Funktion übergegangene zweite Partizip **erprobt** »bewährt«). Daneben findet sich seit mhd. Zeit das nach dem Vorbild von lat. *probare* mit roman. Endung gebildete Verb **probieren** »prüfen; kosten, den Geschmack von etwas feststellen; versuchen, zu unternehmen trachten« (mhd. *probieren* »dartun, beweisen; prüfen«), beachte dazu ›an-, auf-, ausprobieren‹.

Problem »schwierig zu lösende Aufgabe; komplizierte Fragestellung; Schwierigkeit«: Das Fremdwort wurde im 16. Jh. aus gleichbed. lat. *problema* entlehnt, das seinerseits aus griech. *próblēma* »das Vorgelegte; gestellte (wissenschaftliche) Aufgabe, die Streitfrage usw.« übernommen ist. Dies gehört zu dem griech. Verb *pro-bállein* »vorwerfen, hinwerfen; aufwerfen« (vgl. [2]*pro..., Pro...* und den Artikel *ballistisch*).

produzieren »[Güter] hervorbringen, erzeugen, schaffen«, daneben reflexiv gebraucht im Sinne von »sich darstellerisch vorführen, sich auffällig benehmen«: Das Verb wurde im 17. Jh. aus lat. *pro-ducere* »vorwärts führen, hervorbringen; vorführen« entlehnt, einer Bildung zu lat. *ducere* »ziehen, führen usw.« (vgl. [1]*pro..., Pro...* und den Artikel *Dusche*). – Dazu: **Produzent** »Hersteller; Erzeuger« (16. Jh.; aus lat. *producens*, dem Part. Präs. von lat. *producere*); **Produkt** »Erzeugnis; Ertrag; Ergebnis (auch im mathematischen Sinne)« (16. Jh.; aus lat. *productum*, dem substantivierten Neutrum des Part. Perf. von lat. *producere*); ferner die aus dem Frz. übernommenen Fremdwörter **Produktion** »Herstellung, Erzeugung« (18. Jh.; aus gleichbed. frz. *production* [< lat. *productio* »das Hervorführen«] in der Bedeutung an frz. *produire* »erzeugen« angeschlossen) und **produktiv** »viel hervorbringend, ergiebig, fruchtbar; schöpferisch« (Ende 18. Jh.; aus gleichbed. frz. *productif* [< spätlat. *productivus* »zur Verlängerung geeignet«], in der Bedeutung an frz. *produire* »erzeugen« angeschlossen) und die mit dem Präfix ↑re..., Re... gebildeten **reproduzieren** »nachbilden; vervielfältigen« und **Reproduktion** »Nachbildung; Wiedergabe [durch Druck]; Vervielfältigung« (beide 19. Jh.).

profan »unheilig, weltlich; alltäglich«: Das Adjektiv wurde im 17. Jh. aus lat. *profanus* »ungeheiligt; gemein, ruchlos«, eigentlich »vor dem heiligen Bezirk liegend« entlehnt (vgl. [1]*pro..., Pro...* und den Artikel *fanatisch*. – Abl.: **profanieren** »entweihen, entwürdigen« (16. Jh.; aus gleichbed. lat. *pro-fanare*).

Profession »Beruf, Gewerbe«: Das Fremdwort wurde im 16. Jh. aus gleichbed. frz. *profession* entlehnt, das auf lat. *professio* »öffentliches Bekenntnis (z. B. zu einem Gewerbe); Gewerbe, Geschäft« zurückgeht. Dies ist eine Bildung zu lat. *profiteri (professum)* »öffentlich bekennen, erklären« (vgl. [1]*pro..., Pro...* und den Artikel *fatal*). – Dazu stellt sich **professionell** »berufsmäßig«, das im 19. Jh. aus gleichbed. frz. *professionnel* entlehnt wurde. Das frz. Adjektiv entspricht engl. *professional* »berufsmäßig«, aus dessen Substantivierung im 20. Jh. **Professional** »Berufssportler« übernommen wurde. Dafür ist auch die Kurzform **Profi** gebräuchlich.

Professor: Das seit dem 16. Jh. bezeugte Fremdwort ist akademischer Titel, insbesondere für Hochschullehrer, aber auch gelegentlich für bedeutende Forscher und Künstler, deren Leistung vom Staat u. a. auf diese Weise geehrt wird. Es ist aus lat. *professor* »öffentlicher Lehrer«, eigentlich »jemand, der sich (berufsmäßig und öffentlich zu einer wissenschaftlichen Tätigkeit) bekennt«, entlehnt. Dies gehört zu lat. *pro-fiteri (professum)* »öffentlich bekennen, erklären« (vgl. [1]*pro...,*

Pro... und den Artikel *fatal*). – Abl.: **Professur** »Lehrstuhl, Lehramt« (17. Jh.; nlat. Bildung).

Profil »Seitenansicht; Umriss«, speziell auch (in der technischen Fachsprache) »Walzprofil (= Längsschnitt) bei der Stahlerzeugung; vorspringendes Einzelglied eines Baukörpers; Riffelung (z. B. bei Gummireifen und Gummisohlen)«: Das Fremdwort wurde im 17. Jh. aus frz. *profil* »Seitenansicht; Umriss« entlehnt, das seinerseits aus gleichbed. it. *profilo* übernommen ist. Die frühsten Zeugnisse im Dt. weisen daneben auch auf eine unmittelbare Übernahme aus dem It. hin. It. *profilo* ist von it. *profilare* abgeleitet, das eigentlich etwa »mit einem Strich, einer Linie im Umriss zeichnen« bedeutet, dann »umreißen, im Profil zeichnen usw.«. Es handelt sich bei diesem Verb um eine Bildung zu it. *filo* (< lat. *filum*) »Faden; Strich, Linie« (vgl. *Filet*).

Profit »Nutzen, Gewinn«: Das aus dem niederd. Sprachraum stammende Substantiv wurde um etwa 1400 als Handelswort aus gleichbed. mniederl. *profijt* entlehnt, das seinerseits aus frz. *profit* »Gewinn« übernommen ist. Dies geht auf lat. *profectus* »Fortgang, Zunahme; Vorteil« zurück, eine Bildung zu lat. *proficere (profectum)* »weiterkommen, fortkommen; gewinnen«, eigentlich etwa »voranmachen« (vgl. [1]*pro..., Pro...* und den Artikel *Fazit*).

pro forma: Die lat. Wendung mit der Bedeutung »nur der Form wegen, zum Schein« wurde im 16. Jh. in der Kanzleisprache übernommen und drang von dort in die Allgemeinsprache (vgl. [1]*pro..., Pro...* und zu lat. *forma* vgl. den Artikel *Form*).

profund »tief, tiefgründig, gründlich«: Das Adjektiv wurde im 18. Jh. aus gleichbed. frz. *profond* entlehnt und dann an das zugrunde liegende lat. *pro-fundus* »bodenlos; unergründlich tief« angeglichen. Dies ist eine Bildung zu lat. *pro* (vgl. [1]*pro..., Pro...*) und lat. *fundus* »Boden, Grund; Grundlage, Grundstock« (vgl. den Artikel *Fundus*) und ist wohl als »wo einem der Boden unter den Füßen fehlt« zu verstehen.

Prognose »Vorhersage einer zukünftigen Entwicklung aufgrund kritischer Beurteilung des Gegenwärtigen«: Das Fremdwort wurde im 18./19. Jh. aus griech. *prógnōsis* »das Vorherwissen« entlehnt, einer Bildung zu griech. *pro-gignṓskein* »im Voraus erkennen« (vgl. [2]*pro..., Pro...* und den Artikel *Diagnose*).

Programm »[schriftliche] Darlegung von Grundsätzen (die zur Verwirklichung eines gesteckten Zieles angewendet werden sollen); festgelegte Folge, vorgesehener Ablauf (z. B. einer Sendung, einer Aufführung, Veranstaltung usw.); Tagesordnung; Programmzettel, -heft«: Das Fremdwort wurde Anfang des 18. Jh.s aus griech.(-lat.) *prógramma* »schriftliche Bekanntmachung, Aufruf; Tagesordnung« entlehnt. Dies gehört zu griech. *prográphein* »voranschreiben; öffentlich hinschreiben« (vgl. [2]*pro..., Pro...* und zu griech. *gráphein* »schreiben« vgl. den Artikel *Grafik*). – Um ›Programm‹ gruppieren sich die Ableitungen **Programmatik** »Zielsetzung«, **programmatisch** »einem Programm entsprechend; richtungweisend« und **programmieren** »nach einem Programm ansetzen, gestalten«, auch – unter Einfluss von engl. *to programme* – »ein Programm in der Datenverarbeitung aufstellen«, dazu **Programmierer.**

progressiv »stufenweise fortschreitend, sich entwickelnd; fortschrittlich«: Das Adjektiv wurde im ausgehenden 18. Jh. aus gleichbed. frz. *progressif* entlehnt. Dies ist eine Bildung zu frz. *progrès* »das Fortschreiten«, das auf lat. *pro-gressus* »das Fortschreiten« zurückgeht. Daraus wurde bereits im 16. Jh. **Progress** »Fortgang« übernommen. Aus lat. *progressio* »das Fortschreiten; Zunahme, Wachstum« wurde im 15. Jh. – zunächst als mathematischer und philosophischer Terminus – **Progression** »Reihe, Folge; Weiterentwicklung, stufenweise Steigerung; Zunahme des Steuersatzes« entlehnt. – Die lat. Wörter gehören zu lat. *pro-gredi (progressum)* »fortschreiten« (vgl. [1]*pro..., Pro...* und den Artikel *Grad*).

projizieren »entwerfen; geometrische Gebilde auf einer Ebene darstellen; Bilder auf einen Bildschirm übertragen (mithilfe eines Bildwerfers)«: Das Verb wurde im 17. Jh. aus lat. *pro-icere (proiectum)* »vorwärts werfen; (räumlich) hervortreten lassen, hinwerfen« (vgl. [1]*pro..., Pro...* und den Artikel *Jeton*) entlehnt. – Dazu stellen sich: **Projektion** »Abbildung geometrischer Figuren auf einer Ebene; Übertragung eines Bildes auf einen Bildschirm« (17. Jh.; aus lat. *proiectio* »das Hervorwerfen«), beachte auch die Zusammensetzung **Projektionsapparat** »Bildwerfer«; **Projektor** »Bildwerfer« (19. Jh.; nlat. Bildung); **Projekt** »Entwurf, Plan, Vorhaben« (17. Jh.; aus lat. *proiectum* »das nach vorn Geworfene«).

Proklamation »amtliche Verkündigung, Bekanntmachung; Aufruf (an die Bevölkerung); gemeinsame öffentliche Erklärung mehrerer Staaten«: Das Substantiv wurde im 16. Jh. aus gleichbed. frz. *proclamation* entlehnt, das auf spätlat. *proclamatio* »das Ausrufen« zurückgeht. Dies gehört zu lat. *pro-clamare* »laut ausrufen, schreien« (vgl. [1]*pro..., Pro...* und zu lat. *clamare* vgl. den Artikel *Reklame*). Auf lat. *proclamare* beruht frz. *proclamer*, aus dem im 16. Jh. das Verb **proklamieren** »[durch eine Proklamation] feierlich verkünden; aufrufen; kundgeben« übernommen wurde.

Prokura: Der Ausdruck für »Handlungsvollmacht« wurde um 1600 aus der it. Kaufmannssprache ins Dt. übernommen (vgl. zu anderen Entlehnungen in diesem Bereich den Artikel [2]*Bank*). It. *procura*, das auch in der formelhaften Wendung *per procura* »in Vollmacht« (bei Unterschriften) – meist abgekürzt zu pp. oder ppa. – bei uns erscheint, gehört zu it. *procurare* (< lat. *pro-curare*) »Sorge tragen, pflegen; verwalten, Geschäftsführer sein« (vgl.

P

[1]*pro..., Pro...* und *Kur*). – Dazu: **Prokurist** »Handlungsbevollmächtigter« (Neubildung des 18. Jh.s).

Proletarier: Das seit dem 18. Jh. bezeugte Wort für »wirtschaftlich abhängiger, besitzloser Lohnarbeiter« geht auf lat. *proletarius* zurück, das den Angehörigen der untersten Bürgerklasse bezeichnet, der dem Staat nur mit Nachkommen dient. Das lat. Wort ist eine Bildung zu dem zum Stamm von lat. *alere* »[er]nähren, aufziehen« (vgl. *Alimente*) gehörenden Substantiv lat. *proles* (< **pro-oles*) »Sprössling, Nachkomme« (vgl. [1]*pro..., Pro...*). – Dazu stellen sich **Proletariat** »wirtschaftlich abhängige, besitzlose Arbeiterklasse« (19. Jh.; aus gleichbed. frz. *prolétariat*) und die Rückbildung **Prolet** (19./20. Jh.), zunächst als abschätzige Bezeichnung für den Proletarier, dann in der Umgangssprache allgemein im Sinne von »ungehobelter, ungebildeter Mensch« gebraucht.

Prolog: Die Bezeichnung für »Vorrede, Vorspruch, Vorspiel; einleitender Teil des Dramas« wurde im 13. Jh. (mhd. *prologe*) aus gleichbed. lat. *prologus* entlehnt, das seinerseits aus griech. *pró-logos* »Vorrede« übernommen ist (vgl. [2]*pro..., Pro...* und zum Grundwort den Artikel *Lexikon*).

Promenade »Spazierweg«, früher auch in der eigentlichen Bedeutung »Spaziergang« gebraucht: Das Fremdwort wurde Anfang des 17. Jh.s aus frz. *promenade* »Spaziergang; Spazierweg« entlehnt. Dies ist eine Bildung zu frz. *promener* »spazieren führen«, *se promener* »spazieren gehen«, aus dem im 18. Jh. unser **promenieren** »spazieren gehen, sich ergehen« übernommen wurde. Es enthält als Stammverb frz. *mener* »führen«; dessen Quelle ist vlat. *minare* »treiben, führen« (vgl. [1]*pro..., Pro...* und den Artikel *eminent*).

pro mille ↑Mille.

prominent »hervorragend, bedeutend, maßgebend, weithin bekannt«: Das Adjektiv wurde im 19. Jh. aus lat. *prominens* »vorspringend, hervorragend« entlehnt, dem adjektivisch verwendeten Part. Präs. von lat. *pro-minere* »vorspringen, hervorragen« (vgl. [1]*pro..., Pro...* und den Artikel *eminent*). Im 20. Jh. geriet ›prominent‹ unter Einfluss von engl. *prominent* »bedeutend, weithin bekannt« oder wurde daraus neu entlehnt.

Promotion: Die Bezeichnung für die »Verleihung, Erlangung der Doktorwürde« ist eine gelehrte Entlehnung des 17. Jh.s aus spätlat. *promotio* »Beförderung (zu Ehrenstellen)«. Dies gehört zu lat. *pro-movere* »vorwärts bewegen; befördern; (reflexiv:) vorrücken«, aus dem bereits im 16. Jh. unser Verb **promovieren** »die Doktorwürde erlangen bzw. verleihen« übernommen wurde (vgl. [1]*pro..., Pro...* und zu lat. *movere* »in Bewegung setzen« vgl. den Artikel *mobil*). In der 2. Hälfte des 20. Jh.s wird das Wort erneut entlehnt. Das engl. Substantiv *promotion* wird mit englischer Aussprache in seiner Bedeutung »Werbung, Förderung durch gezielte Werbemaßnahmen« ins Deutsche übernommen. Dazu: **promoten, Promoter.**

prompt »sofort, unverzüglich; schlagfertig«: Das Adjektiv wurde Anfang des 17. Jh.s aus frz. *prompt* »bereit; geschwind« entlehnt, das auf lat. *promptus* »gleich zur Hand, bereit« zurückgeht. Dies ist Partizipialadjektiv von lat. *pro-emere* »hervornehmen, hervorholen« und bedeutet demnach wörtlich »hervorgeholt«, dann »zur Stelle usw.« (vgl. [1]*pro..., Pro...* und zu lat. *emere* vgl. den Artikel *Exempel*).

Pronomen »Wort, das anstelle eines Nomens steht, Fürwort«: Der grammatische Fachausdruck wurde im 14./15. Jh. aus gleichbed. lat. *pro-nomen* entlehnt (vgl. [1]*pro..., Pro...* und *Nomen*).

Propaganda »[politische] Werbetätigkeit; Versuch der Massenbeeinflussung«: Das seit dem 19. Jh. gebräuchliche Fremdwort entstammt dem kirchlichen Bereich. Es hat sich aus nlat. *Congregatio de propaganda fide,* dem Namen einer 1622 in Rom gegründeten »päpstlichen Gesellschaft zur Verbreitung des Glaubens«, herausgelöst. Das dem Wort zugrunde liegende lat. Verb *propagare* »weiter ausbreiten, ausdehnen; durch Senkreis fortpflanzen« (vgl. hierüber den Artikel [1]*pfropfen*) setzt sich formal in unserem Verb **propagieren** »Propaganda machen, für etwas werben, etwas verbreiten« (19. Jh.) fort. In der Bedeutung hat sich ›propagieren‹, an dessen Stelle auch die Ableitung **propagandieren** gebräuchlich ist, an ›Propaganda‹ angeschlossen.

Propeller: Die Bezeichnung für »Triebschraube (insbesondere bei Flugzeugen)« wurde im 19. Jh. – zunächst im Sinne von »Schiffsschraube« – aus gleichbed. engl. *propeller* übernommen. Dies ist eine Bildung zu engl. *to propel* »vorwärts treiben, antreiben«, das auf gleichbed. lat. *pro-pellere* zurückgeht (vgl. [1]*pro..., Pro...* und zu lat. *pellere* »stoßen, schlagen; in Bewegung setzen« vgl. den Artikel *Puls*).

proper »eigen; sauber, ordentlich (besonders von der Kleidung); nett«: Das Adjektiv wurde Anfang des 17. Jh.s aus gleichbed. frz. *propre* entlehnt, das auf lat. *proprius* »eigen, eigentümlich, wesentlich« zurückgeht.

Prophet: Das seit mhd. Zeit (mhd. *prophēte*) bezeugte Fremdwort bezeichnete zunächst den von Gott berufenen und begeisterten Mahner und Weissager des Alten Testaments. Aus den rein biblischen Zusammenhängen herausgelöst, gilt es dann auch allgemein im Sinne von »Seher, Zukunftsdeuter«. Entlehnt ist das Wort aus lat. *propheta,* das seinerseits aus griech. *prophḗtēs* »Verkünder und Deuter der Orakelsprüche; Wahrsager, Seher, Prophet« übernommen ist. Dies gehört zu griech. *pro-phánai* »vorhersagen, verkünden«, einer Bildung zu griech. *phánai* »[feierlich] sagen, sprechen; verkünden« (vgl. [2]*pro..., Pro...* und die unter ↑Bann dargestellte idg. Wortsippe). – Dazu: **prophezeien** »weissagen; voraussagen« (Ende 13. Jh.; mhd. *prophētīen, prophēzīen;* von mhd. *prophētīe* »Weissagung« abgeleitet).

prophylaktisch »vorbeugend, verhütend« (medizinisch und allgemein): Das seit dem Beginn des 18. Jh.s bezeugte Fremdwort ist aus griech. *prophylaktikós* »verwahrend, schützend« entlehnt. Dies gehört zu griech. *pro-phylássein* »vor etwas Wache halten« (medial: »sich hüten, sich vorsehen«), einer Bildung zu griech. *phylássein* »wachen, behüten« (zum ersten Bestandteil vgl. [2]*pro..., Pro...*).

Proportion »Größenverhältnis; rechtes Maß; Verhältnisgleichung«: Das seit dem Ende des 15. Jh.s bezeugte Substantiv erscheint zuerst als mathematischer Fachausdruck (im Sinne von »Verhältnisgleichung«). Es ist aus lat. *proportio* »das entsprechende Verhältnis; das Ebenmaß« entlehnt, das eine Übersetzung von griech. *analogía* (↑analog) darstellt. Bildungsbestandteile des lat. Wortes sind lat. *pro* »im Verhältnis zu, entsprechend, gemäß« (vgl. [1]*pro..., Pro...*) und lat. *portio* »Anteil; Verhältnis« (vgl. *Portion*). – Abl.: **proportional** »verhältnismäßig, verhältnisgleich; angemessen« (16. Jh.; aus spätlat. *proportionalis*).

Propst: Die Bezeichnung für »Kloster-, Stiftsvorsteher; Superintendent« (mhd. *brobest*, ahd. *prōbōst*) ist aus gleichbed. spätlat. *propos[i]tus* entlehnt, das für lat. *praepositus* »Vorgesetzter« steht. Dies ist eigentlich das substantivierte Part. Perf. von lat. *prae-ponere* »vorsetzen, voranstellen« (vgl. [1]*pro..., Pro...* und zu lat. *ponere* »setzen, stellen, legen« vgl. den Artikel *Position*).

Prosa »Rede bzw. Schrift in ungebundener Form« (im Gegensatz zur ↑Poesie), auch übertragen gebraucht für »nüchterne Sachlichkeit«: Das Fremdwort (mhd. *prōse*, ahd. *prōsa*) ist aus gleichbed. lat. *prosa (oratio)* entlehnt, das eigentlich »geradeaus gerichtete (= schlichte) Rede« bedeutet. Es gehört zu lat. *prorsus* (< *pro-vorsus*) »nach vorwärts gewendet« (vgl. [1]*pro..., Pro...* und den Artikel *Vers*). – Abl.: **prosaisch** »in Prosa abgefasst; nüchtern, trocken; hausbacken« (Ende 17. Jh.; aus spätlat. *prosaicus*).

prosit! »wohl bekomms!«: Die seit dem 16. Jh. bezeugte lat. Wunschformel ist bei sehr verschiedenen Anlässen üblich, etwa beim Zutrunk sowie zur Einleitung eines neuen Jahres (›prosit Neujahr!‹). In die Allgemeinsprache gelangte die Wunschformel wohl über die Studentensprache zu Beginn des 18. Jh.s. Neben der vollen lat. Form (lat. *prosit* ist 3. Person Singular Konjunktiv Präsens von lat. *prodesse* »nützen, zuträglich sein« und bedeutet demnach »es möge nützen, zuträglich sein«) begegnet seitdem auch die heute geläufigere eingedeutschte Kurzform **prost!** Davon abgeleitet ist das Verb **prosten** »Prost sagen, zutrinken« (18. Jh.), beachte auch **zuprosten.**

Prospekt »(wirklichkeitsgetreue) Ansicht einer Stadt, Landschaft u. a. in Form einer Zeichnung, Fotografie usw.; Werbeschrift«: Das Fremdwort wurde im 17. Jh. aus lat. *prospectus* »Hinblick; Aussicht; Anblick von fern« entlehnt. Dies gehört zu lat. *pro-spicere* »hinsehen, hinschauen«, einer Bildung zu lat. *specere* »schauen« (vgl. [1]*pro..., Pro...* und den Artikel *Spiegel*).

prost, prosten ↑prosit!

prostituieren (veraltend für:) »bloßstellen, entehren«, heute meist reflexiv gebraucht im Sinne von »sich gewerbsmäßig für sexuelle Handlungen anbieten«: Das seit dem 15./16. Jh. bezeugte Verb, das im reflexiven Sinne jedoch erst seit dem Anfang des 18. Jh.s nach gleichbed. frz. *se prostituer* allgemein üblich wurde, geht zurück auf lat. *prostituere* »vorn (d. h. vor aller Augen, öffentlich) hinstellen; seinen Körper öffentlich für sexuelle Handlungen anbieten«. Dies ist eine Bildung zu lat. *statuere* »aufstellen« (vgl. [1]*pro..., Pro...* und den Artikel *Statut*). – Dazu: **Prostituierte** (19. Jh.); **Prostitution** »gewerbsmäßige Ausübung sexueller Handlungen« (18. Jh.; aus gleichbed. frz. *prostitution* < spätlat. *prostitutio* »Preisgebung zu sexuellen Handlungen«).

prot..., Prot... ↑proto..., Proto...

protegieren »begünstigen, fördern, unterstützen«: Das Verb wurde im 16. Jh. aus gleichbed. frz. *protéger* entlehnt, das auf lat. *pro-tegere* »bedecken, beschützen« zurückgeht. Dies ist eine Bildung zu lat. *tegere* »decken; verbergen; schützen«, das mit dt. ↑decken urverwandt ist (vgl. [1]*pro..., Pro...*). – Dazu: **Protektion** »Gönnerschaft, Förderung; Schutz« (16. Jh.; aus gleichbed. frz. *protection* < spätlat. *protectio* »Bedeckung, Beschützung«).

Protest ↑protestieren.

Protestant »Angehöriger der lutherischen bzw. der reformierten Kirche«: Das seit dem 16. Jh. gebräuchliche Wort ist aus lat. *protestans (protestantis)*, dem Part. Präs. von lat. *protestari* »öffentlich bezeugen, eine Gegenerklärung abgeben« (vgl. *protestieren*), entlehnt. Die Bezeichnung geht von der feierlichen Verwahrung der evangelischen Reichsstände auf dem Reichstag zu Speyer 1529 gegen den Beschluss, am Wormser Edikt festzuhalten, aus. – Abl.: **protestantisch** »der lutherischen bzw. der reformierten Kirche angehörend, evangelisch« (18. Jh.); **Protestantismus** (18. Jh.; nlat. Bildung), Sammelbezeichnung für alle auf die kirchliche Reformation des 16. Jh.s zurückgehenden Kirchengemeinschaften. Vgl. zum Sachlichen die Artikel *evangelisch* (↑Evangelium) und *katholisch* sowie das Kapitel zur Sprachgeschichte *Martin Luthers Einfluss auf den deutschen Wortschatz.*

protestieren »Einspruch erheben, Verwahrung einlegen«: Das Verb wurde im 15. Jh. aus gleichbed. frz. *protester* entlehnt, das auf lat. *protestari* »öffentlich als Zeuge auftreten, beweisen, dartun; öffentlich aussagen, laut verkünden« zurückgeht. Dies ist eine Bildung zu lat. *testari* »als Zeuge auftreten, bezeugen, beweisen« (vgl. [1]*pro..., Pro...* und den Artikel *Testament*). – Dazu stellt sich: **Protest** »Einspruch, Verwahrung; Widerspruch«, das im 16. Jh. als Kaufmannswort im

Sinne von »Beurkundung über Annahme- oder Zahlungsverweigerung bei Wechseln oder Schecks« aus gleichbed. it. *protesto* entlehnt wurde; dies ist eine Bildung zu it. *protestare* (< lat. *protestari* s. o. ›protestieren‹).

Prothese: Die Bezeichnung für »künstlicher Ersatz eines verloren gegangenen Körperteils« wurde im 19. Jh. aus ›Prothesis‹ bzw. ›Prosthesis‹ eingedeutscht. Es handelt sich bei diesen Wörtern um eine gelehrte Entlehnung aus dem Griech., wobei das eigentlich zugrunde liegende griech. Substantiv *prósthesis* »das Hinzufügen, das Ansetzen« mit griech. *pró-thesis* »das Voransetzen; der Vorsatz« verwechselt wurde. – Vgl. [2]*pro..., Pro...* und zum zweiten Wortbestandteil griech. *...thesis* vgl. den Artikel *These.*

proto..., Proto..., (vor Vokalen meist:) prot..., Prot...: Quelle für das Bestimmungswort von Zusammensetzungen mit der Bedeutung »erster, vorderster, wichtigster; Ur...«, wie in ›Protoplasma, Prototyp‹ und ›Protokoll‹, ist gleichbed. griech. *prōtos.*

Protokoll »förmliche Niederschrift, Tagungs-, Sitzungs-, Verhandlungsbericht; Gesamtheit der im diplomatischen Verkehr geübten Formen«: Das seit dem 16. Jh. bezeugte Fremdwort stammt aus der Rechts- und Kanzleisprache. Es ist aus gleichbed. mlat. *protocollum* entlehnt, das auf mgriech. *prōtó-kollon* zurückgeht. Dies ist eine Bildung zu griech. *prōtos* »der Erste« und griech. *kólla* »Leim« und bezeichnete ursprünglich ein den amtlichen Papyrusrollen »vorgeleimtes« Blatt mit chronologischen Angaben über Entstehung und Verfasser des Papyrus. Danach wurde es zur Bezeichnung für die chronologische Angaben enthaltenden Titelblätter von Notariats- oder Gerichtsurkunden. – Abl.: **protokollieren** »ein Protokoll aufnehmen; einen Sitzungsbericht anfertigen; beurkunden« (16. Jh.; aus mlat. *protocollare*), dazu das Substantiv **Protokollant** »Protokollführer« (19. Jh.); **protokollarisch** »durch Protokoll festgestellt, festgelegt« (19. Jh.).

Protoplasma ↑ Plasma.

Protz: Der seit dem 19. Jh. gebräuchliche Ausdruck für »Angeber, Wichtigtuer« ist identisch mit dem noch mdal. gebräuchlichen ›Protz‹ »Kröte« (16. Jh.). Der übertragene Wortgebrauch geht von der Anschauung der sich dick machenden oder der den Kehlsack aufblasenden Kröte aus. – Abl.: **protzen** »angeben, sich wie ein Protz benehmen« (17. Jh.); **protzig** »angeberisch, großtuerisch« (17. Jh., für älteres *protz*).

Proviant »Mundvorrat, Wegzehrung; Verpflegung, Ration«: Quelle dieses Fremdwortes ist kirchenlat. *praebenda* »das von Staats wegen zu Gewährende; Zehrgeld« (zu lat. *praebere* »darreichen, gewähren, überlassen«) bzw. ein mit Präfixwechsel daraus umgestaltetes vlat. **probenda.* Dies gelangte ins Dt. zum einen im 14./15. Jh. am Niederrhein etwa als ›profand‹ durch Vermittlung von afrz. (= frz.) *provende* »Mundvorrat« und mniederl. *provande,* zum anderen im 15./16. Jh. in Österreich und im oberd. Sprachraum durch Vermittlung von entsprechend it. *provianda* etwa als ›profiant‹. Im Hochd. sind beide Wörter zusammengefallen. Als Endstufe ergab sich die heute gültige Form ›Proviant‹, die sich jedoch erst im 18. Jh. durchsetzen konnte. – Abl.: **proviantieren** »mit Proviant ausstatten« (16. Jh.), dafür seit dem frühen 18. Jh. die Bildung **verproviantieren.**

Provinz: Das seit dem 14. Jh. bezeugte Fremdwort, das aus lat. *provincia* »Geschäfts-, Herrschaftsbereich; unter römischer Oberherrschaft und Verwaltung stehendes, erobertes Gebiet außerhalb Italiens« (spätlat. auch allgemein »Gegend, Bereich«) entlehnt ist, erscheint zuerst am Niederrhein als ›provincie‹ mit der Bedeutung »Bezirk eines Erzbistums«. Später bezeichnet das Wort dann allgemein ein größeres (staatliches oder auch kirchliches) Verwaltungsgebiet oder einen Landesteil. Im übertragenen Gebrauch wird ›Provinz‹ zur Bezeichnung des Landgebietes (des Hinterlandes) im Gegensatz zur [Haupt]stadt, meist mit dem ironischen Nebensinn von »[kulturell] rückständige Gegend« gebraucht. – Abl.: **provinziell** »die Provinz betreffend; landschaftlich, mundartlich; hinterwäldlerisch« (französierende Neubildung des 19. Jh.s zu älterem *provinzial;* Quelle ist lat. *provincialis* »die Provinz betreffend«).

Provision »Vermittlungsgebühr; Vergütung in Form einer prozentualen Gewinnbeteiligung am Umsatz«: Das Wort der Kaufmannssprache wurde im 16. Jh. aus gleichbed. it. *provvisione* (eigentlich »Vorsorge«, dann »Vorrat; Erwerb; Vergütung«) entlehnt, das auf lat. *provisio, -ionis* »Vorausschau; Vorsorge« zurückgeht. Dies gehört zu lat. *pro-videre (provisum)* »vorhersehen; Vorsorge treffen«, eine Bildung zu lat. *videre* »sehen« (vgl. [1]*pro..., Pro...* und den Artikel *Vision*). – Ebenfalls zu lat. *pro-videre* gehören **Provisor** »Verwalter einer Apotheke; (früher:) erster Gehilfe des Apothekers« (16. Jh.), seit dem 14. Jh. bezeugt in der allgemeinen Bedeutung »Verwalter, Vertreter« (aus lat. *provisor* »Voraussseher; Vorsorger; Verwalter«) und **provisorisch** »vorläufig; behelfsmäßig; probeweise« (gelehrte Neubildung des 18. Jh.s zu lat. *provisum,* dem Part. Perf. von *providere,* nach entsprechend frz. *provisoire* oder engl. *provisory*).

provozieren »herausfordern, aufreizen; aus der Reserve locken; (Krankheiten) künstlich hervorrufen«: Das Verb wurde im 16. Jh. aus lat. *pro-vocare* »heraus-, hervorrufen; (zum Wettkampf) auffordern; herausfordern, reizen« entlehnt, einer Bildung zu lat. *vocare* »rufen« (vgl. [1]*pro..., Pro...* und den Artikel *Vokal*). – Dazu stellen sich **Provokation** »Herausforderung, Aufreizung usw.« (16. Jh.; aus gleichbed. lat. *provocatio*), **provokant** »aufreizend, herausfordernd« (17. Jh.; aus gleichbed. frz. *provocant*) und **Provokateur** »jemand, der andere aufwiegelt« (20. Jh.; aus gleichbed. frz. *provocateur* < lat. *provocator* »Herausforderer«).

Prozedur »Verfahren, Vorgang, Behandlungsweise«: Das aus der Kanzlei- und Verwaltungssprache stammende, seit dem 17. Jh. bezeugte Fremdwort ist eine nlat. Bildung – wohl unter dem Einfluss von frz. *procédure* – zu lat. *pro-cedere* »vorrücken, fortschreiten; vor sich gehen usw.« (vgl. den Artikel *Prozess*).

Prozent »Anteil vom vollen Hundert, Hundertstel«: Der Fachausdruck der Kaufmannssprache, der zuerst in süddeutschen Quellen des 15. Jh.s als *per cento* erscheint, ist aus gleichbed. it. *per cento* (zu it. *cento* < lat. *centum* »hundert«; vgl. *Zentner*) übernommen. Darauf geht die Form ›Perzent‹ zurück, die heute noch in Österreich vorkommt. Demgegenüber hat sich im hochdeutschen Sprachraum die Anfang des 16. Jh.s aufkommende Umstellung *pro cento* durchgesetzt, auf der die Form ›Prozent‹ beruht. – Abl.: **prozentig** »nach Prozenten bestimmt« (19. Jh.), nur in Zusammensetzungen wie ›hochprozentig, fünfprozentig‹ u. a. gebraucht; **prozentual** »im Verhältnis zum Hundert, in Prozenten ausgedrückt; anteilmäßig« (19. Jh.; nlat. Bildung).

Prozess »Fortgang, Verlauf, Ablauf, Hergang, Entwicklung; gerichtliche Durchführung von Rechtsstreitigkeiten«: Das Wort wurde bereits in mhd. Zeit (mhd. *process* »Erlass, gerichtliche Entscheidung«) aus mlat. *processus* »Rechtsstreit; Handlungsweise« entlehnt, das auf lat. *processus* »Fortschreiten; Fortgang, Verlauf« zurückgeht. Dies ist eine Bildung zu lat. *pro-cedere* »vorwärtsschreiten, fortschreiten; verlaufen; sich entwickeln«, das auch Ausgangspunkt ist für die Fremdwörter ↑Prozedur und ↑Prozession. Stammverb ist lat. *cedere (cessum)* »einhergehen, vonstatten gehen; weichen, nachgeben; einräumen, zugestehen«. Andere Bildungen dazu erscheinen in den Fremdwörtern ↑Abszess, ↑Exzess, ↑Konzession, konzessiv, ↑Präzedenzfall, ↑Rezession.

P

Prozession »feierlicher [kirchlicher] Umzug; Umgang; Bitt- oder Dankgesang«: Das seit dem 15. Jh., zuerst im Mitteld. bezeugte Fremdwort geht auf lat. *processio* »das Vorrücken; feierlicher Aufzug« (kirchenlat. »religiöse Prozession«) zurück. Dies gehört zu lat. *pro-cedere* »vorrücken, fortschreiten usw.« (vgl. *Prozess*).

Prozesspartei ↑Partei.

prüde »sehr empfindlich und engherzig hinsichtlich Sitte und Moral; zimperlich; spröde«: Das Adjektiv wurde im 18. Jh. aus gleichbed. frz. *prude* entlehnt, das seinerseits zu frz. *preux* (afrz. *prod*) »tüchtig, tapfer« gehört und sich vermutlich aus einer Fügung **prudefemme* (afrz. *prode femme*) »ehrbare Frau« herausgelöst hat (beachte entsprechend frz. *prud'-homme* »Ehrenmann«).

prüfen: Das Verb ist zwar erst seit mhd. Zeit belegt (mhd. *brüeven, prüeven* »erwägen; erkennen; beweisen, dartun; bemerken; schätzen, berechnen; erproben usw.«), wird aber durch den Diphthong (vgl. die Präteritumsform mhd. *pruofte*) als älter erwiesen. Quelle des Wortes ist lat. *probare* »als gut erkennen, billigen; auf Echtheit und Gütequalität untersuchen, prüfen, erproben usw.« in seiner vlat.-roman. Form **provare* (vgl. z. B. it. *provare* und afrz. *prover* > frz. *prouver* »beweisen, erweisen, dartun«). Stammwort ist das lat. Adjektiv *probus* »gut, rechtschaffen, tüchtig usw.«. – Abl.: **Prüfung** »Untersuchung, Bewährung, Erprobung; Examen« (mhd. *prüevunge*); **Prüfer** »Prüfender, jemand, der ein Examen leitet« (mhd. *prüever* »Untersucher, Merker, Prüfer«); **Prüfling** »jemand, der in einer Prüfung steht« (19./20. Jh.). Zus.: **Prüfstein** »Maßstab, Kriterium« (16. Jh.; ursprünglich im konkreten Sinne als Bezeichnung für einen Probierstein zur Ermittlung des Feingehaltes von Gold- und Silberlegierungen). – Vgl. auch die auf lat. *probare* oder auf Ableitungen davon beruhenden Fremd- und Lehnwörter ↑approbiert, ↑Probe, proben, probieren.

Prügel: Das auf das dt. Sprachgebiet beschränkte Wort (mhd. *brügel* »Knüppel, Knüttel«) gehört zu der unter ↑Brücke, ursprünglich »Knüppelweg, -damm«, behandelten Wortgruppe. Der Gebrauch des Plurals im Sinne von »Schläge« hat sich in Wendungen wie ›jemandem Prügel geben‹ und ›eine Tracht Prügel‹ entwickelt.

Prunk: Das im 17. Jh. aus dem Niederd. ins Hochd. übernommene Wort geht zurück auf mnd. *prunk* »Aufwand, Putz, Zierde«, dem niederl. *pronk* »Schmuck, Zierde, Pracht, Aufwand« entspricht. Auch das Verb **prunken** wurde im 17. Jh. aus dem Niederd. übernommen und beruht auf mnd. *prunken* »Aufwand treiben, großtun«, dem niederl. *pronken* »zur Schau stellen, Pracht entfalten« entspricht, beachte auch mhd. (mitteld.) *brunken* »zur Schau stellen, zeigen«, dazu spätmhd. *brunke* »Pracht, Gepränge«. Damit verwandt sind das unter ↑prangen behandelte Verb und engl. *to prink* »zur Schau stellen, prunken«. Die ganze Sippe ist wahrscheinlich lautnachahmenden Ursprungs und entspricht in der Bedeutungsentwicklung z. B. den unter *Pracht* und *prahlen* behandelten Wörtern.

prusten: Das aus dem Niederd. stammende Verb (mnd. *prūsten*), das erst im 19. Jh. gemeinsprachliche Geltung erlangte, ist lautnachahmenden Ursprungs.

Psalm: Die Bezeichnung für die im Alten Testament gesammelten 150 religiösen Lieder des jüdischen Volkes (mhd. *psalm[e]*, ahd. *psalm[o]*) ist aus gleichbed. kirchenlat. *psalmus* entlehnt, das seinerseits aus griech. *psalmós* »das Zupfen der Saiten eines Musikinstrumentes, das Saitenspiel; das zum Saitenspiel vorgetragene Lied; der Psalm« übernommen ist. Dies ist eine Bildung zu griech. *psállein* »berühren, betasten; die Saite zupfen, Zither spielen«. Auf eine Nebenform mit Erleichterung des Anlauts (mhd. *salm[e]*, ahd.

salm[o]) geht der ugs. Ausdruck [2]**Salm** »Gerede, Geschwätz« zurück. – Zu griech. *psállein* »die Saite zupfen« gehört auch als Name eines Saiteninstrumentes und als Bezeichnung für das Buch der Psalmen im Alten Testament die Bildung griech. *psaltḗrion,* die über (kirchen)lat. *psalterium* ins Dt. gelangte: **Psalter** (mhd. *psalter,* ahd. *psalteri*).

seudo..., Pseudo..., (vor Vokalen meist:) pseud..., Pseud...: Stammwort für das aus dem Griech. übernommene Bestimmungswort von Zusammensetzungen mit der Bedeutung »falsch, unecht, vorgetäuscht«, wie in ›pseudowissenschaftlich‹ oder ↑Pseudonym, ist griech. *pseúdein* »belügen, täuschen«.

seudonym: Der seit dem 18. Jh. bezeugte Ausdruck für »erfundener [Künstler- oder Schriftsteller]name« ist aus dem älteren Adjektiv **pseudonym** »unter einem Decknamen verfasst (bzw. auftretend)« substantiviert. Dies ist aus griech. *pseudṓnymos* »mit falschem Namen (auftretend)« (vgl. *pseudo..., Pseudo...* und zum zweiten Bestandteil griech. *ónyma* »Name« vgl. den Artikel *anonym*) entlehnt.

syche »Seele; Seelenleben; Wesen, Eigenart«: Das seit dem 17. Jh. – zunächst als Name eines schönen jungen Mädchens der griechischen Mythologie – bezeugte, seit dem Anfang des 19. Jh.s dann fachsprachlich und gemeinsprachlich gebräuchliche Wort ist aus griech. *psȳchḗ* »Hauch, Atem; Seele (als Träger bewusster Erlebnisse)« entlehnt. – Dazu: **psychisch** »seelisch« (18. Jh.; nach griech. *psȳchikós* »zur Seele gehörig«); **Psychose** »krankhafte geistig-seelische Störung« (19. Jh.; gelehrte Neubildung); **psychotisch** »geistig-seelisch gestört, krank« (20. Jh.). Hierher gehören ferner zahlreiche Zusammensetzungen, in denen griech. *psȳchḗ* als Bestimmungswort steht: **Psychiater** »Facharzt für seelische Störungen und für Geisteskrankheiten« (19. Jh.; gelehrte Neubildung; über das Grundwort griech. *iatrós* »Arzt« vgl. *...iater*); **Psychiatrie** »Lehre von den seelischen Störungen, von den Geisteskrankheiten« (19. Jh.); **psychiatrisch** »die Psychiatrie betreffend« (19. Jh.); **Psychologe** »Seelenkundiger; Forscher auf dem Gebiet der Seelenlehre« (18. Jh.; gelehrte Neubildung; über das Grundwort griech. *lógos* »Rede, Wort; Untersuchung usw.« vgl. *...loge*); **Psychologie** »Lehre von den Erscheinungen und Zuständen des bewussten und unbewussten Seelenlebens« (18. Jh.); **psychologisch** »die Psychologie betreffend« (18. Jh.); **Psychotherapie** »Suggestivbehandlung, Behandlung seelischer oder körperlicher Störungen durch geistig-seelische Beeinflussung« (Ende 19. Jh.; gelehrte Neubildung; über das Grundwort vgl. den Artikel *Therapie*); **Psychotherapeut** »Fachmann auf dem Gebiet der Psychotherapie« (20. Jh.).

ubertät: Die Bezeichnung für die Zeit der [einsetzenden] Geschlechtsreife wurde im ausgehenden 16. Jh. aus lat. *pubertas* »Geschlechtsreife, Mannbarkeit« entlehnt. Dies ist eine Bildung zu lat. *pubes, -eris* »mannbar, männlich, erwachsen«.

Publicity ↑publik.

publik »öffentlich; offenkundig, allgemein bekannt«: Das Adjektiv wurde im 17. Jh. aus gleichbed. frz. *public* entlehnt, das auf lat. *publicus* »öffentlich; staatlich; allgemein« zurückgeht. – Das Substantiv **Publikation** »Veröffentlichung; im Druck erschienenes Schriftwerk« wurde im 16. Jh. (zunächst im Sinne von »öffentliche Bekanntmachung«) aus gleichbed. frz. *publication* entlehnt, das auf spätlat. *publicatio* »Veröffentlichung« (klass.-lat. »Einziehung in die Staatskasse«) zurückgeht. Dies ist eine Bildung zu lat. *publicare* »zum Staatseigentum machen; veröffentlichen«, aus dem im 15. Jh. unser Verb **publizieren** »(ein Schriftwerk) veröffentlichen« übernommen wurde. Das Substantiv **Publizist** »Schriftsteller; Journalist, speziell im Bereich aktuellen [politischen] Geschehens« ist eine nlat. Bildung des 17. Jh.s zu lat. *publicus.* Das seit dem 18. Jh. gebräuchliche **Publizität** »allgemeines Bekanntsein, Öffentlichkeit« ist nach gleichbed. frz. *publicité* (zu frz. *public*) gebildet. Daraus entlehnt ist engl. *publicity* »Bekanntsein in der Öffentlichkeit; Öffentlichkeitsarbeit«, aus dem im 20. Jh. **Publicity** ins Dt. übernommen wurde. Vgl. auch die Artikel *Publikum* und *Republik.*

Publikum »die Öffentlichkeit; die Zuschauer«, insbesondere »Zuhörer-, Leser-, Besucherschaft«; allgemein »die Umstehenden«: Das seit dem 18. Jh. gebräuchliche Fremdwort ist aus mlat. *publicum (vulgus)* »das gemeine Volk; die Öffentlichkeit« entlehnt (vgl. *publik*). Für die Bedeutungsdifferenzierung des Wortes liegt allerdings wohl Einfluss von entsprechend frz. *public* »Öffentlichkeit; Publikum« und dem daraus entlehnten engl. *public* »Öffentlichkeit; Publikum« vor.

Puck: Die Bezeichnung für die Scheibe aus Hartgummi im Eishockey wurde im 20. Jh. aus gleichbed. engl. *puck* entlehnt, dessen Herkunft unklar ist.

Pudding »Süß-, Mehlspeise«: Das Wort wurde Ende des 17. Jh.s aus engl. *pudding* entlehnt, und zwar zuerst – dem Gebrauch des engl. Wortes entsprechend – als Bezeichnung für eine im Wasserbad gekochte Mehlspeise (oft mit Fleisch- oder Gemüseeinlagen). Das engl. Wort geht vermutlich auf (a)frz. *boudin* »Wurst« zurück. Weitere Zusammenhänge sind nicht gesichert.

Pudel: Der seit dem 18. Jh. bezeugte Name der Hunderasse ist aus ›Pudelhund‹ (17. Jh.) gekürzt. Das Bestimmungswort dieser Zusammensetzung gehört zu dem nur noch landsch. gebräuchlichen Verb [1]**pudeln** »im Wasser plätschern«, das wohl lautnachahmender Herkunft ist (vgl. den Artikel *buddeln*). Der Hund ist so benannt, weil er gerne im Wasser planscht, beachte dazu **pudelnass** »völlig nass« (wie ein aus dem Wasser kommender Pudel). – In der Sprache der Kegler wird ›Pudel‹ im Sinne von »Fehlwurf« verwendet, beachte dazu **²pudeln** »vorbeiwerfen, einen Fehler machen« (18. Jh.). – Zus.: **Pudelmütze** »zottige Pelzmütze, gestrickte Wollmütze« (18. Jh.; so benannt wegen der Ähnlichkeit mit dem krausen Haar des Pudels).

Puder »feines Pulver (vor allem für Heil- und kosmetische Zwecke)«: Das Substantiv wurde im 17. Jh. aus frz. *poudre* »Staub; Pulver; Puder« entlehnt, das auf lat. *pulvis (pulverem)* »Staub« (vgl. den Artikel *Pulver*) zurückgeht. Die ursprüngliche Bedeutung des Wortes ist noch in der Zusammensetzung **Puderzucker** »Staubzucker« bewahrt (Ende 17. Jh.).

Puff (ugs. für:) »Stoß, dumpfes Geräusch«: Das seit mhd. Zeit bezeugte Wort (mhd. *buf*) ist – wie auch niederl. *bof, pof* »Stoß, Puff« und engl. *puff* »Stoß, Puff; Windhauch« – lautnachahmenden Ursprungs, vgl. die Interjektion *puff!*, älter nhd. auch *buff!*, die dumpfe Schalleindrücke wiedergibt, wie sie besonders beim plötzlichen Entweichen von Luft und beim Zusammenprall entstehen. Beachte dazu auch ›piff, paff, puff!‹ (Nachahmung des Gewehrfeuers) und ›Puffpuff‹ kindersprachlich für »Eisenbahn«. – Bereits seit dem 13. Jh. findet sich ›Puff‹ auch als Bezeichnung einiger Spiele, speziell eines Brettspiels mit Würfeln, das heute auch ›Tricktrack‹ genannt wird. Dieser Wortgebrauch bezieht sich auf das dumpfe Geräusch, das beim Aufschlagen der Würfel entsteht. An ihn schließt sich die seit dem Ende des 18. Jh.s bezeugte ugs. Verwendung von ›Puff‹ im Sinne von »Bordell« an. Dieser Wortgebrauch entwickelte sich wohl in Wendungen wie z. B. ›mit einer Dame Puff spielen‹ oder ›zum Puff gehen‹, in denen ›Puff‹ »Brettspiel« verhüllend gebraucht ist. Eingewirkt hat dabei wahrscheinlich ›puffen‹ im vulgären Sinne von »koitieren«. – Mit ›Puff‹ in diesen verschiedenen Verwendungsweisen identisch ist auch ›Puff‹ im Sinne von »Bausch; Wäschebehälter mit Polstersitz« (eigentlich etwa »Aufgeblasenes«), beachte dazu ›Puffe‹ »Bausch« (spätmhd. *buffe*), ›Puffärmel‹ »bauschiger Ärmel« (19. Jh.) und ›puffen‹ im Sinne von »aufbauschen«. – Zum Substantiv stellt sich das Verb **puffen** »stoßen, schlagen; ein dumpfes Geräusch verursachen« (mhd. *buffen*). Dazu gebildet ist **Puffer** »Stoßdämpfer an Eisenbahnwagen« (19. Jh.; im 17. Jh. in der Bedeutung »Knallbüchse, Terzerol«), beachte die Zusammensetzungen **Pufferstaat** »kleiner Staat zwischen Großmächten« (2. Hälfte des 19. Jh.s) und **Kartoffelpuffer** »aus geriebenen rohen Kartoffeln in der Pfanne gebackener Kuchen« (so benannt wegen des »puffenden« Geräusches der Kartoffelmasse beim Backen).

pulen: Das aus dem Niederd. in die Umgangssprache gedrungene Verb geht zurück auf mnd. *pūlen* »herausklauben, bohren, wühlen«, das mit niederd. *palen* »enthülsen, herausklauben«, *pale* »Schote« zusammenhängt.

Pulk »loser Verband (von Kampfflugzeugen oder militärischen Fahrzeugen); Haufen, Schar«: Das in dt. Texten zuerst im 18. Jh. in der Bedeutung »Soldatentrupp« bezeugte Substantiv, das allerdings erst im 20. Jh. in den heute üblichen Bedeutungen allgemeiner bekannt wurde, ist aus dem Slaw. entlehnt. Das zugrunde liegende slaw. Wort, russ. *polk*, poln. *pułk* »Regiment, Schar (Soldaten)«, ist seinerseits germ. Ursprungs. Es ist aus dem unter ↑Volk genannten germ. **fulka* »Kriegerschar, Heerhaufe« entlehnt.

Pulle: Das im Anfang des 18. Jh.s aus dem Niederd. in die allgemeine Umgangssprache gelangte Wort für »Flasche« ist – wie ↑Ampulle – aus lat. *ampulla* »kleine Flasche; Ölgefäß« entlehnt. Die unbetonte Anfangssilbe des lat. Wortes fiel dabei einer legeren Aussprache zum Opfer.

Pullover: Die Bezeichnung des gestrickten oder gewirkten Kleidungsstücks, das über den Kopf angezogen wird, wurde in der 1. Hälfte des 20. Jh.s aus gleichbed. engl. *pullover* (wörtlich »zieh über«) entlehnt. Zugrunde liegt das engl. Verb *to pull [over]* »[über]ziehen, zerren«. – Seit etwa 1950 erscheint in der dt. Umgangssprache für ›Pullover‹ auch die Kurzform **Pulli**. Analog hierzu findet sich seit der 2. Hälfte des 20. Jh.s der **Pullunder**, ein »kurzer, ärmelloser Pullover«, aus gleichbed. engl. *pullunder* (wörtlich: »zieh [dar]unter«).

Puls »Anstoß der durch den Herzschlag fortgeleiteten Blutwelle an den Gefäßwänden«: Das Substantiv wurde in mhd. Zeit (mhd. *puls*) als Fachausdruck mittelalterlicher Heilkunst aus gleichbed. mlat. *pulsus (venarum)* entlehnt, das auf lat. *pulsus* »das Stoßen, das Stampfen, der Schlag« beruht. Dies ist eine Bildung zu lat. *pellere (pulsum)* »schlagen, stoßen; in Bewegung setzen, antreiben usw.«, das zu der unter ↑Filz entwickelten Wortfamilie der idg. Wurzel **pel-* »stoßend oder schlagend in Bewegung setzen« gehört. Das lat. Verb ist ferner Ausgangspunkt für die Fremdwörter ↑poussieren, ↑bugsieren, ↑Appell, appellieren, ↑Impuls, impulsiv und ↑Propeller.

Pult »[Tisch]aufsatz oder Gestell mit schräger Fläche zum Schreiben, zum Auflegen von Noten oder dgl.«: Die nhd. Form geht zurück auf gleichbed. mhd. *pulpit* (14. Jh.), das aus lat. *pulpitum* »Brettergerüst (als Redner-, Schauspiel- oder Zuschauertribüne)« entlehnt ist.

Pulver »fester Stoff in sehr feiner Zerteilung; Schießpulver«, in der Umgangssprache scherzhafte Bezeichnung für »Geld«: Das seit mhd. Zeit in den Bedeutungen »Pulver, Staub; Asche; Sand« (seit dem 14. Jh. auch in der Bedeutung »Schießpulver«) bezeugte Substantiv ist aus gleichbed. mlat. *pulver* entlehnt, das auf lat. *pulvis, pulveris* »Staub« zurückgeht. Dies ist mit lat. *pollen* »sehr feines Mehl, Mehlstaub; Staub« verwandt (vgl. *Pollen*). Den gleichen Ausgangspunkt hat das Lehnwort ↑Puder, das uns durch das Frz. vermittelt wurde. – Abl.: **pulv[e]rig** »in Pulverform«

(17. Jh.); **pulverisieren** »feste Stoffe zu Pulver zerreiben, zerstäuben, zerstampfen« (16. Jh.; aus gleichbed. frz. *pulvériser* < spätlat. *pulverizare*).

uma: Der in dt. Texten seit dem 18. Jh. bezeugte Name des amerikanischen katzenartigen Raubtieres stammt aus dem Quechua, einer Indianersprache in Peru.

umpe: Die im 16. Jh. aus dem Niederd. ins Hochd. gelangte Bezeichnung für das Gerät zum Heben und Fördern von Flüssigkeiten ist aus gleichbed. mniederl. *pompe* entlehnt, das selbst wohl schallnachahmenden Ursprungs ist (vgl. z. B. das ähnlich gebildete gleichbed. span. Wort *bomba*). Unmittelbar aus dem Mniederl. stammen auch frz. *pompe* und engl. *pump* »Pumpe«. – Abl.: **pumpen** »Flüssigkeiten mittels einer Pumpe heben, fördern« (16. Jh.). In der Gaunersprache (rotw. *pumpen, pompen,* 17. Jh.) entwickelte ›pumpen‹ die Bedeutung »borgen« (wie man mit der Pumpe Wasser herausholt, so ›pumpt‹ man aus jemandem Geld). In dieser Verwendung gelangte ›pumpen‹ über die Studentensprache in die allgemeine Umgangssprache.

umpernickel: Der seit dem 17. Jh. bezeugte Ausdruck für »Schwarzbrot« war ursprünglich ein Schimpfwort für einen bäurischen, ungehobelten Menschen, das etwa mit »Furzheini« wiederzugeben ist. Das Schwarzbrot wurde wegen seiner blähenden Wirkung so benannt. Das Bestimmungswort von ›Pumpernickel‹ gehört zu älter nhd. *pumpern* »furzen«, *Pumper* »Furz«, das Grundwort ist Kurz- oder Koseform des Personennamens Nikolaus. – Neben älter nhd. *Pumper* wurden für die laute Blähung früher auch ›Pumps‹ und ›Pumpf‹ verwendet. Aus der letzteren Form hat sich **Pimpf** entwickelt, das eigentlich also »[kleiner] Furz« bedeutet, zunächst Schimpfwort war und um 1920 zur Bezeichnung der jüngsten Angehörigen in der Jugendbewegung wurde.

umps: Die Bezeichnung für den leichten, ausgeschnittenen Damenschuh (ohne Schnürung oder Riemen) mit höherem Absatz wurde Anfang des 20. Jh.s aus gleichbed. engl. *pumps* (Plural) entlehnt, dessen weitere Herkunft dunkel ist.

unk: Das Fremdwort bezeichnet im Deutschen eine »Protestbewegung von Jugendlichen mit bewusst rüdem Auftreten und auffallender Aufmachung« und einen »Anhänger dieser Bewegung«. Es wurde übernommen aus gleichbed. engl. *punk,* einer Kurzform aus *punk-rock* und *punk-rocker,* nach der dem Punk eigenen Musikrichtung (vgl. [2]*Rock*). Das Adjektiv *punk* bedeutet »minderwertig, verdorben«. Ob die Anhänger dieser Bewegung die Bezeichnung selbst aufgebracht haben, um eventuell ihrer provozierende Selbstdarstellung Ausdruck zu verleihen, ist ungeklärt.

unkt: Das Substantiv (mhd. *pun[c]t* »Punkt; Mittelpunkt; Zeitpunkt, Augenblick; Ortspunkt; Umstand; Artikel; Abmachung«) ist aus gleichbed. spätlat. *punctus* entlehnt, das für klass.-lat. *punctum* steht. Das lat. Wort bedeutet eigentlich »das Gestochene, der Einstich; eingestochenes [Satz]zeichen usw.« (davon dann die übertragenen Bedeutungen). Es gehört zu lat. *pungere (punctum)* »stechen«. – Abl.: **pünktlich** »(auf den verabredeten Zeitpunkt) genau« (15. Jh.). – Vgl. auch die auf Bildungen zu lat. *pungere* beruhenden, teilweise durch die roman. Sprachen vermittelten Fremd- und Lehnwörter ↑punktieren, Punktion, ↑Interpunktion, ↑Kontrapunkt, ↑kunterbunt, ↑bunt, ↑Pointe, pointiert.

Punkt

der springende Punkt sein
»das Entscheidende, Ausschlaggebende, die Hauptschwierigkeit sein«
Diese Wendung geht auf eine Naturbeobachtung des Aristoteles zurück, der der Meinung war, dass in einem bebrüteten Vogelei das Herz als ein sich bewegender (›springender‹) Fleck zu erkennen sei. In der lat. Fassung seine Berichts heißt dieser Fleck *punctum saliens* »springender Punkt«. Diese Fügung wurde im Sinne von »Punkt, von dem das Leben ausgeht«, dann allgemeiner »entscheidender, wichtigster Punkt« gebräuchlich.

ein toter Punkt
1. »ein Stadium, in dem keine Fortschritte mehr erzielt werden«
2. »ein Zustand stärkster Ermüdung, Erschöpfung«
Diese Wendung stammt aus dem Bereich der Technik. Wenn die Pleuelstange und die Kurbel einer Antriebsmaschine eine gerade Linie bilden, spricht man vom ›toten Punkt‹, denn dann bewegt sich die Pleuelstange weder vor noch zurück, es ist der Punkt, an dem sie ihre Bewegungsrichtung umkehrt.

ein dunkler Punkt
»etwas Unklares, moralisch nicht Einwandfreies [in jmds. Vergangenheit]«
Diese Fügung geht möglicherweise auf die Vorstellung zurück, dass die Seele des Menschen dunkle Flecken bekommt, wenn er etwas Unrechtes tut.

ohne Punkt und Komma reden
(ugs.) »pausenlos reden«
Die Wendung nimmt darauf Bezug, dass die Satzzeichen unter anderem auch die Stellen in einem Text angeben, an denen der Sprecher normalerweise Pause macht.

punktieren »mit Punkten versehen, tüpfeln, stricheln«: Das Verb wurde im 15. Jh. aus mlat. *punctare* »Einstiche machen, Punkte machen« entlehnt, das von lat. *pungere (punctum)* »stechen« (vgl. *Punkt*) abgeleitet ist. In der medizinischen Fachsprache wird ›punktieren‹ im Sinne von »Körperflüssigkeiten durch Einstiche mit

Hohlnadeln entnehmen« gebraucht. Daran schließt sich mit entsprechender Bedeutung das Substantiv ›Punktion‹ an (nach lat. *punctio* »das Stechen«). Vgl. auch den Artikel *Akupunktur.*

pünktlich ↑Punkt.

Punsch: Der seit dem 17./18. Jh. belegte Name des alkoholischen Heißgetränkes, das wir mit den anderen Europäern von den Engländern kennen lernten (engl. *punch*), ist vermutlich eine angloind. Fantasiebezeichnung mit Hindi *pāñč* »fünf«, nach den für einen echten Punsch notwendigen »fünf« Grundbestandteilen: Arrak, Zucker, Zitronensaft, Wasser (oder Tee) und Gewürz.

Pup, auch: **Pups:** Der familiäre Ausdruck für die (leise abgehende) Blähung ist lautmalenden Ursprungs. Davon abgeleitet ist das Verb **pupen,** auch: **pupsen** »eine Blähung abgehen lassen«.

Pupille: Die Bezeichnung für das Sehloch in der Regenbogenhaut des Auges wurde im 18. Jh. aus gleichbed. lat. *pupilla* entlehnt, das als Verkleinerungsbildung zu lat. *pupa* »Mädchen« (vgl. *Puppe*) eigentlich »kleines Mädchen, Püppchen« bedeutet. Die Bedeutungsübertragung – nach dem Vorbild von griech. *kórē* »Mädchen; Pupille« – geht davon aus, dass sich der Betrachter in den Augen seines Gegenübers als Püppchen spiegelt.

Puppe: Das seit dem 15. Jh. bezeugte Wort (spätmhd. *puppe* »Puppe als Kinderspielzeug«) ist aus lat. *pupa (puppa)* »Puppe; kleines Mädchen« entlehnt. In der Umgangssprache wird ›Puppe‹ auch als Kosewort für junge Frauen gebraucht, beachte dazu mit abwertendem Sinn die Verkleinerungsbildung **Püppchen** »auf Äußerlichkeiten Wert legende hübsche junge Frau«. In der zoologischen Fachsprache bezeichnet ›Puppe‹ die von der ↑Larve zum voll ausgebildeten Insekt überleitende Entwicklungsstufe. Daran schließen sich die Präfixverben **verpuppen,** sich »aus einer Larve zur Insektenpuppe werden« und **entpuppen,** sich »aus einer Insektenpuppe zum Insekt werden« an. Letzteres wird daneben häufig übertragen gebraucht im Sinne von »sein wahres Gesicht zeigen; sich als der herausstellen, der man in Wirklichkeit ist; in seinem Charakter erkannt werden«. – Siehe auch den Artikel *Pupille.*

P

Puppe

bis in die Puppen

(ugs.) »sehr lange Zeit, bis spät in den Tag, in die Nacht«

Im 18. Jh. wurde im Berliner Tiergarten der Platz mit dem Namen ›Großer Stern‹ mit Statuen aus der antiken Mythologie geschmückt. Der Berliner Volksmund nannte diese Statuen ›Puppen‹, und ein Spaziergang ›bis in die Puppen‹ war damals vom Stadtkern aus ein sehr weiter Weg. Diese Wendung wurde später von der räumlichen auf die zeitliche Erstreckung übertragen.

Pups, pupsen ↑Pup.

pur »rein, unverfälscht, lauter; unvermischt«, auch adverbial gebraucht im Sinne von »nur, bloß, nichts als …«: Das Adjektiv (mhd. *pur*) wurde im 14. Jh. aus gleichbed. lat. *purus* entlehnt. – Vgl. den Artikel *Püree.*

Püree »Brei, breiförmige Speise«, besonders häufig in der Zusammensetzung ›Kartoffelpüree‹: Das Fremdwort wurde im frühen 18. Jh. als Terminus der feinen französischen Kochkunst aus frz. *purée* »Brei aus Hülsenfrüchten; breiförmige Speise« entlehnt. Das frz. Wort gehört zu afrz. *purer* »reinigen; sieben; durchpassieren«, das auf spätlat. *purare* »reinigen« zurückgeht (vgl. *pur*).

Purpur »hochroter Farbstoff; purpurfarbenes, prächtiges Gewand«: Das Substantiv (mhd. *purpur,* ahd. *purpura*) ist aus gleichbed. lat. *purpura* entlehnt, das seinerseits aus griech. *porphýrā* »Purpurschnecke; aus dem Saft der Purpurschnecke gewonnener hochroter Farbstoff; purpurfarbener Stoff« übernommen ist. Das Wort ist vorgriech. (vermutlich kleinasiat.) Ursprungs. – Davon abgeleitet ist das Adjektiv **purpurn** »purpurfarben« (mhd. *purperīn,* ahd. *purpurīn*).

Purzelbaum ↑purzeln.

purzeln: Die nhd. Form hat sich aus spätmhd. *burzeln* »hinfallen, niederstürzen« entwickelt, das mit dem gleichbed. spätmhd. *bürzen* zu dem unter ↑Bürzel »Steiß« behandelten Wort gehört. – Zus.: **Purzelbaum** »Überschlag auf dem Boden« (16. Jh., eigentlich »Sturz und Aufbäumen«; zum zweiten Bestandteil vgl. *bäumen* [↑Baum]).

Puste ↑pusten.

Pustel: Die Bezeichnung für »Hitze-, Eiterbläschen, Pickel« wurde im 19. Jh. aus lat. *pustula* »[Haut]bläschen« entlehnt.

pusten (ugs. für:) »blasen«: Das im 18. Jh. aus dem Niederd. ins Hochd. übernommene Verb geht zurück auf mnd. *pūsten* »blasen, hauchen«, dem älter nhd. *pfausten* »blasen«, niederl. *poesten* »blasen« und schwed. *pusta* »keuchen, blasen« entsprechen. Eng verwandt ist mhd. *pfūsen* »blasen, keuchen, schnaufen« (s. den Artikel *Pausback*). – Abl.: **Puste** ugs. für »Atem« (mnd. *pūst* »Atem«).

Pute: Die aus dem Niederd. stammende Bezeichnung für »Truthenne« ist eine Bildung zu dem Ruf ›put[, put]!‹, mit dem man den Vogel anlockt, vgl. den Lockruf ›trut!‹, der als erster Bestandteil in ↑Truthahn steckt. – Dazu: **Puter** »Truthahn« (16. Jh.).

Putsch: Der Ausdruck für »politischer Handstreich« stammt aus der Schweiz, und zwar wurde er nach den Schweizer Volksaufständen der 1830er-Jahre in die Allgemeinsprache aufgenommen. Das Wort ist identisch mit dem seit dem 15. Jh. bezeugten schweiz. *Putsch* »heftiger Stoß, Zusammenprall, Knall«, das wahrscheinlich lautnachahmenden Ursprungs ist. – Abl.: **putschen**

»eine Revolte machen« (19. Jh., schweiz. im 16. Jh. im Sinne von »knallen«), dazu **aufputschen** »aufhetzen«, ugs. für »durch Medikamente o. Ä. aufmuntern oder erregen«; **Putschist** »Aufständischer« (20. Jh.).

Putte: Die seit dem ausgehenden 17. Jh. bezeugte Bezeichnung für die (besonders im Barock beliebten) Knaben- und Engelsgestalten der Malerei und Plastik ist aus gleichbed. it. *putto*, eigentlich »Knäblein«, entlehnt. Es geht auf lat. *putus* »Knabe« zurück, das mit dt. ↑Fohlen verwandt ist.

putzen: Das seit dem 15. Jh. bezeugte Verb, das früher auch ›butzen‹ geschrieben wurde, ist von dem unter ↑Butzen »Unreinigkeit, Schmutzklümpchen, Klumpen« behandelten Wort abgeleitet. Es bedeutete demnach ursprünglich »den Butzen (am Kerzendocht, in der Nase) entfernen«. Aus diesem Wortgebrauch entwickelten sich die Bedeutungen »reinigen, säubern, schmücken« und »Wände mit Mörtel bewerfen«. An die letztere Bedeutung schließen sich an **Putz** »Mörtelverkleidung, Mauerbewurf« (18. Jh.) und **verputzen** »Wände mit Mörtel verkleiden«, dazu **Verputz** »Mauerbewurf«. Von der Bedeutung »reinigen, sauber machen« gehen aus **verputzen** ugs. für »aufessen, völlig verzehren«, **herunterputzen** ugs. für »derb zurechtweisen, ausschimpfen« (beachte auch ›abputzen‹ und ›ausputzen‹) und **Putz** »das Säubern; Schmuck, Zierrat« (17. Jh.), beachte z. B. die Zusammensetzungen ›Hausputz‹ und ›Putzmacherin‹.

putzig »seltsam, drollig, spaßig«: Das seit dem 18. Jh., zunächst nordd. bezeugte Adjektiv ist eine Ableitung von dem nur noch landsch. gebräuchlichen **Butz[e]** »Kobold, Knirps« (mhd. *butze* »Poltergeist, Schreckgestalt«), beachte dazu **Butzemann** landsch. für »Kobold« und *Mumpitz* (↑mummen; eigentlich »vermummte Schreckgestalt«). Das Adjektiv bedeutet demnach eigentlich »koboldhaft, knirpsig«.

Puzzle: Die Bezeichnung für das Geduldsspiel, bei dem aus vielen Einzelteilen ein Bild zusammenzusetzen ist, wurde im 20. Jh. aus engl. *puzzle* »Verwirrung; Rätsel, Geduldsspiel« entlehnt, dessen weitere Herkunft dunkel ist. – Abl.: **puzzeln** »ein Puzzle zusammensetzen«.

Pyjama: Die Bezeichnung für »zweiteiliger Schlafanzug« wurde Anfang des 20. Jh.s aus engl. *pyjamas* übernommen, das seinerseits aus Urdu *pājāmā* »lose um die Hüfte geknüpfte Hose«, eigentlich »Beinkleid«, stammt.

Pyramide: Das Wort ist ägypt. Ursprungs. Es wurde den europäischen Sprachen durch griech.-lat. *pȳramís* vermittelt. In dt. Texten erscheint ›Pyramide‹ seit dem Ausgang des 15. Jh.s, zuerst nur als Bezeichnung der monumentalen Grabbauten altägyptischer Könige. Seit dem 16. Jh. bezeichnet das Wort auch eine geometrische Figur (so auch schon im Lat.).

Qq

quabbeln, auch: quappeln (landsch. für:) »sich hin und her bewegen, wackeln (von weichen oder fetten Körpern)«: Das vorwiegend in Norddeutschland gebräuchliche Verb ist – wie auch ↑schwabbeln – lautnachahmender Herkunft. – Dazu stellen sich die Adjektivbildungen **quabb[e]lig** »in gallertartiger Weise weich, schwabbelig, quallig« (17. Jh.) und **quabbig, quappig** »quabb[e]lig« (18. Jh.) sowie die Substantive **Quabbe** »Fettwulst« (19. Jh.; mnd. *quabbe* bedeutet dagegen »schwankender Moorboden«), **Quebbe** »schwankender Moorboden« (18. Jh.) und wahrscheinlich auch ↑Quappe »Froschlarve«. – Mit dieser hauptsächlich niederd. Sippe vergleichen sich im germ. Sprachbereich z. B. niederl. *kwab* »Fettklumpen, Wulst, Wamme, Lappen«, älter engl. *quab* »schwankender Moorboden, Morast«, norw. *kvabb* »Schlamm, Schlick«, *krabset, kvapset[e]* »quabb[e]lig«.

Quackelei, quackeln ↑quaken.

Quacksalber: Der verächtliche Ausdruck für »schlechter Arzt; Person, die stümperhaft eine ärztliche Tätigkeit ausübt« wurde im 16. Jh. aus niederl. *kwakzalver* entlehnt, das eigentlich etwa »prahlerischer Salbenverkäufer« bedeutet. Der erste Bestandteil des niederl. Wortes gehört zu niederl. *kwakken* »schwatzen, prahlen« (vgl. *quaken*), der zweite zu *zalven* »salben« (vgl. *Salbe*).

Quaddel: Der Ausdruck für »juckende Anschwellung, Bläschen« ist aus dem Niederd. ins Hochd. gelangt. Niederd. *quad[d]el* gehört mit ahd. *quedilla* »Pustel, Bläschen« und aengl. *cwidele* »Pustel, Bläschen« zu der germ. Wortgruppe von got. *qiþus* »Bauch, Mutterleib«, die mit verwandten Wörtern in anderen idg. Sprachen auf eine Wurzel *g^{u}et- »Anschwellung, Rundung, Wulst« zurückgeht.

Quader »rechteckiger Körper (Mathematik); [behauener] massiver rechteckiger Steinblock«: Mhd. *quāder* (daneben die verdeutlichende Zusammensetzung mhd. *quāderstein*) ist aus mlat. *quadrus (lapis)* »viereckiger Stein« entlehnt. – Das zugrunde liegende Adjektiv lat. *quadrus* »viereckig«, das auch Ausgangspunkt für die Fremdwörter ↑Quadrant, Quadrat, ↑Karo, ↑kariert und für das Lehnwort ↑Geschwader ist, gehört zu der mit dt. ↑vier verwandten Kardinalzahl lat. *quattuor* »vier«. Die entsprechende Ordinalzahl lat. *quartus* »der Vierte« liegt den Fremdwörtern ↑Quarta, ↑Quartal, ↑Quartett und

↑Quartier zugrunde. – Beachte auch die Artikel *Kaserne* und *Quarantäne*.

Quadrant: Die Bezeichnung für »Viertelkreis; Viertelebene« wurde im 16. Jh. aus lat. *quadrans (quadrantis)* »der vierte Teil« entlehnt, dem substantivierten Part. Präs. von lat. *quadrare* »viereckig machen«. Dies ist von lat. *quadrus* »viereckig« (vgl. *Quader*) abgeleitet. – Aus dem substantivierten Neutrum des Part. Perf. von lat. *quadrare*, lat. *quadratum* »Viereck«, stammt unser Fremdwort **Quadrat.** Es erscheint bei uns im 15. Jh. als mathematischer Fachausdruck. Davon abgeleitet ist das Adjektiv **quadratisch** »von der Form eines Quadrates« (16. Jh.).

Quadrillion ↑Million.

quaken: Das seit dem 15. Jh. bezeugte Verb ahmt den Laut der Frösche und Enten nach. Elementarverwandt sind im germ. Sprachbereich z. B. niederl. *kwaken*, engl. *to quack*, schwed. *kväka* und außergerm. z. B. lat. *coaxare* »quaken« und die baltoslaw. Sippe von russ. *kvakat'* »quaken«. – Zu ›quaken‹ stellt sich **quakeln, quackeln** landsch., bes. nordd. für »plappern, faseln; Dummheiten anstellen« (s. auch den Artikel *Quacksalber*). Eine ähnliche Lautnachahmung ist das seit dem 16. Jh. bezeugte **quäken** »mit heller Stimme eintönig weinerlich schreien«.

Qual: Die Substantivbildungen mhd. *quāl[e]*, ahd. *quāla*, niederl. *kwaal*, ablautend schwed. *kval* gehören zu einem in den älteren Sprachzuständen erhaltenen starken Verb ahd. *quelan* »Schmerz empfinden, leiden«, aengl. *cwelan* »sterben«. Zu diesem starken Verb ist auch das Veranlassungsverb (kausativ) **quälen** (mhd. *queln*, ahd. *quellan*, engl. *to quell*, schwed. *kvälja*) gebildet, das in nhd. Zeit als Ableitung von ›Qual‹ empfunden wurde und daher mit ä geschrieben wird. Die germ. Wortgruppe geht mit verwandten Wörtern in anderen idg. Sprachen, vgl. z. B. lit. *gélti* »stechen; [stechend] schmerzen«, auf eine Wurzel **g^u̯el-* »stechen« zurück. – Die Zusammensetzung **Quälgeist** »lästiger Mensch« ist seit dem Anfang des 18. Jh.s bezeugt.

qualifizieren »[wertend] einordnen, als etwas Bestimmtes bezeichnen; als geeignet, fähig erweisen, zu etwas befähigen«, reflexiv »den Befähigungs-, Eignungsnachweis für etwas erbringen; aufgrund bestimmter Leistungen die Wettkampfberechtigung erlangen«: Das seit dem 16. Jh. bezeugte Verb ist aus mlat. *qualificare* »näher bestimmen, mit einer bestimmten Eigenschaft versehen« entlehnt. Dies ist eine Bildung zu lat. *qualis* »wie beschaffen« (vgl. *Qualität*) und lat. *facere* »machen, tun« (vgl. *Fazit*). Die Verwendung von ›qualifizieren‹ in der Sprache des Sports im Sinne von »aufgrund bestimmter Leistungen die Wettkampfberechtigung erlangen« erfolgte unter dem Einfluss von entsprechend engl. *to qualify*. – Das in adjektivischen Gebrauch übergegangene 2. Partizip **qualifiziert** wird im Sinne von »tauglich, besonders geeignet« verwendet. – Das Substantiv **Qualifikation** »das [Sich]qualifizieren; Befähigung, Eignung; Teilnahmeberechtigung« wurde im 16. Jh. – wohl unter dem Einfluss von gleichbed. frz. *qualification* (wenn nicht unmittelbar aus diesem) – aus mlat. *qualificatio* »Verfahrensweise, Art« entlehnt. Die Verwendung von ›Qualifikation‹ in der Sprache des Sports im Sinne von »Berechtigung, aufgrund bestimmter Leistungen an einem Wettkampf teilzunehmen« kam im 20. Jh. unter dem Einfluss von entsprechend engl. *qualification* auf. – Gegenbildungen: **disqualifizieren** »für untauglich erklären; [wegen Regelverstoßes] von einem sportlichen Wettbewerb ausschließen« (19. und 20. Jh.) und **Disqualifikation** »Untauglichkeitserklärung; Ausschluss von einem sportlichen Wettbewerb« (19. und 20. Jh.).

Qualität »Beschaffenheit; Güte; Wert; Klangfarbe (eines Vokals)«: Das Fremdwort wurde im 16. Jh. aus lat. *qualitas* »Beschaffenheit, Verhältnis, Eigenschaft« entlehnt, das von lat. *qualis* »wie beschaffen« abgeleitet ist. Der Gebrauch von ›Qualität‹ ist z. T. von entsprechend frz. *qualité* beeinflusst worden. – Dazu das Adjektiv **qualitativ** »der Beschaffenheit, dem Wert nach« (19. Jh.; aus gleichbed. mlat. *qualitativus*).

Qualle: Der aus dem Niederd. stammende Name des gallertartigen Nesseltiers ist erst seit dem 16. Jh. bezeugt. Niederd. *qualle* (entsprechend niederl. *kwal*) gehört wahrscheinlich im Sinne von »aufgequollenes, schleimiges Tier« zu der Wortgruppe von ↑quellen.

Qualm: Der in hochd. Texten seit dem 16. Jh. bezeugte Ausdruck für »[dicker] Rauch« stammt aus dem Niederd. Mnd. *qual[le]m* »Dunst, Dampf, Rauch« gehört wahrscheinlich im Sinne von »Hervorquellendes« zu der Wortgruppe von ↑quellen. – Abl.: **qualmen** »[stark] rauchen« (17. Jh.); **qualmig** »rauchig« (17. Jh.).

Quäntchen »kleine Menge, ein bisschen«: Die nach den neuen Regeln der Rechtschreibung mit ä zu schreibende Form ›Quäntchen‹ steht für älteres ›Quentlein‹. Dies ist eine Verkleinerungsbildung zu ›Quent‹, dem Namen eines früheren deutschen Handelsgewichts. ›Quent‹ geht zurück auf mhd. *quintīn*, »der vierte (ursprünglich: fünfte) Teil eines Lots«, das aus mlat. **quintinus*, **quentinus* »Fünftel« entlehnt ist (zu lat. *quintus* »fünfter«, vgl. *Quinta*).

Quantum: Der Ausdruck für »Menge, Anzahl; Anteil; [bestimmtes] Maß« wurde im 17. Jh. in der Kaufmannssprache aus lat. *quantum*, dem Neutrum von lat. *quantus* »wie groß, wie viel; so groß wie« übernommen. – Dazu: **Quantität** »Menge, Masse, Anzahl; (in der Metrik:) Maß einer Silbe nach Länge oder Kürze« (im 16. Jh. aus lat. *quantitas* »Größe, Menge«); **quantitativ** »der Quantität nach, mengenmäßig« (19. Jh.; nlat. Bildung).

Quappe (landsch. für:) »Froschlarve; Döbel«: Das

aus dem Niederd. stammende Wort (mnd. *quappe, quabbe,* asächs. *quappa;* entsprechend niederl. *kwab,* schwed. *kvabba*) gehört wahrscheinlich im Sinne von »schleimiger Klumpen, wabbliges Tier« zu der Sippe von ↑quabbeln. – Allerdings besteht auch die Möglichkeit, dass ein mit der baltoslaw. Wortgruppe von russ. *žaba* »Kröte« verwandtes Wort im germ. Sprachbereich nachträglich an die Sippe von ›quabbeln‹ angeschlossen worden ist. Gebräuchlicher als ›Quappe‹ ist die Zusammensetzung **Kaulquappe** (↑Kaulbarsch).

quappeln, quappig ↑quabbeln.

Quarantäne: Der Ausdruck für »räumliche Absonderung (Ansteckungsverdächtiger); Absperrung eines Infektionsgebietes (als Schutzmaßnahme); Sperrmaßnahme (insbesondere gegenüber Schiffen)« wurde im 17. Jh. aus gleichbed. frz. *quarantaine* entlehnt. Das frz. Wort, das von frz. *quarante* »vierzig« (< vlat. *quarranta* = klass.-lat. *quadraginta* »vierzig«) abgeleitet ist, bedeutet eigentlich »Anzahl von vierzig [Tagen]«. Die Bedeutung »Isolierung, Absperrung« bezieht sich auf die Tatsache, dass man früher Schiffe, die pest- oder seuchenverdächtige Personen an Bord hatten, mit einer vierzigtägigen Hafensperre belegte.

Quark: Der Ausdruck für den beim Gerinnen der Milch sich ausscheidenden Käsestoff und den daraus hergestellten Weißkäse wurde im ausgehenden Mittelalter in Ostmitteldeutschland von den Slawen übernommen. Spätmhd. *twarc,* dann *quarc* (mit mitteld. Wandel von tw zu qu, wie z. B. in ↑Quirl, ↑quer) ist aus einer westslaw. Sprache entlehnt, vgl. z. B. poln. *twaróg,* obersorb. *twaroh,* tschech. *tvaroh* »Quark«. Die weitere Herkunft der slaw. Wortgruppe ist nicht sicher geklärt. – Landsch. Ausdrücke für »Käsestoff, Weißkäse« sind z. B. ›Hotte, Matte, Topfen, Zieger‹. Ugs. wird das Wort ›Quark‹ im Sinne von »Unsinn, Quatsch; etwas, was sich nicht lohnt« gebraucht.

Quarta: Die Bezeichnung für die dritte Klasse der Unterstufe einer höheren Schule stammt aus der Reformationszeit. Quelle des Wortes ist lat. *quarta classis* »vierte Abteilung« (zu lat. *quartus* »der Vierte«; vgl. den Artikel *Quader*). Über die Bedeutungsentwicklung vgl. den Artikel *Sexta.*

Quartal: Die Bezeichnung für »Vierteljahr« wurde im 16. Jh. aus mlat. *quartale (anni)* »Viertel eines Jahres« entlehnt. Dies ist eine Bildung zu lat. *quartus* »der Vierte« (vgl. *Quarta*).

Quartett »Tonstück für vier Singstimmen oder vier Instrumente; die Gruppe der vier ausführenden Künstler«; dann auch Name von Kartenspielen, bei denen je vier Karten eine Spieleinheit bilden: Das Fremdwort wurde im 18. Jh. als musikalischer Terminus aus gleichbed. it. *quartetto* entlehnt. Dies ist eine Ableitung von it. *quarto* »der Vierte« (< lat. *quartus* »der Vierte«; vgl. *Quarta*).

Quartier »Unterkunft (besonders von Truppen)«: Das seit mhd. Zeit (mhd. *quartier* »Viertel«) bezeugte Wort ist aus afrz. *quartier,* das auf lat. *quartarius* »Viertel« zurückgeht (zu lat. *quartus* »der Vierte«; vgl. *Quader*), entlehnt. Die Bedeutungsentwicklung vollzog sich im Frz., wobei die allgemeine Bedeutung »das Viertel« (im Sinne von »vierter Teil«) auf verschiedene Bereiche übertragen wurde, u. a auf das Stadtgebiet (»Stadtviertel, Stadtteil«) und speziell auf den »Teil eines Heerlagers, der mehreren Soldaten zur gemeinsamen Unterkunft dient«. Im Sinne von »Truppenunterkunft« ist ›Quartier‹ im Dt. seit dem 16. Jh. gebräuchlich. – Zu dem heute nicht mehr gebräuchlichen Verb **quartieren** »[Soldaten] in Privatunterkünften unterbringen« (16. Jh.) stellen sich die Bildungen **einquartieren, ausquartieren** und **umquartieren.**

Quarz: Die Herkunft der Benennung des gesteinsbildenden Minerals ist nicht sicher geklärt. Das seit dem 14. Jh. bezeugte Wort hat sich vom böhmischen Bergbau ausgehend im dt. Sprachgebiet durchgesetzt und ist auch in zahlreiche europäische Nachbarsprachen gedrungen. Am ehesten handelt es sich bei ›Quarz‹ um eine – wie ›Heinz‹ zu ›Heinrich‹ und ›Kunz‹ zu ›Konrad‹ gebildete – Koseform zu mitteld. *querch* »Zwerg« (vgl. *Zwerg*). In früheren Zeiten schrieben die Bergleute die Schädigung der Erze durch wertlose Erze oder Mineralien Berggeistern zu, beachte den Erznamen ›Kobalt‹, der eigentlich »Kobold« bedeutet.

Quas: Der in Mittel- und Norddeutschland gebräuchliche Ausdruck für »Gelage, Schmaus; Pfingstbier mit festlichem Tanz« (mitteld. *quāz̧,* mnd. *quās*) wurde im ausgehenden Mittelalter aus einer westslaw. Sprache entlehnt, beachte z. B. sorb. *kwas* »Sauerteig; Schmaus; Hochzeit«. Die slaw. Wortgruppe von russ. *kvas* »säuerliches Getränk« – vgl. **Kwass** »gegorenes Getränk« – gehört zu der idg. Wurzel *$*k^{u}at[h]$-* »gären, sauer werden« (vgl. *Käse*).

quasi: Der Ausdruck für »gewissermaßen, gleichsam, sozusagen« wurde im 17. Jh. aus dem lat. Adverb *quasi* »wie wenn, gerade als ob; gleichsam« übernommen (aus lat. *qua* »wie« und *si* »wenn«). Seit der 2. Hälfte des 20. Jh.s taucht ›quasi‹, möglicherweise durch das Englische beeinflusst, auch vermehrt als erster Bestandteil von Zusammensetzungen mit Substantiven und Adjektiven auf, wie z. B. ›Quasidichter, quasioffiziell‹.

quasseln (ugs. für:) »törichtes Zeug reden, plappern, schwatzen«: Das seit dem 19. Jh. bezeugte, ursprünglich niederd. Verb, das von Berlin ausgehend in die Umgangssprache gedrungen ist, ist eine Iterativ-Intensiv-Bildung zu niederd. *quasen* »plappern, schwatzen«. Dieses Verb ist von dem niederd. Adjektiv *dwas* »töricht« (mnd. *dwās)* abgeleitet, das mit ↑dösen und ↑Dusel verwandt ist und zu der Wortgruppe von ↑Dunst gehört. Zum Anlautswechsel dw-, tw- zu qu- siehe den Artikel *quer.*

Quaste, landsch. Quast: Mhd. *quast[e]* »Büschel, Wedel; Laubbüschel des Baders, Badewedel; Federbüschel als Helmschmuck« (daneben *queste,* ahd. *questa*), niederl. *kwast* »Wedel, Büschel; Pinsel« und die nord. Sippe von schwed. *kvast* »Besen; Doldentraube« gehen zurück auf germ. **kwastu-,* **kwasta-* »Laubbüschel, Reisigwedel«. Das Wort scheint bereits in germ. Zeit speziell den Laub- bzw. Reisigwedel, mit dem die Badenden gepeitscht wurden, bezeichnet zu haben, beachte das aus dem Germ. entlehnte finn. *vasta* »Badewedel; Besenreis«. Die germ. Wortgruppe geht mit verwandten Wörtern in anderen idg. Sprachen auf eine mehrfach erweiterte Wurzel **g^{u}es-* »Laubwerk, Gezweig« zurück, vgl. z. B. lat. *vespices* (Plural) »dichtes Gesträuch«.

^{1}**quatschen** (ugs. für:) »dummes Zeug reden, schwatzen«: Das seit dem 16. Jh. bezeugte Verb – daraus rückgebildet das Substantiv ^{1}**Quatsch** ugs. für »dummes Gerede, Unsinn« (19. Jh.) – ist wahrscheinlich, wie z. B. auch ↑klatschen und ↑patschen, lautnachahmender Herkunft und gehört dann zu der Sippe von ↑^{2}quatschen. Denkbar wäre auch, dass das Verb von niederd. *quat* »schlecht, schlimm, böse« (vgl. *Kot*) abgeleitet ist, beachte niederd. *quatsken* »wertloses Zeug reden«.

^{2}**quatschen** (landsch., besonders nordd. für:) »das Geräusch ›quatsch‹ hervorbringen; durch Wasser oder Schlamm waten, in eine breiartige Masse treten oder fassen; feucht oder morastig sein«: Das seit dem 16. Jh. bezeugte Verb ist lautnachahmender Herkunft, beachte die Interjektion quatsch! – Dazu stellt sich das Substantiv ^{2}**Quatsch** landsch., besonders nordd. für: »breiartige Masse, Morast, Straßenkot«. Allgemein gebräuchlich ist die Zusammensetzung **quatschnass** ugs. für »sehr nass« (19. Jh.). Beachte den Artikel *^{1}quatschen.*

Quebbe ↑quabbeln.

Quecke: Das Ackerunkraut ist nach seiner ungewöhnlichen Keimkraft und der Zähleibigkeit seiner Wurzelstöcke benannt. Der germ. Name der Pflanze mnd. *kweken,* niederl. *kweek,* engl. *quick-, quitch-grass,* norw. mdal. *kvika* ist zu dem unter ↑keck dargestellten germ. Adjektiv **quiqua-* »lebendig, lebhaft« gebildet.

Quecksilber: Das Metall, das bei normaler Temperatur flüssig ist und silbrig glänzt, ist als »lebendiges Silber« benannt. Ahd. *quecsilbar* ist – wie auch aengl. *cwicseolfor* (engl. *quicksilver*) – Lehnübersetzung von mlat. *argentum vivum,* beachte frz. *vif-argent.* – Das Bestimmungswort ist das unter ↑keck behandelte Adjektiv, das früher »lebendig, lebhaft« bedeutete; s. auch den Artikel *verquicken.* – Abl.: **quecksilb[e]rig** »unruhig« (20. Jh.).

^{1}**quellen:** Das starke Verb mhd. *quellen,* ahd. *quellan,* das im germ. Sprachbereich außer im Dt. nur noch im aengl. 2. Partizip *[ge]collen-* »aufgeschwollen« nachweisbar ist, geht mit verwandten Wörtern in anderen idg. Sprachen auf eine Wurzel **g^{u}el-* »quellen, [über]fließen, herabträufeln« zurück, vgl. z. B. aind. *gálati* »träufelt, fällt herab«. Das schwache Verb ^{2}**quellen** »im Wasser weichen lassen« ist das zu ›^{1}quellen‹ gebildete Veranlassungsverb und bedeutet eigentlich »quellen machen«. Um das starke Verb gruppieren sich die Substantivbildungen ↑Qualle, ↑Qualm und **Quelle,** daneben dichterisch auch: **Quell.** Das Substantiv ›Quell[e]‹ ist wahrscheinlich eine junge Rückbildung aus ›^{1}quellen‹, die vom Ostmitteld. ausgehend gemeinsprachlich geworden ist. Da das Wort in mhd. Zeit fehlt, setzt es schwerlich ahd. *quella* »Quelle« fort.

quengeln (ugs. für:) »lästig fallen (besonders von Kindern)«: Das seit dem 18. Jh. bezeugte Verb stellt sich wahrscheinlich als Iterativ-Intensiv-Bildung zu mhd. *twengen,* mnd. *dwengen* »zwängen, drücken; bedrängen, nötigen« (vgl. *zwängen*). Zum Anlautswechsel tw- bzw. dw- zu qu- s. den Artikel *quer.*

quer: Das heute nur noch als Adverb gebräuchliche Wort ist in mitteld. Form hochsprachlich geworden. Im 14. Jh. wandelte sich im mitteld. Sprachraum der Anlaut tw- (niederd. dw-) zu qu-, sodass aus mhd. *twerch* Adjektiv und Adverb »schräg; verkehrt; quer« mitteld. *querch* entstand, woraus sich durch Auslautsvereinfachung ›quer‹ entwickelte. Die lautgerechte Entwicklung von mhd. *twerch* führte dagegen zu ↑zwerch, das in oberd. Mundarten und in der Zusammensetzung ›Zwerchfell‹ bewahrt ist. Den mitteld. Anlautswechsel zeigen außer ›quer‹ auch ›Quark, Quirl, Quetsche‹ (↑Zwetsche) und vielleicht ›Quarz‹ und ›quengeln‹. – Abl.: **Quere** (mhd. *twer[e],* ahd. *twer[h]ī;* heute fast nur noch in der ugs. Wendung ›in die Quere kommen‹ gebräuchlich); **queren** veraltend für »überschreiten; überschneiden« (17. Jh.; dafür heute gewöhnlich ›durch-, überqueren‹). Zus.: **querfeldein** (18. Jh.; zusammengewachsen aus ›quer Feld ein‹, das sich aus Fügungen wie z. B. ›querfeld hinein‹ entwickelt hat, in denen ›Feld‹ Akkusativ der Richtung ist); **Querflöte** (16. Jh.); **Querkopf** »eigensinniger Mensch, der nicht so will wie die anderen« (18. Jh.); **Querschläger** »Geschoss, das mit seiner Längsachse quer zur Flugrichtung auftrifft« (20. Jh.); **Querschnitt** »Schnitt in der Querrichtung eines Körpers; Auswahl, Zusammenstellung« (18. Jh.); **Quertreiber** »eigensinniger Mensch, der nicht so will wie die anderen« (Verhochdeutschung von niederd. *dwarsdrīver,* das eigentlich ein Seemannswort ist und einen Schiffer bezeichnet, der schlecht steuernd querab treibt oder anderen in die Quere kommt, 18. Jh.; beachte das seit dem 17. Jh. bezeugte niederl. *dwarsdrijver*), dazu **Quertreiberei.**

Querele: Der Ausdruck für »auf gegensätzlichen Interessen beruhende Streiterei« wurde im 17. Jh.

aus frz. *querelle* »Klage; Beschwerde; Streit[erei]« entlehnt. Dies geht auf lat. *querel[l]a* »Klage, Beschwerde« (zu lat. *queri* »[be]klagen«, vgl. *Querulant*) zurück, das schon vorher unmittelbar ins Dt. übernommen worden war. – ›Querele‹, das gewöhnlich im Plural vorkommt, wurde bis ins 20. Jh. hinein im Wesentlichen auf den privaten Bereich, dann erst auf den [partei]politischen Bereich bezogen.

Querulant: Der seit dem 18. Jh. bezeugte Ausdruck für »Nörgler, Besserwisser« ist eigentlich eine nlat. Substantivierung des Part. Präs. von lat. *querelari* »klagen« und bedeutet demnach »Klagender«. Aus lat. *querelari*, das mit lat. *querulus* »klagend« und lat. *querel[l]a* »Klage« (vgl. *Querele*) zu lat. *queri* »[be]klagen« gehört, ist unser Verb **querulieren** »nörgeln, klagen, sich beschweren« (um 1600) entlehnt.

Quetsche ↑Zwetsche.

quetschen: Die Herkunft des nur im Dt. und Niederl. nachweisbaren Verbs ist dunkel. Da sichere außergerm. Entsprechungen fehlen, liegt für mhd. *quetschen, quetzen*, mnd. *quetten, quetsen*, niederl. *kwetsen* Entlehnung aus dem Roman. nahe, und zwar aus der Sippe von lat. *quatere, quassare* »schütteln, schlagen usw.«, beachte afrz. *quasser* »zerdrücken, zerbrechen; verletzen«. – Abl.: **Quetschung** (mhd. *quetzunge* »Quetschung, Wunde«). Zus.: **Quetschkommode** ugs. scherzh. für »Ziehharmonika« (20. Jh.).

quicklebendig: Die junge Zusammensetzung enthält als Bestimmungswort die landsch. (niederd.) Form von nhd. ↑keck, beachte ›erquicken‹ und ›verquicken‹ sowie die Nebenform ›queck‹ in ›Quecksilber‹ (s. diese Artikel). In ›quicklebendig‹ ist ›quick‹ »lebhaft, munter, frisch« lediglich verstärkend, während in den veralteten Zusammensetzungen **Quickborn** »Jungbrunnen« und **Quicksand** »Triebsand, Flugsand« die eigentliche Bedeutung bewahrt ist.

quieken: Das seit dem 16. Jh. bezeugte Verb, das sich vom niederd. Sprachraum ausgebreitet hat, ist lautnachahmenden Ursprungs und gibt hauptsächlich den Laut der Ferkel und schrille Töne wieder. Verstärkende Weiterbildungen von ›quieken‹ sind **quieksen** (17. Jh.) und **quietschen** (17. Jh.), beachte die Zusammensetzung **quietschvergnügt** ugs. für »sehr vergnügt« (20. Jh.).

Quinta: Die Bezeichnung für die zweite Klasse einer höheren Schule geht zurück auf lat. *quinta classis* »fünfte Abteilung« (vgl. über die Bedeutungsentwicklung den Artikel *Sexta*). Die zugrunde liegende lat. Ordinalzahl *quintus* »fünfter«, die auch in den Fremdwörtern ↑Quintett und ↑Quintessenz erscheint, gehört zu der mit dt. ↑fünf urverwandten Kardinalzahl lat. *quinque* »fünf«.

Quintessenz »Wesen einer Sache, Hauptgedanke; Endergebnis«: Mlat. *quinta essentia* (eigentlich »das fünfte Seiende«), aus dem im 16. Jh. ›Quintessenz‹ entlehnt wurde, bezeichnete als Übersetzung von griech. *pemptḗ ousíā* das zu den vier sichtbaren natürlichen Elementen (nach der Lehre der Pythagoreer und Aristoteles') hinzukommende fünfte Element, einen feinsten unsichtbaren Luft- oder Ätherstoff. Die Alchemisten übernahmen das Wort in ihre Fachsprache zur Bezeichnung feinster Stoffauszüge. Danach entwickelte sich die übertragene Verwendung des Wortes im Sinne von »das Beste; das Eigentliche und Wesenhafte; wichtigster Inhalt, Ergebnis«.

Quintett »Tonstück für fünf Singstimmen oder fünf Instrumente; die Gruppe der fünf ausführenden Künstler«: Das Fremdwort wurde im 18. Jh. aus gleichbed. it. *quintetto* entlehnt. Dies ist eine Ableitung von it. *quinto* »der Fünfte« (< lat. *quintus* »der Fünfte«; vgl. *Quinta*).

Quirl: Der germ. Gerätename (mhd. *twir[e]l*, ahd. *dwiril*, aengl. *đwirel*, isl. *þyrill*) geht auf germ. **þwerila-* »Rührstock« zurück, das – wie z. B. auch ›Meißel‹ und ›Schlägel‹ – mit dem Instrumentalsuffix -ila gebildet ist, und zwar zu dem im Nhd. untergegangenen starken Verb **þweran* »drehen, rühren«, vgl. z. B. ahd. *dweran*, mhd. *twern* »drehen; bohren; rühren; mengen«. Dieses starke germ. Verb gehört zu der idg. Wortgruppe der Wurzel **tu̯er-* »drehen, wirbeln«, vgl. z. B. lat. *trua* »Rühr-, Schöpfkelle«, erweitert *turba* »Verwirrung, Lärm, Gedränge«, *turbare* »verwirren« (↑turbulent, ↑Trubel), *turbo* »Wirbel; Sturm; Kreisel« (↑Turbine). – Die nhd. Form ›Quirl‹ stammt aus dem Mitteld., beachte zum mitteld. Anlautswechsel tw- zu qu- den Artikel *quer.*

quitt »ausgeglichen, wett; bezahlt, erledigt, fertig; los und ledig«: Das seit etwa 1200 bezeugte Adjektiv (mhd. *quīt*) ist aus afrz. *quite* (= frz. *quitte*) »frei, ledig« entlehnt, das seinerseits auf lat.-mlat. *quietus* (gesprochen: *qu̯ietus*) »ruhig; untätig; frei von Störungen; frei von Verpflichtungen; frei, losgelöst« beruht. Das zugrunde liegende Verb lat. *quiescere (quietum)* »ruhen; ungestört sein« gehört zu dem mit dt. ↑Weile verwandten Substantiv lat. *quies* »Ruhe; Friede«. – Vgl. den Artikel *quittieren.*

Quitte: Der Name des zu den Rosengewächsen gehörenden, in Transkaukasien beheimateten Baumes und seiner apfel- oder birnenförmigen Frucht (mhd. *quiten*, ahd. *qitina*) geht auf vlat. *quidonea* zurück, das für lat. *cydonea (mala)* »Quittenäpfel« (= lat. *cotonea [mala]*) steht. Die lat. Wörter selbst beruhen auf gleichbed. griech. *kydṓnia (mēla).* Das Wort ist wohl kleinasiatischen Ursprungs und wurde im Griech. volksetymologisch auf den Namen der antiken Stadt Kydōnía (auf Kreta) bezogen.

quittieren: Das Verb erscheint im Dt. zuerst im 14. Jh. mit der Bedeutung »von einer Verbindlichkeit befreien«. Es ist in diesem Sinne von dem unter ↑quitt behandelten Adjektiv abgeleitet nach dem Vorbild von frz. *quitter* »freimachen« und dem diesem zugrunde liegenden Verb mlat. *quietare, quit[t]are* »befreien, entlassen; aus einer Verbindlichkeit entlassen«. Seit dem 15. Jh. begegnet das Wort in der Kaufmannssprache, wo es heute allgemein üblich ist, im Sinne von »die Befreiung von einer Verbindlichkeit durch erfolgte Leistung schriftlich bestätigen, den Empfang einer Zahlung bescheinigen«; beachte das dazugehörige Substantiv **Quittung** »Empfangsbescheinigung, -bestätigung [über eine Zahlung]« (15. Jh.), das gelegentlich auch im übertragenen Sinne von »unangenehme Folgen als Bestätigung eines Verhaltens, Denkzettel« gebraucht wird. Seit dem 17. Jh. schließlich steht das Verb ›quittieren‹ auch für »ein Amt niederlegen, eine Tätigkeit aufgeben«. Es ist in dieser Bedeutung unmittelbar von frz. *quitter* »freimachen; verlassen, aufgeben, sich trennen von, sich zurückziehen (von einer Tätigkeit)« abhängig.

Quiz: Die Bezeichnung für ein »Frage-und-Antwort-Spiel« wurde im 20. Jh. aus gleichbed. engl.-amerik. *quiz* entlehnt. Die weitere Herkunft des engl.-amerik. Wortes, das eigentlich »schrulliger Kauz; Neckerei, Ulk« bedeutet, ist dunkel. Aus der gleichen Zeit stammt die Zusammensetzung **Quizmaster,** die aus gleichbed. engl.-amerik. *quizmaster* (aus engl. *quiz* s. o. und engl. *master* »Herr«) übernommen wurde und die den »Fragesteller bei einer Quizveranstaltung«bezeichnet.

Quote »Anteil«: Das Fremdwort wurde um 1600 aus gleichbed. mlat. *quota (pars)* entlehnt. Zugrunde liegt lat. *quotus* »der Wievielte?«, das zu lat. *quot* »wie viele?« gehört. – Gleichen Ausgangspunkt (lat. *quot*) hat **Quotient** »Ergebnis einer Division« (15. Jh.), das aus lat. *quotiens* »wie oft?, wievielmal?« substantiviert ist (gemeint ist hier, mit »wievielmal« eine Zahl durch eine andere teilbar ist).

R *r*

Rabatt: Der Ausdruck für »Preisnachlass« wurde im 17. Jh. in der Kaufmannssprache aus gleichbed. älter it. *rabatto* (= frz. *rabat*) entlehnt. Dies gehört zu älter it. *rabattere* (= frz. *rabattre*) »niederschlagen, abschlagen; einen Preisnachlass gewähren«, das die Grundbedeutung des vorausliegenden vlat. Verbs **re-abbatt[u]ere* »wieder abschlagen, niederschlagen« ins Kaufmännische übertragen hat. Stammverb ist lat. *battuere* (vlat. *battere*) »schlagen« (vgl. das Fremdwort *Bataillon*). – Damit verwandt ist unser Fremdwort **Rabatte** »Randbeet«, das als Fachausdruck niederländischer Gartenbaukunst im 18. Jh. aus gleichbed. niederl. *rabat* entlehnt wurde. Das niederl. Wort seinerseits ist aus frz. *rabat* übernommen und bedeutete wie dies zunächst »Aufschlag am Halskragen«, sekundär dann in bildlicher Übertragung »schmales Beet entlang einer Erdaufschüttung«. Über das dem Wort zugrundeliegende frz. Verb *rabattre* s. oben unter ›Rabatt‹.

Rabatz: Der seit dem Ende des 19. Jh.s bezeugte ugs. Ausdruck für »Krach, Krawall«, der sich von Berlin ausgehend ausgebreitet hat, gehört wohl zu poln. *rąbać* »schlagen, hauen«.

Rabauke: Der seit etwa 1900 gebräuchliche ugs. Ausdruck für »Jugendlicher, der sich rüpelhaft und gewalttätig benimmt«, ist aus niederl. *rabauw, rabaut* »Schurke, Strolch« entlehnt, das seinerseits aus afrz. *ribaud* »Schurke, Strolch« übernommen ist. Dies ist eine Bildung zu afrz. *riber* »sich wüst aufführen« (< mhd. *rîben* »brünstig sein, sich begatten«, eigentlich »reiben«).

Rabbiner: Die Bezeichnung für »jüdischer Schriftgelehrter; Vorsteher einer jüdischen Gemeinde« ist aus gleichbed. mlat. *rabinus* entlehnt. Dies gehört zu kirchenlat. *rabbi,* das aus griech. *rabbí* übernommen ist. Das griech. Wort stammt aus hebr. *ravvî,* einem jüdischen Ehrentitel, der eigentlich »mein Lehrer« bedeutet (hebr. *ravv* »Lehrer« und hebr. *-i* »mein«). Neben ›Rabbiner‹ ist auch die Form ›Rabbi‹ gebräuchlich.

Rabe: Der altgerm. Vogelname mhd. *rabe, raben,* ahd. *hraban,* niederl. *raaf,* engl. *raven,* aisl. *hrafn* gehört zu der unter ↑Harke dargestellten lautnachahmenden Wurzel. Der Rabe ist also nach seinem heiseren Geschrei (als »Krächzer«) benannt. Zu dieser lautnachahmenden Wurzel gehören z. B. aus anderen idg. Sprachen griech. *krázein* »krächzen, schreien«, *kórax* »Rabe«, lat. *crocire* »krächzen«, *corvus* »Rabe« und russ. *krakat'* »krächzen«. Siehe auch den Artikel *Rachen.* – Eine Bildung zu ›Rabe‹ ist das unter ↑Rappe behandelte Wort. Auf die früher verbreitete Ansicht, dass der Rabe sich wenig um seine Jungen kümmert und sie, wenn er sie nicht mehr füttern will, aus dem Nest stößt, beziehen sich die Zusammensetzungen wie **Rabenmutter** (17. Jh.) und **Rabenvater** (16. Jh.). – Zus.: **Rabenaas** »hinterhältiger, gemeiner Mensch« (17. Jh.); **rabenschwarz** »tiefschwarz« (mhd. *rabenswarz*).

rabiat »wütend; grob, roh«: Das Adjektiv wurde Ende des 17. Jh.s aus mlat. *rabiatus* »wütend«, dem Part. Perf. von mlat. *rabiare* »wüten« (= klass.-lat. *rabere*) entlehnt. Stammwort ist lat. *rabies* »Wut, Tollheit, Raserei«, das mit einer vlat. Nebenform **rabia* in frz. *rage* »Wut« fortlebt. Daraus stammt unser Fremdwort **Rage** »Wut, Zorn« (17. Jh.) in Fügungen wie ›in Rage geraten‹ und ›jemanden in Rage bringen‹.

Rache ↑rächen.

Rachen: Die westgerm. Benennung des Schlundes mhd. *rache,* ahd. *rahho,* mnd. *rake,* aengl. *hrace, -u* stellt sich zu ahd. *rachisōn* »sich räuspern«, aengl. *hrāca* »Räusperung; Speichel, Schleim«, aisl. *hrāki* »Speichel« und ist weiterhin verwandt z. B. mit griech. *krázein* »krächzen, schreien« und russ. *krakat'* »krächzen«. Diese Wörter gehören zu der unter ↑Harke dargestellten lautnachahmenden Wurzel.

rächen: Mhd. *rechen,* ahd. *rehhan* »vergelten, rächen, strafen«, got. *wrikan* »verfolgen«, aengl. *wrecan* »treiben, stoßen; vertreiben; rächen, strafen; hervorstoßen, äußern«, aisl. *reka* »treiben, jagen; verfolgen; werfen« gehören vermutlich zu einer idg. Wurzelform **u̯[e]reg-* »stoßen, drängen, [ver]treiben«, vgl. z. B. lat. *urgere* »[be]drängen, pressen«. – Um das gemeingerm. Verb gruppieren sich die Bildungen ↑Recke (eigentlich »Vertriebener«) und ↑Wrack (eigentlich »herumtreibender Gegenstand«) sowie **Rache** (mhd. *rāche,* ahd. *rāhha* »Rache, Strafe«, vgl. got. *wrēki̯ei* »Verfolgung«). – Das Verb ›rächen‹ flektierte früher stark, beachte das heute veraltete, aber noch scherzhaft verwendete 2. Partizip ›gerochen‹.

Rachitis: Der Name der durch Mangel an Vitamin D hervorgerufenen Krankheit ist aus gleichbed. engl. *rachitis* entlehnt. Dies ist eine von dem englischen Anatomen F. Glisson (1597 bis 1677) eingeführte wissenschaftliche Bezeichnung nach griech. *rhachītis (nósos)* »das Rückgrat betreffend(e Krankheit)«, zu griech. *rháchis* »Rückgrat«.

Rad: Das auf das dt. und niederl. Sprachgebiet beschränkte Wort (mhd. *rat,* ahd. *rad,* niederl. *rad*) beruht mit Entsprechungen in anderen idg. Sprachen auf idg. **roto-* »Rad«, vgl. z. B. lit. *rãtas* »Rad«, ir. *roth* »Rad«, und lat. *rota* »Rad«, beachte dazu lat. *rotula* »Rädchen« (↑Rolle), lat. *rotare* »sich kreisförmig herumdrehen« (↑rotieren), lat. *rotundus* »scheibenförmig« (↑rund). Idg. **roto-* »Rad« ist eine Bildung zu der idg. Verbalwurzel **ret[h]-* »rollen, kullern, laufen«, vgl. z. B. air. *rethim* »laufe« und lit. *rìsti* »rollen«. Aus dem germ. Sprachbereich gehören zu dieser Wurzel die unter ↑[2]gerade (ursprünglich »schnell, behend«) und wohl auch unter ↑rasch behandelten Wörter. – Im übertragenen Gebrauch bezeichnet ›Rad‹ im Dt. Dinge, die mit der Form eines Rades Ähnlichkeit haben, so z. B. das Hinrichtungsrad, beachte dazu ›rädern‹, ›radebrechen‹ und die Wendung ›aufs Rad flechten‹, ferner den gespreizten Schwanz eines Pfaus und dgl. Weiterhin wird ›Rad‹ kurz für »Mühlrad« und speziell für »Fahrrad« gebraucht, beachte dazu ›radeln‹ und ›Radfahrer‹. – Abl.: **radeln** »Rad fahren« (2. Hälfte des 19. Jh.s, für ›velozipedieren‹), dazu **Radler** (um 1900, zunächst ironisch für ›Velozipedist‹); **rädern** »auf dem Rad hinrichten« (mhd. *rederen;* beachte dazu das 2. Partizip **gerädert** »völlig zerschlagen, todmüde«). Zus.: **radebrechen** (s. d.); **Radfahrer** und **Rad fahren** (2. Hälfte des 19. Jh.s). Siehe auch den Artikel *Rädelsführer.*

Radar: Das Wort wurde im 20. Jh. aus gleichbed. engl.-amerik. *radar* entlehnt. Dies ist ein Kurzwort für ***ra**dio **d**etecting **a**nd **r**anging* und ist die Sammelbezeichnung für Geräte und Verfahren zur Ortung (*detecting*) und Messung (*ranging*) der Entfernung von Objekten im Raum mithilfe gebündelter Funkstrahlen (*radio*).

Radau (ugs. für:) »Lärm, Krach«: Das seit dem 19. Jh. bezeugte Wort, das von Berlin ausgehend in die Umgangssprache drang, ist wahrscheinlich lautnachahmenden Ursprungs (vgl. den Artikel *Klamauk*).

radebrechen »eine Fremdsprache nur mühsam und unvollkommen sprechen«: Das seit mhd. Zeit bezeugte Verb (mhd. *radebrechen*) enthält als Bestimmungswort das unter ↑Rad behandelte Substantiv und als Grundwort das im Mhd. untergegangene schwache Verb ahd. *brehhōn* »niederschlagen« (vgl. *brechen*). Es bedeutete in mhd. Zeit »auf dem Hinrichtungsrad die Glieder brechen«. Im Nhd. wurde es dann übertragen im Sinne von »quälen« und seit dem 17. Jh. im Sinne von »eine Sprache grausam zurichten« verwendet.

Rädelsführer, früher auch: Rädlein[s]führer: Das seit dem 16. Jh. bezeugte Wort bezeichnete ursprünglich den Anführer einer Abteilung von Landsknechten, dann den Anführer einer herrenlosen Schar und schließlich den Anführer einer Verschwörung, eines Aufruhrs oder dgl. Das Bestimmungswort ›Rädlein‹ (mhd. *redelīn* »Rädchen«) ist eine Verkleinerungsbildung zu ↑Rad und bezeichnete im 16. Jh. die kreisförmige Formation einer Schar von Landsknechten.

rädern

wie gerädert sein/sich wie gerädert fühlen
»erschöpft, körperlich sehr ermüdet sein«
Diese Wendung bezieht sich auf die im Mittelalter übliche Hinrichtungsart, bei der dem Delinquenten mit einem schweren Eisenrad die Knochen zerschlagen wurden (vgl. auch *Rad*).

radieren: Das seit dem 15. Jh. bezeugte Verb, das in den kulturgeschichtlichen Zusammenhang der unter ↑schreiben genannten Fremd- und Lehnwörter des Schriftwesens im engeren Sinne gehört, ist aus lat. *radere (rasum)* »kratzen, schaben, auskratzen; reinigen« entlehnt. Dies ist wurzelverwandt mit dt. ↑Ratte. Beachte auch die Zusammensetzungen **Radiermesser** (15. Jh.) und **Radiergummi** (Ende 19. Jh.). Als Fachwort der Kupferstecher erscheint ›radieren‹ Anfang des 18. Jh.s in der Bedeutung »eine Zeichnung auf eine Kupferplatte einritzen«. Dazu stellt sich die Substantivbildung **Radierung** »Bildabzug von einer auf eine Kupferplatte eingeritzten und geätzten Zeichnung« (Anfang des 20. Jh.s). – Zu lat. *radere* gehören die Intensivbildung vlat. **rasare* »abschaben, abscheren« und die Substantivbildung lat. *raster* (daneben *rastrum*) »Hacke«, die ↑rasieren und ↑Raster zugrunde liegen.

Radieschen: Der Name der dem Rettich verwandten Pflanze ist Verkleinerungsbildung zu dem früher üblichen Maskulinum **Radies,** das im ausgehenden 17. Jh. aus niederl. *radijs* entlehnt wurde. Dies ist aus frz. *radis* übernommen, das seinerseits aus it. *radice* »Radieschen« stammt. Das it. Wort bedeutet eigentlich »Wurzel« und geht auf lat. *radix (radicis)* »Wurzel« zurück. – Gleichen Ursprungs (lat. *radix*) ist auch unser Lehnwort ↑Rettich.

radikal »von Grund auf, gründlich; bis zum Äußersten gehend, hart und rücksichtslos«: Das Adjektiv wurde im 18. Jh. aus frz. *radical* »grundlegend, gründlich« entlehnt. Dies geht auf spätlat. *radicalis* »eingewurzelt« zurück, das zuvor schon unmittelbar ins Dt. übernommen worden war und im Sinne von »angeboren, angestammt, natürlich« verwendet wurde. – Die Verwendung von ›radikal‹ im Sinne von »(politisch, ideologisch) extrem« erfolgte im 19. Jh. unter dem Einfluss von gleichbed. engl. *radical.* An diesen Gebrauch schließen sich die Substantivierung **Radikaler** und die Bildungen **radikalisieren** (20. Jh.), **Radikalinski** (20. Jh.; gebildet mit der Endung -inski in slaw. Familiennamen), **Radikalist** (20. Jh.) und z. T. **Radikalismus** (19. Jh.) an, das auch im Sinne von »rücksichtsloses Vorgehen, unnachgiebiges Verfolgen von Zielen« gebräuchlich ist. – Spätlat. *radicalis* ist eine Bildung zu lat. *radix (radicis)* »Wurzel« (vgl. den Artikel *Rettich*).

Radio »Rundfunk[gerät]«: Das Fremdwort wurde in der 1. Hälfte des 20. Jh.s aus gleichbed. engl. *radio,* einer Kurzform von engl. *radiotelegraphy* »Übermittlung von Nachrichten durch Ausstrahlung elektromagnetischer Wellen«, entlehnt. Zum Bestimmungswort vgl. den Artikel *Radius.* – Obwohl in den 20er-Jahren von der Post als amtliche Bezeichnung »Rundfunk« eingeführt wurde, hat sich ›Radio‹ im Sprachgebrauch gehalten.

radioaktiv »ohne äußeren Einfluss ständig Energie in Form von Strahlen abgebend«: Das Adjektiv ist wohl erst aus dem Substantiv **Radioaktivität** rückgebildet. Dieses wurde im 20. Jh. aus gleichbed. frz. *radioactivité* übernommen, einer Bildung der französischen Physikerin Marie Curie (1867–1934). Vgl. zum Bestimmungswort den Artikel *Radius* und zum Grundwort den Artikel *aktiv.*

Radium: Das zu den Schwermetallen zählende weiß glänzende chemische Element wurde von dem französischen Physikerehepaar Curie 1898 entdeckt. Sein nlat. Name, der von lat. *radius* »Strahl« (vgl. *Radius*) abgeleitet ist, bezieht sich auf die hervorstechendste Eigenschaft dieses Metalls, unter Aussendung von »Strahlen« in radioaktive Bruchstücke zu zerfallen.

Radius: Der mathematische Fachausdruck für »Halbmesser« wurde um 1700 aus gleichbed. lat. *radius,* eigentlich »Stab; Speiche; Strahl«, entlehnt. Das lat. Wort, dessen etymologische Zugehörigkeit dunkel ist, spielt eine Rolle in zahlreichen gelehrten Neubildungen, u. a. in ↑Radio, ↑Radar, ↑Radium und ↑radioaktiv. Im übertragenen Gebrauch wird ›Radius‹ seit dem 18. Jh. im Sinne von »Wirkungskreis, Reichweite, Umkreis« verwendet.

Rädlein[s]führer ↑Rädelsführer.

raffen: Mhd. *raffen* »zupfen, rupfen, raufen; an sich reißen«, niederl. *rapen* »an sich reißen, einsammeln«, älter engl. *to rap* »fassen, packen«, norw. *rappa* »stibitzen, stehlen« sind eng verwandt mit den unter ↑raspeln behandelten Wörtern und gehören wahrscheinlich zu der unter ↑[1]scheren dargestellten idg. Wortgruppe.

raffiniert »durchtrieben, schlau«: Das in diesem Sinne seit dem Anfang des 18. Jh.s bezeugte Wort ist das in adjektivische Funktion übergegangene zweite Partizip des schon im 16. Jh. aus dem Frz. entlehnten Verbs **raffinieren** in dessen älterer und eigentlicher Bedeutung »verfeinern, läutern« (aus gleichbed. frz. *raffiner,* einer Präfixbildung zu frz. *fin* »fein«; vgl. hierüber den Artikel *fein*). Die Bedeutungsentwicklung von ›raffiniert‹, die dem Vorbild von frz. *raffiné* »durchtrieben« folgt, entspricht der von ↑abgefeimt. Zu ›raffiniert‹ bzw. frz. *raffiné* stellt sich **Raffinesse** »Überfeinerung; Durchtriebenheit, Schlauheit« (französierende Neubildung des 19. Jh.s). – An die Verwendung von ›raffinieren‹ im Sinne von »verfeinern, von Beistoffen reinigen« (nach frz. *raffiner*) schließt sich an **Raffinerie** »Anlage zur Reinigung von Zucker, Öl u. a.« (18. Jh.; aus gleichbed. frz. *raffinerie*).

Rage ↑rabiat.

ragen: Die Herkunft des Verbs (mhd. *ragen;* vgl. aengl. *ofer-hrǣgan* »überragen«) ist nicht sicher geklärt. Vielleicht ist es verwandt mit der baltoslaw. Sippe von russ. *krokva* »Stange; Dachsparren« und mit griech. *króssai* »Zinnen«. – Zusammensetzungen mit ›ragen‹ sind ›auf-, empor-, heraus-, hervor- (beachte ›hervorragend‹), überragen‹.

Raglan »Mantel, dessen Ärmel- und Schulterteil aus einem Stück geschnitten ist«: Die Bezeichnung des Kleidungsstücks wurde in der 2. Hälfte des 19. Jh.s aus gleichbed. engl. *raglan* entlehnt. Der Mantel ist nach dem englischen General Raglan (1788–1855) benannt, der einen Mantel dieses Schnitts im Krimkrieg trug.

Ragout: Die Bezeichnung für ein Gericht aus Fleisch-, Fisch- oder Geflügelstückchen in würziger Soße wurde im 17. Jh. aus gleichbed. frz. *ragoût* entlehnt, einer Rückbildung aus frz. *ragoûter* »den Gaumen reizen, Appetit machen«, das seinerseits von frz. *goût* (< lat. *gustus*) »Geschmack, Geschmackssinn« abgeleitet ist.

Rah[e] »waagerechte, am Schiffsmast befestigte Stange«: Das Wort, das heute nur noch als seemännischer Ausdruck verwendet wird, bedeutete früher ganz allgemein »Stange«. Mhd. *rahe,* mnd. *rā,* niederl. *ra,* schwed. *rå* hängen mit den unter ↑regen behandelten Wörtern zusammen und sind weiterhin verwandt mit lit. *rė́klės* »Stangengerüst zum Trocknen«. – Das Wort wurde früher unter niederl. Einfluss auch ›Raa‹ geschrieben. – Siehe auch *Reck.*

Rahm (landsch. für:) »Sahne«: Das westgerm. Wort mhd. *roum,* mnd. *rōm[e],* niederl. *room,* aengl. *rēam* steht im Ablaut zu der nord. Sippe von aisl. *rjōmi* »Sahne«. Welche Vorstellung diesen germ. Benennungen der Sahne zugrunde liegt, lässt sich nicht mit Sicherheit klären. Sie können im Sinne von »das, was oben schwimmt« zu der unter ↑Strom dargestellten Wortgruppe gehören oder aber mit awest. *raoγna* »Butter«, pers. *raugān* »[ausgelassene] Butter« verwandt sein. – Die heute übliche Form ›Rahm‹ mit mdal. a hat sich gegenüber älter nhd. *Raum* (mhd. *roum)* und *Rom* (mnd. *rōm[e]*) durchgesetzt.

Rahmen: Mhd. *rame* »Stütze, Gestell; [Web-, Strick]rahmen«, ahd. *rama* »Stütze, Säule«, mnd. *rame* »Gestell, Einfassung«, niederl. *raam* »Einfassung, Gestell; Fenster« sind im germ. Sprachbereich eng verwandt mit ahd. *ramft,* mhd. *ranft* »Einfassung, Rand«, nhd. mdal. *Ranft* »Brotkanten; Rand« und mit der unter ↑Rand behandelten Wortgruppe. Außergerm. sind z. B. verwandt lit. *ramtis, ramstis* »Stütze, Pfeiler; Balken« und aind. *rambhá-ḥ* »Stütze, Stab«. Diese Wörter gehören zu der idg. Verbalwurzel **rem[ə]-* »stützen; sich aufstützen, ruhen«, vgl. z. B. got. *rimis* »Ruhe«, lit. *remti* »stützen« und aind. *rámatē* »ruht, steht still«. – Im heutigen Sprachgebrauch wird ›Rahmen‹ auch übertragen im Sinne von »Umgrenzung; etwas, was einer Sache ein bestimmtes Gepräge gibt« verwendet, beachte z. B. die Wendungen ›aus dem Rahmen fallen‹, ›nicht in einen Rahmen passen‹.

Rain »Ackergrenze«: Das altgerm. Wort mhd. *rein,* ahd. (nur in Zusammensetzungen) *rein,* mniederl. *rein, reen,* schwed. *ren* ist mit mir. *rōen* »Bergkette«, bret. *rūn* »Erhöhung, Hügel« verwandt. Die weiteren Beziehungen dieser Wortgruppe sind unklar. – Zu ›Rain‹ stellt sich das Verb **anrainen** »angrenzen« (18. Jh.), dazu gebildet **Anrainer** »Grundstücksnachbar; Anlieger«.

Rakete »fliegender Feuerwerkskörper; mit Treibstoff gefüllter zylindrischer Flugkörper, der sich nach Zündung der Treibladung durch den Rückstoß fortbewegt«: Das seit dem 16. Jh. bezeugte Wort ist aus it. *rocchetta (rocchetto)* »Feuerwerkskörper« entlehnt. Dies ist eine Verkleinerungsbildung zu it. *rocca* »Spinnrocken« (Lehnwort aus dem Germ.; vgl. *Rocken*) und bedeutet eigentlich »kleiner Spinnrocken«. Der Feuerwerkskörper ist also nach seiner spinnrockenähnlichen, zylindrischen Form benannt (vgl. zur Begriffsbildung frz. *fusée* »Rakete« zu *fuseau* »Spindel«). Im Deutschen erscheint das Wort im 16. Jh. zuerst als ›rogettlzeug‹ und ›Rogeten‹, dann mit Vokalwechsel als ›Racketlein‹ (Ende 16. Jh.).

Rallye: Die Bezeichnung für den motorsportlichen Wettbewerb (Zielfahrt in mehreren Etappen mit Sonderprüfungen) wurde im 20. Jh. aus gleichbed. engl.-frz. *rallye* entlehnt. Dies gehört zu frz. *rallier* »wieder zusammenkommen, sich wieder vereinigen« (aus frz. *re-* »zurück, wieder« und frz. *allier* »vereinigen«) und bedeutet demnach eigentlich »das Wiederzusammenkommen«, nämlich der Fahrer am Ziel der Fahrt.

Ramme: Der Ausdruck für »Fallhammer« (mhd. *ramme*) gehört zu einem im Nhd. untergegangenen westgerm. Wort für »Widder, Schafbock«: frühnhd. *Ramm,* mhd. *ram,* ahd. *ram[mo]* »Widder«, niederl. *ram* »Widder« und »Rammbug (eines Schiffes); Fallhammer«, engl. *ram* »Widder« und »Rammbug (eines Schiffes); Fallhammer«. Der übertragene Wortgebrauch im Sinne von »Fallhammer; Rammbug« geht demnach von der Beobachtung des mit gesenktem Kopf gegen etwas anrennenden Schafbocks aus. Von ›Ramme‹ abgeleitet ist das Verb **rammen** »mit der Ramme eintreiben; auffahren, durch Zusammenstoß beschädigen oder versenken« (spätmhd. *rammen*).

rammeln »belegen, decken; sich begatten« (besonders von Hasen und Kaninchen): Das Verb mhd. *rammeln,* ahd. *rammalōn* gehört zu dem im Nhd. untergegangenen westgerm. Wort mhd. *ram,* ahd. *ram[mo],* niederl. *ram,* engl. *ram* »Widder, Schafbock« (vgl. *Ramme*). Es bedeutet demnach eigentlich »(vom Schaf) brünstig sein, bocken«. – Das Wort für »Widder, Schafbock« gehört wahrscheinlich zu der germ. Wortgruppe von aisl. *ram[m]r* »stark, heftig, scharf«. Der Schafbock wäre demzufolge nach seinem starken oder strengen Geruch benannt.

Rampe »schiefe Ebene zur Überbrückung von Höhenunterschieden (bei Brücken, Tunneln usw.); Auffahrt, Verladebühne«, daneben in der Bühnensprache mit der speziellen Bedeutung »Vorbühne« (beachte dazu die Zusammensetzungen ›Rampenlicht‹): Das Substantiv wurde im 18. Jh. aus frz. *rampe* »geneigte Fläche, schiefe Ebene, Abhang; Verladerampe« entlehnt. Als Bühnenwort erscheint es seit dem 19. Jh. Frz. *rampe* ist abgeleitet von frz. *ramper* »klettern; kriechen«, das seinerseits germ. Ursprungs ist und wohl auf afränk. **rampōn* »sich zusammenkrampfen« (zu afränk. **rampa* »Haken, Kralle«) beruht; Letzteres steht im Ablaut zu dem unter ↑rümpfen behandelten Wort. Vgl. den Artikel *ramponieren.*

ramponieren (ugs. für:) »stark beschädigen [und dadurch im Aussehen beeinträchtigen]«: Das seit dem 18. Jh. bezeugte Verb, das aus der nordd. Seemannssprache in die Allgemeinsprache gelangte,

R

ist aus gleichbed. mniederl. *ramponeren* entlehnt. Dies ist aus afrz. *rampo[s]ner* »zerren; beschädigen« übernommen, das wohl mit it. *rampone* »großer Haken«; *rampognare* »beschimpfen, verhöhnen; Vorwürfe machen« germ. Ursprungs ist (afränk. **rampōn* »sich zusammenkrampfen«, vgl. *Rampe*).

[1]**Ramsch:** Die Herkunft des seit dem 18. Jh. bezeugten ugs. Ausdrucks für »bunt zusammengewürfelte Ausschussware, Schleuderware, wertloses Zeug« ist nicht gesichert. – Abl.: [1]**ramschen** »Ramschware billig aufkaufen« (ugs.), dazu die ugs. Präfixbildung **verramschen** »zu einem Schleuderpreis verkaufen, verhökern«.

[2]**Ramsch:** Der Name eines Spiels beim Skat, bei dem alle passen, wurde im ausgehenden 19. Jh. aus frz. *rams* entlehnt. Das frz. Wort, das wohl im Jargon der Spieler entstanden ist aus frz. *ramas* »das Auflesen, das Sammeln« (zu frz. *ramasser* »sammeln«), bezeichnet ebenfalls, ähnlich unserem ›Ramsch‹, ein eingeschobenes Kartenspiel, bei dem der Verlierer Spielmarken »sammeln« muss (wer als Erster seine Spielmarken los ist, ist der Gewinner). – Abl.: [2]**ramschen** »einen Ramsch spielen«.

Ranch: Die Bezeichnung für »nordamerikanische Farm [mit Viehzucht]« wurde im 20. Jh. aus gleichbed. amerik. *ranch* entlehnt, das seinerseits aus südamerikanisch-span. *rancho* »Ansiedlung; Ranch«, span. *rancho* »gemeinschaftliche Mahlzeit, Kasernentisch; [Feld]lager; Hütte« stammt. Zugrunde liegt das span. Verb *rancharse* »Unterkunft beziehen; biwakieren«, das selbst wiederum aus frz. *se ranger* »sich aufstellen; sich häuslich einrichten« entlehnt ist. Über weitere etymologische Zusammenhänge vgl. den Artikel *Rang.*

Rand: Das altgerm. Wort mhd., ahd. *rant,* niederl. *rand,* aengl. *rand,* schwed. *rand* gehört (mit n aus m vor Dental) zu der unter ↑Rahmen dargestellten idg. Wurzel. Das Wort bedeutete demnach ursprünglich etwa »[schützendes] Gestell, Einfassung«. – In der Umgangssprache wird ›Rand‹ im Sinne von »Mund« verwendet (19. Jh., zunächst studentisch), beachte die Wendungen ›den Rand halten‹ und ›einen großen Rand riskieren‹.

Rand

außer Rand und Band [geraten/sein]
(ugs.) »übermütig und ausgelassen [werden/sein]«
Diese Wendung bezog sich ursprünglich auf Fässer, die durch den Fassrand und eiserne Bänder zusammengehalten werden.

randalieren »lärmen, Krach machen«: Das seit der 1. Hälfte des 19. Jh.s bezeugte Verb stammt aus der Studentensprache und ist von dem Substantiv **Randal** »Lärm, Krach, Gejohle« (1. Hälfte des 19. Jh.s) abgeleitet. Das gleichfalls ursprünglich studentensprachliche Substantiv ist wahrscheinlich eine Zusammenziehung (Kontamination) von mdal. *Rand* »Possen« (das zu der Wortgruppe von ↑rinnen gehört) und dem unter ↑Skandal behandelten Wort. Beachte auch die Fügung ›Randale machen‹ »randalieren«.

rändern ↑Rand.

Ranft ↑Rahmen.

Rang »berufliche oder gesellschaftliche Stellung; Reihenfolge, Stufe; Stockwerk im Zuschauerraum eines Theaters; Gewinnklasse (Toto, Lotto)«: Das Substantiv wurde im Verlauf des Dreißigjährigen Krieges aus frz. *rang* »Reihe, Ordnung« (< afrz. *renc* »Kreis der zu Gerichtssitzungen Geladenen; Zuschauerreihe bei Kampfspielen«) entlehnt. Das frz. Wort selbst ist germ. Ursprungs (vgl. den Artikel *Ring*). Das Verb **rangieren** »einen bestimmten Rang innehaben; Eisenbahnwagen verschieben« wurde im 17. Jh. aus frz. *ranger* »ordnungsgemäß aufstellen, ordnen«, einer Ableitung von frz. *rang* »Reihe, Ordnung«, entlehnt. Vgl. auch den Artikel *arrangieren, Arrangement, Arrangeur* und zu der Wendung ›jemandem den Rang ablaufen‹ vgl. den Artikel *Ränke.*

Range: Der Ausdruck für »Kind, das gerne etwas anstellt« (mhd. *range* »böser Bube, Schlingel«) war ursprünglich ein derbes Schimpfwort und bedeutet eigentlich »läufige Sau«. Es gehört zu dem untergegangenen Verb mhd. *rangen* »sich hin und her bewegen; auf etwas begierig sein«, das mit ↑ringen verwandt ist. Eine Kreativbildung zu diesem Verb ist **rangeln** »sich mit jemandem balgen«.

rank »schlank«: Das im 17. Jh. aus dem Niederd. ins Hochd. übernommene Adjektiv geht auf mnd. *ranc* »schlank, dünn; schwach« zurück, dem im germ. Sprachbereich niederl. *rank* »dünn, schlank«, aengl. *ranc* »gerade; stolz; kühn, tapfer« und schwed. *rank* »schlank, geschmeidig« entsprechen. Das altgerm. Adjektiv beruht auf einer nasalierten Nebenform der unter ↑recht dargestellten idg. Wurzel und bedeutete ursprünglich etwa »aufgerichtet, gereckt«.

Ranke: Der Ursprung des Wortes mhd. *ranke,* ahd. (in mlat. Glossaren) *hranca* ist dunkel. Unklar ist auch, in welchem Sinne das Wort verwendet wurde, bevor die Germanen von den Römern den Weinbau kennen lernten. – Abl.: **ranken,** [sich] »Ranken treiben; mittels Ranken emporklettern« (18. Jh.).

Ränke »Listen, Intrigen«: Das heute nur noch mdal. gebräuchliche ›Rank‹ »List«, älter auch »Wegkrümmung« (mhd. *ranc* »schnelle drehende Bewegung«) gehört zu der Sippe von ↑renken. Das Wort ist auch noch in der Wendung ›jemandem den Rang ablaufen‹ »jemanden überflügeln, übertreffen« bewahrt, in der ›Rank‹ aber vom Sprachgefühl an das aus dem Frz. entlehnte

↑Rang angeschlossen ist. Eigentlich bedeutet diese Wendung »jemandem die Wegkrümmung abschneiden, um ihm zuvorzukommen«. Beachte dazu auch schweiz. ›den Rank finden‹ eigentlich »den Dreh finden«.

Ränzel »Schultertasche«: Das im 16. Jh. aus dem Niederd. ins Hochd. übernommene Wort geht zurück auf gleichbed. mnd. *rentsel,* dessen weitere Herkunft dunkel ist. Neben ›Ränzel‹ ist seit dem 16. Jh. im Hochd. auch **Ranzen** »Schultertasche«, ugs. auch für »Buckel; Bauch« gebräuchlich.

ranzig »durch Zersetzung verdorben, stinkend (von Fetten und Ölen)«: Das Adjektiv wurde im 18. Jh. aus gleichbed. niederl. *ransig* (älter *ranstig*) entlehnt. Dies ist seinerseits aus frz. *rance* übernommen, das auf lat. *rancidus* »stinkend, ranzig« (zu lat. *rancere* »stinken, ranzig sein«) zurückgeht.

rapid[e] »reißend; blitzschnell; stürmisch«: Das Adjektiv wurde Anfang des 19. Jh.s aus gleichbed. frz. *rapide* entlehnt, das auf lat. *rapidus* »raffend, reißend; schnell, ungestüm« (zu lat. *rapere* »fortreißen«) zurückgeht.

Rappe: Der seit dem 16. Jh. bezeugte Ausdruck für »schwarzes Pferd« geht auf mhd. *rappe* »Rabe« zurück, eine (expressive) Nebenform von mhd. *rabe* (vgl. *Rabe*). Ähnlich wird ›Fuchs‹ als Bezeichnung für ein rotbraunes Pferd gebraucht. Zur Bildung beachte z. B. das Verhältnis von ›Knappe‹ zu ›Knabe‹. – Siehe auch den Artikel *Rappen.*

Rappen: Der Name der seit dem 14. Jh. im Oberrheingebiet geschlagenen Münze beruht auf einer (expressiven) Nebenform von dem unter ↑Rabe behandelten Wort (s. auch den Artikel *Rappe*). Mhd. *rappe* »Rabe« bezeichnete zunächst spöttisch den auf die Münze geprägten Vogelkopf und wurde dann zur offiziellen Münzbezeichnung. Seit der Mitte des 19. Jh.s ist ›Rappen‹ deutschsprachige Bezeichnung für den schweizerischen Centime.

Rapport »Bericht[erstattung], dienstliche Meldung«: Das Fremdwort wurde Anfang des 17. Jh.s aus gleichbed. frz. *rapport* entlehnt. Das zugrunde liegende Verb frz. *rapporter* »zurückbringen; erzählen, berichten« ist eine Bildung mit dem Präfix frz. *re-* »zurück, wieder« zu frz. *apporter* (< lat. *apportare*) »herbeibringen; zuführen, zubringen« (vgl. *Porto*).

Raps: Der seit dem 18. Jh. bezeugte Name der Nutzpflanze ist gekürzt aus nordd. *Rapsaat* (niederd. *rapsād,* vgl. niederl. *raapzaad* »Raps« und engl. *rape-seed* »Raps[samen]«) nach lat. *semen rapicium* (lat. *rapicium* »von Rüben, Rüben-«, zu lat. *rapa* »Rübe«, vgl. *Rübe*). Beachte dazu den Pflanzennamen ›Rübsen‹, der aus ›Rübsamen‹ gekürzt ist. – Die Kohlpflanze ist so benannt, weil sie hauptsächlich wegen der ölhaltigen Samen angebaut wird.

Rapunzel: Der seit dem Anfang des 16. Jh.s bezeugte Name der zu den Baldriangewächsen gehörigen Pflanze ist entlehnt aus gleichbed. mlat. *rapuncium* (aus **radice puntium,* zu lat. *radix* »Wurzel« und lat. *phu,* Akkusativ *phun,* »Baldrianart«). Neben ›Rapunzel‹ sind als Bezeichnung der beliebten Salatpflanze auch ›Rapunze‹ und ›Rapünzchen, Rapünzlein‹ gebräuchlich.

rar »selten«: Das im Hochd. seit dem 17. Jh. gebräuchliche, im Niederd. bereits im 16. Jh. (mnd. *rār* »selten; kostbar«) bezeugte Adjektiv ist aus gleichbed. frz. *rare* entlehnt, das auf lat. *rarus* »locker, dünn; vereinzelt, selten« zurückgeht. – Dazu: **Rarität** »Seltenheit; seltenes und darum kostbares Stück« (17. Jh.; unter Einfluss von gleichbed. frz. *rareté* aus lat. *raritas* »Lockerheit; Seltenheit«).

Raritätenkabinett ↑Kabinett.

rasant: Das seit dem 18. Jh. bezeugte Adjektiv bedeutete zunächst »sehr flach, gestreckt (insbesondere von der Flugbahn eines Geschosses)«. Es ist entlehnt aus frz. *rasant* »bestreichend, den Erdboden streifend«, dem adjektivisch gebrauchten Part. Präs. von frz. *raser* »scheren, rasieren« (vgl. *rasieren*) in dessen Bedeutung »darüber hinstreichen, streifen; schleifen«. In der dt. Umgangssprache entwickelte ›rasant‹ durch volksetymologische Anlehnung an das Verb ↑rasen die neue Bedeutung »sehr schnell, rasend; schnittig; rassig, attraktiv; fabelhaft, großartig«.

rasch: Das westgerm. Adjektiv mhd. *rasch,* ahd. *rasc,* niederl. *ras,* engl. (eventuell mniederl. Lehnwort) *rash* hat sich wahrscheinlich aus einer Vorform **raþsk(w)a-* entwickelt und stellt sich dann zu dem unter ↑[2]gerade ursprünglich »schnell, behände« behandelten Adjektiv (vgl. *Rad*). – Von ›rasch‹ abgeleitet ist ↑überraschen.

rascheln: Das erst seit dem 17. Jh. bezeugte Verb ist eine Iterativbildung zu dem mdal. (schles.) bewahrten *raschen* »ein raschelndes Geräusch verursachen«, das – wie auch mdal. **rischeln** und mdal. **ruscheln** – lautnachahmenden Ursprungs ist.

rasen »ungestüm laufen, stürzen; toben, wüten, heftig erregt sein«: Die germ. Verben mhd., mnd. *rāsen,* niederl. *razen,* aengl. *rǣsan,* aisl. *rāsa* gehören mit verwandten Wörtern in anderen idg. Sprachen zu der Wurzelform **[e]res-* »sich heftig bewegen, laufen«, vgl. z. B. aind. *árṣati* »läuft, fließt«, *rása-ḥ* »Flüssigkeit, Saft«, *irasyáti* »zürnt, ist neidisch«. Zu dieser Wurzelform (vgl. *rinnen*) gehört auch die Wortgruppe von ↑irr[e] (eigentlich »[planlos] umherlaufend« oder »rasend, erregt«). – Abl.: **Raserei** (mitteld. *rāserīe*). Siehe auch den Artikel *Rosenmontag.*

Rasen: Das auf das dt. Sprachgebiet beschränkte Wort (mhd., mitteld. *rase,* mnd. *wrase*) ist dunklen Ursprungs.

rasieren »den Bart wegnehmen«: Das Verb wurde im 17. Jh. durch Vermittlung von niederl. *raseren* aus frz. *raser* »kahlscheren, rasieren« entlehnt.

R

Der französische Einfluss in der Körperpflege im Allgemeinen und in der Haar- und Bartpflege im Besonderen zeigt sich auch in zahlreichen anderen Fremd- und Lehnwörtern, die etwa im gleichen Zeitraum ins Dt. übernommen wurden (beachte z. B. ↑frisieren, ↑Perücke, ↑Pomade, ↑Puder, ↑Parfüm, ↑Maniküre, ↑Pediküre u. a. sowie das Kapitel zur Sprachgeschichte *Der Einfluss des Französischen im 17. Jahrhundert*). Frz. *raser* beruht auf vlat. **rasare,* einer Intensivbildung zu lat. *radere (rasum)* »kratzen, schaben; abscheren; darüber hinstreichen« (vgl. *radieren*). – Das Substantiv **Rasur** »Rasieren, Entfernung des Bartes« wurde im 15. Jh. aus lat. *rasura* »Schaben, Kratzen; Abscheren, Abrasieren« übernommen. Siehe auch den Artikel *rasant.*

Räson: Das seit dem 17. Jh. bezeugte Fremdwort ist aus frz. *raison* »Vernunft, Verstand; Grund, Rechtfertigung; Recht; Grundsatz«, das auf lat. *ratio* (Akkusativ: *rationem*) »Berechnung; Erwägung; Denken, Vernunft usw.« zurückgeht (vgl. den Artikel *Rate*), entlehnt. In der Bedeutung »Vernunft, Einsicht« lebt ›Räson‹ nur noch in Wendungen wie ›jemanden zur Räson bringen‹ oder ›Räson annehmen‹ fort. An die Bedeutung »Grundsatz; berechtigter Anspruch« schließt sich die Zusammensetzung **Staatsräson** zur Bezeichnung des nationalstaatlichen Rechtsgrundsatzes, dass private Interessen den staatlichen Interessen unterzuordnen sind, an.

raspeln: Das seit dem 16. Jh. bezeugte Verb ist eine Iterativbildung zu dem heute veralteten *raspen* »scharren, kratzen«, mhd. *raspen,* ahd. *raspōn* »an sich reißen, raffen«, das zu dem untergegangenen starken Verb ahd. *hrespan* »zupfen, rupfen« gehört, vgl. aengl. *ge-hrespan* »reißen«. Diese Sippe, in der -sp- aus -ps- entstanden ist, gehört mit den unter ↑raffen behandelten Wörtern wahrscheinlich zu der umfangreichen idg. Wortgruppe von ↑[1]scheren. – Im heutigen Sprachgebrauch wird ›raspeln‹ – durch Anlehnung an ›Raspel‹ – gewöhnlich im Sinne von »mit der Raspel arbeiten; zerkleinern« verwendet. Das Substantiv **Raspel** »grobe Feile; Küchengerät zum Zerkleinern besonders von Gemüse« (16. Jh.) ist aus dem Verb ›raspeln‹ rückgebildet.

Rasse: Das Wort ist ein naturwissenschaftlicher Ordnungsbegriff zur Bezeichnung einer Gruppe von Individuen innerhalb einer Art, die in typischen Merkmalen übereinstimmen. In übertragenem Gebrauch – in Fügungen wie ›Rasse haben‹ oder ›Rasse sein‹ – bedeutet es auch »edle, ausgeprägte Eigenart«. ›Rasse‹ wurde im 17. Jh. aus frz. *race* »Geschlecht, Stamm; Rasse« entlehnt. Dies ist seinerseits aus gleichbed. it. *razza* übernommen, dessen weitere Herkunft unklar ist. – Abl.: **rassig** »von edler, ausgeprägter Eigenart« (20. Jh.). – An den ideologischen Gebrauch von ›Rasse‹ (Überbewertung einer bestimmten, etwa der weißen oder [im nationalsozialistischen Sprachgebrauch] der so genannten nordischen [»arischen«] Menschengruppe) schließt sich im 20. Jh. an **Rassismus** »Lehre, nach der bestimmte Ethnien oder Völker anderen überlegen sind; Gesamtheit rassenideologischer Denk- und Handlungsweisen«.

rasseln: Die nhd. Form geht zurück auf mhd. *raȥeln* »toben, lärmen«, das eine Weiterbildung zu gleichbed. mhd. *raȥȥen* ist. Diesem Verb entsprechen im germ. Sprachbereich aengl. *hratian* »stürzen, sich beeilen« und aisl. *hrata* »stürzen, sich beeilen; taumeln, schwanken; fallen«. – Das weitergebildete ›rasseln‹ wurde in frühnhd. Zeit in der Bedeutung von niederd. *ratelen* »klappern, rattern« beeinflusst, vgl. niederl. *ratelen* »rasseln, klappern, rattern; schwatzen« und engl. *to rattle* »rasseln, klappern; röcheln«. Diese Verben sind – wie auch **ratschen, rätschen** und ↑rattern – lautnachahmenden Ursprungs.

Rast: Mhd. *rast[e],* ahd. *rasta* »Ruhe, Ausruhen; Wegstrecke, Meile; Weile, Zeitraum«, got. *rasta* »Meile«, engl. *rest* »Ruhe; Erholung; Unterkunft«, aisl. *rost* »Wegstrecke, Meile« gehören zu der unter ↑Ruhe dargestellten idg. Wurzel. Die Verwendung des gemeingerm. Wortes im Sinne von »Wegstrecke, Meile« geht von »Ruhe, Pause (während einer Wanderung, eines Marsches)« aus und meint eigentlich die Entfernung, die man ohne eine Rast gehen kann, die Wegstrecke zwischen zwei Rasten.

Raster »in ein Liniennetz oder Punktsystem aufgelöste Bildfläche (zur Zerlegung eines Bildes in kleinste Punkte)«: Das seit dem 19. Jh. gebräuchliche Wort ist aus lat. *raster* (daneben *rastrum*) »Hacke« (mlat. = »Harke«), das hier in übertragener Verwendung erscheint, entlehnt. Über etymologische Zusammenhänge vgl. den Artikel *radieren.*

Rasur ↑rasieren.

Rat: Das altgerm. Wort mhd., ahd. *rāt,* niederl. *raad,* aengl. *rǣd,* schwed. *råd* gehört zu dem unter ↑raten behandelten Verb. Es wurde ursprünglich im Sinne von »Mittel, die zum Lebensunterhalt notwendig sind« verwendet. In dieser Bedeutung steckt ›Rat‹ in ↑Vorrat und ↑Unrat sowie in der Kollektivbildung ↑Gerät (s. auch *Hausrat* [↑Haus]). Daraus entwickelte sich der Wortgebrauch im Sinne von »Besorgung der notwendigen Mittel« und weiterhin im Sinne von »Beschaffung, Abhilfe, Fürsorge«, beachte dazu ↑Heirat (eigentlich »Hausbesorgung«). Daran schließt sich die Verwendung von ›Rat‹ im Sinne von »gut gemeinter Vorschlag, Unterweisung, Empfehlung« an, beachte dazu **ratsam** »empfehlenswert« (16. Jh., früher auch »Rat erteilend«) und **Ratschlag** (s. u.). Bereits seit ahd. Zeit wird ›Rat‹ auch im Sinne von »Beratung, beratende Versammlung« gebraucht, beachte dazu z. B. die Zusammensetzungen ›Familienrat, Stadtrat, Rathaus‹. Von diesem Wortgebrauch geht die

Verwendung von ›Rat‹ im Sinne von »Angehöriger einer Ratsversammlung, Ratgeber« und dann als Titel aus, beachte z. B. ›Geheimrat, Regierungsrat, Studienrat‹ und ›Rätestaat‹. – Zus.: **Ratschlag** »gut gemeinter Vorschlag« (15. Jh., früher auch »Beratung, Beschluss«); **ratschlagen** »beraten« (mhd. *rātslagen*, ahd. *rātslagōn*, eigentlich »den Beratungskreis schlagen, den Kreis für die Beratung abgrenzen«), dazu **beratschlagen** (16. Jh.).

Rate »Anteil; Teilbetrag«: Der seit dem 16. Jh. bezeugte kaufmännische Ausdruck erscheint zuerst als ›Rata‹ mit der Bedeutung »berechneter Anteil«. Daran schließt sich seit dem Anfang des 19. Jh.s die spezielle Verwendung des Wortes im Sinne von »Teilbetrag (einer Zahlung)« an. ›Rate‹ ist aus gleichbed. it. *rata* entlehnt, das auf mlat. *rata (pars)* »berechneter Anteil« zurückgeht. Dies gehört zu lat. *reri (ratum)* »(im Geiste) ordnen; schätzen, meinen«, *ratus* »berechnet, ausgerechnet; bestimmt«. Die lat. Wörter stellen sich zusammen mit lat. *ratio* »Rechnung, Berechnung; Rechenschaft; Geschäftssache; Gebiet; Gattung; Berücksichtigung, Vorteil; Überlegung, Erwägung; Vernunft, Denkvermögen usw.« (vgl. dazu die Artikel *Ratio, Ration* und *Räson;* s. auch den Artikel *Rede*) in den weiteren Zusammenhang der unter ↑Arm dargestellten idg. Wortsippe. – Zus.: **Ratenzahlung** »Teilzahlung« (19. Jh.).

raten: Das gemeingerm. Verb mhd. *rāten*, ahd. *rātan*, got. *[ga]rēdan*, engl. *to read*, schwed. *råda* gehört mit der Substantivbildung ↑Rat zu der unter ↑Rede dargestellten Wortgruppe (vgl. *Arm*). Eng verwandt mit ›raten‹ sind außergerm. z. B. aind. *rā́dhyati* »macht zurecht, bringt zustande« und die slaw. Sippe von russ. *radet'* »für jemanden sorgen«. – Das gemeingerm. Verb bedeutete ursprünglich etwa »[sich etwas geistig] zurechtlegen, überlegen, [aus]sinnen«, auch »Vorsorge treffen« und weiterhin »vorschlagen, empfehlen« und »erraten, deuten«. Zum Wortgebrauch im letzteren Sinne, an den sich die Bildung ↑Rätsel anschließt, beachte engl. *to read* (aengl. *rǣdan*) in der Bedeutung »lesen«, eigentlich »[Runen] deuten«. – Eng an die Bedeutungen des einfachen Verbs schließen sich an ›ab-, an-, be-, er-, zuraten‹. In der Bedeutung gelöst haben sich dagegen ↑verraten und *missraten* (↑miss...) sowie **geraten** »gelingen; gelangen, kommen; zu etwas werden« (mhd. *gerāten*, ahd. *girātan*, ursprünglich »anraten, Rat erteilen«), beachte dazu **Geratewohl** in der Fügung ›aufs Geratewohl‹ »auf gut Glück«, das ein substantivierter Imperativ ist (*gerate wohl!* »gelinge gut!«).

Ratio: Der bildungssprachliche Ausdruck für »Vernunft, Einsicht, Denk-, Urteilsvermögen« wurde im 16. Jh. aus lat. *ratio* »Rechnung, Berechnung; Erwägung, Überlegung; Vernunft, Denkvermögen« (vgl. *Rate*) übernommen. Von lat. *ratio* abgeleitet ist das Adjektiv lat. *rationalis* »berechenbar; vernünftig; vernunftgemäß«, aus dem im 16. Jh. **rational** »vernunftgemäß, vom Verstand herrührend« entlehnt wurde. – Dazu stellen sich die Bildungen **rationalisieren** »vernünftig, zweckmäßig gestalten; wirtschaftlich effizienter machen« (Anfang des 19. Jh.s, zunächst in der Bedeutung »rational, dem Rationalismus gemäß denken und handeln«, dann – unter Einfluss von entsprechend frz. *rationaliser* – »vernünftig gestalten«), **Rationalismus** »auf Vernunft gegründete Denkweise, Geisteshaltung« (18. Jh.), dazu **Rationalist** »Vertreter des Rationalismus« (18. Jh.) und **rationalistisch** »den Rationalismus betreffend« (20. Jh.), **Rationalität** »Vernunftgemäßheit; Zweckmäßigkeit« (19. Jh., nach mlat. *rationalitas* »Vernunft, Denkvermögen«), beachte auch die Gegenbildungen **irrational** »mit dem Verstand nicht fassbar; vernunftwidrig« (aus lat. *irrationalis*) und **Irrationalität** »irrationale Art; Vernunftwidrigkeit«. – Das Adjektiv **rationell** »zweckmäßig, auf Wirtschaftlichkeit bedacht«, wurde im 18. Jh. aus frz. *rationnel* »vernünftig« entlehnt und wie dieses zunächst im Sinne von »vernünftig, vernunftgemäß« verwendet. Das frz. Wort geht wie ›rational‹ auf lat. *rationalis* (s. o.) zurück.

Ration »zugewiesener Anteil, Menge; täglicher Verpflegungssatz (besonders der Soldaten)«: Das seit dem Ende des 17. Jh.s bezeugte, zunächst nur der Heeressprache angehörende Fremdwort ist aus gleichbed. frz. *ration* entlehnt, das auf mlat. *ratio* »berechneter Anteil [an Mundvorrat]« (< lat. *ratio* »Rechnung; Rechenschaft usw.«, vgl. den Artikel *Rate*) zurückgeht. – Dazu gehört das Verb **rationieren** »auf bestimmte Rationen setzen, sparsam zumessen, haushälterisch einteilen« (20. Jh.; aus gleichbed. frz. *rationner*, einer Ableitung von frz. *ration*).

rational, rationalisieren, Rationalismus, Rationalist, rationalistisch, Rationalität, rationell ↑Ratio.

ratsam ↑Rat.

ratschen, rätschen ↑rasseln.

Ratschlag, ratschlagen ↑Rat.

Rätsel: Das seit dem 15. Jh. bezeugte Wort (spätmhd. *rǣtsel, rātsel*), das durch Luthers Bibelübersetzung gemeinsprachliche Geltung erlangte, ist eine Bildung zu dem unter ↑raten behandelten Verb, vgl. gleichbed. asächs. *rādisli*, niederl. *raadsel*, engl. *riddle*. – Abl.: **rätseln** »sich den Kopf zerbrechen« (19. Jh.); **rätselhaft** »dunkel, unverständlich, unerklärlich« (17. Jh.).

Ratte: Die Herkunft der germ. Bezeichnungen des Nagetiers mhd. *ratte, rat*, ahd. *ratta, rato*, niederl. *rat*, engl. *rat* ist dunkel. Die nord. Sippe von schwed. *råtta* stammt aus dem Mnd. – Vielleicht handelt es sich um ein altes Wanderwort, das auch in den roman. Sprachen gebräuchlich ist, vgl. frz. *rat* »Ratte«, it. *ratto* »Ratte« und span. *rata* »Ratte«.

rattern: Das seit dem 17. Jh. bezeugte Verb ist lautnachahmenden Ursprungs. Beachte die unter

↑rasseln behandelten ähnlichen Lautnachahmungen.

rau: Das westgerm. Adjektiv mhd. *rūch*, ahd. *rūh*, niederl. *ruig*, engl. *rough* ist verwandt mit aind. *rūkṣá-ḥ* »rau« und gehört wahrscheinlich im Sinne von »ausgerupft« zu der unter ↑raufen dargestellten idg. Wurzel, zu der z. B. auch aisl. *rȳja* »den Schafen die Wolle ausreißen« gehört. Das Adjektiv bezog sich demnach ursprünglich auf die durch das Ausreißen von Wollzotten entstandene Rauheit. – Im Dt. wird ›rau‹ als Gegenwort zu ›glatt‹ verwendet und ferner in den Bedeutungen »streng, hart, unfreundlich; grob, ungeschliffen« und im Sinne von »heiser« gebraucht. Neben der Form ›rau‹ war bis ins 19. Jh. hinein auch die Form **rauch** mit der speziellen Bedeutung »haarig, behaart« gebräuchlich, die heute noch in den Zusammensetzungen **Rauchware** »Pelzware« (17. Jh.) und **Rauchwerk** »Pelzwerk« (16. Jh.) bewahrt ist. Zum Nebeneinander von ›rauch‹ und ›rau‹ beachte z. B. das Verhältnis von ›hoch‹ und ›hohe‹. – Abl.: **rauen** »rau machen« (mhd. *riuhen*). Zus.: **Raubein** »nach außen grober, aber im Herzen guter Mensch« (2. Hälfte des 19. Jh.s, rückgebildet aus dem Adjektiv ›raubeinig‹); **Raureif** »Reif, dessen Kristalle gut erkennbar sind« (um 1800). Siehe auch den Artikel *Rochen*.

Raub: Mhd. *roup* »[Kriegs]beute; Räuberei, Plünderung; Ernte«, ahd. *roub* »Beute, Raub«, niederl. *roof* »Raub, Beute«, aengl. *rēaf* »Raub, Beute; Kleidung, Rüstung« gehören zu einem im Dt. untergegangenen starken Verb mit der Bedeutung »brechen, [ab-, ent]reißen«, vgl. aengl. *rēofan* »brechen, zerreißen«, aisl. *rjūfa* »zerreißen; brechen, verletzen« (vgl. *raufen*). Das westgerm. Wort bedeutet demnach eigentlich »Ab-, Entreißen; Entrissenes« und bezeichnete ursprünglich das, was dem (getöteten) Feinde abgerissen oder entrissen wird, die Kriegsbeute, speziell die dem Feinde abgenommene Rüstung und Kleidung, beachte das aus dem Afränk. stammende frz. *robe* »Gewand, Kleidung« (s. den Artikel *Robe*). Zu dem oben genannten starken Verb stellt sich das gemeingerm. Verb **rauben** »gewaltsam wegnehmen, entreißen«: mhd. *rouben*, ahd. *roubōn* »entreißen; verheeren«, got. *bi-raubōn* »berauben«, aengl. *rēafian* »rauben, plündern; entreißen; verwüsten; fortnehmen, ausziehen«, aisl. *raufa* »zerbrechen, zerreißen, zerfleischen«. – Abl.: **Räuber** (mhd. *roubære*, ahd. *roubare*); **räuberisch** (17. Jh., für älteres *reubisch*, mhd. *röubisch, roubisch*). Zus.: **Raubbau** »rücksichtslose Ausnutzung« (18. Jh., zunächst bergmännische Bezeichnung für den schnellen Abbau des Erzes ohne Sicherung zukünftigen Ertrages); **Raubritter** »Ritter, der Raubzüge unternimmt« (19. Jh.); **Raubtier** (18. Jh.); **Raubvogel** (16. Jh.).

rauch ↑rau.

Rauch: Das altgerm. Wort mhd. *rouch*, ahd. *rouh*, niederl. *rook*, engl. *reek*, schwed. *rök* gehört zu dem unter ↑riechen behandelten Verb in dessen älterer Bedeutung »dampfen, rauchen«. – Abl.: **rauchig** (mhd. *rouchic* »voller Rauch; dunstig; [übel] riechend«). Zus.: **Rauchfang** »Schornstein« (16. Jh.). Das altgerm. Verb **rauchen** (mhd. *rouchen*, ahd. *rouhhen*, niederl. *roken*, engl. *to reek*, schwed. *röka*) ist entweder von ›Rauch‹ abgeleitet oder ist das Veranlassungswort zu ›riechen‹. Im Dt. wird das Verb seit dem 17. Jh. auch transitiv im Sinne von »Tabak, Pfeife usw. rauchen« verwendet, beachte dazu die Bildungen **Raucher** und **Nichtraucher.** Das seit dem 15. Jh. bezeugte Verb **räuchern** »mit Rauch erfüllen, rauchig machen; durch Rauch haltbar machen« ist eine Weiterbildung von mhd. *röuchen* »rauchen, rauchig machen«, beachte dazu die Präfixbildungen **beräuchern** und **verräuchern.**

Rauchware, Rauchwerk ↑rau.

Räude: Die germ. Bezeichnungen für »Schorf, Krätze« mhd. *riude, rūde*, ahd. *riudī, rūda*, niederl. *ruit*, aengl. *hrūde*, aisl. *hrūđr* sind dunklen Ursprungs. – Abl.: **räudig** (mhd. *riudec, rūdec*, ahd. *rūdig*).

raufen: Das altgerm. Verb mhd. *roufen*, ahd. *rouf[f]en*, got. *raupjan*, mniederl. *roopen*, aengl. *rīepan* gehört mit verwandten Wörtern in anderen idg. Sprachen zu der vielfach erweiterten idg. Wurzel **reu-* »reißen, brechen; [auf]wühlen, kratzen, scharren; ausreißen, rupfen«, vgl. z. B. lat. *ruere* »wühlen, scharren«, *rudus* »zerbröckeltes Gestein, Geröll, Schutt«, *rumpere* »brechen« (↑Rotte), lit. *ráuti* »raufen, rupfen, ausreißen, jäten«, *raũsti* »scharren, wühlen«, russ. *ryti'* »wühlen, graben«. Aus dem germ. Sprachbereich gehören zu dieser Wurzel auch die Sippen von ↑rupfen, ↑Raub (eigentlich »das Ab-, Entreißen; Abgerissenes, Entrissenes«), ↑roden (eigentlich »aufreißen, ausreißen, wühlen«) und ↑räuspern (eigentlich »im Halse kratzen«), ferner wahrscheinlich auch das unter ↑[1]Riemen (eigentlich wohl »abgerissener Hautstreifen«) behandelte Substantiv und die Wortgruppe von ↑rau (eigentlich wohl »ausgerupft«, vom Schaffell oder dgl.). – Im Dt. wird ›raufen‹ seit mhd. Zeit auch im Sinne von »sich balgen, handgemein werden« (ursprünglich »[sich] an den Haaren reißen«) gebraucht, beachte dazu **Rauferei** »Schlägerei, Handgemenge« (Anfang des 19. Jh.s) und **Raufbold** »Schläger, Streitlustiger« (18. Jh.; zum 2. Bestandteil ›-bold‹ vgl. den Artikel *bald*).

Raum: Das gemeingerm. Wort mhd., ahd. *rūm*, got. *rūm*, engl. *room*, schwed. *rum* ist eine Substantivierung des im Nhd. veralteten gemeingerm. Adjektivs *raum:* mhd. *rūm[e]*, ahd. *rūmį* »weit, geräumig«, got. *rūms* »geräumig«, aengl. *rūm* »geräumig, weit; reichlich; freigebig«, aisl. *rūmr* »geräumig, weit«. Zu diesem Adjektiv gehört die Bildung **geraum** (mhd. *gerūm[e]*, ahd. Adverb *girūmo*), von der wiederum **geräumig** (17. Jh.) abgeleitet ist. Im heutigen Sprachgebrauch bezieht sich

R

›geraum‹ nur noch auf zeitliche Bestimmungen, während ›geräumig‹ örtliche Geltung hat. – Das gemeingerm. Adjektiv **rūma-* »weit, geräumig« ist z. B. verwandt mit awest. *ravah-* »Weite, Raum« und lat. *rus* (Genitiv *ruris*) »Land, Feld; Landgut«. – Abl.: **räumen** »Platz schaffen, leer machen, freimachen; verlassen; fortschaffen« (mhd. *rūmen,* ahd. *rūm[m]an;* beachte weiter ›ab-, ein-, aufräumen‹, dazu **aufgeräumt** »heiter, froh gestimmt«); **räumlich** »im Raum befindlich, zum Raum gehörig« (17. Jh.), dazu **Räumlichkeit** (17. Jh.). Zus.: Die Zusammensetzung **Raumfähre** ist in der 2. Hälfte des 20. Jh.s nach engl. *space shuttle* entstanden. Die in diesem Bereich aufgekommenen Bildungen sind häufig Lehnübersetzungen aus dem Engl., was sich auf den großen Fortschritt der amerikanischen Raumfahrt zurückführen lässt. Auch **Weltraum** selbst ist wahrscheinlich nach engl. *space* entstanden.

raunen: Mhd. *rūnen,* ahd. *rūnēn* »heimlich und leise reden, flüstern«, mniederl. *rūnen* »flüstern«, aengl. *rūnian* »flüstern; sich verschwören«, aisl. *rȳna* »sich vertraulich unterhalten; Runenzauber ausüben« sind von dem unter ↑Rune behandelten Substantiv abgeleitet.

Raupe: Die auf das dt. und niederl. Sprachgebiet beschränkte Bezeichnung für die Larve der Schmetterlinge (spätmhd., mnd. *rūpe,* mniederl. *rūpe,* weitergebildet niederl. *rups*) ist dunklen Ursprungs. – Im übertragenen Gebrauch wird ›Raupe‹ – wie z. B. auch ›Grille‹ (s. d.) – im Sinne von »komischer Einfall« verwendet. – Zus.: **Raupenschlepper** »Fahrzeug, das sich auf Gliederketten fortbewegt« (1. Hälfte des 19. Jh.s; Lehnübersetzung von engl. *caterpillar tractor*).

rauschen: Das westgerm. Verb mhd. *rūschen, riuschen,* mnd. *rūschen,* niederl. *ruisen,* engl. *to rush* (»eilen, stürmen, rasen«) ist wahrscheinlich lautnachahmenden Ursprungs. Wie andere lautnachahmende Verben – beachte z. B. ›sausen‹ – wird auch ›rauschen‹ im Sinne von »sich schnell bewegen, stürmen, rasen« verwendet. Aus dem Verb rückgebildet ist das Substantiv **Rausch** (mhd. *rūsch* »Rauschen, rauschende Bewegung, Ansturm«), das seit dem 16. Jh. im Sinne von »Umnebelung der Sinne, Trunkenheit; Erregungszustand« gebraucht wird, beachte dazu die Bildungen **berauschen** »in einen Rauschzustand versetzen« (17. Jh.) und **Rauschgift** (1. Hälfte des 20. Jh.s). Zu ›rauschen‹ ist auch das Substantiv ↑Geräusch gebildet.

räuspern: Das im germ. Sprachbereich nur im Dt. gebräuchliche Verb (mhd. *riuspern*) bedeutet eigentlich »[im Halse] kratzen« und ist näher verwandt mit lat. *ruspari* »durchforschen, untersuchen«, eigentlich »kratzen, aufwühlen« (vgl. *raufen*). Zur Bedeutungsentwicklung beachte z. B. niederl. *de keel schrapen* »räuspern«, eigentlich »die Kehle kratzen« und schwed. *harkla* »räuspern«, eigentlich »kratzen, scharren«.

¹Raute: Die nhd. Form geht zurück auf mhd. *rūte* »gleichseitiges, schiefwinkliges Viereck«, dessen weitere Herkunft dunkel ist. Dieses Wort ist nicht identisch mit dem Pflanzennamen **²Raute** (mhd. *rūte,* ahd. *rūta*), der aus lat. *ruta* »Raute« entlehnt ist.

Ravioli (Plural) »gefüllte Nudeltaschen«: Der Name des italienischen Gerichts, das bei uns im 20. Jh. bekannt wurde, ist aus gleichbed. it. *ravioli* entlehnt. Dies ist eine Bildung zu vlat.-it. *rapa* »Rübe« bzw. zu entsprechend lombard. *rava.* Der Name bezieht sich darauf, dass man für die Füllung solcher Nudeltaschen ursprünglich vorwiegend Rüben verwendete.

Razzia: Der Ausdruck für »[polizeiliche] Fahndungsstreife« wurde im 19. Jh. aus gleichbed. frz. *razzia* übernommen, das seinerseits aus algerisch-arabisch *ġāziya^h* (zu arab. *ġazwa^h*) »Kriegszug; militärische Expedition« stammt.

re..., Re...: Die Vorsilbe mit der Bedeutung »zurück; wieder«, wie z. B. in ↑reagieren, ↑Regress, stammt aus gleichbed. lat. *re-.* – Das substantivierte **Re**, ein Kartenspielerausdruck zur Bezeichnung der Gegenansage auf ein *Kontra* (↑kontra..., Kontra...), hat sich wohl aus der Verbindung ›Rekontra‹ herausgelöst.

reagieren »[Gegen]wirkung zeigen; auf etwas ansprechen, eingehen; eine chemische Wechselwirkung zeigen, eine chemische Veränderung, Umwandlung eingehen«: Das in der chemischen Fachsprache des 18. Jh.s aufgekommene Verb ist eine Präfixneubildung zu lat. *agere* »treiben, tun, handeln usw.« (vgl. *re..., Re...* und den Artikel *agieren*). Während ›reagieren‹ heute vorwiegend gemeinsprachliche Geltung hat, bleiben einige Ableitungen ganz oder stark der Fachsprache verhaftet: **Reagenz,** auch: **Reagens** »chemische Reaktionen auslösender Stoff« (19. Jh.), dazu **Reagenzglas; Reaktor** »Anlage zur technischen Durchführung chemischer oder physikalischer [Ketten]reaktionen« (20. Jh.; aus gleichbed. engl.-amerik. *reactor*); **Reaktion** »chemischer Vorgang, der unter stofflichen Veränderungen abläuft«, auch: »das Reagieren, Antwort[handlung], Verhalten auf einen Reiz, einen Umweltvorgang o. Ä., Gegenwirkung, Rückwirkung« (nlat. Bildung des 18. Jh.s in Analogie zu ›Aktion‹). Nach dem Vorbild von frz. *réaction* wird ›Reaktion‹ seit dem Beginn des 19. Jh.s häufig als politisches Schlagwort zur Bezeichnung für die Gesamtheit aller nichtfortschrittlichen politischen Kräfte gebraucht, beachte dazu **reaktionär** »fortschrittsfeindlich« (19. Jh.; aus gleichbed. frz. *réactionnaire*).

real »dinglich, sachlich; wirklich, tatsächlich«: Das Adjektiv wurde im 17. Jh. aus spätlat. *realis* »sachlich, wesentlich« entlehnt. Dies ist von lat. *res* »Sache, Ding« abgeleitet. – Dazu: **irreal** »unwirklich« (junge Gegenbildung des 20. Jh.s mit dem verneinenden Präfix ↑²in..., In...); **Realität** »Wirklichkeit, tatsächliche Lage, Gegebenheit«

(17. Jh.; nach gleichbed. frz. *réalité*); **realisieren** »verwirklichen« (18. Jh.; nach gleichbed. frz. *réaliser;* die Verwendung von ›realisieren‹ im 20. Jh. im Sinne von »verstehen, erkennen, sich bewusst machen« erfolgte unter dem Einfluss von gleichbed. engl. *to realize*); **Realist** »nüchterner und sachlicher Mensch, der sein Handeln an der gegebenen Wirklichkeit orientiert« (18. Jh.); **realistisch** »sachlich, nüchtern; wirklichkeitsgetreu, lebensecht« (18. Jh.). Gleichen Ursprungs wie ›real‹ ist das Adjektiv **reell** »den Erwartungen entsprechend; wirklich vorhanden; zuverlässig, ehrlich, redlich«, das um 1700 aus frz. *réel* »tatsächlich, wirklich; zuverlässig« übernommen wurde.

Rebbach, auch: **Reibach** »Gewinn, Profit«: Das aus der Gaunersprache stammende Wort, das seit dem Anfang des 19. Jh.s in verschiedenen Formen wie ›Reibach‹, ›Reiwach‹ u. a. bezeugt ist, geht auf jidd. *rewach* »Zins« zurück (< hebr. *rewaḥ*).

Rebe: Die Herkunft von mhd. *rebe,* ahd. *reba* (daneben *rebo*), schwed. *reva* ist nicht sicher geklärt. Vielleicht ist das Wort verwandt mit lat. *repere* »kriechen, schleichen« (↑Reptil) und mit der balt. Sippe von lit. *rėplióti* »kriechen«. – Ursprünglich bezeichnete ›Rebe‹ die Ranke oder den Wurzelausläufer einer Pflanze, dann auch das rankende Gewächs selbst. Im Dt. wird in den Weinanbaugebieten der Singular ›Rebe‹ gewöhnlich im Sinne von »Weinstock« und der Plural ›Reben‹ im Sinne von »Weingarten, Weinberg« verwendet.

Rebell »Aufrührer, Aufständischer«: Das Fremdwort wurde im 16. Jh. aus frz. *rebelle* »aufrührerisch; Rebell« entlehnt, das auf gleichbed. lat. *rebellis* (eigentlich »den Krieg erneuernd«) zurückgeht. Das Grundwort gehört zu lat. *bellum* »Krieg«, dessen alat. Vorform *duellum* Ausgangspunkt für unser ↑Duell ist. – Dazu: **rebellisch** »aufrührerisch; aufsässig, widersetzlich« (16. Jh.); **rebellieren** »sich auflehnen, sich widersetzen, sich empören« (16. Jh.; wohl unter dem Einfluss von frz. *rebeller* aus gleichbed. lat. *re-bellare*); **Rebellion** »Aufruhr, Aufstand; Widerstand, Empörung« (16. Jh.; wohl unter dem Einfluss von frz. *rébellion* aus gleichbed. lat. *rebellio*).

R

Rebhuhn: Der Name des Feldhuhns (mhd. *rephuon,* ahd. *rep[a]-, rebhuon,* mnd. *raphōn*) enthält als ersten Bestandteil ein als selbstständiges Wort im germ. Sprachbereich untergegangenes Farbadjektiv, das mit der slaw. Sippe von russ. *rjaboj* »bunt, scheckig, gesprenkelt« verwandt ist, beachte dazu die Bildung russ. *rjabka* »Rebhuhn«. Das Feldhuhn ist also nach der Farbe seines Gefieders als »rotbraunes oder scheckiges Huhn« benannt. Im Oberd. wurde das nicht mehr verstandene Bestimmungswort ›Reb-‹ schon früh volksetymologisch an ›Rebe‹ angelehnt, im Niederd. dagegen an mnd. *rap* »schnell«. Das Bestimmungswort ist weiterhin verwandt mit den unter ↑Erpel behandelten Wörtern.

Rechen »Harke«: Die vorwiegend südd. und mitteld. Bezeichnung des Feld- und Gartengeräts (mhd. *reche,* ahd. *rehho*) gehört zu dem heute veralteten starken Verb frühnhd. *rechen,* mhd. *rechen,* ahd. *[be]rehhan* »zusammenscharren, kratzen, raffen«, entsprechend got. *rikan* »anhäufen«. Im Ablaut zu diesem starken Verb stehen mnd. *raken* »umwühlen, scharren, graben«, schwed. *raka* »scharren, kratzen, stochern«, beachte dazu die Substantivbildungen mnd. *rake* »Harke«, engl. *rake* »Harke, Kratze, Schüreisen«, schwed. *raka* »Kratze, Schaber, Harke«. – Mhd. *reche,* ahd. *rehho* entsprechen im germ. Sprachbereich mniederl. *reke* »Harke« und aisl. *reka* »Harke«.

recherchieren »untersuchen, nachforschen, erkunden, ermitteln«: Das Verb wurde im 18. Jh. aus gleichbed. frz. *rechercher* entlehnt, einer Bildung aus dem Präfix frz. *re-* »zurück, wieder« (< lat. *re-,* ↑re..., Re...) und frz. *chercher* (afrz. *cercher*) »suchen, forschen«. Dies geht zurück auf spätlat. *circare* »umkreisen, durchwandern, durchstreifen«, das von lat. *circus* »Kreis; Kreisbahn« (vgl. *Zirkus*) bzw. von dem adverbiellen Akkusativ lat. *circum* »ringsumher, ringsum« abgeleitet ist.

rechnen: Das westgerm. Verb mhd. *rechenen, rechen,* ahd. *rehhanōn,* niederl. *rekenen,* engl. *to reckon* ist eine Ableitung von einem im Hochd. untergegangenen Adjektiv mit der Bedeutung »ordentlich«, vgl. mnd. *reken* »ordentlich; genau; unbehindert«, aengl. *recen* »bereit, schnell«. Dieses Adjektiv ist eine alte Partizipialbildung zu der unter ↑recht dargestellten idg. Wurzel. – Das abgeleitete Verb bedeutete demnach ursprünglich »in Ordnung bringen, ordnen«. – Abl.: **Rechenschaft** (14. Jh.; mitteld. *rechinschaft* »[Geld]berechnung, Rechnungsablegung«, heute »Auskunft, die man über etwas gibt, wofür man verantwortlich ist«); **Rechnung** (mhd. *rech[e]nunge* »das Rechnen, Be-, Abrechnung; Rechenschaft«, heute auch »Kostenforderung«). Zusammensetzungen und Präfixbildungen: **abrechnen** »Rechnung ablegen; vergelten, Rache üben« (mhd. *abrechen*), dazu **Abrechnung; berechnen** »kalkulieren, ausrechnen; etwas in bestimmter Absicht tun« (mhd. *berechenen,* ahd. *birehhanōn*), dazu **Berechnung; verrechnen** »Rechnung ablegen, ausgleichen«, reflexiv »falsch rechnen, sich irren« (mhd. *verrechenen, -rechen*).

recht: Das gemeingerm. Adjektiv mhd., ahd. *reht,* got. *raíhts,* engl. *right,* schwed. *rätt* beruht auf einer alten Partizipialbildung zu der idg. Wurzel **reĝ-,* »aufrichten, recken, gerade richten«, dann auch »richten, lenken, führen, herrschen«, vgl. z. B. lat. *rectus* »gerade, geradlinig; richtig, recht; sittlich gut«. Zu dieser Wurzel gehören aus anderen idg. Sprachen z. B. aind. *rají-ḥ* »sich aufrichtend, gerade«, griech. *orégein* »recken, ausstrecken«, lat. *regere* »gerade richten; lenken, leiten; herrschen« (s. die umfangreiche Fremdwortgruppe um *regieren,* zu der u.a. *Regent, Regie, Rektor, direkt, korrekt* gehören), *regula* »gerades Stück Holz, Latte; Richtschnur« (↑Regel), *regio* »Richtung; Gegend« (↑Region), *regimen* »Lenkung, Leitung« (↑Regime und ↑Regiment), *rex,* Genitiv *regis* »Lenker, Herrscher, König«, *rogare* »fragen, ersuchen«, eigentlich »[bittend die Hand] ausstrecken« (↑arrogant), air. *reg-, rig-* »ausstrecken«, *rī,* Genitiv *rīg* »König«, mir. *rīge* »Königreich« (vgl. den Artikel *Reich*). Aus dem germ. Sprachbereich gehört ferner zu dieser Wurzel die Sippe von ↑rechnen (eigentlich »ordentlich machen«), vermutlich auch die Sippe von ↑geruhen (mit ↑ruchlos und ↑verrucht), die auf einer Bedeutungsentwicklung von »aufrichten, stützen« zu »helfen, für etwas Sorge tragen« beruht. Weiterhin gehört hierher das unter ↑rank behandelte Adjektiv, das auf einer nasalierten Nebenform beruht und eigentlich »aufgerichtet, aufgereckt« bedeutet. – Um das Adjektiv ›recht‹ gruppieren sich die Bildungen ↑gerecht, ↑richten, ↑richtig und ↑[2]Gericht. Das gemeingerm. Adjektiv hatte ursprünglich die Bedeutung »gerade«. Diese Bedeutung hat ›recht‹ im heutigen dt. Sprachgebrauch noch in den mathematischen Ausdrücken ›rechter Winkel‹ und ›Rechteck‹ und in Zusammensetzungen wie ›senkrecht, waagerecht, aufrecht‹. Aus diesem Wortgebrauch entwickelte sich die Verwendung von ›recht‹ im Sinne von »richtig« und weiterhin im Sinne von »den Gesetzen und Geboten entsprechend, sittlich gut«, beachte das Substantiv Recht (s.u.). Von der Bedeutung »richtig« geht auch die Verwendung von ›recht‹ als Gegenwort zu ›link‹ aus, und zwar bezeichnete ›recht‹ zunächst die rechte Hand, deren Gebrauch allgemein als richtig empfunden wird, während der Gebrauch der linken Hand als ungewöhnlich und nicht richtig angesehen wird, beachte dazu die Substantivierung **Rechte** »rechte Hand« und ›rechter Hand‹ »auf der rechten Seite«. Das Adverb **rechts** ist der erstarrte Genitiv Singular des Adjektivs. Zusammensetzungen mit ›recht‹ sind **rechtfertigen,** [sich] »[sich] vom Verdacht befreien, [sich] verantworten« (mhd. *rehtvertigen,* »ausfertigen; von Schuld befreien, vor Gericht verteidigen; gerichtlich behandeln; bestrafen, hinrichten« abgeleitet von mhd. *rehtvertic,* älter nhd. *rechtfertig* »gerecht, gut, ordentlich«, also eigentlich »gerecht, gut machen«; zum zweiten Bestandteil ↑fertig); **rechtgläubig** (15. Jh.; Lehnübersetzung von griech.-lat. *orthodoxus,* ↑orthodox), **rechtschaffen** »tüchtig, ehrlich, ordentlich« (16. Jh., eigentlich »recht beschaffen«, vgl. *schaffen*), **Rechtschreibung** (16. Jh.; Lehnübersetzung von griech.-lat. *orthographía,* ↑Orthographie). Eine westgerm. Substantivierung des gemeingerm. Adjektivs ist **Recht** »das Richtige, Billigkeit; Anspruch, Befugnis; die Gesetze«: mhd., ahd. *reht,* niederl. *recht,* engl. *right.* Im Nord. ist dagegen eine alte Bildung (tu-Stamm) gebräuchlich, beachte z.B. schwed. *rätt* »Recht, Gesetz«, die air. *recht* »Gesetz« entspricht. – Abl.: **rechtlich** »dem Recht entsprechend, gesetzlich; ordentlich, redlich« (mhd. *rehtlich,* ahd. *rehtlīh*). Zus.: **Rechtsanwalt** (Anfang des 19. Jh.s, für älteres ›Advokat‹, s.d.; ↑Anwalt); **Rechtswissenschaft** (18. Jh., für älteres ›Rechtsgelehrsamkeit‹).

rechts ↑recht.

Rechtsbeistand ↑stehen.

rechtskräftig ↑Kraft.

Reck: Die Bezeichnung des Turngerätes wurde zu Beginn des 19. Jh.s von F. L. Jahn in die Turnersprache eingeführt, und zwar aus dem Niederd., wo [m]niederd. *reck[e]* eine Querstange zum Aufhängen der Wäsche, zum Aufsitzen der Hühner oder dgl. bezeichnet. Das Wort steht im Ablaut zu niederd. *rack* »Gestell, Regal« und ist mit der Sippe von ↑Rah[e] »waagerechte, am Schiffsmast befestigte Stange« verwandt.

Recke »Krieger, Held«: Mhd. *recke* »Verfolgter, Verbannter; Abenteurer; Kämpe, Held«, ahd. *reckeo* »Flüchtling, Verbannter; Krieger«, asächs. *wrekkio* »Fremdling«, aengl. *wrecca* »Flüchtling, Verbannter; Abenteurer« (engl. *wretch* »elender Mensch, Schurke«) gehören im Sinne von »Vertriebener« zu dem unter ↑rächen behandelten Verb in dessen alter Bedeutung »vertreiben, verfolgen«. – Im Nhd. wurde ›Recke‹ erst im 18. Jh. im Rahmen der Beschäftigung mit der mhd. Dichtung neu belebt und wird heute als altertümliche Bezeichnung verwendet.

Recycling: Das Fremdwort für die »Wiederverwendung bereits benutzter Rohstoffe« ist wie die Verfahrensweise selbst in der 2. Hälfte des 20. Jh.s aufgekommen. Engl. *recycling,* von dem es entlehnt wurde, ist eine Substantivierung des Verbs *to recycle* »wieder verwerten, wieder aufbereiten« (gebildet zu engl. *cycle* »Zyklus«, ↑Zyklus). *To recycle* bedeutet demnach eigentlich »in einem zyklischen Prozess zu einem vorherigen Stadium zurückkehren«. Direkt aus engl. *to recycle* übernommen ist das Verb **recyclen.** Dass dieses bereits gut in die deutsche Sprache integriert ist, zeigen die mittels deutscher Wortbildung entstandenen Ableitungen, wie z.B. das Adjektiv **recycelbar, recyclebar.**

Redakteur, Redaktion ↑redigieren.

Rede: Mhd. *rede,* ahd. *red[i]a, radia* »Rechenschaft; Vernunft, Verstand; Rede und Antwort, Gespräch; Erzählung; Sprache«, asächs. *ređia* »Rechenschaft«, got. *raÞjō* »Zahl; [Ab]rechnung; Rechenschaft« gehören zu der Wurzelform **rē-* der unter ↑Arm dargestellten idg. Wurzel **ar[ə]-* »fügen, [an-, ein]passen«. Eng verwandt sind im germ. Sprachbereich die Sippe von ↑raten (ursprünglich »[sich] etwas geistig zurechtlegen, überlegen, aussinnen«), die Adjektivbildung ↑[1]gerade (ursprünglich »gleich zählend«) und der zweite Bestandteil von dem unter ↑hundert behandelten Zahlwort. Außergerm. entspricht ›Rede‹ genau lat. *ratio* »Berechnung; Rechenschaft; Zahl; Erwägung; Denken, Vernunft«, aus dem ›Rede‹ auch entlehnt sein könnte. – Abl.: **reden** (mhd. *reden,* ahd. *red[i]ōn,* daneben *redinōn;* beachte dazu ›ab-, an-, aus-, be-, ein-, zureden‹, auch ›verabreden‹), dazu **Redensart** (Anfang des 17. Jh.s; Lehnübersetzung von frz. *façon de parler*), **Redner** (mhd. *redenære,* ahd. *redināri*), dazu wiederum **rednerisch** (17. Jh.); **redlich** (s. d.); **beredt** »redegewandt, mundfertig« (mhd. *beredet*); das Adjektiv könnte auch das 2. Partizip des Präfixverbs **bereden** (mhd. *bereden*) sein, zu dem sich **beredsam** stellt, beachte dazu **Beredsamkeit** (um 1600). Zusammensetzung: **redselig** »geschwätzig« (15. Jh.).

Rede

große Reden schwingen/führen
»sich jmdm. gegenüber rechtfertigen«
Das Wort ›schwingen‹ in dieser Wendung leitet sich vom Gebärdenspiel des Redners her, der im Schwung des Sprechens mit den Armen gestikuliert.

jmdn. zur Rede stellen
»von jmdm Rechtfertigung, Auskunft verlangen«
Diese Wendung leitet sich von der Gerichtsrede her, in der sich der Angeklagte vor Gericht [stehend] verteidigen musste.

redigieren »ein Manuskript überarbeiten und druckfertig machen«: Das seit dem Anfang des 19. Jh.s bezeugte Fremdwort gehört zu einer Reihe von Fachwörtern der Publizistik und des Zeitungswesens (wie ↑annoncieren, ↑Feuilleton, *Journalist* [↑Journal] usw.), die aus dem Frz. übernommen worden sind. Das zugrunde liegende frz. Verb *rédiger* bedeutet eigentlich »zurückführen«, dann speziell etwa »einen Manuskripttext auf eine druckfertige Form zurückführen, einen Text in Ordnung bringen«. Es geht zurück auf lat. *red-igere* »zurücktreiben, zurückführen; in Ordnung bringen«, eine Bildung aus lat. *re-* »zurück, wieder« und lat. *agere* »treiben, führen, handeln usw.« (vgl. *re..., Re...* und den Artikel *agieren*); lat. *redigere* war im 16. Jh. schon unmittelbar ins Dt. entlehnt worden und im Sinne von »zusammenbringen, ordnen« gebräuchlich. – Gleichfalls aus dem Frz. stammen **Redakteur** »jemand, der Beiträge für die Veröffentlichung (in Zeitungen, Zeitschriften, Sachbüchern u. a.) bearbeitet und redigiert; Schriftleiter« (18. Jh.; aus gleichbed. frz. *rédacteur*) und **Redaktion** »Tätigkeit des Redakteurs; Gesamtheit der Redakteure und deren Arbeitsräume, Schriftleitung« (19. Jh.; aus gleichbed. frz. *rédaction*). Für beide Bildungen ist von lat. *redactus,* dem Part. Perf. von *redigere,* auszugehen.

redlich: Das auf das dt. Sprachgebiet beschränkte Adjektiv (mhd. *redelich,* ahd. *redilīh*) ist eine Bildung zu dem unter ↑Rede behandelten Substantiv, an das es sich in den älteren Sprachzuständen in der Bedeutung eng anschloss. Ursprünglich wurde ›redlich‹ im Sinne von »so, wie man darüber Rechenschaft ablegen kann« verwendet, heute ist es im Sinne von »ehrlich, anständig« gebräuchlich.

redselig ↑Rede.

reduzieren »zurückführen; herabsetzen, einschränken, verkleinern, mindern«: Das Verb wurde im 16. Jh. aus lat. *re-ducere* »[auf das richtige Maß] zurückführen« entlehnt, einer Bildung aus lat. *re-* »zurück, wieder« und lat. *ducere* »ziehen; führen« (vgl. *re..., Re...* und den Artikel *Dusche*).

Reede »Ankerplatz vor dem Hafen«: Das im 17. Jh. aus dem Niederd. in die Schriftsprache übernommene Wort geht zurück auf mnd. *rēde, reide* »Ankerplatz«, vgl. gleichbed. niederl. *ree,* älter *reede* und schwed. *redd.* Die Herkunft der Bezeichnung des Ankerplatzes vor dem Hafen ist unklar. Einerseits kann ›Reede‹ im Sinne von »Platz, an dem die Schiffe [aus]gerüstet werden« zu der Sippe von mnd. *[ge]rēde* »bereit, fertig«, *rēden* »bereit-, fertig machen, rüsten« gehören (vgl. *bereit*). Andererseits kann ›Reede‹ im Sinne von »Platz, an dem die Schiffe vor dem Hafen auf den Wellen reiten« zu dem unter ↑reiten behandelten Verb gehören. – Beachte dazu die Bildungen **Reeder** »Schiffseigner« (16. Jh.; mnd. *rēder*) und **Reederei** »Schifffahrtsunternehmen« (18. Jh.).

reell ↑real.

Reep, Reeper, Reeperbahn ↑[1]Reif.

Reet, Reetdach ↑Ried.

referieren »Bericht erstatten, vortragen«: Das aus der Kanzleisprache stammende Verb wurde im 16. Jh. – wahrscheinlich über gleichbed. frz. *référer* – aus lat. *re-ferre* »zurücktragen; überbringen; mitteilen, berichten« entlehnt. Dies ist eine Bildung aus lat. *re-* »zurück, wieder« und lat. *ferre* »tragen, bringen« (vgl. *re..., Re...* und den Artikel *offerieren*). – Aus der Kanzleisprache stammen auch **Referat** »Bericht; Vortrag« (19. Jh.), entstanden aus lat. *referat* »er möge berichten«. Bei formelhaften Wendungen wie dieser hier handelt es sich ursprünglich um Aktenvermerke, die verselbstständigt und substantiviert wurden; **Referent** »jemand, der etwas vorträgt, ein Referat hält; Gutachter; Sachbearbeiter, Leiter eines Sachbereichs in der Verwaltung« (18. Jh.; aus lat. *referens,* dem Part. Präs. von *referre;* zunächst in der allgemeinen Bedeutung »Berichterstatter«); **Referendar** »Anwärter auf die höhere Beamtenlaufbahn nach der ersten Staatsprüfung« (15. Jh.; zunächst in der Bedeutung »jemand, der [aus den Akten] Bericht erstattet«; aus gleichbed. mlat. *referendarius;* dies gehört zu lat. *referendum* »das zu Berichtende«, aus dem im 17. Jh. **Referendum** »Vorzutragendes«, dann »Volksentscheid über eine Frage« übernommen wurde); **Referenz** »Empfehlung; Beziehung« (19. Jh.; zunächst in der Kaufmannssprache »Person, Firma, die Auskunft über die Vertrauenswürdigkeit eines Geschäftspartners erteilt«, dann »Person, auf die man sich zu seiner Empfehlung beruft; Beziehung«; aus gleichbed. frz. *référence* [zu *se référer*] oder engl. *reference* [zu *to refer*]).

reffen (seemännisch für:) »eine Segelfläche verkleinern«: Das zu Beginn des 18. Jh.s in die hochd. Schriftsprache übernommene niederd. *reffen* ist eine Ableitung von dem Seemannsausdruck **Reff** niederd. *ref[f], riff* »Vorrichtung zum Verkürzen eines Segels«. Das niederd. Substantiv stammt – wie auch niederl. *reef* »Reff« (daraus gleichbed. engl. *reef*) – vermutlich aus dem Nord., vgl. aisl. *rif* »Reff«, das vielleicht zu der germ. Wortgruppe von aisl. *rīfa* »[zer]reißen« gehört (vgl. *reiben*).

reflektieren »zurückstrahlen, spiegeln; nachdenken, grübeln, erwägen; etwas in Betracht ziehen, erstreben, im Auge haben«: Das Verb wurde im 17. Jh. aus lat. *re-flectere (reflexum)* »zurückbiegen, zurückwenden« (bzw. lat. *animum reflectere* »seine Gedanken auf etwas hinwenden«) entlehnt. Dies ist eine Bildung aus lat. *re-* »zurück, wieder« und lat. *flectere* »biegen, beugen« (vgl. *re..., Re...* und den Artikel *flektieren*). – Dazu stellt sich **Reflektor** »Vorrichtung zum Reflektieren von Lichtstrahlen« (19. Jh.; gelehrte nlat. Bildung nach entsprechend frz. *réflecteur*). Zum Perfektstamm *(reflexum)* von lat. *reflectere* gehören die folgenden Bildungen: **Reflex** »Widerschein, Rückstrahlung; unwillkürliches Ansprechen auf einen Reiz«, das im 18. Jh. aus gleichbed. frz. *réflexe* (< lat. *reflexus* »das Zurückbeugen«) übernommen wurde. Das Substantiv **Reflexion** »Rückstrahlung (von Licht, Schall, Wärme u. a.); Vertiefung in einen Gedankengang, Überlegung, Betrachtung« wurde im 16. Jh. aus gleichbed. frz. *réflexion* (< lat. *reflexio* »Zurückbeugung«) entlehnt. Das Adjektiv **reflexiv** »rückbezüglich« (Sprachwissenschaft), älter »auf sich selbst zurückwirkend« ist eine gelehrte nlat. Bildung des 19. Jh.s.

reformieren »verbessern, [geistig, sittlich] erneuern; neu gestalten«: Das Verb wurde im 15. Jh. wie entsprechend frz. *réformer* aus lat. *re-formare* »umgestalten, umbilden, neu gestalten« entlehnt. Dies ist eine Bildung aus lat. *re-* »zurück, wieder« und lat. *formare* »ordnen, einrichten, gestalten« (vgl. *re..., Re...* und den Artikel *Form*). – Dazu stellen sich **Reform** »Umgestaltung, Neuordnung; Verbesserung des Bestehenden« (18. Jh.; aus gleichbed. frz. *réforme*); **Reformation** »verbessernde Umgestaltung; sittliche, religiöse Erneuerung«, insbesondere Bezeichnung für die von Luther ausgelöste christliche Glaubensbewegung des 16. Jh.s, die zur Bildung der evangelischen Kirchen führte (spätmhd. *reformacion;* aus lat. *reformatio* »Umgestaltung; Erneuerung« entlehnt); **Reformator** »[sittlicher, kirchlicher] Erneuerer« (speziell als Bezeichnung für die geistigen Väter der Reformation wie Luther, Zwingli, Calvin u. a.), im 16. Jh. aus lat. *reformator* »Umgestalter, Verbesserer, Erneuerer« entlehnt. Vgl. auch das Kapitel zur Sprachgeschichte *Martin Luthers Einfluss auf den deutschen Wortschatz.*

Refrain: Der Ausdruck für »Kehrreim« wurde im 18. Jh. aus gleichbed. frz. *refrain* entlehnt. Die eigentliche Bedeutung des frz. Wortes ist »Rückprall (der Wogen von den Klippen)«. Es ist abgeleitet von afrz. *refraindre* »[zurück]brechen; wiederholt unterbrechen; modulieren«, das ein vlat. Verb **re-frangere* (= klass.-lat. *refringere*) »auf-, zurückbrechen; brechend zurückwerfen« fortsetzt (vgl. *re..., Re...* und den Artikel *Fragment*).

Regal »Gestell mit mehreren Fächern für Bücher, Waren u. a.«: Die Herkunft des seit dem 18. Jh. bezeugten Wortes ist nicht sicher geklärt. Vielleicht ist es über niederd. *rijol* »Rinne, Furche« aus frz. *rigole* »Rinne, Furche« (< mlat. *rigulus,* zu mlat. *riga* »Graben, Reihe«) entlehnt.

Regatta: Das Wort für »Bootswettkampf« wurde im 18. Jh. aus dem Venez. übernommen, wo es zuerst nur von Wettfahrten der Gondeln in Venedig galt. Die weitere Herkunft von venez. *regata* ist ungewiss.

rege »lebhaft, betriebsam, geschäftig«: Das seit dem 16. Jh. bezeugte Adjektiv ist eine Bildung aus dem unter ↑regen behandelten Verb.

Regel: »Richtschnur, Richtlinie, Norm, Vorschrift«: Das Substantiv mhd. *regel[e],* ahd. *regula* wurde zunächst in der Bedeutung »Ordensregel« als Klosterwort aus gleichbed. mlat. *regula* übernommen. Dies geht auf lat. *regula* »Richtholz; Richtschnur, Maßstab, Regel« (zu lat. *regere* »gerade richten; lenken; herrschen«, vgl. *regieren*) zurück. Die Bedeutungen des lat. Wortes wurden im Laufe der Zeit von ›Regel‹ mit übernommen. Unmittelbar zu ›Regel‹ gehören die Ableitungen und Zusammensetzungen **regeln** »in Ordnung bringen; durch Verordnungen Richtlinien geben« (16. Jh.) – dazu die Substantivbildungen **Reg[e]lung** und **Regler** »Vorrichtung zur Regelung technischer Vorgänge« –, **regelmäßig** »der Regel gemäß; in bestimmten Zeitabständen wiederkehrend« (17. Jh.) und **regelrecht** »der Regel, der Vorschrift entsprechend« (Anfang 18. Jh.). Weiterhin gehören hierher **regulär** »der Regel gemäß; vorschriftsmäßig; üblich, gewöhnlich« (mhd. *regular;* aus spätlat. *regularis* »einer Richtschnur gemäß; regelmäßig«, einer Ableitung von lat. *regula;* seit dem 17. Jh. unter frz. Einfluss). **Regularität** »Gesetzmäßigkeit, Regelmäßigkeit« (17. Jh.; aus gleichbed. frz. *régularité*) und **regulieren** »regeln, in Ordnung bringen; für den gleichmäßigen Ablauf einer Sache (insbesondere auch einer Maschine, einer Uhr u. a.) sorgen« (mhd. *regulieren;* aus spätlat. *regulare* »regeln, einrichten«, einer Ableitung von lat. *regula*).

Die Sprachgesellschaften des 17. Jahrhunderts

Die Flut der fremden Wörter aus den romanischen Sprachen, die im 17. Jahrhundert in immer stärkerem Ausmaß ins Deutsche eindrangen, führte dazu, dass sich viele Dichter und Sprachgelehrte gemeinsam gegen diese Überfremdung der eigenen Sprache wehrten. Es entstanden so gelehrte Vereinigungen, die sich die Pflege der deutschen Sprache zum Ziel setzten, die so genannten **Sprachgesellschaften**. Ihre Mitglieder kamen aus dem Adel oder stammten aus den Kreisen des literarisch interessierten Bürgertums. Diese Gesellschaften bemühten sich um die Reinigung der deutschen Sprache von Fremdwörtern und um eine einheitliche Rechtschreibung. Das Französische als Sprache der vornehmen Gesellschaft sowie das Lateinische als Wissenschaftssprache sollten zurückgedrängt werden. Eine deutsche Literatursprache sollte geschaffen werden und mit dazu beitragen, eine einheitliche nationale Kultur zu schaffen, die das zerrissene und schwache Deutschland wieder aufrichten könnte.

Am 24. August 1617 wurde in Weimar als erste und wohl bedeutendste Sprachgesellschaft die »Fruchtbringende Gesellschaft« gegründet. Die zweite Gesellschaft, die in Straßburg im Jahre 1633 gegründete »Aufrichtige Tannengesellschaft«, bemühte sich mehr um die deutsche Rechtschreibung als um die Sprache selbst. Eine dritte folgte 1642, sie trug den Namen »Teutschgesinnte Genossenschaft«. Diese Vereinigung wollte alle Fremdwörter im Deutschen ausmerzen, auch die schon längst eingebürgerten.

Verdeutschungen als Damm gegen die Fremdwortflut

In den Sprachgesellschaften waren es bedeutende Männer wie Johann Christoph Gottsched (1700–1766), Georg Philipp Harsdörffer (1607–1658), Justus Georg Schottel (1612–1676) und Philipp von Zesen (1619–1689), die zusammen mit anderen versuchten, das im Übermaß ins Deutsche eingedrungene fremde Wortgut durch deutsche Begriffe zu ersetzen.

Gegen Ende des 18. Jahrhunderts unternahm der Pädagoge Joachim Heinrich Campe (1746–1818) den Versuch, die deutsche Sprache von fremdem Einfluss zu befreien, und verdeutschte viele Fremdwörter. Von den während dieser Zeit neu geschaffenen deutschen Wörtern konnten sich manche durchsetzen, andere wurden nicht von den Sprachbenutzern angenommen. Oft stellten sich die neuen Bildungen neben das fremde Wort, ohne es zu verdrängen, und bereicherten so das entsprechende Wortfeld inhaltlich oder stilistisch. Zu den Verdeutschungen, die noch heute – neben ihrer fremdwörtlichen Entsprechung – fest zu unserem Wortschatz gehören, zählen z. B. *Anschrift* (für *Adresse*), *Ausflug* (für *Exkursion*), *Briefwechsel* (für *Korrespondenz*), *Jahrbücher* (für *Annalen*), *Jahrhundert* (für *Säkulum*), *leidenschaftlich* (für *passioniert*), *Lustspiel* (für *Komödie*), *Mundart* (für *Dialekt*), *Rechtschreibung* (für *Orthographie*), *Stelldichein* (für *Rendezvous*), *Sterblichkeit* (für *Mortalität*), *Verfasser* (für *Autor*, gekürzt aus *Schriftverfasser*).

Auf diese Weise nebeneinander stehende Formen waren aber keineswegs immer Synonyme, denn eine Verdeutschung wie z. B. *ergiebig* war nicht gleichbedeutend mit ihrer fremdwörtlichen Entsprechung *lukrativ*, ebenso wenig wie *Schattenseite* immer für *Revers* »Rückseite« eingesetzt werden konnte. Auch *Zerrbild* und *Karikatur* sind schließlich nicht immer bedeutungsgleich. Zudem konnten die Verdeutschungsversuche der Sprachpfleger nicht in allen Fällen als gelungen bezeichnet werden, und ihre Zeitgenossen machten sich lustig über Bildungen wie *Zeugemutter* für *Natur, Meuchelpuffer* für *Pistole, Jungfernzwinger* für *Nonnenkloster, Dörrleiche* für *Mumie, Lotterbett* für *Sofa, Lusthöhle* für *Grotte, Zitterweh* für *Fieber.* Erbwörter wie *Nase* und *Sonne* wurden fälschlicherweise für Fremdwörter gehalten, und man versuchte, sie mit *Gesichtserker* und *Tageleuchter* zu verdeutschen.

Gegen Ende des 17. Jahrhunderts büßten die Sprachgesellschaften ihre Bedeutung größtenteils ein. In den im frühen 18. Jahrhundert entstandenen »Deutschen Gesellschaften« und im »Allgemeinen Deutschen Sprachverein« (gegründet 1885) lebte ihre Zielsetzung aber noch einmal neu auf.

regen: Das schwache Verb mhd. *regen* »aufrichten, in Bewegung setzen; bewegen; erregen, erwecken; anrühren« ist das Veranlassungswort zu dem im Nhd. untergegangenen starken Verb mhd. *regen* »emporragen, sich erheben; steif gestreckt sein, starren«. Dieses Verb, das gleichfalls auf das dt. Sprachgebiet beschränkt ist, hängt mit den unter ↑Rah[e] behandelten Wörtern zusammen. – Abl.: **rege** (s. d.); **regsam** »rege, rührig« (18. Jh.); **Regung** »Bewegung, Gemütsbewegung« (17. Jh.). Beachte auch die zusammengesetzten Verben **anregen,** dazu **Anregung** und die Gegenbildung (sich) **abregen,** und **aufregen,** dazu **Aufregung,** und die Präfixbildung **erregen** (16. Jh.), dazu **Erregung.**

Regen: Das gemeingerm. Wort mhd. *regen,* ahd. *regan,* got. *rign,* engl. *rain,* schwed. *regn* ist dunklen Ursprungs. – Abl.: **regnen** »als Regen zur Erde fallen« (mhd. *reg[en]en,* ahd. *reganōn,* vgl. got. *rignjan,* engl. *to rain,* schwed. *regna*), dazu **regnerisch** »reich an Regen« (17. Jh., für älteres *regnicht, regnig,* mhd. *regenic*). Zus.: **Regenbogen** (mhd. *regenboge,* ahd. *reginbogo;* vgl. niederl. *regenboog,* engl. *rainbow,* schwed. *regnbåge*), dazu **Regenbogenpresse** (nach der bunten Aufmachung dieser Blätter, besonders den mehrfarbigen Kopfleisten); **Regenschirm** (Anfang des 18. Jh.s; Lehnübertragung von frz. *parapluie*); **Regenwurm** (mhd. *regenwurm,* ahd. *reganwurm;* so benannt, weil der Wurm nach einem Regenfall das Erdreich verlässt und in größerer Zahl auf dem Erdboden zu finden ist).

regenerieren »erneuern, auffrischen; wiederherstellen«: Das Verb wurde im 16. Jh. aus lat. *re-generare* »von neuem hervorbringen« entlehnt, eine Bildung aus lat. *re-* »zurück, wieder« und lat. *generare* »[er]zeugen« (vgl. *re..., Re...* und den Artikel *Generation*).

Regenschirm ↑Regen.

Regent »[fürstliches] Staatsoberhaupt; verfassungsmäßiger Vertreter eines Monarchen«: Das Fremdwort wurde im 15. Jh. aus spätlat. *regens (regentis)* »Herrscher, Fürst«, dem substantivierten Part. Präs. von lat. *regere* »gerade richten, lenken; herrschen«, entlehnt (vgl. *regieren*). – Abl.: **Regentschaft** »Herrschaft eines Regenten« (18. Jh.).

Regenwurm ↑Regen.

Regie: Der Ausdruck für »Verwaltung; [Spiel]leitung (z. B. bei Theater, Film usw.)« wurde im 18. Jh. aus frz. *régie* »verantwortliche Leitung; Verwaltung« entlehnt. Dies ist eigentlich das substantivierte weibliche Part. Perf. von frz. *régir* »leiten, lenken, verwalten«, das auf lat. *regere* »gerade richten, lenken; herrschen« (vgl. *regieren*) zurückgeht. Das Fremdwort **Regisseur** »Spielleiter« wurde im 18. Jh. aus frz. *régisseur* »Verwalter; Spielleiter« übernommen, das eine Bildung zu frz. *régir* »leiten, lenken, verwalten« ist.

regieren »lenken, herrschen«: Das Verb wurde in mhd. Zeit wohl unter dem Einfluss von afrz. *reger* aus lat. *regere* »gerade richten, lenken; herrschen« entlehnt. Dazu gebildet ist das Substantiv **Regierung** »das Regieren; die regierenden Personen, oberstes Staatsorgan« (spätmhd. *regerunge*). – Lat. *regere,* das zur idg. Sippe von ↑recht gehört, ist die Quelle für eine Fülle von Fremdwörtern im dt. Wortschatz. So stehen neben dem unmittelbar aus dem Part. Präs. von *regere* hervorgegangenen ↑Regent die Substantive ↑Regie, Regisseur, die zum entsprechenden frz. Verb *régir* gehören. Zahlreiche Fremdwörter gehen auf lat. *regere* in Bildungen wie di-rigere (↑dirigieren, Dirigent) und *cor-rigere* (↑korrigieren) zurück oder auf das Part. Perf. *[-]rectus* »aus-, aufgerichtet, gerade« (↑Rektor; ↑direkt, ↑Direktor, Direktrice, ↑Direktion, ↑Direktive, ↑indirekt; ↑korrekt, inkorrekt, Korrektor, Korrektur; ↑Eskorte, eskortieren; ↑adrett, ↑Adresse, adressieren, Adressat; ↑Dress; ↑dressieren). Außerdem sind es mehrere Nominalbildungen im Lat. zum Stamm von *regere,* die ins Dt. übernommen worden sind: lat. *regula* »Richtschnur« (↑Regel, regeln, regulieren, ↑regulär, Regularität); *regio* »Richtung, Gegend« (↑Region, regional); *regimen, regimentum* »Leitung« (↑Regime, ↑Regiment); beachte auch *rex* »Lenker, König« (frz. *roi*) und *regina* »Königin« (frz. *reine*) im Mädchennamen Regine. – Mit einer etwaigen Grundbedeutung »sich an jemanden richten« gehört auch lat. *rogare* »fragen; ersuchen, bitten; verlangen« ablautend zu *regere.* Vgl. auch den Artikel *arrogant, Arroganz.*

Regime: Die meist abwertend gebrauchte Bezeichnung für »(von einer bestimmten Ideologie geprägten) Regierung[sform], Herrschaft« wurde Ende des 18. Jh.s aus gleichbed. frz. *régime* entlehnt, das auf lat. *regimen* »Lenkung, Leitung; Regierung« zurückgeht. Dies gehört zu lat. *regere* »gerade richten, lenken; herrschen« (vgl. *regieren*).

Regiment: Das seit dem 15. Jh. zuerst in der auch heute noch gültigen Bedeutung »Leitung, Herrschaft« bezeugte Fremdwort ist aus spätlat. *regimentum* »Leitung, Oberbefehl« entlehnt, das zu lat. *regere* »gerade richten, lenken; herrschen« (vgl. *regieren*) gehört. Im 16. Jh. wurde das Wort – wohl unter dem Einfluss von frz. *régiment* – auch zur Bezeichnung einer Truppeneinheit, die unter dem Befehl eines Obersten steht.

Region: Das Fremdwort für »Gegend, Bereich« wurde im 15. Jh. aus lat. *regio* »Richtung, Gegend; Bereich, Gebiet« entlehnt, das zu lat. *regere* »gerade richten, lenken; herrschen« (vgl. *regieren*) gehört.

Regisseur ↑Regie.

Register »[alphabetisches Inhalts]verzeichnis, Sach-, Wortweiser; Liste; Gruppe von Orgelpfeifen, durch die Töne gleicher Klangfarbe erzeugt werden«: Das Fremdwort wurde im 14. Jh. aus mlat. *registrum* »Verzeichnis« entlehnt, das aus gleichbed. spätlat. *regesta* entstellt ist. Letzteres ist das substantivierte Part. Perf. (Plural Neutrum) von lat. *re-gerere* »zurückbringen; eintragen, einschreiben«, einer Bildung aus lat. *re-* »zurück, wieder« und lat. *gerere (gestum)* »tragen; ausführen usw.« (vgl. *re..., Re...* und den Artikel *Geste*). – Abl.: **registrieren** »in ein Register eintragen, einordnen; selbsttätig aufzeichnen; (übertragen:) bewusst wahrnehmen, ins Bewusstsein aufnehmen« (15. Jh.; aus mlat. *registrare*); **Registratur** »Aufbewahrungsstelle für Karteien, Akten usw.« (16. Jh.; nlat. Bildung).

Register

alle Register spielen lassen/ziehen
»alle Möglichkeiten ausprobieren, alle Mittel einsetzen«
Diese Wendung bezieht sich auf die Orgelregister, mit denen die Klangmöglichkeiten des Instruments bereichert und variiert werden können.

Reglement: Der Ausdruck für »[Dienst]vorschrift; Geschäftsordnung« wurde im 17. Jh. aus frz. *règlement* »Regelung; Bestimmung, Verordnung; Geschäftsordnung« entlehnt. Dies ist eine Bildung zu frz. *régler* »regeln; bestimmen, verordnen« (< spätlat. *regulare* »regeln, einrichten«, vgl. *Regel*).

regnen, regnerisch ↑Regen.

Regress »Rückgriff[sanspruch] auf einen Zweit- oder Hauptschuldner«: Das Fremdwort wurde im 16. Jh. aus lat. *regressus* »Rückkehr; Rückhalt, Zuflucht; Ersatzanspruch« entlehnt. Es wurde zunächst im Sinne von »Recht, auf etwas zurückzugreifen, etwas wieder an sich zu nehmen« verwendet, seit dem 18. Jh. dann im heutigen Sinne. – Lat. *regressus* gehört zu lat. *re-gredi* »zurückgehen, zurückkommen; auf jemanden zurückkommen, Ersatzansprüche stellen«, einer Bildung aus lat. *re-* »zurück, wieder« und lat. *gradi* »schreiten, gehen« (vgl. *re..., Re...* und den Artikel *Grad*).

regsam ↑regen.

regulär, Regularität, regulieren ↑Regel.

Regung ↑regen.

Reh: Der altgerm. Tiername mhd. *rē[ch]*, ahd. *rēh[o]*, niederl. *ree*, engl. *roe*, schwed. *rå* ist z. B. verwandt mit air. *rīabach* »gesprenkelt« und der baltoslaw. Sippe von lit. *ráibas, ráinas, ráimas* »scheckig, graubunt, braungelb gesprenkelt«. Das Reh ist also nach der Farbe seines Felles benannt, das im Sommer rotgelb und im Winter gelblich grau ist. Siehe auch den Artikel *Ricke*.

rehabilitieren »in den früheren Stand, in die früheren [Ehren]rechte wieder einsetzen; rechtfertigen; durch bestimmte Maßnahmen in den Beruf und die Gesellschaft [wieder] eingliedern«: Das Verb wurde im 16. Jh. – wohl unter dem Einfluss von frz. *réhabiliter* – aus mlat. *rehabilitare* »in den früheren Stand wieder einsetzen« entlehnt (vgl. *re..., Re...* und den Artikel *habilitieren*).

Reibach ↑Rebbach.

reiben: Das starke Verb mhd. *rīben*, ahd. *riban* kann ursprünglich anlautendes w- gehabt haben und im Sinne von »drehend zerkleinern« zu der unter ↑Wurm dargestellten vielfach weitergebildeten und erweiterten idg. Wurzel **u̯er-* »drehen, winden« gehören, vgl. mnd. *wrīven* »reiben«, niederd. und nordd. ugs. *wribbeln* »[sich] drehen, sich hin und her bewegen«. Andererseits kann ›reiben‹ aisl. *rīfa* »[zer]reißen« entsprechen und zu der unter ↑Reihe behandelten Wortgruppe gehören. – Abl.: **Reibe** »[Küchen]gerät zum Reiben« (18. Jh.; älter ist die Zusammensetzung **Reibeisen**, mhd. *rībīsen*); **Reiberei** »Streitigkeit« (19. Jh., im Anschluss an ›sich an jemandem reiben‹ »Streit suchen«). Zusammensetzungen und Präfixbildungen: **abreiben** »frottieren; abstreifen, abwischen; entfernen«, ugs. auch für »prügeln« (mhd. *abrīben*), beachte dazu **Abreibung** ugs. für »Prügel«; **aufreiben** »aufscheuern, wund machen; schwächen, zermürben, vernichten« (16. Jh.); **zerreiben** »zerkleinern, pulverisieren« (mhd. *zerrīben*). Siehe auch den Artikel *gerieben*.

reich: Die germ. Adjektivbildungen mhd. *rīch[e]*, ahd. *rīhhi*, got. *reiks*, engl. *rich*, schwed. *rik* gehören zu einem germ. Substantiv mit der Bedeutung »Herrscher, Fürst, König«, das in got. *reiks* »Herrscher, Oberhaupt« bewahrt ist. Dieses Substantiv ist wahrscheinlich aus dem Kelt. entlehnt, vgl. air. *rī* (Genitiv *rīg*) »König«, das lat. *rex* »Lenker, Herrscher, König« entspricht (vgl. *recht*). – Die Bedeutung »begütert, vermögend, wohlhabend« hat sich demnach aus »fürstlich, königlich, von vornehmer Abstammung, mächtig« entwickelt. Im Dt. spielt ›reich‹ eine bedeutende Rolle in der Wortbildung, beachte z. B. ›geistreich, hilfreich, segensreich, trostreich‹. An den Komparativ ›reicher‹ schließen sich an **anreichern** »gehaltvoller machen« (19. Jh.) und **bereichern** »zukommen lassen, reicher machen« (um 1600). – Abl.: **reichlich** »ergiebig, in Fülle vorhanden; etwas viel« (mhd. *rīchelich*, ahd. *rīchlīh;* im heutigen Sprachgefühl wird ›reichlich‹ bisweilen auf das Verb ›reichen‹ bezogen); **Reichtum** (mhd. *rīchtuom*, ahd. *rīhtuom*, vgl. aengl. *rīcedōm*, aisl. *rīkdōmr*). Zus.: **reichhaltig** »ergiebig« (Anfang des 18. Jh.s, in der Form ›reichhalt‹ bereits im 17. Jh.; das Wort stammt aus der Bergmannssprache und bezog sich ursprünglich auf den Gehalt von Gruben und Erzen). Siehe auch den Artikel *Reich*.

Reich: Das gemeingerm. Substantiv mhd. *rīch[e]*, ahd. *rīhhi*, got. *reiki*, aengl. *rice* (engl. noch in *bishopric* »Bistum«), schwed. *rike* stammt wahrscheinlich direkt aus dem Kelt., vgl. mir. *rīge* »Königreich« (↑recht). Es kann aber auch von dem unter ↑reich genannten germ. Substantiv (kelt. Lehnwort) mit der Bedeutung »Herrscher, Fürst, König« abgeleitet sein. – Es wurde zunächst im Sinne von »einem Herrscher untertäniges Gebiet, Herrschaftsbereich« und auch im Sinne von

»Herrschaft, Macht« gebraucht. Schon früh wurde ›Reich‹ dann auch rein räumlich im Sinne von »Bereich, Gebiet, Gegend« verwendet. Im Dt. bezeichnete das Wort dann auch speziell das Deutsche Reich sowie die Stände des Reiches, beachte die Zusammensetzung **Reichstag** (15. Jh., eigentlich »Ständetag«). Das Wort steckt auch in zahlreichen anderen Zusammensetzungen, beachte z. B. ›Reichskanzler‹ (17. Jh., Klammerform für ›Reichserzkanzler‹), ›Reichsmark, Reichswehr, Pflanzen-, Tier-, Totenreich‹.

reichen: Das westgerm. Verb mhd. *reichen,* ahd. *reichen, -on,* niederl. *reiken,* engl. *to reach* ist verwandt mit der balt. Sippe von lit. *réižti* »recken; straffen; stolzieren« und mit der kelt. Sippe von air. *riag* »Tortur«, eigentlich »Strecken (der Glieder)«. Es bedeutete zunächst »sich erstrecken«, dann auch »hinlangen, auskommen; genügen« und im transitiven Gebrauch »strecken; hinhalten, darbringen, geben«. Um ›reichen‹ gruppieren sich **Bereich** »Gebiet, Ressort« (Ende des 18. Jh.s; in der rechtssprachlichen Bedeutung »Abgabe« bereits im 16. Jh.; das Substantiv ist eine Bildung zu dem heute veralteten ›bereichen‹ »sich erstrecken, erreichen«) und die Präfixbildungen **erreichen** »gelangen, erlangen« (mhd. *erreichen*) und **gereichen** »zu etwas hinführen; dienen« (mhd. *gereichen*), beachte auch die Zusammensetzungen **ausreichen** und **einreichen.**

Reichsmark ↑[1]Mark.

reif: Das westgerm. Adjektiv mhd. *rīfe,* ahd. *rīfi,* niederl. *rijp,* engl. *ripe* gehört zu einem germ. Verb mit der Bedeutung »abpflücken, ernten«, das in aengl. *rīpan* »ernten« bewahrt ist (vgl. *Reihe*). Das Adjektiv bedeutet demnach eigentlich »etwas, was abgepflückt, geerntet werden kann«. Es wird auch übertragen im Sinne von »erwachsen, gehörig ausgebildet; ausgewogen« verwendet. – Abl.: **Reife** »das Reifsein« (16. Jh., statt mhd. *rīfecheit;* aber schon ahd. *rīfi*); [1]**reifen** »reif werden« (mhd. *rīfen,* ahd. *rīfen, -ēn,* vgl. niederl. *rijpen,* engl. *to ripen*); **reiflich** »eingehend, genau« (Anfang des 16. Jh.s).

[1]**Reif** »Ring« (besonders als Schmuckstück und als Spielzeug): Mhd. *reif* »Seil, Strick; Streifen, Band, Fessel; Ring; Fassband; Kreis«, ahd. *reif* »Seil, Strick«, got. *(skauda)raip* »Lederriemen«, engl. *rope* »Seil, Tau, Strang«, schwed. *rep* »Seil, Strick, Strang« gehören wahrscheinlich im Sinne von »abgerissener Streifen« zu der unter ↑Reihe dargestellten idg. Wurzel **rei-* »ritzen, reißen; schneiden«. Die Bedeutung »Ring« hat sich aus »kreisförmiges Band« entwickelt. – Dem hochd. ›Reif‹ entspricht niederd. *Reep* »Seil, Tau« (mnd. *rēp,* vgl. niederl. *reep* »Streifen; Tau«; s. auch *Fallreep* [↑fallen]); dazu **Reeper** »Seiler« (mnd. *rēper*), beachte **Reeperbahn** »Drehbahn des Seilers« (Name einer Straße in Hamburg). – Die Nebenform **Reifen** (18. Jh.) hat sich aus den schwach gebeugten Formen von ›Reif‹ entwickelt, von dem es sich heute in der Bedeutung differenziert hat. Und zwar wird ›Reifen‹ heute gewöhnlich in den Bedeutungen »größerer Ring (als Spielzeug)« und »Fassband« verwendet, hauptsächlich aber als Bezeichnung für den aus Schlauch und Mantel bestehenden Teil des Rades, beachte dazu **bereifen** »mit [Gummi]reifen versehen« (20. Jh.), dazu **Bereifung.** Siehe auch den Artikel *Stegreif.*

[2]**Reif** »kristalline, zarte Eisablagerung«: Das auf das dt. und niederl. Sprachgebiet beschränkte Wort (mhd. *rīfe,* ahd. *[h]rīfo,* niederl. *rijp*) ist im germ. Sprachbereich verwandt mit mhd. *rīm* »Reif«, niederl. *rijm* »Reif«, engl. *rime* »Reif« und schwed. *rim[frost]* »Reif«. Diese Wörter für »Reif« gehören wahrscheinlich im Sinne von »etwas, was man abstreifen kann« zu der Wurzel **krei-* »[ab]streifen, berühren«, vgl. z. B. ahd. *hrīnan* »berühren, streifen« und weiterhin lett. *krìet* »die Sahne von der Milch abschöpfen«, *krèims* »Sahne« (eigentlich »etwas, was man abstreifen kann«). – Abl.: [2]**reifen** »Raureif ansetzen« (spätmhd. *rīfen*).

Reife, [1]**reifen** ↑reif.

[2]**reifen** ↑[2]Reif.

Reifen ↑[1]Reif.

reiflich ↑reif.

Reigen: Die Bezeichnung für den ursprünglich höfischen Rundtanz (mhd. *rei[g]e,* frühnhd. und bis ins 18. Jh. *Reihen*) ist aus afrz. *raie* »Tanz« entlehnt, dessen weitere Herkunft nicht gesichert ist. Heute versteht man unter Reigen insbesondere auch einen bei Turnfesten und dgl. aufgeführten rhythmischen Reihentanz.

Reihe: Mhd. *rīhe* »Reihe, Linie; schmaler Gang; Abzugsgraben; Rinne, Rille«; dem niederl. *rij* »Reihe, Linie; [Mess]latte« entspricht, steht im grammatischen Wechsel zu mhd. *rige* »Reihe, Linie; Wassergraben«, ahd. *riga* »Linie« (vgl. *Riege*). Diese Wörter stellen sich zu einem starken Verb mhd. *rīhen,* ahd. *rīhan* »auf einen Faden ziehen; durchbohrend stechen, spießen«, das zu der vielfach weitergebildeten und erweiterten idg. Wurzel **rei-* »ritzen, reißen, schneiden« gehört. Aus dem germ. Sprachbereich gehören ferner zu dieser Wurzel die Sippe von ↑reif (eigentlich »etwas, was abgepflückt werden kann«) und vermutlich auch das unter ↑[1]Reif (ursprünglich »abgerissener Streifen«) behandelte Wort. Siehe auch den Artikel *reiben.* In anderen idg. Sprachen sind z. B. verwandt aind. *rikháti* »ritzt«, *rēkhā́* »Riss; Strich, Linie«, griech. *ereíkein* »zerreißen, zerbrechen« und lat. *rima* »Ritze«.

Reihen ↑Rist.

Reiher: Die germ. Bezeichnungen des Vogels mhd. *reiger* (daneben *heiger*), ahd. *reigaro* (daneben *heigaro*), niederl. *reiger,* aengl. *hrāgra,* schwed. *häger* beruhen auf germ. **hraiz̧ran-,* das zu der unter ↑Harke dargestellten lautnachahmenden idg. Wurzel gehört und eigentlich etwa »Krächzer, [heiserer] Schreier« bedeutet. Die starken

Abweichungen der germ. Formen sind durch Dissimilation entstanden. – Näher verwandt mit dem germ. Vogelnamen sind z. B. kymr. *cryg* »heiser«, *cregyr* »Reiher« und die baltoslaw. Sippe von russ. *krik* »Schrei, Geschrei« (s. auch den Artikel *schreien*).

Reiki: Das Fremdwort für das »Händeauflegen als Heilkunst« wurde mit der Sache selbst in der 2. Hälfte des 20. Jh.s aus dem Jap. übernommen. Ursprünglich bedeutet es im Jap. »universelle Energie«.

Reim »gleich klingender Ausgang zweier Verse in einer oder mehreren Silben«: Die nhd. Form geht zurück auf mhd. *rīm* »Reim; Verszeile; Verspaar«, das im 12. Jh. aus dem Afrz. entlehnt wurde. Das afrz. *rime* »Reim« seinerseits stammt aus dem Germ., und zwar aus einer afränk. Entsprechung von ahd. *rīm* »Reihe, Reihenfolge; Zahl«, aengl. *rīm* »Zahl; Zählung; Rechnung«, aisl. *rīm* »[Be]rechnung; Kalender«. Dieses germ. Substantiv gehört zu der unter ↑Arm dargestellten idg. Wurzel und ist näher verwandt mit air. *rīm* »Zahl« und griech. *arithmós* »Zählung, [An]zahl«.

rein: Das altgerm. Adjektiv mhd. *reine*, ahd. *[h]reini*, got. *hrains*, schwed. *ren* beruht auf einer alten Partizipialbildung zu der Wurzelform **[s]krĕi-* »scheiden; sichten; sieben« der unter ↑[1]scheren dargestellten idg. Wurzel **[s]ker-* »schneiden, scheiden«. Das Adjektiv bedeutete demnach ursprünglich etwa »gesiebt« und ist z. B. eng verwandt mit lat. *cribrum* »Sieb, Durchschlag« und air. *criathar* »Sieb«, beachte auch das verwandte **[1]Reiter** landsch. für »[Getreide]sieb« (mhd. *rīter*, ahd. *rītra*). Im heutigen Sprachgebrauch wird ›rein‹ gewöhnlich im Sinne von »nicht befleckt, nicht schmutzig, sauber« und im Sinne von »ungemischt, unverfälscht« verwendet. – Abl.: **Reinheit** »das Reinsein« (17. Jh.); **reinigen** »Schmutz, Flecken o. Ä. von etwas entfernen, säubern« (mhd. *reinegen*, abgeleitet von dem im Nhd. untergegangenen Adjektiv mhd. *reinic* »rein«), dazu **Reinigung** (mhd. *reinigunge*), **bereinigen** »in Ordnung bringen, klären« (19. Jh.) und **verunreinigen** »beschmutzen, beflecken« (mhd. *verunreinigen*); **reinlich** »sauber; die Sauberkeit liebend« (mhd. *reinlich*), dazu **Reinlichkeit** (16. Jh.).

Reineclaude ↑Reneklode.

Reis »junger Trieb, Schössling, [dünner] Zweig«: Das altgerm. Wort mhd. *rīs*, ahd. *[h]rīs*, niederl. *rijs*, aengl. *hrīs*, schwed. *ris* hängt wahrscheinlich zusammen mit asächs. *hrissian* »zittern, beben«, got. *af-, ushrisjan* »ab-, ausschütteln«, aengl. *hrissan* »schütteln, bewegen; beben«. Das Substantiv bedeutet demnach eigentlich etwa »etwas, was sich zitternd bewegt«. Verwandt sind die unter ↑Rispe behandelten Wörter und weiterhin z. B. lat. *crinis* (aus **crisnis*) »Haar, Kopfhaar«, *crista* »Helmbusch; Kamm am Kopf der Tiere« und apreuß. *craysi* »Halm«. – Von ›[1]Reis‹ abgeleitet ist ↑Reisig.

[2]Reis: Der Name der alten, in den asiatischen Ländern wichtigsten Kulturpflanze wurde in mhd. Zeit (mhd. *rīs*) aus gleichbed. mlat. *risus (risum)* entlehnt. Dies geht auf lat. *oryza (oriza)* zurück, das aus griech. *óryza* »Reis« übernommen ist. Das Wort stammt letztlich wohl aus einer südasiatischen Sprache und wurde den Griechen über Indien und Persien vermittelt (vgl. gleichbed. aind. *vrīhí-h* und afghan. *vrižē*).

Reise: Mhd. *reise* »Aufbruch; Unternehmen, Zug, Fahrt; Heerfahrt«, ahd. *reisa* »Zug, Fahrt«, mnd. *reise, rese* »Aufbruch; Zug, Fahrt, Kriegszug« (daraus die nord. Sippe von schwed. *resa* »Reise, Fahrt«), niederl. *reis* »Reise« gehören zu dem im Nhd. untergegangenen gemeingerm. starken Verb mhd. *rīsen*, ahd. *rīsan* »sich von unten nach oben bewegen, sich erheben, steigen; sich von oben nach unten bewegen, fallen«, got. *ur-reisan* »aufstehen, sich erheben«. engl. *to rise* »aufstehen, sich erheben, steigen«, aisl. *rīsa* »sich erheben, entstehen«. Zu diesem Verb stellt sich im Dt. ↑rieseln. Die germ. Wortgruppe ist eng verwandt mit der baltoslaw. Sippe von russ. *ristat'* »schnell laufen, rennen« und weiterhin z. B. mit aind. *riṇā́ti* »lässt laufen; lässt fließen; lässt entrinnen«, *rītí-ḥ* »Lauf; Strom; Lauf der Dinge, Art und Weise« und lat. *rivus* »Bach« (↑Rivale, eigentlich »Bachnachbar«). Alle diese Wörter gehören zu der unter ↑rinnen dargestellten idg. Wurzel (vgl. auch den Artikel *Rille*).

Reisepass ↑Pass.

Reisig »Bündel von trockenen Reisern; Gebüsch«: Das auf das dt. Sprachgebiet beschränkte Substantiv (mhd. *rīsech, rīsach*) ist eine Bildung zu dem unter ↑[1]Reis behandelten Wort.

reißen: Mhd. *rīzen* »[zer]reißen; einritzen; schreiben; zeichnen«, ahd. *rīzan* »reißen; schreiben« und aisl. *rīta* »ritzen; schreiben« hatten ursprünglich wahrscheinlich anlautendes w- und entsprechen dann mnd. *wrīten* »reißen; schreiben; zeichnen«, aengl. *wrītan* »einritzen; schreiben; zeichnen« (engl. *to write* »schreiben«). Um ›reißen‹ gruppieren sich die Substantivbildung ↑Riss, die Intensivbildung ↑ritzen und das Veranlassungswort ↑reizen (eigentlich »einritzen machen«). Diese germ. Wortgruppe gehört mit verwandten Wörtern in anderen idg. Sprachen zu der vielfach weitergebildeten und erweiterten idg. Wurzel **u̯er-* »aufreißen, ritzen«, vgl. z. B. griech. *rhī́nē* »Feile, Raspel«. – Das Verb ›reißen‹ bedeutete ursprünglich »einen Einschnitt machen, ritzen«. Dann wurde es speziell im Sinne von »[Runen]zeichen einritzen« gebraucht. Aus diesem Wortgebrauch entwickelten sich die Bedeutungen »schreiben; zeichnen; entwerfen«, beachte engl. *to write* »schreiben« und schwed. *rita* »zeichnen«. An ›reißen‹ im Sinne von »zeichnen, entwerfen« schließen sich im Dt. z. B. an **Reißbrett** »Zeichenbrett« (17. Jh.) und **Reißzeug** »Gerät zum Umrisszeichnen« (17. Jh), beachte auch die Bedeutungsverhältnisse der unten behandelten Präfixbildungen und Zusammensetzungen und des Substantivs ›Riss‹. Auch die Wendung ›Possen reißen‹ »derbe Späße machen« (danach dann auch ›Witze reißen‹) bedeutete ursprünglich wahrscheinlich »Possen zeichnen« (↑Possen). Im heutigen Sprachgebrauch wird ›reißen‹ gewöhnlich in den Bedeutungen »gewaltsam trennen; gewaltsam entfernen, fortnehmen« (transitiv) und »auseinander gehen, sich lösen, entzweigehen« (intransitiv) gebraucht. Ferner wird es im Sinne von »gewaltsam oder heftig ziehen, zerren« und im Sinne von »[sich] gewaltsam oder heftig bewegen« verwendet, vgl. dazu die verschiedenen Anwendungsbereiche des Partizipialadjektivs **reißend** (z. B. von Tieren, von der Strömung). Beachte dazu die Präfixbildungen und zusammengesetzten Verben **abreißen** »niederreißen, abbrechen; entfernen; sich lösen, abfallen«, früher auch »ein Bild im Umriss entwerfen« (mhd. *aberīzen*), dazu **Abriss** »Umrisszeichnung; Hauptzüge, kurzgefasste Darstellung« (16. Jh.); **anreißen** ugs. für »anbrechen, etwas wovon nehmen« und für »anlocken«, dazu **Anreißer** ugs. für »Anpreiser, Ausrufer«; **aufreißen** »aufbrechen, [heftig oder gewaltsam] öffnen; einen Riss bekommen«, technisch für »zeichnen, entwerfen« (mhd. *ūfrīzen*), dazu **Aufriss** »nicht perspektivische Vertikalzeichnung«; **ausreißen** »gewaltsam entfernen; sich lösen; einen Riss oder ein Loch bekommen; [ent]fliehen« (mhd. *ūzrīzen*), beachte dazu die Wendung ›Reißaus nehmen‹ »fliehen« (16. Jh.; aus dem Imperativ *reiß aus!*); **einreißen** »niederreißen, abbrechen, zerstören; einen Riss bekommen; Brauch, Unsitte werden« (mhd. *īnrīzen*); **hinreißen** »fortreißen; zu etwas bringen, zu etwas verführen; entzücken« (mhd. *hinrīzen;* beachte besonders das in adjektivischen Gebrauch übergegangene erste Partizip **hinreißend** »entzückend«); **verreißen** ugs. für »abfällig kritisieren, heruntermachen«, früher »in Stücke reißen, vernichten« (mhd. *verrīzen*); **zerreißen** »gewaltsam trennen, in Stücke reißen, zerfetzen, vernichten; auseinander gehen, sich lösen, in Stücke gehen« (mhd. *zerrīzen;* beachte das zweite Partizip *zerrissen* im übertragenen Sinne von »unglücklich, mit sich selbst zerfallen«, dazu **Zerrissenheit**). – Der substantivierte Infinitiv **Reißen** wird vielfach im Sinne von »Gliederschmerzen« gebraucht. Die Bildung **Reißer** (»jemand, der reißt; Gerät zum Reißen oder Ritzen«) wurde schon in der 2. Hälfte des 19. Jh.s bühnensprachlich im Sinne von »wirkungsvolles Stück« verwendet. Siehe auch den Artikel *gerissen.*

reiten: Das altgerm. Verb mhd. *rīten,* ahd. *rītan,* niederl. *rijden,* engl. *to ride,* schwed. *rida* beruht mit verwandten Wörtern in anderen idg. Sprachen auf der Wurzelform **reidh-* »in Bewegung sein; reisen, fahren«, vgl. z. B. mir. *rīad[a]im* »fahre«, ir. *rīad* »Fahren; Reiten«, gall. *rēda* »vierrädriger Reisewagen«. Weiterhin gehören diese Wörter wahrscheinlich zu der unter ↑rinnen dargestellten idg. Wortgruppe. – Um ›reiten‹ gruppieren sich die unter ↑Ritt, ↑Ritter und ↑bereit (eigentlich »reisefertig, fahrbereit«) behandelten Wörter. Siehe auch den Artikel *Reede.* – Abl.: **[1]Reiter** »jemand, der reitet« (mhd. *rīter,* spätahd. *rītāre*), dazu **Reiterei** »das Reiten; Kavallerie« (um 1500). Beachte auch **beritten** »zu Pferde«, das eigentlich das zweite Partizip von dem heute nur noch in der Bedeutung »zureiten« gebrauchten Präfixverb **bereiten** ist (mhd. *berīten* »[auf dem Pferd] reiten, reitend angreifen«).

[2]Reiter ↑rein.

reizen: Mhd. *reizen (reizen),* ahd. *reizzen (reizen)* »antreiben, anstacheln; locken, verlocken; erwecken, anregen; erregen, ärgern« und die nord. Sippe von schwed. *reta* »locken; anregen; necken; ärgern« beruhen auf einer Kausativbildung zu dem unter ↑reißen behandelten Verb. Das Veranlassungswort ›reizen‹ bedeutete demnach ursprünglich »einritzen machen« (beachte z. B. das Verhältnis von ›beißen‹ zu ›beizen‹). Zu dem Verb ist im Dt. das Substantiv **Reiz** »Einwirkung auf den Organismus; verlockende Wirkung, Zauber« (18. Jh.) gebildet. Das in adjektivischen Gebrauch übergegangene erste Partizip **reizend** »verführerisch, anmutig, lieblich« ist seit dem 17. Jh. gebräuchlich. – Abl.: **reizbar** »leicht erregbar, jähzornig« (18. Jh.), dazu **Reizbarkeit** (18. Jh.).

Reizker: Der seit dem Anfang des 16. Jh.s (zuerst in der Pluralform ›reisken‹) bezeugte Name des essbaren Blätterpilzes ist aus dem Slaw. entlehnt, wahrscheinlich aus sorb. *ryzyk,* das wörtlich »der Rötliche« bedeutet. Es gehört zur slaw. Sippe von russ. landsch. *rudyj* »fuchsrot« (urverwandt mit dt. ↑rot). Der Pilz ist nach seinem orangeroten Hut oder Saft benannt.

rekeln, sich: Der ugs. Ausdruck für »sich strecken; sich nachlässig benehmen« gehört zu dem seit dem 17. Jh. bezeugten niederd. Substantiv **Rekel** »hoch aufgeschossener, schlaksiger junger Mann; Flegel«, das auf mnd. *rekel* »Bauernhund, Dorfköter« zurückgeht. Damit verwandt sind aengl. *ræcc* »Hühnerhund« und aisl. *rakki* »Hund«.

Reklame: Das seit dem 19. Jh. bezeugte Fremdwort erscheint zuerst mit der Bedeutung »bezahlte Buchbesprechung«, danach dann als kaufmännischer Terminus mit der heute gültigen Bedeutung »Anpreisung [von Waren]; [Kunden]werbung; Werbemittel«. Das Wort ist in beiden Bedeutungen aus frz. *réclame* entlehnt, das im Sinne von »das Zurückrufen, das Ins-Gedächtnis-Rufen« als postverbale Bildung zu afrz. *re-clamer* »zurückrufen« (↑reklamieren) gehört. Frz. *réclame* stammt aus der Druckersprache und bezeichnete dort den am Ende einer Buchseite als Gedächtnisstütze stehenden Hinweis auf das erste Wort der folgenden Seite.

reklamieren »Einspruch erheben, Beschwerde führen, dass etwas nicht so ist, wie man es erwarten darf; [zurück]fordern«: Das seit dem 17. Jh. bezeugte, aus der Rechtssprache stammende Verb ist wie gleichbed. frz. *réclamer* aus lat. *re-clamare* »dagegenschreien, laut Nein rufen, widersprechen, Einwendungen machen« entlehnt. Dies ist eine Bildung aus lat. *re-* »zurück, wieder« (↑re..., Re...) und lat. *clamare* »laut rufen, schreien usw.« (verwandt mit lat. *clarus* »laut, schallend; hell, klar«, vgl. den Artikel *klar*). – Abl.: **Reklamation** »Beanstandung, Beschwerde« (18. Jh.; aus lat. *reclamatio* »das Gegengeschrei, das Neinrufen«). – Vgl. noch die auf anderen Bildungen mit lat. *clamare* beruhenden Fremdwörter ↑deklamieren und ↑Proklamation, proklamieren.

rekonstruieren »[den ursprünglichen Zustand] wiederherstellen, nachbilden; den Ablauf eines früheren Geschehens in den Einzelheiten nachvollziehen, wiedergeben«: Das seit dem 19. Jh. gebräuchliche Verb ist eine Präfixbildung zu ↑konstruieren, wahrscheinlich nach entsprechend frz. *reconstruire* »wieder aufbauen«. – Dazu: **Rekonstruktion** (19. Jh.; wahrscheinlich nach frz. *reconstruction*).

Rekonvaleszent: Die seit dem 17. Jh bezeugte Bezeichnung für »Genesender« ist eine Bildung zu spätlat. *reconvalescens*, dem Part. Präs. von spätlat. *reconvalescere* »wieder erstarken«. Dies ist eine Bildung aus lat. *re-* »zurück, wieder« (vgl. *re..., Re...*) und lat. *valescere* »erstarken« (zu lat. *valere* »stark sein«, vgl. den Artikel *Valuta*).

Rekord: Der Ausdruck für »[sportliche] Höchstleistung« wurde Ende des 19. Jh.s aus dem Engl. entlehnt. Engl. *record*, das von *to record* »schriftlich aufzeichnen, beurkunden« abgeleitet ist, bedeutet zunächst allgemein »Aufzeichnung, Beurkundung, Urkunde«. In der Sprache des Sports bezeichnete es sodann die urkundliche Bestätigung einer sportlichen Leistung (besonders von Trabrennpferden), woraus sich schließlich die spezielle Bedeutung »sportliche Höchstleistung« entwickelte. – Engl. *to record* geht über afrz. *recorder* »ins Gedächtnis bringen, erinnern« auf gleichbed. vlat. *recordare* zurück, das auf klass.-lat. *re-cordari* »sich vergegenwärtigen; sich erinnern« beruht. Stammwort ist lat. *cor (cordis)* »Herz; Gemüt; Geist, Verstand; Gedächtnis usw.«, das verwandt ist mit dt. ↑Herz; zum Präfix vgl. *re..., Re...*

Rekrut »neu eingezogener Soldat«: Das Fremdwort wurde Anfang des 17. Jh.s aus älter frz. *recreute* (= frz. *recrue*) »Nachwuchs [an Soldaten]; Rekrut« entlehnt. Dies ist das substantivierte Part. Perf. von frz. *recroître* »nachwachsen«, einer Bildung zu frz. *croître* »wachsen«, das auf lat. *crescere* »wachsen« (vgl. *kreieren*) zurückgeht.

Rektor »Leiter einer [Hoch]schule«: Das Fremdwort wurde Ende des 14. Jh.s aus mlat. *rector* »Vorsteher« entlehnt und bezeichnete in der Schulsprache den meist geistlichen Vorsteher einer Lateinschule. Mlat. *rector* geht auf lat. *rector* »Lenker, Leiter, Herrscher« zurück, das zu lat. *regere (rectum)* »gerade richten, lenken; herrschen« (vgl. *regieren*) gehört.

Relais: Das seit dem Ende des 17. Jh.s bezeugte Fremdwort war früher ein Ausdruck des Post- und Verkehrswesens und bezeichnete eine Station, an der die Postpferde ausgewechselt wurden (bedeutete also etwa »Umspannort«). Seit dem frühen 20. Jh. wird es im Bereich der Elektrotechnik in der übertragenen Bedeutung »Schalteinrichtung« verwendet. Es ist entlehnt aus gleichbed. frz. *relais* (afrz. *relai*), das von afrz. *relaier* »zurücklassen« (= frz. *relayer* »einen frischen Vorspann nehmen«) abgeleitet ist.

Relation ↑relativ.

relativ »bezüglich; verhältnismäßig, vergleichsweise, bedingt; je nach dem Standpunkt verschieden«: Das Adjektiv wurde im 18. Jh. aus gleichbed. frz. *relatif* entlehnt, das auf spätlat. *relativus* »sich beziehend, bezüglich« zurückgeht. Dies gehört zu lat. *relatus*, dem Part. Perf. von lat. *re-ferre* »zurücktragen; vortragen, berichten; auf etwas beziehen« (vgl. *referieren*). In der Grammatik kommt ›relativ‹ als Bestimmungswort grammatischer Termini vor, beachte z. B. ›Relativpronomen‹ und ›Relativsatz‹. – Das hierher gehörende Substantiv **Relation** (um 1300) erscheint in dt. Texten zunächst in der Bedeutung des voraus liegenden lat. Wortes *relatio* »Bericht, Berichterstattung«. Erst seit dem 16. Jh. wird es in der heute gültigen Bedeutung »Beziehung, Verhältnis« verwendet.

relevant »bedeutsam, [ge]wichtig«: Das seit dem 17. Jh. bezeugte Adjektiv ist wohl aus der mlat. Fügung *relevantes articuli* »berechtigte, beweiskräftige Argumente (im Rechtsstreit)« entlehnt. Lat. *relevans* ist das Part. Präs. von lat. *re-levare* »in die Höhe heben, aufheben« (vgl. *Relief*); die Bedeutungsentwicklung von »in die Höhe hebend« zu »beweiskräftig« geht vom Bild der Waagschalen aus. Das Adjektiv wurde zunächst in der Bedeutung »schlüssig, richtig«, dann im Sinne von »bedeutungsvoll, wesentlich, [ge]wichtig« verwendet und wurde in der 2. Hälfte des 20. Jh.s unter Einfluss von entsprechend engl. *relevant* zum Modewort. – Dazu stellt sich das Substantiv **Relevanz** »Bedeutsamkeit, [Ge]wichtigkeit« (19. Jh.; im 20. Jh. unter Einfluss von engl. *relevance*).

Relief »plastisches Bildwerk auf einer Fläche«, daneben auch im Sinne von »Geländeoberfläche oder deren plastische Nachbildung« gebraucht: Das Fremdwort wurde am Anfang des 18. Jh.s aus gleichbed. frz. *relief* entlehnt, das von frz. *relever* (< lat. *re-levare*) »in die Höhe heben, aufheben« abgeleitet ist und eigentlich »das Hervorheben« bedeutet.

Religion »gläubig anerkennende Verehrung von etwas Heiligem; bestimmter, durch Lehre und Satzungen festgelegter Glaube und sein Bekenntnis«: Das Fremdwort wurde im 16. Jh. aus lat. *religio* »religiöse Scheu, Gottesfurcht« entlehnt, dessen Herkunft trotz aller Deutungsversuche unklar ist. In der christlichen Theologie wird ›Religion‹ häufig als »[Zurück]bindung (an Gott)« aufgefasst (zu lat. *re-ligare* »zurückbinden«). – Dazu stellt sich das Adjektiv **religiös** »gottesfürchtig, fromm« (aus lat. *religiosus;* seit dem Mhd. zunächst in der Form ›religios‹; die heutige Form seit dem 18. Jh. unter Einfluss von entsprechend frz. *religieux*).

Relikt »Überbleibsel, Rest[bestand]«: Das seit dem 19. Jh. bezeugte Fremdwort ist eine gelehrte Entlehnung aus lat. *relictus,* dem Part. Perf. von lat. *re-linquere* »zurücklassen« (vgl. *Reliquie*).

Reling: Der Ausdruck für »Schiffsgeländer« wurde im 18. Jh. (zuerst in der Form ›Regeling‹) aus dem Niederd. ins Hochd. übernommen. Niederd. *regeling* ist abgeleitet von mnd. *regel* »Riegel, Querholz« (vgl. *Riegel*).

Reliquie »körperlicher Überrest eines Heiligen, seiner Kleider; Gebrauchsgegenstände usw. als Gegenstand religiöser Verehrung«: Das Fremdwort wurde bereits in mhd. Zeit aus gleichbed. kirchenlat. *reliquiae (sanctorum)* »Überreste, Gebeine (der Heiligen)« entlehnt, das auf klass.-lat. *reliquiae* »Zurückgelassenes, Überrest« zurückgeht. Das zugrunde liegende lat. Adjektiv *reliquus* »zurückgelassen, übrig« gehört zu lat. *re-linquere* »zurücklassen, übrig lassen; verlassen«. Dies ist eine Bildung aus lat. *re-* »zurück, wieder« (vgl. *re..., Re...*) und lat. *linquere* »lassen, zurücklassen; überlassen« (verwandt mit dt. ↑leihen). – Eine andere Bildung, nämlich lat. *de-linquere* »ermangeln, fehlen«, liegt den Fremdwörtern ↑Delikt, Delinquent zugrunde.

remis: Der Ausdruck für »unentschieden (insbesondere vom Ausgang einer Schachpartie bzw. auch von Sportwettkämpfen)« wurde im 19. Jh. aus gleichbed. frz. *remis* entlehnt, das eigentlich etwa »zurückgestellt (als ob nicht stattgefunden)« bedeutet. Es handelt sich dabei um das Part. Perf. von frz. *remettre* »zurückführen; zurückstellen« (eigentlich »wieder hinstellen«, zu frz. *mettre* »setzen, stellen, legen«), das in diesem speziellen Sinne lat. *re-mittere* »zurückschicken; nachlassen« fortsetzt (vgl. *re..., Re...* und den Artikel *Mission*).

Remittende: Die in der Fachsprache des Buchwesens gebräuchliche Bezeichnung für ein beschädigtes oder unverkäufliches Exemplar, das vom Buchhändler an den Verlag zurückgeschickt wird, erscheint im 19. Jh. zuerst im Plural ›Remittenden‹ oder ›Remittenda‹ und geht zurück auf lat. *remittenda* (Neutrum Plural) »das Zurückzuschickende« (zu lat. *re-mittere* »zurückschicken«, vgl. *re..., Re...* und den Artikel *Mission*).

Remmidemmi: Die Herkunft des ugs. Ausdrucks für »lautes Treiben, Trubel, Krach« ist dunkel.

Remoulade: Der Name einer Art Kräutermajonäse wurde im 19. Jh. aus gleichbed. frz. *rémoulade* entlehnt, dessen weitere Herkunft nicht gesichert ist. Vielleicht handelt es sich um eine Bildung zu frz. mdal. *rémola, ramolas* »Rübenrettich« (< lat. *armoracia* »Meerrettich«).

rempeln »(mit Ellbogen oder Schulter) wegstoßen; unfair behindern«: Das seit der 1. Hälfte des 19. Jh.s bezeugte Verb, das zuerst in der Studentensprache der Universität Leipzig auftritt, stammt aus dem Obersächs. und gehört zu obersächs. *Rämpel* »Baumstamm, Klotz«, auch Scheltwort für »Flegel, ungehobelter Mensch«.

Ren: Der seit dem 16. Jh. bezeugte Name der subarktischen Hirschgattung ist aus dem Nord. entlehnt, vgl. isl. *hreinn,* norw. *rein,* schwed. *ren* »Rentier«. Das nord. Wort bedeutet eigentlich »gehörntes oder geweihtragendes Tier« und ist näher verwandt mit dem unter ↑Rind behandelten Wort und außergerm. z. B. mit griech. *kriós* »Widder«. Über die weiteren Zusammenhänge vgl. *Hirn.* – Statt ›Ren‹ wird heute gewöhnlich die verdeutlichende Zusammensetzung **Rentier** (durch volksetymologische Verknüpfung mit ›rennen‹ vielfach fälschlich ›Renntier‹ geschrieben) gebraucht. Verdeutlichende Zusammensetzungen sind z. B. auch ›Murmeltier, Maultier, Elentier‹.

Renaissance: Die Bezeichnung für die kulturelle Bewegung in Europa im Übergang vom Mittelalter zur Neuzeit, die durch eine Rückbesinnung auf Werte und Formen der griechisch-römischen Antike gekennzeichnet ist, wurde im 19. Jh. aus gleichbed. frz. *renaissance* entlehnt. Dies ist eine Bildung zu frz. *renaître* »wieder geboren werden; wieder aufleben« und bedeutet eigentlich »Wiedergeburt«. Das zugrunde liegende einfache Verb frz. *naître* »geboren werden« geht auf gleichbed. vlat. **nascere* zurück, das für klass.-lat. *nasci* steht (vgl. *Nation*). – Allgemeiner wird ›Renaissance‹ auch im Sinne von »Erneuerung; erneutes Aufleben, neue Blüte« verwendet.

Rendezvous »Stelldichein, Verabredung«: Das Fremdwort wurde im 17. Jh. aus frz. *rendez-vous* »Versammlung der Soldaten im Kriege; Versammlung, Treffen von Personen; Verabredung« entlehnt. Frz. *rendez-vous* ist substantiviert aus der 2. Person Plural Imperativ von *se rendre* »sich wohin begeben«.

Rendite: Die Bezeichnung für »jährlicher Ertrag einer Kapitalanlage« wurde in der 1. Hälfte des 20. Jh.s aus it. *rendita* »Ertrag, Einkommen« entlehnt. Dies ist das substantivierte Part. Perf. von it. *rendere* »zurückerstatten, bezahlen«, das über mlat.-roman. *rendere* auf lat. *reddere* »zurückgeben, erstatten« (vgl. *Rente*) zurückgeht.

Renegat »[Glaubens]abtrünniger«: Das Fremdwort wurde im 16. Jh. aus frz. *renégat* »jemand, der seinem Glauben abschwört« entlehnt. Dies geht auf mlat. *renegatus* »Treubrüchiger« zurück (zu mlat. *re-negare* »verleugnen«, vgl. *re..., Re...* und den Artikel *negieren*).

Reneklode, (auch:) Reineclaude: Die Bez. der Pflaumensorte, aus gleichbed. frz. *reineclaude* entlehnt, ist zu Ehren der Gemahlin des französischen Königs Franz I. gebildet (*reine-claude* bedeutet also eigentlich »Königin Claude«).

renitent »widerspenstig, widersetzlich«: Das Adjektiv wurde im 18. Jh. aus gleichbed. frz. *rénitent* entlehnt. Dies geht zurück auf lat. *renitens,* das Part. Präs. von *re-niti* »sich entgegenstemmen, sich widersetzen«. Das zugrunde liegende einfache Verb lat. *niti* »sich stemmen, sich stützen« ist verwandt mit dt. ↑neigen.

Renke, auch: **Renken:** Der vor allem im Alpenraum gebräuchliche Fischname ist aus mhd. *rīnanke* »Rheinanke« zusammengezogen. Der Fisch wurde wohl zuerst im Rhein gefangen; entsprechend gibt es Ill-, Inn- und Isaranken. Die Herkunft des Grundwortes ›Anke‹ ist unklar.

renken (veraltet für:) »drehend hin und her bewegen«: Das Verb mhd., ahd. *renken* hatte ursprünglich wahrscheinlich anlautendes w- und entspricht dann im germ. Sprachbereich engl. *to wrench* »mit Gewalt ziehen oder reißen; entwinden; verrenken, verstauchen; verzerren, verdrehen«. Näher verwandt ist die germ. Sippe von ↑wringen »nasse Wäsche auswinden« (vgl. *Wurm*). – Zu ›renken‹ gehört das unter ↑Ränke behandelte Substantiv. Das einfache Verb ist heute veraltet. Gebräuchlich sind dagegen **ausrenken** »auskugeln«, **einrenken** »(einen Knochen) wieder in die Gelenkpfanne bringen; in Ordnung bringen, wieder gutmachen« und die Präfixbildung **verrenken** »auskugeln, verdrehen, verstauchen« (mhd. *verrenken*).

rennen: Das gemeingerm. Verb mhd., ahd. *rennen,* got. *(ur)rannjan,* niederl. *rennen,* aengl. (mit r-Umstellung) *ærnan,* schwed. *ränna* ist das Veranlassungswort zu dem unter ↑rinnen behandelten Verb und bedeutet eigentlich »laufen machen«. Es wurde zunächst im Sinne von »in Bewegung setzen, antreiben, jagen, hetzen« verwendet. Im Dt. bildete sich dann in mhd. Zeit der intransitive Gebrauch im Sinne von »laufen« heraus. – Beachte dazu die Präfixbildungen **berennen** »unaufhörlich angreifen, bestürmen« (mhd. *berennen* »begießen; laufen lassen, tummeln; angreifen, bestürmen«) und **verrennen,** sich »sich in etwas verbohren« (mhd. *verrennen* »übergießen, bestreichen; antreiben, hetzen«, reflexiv »zu weit rennen, sich verirren«) sowie die Zusammensetzung **Rennsteig,** auch **Rennstieg** (ursprünglich wahrscheinlich – wie auch ahd. *renniweg* – Bezeichnung für einen schmalen Geh- und Reitweg; heute nur noch als Name des Kammweges auf der Höhe des Thüringer Waldes und des Frankenwaldes gebräuchlich).

Renommee »[guter] Ruf, Leumund, Ansehen«: Das Fremdwort wurde im 17. Jh. aus gleichbed. frz. *renommée* entlehnt, dem substantivierten weiblichen Part. Perf. von frz. *renommer* »wieder ernennen oder erwählen; immer wieder nennen, loben, rühmen«. Aus dem frz. Verb, das eine Präfixbildung zu frz. *nommer* (< lat. *nominare*) »[be]nennen, ernennen usw.« ist (vgl. das Fremdwort *Nomen*), ist unser Verb **renommieren** »prahlen, angeben, großtun« (17. Jh.; eigentlich etwa »mit seinem Ruf und Ansehen hausieren gehen«) übernommen; durchaus positiven Sinn hat das in adjektivische Funktion übergegangene zweite Partizip **renommiert** »namhaft, berühmt«.

renovieren »erneuern, wiederherstellen, instand setzen«: Das Verb wurde im 16. Jh. aus gleichbed. lat. *re-novare* entlehnt (vgl. *re..., Re...* und den Artikel *Novum*).

rentabel ↑Rente.

Rente »regelmäßiges Einkommen aus angelegtem Kapital; Altersruhegeld«: Das seit etwa 1200 bezeugte Substantiv (mhd. *rente* »Einkünfte, Ertrag; Vorteil, Gewinn usw.«) ist aus (a)frz. *rente* »Einkommen, Ertrag; Gewinn« entlehnt, das wie entsprechend it. *rendita* »Einkommen; Rente« (vgl. *Rendite*) auf einer roman. Bildung zu mlat.-roman. **rendere* »zurückgeben; ergeben« beruht. Letzteres steht für klass.-lat. *red-dere* »zurückgeben; ergeben; abgeben; erstatten«, eine Bildung aus lat. *re-* »zurück, wieder« und lat. *dare* »geben« (vgl. *re..., Re...* und den Artikel *Datum*). – Abl.: **Rentner** »jemand, der Rente bezieht« (15. Jh.); **rentieren** »Zins oder Gewinn bringen; einträglich sein« (15. Jh.; mit roman. Endung für mhd. *renten* »Gewinn bringen«), häufig reflexiv gebraucht im Sinne von »sich lohnen«; dazu das mit französierender Endung gebildete Adjektiv **rentabel** »zinsbringend, ertragreich, lohnend« (19. Jh.), beachte auch **Rentabilität** »Einträglichkeit, Wirtschaftlichkeit« (19. Jh.).

Rentenmark ↑[1]Mark.

Rentier ↑Ren.

Reorganisation, reorganisieren ↑organisieren.

reparieren »wieder in Ordnung bringen, wiederherstellen; ausbessern«: Das Verb wurde im 16. Jh. aus gleichbed. lat. *re-parare* entlehnt, einer Bildung aus lat. *re-* »zurück, wieder« und lat. *parare* »[zu]bereiten, ausrüsten« (vgl. *re..., Re...* und den Artikel *parat*). – Dazu stellt sich: **Reparatur** »Wiederherstellung; Ausbesserung, Instandsetzung« (18. Jh.; aus mlat. *reparatura* »Wiederherstellung«).

Repertoire »Vorrat einstudierter [Theater]stücke, Musiktitel, Darbietungen; Spielplan«: Das Fremdwort wurde im 19. Jh. aus gleichbed. frz. *répertoire* übernommen, das auf spätlat. *repertorium* »Verzeichnis« zurückgeht. Dies gehört zu lat. *reperire* »wieder finden, vorfinden« und bedeutet demnach eigentlich »Stelle, wo man etwas wieder findet«.

repetieren »wiederholen«: Das Verb wurde um 1500 aus gleichbed. lat. *re-petere* (eigentlich »wieder auf etwas losgehen; von neuem verlangen«) entlehnt, einer Bildung aus lat. *re-* »zurück, wieder« und lat. *petere* »zu erreichen suchen, streben, verlangen« (vgl. *re..., Re...* und den Artikel *Appetit*). – Dazu stellen sich die Bildungen **Repetition** (16. Jh.; aus lat. *repetitio* »Wiederholung«) und **Repetitor** »jemand, der Studierende durch Wiederholung des Lehrstoffes auf das Examen vorbereitet« (18. Jh.; aus lat. *repetitor* »Wiederholer«).

Reporter »Berichterstatter (für Zeitung, Rundfunk, Fernsehen); jemand, der Reportagen macht«: Das Fremdwort wurde im 19. Jh. aus gleichbed. engl. *reporter* entlehnt, einer Bildung zu engl. *to report* »berichten«. Dies ist aus (a)frz. *reporter* übernommen, das auf lat. *re-portare* »zurücktragen; überbringen« zurückgeht (vgl. *re..., Re...* und den Artikel *Porto*). Beachte auch **Report** »Bericht«, das im 19. Jh. aus gleichbed. engl. *report* (< afrz. *report*) übernommen wurde. – Das dazugehörige Fremdwort **Reportage** »Berichterstattung; lebensnaher (Zeitungs-, Rundfunk-, Fernseh)bericht über aktuelles Geschehen« wurde Anfang des 20. Jh.s aus gleichbed. frz. *reportage* entlehnt, das seinerseits von dem aus dem Engl. rückentlehnten Substantiv frz. *reporter* »Reporter« abgeleitet ist.

repräsentieren »vertreten; etwas darstellen; standesgemäß auftreten«: Das Verb wurde im 16. Jh. – wohl durch Vermittlung von gleichbed. frz. *représenter* – aus lat. *re-praesentare* »vergegenwärtigen, vorführen; darstellen usw.« (vgl. *re..., Re...*) entlehnt. Das einfache, erst im Spätlat. bezeugte Verb *praesentare* »gegenwärtig machen, zeigen« erscheint in ↑präsentieren. – Dazu stellen sich: **Repräsentant** »offizieller Vertreter (z. B. eines Volkes, einer Firma); Abgeordneter« (18. Jh.; aus gleichbed. frz. *représentant*, dem substantivierten Part. Präs. von frz. *représenter*); **Repräsentation** »das Repräsentieren; der Stellung, dem Stand gemäßes Auftreten in der Öffentlichkeit [und der damit verbundene Aufwand]« (18. Jh.; wohl durch Vermittlung von entsprechend frz. *représentation* aus lat. *repraesentatio* »Darstellung, Abbildung«); **repräsentativ** »stellvertretend; ehrenvoll, würdig« (18. Jh.; aus gleichbed. frz. *représentatif*).

Repressalie »Druckmittel; Vergeltungsmaßnahme«: Das Fremdwort wurde Anfang des 16. Jh.s (wie entsprechend frz. *représaille*, das heute nur noch im Plural gebraucht wird) aus mlat. *repre[n]salia (repraessalae)* »gewaltsame Zurücknahme dessen, was einem widerrechtlich genommen wurde« entlehnt und danach in der Stammsilbe an ›[er]pressen‹ angelehnt. Mlat. *repre[n]salia* gehört zu lat. *re-pre[he]ndere (repre[he]nsum)* »ergreifen, fassen; zurücknehmen« (vgl. *re..., Re...* und den Artikel *Prise*).

Reproduktion, reproduzieren ↑produzieren.

Reptil »Kriechtier«: Das Fremdwort wurde im 19. Jh. – wohl unter dem Einfluss von entsprechend frz. *reptile* – aus gleichbed. kirchenlat. *reptile* entlehnt, dem substantivierten Neutrum des lat. Adjektivs *reptilis* »kriechend«. Dies gehört zu lat. *repere* »kriechen, schleichen«.

Republik: Die Bezeichnung für eine freiheitlich-rechtliche Staatsform, bei der die Regierenden für eine bestimmte Zeit vom Volk oder von Repräsentanten des Volkes gewählt werden, wurde im 17. Jh. aus gleichbed. frz. *république* entlehnt. Dies geht auf lat. *res publica* »Gemeinwesen, Staatswesen, Staat, Staatsverwaltung, Staatsgewalt« (eigentlich »öffentliche Sache«) zurück, das bereits im 16. Jh. unmittelbar ins Dt. (in der Form ›Republi[c]k‹) übernommen worden war. Über das zugrunde liegende Adjektiv lat. *publicus* »öffentlich« vgl. den Artikel *publik*. – Abl.: **Republikaner** »Anhänger der republikanischen Staatsform« (18. Jh.; aus gleichbed. frz. *républicain*), im speziellen Sinne Bezeichnung für die Mitglieder der Republikanischen Partei in den USA (nach entsprechend amerik. *Republican*).

Requiem: Die seit dem 15. Jh. bezeugte Bezeichnung der katholischen Toten- oder Seelenmesse geht auf das Eingangsgebet *Requiem aeternam dona eis, Domine* »Herr, gib ihnen die ewige Ruhe« zurück. Zugrunde liegt lat. *requies* »Ruhe, Rast; Todesruhe«.

requirieren »herbeischaffen; [für militärische Zwecke] beschlagnahmen; [um Rechtshilfe] ersuchen«: Das Verb wurde im 15. Jh. aus lat. *re-quirere (requisitum)* »aufsuchen; [nach]forschen; verlangen« entlehnt, einer Bildung aus lat. *re-* »zurück, wieder« und lat. *quaerere* »[auf]suchen; erstreben; verlangen« (vgl. *re..., Re...* und den Artikel *Akquisiteur;* s. auch den Artikel *exquisit*). – Aus lat. *requisita* »das Erforderliche, Nötige«, dem substantivierten Neutrum Plural des Part. Perf. von lat. *requirere*, wurde im 16. Jh. **Requisit** »für etwas benötigter Gegenstand, Zubehör[teil]« übernommen, das seit dem 19. Jh. – meist im Plural – im Sinne von »Zubehör für eine Theateraufführung oder Filmszene, Ausstattungsgegenstände« verwendet wird.

Reseda: Die Gartenpflanze hat einen lat. Namen, der in dt. Texten seit dem 18. Jh. begegnet. Lat. *reseda* soll sich nach antiken Zeugnissen aus einer magischen Zauberformel *Reseda, morbos reseda!* »Heile, heile die Krankheiten!« entwickelt haben. Im Altertum wurden dieser Pflanze nämlich magische Heilkräfte zugeschrieben (speziell bei Geschwülsten und Entzündungen). Es scheint sich bei dieser Verbindung des Wortes mit lat. *resedare* »heilen« allerdings um Volksetymologie zu handeln.

reservieren »aufbewahren, zurückhalten; vorbehalten; [einen Platz] freihalten, vorbelegen«: Das Verb wurde im 16. Jh. aus gleichbed. frz. *réserver* entlehnt, das auf lat. *re-servare* »aufsparen, aufbewahren; vorbehalten« zurückgeht. Dies ist eine

R

Bildung aus lat. *re-* »zurück, wieder« und lat. *servare* »bewahren, erhalten« (vgl. *re..., Re...* und den Artikel *konservieren*). Das Partizipialadjektiv **reserviert** (19. Jh.) gilt auch in der speziellen Bedeutung »zurückhaltend, zugeknöpft, abweisend«. – Dazu stellen sich: **Reserve** »Vorrat, Rücklage; Ersatz[mannschaft, -truppe]« (17. Jh.; aus gleichbed. frz. *réserve*), auch als militärische Bezeichnung für die Gesamtheit der ausgebildeten, aber nicht aktiv dienenden Soldaten. Dazu die Neubildung **Reservist** »(ausgedienter) Soldat der Reserve« (19. Jh.) und Zusammensetzungen wie ›Reserveoffizier‹. – **Reservat** »Vorbehalt; Sonderrecht« (16. Jh.; aus lat. *reservatum*, dem substantivierten Neutrum des Part. Perf. von *reservare;* seit dem Anfang des 20. Jh.s ist ›Reservat‹ auch im Sinne von »fest umgrenztes Gebiet, das den Ureinwohnern [besonders in Nordamerika, Afrika, Australien] nach der Vertreibung aus ihrem Land zugewiesen wurde« gebräuchlich); **Reservoir** »Vorratsbehälter, Wasserspeicher, Sammelbecken; Reservebestand« (18. Jh.; aus gleichbed. frz. *réservoir*).

residieren »(von regierenden Fürsten, hohen geistlichen Würdenträgern o. Ä.) seinen Wohn- und Amtssitz irgendwo haben«: Das Verb wurde im 15. Jh. aus lat. *re-sidere* »sich niederlassen, sich aufhalten« entlehnt, einer Bildung aus lat. *re-* »zurück, wieder« (vgl. *re..., Re...*) und lat. *sedere* »sitzen« (vgl. den Artikel *sitzen*). – Dazu stellt sich das Substantiv **Residenz** »Wohn- und Amtssitz eines regierenden Fürsten, hohen geistlichen Würdenträgers o. Ä.«, das im 16. Jh. aus mlat. *residentia* »Wohnsitz« übernommen wurde und im 16. und 17. Jh. unter den Einfluss von entsprechend frz. *résidence* geriet.

resignieren »entsagen, verzichten; sich widerspruchslos fügen, sich in eine Lage schicken«: Das Verb wurde im 14. Jh. aus lat. *re-signare* »entsiegeln; ungültig machen; verzichten« entlehnt, einer Bildung aus lat. *re-* »zurück, wieder« und lat. *signare* »mit einem Zeichen versehen; [be]siegeln« (vgl. *re..., Re...* und den Artikel *Signum*). – Dazu stellt sich das Substantiv **Resignation** »Verzicht, Entsagung; Schicksalsergebenheit« (15. Jh.; aus mlat. *resignatio*).

resolut »entschlossen, beherzt; durchgreifend, zupackend, tatkräftig«: Das Adjektiv wurde im 17. Jh. aus gleichbed. frz. *résolu* entlehnt, aber in der Form nach dem zugrunde liegenden lat. *resolutus* »ausgelassen, zügellos« relatinisiert. Dies ist das Part. Perf. von lat. *re-solvere* »wieder auflösen, losbinden, befreien«, einer Bildung aus lat. *re-* »zurück, wieder« (vgl. *re..., Re...*) und lat. *solvere (solutus)* »lösen; befreien« (vgl. den Artikel *absolut*). – Den gleichen Ausgangspunkt (lat. *resolvere*) hat das Substantiv **Resolution** »Beschluss, Entschließung«, das im 16. Jh. aus gleichbed. frz. *résolution* entlehnt wurde. Dies setzt zwar formal lat. *resolutio* »Auflösung« fort, schließt sich aber – wie *résolu* – in der Bedeutung an das Verb frz. *résoudre* »entscheiden, beschließen« (< lat. *re-solvere*, s. o.) an.

Resonanz »Widerhall; Mitschwingen, Mittönen«, beachte besonders die Zusammensetzung ›Resonanzboden‹: Das Fremdwort wurde im 15. Jh. aus spätlat. *resonantia* »Widerschall, Widerhall« entlehnt. Dies gehört zu lat. *re-sonare* »wieder ertönen; widerhallen«, einer Bildung aus lat. *re-* »zurück, wieder« (vgl. *re..., Re...*) und lat. *sonare* »tönen, hallen« (vgl. den Artikel *sonor*). – Der übertragene Gebrauch von ›Resonanz‹ im Sinne von »Anklang, Verständnis, Wirkung« erfolgte im 17. Jh. unter Einwirkung von entsprechend frz. *résonance*.

resorbieren: ↑ absorbieren.

Respekt »Ehrerbietung, Achtung; Ehrfurcht, Scheu«: Das Substantiv wurde im 16. Jh. aus gleichbed. frz. *respect* entlehnt, das auf lat. *respectus* »das Zurückblicken, das Sichumsehen; die Rücksicht« zurückgeht. Das zugrunde liegende Verb lat. *re-spicere* »zurückschauen; Rücksicht nehmen« ist eine Bildung aus lat. *re-* »zurück, wieder« (vgl. *re..., Re...*) und lat. *specere* »schauen« (vgl. den Artikel *Spiegel*). – Dazu stellt sich das Verb **respektieren** »achten; anerkennen«, das im 16. Jh. aus gleichbed. frz. *respecter* übernommen wurde.

Ressort: Die Bezeichnung für »Geschäfts-, Amtsbereich; Arbeits-, Aufgabengebiet« wurde im 16. Jh. aus gleichbed. frz. *ressort* entlehnt, das zu frz. *ressortir* »hervorgehen; zugehören« gehört. Zugrunde liegt das etymologisch umstrittene Verb frz. *sortir* »[her]ausgehen«.

Rest »Rückstand, Überbleibsel«: Das Substantiv wurde um 1400 als kaufmännischer Terminus zur Bezeichnung für den bei einer Abrechnung übrig bleibenden Geldbetrag aus gleichbed. it. *resto* entlehnt, das von it. *restare* »übrig bleiben« abgeleitet ist. Dies geht auf lat. *re-stare* »zurückstehen; übrig bleiben« zurück, eine Bildung aus lat. *re-* »zurück, wieder« (vgl. *re..., Re...*) und lat. *stare* »stehen« (vgl. den Artikel *stabil*).

restaurieren »wiederherstellen, ausbessern; eine frühere gesellschaftliche oder politische Ordnung wiederherstellen«, früher auch reflexiv gebraucht im Sinne von »sich erholen, sich erfrischen«: Das Verb wurde Anfang des 16. Jh.s wie entsprechend frz. *restaurer* aus lat. *restaurare* »wiederherstellen« entlehnt. – Um ›restaurieren‹ gruppieren sich **Restauration** »Wiederherstellung, Ausbesserung (eines schadhaften Kunstwerkes); Wiederherstellung früherer gesellschaftlicher oder politischer Verhältnisse«, landsch. auch »Gaststättenbetrieb, Restaurant« (16. Jh.; aus spätlat. *restauratio* »Wiederherstellung; Erneuerung«) und **Restaurator** Berufsbezeichnung für einen Fachmann, der beschädigte Kunstwerke ausbessert und wiederherstellt (18. Jh.; aus spätlat. *restaurator* »Wiederhersteller; Erneuerer«). Das Substantiv **Restaurant** »Gaststätte« wurde im 19. Jh. aus gleichbed. frz. *restaurant* übernommen. Das frz. Wort, das substantiviert ist aus dem Part. Präs. von frz. *restaurer* »wiederherstellen; stärken« bezeichnete ursprünglich eine Stärkung, einen nahrhaften Schnellimbiss, insbesondere eine Art Kraftbrühe. Erst sekundär wurde es zur Bezeichnung von Gaststätten, in denen solche Kraftbrühen gereicht wurden.

Resultat »Ergebnis«: Das Fremdwort wurde im 17. Jh. aus gleichbed. frz. *résultat* entlehnt, das auf mlat. *resultatum* »Folgerung, Schluss; Folge; Ergebnis« zurückgeht. Dies ist das substantivierte Neutrum des Part. Perf. von mlat. *resultare* »entspringen; entstehen« (= klass. lat. *re-sultare* »zurückspringen, -prallen; widerhallen«, gebildet aus lat. *re-* »zurück, wieder« [vgl. *re..., Re...*] und lat. *saltare* »tanzen, springen« [vgl. den Artikel *Salto*]). Auf lat. *resultare* beruht frz. *résulter*, aus dem im 17. Jh. unser Verb **resultieren** »sich herleiten; sich (als Resultat) ergeben« übernommen wurde.

resümieren »zusammenfassen«: Das Verb wurde im 18./19. Jh. aus gleichbed. frz. *résumer* entlehnt, das auf lat. *re-sumere* »wieder [vor]nehmen; wiederholen« zurückgeht. Dies ist eine Bildung aus lat. *re-* »zurück, wieder« (vgl. *re..., Re...*) und lat. *sumere* »[an sich] nehmen« (vermutlich entstanden aus **subs-emere;* zu lat. *emere* »nehmen«, vgl. hierüber den Artikel *Exempel*).

Retorte: Die Bezeichnung für »gläsernes Destillationsgefäß, Kolbenflasche« wurde im 16. Jh. aus mlat. *retorta* »die Zurückgedrehte« entlehnt, dem substantivierten Part. Perf. von lat. *re-torquere* »rückwärts drehen; verdrehen« (vgl. *re..., Re...* und den Artikel *Tortur*). Das Gefäß ist also nach seinem gedrehten, krummen Flaschenhals benannt.

retour »zurück«: Das seit dem 17./18. Jh. bezeugte Adverb hat sich aus Zusammensetzungen wie ›Retourbillett, Retourkutsche‹ u. a. verselbstständigt. Zugrunde liegt frz. *retour* »Rückkehr«, das von frz. *retourner* »zurückkehren« abgeleitet ist (vgl. *Tour*).

retten: Die Herkunft des westgerm. Verbs mhd. *retten*, ahd. *[h]retten*, niederl. *redden*, aengl. *hreddan* ist unklar. Vielleicht ist es mit aind. *śrathnā́ti* »wird locker, ist lose«, *śrathā́yati* »befreit« verwandt und bedeutete dann ursprünglich »entreißen, lösen, befreien«. – Abl.: **Retter** (mhd. *rettære*); **Rettung** (mhd. *rettunge;* beachte von den zahlreichen Zusammensetzungen z. B. ›Rettungsboot, -anker, -dienst, -wagen‹).

Rettich: Die zu den Kreuzblütlern gehörende Gemüsepflanze ist nach ihrer (scharf schmeckenden) essbaren Wurzelknolle benannt. Mhd. *retich, rætich*, ahd. *rātīh*, entsprechend mniederl. *radic* und aengl. *rǣdic* gehen auf lat. *radix (radicis)* »Wurzel« zurück (etymologisch verwandt mit dt. ↑Wurz), das auch die Quelle für unser Lehnwort ↑Radieschen ist. – Beachte auch das auf einer Ableitung von lat. *radix* beruhende Fremdwort ↑radikal. Vgl. ferner den Artikel *Meerrettich*.

retuschieren ↑Tusche.

Reue: Das westgerm. Substantiv mhd. *riuwe*, ahd. *[h]riuwa*, niederl. *rouw*, aengl. *hrēow*, das mit der nord. Sippe von aisl. *hryggr* »traurig, betrübt« verwandt ist, bedeutete ursprünglich »seelischer Schmerz, Kummer«, dann speziell »Schmerz über etwas, das man getan hat oder unterlassen hat«. Im Niederl. wird *rouw* noch heute im Sinne von »Trauer« verwendet. Neben dem Substantiv steht ein starkes Verb mhd. *riuwen*, ahd. *[h]riuwan* »bekümmern, verdrießen; reuen«, niederl. *rouwen* »trauern«, aengl. *hrēowan* »betrüben, bekümmern« (engl. *to rue* »bereuen, beklagen«). Nhd. **reuen** »Reue empfinden, tief bedauern« – beachte auch die Präfixbildungen **bereuen** und **gereuen** – geht dagegen auf das schwache Verb mhd. *riuwen*, ahd. *[h]riuwōn* zurück. – Die weitere Herkunft dieser germ. Wortgruppe ist unklar.

Reuse: Die germ. Bezeichnungen des Fischfanggerätes mhd. *riuse*, ahd. *riusa, rūs[s]a*, mnd. *rūse*, schwed. *ryssja* gehören im Sinne von »aus Rohr Geflochtenes« zu dem unter ↑Rohr (germ. **rauza-*) behandelten Wort. Vor der Verwendung von Reusen aus Garngeflechten (über Spreizringen) wurden korbartige Behältnisse aus Rohr- oder Binsengeflecht als Reusen gebraucht.

reuten ↑roden.

Revanche »Vergeltung; Rache«, in der Sprache des Sports auch speziell im Sinne von »Rückkampf, Rückspiel« gebraucht: Das Fremdwort wurde im 17. Jh. aus gleichbed. frz. *revanche* entlehnt. Dies ist eine Bildung zu frz. *revancher* »rächen« (*se revancher* »sich rächen; vergelten«), aus dem im 17. Jh. unser Verb **revanchieren,** sich »sich rächen, Vergeltung üben; sich erkenntlich zeigen« übernommen wurde. Frz. *revancher* ist eine Bildung aus frz. *re-* »zurück, wieder« (< gleichbed. lat. *re-*, vgl. *re..., Re...*) und frz. *venger* »rächen, ahnden«, das auf lat. *vindicare* »gerichtlich in Anspruch nehmen; strafen; rächen« zurückgeht.

Reverenz »Ehrerbietung; Verbeugung«: Das Fremdwort wurde im 15. Jh. aus lat. *reverentia* »Scheu; Ehrfurcht« entlehnt, das zu lat. *re-vereri* »sich fürchten, sich scheuen; scheu verehren« gehört. Dies ist eine Bildung aus lat. *re-* »zurück, wieder« (vgl. *re..., Re...*) und lat. *vereri* »ängstlich beobachten, sich scheuen, sich fürchten«, das mit dt. ↑wahren urverwandt ist.

[1]**Revers** »Umschlag oder Aufschlag an Kleidungsstücken«: Das in dieser Bedeutung seit dem 19. Jh. gebräuchliche Fremdwort ist aus gleichbed. frz. *revers* entlehnt, das bereits im 17. Jh. in der Bedeutung »Kehr-, Rückseite (einer Münze, Medaille)« übernommen worden war. Das frz. Wort geht auf lat. *reversus* »umgekehrt« zurück, das Part.

Perf von lat. *re-vertere* »umkehren, umwenden« (vgl. *re...*, *Re...* und den Artikel *Vers*). Aus mlat. *reversum* »Antwort« wurde bereits im 15. Jh. unser [2]**Revers** »Verpflichtungsschein« entlehnt.

revidieren »durchsehen, prüfen; korrigieren; formal abändern«: Das Verb wurde im 16. Jh. aus lat. *re-videre (revisum)* »wieder hinsehen« entlehnt, einer Bildung aus lat. *re-* »zurück, wieder« (vgl. *re...*, *Re...*) und lat. *videre (visum)* »sehen« (vgl. den Artikel *Vision*). – Dazu: **Revision** »Überprüfung; Änderung (einer Ansicht)«, als juristischer Terminus Bezeichnung für die als Rechtsmittel zulässige Überprüfung eines Urteils vor der zuständigen höchstrichterlichen Instanz (16. Jh.; aus mlat. *revisio* »prüfende Wiederdurchsicht«).

Revier: Das Substantiv wurde um 1200 in der Bedeutung »Ufergegend entlang eines Wasserlaufs« am Niederrhein über mniederl. *riviere* aus (a)frz. *rivière* »Ufergegend; Fluss« entlehnt. Dies geht auf vlat. *riparia* »das am Ufer Befindliche« zurück, eine Bildung zu lat. *ripa* »Ufer eines Gewässers«. Aus der ursprünglichen Bedeutung entwickelte ›Revier‹ im Laufe der Zeit die allgemeine Bedeutung »Gegend, Gebiet, Bezirk; Tätigkeitsbereich«. Daran schließt sich die Verwendung des Wortes für »kleinere Polizeidienststelle; Krankenstube; begrenzter Jagdbezirk; Abbaugebiet im Bergbau« an.

Revolte: Das Fremdwort für »Aufruhr, bewaffneter Aufstand (einer kleineren Gruppe)« wurde im 17. Jh. aus gleichbed. frz. *révolte* entlehnt, das von frz. *révolter* »zurückwälzen, umwälzen; aufwiegeln, empören« abgeleitet ist. Daraus wurde im 17. Jh. unser Verb **revoltieren** »an einer Revolte teilnehmen; sich empören« übernommen. – Frz. *révolter* geht über it. *rivoltare* »umdrehen, umwenden; empören« auf vlat. **re-volvitare* zurück, eine Intensivbildung zu lat. *re-volvere* »zurückrollen; zurückdrehen« (vgl. *re...*, *Re...* und den Artikel *Volumen*). – Zum gleichen lat. Verb *(re-volvere)* gehört das Fremdwort **Revolution** »gewaltsamer Umsturz der bestehenden politischen oder sozialen Ordnung; umstürzende Neuerung«. Es wurde im 15. Jh. als Fachwort der Astronomie zur Bezeichnung der Umdrehung der Himmelskörper aus spätlat. *revolutio* »das Zurückwälzen; die Umdrehung« entlehnt, wurde dann auch allgemein im Sinne von »Veränderung, plötzlicher Wandel, Neuerung« gebräuchlich. Die heute vorherrschende Verwendung des Wortes im Sinne von »gewaltsamer Umsturz« kam im 18. Jh. unter dem Einfluss von entsprechend frz. *révolution* auf. – Abl.: **Revolutionär** »jemand, der eine Revolution vorbereitet oder sich an ihr beteiligt, Umstürzler; jemand, der sich gegen das Überkommene auflehnt« (Ende 18. Jh.; aus gleichbed. frz. *révolutionnaire*); **revolutionär** »auf eine Revolution abzielend; eine Umwälzung, Neuerung darstellend« (Ende 18. Jh.; aus gleichbed. frz. *révolutionnaire*); **revolutionieren** »umstürzen, umwälzen; durch bahnbrechende neue Erkenntnisse völlig andere Bedingungen und Voraussetzungen schaffen« (Ende 18. Jh.; aus gleichbed. frz. *révolutionner*); **Revoluzzer** »jemand, der sich als Revolutionär gebärdet« (19. Jh.; aus gleichbed. it. *rivoluzionario* zu it. *rivoluzione* »Revolution«).

Revolver: Der Name der kurzen Handfeuerwaffe wurde im 19. Jh. aus engl.-amerik. *revolver* entlehnt. Dies ist eine Bildung zu dem engl. Verb *to revolve* »sich drehen« (< lat. *re-volvere* »zurückrollen; zurückdrehen, -wälzen«; vgl. *re...*, *Re...* und den Artikel *Volumen*). Der Revolver ist also nach seiner sich drehenden Trommel benannt.

Revue: Das Fremdwort wurde im 17. Jh. in der Bedeutung »Heerschau, Truppenmusterung, Parade« aus gleichbed. frz. *revue* (eigentlich »das noch einmal Angesehene«) entlehnt. Es wurde dann im allgemeinen Sinne von »Schau, Vorführung, Darbietung; Überblick« gebräuchlich. Unter dem Einfluss von entsprechend engl. *review* kam im 18. Jh. die Verwendung im Sinne von »Rundschau; periodisch erscheinende illustrierte Zeitschrift« auf. Seit dem 19. Jh. wird ›Revue‹ nach dem Vorbild von frz. *revue* als Bezeichnung für eine (komische oder satirische) Darbietung auf der Bühne, für ein musikalisches Ausstattungsstück verwendet. – Das frz. Wort ist das substantivierte weibliche Part. Perf. von frz. *revoir* »wieder sehen« (< lat. *re-videre* »wieder hinsehen«, vgl. den Artikel *revidieren*).

rezensieren »(Bücher, Zeitschriften) kritisch besprechen, begutachten«: Das Verb wurde im 17. Jh. aus lat. *re-censere* »sorgfältig prüfen, durchgehen; kritisch besprechen« entlehnt, einer Bildung aus lat. *re-* »zurück, wieder« (vgl. *re...*, *Re...*) und lat. *censere* »begutachten, einschätzen« (vgl. den Artikel *zensieren*). – Dazu **Rezension** »kritische [Buch]besprechung; berichtigende Durchsicht eines alten, oft mehrfach überlieferten Textes« (17. Jh.; aus lat. *recensio* »Musterung«); **Rezensent** »Verfasser einer Rezension« (18. Jh.; aus lat. *recensens*, dem Part. Präs. von *recensere*).

Rezept: Schriftliche Anweisungen an den Apotheker über Zusammenstellung und Verabreichung von Arzneimitteln pflegte der Arzt früher mit der Einleitungsformel ›recipe‹ »nimm« zu versehen. Das ist die zweite Person Singular Imperativ von lat. *recipere* »[zurück-, auf]nehmen« (vgl. *rezipieren*). Zur Bestätigung, dass die Anweisung ausgeführt sei, vermerkte der Apotheker seinerseits ›receptum‹ »genommen, verwendet«. Daraus entwickelte sich bereits im 14. Jh. das Substantiv ›Rezept‹ im Sinne von »Arzneiverordnung«. Das Fremdwort wurde rasch volkstümlich, seit dem 16. Jh. auch übertragen im Sinne von »Lösung, Heilmittel« (beachte Zusammensetzungen wie ›Erfolgsrezept‹ oder ›Patentrezept‹) verwendet. Seit dem 18. Jh. ist ›Rezept‹ auch in der Bedeutung »Back-, Kochanweisung« gebräuchlich.

Rezeption ↑rezipieren.

Rezession: Die Bezeichnung für eine rückläufige wirtschaftliche Entwicklung, die Abschwächung der Konjunktur, wurde in der 2. Hälfte des 20. Jh.s aus gleichbed. engl.-amerik. *recession* entlehnt, das auf lat. *recessio* »das Zurückweichen« zurückgeht. Dies gehört zu lat. *re-cedere* »zurückweichen«, einer Bildung aus lat. *re-* »zurück, wieder« (vgl. *re..., Re...*) und lat. *cedere* »weichen« (vgl. den Artikel *Prozess*).

rezipieren »an-, aufnehmen; erfassen«: Das Verb wurde im 16. Jh. aus lat. *re-cipere* »zurück-, aufnehmen« entlehnt, einer Bildung aus lat. *re-* »zurück; wieder« (vgl. *re..., Re...*) und lat. *capere* »nehmen, fassen, ergreifen« (vgl. *kapieren*). – Dazu stellt sich **Rezeption,** das im 16. Jh. aus lat. *receptio* »Aufnahme« übernommen wurde. Es wurde zunächst im Sinne von »Aufnahme (von Personen), Empfang, Beherbergung« gebraucht, dann auch im Sinne von »Auf-, Übernahme (von Kultur-, Gedankengut)« und »Textverständnis«. Wohl nach dem Vorbild von entsprechend frz. *réception* wird es im 20. Jh. auch in der Bedeutung von »Empfangsbüro, Empfangshalle« verwendet.

rezitieren »(künstlerisch) vortragen«: Das Verb wurde im 16. Jh. aus lat. *re-citare* »laut vortragen, hersagen, vorlesen« entlehnt, einer Bildung aus lat. *re-* »zurück, wieder« (vgl. *re..., Re...*) und lat. *citare* »auf-, anrufen; hören lassen« (vgl. den Artikel *zitieren*). – Dazu: **Rezitation** (16. Jh.; aus lat. *recitatio* »das Vorlesen, Vortrag«); **Rezitativ** »dramatischer Sprechgesang« (Anfang 18. Jh.; aus gleichbed. it. *recitativo*).

Rhabarber: Der Name der zu den Knöterichgewächsen gehörenden, in Asien beheimateten Nutz- und Zierpflanze wurde im 16. Jh. aus gleichbed. it. *rabarbaro* (daneben: *reubarbaro*) entlehnt. Das it. Wort hat roman. Entsprechungen in frz. *rhubarbe* und in span. *ruibarbo.* Deren gemeinsame Quelle ist mlat. *rheu barbarum (rha barbarum),* das eigentlich »fremdländische Wurzel« bedeutet (zu spätlat. *r[h]eum* »Wurzel« [< griech. *rhā, rhēon*] und griech.-lat. *barbarus* »fremdländisch«).

R

Rhetorik »Redekunst«: Das Fremdwort wurde bereits im 13. Jh. (mhd. *rhetorick*) aus gleichbed. lat. *rhetorica (ars)* entlehnt. Dies stammt seinerseits aus griech. *rhētorikḗ (téchnē).* Griech. *rhētorikós* »rednerisch, beredt« ist von griech. *rhḗtōr* »Redner« (< *u̯rētōr*) abgeleitet. Dies ist eine Bildung zu griech. *eírein* (< **u̯éri̯ein*) »sagen, sprechen«, das mit dem dt. Substantiv ↑Wort verwandt ist. Das Adjektiv **rhetorisch** »die Redekunst betreffend; rednerisch wirksam« wurde im 16. Jh. aus gleichbed. lat. *rhetoricus* übernommen, das seinerseits aus griech. *rhētorikós* (s. o.) stammt. Es wird übertragen auch im Sinne von »phrasenhaft, schönrednerisch« gebraucht.

Rheumatismus »schmerzhafte Erkrankung der Gelenke, Muskeln, Nerven, Sehnen«: Die Krankheitsbezeichnung ist aus gleichbed. lat. *rheumatismus* entlehnt, das seinerseits aus griech. *rheumatismós* übernommen ist. Dies ist eine Bildung zu griech. *rheũma* »Fluss, Strömung«, auch: »Rheumatismus«. Es gehört zu griech. *rheĩn* »fließen, strömen« (vgl. *Rhythmus*) und bedeutet eigentlich »das Fließen«. Zum Krankheitsnamen wurde es, weil nach antiken medizinischen Vorstellungen der Rheumatismus von im Körper »herumfließenden« Krankheitsstoffen verursacht wird. – Neben ›Rheumatismus‹ ist auch die Kurzform **Rheuma** gebräuchlich.

Rhinozeros »Nashorn«: Der Tiername wurde bereits im Mittelalter (mhd. *rinōceros*) aus gleichbed. lat. *rhinoceros* entlehnt, das seinerseits aus griech. *rhīnókerōs* stammt. Dies ist eine Bildung aus griech. *rhís (rhīnós)* »Nase« und griech. *kéras* »Horn«.

Rhombus: Die Bezeichnung für ein Parallelogramm mit gleichen Seiten (Raute) ist aus gleichbed. lat. *rhombus* entlehnt, das seinerseits aus griech. *rhómbos* »Kreisel; Doppelkegel; verschobenes Quadrat« übernommen ist. Dies gehört zu griech. *rhémbesthai* »sich im Kreise drehen«.

Rhythmus »Gleichmaß, gleichmäßig gegliederte Bewegung; periodischer Wechsel (natürlicher Vorgänge); regelmäßiger formbildender Wechsel von betontem und unbetontem Takt in der Musik«: Das Fremdwort wurde im 18. Jh. aus gleichbed. lat. *rhythmus* entlehnt, das seinerseits aus griech. *rhythmós* »geregelte Bewegung, Zeitmaß; Gleichmaß« übernommen ist. Das griech. Substantiv, das eigentlich »das Fließen« bedeutet und dessen übertragene Bedeutungen sich wohl aus dem Bild von dem stetigen und gleichförmigen Auf und Ab der Meereswellen entwickelt haben, ist eine Nominalbildung zum Stamm von griech. *rheĩn* (< **sréu̯ein*) »fließen, strömen« (über die idg. Zusammenhänge vgl. den Artikel *Strom*). – Dazu gehören auch die unter ↑Rheumatismus (griech. *rheũma* »das Fließen; das Gliederreißen«) und ↑Katarrh behandelten Wörter.

Ribisel: Der in Österreich gebräuchliche Ausdruck für »Johannisbeere« stammt aus dem Italienischen. Er gehört zu gleichbed. it. *ribes,* das auf mlat. *ribes* »Johannisbeere« zurückgeht. Dies ist aus arab. *rībās,* dem Namen einer Rhabarberart, entlehnt.

richten: Das gemeingerm. Verb mhd., ahd. *rihten,* got. *ga-raíhtjan,* aengl. *rihtian,* schwed. *rätta* ist eine Ableitung von dem unter ↑recht behandelten Adjektiv, an dessen verschiedene Bedeutungen es sich anschließt. So bedeutet ›richten‹ zunächst »gerade machen« und »in eine gerade oder senkrechte Richtung, Lage oder Stellung bringen«, beachte dazu z. B. **Richtschnur** (15. Jh., seit dem 16. Jh. auch übertragen im Sinne von »Grundsatz« gebraucht) und **aufrichten** und **errichten.** An diesen Wortgebrauch schließt sich einerseits die Verwendung von ›richten‹ im allgemeinen Sinne von »in eine bestimmte Richtung oder Lage bringen, mit etwas abstimmen, auf etwas hinlenken« an, beachte dazu **Richtung** (um 1800), und andererseits die fachsprachliche Verwendung von ›richten‹ im Sinne von »die Dachbalken setzen, ein Haus mit einem Dachstuhl versehen«, beachte dazu z. B. die Zusammensetzungen **Richtfest** und **Richtkranz.** Ferner wird ›richten‹ im Sinne von »recht oder richtig machen, in Ordnung bringen, [zu]bereiten, bewerkstelligen« gebraucht, beachte dazu z. B. **abrichten** »ein Tier zu bestimmten Leistungen oder Fertigkeiten bringen; dressieren«, **anrichten** »zum Verzehr bereitstellen« (auch: »etwas Schlimmes anstellen, Negatives verursachen«), dazu **Anrichte** »Tisch zum Anrichten oder Bereithalten der Speisen; Kredenz« (mhd. *anrihte*), **einrichten** »mit Möbeln, Geräten versehen; ausstatten, gestalten; schaffen; ermöglichen«, reflexiv »sich anpassen, auskommen«, dazu **Einrichtung** »Mobiliar, Ausstattung; Anlage; Institution«, **entrichten** »bezahlen«, **verrichten** »erledigen, ausführen«, **vorrichten** »in einen bestimmten Zustand bringen, vorbereiten«, dazu **Vorrichtung** »[als Hilfsmittel] Hergestelltes, Gerät, Apparat«, **zurichten** »aufbereiten, zurechtmachen; verletzen, stark beschädigen«, auch **unterrichten** »Kenntnisse vermitteln, lehren; in Kenntnis setzen, benachrichtigen«, dazu **Unterricht** »regelmäßige Unterweisung«. Siehe auch die Artikel [1]*Gericht* und *berichten.* Weiterhin wird ›richten‹ im Sinne von »Recht sprechen, urteilen; verurteilen«, prägnant »zum Tode verurteilen, das Todesurteil vollstrecken« gebraucht, beachte dazu z. B. **hinrichten, Richtstätte, Richtbeil** und die Bildung **Richter** »jemand, der die Rechtsprechung ausübt« (mhd. *rihter, rihtære,* ahd. *rihtāri*), dazu **richterlich** »den Richter betreffend, zum Richteramt gehörend« (16. Jh.).

richtig: Das auf das dt. Sprachgebiet beschränkte Wort (mhd. *rihtec,* ahd. *rihtīg*) ist von dem unter ↑recht behandelten Adjektiv abgeleitet. Im heutigen Sprachgebrauch wird ›richtig‹ gewöhnlich als Gegenwort zu ›falsch‹ verwendet. – Abl.: **berichtigen** »korrigieren, verbessern« (18. Jh.); **Richtigkeit** »das Richtigsein« (15. Jh., in der Form *richticheit*). Zus.: **aufrichtig** »ehrlich, anständig« (mhd. *ūfrihtic* »gerade aufwärts gerichtet, aufrecht; ehrlich, unverfälscht«).

Ricke »weibliches Reh«: Das erst seit dem 18. Jh. bezeugte Wort ist wahrscheinlich eine junge Analogiebildung nach ›Zicke‹ »weibliche Ziege« und ›Sicke‹ weidmännisch für »Vogelweibchen«.

riechen: Das altgerm. starke Verb mhd. *riechen,* ahd. *riohhan,* niederl. *rieken,* aengl. *rēocan,* schwed. *ryka* hat keine außergerm. Entsprechungen. Es bedeutet zunächst (so noch heute im Nord.) »rauchen, dampfen, stieben, dunsten«, dann auch »ausdünsten, einen Geruch absondern, riechen«. Im Dt. wird ›riechen‹ seit mhd. Zeit auch im Sinne von »einen Geruch wahrnehmen, wittern« verwendet. Um ›riechen‹ gruppieren sich die Bildungen ↑Rauch, rauchen und ↑Geruch.

Ried »Schilf, Röhricht«: Das westgerm. Wort mhd. *riet,* ahd. *[h]riot,* mniederl. *rēt,* niederl. *riet,* engl. *reed* ist wahrscheinlich verwandt mit dem Bestimmungwort von aengl. *hrēađemus* »Fledermaus« und weiterhin mit der Sippe von lit. *krutė́ti* »sich bewegen, sich rühren«. Es bedeutet demnach eigentlich »Sichschüttelndes, Schwankendes«. Allgemein bekannt ist heute neben der hochd. Form ›Ried‹ auch die niederd. Form **Reet,** beachte die Zusammensetzung **Reetdach.**

Riege: Der seit dem Anfang des 19. Jh.s gebräuchliche Ausdruck für »Turnerabteilung« wurde von F. L. Jahn in die Turnersprache eingeführt. Das dem Niederd. entnommene Wort (mnd. *rīge*) bedeutet eigentlich »Reihe« und entspricht mhd. *rige* »Reihe, Linie; Wassergraben«, ahd. *riga* »Linie« (vgl. *Reihe*).

Riegel: Das auf das dt. Sprachgebiet beschränkte Wort mhd. *rigel,* ahd. *rigil,* mnd. *regel* (↑Reling) bedeutete ursprünglich ganz allgemein »Stange, Querholz«, dann speziell »Querholz oder Bolzen zum Verschließen«. Es hängt im germ. Sprachbereich vermutlich mit norw. mdal. *rjå* »Stange zum Trocknen des Getreides« und schwed. mdal. *ri* »Pfahl, Stange« zusammen.

[1]**Riemen** »Lederstreifen, Gurt; Gürtel«: Das westgerm. Wort mhd. *rieme,* ahd. *riomo,* niederl. *riem,* aengl. *rēoma* gehört wahrscheinlich im Sinne von »abgerissener Hautstreifen« zu der unter ↑raufen dargestellten idg. Wurzel **reu-* »reißen, ausreißen, rupfen« (vgl. zur Bedeutung den Artikel [1]*Reif*).

[2]**Riemen** »Ruder«: Das auf das dt. und niederl. Sprachgebiet beschränkte Wort (mhd. *rieme,* ahd. *riemo,* niederl. *riem*) beruht auf einer frühen Entlehnung aus lat. *remus* »Ruder«, und zwar wurde das Wort – wie z. B. auch ›Anker‹ (s. d.) – von den Römern am Niederrhein übernommen. Im heutigen Sprachgebrauch bezeichnet ›Riemen‹ gewöhnlich ein längeres Ruder und wird hauptsächlich in der Seemannssprache verwendet. Allgemein bekannt ist die Wendung ›sich in die Riemen legen‹ »etw. mit großem Einsatz machen«. – Über den weiteren Zusammenhang von lat. *remus* vgl. den Artikel *Ruder.*

Riese: Die Herkunft der germ. Bezeichnungen für das mythische Wesen und für die übergroße Märchengestalt ist unklar. Die germ. Formen mhd. *rise,* ahd. *riso,* niederl. *reus,* schwed. *rese* hatten ursprünglich wohl anlautendes w-, vgl. asächs. *wrisilīk* »riesenhaft«, und könnten dann z. B. mit griech. *rhíon* »Bergspitze, Vorgebirge« verwandt sein. Da in der germanischen Mythologie die Riesen häufig als auf Bergen sitzend dargestellt werden, ließe sich ›Riese‹ etwa als »auf Bergen hausendes Wesen« deuten. – Im heutigen Sprachgebrauch wird ›Riese‹ auch im Sinne von »hünenhafter Mensch« und verstärkend in Zusammensetzungen verwendet, beachte z. B. ›Riesenhunger‹ und ›Riesenspaß‹. – Abl.: **riesenhaft** (17. Jh.); **riesig** »ungewöhnlich groß, gewaltig; großartig, hervorragend; sehr« (Anfang des 19. Jh.s, für älteres *riesicht*).

rieseln: Mhd. *riselen* »tröpfeln, sacht regnen« gehört zu dem im Nhd. untergegangenen starken Verb mhd. *rīsen*, ahd. *rīsan* »sich von unten nach oben oder von oben nach unten bewegen, steigen, fallen« (vgl. *Reise*). – Zus.: **Rieselfeld** »zur Düngung mit Abwässern berieseltes Feld« (2. Hälfte des 19. Jh.s).

Riesling: Der seit dem Ende des 15. Jh.s bezeugte Name der Rebensorte ist dunklen Ursprungs.

Riff »lang gestreckte Sandbank; Klippenreihe«: Das im 17. Jh. aus dem Niederd. ins Hochd. übernommene Wort geht zurück auf gleichbed. mnd. *ref, rif*, das wohl – wie auch niederl. *rif* »Riff« und engl. *reef* »Riff« – aus dem Nord. stammt, vgl. aisl. *rif* »Riff« (norw., schwed., dän. *rev*). Das aisl. Wort ist identisch mit aisl. *rif* »Rippe« (vgl. den Artikel *Rippe*). Die lang gestreckte Aufragung des Meeresgrundes ist also nach ihrer Ähnlichkeit mit einer Rippe benannt.

rigoros »streng, hart, unerbittlich«: Das Adjektiv wurde um 1600 – wohl unter dem Einfluss von entsprechend frz. *rigoureux* – aus mlat. *rigorosus* »streng, hart« entlehnt. Dies ist von lat. *rigor* »Steifheit; Härte, Unbeugsamkeit« abgeleitet, das zu lat. *rigere* »starr sein, steif sein (z. B. vor Kälte)« gehört.

Rille: Das im 18. Jh. in die hochd. Schriftsprache übernommene niederd. *rille* »Rinne, Furche; Flussbett« (entsprechend niederl. *ril* »Furche«) beruht auf einer Verkleinerungsbildung zu dem westgerm. Substantiv mnd. *rīde* »Bach, Wasserlauf«, asächs. *rīth* »Bach« (in Ortsnamen), aengl. *rīd* »Bach, Fluss«. Es bedeutet also eigentlich »kleiner Bach«. Über die weiteren Zusammenhänge vgl. den Artikel *rinnen*.

R

Rind: Das westgerm. Wort mhd. *rint*, ahd. *[h]rind*, mniederl. *rint* (ablautend niederl. *rund* »Rind«), aengl. *hrīđ[er]* gehört im Sinne von »Horntier« zu der unter ↑Hirn dargestellten idg. Wurzel **k̑er[ə]-* »Horn, Geweih; Kopf, Oberstes«, vgl. die unter ↑*Hirsch* und ↑*Ren* behandelten Wörter, die eigentlich »gehörntes oder geweihtragendes Tier« bedeuten.

Rinde: Das westgerm. Wort mhd. *rinde, rinte*, ahd. *rinda, rinta*, mnd. *rinde*, engl. *rind* ist verwandt mit engl. *to rend* »[zer-, los]reißen« und weiter mit aind. *rándhra-m* »Öffnung, Spalt, Höhle« (eigentlich »Riss«). Es bedeutet demnach eigentlich »Abgerissenes, Zerrissenes«.

Ring: Das altgerm. Substantiv mhd. *rinc*, ahd. *[h]ring*, niederl. *ring*, engl. *ring*, schwed. *ring* und das unter ↑ringen behandelte Verb stehen wahrscheinlich im Ablaut zu dem unter ↑Runge (ursprünglich wohl »Rundstab«) behandelten Wort. Außergerm. ist z. B. die slaw. Sippe von russ. *krug* »Kreis, runde Scheibe« eng verwandt (über die weiteren Zusammenhänge vgl. den Artikel *schräg*). Das altgerm. Wort bezeichnete zunächst den Kreis und weiterhin kreisförmige Gegenstände verschiedener Art, speziell den aus Metall gefertigten Ring. Ferner bezeichnete es früher auch die kreisförmig versammelte Menschenmenge, die ringförmige [Gerichts]versammlung, beachte das aus einer altfränk. Entsprechung von ahd. *[h]ring* entlehnte frz. *rang* »Reihe, Folge«, ursprünglich »[ringförmige] Versammlung« (s. die Wortgruppe um *Rang*). – Das seit dem 16. Jh. gebräuchliche Adverb **rings** »im Kreise, rundherum« hat sekundäres s nach den aus dem Genitiv Singular entstandenen Adverbien wie z. B. ›flugs‹ (↑Flug). Das Verb **umringen** »umstellen, von allen Seiten umgeben« (mhd. *umberingen*, ahd. *umbi[h]ringen*) ist eine Ableitung von der im Nhd. untergegangenen Zusammensetzung mhd. *umberinc*, ahd. *umbi[h]ring* »Umkreis«. – Eine Verkleinerungsbildung zu ›Ring‹ ist **Ringel** »kreisförmig Gewundenes«, früher auch: »Ringelblume« (mhd. *ringel[e]*, ahd. *ringila*), von dem **ringeln** »kreisförmig winden, zu kleinen Ringen drehen«, reflexiv »sich winden« (mhd. *ringelen*) abgeleitet ist. Beachte dazu die Zusammensetzung **Ringelnatter** (Ende des 18. Jh.s; so benannt, weil sie sich zusammenringelt, oder aber nach den Ringeln auf der Haut).

Ringelpiez: Der ugs. Ausdruck für »fröhliches, geselliges Beisammensein mit Tanz«, der sich von Berlin aus ausgebreitet hat, bedeutet wohl eigentlich »Tanz und Gesang«. Der erste Bestandteil ist das unter ↑ringen behandelte ›Ringel‹ (im Sinne von »Rundtanz, Reihen«), der zweite Bestandteil gehört wohl zu der slaw. Wortgruppe von altpoln. *pieć* »singen«.

ringen: Das starke Verb mhd. *ringen*, ahd. *[h]ringan* »sich im Kreise oder hin und her bewegen; sich anstrengen, sich abmühen; kämpfen« gehört zu der unter ↑Ring behandelten Wortgruppe. Es hat sich z. T. mit dem unter ↑wringen behandelten Verb vermischt. Eine Präfixbildung mit ›ringen‹ ist **erringen** »erkämpfen, gewinnen, erlangen« (mhd. *erringen*, ahd. *arringan*), dazu **Errungenschaft** (16. Jh.; Lehnübersetzung von mlat. *acquaestus*). – Abl.: **Ringer** »Ringkämpfer« (mhd. *ringer*, ahd. *ringāri*). Zus.: **Ringkampf** (19. Jh.).

Ringfinger ↑Finger.

rings ↑Ring.

rinnen: Das gemeingerm. Verb mhd. *rinnen*, ahd. *rinnan*, got. *rinnan*, aengl. *rinnan* (engl. *to run*), schwed. *rinna* gehört mit verwandten Wörtern in anderen idg. Sprachen zu der vielfach weitergebildeten und erweiterten idg. Wurzel **er[ə]-* (**rei-*, **reu-*) »[sich] in Bewegung setzen, [sich] bewegen, erregt sein«, vgl. z. B. aind. *ṛ́ṇóti, ṛṇvati*

»erhebt sich, bewegt sich«, *ṛ́ti-ḥ* »Angriff, Streit«, *árṇa-ḥ* »wogend, wallend«, lat. *oriri* »sich erheben; entstehen; geboren werden« (↑Orient), *origo* »Abstammung, Ursprung« (↑original), *ruere* »rennen, eilen, stürzen« und russ. *ronit'* »fallen lassen«. Zu dieser Wurzel gehören auch die unter ↑Ernst und ↑irr[e] behandelten Wörter, ferner die Sippen von ↑rasen und ↑Reise (dazu *reisen,* ↑*rieseln,* ↑*Rille*) sowie wahrscheinlich auch die Wortgruppe von ↑reiten. Siehe auch den Artikel *gar.* – Um ›rinnen‹ gruppieren sich im germ. Sprachbereich mehrere Substantivbildungen, vgl. z. B. ahd. *runs* »Lauf des Wassers, Fluss«, *runst* »das Rinnen, Fließen« (↑blutrünstig). Das Veranlassungswort zu dem gemeingerm. Verb ist ↑rennen (eigentlich »laufen machen«). Präfixbildungen mit ›rinnen‹ sind z. B. ↑entrinnen und ↑gerinnen.

Rippe: Die altgerm. Körperteilbezeichnung mhd. *rippe,* ahd. *rippa,* niederl. *rib[be],* engl. *rib,* schwed. *rev* (↑Riff) ist eng verwandt mit der slaw. Sippe von russ. *rebro* »Rippe« und gehört zu der idg. Verbalwurzel **rebh-* »bedecken, überdachen«, vgl. z. B. griech. *eréphein* überdecken, überdachen«, *órophos* »Bedeckung, Dach« und aus dem germ. Sprachbereich ahd. *hirni-reba* »Schädel« (eigentlich »Hirnbedeckung«). Die Rippen sind demnach als Bedeckung oder Dach der Brusthöhle benannt worden. Eine Kollektivbildung zu ›Rippe‹ ist das seit dem 17. Jh. bezeugte **Gerippe** »Knochengerüst des Körpers« (eigentlich »Gesamtheit der Rippen«).

Rips: Die Bezeichnung für »geripptes Gewebe« wurde im 19. Jh. aus gleichbed. engl. *ribs* entlehnt. Dies ist der Plural von engl. *rib* »Rippe; rippenartiger Gewebestreifen« (verwandt mit dt. ↑Rippe).

rischeln ↑rascheln.

Risiko »Wagnis, Gefahr«: Das Fremdwort wurde im 16. Jh. als kaufmännischer Terminus aus gleichbed. it. *risico, risco* (heute *rischio*) entlehnt, dessen weitere Herkunft unsicher ist. Aus dem It. stammt auch entsprechend frz. *risque* »Gefahr, Wagnis«. Davon abgeleitet ist das Verb frz. *risquer* »in Gefahr bringen, aufs Spiel setzen, wagen«, aus dem im 17. Jh. **riskieren** übernommen wurde. Aus frz. *risquant,* dem 1. Partizip von frz. *risquer,* wurde Anfang des 19. Jh.s **riskant** »gefährlich, gewagt« entlehnt.

Rispe »[büschelartiger] Blütenstand«: Das auf das dt. Sprachgebiet beschränkte Wort (mhd. *rispe* »Gebüsch, Gesträuch«, beachte ahd. *hrispahi* »Gesträuch«) gehört zu der unter ↑[1]Reis dargestellten Wortgruppe. Vgl. das eng verwandte lat. *crispus* »kraus« (↑Krepp).

Riss: Das gemeingerm. Substantiv mhd. *riʒ* »Riss«, ahd. *riʒ* »Furche; Strich; Buchstabe«, got. *writs* »Strich«, aengl. *writ* »Buchstabe; Schrift; Urkunde« (engl. *writ*), aisl. *rit* »Schrift, Schreiben« ist eine Bildung zu dem unter ↑reißen behandelten Verb. Im älteren Nhd. wurde ›Riss‹ auch im Sinne von »Zeichnung« verwendet, beachte z. B. die Zusammensetzungen ›Grundriss‹ und ›Schattenriss‹ und die Bedeutungsverhältnisse des Verbs ›reißen‹. – Abl.: **rissig** »voller Risse« (17. Jh.).

Rist »Hand-, Fußgelenk; Hand-, Fußrücken; Halsgelenk an der Schulter des Pferdes«: Das altgerm. Wort mhd. *rist,* mnd. *wrist,* engl. *wrist,* schwed. *vrist* gehört im Sinne von »Dreher, Drehpunkt« (der Hand, des Fußes) zu der germ. Wortgruppe von aengl. *wrīgian* »sich drehen; sich winden; sich mühen, streben«, vgl. auch niederd. *wricken,* daneben **wriggen, wriggeln** »ein Boot durch schraubenartige Bewegung des Ruders am Heck vorwärts bewegen«, niederl. *wrikken* »rütteln«, engl. *to wriggle* »[sich] winden, krümmen, ringeln«, schwed. *vricka* »hin- und herbewegen; verrenken, verstauchen«. – Dazu gehört auch das nur noch landsch. gebräuchliche **Reihen** »Fußrücken« (mhd. *rīhe* »Fußgelenk, Fußrücken«, ahd. *rīho* »Kniekehle, Wade«, vgl. niederl. *wreef* »Spann, Rist«). Außergerm. sind z. B. verwandt lit. *riešа[s]* »Rist« und weiterhin griech. *rhoikós* und *rhiknós* »gekrümmt, gebogen« (vgl. den Artikel *Wurm*).

Ritt: Das seit dem 15. Jh. (zuerst in der Form ›rytte‹) bezeugte Wort ist eine Bildung zu dem unter ↑reiten behandelten Verb. Es hatte früher auch die Bedeutung »Reiterschar«, woran sich die Zusammensetzung **Rittmeister** (15. Jh. in der Form ›Retmeister‹ »Hauptmann einer Reiterabteilung«) anschließt. – Abl.: **rittlings** »in der Haltung eines Reiters sitzend« (17. Jh.).

Ritter: Mhd. *ritter* wurde im 12. Jh., als das flandrische Rittertum hohes Ansehen genoss, aus dem Mniederl. übernommen oder mniederl. *riddere* »Ritter« nachgebildet. Das mniederl. Wort, das zu dem unter ↑reiten behandelten Verb gehört, ist seinerseits Lehnübertragung von afrz. *chevalier* »Ritter«. – Im Gegensatz zu mhd. *rīter, rītære* »Kämpfer zu Pferd; Reiter[smann]« (vgl. *reiten*) wurde mhd. *ritter* zur Standesbezeichnung. – Abl.: **ritterlich** (mhd. *ritterlich* »einem Ritter geziemend; stattlich, herrlich«); **Rittertum** (Anfang des 19. Jh.s). Zus.: **Rittergut** (16. Jh.; ursprünglich »Landgut, dessen Besitzer dem Lehnsherrn Kriegsdienst zu Pferde leisten musste«); **Ritterschlag** (mhd. *ritterslac* »Schlag mit dem flachen Schwert, durch den der Knappe in den Ritterstand erhoben wurde«); **Rittersporn** (14. Jh.; so benannt, weil die Blüte der Pflanze einem Sporn gleicht).

rittlings ↑Ritt.

Ritus »feierlicher religiöser Brauch; Zeremoniell«: Das Fremdwort wurde im 17. Jh. aus gleichbed. lat. *ritus* entlehnt, das mit dt. ↑Reim verwandt ist. Zu ›Ritus‹ stellen sich: **rituell** »zum Ritus gehörig, nach dem Ritus vollzogen« (19. Jh.; aus gleichbed. frz. *rituel,* das auf lat. *ritualis* zurückgeht); **Ritual** »rituelle Ordnung« (18. Jh.; aus lat. *rituale,* dem substantivierten Neutrum von lat. *ritualis* »den Ritus betreffend«).

ritzen: Das Verb mhd. *ritzen*, ahd. *rizzen* (daneben *rizzōn*) ist eine Intensivbildung zu dem unter ↑reißen behandelten Verb. Aus dem Verb rückgebildet ist das maskuline Substantiv **Ritz** »Spalt, Schlitz, Riss« (mhd. *riz*), neben dem das gleichbedeutende Femininum **Ritze** (15. Jh.) gebräuchlich ist.

Rivale »Nebenbuhler, Konkurrent; Gegenspieler«: Das Fremdwort wurde im 16. Jh. aus gleichbed. frz. *rival* entlehnt, das auf lat. *rivalis* zurückgeht. Das lat. Wort, das von lat. *rivus* »Wasserrinne, Bach« (verwandt mit dt. ↑rinnen) abgeleitet ist, erscheint zunächst als Adjektiv mit der Bedeutung »zum Bach, zum Kanal gehörig«. Substantiviert bezeichnet es den an der Nutzung eines Wasserlaufs Mitberechtigten, den »Bachnachbarn«. Daraus entwickelte sich dann die Bedeutung »Nebenbuhler«.

Rizinus: Der Name der Zier- und Heilpflanze, aus deren fettreichen Samen das als Abführmittel bekannte **Rizinusöl** gewonnen wird, ist aus dem lat. Baum- und Strauchnamen *ricinus* entlehnt. Dies ist wahrscheinlich identisch mit lat. *ricinus* »Zecke, Holzbock«, da die Rizinussamen Ähnlichkeit mit Zecken haben.

Roastbeef ↑[1]Rost.

Robbe: Die Bezeichnung des Seesäugetiers wurde zu Beginn des 17. Jh.s aus dem Niederd. ins Hochd. übernommen. Die Herkunft von niederd. *rubbe*, fries. *robbe*, niederl. *rob* ist dunkel.

Robe »festliches Frauenoberkleid; Amtstracht (von Geistlichen, Juristen und anderen Amtspersonen)«: Das Fremdwort wurde im 16. Jh. aus gleichbed. frz. *robe* übernommen. Die ursprüngliche Bedeutung des frz. Wortes ist »Beute; erbeutete Kleidung«. Es stammt aus afränk. **rauba* »Beute«, dem ahd. *rouba* »Beute« entspricht (vgl. *Raub*). – Siehe auch den Artikel *Garderobe*.

Roboter: Das Substantiv geht auf spätmhd. *robāter, robatter* »Fronarbeiter« zurück, eine Bildung zu spätmhd. *robāt[e]* »Frondienst, Fronarbeit«. Dies ist aus tschech. *robota* »Fronarbeit; Zwangsdienst; Knechtschaft« entlehnt (vgl. über die etymologischen Zusammenhänge den Artikel *Arbeit*). ›Roboter‹ wurde dann auch allgemein im Sinne von »schwer arbeitender Mensch; Arbeitstier« gebräuchlich, beachte das Verb **roboten** »schwer arbeiten, schuften« (mhd. *robāten* »Frondienst leisten«). In der 1. Hälfte des 20. Jh.s kam dann die Verwendung von ›Roboter‹ im Sinne von »Maschinenmensch« auf, und zwar unter dem Einfluss von gleichbed. engl.-amerik. *robot* aus tschech. *robot* (oder auch als Neubildung dazu), nach der amerikanischen Fassung »Rossum's Universal Robots« (1920) des sozialutopischen Dramas des Tschechen K. Čapek (1890–1938).

robust »stämmig, vierschrötig; stark; widerstandsfähig, unempfindlich, derb«: Das Adjektiv wurde im 18. Jh. – wohl unter dem Einfluss von entsprechend frz. *robuste* – aus gleichbed. lat. *robustus* entlehnt. Dies bedeutet eigentlich »aus Hartholz, aus Eichenholz, eichen« und ist von lat. *robur* (alat. *robus*) »Kernholz; Kernholzbaum, Eiche« abgeleitet. Lat. *robur* gehört vermutlich im Sinne von »dunkelfarbiges, rotes Kernholz« zur idg. Sippe der unter ↑rot genannten Wörter.

röcheln »rasselnd atmen«: Mhd. *rücheln, rüheln* »wiehern; brüllen; rasselnd atmen« ist eine Iterativbildung zu dem im Nhd. untergegangenen Verb mhd. *rohen*, ahd. *rohōn* (daneben *ruhen*) »brüllen; grunzen«, das lautnachahmenden Ursprungs ist, vgl. die baltoslaw. Sippe von russ. *rykat'* »brüllen; grunzen«. Beachte auch die unter ↑röhren, ↑Rune und ↑raunen behandelten Lautnachahmungen.

Rochen: Der aus dem Niederd. ins Hochd. übernommene Name des Raubfisches geht zurück auf mnd. *roche, ruche*, vgl. niederl. *rog* »Rochen« und aengl. *reohhe* »Rochen«. Aus dem Mnd. stammt die nord. Sippe von schwed. *rocka* »Rochen«. Der Fischname gehört wohl zu dem unter ↑rau behandelten Adjektiv und bedeutet eigentlich »der Raue«. Der Rochen hat statt der Schuppen Zähnchen von dornenartiger Gestalt.

[1]**Rock:** Der westgerm. Name des Kleidungsstücks mhd. *roc*, ahd. *roc[h]*, niederl. *rok*, aengl. *rocc* ist verwandt mit der kelt. Sippe von air. *rucht* »Untergewand«. ›Rock‹ bedeutete ursprünglich wohl »Gespinst« und ist vielleicht mit dem unter ↑Rocken »Spinnstab« behandelten Wort verwandt. – Die nord. Sippe von schwed. *rock* »Rock, Kittel, Mantel« stammt aus dem Westgerm.

[2]**Rock:** Das Substantiv ist entweder abgekürzt aus der Zusammensetzung **Rockmusik** oder aus der Bezeichnung **Rock and Roll, Rock 'n' Roll**. Der Name des Tanzes ist gebildet zu engl. *to rock* »schaukeln, wackeln« und zu engl. *to roll* »drehen, herumwirbeln«. Engl. *to rock* ist verwandt mit dem Verb ↑rücken.

Rocken »Spinnstab«: Die Herkunft des altgerm. Wortes mhd. *rocke*, ahd. *rocko*, niederl. *rokken*, schwed. *rock* ist unklar. Vielleicht hängt es mit den unter ↑[1]Rock behandelten Wörtern zusammen. Siehe auch den Artikel *Rakete*.

Rock 'n' Roll ↑[2]Rock.

rodeln »mit dem Schlitten fahren«: Das seit der 1. Hälfte des 19. Jh.s bezeugte Verb, das von Bayern ausgehend gemeinsprachliche Geltung erlangte, ist unbekannter Herkunft.

roden »abholzen und Wurzelstöcke entfernen, urbar machen«: Das aus dem Niederd. stammende Verb (mnd. *roden*) steht im Ablaut zu gleichbed. südd., österr. und schweiz. **reuten** (mhd., ahd. *riuten*), vgl. dazu mhd. *rieten* »ausrotten, vernichten«, *roten* »roden« (↑ausrotten), ahd. *rūtōn* »ausrotten, verwüsten«, *rod* »Neuland«, niederl. *rooien* »roden«, schwed. *rö[d]ja* »roden«. Siehe auch die Artikel *zerrütten* und *rütteln*. Diese germ. Wortgruppe gehört zu der unter ↑raufen dargestellten idg. Wurzel.

Rogen: Das altgerm. Wort für »Fischeier«, mhd. *roge[n]*, ahd. *rogo, rogan*, mniederl. *roge, roch*, engl. (vielleicht nord. Lehnwort) *roe*, aisl. *hrogn* (schwed. *rom*), ist wahrscheinlich verwandt mit der baltoslaw. Sippe von russ. *krjak* »Froschlaich«. Die weiteren Beziehungen sind unklar.

Roggen: Die germ. Bezeichnungen der seit der Bronzezeit in Mitteleuropa angebauten Getreideart (mhd. *rocke*, ahd. *rocko*, niederl. *rogge*, engl. *rye*, schwed. *råg*) sind verwandt mit der balt. Sippe von lit. *rugỹs* »Roggenkorn, -halm« und mit der slaw. Sippe von russ. *rož'* »Roggen«. Welche Vorstellung diesen Benennungen der Getreideart zugrunde liegt, ist dunkel. – Bis ins 18. Jh. wurde das Wort mit -ck- geschrieben. Dann setzte sich zur Unterscheidung von ›Rocken‹ »Spinnstab« die Schreibung mit -gg- durch.

roh »nicht gekocht, ungebraten; nicht bearbeitet, unfertig; primitiv; gefühllos, grausam«: Das altgerm. Adjektiv mhd. *rō*, ahd. *rō, rāwer*, niederl. *rauw*, engl. *raw*, schwed. *rå* gehört mit verwandten Wörtern in anderen idg. Sprachen zu der idg. Wurzel **kreu-, *kreu̯ə-* »gerinnen« (vom Blut), vgl. z. B. aind. *krūrá-ḥ* »blutig; grausam«, lat. *cruor* »rohes, dickes Blut«, *crudus* »roh; rau; hart« und die baltoslaw. Sippe von russ. *krov'* »Blut«. Das altgerm. Wort bedeutete demnach ursprünglich »blutig«. – Zu dieser mit s erweiterten idg. Wurzel in der Bedeutungswendung »gerinnen, erstarren« gehören z. B. griech. *krýos* »Eis, Frost«, *krýstallos* »Eis« (↑Kristall), lat. *crusta* »Rinde, Kruste, Schorf« (↑Kruste) und aus dem germ. Sprachbereich z. B. ahd. *[h]roso* »Eis; Kruste«.

Rohr: Mhd., ahd. *rōr*, niederl. *roer*, schwed. *rör* stehen im grammatischen Wechsel zu got. *raus* »Rohr«. Die Herkunft dieser germ. Sippe, zu der auch das unter ↑Reuse (eigentlich »Rohr-, Binsengeflecht«) behandelte Wort gehört, ist unklar. Vielleicht besteht Verwandtschaft mit der Wortgruppe von schwed. *rusa* »sich heftig bewegen, stürmen, preschen«, sodass das Rohr als »Sichschüttelndes, (im Winde) Schwankendes« benannt worden wäre (beachte den Artikel *Ried*). Ursprünglich bezeichnete ›Rohr‹ die hohlschäftige Pflanze, das Schilfrohr, dann wurde das Wort auch im kollektiven Sinne von »Schilf« gebräuchlich. Ferner bezeichnet es das aus hohlschäftigen Pflanzen Hergestellte (beachte z. B. die Zusammensetzungen ›Rohrstock‹ und ›Rohrstuhl‹) und weiterhin rohrförmige Hohlkörper (beachte z. B. die Zusammensetzungen ›Fern-, Hör-, Kanonenrohr, Rohrpost‹). – Abl.: **Röhre** (s. d.); **Röhricht** (mhd. *rœrach, rōrach*, ahd. *rōrahi* »Schilf[dickicht]«; die heute übliche Form mit auslautendem -t findet sich seit dem 15. Jh.). Zus.: **Rohrdommel** (mhd. *rōrtumel, -trumel*, ahd. *rōredumbil;* der zweite Bestandteil des Namens des Reihervogels ist lautmalenden Ursprungs und ahmt den eigentümlichen Paarungsruf des Vogels nach; der erste Bestandteil bezieht sich auf den Nistplatz des Vogels im Schilf, wie z. B. auch das Bestimmungswort der Vogelnamen **Rohrsänger** und **Rohrspatz**, beachte zum Letzteren die seit dem 18. Jh. gebräuchliche Redewendung ›wie ein Rohrspatz schimpfen‹ »heftig schimpfen«).

Röhre: Das auf das dt. Sprachgebiet beschränkte Substantiv (mhd. *rœre*, ahd. *rōr[r]a*) ist eine Ableitung von dem unter ↑Rohr behandelten Wort, mit dem es ursprünglich gleichbedeutend war. Im heutigen Sprachgebrauch bezeichnet ›Röhre‹ gewöhnlich einen länglichen zylindrischen Körper, wobei sich der Anwendungsbereich von ›Röhre‹ mit demjenigen von ›Rohr‹ überschneidet. Zum Teil bezeichnet das Wort auch Dinge, die heute nicht mehr rohrförmig hohl sind, beachte z. B. die Zusammensetzungen ›Bratröhre‹ und ›Radio-, Fernsehröhre‹.

röhren »brüllen« (vom Hirsch): Das westgerm. Verb mhd. *rēren*, ahd. *rērēn* »brüllen, blöken«, mnd. *rāren* »brüllen«, engl. *to roar* »brüllen, schreien; tosen, dröhnen« ist lautnachahmenden Ursprungs, vgl. die elementarverwandten Verben aind. *rā́yati* »bellt« und russ. *rajat'* »lärmen, schallen«. Beachte auch die unter ↑röcheln, ↑Rune und ↑raunen behandelten Lautnachahmungen.

rojen ↑Ruder.

Rokoko: Die Bezeichnung für jene charakteristische Stilphase der europäischen [Bau]kunst des 18. Jh.s, die die Zeit des Barocks ablöste, stammt aus dem Frz., wie denn auch die Grundlagen dieses Kunststils selbst in Frankreich zu suchen sind; vgl. das Kapitel zur Sprachgeschichte *Die Zeit des Barocks*. Frz. *rococo* (Adjektiv und Substantiv) ist eine in der familiären Sprache der Pariser Ateliers aufgekommene Ableitung von frz. *rocaille* »Geröll; aufgehäufte Steine; Grotten-, Muschelwerk usw.« (zu frz. *roc* »Felsen«). Das Wort spielt also auf die großzügige dekorative Verwendung von allerlei Grotten-, Muschel- und Steinwerk in der Bauweise dieser Zeit an.

Rolle: Das seit dem 14. Jh. bezeugte Wort (mhd. *rolle, rulle*) bedeutete zunächst speziell »kleines Rad, kleine Scheibe oder Walze«, dann allgemeiner »rollenförmiger Gegenstand«. Daran schließen sich die im Laufe der Zeit entwickelten übertragenen Verwendungsweisen des Wortes an. Aus der Kanzleisprache stammt die spezielle Verwendung des Wortes für »zusammengerolltes Schriftstück, Schriftrolle; Urkunde (in gerollter Form)«. In der Bühnensprache versteht man unter ›Rolle‹ den einem Schauspieler zugewiesenen Darstellungspart (nach dem ursprünglich auf handlichen Schriftrollen für die Proben eines Stückes aufgezeichneten Text). Von daher bedeutet dann ›Rolle‹ auch allgemein »persönliches Auftreten und Wirken; Leistung des Einzelnen in einem größeren Rahmen« (beachte dazu die

Wendung ›eine Rolle spielen‹). – ›Rolle‹ ist aus afrz. *ro[l]le* (= frz. *rôle*) »Rolle; Liste; Register« entlehnt, das auf (spät)lat. *rotulus* (bzw. lat. *rotula*) »Rädchen; Rolle, Walze« zurückgeht. Dies ist eine Verkleinerungsbildung zu lat. *rota* »Rad; Scheibe« (urverwandt mit dt. ↑Rad). – Das Verb **rollen** (mhd. *rollen*), das vom Sprachgefühl unmittelbar mit ›Rolle‹ verbunden wird, ist jedoch unabhängig von diesem aus afrz. *rol[l]er* (= frz. *rouler*) »rollen« entlehnt, das auf einem von (spät)lat. *rotulus* abgeleiteten Verb **rotulare* »ein Rädchen, eine Scheibe rollen« beruht. Zu ›rollen‹ stellen sich die folgenden Ableitungen und Zusammensetzungen: **Roller** als Name eines Kinderspielgerätes; ferner als Fahrzeugbezeichnung (beachte die Zusammensetzung **Motorroller**); **Rollmops** »gerollter marinierter Hering« (19.Jh.); **Rollstuhl, Rollladen** u.a., ferner auch ↑Geröll[e]. – Vgl. noch die Artikel *Roulade, Rouleau, Roulett[e], Kontrolle (kontrollieren, Kontrolleur).*

Rollo ↑Rouleau.

Roman: Das Fremdwort wurde im 17.Jh. aus gleichbed. frz. *roman* (afrz. *romanz, romant*) entlehnt. Das frz. Wort, das ein vlat. Adverb **romanice* »auf romanische Art; in romanischer Sprache« fortsetzt, bezeichnete ursprünglich eine in lateinisch-romanischer Volkssprache (im Gegensatz zur Gelehrtensprache des klassischen Lateins) verfasste oder aus dieser übersetzte Erzählung. Seit dem 14./15.Jh. bezeichnete es speziell die abenteuerlichen Ritterdichtungen des Mittelalters, seit dem 17./18.Jh. dann die literarische Gattung erzählerischer Prosa, die das Schicksal eines Einzelnen oder einer Gruppe schildert. – Dazu stellen sich **Romancier** »Romanschriftsteller« (18.Jh.; aus gleichbed. frz. *romancier*) und die unter ↑romantisch, Romantik und ↑Romanze behandelten Wörter.

romanisch: Das seit dem 17.Jh. gebräuchliche Adjektiv geht auf lat. *Romanus* »römisch, zu Rom gehörig« zurück. Es wurde dann speziell im Sinne von »sich aus römischer Kultur und Sprache herleitend« gebraucht, seit dem 19.Jh. auch im Sinne von »die Baukunst der Romanik betreffend«. – Dazu gebildet ist **Romanik** (20.Jh.) als Bezeichnung für den Baustil von ca. 1000 bis 1250, der vor allem durch Rundbogen, Kreuzgewölbe und flächenhafte Fresken gekennzeichnet ist.

R

romantisch: Das Adjektiv wurde im 17.Jh. aus frz. *romantique* entlehnt, einer Ableitung von frz. *roman* (afrz. *romanz, romant;* vgl. *Roman*). Wie dies bedeutete es zunächst »dem Geist der mittelalterlichen Ritterdichtung gemäß; romanhaft«. Erst im 18.Jh. entwickelten sich im Frz. wie im Dt. unter dem Einfluss des entsprechenden engl. Adjektivs *romantic*, das selbst aus dem Frz. stammt, die Bedeutungen »poetisch, fantastisch, wunderbar, abenteuerlich«, »gefühlsbetont, schwärmerisch« und »stimmungsvoll, malerisch; geheimnisvoll, düster«. Seit dem 19.Jh. wird ›romantisch‹ auch im Sinne von »die Romantik betreffend, von ihr geprägt« gebraucht. – Dazu gebildet ist **Romantik** (18.Jh.), das zunächst im Sinne von »das Romantische, Fantastische als Eigenart des Romans« gebräuchlich war, dann zum Kunst- und Epochenbegriff (im Gegensatz zur Aufklärung und Klassik) wurde. Seit der Mitte des 19.Jh.s wird ›Romantik‹ auch übertragen im Sinne von »romantische Wesensart, Verträumtheit; Abenteuerlichkeit« verwendet.

Romanze: Das Substantiv gelangte mit der spanischen Romanze, einer unserer ↑Ballade vergleichbaren Kunstgattung episch-lyrischen Charakters, im 18.Jh. durch frz. Vermittlung (frz. *romance*) ins Deutsche. Heute wird das Wort fast ausschließlich als Bezeichnung für ein »schwärmerisches, sentimentales Musikstück« und im Sinne von »romantische Liebesepisode« gebraucht.

Römer »bauchiges, kelchförmiges Weinglas«: Das seit dem 16.Jh. – zuerst in Köln – bezeugte Wort (älter: *rœmsche g[e]las*) bedeutet eigentlich »Römer«. Die Bezeichnung bezog sich also ursprünglich nicht auf die Form des Glases, sondern auf die Art des Glases, das Nuppenglas, das man »römisches Glas« nannte.

Röntgenstrahlen: Die elektromagnetischen Strahlen sind nach dem Physiker W. C. Röntgen (1845–1923) benannt, der diese Strahlen entdeckte und 1896 zuerst demonstrierte. Röntgen selbst nannte sie X-Strahlen (= unbekannte Strahlen). Die Bezeichnung ›Röntgenstrahlen‹ wurde 1896 von dem Schweizer Anatomen A. v. Kölliker eingeführt.

rosa »blassrot, rosenfarbig«: Das im 18.Jh. aufgekommene Farbadjektiv ist aus dem Blumennamen lat. *rosa* hervorgegangen (vgl. *Rose*). Der gleiche Farbton wurde vorher durch Bezeichnungen wie mhd. *rōsenvarwec*, nhd. *rosenfarbig* beschrieben. – Das Bedürfnis nach einer Nuancierung des rosa Farbtons führte im 20.Jh. zu der Übernahme von **rosé** »zartrosa; rosig« (aus frz. *rosé*, das von frz. *rose* »Rose; rosa« abgeleitet ist).

Rose: Der Blumenname mhd. *rōse*, ahd. *rōsa* (entsprechend z.B. niederl. *roos*, aengl. *rōse*, schwed. *ros*) ist aus lat. *rosa* »Edelrose« entlehnt. Das lat. Wort hängt mit gleichbed. griech. *rhódon* (< *u̯rhódon*) zusammen und stammt mit diesem (oder durch das griech. Wort vermittelt) aus einer kleinasiatischen Quelle (vgl. z.B. armen. *vard* »Rose« < apers. **varda-* »Rose«). – Abl.: **rosig** »rosenrot«, auch übertragen »erfreulich, schön, gut« (älter: *rosicht;* mhd. *rōsic*). Zus.: **Rosenkranz** als Bezeichnung für die Gebetsschnur der Katholiken (13.Jh.; Übersetzung von gleichbed. mlat. *rosarium*, das ursprünglich eine Rosengirlande bezeichnete, mit der man das Bildnis der Jungfrau Maria bekränzte); **Rosenkohl** (Anfang 19.Jh.; so benannt nach den als Gemüse verwendeten rosenförmigen Blattachselknospen). – Vgl. auch den Artikel *rosa*.

Rose

wie auf Rosen gebettet
»unbeschwert, angenehm, in Komfort und Luxus«
Diese Wendung geht darauf zurück, dass die Rose im Altertum als Symbol des Glücks und der Freude angesehen wurde. Mit Rosenblättern umgaben sich die Reichen bei festlichen Anlässen.

Rosenmontag: Die Bezeichnung für den Montag vor Fastnachtsdienstag hat sich aus niederrhein. *rasen[d]montag* (beachte köln. *rose* »toben, tollen, ausgelassen sein«) entwickelt und bedeutet demnach also eigentlich »rasender (wilder, toller) Montag«. Außerhalb des Rheinlandes wird das Bestimmungswort von ›Rosenmontag‹ gewöhnlich als Plural des Blumennamens ›Rose‹ aufgefasst.

Rosine: Der Name für die kleinen getrockneten Weinbeeren (andere Bezeichnungen siehe unter *Korinthe* und *Sultanine* [↑Sultan], der von Norddeutschland aus gemeinsprachlich wurde (mnd. *rosīn[e],* mhd. *rosīn*), ist aus einer Mundartform von (a)frz. *raisin* »Weintraube« (*raisin sec* »Rosine«) entlehnt. Dies geht auf lat. *racemus* (bzw. vlat. **racimus*) »Kamm der Traube; Weinbeere« zurück.

Rosmarin: Der immergrüne Strauch des Mittelmeergebietes trägt einen lat. Namen, der in dt. Texten seit dem 15. Jh. erscheint. Lat. *ros marinus* »Rosmarin« bedeutet eigentlich »Meertau« (zu lat. *marinus* »das Meer, die See« betreffend vgl. den Artikel *Marine*).

Ross: Die Herkunft des altgerm. Wortes mhd. *ros,* ahd. *[h]ros,* niederl. *ros,* engl. *horse,* aisl. *hross* ist trotz aller Deutungsversuche unklar. Vielleicht gehört es im Sinne von »Renner« zu der idg. Wortgruppe von lat. *currere* »laufen« (vgl. *Kurs*) oder ist ein altes Wanderwort asiatischen Ursprungs. – Eine oberd. Verkleinerungsbildung zu ›Ross‹ ist **Rössel** »Pferdchen«. An die Verwendung von ›Rössel‹ als Bezeichnung des Springers im Schachspiel schließt sich die Zusammensetzung **Rösselsprung** (19. Jh.) an. Dieses Wort bezeichnete ursprünglich den Zug des Springers auf dem Schachbrett, dann eine Rätselart, die nach dem Prinzip des Springerzuges zu lösen ist. – Zus.: **Rosskastanie** (16. Jh.; das Bestimmungswort des Baumnamens bezieht sich wohl darauf, dass die Samen der Rosskastanie als Heilmittel für kranke Pferde verwendet wurden).

[1]**Rost** »Gitter (unter oder über dem Feuer); Grundbau (aus Pfählen und Balken)«: Das auf das dt. und niederl. Sprachgebiet beschränkte Wort mhd., ahd. *rōst* »Rost; Scheiterhaufen; Feuersbrunst, Glut«, mniederl. *roost* »Rost; Ofenfeuer; Braten« ist unbekannter Herkunft. Die nord. Sippe von schwed. *rost* »Rost« stammt aus dem Mnd. – Vom Substantiv abgeleitet ist das Verb **rösten** (mhd. *rœsten,* ahd. *rōsten* »auf den Rost legen, braten, rösten«, vgl. niederl. *roosten* »rösten«). Aus einer afränk. Entsprechung von ahd. *rōsten* stammt afrz. *rostir,* frz. *rôtir* »braten, rösten«, dazu frz. *rôtisserie* »Fleischbraterei; [Grill]restaurant«, beachte das Fremdwort **Rotisserie.** Aus dem Afrz. wiederum stammt engl. *to roast* »braten, rösten«, dazu *roast beef* »Rinderbraten«, beachte das Fremdwort **Roastbeef** »Rostbraten, Rinderbraten auf englische Art«.

[2]**Rost:** Das altgerm. Wort mhd., ahd. *rost,* niederl. *roest,* engl. *rust,* schwed. *rost* gehört zu der unter ↑rot dargestellten idg. Wurzel. Die Zersetzungsschicht auf Eisen ist also nach ihrer rötlichen Farbe benannt. Vgl. aus anderen idg. Sprachen z. B. lett. *rûsa* »Rost« und lit. *rūdìs* »Rost«, *rū̃sti* »rosten; verderben«.

rot: Das gemeingerm. Farbadjektiv mhd., ahd. *rōt,* got. *rauþs,* engl. *red,* schwed. *röd* gehört mit verwandten Wörtern in den meisten anderen idg. Sprachen zu der idg. Wurzel **reudh-* »rot«, vgl. z. B. aind. *rudhirá-ḥ* »rot; blutig«, griech. *erythrós* »rot«, *éreuthos* »Röte«, lat. *rubeus* »rot« (↑Rubin), *ruber* »rot«, *rubrica* »rote Farbe, rote Erde« (↑Rubrik), alat. *robus* »Kernholz« (nach der dunklen rötlichen Farbe; s. den Artikel *robust*) und russ. landsch. *rudyj* »fuchsrot« (↑Reizker). Zu dieser Wurzel gehört auch das unter ↑[2]Rost »Zersetzungsschicht auf Eisen« behandelte Wort. – Abl.: **Röte** »das Rotsein, rote Färbung« (mhd. *rœte,* ahd. *rōti;* beachte z. B. die Zusammensetzungen ›Morgen-, Schamröte‹); **Rötel** »roter Mineralfarbstoff« (mhd. *rœtel,* gekürzt aus mhd. *rœtelstein,* ahd. *rōtilstein;* beachte die Zusammensetzungen ›Rötelstift, -zeichnung‹); **Röteln** (16. Jh.; der Name der Kinderkrankheit bezieht sich auf den rötlichen, masernähnlichen Ausschlag); **röten** »rot machen; rot werden« (mhd. *rœten,* ahd. *rōten;* damit zusammengefallen ist intransitives mhd. *rōten,* ahd. *rōtēn*), dazu die Präfixbildung **erröten** »rot werden« (mhd. *errōten,* ahd. *irrōtēn*); **rötlich** »ins Rötliche gehend« (frühnhd. für mhd. *rœteleht*). Zus.: **Rotauge** (spätmhd. *rōtauge,* ahd. *rōtouga;* die Weißfischart ist nach dem roten Ring um die Augen benannt); **Rotkehlchen** (16. Jh., zunächst ostmitteld.; der Singvogel ist nach seiner rostroten Kehle benannt, vgl. dazu z. B. gleichbed. frz. *rougegorge* und engl. *redbreast*); **Rotwild** (mhd. *rōtwilt*). Siehe auch den Artikel *Rüde.*

rotieren »sich drehen, umlaufen«: Das Verb wurde um 1800 aus lat. *rotare* »[sich] kreisförmig herumdrehen« entlehnt. Dies ist abgeleitet von lat. *rota* »Rad; Scheibe; Kreis«, das verwandt ist mit dt. ↑Rad. – Dazu: **Rotation** »Umdrehung, Umlauf« (17. Jh.; aus spätlat. *rotatio* »kreisförmige Drehung«); **Rotor** »sich drehender Teil einer elektrischen Maschine« (20. Jh.; aus gleichbed. engl. *rotor,* Kurzform für *rotator*). – Von lat. *rota* ist das Adjektiv lat. *rotundus* »rund, abgerundet« abgeleitet, das dem Lehnwort ↑rund zugrunde liegt.

Die Zeit des Barocks

Vor allem die Architektur war es, die im 17. und 18. Jahrhundert die Barockkultur prägte. Von ihr empfingen bis in die Musik und die Dichtung hinein alle anderen Künste ihre Anregungen. Kennzeichnend für die Baukunst dieser Zeit war die Überwindung aller statischen Elemente zugunsten des Bewegten. Alle strengen, rechteckigen Formen an Gebäuden, besonders an Schlössern, Kirchen und Klöstern, wurden durch Türme, sich vorwölbende Fassaden oder durch oval ausschwingende Seitenflügel aufgelockert. Diese Bewegtheit, dieses stetig »Unregelmäßige« gab der Epoche auch ihren Namen. Er wurde gebildet zum Adjektiv *barock,* das aus französisch *baroque* stammt und eigentlich »schief, unregelmäßig« bedeutete. Das französische Adjektiv hat die Bedeutung »das Barock betreffend« vom italienischen *barocco* übernommen. Beide Wörter gehen zurück auf portugiesisch *barocco,* das ursprünglich eine unregelmäßige Perlenoberfläche bezeichnete.

Französische Fachwörter der Architektur und Gartenbaukunst

Die Barockkunst hatte ihren Ausgangspunkt in Rom. Hier waren es vor allem die Spätwerke Michelangelos und die Werke des berühmten Baumeisters Bernini, die großen Einfluss auf die europäischen Künstler ausübten und sie zu eigenen Abwandlungen des italienischen Barockstils anregten. Besonders eindrucksvoll prägte sich der barocke Baustil in den Kloster- und Kirchenbauten Österreichs, Süddeutschlands und im protestantischen Norddeutschland aus. Für die barocken Schlossanlagen Europas galten das königliche Schloss im französischen Versailles und seine Gartenanlagen in strenger Gliederung als Vorbild. König Ludwig XIV. hatte Schloss und Parkanlage errichten lassen. So, wie die deutschen Fürsten den absolutistischen Regierungsstil des »Sonnenkönigs« (eine Übersetzung des französischen *Roi-Soleil,* wie Ludwig auch genannt wurde) nachahmten, versuchten sie auch den französischen Baustil bei der Errichtung ihrer Residenzen zu kopieren. Dadurch gelangten im Bereich des Bauwesens und der bildenden Künste eine Fülle französischer Wörter ins Deutsche, z. B. *Allee* (französisch *allée,* eigentlich »Gang«, dann »Weg zwischen Bäumen«), *Balkon* (französisch *balcon,* aus dem Italienischen, eigentlich »Balkengerüst«), *Bassin* (französisch *bassin* »Becken«), *Etage* (französisch *étage,* eigentlich »unterschiedliche Höhe«), *Fassade* (französisch *façade,* aus dem Italienischen), *Fontäne* (französisch *fontaine,* zu lateinisch *fons* »Quelle«), *Kaskade* (französisch *cascade* »künstlich angelegter Wasserfall«), *Kulisse* (französisch *coulisse,* eigentlich »Schiebewand«), *Nische* (französisch *niche,* eigentlich »Nest«), *Parkett* (französisch *parquet* »kleiner abgegrenzter Raum«, mit verschiedenen übertragenen Bedeutungen ins Deutsche entlehnt), *Parterre* (französisch *parterre,* ursprünglich »ebenes Gartenbeet«), *Profil* (französisch *profil,* italienisch *profilo,* zu italienisch *filo* »Strich, Linie«), *Sockel* (französisch *socke*), *Terrasse* (französisch *terrasse,* ursprünglich etwa »Erdaufschüttung«).

Italienischer Einfluss

Das Italienische vermittelte dem deutschen Wortschatz Fachwörter wie z. B. *Bronze* (aus italienisch *bronzo,* später über gleichbedeutend französisch *bronze* neu entlehnt), *Fresko* (= Wandmalerei auf frischem Verputz; gekürzt aus *Freskogemälde,* italienisch *pittura a fresco,* zu italienisch *fresco* »frisch«), *Galerie* (italienisch *galleria*), *Korridor* (aus italienisch *corridore* »Laufgang«), *Kuppel* (aus italienisch *cupola*), *Skizze* (aus italienisch *schizzo,* eigentlich »Spritzer [mit der Feder]«, daraus dann »Entwurf«), *Spalier* (aus italienisch *spalliera,* eigentlich »Stütze, Stützwand«), *Stuck* (italienisch *stucco,* verwandt mit unserem Wort »Stück«) und *Torso* (italienisch *torso,* eigentlich »[Kohl]-strunk«).

Cuisine française

Nicht nur im Bereich von Staats- und Baukunst war Frankreich Vorbild für die deutschen Fürsten. Die Kochkunst der französischen Hofküche übte ebenfalls einen großen Einfluss sowohl auf die Auswahl der Speisen in den Küchen der deutschen Fürstenhöfe als auch auf die Bezeichnungen der Gerichte selbst und sogar auf die zur Zubereitung benötigten Küchengeräte aus.

Auch das vornehme Großbürgertum orientierte sich am französischen Nachbarn. Man setzte sich nicht einfach zum Essen an den Tisch, sondern nahm das *Diner* (französisch *dîner* »Hauptmahlzeit«) ein. Hatte man Gäste geladen, wurde das kostbarste *Service* (= Tafelgeschirr; französisch *service,* eigentlich »Dienstleistung«) aufgelegt. Auf silbernen *Tabletts* (aus französisch *tablette,* eigentlich »kleiner Tisch«) trugen die Dienstmädchen große *Terrinen* (aus französisch *terrine,* eigentlich »Schüssel aus Ton«) herein, in denen *Bouillon* (= Fleischbrühe; französisch *bouillon,* zu französisch *bouillir* »kochen, sieden«) dampfte. Danach wurde als Vorspeise ein *Omelett* (französisch *omelette,* die weitere Herkunft ist unsicher) den Gästen vorgesetzt. Als Hauptgericht gab es *Koteletts* (aus französisch *côtelette,* zu französisch *côte* »Rippe, Seite«). Wer dies nicht wollte, konnte sich ein *Ragout* (französisch *ragoût,* eigentlich »Appetitmacher«) oder ein *Frikassee* (französisch *fricassée*) *servieren* lassen (aus französisch *servir,* eigentlich »dienen«). Zum Essen trank man *Champagner,* einen Wein aus der nordostfranzösischen Landschaft *Champagne* (französisch *vin de Champagne*), als alkoholfreies Getränk eine *Limonade* (französisch *limonade,* zu französisch *limon* »dickschalige Zitrone«). Nach der Hauptmahlzeit kam das *Dessert* (französisch *dessert*) auf den Tisch.

Kunst und Kultur des Rokoko

Aus der Kunst des Barocks entwickelte sich gegen Ende des 18. Jahrhunderts das **Rokoko** und sein heiter-beschwingter und zierlicher Stil (der Name stammt von dem französischen Wort *rocaille* »Muschel, Muschelornament« und bezieht sich auf die häufig verwendeten Muschelornamente im Baustil dieser Zeit). Dieser Stil verbreitete sich von Frankreich aus über Europa und wirkte sich meist in den Innenräumen, in der Ornamentik und im Kunstgewerbe aus. Er schwelgte in mutwillig gebogenen und verschnörkelten Linien, in zarten Farben und heiter wirkenden Dekorationen. Die *Möbel* (aus französisch *meubles,* eigentlich »bewegliche Einrichtungsgegenstände«, zu lateinisch *mobilis* »beweglich«) waren jetzt zierlich und machten den fürstlichen Palast wie auch das Bürgerhaus wohnlich und behaglich.

Voller *Charme* (französisch *charme,* aus lateinisch *carmen* »Zauberformel«, eigentlich »Gesang, Lied«; schon seit dem Ende des 17. Jahrhunderts dazu auch das Adjektiv *charmant* »bezaubernd«) bewegte man sich in den *Salons* (französisch *salon,* aus dem Italienischen), pflegte geistreiche, aber unverbindliche Unterhaltung und tauschte nichts sagende *Galanterien* (aus französisch *galanterie,* zu französisch *galant* »liebenswürdig«) aus.

Dieser fast übermächtige Einfluss der französischen Sprache ließ erst im 19. Jahrhundert langsam nach. Das Französische blieb aber noch lange tonangebend, so zum Beispiel in der Mode und als Sprache der internationalen Diplomatie. Vom Ende des 19. Jahrhunderts an und besonders im 20. Jahrhundert gewinnt aber das Englische zunehmend an Bedeutung.

otte: Das seit dem Anfang des 13. Jh.s bezeugte Wort für »Abteilung, Schar; wilder Haufen, zusammengewürfelte Horde« (mhd. *rot[t]e*) ist aus gleichbed. afrz. *rote* entlehnt, das auf mlat. *rupta, rut[t]a* »Abteilung; [Räuber]schar« zurückgeht. Dies gehört im Sinne von »abgesprengte, zersprengte Schar« zu lat. *rumpere (ruptum)* »[zer]brechen, zerreißen, zersprengen; beschädigen, verderben usw.« (über weitere etymologische Zusammenhänge vgl. den Artikel *raufen*). – Abl.: **rotten** »eine Rotte bilden« (mitteld. *roten* »sammeln, scharen«; heute veraltet), dazu die Zusammensetzung **zusammenrotten,** sich »sich [in unguter Absicht] zusammenscharen« (17. Jh.). Nicht verwandt ist ›ausrotten‹ »völlig vernichten« (s. d.). – Auf Bildungen zu lat. *rumpere* beruhen die Fremdwörter ↑Route, Routine, ↑abrupt, ↑korrupt, korrumpieren, ferner auch ↑Bankrott.

otwelsch ↑welsch.

otz: Mhd. *ro[t]z*, ahd. *[h]roz*, »[Nasen]schleim«, aengl. *hrot* »Schleim; Schaum« gehören zu ahd. *[h]rūzan* »schnarchen, knurren«, aengl. *hrūtan* »rauschen; lärmen; schnarchen«, schwed. *ryta* »brüllen«, die lautnachahmenden Ursprungs sind. – Im heutigen Sprachgebrauch wird ›Rotz‹ als Bezeichnung für eine ansteckende Tierkrankheit und als derber Ausdruck für »Nasenschleim« verwendet, beachte zum letzten Wortgebrauch z. B. **Rotzfahne** ugs. für »Taschentuch«, **Rotzkolben** ugs. für »Nase«, **Rotzbengel** ugs. für »[unverschämter] Halbwüchsiger«, **rotznäsig** ugs. für »frech, unverschämt«. – Abl.: **rotzen** ugs. für »eine laufende Nase haben; Nasenschleim ausschnäuzen, Schleim oder Speichel auswerfen« (16. Jh.), beachte dazu **anrotzen** ugs. für »anherrschen«.

oulade: Die Bezeichnung für »gefüllte Fleischrolle« wurde im 18./19. Jh. aus gleichbed. frz. *roulade* entlehnt. Dies ist eine Bildung zu frz. *rouler* »rollen« (vgl. den Artikel *Rolle*).

ouleau »aufrollbarer Vorhang«: Das Fremdwort wurde im 18. Jh. aus frz. *rouleau* »Rolle« entlehnt und wie dies zunächst im Sinne von »Rolle« gebraucht. Dann erst bildete sich im Dt. die spezielle Bedeutung »Rollvorhang« heraus. Das frz. Wort ist eine Bildung zu frz. *rôle* »Rolle« (vgl. *Rolle*). – Neben ›Rouleau‹ findet sich auch die eingedeutschte Form **Rollo**.

oulett[e]: Das bei uns seit dem 19. Jh. bekannte, aus Frankreich übernommene Glücksspiel ist nach dem sich drehenden Glücksrad, auf dem durch eine rollende Kugel die Gewinne ausgespielt werden, benannt. Frz. *roulette* »Rollrädchen; Roulett[e]« ist eine Verkleinerungsbildung zu afrz. *roele* (= frz. *rouelle*) »Rädchen«, das auf spätlat. *rotella* »Rädchen« zurückgeht (zu lat. *rota* »Rad« vgl. *Rolle*).

oute »Reiseweg; Weg[strecke]; Marschrichtung«: Das Fremdwort wurde im 17. Jh. aus gleichbed. frz. *route* übernommen, das auf vlat. *(via) rupta* »gebrochener (= gebahnter) Weg« zurückgeht. Über das zugrunde liegende lat. Verb *rumpere (ruptum)* »[zer]brechen« vgl. den Artikel *Rotte*. – Dazu: **Routine** »[handwerksmäßige] Gewandtheit, Fertigkeit, Übung, Erfahrenheit« (18. Jh.; aus gleichbed. frz. *routine*, das als Ableitung von frz. *route* eigentlich etwa »Wegerfahrung« bedeutet).

Rowdy: Der Ausdruck für »Raufbold, Rohling« wurde im 19. Jh. aus gleichbed. engl.-amerik. *rowdy* entlehnt, dessen weitere Herkunft zweifelhaft ist.

rubbeln ↑rupfen.

Rübe: Die germ. Namen der Pflanze mhd. *rüebe*, ahd. *ruoba* (daneben mhd. *rābe*, ahd. *rāba*), mniederl. *roeve*, schwed. *rova* sind verwandt mit griech. *rháp[h]ys* »Rübe«, lat. *rapa, rapum* »Rübe« (↑Raps und ↑Kohlrabi) und mit der baltoslaw. Sippe von russ. *repa* »Rübe«. Wahrscheinlich handelt es sich um ein altes Wanderwort.

Rubin: Der Name des rotfarbenen Edelsteins (mhd. *rubīn*) ist aus gleichbed. mlat. *rubinus* (= afrz. *rubin*, it. *rubino*) entlehnt, einer Bildung zu lat. *rubeus* »rot« (etymologisch verwandt mit dt. ↑rot). Der Edelstein ist also nach seiner charakteristischen Färbung benannt.

Rubrik: Das seit mhd. Zeit bezeugte Fremdwort (spätmhd. *rubrik[e]*) bedeutete ursprünglich »roter Schreibstoff« und bezeichnete danach die in Rot gehaltenen Überschriften, die in mittelalterlichen Handschriften und Frühdrucken die einzelnen Abschnitte trennten. Von daher entwickelte das Wort seine heute gültige Bedeutung »Abschnitt, Fach; Spalte«. Quelle des Wortes ist lat.-spätlat. *rubrica* (ergänze: *terra*) »rote Erde, roter Farbstoff; roter Schreibstoff; mit roter Farbe geschriebener Titel eines Gesetzes«, das zu dem mit dt. ↑rot urverwandten Farbadjektiv lat. *ruber* »rot« gehört.

ruchbar »[durch umlaufendes Gerücht] bekannt«: Die heute übliche Form hat sich aus frühnhd. *ruchtbar* entwickelt, das im 16. Jh. aus dem Niederd. in die hochd. Schriftsprache übernommen wurde. Niederd. *ruchtbar* gehört – wie auch ›anrüchig‹, ›berüchtigt‹ und ›Gerücht‹ (s. d.) – zu mnd. *ruchte* »Ruf, Leumund« (vgl. den Artikel *anrüchig*).

ruchlos: Das seit dem 16. Jh. im Sinne von »gottlos, frevelhaft, gemein, niederträchtig« verwendete Adjektiv bedeutete früher »unbekümmert, sorglos«. Die heute übliche Bedeutung entwickelte sich aus »unbekümmert gegenüber dem, was geheiligt ist«. Mhd. *ruochelōs* »sorglos, unbekümmert« (entsprechend mnd. *rōkelōs* »sorglos, unbesonnen«, engl. *reckless* »sorglos, unbekümmert«) gehört zu mhd. *ruoch[e]* »Acht, Bedacht, Sorge, Sorgfalt« (vgl. *geruhen;* s. auch den Artikel *verrucht*).

Ruck: Das altgerm. Substantiv mhd. *ruc*, ahd. *rucch*, niederl. *ruk*, schwed. *ryck* gehört zu dem unter ↑rücken behandelten Verb.

rück..., Rück... ↑Rücken.

rücken: Das altgerm. Verb mhd. *rücken*, ahd.

R

rucchen, niederl. *rukken,* schwed. *rycka* ist unbekannter Herkunft. Mit diesem Verb (Intensivum) hängen im germ. Sprachbereich zusammen die nord. Sippe von schwed. mdal. *rucka* »wiegen, schaukeln, schwanken« und engl. *to rock* »schaukeln, wackeln« (↑²Rock). – Zusammensetzungen und Präfixbildungen mit ›rücken‹ sind z. B. ›ab-, an-, aus-, ein-, vorrücken, verrücken‹ (↑verrückt) und ↑berücken.

Rücken: Die altgerm. Körperteilbezeichnung mhd. *rück[e], ruck[e],* ahd. *rucki, [h]rukki,* niederl. *rug,* aengl. *hrycg* (engl. *ridge* »[Berg]rücken, Grat«), schwed. *rygg* gehört im Sinne von »Krümmung« zu der unter ↑schräg dargestellten idg. Wortgruppe. Näher verwandt sind z. B. lit. *kriáuklas* »Rippe; Gerippe«, lett. *kruknêt* »gekrümmt sitzen, kauern« und aind. *krúñcati* »krümmt sich«. – Wie in den älteren Sprachzuständen wird ›Rücken‹ auch heute mehrfach übertragen gebraucht, beachte z. B. die Zusammensetzungen ›Berg-, Buch-, Handrücken‹. – Aus der Verbindung ahd., mhd. *ze rucke* »nach dem Rücken, auf den Rücken, im Rücken« hat sich das Adverb **zurück** »rückwärts; [nach] hinten, hinter; wieder her« entwickelt (bereits im Mhd. gelegentlich zusammengeschrieben *zerucke* und mit der Bedeutung »rückwärts«; vgl. niederl. *terug* »zurück«). In der Zusammensetzung ist – außer bei Verben und Verbalsubstantiven (beachte z. B. ›zurückführen, Zurückführung, zurücklassen, Zurücklassung‹) – statt ›zurück‹ gewöhnlich die verkürzte Form ›rück..., Rück...‹ gebräuchlich, so z. B. in **Rückfall** »das Zurückfallen; erneutes Auftreten einer scheinbar überwundenen Krankheit; erneutes Begehen einer Straftat« (17. Jh.; Lehnübersetzung von frz. *récidive*), dazu **rückfällig** (17. Jh.; Lehnübersetzung von lat. *recidivus*); **Rückgang** »das Zurückgehen, Abnahme« (17. Jh.); **Rückhalt** »fester Halt, Hilfe, Unterstützung«, älter auch »Vorbehalt« (16. Jh.), dazu **rückhaltlos** »ohne jeden Vorbehalt«; **Rücksicht** »Schonung, Nachsicht, aufmerksames Verhalten«, im Plural auch »Gründe, Überlegungen«, ursprünglich »Rückblick, Betrachtung, Hinsicht« (18. Jh.; Lehnübersetzung von lat. *respectus*), dazu **berücksichtigen** »in Betracht ziehen, einbeziehen«; **Rückstand** »Rest; noch zu begleichender Rechnungsbetrag; Abstand« (17. Jh.; für *Restant* »noch ausstehende Forderung«), dazu **rückständig** »rückschrittlich; unterentwickelt« (17. Jh.). – Abl.: **rücklings** »nach hinten gewandt; mit dem Rücken nach vorn« (mhd. *rückelinges, -lingen,* ahd. *ruchilingun;* beachte zur Bildung z. B. ›blindlings‹ und ›meuchlings‹). Zus.: **Rückgrat** »Wirbelsäule« (15. Jh.); **Rucksack** (16. Jh., schweiz. *ruggsack;* die Bezeichnung, die erst in der 2. Hälfte des 19. Jh.s von den Alpenländern ausgehend gemeinsprachliche Geltung erlangte, enthält als Bestimmungswort die umlautlose oberd. Form, s. o. mhd. *rucke*).

Rückschritt ↑Schritt.

R

Rückspiegel ↑Spiegel.

rüde »roh, rücksichts- und gefühlslos, grob«: Das Adjektiv wurde im 17. Jh. aus gleichbed. frz. *rude* entlehnt, das auf lat. *rudis* »roh, ungebildet, ungesittet« zurückgeht.

Rüde »männlicher Hund; Hetzhund«: Die Herkunft von mhd. *rü[e]de,* ahd. *rudio,* niederl. *reu,* aengl. (anders gebildet) *ryđđa* ist unklar. Vielleicht gehören die westgerm. Wörter zu der Wortgruppe von ↑rot und bezeichneten ursprünglich einen Hund von rötlich brauner Farbe.

Rudel: Der erst seit dem 17. Jh. bezeugte weidmännische Ausdruck für »Vereinigung einer größeren Anzahl von Hirschen, Gämsen, Wildschweinen oder Wölfen« ist dunklen Ursprungs. Im heutigen Sprachgebrauch wird ›Rudel‹ auch übertragen gebraucht, beachte z. B. ›im Rudel laufen‹, ›in Rudeln auftreten‹ und ›ein Rudel Schulkinder‹.

Ruder: Das westgerm. Substantiv mhd. *ruoder,* ahd. *ruodar,* niederl. *roer* (»Steuerruder«), engl. *rudder* (»Steuerseitenruder«) gehört zu einem im Nhd. untergegangenen Verb mit der Bedeutung »rudern«: mhd. *rüejen,* mnd. *rōjen* (beachte seemännisch **rojen**), niederl. *roeien,* engl. *to row,* schwed. *ro.* Das westgerm. Wort, das eine Instrumentalbildung ist, bedeutet demnach »Gerät, mit dem man rudert«. Da man früher das Ruder auch zum Steuern des Schiffes verwandte, bedeutete das Wort – wie auch im Niederl. und Engl. – »Steuer«, beachte dazu die Zusammensetzungen ›Seiten-, Höhenruder, Rudergänger, Steuerruder‹. – Die germ. Wortgruppe gehört mit verwandten Wörtern in anderen idg. Sprachen zu der idg. Wurzel **er[ə]-, *rē-* »rudern«, vgl. z. B. griech. *erétēs* »Ruder«, *eréssein* »rudern«, lat. *remus* »Ruder« (↑²Riemen) und lit. *ìrti* »rudern«.

rufen: Das gemeingerm. Verb mhd. *ruofen,* ahd. *[h]ruofan,* got. (schwach) *hrōpjan,* aengl. *hrōpan,* schwed. *ropa* ist wahrscheinlich lautnachahmenden Ursprungs und ist dann elementarverwandt z. B. mit aind. *carkarti* »erwähnt; rühmend« und griech. *karkaírō* »erdröhne«. Zu diesem Verb stellt sich das gemeingerm. Substantiv **Ruf:** mhd. *ruof,* ahd. *[h]ruof,* got. *hrōps,* aengl. *hrōp,* schwed. *rop.* Eine andere Substantivbildung ist mhd. *ruoft,* ahd. *[h]ruoft* »Ruf, Geschrei; Leumund«, mnd. *ruchte* »Ruf, Leumund« (s. die Artikel *anrüchig, berüchtigt, Gerücht, ruchbar*). Mit diesen Wörtern ist im germ. Sprachbereich auch die Sippe von ↑Ruhm (ursprünglich »Geschrei«) verwandt. Präfixbildungen mit ›rufen‹ sind ↑berufen und **verrufen** veraltet für »in schlechten Ruf bringen; öffentlich ausrufen« (mhd. *verruofen* »rufen«; beachte das zweite Partizip **verrufen** »übel beleumdet«), dazu **Verruf** »schlechter Ruf«. Beachte auch die Zusammensetzungen ›ab-, an-, auf-, aus-, zurufen‹.

Rüffel (ugs. für:) »Verweis«: Das erst seit dem 19. Jh. bezeugte Wort ist eine Rückbildung aus dem Verb **rüffeln** »grob zurechtweisen« (18. Jh.). Dieses Verb hängt wohl im Sinne von »glätten, zurechtstutzen« mit der Sippe von niederd. mdal. *Ruffel* »Rauhobel« zusammen.

Rüge: Mhd. *rüege, ruoge* »gerichtliche Anklage, Anzeige; gerichtliche Strafe; Tadel; Gerichtsbarkeit«, mnd. *wrōge* »Anklage; Tadel«, got. *wrōhs* »Anklage, Klage«, aisl. *rōg* »Zank, Streit; Verleumdung« haben keine sicheren außergerm. Beziehungen. Während ›Rüge‹ im heutigen Sprachgebrauch nur noch im Sinne von »Tadel« verwendet wird, war es früher ein wichtiges Rechtswort und bezeichnete die Anzeige eines Vergehens vor Gericht, dann auch die Bestrafung des Vergehens sowie die Gerichtsbarkeit. – Zum Substantiv stellt sich das Verb **rügen:** mhd. *rüegen, ruogen,* ahd. *ruogen* »anklagen, beschuldigen; tadeln; gerichtlich anzeigen; mitteilen, melden«, got. *wrōhjan* »anklagen, beschuldigen«, aengl. *wrēgan* »anklagen, rügen«, schwed. *röja* »verraten«.

Ruhe: Das altgerm. Substantiv mhd. *ruo[we],* ahd. *ruowa* (daneben ablautend *rāwa*), mniederl. *roe,* aengl. *rōw,* schwed. *ro* beruht mit verwandten Wörtern in anderen idg. Sprachen auf der idg. Wurzel **er[ə]-, *rē-* »ruhen«, vgl. z. B. griech. *erōḗ* »Nachlassen, Ruhe«. Zu dieser Wurzel gehört aus dem germ. Sprachbereich auch die Wortgruppe von ↑Rast. – Abl.: **ruhen** »der Ruhe pflegen, sich durch Nichtstun erholen; schlafen; nicht in Tätigkeit, Betrieb sein« (mhd. *ruo[we]n,* ahd. *ruowēn, -ōn*); **ruhig** »sich nicht bewegend; ohne Lärm, leise; ohne Spannungen, Aufregungen, Zwischenfälle; ohne Hast, gemächlich; von innerer Ruhe zeugend, gelassen« (mhd. *ruowec*), dazu **beruhigen** (16. Jh.); **[ge]ruhsam** (15. Jh.). Beachte auch **Unruhe** »Bewegung; Ruhelosigkeit, Beunruhigung; Aufruhr« (mhd. *unruowe;* seit dem 18. Jh. auch als Bezeichnung für den Regler der Uhr, dafür heute die Form **Unruh**).

Ruhm: Das im heutigen Sprachgebrauch im positiven Sinne von »hohes Ansehen« verwendete Wort bedeutete ursprünglich »Geschrei (mit dem sich jemand brüstet), Prahlerei; Lobpreisung«. Das auf das dt. und niederl. Sprachgebiet beschränkte Wort (mhd. *ruom,* ahd. *[h]ruom,* niederl. *roem;* vgl. aengl. *hrēmig* »sich rühmend«) gehört zu der unter ↑rufen dargestellten Wortgruppe. Anders gebildet sind got. *hrōþeigs* »ruhmreich«, aengl. *hrōđor* »Freude«, aisl. *hrōđr* »Ruhm, Lob«, beachte ahd. *[h]ruod-* »Ruhm«, das in Personennamen wie z. B. ›Rudolf‹ bewahrt ist. – Abl.: **rühmen** »den Ruhm verkünden, preisen« (mhd. *rüemen, ruomen,* ahd. *[h]ruomen,* entsprechend niederl. *roemen*), beachte die Präfixbildung frühnhd. *berühmen,* mhd. *berüemen,* ahd. *biruomen* »sich rühmen, prahlen«, von der heute noch das zweite Partizip **berühmt** gebräuchlich ist, dazu **Berühmtheit; rühmlich** »lobenswert« (mhd. *rüem[e]lich* »ruhmvoll; prahlerisch«).

Ruhr: Das auf das dt. und niederl. Sprachgebiet beschränkte Substantiv (mhd. *ruor[e],* ahd. *[h]ruora,* niederl. *roer*) ist eine Bildung zu dem unter ↑rühren behandelten Verb und bedeutete in den älteren Sprachzuständen zunächst »[heftige] Bewegung; Unruhe«. Diese Bedeutung bewahrt noch die Zusammensetzung ↑Aufruhr, beachte auch den Flussnamen ›Ruhr‹. In mhd. Zeit bezeichnete ›Ruhr‹ dann auch speziell die heftige Bewegung im Unterleib. Heute ist das Wort – wie auch im Niederl. – nur noch als Krankheitsname gebräuchlich.

rühren: Das altgerm. Verb mhd. *rüeren, ruoren,* ahd. *[h]ruoren,* niederl. *roeren,* aengl. *hrēran,* schwed. *röra* gehört mit verwandten Wörtern in anderen idg. Sprachen zu der idg. Wurzel **k̂er[ə]-* »mischen, mengen, rühren«, vgl. z. B. aind. *śrāyati* »kocht; brät«, *srīṇā́ti* »mischt; kocht; brät« und griech. *kerannýnai* »vermischen«, *krāsis* »Mischung«, *krātḗr* »Mischkrug« (↑Krater). Um das altgerm. Verb gruppieren sich die Substantivbildung ↑Ruhr und das im Dt. untergegangene Adjektiv asächs. *hrōr* »rührig«, aengl. *hrōr* »rührig, tätig; stark; tapfer«. – In den alten Sprachzuständen wurde ›rühren‹ vorwiegend im allgemeinen Sinne von »in Bewegung setzen, bewegen« gebraucht. Aus der Bedeutung »in Bewegung setzen, den Anstoß geben« entwickelte sich im Dt. bereits in ahd. Zeit die Bedeutung »anstoßen, anfassen, betasten«, beachte dazu **anrühren** und **berühren.** Ferner wird ›rühren‹ im Sinne von »in innere Bewegung, in Erregung versetzen« gebraucht, beachte dazu die adjektivisch verwendeten Partizipien **rührend** »zu Herzen gehend« und **gerührt** »innerlich bewegt, voller Mitgefühl« sowie die Substantivbildung **Rührung** »innere Bewegtheit« (mhd. *rüerunge*), ferner **rührselig** »übertrieben gefühlvoll, sich allzu leicht rühren lassend« (19. Jh.). An die Verwendung von ›rühren‹ im Sinne von »durch drehende Bewegung vermengen, quirlen« schließen sich die Zusammensetzungen ›auf-, ein-, umrühren‹ und die Präfixbildung ›verrühren‹ an, beachte auch die Zusammensetzung **Rührei** »Speise aus zerquirlten Eiern« (18. Jh., zunächst niederd.). – Abl.: **rührig** »emsig, geschäftig« (15. Jh.).

Ruin »Zusammenbruch, Zerrüttung, Untergang«: Das seit dem 17. Jh. bezeugte ›Ruin‹ ist identisch mit dem seit dem 16. Jh. bezeugten **Ruine** »zerfallenes Bauwerk, Trümmer«, übertragen auch »Wrack, hinfälliger Mensch«. Beide sind aus gleichbed. frz. *ruine* entlehnt, das auf lat. *ruina* »Einsturz, Zusammenbruch; Ruine« (zu lat. *ruere* »stürzen, eilen; niederreißen«) zurückgeht. Ersteres übernimmt dabei die eigentliche, einen Vorgang bezeichnende Bedeutung des lat. Wortes, während Letzteres dessen resultative Bedeutung fortsetzt. Im Dt. wurden die beiden Fremdwörter zur besseren Unterscheidung in der Schreibung und im Genus getrennt.

rülpsen: Der seit dem 17. Jh. bezeugte Ausdruck für »kräftig aufstoßen« ist – wie z. B. auch ›glucksen‹ und ›plumpsen‹ – lautnachahmenden Ursprungs.

Rum »Edelbranntwein aus Rohrzuckermelasse

oder Zuckerrohrsaft«: Der Name des alkoholischen Getränks wurde Anfang des 18. Jh.s aus gleichbed. engl. *rum* entlehnt, das gekürzt ist aus älterem *rumbullion*. Die weitere Herkunft des Wortes ist dunkel.

Rumba: Der Name des Tanzes wurde um 1930 aus kubanisch-span. *rumba* »Rumba«, eigentlich »herausfordernder Tanz«, entlehnt, das zu span. *rumbo* gehört. Span. *rumbo* bedeutete ursprünglich wahrscheinlich u. a. »Zauberspiel mit den Händen«, dann auch »Pracht, Prunk; Herausforderung; lärmendes Vergnügen«. Das span. Wort geht vielleicht auf lat. *rhombus* »[Zauber]kreisel, Rhombus« (vgl. den Artikel *Rhombus*) zurück.

Rummel: Der ugs. Ausdruck für »Lärm, Betrieb; Durcheinander; Jahrmarkt« gehört zu dem heute nur noch landsch. gebräuchlichen Verb **rummeln** »dumpf schallen, poltern« (mhd. *rummeln* »lärmen, poltern«, vgl. niederl. *rommelen* »poltern, rollen, knurren«, engl. *to rumble* »poltern, dröhnen, rasseln«, norw. *rumle* »poltern, rasseln«). Dieses Verb ist mit der Nebenform ↑rumpeln lautnachahmenden Ursprungs.

rumoren »lärmen, poltern; rumpeln; [im Magen] kollern«: Das seit dem 15. Jh. bezeugte Verb ist von dem heute veralteten Substantiv **Rumor** »Lärm, Unruhe« (spätmhd. *rumor*) abgeleitet. Dies ist aus lat. *rumor* »dumpfes Geräusch; Gerücht« (im Mlat. »Lärm, Tumult«) entlehnt (vgl. den Artikel *Rune*).

rumpeln: Das seit mhd. Zeit gebräuchliche Verb (mhd. *rumpeln* »poltern, rasseln, lärmen«) gehört zu den unter ↑Rummel behandelten Lautnachahmungen. Um ›rumpeln‹ gruppieren sich die Zusammensetzung ↑überrumpeln (eigentlich »mit Getöse überfallen«) und die Substantivbildung ↑Gerümpel (eigentlich »rumpelnd wackelnder oder zusammenbrechender Hausrat«), beachte auch die Zusammensetzungen **Rumpelkammer** und **Rumpelkasten** sowie den Namen der Märchengestalt **Rumpelstilzchen** (etwa »rumpelnder Kobold, Poltergeist«; der zweite Bestandteil ist eine Verkleinerungsbildung zu dem heute veralteten **Stülz** »Hinkender«, vgl. elsäss. *Stilzer* »Hinkender«).

Rumpf: Die auf das dt. und niederl. Sprachgebiet beschränkte Bezeichnung für den Körper ohne Kopf und Glieder (mhd. *rumpf*, mitteld., mnd. *rump*, niederl. *romp*) ist im germ. Sprachbereich verwandt mit der nord. Sippe von schwed. *rumpa* »Steiß, Schwanz; Hinterteil, Hintern« (aus dem Nord. stammt engl. *rump* »Steiß; Hinterteil; Rücken«, s. den Artikel *Rumpsteak*). Die außergerm. Beziehungen sind unklar. Vielleicht bedeutete ›Rumpf‹ ursprünglich »[Baum]stamm, Klotz«, vgl. norw. *rump* »Steiß, Hinterteil«, mdal. »Felsbrocken« und norw. mdal. *ramp* »alter morscher Baumstamm«.

rümpfen: Mhd. *rümpfen* »kraus, runzlig machen, in Falten legen« steht im Ablaut zu dem im Nhd. untergegangenen starken Verb mhd. *rimpfen*, ahd. *[h]rimpfan* »zusammenziehen, krümmen, falten, runzeln«, vgl. dazu im germ. Sprachbereich mniederl. *rimpen* »runzeln«, niederl. *rimpel* »Runzel«, *rimpelen* »runzeln«, aengl. *hrimpan* »runzeln«, ferner mhd. *ramph[e]* »Krampf«. Außergerm. eng verwandt ist die Sippe von griech. *krámbos* »eingeschrumpft, dürr, trocken«. All diese Wörter gehören mit dem unter ↑schrumpfen behandelten Verb zu der Wortgruppe von ↑Harfe.

Rumpsteak: Die Bezeichnung für »(kurz gebratene) Scheibe aus dem Rückenstück eines Rindes« wurde im 19. Jh. aus gleichbed. engl. *rump steak* entlehnt. Dessen Bestimmungswort engl. *rump* »Hinterteil, Kreuz; Lende«, das aus dem Nord. stammt, ist verwandt mit dt. ↑Rumpf. Über das Grundwort vgl. den Artikel *Steak*.

rund: Das seit mhd. Zeit bezeugte Adjektiv (mhd. *runt*) stammt wie entsprechend niederl. *rond* und engl. *round* aus gleichbed. afrz. *ront, rond* (= frz. *rond*). Dies geht auf lat. *rotundus* »rund, abgerundet« zurück, eine Bildung zu lat. *rota* »Rad; Scheibe« (urverwandt mit dt. ↑Rad). – Ableitungen und Zusammensetzungen: **Rund** »Rundung, Umkreis; Umgebung« (im 17. Jh. aus dem substantivierten Adjektiv frz. *rond* »das Runde; Kreis; Ring«); **Runde** »Kreis; Umkreis; Umgang, Durchgang, Wettkampfabschnitt« (15. Jh., aus gleichbed. frz. *ronde;* zunächst in der Bedeutung »[Um]kreis«, seit dem Beginn des 17. Jh.s auch in der militärischen Bedeutung »Wachrunde, Rundgang zur Überprüfung der Wachen und Posten«); **runden** »rund machen; etwas vervollständigen, abschließen, vollenden« (15./16. Jh.; auch reflexiv gebraucht im Sinne von »rund werden; Gestalt annehmen«), dazu verschiedene Zusammensetzungen wie ›abrunden, aufrunden‹ und **überrunden** »um eine Runde schneller sein«; **rundlich** »annähernd rund; ein wenig dick« (15. Jh.); **Rundung** »rundliche Biegung, Wölbung« (15. Jh.); **Rundfunk** »Übertragung drahtloser Sendungen« (20. Jh.; von dem Funktechniker H. Bredow [1879–1959] als »Funk, der in die Runde ausgestrahlt wird« 1923 geprägt, seit 1924 amtliche Bezeichnung für ›Radio‹).

Runde

über die Runden kommen

(ugs.) »mit seinen [finanziellen] Mitteln auskommen, Schwierigkeiten meistern«

Diese Wendung leitet sich vom Boxsport her. Wer beim Boxkampf ›über die Runden kommt‹, der wurde zumindest nicht k. o. geschlagen.

Rune: Mhd. *rūne*, ahd. *rūna* »Geheimnis; geheime Beratung; Geflüster«, got. *rūna* »Geheimnis; [geheimer] Ratschluss«, aengl. *rūn* »Geheimnis; Beratung; Runenzeichen«, aisl. *rūn* »Geheimnis; Zauberzeichen; Runenzeichen« beruhen auf germ. **rūnō-* »Geheimnis«, das wahrscheinlich im Sinne von »[heimliches] Flüstern, Tuscheln, Murmeln« zu einer Gruppe von Lautnachahmungen gehört, vgl. z. B. mhd. *rienen* »jammern, klagen«, aengl. *rēonian* »heimlich flüstern, sich verschwören; murren, klagen«, norw. mdal. *rjona* »schwatzen« und außergerm. z. B. lat. *rumor* »Geräusch; Gerücht« (↑rumoren). Von dem gemeingerm. Substantiv, dem air. *rūn* »Geheimnis« entspricht, ist das unter ↑raunen behandelte Verb abgeleitet (s. auch den Artikel *Alraun[e]*). Im Gegensatz zu ›raunen‹, das im Dt. ständig in Gebrauch blieb (daher diphthongiert), kam das Substantiv in mhd. Zeit außer Gebrauch. Erst im 17. Jh. wurde im Rahmen der wissenschaftlichen Beschäftigung mit dem germanischen Altertum ›Rune‹ als Bezeichnung für das germanische Schriftzeichen neu belebt.

Runge »Halte-, Stützstrebe, Stange« (am Wagen): Das altgerm. Substantiv mhd., mnd. *runge* »Stange, Stemmleiste am Wagen«, got. *hrugga* »Stab«, niederl. *rong* »Sprosse der Leiter am Wagen«, engl. *rung* »Leitersprosse« gehört im Sinne von »Rundholz, -stab« zu der unter ↑Ring behandelten Wortgruppe.

Runkelrübe: Das Bestimmungswort des seit dem 18. Jh. bezeugten Pflanzennamens gehört wahrscheinlich zu **Runke[n], Runks** landsch. für »großes Stück (Brot), Knust«. Die Benennung bezieht sich demnach auf die große, derbe Wurzel der Futterpflanze.

Runzel: Mhd. *runzel*, ahd. *runzula* ist eine Verkleinerungsbildung zu dem im Nhd. untergegangenen gleichbed. Substantiv mhd. *runze*, ahd. *runza*, das zu dem gleichfalls untergegangenen Substantiv mhd. *runke* »Runzel« gehört. Damit verwandt sind im germ. Sprachbereich schwed. *rynka* »Runzel, Falte«, norw. *rynke* »Runzel, Falte«, aisl. *hrukka* »Runzel«, *hrøkkva* »sich krümmen; zurückweichen«, ferner mit anlautendem s- schwed. *skrynka* »runzeln«, älter schwed. *skrynka* »Runzel«, engl. *to shrink* »schrumpfen, sich zurückziehen«, mniederl. *schrinken* »sich zurückziehen«. Diese Wortgruppe gehört wohl zu der unter ↑schräg dargestellten idg. Wurzel.

Rüpel: Die seit dem 16. Jh. gebräuchliche Bezeichnung für einen flegelhaften Menschen ist eigentlich die als Gattungsname verwendete Kurz- oder Koseform des männlichen Personennamens Ruprecht. Ähnlich wurde früher ›Nickel‹, die Kurz- oder Koseform von ›Nikolaus‹, als Gattungsname gebraucht (s. den Artikel *Pumpernickel*); beachte auch die Verwendung von ›Heini‹ für »dummer Mensch; Versager« im heutigen Sprachgebrauch.

rupfen: Mhd. *rupfen, ropfen*, ahd. *ropfōn* »ausreißen, zupfen, zausen, pflücken« (daneben gleichbed. mhd. *rüpfen*), mnd. *roppen*, niederd. *ruppen* »ausreißen, zupfen« (dazu das aus dem Niederd. stammende Adjektiv **ruppig** ursprünglich »gerupft«, dann »zerlumpt, arm« und »flegelhaft, grob, ausfallend«), aisl. *ruppa* »rauben, plündern« gehören zu der unter ↑raufen behandelten Wortgruppe. Eng verwandt sind im germ. Sprachbereich niederd. *rubben* »reiben, kratzen, raufen, zerren« (beachte dazu ugs. **rubbeln** »reiben, scheuern«) und die nord. Sippe von norw. *rubba* »scheuern, ebnen; Fische schuppen«.

Rüsche: Die Bezeichnung für den aus gefälteltem Stoff oder geraffter Spitze bestehenden Besatz an Kleidern oder Wäsche wurde im 19. Jh. aus gleichbed. frz. *ruche* (eigentlich »Bienenkorb«, nach der Form des Besatzes) entlehnt. Dies geht auf gall. *rŭsca* »Rinde« zurück (Bienenkörbe wurden ursprünglich aus Rinde gefertigt).

ruscheln ↑rascheln.

Ruß: Das auf das dt. und niederl. Sprachgebiet beschränkte Wort (mhd., ahd. *ruoȥ*, mnd. *rōt*, niederl. *roet*) ist unbekannter Herkunft. – Abl.: **rußen** (mhd. *[ge-, über]-ruoȥen*); **rußig** (mhd. *ruoȥec*, ahd. *ruoȥag*).

Rüssel: Die auf das dt. Sprachgebiet beschränkte Substantivbildung (mhd. *rüeȥel*) gehört zu dem altgerm. Verb ahd. *ruoȥȥen* »wühlen«, niederl. *wroeten* »wühlen«, engl. *to root* »aufwühlen«, schwed. *rota* »wühlen«. Das Wort bedeutet demnach eigentlich »Wühler«. Zur Bildung beachte z. B. ›Flügel‹ und ›Wirbel‹. – Anders gebildet sind niederd. *wrōte* »Rüssel« und aengl. *wrōt* »Rüssel, Schnauze«. Außergerm. ist z. B. verwandt lat. *rodere* »nagen, verzehren«, *rostrum* »Schnauze, Schnabel«.

rüsten: Das westgerm. Verb mhd. *rüsten, rusten*, ahd. *[h]rusten*, niederl. *rusten*, aengl. *hrystan* gehört zu dem im Mhd. untergegangenen Substantiv ahd. *hrust* »Rüstung«, aengl. *hryst, hyrst* »Ausrüstung; Waffen; Schmuck«. Dieses Substantiv ist im germ. Sprachbereich wahrscheinlich verwandt mit aengl. *hrēodan* »schmücken«, *(earm)hrēad* »(Arm)schmuck«, aisl. *hrjōđa* »schmücken«. Die weiteren außergerm. Beziehungen sind unklar. – Das westgerm. Verb bedeutete ursprünglich »herrichten, ausstatten, schmücken«, dann ganz allgemein »bereit-, zurechtmachen, vorbereiten«. In mhd. Zeit wurde das Verb dann auch im Sinne von »sich vorbereiten, Anstalten treffen« (speziell zu einer Reise oder zum Kampf) gebräuchlich. Auch im heutigen Sprachgebrauch wird ›rüsten‹ häufig speziell auf die Vorbereitungen zum Kriege bezogen, beachte dazu die Bedeutungsverhältnisse von ›Rüstung‹ (s. u.) und **abrüsten** »eine Rüstung rückgängig machen« (19. Jh., für frz. *désarmer;* im Sinne von »ein Gerüst abbrechen« bereits 18. Jh.) sowie **aufrüsten** »die Rüstung verstärken« (1. Hälfte des 20. Jh.s, für frz. *réarmer*). Fachsprachlich wird ›rüsten‹ im Sinne von »ein Gerüst bauen« verwendet. – Abl.: **rüstig** »[noch] kraftvoll, regsam« (mhd. *rüstec* »gerüstet, bereit«, ahd. *hrustīg* »geschmückt«; die heute übliche Bedeutung entwickelte sich in frühnhd. Zeit aus »bereit [zum Kampf oder Krieg], tatkräftig«); **Rüstung** »Vorbereitung; Kriegsvorbereitung; mittelalterliches Kampfgewand, Trägergerüst« (16. Jh.; zuvor schon ahd. *rustunga* »Werkzeug«); **Gerüst** (s. d.).

Rüster: Der auf das dt. Sprachgebiet beschränkte Baumname ist, wie z. B. auch ›Flieder‹, ›Holunder‹ und ›Wacholder‹, mit dem germ. Baumnamensuffix *-đr[a]-* (vgl. den Artikel *Teer*) gebildet. Der erste Wortteil (mhd. *rust* »Ulme«) ist unbekannter Herkunft.

rüstig, Rüstung ↑rüsten.

rustikal »ländlich-schlicht, bäuerlich«: Das seit dem 18. Jh. gebräuchliche Adjektiv ist aus gleichbed. mlat. *rusticalis* entlehnt. Dies gehört zu lat. *rusticus* »ländlich, zum Lande gehörig«, einer Bildung zu lat. *rus* »Land«.

Rute: Mhd. *ruote* »Gerte; Zucht-, Zauber-, Wünschelrute; Stab; Stange; Messstange; Ruder[stange]«, ahd. *ruota* »Gerte; Stange; Messstange«, niederl. *roe[de]* »Gerte, Rute; Stange«, engl. *rood* »Rute«, aisl. *rođa* »Rute, Stange, Kreuz« sind vermutlich verwandt mit der slaw. Wortgruppe von russ. *ratovišče* »Lanzenschaft«. Die weiteren Beziehungen sind dunkel. – Heute bezeichnet ›Rute‹ häufig speziell das Züchtigungswerkzeug, weidmännisch den Schwanz des Haarraubwildes und den Penis des Schalenwildes. Als Maßbezeichnung ist ›Rute‹ veraltet. Siehe auch die Artikel *Spießrute* und *Wünschelrute*.

rutschen: Das seit dem 15. Jh. bezeugte Verb ist – wie z. B. auch ›flutschen‹ ugs. für »schnell vonstatten gehen« – wahrscheinlich lautnachahmenden Ursprungs. – Dazu stellen sich die vorwiegend in der Umgangssprache gebräuchlichen Bildungen **Rutsch** »Gleiten; Sturz; kleine Reise« (beachte dazu die Zusammensetzung ›Erdrutsch‹ und die Wunschformel ›guten Rutsch!‹), **Rutsche** »Gleitbahn; schräge Fläche, Abhang« und **rutschig** »glatt, schlüpfrig«.

rütteln: Mhd. *rütteln, rütelen* »schütteln, hin und her bewegen, in Erschütterung versetzen« ist eine Iterativ-Intensiv-Bildung zu gleichbed. mhd. *rütten*, das im Nhd. in der Präfixbildung ↑zerrütten bewahrt ist.

S *s*

Saal: Mhd., ahd. *sal* »Halle, Saal; Wohnung, Gebäude; Tempel, Kirche«, niederl. *zaal* »Saal«, aengl. *sæl, sele* »Zimmer, Wohnung; Halle, Saal; Gebäude; Palast«, aisl. *salr* »Gebäude; Saal« (schwed. *sal* »Saal; Speisezimmer«) gehen zurück auf germ. **salaz, -iz (*sali-)*, das das aus einem Raum bestehende Haus der Germanen bezeichnete. Dazu stellen sich im germ. Sprachbereich z. B. die Bildungen got. *saljan* »Herberge finden, bleiben«, *saliþwōs* (Plural) »Herberge; Speiseraum«, ahd. *selida*, mhd. *selde* »Wohnung, Haus, Unterkunft«. Eine nur dt. Bildung ist das unter ↑Geselle (eigentlich »der mit jemandem denselben Wohnraum teilt«) behandelte Wort. Die germ. Bezeichnung des Einraumhauses drang auch in die roman. Sprachen, vgl. frz. *salle* »Saal; Zimmer«, it. *sala* »Saal«, *salone* »großer Saal« (↑Salon). – Außergerm. verwandt ist die baltoslaw. Sippe von russ. *selo* »Acker; Dorf«. Die germ. und baltoslaw. Wörter bezeichneten ursprünglich den eingehegten, durch Flechtwerk oder Zäune geschützten Wohn- und Siedlungsraum.

Saat: Mhd., ahd. *sāt*, got. *-sēþs* (in *mannasēþs* »Menschensaat, Menschheit«), schwed. *säd* und die anders gebildeten niederl. *zaad*, engl. *seed* gehören zu der unter ↑säen dargestellten idg. Wurzel, vgl. z. B. aus anderen idg. Sprachen lat. *satus* »gesät«, *satio* und *satus* »das Säen; Saat«. Ursprünglich bezeichnete ›Saat‹ die Handlung des Säens, dann das Ausgesäte und schließlich das, was aus dem Gesäten hervorsprießt.

Sabbat ↑Samstag.

sabbern (ugs. für:) »Speichel ausfließen lassen, geifern«: Das aus dem Niederd.-Ostmitteld. stammende Verb (vgl. mnd. *sabben* »speicheln, geifern, beim Essen sudeln«) gehört wahrscheinlich zu der unter ↑Saft behandelten Wortgruppe. Zum Verb stellt sich das vorwiegend nordd. und mitteld. ugs. gebräuchliche Substantiv **Sabber** »ausfließender Speichel«. Neben ›sabbern‹ ist auch **sabbeln** ugs. für »geifern; beim Essen sudeln; schwatzen« gebräuchlich, beachte dazu **Sabbel** nordd., mitteld. für »Speichel«. Damit verwandt sind im germ. Sprachbereich niederl. *sabbelen* (mdal. auch *sabberen*) »geifern, beim Essen sudeln«, norw. *sabbe* »sudeln; langsam und schleppend gehen«, schwed. mdal. *sabba* »schlabbern, sudeln; trödeln«.

Säbel: Der seit dem 15. Jh. bezeugte Name der einschneidigen Hiebwaffe ist – wahrscheinlich über gleichbed. poln. *szabla* – aus ung. *szablya* »Säbel« entlehnt. Dieses Wort gehört zu ung. *szabni* »schneiden« und bedeutet demnach eigentlich »Schneide«.

sabotieren »planmäßig zerstören, beeinträchtigen (insbesondere militärische und wirtschaftliche Einrichtungen); hintertreiben, vereiteln«: Das Verb wurde im 20. Jh. aus gleichbed. frz. *saboter* entlehnt, das als Ableitung von frz. *sabot* »Holzschuh; Hemmschuh« eigentlich »mit den Holzschuhen treten« bedeutet. Der moderne Gebrauch des Wortes ergibt sich als Erweiterung der übertragenen Bedeutung »trampeln, ohne Sorgfalt arbeiten, flickschustern«. – Dazu stellen sich: **Sabotage** »planmäßige Zerstörung, vorsätzliche Beeinträchtigung« (20. Jh.; aus gleichbed. frz. *sa-*

botage) und **Saboteur** »jemand, der Sabotage treibt« (20. Jh.; aus gleichbed. frz. *saboteur*).

Sache: Das im heutigen Sprachgebrauch gewöhnlich im allgemeinen Sinne von »Ding, Gegenstand, Angelegenheit« verwendete Wort stammt aus der germ. Rechtssprache und bezeichnete ursprünglich die Rechtssache, den Rechtsstreit vor Gericht. Zur Bedeutungsentwicklung von »Rechtssache, Prozess« zu »Sache, Angelegenheit« vgl. z. B. frz. *chose* »Sache, Angelegenheit«, dem lat. *causa* »Rechtssache, Rechtsstreit« zugrunde liegt (beachte auch die Bedeutungsgeschichte von ›Ding‹, das ursprünglich »Gericht« bedeutete). – Mhd. *sache*, ahd. *sahha* »Rechtssache, Rechtsstreit; Angelegenheit, Ding; Ursache, Grund«, niederl. *zaak* »Sache, Angelegenheit, Geschäft«, aengl. *sacu* »Rechtsstreit, Prozess; Fehde«, schwed. *sak* »Rechtssache; Sache, Angelegenheit, Ding« gehören zu dem im Mhd. untergegangenen starken Verb ahd. *sahhan* »prozessieren; streiten; schelten« (s. den Artikel *Widersacher*), got. *sakan* »streiten; schelten«, aengl. *sacan* »anklagen; streiten, prozessieren; tadeln«. Dieses Verb steht im Ablaut zu dem unter ↑suchen behandelten Verb und bedeutete ursprünglich »eine Spur verfolgen, (einen Täter) suchen«. – Die alte rechtliche Geltung von ›Sache‹ ist heute noch deutlich erkennbar in der Zusammensetzung **Sachwalter** »[Rechts]anwalt, Verteidiger« (mhd. *sachwalter)*, beachte auch die Formel ›in Sachen‹ (X gegen Y). Verblasst ist dagegen der rechtliche Sinn in Wendungen wie ›gemeinsame Sache machen‹ und in Zusammensetzungen wie ›Hauptsache‹ (vgl. *Haupt*) und ›Ursache‹ (s. d.). – Abl.: **sachlich** »die Sache betreffend, zur Sache gehörig; unvoreingenommen« (1. Hälfte des 19. Jh.s), dazu **Sachlichkeit** und **versachlichen; sächlich** »mit neutralem Geschlecht« (18. Jh. in der Bedeutung »die Sache betreffend« und als grammatischer Terminus; in der ersten Bedeutung durch ›sachlich‹ [s. o.] verdrängt). – Groß ist die Zahl der Zusammensetzungen mit ›Sache‹ als Bestimmungs- oder als Grundwort, beachte z. B. ›sachgemäß, sachdienlich, Sachlage, Sachverhalt, Sachverständiger‹ und ›Ansichtssache, Dienstsache, Nebensache‹.

sacht »behutsam; leise; gemächlich, langsam«: Das aus dem Niederd. stammende Adjektiv (mnd.[-mniederl.] *sachte*), das sich vom Niederrheingebiet ausgehend seit dem 16. Jh. allmählich auch im Mitteld. und Oberd. durchgesetzt hat, ist die Entsprechung von hochd. ↑sanft. Zu niederd.-niederl. *-cht-* statt hochdt. *-ft-* vgl. den Artikel *Gracht*.

Sack: Das altgerm. Substantiv mhd., ahd. *sac*, got. *sakkus* (»Trauer-, Bußgewand aus grobem Stoff«), niederl. *zak*, aengl. *sacc* > engl. *sack* (daneben aengl. *sæcc*, das die nord. Sippe von entsprechend schwed. *säck* lieferte) beruht auf einer sehr frühen Entlehnung im Rahmen des römisch-germanischen Kaufhandels aus lat. *saccus* »Sack«. Das lat. Wort ist Lehnwort aus griech. *sákkos* »grober Stoff aus Ziegenhaar; (aus solchem Material hergestellter) Sack; grober Mantel; Trauer-, Büßerkleid«. Das Wort ist semit. Ursprungs (vgl. hebr. *śaq* »Stoff aus Haar; Sack«). – Ableitungen und Zusammensetzungen: **¹sacken** (landsch. für:) »in einen Sack füllen, verpacken« (15. Jh.; nicht zu verwechseln mit dem unverwandten Zeitwort ²sacken »sich senken, absinken«; ↑versacken), dafür meist das zusammengesetzte Verb **einsacken; Sacktuch** »Sackleinwand« (mhd. *sactuoch*, seit dem 18./19. Jh. auch für »Taschentuch, Schnupftuch«, vorwiegend südd. ugs. gebräuchlich); **Sackgasse** »Straße, die nur einen Ausgang hat« (Anfang 18. Jh.; für älteres ›Sack‹, das schon im 17. Jh. im gleichen Sinne galt). Siehe auch die Artikel *Säckel* und *Sakko*.

Sack

jmdn. in den Sack stecken/im Sack haben
(ugs.) »jmdm. überlegen sein, jmdn. übertreffen« Diese Wendung geht wahrscheinlich auf eine frühere Art von Wettkampf zurück, bei der der Besiegte vom Sieger tatsächlich in einen Sack gesteckt wurde. In verschiedenen Volkserzählungen werden Kämpfe dieser Art geschildert.

Säckel: Der besonders südd. und österr. Ausdruck für »Portemonnaie, Geldbeutel« ist keine Verkleinerungsbildung zu dt. ↑Sack, sondern direkt entlehnt aus lat. *saccellus*, das wie lat. *sacculus* eine Verkleinerung zu *saccus* »Sack« (s. d.) ist. Das Wort wird heute besonders in Zusammensetzungen wie ›Staats-, Stadtsäckel‹ scherzhaft zur Bezeichnung des Fiskus bzw. der Finanzverwaltung einer Kommune gebraucht.

Sackpfeife ↑dudeln.

Sadismus »Lust am Quälen, an Grausamkeiten (und Variante des sexuellen Erlebens, bei der Lust durch Quälen des Sexualpartners entsteht)«: Das Fremdwort wurde Ende des 19. Jh.s von A. Krafft-Ebing aus gleichbed. frz. *sadisme* in die Fachsprache der Psychologie und Psychiatrie entlehnt. Es ist gebildet zum Namen des französischen Schriftstellers A. F. Marquis de Sade (1740–1814), der in seinen Romanen und Erzählungen Sexualität in gewalttätig-grausamer Form darstellte. Seit dem Beginn des 20. Jh.s wird das Wort dann auch allgemein im Sinne von »Freude am Quälen; Grausamkeit« verwendet.

säen: Das gemeingerm. Verb mhd. *sæ[je]n*, ahd. *sāen*, got. *saian*, engl. *to sow*, schwed. *så* gehört mit den unter ↑Saat und ↑Same behandelten Wörtern zu der idg. Wurzel **sē[i]-* in der Bedeutungswendung »säen«, vgl. z. B. aus anderen idg. Sprachen lat. *serere (sevi, satum)* »säen«, *satio* »das [Aus]säen, Saat« (↑Saison), *semen* »Samen« (↑Seminar) und die baltoslaw. Sippe von russ. *sejat'*

»säen«. Diese idg. Wurzel bedeutete ursprünglich etwa »schleudern, werfen, [aus]streuen, fallen lassen«, vgl. dazu z. B. aind. *sā́yaka-ḥ, -m* »Wurfgeschoss, Pfeil«, *prá-siti-ḥ* »das Dahinschießen, Ansturm; Schuss, Wurf; Geschoss«. Die Bedeutung »säen« hat sich demnach aus »(Korn, Samen) werfen, ausstreuen« entwickelt. Auf einem Bedeutungsübergang von »werfen, fallen lassen« zu »loslassen, nachlassen, ermatten, säumen« beruhen die unter ↑seit (eigentlich »später«) und ↑Seite (eigentlich »schlaff Herabhängendes, Flanke«) behandelten Wörter; vgl. zu dieser Bedeutungswendung z. B. noch got. *sainjan* »säumen, zögern«, aisl. *seim* »langsam, spät«, mhd. *seine* »langsam, träge« und lat. *sinere* »lassen«, *serus* »spät«. – Zus.: **Sämann** (15. Jh.).

Safari: Die Bezeichnung für »kleinere [Jagd]expedition« wurde in der 1. Hälfte des 20. Jh.s aus gleichbed. engl. *safari* entlehnt, das auf Suaheli *safari* »Reise« zurückgeht. Dieses wiederum geht auf arab. *safer* »Reise« zurück. Heute wird ›Safari‹ auch im Sinne von »Gesellschaftsreise (in afrikanische Großwildgebiete)« verwendet (beachte auch ›Fotosafari‹).

Safe »Geldschrank; Bank-, Schließfach«: Das Fremdwort wurde im ausgehenden 19. Jh. aus gleichbed. engl. *safe* entlehnt. Dies ist substantiviert aus dem engl. Adjektiv *safe* »unversehrt; sicher«, bedeutet also eigentlich »der Sichere«. Das engl. Adjektiv ist aus afrz. (= frz.) *sauf* übernommen, das auf lat. *salvus* »gesund, heil« (vgl. den Artikel *Salve*) beruht.

Saft: Das westgerm. Wort mhd. *saf[t]*, ahd. *saf*, niederl. *sap*, engl. *sap* ist im germ. Sprachbereich verwandt mit der nord. Sippe von aisl. *safi* »in Bäumen aufsteigender Saft«, vgl. auch die unter ↑*sabbern* behandelten Wörter. Außergerm. ist z. B. lat. *sapa* »Most« verwandt. – Die Form mit sekundärem t (mhd. *saft*) ist seit dem 14. Jh. bezeugt. – Abl.: **saftig** »voller Saft; (ugs.:) derb, unanständig« (mhd. *saffec*); **saften** »Saft herstellen« (mhd. *saffen* »Saft gewinnen; saftig sein«), beachte dazu **entsaften** »den Saft entziehen« (dazu **Entsafter**) und **versaften** »zu Saft verarbeiten«.

S

Sage: Das westgerm. Substantiv mhd. *sage*, ahd. *saga*, niederl. (hochd. beeinflusst) *sage*, aengl. *sagu* (engl. *saw* »Redensart, Spruch«) ist eine Bildung zu dem unter ↑sagen behandelten Verb und bedeutet eigentlich »Gesagtes«. Es wurde in den älteren Sprachzuständen im Sinne von »Rede, Bericht, Erzählung, Gerücht« gebraucht, vgl. das anders gebildete aisl. *saga* »Erzählung, Bericht« (beachte dazu **Saga** als fachsprachliche Bezeichnung für die altisländische oder altnorwegische Prosaerzählung). – Die heute übliche Verwendung von ›Sage‹ als Bezeichnung für eine Prosaerzählung über Begebenheiten, die geschichtlich nicht beglaubigt sind, setzte sich im 18. Jh. durch.

Säge: Die nhd. Form geht über mhd. *sege* auf ahd. *sega* zurück, das im Ablaut zu dem gleichbedeutenden altgerm. Substantiv mhd. *sage*, ahd. *saga*, niederl. *zaag*, engl. *saw*, schwed. *såg* steht. Diese Wörter gehören im Sinne von »Werkzeug zum Schneiden« zu der idg. Wurzel **sĕk-* »schneiden«, vgl. z. B. die baltoslaw. Sippe von russ. *seč'* »schneiden« und lat. *secare* »schneiden« (s. die Fremdwortgruppe um *sezieren*, zu der ↑Segment, ↑Sektor, ↑Insekt gehören), *secula* »kleine Sichel« (↑Sichel), *signum* »Zeichen, Kennzeichen«, eigentlich »Einschnitt, Eingekerbtes« (s. die umfangreiche Fremdwortgruppe um *Signum*, zu der z. B. ›signieren, resignieren, Signal, Siegel‹ und ›segnen‹ gehören). Aus dem germ. Sprachbereich stellen sich zu dieser Wurzel auch die unter ↑Sense (ahd. *segensa*) und ↑Segel (eigentlich wohl »abgeschnittenes Stück Tuch«) behandelten Wörter, ferner als »Gerät zum Schneiden« der zweite Bestandteil der unter ↑Messer behandelten alten Zusammensetzung (ahd. *mezzisahs*). – Abl.: **sägen** (mhd. *segen*, ahd. *segōn*, daneben mhd. *sagen*, ahd. *sagōn*). Zus.: **Sägefisch** (17. Jh.); **Sägemehl** (um 1500); **Sägemühle** (mhd. *segemül*).

sagen: Das altgerm. Verb mhd. *sagen*, ahd. *sagēn* (Neubildung), niederl. *zeggen*, engl. *to say*, schwed. *säga* ist z. B. verwandt mit lat. *in-seque* »sag an!, erzähle!« und mit der baltoslaw. Sippe von lit. *sakýti* »sagen, erzählen«. Diese Wörter gehören im Sinne von »sehen lassen, zeigen« oder »bemerken« zu der unter ↑sehen dargestellten idg. Wortgruppe. – Um ›sagen‹ gruppieren sich die Bildungen ↑Sage und **unsagbar** »unaussprechlich, unvorstellbar groß« (mhd. *unsagebære*) sowie **unsäglich** »unvorstellbar groß« (mhd. *unsegelich, -sagelich;* wie auch ›unsagbar‹ eigentlich »was sich nicht sagen lässt«). Wichtige Präfixbildungen und Zusammensetzungen mit ›sagen‹ sind **absagen** »abbestellen, rückgängig machen; sich lossagen, entsagen« (mhd. *ab[e]sagen* »zurückweisen; Fehde ankündigen; verkünden«), dazu **Absage** (mhd. *abesage* »Aufkündigung der Freundschaft«, ahd. *abesaga* »Verneinung«); **ansagen** »ankündigen, mitteilen« (mhd. *an[e]sagen*, ahd. *anasagēn* »eingestehen; zusagen, versprechen; anklagen«), dazu **Ansage** und **Ansager; aussagen** »[vor Gericht] bekunden, mitteilen« (mhd. *ūzsagen* »aussprechen; aufsagen«), dazu **Aussage; besagen** »ausdrücken, meinen« (mhd. *besagen* »sagen; aussagen, bezeugen; anklagen«; ahd. *bisagēn* »zusprechen«); **entsagen** »verzichten« (mhd. *entsagen*, ahd. *intsagēn* »aufkündigen; Fehde ankündigen (nur mhd.); entschuldigen, verteidigen; absprechen, entziehen; leugnen«), dazu **Entsagung,** beachte auch die Bildung **entsagungsvoll; untersagen** »verbieten« (mhd. *undersagen*, ahd. *untarsagēn* »gesprächsweise mitteilen«, dann auch »verbieten«, nach lat. *interdicere*); **versagen** »abschlagen, verweigern; nicht funktionieren« (mhd. *versagen*, ahd. *farsagēn*), dazu **Versager** »jemand, der das Erwartete nicht leisten kann; Fehler, Ausfall«; **zusagen**

»zustimmen; versprechen; gefallen« (mhd. *zuosagen*), dazu **Zusage.**

Sahne: Das seit dem 15. Jh. zunächst mitteld. und niederd. bezeugte Wort stammt vermutlich aus dem Niederl. (vgl. mniederl. *sāne,* südniederl. *zaan*), und zwar wurde es wahrscheinlich im 12. Jh. von den niederländischen Siedlern in der Mark Brandenburg übernommen. Die weitere Herkunft des Wortes ist dunkel. – Abl.: **sahnig** (19. Jh.). Zus.: **Schlagsahne** (19. Jh.).

[1,2]Saint ↑Sankt.

Saison »Hauptbetriebs-, Hauptgeschäfts-, Hauptreisezeit«: Das Fremdwort wurde im 17. Jh. aus entsprechend frz. *saison* entlehnt, das zunächst allgemein »Jahreszeit« bedeutet, dann im engeren Sinne »günstige, für bestimmte Geschäfte usw. geeignete Jahreszeit«. Das frz. Wort geht wohl zurück auf lat. *satio* (Akkusativ: *sationem*) »Aussaat« (zu lat. *serere, satum* »säen, pflanzen«, verwandt mit dt. ↑säen), das im Vlat. die Bedeutung »Zeit der Aussaat« angenommen haben muss. Eine Bildung zu ›Saison‹ ist das Adjektiv **saisonal** »die Saison betreffend« (Mitte des 20. Jh.s), das wohl beeinflusst ist von gleichbed. engl. *seasonal* (von engl. *season* »Saison« < afrz. *seison* = frz. *saison*).

Saite: Mhd. *seite,* ahd. *seita,* daneben *seito* »Strick; Schlinge, Fallstrick; Fessel; Darmsaite«, aengl. *sāda* »Strick; Halfter; Saite«, aisl. *seiđr* »Band, Gürtel« gehören mit den unter ↑Seil und ↑Sehne behandelten Wörtern zu der idg. Wurzel **sēi-* »binden«, vgl. z. B. aind. *syáti, sinā́ti* »bindet«, *sḗtu-ḥ* »Band, Fessel«, lit. *siẽtas* »Strick«, *saĩtas* »Strick, Leine, Kette, Band«, russ. *set'* »Netz«. – Heute bezeichnet ›Saite‹ nur noch den aus Därmen, Metall oder Kunststoff hergestellten dünnen, elastischen Tonerzeuger. Die seit dem 17. Jh. übliche Schreibung mit -ai- dient zur Unterscheidung von ›Seite‹. – Abl.: **besaiten** »mit Saiten bespannen« (18. Jh.; beachte besonders das auch übertragen verwendete 2. Partizip **besaitet**).

Saite

andere/strengere Saiten aufziehen
(ugs.) »strenger vorgehen«
Werden bei einem Musikinstrument die Saiten ausgewechselt, so verändert sich der Klang, die Tonart des Instruments. Darauf bezieht sich die vorliegende Wendung.

Sakko: Die Bezeichnung für »Jackett« ist eine italienisierende Bildung des ausgehenden 19. Jh.s zu ↑Sack. Schon vorher nannte man einen modischen, nicht auf Taille gearbeiteten, sondern gleichsam sackförmig geschnittenen Männerrock ›Sack‹ nach dem Vorbild von gleichbed. engl. *sack.*

Sakrament »göttliche Gnade vermittelnde kirchliche Handlung (und das entsprechende Gnadenmittel)«: Das aus der Kirchensprache stammende Fremdwort (mhd. *sagkermente, sacrament*), das verschiedene in der christlichen Kirche geübte heilige Handlungen (wie Taufe, Abendmahl, Firmung, Krankensalbung u. a.) bezeichnet, ist aus kirchenlat. *sacramentum* »religiöses Geheimnis, Mysterium« entlehnt, das lat. *sacramentum* »Weihe, Verpflichtung [zum Kriegsdienst]; Treueeid« in den religiösen Bereich überträgt. Zugrunde liegt das lat. Verb *sacrare* »(einer Gottheit) weihen, widmen; heilig machen«. Dessen Stammwort ist lat. *sacer* »heilig, geweiht«, das wohl verwandt ist mit lat. *sancire* »heiligen; unverbrüchlich und unverletzlich machen; bekräftigen, besiegeln usw.«, *sanctus* »heilig; unverletzlich« (s. die Fremdwörter *Sanktion, sanktionieren* und *Sankt*). Die außeritalischen Beziehungen der Wortgruppe sind nicht gesichert. – Aus ›Sakrament‹ ist (aus religiöser Scheu) das vor allem in Süddeutschland gebräuchliche **sakra!** »verdammt!« gekürzt. – Vgl. noch das auf lat. *sacer* beruhende *Sakristei.*

Sakristei: Die seit dem 13. Jh. bezeugte Bezeichnung des für den Aufenthalt des Geistlichen und für die Aufbewahrung der gottesdienstlichen Geräte bestimmten Nebenraumes der Kirche (mhd. *sacristīe*) ist aus gleichbed. mlat. *sacristia* entlehnt, einer Bildung zu lat. *sacer* »heilig, geweiht« (vgl. *Sakrament*).

...sal: Das heute nicht mehr produktive Ableitungssuffix ist nicht – wie z. B. ↑...heit – aus einem ursprünglich selbstständigen Substantiv hervorgegangen, sondern tritt schon in den frühesten Sprachzuständen als Wortbildungsmittel auf. Mit idg. **-slo-* sind so im Baltischen z. B. gebildet apreuß. *kersle* »Axt« und lit. *ker̃slas* »Messerchen zum Öffnen der Vene beim Aderlass«, im Slaw. z. B. abulg. *veslo* »Ruder« und russ. *čereslo* »Pflugmesser«. Im Germ. tritt das Suffix z. B. in anord. *smyrsl* »Salbe« und in got. *hunsl* »Opfer« auf. Es wurde dann im Ahd. weiterentwickelt zu *-(i)sal,* vgl. ahd. *truobisal* »Trübsal«. Mit ›...sal‹ wurden hauptsächlich Ableitungen von Verben gebildet wie etwa ›Labsal, Rinnsal, Schicksal‹. Ableitungen von Substantiven sind z. B. ›Drangsal, Mühsal‹, eine adjektivische Ableitung ist ›Trübsal‹. – Im Mhd. hat sich unbetontes ›-sal‹ zu ›-sel‹ abgeschwächt (ahd. *wehsal* > mhd. *wehsel* »Wechsel«), das unserem Ableitungssuffix **...sel** zugrunde liegt. Mit ›...sel‹ werden nur Ableitungen von Verben gebildet (vgl. etwa ›Anhängsel, Einsprengsel, Füllsel, Überbleibsel‹). Die zahlreichen Bildungen mit **...selig** sind zumeist Ableitungen von Substantiven auf ›...sal‹ nachgebildet: ›Mühsal – mühselig‹, danach z. B. ›feind-, red-, rührselig‹. Sie werden heute aber vom Sprachgefühl her zum Adjektiv ↑selig gestellt.

Salamander: Der Name des zur Familie der Schwanzlurche gehörenden Tieres (mhd. *salamander*) führt über lat. *salamandra* auf gleich-

S

bed. griech. *salamándrā* zurück, dessen Herkunft unsicher ist.

Salami: Die Bezeichnung für eine luftgetrocknete, kräftig gewürzte Dauerwurst wurde im 19. Jh. aus it. *salame* »Salzfleisch; Schlackwurst« entlehnt, das auf einer Bildung zu lat. *sal* (> it. *sale*) »Salz« (vgl. *Saline*) beruht.

Salat: Das seit spätmhd. Zeit bezeugte Substantiv ist aus einer älteren Mundartform *salata* von it. *insalata* »eingesalzene, gewürzte Speise; Salat« entlehnt, einer Bildung zu it. *insalare* »einsalzen«. Das zugrunde liegende einfache Verb it. *salare* (= frz. *saler,* span. *salar*) »salzen« beruht auf vlat. **salare* »salzen, in Salz einlegen«, das für gleichbed. lat. *sal[l]ire, sallere* steht. Über das Stammwort lat. *sal* »Salz« vgl. den Artikel *Saline.* – Gleicher Herkunft (aus dem It.) wie unser dt. Wort ›Salat‹ sind auch gleichbed. frz. *salade* und span. *ensalada.*

Salbe: Das westgerm. Wort mhd. *salbe,* ahd. *salba,* niederl. *zalf,* engl. *salve* ist z. B. verwandt mit tochar. B *ṣalype* »Fett, Öl«, aind. *sarpí-ḥ* »ausgelassene Butter, Schmalz« und griech. *élpos* »Öl, Fett, Talg«. – Vom Substantiv abgeleitet ist das gemeingerm. Verb **salben** (mhd. *salben,* ahd. *salbōn,* got. *salbōn,* niederl. *zalven* [↑Quacksalber], engl. *to salve,* schwed. *salva*). Zu ›salben‹ gebildet ist **Salbung** (mhd. *salbunge*), dazu **salbungsvoll** »übertrieben weihevoll (und frömmelnd)« (18. Jh.).

Saldo »Ausgleich (Unterschiedsbetrag) zwischen den beiden Seiten eines Kontos«: Der Ausdruck der Kaufmannssprache wurde Anfang des 17. Jh.s aus entsprechend it. *saldo* entlehnt, das postverbal zu it. *saldare* »festmachen; (ein Konto) ausgleichen« gehört. Das Wort ›Saldo‹ bezeichnet demnach den »festen Bestandteil«, der bei einer Kontoführung verbleibt. – It. *saldare,* das im 16. Jh. unser Verb **saldieren** »(ein Konto, eine Rechnung) durch Saldo ausgleichen« lieferte, ist seinerseits abgeleitet von it. *saldo* »fest«. Diesem voraus liegt ein vlat. Adjektiv **saldus,* das für klass.-lat. *solidus* »fest« (vgl. *solid[e]*) steht.

Saline »Anlage zur Gewinnung von Kochsalz; Gradierwerk«: Das seit dem 18. Jh. bezeugte Fremdwort geht auf lat. *salinae* »Salzwerk, Salzgrube« zurück. Das zugrunde liegende Adjektiv lat. *salinus* »zum Salz gehörig« ist von lat. *sal (salis)* »Salz« abgeleitet (urverwandt mit dt. ↑Salz). – Andere zu lat. *sal* oder zu dessen roman. Abkömmlingen gehörende Ableitungen und Weiterbildungen erscheinen in den Fremdwörtern ↑Salami, ↑Salat, ↑Soße. Beachte auch die Fremdwörter ↑Salmiak und ↑Salpeter, in denen lat. *sal* erster Bestandteil ist.

S

[1]**Salm:** Die vorwiegend in den Rheingebieten gebräuchliche Bezeichnung für »Lachs« (mhd. *salme,* ahd. *salmo*) ist aus lat. *salmo* »Lachs« entlehnt, das auch frz. *saumon* »Lachs« zugrunde liegt.

[2]**Salm** ↑Psalm.

Salmiak »Ammoniumchlorid«: Das zuerst im 14./15. Jh. als *salarmaniak, salmiak* belegte Substantiv ist verkürzt aus mlat. *sal armoniacum,* klass.-lat. *sal armeniacum,* das als eine Lehnübersetzung aus dem Arab. eigentlich »armenisches Salz« (nach dem Herkunftsland) bedeutet und früh mit lat. *sal Ammoniacum* verwechselt wurde, das chemisch verschieden ist (vgl. *Ammoniak*).

Salon »großes Gesellschafts- und Empfangszimmer«, in neuester Zeit auch übertragen als Bezeichnung für einen großzügig und elegant ausgestatteten Geschäftsraum (beachte Zusammensetzungen wie ›Friseursalon‹): Das Wort wurde im 17. Jh. über gleichbed. frz. *salon* aus it. *salone* »großer Saal, Festsaal« entlehnt, einer Vergrößerungsbildung zu it. *sala* (= frz. *salle*) »Saal« (vgl. *Saal*).

Salpeter: Das Substantiv mhd. *salpeter* stammt vielleicht von lat. *sal petrae* »Salpeter«, eigentlich »Salz des Steins«, das wohl so genannt wurde, weil Salpeter sich am Gestein in Höhlen bildet. Andererseits kann mhd. *salpeter* aus mhd. *salniter* »Salpeter« entstanden sein, das von lat. *sal nitrum* »Salpeter«, eigentlich »Natronsalz«, stammt. Lat. *nitrum* »Natron« ist aus gleichbed. griech. *nítron* entlehnt, das wie das hebr. *nẹṯẹr* »Natron« auf ägypt. *nṯr(j)* »Natron« zurückgeht.

Salto: Der Ausdruck für »Luftrolle, freier Überschlag« wurde im 19. Jh. aus it. *salto* »Sprung, Kopfsprung« entlehnt, das auf lat. *saltus* »das Springen, der Sprung« zurückgeht. Stammwort ist lat. *salire* »springen, hüpfen«, das mit gleichbed. griech. *hállesthai* verwandt ist (↑Halma). – Zu lat. *salire* stellt sich das Intensiv lat. *saltare* »springen; tanzen«, deren Zusammensetzung lat. *re-sultare* »zurückprallen, -springen« in unseren Fremdwörtern ↑Resultat, resultieren erscheint. – Dazu das schon in der 2. Hälfte des 18. Jh.s übernommene **Salto mortale** »lebensgefährlicher artistischer Kunstsprung« (aus gleichbed. it. *salto mortale,* wörtlich »Todessprung«. Dem Adjektiv liegt lat. *mortalis* »sterblich; tödlich« zugrunde).

Salve: Das seit dem 16. Jh. bezeugte Fremdwort galt zuerst im Sinne von »Salutschießen (als Ehrengruß)«. Diese Bedeutung wurde später im militärischen Bereich verallgemeinert. So versteht man heute unter ›Salve‹ ganz allgemein »das gleichzeitige Feuern mehrerer Geschütze oder Gewehre«. ›Salve‹ ist aus gleichbed. frz. *salve* entlehnt, das auf der lat. Grußformel *salve!* »Heil dir!, Sei gegrüßt!« (eigentlich 2. Person Singular Imperativ von lat. *salvere* »gesund sein, sich wohl befinden«) beruht. Das zugrunde liegende Stammwort lat. *salvus* »heil, gesund«, das auch Ausgangspunkt für das Fremdwort ↑Safe ist, ist u. a. verwandt mit lat. *solidus* »fest, gediegen, ganz« (s. die Fremdwortgruppe um *solid[e]*), ferner im außeritalischen Sprachbereich z. B. mit griech. *hólos* »ganz, vollständig, unversehrt« (↑holo..., Holo...).

Salweide: Der seit ahd. Zeit bezeugte Name der Weidenart (mhd. *salewīde*, ahd. *salewīda*) ist eine verdeutlichende Zusammensetzung, deren Bestimmungswort mhd. *salhe*, ahd. *sal[a]ha* »[Sal]weide« ist. Damit verwandt sind im germ. Sprachbereich engl. *sallow* »Salweide«, schwed. *sälg* »[Sal]weide« und außerhalb des germ. Sprachbereichs lat. *salix (salicis)* »Weide« und mir. *sail* »Weide«. Diese Wörter gehören zu dem unter ↑Salz behandelten idg. Adjektiv **sal-* »schmutzig grau«. Die Weidenart ist also nach ihren filzig grauen Blättern benannt.

Salz: Das gemeingerm. Wort mhd., ahd. *salz*, got. *salt*, engl. *salt*, schwed. *salt*, das im Ablaut zu dem unter ↑Sülze (ursprünglich »Salzbrühe«) behandelten Substantiv steht, beruht mit verwandten Wörtern in den meisten anderen idg. Sprachen auf idg. **sal-* »Salz«. Vgl. z. B. griech. *hals* »Salz« (beachte das Fremdwort **Halogen** »Salz bildender chemischer Grundstoff«, dazu **Halogenlampe** »sehr helle Glühlampe mit einer Füllung aus Edelgas und einer geringen Beimischung von Halogen«, **Halogenscheinwerfer** »Scheinwerfer mit Halogenlampen«), lat. *sal* »Salz« (↑Saline, ↑Salpeter, ↑Salmiak, ↑Salami, ↑Salat, ↑Soße) und die baltoslaw. Sippe von russ. *sol'* »Salz« (↑Sole »salzhaltiges Quellwasser, Salzlösung«). Vgl. hierzu auch das Kapitel zur Sprachgeschichte *Der indogermanische Erbwortschatz*. Idg. **sal-* »Salz« ist eigentlich ein substantiviertes Adjektiv mit der Bedeutung »schmutzig grau«, vgl. z. B. ahd. *salo* »trübe, schmutzig grau«, aengl. *salu* »dunkel, schwärzlich«, aisl. *sǫlr* »schmutzig; bleich« und russ. *solovyj* »gelblich grau«. Das Salz, das in alter Zeit ungereinigt in den Handel kam, ist also als das »Schmutziggraue« benannt. – Zu ›Salz‹ stellt sich das Verb **salzen** (mhd. *salzen*, ahd. *salzan*, vgl. got. *saltan*, engl. *to salt*, schwed. *salta*), beachte dazu **versalzen** »zu stark salzen«, ugs. auch für »verderben, vereiteln«. Das Wort ›Salz‹ spielte früher auch eine bedeutende Rolle in der Namengebung, beachte z. B. den Flussnamen Salzach und die Ortsnamen Salzburg, Salzwedel, Salzgitter, beachte auch den Ortsnamen Selters (früher Salt[a]rissa), daher, nach dem Herkunftsort benannt, **Selterswasser**, gekürzt **Selters** (heute auch für Wasser, dem Mineralstoffe und Kohlensäure zugesetzt worden sind). Abl.: **salzig** (15. Jh.).

...sam ↑sammeln.

Sämann ↑säen.

Samba: Der in Europa nach dem 2. Weltkrieg bekannt gewordene beschwingt-spritzige Gesellschaftstanz im $^2/_4$-Takt ist aus einem Volkstanz der brasilianischen Schwarzen entstanden. Sein Name ist aus port. (brasilianisch) *samba* entlehnt, das seinerseits aus einer afrik. Sprache stammt.

Same, Samen: Das im germ. Sprachbereich nur im Dt. gebräuchliche Wort (mhd. *sāme*, ahd. *sāmo*) gehört zu der unter ↑säen dargestellten idg. Wurzel. Außergerm. eng verwandt sind z. B. lat. *semen* »Same« (↑Seminar) und die baltoslaw. Sippe von russ. *semja* »Same«.

sämig »dickflüssig-glatt« (von Suppen, Soßen u. dgl.): Das heute allgemein gebräuchliche Adjektiv beruht auf mdal. Nebenformen (z. B. niederd. *sēmig*) des Adjektivs **seimig** »dickflüssig« (18. Jh.), das zu **Seim** »dicke Flüssigkeit; Wabenhonig« gehört (mhd. *[honec]seim*, ahd. *[honang]seim*, entsprechend mnd. *sēm*, niederl. *zeem*, aisl. *seimr* »Honigwabe«). Das altgerm. Substantiv wird im Nhd. fast nur noch bildlich gebraucht: ›süß wie Honigseim‹.

Sämischleder: Die Bezeichnung für ein sehr weiches, mit Öl oder Tran gegerbtes Leder tritt zum ersten Mal im 15. Jh. auf (spätmhd. *semisch leder*). Über mnd. *semis[ch] leder* fand das Wort im Ostseeraum weitere Verbreitung (vgl. dän. *semslæder*, schwed. *sämskskinn*). Die Herkunft des ersten Bestandteils ist nicht sicher geklärt. Am ehesten ist eine Entlehnung aus frz. *chamoix* »Gämse; weiches Gämsenleder« (< spätlat. *camox*) zu vermuten.

sammeln: Die nhd. Form geht zurück auf mhd. *samelen*, das durch Dissimilation aus älterem *samenen* entstanden ist (vgl. die entsprechende Entwicklung von niederl. *zamelen* aus mniederl. *samenen*). Mhd. *samenen*, ahd. *samanōn* »zusammenbringen, versammeln, vereinigen« (vgl. den Artikel *gesamt*), mniederl. *samenen* »zusammenbringen«, aengl. *samnian* »versammeln; vereinigen, verbinden«, aisl. *samna* »sammeln« gehören zu dem im Nhd. noch in ↑zusammen bewahrten gemeingerm. Adverb: mhd. *samen*, ahd. *saman* »bei-, zusammen«, got. *samana* »zusammen, zugleich«, aengl. *(ęt-, tō)samne* »zusammen«, schwed. *samman* »bei-, zusammen«. Dieses Adverb stellt sich zu ahd. *samo* (Pronomen) »derselbe«, *sama* (Adverb) »ebenso«, got. *sama* (Pronomen) »derselbe«, aengl. *same* (Adverb) »ebenso, ähnlich«, schwed. *samma* (Pronomen) »derselbe«, beachte dazu das gemeingerm. Suffix nhd. **...sam** (mhd., ahd. *-sam*, got. *-sams*, engl. *-some*, schwed. *-sam*). Dieses Suffix war ursprünglich ein selbstständiges Wort mit der Bedeutung »mit etwas übereinstimmend, von gleicher Beschaffenheit«, das in aisl. *samr* (Adjektiv) »zusammenhängend, unverändert; passend, geneigt; gleich, derselbe« vorliegt. Hierher gehören ferner die unter ↑samt und ↑sanft behandelten Wörter. Die umfangreiche germ. Wortgruppe beruht auf idg. **sem-* »eins« und »in eins zusammen, einheitlich, samt«, vgl. das adverbial erstarrte germ. **sin* »immer während, heftig, stark« (eigentlich »in einem«), das als erster Bestandteil in ↑Sintflut steckt. In anderen idg. Sprachen sind z. B. verwandt lat. *semper* »in einem fort, immer«, *simplex* »einfach« (↑simpel), *similis* »ähnlich« (eigentlich »von ein und derselben Art«), griech. *homós* »gemeinsam, ähnlich, gleich« (↑homo..., Homo...), *háma* »zusammen, zugleich«, russ. *sam* »selbst«, aind. *samá-ḥ* »gleich, eben, derselbe«, *samanā́* »zusammen«. – Zus.: **Sammelsurium** (s. d.).

Sammelsurium: Der seit dem 17. Jh. bezeugte ugs. Ausdruck für »Mischmasch, Durcheinander« ist eine scherzhafte Bildung mit lat. Endung zu niederd. *sammelsūr* »saures Gericht aus gesammelten Speiseresten«. Der zweite Bestandteil des niederd. Wortes ist das substantivierte Adjektiv niederd. *sūr* »sauer« (vgl. *sauer*) und bedeutet also eigentlich »das Saure«, beachte dazu niederd. *swartsūr* »Schwarzsauer« (Gänseklein in Essig und Blut).

Samstag: Die vorwiegend in Süddeutschland und im rheinischen Sprachgebiet übliche Bezeichnung des letzten Wochentages (in Nord- und Mitteldeutschland dafür meist ↑Sonnabend), mhd. *sam[e]ȥtac,* ahd. *sambaȥtac,* enthält als ersten Bestandteil ein im Rahmen der arianischen Mission im Südosten aufgenommenes Lehnwort, das auf vulgärgriech. **sámbaton* (für griech. *sábbaton*) beruht. Das griech. Wort ist entlehnt aus hebr. *šabbaṯ,* mit dem der **Sabbat,** der von Freitagabend bis Samstagabend dauernde, nach jüdischem Glauben geheiligte wöchentliche Ruhetag bezeichnet wird.

samt »zusammen«: Das altgerm. Adverb mhd. *samt, same[n]t,* ahd. *samet,* got. *samaþ,* aengl. *samod* gehört zu der unter ↑sammeln behandelten Wortgruppe. Als Adverb ist ›samt‹ heute nur noch in **allesamt** und in der Verbindung ›samt und sonders‹ bewahrt. Sonst wird es als Präposition mit dem Dativ verwendet. Als Bestimmungswort tritt es in der Zusammensetzung **Samtgemeinde** auf, der Bezeichnung für einen Gemeindeverband in Niedersachsen. – Abl.: **sämtlich** (mhd. *samentlich*).

Samt: Der Stoffname (mhd. *samīt*) stammt aus afrz., aprov. *samit,* das über mlat. *samitum* (alle gleichbedeutend) auf griech. *hexámitos* »sechsfädig« zurückgeht, eine Zusammensetzung aus griech. *héx* »sechs« und griech. *mítos* »Faden; Schlinge; Litze«. Das Wort bezeichnete ursprünglich ein sechsfädiges [Seiden]gewebe. – Abl.: **samten** (mhd. *samātīn*).

San ↑Sankt.

Sanatorium: Das Fremdwort für »Heilstätte, Genesungsheim« ist eine nlat. Bildung des 19. Jh.s zu lat. *sanare* »gesund machen, heilen« (vgl. *sanieren*).

Sand: Das altgerm. Wort mhd., ahd. *sant,* niederl. *zand,* engl. *sand,* schwed. *sand* ist verwandt mit griech. *ámathos* »Sand«. Die weiteren Beziehungen sind unklar. – Abl.: **sandig** (mhd. *sandic*). Zus.: **Sandbank** (17. Jh.).

Sand

wie Sand am Meer
»zahllos, im Überfluss [von zählbaren Dingen]«
Dieser Vergleich wurde durch die Bibel allgemein verbreitet; dort findet er sich an mehreren Stellen (z. B. 1. Moses 22, 17).

jmdm. Sand in die Augen streuen
»jmdm. etwas vormachen, jmdn. täuschen«
Beim Fechten und bei anderen Zweikämpfen ist es ein alter Trick, dem Gegner Sand in die Augen zu werfen, um ihn in seiner Kampfkraft zu beeinträchtigen. Darauf geht diese Wendung zurück.

es ist Sand im Getriebe
»etwas läuft nicht wie geplant, wie üblich ab; etwas funktioniert nicht richtig«
Mechanische Getriebe funktionieren nur bei möglichst geringer Reibung; wenn Sand zwischen die Zahnräder gerät, wird das Getriebe blockiert oder zerstört. Darauf geht die vorliegende Wendung zurück.

auf Sand gebaut sein
»sich auf etwas höchst Unsicheres verlassen [haben]«
Diese Wendung stammt aus der Bibel. Sie bezieht sich auf das Gleichnis vom törichten Mann (Matthäus 7, 26), der sein Haus auf Sand gebaut hatte, wo es durch Regen und Wind bald einstürzte.

im Sande verlaufen
»nicht erfolgreich sein, nach und nach aufgegeben werden, aufhören«
Die Wendung bezieht sich darauf, dass Wasser im Sand rasch versickert und nicht mehr zu sehen ist.

Sandale »leichter sommerlicher Riemenschuh«: Das Wort erscheint bei uns zuerst im 15. Jh. in der Pluralform *sandaly* (die heutige Singularform kommt erst gegen Ende des 18. Jh.s auf). Es geht über entsprechend lat. *sandalium* auf gleichbed. griech. *sandálion* zurück, das selbst (vermutlich iran.) Lehnwort ist. – Dazu: **Sandalette** »sandalenartiger Sommerschuh« (französierende Ableitung des 20. Jh.s).

Sandwich: Die im 19. Jh. aus gleichbed. engl. *sandwich* entlehnte Bezeichnung für eine mit Butter bestrichene, mit kaltem Fleisch, Käse, Salat o. Ä. belegte (Weiß)brotscheibe oder Brötchenhälfte geht zurück auf J. Montague, den 4. Earl of Sandwich (1718–1792), dessen Spielleidenschaft so weit ging, dass er sich am Spieltisch reichhaltig belegte Weißbrotschnitten servieren ließ, damit er das Spiel nicht zur Einnahme zeitraubender normaler Mahlzeiten unterbrechen musste.

sanft: Mhd. *senfte,* ahd. *semfti* (Adverb mhd. *sanfte,* ahd. *samfto*), mnd. *sachte* (↑sacht), niederl. *zacht,* aengl. *sēfte* (Adverb *sōfte,* engl. *soft*) stellen sich im germ. Sprachbereich zu got. *samjan*

S

»zu gefallen suchen«, aisl. *sama* »passen, sich schicken«, schwed. *sämjas* »sich vertragen, einig sein« usw. Diese Wörter gehören zu der unter ↑sammeln behandelten Wortgruppe. Für ›sanft‹ ist demnach also von der Vorstellung des friedlichen Zusammenseins oder guten Zusammenpassens auszugehen. – Zum -f- des westgerm. Adjektivs vgl. z. B. das Verhältnis von ›Zunft‹ zu ›ziemen‹ und von ›Vernunft‹ zu ›vernehmen‹. Die nhd. Form ›sanft‹ setzt die Form des Adverbs mhd. *sanfte*, ahd. *sanfto* fort (entsprechend engl. *soft*, s. o.).

Sänfte: Die seit dem 16. Jh. gebräuchliche Bezeichnung für »Tragsessel« ist identisch mit dem heute veralteten ›Sänfte‹ »Sanftheit, Bequemlichkeit« (mhd. *senfte*, ahd. *samftī*, *semftī* »Ruhe, Gemächlichkeit, Annehmlichkeit«). Dieses Substantiv ist eine Bildung zu dem unter ↑sanft behandelten Adjektiv. Zum Wortgebrauch im konkreten Sinne vgl. z. B. die Verwendung von ›Weiche‹ im Sinne von »Flanke«.

Sang: Das gemeingerm. Wort mhd. *sanc*, ahd. *sang*, got. *saggws*, engl. *song*, schwed. *sång* ist eine Bildung zu dem unter ↑singen behandelten Verb. Zu ›Sang‹ stellen sich die Bildungen ↑Gesang und **Sänger** (mhd. *senger*, ahd. *sangari*).

sanguinisch »leichtblütig, von lebhaft-heiterem Temperament«: Das seit dem Anfang des 16. Jh.s bezeugte Adjektiv, das auf lat. *sanguineus* »aus Blut bestehend; blutvoll« (zu lat. *sanguis* »Blut«) zurückgeht, bezeichnet die Äußerung eines der vier Grundtemperamente (s. zum Sachlichen die Artikel *cholerisch*, *Melancholie* und *Phlegma*).

sanieren »gesund machen; wirtschaftlich wieder leistungsfähig machen; zeitgemäße Lebens- und Wohnverhältnisse schaffen«, auch reflexiv gebraucht im Sinne von »wirtschaftlich gesunden«: Das Verb wurde im 19. Jh. aus lat. *sanare* »gesund machen, heilen« entlehnt. Dies gehört zu lat. *sanus* »gesund, heil«. Die seit dem 19. Jh. bezeugte Ableitung **Sanierung** »das Wiederherstellen der Gesundheit, Heilung; wirtschaftliche Gesundung« wird heute besonders im kommunalen Bauwesen im Sinne von »Umgestaltung durch Renovierung oder Abriss und Neuaufbau« gebraucht, beachte dazu Zusammensetzungen wie ›Sanierungsgebiet, -maßnahme, -programm‹ und ›Altstadt-, Dorf-, Stadtteilsanierung‹. – Die rein medizinische Grundbedeutung des lat. Wortes kommt noch in den folgenden zu lat. *sanare* gehörenden abgeleiteten Fremdwörtern zum Ausdruck: **sanitär** »gesundheitlich; das Gesundheitswesen betreffend« (20. Jh.; aus entsprechend frz. *sanitaire*, einer gelehrten Bildung zu lat. *sanitas* »Gesundheit«), dazu die Fügung ›sanitäre Anlagen‹ »öffentliche Bedürfnisanstalt«, in der ›sanitär‹ früher verhüllenden Charakter hatte und die heute allgemein »Dusch-, Waschräume, Toiletten« bedeutet; **Sanität,** veraltet für »Gesundheit« (aus gleichbed. lat. *sanitas*), aber noch lebendig in Zusammensetzungen wie ›Sanitätswesen‹, ›Sanitätsauto‹ »Krankenwagen«, ›Sanitätsoffizier‹ usw. und in dem abgeleiteten Substantiv **Sanitäter** »jemand, der in erster Hilfe, als Krankenpfleger ausgebildet ist« (19. Jh.). Siehe auch den Artikel *Sanatorium*.

Sankt »heilig«: Das aus lat. *sanctus* »geheiligt, heilig; ehrwürdig« (vgl. *Sanktion*) entlehnte Adjektiv erscheint nur in Heiligennamen und in auf solche zurückgehenden Ortsnamen (beachte z. B. Sankt Peter, Sankt Gallen). Abk.: St. – Gleicher Herkunft sind die folgenden, aus anderen europäischen Sprachen übernommenen Entsprechungen: [1]**Saint** (wie im Namen des französischen Seebades Saint-Tropez) und in der weiblichen Form **Sainte** (wie im Ortsnamen Sainte-Marie-aux-Mines) im Frz.; [2]**Saint** im Engl. und Amerik. (aus dem Frz. entlehnt), wie im Namen der Stadt Saint Louis (in den USA); **San** im It. und Span. (gekürzt aus it., span. *santo* »heilig«; beachte z. B. den it. Namen San Giuseppe und den Namen der span. Stadt San Sebastián sowie die Vollform **Santo** im Namen der Antillenstadt Santo Domingo), dazu die weibliche Entsprechung **Santa** im It. und Span. (beachte z. B. den span. Ortsnamen Santa Cruz de Tenerife); **São** im Port., wie im Namen der brasilianischen Stadt São Paulo (weibliche Form **Santa,** z. B. im Namen der Azoreninsel Santa María).

Sanktion »Bestätigung, Billigung; Erteilung der Gesetzeskraft« sowie (meist Plural) »Sicherungen, Sicherungsbedingungen; Zwangsmaßnahmen«: Das Fremdwort wurde zu Anfang des 18. Jh.s über entsprechend frz. *sanction* aus lat. *sanctio* (Genitiv *...ionis*) »Heiligung, Billigung; geschärfte Verordnung, Strafgesetz; Vorbehalt, Vertragsklausel« entlehnt, das zu lat. *sancire (sanctum)* »heiligen; als heilig und unverbrüchlich festsetzen; durch Gesetz besiegeln, genehmigen« (verwandt mit lat. *sacer* »heilig«, vgl. *Sakrament*) gehört. Beachte auch das Partizipialadjektiv lat. *sanctus* »geheiligt, unantastbar; ehrwürdig« im Fremdwort ↑Sankt. – Abl.: **sanktionieren** »bestätigen, gutheißen; Gesetzeskraft erteilen« (Ende 18. Jh.; aus gleichbed. frz. *sanctionner*).

Santa, Santo ↑Sankt.

São ↑Sankt.

Saphir: Der Name des blauen, farblosen oder gelben Edelsteins (mhd. *saphīr[e]*) ist aus gleichbed. spätlat. *sapphirus* entlehnt, das über lat. *sappirus* auf griech. *sáppheiros* zurückgeht. Das Wort ist wahrscheinlich semit. Ursprungs (vgl. hebr. *sappîr* »Saphir«).

Sardine: Der seit dem Ende des 15. Jh.s bezeugte Name des 12 bis 25 cm langen Heringsfisches (spätmhd. *sardien*, frühnhd. *Sardinlin*) ist aus spätlat.-it. *sardina* entlehnt (zu lat. *sarda* »Hering; Sardelle«). Die weitere Herkunft des Wortes ist zweifelhaft. Die herkömmliche Verknüpfung mit dem Namen der Insel Sardinien (als »sardischer Fisch«) ist ganz hypothetisch. – Dazu gehört auch der Name des kleineren, bis zu 15 cm langen Heringsfisches: **Sardelle,** der im 16. Jh. aus it. *sardella* »kleine Sardine« übernommen wurde.

Sarg: Das aus der Kirchensprache aufgenommene Wort für »kastenförmiges, längliches Behältnis mit Deckel, in das ein Toter gelegt wird« mhd. *sarc, sarch* »Sarg; Schrein; Behälter«, ahd. *sarc, saruh* (entsprechend niederl. mdal. *zerk*) ist aus einer nicht bezeugten vlat. Kurzform von spätlat.-kirchenlat. *sarcophagus* »Sarg« entlehnt (die volle Form ist in unserem Fremdwort **Sarkophag** »Steinsarg, Prunksarg« bewahrt). Das lat. Wort, das selbst Lehnwort ist aus gleichbed. griech. *sarko-phágos,* ist wie das griech. Wort zunächst ein Adjektiv mit der Bedeutung »Fleisch fressend« (zu griech. *sárx, sarkós* »Fleisch« und griech. *phageīn* »essen, fressen«). Substantiviert (griech. *sarkophágos líthos*) wurde das Wort zur Bezeichnung eines besonders bei Assos (in Troas, Kleinasien) gebrochenen und für die Herstellung von Behältnissen, in denen Leichen bestattet wurden, verwendeten Kalksteins, der die Eigenschaft hatte, das Fleisch eines Leichnams innerhalb kurzer Zeit zu zerstören und in Asche zu verwandeln. Von daher nahm das Wort dann die Bedeutung »Sarg« an.

Sarkasmus »beißender Spott«: Das Fremdwort wurde zu Anfang des 18. Jh.s aus gleichbed. griech.(-lat.) *sarkasmós* entlehnt, das von griech. *sarkázein* »zerfleischen; (übertragen:) Hohn sprechen« abgeleitet ist. Zugrunde liegt griech. *sárx (sarkós)* »Fleisch« (vgl. *Sarg*). – Dazu das Adjektiv **sarkastisch** »spöttisch, höhnisch« (18. Jh.; aus gleichbed. griech. *sarkastikós*).

Sarkophag ↑Sarg.

Satan: Der Name des Höllenfürsten (auch übertragen gebraucht für »teuflischer Mensch«) mhd. *satanās, satān,* ahd. *satanās* führt über kirchenlat. *satan, satanas* und griech. *satanās* auf hebr. *śaṭan* »Widersacher, Feind; böser Engel« zurück (zu hebr. *śaṭan* »nachstellen, verfolgen«). – Abl.: **satanisch** »teuflisch« (16. Jh.).

Satellit »Himmelskörper, der einen Planeten umkreist; künstlicher Mond, Raumsonde; (kurz für:) Satellitenstaat«: Das seit dem 18. Jh. als astronomischer Terminus vorkommende Fremdwort geht auf lat. *satelles (satellitis)* »Leibwächter, Trabant; (Plural:) Gefolge« zurück. – In neuester Zeit (20. Jh.) entstanden wichtige Zusammensetzungen wie **Satellitenstaat** als abschätzige Bezeichnung für einen Staat, der [außen]politisch nicht souverän, sondern von den Weisungen eines anderen Staates abhängig ist (dafür auch kurz ›Satellit‹), **Fernsehsatellit** »der Übertragung von Fernsehbildern dienender Satellit«, **Nachrichtensatellit** »der Nachrichtenübermittlung dienender Satellit«, **Wettersatellit** »der Wetterbeobachtung und -erforschung dienender Satellit«.

Satin: Mhd. *satin* »Seidengewebe« ist entlehnt aus gleichbed. afrz. *satin,* das wohl durch span. Vermittlung (span. *aceituní*) aus arab. *(aṭlas) zaytūnī* »Seide aus Zaytūn« stammt. Dies ist eigentlich der arab. Name der chinesischen Hafenstadt Tseutung (heute Quanzhou), wo der Stoff hergestellt und exportiert wurde. Das frz. Wort *satin* ist wohl in der Form beeinflusst von it., mlat. *seta* (vgl. *Seide*).

Satire: Die Bezeichnung für eine literarische Gattung kritischen Charakters, die die Schwächen einer entarteten [Um]welt mit den Stilmitteln der Ironie verspottet und geißelt, wurde im 16. Jh. aus lat. *satira* entlehnt. Die moderne Satire ist hervorgegangen aus den satirischen Spottgedichten römischer Dichter wie Juvenal, Persius und Horaz. Lat. *satira* ist ursprünglich identisch mit dem etymologisch nicht sicher gedeuteten lat. Substantiv *satura* »gemischte Fruchtschüssel (als alljährliche Opfergabe an die Götter)«. Denn die ursprünglich römischen Satiren eines Ennius, Lucilius, Varro und Horaz waren einer solchen »Fruchtschüssel« vergleichbar. Sie zeichneten in einer bunten Mischung der betrachteten Gegenstände Lebensbilder, in denen die menschlichen Unzulänglichkeiten dem verständnisvollen Schmunzeln des Lesers preisgegeben wurden, in denen zugleich aber auch mit sittlichem Ernst Kritik an den verwerflichen Auswüchsen menschlicher Gesinnung geübt wurde.

satt: Das gemeingerm. Adjektiv mhd., ahd. *sat,* got. *saþs,* aengl. *sæd* (engl. *sad* »beschwert, betrübt, traurig«), aisl. *saðr* geht zurück auf eine Partizipialbildung zu der idg. Verbalwurzel **sā-, *sə-* »sättigen« und bedeutet demnach eigentlich »gesättigt«. In anderen idg. Sprachen sind z. B. verwandt aind. *a-si-n-vá-ḥ* »unersättlich«, griech. *á-atos* (aus **n̥-sə-tos*) »unersättlich«, lat. *satur* »satt«, lat. *satis* »genug, hinreichend« und lit. *sotùs* »satt; reichlich; nahrhaft«. Aus dem germ. Sprachbereich gehören zu dieser Wurzel z. B. noch got. *ga-sōþjan* »[er]sättigen«, afries. *sēde* »Sättigung« und aengl. *sǣdan* »sättigen«. – Abl.: **Sattheit** (mhd. *sat[e]heit*); **sättigen** »satt machen« (mhd. *set[t]igen,* für älteres mhd. *set[t]en*), dazu **Sättigung** (spätmhd. *setigunge*); **sattsam** (16. Jh.; zuerst im Sinne von »gut ernährt; üppig; stolz; übermütig«, im 17. Jh. »etwas, was satt macht, was ausreicht«, dann nur noch übertragen »hinlänglich, genügend«).

Sattel: Die Herkunft der altgerm. Bezeichnung für den Ledersitz zum Reiten (mhd. *satel,* ahd. *satal,* niederl. *zadel,* engl. *saddle,* schwed. *sadel*) ist nicht sicher geklärt. Einerseits kann sie ein heimisches germ. Wort mit der ursprünglichen Bedeutung »Sitz[gelegenheit]« sein, andererseits kann sie – da die Germanen der Römerzeit keinen Sattel kannten – aus einer ostidg. Sprache entlehnt sein (vgl. die slaw. Sippe von russ. *sedlo* »Sattel«). In beiden Fällen liegt die idg. Wurzel **sed-* »sich setzen, sitzen« zugrunde (vgl. *sitzen*). – Abl.: **satteln** »den Sattel auflegen« (mhd.

satel[e]n, ahd. *satalōn*), dazu die Substantive **Sattler** (mhd. *sateler,* ahd. *satilari,* ursprünglich ein Handwerker, der besonders Sättel und anderes Reitzeug herstellte) und **Sattlerei** »Sattlerhandwerk; Sattlerwerkstatt« (19. Jh.) sowie die Zusammensetzungen **absatteln** »den Sattel vom Pferd nehmen« (spätmhd. *abesatelen*) und **umsatteln** (16. Jh., meist in übertragener Bedeutung »sein Studium oder seinen Beruf wechseln«). Zus.: **sattelfest** »fest im Sattel« (18. Jh., eigentlich und bildlich).

Sattelschlepper ↑schleppen.

sättigen, Sättigung, sattsam ↑satt.

Satz: Das nur dt. Substantiv mhd. *saz, satz* ist eine Bildung zu dem unter ↑setzen behandelten Verb. Die Fülle der Einzelbedeutungen des Wortes lässt sich in den meisten Fällen auf die zwei Grundbedeutungen »Tätigkeit des Setzens« und »das Gesetzte« zurückführen. Von den mhd. Bedeutungen »Ort, wo etwas hingesetzt ist; Lage, Stellung; Pfand, Spieleinsatz; das Festgesetzte, Bestimmung, Verordnung, Gesetz, Vertrag; der in Worten zusammengefasste Ausspruch; Vorsatz, Entschluss; Sprung« haben nur wenige im Nhd. weitergewirkt. Die heutige grammatische Hauptbedeutung »Sinneinheit mit Subjekt und Prädikat« ist seit dem 16. Jh. bezeugt (wohl in Weiterführung der mhd. Bedeutung »Anordnung der Worte, in Worten zusammengefasster Ausspruch«; vgl. ›seine Worte setzen‹ »sich ausdrücken«; dieser Bedeutung schließt sich nhd. die von »Lehrsatz« an). Auch die Bedeutung »Sprung, großer [eiliger] Schritt« ist schon in mhd. Zeit vorhanden. Erst nhd. jedoch sind »das Setzen eines Manuskripts in Lettern und das durch diese Tätigkeit Geschaffene« und »Teil eines Musikstückes«, ebenso »Gruppe zusammengehöriger Gegenstände« und »Bodensatz«. Ebenfalls zu ›setzen‹ gebildet ist **Satzung** (mhd. *satzunge* »[Fest]setzung, gesetzliche Bestimmung; Vertrag; Verpfändung, Pfand«; im Plural ›Satzungen‹ im 19. Jh. Ersatz für ›Statuten‹).

Sau: Die germ. Bezeichnungen für das Mutterschwein mhd., ahd. *sū,* aengl. *sū,* aisl. *sȳr* beruhen mit verwandten Wörtern in anderen idg. Sprachen auf idg. **sū̆-s* »[Haus]schwein, Sau«, vgl. z. B. griech. *sȳs* »Schwein«, griech. *hȳs* »Schwein«, besonders »Eber« (↑Hyäne) und lat. *sus* »Schwein«. Das idg. Wort gehört entweder im Sinne von »Gebärerin« zu der unter ↑Sohn dargestellten idg. Verbalwurzel **sū̆-, *seu-* »gebären«, oder es ist eine Bildung zu einer Nachahmung des Grunzlautes und würde dann eigentlich »Su[su]-Macherin« bedeuten. Anders gebildet sind niederl. *zeug* »Sau, Mutterschwein«, aengl. *sugu* »Sau« (daher engl. *sow*) und schwed. *sugga* »Sau«. Siehe auch den Artikel *Schwein.* Im 18. Jh. tritt der Plural ›Sauen‹ neben den älteren Plural ›Säue‹, zunächst ohne Bedeutungsunterschied, dann gilt ›Sauen‹ besonders weidmännisch von Wildschweinen. – Abl.: **sauen** »(vom Schwein) Junge bekommen; derb auch für: Zoten reißen« (17. Jh.), dazu die Präfixbildung **versauen** derb für »verschmutzen; völlig verderben, zunichte machen« (17. Jh.), das Substantiv **Sauerei** derb für »Unreinlichkeit, Schweinerei, Zote« (17. Jh.) und das Adjektiv **säuisch** »unanständig; (ugs.:) sehr groß, sehr stark« (spätmhd. *seuwisch,* die heutige Form seit dem 17. Jh.). – In ugs. Zusammensetzungen wird ›sau-, Sau-‹ oft als bloße Verstärkung gebraucht, z. B. **saudumm** »sehr dumm«, **Saufraß** »sehr schlechtes Essen« (19. Jh.), **Saukerl** »gemeiner Mensch« (19. Jh.).

sauber: Das westgerm. Adjektiv mhd. *sūber,* ahd. *sūbar,* niederl. *zuiver,* aengl. *sȳfre* ist über vlat. *suber* »mäßig, besonnen« entlehnt aus lat. *sobrius* »nüchtern, mäßig, enthaltsam; besonnen, verständig«. Die Bedeutungen des aengl. Wortes »nüchtern, mäßig; keusch; rein, sauber« zeigen am besten den Gang der Bedeutungsentwicklung: Das Wort wurde zuerst von sittlicher Reinheit gebraucht und dann auf die äußere übertragen. – Abl.: **Sauberkeit** »sauberer Zustand; Anständigkeit, Lauterkeit« (mhd. *sūberheit,* ahd. in der Verneinung *unsūbarheit;* in der heutigen Form seit frühnhd. Zeit); **säuberlich** »sorgfältig, ordentlich« (mhd. *sūberlich,* ahd. in der Verneinung *unsūbarlīh* und als Adverb *sūberlīcho*); **säubern** »den Schmutz von etwas entfernen, reinigen« (mhd. *sūbern,* ahd. *sūbaran, sūberen*), dazu **Säuberung** (mhd. *sūberunge*); **unsauber** (mhd. *unsūber,* ahd. *unsūbar*), dazu **Unsauberkeit** (mhd. *unsūberheit, -keit,* ahd. *unsūbarheit*).

Sauce ↑Soße.

saudumm ↑dumm, ↑Sau.

sauer: Das altgerm. Adjektiv mhd., ahd. *sūr,* niederl. *zuur,* engl. *sour,* schwed. *sur* ist verwandt mit der balt. Sippe von lit. *sū́ras* »salzig« und mit der slaw. Sippe von russ. *syroj* »feucht; roh; sauer«. Die weiteren Beziehungen sind unsicher. Vielleicht liegt dem Adjektiv germ. **sura-* »sauer, salzig; feucht« zugrunde, das sich wohl auf die bei der Milchgerinnung entstehende Säure bezog. Das Adjektiv könnte dann ursprünglich den säuerlich-salzigen Geschmack so gewonnener Milchprodukte bezeichnet haben (vgl. lit. *sūris* »gesalzener Käse«, altkirchenslaw. *syrŭ* »sauer«, russ. *syr* »Käse«). – Der alte Sinn des Wortes war umfassender als heute, wo ›sauer‹ Gegenwort zu ›süß‹ ist. Übertragen wird es im Sinne von »mühevoll, beschwerlich«, auch »mürrisch, unzufrieden, böse« gebraucht. – Abl.: **säuern** »sauer machen« (mhd. *siuren,* ahd. *sūren*): die heute veraltete Ableitung sauern »sauer sein oder werden« (mhd. *sūren,* ahd. *sūrēn*) steckt noch in **versauern** »die [geistige] Frische verlieren« (mhd. *versūren* »ganz sauer werden«; die übertragene Bedeutung seit dem 16. Jh.); **Säure** (mhd. *siure, sure,* ahd. *sūri;* heute nur noch »saurer Geschmack; saure flüssige chemische Verbindung«). – Zus.: **Sauerampfer**

»sauer schmeckender Ampfer« (16. Jh.; der zweite Bestandteil mhd. *ampfer,* ahd. *ampf[a]ro* »[Sauer]ampfer« ist eigentlich ein substantiviertes Adjektiv mit der Bedeutung »bitter, sauer«, vgl. z. B. älter niederl. *amper* »scharf, bitter, sauer« und die nord. Sippe von schwed. *amper* »scharf, bitter«; ›Sauerampfer‹ ist also eine tautologische Bildung); **Sauerkraut** (im 14. Jh. *sawer craut,* seit dem 16. Jh. Zusammenschreibung; vgl. *Kraut*); **Sauerstoff** (chemischer Grundstoff; 18. Jh., für frz. *oxygène,* das eigentlich »Säuremacher« bedeutet, nach dem sauren Charakter vieler Oxide); **süßsauer** »säuerlich und süß zugleich schmeckend; freundlich, aber dabei missgestimmt« (17. Jh.); **Sauerteig** »alter, gärender Teig als Lockerungsmittel für Brotteig« (spätmhd. *sūwerteic*).

saufen: Das altgerm. Verb mhd. *sūfen,* ahd. *sūfan,* niederl. *zuipen,* engl. *to sup,* schwed. *supa* gehört mit verwandten Wörtern in anderen idg. Sprachen zu der vielfach weitergebildeten und erweiterten idg. Wurzel **seu-, *seu̯ə-* »schlürfen; saugen; ausquetschen«, vgl. z. B. aind. *sunṓti* »presst aus, keltert«, *sṓma-ḥ* »Opfertrank, Soma«, *sū́pa-ḥ* »Brühe; Suppe«, lat. *sugere* »saugen«, *sucus* »Saft«, lit. *sulà* »Birkensaft, abfließender Baumsaft«. Aus dem germ. Sprachbereich gehören zu dieser Wurzel auch die unter ↑Suppe, ↑saugen und ↑sudeln behandelten Wörter, ferner z. B. ahd. *sou* »Saft«, aengl. *sēaw* »Saft, Feuchtigkeit« und mhd., ahd. *sol* »Schlamm, Pfütze«, ahd. *sullen,* mhd. *süln, suln* »sich im Schmutz wälzen, sich beschmutzen«, nhd. **suhlen,** sich (mdal. auch **sühlen, sielen**) »sich im Schmutz wälzen, sich in einer Suhle wälzen (vom Wild)«. Aus dem Verb rückgebildet ist das Substantiv **Suhle** »sumpfige Stelle, in der sich das Schwarzwild wälzt« (17. Jh.). Zu ›saufen‹ gehören die unter ↑Suff und ↑seufzen behandelten Wörter. Im heutigen Sprachgebrauch bezieht sich ›saufen‹ auf das Aufnehmen von Flüssigkeit bei Tieren und auf das unmäßige oder gewohnheitsmäßige Trinken bei Menschen. Zum Wortgebrauch im Sinne von »gewohnheitsmäßig Alkohol trinken« beachte z. B. **Säufer** »Gewohnheitstrinker, Trunkenbold« (16. Jh.), **Sauferei** »Trinkgelage« (15. Jh.) und die Präfixbildungen **besaufen,** sich ugs. für »sich betrinken« (beachte besonders das zweite Partizip **besoffen**) und **versaufen** ugs. für »vertrinken, durchbringen« (beachte besonders das zweite Partizip **versoffen**). Die Präfixbildung **versaufen** (mhd. *versūfen* »versinken; ertränken«) wird ugs. auch im Sinne von »ertrinken, versinken« verwendet, beachte die Präfixbildung **ersaufen** ugs. für »ertrinken, untergehen« (schon ahd. *arsūfan*), dazu **ersäufen** »ertränken« (mhd. *ersoufen*). In den Präfixbildungen haben sich z. T. das starke Verb mhd. *sūfen,* ahd. *sūfan* und das im Nhd. untergegangene schwache Verb mhd., ahd. *soufen* »untertauchen; versenken, ersäufen; tränken« vermischt.

S

saugen: Das altgerm. Verb mhd. *sūgen,* ahd. *sūgan,* niederl. *zuigen,* aengl. *sūgan* (daneben *sūcan,* engl. *to suck*), schwed. *suga* gehört zu der unter ↑saufen dargestellten idg. Wortgruppe. Außergerm. eng verwandt sind z. B. lat. *sugere* »saugen« und *sucus* »Saft«. – Um ›saugen‹ gruppieren sich das aus dem Niederd. ins Hochd. übernommene **Sog** »abziehende Strömung; saugende Nachströmung« (mhd. *soch,* entsprechend niederl. *zog* »Sog«, norw. *sog* »Sog«, eigentlich »das Saugen«), die Intensivbildung **suckeln** mdal. für »[in kleinen Zügen] saugen« (18. Jh.), die Substantivbildung **Säugling** »Kind, das noch gestillt oder genährt wird« (14. Jh., mitteld. *sūgelinc;* durch Luthers Bibelübersetzung gemeinsprachlich geworden) und das Veranlassungswort ↑säugen.

säugen: Das altgerm. Verb mhd. *söugen,* ahd. *sougen,* niederl. *zogen,* norw. mdal. *søygja* ist das Veranlassungwort zu dem unter ↑saugen behandelten Verb und bedeutet demnach eigentlich »saugen machen oder lassen«. – Zus.: **Säugetier** »Tier, das seine Jungen säugt« (18. Jh.).

Säugling ↑saugen.

[1]Säule »meist walzenförmige, senkrechte Stütze eines Bauwerks«: Mhd. *sūl* (Plural *siule*), ahd. *sūl* (Plural *sūli*), niederl. *zuil,* aengl. *sȳl,* aisl. *sūl[a]* stehen im Ablaut zu got. *sauls* »Säule«. Die außergerm. Beziehungen dieser Wortsippe sind unklar. Die Form ›Säule‹ hat sich aus dem Plural mhd. *siule* entwickelt.

[2]Säule ↑[1]Saum.

[1]Saum »Rand; Besatz«: Das altgerm. Wort mhd., ahd. *soum,* niederl. *zoom,* engl. *seam,* schwed. *söm* gehört zu dem im Nhd. untergegangenen gemeingerm. Verb mhd., ahd. *siuwen* »nähen«, got. *siujan* »annähen«, engl. *to sew* »nähen«, schwed. *sy* »nähen«. Dazu stellt sich im germ. Sprachbereich z. B. auch landsch. **[2]Säule** »Ahle« (mhd. *siule,* ahd. *siula;* eigentlich »Gerät zum Nähen«). Diese germ. Wortgruppe beruht mit verwandten Wörtern in anderen idg. Sprachen auf der idg. Wurzel **si̯ū, *seu-* »binden, nähen«, vgl. z. B. aind. *sī́vyati* »näht«, *syūman-* »Naht, Band, Riemen«, *sūtra-m* »Faden«, griech. *hymḗn* »Häutchen«, eigentlich »Band« (↑Hymne), lat. *suere* »nähen«, *sutor* »Schuster«, *subula* »Ahle« und russ. *šit'* »nähen«, *šilo* »Ahle«. – Abl.: **[1]säumen** »mit einem Saum versehen« (15. Jh., vgl. niederl. *zomen,* engl. *to seam,* schwed. *sömma*).

[2]Saum ↑Saumtier.

[1]säumen ↑[1]Saum.

[2]säumen »zögern«: Das seit mhd. Zeit gebräuchliche einfache Verb (mhd. *sūmen*), das früher auch transitiv im Sinne von »aufhalten, abhalten, hindern, hemmen« verwendet wurde, ist unbekannten Ursprungs. Älter bezeugt als das einfache Verb ist die Präfixbildung ahd. *firsūmen,* mhd. *versūmen,* nhd. **versäumen** »ungenutzt verstreichen lassen, verpassen«. Um ›säumen‹ gruppieren sich **säumig** »langsam, träge; sich verspätend« (mhd. *sūmic,* ahd. *sūmig*), **Säumnis** »Verzögerung, Aufschub« (mhd. *sūmnisse;* beachte auch **Versäumnis**), **saumselig** »langsam, träge, nachlässig« (mhd. *sūmeselic*).

Saumpfad ↑Saumtier.

saumselig ↑²säumen.

Saumtier: Die seit dem 16. Jh. bezeugte Bezeichnung für »Lasttier« enthält als Bestimmungswort das heute veraltete Substantiv **²Saum** »Last«, das auch in der Zusammensetzung **Saumpfad** »Gebirgsweg für Saumtiere« steckt. Mhd., ahd. *soum* »Traglast; Last als Maßbezeichnung; Lasttier« ist entlehnt aus vlat. *sauma* »Packsattel«, das auf gleichbed. lat. *sagma* beruht. Das lat. Wort ist aus griech. *ságma* »Decke, Überzug; Packsattel« entlehnt.

Sauna »Dampfbad«: Das Wort wurde im 20. Jh. aus gleichbed. finn. *sauna* (eigentlich »Schwitzstube«) entlehnt.

Saus, Sause ↑sausen.

säuseln: Das seit dem 17. Jh. bezeugte Verb ist eine verkleinernde Weiterbildung zu ↑sausen und bedeutet demnach eigentlich »ein wenig sausen«. Beachte dazu das zusammengesetzte Verb **ansäuseln,** sich ugs. für »sich einen kleinen Rausch antrinken«, von dem besonders das zweite Partizip **angesäuselt** gebräuchlich ist.

sausen: Mhd. *sūsen,* ahd. *sūsōn* »brausen, rauschen; zischen; knarren; knirschen; sich schnell bewegen«, niederl. *suizen* »rauschen, brausen, sausen; säuseln«, schwed. *susa* »rauschen, sausen; säuseln« sind lautnachahmenden Ursprungs. Elementarverwandt ist z. B. die baltoslaw. Sippe von kirchenslaw. *sysati* »zischen, pfeifen«. – Abl.: **Saus** nur noch in der Wendung ›in Saus und Braus (= verschwenderisch) leben‹ (mhd. *sūs* »das Sausen, Brausen, Lärm«; vgl. *Braus* [↑brausen]); **Sause** ugs. für »Zechtour, Gelage« (20. Jh.); **säuseln** (s. d.).

Savanne »tropische Baumsteppe«: Die im Dt. seit dem 17. Jh. in Reisebeschreibungen bezeugte Bezeichnung stammt aus *zavana,* einem Wort der Tainosprache Haitis. Sie wurde den Europäern durch gleichbed. span. *zavana, savane* (heute: *sabana*) vermittelt (beachte entsprechend engl. *savanna[h]* und frz. *savane*).

Saxophon: Das Blasinstrument ist nach dem belgischen Instrumentenbauer Adolphe Sax (1814–1894) benannt, der dieses Instrument 1841 in Brüssel erfand. Zum zweiten Bestandteil s. den Artikel *Phonetik.*

scannen: Das Verb mit der Bedeutung »mit einem elektronischen Eingabegerät abtasten« wurde in der 2. Hälfte des 20. Jh.s aus gleichbed. engl. *to scan* übernommen. Dieses bedeutet ursprünglich »(genau) studieren, absuchen, überfliegen« und geht wie das deutsche Verb ↑skandieren auf lat. *scandere* »emporsteigen, sich erheben, besteigen« zurück. Engl. *scanner,* eine Ableitung des Verbes *to scan,* wird im Deutschen zu **Scanner** und bezeichnet das »elektronische Eingabegerät«. In der Bedeutung »mit einem Scanner erfassen« findet sich außerdem noch das Verb **einscannen.**

Schabe: Mhd. *schabe* »Mottenlarve« gehört zu dem unter ↑schaben behandelten Verb in seiner Bedeutung »abkratzen, nagen« (vgl. aengl. *mælsceafa,* älter engl. *malshave* »Raupe«). Diese Bezeichnung gilt heute noch oberd. mdal. für »Motte«. Seit frühnhd. Zeit wurde das Wort auch für andere schädliche Insekten gebraucht und (zuerst wohl im 18. Jh.) auf die Küchenschabe übertragen. Für diese gilt mit Anlehnung an den deutschen Stammesnamen auch die Bezeichnung **Schwabe** (17. Jh.).

schaben: Das gemeingerm., früher starke Verb mhd. *schaben,* ahd. *scaban,* got. *skaban,* engl. *to shave,* schwed. *skava* geht zurück auf die idg. Wurzel **[s]kĕ-bh-, [s]kă-bh- (-b-, -p-)* »mit einem scharfen Werkzeug arbeiten, schneiden; behauen, spalten; kratzen«, vgl. z. B. lit. *skabė́ti* »schneiden, hauen«, lit. *skóbti* »aushöhlen«, lat. *scabere* »schaben, reiben«, *scabies* »Krätze, Räude«, mit -p- griech. *kóptein* »schlagen, hauen« (↑Komma), aslaw. *skopiti* »verschneiden« (↑Schöps) und lat. *capo* »verschnittener Hahn« (↑Kapaun). Auch ↑Schaft und ↑Zepter (griech. *skēptron* »Stab«) gehören mit der Grundbedeutung »abgeschnittener Ast« wohl hierher. Auf einer nur im Germ. bezeugten Wurzelform **skab-* mit der Sonderbedeutung »[schnitzend] gestalten, erschaffen« beruht die Wortgruppe um ↑schaffen. – Das Verb schaben, zu dem ablautend auch ↑Schuppe gehört, erscheint im Got. mit der Bedeutung »[die Haare] scheren« (engl. »rasieren«, dt. nur ugs. ›den Bart schaben‹). Mhd. *schaben* ist »kratzen, radieren, scharren, polieren; sich abscheuern, fortstoßen«. Im Nhd. ist der Bereich des Wortes auf »[ab]kratzen, scharren« eingeschränkt. – Abl.: **Schabe** (s. d.); **schäbig** (s. d.).

Schabernack »übermütiger Streich, Ulk«: Die Herkunft des Substantivs (mhd. [mitteld.] *schabirnack,* mnd. *schavernak* »Beschimpfung, Spott«) ist nicht geklärt.

schäbig »abgeschabt; geizig, kleinlich«: Das Adjektiv gehört nicht unmittelbar zu ↑schaben, sondern zu dem veralteten Substantiv ›Schabe, Schäbe‹ »Krätze, Schafräude«, das zwar erst im 18. Jh. bezeugt ist, aber gleichbed. aengl. *sceabb,* aisl. *skabb* entspricht (beachte auch das wurzelverwandte lat. *scabies* »Räude«). Auch mhd. *schebic* bedeutet »räudig« und zeigt bereits die Bedeutung »abgeschabt aussehend«, die vom Bild des räudigen Schafes bestimmt ist.

Schablone »ausgeschnittene Vorlage, Muster«, auch übertragen gebraucht im Sinne von »vorgeprägte, herkömmliche Form, geistlose Nachahmung«: Das seit dem 18. Jh. zuerst als ›Schablon‹ bezeugte Substantiv geht zurück auf mnd. *schampeliōn, schaplūn* (= mniederl. *scampelio-*

en) »Muster, Form, Modell«. Die weitere Herkunft des Wortes ist nicht gesichert.

Schabracke: Die Herkunft des seit dem 17. Jh. bezeugten Ausdrucks für »verzierte Satteldecke; Zierdecke, -behang« ist nicht sicher geklärt. Vielleicht stammt das Wort aus älter ung. *csábrák (csáprák, csábrág)* »Pferde-, Satteldecke« oder ist über das Ung. aus türk. *çaprak* »Satteldecke« entlehnt.

Schach: Das königliche Spiel, dessen Ursprünge wohl in Indien zu suchen sind, gelangte im 11. Jh. durch die Araber, die es ihrerseits von den Persern übernommen hatten, nach Europa. Der Name des Spiels mhd. *schāch* (vgl. aus anderen europäischen Sprachen z. B. gleichbed. engl. *chess* und im Sinne von »Stellung im Schachspiel, bei der der König unmittelbar bedroht wird«, russ. *šach,* span. *jaque,* port. *xaque,* it. *scacco,* frz. *échec*) beruht auf pers. *šāh* »König« (vgl. *Schah*). Er hat sich aus dem im Schachspiel üblichen Ausruf pers.-arab. *ʿšāh māta* »der König ist gestorben« verselbstständigt (vgl. hierzu auch den Artikel *matt*).

schachern »feilschen, Tauschgeschäfte machen«: Das seit dem Anfang des 17. Jh.s bezeugte Verb stammt aus dem Rotwelschen. Es gehört zu hebr. *śạḳạr* »mieten, anstellen«; hebr. *śạḳạr* »Belohnung, Bezahlung, Entgelt«.

schachmatt ↑matt.

Schacht: Als bergmännische Bezeichnung der senkrechten Grube (Ggs.: Stollen) erscheint im 13. Jh. ostmitteld. *schaht,* ursprünglich wohl ein niederd. Wort des Harzer Bergbaus. Mit dem Blick auf engl. *shaft,* niederl. *schacht* »Schaft; Bergschacht« und mnd. *schacht* »Schaft« erklärt sich das Wort als niederd. Lautform von ↑Schaft. Die Grube heißt wahrscheinlich nach der Messstange, die bei ihrer Anlage verwendet wurde (beachte das veraltete Flächenmaß ›Schacht‹ »Quadratrute«). – Abl.: **ausschachten** »Keller, Gruben o. Ä. ausheben« (19. Jh.).

Schachtel: Das Substantiv spätmhd. *schahtel,* älter *schattel, scatel* ist im 15. Jh. zuerst in Tirol aus it. *scatola* »Behälter« entlehnt worden, dessen weitere Herkunft dunkel ist. Das entsprechende mlat. Wort *scatula* »Schrein« hat im 17. Jh. in der Form ›Schattul, Skatulle‹ unser Fremdwort **Schatulle** ergeben, das seit dem 18. Jh. als vornehmes Wort besonders die fürstlichen Privatkassen bezeichnete. Die ugs. Bezeichnung ›alte Schachtel‹ für eine ältliche Frau (16. Jh.) meint ursprünglich verhüllend die weibliche Scham. – Abl.: **schachteln** (19. Jh., meist als ›ein-, ineinander schachteln‹).

Schachtelhalm: Der nhd. Name der Pflanze (18. Jh.) zeigt niederd. -cht- für hochd. -ft-. Andere Bezeichnungen sind Schafthalm und oberd. *Schaftheu* (mhd. *schafthöuwe, schaftelhowe,* ahd. *scafthō*), beachte auch mhd. *schaftel* »Binse« und norw. mdal. *skjeftegras* »Schachtelhalm«. Das erste Wortglied ist wahrscheinlich das unter ↑Schaft behandelte Wort. Die Pflanze ist also nach ihrem auffälligsten Teil, dem Stiel, benannt. Das heutige Sprachgefühl schließt den Namen wegen der ›ineinander geschachtelten‹ Stängelglieder an ›Schachtel‹ an.

Schädel: Das im anatomischen Bereich im Sinne von »Skelett des Kopfes« und allgemeinsprachlich in der Bedeutung »Kopf (in seiner vom Knochenbau bestimmenden Form)« gebrauchte Wort ist erst mhd. bezeugt als *schedel* (im 14. Jh. auch für ein Trockenmaß), *hirnschedel.* Die entsprechenden Wörter mnd. *schedel* »Schachtel, Dose«, mniederl. *scedel* »Deckel, Augenlid« (niederl. *schedel*) weisen auf eine alte Gefäßbezeichnung, die aber sonst nicht nachzuweisen und daher etymologisch nicht sicher erklärt ist. Vielleicht ist ›Schädel‹ mit der schweiz. Mundartform *Schidel* als »abgeschnittene Schädeldecke« an die unter ↑scheiden behandelte Wortgruppe anzuschließen. Beziehungen zu Gefäßnamen bestehen auch bei den sinnverwandten Wörtern ›Haupt‹ und ›Kopf‹ (beachte auch frz. *tête* »Schädel« zu lat. *testa* »Tongefäß«). Siehe auch den Artikel *Giebel.*

Schaden: Das altgerm. Substantiv mhd. *schade,* ahd. *scado,* niederl. *schade,* aengl. *sceađa,* schwed. *skada* stellt sich mit dem anders gebildeten got. *skaþis* »Schaden, Unrecht« zu einem im Got. und Aengl. bewahrten starken Verb, vgl. got. *skaþjan* »schaden« und aengl. *scieđđan* »schaden«. Außergerm. ist vielleicht griech. *a-skēthḗs* »unbeschädigt, unversehrt, wohlbehalten« verwandt. Das n der heutigen Nominativform ist aus den obliquen Fällen übernommen. Mhd. *schade* ist durch Verwendung in der Satzaussage auch zum Adjektiv geworden und hat sich so als nhd. **schade** »bedauerlich« erhalten. Das schwache Verb **schaden** »schädlich, nachteilig sein, Schaden zufügen« (mhd. *schaden,* ahd. *scadōn,* entsprechend aengl. *sceađian,* schwed. *skada*) ist vom Substantiv abgeleitet. Da dies für das Sprachgefühl nicht deutlich wird, tritt vielfach **schädigen** »Schaden tun, bringen« an seine Stelle (mhd. *schadegen, schedigen,* zum Adjektiv mhd. *schadec* »schädlich«), dazu die Präfixbildungen **beschädigen** »Schaden an etwas verursachen, schadhaft machen« und **entschädigen** »einen Schaden [angemessen] ausgleichen; Ersatz schaffen« (mhd. *beschedegen, entschadegen,* besonders in der Rechts- und Verwaltungssprache). Wie eine Präposition mit dem Genitiv wird **unbeschadet** »ohne Nachteil für« gebraucht (Kanzleiwort des 17. Jh.s, 2. Partizip zu dem heute veralteten ›beschaden‹ »beschädigen«). Als Adjektive erscheinen **schadhaft** »einen Schaden aufweisend« (mhd. *schadehaft* »schädlich; ge-, beschädigt«, ahd. *scadohaft*) und **schädlich** »zu Schädigungen führend, nicht zuträglich« (mhd. *schedelich,* ahd. *un-scadelīh*). Jung ist **Schädling** »schädliches Tier, schädliche Pflanze« (19. Jh., für schädliche Tiere und Pflanzen). Zus.: **Schadenfreude** »boshafte Freude über das Missgeschick eines anderen« (16. Jh.); **schadenfroh** »voller Schadenfreude« (16. Jh.); **schadlos** (mhd. *schadelōs* »unschädlich, unbenachteiligt«; nur noch in ›sich schadlos halten‹).

Schaf: Das Schaf gehört zu den wichtigsten Haustieren der Indogermanen (↑Vieh). Anstelle der idg. Bezeichnung **oui̯-s* (vgl. z. B. lat. *ovis* »Schaf«), die in allen germ. Sprachen vertreten war und noch in oberd. mdal. *Aue* »Mutterschaf« fortlebt, haben sich jedoch bei West- und Nordgermanen andere Wörter durchgesetzt. Die Herkunft des westgerm. Substantivs mhd. *schāf*, ahd. *scāf*, niederl. *schaaf*, engl. *sheep* ist allerdings nicht geklärt. Die nordgerm. Sippe von schwed. *får*, dän. *får* (im Namen der »Schafinseln« Färöer) gehört mit der Grundbedeutung »Wolltier« zur Wortgruppe von ↑Vieh. – Abl.: **Schäfer** (mhd. *schǣfære*, spätahd. *scāphare*). Zus.: **Schafgarbe** (s. d.); **Schaf[s]kopf** (s. d.).

Schaf

das schwarze Schaf

»derjenige in einer Gruppe, der sich nicht einordnet, der unangenehm auffällt«

In einer Schafherde sind die schwarzen und die gefleckten Schafe weniger erwünscht, weil man einheitlich weiße Wolle gewinnen möchte, die sich bei weiterer Verarbeitung nach Wunsch färben lässt. Schon die Bibel (1. Moses 30, 32) nimmt darauf Bezug: »Ich will heute durch alle deine Herden gehen und aussondern alle gefleckten und bunten Schafe und alle schwarzen Schafe…«.

sein Schäfchen ins Trockene bringen

»sich [auf Kosten anderer] großen Gewinn, große Vorteile verschaffen«

Die Herkunft dieser Wendung ist nicht sicher geklärt. Möglicherweise bezieht sie sich darauf, dass Schafe auf trockenen Weideplätzen besser gedeihen als auf zu feuchten Wiesen.

Schaff: Die oberd. Bezeichnung des offenen Bottichs ist ein alter Gefäßname, der ursprünglich »Ausgehöhltes« bedeutete (zur Wurzel **skab-* »schaben, schnitzen«; vgl. *schaffen*). In der Bedeutung »offenes Gefäß; Kornmaß; kleines Schiff« ist mhd. *schaf* belegt, ahd. *scaph*, asächs. *scap* bedeuten »Gefäß«. Ablautend ist ↑Schoppen verwandt, als alte Ableitung ↑Scheffel. Auch das Verb ↑schöpfen gehört wahrscheinlich hierher.

schaffen: Das Nhd. unterscheidet ein starkes Verb mit der Bedeutung »schöpferisch gestaltend hervorbringen« und ein schwaches, das »zustande bringen; tätig sein« bedeutet und südwestd. für »arbeiten« gebraucht wird. In den älteren dt. Sprachzuständen lassen sich die beiden Verben nicht eindeutig trennen; das jüngere schwache und das ältere starke haben einander beeinflusst. Mhd. *schaffen* »erschaffen, gestalten, tun, einrichten, [an]ordnen« entspricht in der starken Form *(schuof, geschaffen)* dem ahd. *scaffan*, in der schwachen *(schaffete, geschaffet)* dem gleichbed. ahd. *scaffōn* (vgl. aisl. *skapa*). Der Präsensstamm *scaff-* dieser ahd. Verben ist zu dem Präteritum und dem 2. Partizip des starken Verbs ahd. *scepfen (scuof, giscaffan)* »erschaffen« neu gebildet worden. Das ahd. Verb *scepfen* setzt sich in mhd. *schepfen* und älter nhd. *schöpfen* »erschaffen« fort, zu ihm wird um 1500 **Geschöpf** gebildet (↑Schöpfer ist schon ahd.). Ihm entsprechen got. *(ga)skapjan* »erschaffen«, aengl. *scieppan* »schaffen, bilden; machen; anordnen« und aisl. *skepja* »schaffen; bestimmen«. Die gemeingerm. Grundbedeutung dieses Verbs, nämlich »schaffen, gestalten«, hat sich aus älterem »schnitzen, mit dem Schaber bearbeiten« entwickelt. Damit gehört das Verb zu der unter ↑schaben behandelten Wortgruppe. Zu dieser gehört auch der Gefäßname ↑Schaff, eigentlich »Ausgehöhltes« (s. d. über Scheffel, schöpfen, Schoppen). Im Sinne von »anordnen, bestimmen« (noch bayr.-österr.) hat ›schaffen‹ zu dem Rechtswort ↑Schöffe geführt. – Verbale Zusammensetzungen kennt das Nhd. bes. beim schwachen Verb (z. B. **abschaffen** »weggeben, aufheben«, **anschaffen** »kaufen, erwerben«, **²beschaffen** »besorgen«, **herbeischaffen** »bringen«); zum starken Verb gehören u. a. das verdeutlichende **erschaffen** und **nachschaffen** »schöpferisch nachgestalten« (besonders von Künstlern); s. auch *rechtschaffen* [↑recht]. Abl.: **beschäftigen** (s. d.); **Geschäft** (s. d.); **Schaffner** (mhd. *schaffenære* »Aufseher, Verwalter« ist nach Wörtern wie *hafen-ære* »Töpfer« umgebildet aus gleichbed. mhd. *schaffære;* im 19. Jh. zuerst nordd. Bezeichnung für Beamte des einfachen Dienstes bei Bahn und Post).

Schafgarbe: Der westgerm. Name der Wiesenpflanze mhd. *garwe* (spätmhd. *garb*), ahd. *gar[a]wa*, älter niederl. *gerwe*, engl. *yarrow* wird im 15. Jh. als *schaff-*, *schofgarbe* näher bestimmt, weil die Schafe sie gern fressen und das unverwandte ›Garbe‹ (s. d.) lautlich zu nahe stand. Das Grundwort ist nicht sicher gedeutet. Es gehört vielleicht zu ↑gar in dessen Bedeutung »fertig, bereit«; die Pflanze wäre dann als ›bereitgestelltes‹ Wundheilkraut bezeichnet worden.

Schafkopf, Schafskopf: Der Name eines der ältesten deutschen volkstümlichen Kartenspiele geht zurück auf die dem Kopf eines Schafs ähnliche Figur, die durch die Strichnotierung der gewonnenen und verlorenen Spiele entsteht.

Schafott: Die Bezeichnung für »erhöhte Stätte, Gerüst für Hinrichtungen« wurde im 17. Jh. wohl durch niederl. Vermittlung (vgl. entsprechend niederl. *schavot*, mniederl. *scafaut*, *scafot* »Gerüst, auf dem Verbrecher zur Schau gestellt und dann hingerichtet werden; Schafott«) aus gleichbedeutend afrz. *chafaud, chafaut* (dafür heute: *échafaud*), ursprünglich »Baugerüst« entlehnt. Über weitere etymologische Zusammenhänge vgl. *Katafalk*.

Schafskopf ↑Schafkopf.

Schaft: Das altgerm. Substantiv mhd. *schaft*, ahd. *scaft*, niederl. *schacht*, engl. *shaft*, schwed. *skaft* bezeichnete ursprünglich den Speerschaft, auch den Speer als Ganzes. Es gehört im Sinne von »abgeschnittener Ast, Stab« wie griech. *skēptron* »Stab« (↑Zepter) zu dem unter ↑schaben behandelten Verb. Dasselbe Wort in niederl.-niederd. Lautform ist ↑Schacht »Grube«; s. auch *Schachtelhalm*. – Abl.: **schäften** »mit einem Schaft versehen« (mhd. *scheften, schiften*, ahd. im zweiten Partizip *giscaft* »geschäftet«).

...schaft: In der Ableitungssilbe mhd. *-schaft*, ahd. *-scaf[t]* (entsprechend niederl. *-schap*, schwed. *-skap*, engl. *-ship*) sind zwei ehemals selbstständige Substantive zusammengeflossen, die in den germ. Sprachen schon früh in Zusammensetzungen auftreten und wie Suffixe gebraucht werden. Ahd. *scaf*, aisl. *skap* »Gestalt, Beschaffenheit« (entsprechend engl. *shape* »Gestalt«) gehört ebenso wie mhd. *schaft* »Geschöpf, Gestalt, Eigenschaft«, ahd. *gi-scaft*, got. *ga-skafts*, aengl. *gesceaft* »Schöpfung, Geschöpf« zum Stamm des Verbs ↑schaffen. Aus der Bedeutung »Zustand, Beschaffenheit, Verhalten« in abstrakten Substantiven wie ahd. *friuntscaf, botascaft* »Freund-, Botschaft«, *eiginscaft* »Eigentum, -tümlichkeit« entwickelte sich in Wörtern wie ›Bruder-, Ritter-, Gemeinschaft‹ bald ein kollektiver Sinn, der auch räumlich gefasst wurde (›Land-, Grafschaft‹). Erst nhd. sind Ableitungen von Verbformen wie ›Bekannt-, Gefangen-, Leidenschaft‹.

schäften ↑Schaft.

Schah: Quelle für den Titel des iranischen Herrschers bis zur Abschaffung der Monarchie im Jahre 1979 ist pers. *šāh* »König«, das im 19. Jh. in die europ. Sprachen gelangte. – Gleicher Herkunft ist unser Lehnwort ↑Schach.

Schakal: Der Name des hundeartigen Raubtieres (Asiens, Afrikas und Südosteuropas) stammt letztlich aus aind. *śṛgālá-ḥ* »Schakal«. Er wurde den europ. Sprachen durch pers. *šaġāl* und türk. *çakal* im 17. Jh. vermittelt.

Schäkel »Metallbügel mit Bolzen« (zum Verbinden von Ketten, Tauen usw.): Das niederd. Wort, im 19. Jh. in der Form ›Schakel‹ hochd., ist wohl nach gleichbed. engl. *shackle* umgelautet worden. Es bezeichnete ursprünglich wohl eine zusammengebogene Fessel, vgl. ostfries. *schackel*, mniederl. *schakel* »hölzerne Fußfessel für Pferde«, aengl. *sceacel* »Fessel, Kettenglied«, schwed. *skakel* »[Gabel]deichsel«. Die Wörter sind abgeleitet von einem in niederd. (seemännisch) *Schake* »Kettenglied«, aengl. *sceac* »Fessel«, schwed. mdal. *skāk* »[Hals]kette« vorliegenden germ. Wort unsicherer Herkunft. – Abl.: **schäkeln** »Kettenstücke mit Schäkeln verbinden« (im 19. Jh. in der Form ›schakeln‹).

Schäker »jemand, der gerne schäkert«, **schäkern** »scherzen, necken, flirten«: Die seit dem 18. Jh. als ›Schä[k]ker‹ und ›[t]schäckern, schökern‹ u. ä. belegten Wörter sind wahrscheinlich Ableitungen von jidd. *chek* »Busen, weiblicher Schoß« (< hebr. *ḥeq*).

schal: Mnd. *schal* »ohne Geschmack« tritt seit dem 14. Jh. in mitteld. Quellen als »fade, trüb, unklar« auf und wird nhd. für »fade« (von Getränken) und für »geistlos« (von Geschwätz, Vergnügungen usw.) gebraucht. Es ist identisch mit niederd. *schal* »trocken, dürr«, wie das verwandte schwed. *skäll* »fade, säuerlich« (von Milch), »mager« (vom Boden) und weiter engl. *shallow* »seicht, flach; einfältig« zeigen, und gehört mit verwandten Wörtern in anderen idg. Sprachen zu der idg. Wurzel **[s]kel-* »austrocknen, dörren«, vgl. z. B. griech. *skéllein* »austrocknen« griech. *skeletós* »ausgetrocknet« (↑Skelett). Zu dieser Wurzel stellen sich auch die unter ↑behelligen genannten Wörter. Unsicher ist die Zugehörigkeit von ↑Hallig.

Schal »langes, schmales Halstuch«: Quelle des Wortes ist letztlich pers. *šāl* »Umschlagetuch«, das bei uns zuerst in einer Reisebeschreibung des 17. Jh.s erscheint. Regelrecht entlehnt wurde das Wort jedoch erst um 1800 durch Vermittlung von entsprechend engl. *shawl*.

¹Schale »flache Schüssel«: Mhd. *schāle*, ahd. *scāla*, niederl. *schaal*, schwed. *skål* bezeichnen gewöhnlich die Trinkschale (wie noch oberd. Schale für »Tasse« steht) oder die Waagschale. Das ablautend mit ↑²Schale verwandte Wort gehört zu der unter ↑Schild dargestellten Wurzel **[s]kel-* »schneiden, spalten«. Ob dabei die von den Langobarden und anderen germanischen Stämmen berichtete Sitte, Trinkschalen aus den abgetrennten Schädeldecken toter Feinde zu machen, zugrunde lag, oder ob nicht eher an flach ausgeschnittene Holzschalen zu denken ist, muss offen bleiben.

²Schale »Hülse«: Das mit ↑¹Schale wurzelverwandte Wort ist in den Mundarten und in den älteren Sprachzuständen lautlich von ihm getrennt: Mhd. *schal[e]* »Fruchthülse, Eier-, Schneckenschale; Steinplatte«, ahd. *scala*, aengl. *scealu* »Hülse, Schale« (engl. *shale* »Schieferton«) stehen neben anders gebildeten mnd. *schelle*, mniederl. *schel, schil* »Hülse, Schuppe« (↑Schellfisch), got. *skalja* »Ziegel« (wohl eigentlich »Schindel«), aisl. *skel* »Schale«, engl. *shell* »Hülse; Muschel« und gehören mit diesen zu der unter ↑Schild behandelten Wortsippe. Weidmännisch bezeichnet ›Schalen‹ die Hufe des zweihufigen Wilds (dazu die Zusammensetzung **Schalenwild**). – Abl.: **schalen** »mit einer Schale oder Schalbrettern versehen« (17. Jh.; beachte mhd. *schale* »Brettereinfassung«; jetzt meist **verschalen**); **schälen** »die Schale abtrennen« (mhd. *scheln*, ahd. *scelan*).

Schälhengst, Schellhengst »Zuchthengst«: Die frühnhd. Zusammensetzung verdeutlicht mhd. *schel[e]*, ahd. *scelo* »Zuchthengst«, das mit mhd. *schel[lec]* »springend, zornig auffahrend«, *schelch* »männliches Jagdtier« und aisl. *skelkr* »Furcht« wahrscheinlich auf eine Wurzel **[s]kel-* »[auf]springen« zurückgeht, die auch in aind. *śalabha-s* »Heuschrecke« enthalten ist. Dazu das erst nhd. bezeugte Verb **beschälen** »bespringen« (vom Hengst).

Schalk: Das altgerm. Substantiv mhd. *schalc*, ahd. *scalc*, got. *skalks*, niederl. *schalk*, aengl. *scealc* bedeutete ursprünglich »Knecht, Sklave, unfreier Dienstmann«. Seine Herkunft ist nicht geklärt. In der alten Bedeutung wurde es zu it. *scalco* »Küchenmeister, Truchsess; Vorschneider« entlehnt. Auch die Hofämter Marschalk (eigentlich »Pferdeknecht«; ↑Marschall) und Seneschalk, -schall »ältester Diener, Oberhofmeister« wurden besonders im roman. Gebiet ausgebildet. In mhd. Zeit entwickelte ›Schalk‹ die Bedeutung »Mensch von knechtischer Sinnesart, Bösewicht« (so in ›Schalk[sknecht], Schalkheit‹ der Lutherbibel), die Ende des 18. Jh.s zu »schadenfroher Spötter« gemildert wurde; heute ist sie etwa »listiger Spaßvogel«. – Abl.: **schalkhaft** »schelmisch, neckisch« (mhd. *schalchaft* »arglistig, boshaft«).

Schall: Mhd. *schal* »lauter Ton, Geräusch; Gesang, Geschrei«, ahd. *scal* ist wie schwed. *skall* eine ablautende Bildung zu dem im Nhd. untergegangenen starken Verb mhd. *schellen*, ahd. *scellan* »tönen, lärmen« (vgl. [1]*Schelle*). – Abl.: **schallen** (mhd. *schallen;* durch Vermischung mit dem untergegangenen starken Verb ›schellen‹ seit dem 17. Jh. teilweise stark flektiert: Präteritum *scholl* für mhd. *schal*, 2. Partizip *geschallt*, beachte aber *erschollen* und ↑verschollen).

Schalmei: »altes Holzblasinstrument der Hirten; Blechblasinstrument mit mehreren Schallröhren«: Der Name des seit dem höfischen Mittelalter bei uns bekannten Musikinstruments (mhd. *schalemī[e]*) ist aus afrz. *chalemie* entlehnt, das seinerseits aus griech. *kalamaía* »Rohrflöte« stammt. Dies ist eine Bildung zu griech. *kálamos* »Rohr«, das mit dt. ↑Halm urverwandt ist.

schalten: Das nur dt., ursprünglich reduplizierende Verb mhd. *schalten*, ahd. *scaltan* »stoßen, schieben« wurde besonders von der Fortbewegung eines Schiffes mit der Stange (mhd. *schalte*, ahd. *scalta*) gebraucht. Es gehört wahrscheinlich zu der unter ↑Schild dargestellten idg. Wurzel **skel-* »schneiden, spalten«, dann auch »hauen, stoßen«. Die übertragene Bedeutung »frei mit etwas verfahren« hat sich erst im Nhd. ausgebildet, z. T. unter Einfluss der Reimformel ›schalten und walten‹. Dagegen schließt der weit geläufigere elektrotechnische Gebrauch des Verbs an seine konkrete Bedeutung an (s. u. *Schalter*). – Abl.: **Schalter** (spätmhd. *schalter* »Riegel, Schieber«, daher im 18. Jh. »Schiebefenster«, im 20. Jh. auch »Schieber zum Schließen oder Verändern eines elektrischen Stromkreises«; beide Bezeichnungen haben sich trotz Gestaltveränderungen ihrer Gegenstände erhalten). Zus.: **Schaltjahr** (mhd. *schaltjār*, ahd. *scaltjār*, eigentlich »Jahr, in dem [ein Tag] eingestoßen, -geschaltet wird«).

Scham: Das altgerm. Substantiv mhd. *scham[e]*, *scheme*, ahd. *scama*, afries. *skome*, engl. *shame*, schwed. *skam* bedeutete ursprünglich »Beschämung, Schande«. Im Dt. hatte es zudem die besondere Bedeutung »Schamgefühl«. Später wurde es auch verhüllend für »Geschlechtsteile« gebraucht. Die Herkunft des Wortes, das auch dem Substantiv ↑Schande zugrunde liegt, ist ungeklärt. – Abl.: **schämen,** sich »Scham empfinden« (mhd. *schemen, schämen*, ahd. *scamēn, -ōn;* auch transitiv für »schmähen, schänden« [dafür jetzt **beschämen,** mhd. *beschemen*]); **verschämt** »sich schämend, sich zierend« (mhd. *verschamt, verschemt*, 2. Partizip zu mhd. *[sich] verschamen* »in Scham versinken«), dazu **unverschämt** »schamlos, frech« (spätmhd. *unverschamet*); **schamhaft** »voller Scham« (mhd. *scham[e]haft*, ahd. *scamahaft*); **schamlos** »ohne Schamgefühl« (mhd. *scham[e]lōs*, ahd. *scamalos*).

Schande: Das altgerm. Wort mhd. *schande*, ahd. *scanta*, got. *skanda*, niederl. *schande*, aengl. *scand* ist eine Ableitung vom Stamm des unter ↑Scham behandelten Substantivs, wobei -md- zu -nd- angeglichen wurde. Schon ahd. ist ›zuschanden werden‹ für »beschämt, enttäuscht werden«, später mit der Bedeutung »verderben, vernichten« (z. B. ›ein Pferd zuschanden reiten‹; eigentlich erstarrter Plural von ›Schande‹). – Abl.: **schänden** »in Schande bringen« (mhd. *schenten*, ahd. *scenten;* mdal. auch für »schimpfen«, eigentlich »erfolglos schänden«; dazu ugs. **Schandmaul**); **schandbar** »abscheulich« (mhd. *schandebære*); **schändlich** »abscheulich, niederträchtig; unerhört, überaus schlimm« (mhd. *schantlich, schentlich*, ahd. *scantlīh*).

Schank: Zu der alten Bedeutung »(als Getränk) ausschenken« des unter ↑schenken behandelten Verbs gehört die Rückbildung mhd. *schanc* »Schenkgefäß«, die im Nhd. die Bedeutung »[Raum zum] Kleinverkauf von Getränken« entwickelte (vgl. spätmhd. *weinschanc* »Ausschankraum«). Sie ist heute veraltet, außer in Zusammensetzungen wie ›Schankgerechtigkeit‹ »behördliche Genehmigung zum Ausschank«, ›Schankstube, -wirt‹. Üblich ist auch die Zusammensetzung **Ausschank** »Gastwirtschaft; Raum, in dem [alkoholische] Getränke ausgeschenkt werden«. Siehe auch den Artikel *Schenke*.

[1]**Schanze:** Das aus afrz. *cheance* »glücklicher Würfelfall« (vgl. *Chance*) entlehnte Substantiv mhd.

schanze »Glückswurf, -spiel; Zufall«, nhd. im 18. Jh. noch geläufig, ist jetzt nur noch in der Wendung ›[sein Leben] in die Schanze schlagen‹ »sein Leben riskieren« erhalten, die zuerst im 16. Jh. bezeugt ist. Dazu **zuschanzen** »jemandem heimlich zukommen lassen«, ein Kartenspielerwort des 16. Jh.s, zu frühnhd., mhd. *schanzen* »Glücksspiel treiben«. Siehe auch *Mummenschanz* [↑mummen].

²**Schanze:** Die Verteidigungsanlage ist nach den Reisigbündeln benannt, mit denen sie ursprünglich befestigt war. Spätmhd. *schanze* »Reisigbündel; Schutzbefestigung« (15. Jh.) ist in der ersten Bedeutung noch mdal. erhalten. Die Herkunft des Wortes ist dunkel. – Abl.: **schanzen** »Schanzen bauen, sich eingraben« (16. Jh.; seit dem 18. Jh. übertragen für »schwer arbeiten«).

¹**Schar** »Menge«: Das Substantiv mhd. *schar,* ahd. *scara,* niederl. *schaar* bezeichnete ursprünglich eine Heeresabteilung. Es gehört wahrscheinlich im Sinne von »Abgeschnittenes« zu dem unter ↑¹scheren behandelten Verb. Schon in mhd. Zeit wurde die Bedeutung des Wortes verallgemeinert zu »Gefolge, Gesellschaft, Menge«, im Nhd. bezeichnet es meist eine Gruppe lebender Wesen, in der Fügung ›Scharen von (Vögeln und dgl.)‹ eine große Menge. Mit ›¹Schar‹ identisch ist aengl. *scearu* »Haarschnitt; Anteil; Gebiet, Grenze«, dessen zweite Bedeutung (engl. *share* »Anteil, Aktie«) auch im Mhd. und Ahd. als »reihum zugeteilte Fronarbeit« erscheint.

²**Schar** »Pflugeisen«: Das westgerm. Substantiv mhd. *schar,* ahd. *scara, scar[o],* niederl. *schaar,* engl. *share* ist eine ablautende Bildung zu ↑¹scheren »schneiden«: die Pflugschar schneidet ins Erdreich. Aus dem gleichbedeutenden ahd. *scār[a]* ist ↑Schere entstanden. Die verdeutlichende Zusammensetzung **Pflugschar** lautet mhd. *phluocschar,* ahd. *phluochscar* (vgl. niederl. *ploegschaar*).

Schäre: Die Felseninsel vor den nordischen Küsten heißt mnd. *schere,* hochd. im 17. Jh. *Schere* nach schwed. *skär* (aisl. *sker*) »Klippe«. Das nord. Wort gehört im Sinne von »Abgeschnittenes« zur Sippe von ↑¹scheren. Es ist ablautend verwandt mit mnd. *schār, schōr* »Uferland«, engl. *shore* »Küste« und mhd. *schor[re],* ahd. *scorra* »schroffer Fels«.

scharf: Das altgerm. Adjektiv mhd. *scharf, scharpf,* ahd. *scarf, scarph,* niederl. *scherp,* engl. *sharp,* schwed. *skarp* gehört im Sinne von »schneidend« zu der unter ↑¹scheren dargestellten, vielfach erweiterten Wurzel **[s]ker-* »schneiden«. Näher verwandt sind die unter ↑schürfen, ↑schröpfen und ↑schrappen behandelten Wörter. Mit dem Adjektiv verwandt sind außergerm. z. B. mir. *cerb* »scharf, schneidend« und lett. *skar̂bs* »scharf, rau«. – Abl.: **Schärfe** (mhd. *scher[p]fe,* ahd. *scarfi, scarphī;* eigentlich »Schneide«, aber auch übertragen für »Grausamkeit, Strenge«); **schärfen** (mhd. *scher[p]fen,* ahd. *scerfan* »scharf machen«), dazu **einschärfen** »scharf, eindringlich sagen« (17. Jh.). Zus.: **scharfmachen** (Ende des 19. Jh.s übertragen für »aufhetzen«), dazu **Scharfmacher** »Hetzer«; **Scharfrichter** (14. Jh.; das ursprünglich niederd. und westmitteld. Wort bezeichnete zunächst den mit Schwert oder Beil richtenden Beamten, wurde aber im 16. Jh. auch auf den Henker [↑henken] übertragen und ist heute die übliche Bezeichnung); **Scharfsinn** »wacher Verstand, hervorragendes Denkvermögen« (Rückbildung des 16. Jh.s aus **scharfsinnig** [spätmhd. *scharpfsinnic*]).

Scharlach: Der seit dem 18. Jh. zuerst in der Zusammensetzung ›Scharlachfieber‹ bezeugte Name der ansteckenden Krankheit beruht – wie entsprechend frz. *(fièvre) scarlatine,* it. *(febbre) scarlatina* und span. *(fiebre) escarlatina* – auf einer Lehnübersetzung von vlat. *febris scarlatina.* Das Bestimmungswort ›Scharlach‹ ist identisch mit der Farbbezeichnung **Scharlach** »rote Farbe; roter Stoff« (= entsprechend frz. *écarlate,* it. *scarlatto* und span. *escarlata;* alle aus gleichbed. mlat. *scarlatum*). Die Krankheit ist also nach dem intensiv roten Hautausschlag benannt.

Scharlatan: Die Bezeichnung für einen »Schwätzer, Aufschneider, Schwindler; Quacksalber, Kurpfuscher« ist im 17. Jh. über frz. *charlatan* aus gleichbed. it. *ciarlatano* entlehnt worden. Das it. Wort selbst ist unter dem Einfluss von it. *ciarlare* »schwatzen« aus it. *cerretano* »Kurpfuscher; Marktschreier« umgestaltet. Letzteres bedeutet eigentlich »Mann aus der Stadt Cerreto«. Die Einwohner dieser Stadt waren bekannt als marktschreierisch herumziehende Verkäufer von allerlei Drogen und Heilmitteln.

Scharmützel »kleines Gefecht, Geplänkel«: Mhd. *scharmutzel, -mützel* ist wohl aus oberit. *scaramuzza,* it. *scaramuccia* »Gefecht« entlehnt. Beachte auch gleichbed. frz. *escarmouche.* Herkunft und Entstehung der roman. Wörter sind umstritten. – Abl.: **scharmützeln** »ein kleines Gefecht führen« (spätmhd.).

Scharnier »drehbares Gelenkband (an Türen, Deckeln usw.)«: Das Fremdwort wurde im 18. Jh. aus gleichbed. frz. *charnière* entlehnt, das wohl von einem afrz. **charne* »Türangel« abgeleitet ist. Dies geht auf gleichbed. lat. *cardo (cardinis)* zurück.

scharren: Das Verb (mhd. *scharren*) steht neben **schurren** »knirschend über den Boden gleiten, scharren« (mnd. *schurren,* entsprechend schwed. *skorra*) und ist eine Intensivbildung zu dem im Nhd. untergegangenen starken Verb mhd. *scherren,* ahd. *scerran* »abkratzen, schaben«, dessen Herkunft unklar ist.

Scharte: Zum Stamm des unter ↑¹scheren »schneiden« behandelten Verbs gehört ein im Nhd. untergegangenes Adjektiv mit der Bedeutung »verstümmelt, zerhauen« (mhd. *schart,* ahd. *scart,* aengl. *sceard,* aisl. *skarđr*). Aus ihm ist mhd. *schart[e]* »Einschnitt, Bruch, Öffnung« substantiviert worden, dem engl. *shard* »Scherbe«, aisl. *skarđ* »Scharte, Loch« entsprechen. Eine angeborene Fehlbildung bezeichnet das Wort heute nur in ›Hasenscharte‹ (»angeborene Spaltung der Oberlippe«). – Zus.: **Schießscharte** »Öffnung im Mauerwerk einer Burg, Festung, von der aus auf den Feind geschossen wurde« (18. Jh.). Abl.: **schartig** (im 17. Jh. für frühnhd. *schartecht,* mhd. *scherteht*).

Scharte

die Scharte [wieder] auswetzen
»den Fehler wieder gutmachen«
Schneidegeräte wie Sichel oder Sense werden im Gebrauch immer wieder schartig und müssen daraufhin mit dem Wetzstein wieder geglättet werden. Darauf bezieht sich die vorliegende Wendung.

schartig ↑Scharte.

scharwenzeln »sich übertrieben geschäftig in jemandes Nähe zu schaffen machen (und eilfertig seine Dienste anbieten)«; dafür heute meist die Zusammensetzung ›herumscharwenzeln‹: Das seit dem 17. Jh. bezeugte Wort bedeutete ursprünglich »das Kartenspiel Scharwenzel spielen« und geht zurück auf landsch. Scharwenzel »Bube (im Kartenspiel)«, übertragen »jemand, der wie eine Trumpfkarte beliebig eingesetzt werden kann«. Zugrunde liegt – wohl beeinflusst von landsch. *Wenzel* »Unter« – tschech. *červenec* »Herzbube« (zu *červený* »rot«, nach der Spielkartenfarbe). Vielleicht hat auch ›schwänzeln‹ (s. unter *Schwanz*) auf die Bedeutungsentwicklung eingewirkt.

Schaschlik: Die Bezeichnung für »am Spieß gebratene Fleischstückchen« wurde im 20. Jh. aus dem Slaw. übernommen (vgl. gleichbed. russ. *šašlyk*). Das slaw. Wort stammt seinerseits aus dem Turkotatarischen.

Schatten: Das altgerm. Substantiv lautet älter nhd. *Schatte, Schatten,* mhd. *schate[we],* ahd. *scato,* got. *skadus,* niederl. *schaduw,* engl. *shade, shadow* und ist verwandt mit norw. *skodde* »Nebel«. Es beruht mit verwandten Wörtern in anderen idg. Sprachen auf der idg. Wurzel **skot-* »Schatten, Dunkel«, vgl. z. B. air. *scāth* »Schatten« und griech. *skótos* »Dunkel«. Das n der heute üblichen nhd. Form stammt aus den flektierten Fällen. Im Dt. ist die Bedeutung »Dunkel« (z. B. Waldesschatten; bildlich ›in den Schatten stellen‹) aus der eigentlichen Bedeutung »dunkles Abbild« übertragen, die auch sonst vielen bildlichen Wendungen zugrunde liegt. Die dichterische Bedeutung »Seele eines Verstorbenen« (z. B. in Schattendasein, -reich) geht auf griechische Vorstellungen vom Zustand der Toten zurück. – Abl.: **schatten** »Schatten geben« (mhd. *schatewen,* ahd. *scatewen;* heute nur dichterisch), dazu **beschatten** (mhd. *beschatewen;* im 20. Jh. auch für »heimlich beobachten«, eigentlich »wie ein Schatten folgen«, nach gleichbed. engl. *to shadow*); **schattieren** »(eine Farbe) abtönen« (Malerwort des 16. Jh.s mit fremder Endung wie ›halbieren, hausieren‹ u. a.); **schattig** »Schatten aufweisend, im Schatten liegend« (15. Jh.). Zus.: **Schattenbild** »Traumbild« (17. Jh.); **Schattenriss** (17. Jh.; ursprünglich die Umrisszeichnung [vgl. *reißen*] des auf einen Schirm geworfenen Körperschattens); **Schattenspiel** (17. Jh.).

Schatulle ↑Schachtel.

Schatz: Das gemeingerm. Substantiv mhd. *scha[t]z,* ahd. *scaz* »Geld[stück], Vermögen«, got. *skatts* »Geld[stück]«, aengl. *sceatt* »Schatz, Geld, Besitz, Reichtum, Tribut«, aisl. *skattr* »Geld, Steuer, Besitz« ist unerklärt. Afries. *sket* zeigt auch die Bedeutung »Vieh«, die in russ. *skot* »Vieh« wiederkehrt und an den unter ↑Vieh behandelten Bedeutungswandel erinnert. Vielleicht handelt es sich in beiden Sprachbereichen um ein östliches Wanderwort. In der Bedeutung »aufbewahrter Reichtum« ist ›Schatz‹ erst seit dem 13. Jh. für ↑Hort eingetreten; seit Anfang des 15. Jh.s steht es übertragen für »Liebste[r]«. – Abl.: **schatzen** »mit Abgaben belegen« (heute nur in ›brandschatzen‹ [s. unter *Brand*]; mhd. *schatzen,* ahd. *scazzōn* »Schätze sammeln« entwickelte im Mhd. die Bedeutung »ein Vermögen taxieren, besteuern«); **schätzen** (mhd. *schetzen* bedeutete wie ›schatzen‹ zunächst »einen Wert veranschlagen« und »besteuern«, hat aber nur die erste Bedeutung bewahrt, daraus dann »beurteilen« [z. B. in ›gering schätzen, wertschätzen‹] und »vermuten«; besonders steht ›schätzen‹ für »hoch achten«), dazu **schätzbar** (17. Jh.) und **Schätzung** (mhd. *schetzunge* »Steuer«).

schaudern: Neben mnd. *schüdden* »schütte[l]n« (vgl. *schütten*) steht eine Iterativbildung niederd. *schuddern* »beben« (vgl. gleichbed. engl. *to shudder*) mit der niederrhein. Nebenform *schūdern* (14./15. Jh.). Diese gelangt im 16. Jh. als ›schaudern‹ ins Nhd. Das Verb bezeichnete zunächst fröstelndes Zittern und wurde bald auf körperliche und seelische Angstgefühle übertragen (wie ↑Schauer, schauern). Dazu die Rückbildung **Schauder** (16. Jh.) und das Adjektiv **schauderhaft** (Ende des 18. Jh.s für »Schauder erregend«, jetzt ugs. für »grässlich, sehr unangenehm«).

schauen: Das westgerm. Verb mhd. *schouwen,* ahd. *scouwōn* »sehen, betrachten«, niederl. *schouwen* »schauen, besichtigen«, engl. *to show* »zeigen« (↑Show) gehört mit ablautend aisl. *skygn* »scharfsichtig« und aisl. *skygna* »spähen« zu einer Wurzel **[s]keu-, *[s]kēu-* »auf etwas achten, aufpassen, bemerken«, die auch der Sippe von ↑schön

S

zugrunde liegt (eigentlich »ansehnlich«; dazu ›schon‹ und ›schonen‹). Außergerm. ist z.B. griech. *thyo-skóos* »Opferschauer« verwandt. Über weitere Zusammenhänge vgl. den Artikel *hören.* Im Unterschied zu ›sehen‹ (s. d.) bezeichnet ›schauen‹ meist das absichtliche Blicken und Beobachten. In gehobener Sprache steht ›schauen‹ auch für das innere geistige Sehen. – Abl.: **Schau** (mhd. *schouwe* »prüfendes Blicken, [amtliche] Besichtigung«). Zusammensetzungen und Präfixbildungen: **anschauen** (mhd. *aneschouwen,* ahd. *anascouwōn,* frühnhd. auf geistiges Betrachten übertragen), dazu **anschaulich** (mhd. *anschouwelich* »beschaulich«; beachte dazu **veranschaulichen**) und **Anschauung** (mhd. *anschouwunge* »Anblick«, jetzt »Erkenntnis eines Gegenstandes, Meinung«); **beschauen** (mhd. *beschouwen,* ahd. *biscouwōn*), dazu **Beschauer** »amtlicher Prüfer« (z. B. in Fleischbeschauer) und **beschaulich** (mhd. *beschouwelichez leben* übersetzt das lat. *vita contemplativa* der Mönche und Mystiker); **zuschauen** (16. Jh.), dazu **Zuschauer** (16. Jh.; besonders im Theater, wohl nach lat. *spectator*). Als Bestimmungswort steht ›schauen‹ u. a. in **Schaufenster** (19. Jh.), **Schauplatz** (im 16. Jh. für »Theater«, beachte die Zusammensetzung ›Kriegsschauplatz‹); **Schauspiel** (im 15. Jh. *schowspiel*), dazu **Schauspieler** (16. Jh.) und das junge **schauspielern** »etwas vortäuschen«.

Schauer »kurzes Unwetter; heftige Empfindung von Angst, Entsetzen«: Das gemeingerm. Substantiv mhd. *schūr,* ahd. *scūr* »Sturm, Hagel, Regenschauer«, got. *skūra windis* »Sturmwind«, engl. *shower,* schwed. *skur* ist wahrscheinlich verwandt mit lat. *caurus* »Nordwestwind«, lit. *šiaurỹs* »Nordwind« und armen. *çurt* »Kälte, Schauer«. Als Wetterbezeichnung ist das Wort im Nhd. abgeschwächt (mhd. bedeutete es auch »Anprall, Vernichtung«). Der übertragene Sinn »Frösteln, Angst, Entsetzen« (schon mnd. bedeutet *schūr* »Fieberanfall«) ist im Nhd. wohl von dem unverwandten ›Schauder‹ (↑schaudern) beeinflusst. – Abl.: **schauerlich** (17. Jh.) und **schaurig** (18. Jh.), beide zuerst vom Wetter gebraucht, jetzt für »grausig«; **schauern** (spätmhd. *schawern;* im 15. Jh. »gewittern, hageln«, im 16. Jh. »frösteln«). Zus.: **Schauerroman** (20. Jh.).

S

Schauermann (Plural: Schauerleute): Die Kai- u. Schiffsarbeiter der dt. Nordseehäfen heißen seit dem 19. Jh. Schauerleute, vorher, zuerst im 17. Jh., **Schauer,** nach niederl. *sjouwer[man]* »Hafenarbeiter; Lastträger«. Das Wort gehört zu niederl. *sjouwen,* fries. mdal. *seeuwe* »schleppen, schuften« und damit wahrscheinlich zu ↑See (weil diese Männer mit ihren Lasten früher durchs Meer waten mussten).

Schaufel: Die germ. Bezeichnungen des Geräts gehören (wie gleichbed. ↑Schippe) zu dem unter ↑schieben behandelten Verb. Mhd. *schūvel,* ahd. *scūvala,* mit kurzem Vokal niederl. *schoffel,* engl. *shovel,* schwed. *skovel* sind mit dem germ. l-Suffix der Gerätenamen gebildet. In der Jägersprache heißen die Geweihe von Elch- und Damwild ›Schaufeln‹.

Schaufenster ↑schauen.

Schaukel »an zwei Seilen o. Ä. aufgehängtes Brett, auf dem man sitzend hin und her schwingt«: Das Substantiv erscheint ebenso wie das Verb **schaukeln** erst im 17. Jh. im Nhd. Es ist wohl aus einem gleichbed. niederd. mdal. (z. B. ostfries.) *Schūkel* verhochdeutscht worden. Daneben stehen andere niederd. und mitteld. Formen, für das Substantiv z. B. ›Schuckel‹ und ›Schucke‹ (mnd., mhd. *schocke,* vgl. asächs. *scocca* »schaukelnde Bewegung«), für das Verb z. B. ›schuckeln, schockeln‹ und ›schucken‹ (mnd., mhd. *schocken;* beachte mniederl. *schocken* »stoßen«; ↑Schock), daneben die nasalierte Form ↑schunkeln.

Schaum: Das Substantiv mhd. *schūm,* ahd. *scūm,* niederl. *schuim,* schwed. *skum* gehört vielleicht im Sinne von »Bedeckendes« zu der unter ↑Scheune behandelten Sippe. – Abl.: **schäumen** »Schaum bilden; in Schaum umwandeln; außer sich sein vor Wut« (mhd. *schūmen,* ahd. *scūman*); **schaumig** »aus Schaum bestehend; mit Schaum bedeckt« (im 15. Jh. schūmig). Zus.: **Schaumwein** (im 18. Jh. für frz. *vin mousseux;* zum Sachlichen ↑Sekt); **Abschaum** »Unreinheit« (bildlich zuerst im 15. Jh. für »schlechter, ausgestoßener Mensch; Pöbel«).

Schauplatz, Schauspiel, Schauspieler, schauspielern ↑schauen.

Schaute ↑²Schote.

Scheck, (schweiz. auch:) Cheque »Zahlungsanweisung auf eine Bank (oder Post)«: Das Wort wurde als kaufmännischer Terminus im 19. Jh. aus gleichbed. engl. *cheque* (oder amerik. *check*) entlehnt. Das engl. Wort gehört wohl zum Verb *to check* »überprüfen, kontrollieren« (↑Check). Die Schreibung mit q ist vielleicht beeinflusst von engl. *exchequer* »Finanzministerium, Finanzbehörde«.

scheel »missgünstig, neidisch«: Das altgerm. Adjektiv mhd. *schelch,* ahd. *scelah,* niederl. *scheel,* aengl. *sceolh,* mit grammatischem Wechsel aisl. *skjalgr* bedeutete ursprünglich »schief, krumm«, dann speziell »schiefäugig, schielend«. Es gehört mit verwandten außergerm. Wörtern, z. B. griech. *skélos* »Schenkel«, *skoliós* »krumm, unredlich« und lat. *scelus* »Bosheit«, zu der idg. Wurzel **[s]kel-* »biegen, anlehnen; krumm, verkehrt« (s. auch den Artikel *Schulter*). Ohne den s-Anlaut liegt die Wurzel wahrscheinlich auch griech. *kylíndein* »wälzen« (↑Zylinder) und *kōlon* »(biegsames) Glied; Darm« (↑Kolik, ↑Semikolon) zugrunde. Die nhd. Form scheel geht auf mnd. *schēl* zurück. Die Bedeutung »schielend« galt schon im Mhd. fast ausschließlich, wie auch die Ableitung ↑schielen zeigt.

Scheffel: Das Substantiv für ein »altes Kornmaß«

(30 bis etwa 2221) mhd. *scheffel,* ahd. *sceffil,* niederl. *schepel* gehört zu dem unter ↑Schaff »Gefäß« behandelten Wort. – Abl.: **scheffeln** »in Scheffel füllen« (17. Jh.; noch bildlich in ›Geld scheffeln‹).

Scheffel

sein Licht [nicht] unter den Scheffel stellen
»seine Leistungen, Verdienste [nicht] aus Bescheidenheit verbergen«
Ein Licht, das man unter den Scheffel stellt, ist abgeschirmt, es leuchtet nicht weit. Hierauf bezieht sich die Bibelstelle Matth. 5, 15 ff., in der es heißt, dass man sein Licht nicht unter den Scheffel, sondern auf einen Leuchter stellen soll, damit es von allen gesehen werden kann. Matthäus bezieht dieses Bild auf die guten Taten eines Menschen, heute wird die Wendung auch auf besondere Fähigkeiten bezogen.

Scheibe: Das altgerm. Substantiv mhd. *schībe,* ahd. *scība,* niederl. *schijf,* älter engl. *shive,* schwed. *skiva* bezeichnete ursprünglich die vom Baumstamm abgeschnittene runde Platte und gehört mit dem näher verwandten ↑Schiefer zu der unter ↑Schiene dargestellten idg. Wurzel **skĕi-* »schneiden, trennen«. Außerhalb des Germ. sind z. B. griech. *skípōn* »Stab, Stock« und lat. *scipio* »Stab« (eigentlich »abgeschnittener Ast«) verwandt. Die Scheibe war also ursprünglich kreisrund, wie heute noch die Zielscheibe, Dreh- und Töpferscheibe.

Scheide: Mhd. *scheide,* ahd. *sceida,* niederl. *schede,* aengl. *scēađ,* aisl. *skeiđir* (Plural), alle mit der Bedeutung »[Schwert]scheide«, gehören zu dem unter ↑scheiden behandelten Verb und bezeichneten ursprünglich eine Hülse aus zwei Holzplatten, vgl. aisl. *skeiđ* »gespaltenes Holzstück« (z. B. als Weberkamm oder Löffel). Die nhd. medizinische Bedeutung »weibliche Scham« hat das Wort im 17. Jh. nach lat. *vagina* »Schwertscheide; weibliche Scham« erhalten.

scheiden: Das altgerm. starke Verb mhd. *scheiden,* ahd. *sceidan,* got. *skaidan,* niederl. *scheiden,* engl. *to shed* gehört mit dem näher verwandten ↑Scheit zu einer t-Erweiterung der idg. Wurzel **skĕi-* »schneiden, trennen« (vgl. *Schiene*). Die gleichbedeutenden Nebenformen mhd. *schīden* und *schiden* (↑gescheit und ↑Schiedsrichter) sind untergegangen. Die Grundbedeutung »spalten, trennen« (s. auch *Scheide* und *Scheitel*) gilt bis heute (besonders in der Wendung ›die Ehe scheiden‹ und in den Zusammensetzungen ›aus-, abscheiden‹); aus reflexivem ›sich scheiden‹ hat sich die Bedeutung »weggehen« entwickelt (↑Abschied; beachte auch das Hüllwort ›verscheiden‹ für »sterben«, ↑verschieden). Übertragen gebraucht werden die Präfixbildungen und Zusammensetzungen [1]**bescheiden** (s. d., mit dem Adjektiv [2]bescheiden); **entscheiden** (mhd. *entscheiden* »sondern; richterlich schlichten; ein Urteil fällen, bestimmen«, im Nhd. mit der Sonderbedeutung »den Ausschlag geben«), dazu **Entscheid, Entscheidung** (14. Jh.) und das Adjektiv **entschieden** »bestimmt, entschlossen« (18. Jh., vorher nur als 2. Part.); **unterscheiden** (mhd. *underscheiden* »[als nicht in besonderen Merkmalen o. Ä. übereinstimmend] trennen, festsetzen, erklären«, ahd. *undarsceidan*), dazu **Unterschied** »das, worin zwei oder mehrere Dinge nicht übereinstimmen« (mhd. *underschied, -scheit,* ahd. *untarsceid*).

scheinen: Das gemeingerm. Verb mhd. *schīnen,* ahd. *scīnan,* got. *skeinan,* engl. *to shine,* schwed. *skina* gehört zu der idg. Wurzel **sk̂āi-* »[stumpf] glänzen, schimmern«, (substantivisch:) »Glanz, Abglanz; Schatten«. Zu ihr gehören die Sippen von ↑Schemen, ↑Schimmel, ↑schimmern und ↑[2]schier »rein«. Außergerm. verwandt sind z. B. griech. *skiā́* »Schatten«, *skēnḗ* »Zelt« (↑Szene) und russ. *sijat'* »glänzen«. Während ›Schemen‹ und ›Schimmel‹ von der Bedeutung »matter Abglanz« ausgehen, hat ›scheinen‹ im Germ. von Anfang an den Sinn »leuchten, glänzen« (besonders von den Gestirnen). Daraus entwickelte sich im Dt. früh die Bedeutung »sich zeigen, offenbar werden«, wofür heute nur **erscheinen** gilt (mhd. *erschīnen,* ahd. *irscīnan*). Weiter wird ›scheinen‹ auch vom trügerischen äußeren Bild gebraucht, dem keine Wirklichkeit entspricht. So drückt es schließlich, besonders im Nhd., vorsichtige Vermutung aus: ›es scheint, dass ...‹. An diesen Wortgebrauch schließen sich an die Adverbien **wahrscheinlich** (im 17. Jh.; nach niederl. *waarschijnlijk,* einer Lehnübersetzung von frz. *vraisemblable*) und **anscheinend** »dem Aussehen, Anschein nach« (1. Partizip von frühnhd. *anscheinen* »sich zeigen«; s. u. ›scheinbar‹). Die westgerm. Substantivbildung **Schein** (mhd. *schīn,* ahd. *scīn,* niederl. *schijn,* engl. *shine;* vgl. ablautend schwed. *sken*) bedeutete ursprünglich »Glanz, Helligkeit«, im Dt. seit dem 15. Jh. auch »[trügendes] Aussehen, Vorwand« und entwickelte spätmhd. die konkrete Bedeutung »beweisende Urkunde« (eigentlich »Sichtbares«), zu der sich das nhd. Verb **bescheinigen** stellte (17. Jh., im Sinne von »offenbaren, beweisen«; in der heutigen Bedeutung seit dem 18. Jh.). Von ›Schein‹ abgeleitet ist **scheinbar** (mhd. *schīnbære,* ahd. *scīnbāre* »leuchtend, sichtbar«, jetzt »nur dem [trügerischen] Scheine nach«; während **unscheinbar** »nicht auffallend« den alten Sinn bewahrte). Zusammensetzungen sind z. B. **scheinheilig** (16. Jh.), **scheintot** (19. Jh.), **Scheinwerfer** (Ende des 18. Jh.s für frz. *réverbère* »Lampenspiegel«).

scheißen: Das altgerm. starke Verb mhd. *schīzen,* ahd. *scīzan,* niederl. *schijten,* engl. *to shit,* schwed. *skita* gilt in allen genannten Sprachen als derb, bedeutet aber eigentlich nichts anderes als »ausscheiden«. Es gehört zu der unter ↑Schiene dargestellten idg. Wurzel **skĕi-* »spalten, trennen, absondern«. Die gleiche Begriffsbildung zeigt lat. *ex-crementum* »Kot«, eigentlich »Ausscheidung«; (s. auch *Harn*). – Abl.: **Scheiße** »Kot« (mhd. *schīȥe,* heute häufig als derbes Kraftwort für etwas, was als schlecht, missglückt o. ä. angesehen wird, verwendet), daneben auch im übertragenen Gebrauch (der) **Scheiß,** beachte auch die niederd. Form **Schiet,** die nordd. ugs. auch für »Schlechtes, Unangenehmes« steht. Erst eine nhd. Bildung ist **Schiss** (16. Jh.), die heute gewöhnlich übertragen im Sinne von »Angst« verwendet wird. Übertragen werden auch gebraucht: **anscheißen** ugs. für »anschmieren; derb zurechtweisen«, dazu **Anschiss** ugs. für »derbe Zurechtweisung« und **bescheißen** »betrügen« (mhd. *beschīȥen* »besudeln«), dazu im Sinne von **Beschiss** ugs. für »Betrug« (mhd. *beschiȥ*).

Scheit: Das altgerm. Wort für »gespaltenes Holzstück« mhd. *schīt,* ahd. *scīt,* mnd. *schīt,* aengl. *scīd,* aisl. *skīđ* (↑Schi) ist ablautend mit dem unter ↑scheiden behandelten Verb verwandt. Neben dem Plural ›Scheite‹ gilt ugs. (besonders österr. und schweiz.) die Form ›Scheiter‹. Sie liegt auch dem Verb **scheitern** »erfolglos aufgeben müssen; misslingen«, älter »zerschellen« (eigentlich »in Stücke gehen«; 17. Jh. für frühnhd. *zerscheitern*) und der Zusammensetzung **Scheiterhaufen** (16. Jh.) zugrunde.

Scheitel: Zu dem unter ↑scheiden behandelten Verb gehört als alte, ursprünglich weibliche Ableitung ahd. *sceitila* »Kopfwirbel«, mhd. *scheitel[e]* »oberste Kopfstelle, wo die Haare sich scheiden; Haarscheitel«. Verwandt ist z. B. das anders gebildete aengl. *scēada* »Scheitel«. Seit dem 14. Jh. bezeichnet das Wort übertragen auch Bergspitzen, in der Mathematik (beachte hier die Zusammensetzungen ›Scheitelpunkt, -winkel‹) erscheint es um 1700 als Lehnübersetzung von lat. *vertex.* – Abl.: **scheiteln** (mhd. *scheiteln,* ahd. *[zi]sceitilōn*).

Schellack: Der Name des indischen Naturharzes wurde im 18. Jh. aus niederl. *schellak* entlehnt, einer Zusammensetzung aus niederl. *schel* »Schale; Schuppe« und *lak* »Lack« (vgl. ²*Schale* und *Lack*). Schellack wird in dünne, schalenartige Tafeln gepresst.

¹Schelle »Glöckchen, Klingel«: Das auf das dt. und niederl. Sprachgebiet beschränkte Wort (mhd. *schelle,* ahd. *scella* »Glöckchen«, niederl. *schel*) ist eine Bildung zu dem im Nhd. untergegangenen starken Verb mhd. *schellen,* ahd. *scellan* »tönen, schallen« (vgl. aengl. *sciellan,* aisl. *skjalla*), zu dem auch das unter ↑Schall behandelte Wort gehört. Eine Sonderbedeutung hat das stammverwandte ↑schelten entwickelt. Über die zugrunde liegende Wurzel **[s]kel-* »schallen« vgl. den Artikel ↑hell; zu ihr gehört auch lett. *skaļš* »hell tönend; klar«. Neben dem starken Verb ›schellen‹ ist auch sein schwaches Veranlassungswort mhd. *schellen,* ahd. *scellan* »ertönen lassen« untergegangen. Beide Wörter wirken aber in nhd. ↑zerschellen fort; s. auch ²*Schelle.* An ihre Stelle ist das (teilweise stark flektierte) schallen (zu ↑Schall) getreten. Unser jetziges **schellen** »läuten« ist dagegen erst im 17. Jh. zum Substantiv ›Schelle‹ neu gebildet worden. Im Gegensatz zur gegossenen Glocke (s. d.) ist die Schelle meist kugelförmig geschmiedet, vgl. auch die Bezeichnung **Schellen** (eigentlich Plural) als Farbe im deutschen Kartenspiel (16. Jh.).

²Schelle »Backenstreich«: Das im 18. Jh. erscheinende, heute landsch. ugs. Wort ist gekürzt aus **Maulschelle** (16. Jh.) und wohl aus frühnhd. *schellen* »schallen« abgeleitet (vgl. ¹*Schelle*).

³Schelle: Das heute im Sinne von »mit einer kurzen Kette verbundene, um die Handgelenke eines Gefangenen gelegte Metallringe als Fessel« nur noch in der Zusammensetzung **Handschelle** gebräuchliche Wort ist erst im 17. Jh. nachzuweisen. Beachte aber ahd. *fuoȥscal* »Holzpflock zur Fesselung des Fußes«, das wohl zu ↑²Schale gehört. In der technischen Fachsprache (beachte die Zusammensetzung ›Rohrschelle‹) bezeichnet ›Schelle‹ einen Befestigungsring.

Schellfisch: Mnd. *schellevisch* (entsprechend niederl. *schelvis*) wird im 16. Jh. ins Hochd. übernommen. Der Nordseefisch heißt nach seinem muschelig blätternden Fleisch (zu mnd. *schelle* »Hülse, Schale«; vgl. ²*Schale*).

Schellhengst ↑Schälhengst.

Schelm: Das heute meist scherzhaft gebrauchte Scheltwort bedeutet eigentlich »Aas, toter Körper«. Das Wort ist nur im Dt. überliefert: mhd. *schelm[e], schalm[e],* ahd. *scelmo, scalmo* »Aas; Pest, Seuche«. Seine Herkunft ist unklar. Als Schimpfwort bedeutete es schon spätmhd. »verworfener Mensch, Betrüger«. Über »toter Tierkörper« gelangte das Wort zur Bedeutung »Abdecker«, auch als Schimpfname für den Henker gebraucht. Seit dem 18. Jh. wird es verblasst im heutigen Sinne »listiger Schalk« verwendet.

schelten: Das auf das dt. und niederl. Sprachgebiet beschränkte Verb mhd. *schelten, schelden,* ahd. *sceltan* »tadeln, schmähen«, niederl. *schelden* »schimpfen, schmähen« ist eng verwandt mit der unter ↑Schall behandelten Wortgruppe und gehört zu der unter ↑¹Schelle dargestellten idg. Wurzel. – Abl.: **unbescholten** »frei von öffentlichem Tadel« (mhd. *unbescholten*) ist eigentlich verneintes 2. Partizip zu der im Nhd. untergegangenen Präfixbildung mhd. *beschelten,* ahd. *biscel-tan* »schmähend herabsetzen«.

Schema »Muster; Entwurf, Grundform«: Das Fremdwort wurde im 17. Jh. aus griech.-lat. *schēma* »Haltung; Stellung; Gestalt, Figur, Form« entlehnt. Über das zugrunde liegende Stammwort griech. *échein* »haben, [fest]halten« vgl. den Artikel *hektisch.*

S

Schema

nach Schema F
(ugs.) »nach dem üblichen Muster; ohne Überlegung, mechanisch«
Die Wendung leitet sich von den seit 1861 beim deutschen Militär vorgeschriebenen ›Frontrapporten‹ her, in denen Berichte über den Bestandsnachweis der vollen Kriegsstärke festgehalten wurden und die immer nach dem Schema ›F[rontrapport]‹ abgefasst wurden.

Schemel: Die kleine Bank heißt mhd. *schemel,* ahd. *[fuoz]scamil,* niederl. *schemel,* ähnl. aengl. *scamol.* Die westgerm. Wörter sind früh aus spätlat. *scamillus, scamellum* »Bänkchen« (zu lat. *scamnum* »Bank«) entlehnt worden. Älteste Bedeutung im Dt. ist »Fußbank« (heute besonders mitteld. und südd.), dann »[niedriger] Sitz ohne Lehne«.

Schemen: Das altgerm. Substantiv mhd. *schem[e]* »Schatten, Schattenbild«, mniederl. *scēme* »Schatten; Schimmer, Lichtglanz«, aengl. *scima* »Dämmerung«, aisl. *skim[i]* »Glanz, Licht« gehört wie ablautendes got. *skeima* »Leuchte« zu der unter ↑scheinen dargestellten Wortgruppe; s. auch *schimmern.* Außergerm. ist z. B. griech. *skiā́* »Schatten« verwandt. Das n der heutigen Nominativform ist aus den flektierten Fällen übernommen und erscheint seit dem 16. Jh. Die alte Bedeutung »Schatten[bild]« wandelte sich im 16. Jh. zu »Trugbild, wesenloses Gespenst« (dazu **schemenhaft** [19. Jh.]).

Schenke »Gastwirtschaft«: Die in dieser Bedeutung erst im 15. Jh. im Ostmitteld. auftretende Ableitung von ↑schenken »einschenken« hat sich von Sachsen und Thüringen aus verbreitet. Sie hat vielfach abschätzigen Sinn, der allerdings Zusammensetzungen wie ›Wald-, Burg-, Klosterschenke‹ nicht anhaftet. Siehe auch den Artikel *Schank.*

Schenkel: Das westgerm. Substantiv mhd. *schenkel,* niederl. *schenkel,* aengl. *scencel* ist eine alte Weiterbildung eines in mnd. *schenke,* aengl. *scanca,* engl. *shank,* schwed. *skank* erhaltenen germ. Substantivs mit der Bedeutung »Bein«, das mit aisl. *skakkr* »schief, krumm« verwandt ist. Zur Begriffsbildung vgl. das ablautende ↑Schinken. Als Bezeichnung der Winkelseiten tritt ›Schenkel‹ erst im 18. Jh. auf (Lehnübersetzung von lat. *crus anguli*).

schenken: Das westgerm. Verb mhd. *schenken,* ahd. *scenken,* niederl. *schenken,* aengl. *scencan* bedeutete ursprünglich »zu trinken geben« (dafür heute ›einschenken‹ und ›ausschenken‹ mit der Rückbildung ›Ausschank‹; s. auch *Schank*). Im Spätmhd. hat sich daraus über »darreichen« die Bedeutung »unentgeltlich geben« entwickelt, die auch im Niederl. erscheint. Als eigentliche Grundbedeutung des Verbs ist »schief halten« anzusehen. Es ist verwandt mit aisl. *skakkr* »schief, krumm« und gehört zu der idg. Wurzel **[s]keng-* »schief, schräg, krumm«, zu der sich auch die Sippen von ↑Schenkel, ↑Schinken und ↑hinken stellen. – Abl.: **Schenke** (s. d.); **Schenkung** »Stiftung, Geschenk« (im 14. Jh. *schenkunge,* älter für »Einschenken; Tränken, Stillen des Kindes«); **Geschenk** (mhd. *geschenke,* im 12. Jh. »Eingeschenktes«, im 14. Jh. »Gabe«).

Scherbe: Mhd. *scherbe, schirbe,* ahd. *scirbi* bezeichnen das Bruchstück eines irdenen Gefäßes. Das Wort ist eng verwandt mit aisl. *skarfr* »schräg abgehauenes Balkenende«, norw. *skarv* »Felsklippe« und mhd. *scharben, scherben,* ahd. *scarbōn* »zerschneiden«, aengl. *scearflan* »abschneiden«. Weiterhin verwandt sind ↑Schorf und ↑schroff und ohne anlautendes s- ↑Herbst, außergerm. z. B. aind. *karparaḥ* »Scherbe, [Hirn]schale«, ukrain. *čerep* »Scherbe, Hirnschädel« und lett. *šķirpta* »Scharte« (vgl. [1]*scheren*).

Schere: Die älteste Form des Schneidewerkzeugs, das den Germanen in der Römerzeit bekannt wurde, war ein federnder Bügel, dessen Enden zu zwei übereinander greifenden Klingen ausgeschmiedet waren. Die heutige Form mit vernieteten Einzelklingen wurde erst seit dem 14. Jh. allgemein. Mhd. *schære* ist aus dem Plural *scāri* von ahd. *scār* »Messer, Schere« entstanden (vgl. [2]*Schar*), die wohl einen ursprünglichen Dual (»zwei Messer«) vertrat. Entsprechende Pluralformen zeigen engl. *shears* »Schere« (wie aengl. *scēara* zu *scēar*) und aisl. *skǣri* »Schere, Messer«.

[1]**scheren** »abschneiden«: Das altgerm. starke Verb mhd. *schern,* ahd. *sceran,* niederl. *scheren,* engl. *to shear,* schwed. *skära* geht mit verwandten Wörtern in anderen idg. Sprachen (z. B. griech. *keírein* »abschneiden, scheren«, lit. *skìrti* »trennen«, air. *scaraim* »ich trenne«) auf die idg. Wurzel **[s]ker-* »schneiden« zurück, die u. a. »ein-, abschneiden; abhäuten; kratzen; verstümmeln; trennen«, übertragen auch »geistig unterscheiden« bedeutet. Zu dieser Wurzel gehört eine umfangreiche idg. Sippe, die sich im dt. Wortschatz vor allem um drei Bedeutungsbereiche gruppiert: 1. »Einschnitt, Kerbe« in ↑Scharte und ↑Schramme. 2. »Abgeschnittenes« in den Wortgruppen um ↑[1]Schar (eigentlich »Abteilung; Anteil«; s. auch *bescheren*), ↑Schirm (eigentlich »Fell«), ↑Schurz und dem frühen Lehnwort ↑kurz, weiter in schwed. *skär* »Klippe« (↑Schäre) und wohl auch in ↑Schornstein. Als »Zeit des Pflückens« stellt sich noch ↑Herbst hierher. 3. »schneidend; scharfes Werkzeug« in ↑[2]Schar »Pflugeisen«, ↑Schere, ↑scharf (hierzu auch ↑schürfen, ↑schröpfen) und ↑Scherbe (hierzu auch ↑Schorf, ↑schroff), vielleicht auch in ↑herb. Mit der Grundbedeutung »scharren, kratzen, rupfen« gehören wahrscheinlich auch die Sippen von ↑raffen und ↑raspeln hierher. Die Wurzelform **[s]keru-, *[s]kreu-* liegt den Sippen von ↑schroten »hauen, schneiden«

und ↑schrubben zugrunde. Zu der Wurzelform **[s]krĕi-*, **[s]krĭ-* in der Bedeutung »[aus]scheiden, sieben« gehören z. B. griech. *krínein* »scheiden, urteilen« (in der Fremdwortgruppe um ↑kritisch) und lat. *cernere* »sondern, scheiden« (in den zahlreichen unter ↑Dezernent genannten Wörtern) sowie die dt. Sippe von ↑rein (eigentlich »gesiebt«) und die Lehn- und Fremdwortgruppe um ↑schreiben. Vielleicht gehört auch ↑Harn im Sinne von »Ausgeschiedenes« hierher. – ›Scheren‹ bedeutete im Dt. schon früh »glatt, kahl schneiden« (zu der alten umfassenden Bedeutung s. den Artikel *Geschirr,* eigentlich »das [Zurecht]geschnittene«). Bis in die nhd. Zeit steht ›scheren‹ auch für »rasieren« (heute noch niederl.). Auf die Schaf- und Bartschur bezog sich die heute nur mundartliche übertragene Bedeutung »ausbeuten, quälen«, die ugs. im Partizip **ungeschoren** (bleiben oder lassen), in der Ableitung **Schererei** »Unannehmlichkeit, unnötige Schwierigkeit« und reflexiv als schwach gebeugtes ›sich [nicht] um etwas scheren‹ für »sich kümmern« nachklingt. Letzteres ist wohl von dem unverwandten ^{2}scheren (s. d.) beeinflusst. Eine Substantivbildung zu ^{1}scheren ist ↑Schur.

^{2}**scheren,** sich »laufen, sich fortmachen«: Das schwach gebeugte, heute nur ugs. Wort (spätmhd. *schern* »schnell weglaufen«, niederl. *zich wegscheren* »sich packen«) geht zurück auf ahd. *scerōn* »ausgelassen sein«. Das ahd. Verb ist z. B. mit griech. *skaírein* »hüpfen, tanzen« verwandt und beruht auf einer idg. Wurzel **[s]ker-* »springen«, die erweitert auch den Wortgruppen um ↑Scherz und ↑schrecken zugrunde liegt. Mit ›^{2}scheren‹ identisch ist wohl das seemännische ^{3}**scheren** »seitlich abtreiben, ausweichen«, vor allem bekannt in der Zusammensetzung **ausscheren** »aus dem Kurs laufen; aus dem Schiffsverband herausfahren; eine Linie, Gruppe (seitlich ausbiegend) verlassen«, ugs. »eigene Wege gehen«. Dieses ›scheren‹ ist niederd. seit dem 18. Jh. bezeugt und bedeutet ursprünglich »in Bogen Schlittschuh laufen; hin und her schweben«.

Schererei ↑^{1}scheren.

Scherflein: Das aus der Lutherbibel (Mark. 12, 42) bekannte Wort ist die Verkleinerung von frühnhd. *Scherf,* mhd., mnd., niederl. *scherf,* ahd. *scerf,* das seit dem 12. Jh. zuerst am Niederrhein als Name einer Scheidemünze bezeugt ist und zu ahd. *scarbōn,* mniederl. *scharven* »einschneiden« gehört (vgl. *Scherbe*). Heute steht es übertragen im Sinn von »bescheidener [finanzieller] Beitrag«.

Scherge: Das heute nur noch verächtlich für »Häscher, Polizeiknecht« gebrauchte Wort (mhd. *scherge, scherje,* ahd. *scario*) bezeichnete seit ahd. Zeit bis ins 18. Jh. Gerichtsboten, Herolde, Büttel und andere niedere Beamte. Ursprünglich aber war ahd. *scario* die Bezeichnung eines Unterführers im Heer. Es ist von dem unter ↑^{1}Schar behandelten Substantiv abgeleitet und bedeutet eigentlich »Scharführer«.

Scherz »Spaß, witzige Äußerung«: Das auf den dt. Sprachbereich beschränkte Substantiv (mhd. *scherz* »Vergnügen, Spiel«) taucht ebenso wie das Verb **scherzen** »Scherze machen, spaßen« (mhd. *scherzen* »lustig springen, hüpfen, sich vergnügen«) erst im 13. Jh. auf. Mit den ablautenden Substantiven mhd. *scharz* »Sprung« und *schurz* »Lauf« gehören die Wörter zu der unter ↑^{2}scheren behandelten Wortsippe. – Zu ›Scherz‹ wurde im 17. Jh. **scherzhaft** gebildet, zu ›scherzen‹ **verscherzen** »durch Scherzen vertun; leichtfertig, gedankenlos verlieren« (mhd. *verscherzen*). Siehe auch den Artikel *Scherzo.*

Scherzo: Der musikalische Fachausdruck für ein »Tonstück von heiterem Charakter« wurde im 18. Jh. aus gleichbed. it. *scherzo* (eigentlich »Spaß, Scherz«) entlehnt, einer Ableitung von it. *scherzare* »spaßen, scherzen«. Quelle des Wortes ist langob. **skerzōn,* das im Grunde mit unserem Zeitwort *scherzen* (↑Scherz) identisch ist.

scheu: Das mhd. Adjektiv *schiech* »scheu, verzagt; abschreckend, hässlich« (noch bayr., österr. mdal. *schiech*), dem aengl. *sceoh* (engl. *shy*) »scheu« entspricht, hat sich im Nhd. lautlich an die Ableitungen ›Scheu‹ und ›scheuen‹ (s. u.) angeglichen. Es ist verwandt mit niederl. *schuw* und schwed. *skygg* »scheu«. Die außergerm. Beziehungen sind unklar. – Abl.: **Scheu** (mhd. *schiuhe* »[Ab]scheu; Schreckbild«), dazu im 16. Jh. **Abscheu** »Widerwille« und **abscheulich** »abschreckend, schauderhaft«; **scheuen** (mhd. *schiuhen* »scheu machen; scheu sein, meiden«, ahd. *sciuhen;* s. auch die Artikel *scheuchen, scheußlich, schüchtern*), dazu **Scheusal** (spätmhd. *schiusel* »Schreckbild, Vogelscheuche«; seit dem 18. Jh. für »Grauen erregendes Wesen«).

scheuchen »verjagen, vertreiben«: Das mit ›scheuen‹ (vgl. *scheu*) identische Verb hat den mhd. Hauchlaut fortgebildet und ist schriftsprachlich jetzt nur noch transitiv. Das Substantiv **Scheuche** (meist in der Zusammensetzung ›Vogelscheuche‹, ↑Vogel) steht im entsprechenden Verhältnis zu *Scheu* (↑scheu).

Scheuer: Das besonders südwestd. Wort für »Scheune« lautet mhd. *schiur[e],* ahd. *sciura.* Daneben steht ohne Umlaut gleichbed. ahd. *scūra* (niederl. *schuur*). Die Grundform zeigt das männliche Substantiv mhd. *schūr,* ahd. *scūr* »Wetterdach, Schutz, Schirm« (entsprechend norw. *skur* »Schuppen«). Über weitere Beziehungen vgl. den Artikel *Scheune.*

scheuern »(mit Bürste und Sand) reinigen; reiben«: Das besonders nordd. Wort, frühnhd. *schewren,* mhd. (mitteld.) *schiuren, schūren,* mnd. *schüren,* ist nicht sicher erklärt. Vielleicht geht es über [m]niederl. *schuren* »reiben« auf afrz. *escurer* (frz. *écurer*) »reinigen« zurück, das auf gleichbed. vlat. **excurare* beruht. Die Zusammensetzungen

›ab-, durchscheuern‹ bedeuten »zerreiben«. Nordd. sind ›Scheuerfrau, -tuch‹ u. a.

Scheune: Mhd. *schiun[e]* geht zurück auf ahd. *scugin[a]* »Schuppen, Obdach«. Das germ. Wort (vgl. norw. mdal. *skygne* »Hütte, Versteck«) gehört zu der idg. Wurzel **[s]keu-* »bedecken, einhüllen, verbergen«, vgl. z. B. aind. *skunā́ti* »bedeckt«. Vielfach erweitert und weitergebildet erscheint die Wurzel vor allem in Substantiven der Bedeutung »Dach, Decke; Bedecktes; Haus; Hülse; hüllendes Kleidungsstück«. Von dt. Wörtern stellen sich außer ›Scheune‹ hierher noch die Substantive ↑Schuh, ↑[1]Schote, vielleicht auch ↑Schaum, ohne s-Anlaut die Wortgruppen um ↑Haus (mit *Hose* und *Hort*) und ↑Haut (mit *Hode[n]* und *Hütte*). Aus anderen idg. Sprachen ist besonders lat. *obscurus* »dunkel« (eigentlich »bedeckt«) zu nennen (↑obskur). Als Bezeichnung des Gebäudes für die eingebrachte Ernte ist ›Scheune‹ heute das vorherrschende dt. Wort, es hat das wurzelverwandte südwestd. Wort ↑Scheuer und oberd. mdal. *Stadel* zurückgedrängt. Ugs. steht es auch für »schlechtes, baufälliges Haus«. Die Zusammensetzung ›Scheunendrescher‹ begegnet in der ugs. Wendung ›fressen wie ein Scheunendrescher‹ seit dem 17. Jh.

Scheusal ↑scheu.

scheußlich: Zu ›scheuen‹ (vgl. *scheu*) gehört eine mhd. Intensivbildung *schiuzen* »[Ab]scheu empfinden«. Dazu ist das Adjektiv mhd. *schiuzlich,* frühnhd. *scheutzlich* »scheu; abscheulich« gebildet. Es wurde schon um 1500 unter Einfluss von ›Scheusal‹ zu ›scheuslich, scheußlich‹ umgebildet und bedeutet jetzt »sehr übel, unerträglich; grässlich; äußerst unangenehm«.

Schicht: Die Geschichte des Wortes begann im 13. Jh. auf niederd. und mitteld. Boden und wurde entscheidend durch die Bergmannssprache beeinflusst. Mnd., mitteld. *schicht* bedeutete »Ordnung, Reihe, Abteilung von Menschen« und ist eine Ableitung von mnd. *schichten, schiften* »ordnen, reihen; trennen, aufteilen« (entsprechend mniederl. *schichten,* niederl. *schiften,* engl. *to shift,* schwed. *skifta*), das im Sinne von »scheiden, trennen«, zu der unter ↑Schiene dargestellten Wurzel gehört. Zu niederd. -cht- statt hochd. -ft- s. den Artikel *Gracht.* Bergmännisch bedeutete ›schicht‹ schon um 1300 sowohl »[waagerechte] Gesteinslage« als auch »nach Stunden eingeteilte Arbeitszeit«. Das erste lebt bei Geologen und Archäologen und in der allgemeinen Bedeutung »künstliche Lage von Steinen, Holz u. a. Stoffen« fort (übertragen z. B. in ›Bevölkerungsschicht‹), das zweite gilt bis heute im Bergbau und in der Industrie. Das Verb **schichten** (s. o.) wird heute als Ableitung von ›Schicht‹ empfunden und bedeutet »in Schichten legen« (dazu ›auf-, umschichten‹). Echte Ableitung ist **-schichtig,** z. B. in **umschichtig** »abwechselnd« (19. Jh.).

Schick: Das Substantiv wird seit der 2. Hälfte des 19. Jh.s unter dem Einfluss von frz. *chic* für »[modische] Feinheit« gebraucht, ist aber ursprünglich eine Rückbildung aus ↑[sich] schicken (mnd. *schick* »Gestalt, Form; Lebensart, Brauch«, frühnhd. *schick* »Art und Weise, Gelegenheit«). Vielleicht ist das frz. Substantiv selbst aus dem Mnd. entlehnt. Es tritt im 19. Jh. auch als Adjektiv *chic* auf und ist in dieser Form als **schick** »modisch« eingedeutscht worden (ugs. gesteigert zu **todschick**). Dagegen ist **schicklich** »geziemend, angemessen« schon im 14. Jh. bezeugt (mitteld. *schicklich* »geordnet«). In der Mode- und Werbesprache findet man heute überwiegend die frz. Formen **Chic** und **chic.** Im 20. Jh. aufgekommen ist das Substantiv **Schickimicki.** Es ist eine sprachspielerische Bildung zu ›schick‹ und bezeichnet jmdn., der viel Wert auf modische, schicke Dinge legt.

schicken: Das Verb mhd., mnd. *schicken* bedeutete »[ein]richten, ordnen, ins Werk setzen; abfertigen, entsenden«, reflexiv »sich vorbereiten, sich einfügen«. Es ist ursprünglich mitteld. und niederd. und gehört, wohl als Veranlassungswort, zu dem unter ↑geschehen behandelten Verb. Im Nhd. erinnern nur der reflexive Gebrauch (dazu sich **anschicken**), und die Ableitungen (s. u.) an die alte Bedeutungsfülle, sonst wird ›schicken‹ nur noch im Sinne von »senden« verwendet. – Abl.: **Geschick, geschickt, Schick** (s. diese Artikel); **Schicksal** (im 16. Jh. übernommen aus älter niederl. *schiksel* »Anordnung; Fatum«; heute gewöhnlich im Sinne der leidvollen Fügung gebraucht oder als Ersatz für ›göttliche Vorsehung‹).

Schickeria: Die seit der 2. Hälfte des 20. Jh.s üblich gewordene Bezeichnung für »in der Mode und im Gesellschaftsleben tonangebende Schicht« ist eine (vom Adjektiv ›schick‹ beeinflusste) Bildung zu it. *sciccheria* »Schick, Eleganz«, einer Ableitung von it. *scicche* »elegant, modisch« (entlehnt aus gleichbed. frz. *chic;* vgl. *Schick*).

schieben: Das gemeingerm. Verb mhd. *schieben,* ahd. *scioban,* got. *(af)skiuban,* engl. *to shove,* norw. *skyve* geht mit verwandten baltoslaw. Wörtern, z. B. lit. *skùbti* »eilen«, auf die idg. Wurzelform **skeub[h]-* »dahinschießen; werfen; schieben« zurück (vgl. *schießen*). Verwandt sind die unter ↑Schaufel und ↑Schippe behandelten Gerätenamen. Zu ›schieben‹ gehört die Substantivbildung ↑Schub. In substantivischen Zusammensetzungen steht ›Schiebe-‹ (z. B. ›Schiebedach‹) neben häufigerem ›Schub-‹ (s. *Schub*). – Abl.: **Schieber** (im 18. Jh. für »Schiebegerät, Schiebverschluss«; als Bezeichnung des gewinnsüchtigen [Zwischen]händlers zuerst um 1900 unter Einwirkung der Gaunersprache, wie entsprechendes **Schiebung** »Betrug« und die Wendung ›[Waren] schieben‹ »fragwürdige Geschäfte machen«).

Schiedsrichter: Das heute besonders im Sport gebräuchliche Wort bezeichnete ursprünglich einen ehrenamtlich bestellten Vermittler in privaten Streitigkeiten. Älter nhd. *Schiderichter* steht neben dem schon mhd. *schideman.* Das Bestimmungswort mhd. *schit, schiet* »[Ent]scheidung« gehört zu alten Nebenformen des unter ↑scheiden behandelten Verbs.

schief: Das Adjektiv tritt in dieser Form im 13. Jh. auf und hat sich schriftsprachlich erst in neuerer Zeit durchgesetzt. Mdal. gilt *scheib, scheif* (mnd. *schēf,* entsprechend aengl. *scāf,* schwed. *skev*), anders gebildet westmd. *schepp* (mhd. *schep*). Außergerm. sind z. B. lett. *šķìbs* »schief« und griech. *skimbós* »lahm« verwandt.

Schiefer: Das in dünnen ebenen Platten brechende Gestein ist als »Abgespaltenes, Bruchstück« benannt worden. Mhd. *schiver[e],* ahd. *scivaro* »Stein-, Holzsplitter« entspricht engl. *shiver* »Splitter, Scheibe, Schiefer«. Die Wörter gehören wie ↑Scheibe zu der unter ↑Schiene dargestellten idg. Wurzel **skĕi-* »schneiden, spalten, trennen«. Erst im Nhd. ist ›Schiefer‹ auf die heutige Bedeutung eingeschränkt worden (dafür spätmhd. *schiferstein*); im 17. Jh. erscheinen Zusammensetzungen wie ›Schieferdach, -decker, -tafel‹.

schielen: Das westgerm. Verb mhd. *schilhen,* ahd. *scilihen,* mnd. *schēlen,* aengl. *(be)scīelan* (ähnlich aisl. *skelgja* »schielend machen«) ist von dem unter ↑scheel behandelten Adjektiv abgeleitet. An die heute veraltete Bedeutung »in mehreren Farben spielen« knüpft die Intensivbildung ↑schillern an.

Schienbein: Als Bezeichnung für den vorderen Knochen des Unterschenkels treten neben mhd. *schine,* ahd. *scina,* aengl. *scinu* (eigentlich »spanförmiger Knochen«; vgl. *Schiene*) die Zusammensetzungen mhd. *schinebein,* niederl. *scheenbeen,* aengl. *scinebān,* engl. *shinbone* auf. In ihnen wird das einfache Wort durch das Substantiv ↑Bein »Knochen« verdeutlicht. Nhd. Schienbein hat sich wegen des abweichenden Sinns von ›Schiene‹ als alleinige Bezeichnung durchgesetzt.

Schiene: Das germ. Wort hat erst durch die technische Entwicklung seit dem 18. Jh. seine heutige Hauptbedeutung »Eisenbahn-, Straßenbahnschiene« bekommen (die ersten Schienen dieser Art gab es im Harzer Bergbau um 1750). Mhd. *schine,* ahd. *scina* bezeichnete wie heute noch niederl. *scheen,* engl. *shin* das ↑Schienbein. Diese und andere Bedeutungen wie »Nadel« (ahd.), »[Knochen]schlittschuh« (schwed. mdal. *skener*), »Holzleiste, Metallstreifen« (mhd., nhd., s. u.) führen auf eine Grundbedeutung »schmales, abgespaltenes Stück, Span«. Das Substantiv gehört mit verwandten Wörtern in anderen idg. Sprachen zu der vielfach weitergebildeten und erweiterten Wurzel **skĕi-* »schneiden, spalten, trennen«, vgl. z. B. lat. *scindere* »spalten« und griech. *schízein* »spalten, trennen«. Im germ. Sprachbereich stellen sich die unter ↑scheiden (mit Scheit, Scheitel usw.) und ↑schütter (eigentlich »zersplittert«) behandelten Wörter zu dieser Wurzel. Nominalbildungen, die von der konkreten Grundbedeutung der Wurzel ausgehen, sind die unter ↑Scheibe (eigentlich »abgeschnittene Platte«), ↑Schiefer (eigentlich »Bruchstück«) und ↑Schiff (eigentlich »ausgehöhlter Baum«) behandelten Wörter. Übertragen hat sich einerseits der Begriff »[geistig] unterscheiden, ordnen« entwickelt (z. B. in lat. *scire* »erfahren haben, wissen«, in ↑¹schier »beinahe« [eigentlich »leicht trennend, unterscheidend«] und in ↑Schicht [eigentlich »Geordnetes«], andererseits der von »ausscheiden, absondern« (↑scheißen).

Schienenbus ↑Omnibus.

¹schier »geradezu, nahezu«: Das heutige Adverb geht über mhd. *schiere* »bald« zurück auf ahd. *scēro, scioro* »schnell, sofort«, das eine Adverbialbildung zu dem ahd. Adjektiv *scēri* »scharf, schnell im Aufspüren (vom Jagdhund)« ist. Dieses Adjektiv gehört zu der unter ↑Schiene behandelten Wurzel **skĕi-* »schneiden, spalten, trennen; unterscheiden«. Seine Grundbedeutung ist demnach etwa »leicht trennend, leicht unterscheidend«. Die heutige Bedeutung tritt seit dem 15. Jh. auf.

²schier »lauter, rein«: Das gemeingerm. Adjektiv mhd. *schīr* »lauter, hell«, got. *skeirs* »klar, deutlich«, engl. *sheer* »rein, lauter«, schwed. *skir* »klar, rein« gehört zu der unter ↑scheinen dargestellten Wortgruppe. Ablautend ist z. B. schwed. *skär* »hellrot, rosig« verwandt. ›Schier‹ ist in niederd. Form (mnd. *schīr*) bereits in mhd. Zeit ins Hochd. übernommen worden. Die heutige, besonders nordd. Verwendung bezieht sich nicht mehr auf Farb- oder Lichteindrücke, sondern auf die Unvermischtheit.

Schierling: Der Name der Pflanze (mhd. *scherlinc, schirlinc,* ahd. *scer[i]linc*) geht auf älter bezeugtes ahd., asächs. *scerning* zurück und gehört wahrscheinlich zu einem im Hochd. untergegangenen Wort für »Mist« (mnd. *scharn;* vgl. *Harn*); beachte niederd. mdal. *Scharnpīpen,* dän. *skarntyde* »Schierling« (die zweiten Bestandteile bezeichnen das länglich-röhrenförmige Aussehen des Pflanzenstängels). Die Pflanze wächst vorwiegend bei Dunghaufen, an Hecken und Gräben. Sie enthält ein Gift, das im antiken Athen einem Trank beigemischt wurde, der einem zum Tode Verurteilten gereicht wurde. Mit einem solchen **Schierlingsbecher** wurde auch Sokrates hingerichtet.

schießen: Das gemeingerm. Verb mhd. *schieʒen,* ahd. *scioʒan,* krimgot. *schieten,* engl. *to shoot,* schwed. *skjuta* gehört mit verwandten Wörtern in anderen idg. Sprachen, z. B. russ. *kidat'* »werfen«, zu der nur erweitert bezeugten idg. Wurzel **[s]kĕu-* »treiben, jagen, eilen«, zu der sich auch die unter ↑schieben behandelten Wörter stellen. Das dt. Verb ›schießen‹ bezeichnet konkret und übertragen schnellstes Bewegen in vielerlei Arten. Zu der heute veralteten Bedeutung »emporragen, vorspringen« s. die Artikel [1]*Schoss, Geschoss* und *Überschuss.* In der Bedeutung »Geld beisteuern« gelten jetzt nur Zusammensetzungen wie ›vor-, zu-, beischießen‹ (dazu im 18. Jh. **Vorschuss, Zuschuss** und das heute veraltete ›[2]Schoss‹ »Abgabe« [s. d.]). Eine große Zahl von Nominalbildungen hat ›schießen‹ hervorgebracht. Eine bereits alt-germ. Substantivbildung ist **Schuss** (mhd. *schuz,* ahd. *scuz;* vgl. niederl. *scheut,* aengl. *scyte* und aisl. *skuter* »vorspringender Schiffssteven«; beachte auch die Kollektivbildung ↑Geschütz). Als alte Personenbezeichnung gilt bis heute ↑Schütze. Aber auch ↑Schoß »Rockzipfel« (eigentlich »vorspringende Ecke«), ↑[1]Schoss »Pflanzentrieb, Schössling«, ↑Geschoss »aus oder mithilfe einer [Feuer]waffe geschossener, meist länglicher Körper« und ↑Schott »wasserdichte Querwand im Schiff« (eigentlich »eingeschossener Riegel«) zählen dazu.

schießen

ausgehen wie das Hornberger Schießen
(ugs.) »[nach großer Ankündigung] ohne ein Ergebnis enden«
Der Ursprung dieser Redensart ist dunkel. (Von den Geschichten, die erfunden worden sind, um die Herkunft der Redensart zu erklären, ist die folgende die netteste: Als die Einwohner des Schwarzwalddorfes Hornberg vor Jahrhunderten einmal fürstlichen Besuch erwarteten, da probten sie das Böllerschießen so lange, bis ihnen das Pulver ausging. Um den Landesherrn nicht ohne Begrüßungssalut einziehen zu lassen, versuchten einige Hornberger die Böllerschüsse durch lautes Brüllen nachzuahmen.)

Schiet ↑scheißen.

Schiff: Das gemeingerm. Wort bedeutete – wie auch ↑Boot und ↑Nachen – ursprünglich »ausgehöhlter Stamm, Einbaum«. Mhd. *schif,* ahd. *scif,* got. *skip,* engl. *ship,* schwed. *skepp* gehören zu der unter ↑Schiene behandelten idg. Wurzel **skĕ̄i-* »schneiden, trennen«. Schon im Ahd. bedeutete das Wort auch »Gefäß«, wie es früher noch beim Kohleherd eine auf einer Seite der Herdplatte eingelassene kleine Wanne für warmes Wasser, das ›Wasserschiff‹ (ursprünglich ein fußloses, in die heiße Asche gestelltes Gefäß), bezeichnete. Im Sinne von »Langhaus der Kirche« (16. Jh., dazu ›Mittel-, Seiten-, Querschiff usw.‹) ist es Bedeutungslehnwort nach mlat. *navis.* – Abl.: [1]**schiffen** veraltet für »zu Wasser fahren« (nur noch in ›verschiffen, sich einschiffen‹, bildlich in ›Klippen, d. h. Schwierigkeiten umschiffen‹; dem mhd. *schiffen* entspricht mnd. *schēpen,* das auch wie aengl. *scipian* »einschiffen; ausladen« bedeutet), dazu **schiffbar** »mit Schiffen befahrbar« (17. Jh.); [2]**schiffen** ugs. für »harnen« (18. Jh. studentensprachlich; zu ›Schiff‹ »Gefäß«, das in der Studentensprache »Nachtgeschirr« bedeutete).

Schikane »Bosheit, böswillig bereitete Schwierigkeit«: Das Fremdwort wurde im ausgehenden 17. Jh. aus frz. *chicane* »Spitzfindigkeit, Rechtsverdrehung, Schikane« entlehnt, dessen weitere Herkunft dunkel ist.

Schikoree ↑Zichorie.

Schild: Die gemeingerm. Bezeichnung der alten Schutzwaffe (mhd. *schilt,* ahd. *scilt,* got. *skildus,* engl. *shield,* schwed. *sköld*) gehört im Sinne von »Abgespaltenes« zu der idg. Wurzel **[s]kel-* »schneiden, zerspalten, aufreißen«, vgl. z. B. aisl. *skilja* »spalten, scheiden«, aengl. *scielian* »trennen« und außerhalb des Germ. z. B. lit. *skélti* »spalten«, *skìltis* »abgeschnittene Scheibe«. Die Schilde der Germanen waren nach römischem Zeugnis aus Brettern hergestellt. – Auf die vielfach weitergebildete und erweiterte Wurzel gehen zahlreiche germ. und außergerm. Wörter zurück, die auch im Dt. fortleben. Mit der Grundbedeutung »Ab- oder Ausgeschnittenes« gehören dazu besonders die unter ↑[1]Schale »Schüssel«, ↑[2]Schale »Hülse« und unter ↑[1]Scholle behandelten Wörter. Gerätenamen mit der Grundbedeutung »abgeschnittenes Stück, Handhabe« sind z. B. Helm »[Axt]stiel« (in ↑Hellebarde), ↑[1]Holm »waagrechtes Holz« und ↑[1]Halfter »Zaum«; vgl. auch den Artikel ↑*Schulter.* Von der Grundbedeutung »schneiden« gehen u. a. die lat. Verben *scalpere, sculpere* »kratzen, schneiden, meißeln« (s. die Fremdwörter ↑Skalpell und ↑Skulptur) und das dt. Adjektiv ↑halb (eigentlich »durchgeschnitten«) aus, weiter die Wortgruppe um ↑verschleißen »abnutzen«. Auch das unter ↑Schall behandelte Verb *schallen* gehört wohl hierher. Nicht klar abzutrennen ist schließlich die unter ↑Holz dargestellte Sippe der Wurzel **kel-* »schlagen, stoßen«. – Seit der Ritterzeit trug der Schild das aufgemalte (daher ↑schildern) farbige Erkennungszeichen seines Besitzers, das Wappen. Als Erkennungszeichen wurde der Schild auch Amts- und Hauszeichen (Wirtshausschild, später Firmen- oder Namensschild; danach übertragen das Etikett auf Heften, Behältern usw.). Besonders in dieser Bedeutung wird das Wort seit dem 18. Jh. als Neutrum verwendet. – Zus.: **Schildbürger** (16. Jh.; ursprünglich wohl »mit Schild bewaffneter Bürger«, s. *Spießbürger* [↑[2]Spieß], dann auf die Einwohner des sächsischen Städtchens Schilda[u] bezogen, die Helden eines bekannten Schwankbuches des 16. Jh.s); **Schilddrüse** (am ›Schildknorpel‹ des Kehlkopfs; um 1800); **Schildkröte** (mhd. *schildkrote,* nach ihrem Schutzpanzer; gleichbed. niederd., niederl. *schildpad* [zu niederd. *padde* »Kröte«] ergab im 18. Jh. nhd. **Schildpatt** »Hornplatte einer Seeschildkröte«; der Name des Tieres wurde auf seinen Rückenpanzer übertragen). Beachte auch den Artikel *Schilling.*

Der deutsche Wortschatz im 18. und 19. Jahrhundert

Spiegel der politischen Entwicklung

Die politisch-gesellschaftliche Umwälzung, die Frankreich von 1789 bis 1799 erlebte, wirkte sich nicht nur auf das innerstaatliche Geschehen in den Nachbarstaaten aus. Die Französische Revolution, die zu einem *radikalen* Bruch (französisch *radical,* aus lateinisch *radicalis* »gründlich, von Grund auf«, eigentlich »an die Wurzel gehend«) mit der bisherigen staatlichen Ordnung führte, fand in Deutschland bei vielen Dichtern und Philosophen sowie bei der politisch interessierten Jugend schnell eine große Anhängerschaft. Mit den Ideen dieser *Revolution* (französisch *révolution,* aus lateinisch *revolutio* »das Umdrehen, Umwälzen«, dazu *Revolutionär, revolutionieren*) fanden auch viele politische Schlagwörter aus dem Französischen Aufnahme in den deutschen Wortschatz. Dazu gehörten z. B. *Bürokratie* (im Sinne von »Gesamtheit der öffentlichen Verwaltung«), *Koalition, Komitee, konstitutionell* (= durch die Verfassung gebunden, zu französisch *constitution* »Verfassung«), *liberal, Nationalhymne* (nach französisch *hymne national*), *Nationalversammlung* (= Parlament, Volksvertretung, nach französisch *Assemblée nationale*), *terrorisieren.*

Begriffe wie *Demokratie* und *Republik* verbreiteten sich jetzt schnell in der Allgemeinsprache. Schlagwörter wie *Freiheit, Gleichheit, Brüderlichkeit* (französisch *liberté, égalité, fraternité*), *öffentliche Meinung* (nach französisch *opinion publique*) waren in aller Munde, ebenso wie *Menschenrechte* und *Menschenwürde.*

Napoleon beendete 1799 mit seinem Staatsstreich die Revolution in Frankreich, hielt aber an ihren wesentlichen gesellschaftlichen und politischen Ergebnissen fest und stellte sie auf eine gesicherte Grundlage (*Code civil* von 1804). Die weitere Verbreitung der Ideen der Französischen Revolution begann jetzt im Zuge der Eroberungsfeldzüge Napoleons in Europa. Gleichzeitig aber wuchs der nationale Widerstand gegen die französische Fremdherrschaft, besonders nach der militärischen Katastrophe des Russlandfeldzugs Napoleons von 1812.

Die Reaktion auf die französische Expansion waren die Befreiungskriege von 1813 bis 1815, in denen Europa sich von der Herrschaft Napoleons befreite. In Preußen wurde die *allgemeine Wehrpflicht* eingeführt. Nicht mehr ein Heer von zusammengekauften Söldnern, sondern das *Volksheer* sollte jetzt die nationale Verteidigung übernehmen.

Restauration und Vormärz in Deutschland

Den revolutionären und national gesinnten Gruppierungen in Deutschland standen die Kräfte der *Restauration* gegenüber, an ihrer Spitze der österreichische Politiker Fürst Metternich (seit 1822 Staatskanzler). Auf dem Wiener Kongress 1815 wirkte er führend an der Neuordnung Europas mit und sicherte Österreich die Vorherrschaft in Deutschland. Mit allen Mitteln staatlicher Gewalt versuchte er, nationale und liberale Strömungen zu unterdrücken. Als Symbolfigur reaktionärer Politik wurde er bei Ausbruch der Revolution 1848 in Wien gestürzt. Die Begriffe *Polizeiherrschaft* und *Polizeistaat* sind in der Zeit des so genannten metternichschen Systems zu Schlagwörtern der Oppositionellen geworden.

Turnbewegung und Turnsprache

Auf eine eigene Art und Weise versuchte der deutsche Erzieher Friedrich Ludwig Jahn (1778–1852), genannt »Turnvater«, das Nationalbewusstsein des deutschen Volkes zu erneuern. Nach seiner Auffassung sollte das *Turnen* zum Gemeinschaftsbewusstsein und zu »deutschem Volkstum« erziehen. Das Hauptziel der so genannten *Turnbewegung* war ursprünglich die Überwindung der deutschen *Kleinstaaterei* (wie *Kleinstaat* ebenfalls von Jahn gebildet).

Als Ausdruck der »vaterländischen Gesinnung« prägte Jahn eine eigene Turnsprache, die nur deutsche Bezeichnungen enthielt und aus landschaftlichen Wörtern sowie anschaulichen Neubildungen bestand. Das Verb *turnen* allerdings, das zu althochdeutsch *turnēn* »drehen, wenden« gebildet worden ist, ist in Wirklichkeit ein Lehnwort aus lateinisch *tornare* »rund machen, drechseln«. Andere Fachwörter der Turnsprache sind z. B. *Grätsche, Hantel, Hocke, Kür* sowie die Zusammensetzungen *Dauerlauf* und *Freiübung.*

Es kam zwar in Preußen von 1819 bis 1842 zu einem Verbot der Turnbewegung (so genannte *Turnsperre*), aber bereits 1860 traf sich in Coburg zum ersten Male die gesamte deutsche Turnerschaft. Bald trat die politische Bedeutung der Bewegung in den Hintergrund, schließlich wurde sie zur unpolitischen sportlichen Massenbewegung.

Parlamentarismus und Revolution

Die von England ausgehende Entwicklung der parlamentarischen Demokratie hatte bereits Begriffe wie *Parlament* (englisch *parliament*), *Parlamentarier* (englisch *parlamentarian*), *parlamentarisch* (englisch *parliamentary*) in die deutsche Sprache gebracht. Andere, bereits im 18. Jahrhundert übernommene Wörter aus dem politischen Bereich sind z. B. *Debatte* (zuerst in der auf französisch *débats* zurückgehenden Pluralform *Debatten*), *Opposition* (beeinflusst vom Französischen) sowie *tagen* und *Tagung* (beide ursprünglich aus dem Schweizerischen).

Die Revolutionsversuche von 1830 und 1848 brachten dann Schlagwörter wie *Fortschritt, Pressefreiheit* und weitere Wörter wie *Attentäter* (zu *Attentat*, angelehnt an *Täter*), *Krawall, Putsch* (aus dem Schweizerischen und eigentlich »heftiger Stoß, Zusammenprall«).

Die Arbeiterbewegung

Das von Karl Marx (1818–1883) und Friedrich Engels (1820–1895) entwickelte philosophische System des *Marxismus* prägte Wörter wie *Kommunismus, Kommunist* (beide Wörter letztlich zu lateinisch *communis* »gemeinschaftlich, gemeinsam«), *Klassenkampf, Proletariat* (im 18. Jahrhundert schon *Proletarier* »besitzloser Lohnarbeiter«; aus lat. *proletarius* »Angehöriger der untersten Klasse«). Zu *Sozialismus* (aus französisch *socialisme*, zu französisch *social* »die Allgemeinheit betreffend; gemeinnützig«, aus lateinisch *socialis* »gesellschaftlich, gesellig«) wurden *Sozialist, Sozialdemokrat* gebildet. Seit 1868 wurde *Gewerkschaft* im Sinne von »Zusammenschluss von Industriearbeitern« gebraucht. Der Kampf der Industriearbeiter um bessere Arbeitsbedingungen spiegelte sich wider in Wörtern wie *Aussperrung* und *Streik* (englisch *strike*, zu: *to strike* »[die Arbeit] niederlegen«).

Schild

jmdn. auf den Schild heben
»jmdn. zum Führer bestimmen«
Diese Wendung geht auf einen germanischen Brauch zurück. Ein neu gewählter Stammesführer wurde auf einem Schild dreimal im Kreise herumgetragen, damit das versammelte Volk ihn deutlich sehen konnte.

etwas im Schilde führen
»etwas [Unrechtes, Böses] vorhaben«
Die mittelalterlichen Turnierreiter trugen auf ihren Schilden Abzeichen und Wahlsprüche, die ihre Identität für Eingeweihte kenntlich machten. Auch außerhalb des Turniers verrieten die Wappen, mit denen die Schilde und Helme verziert waren, dem Kundigen sofort die Herkunft der gepanzerten Reiter. Welche Farbe oder welches Wappen jemand ›im Schilde führte‹, gab also Auskunft, ob es sich um einen Freund oder einen Feind handelte; man wusste, was man von dem Betreffenden zu erwarten hatte. Darauf geht die vorliegende Wendung zurück. Bei der Ausbildung der negativen Bedeutung »etwas Böses vorhaben« hat wohl mitgewirkt, dass der nahende Feind seine Waffen hinter dem Schild verbergen konnte.

schildern: Mnd., niederl. *schilderen* »malen, anstreichen« (16. Jh.) bezeichnete ursprünglich die Tätigkeit des Wappenmalers (mhd. *schiltære*, mnd. *schilder*, zu ↑Schild). Seit dem 18. Jh. erscheint es hochd. für »beschreiben, ausführlich darstellen« (beachte noch die Wendung ›in lebhaften Farben schildern‹).

Schilf: Die besonders mitteld. Bezeichnung des Wassergrases (sonst Rohr, Ried, auch Binse genannt) ist früh aus dem Lat. entlehnt worden: Mhd. *schilf*, ahd. *sciluf* gehen auf lat. *scirpus* »Binse« zurück, wobei ähnlich wie in den Lehnwörtern ›Maulbeere‹ und ›Pflaume‹ r zu l gewandelt wurde. Den Anlass zur Entlehnung mögen die römischen Flechtarbeiten aus Binsen gegeben haben.

schillern: Das erst im 15. Jh. bezeugte Verb ist eine Intensivbildung zu dem unter ↑schielen behandelten Verb in dessen früherer Nebenbedeutung »in mehreren Farben spielen«.

Schilling: Der in Österreich heute noch und in Großbritannien offiziell bis 1971 gebräuchliche, im Mittelalter weit verbreitete Münzname ist gemeingerm.: mhd. *schillinc*, ahd. *scilling*, got. *skilliggs*, engl. *shilling*, schwed. *skilling*. Das Wort ist nicht sicher erklärt. Im Got. bezeichnete es die römische Goldmünze *(solidus)*, die auch als Schmuck getragen wurde. Vielleicht ist germ. **skildulingaz* »Schildartiges« (vgl. *Schild*) eine Lehnübersetzung von lat. *clipeolus* »kleiner Schild, Medaillon«.

schilpen, (auch:) tschilpen »zwitschern« (vom Sperling): Das erst im 20. Jh. bezeugte Wort ist wie älter nhd. *tschülpen* »saugen, lutschen« lautnachahmenden Ursprungs.

Schimmel: Die Bezeichnung des Pilzbelages mhd. *schimel* (auf die mhd. Form hat das verwandte *schīme* »Glanz« eingewirkt) gehört zu der unter ↑scheinen behandelten Wortsippe. Erst im 15. Jh. erhielt ›Schimmel‹ den Sinn »weißes Pferd«, nachdem ältere Fügungen wie *schemeliges perd*, mhd. *schimel pfert* vorausgegangen waren. Das Tier wurde ursprünglich wohl scherzhaft als »schimmelfarben« bezeichnet. Siehe auch den Artikel *Amtsschimmel*. – Abl.: **schimmeln** (mhd. *schimelen*, ahd. *scimbalōn*); **schimm[e]lig** (mhd. *schimelec*, ahd. *scimbalag*).

schimmern: Mnd. *schēmeren*, mitteld. *schemmern* (15. Jh.) ist eine Intensivbildung zu gleichzeitigem mitteld. *schemen* »blinken«, die durch Luther schriftsprachlich wurde. Es gehört wie gleichbed. engl. *to shimmer* zur Sippe von ↑scheinen (s. auch *Schemen*). Rückbildung zum Verb ist **Schimmer** (18. Jh.).

Schimpf: Das auf das dt. und niederl. Sprachgebiet beschränkte Substantiv hat wie das zugehörige Verb **schimpfen** keine sicheren außergerm. Beziehungen. Mhd. *schimph*, ahd. *scimph* bedeutet »Scherz, Kurzweil; Kampfspiel«, mhd. *schimphen*, ahd. *scimphen* »scherzen, spielen, verspotten«. Noch im 18. Jh. steht ›Schimpf und Ernst‹ für »Scherz und Ernst«, aber schon seit frühnhd. Zeit wird ›Schimpf‹ aus dieser Bedeutung durch die Wörter ›Scherz‹ und ›Spaß‹ verdrängt und entwickelte über »Spott, Hohn« (so niederl. *schimp*) den heutigen Sinn »Ehrenkränkung, Schmach« (›jemandem einen Schimpf antun‹); dazu im 18. Jh. die Formel ›mit Schimpf und Schande‹. Das Verb steht nhd. meist als kräftiges Wort für »schelten«. – Abl.: **schimpflich** (im 17. Jh. »schmachvoll«; mhd. *schimphlich* bedeutete »kurzweilig, scherzhaft, spöttisch«).

Schindel: Das Wort (mhd. *schindel*, ahd. *scindula;* entsprechend aengl. *scindel* »Holzbrettchen als Dach- und Wandbedeckung«) ist – mit anderen Fachwörtern des römischen Hausbaus wie ›Mauer, Pfosten, Ziegel‹ (vgl. hierzu das Kapitel zur Sprachgeschichte *Römischer Kultureinfluss*) – aus lat. *scindula* »[Dach]schindel« entlehnt worden.

schinden: Das nur dt. Verb mhd. *schinden*, ahd. *scinten* »enthäuten, schälen« ist eine Ableitung von einem germ. Substantiv mit der Bedeutung »Haut«, das in mhd. *schint* »Obstschale«, in aisl. *skinn* »Haut, Fell« (daraus gleichbed. engl. *skin*) und wohl auch in niederd. *Schinnen* »Schuppen im Haar« (mnd. *schin* »Schorf«) erhalten ist. Diese germ. Wortgruppe ist verwandt mit der kelt. Sippe von bret. *skant* »Schuppen«. Seine starke Flexion hat ›schinden‹ erst im Mhd. entwickelt. Es bezeichnet im eigentlichen Sinn das Abhäuten gefallener Tiere (s. u. *Schinder*). Schon mhd. bedeutete es übertragen »ausrauben, misshandeln, quälen« (dazu ›Leuteschinder‹), woraus über »erpressen« die ugs. (studentensprachliche) Bedeutung »nicht bezahlen« wurde: ›eine Vorlesung, das Fahrgeld schinden‹ (19. Jh.). – Abl.: **Schinder** »Abdecker« (mhd. *schindære*), **Schund** (s. d.).

Schindluder

mit jmdm., mit etwas Schindluder treiben
(ugs.) »jmdn., etwas übel behandeln«
›Schindluder‹ ist eine veraltete Bezeichnung für das kranke oder alte Haustier, das zum Schinder (= Abdecker) gebracht wird. Die Wendung bedeutete also ursprünglich »jmdn. wie ein elendes Tier behandeln«.

Schinken: Das Substantiv bezeichnete ursprünglich das menschliche und tierische Bein. Mhd. *schinke* »Knochenröhre; Schenkel; Schinken«, ahd. *scinco* »Knochenröhre; Schenkel« (daneben aengl. *ge-scincio* »Nierenfett«) gehören wie das ablautend verwandte ↑Schenkel zu der unter ↑schenken dargestellten idg. Wurzel **[s]keng-* »schief, krumm«, bezeichnen also einen krummen oder gekrümmten Körperteil (vgl. z. B. griech. *skélos* »Schenkel« neben *skoliós* »krumm«). Übertragen bedeutet ›Schinken‹ seit dem 18. Jh. (zuerst studentensprachlich) »altes, dickes Buch« (in Schweinsleder), jetzt ugs. auch »schlechtes Ölbild«.

Schinnen ↑schinden.

Schippe: Die nordd. und westd. Bezeichnung der Schaufel gehört wie ›Schaufel‹ selbst (s. d.) zur Sippe von ↑schieben, genauer zu der Intensivbildung **schupfen** (mhd. *schupfen*) »schnell und heftig schieben«. Mnd., mitteld. *schüppe* (16. Jh.) ist besonders in der entrundeten Form mit i weit ins südwestd. Gebiet eingedrungen. Beachte die ugs. Wendung ›jemanden auf die Schippe nehmen‹ »aufziehen, verspotten«. Dasselbe Wort ist **Schippen** als dt. Bezeichnung der Spielkartenfarbe ↑[1]Pik (im 17. Jh. *Schüppen*, eigentlich Plural). – Abl.: **schippen** »mit der Schippe [be]arbeiten« (17. Jh.).

Schirm: Das Substantiv mhd. *schirm*, ahd. *scirm*, mnd., niederl. *scherm* bezeichnete ursprünglich den Schild des Kämpfers, das heißt eigentlich wohl den Fellüberzug des Schildes, und ist somit wie aind. *cárman-* »Fell, Haut« und lat. *corium*, *scortum* »Leder« zur Sippe von ↑[1]scheren zu stellen. Übertragen bezeichnete das Substantiv schon früh die Kunst des Parierens (s. u. *schirmen*) und entwickelte allgemein den Begriff des militärischen und rechtlichen Schutzes, wie er in der Formel ›Schutz und Schirm‹ (16. Jh.) und in **Schirmherr** »Protektor« (16. Jh.) deutlich wird. Anders als diese Ausdrücke der gehobenen Sprache ist ›Schirm‹ als »Schutzvorrichtung« allgemein verbreitet in Zusammensetzungen wie ›Ofen-, Lampen-, Mützenschirm‹, während das einfache Wort heute meist den Regen- oder Sonnenschirm meint. Nach dessen Gestalt ist der **Fallschirm** (s. unter *fallen*) ebenso benannt wie der **Schirmpilz** oder Parasol[pilz] (19. Jh.).

schirpen ↑zirpen.

Schiss ↑scheißen.

schlabbern (ugs. für:) »schlürfend und kleckernd trinken und essen; schwatzen«: Das lautmalende Wort, zunächst auf Hunde und Katzen angewandt, geht auf nd., mnd. *slabbe[re]n* »schlurfen; plappern« zurück und erscheint nhd. seit dem 16. Jh. (auch in der Form **schlappe[r]n**). Entsprechende Bildungen sind: älter niederl. *slabben* »schlurfen; kleckern«, engl. *to slabber*, schwed. mdal. *slabbra*. – Zus.: **Schlabberlatz** (ugs. für:) »Kinderlätzchen«. Siehe auch den Artikel *schlapp*.

Schlacht: Mhd. *slaht[e]*, ahd. *slahta* »Tötung« ist eine Bildung zu dem unter ↑schlagen behandelten Verb, mit der aisl. *slātta* »Mahd, Mähzeit«, anders gebildet aengl. *slieht* »Schlag, Tötung, Kampf«, und got. *slaúhts* »das Schlachten« nahe verwandt sind. Die heutige Bedeutung »Kampf zwischen Heeren« tritt erst im 16. Jh. auf (dazu nhd. ›Feld-, Seeschlacht‹ und junge Bildungen wie ›Abwehrschlacht‹). – Abl.: **schlachten** (mhd. *slahten*, ahd. *slahtōn* »[Vieh] töten«, übertragen auch vom Hinmetzeln von Menschen), dazu nordd. **Schlachter, Schlächter** (auch mitteld.) »Fleischer« (mhd. *vleischslahter, -slehter*, ahd. *slahtari*) und die Zusammensetzung **ausschlachten** (nordd., eigentlich »ein Schwein zerlegen«, übertragen ugs. abwertend für »etwas für seine Zwecke ausnutzen«).

Schlachtenbummler ↑bummeln.

Schlacke: Mnd. *slagge* »unreiner Abfall beim Erzschmelzen« wurde im 16. Jh. in der Form *schlacke[n]* ins Hochd. übernommen. Es bezeichnete ursprünglich den Abfall beim Schmieden und gehört zu dem unter ↑schlagen behandelten Verb. Übertragen wird es besonders medizinisch für Rückstände des Stoffwechsels (Körper-, Blutschlacken) gebraucht.

[1]**schlackern:** Das nordd. Wort für »regnen und schneien zugleich« (daher **Schlackerwetter,** mnd. *slacker*) steht neben gleichbed. frühnhd. *schlacken*, mnd. *slaggen* und dem Substantiv **Schlack** »breiige Masse; Schmutzwetter« (mnd. *slagge;* entsprechend aisl. *slag*, schwed. mdal. *slagg* »Regennässe«). Die Herkunft der Wortgruppe ist nicht sicher erklärt; vielleicht gehört sie zu mdal. *schlack* »schlaff, träge« (mhd. *slach*, mnd. *slak*), das z. B. in nordd. *Schlackdarm* »Mastdarm«, **Schlackwurst** »Mettwurst« vorliegt. Ein anderes landsch. [2]**schlackern** »schlenkern« gehört als Intensivbildung zu ↑schlagen.

Schlaf: Das altgerm. Substantiv mhd., ahd. *slāf*, got. *slēps*, niederl. *slaap*, engl. *sleep* stellt sich zu dem Verb **schlafen:** mhd. *slāfen*, ahd. *slāf[f]an*, got. *slēpan,* niederl. *slapen,* engl. *to sleep.* Dieses Verb bedeutet eigentlich »schlapp, matt werden« und ist mit dem Adjektiv ↑schlaff verwandt, beachte das zu ›Schlaf‹ gehörende aisl. *slāpr* »träger Mensch«. Die zugrunde liegende idg. Wurzel **[s]lĕb-, *[s]lăb-* »schlaff [herabhängend]« hat sich besonders im Germ. reich entwickelt. Im dt. Wortschatz stellen sich zu ihr z. B. die Wörter ↑Lappen »herabhängendes Zeugstück«, ↑Lippe (eigentlich »Herabhängendes«, anders gebildet oberd. ↑Lefze), ↑labern (zu mdal. *Lappe* »Lippe, Maul«), mit übertragenem Sinn ↑läppisch, ↑Schlampe und wohl auch ↑Laffe und ↑labb[e]rig. Außerhalb des Germ. ist besonders die unter ↑labil dargestellte Wortgruppe um lat. *labi* »wanken, schwanken« und lat. *labor* »Mühe, Last, Arbeit« zu nennen. Auf einer nasalierten Wurzelform beruhen aind. *lámbatē* »hängt herab«, lat. *limbus* »Kleidersaum« und besonders Bildungen wie dt. ↑Lump, ↑Lumpen, ↑glimpflich (eigentlich »schlaff, locker«) und wohl auch ↑Schlamm (eigentlich »träge Masse«). Schließlich gibt es eine Reihe einzelsprachlicher Bildungen, die ausdrucksbetont oder schallmalend sind und sich von den genannten Wörtern nicht scharf trennen lassen, z. B. dt. ↑Schlappe »Niederlage« und ↑schlemmen »prassen«. Siehe auch den Artikel *schlackern.* – Sonderbedeutungen haben die Präfixbildungen **beschlafen** »koitieren« (mhd. *beslāfen,* frühnhd. auch »bis zum nächsten Tag überdenken«) und **entschlafen** (mhd. *entslāfen,* ahd. *intslāfan* »einschlafen«, jetzt nur Hüllwort für »sterben«). Zum Verb ›schlafen‹ gehören die Bildungen **Schläfer** (mhd. *slafære*); **einschläfern** »in Schlaf versetzen; narkotisieren; schmerzlos töten; beruhigen« (im 17. Jh. neben älterem ›einschläfen‹, entsprechend mhd. *entslæfen*) und **schläfrig** »müde, Schlafbedürfnis verspürend« (mhd. *slāferic,* ahd. *slāfarag;* mit anderer Bedeutung **zweischläf[e]rig, zweischläfig** »zwei Schläfer fassend«, 18. Jh.). Zum Substantiv ›Schlaf‹ gehören vor allem die Körperteilbezeichnung ↑Schläfe und die Zusammensetzung **Beischlaf** (15. Jh.). Offen bleibt die Zuordnung zu Verb oder Substantiv bei Zusammensetzungen wie **Schlafmütze** (17. Jh.; schon im 18. Jh. übertragen gebraucht) und **Schlafrock** (spätmhd. *slāfrock*).

Schläfe: Die Bezeichnung der zwischen Auge und Ohr oberhalb der Wange liegenden Schädelregion (älter nhd. *Schlaf*) mhd., ahd. *slāf,* niederl. *slaap* ist ursprünglich dasselbe Wort wie ↑Schlaf. Erst seit dem 18. Jh. wird der nhd. Plural ›Schläfe‹ als Singular gebraucht. Die Stelle ist so benannt, weil der Schlafende darauf liegt.

schlaff: Das Adjektiv mhd., ahd. *slaf* »kraftlos, träge«, mnd. *slap* (daraus ↑schlapp), niederl. *slap* gehört zu der unter ↑Schlaf dargestellten Wortgruppe. Im germ. Sprachbereich ist z. B. verwandt schwed. *slapp* »schlaff, schlapp«, außergerm. z. B. russ. *slabyj* »schwach, matt«.

Schlafittchen, Schlafittich ↑Fittich.

Schlag: Die gemeingerm. Substantivbildung zu ↑schlagen (mhd. *slac,* ahd. *slag,* got. *slahs,* engl. *slay,* schwed. *slag*) folgt in ihren Bedeutungen dem Verb. Zur eigentlichen Bedeutung gehören die nhd. Wendungen ›Schlag auf Schlag‹ für »schnell hintereinander« (dafür mhd. *slage slacs*) und ›mit einem Schlag‹ für »plötzlich« (ähnlich **schlagartig;** 19. Jh.). Für eine zuschlagende Tür oder Falltür steht das Substantiv in ›Wagen-, Taubenschlag‹. Als Krankheitsname ist ›Schlag‹ eine schon mhd. Lehnübertragung für griech.-lat. *apoplexia* (dazu im 17. Jh. **Schlagfluss,** im 19. Jh. **Schlaganfall**). Die Bedeutung »Art« (z. B. in ›Pferde-, Menschenschlag‹) ist wohl erst vom Münzschlag her übertragen worden (mnd. *slach* »was auf einmal gemünzt wird; Art, Gattung«).

Schlagbaum ↑Baum.

schlagen: Das gemeingerm. Verb lautet mhd. *slahen, slā[he]n,* ahd., got. *slahan,* engl. *to slay* »erschlagen«, schwed. *slå.* Das Nhd. hat den Stammauslaut des Präteritums (mhd. *sluoc, geslagen*) verallgemeinert, doch erinnern die alten Ableitungen ↑Schlacht, ↑Geschlecht und ↑ungeschlacht an die ursprüngliche Form. Außerhalb des Germ. zeigt nur das Irische verwandte Wörter, z. B. mir. *slachta* »geschlagen«, *slacc* »Schwert«. Das Schlagen als eine Grundform menschlicher Tätigkeit bleibt auch in dem reich entwickelten übertragenen Gebrauch des Verbs meist erkennbar. Eine Sonderbedeutung »in eine bestimmte [Fach]richtung gehen; nach jemandem geraten« zeigt sich schon früh in den Wörtern ›Geschlecht‹ und ›ungeschlacht‹ (s. d.), heute besonders in ›ein-, umschlagen‹ (s. u.) und in Wendungen wie ›in ein Fach schlagen‹, ›aus der Art schlagen‹. – Abl.: **Schlacke** (s. d.); **²schlackern** (↑¹schlackern); **Schlag** (s. d.); **Schlager** »erfolgreiches Lied« (um 1880 wienerisch, wohl nach dem zündenden Blitzschlag); **Schläger** (in Zusammensetzungen mhd. *-sleger,* ahd. *-slagari* »schlagende Person«; nhd. seit dem 18. Jh. für »Raufbold«; seit dem 18. Jh. auch Bezeichnung der studentischen Hiebwaffe); **Schlägel:** Die hochd. Ableitung zu ↑schlagen (mhd. *slegel,* ahd. *slegil*) bezeichnet vor allem südd. einen schweren, kurzen, auch keulenförmigen Hammer aus Eisen (Schmied, Maurer) oder Holz (Steinmetz, Böttcher) oder auch den Bergmannshammer. Auch ein Holzstab zum Anschlagen von Schlaginstrumenten wird nach seiner Form als ›Schlägel‹ bezeichnet (Trommel-, Paukenschlägel). An verbalen Zusammensetzungen mit übertragener Bedeutung seien genannt: **abschlagen** (mhd. *abeslahen,* ahd. *abaslahan;* für »verweigern« und »im Preis ermäßigen« schon mhd.), dazu **abschlägig** »ablehnend, verweigernd« (15. Jh.) und **Abschlagzahlung** (18. Jh.); **anschlagen** (mhd. *aneslahen,* ahd. *anaslahan;* spätmhd. für »ungefähr berechnen«), dazu im 19. Jh. gleichbed. **veranschla-**

S

gen und das Substantiv **Voranschlag;** anders **Anschlag** »Attentat« und »öffentlich angeschlagene Bekanntmachung«, das frühnhd. »Plan« bedeutet; **aufschlagen** (mhd. *ūfslahen,* in der Bedeutung »den Preis erhöhen« schon mhd.), dazu **Aufschlag** (mhd. *ūfslac* »Preiserhöhung«; im 17. Jh. für »umgeschlagener Teil der Kleidung«); **ausschlagen** (mhd. *ūzslahen,* ahd. *ūzslahan;* spätmhd. für »zurückweisen«, eigentlich wohl »einen Fechthieb parieren«; in den nhd. Wendungen ›zum Nutzen oder Nachteil ausschlagen‹, ›den Ausschlag geben‹ ist ursprünglich der Ausschlag des Züngleins an der Waage gemeint); erst im 18. Jh. erscheint **Ausschlag** im medizinischen Sinn (dafür frühnhd. *außschlecht*); **einschlagen** (nhd. mit der Bedeutung »einwickeln, in Papier schlagen«, s. u. *Umschlag*); die Ableitung **einschlägig** »in Betracht kommend, zugehörig« geht von der Sonderbedeutung »hineinreichen, -wirken« (18. Jh.) aus; **überschlagen** (mhd. *überslahen,* ahd. *ubirslahan;* mhd. für »schätzen«, s. o. *anschlagen*); **umschlagen** (meist wie ›auf-, hin-, sich überschlagen‹ für »stürzen« gebraucht, aber schon mhd. *umbeslahen* »sich ändern«, eigentlich »in andere Richtung schlagen«; heute besonders von Wind und Wetter), dazu **Umschlag** (mhd. *umbeslac* »Wendung, Umkehr«, frühnhd. für »[Brief]hülle; heilende Auflage«; in der kaufmännischen Bedeutung »Umsatz, Umladung von Waren« zuerst mnd. *ummeslach* »Tausch, Jahrmarkt«); **unterschlagen** (mhd. *underslahen;* spätmhd. für »beiseite legen, [unter etwas] verbergen«, im 17. Jh. »rechtswidrig behalten«); **vorschlagen** (mhd. *vürslahen;* ahd. *furislahan;* die im Nhd. vorherrschende übertragene Bedeutung »anbieten, zur Entscheidung vorlegen« hat sich seit dem 16. Jh. aus allgemeinerem »vor Augen bringen, darlegen, vorhalten, zeigen« entwickelt), dazu **Vorschlag** »vorausgehender Schlag« (z. B. ein Verzierungston in der Musik, 18. Jh.), »Anerbieten, Rat« (16. Jh.; mhd. *vürslac* bedeutete »Sperrbefestigung; Voranschlag«). Von den Präfixbildungen zu ›schlagen‹ mit übertragener Bedeutung seien genannt: [1]**beschlagen** (mhd. *beslahen,* ahd. *bislahan* »darauf schlagen; [schlagend] bedecken«; daher nhd. ›das Fenster beschlägt‹), dazu **Beschlag** »[Metall]auflage« (mhd. *beslac*) und nhd. **Beschlagnahme** (schon mnd. *beslān* bedeutete »mit Beschlag belegen, einziehen«); das adjektivische 2. Part. [2]**beschlagen** »kenntnisreich« (17. Jh.) geht wohl vom gut beschlagenen Pferde aus; [1]**verschlagen** (mhd. *verslahen,* ahd. *farslahan* »erschlagen, abhauen; versperren«; im Mhd. u. a. übertragen für »[zu weit] wegtreiben« und »verstecken«), dazu **Verschlag** »[mit Brettern] abgesonderter, versperrter Raum« (18. Jh.) und das adjektivische 2. Part. [2]**verschlagen** »listig, durchtrieben« (16. Jh.; eigentlich wohl »versteckt«, aber an ›schlagen‹ »prügeln« angelehnt; beachte die ähnliche Vorstellung bei ›verschmitzt‹). Nominale Zusammensetzungen sind z. B. **schlagfertig** »fähig, schnell und mit passenden Worten zu reagieren« (18. Jh., ursprünglich besonders militärisch gebraucht), dazu **Schlagfertigkeit; Schlaglicht** (Malerwort des 18. Jh.s zur Bezeichnung eines scharf begrenzten Lichteinfalls; daher oft übertragen gebraucht); **Schlagwort** (im 18. Jh. »Stichwort des Schauspielers«, später etwa »allgemein verbreitetes [scheinbar] treffendes Wort«), ähnlich **Schlagzeile** (in der Zeitung, 20. Jh.); **Schlagzeug** (im 20. Jh. für die Gruppe der »geschlagenen« Orchesterinstrumente: Trommel, Becken, Xylophon usw.). Siehe auch ›Schlafittchen‹ unter *Fittich.*

Schlagsahne ↑Sahne.

Schlamassel »Unglück; verfahrene Situation«: In dem aus der Gaunersprache in die allgemeine Umgangssprache gelangten Substantiv haben sich zwei Wörter miteinander vermischt, das dt. Adjektiv ↑schlimm und jidd. *massel* »[Glücks]stern; Schicksal«, aus gleichbed. hebr. *mazzạl* (zuerst als jidd. *schlimasel*).

Schlamm: Das erst von Luther ins Hochd. eingeführte Wort erscheint nach 1300 als mitteld. *slam* (Genitiv *slammes*) »Kot«, mnd. *slam* »Schmutz, Morast; Abfall beim Getreidemahlen«. Es lässt sich mit den nasalierten Formen aus der Wortgruppe um ↑Schlaf verbinden, sodass als Grundbedeutung »schlaffe, weiche Masse« angesetzt werden kann. – Abl.: **schlämmen** »von Schlamm reinigen; aufschwemmen« (im 14. Jh. mitteld. *slemmen*), dazu **Schlämmkreide** »gereinigtes Kreidepulver« (19. Jh.); **schlammig** (16. Jh.). Siehe den Artikel *schlemmen.*

Schlampe: Zu dem unter ↑Schlaf behandelten Verb *schlafen* mit der Grundbedeutung »schlaff herabhängend« gehört oberd. *Schlamp[en]* »Fetzen, Lumpen, Kleiderschleppe«, das seit dem 17. Jh. als abwertende Bezeichnung für die nachlässig gekleidete, unordentliche Frau gebräuchlich ist. Entsprechend bedeutet **schlampen** »unordentlich sein« auch: »schlecht, nachlässig arbeiten« (im 14. Jh. »herabhängen, schleppen«).

Schlange: Der Tiername mhd. *slange,* ahd. *slango* gehört ablautend zu dem unter ↑[1]schlingen behandelten Verb in dessen Bedeutung »sich winden«. Eine gewundene Linie heißt **Schlangenlinie** (16. Jh.; s. auch *Serpentine*), und **schlängeln** (17. Jh., seit dem 18. Jh. meist reflexiv) bezeichnet bildlich die schlangenartige Bewegung. In Wendungen und Redensarten ist das Bild der Schlange meist biblisch beeinflusst (›falsche Schlange‹, ›klug wie die Schlangen‹). Erst das 20. Jh. kennt den Ausdruck ›Schlange stehen‹ »in einer langen Reihe anstehen«.

schlank: Das ursprünglich nordd. Adjektiv mhd. (mitteld.) *slanc* »mager«, mnd. *slank* »biegsam«, niederl. *slank* »schlank« gehört wie mnd., niederl. *slinken* »dünner werden, einschrumpfen« zu der unter ↑[1]schlingen behandelten Wortgruppe.

Die Grundbedeutung »biegsam« wird z. B. in der Fügung ›schlank wie eine Tanne‹ deutlich. – Zus.: **schlankweg** »ohne Umschweife« (19. Jh.).

chlapp: Die niederd. Entsprechung von ↑schlaff (mnd., mitteld. *slap,* 13. Jh.) wurde im 16. Jh. ins Hochd. übernommen und hat sich in neuerer Zeit besonders durch die Soldatensprache verbreitet (dazu ugs. **schlappmachen** »nicht mehr können, aufgeben«). – Abl.: **schlappen** »lose sitzen« (ugs., besonders von Schuhen; nicht klar von lautmalendem ›schlabben, schlabbern, schlappern‹ zu trennen; s. *schlabbern*); **Schlappen** »Hausschuh« (niederd. im 18. Jh.). Zus.: **Schlapphut** »Hut mit schlaff hängender Krempe« (17. Jh.; dafür mhd. *slappe*); **Schlappschwanz** ugs. für »Schwächling« (17. Jh., eigentlich wohl »Mann mit einem schlaffen Penis, nicht potenter Mann«).

chlappe »[leichte] Niederlage«: Das gefühlsmäßig meist zum Adjektiv ↑schlapp gestellte Wort bedeutet eigentlich »Klaps, Ohrfeige« (so frühnhd. *schlappe,* niederd. *slappe,* entsprechend engl. *slap*). Es gehört zum Schallwort **schlapp!** »patsch!«. Die militärische Bedeutung ist seit dem 16. Jh. bezeugt.

chlaraffe: Spätmhd. *slūr-affe,* ein wie Maulaffe gebildetes, heute veraltetes Schimpfwort für den Faulenzer, enthält mhd. *slūr* »das Herumtreiben; träge oder leichtsinnige Person«. In der Nebenform *sluderaffe* steckt ↑schludern »liederlich arbeiten«. Beide Formen gehören zur Sippe von ↑schlummern. Frühnhd. *Schlau[d]raffe* hat seit dem 17. Jh. durch Verlagerung des Tons (wie bei ›Forelle‹, ›lebendig‹) die heutige Form ergeben. Mit diesem Wort verband sich in Deutschland die verbreitete, schon antike Vorstellung von einem Märchenland voll guter Speisen. Es heißt zuerst bei Hans Sachs Schlauraffen-, später **Schlaraffenland,** das »Land der Schlemmer und Faulenzer«.

chlau: Das niederd. Adjektiv *slū* »schlau« (niederl. *sluw*) wurde im 16. Jh. ins Hochd. übernommen. Mnd. Zusammensetzungen wie *slū-hōrer* »Horcher«, *slū-betsch* »hinterlistig« weisen auf eine Grundbedeutung »schleichend«. Das Adjektiv gehört demnach ähnlich wie das unter ↑Schlauch behandelte Substantiv zu der unter ↑schlüpfen dargestellten Wortgruppe.

chlauch: Das Substantiv mhd. *slūch* »abgestreifte Schlangenhaut; Röhre, Schlauch« (asächs. *slūk* »Schlangenhaut«) bedeutet eigentlich »Schlupfhülse, -hülle« und gehört wie die anders gebildeten Wörter engl. *slough* »Schlangenhaut; Schorf« und mnd. *slū* »Fruchthülse, Schale« zu der unter ↑schlüpfen dargestellten Wortgruppe; siehe auch den Artikel *schlau.* Schläuche zum Füllen der Weinfässer begegnen zuerst im 15. Jh., sie waren wohl aus Leder genäht. Die mittelmeerisch-orientalische Verwendung ganzer Tierhäute als Weingefäße war schon früher vor allem aus der Bibel bekannt (daher ›neuen Most in alte Schläuche füllen‹). Jung ist die Zusammensetzung **Schlauchboot** »aufblasbares Gummiboot« (20. Jh.). Ugs. **schlauchen** »scharf hernehmen«, eigentlich »weich machen wie einen Schlauch«, ist ein Soldatenwort des Ersten Weltkrieges.

Schlaufe: Die südwestd. und schweiz. mdal. erhaltene ältere Form von ↑Schleife gilt in der Schriftsprache nur für Sonderbedeutungen wie »Lederring, feste Schlinge« (am Gürtel, Schistock usw.).

Schlawiner »schlauer, durchtriebener Mensch«: Das Substantiv wurde wohl Anfang des 20. Jh.s im kaiserlichen Österreich gebildet, und zwar zu ›Slowene‹, der Bezeichnung für den Angehörigen des slawischen Volks der Slowenen (bzw. zu ›Slawonier‹ als Bezeichnung für den Bewohner des Gebietes Slawonien in Kroatien). Slowenische Händler galten als besonders gerissene Geschäftemacher.

schlecht: Das gemeingerm. Adjektiv mhd., ahd. *sleht,* got. *slaíhts,* aengl. *sliht,* schwed. *slät* bedeutete ursprünglich »geglättet; glatt, eben«. Es gehört zu dem unter ↑schleichen behandelten Verb in dessen Bedeutung »leise gleitend gehen«. Außerhalb des Germ. sind z. B. air. *sliachtad* »das Glätten« und *slige* »Kamm« verwandt. In der alten Bedeutung ist ›schlecht‹ im Nhd. durch die Nebenform ↑schlicht abgelöst worden (s. a. *schlichten* [↑schlicht]), nachdem es seit dem 15. Jh. über »einfach« die Bedeutung »gering-, minderwertig« erreicht hatte. Heute ist es vor allem Gegenwort zu ›gut‹ (s. d.), auch in moralischem Sinne. An die alte Bedeutung erinnern noch Zusammensetzungen wie **schlechthin** »durchaus, geradezu, einfach« (17. Jh.), **schlechtweg** »ohne Umstände« (im 14. Jh. *slehtis weg,* zum mhd. Adverb *slehtes* »gerade[aus], einfach«) und **schlechterdings** »durchaus« (im 17. Jh. *schlechter Dinge;* vgl. *Ding*). In der Fügung ›schlecht und recht‹, eigentlich »schlicht und richtig, so gut es geht«, wird das Adjektiv meist im heutigen Sinn verstanden.

schlecken »lecken; (besonders südd. für:) naschen«: Spätmhd. *slecken* »naschen« ist verwandt mit den unter ↑^{2}lecken genannten Wörtern und steht neben ähnlichen Bildungen wie mhd. *slicken* »schlingen, schlucken«, mnd. *slicken* »lecken, naschen« und aisl. *sleikja* »lecken«.

Schlegel: Die hochd. Ableitung zu ↑schlagen (mhd. *slegel,* ahd. *slegil*) bezeichnet nach seiner Form in Süddeutschland den Hinterschenkel von Schlachtvieh, Wild und Geflügel (nordd. *Keule,* s. d.). Vgl. auch *Schlägel* [↑schlagen].

Schlehe: Die Frucht des Schwarzdorns gehört zu den wenigen Obstarten, die ihren altgerm. Namen im Dt. bewahrt haben. Mhd. *slēhe,* ahd. *slēha, slēwa,* niederl. *slee,* engl. *sloe,* schwed. *slån* beruhen mit verwandten außergerm. Wörtern, z. B. russ. *sliva* »Pflaume« (vgl. den aus dem Slaw. übernommenen Branntweinnamen **Slibowitz**), auf einer idg. Wurzel **[s]lī-* »bläulich«, die auch in lat. *livere* »bläulich sein« und in air. *lī* »Farbe« (eigentlich »Bläue«) erscheint. Die Schlehenfrucht heißt also nach ihrer blauen Farbe. Siehe auch den Artikel *Lein.*

Schlei, auch: Schleie: Der karpfenartige Fisch ist nach seinen schleimigen Schuppen benannt. Das westgerm. Substantiv mhd. *slīge, slīhe,* ahd. *slīo,* niederl. mdal. *slij,* aengl. *sliw* gehört wie aisl. *slȳ* »schleimige Wasserpflanzen« zu der unter ↑Leim dargestellten Wortgruppe.

schleichen: Das starke Verb mhd. *slīchen,* ahd. *slīhhan,* mnd., mengl. *slīken* »leise gleitend gehen« ist in anderen germ. Sprachen nicht bezeugt. Es gehört mit ↑schlecht, ↑schlicht (eigentlich »geglättet«) und verwandten Wörtern anderer idg. Sprachen zu der unter ↑Leim dargestellten idg. Wurzel **[s]lei-* »feucht, schleimig, glitschig; gleiten, glätten«. Die Grundbedeutung des Verbs ist demnach »gleiten«. – Abl.: **Schleiche** (Kurzform für ›Blindschleiche‹, ↑blind; seit dem 19. Jh. naturwissenschaftliche Bezeichnung einer Echsenfamilie); **Schleicher** »heuchlerischer Mensch« (mhd. *slīchære*); [1]**Schlich** ugs. für »List, Kniff« (mhd. *slich* »schleichender Gang; Schleichweg, List«). Siehe auch den Artikel *Schlick.*

Schleie ↑Schlei.

Schleier: Das seit dem 13. Jh. zuerst in höfischen Kreisen gebrauchte Wort (mhd. *sleier, sloi[g]er*) ist unerklärt. Schon um 1300 wird es auf die Nonnenkleidung übertragen (daher ›den Schleier nehmen‹ für »ins Kloster gehen«). Heute ist der Schleier ein feines, durchsichtiges Gewebe, beachte die Zusammensetzungen ›Braut-, Witwen-, Hutschleier‹. – Abl.: **schleierhaft** (um 1900 ugs. für »unklar, rätselhaft«); **verschleiern** (18. Jh., »mit einem Schleier bedecken«, oft übertragen für »verstecken, tarnen«). Zus.: **Schleiereule** (16. Jh.; nach dem weidmännisch ›Schleier‹ genannten Federkranz um die Augen).

Schleife »Schlinge, geknüpftes Band«: Zu der unter ↑schlüpfen dargestellten Wortgruppe gehört das Veranlassungswort mhd., ahd. *sloufen* »schlüpfen machen, an- und ausziehen«, got. *afslaupjan* »abstreifen«. Daraus abgeleitet ist mhd. *sloufe* »Schleife, Hülle« (ahd. *slouf*), das nhd. z. T. als ↑Schlaufe fortlebt und über umgelautetes frühnhd. *Schleuffe* die von Luther vorgezogene entrundete Form ›Schleife‹ ergeben hat.

S

[1]**schleifen** »schärfen«: Das nur im Dt. und Niederl. bezeugte starke Verb mhd. *slīfen,* ahd. *slīfan,* mnd. *slīpen,* niederl. *slijpen* hat die Grundbedeutung »gleiten, glitschen«, die sich im Spätahd. zu »glätten, schärfen« (durch Gleitenlassen auf dem Schleifstein) entwickelte. Es gehört mit seinem Veranlassungswort ↑[2]schleifen (dazu auch ↑schleppen) zu der unter ↑Leim dargestellten idg. Wurzel **[s]lei-* »schleimig, schlüpfrig; gleiten«. Von einer Intensivbildung ahd. *slipfen* stammen das unter ↑schlüpfrig behandelte Adjektiv und mnd., niederl. *slippen* »gleiten« (daraus wohl engl. *to slip;* ↑Slip ↑Slipper). – In der Soldatensprache wird ›schleifen‹ im Sinne von »hart ausbilden, schikanierend drillen« (eigentlich »Schliff geben«) verwendet, daran schließt sich [1]**Schleifer** »jemand, der Soldaten schleift« an. – Abl.: [2]**Schleifer** »jemand, der etwas schleift«, beachte ›Diamant-, Glas-, Scherenschleifer‹ (mhd. *slīfære*); **Schliff** (mhd. *slif;* zunächst »das Schleifen; Art, in der etwas geschliffen ist«, seit dem 19. Jh. auch für »Bildung, gute Umgangsformen«).

[2]**schleifen** »über den Boden ziehen«: Als schwach flektiertes Veranlassungswort zu ↑[1]schleifen »gleiten« bedeutete mhd., ahd. *slei[p]fen,* mnd. *slēpen* »gleiten machen, schleppen« (s. auch *schleppen*). Schon spätmhd. erscheint die militärische Wendung ›eine Burg, Festung schleifen‹, d. h. »dem Erdboden gleichmachen«.

Schleim: Das altgerm. Wort mhd. *slīm,* niederl. *slijm,* engl. *slime,* aisl. *slīm* gehört mit ahd. *slīmen* »glatt machen« und verwandten Wörtern in andern idg. Sprachen (z. B. griech. *leímāx,* russ. *slimak* »Schnecke«) zu der unter ↑Leim dargestellten Wortgruppe; s. auch *Schlei.* Die ältere Bedeutung ist »Schlamm, klebrige Flüssigkeit«; seit dem 17. Jh. ist das Wort auf den medizinischen Sprachgebrauch eingeschränkt worden.

schlemmen »besonders gut und reichlich essen und trinken«: Das spätmhd. Verb *slemmen* »[ver]prassen« (15. Jh.) ist eine wohl von ↑Schlamm beeinflusste Umbildung des gleichbedeutenden lautmalenden spätmhd. *slampen* »schmatzen, schlürfen«.

schlendern: Das im 17. Jh. aus niederd. *slendern, slentern* »gemächlich gehen« ins Hochd. aufgenommene und besonders von Studenten verbreitete Verb entspricht gleichbed. niederl. *slenteren,* schwed. mdal. *släntra* und ist Weiterbildung eines germ. Verbs, das in norw. mdal. *slenta* und oberd. mdal. *schlenzen* »faulenzen, sich herumtreiben« erscheint. Die Wörter gehören wohl mit der Grundbedeutung »gleiten« zu der unter ↑[1]schlingen dargestellten Sippe. – Dazu **Schlendrian** »Schlamperei, hergebrachte Weise« (humanistische Bildung des 17. Jh.s, vielleicht mit frühnhd. *jān* »Arbeitsgang« als Grundwort).

schlenkern: Spätmhd. *slenkern* »schleudern« (zu mhd. *slenker, slenger,* ahd. *slengira* »Schleuder«) gehört zu der unter ↑[1]schlingen dargestellten Wortgruppe. Heute bedeutet es nur »[die Arme] pendelnd hin und her bewegen«.

schleppen: Mhd. (mitteld.) *slepen* ist im 13. Jh. aus mnd. *slēpen,* das dem hochd. ↑[2]schleifen entspricht, übernommen worden. In dessen Bedeutung »am Boden hinziehen« gilt es im Nhd. nur begrenzt (z. B. ›ein Schiff oder Netze schleppen‹). Die Hauptbedeutung ist »schwer tragen«, reflexiv und im 1. Partizip **schleppend** auch »langsam und mühselig gehen«. – Abl.: **Schleppe** »sehr langer, am Boden nachschleifender Teil eines festlichen Kleides« (im 17. Jh. aus niederd. *slepe* für älteres hochd. *Schleife* aufgenommen; entsprechend niederl. *sleep*); **Schlepper** »Schleppdampfer«, ugs. auch »jemand, der einem [unseriösen] Unternehmen Kunden zuführt« (im 19. Jh. nach gleichbed. niederd. *Slepper;* auch für »Traktor« und in der jungen Zusammensetzung **Sattelschlepper** »Zugmaschine für Anhänger ohne eigene Vorderachse«). Zus.: **Schlepptau** (im 19. Jh. seemännisch; dazu ›ins Schlepptau nehmen‹, ugs. für »behilflich sein« und das verkürzte ›in Schlepp nehmen‹, 19. Jh.).

:hleudern: Das erst im 16. Jh. bezeugte Verb gehört mit den verwandten Bildungen ›schlottern, lottern‹ und ›liederlich‹ (s. d.) zu der unter ↑schlummern dargestellten idg. Wurzel **[s]leu-* »schlaff [herabhängend]«. Als »unter Wert, zu billig verkaufen« erscheint ›[ver]schleudern‹ seit dem 17. Jh. (dazu ›Schleuderpreis, -ware‹).

hleunig: Das Adjektiv wird heute in der Grundstufe seltener gebraucht, häufiger ist das ugs. Adverb **schleunigst** »schnellstens«. Mhd. *sliunec* »eilig«, als Adverb *sliune, sliume,* geht zurück auf ahd. *sliumo,* älter *sniumo* »sofort« (n ist vor m zu l geworden). Verwandt sind die Verben aengl. *snēowan,* got. *sniwan, sniumjan* »eilen«, aisl. *snūa,* schwed. *sno* »wenden, drehen; eilen«. Die Bedeutung »schnell« scheint aus »[sich] schnell drehend« entwickelt zu sein (vgl. *nähen*). – Abl.: **beschleunigen** (im 17. Jh. für »rasch fördern, wegschaffen«, jetzt besonders als technisches und physikalisches Fachwort für »die Geschwindigkeit erhöhen«), dazu **Beschleunigung** (17. Jh.).

:hleuse »Stauvorrichtung in fließenden Gewässern«: Das im Hochd. seit dem 16. Jh. bezeugte Substantiv geht über gleichbed. niederl. *sluis* (mniederl. *slūse, sluise;* daraus schon im 13. Jh. mnd. *slūse*) und afrz. *escluse* (= frz. *écluse*) auf mlat. *exclusa, sclusa* »Schleuse, Wehr« zurück, eine Bildung zu lat. *ex-cludere* »ausschließen; absondern; abhalten« (vgl. dazu den Artikel *Klause*). – Abl.: **schleusen** »ein Schiff durch eine Schleuse bringen« (20. Jh.), auch übertragen gebraucht im Sinne von »jemanden oder etwas durch einen Engpass manövrieren« (dafür meist **durchschleusen**). In jüngster Zeit findet sich das Verb vermehrt in der Bedeutung »heimlich, auf ungesetzliche Weise irgendwohin bringen«. Hierzu die Ableitung **Schleuser** »jmd., der Flüchtlinge, Asylsuchende u. a. gegen Bezahlung illegal in ein anderes Land bringt«.

chlich ↑schleichen.

chlich ↑Schlick.

:hlicht: Die mitteld. und niederd. Nebenform von ↑schlecht (mnd. *slicht*) ist im 17. Jh. in dessen alter Bedeutung »eben, einfach« schriftsprachlich geworden, als ›schlecht‹ schon »minderwertig, böse« bedeutete. Gestützt wird das Adjektiv durch das Verb **schlichten** »ebnen, glätten; Streitigkeiten beilegen« (mhd., ahd. *slihten,* mnd. *slichten;* zu ›schlecht‹ gebildet wie ›richten‹ zu ›recht‹).

Schlick: Der fette, schlüpfrige Schlamm im Meer und in Binnengewässern heißt mnd. *slīk, slick,* niederl. *slijk.* Das Nhd. hat seit dem 17. Jh. die im Nd. vorherrschende kurz gesprochene Form übernommen. Das entsprechende mhd., ahd. *slīch, slich* »[Graben]schlamm« lebt noch fachsprachlich als **²Schlich** »feinkörniges [geschlämmtes] Erz«. Beachte aus dem germ. Sprachbereich noch aisl. *slīkr* »Schleim«. Die Wörter gehören zur Sippe von ↑schleichen.

schliefen ↑schlüpfen.

schließen: Das auf das dt. und niederl. Sprachgebiet beschränkte Verb mhd. *sliezen,* ahd. *sliozan,* niederl. *sluiten* mit seinen ablautenden Substantiven ↑Schloss, ↑Schluss und ↑Schlüssel ist nicht sicher erklärt. Seit dem 16. Jh. steht ›schließen‹ für »[logisch] folgern«, d. h. »an Voraufgehendes gedanklich anschließen«. Siehe auch die Artikel *beschließen* und *entschließen.* – Abl.: **schließlich** »endlich, zum Schluss« (als Adverb im 17. Jh., frühnhd. als Adjektiv).

Schliff ↑¹schleifen.

schlimm: Das Adjektiv mhd. *slim[p],* Genitiv *slimbes,* »schief, schräg« (dazu ahd. *slimbī* »Schräge«) hat erst im Nhd. den Sinn »übel, schlecht, böse« entwickelt, zuerst wohl in Wendungen wie ›die Sache steht schlimm‹ (beachte die ähnliche Entwicklung von ›schief‹ in ›schief gehen‹). Die Herkunft des Adjektivs ist dunkel.

Schlingel: Das seit dem 15. Jh. zuerst im Niederd. bezeugte Wort hat im älteren Nhd. die Formen ›Schlüngel‹ und ›Schlingel‹ (neben ablautendem niederd., niederl. *slungel*). Es meint eigentlich den Müßiggänger und gehört zu mhd., mnd. *slingen* in der Bedeutung »schleichen, schlendern« (vgl. *¹schlingen*). Heute bezeichnet es scherzhaft einen [gerissenen] Jungen, der Streiche anstellt.

¹schlingen: Mhd. *slingen,* ahd. *slingan* »hin und her ziehend schwingen; winden, flechten« bedeutet auch (wie aengl. *slingan*) »sich winden, kriechen, schleichen«. Mit aisl. *slyngva* »werfen, schleudern« (daraus gleichbed. engl. *to sling*) und mit verwandten baltoslaw. Wörtern (z. B. lit. *slìñkti* »schleichen«) gehören diese Verben zu idg. **slen-k-, -g-* »winden, sich schlingen«. Ablautend sind ↑Schlange und ↑schlank mit ›¹schlingen‹ verwandt. Zu dessen früherer Bedeutung »schwingen« stellen sich die unter ↑schlenkern behandelten Wörter, zur Bedeutung »schleichen« das Substantiv ↑Schlingel (eigentlich »Müßiggänger«).

²schlingen »schlucken«: Das germ. Verb mhd. *[ver]slinden,* ahd. *[far]slintan,* niederl. *verslinden* entspricht got. *fra-slindan* »verschlingen«. Es ist erst im Nhd. lautlich mit ›¹schlingen‹ zusammengefallen, weil Luther die mitteld. Mundartform mit -ng- verwendete. Dazu gehören das ablautende Substantiv ↑Schlund und wahrscheinlich die unter ↑schlendern genannten Verben. Als Grundbedeutung der etymologisch ungeklärten Wort-

S

gruppe ist wohl »gleiten lassen« anzusetzen. Dazu die gleich alte Präfixbildung **verschlingen** (s. o. die aufgezählten Verbformen).

schlingern: Als Weiterbildung zu ↑[1]schlingen bedeutet mnd., niederl. *slingeren* »schlenkern, schwingen, schwanken«. Seit dem 17. Jh. bezeichnet das Wort seemännisch das Schwanken (Rollen) des Schiffs in seitlichem Seegang (Gegensatz: stampfen in der Längsrichtung).

Schlips »Krawatte«: Das ursprünglich nur nordd. Wort, niederd. *Slips,* ist eine Nebenform von niederd. *Slip[p]e, Slippen* »Hemd-, Rock-, Tuchzipfel«, mnd. *slippe* »Zipfel«. Um 1840 bezeichnete es die losen Enden des seidenen Halstuchs oder der Schleifenkrawatte, später ging es auf den aus England übernommenen langen Selbstbinder über. Neben ↑Krawatte ist es heute der familiärere Ausdruck. In der ugs. Wendung ›jemandem auf den Schlips treten‹ für »beleidigen« (ursprünglich berlinisch) sind eigentlich die Rockschöße gemeint.

Schlitten: Mhd. *slite,* ahd. *slito,* niederl. *sle[d]e* (daraus entlehnt engl. *sleigh*), schwed. *släde* beruhen auf einer Bildung zu dem im Nhd. untergegangenen starken Verb mhd. *slīten,* mnd. *slīden,* engl. *to slide,* älter schwed. *slida* »gleiten«. Dieses Verb gehört zu der unter ↑Leim dargestellten idg. Wurzel in der Bedeutungswendung »schlüpfrig; gleiten«.

schlittern »[auf dem Eise] gleiten«: Die besonders nordd. Bezeichnung des beliebten Kindervergnügens erscheint hochd. im 18. Jh. und steht neben zahlreichen landsch. Ausdrücken. Nd. *sliddern* (entsprechend engl. *to slither* »ausgleiten«) ist eine Intensivbildung zum starken Verb mnd. *slīden* (vgl. *Schlitten*). Das zusammengesetzte Verb **hineinschlittern** »in eine Unannehmlichkeit geraten« ist seit dem 19. Jh. in der Umgangssprache gebräuchlich.

Schlittschuh: Der Name des Eislaufgeräts ist im Oberd. des 17. Jh.s in Anlehnung an ↑Schlitten umgebildet worden aus älterem ›Schrittschuh‹ (vgl. *schreiten*), das in dieser Bedeutung ebenfalls erst im 17. Jh. belegt ist. Mhd. *schritschuoch,* ahd. *scritescuoh* bezeichnet einen »Schuh zu weitem Schritt« (vielleicht eine Art Schneereifen). Seit Anfang des 19. Jh.s hat sich ›Schlittschuh‹ allgemein durchgesetzt.

S

Schlitz: Mhd. *sliz,* ahd. *sliz, sliz̨* »Schlitz, Spalte« (besonders im Kleid) bezeichnete ursprünglich einen durch Reißen entstandenen Spalt. Es ist wie gleichbed. mnd. *slete,* aengl. *slite,* aisl. *slit* eine Substantivbildung zu ›schleißen‹ (↑verschleißen). Das Verb **schlitzen** (mhd. *slitzen,* engl. *to slit*) ist eine davon unabhängige Intensivbildung zu ›schleißen‹. Siehe auch den Artikel *Schlitzohr.*

Schlitzohr »listiger, durchtriebener Mensch«: Wurde Dieben früher zur Strafe die rechte Hand abgehackt, so verfuhr man mit kleineren Betrügern weniger hart. Sie wurden durch Einschlitzen der Ohren bestraft und so gleichzeitig für jedermann gekennzeichnet. – Abl.: **schlitzohrig** »listig, durchtrieben«.

Schloss: Das heute in zwei getrennten Hauptbedeutungen gebrauchte Substantiv ist von ↑schließen abgeleitet. Mhd., ahd. *sloz̨* bedeutete zunächst »[Tür]verschluss, Riegel«, seit dem 13. Jh. auch »feste Burg, Kastell«. In der Bedeutung »Burg« kann ›Schloss‹ sowohl passivisch als »Verschlossenes« gefasst werden (entsprechend ↑Klause) wie aktivisch als »Sperrbau« (an einer Straße oder Talenge). Jedoch sind diese Vorstellungen verblasst, seit ›Schloss‹ in der Renaissancezeit zur Bezeichnung prunkvoller Wohnbauten der Fürsten und des Adels wurde und sich von ›Burg, Feste, Festung‹ bedeutungsmäßig absetzte.

Schlot: Die landsch. (besonders ostfränk.-mitteld.) Bezeichnung des Schornsteins (mhd., ahd. *slāt*) ist vielleicht mit mhd. *slāte* »Schilfrohr« (nhd. landsch. **Schlotte** »röhrenförmiges Zwiebelblatt; Schilfrohr«) verwandt. Dann wäre der Schornstein ursprünglich mit einem hohlen Halm verglichen worden.

schlottern: Mhd. *slot[t]ern* »wackeln, zittern« (entsprechend niederd. *sluddern,* niederl. *slodderen*) ist eine Intensivbildung zu gleichbed. mhd. *sloten* und gehört wie ↑schleudern und ↑lottern zu der unter ↑schlummern dargestellten idg. Wurzel **[s]leu-* »schlaff [herabhängend]«. Im Nhd. wird ›schlottern‹ vor allem von frierenden Gliedern und losen Kleidern gesagt.

Schlucht »tiefer Geländeeinschnitt«: Das seit dem 16. Jh. zuerst nordd. und mitteld. bezeugte Wort entspricht – mit niederd. -cht- für hochd. -ft- (vgl. *Gracht*) – dem heute veralteten **Schluft** (mhd. *sluft* »das Schlüpfen; Schlucht«). Mhd. *sluft* ist eine Ableitung von ›schliefen‹ (vgl. *schlüpfen*).

schluchzen: Das Verb ›schluchzen‹ »krampfhaft, verzweifelt weinen« ist seit frühnhd. Zeit bezeugt. Es ist eine Intensivbildung zu mhd. *slūchen* »schlingen«.

schlucken: Mhd., mnd. *slucken,* niederl. *slocken* ist eine Intensivbildung zu einem germ. starken Verb, das in mnd. *slūken,* schwed. *sluka* »hinunterschlingen« erscheint. Ahd. ist nur die Ableitung *slucko* »Schlemmer« bezeugt. Zu der wohl lautmalenden Wurzel **[s]leu-g-, -k-* »schlucken« gehören auch außergerm. Wörter wie griech. *lýzein* »den Schlucken haben« und air. *slucim* »ich schlucke«.

schludern: Der ugs. Ausdruck für »nachlässig, liederlich arbeiten« geht (mit niederd. *ū*) auf spätmhd. *slūdern* »schlenkern« zurück, dem hochd. *schlaudern* veraltet, aber noch mundartlich für »schlenkern« und »nachlässig, liederlich arbeiten« entspricht. – Dazu: **schlud[e]rig** »nachlässig, liederlich, unordentlich«.

Schluft ↑Schlucht.

schlummern »im Schlummer liegen«: Das zunächst

nur mitteld. und niederd. Verb ist durch Luther in die Schriftsprache gelangt. Mitteld. *slummern* (15. Jh.), mnd. *slomern* (entsprechend niederl. *sluimeren,* engl. *to slumber*) ist eine Weiterbildung des älteren mitteld. *slummen,* mnd. *slo[m]men* »schlafen«, vgl. auch aengl. *slūma* »Schlummer«. Die Wörter gehören mit norw. mdal. *sluma* »schlaff gehen«, *slum* »schlaff, welk« (von Gras) zu der idg. Wurzel **[s]leu-* »schlaff [herabhängend]«. Außergerm. verwandt ist z. B. russ. *lytat'* »sich drücken, müßig gehen«. Ferner stellen sich die unter ↑Schlaraffe, ↑liederlich, ↑lottern, ↑schlottern und ↑schleudern genannten Wörter zu dieser Wurzel. Das Substantiv **Schlummer** »leichter Schlaf« (im 14. Jh. mitteld. *slummer*) ist wohl aus dem Verb rückgebildet.

Schlund: Das auf das dt. und niederl. Sprachgebiet beschränkte Wort mhd., ahd. *slunt,* mniederl. *slont* gehört als ablautende Bildung zu ↑[2]schlingen »schlucken« (mhd. *slinden*). Die Grundbedeutung »Schluck« ist mhd. noch erhalten.

Schlüpfen: Mhd. *slüpfen, slupfen,* ahd. *slupfen* »durch eine Öffnung kriechen oder gleiten« ist eine nur dt. Intensivbildung zu dem altgerm. starken Verb nhd. *schliefen* (mhd. *sliefen,* ahd. *sliofan,* got. *sliupan,* niederl. *sluipen,* aengl. *slūpan*), das weidmännisch für das Hineinkriechen des Hundes in den Fuchs- oder Dachsbau gebraucht wird. Zum gleichen Verb gehören die Substantivbildung mhd. *sluft* (vgl. *Schlucht*) und das Veranlassungswort mhd., ahd. *sloufen* »schlüpfen machen«, das nhd. in ↑Schleife und ↑Schlaufe fortlebt. Zu dieser Wortgruppe stellt sich außerhalb des Germ. nur lat. *lubricus* »schlüpfrig, gleitend, glatt«. Zugrunde liegt die vielfach erweiterte idg. Wurzel **sleu-* »gleiten; schlüpfen«, zu der auch die Wortgruppen um ↑Schlauch (eigentlich »Schlupfhülse«) und ↑schlau (eigentlich »schleichend«) gehören. – Abl.: **Schlüpfer** »Damen-, Kinderunterhose« (20. Jh.; älter nhd. *Schlupfer* bedeutete »Muff«). Zus.: **Schlupfloch** »Versteck«, auch »Loch zum Durchschlüpfen« (mhd. *slupfloch*); **Schlupfwespe** (18. Jh.); **Schlupfwinkel** »Versteck« (16. Jh.).

Schlüpfrig »glatt«: Das Adjektiv wurde erst seit dem 16. Jh. an das unverwandte ↑schlüpfen angelehnt. Mhd. *slipfec, slipferic* »glatt, glitschig« gehört zu dem Verb mhd. *slipfe[r]n,* ahd. *slipfen* »ausgleiten«, einer Intensivbildung zu ↑[1]schleifen. Erst im 18. Jh. wird ›schlüpfrig‹ in moralischem Sinn übertragen für »lüstern, zweideutig, anstößig« gebraucht.

Schlürfen »(Flüssigkeit) geräuschvoll in den Mund einsaugen«. Das seit dem 16. Jh. gebräuchliche Verb ist – wie auch gleichbed. mnd., niederl. *slorpen* und norw. *slurpe* – lautnachahmenden Ursprungs. Eine ähnliche Lautnachahmung ist z. B. mhd. *sür[p]feln* »schlürfen«. Mdal. bezeichnet ›schlürfen‹ wie seine Nebenform **schlurfen** (17. Jh.) auch das schleifende Gehen.

Schluss: Das Substantiv spätmhd. *sluȥ* ist eine Bildung zu dem unter ↑schließen behandelten Verb. Aus der philosophischen Fachsprache stammt die Bedeutung »Folgerung, Ergebnis logischen Denkens« (17. Jh.). – Abl.: **schlüssig** »überzeugend, zwingend« (16. Jh.).

Schlüssel: Das Substantiv mhd. *slüȥȥel,* ahd. *sluȥȥil,* niederl. *sleutel* ist eine Bildung zu dem unter ↑schließen behandelten Verb. Bildlicher Gebrauch führt schon im 13. Jh. zur Bedeutung »Musik-, Notenschlüssel«, später im Anschluss an das biblische *clavis scientiae* zum ›Schlüssel der Erkenntnis‹, der heute in vielen Wendungen geläufig ist. Als »Erklärung einer Geheimschrift« ist ›Schlüssel‹ erst im 18. Jh. bezeugt (dazu die jungen Verben ›ent-, verschlüsseln‹ »dechiffrieren bzw. chiffrieren«, ähnlich ›aufschlüsseln‹ »in bestimmter Weise aufteilen«). – Zus.: **Schlüsselbein** (»Knochen, der das Brustbein mit dem Schulterblatt verbindet«, im 17. Jh. für frühnhd. *Schlüssel der Brust* nach gleichbed. lat. *clavicula,* einer Lehnübersetzung aus griech. *kleís;* die s-Form des Knochens entspricht altgriechischen Schlüsseln für Fallriegel); **Schlüsselblume** (im 15. Jh. *slussilblome* neben mhd. *himelsslüȥȥel,* nach der schlüsselähnlichen Blütenform; s. auch *Primel*).

Schmach: Das nur deutsche Substantiv mhd. *smāch, smǣhe,* ahd. *smāhi* »Kleinheit, Geringfügigkeit« hat schon ahd. die Bedeutung »Verachtung, Kränkung, Unehre« entwickelt, in der es nhd. oft neben ›Schande‹ steht. Es ist eine Bildung zu dem Adjektiv mhd. *smǣhe,* ahd. *smāhi* »klein, gering, verächtlich«, zu dem sich auch ↑schmähen, schmählich und die unter ↑schmachten und ↑schmächtig behandelten Wörter stellen.

schmachten: Das nur dt. Verb erscheint hochd. im 17. Jh. mit der gleichen Bedeutung »heftig hungern« wie mnd. *smachten.* Im Mhd. ist nur *versmahten* bezeugt, auf das nhd. **verschmachten** »verhungern, verdursten« zurückgeht, im Ahd. *gismāhteōn* »schwinden, schwach werden«. Die Wörter gehören zu dem unter ↑Schmach genannten Adjektiv ahd. *smāhi* »klein, gering«; s. auch *schmächtig.* Die übertragene Bedeutung »sehnend verlangen« tritt erst im 18. Jh. auf. Dazu ironisch **anschmachten** »schmachtend, schwärmerisch ansehen« (18. Jh.).

schmächtig: Mhd. *smahtec,* mnd. *smachtich* »hungerleidend« (13. Jh.) ist von einem mit ↑schmachten verwandten Substantiv *smaht* »Hunger; Durst« abgeleitet. Seit dem 17. Jh. hat sich die Bedeutung gewandelt zu »mager, dünn, schlecht genährt«.

schmackhaft ↑schmecken.

schmähen »mit verächtlichen Reden beleidigen«: Mhd. *smǣhen,* ahd. *smāhen* »klein, gering, verächtlich machen; erniedrigen; schwächen« gehört zu dem unter ↑Schmach genannten Adjektiv ahd. *smāhi* »klein«. Im Aisl. vergleicht sich *smā* »spotten, höhnen«. Früher galt ›schmähen‹ auch in der Bedeutung »verachtend zurückweisen«, wofür jetzt das ursprünglich nur verstärkende Präfixverb **verschmähen** eingetreten ist (mhd. *versmǣhen,* ahd. *farsmāhjan*). Das Adjektiv **schmählich** »schmachvoll« ist ebenfalls von ahd. *smāhi* »klein« abgeleitet (mhd. *smǣh[e]lich* »verächtlich; schimpflich«, ahd. *smāhlīh* »gering«).

schmal: Das gemeingerm. Adjektiv mhd., ahd. *smal,* got. *smals,* engl. *small,* schwed. *smal* bedeutete ursprünglich »klein, gering« und wurde besonders in Bezug auf Kleinvieh gebraucht (das noch nhd. landsch. Schmalvieh heißt, wie weidmännisch ›Schmaltier, -reh‹ usw. junges Wild bezeichnet). Außerhalb des Germ. sind wahrscheinlich die Wörter ohne anlautendes s- russ. *malyj* »klein«, griech. *mēlon* »Kleinvieh, Schaf«, air. *mīl* »[kleines] Tier« verwandt; vgl. auch niederl. mdal. *maal* »junge Kuh«. – Abl.: **schmälern** (spätmhd. *smelern* »schmäler machen«, heute nur noch übertragen im Sinne von »geringer machen, herabsetzen« gebraucht).

Schmalhans

bei jmdm./irgendwo ist Schmalhans Küchenmeister
»jmd. kann nicht viel Geld für das Essen aufwenden; bei jmdm., irgendwo gibt es wenig zu essen« Nach früherer Vorstellung war ein schlanker Koch ein Zeichen für schlechte Küche oder geizige Dienstherren. Darauf dürfte die Personifizierung ›Schmalhans‹ (= schmaler Hans) für ›Hunger‹ oder ›Ungastlichkeit‹ zurückgehen.

Schmalz: Als Substantivbildung zu dem unter ↑[1]schmelzen behandelten Verb bezeichnen mhd., ahd. *smalz,* niederl. *smout* (neben ablautendem aengl. *smolt,* älter schwed., norw. *smult*) zerlassenes tierisches Fett, ursprünglich ohne Einschränkung auf eine bestimmte Art. Nordd. gilt das Wort heute nur für Schweine- und Gänseschmalz. Beachte auch **Ohrenschmalz** »schmalzähnliches Sekret im äußeren Gehörgang« (spätmhd. *ōrsmalz*).

Schmant: Die landsch., besonders westmitteld. Bezeichnung für die Fettschicht auf der Milch (s. a. *Rahm* und *Sahne*) ist erst seit dem 15. Jh. (spätmhd. *smant,* mnd. *smand*) belegt. Wahrscheinlich geht sie mit den Adjektiven asächs. *smōđi* »sanftmütig«, aengl. *smōđ* »weich, sanft«, engl. *smooth* »glatt« auf westgerm. **smanþi* »weich« zurück. In die ostd. Mundarten gelangte ›Schmant‹ durch westd. Siedler.

schmarotzen: Das erst im 15. Jh. als *smorotzen* »betteln«, im 16. Jh. mit der heutigen Bedeutung »auf Kosten anderer leben« als *schmorotzen* bezeugte, nur hochd. Verb ist unerklärt. – Abl.: **Schmarotzer** (im 15. Jh. *smorotzer* »Bettler«, im 16. Jh. *smarotzer* »Parasit«, seit Ende des 18. Jh.s in der biologischen Fachsprache gebraucht).

Schmarre (veraltend für:) »lange Hiebwunde; Narbe«: Frühnhd. *schmarr* ist aus gleichbed. mnd. *smarre* übernommen. Es ist wohl verwandt mit ↑Schmer »Fett«, beachte die ugs. Wendung ›jemandem eine schmieren‹ »jemandem einen Schlag versetzen, eine Ohrfeige geben«. Gleicher Herkunft ist das vor allem in Österreich gebräuchliche **Schmarren** »fett gebackene Mehlspeise« (16. Jh.), das ugs. auch im Sinne von »wertlose Sache, Minderwertiges; Unsinn« verwendet wird.

schmatzen: Mhd. *smatzen,* älter *smackezen* ist eine Weiterbildung zu mhd. *smacken* (vgl. *schmecken*). Es zeigt schon die heutigen Bedeutungen »behaglich laut essen« und »laut küssen«. – Abl.: **Schmatz** landsch. für »[lauter] Kuss« (im 15. Jh. *smaz* neben *smuz*).

schmauchen »behaglich [Pfeife] rauchen«: Das seit dem 17. Jh. bezeugte Verb gehört zu dem heute veralteten Substantiv **Schmauch** »qualmender Rauch« (mhd. *smouch*), vgl. mnd. *smōk* »Rauch, Qualm«, dazu *smōken* »rauchen«, niederl. *smook* »Rauch, Qualm«, aengl. *smīec* »Rauch, Dampf«, im Ablaut dazu aengl. *smoca* »Rauch«, *smocian* »rauchen, räuchern« (engl. *smoke, to smoke,* ↑Smoking). Diese Wörter gehören mit dem starken Verb aengl. *smēocan* »rauchen, räuchern« zu der idg. Wurzel **smeu-g[h]-* »rauchen«, vgl. z. B. griech. *smȳ́chein* »verschwelen lassen«. Siehe auch den Artikel *Schmöker.*

schmausen »vergnügt und mit Genuss essen«: Das Verb taucht mit seinem Substantiv **Schmaus** erst im 17. Jh. auf. Es war bis ins 18. Jh. ein Lieblingswort der Studenten, bei denen ›Schmaus‹ – ähnlich wie später ↑Kommers – ein reichhaltiges, gutes Essen bezeichnete. Ursprünglich meint ›schmausen‹ aber wohl »unsauber essen und trinken«. Es ist verwandt mit älter niederl. *smuisteren* »beschmieren; schmausen«; daneben stehen mnd. *smudden* »schmutzen« (z. B. in ugs. **schmudd[e]lig** »unsauber [im Essen]«) und gleichbed. niederl. landsch. *smodderen,* das früher ebenfalls »schmausen« bedeutete. Die Wörter gehören alle zu der unter ↑Moder dargestellten Wortsippe.

schmecken: Das Verb mhd. *smecken* »kosten, wahrnehmen; riechen, duften« ist in nhd. Schriftsprache auf den eigentlichen Geschmackssinn begrenzt worden. Aus der gleichbed. Nebenform mhd. *smacken* ist das unter ↑schmatzen behandelte Verb abgeleitet. Im Ahd. stand transitives *smecken* »Geschmack empfinden« neben intransitivem *smakkēn* »Geschmack von sich geben«. Dazu das Substantiv mhd., ahd. *smac* (nhd. ↑Geschmack) mit der Ableitung **schmackhaft** (mhd. *smachaft* »wohlschmeckend, -riechend«). Siehe auch *abgeschmackt.* Die Wortgruppe, zu der noch z. B. aengl. *smæccen* »schmecken« und engl. *smack* »Geschmack« gehören, geht zurück auf die idg. Wurzel **smeg[h]-* »schmecken«, die sonst nur im Lit. erscheint, vgl. lit. *smagùris* »Zeige-, Leckfinger«, *smaguriáuti* »naschen«.

schmeicheln: Mhd. *smeicheln* ist weitergebildet aus gleichbed. mhd. *smeichen,* dem mnd. *smēken* »schmeicheln«, aengl. *smācian* »streicheln, schmeicheln, verlocken« und norw. mdal. *smeikja* »liebkosen« entsprechen. Die Grundbedeutung »streichen« zeigt sich auch in älter nhd. *schmeichen* »Gewebe mit Brei glätten« und in dem unter ↑Schminke behandelten Wort. Im Nhd. ist sie ganz verblasst, ›schmeicheln‹ bedeutet heute nur noch »schöntun, in übertriebener Weise loben; sanft eindringen, eingehen« (z. B. von Musik).

schmeißen: Das gemeingerm. starke Verb mhd. *smīzen,* ahd. *[bi]smīzan,* got. *bi-, gasmeitan,* aengl. *smītan,* norw. mdal. *smita* bedeutet eigentlich »beschmieren, bestreichen, beschmutzen«. Es ist vielleicht mit den unter ↑schmeicheln und ↑Schminke behandelten Wörtern verwandt, außergerm. Beziehungen bleiben ungewiss. Die Grundbedeutung ist einerseits im schwachen Verb **²schmeißen** (mhd. *smeizen*) zu »Kot auswerfen, besudeln« vergröbert worden (dazu ›Geschmeiß, Schmeißfliege‹, s. u.), andererseits hat sich (wohl über eine Zwischenstufe »[Lehm] anwerfen«) die Bedeutung »werfen, schleudern« entwickelt, in der ›schmeißen‹ heute ugs. gilt. Wieder veraltet ist die Bedeutung »schlagen« (mhd., älter nhd. und in engl. *to smite*), mit der eigentlich wohl ein ›geschleuderter‹ Ruten- oder Peitschenhieb gemeint ist; an sie schließt sich das studentensprachliche **Schmiss** »Narbe von einer Wunde, die einem Mitglied einer schlagenden Verbindung beim Fechten im Gesicht beigebracht wurde« an (17. Jh.; ugs. heute auch für »Schwung«, dazu **schmissig** »schwungvoll, flott«). – Abl.: **Geschmeiß** (mhd. *gesmeize* »Auswurf, Unrat, Schmetterlingseier; Gezücht«; nhd. ugs. »widerliche, verabscheuungswürdige Menschen«). Zus.: **Schmeißfliege** (im 16. Jh. verdeutlichend neben gleichbed. ›Schmeiße‹; man hielt die besonders auf Fleisch und Exkremente abgelegten Eier für ihren Kot).

schmelzen »flüssig werden«: Das auf das dt. und niederl. Sprachgebiet beschränkte starke Verb mhd. *smelzen,* ahd. *smelzan,* niederl. *smelten* ist verwandt mit aengl. *smolt, smylte* »sanft, ruhig«, schwed. mdal. *smulter* »weich«. Als Grundbedeutung ergibt sich »weich werden, zerfließen«. Ohne das anlautende s entsprechen aengl. *meltan,* engl. *to melt,* aisl. *melta* »schmelzen, auflösen, verdauen« (↑Malz), mit denen ›schmelzen‹ zu der großen unter ↑mahlen dargestellten idg. Sippe gehört. Neben dem starken Verb stehen das ablautende Substantiv ↑Schmalz und das ursprünglich schwach flektierende Veranlassungswort **²schmelzen** »flüssig machen« (mhd., ahd. *smelzen*), das heute fast durchweg die starken Formen von ›[1]schmelzen‹ übernommen hat. – Abl.: **Schmelz** »glänzender Überzug; Deckschicht der Zahnkrone« (18. Jh.; entsprechend mhd. *goltsmelz* »Bernstein«, ahd. *smelzi* »aus Gold und Silber geschmolzene Masse«; beachte auch mnd., mniederl. *smelt* »Email« und die unter ↑Email genannten roman. Lehnwörter).

Schmer: Die altgerm. Bezeichnung für tierisches Fett lautet mhd. *smer,* ahd. *smero,* engl. *smear* (»Schmiere, Fettfleck«), schwed. *smör* (»Butter«), mit anderer Stammbildung got. *smaírþr.* Außerhalb des Germ. sind kelt. Wörter verwandt, z. B. air. *smi[u]r* »[Knochen]mark«, wahrscheinlich auch die Sippe von griech. *smýris* »Schmirgel« (dazu ↑[1]Schmirgel). Im Dt. gilt ›Schmer‹ heute nur noch mdal. für »rohes Fett, Schmalz; Schmierfett«. Siehe auch den Artikel [2]*Schmirgel.* Ugs. ist die Zusammensetzung **Schmerbauch** »Bauch mit starkem Fettansatz« (16. Jh.) gebräuchlich. Eine alte Ableitung von ›Schmer‹ ist ↑schmieren.

Schmerz: Das westgerm. Substantiv mhd. *smerze,* ahd. *smerzo,* niederl., engl. *smart* gehört wie das Verb **schmerzen** (mhd., ahd. *smerzen,* niederl. *smarten,* engl. *to smart*) zu der erweiterten idg. Wurzel **[s]mer-* »aufreiben, scheuern« (vgl. *mürbe*). Außergerm. sind z. B. griech. *smerdnós* »schrecklich, furchtbar« (eigentlich »aufreibend«) und lat. *mordere* »beißen« verwandt. An die frühere schwache Beugung des Substantivs erinnern noch Zusammensetzungen wie **Schmerzensmutter** (im 18. Jh. für mlat. *Mater dolorosa* als Bezeichnung der trauernden Mutter Jesu) und die alten Formen von **schmerzhaft** (spätmhd. *smerzenhaft*) und **schmerzlich** »Kummer, Leid verursachend« (mhd. *smerz[en]lich*). Jünger ist **schmerzlos** (17. Jh.).

Schmetterling: Das ursprünglich obersächs. Wort (16. Jh.) hat sich erst seit dem 18. Jh. in der Schriftsprache ausgebreitet, in der es heute neben ↑Falter steht. Es gehört wohl zu ostmitteld. **Schmetten** »Sahne«, einem Lehnwort aus gleichbed. tschech. *smetana.* Nach altem Volksglauben fliegen Hexen in Schmetterlingsgestalt, um Milch und Sahne zu stehlen (daher auch mdal. Namen des Schmetterlings wie ›Molkendieb‹ und ›Buttervogel‹ und aengl. *butorflēge,* engl. *butterfly*).

schmettern: Das lautmalende, nur hochd. Wort erscheint frühnhd. in der Bedeutung »krachend hinwerfen« (mhd. *smetern* bedeutet »klappern, schwatzen«). Seit dem 18. Jh. bezeichnet es auch den durchdringenden Schall von Blechmusik oder lautem Gesang. Die ugs. Wendung ›einen schmettern‹ für »etwas Alkoholisches trinken« kam Ende des 19. Jh.s auf. Das Präfixverb **zerschmettern** »krachend zerschlagen, vernichten« (16. Jh.) schließt an die ältere Bedeutung des Grundverbs an.

S

Schmied: Die gemeingerm. Handwerkerbezeichnung (mhd. *smit,* ahd. *smid,* got. in der Zusammensetzung *aiza-smiþa* »Erzarbeiter«, engl. *smith,* schwed. *smed)* beruht auf einer Bildung zu der idg. Verbalwurzel **smēi-* »schnitzen, mit scharfem Werkzeug arbeiten«, zu der auch das Wort ↑Geschmeide gehört. Die Wurzel erscheint außerhalb des Germ. noch in griech. *smílē* »Schnitzmesser«, *sminýē* »Hacke«.

schmiegen: Das altgerm. Verb mhd. *smiegen* »in etwas eng Umschließendes drücken; sich zusammenbiegen, ducken«, älter niederl. *smuigen* »heimlich naschen«, aengl. *smūgan* »kriechen«, schwed. *smyga* »schleichen, sich anschmiegen« ist verwandt mit russ. *smykat'sja* »kriechen, schlendern«, lit. *smùkti* »gleitend sinken« und gehört wohl zu der unter ↑Moder dargestellten idg. Wurzel in der Bedeutungswendung »rutschen, gleiten«. Mit ›schmiegen‹ nächstverwandt sind die ursprüngliche Intensivbildung ↑schmücken und das Verb ↑schmuggeln (eigentlich »sich ducken, verstecken«). – Abl.: **schmiegsam** (im 19. Jh. für älter nhd. *schmugsam* »sich anschmiegend, gefügig«).

[1]Schmiere

Schmiere stehen

(ugs.) »bei etwas Unerlaubtem aufpassen und warnen, wenn jemand kommt«

Der nur in dieser Wendung gebräuchliche Ausdruck ›Schmiere‹, der seit dem 18. Jh. für »Wache« bezeugt ist, hat nichts zu tun mit ›[2]Schmiere‹ »fettig-klebrige Masse; Schmutz« (↑schmieren). Er stammt vielmehr aus der Gaunersprache und beruht auf jidd. *schmiro* »Bewachung; Wächter« (zu hebr. *šạmar* »bewachen«).

[2]Schmiere ↑schmieren.

schmieren »mit Fett bestreichen; einfetten«: Das altgerm. Verb (mhd. *smir[we]n,* ahd. *smirwen,* niederl. *smeren,* engl. *to smear,* schwed. *smörja)* ist eine Ableitung von dem altgerm. Substantiv nhd. mdal. ↑Schmer »Fett« . Vgl. auch [1,2]*Schmirgel.* – Die übertragene Bedeutung »bestechen« (dazu nhd. ›Schmiergeld‹) ist seit dem 14. Jh. bezeugt, die Bedeutungen »unsauber schreiben« und »prügeln« seit dem 16. Jh. Ugs. **anschmieren** für »täuschen, betrügen« ist aus älterem ›einem etwas anschmieren‹ »betrügerisch aufhalsen« (18. Jh.) entstanden. – Abl.: **[2]Schmiere** (im 15. Jh. *schmir* »Schmierfett«, heute z. B. in ›Wagen-, Stiefelschmiere‹; seit dem 19. Jh. für »schlechte Wanderbühne«); **schmierig** »fettig, schmutzig« (16. Jh.).

Schminke: Das Substantiv erscheint spätmhd. als *smicke,* nasaliert *sminke.* Es entspricht ostfries. *Smicke* »fette Tonerde«. Das Verb **schminken** lautet spätmhd. *smicken, sminken.* Die Wörter gehen wohl von der gleichen Grundbedeutung »streichen, schmieren« aus wie die unter ↑schmeicheln behandelte Wortsippe; vielleicht ist auch ↑schmeißen (eigentlich »bestreichen«) wurzelverwandt.

[1]Schmirgel: Die Bezeichnung des Schleifmittels (frühnhd. *smirgel, smergel)* wurde im 16. Jh. aus gleichbed. it. *smeriglio* entlehnt, das seinerseits auf einer Weiterbildung von mgriech. *smerí* (griech. *smýris*) »Schmirgelpulver« beruht. Das griech. Wort ist wahrscheinlich verwandt mit der unter ↑schmieren behandelten Wortgruppe (s. auch [2]*Schmirgel*). – Abl.: **schmirgeln** »mit Schmirgel glätten« (18. Jh.).

[2]Schmirgel: Die ursprünglich mitteld. Bezeichnung des klebrigen Rückstands in der Tabakspfeife (im 18. Jh. *Schmergel,* niederd. *smurgel)* gehört zur älter nhd. *schmirgeln, schmurgeln* »übel nach verbranntem Fett riechen; brutzeln« und damit zu ↑Schmer.

Schmiss, schmissig ↑[1]schmeißen.

Schmöker: Die ugs., ursprünglich studentensprachliche Bezeichnung für ein altes, minderwertiges Buch tritt zuerst im 18. Jh. als ›Schmöker, Schmöcher, Schmaucher‹ auf. Sie gehört zu niederd. *smöken* »rauchen« (vgl. *schmauchen*) und meint eigentlich wohl ein altes Buch, das der Student zum ›Schmauchen‹ benutzte, indem er sich einen Fidibus herausriss, um die Pfeife anzustecken. Heute bezeichnet das Wort auch schlechte Unterhaltungsbücher (z. B. ›Kriminalschmöker‹). Dazu **schmökern** ugs. für »gemütlich und längere Zeit etwas Unterhaltsames, Spannendes lesen«.

schmollen »gekränkt schweigen (und einen entsprechenden Gesichtsausdruck zeigen)«: Das nur im Hochd. verbreitete Verb (im 13. Jh. mhd. *smollen* »unwillig schweigen«) ist vom 15. bis ins 18. Jh. auch in der Bedeutung »lächeln« bezeugt, aus der es aber durch das unverwandte ›schmunzeln‹ (s. d.) verdrängt wurde. Den Übergang zwischen beiden Bedeutungen bildet wie bei ↑greinen, ↑grinsen die Vorstellung »den Mund verziehen«. Die Herkunft von ›schmollen‹ ist unklar; vielleicht ist es verwandt mit dem untergegangenen mhd. *smielen* »lächeln« und dem gleichbedeutenden engl. *to smile.* – Zus.: **Schmollwinkel** in Wendungen wie ›sich in den Schmollwinkel zurückziehen‹ »gekränkt, beleidigt und nicht ansprechbar sein« (18. Jh.) und ›im Schmollwinkel sitzen‹ »schmollen«.

schmoren: Das westgerm. Verb niederd., mnd., niederl. *smoren,* aengl. *smorian* (verwandt mit engl. *smother* »Dampf, Qualm«) bedeutete ursprünglich »ersticken«, hat aber im Niederl. und Mnd. daneben die Bedeutung »im bedeckten Gefäß unter Dampf gar machen« entwickelt. In diesem Sinn wurde es im 17. Jh. als Küchenwort ins Hochd. aufgenommen und gilt seitdem besonders nordd. (gegenüber südd. *dämpfen* [↑Dampf], *dünsten* [↑Dunst]).

S

schmücken: Als Intensivbildung zu dem unter ↑schmiegen behandelten Verb bedeutete mhd. *smücken, smucken,* mnd. *smucken* »in etwas hineindrücken; an sich drücken; sich ducken« (s. auch *Grasmücke* [↑Gras] und *schmuggeln*). Aus der mhd. Wendung *sich in ein kleit smücken* ist im Mitteld. um 1300 über »[köstlich] kleiden« der heutige Sinn »zieren, schmücken« entwickelt worden. Er wurde im Nhd. verallgemeinert. – Abl.: **schmuck** »hübsch« (im 17. Jh. aus gleichbed. niederd. *smuck;* mnd. *smuk* bedeutete »geschmeidig, biegsam«); **Schmuck** (frühnhd. mit der Bedeutung »prächtige Kleidung, Ornat; Zierrat« aus dem Mitteld. und Niederd., dafür im 15. Jh. mitteld. *gesmuck,* während mhd. *smuc* »Anschmiegen, Umarmung« bedeutete).

schmudd[e]lig ↑schmausen.

schmuggeln »Waren unter Umgehung des Zolls ein- oder ausführen«: Als Wort der germ. Nordseesprachen ist niederd. *smuggeln,* dän. *smugle,* engl. *to smuggle* seit dem 17. Jh. bezeugt (schwed. *smuggla* ist nach 1800 entlehnt worden). Daneben stehen Formen mit -k[k] wie niederl. *smokkelen,* niederd. *smuckeln* »schmuggeln« und norw. mdal. *smokla* »lauern, sich versteckt halten«. Die letzte weist auf die Grundbedeutung der Wortgruppe, die zu der unter ↑schmiegen behandelten Wortsippe gehört (mhd. *sich smucken* »sich ducken«). Im Hochd. erscheint das Wort zu Anfang des 18. Jh.s.

schmunzeln: Das erst seit dem 19. Jh. allgemein schriftsprachliche Wort erscheint im 15. Jh. als *smonczelen* und ist eine Iterativbildung zu älterem mitteld. *smunzen* »lächeln«. Daneben stehen Formen ohne -n- wie spätmhd. *smuceln,* mhd. *smutzen,* deren weitere Beziehungen ungeklärt sind. Die Fügung ›schmutzig (auch: dreckig) lachen‹ ist aus einem zu mhd. *smutzen* gebildeten mhd. *smutzelachen* »schmunzeln« umgedeutet worden.

Schmus (ugs. für:) »leeres Gerede, Geschwätz; Schöntun«: Das aus dem Rotwelschen in die Mundarten und in die Umgangssprache gelangte Substantiv stammt aus jidd. *schmuo* (Plural *schmuoss*) »Gerücht, Erzählung, Geschwätz« (aus gleichbed. hebr. *šĕmûą̄*). – Dazu gehört das Verb **schmusen** »(mit jemandem) zärtlich sein; schmeicheln, schöntun« (rotwelsch *schmußen* »schwatzen«).

Schmutz: Spätmhd. *smuz* steht neben *smotzen* »schmutzig sein« und *smutzen* »beflecken«, auf das nhd. **schmutzen** zurückgeht. Verwandt sind mengl. *bismoteren* »besudeln«, engl. *smut* »Schmutz«, ohne den s-Anlaut mnd. *mūten* »das Gesicht waschen« und niederl. *mot[regen]* »feiner Regen«. Über die weiteren Beziehungen vgl. die unter ↑Moder behandelte Wortgruppe. – Abl.: **schmutzig** (15. Jh.; nhd. oft übertragen für »gemein, unflätig«); zu ›schmutzig lachen‹ siehe *schmunzeln.*

Schnabel: Das auf das dt. und niederl. Sprachgebiet beschränkte Wort mhd. *snabel,* ahd. *snabul,* niederl. *snavel* steht neben anders gebildeten Bezeichnungen wie niederl., mnd. *sneb[be], snibbe* (s. a. *Schnepfe*) und s-losen Wörtern wie niederl. *neb* »Schnabel; Spitze, Vorsprung«, älter engl. *neb* »Schnabel; Spitze«, aisl. *nef* »Nase«. Die Wörter gehören wohl zu der unter ↑schnappen dargestellten Wortgruppe. Vgl. im außergerm. Sprachbereich noch lit. *snāpas* »Schnabel«.

Schnake: Die nur im dt. Sprachbereich bezeugte, heute landsch. Bezeichnung der [Stech]mücke ist nicht sicher erklärt. Spätmhd. *snāke* steht neben einem älteren oberd. Adjektiv *snākelt* (aus **snākeleht*) »dünn wie eine Schnake«.

Schnalle: Zu der unter ↑schnell behandelten Wortgruppe gehören mhd. *snal* »rasche Bewegung; Schneller« und *snallen* »schnellen«. Davon abgeleitet ist mhd. *snalle* »[Schuh]schnalle« (wohl nach dem Auf- und Zuschnellen des Schließdorns benannt). – Abl.: **schnallen** (17. Jh.; heute auch ugs. in der Bedeutung »begreifen, verstehen« gebraucht, wohl »(sich) etwas aufschnallen«, d. h. »(sich) etwas im Gedächtnis festmachen«); s. auch *schnalzen.*

schnalzen: Zu dem unter ↑Schnalle genannten mhd. Verb *snallen* »schnellen, sich mit schnappendem Laut bewegen« gehört als Intensivbildung spätmhd. *snalzen* (aus **snallezen*).

schnappen: Das zuerst im Mitteld. und Niederd. bezeugte Verb mhd. *snappen* (vgl. [m]nd., [m]niederl. *snappen*) ist eine Intensivbildung zu mhd. *snaben* »schnappen, schnauben« (beachte auch gleichbed. aisl. *snapa*). Es ist wohl mit der unter ↑Schnabel und ↑Schnepfe behandelten Wortgruppe verwandt und ahmte ursprünglich den Schall und die Bewegung klappender Kiefer nach. Dazu die Interjektion **schnapp!** (18. Jh.), mit spielerischem Ablaut **schnipp, schnapp!** (spätmhd. *snippensnap*); s. auch *Schnippchen.* Die Zus. **überschnappen** (17. Jh.) wird seit dem 18. Jh. im Sinne von »den Verstand verlieren« gebraucht (häufig auch im 2. Partizip **übergeschnappt**).

Schnaps: Das ursprünglich nordd. Wort (niederd. *Snap[p]s*) bezeichnet seit dem 18. Jh. den Branntwein, ursprünglich aber einen Mund voll oder einen schnellen Schluck, wie er gerade beim Branntweintrinken üblich ist. Es ist eine Substantivbildung zu ↑schnappen. – Abl.: **schnapsen** ugs. für »Schnaps trinken« (im 18. Jh. niederd. *snappsen*). Zus.: **Schnapsidee** »unsinniger, seltsamer Einfall« (20. Jh.; ein derartiger Einfall kann nur durch zu reichlichen Alkoholgenuss bedingt sein); **Schnapszahl** »Zahl, die aus mehreren gleichen Ziffern besteht« (20. Jh.; wohl nach der Vorstellung, dass ein Betrunkener beim Lesen einfache Ziffern doppelt oder mehrfach sieht).

schnarchen: Mhd. *snarchen* »schnarchen, schnauben« (gleichbed. niederd., niederl. *snorken,* schwed. *snarka*) ist wie ↑schnarren lautmalenden Ursprungs, vgl. dazu engl. *to snore* »schnarchen«.

schnarren: Mhd. *snarren* »schnarren; schmettern; schwatzen«, niederl. *snarren, snorren,* engl. *to snarl* »knurren« sind wie das ablautende ↑¹schnurren und die Verben ↑schnarchen und ↑nörgeln lautnachahmenden Ursprungs.

schnattern: Mhd. *snateren* »schnattern, quaken; klappern (vom Storch); schwatzen«, niederl. *snateren* »schnattern, plappern« (mit nord. Entsprechungen wie schwed. *snattra*) sind lautnachahmende Bildungen.

schnauben »laut atmen«: Das ursprünglich niederd. und mitteld. Verb (im 14. Jh. schles. *snūben* »schnarchen«; entsprechend mnd. *snūven,* niederl. *snuiven* »schnauben«) gehört zu einer großen Gruppe lautnachahmender Bildungen mit dem Anlaut sn- und wechselndem Stammauslaut, die in den meisten germ. Sprachen vertreten ist und Bedeutungen wie »hörbar atmen, prusten; wittern; schneuzen«, nominal »Schnupfen; Schnauze« in sich schließt. Im Einzelnen s. die Artikel *schnaufen, schnüffeln, schnupfen, Schnupfen* und *Schnuppe* sowie *Schnauze* und *schnäuzen.* Eine Iterativbildung zu ›schnauben‹ ist das meist vom Schnüffeln der Tiere gebrauchte **schnobern** (im 18. Jh. zur Nebenform ›schnoben‹ gebildet). Siehe auch *schnuppern* [↑schnupfen].

schnaufen »schwer atmen«: Das erst im Nhd. häufigere Wort geht z. T. auf niederd. *snūven* (vgl. *schnauben*), z. T. auf mhd. *snūfen,* eine oberd. Nebenform von ›schnauben‹ zurück.

Schnauze: Als frühnd. Form von [m]niederd. *snūt[e]* »Schnauze« (nhd. ugs. **Schnute;** entsprechend gleichbed. niederl. *snuit,* engl. *snout;* vgl. *schnauben*) erscheint im 16. Jh. ›Schnauße‹, das seine Lautgestalt unter dem Einfluss des verwandten ↑schnäuzen bald zu ›Schnauze‹ verändert. – Abl.: **schnauzen** »grob anfahren« (17. Jh.; meist in der Zusammensetzung ›anschnauzen‹ (s. d.); **Schnauzer** ugs. für »Schnauzbart« (19. Jh.), auch Bezeichnung einer Hunderasse (nach dem schnauzbartähnlichen Haar der Schnauze, um 1900). Zus.: **Schnauzbart** »Schnurrbart« (18. Jh.).

schnäuzen: Das altgerm. Verb mhd. *sniuzen,* ahd. *snūzen,* niederl. *snuiten,* aengl. *snȳtan,* schwed. *snyta* gehört mit den Substantiven mhd. *snuz,* ahd. *snuzza,* engl. *snot* »Nasenschleim« zu der unter ↑schnauben dargestellten lautmalenden Wortgruppe. Nächstverwandt ist das unter ↑Schnauze behandelte Wort.

Schnecke: Das Weichtier heißt mhd. *snecke,* ahd. *snecko* (daher noch oberd. mdal. die maskuline Form **Schneck**), entsprechend mnd. *snigge,* mengl. *snegge.* Diese germ. Namen gehen von einer Grundbedeutung »Kriechtier« aus. Sie gehören zu einem germ. Verb für »kriechen« (in gleichbed. ahd. *snahhan* erhalten), mit dem auch engl. *snake* und schwed. *snok* »[Ringel]natter« verwandt sind. Auf die Langsamkeit des Tieres beziehen sich scherzhafte Zusammensetzungen wie **Schneckengang** (18. Jh.), **Schneckenpost** (17. Jh.).

Schnee: Das gemeingerm. Substantiv mhd. *snē,* ahd. *snēo,* got. *snaiws,* engl. *snow,* schwed. *snö* entspricht gleichbedeutenden Wörtern anderer idg. Sprachen, z. B. russ. *sneg,* griech. *nípha* (Akkusativ Singular), lat. *nix* (Genitiv: *nivis*), kymr. *nyf.* Die idg. Wurzel **[s]neigᵘh-* »schneien« liegt auch dem ehemals starken Verb **schneien** zugrunde (mhd. *snīen,* ahd., aengl. *sniwan,* aisl. in der unpersönlichen Form *snȳr* »es schneit«; außergerm. entspricht lit. *snìgti* »schneien«, griech. *neíphein,* lat. *nivere* »schneien«). Die Wendung ›sich freuen wie ein Schneekönig‹ meint den auch im Winter munteren Zaunkönig (ostmitteld. im 16. Jh. *schneeköning*). – Zus.: **Schneeball** (mhd. *sneballe;* im 16. Jh. Pflanzenname); **schneeblind** »durch die Strahlung des Schnees in der Sonne im Sehvermögen beeinträchtigt« (mhd. *snēblint*); **Schneeflocke** (mhd. *snēvlocke*); **Schneeglöckchen** (18. Jh.; so benannt, weil die glockenförmigen Blüten im Frühjahr oft bereits aus dem Schnee ragen); **Schneeschuh** (18. Jh.).

schneiden: Das gemeingerm. starke Verb mhd. *snīden,* ahd. *snīdan,* got. *sneiþan,* aengl. *snīđan,* schwed. *snida* hat keine sicheren außergerm. Beziehungen. Ablautend gehören die dt. Substantive ↑Schneise, ↑Schnitt, Schnitte und die Intensivbildung ↑schnitzen zu ihm. Seine Grundbedeutung »mit scharfem Gerät schneiden oder hauen« hat das Verb bis heute bewahrt, doch wird es im Nhd. meist auf Messer, Schere und Säge, weniger auf hauende Geräte wie Schwert, Sense, Axt bezogen. In mathematischem Sprachgebrauch bezeichnet ›schneiden‹ das Kreuzen von Linien oder Ebenen (seit dem 16. Jh.; s. auch *Schnittpunkt* [↑Schnitt]). Eine Lehnübersetzung des 19. Jh.s für engl. *to cut a person* ist ›jemanden schneiden‹ »absichtlich, demonstrativ nicht beachten«. – Abl.: **Schneid** ugs. für »Mut, Tatkraft« (seit dem 18. Jh. aus südd. Mundarten aufgenommen, wo ›Schneid[e]‹ »Messerschneide, Schärfe« [s. u.] die Bedeutung »Kraft, Mut« entwickelt hatte; im 19. Jh. besonders soldatensprachlich), dazu **schneidig** »tatkräftig, forsch« (mhd. *snīdec* »schneidend, scharf, kräftig«; in der heutigen Bedeutung seit der 2. Hälfte des 19. Jh.s); **Schneide** (mhd. *snīde* »scharfe Seite von Waffen und Werkzeugen«), dazu **zweischneidig** (im 15. Jh. *zweisnīdic,* heute übertragen für »mit Vor- und Nachteilen behaftet«); **Schneider** »jemand, der aus Stoff Kleidung schneidet und näht« (mhd. *snīdære*), dazu das Verb **schneidern** (17. Jh.). Beim Skatspiel hat ›Schneider‹ die Bedeutung »Punktzahl 30« (beachte dazu ›[im] Schneider sein‹ »weniger als 30 Punkte haben« und ›aus dem Schneider sein‹ »mehr als 30 Punkte haben«, übertragen als Wendung »eine schwierige Situation überstanden haben«). Früher spottete man, ein Schneider wiege nicht mehr als 30 Lot und spielte damit auf den unzureichenden Verdienst und die dadurch bedingte sozial schlechte Stellung der in diesem Handwerk Arbeitenden an. Zus.: **abschneiden** (mhd. *abesnīden,* ahd. *abasnīdan;* seit dem 19. Jh. ›gut, schlecht abschneiden‹ für »Erfolg bzw. Misserfolg haben«); dazu **Abschnitt** (z. B. eines Buches oder Lebens; seit dem 17. Jh. zunächst im Festungsbau für Trennungsgräben oder -schanzen und die dadurch geschützten Teile oder ›Kampfabschnitte‹); **anschneiden** (mhd. *anesnīden* »ein Kleid anpassen, anmessen«, dann auch »ein erstes Stück abschneiden«, von daher übertragen ›eine Frage anschneiden‹); **aufschneiden** (mhd. *ūfsnīden;* seit dem 17. Jh. für »prahlen«, ursprünglich ›[den Braten] mit dem großen Messer aufschneiden‹), dazu **Aufschneider** »Prahler« (17. Jh.) und **Aufschnitt** »[verschiedene Sorten von] Wurst, Braten, Schinken, Käse in Scheiben« (19. Jh.); **durchschneiden** (mhd. *durchsnīden;* im 16. Jh. wie ›schneiden‹ mathematisches Fachwort für »kreuzen«, s. o.), dazu **Durchschnitt** (s. d.); ähnlich sich **überschneiden** »kreuzen, teilweise decken« (mhd. *übersnīden* »übertreffen«; seit dem 19. Jh. in der heutigen Bedeutung, wohl nach einem älteren Zimmermannsausdruck). Präfixbildungen: **beschneiden** (mhd. *besnīden,* ahd. *bisnīdan* »stutzen, zurückschneiden«, besonders von der rituellen Beschneidung der Juden und der Muslime); **verschneiden** (mhd. *versnīden,* ahd. *farsnīdan* »weg- oder zerschneiden, falsch schneiden«, seit mhd. Zeit auch »kastrieren« und »zurechtschneiden«; zur ersten Bedeutung gehört das substantivierte 2. Partizip **Verschnittener** »Kastrierter, Eunuch«, 16. Jh.; von der zweiten Bedeutung geht wohl der fachsprachliche Gebrauch für »Wein, Rum u. Ä. durch Mischen zurichten« aus, zuerst niederd. im 18. Jh., dazu nach 1900 **Verschnitt** »Mischung alkoholischer Flüssigkeiten«).

schneien ↑Schnee.

Schneise »[gerader] Durchhau im Walde, Waldweg«: Das ursprünglich mitteld. Wort erscheint zuerst um 1400 als *sneyße.* Es gehört wie die gleichbedeutenden Wörter mhd. *sneite,* ahd. *sneida,* aengl. *snǣd* »Grenze, Grenzweg« zu der unter ↑schneiden behandelten Wortsippe.

schnell »rasch, geschwind«: Der nhd. Gebrauch dieses altgerm. Adjektivs ist gegenüber dem der älteren Sprachzustände stark eingeschränkt (ebenso bedeutet niederl. *snel* heute nur noch »rasch, geschwind«). Mhd., ahd. *snel* dagegen bedeutete »behände; kräftig; tapfer«, seit Anfang des 11. Jh.s auch »rasch«, aengl. *snell* »schnell; kühn; tatkräftig«, aisl. *snjallr* »tüchtig, beredt« (schwed. *snäll* bedeutet heute »lieb, freundlich«; die Zusammensetzungen *snällpress* »Schnellpresse« und *snälltåg* »Schnellzug« sind Lehnübertragungen aus dem Dt.). Die Grundbedeutung des Wortes mag also etwa »tatkräftig« gewesen sein, seine Herkunft ist ungeklärt. Ablautend gehören die unter ↑Schnalle und ↑schnalzen genannten Wörter hierher. – Abl.: **schnellen** »[sich] rasch bewegen« (nur dt. Verb, mhd. *snellen*), dazu **Stromschnelle** »Strecke in einem Fluss mit starkem Gefälle und reißender Strömung« (Ende des 18. Jh.s); **Schnelligkeit** (mhd. *snel[lec]heit* »Raschheit, Behändigkeit; Tapferkeit«).

Schnepfe: Der Vogel ist nach seinem langen, spitzen Schnabel benannt. Mhd. *snepfe,* ahd. *snepfa,* niederl. *snip* stehen im Ablaut zu aisl. *[mȳri-]snīpa* »[Moor]schnepfe« (norw. *snipe,* engl. *snipe*) und sind verwandt mit Ausdrücken für »Schnabel, Spitze« wie mnd. *snippe, sneppel, snebbe* und schweiz. mdal. *Schnepf* »Schlittenschnabel«. Vgl. weiter die unter ↑Schnabel und ↑schnappen genannten Wörter.

schnipp, schnapp! ↑schnappen.

Schnippchen: Die nhd. Redensart ›jemandem ein Schnippchen schlagen‹ für »einen Streich spielen« (17. Jh.) meint eigentlich die schnellende Bewegung des Mittelfingers zum Daumenballen als Ausdruck der Geringschätzung. ›Schnippchen‹ ist die Verkleinerungsbildung zu gleichbed. frühnhd. *Schnipp* und gehört zu **schnippen** »fortschnellen, schnell mit der Schere abschneiden« (mhd. *snippen, snipfen* »schnappen«), das wohl – wie das unter ↑schnappen behandelte Verb – lautnachahmenden Ursprungs ist.

schnippisch: Im 16. Jh. ist das Adjektiv *aufschnüppich* in der Bedeutung »hochmütig« bezeugt. Es gehört zu ostmitteld. *aufschnuppen* »die Luft durch die Nase ziehen« (vgl. *schnupfen*). Als ›schnuppisch, schnippisch‹ etc. bedeutete es später »frech, dreist«, seit dem 18. Jh. »kurz angebunden, naseweis, keck« (besonders von jungen Mädchen und Frauen). Die zu -i- entrundete Form hat sich schließlich durchgesetzt.

Schnitt: Mhd., ahd. *snit* »Schnitt mit Messer, Säge, Sichel usw.; Ernte; Wunde«, (mhd. auch:) »Zuschnitt von Kleidern«, aengl. *snide* »Schnitt; Tötung; Säge«, aisl. *snid* »Schnitt, Abgeschnittenes« sind Substantivbildungen zu dem unter ↑schneiden behandelten Verb. – Abl.: **schnittig** »gut geschnitten, von eleganter Form« (Ende des 19. Jh.s; älter »reif zum Schneiden [vom Korn]« und »schneidig, forsch«). Zus.: **Schnittlauch** (s. unter *Lauch*); **Schnittpunkt** (mathematisches Fachwort des 19. Jh.s). Eine nur dt. Bildung zu ↑schneiden ist **Schnitte** »abgeschnittenes Stück« (mhd. *snite,* ahd. *snita* »Brotschnitte, Bissen«).

schnitzen: Als nur im dt. Sprachgebiet bezeugte Intensivbildung zu dem unter ↑schneiden behandelten Verb bedeutet mhd. *snitzen* »in Stücke schneiden; durch Ausschneiden aus Holz formen«. – Abl.: **Schnitz** (mhd. *sniz* »Schnitt; abgeschnittenes Stück«; heute landsch. für »kleineres [geschnittenes] Stück Obst«), dazu die Verkleinerungsbildung **Schnitzel** »abgeschnittenes Stückchen; Rippenstück zum Braten« (spätmhd. *snitzel;* in der zweiten Bedeutung im 19. Jh. österr.) mit dem Verb **schnitzeln** (16. Jh.; mhd. *ver-, zersnitzelen* »zerschneiden«) und der Zusammensetzung **Schnitzeljagd** (19. Jh.); **Schnitzer** (mhd. *snitzære,* ahd. *snizzāre* »Bildschnitzer«; in der Bedeutung »grober Fehler« [eigentlich »falscher Schnitt«] seit dem 17. Jh.), dazu **Schnitzerei** »Schnitzwerk« (17. Jh.).

schnobern ↑schnauben.

schnodd[e]rig (ugs. für:) »großsprecherisch, unverschämt«: Das ursprünglich niederd. Adjektiv hat sich seit der 2. Hälfte des 19. Jh.s von Berlin aus verbreitet. Es gehört zu nordd. **Schnodder** »Nasenschleim«, bedeutet also eigentlich »rotznäsig«, vgl. niederd. *snodder* »Rotz«, mhd. *snuder, snudel* »Katarrh« und mhd. *snuderen, snūden* »schnaufen, schnarchen«. Alle diese Wörter gehören zu der unter ↑schnauben dargestellten Wortgruppe.

schnöd[e] »verächtlich, erbärmlich«: Das mhd. Adjektiv *snæde* »vermessen, rücksichtslos; verächtlich, erbärmlich, gering; dünn behaart (von Pelzen)« geht wie mnd. *snōde* »schlecht, elend«, niederl. *snood* »niederträchtig, verrucht« von einer Grundbedeutung »geschoren« aus. Diese wird noch deutlich in den verwandten Adjektiven norw. *snau,* aisl. *snauðr* »kahl, dürftig« und den ursprünglichen Partizipien aisl. *snoðinn* »kahlköpfig«, mhd. *besnoten* »knapp, spärlich«, die zu einem verlorenen starken Verb gehören. Weitere Beziehungen der Wortgruppe sind ungeklärt.

Schnorchel: Das Wort geht auf nordostd. mdal. *Schnorgel, Schnörgel* »Nase; Schnauze; Mund« zurück, das als lautmalendes Wort mit ↑schnarchen verwandt ist. Es bezeichnete im 2. Weltkrieg zunächst das ein- und ausfahrbare Rohr zum Ansaugen von Luft für die Maschinen von U-Booten. Später wurde die Bezeichnung auf das von Sporttauchern benutzte Atemrohr übertragen. – Abl.: **schnorcheln** »mithilfe eines Schnorchels tauchen« (20. Jh.); **Schnorchler** »jemand, der mithilfe eines Schnorchels taucht« (20. Jh.).

Schnörkel »Verzierung in gewundenen Linien«: Das nur hochd. Wort begegnet im 17. Jh. als *Schnörchel, Schnörckel;* daneben steht frühnhd. *Schnirkel* »unnützes Beiwerk; Laub- und Blumenwerk an Säulen und Geräten«. Die Wörter sind vermutlich aus Kreuzungen von älter nhd. *Schnögel* »Schnecke, Schneckenlinie« mit ›Zirkel‹ »Kreis« und älter nhd. *Schnirre* »Schleife« entstanden.

schnorren, (auch:) **²schnurren** (ugs. für:) »betteln, nassauern«: Da die alten Bettelmusikanten gern mit Lärminstrumenten wie Schnurre und Schnurrpfeife herumzogen, erhielten *²schnurren* und seine mdal., besonders jidd. Nebenform *schnorren* im 18. Jh. die Bedeutung »betteln«. In der gleichen Zeit kam die Bildung **Schnorrer** »Bettler, Nassauer« auf.

Schnucke s. *Heidschnucke* (↑²Heide).

schnüffeln »in kurzen, hörbaren Zügen Luft durch die Nase einziehen, um einen Geruch wahrzunehmen«: Das erst in nhd. Zeit aus niederd. *snüffeln* (mnd., [m]niederl. *snuffelen*) ins Hochd. aufgenommene Wort gehört zu niederd. *Snüff* »Nase; Schnauze« (vgl. niederl. *snuf* »Geruch; [älter:] das Schnüffeln; der Schnupfen«) und damit zu der unter ↑schnauben dargestellten Wortgruppe. Beachte auch engl. *to snuff, sniff* »schnaufen, schnüffeln«. Übertragen wird ›schnüffeln‹ ugs. im Sinne von »spionieren« gebraucht, dazu **Schnüffler** (im 18. Jh. niederd.).

Schnuller: Der Gummisauger des Kleinkindes war früher ein zusammengebundenes Sauglläppchen. Seine ugs. Bezeichnung ist abgeleitet von dem lautmalenden Verb **schnullen** »lutschen, saugen« (17. Jh.).

Schnulze: Das ugs. Wort für »sentimentales Kino- oder Theaterstück, Lied und dgl.« soll 1948 in einer Redaktionssitzung des Nordwestdeutschen Rundfunks entstanden sein, als ein Orchesterleiter statt ›Schmalz‹ oder ›Schmachtfetzen‹ versehentlich ›Schnulze‹ sagte. Doch können auch ähnlich klingende Wörter wie niederd. *snulten* »gefühlvoll reden« und ugs. *schnulle* »nett, lieb, süß« bei der Entstehung des treffenden Ausdrucks mitgewirkt haben.

schnupfen: Mhd. *snupfen* »schnaufen« ist eine Intensivbildung zu dem unter ↑schnauben behandelten Verb. Im Frühnhd. bedeutet es »die Luft einziehen« (dazu ↑schnippisch) und »schluchzen«, wird aber seit dem 17. Jh. besonders vom Tabakschnupfen gebraucht, das damals von Frankreich her Mode wurde. Zu dem entsprechenden mitteld. *schnuppen* »schnaufen, schnäuzen« gehört die Iterativbildung **schnuppern** »in kurzen Zügen Luft durch die Nase einziehen, um einen Geruch wahrzunehmen«; s. auch *Schnuppe.*

Schnupfen: Das Substantiv spätmhd. *snupfe, snūpfe* gehört zu der unter ↑schnauben dargestellten lautmalenden Wortgruppe. Das auslautende n der nhd. Nominativform stammt aus den flektierten Fällen. Als mitteld. und nordd. Wort hat sich ›Schnupfen‹ gegen zahlreiche mdal. Bezeichnungen der Krankheit durchgesetzt.

schnuppe

jmdm. schnuppe sein
(ugs.) »jmdm. gleichgültig sein«
Die Ende des 19. Jh.s im Berlinischen aufgekommene Wendung meint eigentlich »wertlos wie eine Kerzenschnuppe« (vgl. *Schnuppe*).

Schnuppe: Das abgeschnittene verkohlte Ende des Kerzendochts heißt mnd. und mitteld. im 15. Jh. *snup[p]e,* weil man das Putzen des Lichts (mitteld. *snuppen,* 16. Jh.) mit dem Schnäuzen der Nase verglich (↑schnupfen). Die Zusammensetzung

Sternschnuppe bezeichnet seit dem 18. Jh. die glühenden Meteore am Himmel, die man früher als Putzabfälle der Sterne ansah.

schnuppern ↑schnupfen.

Schnur: Mhd., ahd. *snuor*, niederl. *snoer*, norw. *snor* steht neben Ableitungen wie aengl. *snēre* »Harfensaite« und got. *snōrjō* »geflochtener Korb, Netz«. Die germ. Wörter gehören wahrscheinlich zu der unter ↑nähen behandelten Wortgruppe; als Grundbedeutung ergibt sich »gedrehtes oder geflochtenes Band«. Zusammensetzungen wie **schnurgerade** (18. Jh.) und **schnurstracks** (16. Jh.; s. *stracks*) schließen an die Richtschnur des Zimmermanns an. – Abl.: **schnüren** »mit einer Schnur [zu]binden« (mhd. *snüeren*, auch: »lenken, abmessen«) und weidmännisch »die einzelnen Tritte in einer Linie hintereinander setzend laufen« (besonders vom Fuchs; 18. Jh.).

Schnur

über die Schnur hauen
(ugs.) »übermütig werden«
Diese Wendung bezieht sich ursprünglich auf die gespannte Schnur, mit der der Zimmermann auf dem zu bearbeitenden Balken eine gerade Linie markiert. Schlägt er über die Schnur hinaus, so ist der Balken nicht maßgerecht und vielleicht sogar unbrauchbar.

gehen/klappen/laufen wie am Schnürchen
»ohne Stocken vonstatten gehen, genau nach Plan ablaufen«
Der Ursprung des Vergleichs ist nicht mit Sicherheit zu klären. Mit ›Schnürchen‹ können die Schnüre im Puppentheater gemeint sein, an denen sich die Puppen wie von selbst bewegen. Es kann aber auch die Gebetsschnur, die Schnur des Rosenkranzes sein und der Vergleich vom Herunterleiern der Gebete herrühren.

¹schnurren: Das Verb mhd., mnd. *snurren*, niederl. *snorren* »rauschen, sausen« ist wie ↑schnarren lautnachahmenden Ursprungs. Es bezeichnet seit alters Geräusche von Tieren (Katze, Insekten) und Geräten (Spinnrad). Ein altes Lärmgerät heißt **Schnurre** (im 16. Jh. für »Knarre; Brummkreisel«; vgl. mhd. *snurre* »sausende Bewegung«). Da Possenreißer (mhd. *snürrinc*) und Bettler damit umgingen, wurde ›Schnurre‹ zu »Posse, komischer Einfall« (18. Jh.), dazu das Adjektiv **schnurrig** »possierlich, lächerlich«, frühnhd. für »brummig«; beachte dazu auch ›²schnurren‹ »betteln« (↑schnorren). Die Zusammensetzung **Schnurrbart,** ein Soldatenwort des 18. Jh.s nach niederd. *Snurbaard,* besagt dasselbe wie südd. *Schnauzbart* (↑Schnauze); niederd. *snurre* (eigentlich »Lärmgerät«) bedeutet »Schnauze«.

²schnurren ↑schnorren.

Schnute ↑Schnauze.

Schober: Die südd. und österr. Bezeichnung für den Heu- oder Getreidehaufen lautet mhd. *schober*, ahd. *scobar* und ist verwandt mit ahd. *scubil* »Haar-, Strohbüschel; Haufen«, weiter mit den unter ↑Schopf »Haarschopf« und ↑Schuppen (eigentlich »strohgedecktes Vordach«) genannten Wörtern. Die vorausliegende Wurzel **[s]keup-*, **[s]keub[h]-* »Büschel, Schopf, Quaste« erscheint auch in oberd. mdal. *Schaub*, niederd. *Schof* »Garbe« (mhd. *schoup*, ahd. *scoub*, mnd. *schōf*, entsprechend engl. *sheaf* »Garbe«), außerhalb des Germ. nur in slaw. Wörtern, z. B. russ. *čub* »Schopf«.

Schock: Das im 18. Jh. aus dem Frz. entlehnte Wort bezeichnet im Allgemeinen eine starke seelische Erschütterung, eine Erschütterung des Nervensystems. Diese Erschütterung kann natürliche Ursachen (Verletzung, belastendes Erlebnis) haben, sie kann aber auch zum Zwecke einer psychiatrischen Heilbehandlung künstlich herbeigeführt sein (beachte Zusammensetzungen wie **Schockbehandlung, Elektroschock** und die Verbalableitung **schocken** »mit einem [elektrischen] Schock behandeln«, ugs. auch »heftig schockieren«; 20. Jh.). – Frz. *choc* »Stoß, Schlag; Erschütterung«, das auch ins Engl. gelangte (beachte gleichbed. engl. *shock*), ist eine Bildung zu frz. *choquer* »anstoßen; beleidigen«, aus dem im 17. Jh. **schockieren** »einen Schock versetzen; beleidigen; bestürzt machen, sittlich entrüsten« entlehnt wurde. Das frz. Verb seinerseits stammt vermutlich aus mniederl. *schokken* »stoßen«, das seinerseits zu den unter ↑Schaukel genannten germ. Wörtern gehört.

schofel, (auch:) **schof[e]lig** »gemein, schäbig, lumpig«: Das mdal. und ugs. weit verbreitete Adjektiv stammt aus dem Rotwelschen. Schriftsprachlich ist es seit dem 18. Jh. bezeugt. Quelle des Wortes ist hebr. *šạfạl* »niedrig« bzw. das darauf beruhende gleichbed. jidd. *schophol.*

Schöffe: Das auf dt. und niederl. Sprachgebiet beschränkte Wort mhd. *scheffe[ne]*, *schepfe[ne]*, ahd. *sceffino, scaffin*, niederl. *schepen* ist von einem germ. Verb mit der Bedeutung »[an]ordnen« (vgl. *schaffen*) abgeleitet. Die Schöffen hatten also ursprünglich das Urteil zu bestimmen.

Schokolade: Das in dt. Texten seit dem 17. Jh. bezeugte Fremdwort stammt aus dem Nahuatl, einer mittelamerikanischen Indianersprache, die von den Azteken in Mexiko gesprochen wurde. Die Spanier brachten das mexikanische Wort *chocolatl*, das eine Art Kakaotrank bezeichnet, nach Europa (span. *chocolate*) und vermittelten es den anderen europäischen Sprachen, vgl. z. B. entsprechend frz. *chocolat*, engl. *chocolate* und niederl. *chocolade* (älter: *chocolate*). Uns erreichte das Wort vermutlich durch niederl. Vermittlung.

¹Scholle »Erd-, Eisklumpen«: Das auf das dt. und niederl. Sprachgebiet beschränkte Wort mhd. *scholle*, ahd. *scolla, scollo*, niederl. *schol* gehört im Sinne von »Abgespaltenes« zu der unter ↑Schild behandelten Wortgruppe. Dasselbe Wort ist [2]**Scholle** »Flunder« (mnd. *scholle,* niederl. *schol,* hochd. im 16. Jh.); der Fisch ist nach seiner Form benannt.

schon: Mhd. *schōn[e],* ahd. *scōno* ist das Adverb des unter ↑schön behandelten Adjektivs (beachte das Verhältnis von ›fast‹ zu ›fest‹). Seit dem 13. Jh. hat es sich von ›schön‹ gelöst und ist von der Bedeutung »in schöner, gehöriger Weise« über »vollständig« zu der heutigen Bedeutung »bereits« gelangt. Siehe auch den Artikel *schonen.*

schön: Das altgerm. Adjektiv mhd. *schœne,* ahd. *scōni* »schön; glänzend; rein«, got. **skaun[ei]s* »anmutig«, niederl. *schoon* »schön; rein, sauber«, engl. *sheeny* »glänzend« gehört zu der unter ↑schauen behandelten Wortgruppe und bedeutete ursprünglich »ansehnlich, was gesehen wird«. Altes Adverb zu ›schön‹ ist das unter ↑schon behandelte Wort. – Abl.: [1]**Schöne** (dichterisch für »Schönheit«; mhd. *schœne,* ahd. *scōnī,* entsprechend got. *skaunei* »Gestalt«); [2]**Schöne** »schöne Frau« (mhd. *schœne,* ahd. *scōna* ist das substantivierte Adjektiv); **Schönheit** (mhd. *schœnheit*); **schönen** (mhd. *schœnen* »schönmachen, schmücken«; heute besonders technisch gebraucht für »Glanz und Geschmeidigkeit von Chemiefasergeweben durch Nachbehandlung erhöhen« und »Flüssigkeiten, bes. Wein klären«, sonst gilt jetzt **verschöne[r]n,** dazu **beschönigen** (im 18. Jh. für älteres *beschönen,* mhd. *beschœnen* »schönmachen; bemänteln, entschuldigen«; s. auch **Schönfärberei** im Artikel *Farbe*). Zus.: **Schöngeist** (im 18. Jh. für älteres ›schöner Geist‹, nach frz. *bel esprit;* beachte ähnliche Lehnbildungen des 18. Jh.s wie ›schöne Literatur‹, ›schöne Wissenschaften, Künste‹), dazu **schöngeistig** (Anfang des 19. Jh.s für »belletristisch«, im Gegensatz zu ›Schöngeist‹ nicht ironisch gebraucht); **schöntun** »sich zieren; schmeicheln« (18. Jh.).

schonen: Das mhd. Verb *schōnen* »schön, d. h. rücksichtsvoll, behutsam behandeln« schließt an das Adverb mhd. *schōne* in dessen Bedeutung »freundlich, rücksichtsvoll« an (vgl. *schön* und *schon*). – Abl.: [1]**Schoner** »Schondecke« (19. Jh.); **Schonung** (mhd. *schōnunge* »das Schonen«; in der Bedeutung »junge Baumpflanzung« erst im 18. Jh.), dazu **schonungslos** (18. Jh.).

S

[2]**Schoner:** Die seemännische Bezeichnung eines meist zweimastigen Segelschifftyps wurde im 18. Jh. – wie gleichbed. niederl. *schoener, schooner* – aus engl.-amerik. *schooner* entlehnt. Dies gehört wohl zu engl. mdal. *to scoon* »übers Wasser gleiten; Steine übers Wasser hüpfen lassen« und bedeutet dann eigentlich »Gleiter«.

Schopf: Mhd. *schopf* »Haar auf dem Kopfe, Haarbüschel« und die anders gebildeten Wörter ahd. *scuft,* got. *skuft,* aisl. *skopt* »Haupthaar« gehören im Sinne von »Büschel« zu der idg. Wurzel **[s]keu-b[h]-, -p-* »Büschel, Quaste«. Aus dem germ. Sprachbereich ist z. B. engl. *sheaf* »Garbe«, außergerm. die slaw. Sippe von russ. *čub* »Schopf« verwandt.

schöpfen »Flüssigkeit entnehmen«: Das schwache Verb mhd. *schepfen, scheffen,* ahd. *scephen* ist kaum mit dem ehemals gleich lautenden starken Verb für »erschaffen« (↑schaffen) identisch, sondern gehört wohl als alte Ableitung zu ↑Schaff in seiner Bedeutung »Schöpfgefäß«. Dazu das nur übertragen gebrauchte **erschöpfen** »vollständig verbrauchen, aufbrauchen; ermatten, völlig ermüden« (mhd. *erschepfen* »ausschöpfen, leeren«) mit dem 2. Partizip **erschöpft** »verbraucht, ermattet« und dem Substantiv **Erschöpfung** »das Erschöpfen; völlige Ermüdung« sowie dem Adjektiv **unerschöpflich** »nicht versiegend, nicht aufbrauchbar« (16. Jh.).

Schöpfer: Das Wort geht über mhd. *schepfære* auf ahd. *scepfāri* zurück, das von ahd. *scepfen* in seiner Grundbedeutung »erschaffen« abgeleitet ist. Es gibt als Bezeichnung Gottes lat. *creator* wieder (vgl. *schaffen*). Erst seit dem 18. Jh. wird es auch auf Menschen angewandt. – Abl.: **schöpferisch** »etwas Bedeutendes schaffend; kreativ« (18. Jh.); **Schöpfung** (mhd. *schepf[en]unge* »Schöpfung, Geschöpf« nur von Gottes Werken; im 18. Jh. dichterisch für »Welt« nach engl. *creation,* dann auch für das künstlerische Schaffen und sein Ergebnis).

Schoppen: Das Hohlmaß für Getränke (ein Viertelliter, auch ein halber Liter) ist ursprünglich der Inhalt eines Schöpfgefäßes der Brauer. Mnd. *schōpe[n]* »Schöpfkelle«, das wie gleichbed. mhd. *schuofe* ablautend zu ↑Schaff gehört, wurde im 12. Jh. als *chopine* ins Afrz. entlehnt und gelangte als Maßbezeichnung in der lothringischen Form *chopenne* etwa im 16. Jh. in die südwestd. Mundarten. Als Maß ist ›Schoppen‹ heute noch besonders schweiz. und südwestd. verbreitet.

Schöps: Die ostmitteld. und österr. Bezeichnung des Hammels ist slaw. Herkunft. Mhd. *schopz, schöpz* entspricht tschech. *skopec* »verschnittener Schafbock«, dem aslaw. *skopiti* »verschneiden« zugrunde liegt. Dies gehört zu der unter ↑schaben dargestellten Wortgruppe. Zur Begriffsbildung s. auch den Artikel *Hammel.*

Schorf »krustenartig eingetrocknetes Hautgewebe«: Ein nur in aengl. *sceorfan* »beißen, zerfressen«, *gesceorfan* »kratzen, zerreißen« bewahrtes germ. starkes Verb, das ablautend mit dem unter ↑Scherbe behandelten Wort verwandt ist, ergab das Substantiv mhd. *schorf,* ahd. *scorf-* (im Namen der Heilpflanze *scorfwurz*), aengl. *sceorf* »Grind, Krätze«, aisl. *skurfa* »Schorf, Kruste«. Es bedeutete eigentlich »rissige Haut«; vgl. auch lit. *kárpa* »Warze«. Erst nhd. (18. Jh.) ist die Bedeutung »Blutkruste auf einer Wunde«.

Schorle, gekürzt aus: Schorlemorle: Die seit dem 18. Jh. zuerst als ›Schurlemurle‹ in Niederbayern bezeugte Bezeichnung für ein Mischgetränk aus Wein und Mineralwasser ist unsicherer Herkunft. Das Wort ist vielleicht eine sprachspielerische Bildung wie die schon für das 16. Jh. bezeugten Bezeichnungen für Bier *scormorrium* in Münster und *Murlepuff* in Straßburg. Beachte dazu auch das im Südd. seit dem 16. Jh. bezeugte *Schurimuri* »aufgeregter, hektischer Mensch« und das älter niederd. *Schurrmurr* »Mischmasch«.

Schornstein: Die nordd. und westd. Bezeichnung des anderwärts ›Kamin, Schlot, Esse, Rauchfang‹ genannten Bauteils lautet mhd. *schor[n]stein,* spätahd. *scor[en]stein,* niederl. *schoorsteen.* Das Wort bezeichnete ursprünglich wohl den Kragstein, der den Rauchfang über dem Herd trug. Bestimmungswort der Zusammensetzung ist mnd. *schore,* niederl. *schoor,* engl. *shore* »Stütze«, das zu dem Verb mhd. *schorren,* ahd. *scorrēn,* aengl. *scorian* »herausragen« und damit zu der unter ↑[1]scheren behandelten Sippe gehört. Seit dem Verschwinden des offenen Rauchfangs (beachte noch ›etwas in den Schornstein schreiben‹ für »als verloren betrachten«) gilt die Bezeichnung nur noch für den gemauerten, aus dem Dach ragenden Abzugskanal des Rauches; im 19. Jh. wurde sie auf die Schlote der Fabriken und die entsprechenden Teile von Schiffen und Lokomotiven übertragen; das Wort wird heute nicht mehr als Zusammensetzung mit dem Grundwort -stein empfunden.

Schoß: Das gemeingerm. Substantiv mhd. *schōȥ,* ahd. *scōȥ[o], scōȥa* »Kleiderschoß, Mitte des Leibes«, got. *skaut* »Schoß; Saum«, aengl. *scēat,* aisl. *skaut* »Schoß; Ecke; Zipfel« ist zu dem unter ↑schießen behandelten Verb gebildet mit der Grundbedeutung »Vorspringendes, Ecke« (beachte ahd. *drī-scōȥ* »dreieckig«). ›Schoß‹ bezeichnete zunächst den Zipfel eines Kleides (Rockschoß), dann mit dem Wandel der Tracht vor allem die Bedeckung des Unterleibs. Dadurch wird es zur Bezeichnung der Leibesmitte besonders beim Sitzenden.

Schoß

[wie] in Abrahams Schoß
(ugs.) »absolut sicher, geborgen«
Die Wendung bezieht sich auf das Gleichnis vom armen Lazarus und vom reichen Mann (vgl. Lukas, Kapitel 16, Vers 20 ff.). Der arme Lazarus wurde nach seinem Tode von den Engeln in Abrahams Schoß getragen, wo er, geborgen und glücklich, keine Not mehr leiden musste.

---

[1]Schoss »junger Trieb«: Mhd. *schoȥ,* ahd. *scoȥ, scoȥa* ist eine Substantivbildung zu dem unter ↑schießen behandelten Verb. Dazu gehört gleichbedeutend **Schössling** (im 15. Jh. für mhd. *schüȥ[ȥe]linc*).

[2]Schoss »Zoll, Steuer, Abgabe« (veraltet): Das westgermanische Substantiv mhd. *schoȥ,* niederl. *schot,* engl. *shot* »Rechnung [in einer Gaststätte]« gehört zu dem unter ↑schießen genannten Verb in dessen Bedeutung »unterstützend hinzugeben, zuschießen«.

[1]Schote »Kapselfrucht; Schale der Hülsenfrüchte«: Mhd. *schōte* gehört ebenso wie aisl. *skauđ* »Schwertscheide« und das erste Glied von got. *skauda-raip* »Schuhriemen« zu der unter ↑Scheune dargestellten Wortgruppe und bedeutet also eigentlich »die Bedeckende«.

[2]Schote, (auch:) Schaute (mdal. für:) »Narr, Einfaltspinsel«: Das im Dt. seit dem 16. Jh. belegte Wort (älter auch *Schaude, Schode* niederl. *schudde*) geht über die Gaunersprache auf gleichbed. jidd. *schōte, schaute* (hebr. *šôṭę̄*) zurück.

Schott (seemännisch für:) »wasserdichte [Quer]wand im Schiff«: Als ablautende Bildung zu ↑schießen bedeutet mnd. *schot* »Scheidewand; [Schleusen]falltor« eigentlich »eingeschossener, vorgestoßener Verschluss oder Riegel« (vgl. auch *schützen*). Das Wort wurde im 18. Jh. in der Bedeutung »Schiffsscheidewand« ins Hochd. übernommen. Dazu stellt sich **abschotten** »mit Schotten versehen; abkapseln«.

Schotter »Geröll; Kleinschlag von Steinen«: Die Bezeichnung, die mit den unter ↑Schutt und ↑schütten behandelten Wörtern verwandt ist, wurde im 19. Jh. von Geologen und Straßenbauern aus mitteld. Mundarten aufgenommen. – Abl.: **[be]schottern** »mit Schotter belegen« (19. Jh.).

schraffieren »(durch parallele Linien) stricheln«: Das seit dem 15. Jh. zuerst im Niederd. bezeugte Verb ist (durch Vermittlung von entsprechend mniederl. *schraeffeeren*) aus it. *sgraffiare* »kratzen; stricheln« entlehnt. Dessen weitere Herkunft ist nicht sicher geklärt.

schräg: Das im germ. Sprachbereich nur im Dt. gebräuchliche und erst seit dem 16. Jh. bezeugte Adjektiv gehört zu der vielfach weitergebildeten und erweiterten idg. Wurzel **[s]ker-* »[sich] drehen, krümmen« und bedeutet demnach eigentlich »gekrümmt, gebogen«. Eng verwandt sind die unter ↑Schrank und ↑Schranke behandelten Wörter. Aus anderen idg. Sprachen gehören zu dieser Wurzel z. B. lat. *curvus* »krumm« (↑Kurve) und lat. *circus* »Kreis« (↑Zirkus). Aus dem germ. Sprachbereich stellen sich u. a. hierher die unter ↑Harfe, ↑Ring und ↑Runge behandelten Wörter, ferner wohl auch die unter ↑schreiten (eigentlich »sich bogenförmig bewegen«) und ↑Rücken (eigentlich »der Gekrümmte«) dargestellten Wortsippen.

Schramme: Mhd. *schram[me]* »lange Wunde«, niederl. *schram* »Kratzer« gehören wie ablautendes schwed. *skråma* »Schramme« zu der unter ↑[1]scheren »schneiden« dargestellten Wurzel.

Schrammelmusik: Die volkstümliche Musik der bayr. und österr. ›Schrammelquartette‹ (2 Geigen, Klarinette oder Akkordeon, Gitarre) hat ihren Namen nicht nach dem Klang oder der Ausführung, sondern nach ihren Begründern, den österreichischen Musikern Johann und Josef Schrammel, die 1877 das erste Quartett dieser Art unter dem Namen ›D' Schrammeln‹ gründeten.

Schrank: Das nur dt. Substantiv hat seine heutige Bedeutung erst in spätmhd. Zeit entwickelt. Mhd. *schranc* bedeutete ursprünglich wie ahd. *scranc* »Verschränkung, Verflechtung«. Es gehört wie das Verb ↑schränken zu der unter ↑schräg dargestellten idg. Wortgruppe. Aus der konkreten Bedeutung »kreuzweise übereinander Gelegtes, Gitter, Einfriedigung« (s. dazu *Schranke*) entwickelten sich im 15. Jh. die Bedeutungen »[vergittertes] Gestell« und »abgeschlossener Raum«. Der Schrank als Möbel ist aus der aufrecht gestellten Kastentruhe entstanden, auf die dann der Name des Gittergestells übertragen wurde.

Schranke: Mhd. *schranke* hat im Gegensatz zu dem gleichbed. starken Substantiv *schranc* (↑Schrank) die alte Bedeutung »absperrendes Gitter« festgehalten. Heute bezeichnet es besonders die Absperrungen in Amtsräumen und die Eisenbahnschranke. Ähnlich steht ›Schranken setzen‹ übertragen für »begrenzen, einengen«, und in gleichem Sinne wird die nhd. Bildung **einschränken** gebraucht (17. Jh., meist reflexiv für »sparen«; zu ›beschränken‹ siehe *schränken*). Beachte auch das Adjektiv **schrankenlos** »durch nichts behindert; grenzenlos« (18. Jh.).

Schranke

für jmdn., für etwas in die Schranken treten
(geh.) »sich für jmdn., für etwas einsetzen«
Diese Wendung erinnert an die Turnierplätze der Ritterzeit, die durch Schranken abgegrenzt waren.

schränken: Das westgerm. Verb mhd. *schrenken* »schräg stellen, verschränken; flechten«, ahd. *screnken* »schräg stellen; hintergehen«, mniederl. *screnken* »betrügen, durch List zu Fall bringen«, aengl. *screncan* »zu Fall bringen, täuschen« gehört wie ↑Schrank und ↑Schranke zu der unter ↑schräg dargestellten idg. Wortgruppe. Der übertragene Gebrauch im Ahd., Aengl. und Mniederl. meint eigentlich »ein Bein stellen«. Im Nhd. gilt das einfache Verb nur noch fachsprachlich: ›eine Säge schränken‹ bedeutet »ihre Zähne auseinander biegen«. Häufiger sind die Präfixbildungen: **beschränken** (mhd. *beschrenken* »umklammern, versperren«, ahd. *biscrenken* »zu Fall bringen«; vom nhd. Sprachgefühl wird es mit der Bedeutung »einengen, begrenzen« zu ↑Schranke gezogen, daher steht das 2. Partizip **beschränkt** seit Anfang des 19. Jh.s für »geistig eng, unfähig«); **verschränken** »quer oder kreuzweise legen« (mhd. *verschrenken* »mit Schranken umgeben, einschließen; verschränken«, ahd. *forscrenchen;* nhd. besonders von Armen und Händen gesagt). Zu ›einschränken‹ siehe den Artikel *Schranke.*

schrappen: Zu der unter ↑scharf dargestellten Wurzel **skreb[h]-* »kratzen« gehört mnd., mitteld. *schrāpen* (engl. *to scrape,* schwed. *skrapa*) »schaben, kratzen, rasieren« mit der Intensivform ›schrappen‹, die seit dem 16. Jh. im Nhd. erscheint. Außergerm. sind z. B. lett. *skrabêt* und russ. *skrobat'* »schaben, kratzen« verwandt. Vgl. auch die Artikel *schröpfen* und *schraffieren.*

Schraube: Die Herkunft des seit dem 14. Jh. bezeugten Substantivs mhd. *schrūbe* (entsprechend mnd. *schrūve,* niederl. *schroef*), das irgendwie mit frz. *écrou* (afrz. *escroue*) »Schraubenmutter« (aus dem Afrz. vermutlich engl. *screw* »Schraube«) zusammenhängt, ist nicht gesichert. – Abl.: **schrauben** (spätmhd. *schrūben*). Zus.: **Schraubenzieher** (18. Jh.); **Schraubenmutter** (18. Jh.; zum Grundwort ↑Mutter); **Schraubstock** (17. Jh.). Siehe auch *verschroben.*

Schrebergarten: Die Bezeichnung für »Kleingarten innerhalb einer Gartenkolonie am Stadtrand« geht zurück auf den Namen des Leipziger Arztes D. G. Schreber (1808–1861), der eine intensive Betätigung der Kinder befürwortete und nach dessen Vorstellungen eigens für Kinder am Rand von Spielplätzen Gartenbeete angelegt wurden.

[1]**schrecken:** Das starke Verb hat seine heutige Bedeutung »in Schrecken geraten« aus der Grundbedeutung »[auf]springen« entwickelt, die sich noch im Tiernamen ›Heuschrecke‹ zeigt (↑Heu) und auch in den Zusammensetzungen ›auf-, empor-, zurück-, zusammenschrecken‹ und in der Präfixbildung [1]**erschrecken** »in Schrecken geraten« noch spürbar ist. Das Verb mhd. *[er]schrecken* »auffahren, in Schrecken geraten«, ahd. *screckan* »springen« hat sich erst im 11. Jh. unter Anlehnung an die Flexion starker Verben wie ›brechen‹ aus dem schwachen ahd. *scricken* »[auf]springen« (mhd. *schricken*) entwickelt. Die genannten Verben gehören zu der unter ↑[2]scheren dargestellten idg. Wurzel **[s]ker-* »springen«, vgl. noch niederl. *schrikken* »erschrecken« und norw. mdal. *skrikka* »hüpfen«. – Abl.: **Schreck[en]** (frühnhd. *schreck[en],* mhd. *schrecke*), dazu **schreckhaft** »leicht erschreckend« (15. Jh.) und **schrecklich** »Schrecken auslösend, furchtbar, sehr [schlimm]« (im 15. Jh. für spätmhd. *schriclich*). Das Veranlassungswort [2]**schrecken** »in Schrecken versetzen« (mhd. *schrecken,* ahd. *screcchen*), meint eigentlich »springen machen, aufscheuchen«. Dazu **abschrecken** (mhd. *abeschrecken* »durch Schrecken von etwas abbringen«; seit dem 16. Jh. auch für »plötzlich abkühlen«) und [2]**erschrecken** »in Schrecken versetzen« (mhd. *erschrecken;* ahd. *irscrecchen*).

schreiben: Das westgerm. starke Verb mhd. *schrīben,* ahd. *scrīban,* niederl. *schrijven,* aengl. *scrīfan*

S

»vorschreiben, anordnen« ist wie die Lehnwörter ›Brief‹ und ›Tinte‹ (s. d.) mit der römischen Schreibkunst aus dem Lat. entlehnt worden. Es beruht auf lat. *scribere* »schreiben« (↑Manuskript, ↑subskribieren), das eigentlich »mit dem Griffel eingraben, einzeichnen« bedeutet und zu der unter ↑¹scheren »schneiden« dargestellten idg. Sippe gehört. Die gleiche Grundbedeutung »ritzen« zeigt auch aengl. *wrītan,* engl. *to write* »schreiben« (eigentlich »Runen ritzen«, ↑reißen), das im Englischen auf die neue Schreibkunst übertragen wurde. – Abl.: **Schreiben** »Schriftstück, Brief« (16. Jh.), dazu das junge **Anschreiben** »Begleitbrief«; **Schreiber** (mhd. *schrībære,* ahd. *scrībāri;* im Mittelalter Bezeichnung höherer Beamter, z. B. der Kanzler und Notare, später der niederen Kanzlisten); **Schrift** (s. d.). Zus.: **abschreiben** (mhd. *abeschrīben* »abschreiben, kopieren«; auf der Bedeutung »in einer Liste löschen« beruht die Wendung ›jemanden abschreiben‹ für »nicht mehr mit ihm rechnen«; zur Grundbedeutung »kopieren« gehört **Abschrift** [15. Jh.]); **anschreiben** (mhd. *aneschrīben* für »aufschreiben«, jünger ist ›jemanden anschreiben‹ für »sich schriftlich an jemanden wenden«); **aufschreiben** »auf etwas schreiben, notieren« (19. Jh.), dazu **Aufschrift; ausschreiben** (spätmhd. *ūʒschrīben;* nhd. z. B. vom Bekanntmachen offener Stellen oder zu vergebender Arbeiten); **einschreiben** »in eine Liste eintragen« (mhd. *īnschrīben;* postamtlich seit 1875 für »rekommandieren«, dazu ebenfalls seit 1875 **Einschreib[e]brief**), dazu **Einschreiben** »eingeschriebener Brief« (20. Jh.); **vorschreiben** (mhd. *vorschrīben;* frühnhd. »als Muster hinschreiben«, später für »befehlen, bestimmen«), dazu **Vorschrift** (17. Jh.); **zuschreiben** (mhd. *zuoschrīben* für »schriftlich zusichern, melden«, ahd. *zuoscrīban* »hinzu-, zusammenfügen; be-, vermerken«; nhd. für »zurechnen, in Verbindung bringen«, von Eigenschaften, anonymen Schriften usw.), dazu **Zuschrift** »Brief« (18. Jh., älter für »Widmung«). Präfixbildungen: **beschreiben** (mhd. *beschrīben* »aufzeichnen; darstellen, schildern«, im 16. Jh. mathematisches Fachwort für »konstruieren«, daher noch übertragen ›einen Kreis beschreiben‹), dazu **Beschreibung** »Schilderung« (mhd. *beschrībunge;* wie das Verb meist ohne die Vorstellung des Schreibens gebraucht); **verschreiben** (mhd. *verschrīben* »aufschreiben, schriftlich festsetzen, zuweisen, vermachen«, seit dem 17. Jh. besonders von Arzneien; reflexiv »sich verpflichten«; in der Bedeutung »falsch schreiben« erst nhd.).

schreien: Das nur im dt. und niederl. Sprachgebiet altbezeugte starke Verb mhd. *schrīen,* ahd. *scrīan,* mniederl. *scrīen* steht neben den schwach flektierten Verben niederl. *schreeuwen,* niederd. *schrēwen* »schreien«, engl. *to scream* »kreischen«. Ohne den s-Anlaut stellt sich aisl. *hrīna* »schreien, jammern« dazu. Die Wörter gehen auf die unter ↑Harke dargestellte lautmalende Wurzel zurück. – Abl.: **Schrei** »unartikuliert ausgestoßener, oft schriller Laut« (mhd. *schrī, schrei,* ahd. *screi*); **Schreier** (mhd. *schrī[g]er* »Ausrufer, Herold«), dazu **Marktschreier** (17. Jh.) und **marktschreierisch** (18. Jh.); **Geschrei** »[dauerndes] Schreien« (mhd. *geschrei[e],* ahd. *giscreigi,* Kollektivbildung zum Substantiv ›Schrei‹). Zus.: **Schreihals** ugs. für »jemand, der häufig schreit« (16. Jh.). Die früher sehr wichtige Rolle des Schreiens im Recht und im Volksglauben zeigt noch der Gebrauch der Präfixverben **beschreien** (mhd. *beschrīen* »ins Gerede bringen; öffentlich anklagen«; nhd. auch wie ↑berufen für »unbedacht reden«) und **verschreien** (mhd. *verschrīen, verschreien* »sich überschreien; öffentlich verklagen«, nhd. »verleumden«), dazu noch die mit dem 2. Partizip gebildete Wendung ›verschrie[e]n sein‹ (z. B. als Geizhals).

Schrein: Wie andere Behälternamen (s. die Artikel *Arche, Kiste, Sarg*) ist auch ›Schrein‹ früh aus dem Lat. entlehnt worden. Zugrunde liegt lat. *scrinium* »zylindrische Kapsel für Buchrollen, Salben und dgl.«, ein etymologisch nicht sicher erklärtes Wort. Es ergab einerseits ahd. *scrīni* »Behälter«, mhd. *schrīn* »Geld-, Kleiderkasten; Reliquienschrein; Sarg; Archivtruhe«, niederl. *schrijn* »Kasten«, andererseits aengl. *scrīn* »Kiste, Koffer, Käfig; Heiligenschrein«, engl. *shrine* »Schrein, Altar, Tempel« (daher die junge dt. Nebenbedeutung »japanischer Tempel« [Schintoschrein]). In nhd. Zeit ist ›Schrein‹ allmählich auf den dichterischen und bildlichen Sprachgebrauch eingeschränkt worden. Anders die Ableitung **Schreiner** (im 13. Jh. mhd. *schrīnære*), die im dt. Westen und Süden den Möbelbauer bezeichnet wie ›Tischler‹ (↑Tisch) im Norden und Osten. Dazu **schreinern** »Schreinerarbeit machen« (19. Jh.).

schreiten: Das altgerm. starke Verb mhd. *schrīten* »schreiten, sich aufs Pferd schwingen«, ahd. *scrītan* »schreiten, gehen, weichen«, niederl. *schrijden,* aengl. *scrīđan* »sich bewegen, kriechen, gleiten«, schwed. *skrida* »schreiten, gleiten« meinte ursprünglich wahrscheinlich eine gewundene, bogenförmige Bewegung. Es stellt sich mit balt. Wörtern wie lit. *skriēsti* »im Kreise drehen«, *skriēti* »einen Kreis beschreiben; schnell laufen, fliegen« zu der unter ↑schräg dargestellten idg. Wurzel **[s]ker-* »drehen, biegen«. Dazu die Substantivbildung ↑Schritt. – Zus.: **ausschreiten** »große Schritte machen« (früher [16. Jh.] auch »vom Weg abgehen«; dazu **Ausschreitung** »Übergriff, Gewalttätigkeit«, 19. Jh.); **überschreiten** (mhd. *überschrīten*); **einschreiten** (im 18. Jh. für »Maßregeln ergreifen«); **fortschreiten** (18. Jh.), dazu **Fortschritt** (s. d.).

Schrift: Die Substantivbildung zu dem unter ↑schreiben behandelten Lehnwort (mhd. *schrift,* ahd. *scrift* »Geschriebenes, Schriftwerk; Schreibkunst«) ist wie ›Trift, Gift, Kluft‹ gebildet, steht aber auch unter dem Einfluss von gleichbed. lat. *scriptum.* – Abl.: **schriftlich** »in geschriebener Form« (mhd. *schriftlich*); **Schrifttum** »Gesamtheit der veröffentlichten Schriften« (im 19. Jh. für »Literatur, Buchwesen«). Zus.: **Schriftgießer** (16. Jh.); **Schriftsetzer** (17. Jh.; s. *setzen*); **Schriftsprache** (Ende des 18. Jh.s für die Hochsprache im Gegensatz zu den Mundarten geprägt); **Schriftsteller** (im 17. Jh. zusammengebildet aus Wendungen wie ›[in] eine Schrift stellen‹ für »verfassen«; seitdem Ersatz für die Fremdwörter ›Autor‹ und ›Skribent‹ und Berufsbezeichnung).

schrill: Das Adjektiv erscheint erst nach 1800 im Nhd., wohl unter Einfluss des gleichbed. engl. *shrill* (mengl. *schril[le]*). Voraus ging Ende des 18. Jh.s das Verb **schrillen** »laut tönen«, das unter Einfluss von engl. *to shrill* umgebildet ist aus älter nhd. *schrellen, schrallen* »laut bellen«. Beachte auch niederl. *schril* »schrill, gellend; grell; schroff« (17. Jh.). Die lautnachahmenden Wörter sind verwandt mit schwed. *skrälla,* norw. *skrella* »krachen« und aengl. *scrallettan* »schallen«. Vgl. auch den Artikel *Schrulle.*

Schritt: Die altgerm. Substantivbildung zu dem unter ↑schreiten behandelten Verb lautet mhd. *schrit,* ahd. *scrit* »Schritt«, niederl. *schrede* »Schritt«, aengl. *scride* »Lauf«, aisl. *skriðr* »Lauf« (beachte aengl. *scrid* »Wagen, Sänfte«). Das dt. Wort wird früh zum Längenmaß. – Zus.: **Fortschritt** (s. d.); **Rückschritt** (17. Jh.); **Schrittmacher** »Läufer oder Fahrer, der das Tempo angibt« (besonders als windfangender Kraftradfahrer im Radsport; Lehnübersetzung für engl. *pacemaker,* Ende des 19. Jh.s; oft übertragen gebraucht).

schroff: Zu der unter ↑Scherbe behandelten Wortgruppe gehört mhd. *schroff[fe], schrove* »zerklüfteter Fels, Steinwand«. Aus ihm wurde im 16. Jh. das Adjektiv schroff »zerklüftet, rau, steil« rückgebildet, das seit dem 17. Jh. übertragen für »zurückstoßend, abweisend, unfreundlich« auch vom menschlichen Charakter gebraucht wird. – Abl.: **Schroffheit** (17. Jh.).

schröpfen: Das früher viel geübte Ritzen der Haut zu kleinerem Blutentzug (im Gegensatz zum kräftigen Aderlass) heißt mhd. *schreffen, schrepfen,* frühnhd. *schröpfen.* Das nur dt. Verb steht neben stark flektierendem mhd. *schreffen* »reißen, ritzen, kratzen« (aengl. *screpan* »kratzen«) und gehört zu der unter ↑scharf behandelten Wortsippe. Seit dem 17. Jh. wird schröpfen »Blut entziehen« übertragen gebraucht für »zu viel Geld abnehmen, übervorteilen«.

Schrot: Als Substantivbildung zu dem unter ↑schroten behandelten Verb bedeutet mhd. *schrōt,* ahd. *scrōt* zunächst »Schnitt, Hieb«, dann »abgeschnittenes Stück«. Im Engl. entspricht *shred* »Schnitzel, Fetzen«. Das dt. Wort bedeutet jetzt nur noch »grob zerkleinertes Getreide« (dazu ›Schrotbrot, -mühle‹) und »körnige Flintenmunition« (16. Jh.; ursprünglich gehacktes Blei; das einzelne Korn heißt ›Schrotkorn‹). Im Münzwesen kennt man noch die Bedeutung »Raugewicht« (Bruttogewicht einer Münze). Eine Nebenform zu ›Schrot‹ ist ↑Schrott. – Abl.: **vierschrötig** »massiv, plump« (mhd. *vierschrœtic* »gewaltig groß und stark«, *vierschrœte* »viereckig zugehauen«, ahd. *fiorscrōti;* ›Schrot‹ bedeutet hier wohl »Ecke, Kante«).

Schrot

von echtem Schrot und Korn
»von aufrechtem Charakter«
Diese Wendung bezog sich ursprünglich auf die Münzprägung. Früher bezeichnete man mit ›Schrot‹ das Gewicht einer Münze, während das ›Korn‹ den Feingehalt, also den Anteil des Edelmetalls an der Legierung, angab. Das Verhältnis von Schrot und Korn war gesetzlich geregelt; wenn beide der Vorschrift ensprachen, war die Münze echt.

schroten »grob zerkleinern«: Das auf das dt. und niederl. Sprachgebiet beschränkte Verb mhd. *schrōten,* ahd. *scrōtan,* mniederl. *scrōden* (niederl. *schroeien*) bedeutet eigentlich »hauen, [ab]schneiden« und gehört zu der unter ↑[1]scheren behandelten Wortsippe. Verwandt ist z. B. aengl. *screadian* »abschneiden« (engl. *to shred* »zerreißen«). Ableitungen sind ↑Schrot und ↑Schrott.

Schrott: Die Bezeichnung des Altmetalls stammt aus der niederrhein. Mundart, in der das Wort ↑Schrot »abgeschnittenes Stück« kurz gesprochen und seit Anfang des 20. Jh.s in der heutigen Bedeutung gebraucht wurde. Dazu das heute nicht mehr verwendete Verb **schrotten** »zu Schrott machen«, noch üblich in **verschrotten.**

schrubben: Mnd. *schrubben* »kratzen«, dem schwed. *skrubba* »hart reiben« entspricht, ist in der Bedeutung »scheuern, putzen« im 18. Jh. ins Hochd. übernommen worden. Es gehört wohl zu der unter ↑[1]scheren dargestellten Wortsippe.

Schrulle »seltsame Angewohnheit, unberechenbarer Einfall«: Das nur dt. Wort wurde im 18. Jh. aus niederd. *Schrullen* (Plural) »tolle Einfälle« aufgenommen. Mnd. *schrul, schrol* »Groll; Anfall von Raserei, Laune; Verrücktheit« ist verwandt mit älter niederl. *schrollen* »brummen, schimpfen«, das wie niederl. *schril* »schrill, gellend« (↑schrill) lautnachahmenden Ursprungs ist.

schrumpfen: Das nhd. schwache Verb ist erst im 17. Jh. an die Stelle des älteren, stark flektierten ›schrimpfen‹ getreten (mhd. *schrimpfen* »rümpfen, einschrumpfen«). Daneben steht unverschobenes mitteld. und niederd. *schrumpen* mit der noch gebräuchlichen Weiterbildung **schrumpeln, verschrumpeln** (17. Jh.) und dem Adjektiv **schrump[e]lig** »runzlig« (16. Jh.). Verwandt sind niederl. *schrompelen,* dän. *skrumpe* »schrumpfen« und engl. *shrimp* »Knirps; Krabbe«; s. auch *rümpfen*. Die Wörter gehören mit der Grundbedeutung »sich krümmen, zusammenziehen« zu der unter ↑Harfe dargestellten Wortgruppe.

Schrunde: Das landsch. für »[Haut]riss; Spalte« gebrauchte Wort (mhd. *schrunde,* ahd. *scrunta* »Riss, Scharte, Felshöhle«) gehört zu dem veralteten starken Verb ›schrinden‹ »bersten, rissig werden« (mhd. *schrinden,* ahd. *scrintan;* beachte norw. mdal. *skrinda* »Kerbe«). Die germ. Wurzel **skrenÞ-* ist eine nasalierte Weiterbildung von **sker-* »schneiden« (vgl. [1]*scheren*).

Schub: Die nur dt. Substantivbildung zu dem unter ↑schieben behandelten Verb (mhd. *schup, schub* »Aufschub; Abschieben der Schuld auf andere«) gehörte ursprünglich nur der Rechtssprache an. Erst nhd. wird es in weiterem Sinn gebraucht, z. B. in den Zusammensetzungen **Schubkarre[n]** (16. Jh.) und **Schublade** (s. unter *Lade*). Im 15. Jh. erscheint das Militärwort **Nachschub.** Vor allem bedeutet ›Schub‹ »etwas, was auf einmal geschoben wird« (z. B. ›ein Schub Brot im Backofen‹). In der technischen Fachsprache steht ›Schub‹ seit dem 19. Jh. für »Schubkraft«. – Abl.: **Schuber** »[Buch]kassette« (20. Jh.).

Schublade ↑Lade.

Schubs: Der ugs. Ausdruck für »leichter Stoß« ist eine an ›Schub‹ angelehnte junge Weiterbildung von älterem ›Schupp, Schupf‹, das zu älter nhd. *schupfen* »stoßen« gehört. Dies ist eine Intensivbildung zu ↑schieben.

schüchtern: Das erst im 16. Jh. als *schüchter, schuchter[n]* »scheu gemacht, ängstlich« aus dem Mnd. ins Hochd. übernommene Adjektiv wurde ursprünglich von Tieren gesagt. Voraus liegt das Verb mnd. *schüchteren* »verscheuchen; scheu weglaufen«, eine Weiterbildung von ›scheu[ch]en‹ (vgl. *scheu;* ähnlich aengl. *ā-scyhtan* »vertreiben«). Dieses Verb lebt nhd. nur noch in **einschüchtern** und dem 2. Partizip **verschüchtert.**

Schuft: Das im 17. Jh. aus dem Niederd. ins Hochd. übernommene Schimpfwort bezeichnete zuerst den heruntergekommenen Edelmann, dann allgemein einen gemeinen, niederträchtigen Menschen. Möglicherweise ist es zusammengezogen aus niederd. *Schufut* »Uhu; elender Mensch« (18. Jh.), mnd. *schūvūt* »Uhu«, einem ursprünglich lautnachahmenden Wort. Der Name des lichtscheuen, als hässlich verschrienen Vogels wäre dann auf den Menschen übertragen worden.

schuften (ugs. für:) »hart arbeiten«: Das Verb wurde im 19. Jh. aus mitteld. (thüring.) Mundarten in die Studentensprache aufgenommen. Seine Herkunft ist nicht sicher geklärt. Vielleicht gehört es zu niederd. *schoft* »Vierteltagewerk« (entsprechend älter niederl. *schoft*), das mit ↑Schub verwandt ist, und bedeutet dann eigentlich etwa »in einem Schub arbeiten«.

Schuh: Das gemeingerm. Wort für die Fußbekleidung lautet mhd. *schuoch,* ahd. *scuoh,* got. *skōhs,* engl. *shoe,* schwed. *sko.* Es gehört wahrscheinlich im Sinne von »Schutzhülle« zu der unter ↑Scheune behandelten Wortsippe. Bis heute ist ›Schuh‹ (auch in den nhd. Zusammensetzungen ›Schuhwerk, -zeug‹) der Oberbegriff geblieben, der Sandalen, Stiefel, Pantoffeln u. a. umfasst. Als Längenmaß gilt das Wort schon in mhd. Zeit.

Schuh

umgekehrt wird ein Schuh daraus
(ugs.) »die Sache verhält sich gerade umgekehrt«
Die Wendung geht vielleicht davon aus, dass früher in der Schuhmacherei die Nähte zunächst auf der späteren Innenseite genäht wurden; danach musste das Gebilde gewendet werden, und dann konnte man die spätere Schuhform sehr viel deutlicher erkennen.

jmdm. [die Schuld an] etwas in die Schuhe schieben
(ugs.) »jmdm. die Schuld an etwas geben«
Die Wendung geht wohl darauf zurück, dass in früheren Zeiten in den Herbergen oft mehrere Personen in einem gemeinsamen Schlafraum übernachteten. Hier war es für Diebe ein Leichtes, vor einer drohenden Durchsuchung das Gestohlene in die Kleider oder Schuhe eines anderen zu schieben.

Schuld: Als altgerm. Substantivbildung zu dem unter ↑sollen behandelten Verb bezeichnet mhd. *schulde, schult,* ahd. *sculd[a],* niederl. *schuld,* aengl. *scyld,* schwed. *skuld* zunächst die rechtliche Verpflichtung zu einer Leistung (Abgabe, Dienst, Strafe und dgl.). Denselben Sinn zeigen verwandte balt. Wörter, z. B. lit. *skolà* »Geldschuld«, *skìlti* »in Schulden geraten«. Aus der Bedeutung »Verpflichtung zur Buße« erwächst schon in ahd. Zeit die Bedeutung »Vergehen, Übeltat, Sünde«, die im rechtlichen und religiösen Bereich gilt und daneben im allgemeinen Sinn zu »Ursache, Grund [für Unangenehmes oder Schädliches]« verblasst. In ›Schuld haben, schuld sein‹ wird das dt. Substantiv seit dem 17. Jh. als Adjektiv in aussagender Stellung gebraucht. – Abl.: **schulden** (mhd. *schulden* »schuldig, verpflichtet sein; sich schuldig machen«, ahd. *sculdōn* »sich etwas zuziehen, es verdienen«); **schuldig** »Schuld tragend; zur Begleichung einer Geldschuld verpflichtet« (mhd. *schuldec,* ahd. *sculdig*), dazu **beschuldigen** und **anschuldigen** »jemandem die Schuld geben, jemanden bezichtigen« (mhd. *[be]schuldigen,* ahd. *sculdigōn*), **entschuldigen** »einen Fehler o. Ä. als geringfügig ansehen und hingehen lassen; einen Fehler, ein Versäumnis o. Ä. begründen«, besonders reflexiv »für einen Fehler, ein Versäumnis o. Ä. um Nachsicht, Verzeihung bitten« (mhd. *entschuld[ig]en*

»lossagen, freisprechen«), dazu **Entschuldigung; Schuldner** (mhd. *schuldenære,* ahd. *sculdenāre*). Die verneinten Wörter **Unschuld, unschuldig** drücken neben dem rechtlichen Begriff schon in mhd. Zeit den der sittlichen Reinheit und Unverdorbenheit aus.

schuldbewusst ↑bewusst.

Schule: Das Substantiv mhd. *schuol[e],* ahd. *scuola* (vgl. entsprechend niederl. *school* und engl. *school*) wurde im Bereich des Klosterwesens aus lat. *schola* »Muße, Ruhe; wissenschaftliche Beschäftigung während der Mußestunden; Unterrichtsstätte, Unterricht« entlehnt, das seinerseits Lehnwort ist aus gleichbed. griech. *scholḗ.* Das griech. Substantiv gehört im Sinne von »das Innehalten (in der Arbeit)« zum Stamm von griech. *échein* »haben, halten, besitzen; zurückhalten; einhalten, innehalten usw.« (vgl. *hektisch*).

Schulter: Die Herkunft der nur im Westgerm. altbezeugten Körperteilbezeichnung (mhd. *schulter,* ahd. *scult[er]ra,* niederl. *schouder,* engl. *shoulder*) ist nicht eindeutig geklärt. Das Wort bedeutete in mhd. und ahd. Zeit auch »Vorderschinken, Vorderbug von Tieren« und bezeichnete ursprünglich wohl das Schulterblatt. Es kann wie griech. *skélos* »Schenkel«, *skelís* »Hinterfuß, Hüfte« auf der unter ↑scheel behandelten Wurzel **[s]kel-* »schief« beruhen, aber auch wie griech. *skállein* »graben«, *skalís* »Hacke« zu der gleich lautenden Wurzel **[s]kel-* »schneiden« gehören (vgl. *Schild;* vielleicht nach der Ähnlichkeit des Schulterblatts mit dem Schaufelblatt eines Grabwerkzeugs). – Abl.: **schultern** »auf die Schulter nehmen« (17. Jh., besonders vom Gewehr).

Schultheiß: Die heute veraltete Amtsbezeichnung für »Gemeindevorsteher« (im Schweizer Kanton Luzern wird allerdings der Vorsitzende der Kantonsregierung noch so bezeichnet) ist eine westgerm. Substantivbildung zu ↑Schuld und ↑heißen »befehlen«, der im Got. schon *dulga-haitja* »Gläubiger« (zu got. *dulgs* »Schuld«) entspricht. Im langobardischen Volksrecht (7./8. Jh.) war der *sculdhais* Vollstreckungsbeamter, ebenso bezeichnete ahd. *sculdheizẹ[o],* mhd. *schultheizẹ* den Beamten, der Verpflichtungen und Leistungen einfordert (entsprechend aengl. *scyldhǣta* »Schuldeintreiber«). Im deutschen Mittelalter wurde der Schultheiß zum obrigkeitlichen Vorsteher besonders in den Dörfern, er hat bei der deutschen Ostkolonisation eine wichtige Rolle gespielt. Die häufige Form **Schulze** entstand spätmhd. aus verkürztem *schultesz, schult[e]s,* wie das entsprechende mnd. *schulte* aus *schultete.* In den verbreiteten Familiennamen ›Schulz[e], Scholz, Schulte‹ usw. lebt die alte Amtsbezeichnung bis heute fort.

schummeln: Die Herkunft des ugs. Ausdrucks für »(beim Kartenspiel) betrügen« ist nicht sicher geklärt. Vielleicht ist das Verb identisch mit einem mdal. weit verbreiteten *schummeln* (niederl. *schommelen*) »sich hastig bewegen, schlenkern, schaukeln« und bezog sich ursprünglich auf die schnellen Bewegungen, die Geschicklichkeit der Taschenspieler.

Schund: Die frühnhd. Substantivbildung zu ↑schinden erscheint im 16. Jh. mit der Bedeutung »Unrat, Kot«, eigentlich »Abfall beim Schinden«. Seit dem 18. Jh. gilt das Wort verächtlich für »schlechte Ware, Trödel«, besonders auch für »schlechte Literatur«.

schunkeln »schaukeln, [sich] hin und her wiegen«: Das besonders vom geselligen Singen im Karneval bekannte und zuerst im 18. Jh. belegte Verb ist eine niederd. und mitteld. Nebenform zu mdal. *schuckeln* »schaukeln« (vgl. *Schaukel*).

schupfen ↑Schippe.

Schuppe: Mhd. *schuop[p]e,* ahd. *scuobba, scuoppa* bezeichnete ursprünglich die Fischschuppe, die abgeschabt wird; das Wort gehört ablautend zu dem unter ↑schaben behandelten Verb (vgl. norw. *skove* »Kruste«). – Abl.: **schuppen** »Schuppen entfernen« (im 15. Jh. *schüpen, schüppen*); **schuppig** »mit Schuppen bedeckt« (im 15. Jh. *schüpig, schuppig*).

Schuppen: Die im ganzen dt. Sprachgebiet verbreitete Bezeichnung eines Schutzbaus (Geräte-, Wagenschuppen) ist in ihrer heutigen Form erst im 17. Jh. aus mitteld. und niederd. Mundarten ins Hochd. übernommen worden. Sie entspricht aengl. *scypen,* engl. mdal. *shippen* »Stall« und gehört wahrscheinlich zu der unter ↑Schopf im Sinne von »Büschel, Bündel« behandelten Wortgruppe: Das Schutzdach war ursprünglich mit Strohbündeln gedeckt.

Schur: Die Substantivbildung zu dem unter ↑¹scheren behandelten Verb (mhd. *schuor* »das Scheren; Plage«) ist eine nur dt. ablautende Bildung. Verwandt ist aisl. *skǿra* »Streit«.

schüren »Feuer durch Stochern anfachen«: Das nur im dt. Sprachbereich übliche Wort (mhd. *schürn* »Feuer anfachen; einen Anstoß geben, antreiben, reizen«, ahd. *scuren* »Feuer anfachen«) steht neben einem weitergebildeten mhd. *schürgen,* ahd. *scurgan* »stoßen, weg-, antreiben«. Es ist verwandt mit mhd. *schorn* »[an]stoßen, fortschieben«, aengl. *scorian* »verwerfen, verschmähen«, ferner mit mhd. *schor,* ahd. *scora* »Schaufel, Haue« und got. *winÞi-skaurō* »Worfelschaufel«. Die Grundbedeutung des Verbs wäre demnach etwa »stoßen, zusammenschieben« gewesen. Weitere Beziehungen der Wortgruppe sind ungewiss. Siehe auch den Artikel *schurigeln.*

schürfen: Das bergmännische Fachwort frühnhd. *schürffen, schorfen* (16. Jh.) geht zurück auf mhd. *schür[p]fen,* ahd. *scurphen* »aufschneiden, ausweiden; [Feuer] anschlagen«, das auch vom Ritzen der Haut gebraucht wurde (dafür heute ›auf-, abschürfen‹). Das Verb ist verwandt mit der unter ↑scharf dargestellten Wortsippe.

schurigeln: Das ugs. Verb für »schikanieren« ist

S

seit dem 17. Jh. bezeugt. Es hat sich aus einem mdal. *schurgeln, schürgeln* »hin- und herschieben« entwickelt. Dies ist eine Iterativbildung zu mdal. *schürgen* »schieben, stoßen, treiben«, einer Nebenform von ↑schüren.

Schurke »Bösewicht, Schuft«: Das erst seit dem 17. Jh. als ›Schurk[e], Schork‹ bezeugte dt. Substantiv (niederl. *schurk,* schwed. *skurk* sind entlehnt) ist nicht sicher erklärt. – Abl.: **Schurkerei** »schurkische Tat« (17. Jh.); **schurkisch** »gemein, niederträchtig« (17. Jh.).

schurren ↑scharren.

Schurz: Das zum Schutz der Unterkleidung getragene Tuch (mhd. *schurz;* aus Leder: **Schurzfell,** 15. Jh.) bezeichnet eigentlich ein »kurzes Kleidungsstück«. Das Substantiv ist eng verwandt mit dem Adjektiv mhd. *schurz,* ahd. *scurz* »abgeschnitten, kurz« (gleichbed. engl. *short,* s. *Shorts*), das früh durch das urverwandte lat. Lehnwort ↑kurz verdrängt worden ist. Die weibliche Form **Schürze** erscheint hochd. erst im 17. Jh., beachte aber mnd. *schörte* »Panzerschurz, Schürze« und niederl. *schort* »Schürze«, denen aisl. *skyrta* und engl. *shirt* »Hemd« entsprechen. Die Wörter gehen mit der Grundbedeutung »Abgeschnittenes« auf die unter ↑[1]scheren dargestellte idg. Wurzel **sker-* »schneiden« zurück. Das Verb **schürzen** »die Kleider raffen« (mhd. *schürzen*) ist vom Adjektiv mhd. *schurz* (s. o.) abgeleitet.

Schuss ↑schießen.

Schüssel: Wie andere Gefäßbezeichnungen (siehe besonders *Becken, Kessel, Pfanne*) ist auch ›Schüssel‹ als Fachwort der römischen Küche zu den Germanen gekommen (vgl. hierzu auch das Kapitel zur Sprachgeschichte *Römischer Kultureinfluss*). Das Substantiv mhd. *schüzzel[e],* ahd. *scuzzila,* niederl. *schotel,* aengl. *scutel* »Schüssel« (engl. *scuttle* »Korb«) geht auf lat. *scutula, scutella* »Trinkschale« zurück, eine Verkleinerungsbildung zu dem nicht sicher erklärten lat. *scutra* »flache Schüssel, Schale, Platte«.

Schuster: Die älteste dt. Bezeichnung des Schuhmachers ist ahd. *sūtāri,* mhd. *sūter,* das wie aengl. *sūtēre* auf lat. *sutor* »[Flick]schuster« (eigentlich »Näher«) zurückgeht. Dieses Wort, das gelegentlich auch den Schneider bezeichnen konnte, wurde im Mhd. verdeutlicht zu *schuoch-sūter,* das weiterhin spätmhd. *schuo[ch]ster, schuster* ergab. – Abl.: **schustern** (17. Jh.; ugs. für »Pfuscharbeit machen«, besonders in **zurechtschustern, zusammenschustern**), dazu **zuschustern** »heimlich zukommen lassen« (18. Jh.).

Schuster

auf Schusters Rappen
(ugs.) »zu Fuß«
Mit ›Rappen‹ sind hier scherzhaft die vom Schuster hergestellten schwarzen Schuhe gemeint.

Schutt: Das erst frühnhd. bezeugte Substantiv (im 15. Jh. *schut*) ist eine Ableitung von dem unter ↑schütten behandelten Verb. Es bezeichnete ursprünglich künstliche Aufschüttungen (z. B. Bollwerke bei Belagerungen), aber auch wie heute den Bauschutt und anderen Abfall, seit dem 17. Jh. Gebäude- und Felstrümmer. Siehe auch den Artikel *Schotter.*

schütteln: Mhd. *schüt[t]eln,* ahd. *scutilōn* ist eine nur dt. Intensivbildung zu dem unter ↑schütten behandelten Verb in dessen Grundbedeutung »heftig bewegen«. – Zus.: **Schüttelfrost** (19. Jh.); **Schüttelreim** »Reimspiel mit vertauschten Silbenanlauten« (Ende des 19. Jh.s.).

schütten: Das auf das dt. und niederl. Sprachgebiet beschränkte Verb mhd. *schüt[t]en,* ahd. *scutten,* niederl. *schudden* »schütteln« steht im Ablaut zu aengl. *scūdan* »eilen« und ist mit der baltoslaw. Sippe von russ. *skitat'sja* »umherirren, -streichen« verwandt. Die Grundbedeutung hat sich schon in mhd. Zeit weiterentwickelt zu »ausgießen, aufhäufen, anschwemmen«. Die alte Bedeutung setzt im Nhd. nur die Intensivbildung ↑schütteln fort. Eine andere Weiterbildung ist **schüttern** »beben« (16. Jh.; dazu ↑schaudern, ↑erschüttern). Siehe auch die Artikel *Schutt* und *Schotter.*

schütter: Das ursprüngliche Mundartwort (oberd., österr.) wurde in der jungen Form mit -ü- erst im 19. Jh. schriftsprachlich. Mhd. *schiter,* ahd. *scetar* »dünn, lückenhaft« gehört wie griech. *skidarós* »dünn, gebrechlich« zu der unter ↑Schiene dargestellten Wortgruppe. Als Grundbedeutung ist »gespalten, zersplittert« anzusetzen.

schüttern ↑erschüttern, ↑schütten.

Schutz: Als Substantivbildung zu dem unter ↑schützen behandelten Verb bedeutet mhd. *schuz* »[Stau]damm, Wehr; Aufstauung des Wassers« (beachte das nhd. Fachwort **Schütz** »bewegliches Mühlenwehr«), übertragen »Schutz, Schirm«. Im Nhd. bedeutet das Wort »Abschirmung, Sicherung«.

Schütze: Als altgerm. Ableitung von dem unter ↑schießen behandelten Verb bedeutet mhd. *schütze,* ahd. *scuzz[i]o,* aengl. *scytta,* aisl. *skyti* »Schießender«. Es meint ursprünglich den Bogenschützen, später den Armbrust- und Gewehrschützen und wurde im Dt. zur militärischen Bezeichnung vor allem des Infanteristen. Seit dem Mittelalter sind die wehrhaften Stadtbürger in Schützengilden und -bruderschaften vereinigt (beachte Zusammensetzungen wie ›Schützenfest, -könig‹ usw.).

schützen: Mhd. *schützen* »aufdämmen, (Wasser) aufstauen« entwickelte übertragen die heute allein gültige Bedeutung »Schutz gewähren, beschirmen«. Es entspricht wohl mnd. *schütten* »stauen; einsperren; abwehren« und aengl. *scyttan,* engl. *to shut* »schließen, verriegeln«, die zu dem unter ↑schießen behandelten Verb in seiner

Bedeutung »[einen Riegel] vorstoßen« gehören. Doch kann das mhd. Wort auch zu mhd. *schüten* »Erde anhäufen, umwallen, bewahren«, *beschüten* »beschützen« und damit zur Sippe von ↑schütten gestellt werden. Die Grundbedeutung zeigt sich noch in **vorschützen** (mit Akkusativ) »als Vorwand benutzen«, eigentlich »eine Schutzwehr errichten« (17. Jh.). – Abl.: **Schutz** (s. d.); **Schützling** »jemand, der dem Schutz, der Fürsorge eines anderen anvertraut ist« (im 17. Jh. ›Schützlinger‹).

schwabbeln: Das ugs. für »sich zitternd bewegen, wackeln«, landsch. auch für »unnötig viel reden« gebrauchte Wort ist die mitteld. Form zu oberd. mdal. *schwappeln* (elsässisch im 15. Jh. *schwaplen*) und bedeutet eigentlich »plätschern, fortgesetzt überschwappen« (vgl. *schwappen*).

Schwabe ↑Schabe.

schwach: Das auf das dt. und niederl. Sprachgebiet beschränkte Adjektiv mhd. *swach* »schlecht, gering, unedel, armselig, kraftlos«, niederl. *zwak* »schwach, geschmeidig« ist verwandt mit mnd. *swaken* »wackeln, schwach sein« und norw. *svaga* »schwanken, schlenkern«. Die Wörter gehören zu der unter ↑schwingen behandelten germ. Wortgruppe; als Grundbedeutung des Adjektivs ist demnach »schwankend, sich biegend« anzusetzen. Im Nhd. setzte sich die Bedeutung »kraftlos«, übertragen »dünn, gehaltlos«, durch und veränderte auch den Sinn der Ableitungen: **Schwäche** »das Schwachsein, fehlende Kraft; Mangel (an etwas)« (mhd. *sweche* »dünner Teil der Messerklinge«, *swache* »Unehre«); **Schwachheit** »schwacher Zustand« (mhd. *swachheit* »Unehre, Schmach«); **schwächen** »schwach machen« (mhd. *swechen* bedeutete neben »kraftlos machen« besonders »beschimpfen; schänden«); **schwächlich** »ziemlich schwach« (mhd. *swechlich* »schmählich, schlecht«, nhd. besonders vom Körperbau); **Schwächling** »schwächlicher Mensch« (um 1700). Zus.: **Schwachsinn** (im 18. Jh. neben dem Adjektiv **schwachsinnig** für »Mangel an Empfindung und Verstand«, erst später als mildernder Ausdruck für ›Blödsinn‹ (↑blöd[e]) in medizinischem Sinne gebraucht).

S

Schwade, (auch:) [1]**Schwaden:** Die aus dem Niederd. stammende Bezeichnung für eine Reihe gemähten Grases oder Getreides erscheint hochd. erst im 16. Jh. Das gleichbed. mnd. *swat, swaden* (entsprechend niederl. *zwad[e],* engl. *swath[e]*) bedeutet auch »Furche«, wie aengl. *swaðu* »Spur, Pfad, Narbe« und afries. *swethe* »Grenze«. Beachte auch aisl. *swǫðu-sār* »Streifwunde«. Weitere Beziehungen dieser germ. Wortgruppe sind nicht gesichert.

[2]**Schwaden** »Dampf, Dunst«, bergmännisch für: »schlechte Grubenluft«: Mhd., mnd. *swadem, swaden* »Dunst«, dem aengl. *swaðul* »Rauch« entspricht, gehört zu dem untergegangenen starken Verb ahd. *swedan* »schwelend verbrennen«. Nächstverwandt ist aisl. *svīða,* schwed. *svida* »brennen, schmerzen«.

schwafeln: Die Herkunft des ugs. Ausdrucks für »unsinnig, töricht daherreden« ist nicht sicher geklärt.

Schwager: Das auf das dt. Sprachgebiet beschränkte Wort mhd. *swāger* »Schwager, Schwiegervater, -sohn«, ahd. *suāgur* »Bruder der Frau« (niederl. *zwager,* dän. *svoger,* schwed. *svåger* sind Lehnwörter aus dem Mnd.) entspricht lautlich dem aind. Adjektiv *śvāúura-ḥ* »zum Schwiegervater gehörig«. Es stellt sich also im Sinne von »der zum Schwiegervater Gehörige« zu dem gemeingerm., heute noch mdal. Wort **Schwäher** »Schwiegervater«: Mhd. *sweher,* ahd. *swehur,* got. *swaíhra,* aengl. *swēor,* aschwed. *svēr* entsprechen gleichbed. lat. *socer* (aus **svecer*), russ. *svëkor,* aind. *śvāúura-ḥ.* Beachte die weibliche Gegenbildung Schwieger (in ↑Schwiegermutter). Schriftsprachlich gilt ›Schwager‹ im Nhd. nur für den Ehemann der Schwester und den Bruder der Frau oder des Mannes. Im älteren Nhd. war es auch vertraute Anrede an Nichtverwandte (z. T. unter studentischem Einfluss) und wurde so im 18. Jh. besonders zur Bezeichnung des Postillions. – Abl.: **Schwägerin** (mhd. *swægerinne*); [sich] **verschwägern** (17. Jh.), meist im Partizip **verschwägert** »durch Heirat verwandt«.

Schwaige: Die bayr. und österr. Bezeichnung für »Alm-, Sennhütte mit Bergweide« (mhd. *sweige,* ahd. *sweiga*) hat außerhalb des Dt. keine sicheren Entsprechungen.

Schwalbe: Der altgerm. Vogelname (mhd. *swalwe, swalbe,* ahd. *swal[a]wa,* niederl. *zwaluw,* engl. *swallow,* schwed. *svala*) hat keine sicheren außergerm. Entsprechungen. Nach dem gegabelten Schwanz des Vogels heißen ein Schmetterling und eine bestimmte Holzverbindung des Zimmermanns und Schreiners seit dem 18. Jh. **Schwalbenschwanz,** ebenso seit Anfang des 19. Jh.s. scherzhaft der Frack (beachte auch engl. ugs. *swallow-tail* »Frack«).

Schwall ↑schwellen.

Schwamm: Die germ. Wörter mhd., ahd. *swamm, swamp,* aengl. *swamm,* schwed. *svamp* bezeichnen ursprünglich den Pilz, seit alters aber auch den Meerschwamm (so schon got. *swamms*), der den Germanen erst durch die Mittelmeervölker bekannt wurde. Nächstverwandt sind die unter ↑Sumpf genannten ablautenden Bildungen. Die Grundbedeutung »schwammig, porös« zeigt auch das verwandte griech. Adjektiv *somphós.* In der biologischen Fachsprache gilt ›Schwamm‹ heute nur für den Badeschwamm und für bestimmte Pilzarten (›Haus-, Baumschwamm, Stockschwämmchen‹). In der Gemeinsprache ist es seit langem dem Lehnwort ↑Pilz gewichen. – Abl.: **schwammig** »unfest, porös« (17. Jh.).

Schwan: Der altgerm. Vogelname mhd., ahd. *swan,* niederl. *zwaan,* engl. *swan,* schwed. *svan* ist verwandt mit aengl. *swinn* »Musik, Gesang«, aengl. *swinsian* »tönen, singen« und geht auf die lautnachahmende idg. Wurzel **suen-* »tönen, schallen« zurück, die außergerm. z. B. lat. *sonare* »tönen« (s. die Fremdwortgruppe um ↑*sonor*) und aind. *svánati* »ertönt, schallt« zugrunde liegt. Der Name bezeichnet ursprünglich wohl den Singschwan, der auf dem Zug Rufe ertönen lässt. Dass der Schwan vor dem Sterben singe, ist eine schon in der Antike verbreitete Sage. Danach heißt nhd. seit dem 16. Jh. das letzte Werk eines Dichters **Schwanengesang** (schwed. *svanesång*, im 19. Jh. engl. *swansong*). Ungewiss ist die Zugehörigkeit des Verbs **schwanen** in der nur dt. Fügung ›es schwant mir‹ für »ich ahne« (zuerst mnd. im 16. Jh., vielleicht mit falscher Abtrennung aus älterem ›es wanet mir‹ [zu *wähnen*, ↑Wahn]; es handelt sich aber eher wohl um einen humanistischen Sprachscherz, der lat. *olet mihi* »ich rieche, vermute etwas« mit lat. *olor* »Schwan« verknüpfte).

Schwang: Das Substantiv mhd. *swanc* »schwingende Bewegung, Hieb; lustiger Streich«, ahd. *hinaswang* »Ungestüm«, niederl. *zwang* »Schwang; Gebrauch, Gewohnheit«, aengl. *sweng* »Streich, Schlag« ist eine alte westgerm. Substantivbildung zu dem unter ↑schwingen behandelten Verb. Im Dt. wurde ›Schwang‹ seit dem 18. Jh. durch ↑Schwung verdrängt; es lebt nur noch in der Wendung ›im Schwange (d. h. sehr gebräuchlich) sein‹. Dasselbe Wort ist nhd. ↑Schwank »lustige Erzählung«, von dem sich ›Schwang‹ erst in frühnhd. Zeit unter lautlicher Angleichung an ›schwingen‹ geschieden hat.

schwanger: Mhd. *swanger*, ahd. *swangar*, niederl. *zwanger* »ein Kind erwartend« bedeutet eigentlich »schwer[fällig]«, vgl. das entsprechende aengl. *swangor* »schwer, langsam, träge«. Weitere Beziehungen des westgerm. Adjektivs sind nicht gesichert. Bildlich gebraucht werden die Zusammensetzungen **unglücksschwanger, unheilschwanger** (18. Jh.). – Abl.: **schwängern** (mhd. *swengern*); **Schwangerschaft** (17. Jh.).

Schwank: Mhd. *swanc*, das auch dem nhd. ↑Schwang vorausliegt, hat aus der Bedeutung »Schlag, Fechthieb« im 15. Jh. den Sinn »lustiger Einfall, Streich; Erzählung eines solchen« entwickelt und wurde so zur Bezeichnung für eine besonders im 16. Jh. blühende Form derbkomischer kurzer Erzählungen (seit dem 19. Jh. auch für possenartige Bühnenstücke). Der mhd. Auslaut blieb bei dem literarischen Fachwort erhalten. – Abl.: **schwankhaft** »nach Art eines Schwankes« (19. Jh.).

schwanken: Das erst spätmhd. als *swanken* bezeugte Verb ist ebenso wie ↑schwenken vom Stamm des heute seltenen Adjektivs **schwank** »biegsam, schmächtig, unsicher« (mhd., mnd. *swanc*) abgeleitet, das seinerseits mit aisl. *svangr* »dünn, biegsam, hungrig« und aengl. *svancor* »mager, geschmeidig« zu der unter ↑schwingen dargestellten germ. Wortgruppe gehört. – Abl.: **Schwankung** (16. Jh.).

Schwanz: Das ursprünglich nur im hochd. Sprachbereich gültige Wort mhd. *swanz* ist eine Rückbildung aus mhd. *swanzen* »sich schwenkend bewegen«, das seinerseits als Intensivbildung zur Sippe von ↑schwingen gehört. Mhd. *swanz* bedeutete zunächst »wiegende Bewegung beim Tanz«, dann »Schleppe, Schleppkleid« und erhielt erst von daher die Bedeutung »Tierschweif«. In dieser Bedeutung hat es das alte, heute nur mdal. Wort ›Zagel‹ verdrängt; s. auch *Schweif*. Ebenfalls schon im Mhd. tritt die ugs. Bedeutung »Penis« auf. Das Verb **schwänzen** (mhd. *swenzen* »schwenken, putzen, zieren«) stand ursprünglich selbstständig neben dem erwähnten mhd. *swanzen*, wurde aber früh auf ›Schwanz‹ bezogen. Im 16. Jh. erscheint rotw. *schwentzen* »herumschlendern«, das auch Luther für »stolzieren« brauchte. Es erhielt im 18. Jh. die studentische Bedeutung »bummeln, eine Vorlesung versäumen« und gilt so besonders in der Schülersprache (›die Schule schwänzen‹). Dem älteren Sinn blieb **schwänzeln** »geziert auf und ab gehen, schmeicheln« nahe (mhd. *swenzeln* »schwenken, zieren«).

schwappen: Die lautmalende Interjektion **schwapp!** für ein klatschendes Geräusch ist – neben ›schwipp!‹ (↑Schwips) – seit dem 16. Jh. bezeugt. Davon abgeleitet ist das Verb **schwappen** »sich hin und her bewegen, über den Rand schlagen (von Flüssigkeiten)«, zu dem als Iterativbildung mdal. *schwappeln* (↑schwabbeln) gehört. – Lautmalende Bildungen sind auch **schwupp!, schwups!** (18. Jh., für schnelle Bewegung).

schwären: Das früher starke Verb mhd. *swern* »schmerzen, schwellen, eitern«, ahd. *sweran* »schmerzen«, niederl. *zweren* »eitern« kommt in anderen germ. Sprachen nicht vor. Außergerm. ist wahrscheinlich die Sippe von russ. *chvoryj* »kränklich« verwandt. Die Ableitung **Schwäre** »Geschwür« (mhd. *[ge]swer*, ahd. *swero, gaswer* »leiblicher Schmerz, Geschwür«) zeigt, dass der allgemeine Sinn »schmerzen« schon früh besonders auf eiternde Wunden bezogen wurde. Jünger ist ↑Geschwür.

S

Schwarm: Das altgerm. Substantiv mhd., ahd. *swarm* »Bienenschwarm«, niederl. *zwerm*, engl. *swarm*, schwed. *svärm* »Schwarm« bezeichnete ursprünglich wohl den Bienenschwarm. Es gehört mit mhd. *surm* »Gesums« und aisl. *svarra* »brausen, sausen« zu der unter ↑schwirren dargestellten lautnachahmenden Wortgruppe. Als ugs. Rückbildung zu ›schwärmen‹ bedeutet das Wort »Liebhaberei«, auch »Geliebte[r]«.

Schwarte: Das westgerm. Substantiv mhd. *swart[e]*, niederl. *zwoerd*, engl. *sward* (beachte aisl. *svorðr*) bezeichnet ursprünglich die behaarte menschliche Kopfhaut oder die Haut von Tieren. Im Engl. und z. T. im Nord. hat sich die Bedeutung »Rasendecke« entwickelt. Die Herkunft des Wortes ist unbekannt. Im Nhd. bezeichnet ›Schwarte‹ vor allem die Schweinshaut (Speckschwarte; dazu **Schwartenmagen** »Presswurst mit gehackten Schwarten«, 18. Jh.). Alte (in Schweinsleder gebundene) Bücher heißen seit dem 17. Jh. verächtlich ›Schwarten‹. Die Bedeutung »rindiges Außenbrett eines zersägten Stammes« ist seit mhd. Zeit bezeugt.

schwarz: Das gemeingerm. Farbadjektiv mhd., ahd. *swarz,* got. *swarts,* älter engl. *swart,* schwed. *svart* (dazu ablautend aisl. *sorti* »Dunkel, dichter Nebel«, *sorta* »schwarz werden«) ist verwandt mit der Sippe von lat. *sordere* »schmutzig sein« und bedeutet ursprünglich etwa »dunkel, schmutzfarbig«. Noch jetzt bezeichnet es oft das Dunkle, z. B. in ›schwarzer Tee‹ und den Zusammensetzungen **Schwarzbrot** (14. Jh.) und **Schwarzwild** (mhd. *swarzwilt*). So wird es in neuerer Sprache auch auf Dinge übertragen, die im Verborgenen geschehen (›Schwarzhandel‹, ugs. ›schwarzfahren, -hören, -sehen‹ usw.). – Abl.: **Schwärze** (mhd. *swerze,* ahd. *swerza;* nhd. auch »Mittel zum Schwärzen«, z. B. Druckerschwärze); **schwärzen** »schwarz machen« (mhd. *swerzen,* ahd. *swerzan* »schwarz machen«), dazu **anschwärzen** »verleumden« (17. Jh.); **schwärzlich** (frühnhd. *schwartzlich, -lecht;* mhd. *swarzlot*).

schwatzen, (auch:) **schwätzen:** Spätmhd. *swatzen, swetzen* ist umgebildet aus dem wohl lautnachahmenden mhd. *swateren* »rauschen, klappern« (älter nhd. *schwadern* »plätschern; schlemmen; schwätzen«). Schon früher bezeugt ist das Substantiv **Geschwätz** »dummes, inhaltloses Gerede« (mhd. *geswetze*). – Abl.: **Schwatz, Schwätzchen** ugs. für »Geplauder« (spätmhd. *swaz*); **Schwätzer** »jemand, der viel und gern redet« (spätmhd. *swetzer*); **schwatzhaft** »viel und gern redend« (im 18. Jh. für älteres *schwetzhaftig*).

schweben: Das westgerm. Verb mhd. *sweben,* ahd. *swebēn* »sich hin und her bewegen«, niederl. *zweven* »schweben«, aengl. *for[đ]-swēfian* »Erfolg haben« beruht auf der unter ↑schweifen genannten idg. Wurzel. – Abl.: **Schwebe** (mhd. *swebe;* meist in Wendungen wie ›in der Schwebe sein, halten, bleiben‹). Zus.: **Schwebebahn** »an Drahtseilen oder an einer Schiene hängende Bahn zur Personen- und Lastenbeförderung« (19. Jh.); **Schwebebalken** »Turngerät für Gleichgewichtsübungen« (Anfang des 19. Jh.s *Schwebebaum*).

Schwefel: Die altgerm. Bezeichnung des chemischen Stoffes lautet mhd. *swevel, swebel,* ahd. *sweval, swebal,* got. *swibls,* mniederl. *swēvel* (ablautend niederl. *zwavel*), aengl. *swefel.* Das Wort ist mit gleichbed. lat. *sulp[h]ur* verwandt und gehört wahrscheinlich zu der unter ↑schwelen dargestellten idg. Wurzel. Der Schwefel wäre dann als »der Schwelende« benannt worden. – Abl.: **schwefeln** »mit brennendem Schwefel behandeln« (besonders von Weinfässern; 15. Jh.); **schwef[e]lig** (mhd. *swebelic,* ahd. *swebeleg*). Zus.: **Schwefelsäure** (18. Jh.).

Schweif »[langer] Schwanz«: Die germ. Substantivbildung zu dem unter ↑schweifen behandelten Verb bedeutete ursprünglich »schwingende Bewegung«, so noch in mhd. *sweif* und der nhd. Fügung ›ohne Umschweife‹ »geradezu« (mhd. *umbesweif* »Kreisbewegung«). In konkretem Sinn bedeutete ahd. *sweif* »Schuhband«, aisl. *sveipr* »Schlingung, gekräuseltes Haar«. Die nhd. Hauptbedeutung »Schwanz« ist seit dem 14. Jh. bezeugt; heute gilt ›Schweif‹ für gewählter als ↑Schwanz. Dazu die Zusammensetzung **Schweifstern** »Komet« (18./19. Jh.; nach der leuchtenden Schweifbildung des Kometen).

schweifen: Das altgerm. Verb mhd. *sweifen,* ahd. *sweifan* »schwingen, in Drehung versetzen, bogenförmig gehen«, afries. *swēpa* »fegen«, engl. *to swoop* »sich stürzen«, aisl. *sveipa* »werfen, umhüllen« gehört mit dem unter ↑schweben behandelten Verb zu der vielfach erweiterten idg. Wurzel **su̯ĕi-* »biegen, drehen, schwingen«, vgl. z. B. lit. *sviesti* »werfen, schleudern, schlagen«. Im Nhd. bedeutet ›schweifen‹ »umherstreifen«, besonders vom Blick und den Gedanken. Von Gedankengängen werden auch ›ab-, ausschweifen‹ und die Ableitung **weitschweifig** (mhd. *wītsweific*) gebraucht. Dagegen bezeichnen **ausschweifend** und **Ausschweifung** meist das Überschreiten moralischer Grenzen. Zum transitiven Verb schweifen »bogenförmig gestalten« gehört das adjektivische 2. Partizip **geschweift.** Siehe auch den Artikel *Schweif.*

schweigen: Das westgerm. Verb mhd. *swīgen,* ahd. *swīgēn,* niederl. *zwijgen,* aengl. *swīgian* ist im Nhd. mit seinem Veranlassungswort mhd., ahd. *sweigen* »zum Schweigen bringen« zusammengefallen. Es ist vielleicht mit griech. *sīgḗ* »Schweigen«, *sīgáein* »schweigen« verwandt; andere Beziehungen sind ungeklärt. Der substantivierte Infinitiv **Schweigen** (mhd. *swīgen*) steht häufig in Fügungen wie ›eisiges Schweigen‹, ›sich in Schweigen hüllen‹. – Abl.: **schweigsam** (18. Jh.). Zus.: **stillschweigen** (mhd. *stille swīgen;* im Nhd. verstärkende Zusammenrückung [16. Jh.], ↑still), dazu **stillschweigend** »ohne Widerrede, nicht ausdrücklich« (16. Jh.); **verschweigen** (mhd. *verswīgen* »nicht nennen, für sich behalten«), dazu das adjektivische 2. Partizip **verschwiegen** »geheim haltend; geheim« (mhd. *verswigen*) und das Substantiv **Verschwiegenheit** (16. Jh.).

Schwein: Der gemeingerm. Tiername mhd., ahd. *swīn,* got. *swein,* engl. *swine,* schwed. *svin* ist eigentlich ein substantiviertes Adjektiv mit der Bedeutung »zum Schwein, zur Sau gehörig«, vgl. z. B. lat. *suinus* »vom Schwein« und russ. *svinoj* »vom Schwein«. Das zugrunde liegende idg. **su̯ino-s* ist von dem unter ↑Sau behandelten Wort abgeleitet. ›Schwein‹ bezeichnete demnach zunächst das junge Tier, ist aber in den germ. Sprachen seit alters zur allgemeinen Bezeichnung des wilden Schweins wie des Hausschweins geworden (s. weiter die Artikel *Sau, Eber, Ferkel, Frischling*). Als Schimpfwort bezieht sich Schwein schon in mhd. Zeit auf die sprichwörtliche Schmutzigkeit und Gefräßigkeit des Tieres. – Abl.: **Schweinerei** »unordentlicher [schmutziger] Zustand; ärgerliche Angelegenheit; Anstößiges« (im 17. Jh. zu älter nhd. *schweinen* »sich wie ein Schwein benehmen« gebildet); **schweinern** »vom Schwein stammend« (im 17. Jh. für älteres *schweinen*, mhd. *swīnīn*); **schweinisch** »unflätig« (18. Jh.; anders mhd. *swīnisch fleisch, smalz*). Zus.: **Schweinehund** (ursprünglich »Hund für die Saujagd«, im 19. Jh. zuerst studentensprachlich als grobes Schimpfwort); **Schweinigel** (im 17. Jh. volkstümliche Bezeichnung des Igels nach seiner Schnauzenform, wie gleichbed. niederd. *Swinegel;* aber schon im 18. Jh. Schimpfwort), dazu **schweinigeln** »Zoten reißen, obszöne Reden führen«.

Schwein

Schwein haben
(ugs.) »Glück haben«
Die Herkunft dieser Wendung ist nicht mit Sicherheit geklärt. Wahrscheinlich geht sie auf die mittelalterliche Sitte zurück, bei Wettkämpfen dem Schlechtesten als Trostpreis ein Schwein zu schenken. Wer das Schwein bekamm, erhielt etwas, ohne es eigentlich verdient zu haben. Aus dieser Vorstellung könnte die vorliegende Wendung entstanden sein.

Schweiß: Die germ. Substantive mhd., ahd. *sweiz̧*, niederl. *zweet*, aengl. *swāt*, aisl. *sveiti* bezeichnen seit alters die körperliche Ausdünstung bei Erhitzung und Krankheit. Sie gehen mit verwandten Wörtern gleicher Bedeutung in andern idg. Sprachen, z. B. aind. *svḗda-ḥ*, lat. *sudor*, lett. *sviedri*, auf die idg. Wurzel **su̯eid-* »schwitzen« zurück, zu der auch ↑schweißen und ↑schwitzen gehören. Eine Besonderheit der germ. Sprachen ist die Bedeutung »quellendes Blut von Tieren«, die im Aengl., Aisl. und vor allem seit mhd. Zeit in der dt. Weidmannssprache begegnet. Ihr Ursprung liegt wohl in religiöser Scheu: Man wollte das Blut nicht unmittelbar nennen. Zu dieser Bedeutung gehört die Zusammensetzung **Schweißhund** »Hund[erasse] zum Suchen krankgeschossenen Wildes« (17. Jh.).

schweißen: Das altgerm. Verb mhd. *sweiz̧en*, ahd. *sweiz̧z̧en*, niederl. *zweten*, engl. *to sweat*, aisl. *sveitask* gehört zu der unter ↑Schweiß dargestellten idg. Wortgruppe. Es bedeutete ursprünglich »Schweiß absondern« (dafür nhd. seit dem 18. Jh. nur ↑schwitzen), hat aber dem Substantiv entsprechend früh die Bedeutung »bluten« entwickelt, die dt. weidmännisch noch heute gilt. Die heutige technische Bedeutung des Verbs »Metallstücke bei Weißglut zusammenfügen« (zuerst im 14. Jh.) geht von dem schon ahd. bezeugten transitiven Gebrauch in der Bedeutung »braten, rösten« (eigentlich »schwitzen machen«) aus. Dabei ist heute nur die Vorstellung »fest, untrennbar verbinden« lebendig, besonders auch bei dem häufigen bildlichen Gebrauch von **zusammenschweißen** (19. Jh.). – Dazu: **Schweißer** »Facharbeiter, der schweißen kann« (19. Jh.).

schwelen »ohne Flamme langsam brennen«: Das Verb wurde im 18. Jh. aus dem Niederd. ins Hochd. übernommen. Es geht zurück auf mnd. *swelen* »schwelen; dörren; Heu machen«, mit dem z. B. aengl. *swelan* »[ver]brennen, sich entzünden« verwandt ist, und beruht mit verwandten Wörtern in anderen idg. Sprachen, z. B. lit. *svelti* »glimmen, schwelen«, auf der idg. Wurzel **su̯el-* »schwelen, brennen«. Zu dieser Wurzel stellt sich auch die unter ↑schwül behandelte Wortsippe. Im Nhd. wird ›schwelen‹ von Asche, Petroleumlampen und verborgenen Bränden gesagt (beachte die Zusammensetzung **Schwelbrand**), technisch von bestimmten Verfahren zur Gas- und Teerbereitung (dazu **Schwelerei** »Industrieanlage zum Schwelen«, 19. Jh.).

schwelgen: Das altgerm., auch im Dt. früher starke Verb bedeutet eigentlich »[ver]schlucken, schlingen« (so in mhd. *swelgen*, ahd. *swelgan* und heute noch in niederl. *zwelgen*, engl. *to swallow*, schwed. *svälja*). Es ist verwandt mit mhd. *swalch*, schwed. *svalg* »Schlund«, mnd. *swellen* »üppig leben«, engl. *to swill* »verschlingen, gierig trinken« u. a. germ. Wörtern. Besonders in frühnhd. Zeit entwickelte ›schwelgen‹ die Bedeutung »unmäßig essen und trinken« (schon mhd. *swelgen* bedeutete auch »saufen«). Daraus entstand im 18. Jh. der heutige Sinn »üppig leben; übermäßig genießen«.

Schwelle: Das nur dt., früher besonders ostmitteld. Wort (mhd. *swelle*, ahd. *swelli, swella*) hat sich durch den Sprachgebrauch der Lutherbibel gegen andere mdal. Wörter durchgesetzt. Es ist ablautend verwandt mit gleichbed. mnd. *sül[le]*, engl. *sill*, schwed. *syll*, außergerm. z. B. mit griech. *sélma* »Balken, Verdeck, Ruderbank« und lit. *súolas* »Bank« und gehört zu der idg. Wurzel **s[u̯]el-* »Balken, Brett; aus Brettern Hergestelltes«. ›Schwelle‹ bezeichnet also den »Grundbalken« des Hauses, der als tragender Bauteil auch unter der Türöffnung durchlief. – Dazu das in der Fachsprache der Psychologie gebrauchte Adjektiv **unterschwellig** »unterhalb der Bewusstseinsschwelle liegend« (Anfang des 20. Jh.s). Beachte auch den Artikel *Schwellenangst*.

[1]**schwellen:** Das altgerm. starke Verb mhd. *swellen*, ahd. *swellan*, niederl. *zwellen*, engl. *to swell*, schwed. *svälla* hat keine sicheren außergerm. Beziehungen. Ablautend gehören die Substantive

S

Schwall »Welle, Guss [Wasser]« (mhd. *swal*), ↑Schwiele, ↑Geschwulst und ↑Schwulst zu ihm. Das 2. Partizip **geschwollen** wird ugs. gern für »hochtrabend und wichtigtuerisch; schwülstig« gebraucht. Das zugehörige Veranlassungswort **²schwellen** (mhd., ahd. *swellen*) flektiert schwach.

Schwellenangst »Hemmung eines potenziellen Käufers, eine Ladenschwelle zu überschreiten«: Der besonders in der Werbepsychologie verwendete Fachausdruck ist eine in der 2. Hälfte des 20. Jh.s gebildete Lehnübersetzung von gleichbedeutend niederl. *drempelvrees* (aus niederl. *drempel* »Schwelle« und *vrees* »Furcht«).

schwemmen: Als westgerm. Veranlassungswort zu ↑schwimmen bedeutet mhd., mniederl. *swemmen*, aengl. *be-swemman* »schwimmen machen, durch Eintauchen reinigen«. Insbesondere werden Pferde geschwemmt. Dazu die Ableitung **Schwemme** »Badeplatz für Vieh und Pferde« (spätmhd. *swemme;* die Bedeutung »einfache Schankstube«, zuerst im 16. Jh. belegt, beruht auf einem scherzhaften Vergleich). Häufiger als das einfache Verb sind unfeste Zusammensetzungen wie ›an-, wegschwemmen‹. Erst nhd. sind **aufschwemmen** »dick machen, auftreiben« und **überschwemmen** »überfluten« (16. Jh.), dazu **Überschwemmung.**

Schwengel »bewegliche Stange an einer Pumpe, die durch Vor- und Rückwärtsbewegung die Saugvorrichtung in Tätigkeit setzt«: Das Substantiv (mhd. *swengel*, entsprechend niederl. *zwengel*) gehört zu dem unter ↑schwingen behandelten Veranlassungswort: älter nhd. *schwengen* »schwenken« (eigentlich »schwingen lassen«), mnd. *swengen*, älter engl. *to swinge* »geißeln«. Beachte auch die Zusammensetzung ›Glockenschwengel‹ »Klöppel«.

schwenken: Das westgerm. Verb mhd., ahd. *swenken* »schwingen machen, schleudern; schwanken, schweben, sich schlingen«, niederl. *zwenken* »sich drehen«, aengl. *svencan* »plagen, quälen« stellt sich zu dem unter ↑schwanken genannten Adjektivstamm und weiter zur Sippe von ↑schwingen. Im Nhd. hat es sich durch Ausgleich mit ›schwanken‹ auf seine ursprüngliche Rolle als Veranlassungswort beschränkt. – Abl.: **Schwenker** (ostd. im 18. Jh. für »Jacke mit angesetzten Schößen«; jetzt auch »Kognakglas«).

S

schwer: Das gemeingerm. Adjektiv mhd. *swære*, ahd. *swār[i]* »schwer«, got. *swers* »geachtet, geehrt«, aengl. *swǣr[e]*, schwed. *svår* »schwer« geht von der Grundbedeutung »Gewicht habend« aus und ist verwandt mit der baltoslaw. Sippe von lit. *svarùs* »schwer, schwer wiegend, wichtig« und *svérti* »wägen, wiegen«. Neben der bis heute festgehaltenen Grundbedeutung hat ›schwer‹ schon in ahd. Zeit den übertragenen Sinn »drückend, beschwerlich, lastend« entwickelt, in dem es besonders Arbeit, Not, Krankheit und Sünde kennzeichnet. An weiteren Übertragungen ist vor allem die Bedeutung »schwierig« zu nennen. Hierher gehört die Zusammenbildung **schwerhörig** (aus ›schwer, d. h. mit Anstrengung, hörend‹, 19. Jh.). Nicht sicher erklärt ist **schwerfällig** »unbeholfen, schwer beweglich« (18. Jh., aber schon mnd. *swārvellich*). – Abl.: **Schwere** »das Schwersein, lastendes Gewicht; hoher Grad, Ausmaß« (mhd. *swære*, ahd. *swārī*); **schwerlich** (als Adverb mhd. *swærlīche* »drückend, mühsam«, ahd. *swārlīhho;* seit dem 16. Jh. für »kaum«, eigentlich »mit Mühe«); **beschweren** (s. d.).

Schwert: Die Herkunft des altgerm. Substantivs mhd., ahd. *swert, swerd*, niederl. *zwaard*, engl. *sword*, schwed. *svärd* ist nicht geklärt. In der Neuzeit ist das Wort mit dem Aufkommen anderer Hiebwaffen (z. B. Degen, Säbel) außer Gebrauch gekommen und wird nur noch historisch oder bildlich angewendet (z. B. ›Schwert des Geistes‹). Nach seinem schwertförmig verlängerten Kieferfortsatz ist der **Schwertfisch** (18. Jh.) benannt worden, nach ihren schwertartigen Blättern die ›Schwertlilie‹ (18. Jh.).

Schwester: Der gemeingerm. Verwandtschaftsname mhd., ahd. *swester*, got. *swistar*, aengl. *sweostor*, aisl. *systir* (daraus entlehnt engl. *sister*), schwed. *syster* geht zurück auf idg. **su̯esor-* »Schwester«. Außerhalb des Germ. entsprechen z. B. gleichbed. aind. *svásar-*, lat. *soror* (dazu *consobrinus* »Geschwisterkind«, ↑Cousin) und (aus **sesor-*) lit. *sesuõ*, russ. *sestra*. Wie ↑Bruder wird auch ›Schwester‹ übertragen gebraucht, besonders für die Mitglieder der religiösen Gemeinschaften. Da die Krankenpflege ursprünglich zu den Aufgaben geistlicher Orden gehörte, ist **Krankenschwester** im 20. Jh. schließlich zur Berufsbezeichnung geworden (ähnlich ›Säuglings-, Kinderschwester‹). Die Zusammensetzung **Betschwester** (mhd. *betswester* »Nonne«) bezeichnet seit dem 16. Jh. abfällig eine überfromme weibliche Person. – Abl.: **schwesterlich** (mhd. *swesterlich*); **verschwistert** »als Geschwister verbunden, zusammengehörig« (2. Partizip zu dem Verb ›sich verschwistern‹, 18. Jh.) Siehe auch *Geschwister.*

Schwiegermutter: Die nhd. Zusammensetzung tritt erst im 16. Jh. verdeutlichend neben das gleichbedeutende alte Wort **Schwieger** (mhd. *swiger*, ahd. *swigar*, aengl. *swegar*, ähnlich got. *swaíhrō*, aisl. *svǣra*). Dieses Substantiv ist, wie entsprechende Wörter in andern idg. Sprachen zeigen (z. B. lat. *socrus*, russ. *svekrov'*, aind. *śvaśrū́-ḥ*), eine schon idg. weibliche Gegenbildung zu dem unter ↑Schwager genannten Wort für »Schwiegervater« (dt. mdal. *Schwäher*). Nach dem Muster von ›Schwiegermutter‹ entstanden ebenfalls im 16. Jh. die Zusammensetzungen **Schwiegervater** und **Schwiegersohn**, später auch **Schwiegertochter** (17. Jh.) und **Schwiegereltern** (18. Jh.). Erst im Laufe des 18. Jh.s bürgerten sich alle diese Zusammensetzungen in der Schriftsprache ein.

Schwiele: Das westgerm. Substantiv mhd. *swil[e]*, ahd. *swil[o]* »Geschwulst, harte Hautstelle«, mniederl. *swil* »Schwiele«, aengl. *swile* »Geschwulst, Schwellung« gehört ablautend zu dem unter ↑[1]schwellen behandelten Verb. Das weibliche Geschlecht hat sich im 16. Jh. (frühnhd. *Schwillen*) aus dem alten schwachen Plural entwickelt, die heutige Form erscheint zuerst im 17. Jh. – Abl.: **schwielig** (im 17. Jh. schwillig, schwielicht).

schwierig »viel Mühe machend, Anstrengungen erfordernd, nicht einfach«: Das nur dt. Adjektiv mhd. *swiric, sweric* »voll Schwären, eitrig« wird in diesem Sinn als *schwirig, schwürig* bis ins 19. Jh. gebraucht. Es gehört zu der unter ↑schwären behandelten Wortsippe. Seit dem 16. Jh. steht es häufig übertragen für »aufrührerisch, aufsässig«. Daraus entsteht um 1800 die Bedeutung »schwer zu behandeln«. Vom Sprachgefühl wird das Adjektiv als Weiterbildung von ↑schwer aufgefasst. – Abl.: **Schwierigkeit** (18. Jh.; in dem Wort sind die Formen frühnhd. *schwerig-, schwirigkeit* »Vereiterung« und spätmhd. *swærecheit* »Schwere, Beschwerlichkeit« zusammengeflossen).

Schwimmdock ↑Dock.

schwimmen: Das altgerm. starke Verb mhd. *swimmen*, ahd. *swimman*, niederl. *zwemmen*, engl. *to swim*, aisl. *svim[m]a* (schwed. *simma*) bildet mit seinem westgerm. Veranlassungswort ↑schwemmen und einigen ablautenden Wörtern (z. B. schwed. *svamla* »faseln«, eigentlich »herumplätschern«) eine Wortgruppe, deren außergerm. Beziehungen nicht geklärt sind. Die Hauptbedeutung »sich im Wasser fortbewegen« gilt von Anfang an, und zwar ursprünglich nur vom Menschen. Die Bedeutung »ineinander fließen, undeutlich werden« (›es schwimmt mir vor den Augen‹) kommt im 18. Jh. auf; dazu gleichbedeutend **verschwimmen** (18. Jh.) und besonders das 2. Partizip **verschwommen** »nebelhaft, unklar, unscharf«. – Abl.: **Schwimmer** (spätmhd. *swimmer* »jemand, der schwimmt«; seit dem 19. Jh. auch für schwimmende Teile von Geräten).

schwindeln: Mhd. *swindeln*, ahd. *swintilōn* bedeutet als Weiterbildung des unter ↑schwinden behandelten Verbs ursprünglich »in Ohnmacht fallen«, wird aber schon im Ahd. unpersönlich gebraucht für »Schwindelgefühle haben« (›mir schwindelt‹). Rückbildung dazu ist **Schwindel** »Taumel, Benommenheit« (spätmhd. *swindel*). Die heutige zweite Bedeutung der Wortgruppe (»betrügen, Betrug«) hat sich aus der Ableitung **Schwindler** entwickelt, die im 17. Jh. »Schwärmer, Fantast« bedeutete, zu Ende des 18. Jh.s aber unter den Einfluss von engl. *swindler* »Betrüger« geriet (das als Wort selbst aus dem Dt. stammt). Dazu **Schwindelei** »[leichter] Betrug« (nordd., Ende des 18. Jh.s). Das Adjektiv **schwind[e]lig** (16. Jh.) bezieht sich dagegen stets auf den körperlichen Schwindel.

schwinden: Das starke Verb mhd. *swinden*, ahd. *swintan* »abnehmen, sich verzehren, vergehen«, aengl. *swindan* »abnehmen, schmachten« ist wahrscheinlich mit der slaw. Sippe von russ. *vjanut'* »welken« verwandt. Zu ›schwinden‹ gehören auch das Veranlassungswort mhd. *swenden* »schwinden machen, vertilgen; ausroden« (↑verschwenden), die Weiterbildung ↑schwindeln und die Substantivbildung **Schwund** »das Schwinden, Verringerung, Abnahme« (Anfang des 19. Jh.s). Völliges Vergehen drückt die Präfixbildung **verschwinden** (mhd. *verswinden*, ahd. *farsuindan*) aus; sie kann für »verzehrt, vernichtet werden« ebenso stehen wie für »außer Gebrauch kommen« und bloßes »unsichtbar werden«. Die Zusammensetzung **Schwindsucht** (spätmhd. *swintsucht*, Wiedergabe von griech. *phthísis* »das Schwinden, Auszehrung«) bezeichnete früher die Tuberkulose.

schwingen: Das westgerm. starke Verb mhd. *swingen*, ahd. *swingan*, mniederl. *swingen*, engl. *to swing* (↑Swing) bedeutet »mit Kraft bewegen oder schlagen«, reflexiv »aufspringen, -fliegen; schweben«. Nahe verwandt ist die Sippe von ↑schwanken, die von einer Grundbedeutung »biegsam, schmächtig« ausgeht, ebenso die nasallose Sippe von ↑schwach (eigentlich »schwankend, biegsam«). Mit diesen germ. Wortgruppen vergleicht sich z. B. air. *seng* »schlank«. – Ableitungen sind (neben den ablautenden ↑Schwang und ↑Schwung): **Schwinge** »Schwinggerät, Vogelflügel« (mhd. *swinge* »Schwingholz für Flachs; flacher, ovaler Korb, der zum Reinigen der Getreidekörner hin und her geschwungen wird«; als »Flügel« zuerst in der Falknerei, 16. Jh.), dazu **beschwingt** »beflügelt, leicht« (18. Jh.); **Schwingung** (18. Jh., besonders in physikalischem Sinn). Die heute selten gebrauchte Präfixbildung **erschwingen** (mhd. *erswingen* »schwingend in Bewegung setzen; im Schwung erreichen«) bedeutet »Kosten aufbringen« (16. Jh.), dazu **erschwinglich** »finanziell gut zu bewältigen, billig« (18. Jh.).

Schwips (ugs. für:) »leichter Rausch«: Das Wort erscheint zuerst österr. im 19. Jh. Es gehört zu mdal. *schwippen* »leicht hin und her schwanken« (eigentlich von Flüssigkeiten, vgl. die Interjektion *schwipp!*, die lautnachahmenden Ursprungs ist).

schwirren: Das im 17. Jh. aus [m]nd. *swirren* ins Hochd. übernommene Verb entspricht gleichbed. niederl. *zwirrelen* und aisl. *sverra* »wirbeln«. Die lautmalende Wortgruppe, zu der auch die unter ↑Schwarm und ↑surren behandelten Wörter gehören, lässt sich mit außergerm. Wörtern wie lat. *susurrus* »das Zischen« und aind. *svárati* »ertönt, schallt« vergleichen, ohne dass Urverwandtschaft bestehen müsste.

schwitzen: Das nur dt. Verb mhd. *switzen*, ahd. *swizzen* »Schweiß absondern« (dafür früher auch ↑schweißen) gehört ablautend zu der unter ↑Schweiß genannten Wurzel, vgl. das entsprechend gebildete aind. *svídyati* »schwitzen«. Die Wendung ›etwas verschwitzen‹ ugs. für »vergessen« ist seit dem 18. Jh. belegt.

Schwof: Die ugs. Bezeichnung für ein öffentliches Tanzvergnügen beruht auf einer ostmitteld. Form von ↑Schweif »Schwanz«. Sie kam Anfang des 19. Jh.s in Studentenkreisen auf und ist wohl in der Bedeutung durch das Verb **schwofen** »schweifen, sich hin und her bewegen, tanzen« beeinflusst worden.

schwören: Das gemeingerm. starke Verb mhd. *swern, swer[i]gen,* ahd. *swerian,* got. (anders gebildet) *swaran,* engl. *to swear,* schwed. *svär[j]a* ist von Anfang an ein Wort des Rechtswesens. Die Grundbedeutung »sprechen, [vor Gericht] Rede stehen« zeigt sich noch in den Ableitungen aisl., schwed. *svar,* aengl. *and-swaru,* engl. *answer* »Antwort«. Außerhalb des Germ. ist z. B. die Sippe von russ. *svara* »Streit, Zank« (eigentlich »Rede und Gegenrede«) verwandt. – Zu ›schwören‹ gehören die Substantive **Geschworene** (s. d.), **Schwur** (s. d.). Die Präfixbildung **beschwören** (mhd. *beswern,* ahd. *biswerian)* bedeutet ursprünglich, wohl unter Nachwirkung der alten Grundbedeutung von schwören (s. o.), »inständig, feierlich bitten«, seit mhd. Zeit auch »durch Zauberworte bannen oder rufen«. Erst nhd. ist die Bedeutung »durch Eid bekräftigen«. Dagegen stand **verschwören** (mhd. *verswern,* ahd. *farswerian*) ursprünglich verstärkend für ›schwören‹. Seine heutige Bedeutung »sich heimlich [durch Eide] verbünden« ist dem lat. *coniurare* entlehnt, das im 16. Jh. durch ›zusammen schwören‹, ›sich zusammen verschwören‹ übersetzt worden war. Dazu **Verschwörer** (19. Jh.; in anderem Sinn mhd. *verswerer*) und **Verschwörung** (17. Jh.; in anderem Sinn mhd., ahd. *verswerunge*).

schwül: Das Adjektiv wurde im 17. Jh. in der Form *schwul* aus dem Niederd. ins Hochd. übernommen. Niederd. *swōl, swūl, swöl,* niederl. *zwoel* »drückend heiß« gehört ablautend zu der unter ↑schwelen dargestellten Wortgruppe. Die nhd. Form ist im 18. Jh. wohl unter Einfluss von ›kühl‹ entstanden. Die nicht umgelautete Form **schwul** ist seit dem 19. Jh. ugs. und in jüngerer Zeit als Eigenbezeichnung für »homosexuell« gebräuchlich, substantiviert **Schwule** »Homosexuelle[r]«.

Schwulst: Mhd. *swulst* »Schwiele, Geschwulst« gehört zu dem unter ↑ [1]schwellen behandelten Verb. Es ist im Nhd. durch die ältere Bildung ↑Geschwulst aus seiner eigentlichen Bedeutung verdrängt worden. Der übertragene Sinn »Aufgeblasenheit« erschien im 18. Jh.; das Wort wurde bald auf den überladenen Stil der Barockdichtung angewandt. Das abgeleitete Adjektiv **schwulstig** »aufgeschwollen, aufgeworfen« (16. Jh.) wird schon von Luther für ›aufgeblasene‹ Worte verwendet. Im übertragenen Sinn »überladen, weitläufig« gilt seit dem 18. Jh. die umgelautete Form **schwülstig** (s. auch *geschwollen* [↑ [1]schwellen]).

Schwund ↑schwinden.

Schwung »kraftvolle, rasche [bogenförmige] Bewegung; Elan«: Das Substantiv spätmhd. *swunc* ist eine nur dt. Substantivbildung zu dem unter ↑schwingen behandelten Verb und bedeutet eigentlich »das Schwingen«. – Abl.: **schwunghaft** (Anfang des 19. Jh.s, meist in der Wendung ›einen schwunghaften Handel treiben‹). Zus.: **Schwungfeder** (im 18. Jh. für älteres Schwingfeder); **Schwungkraft, Schwungrad** (18. Jh.); **schwungvoll** (18. Jh.).

schwupp!, schwups! ↑schwappen.

Schwur: Die nur dt. Substantivbildung zu dem unter ↑schwören behandelten Verb (mhd. *swuor,* ahd. *eid-swuor*) ist gegenüber dem alten Rechtswort ↑Eid immer selten geblieben. Meist bedeutet es »Beteuerung«, früher auch »Fluch«. – Zus.: **Schwurgericht** (Ende des 19. Jh.s für älteres *Geschworenengericht*).

sechs: Das gemeingerm. Zahlwort mhd., ahd. *sehs,* got. *saíhs,* engl. *six,* schwed. *sex* geht mit Entsprechungen in den meisten anderen idg. Sprachen auf idg. **s[u̯]eks* »sechs« zurück, vgl. z. B. gleichbed. lat. *sex* und griech. *héx* (↑Samt). – Abl.: **sechste** (Ordnungszahl; mhd. *sehste,* ahd. *seh[s]to;* vgl. außergerm. z. B. lat. *sextus,* ↑Sexta). Zus.: **Sechstel** (mhd. *sehsteil;* vgl. *Teil*); **sechzehn** (mhd. *sehzehen,* ahd. *seh[s]zēn*); **sechzig** (mhd. *sehzic,* ahd. *seh[s]zug;* zum zweiten Bestandteil vgl. *...zig*), dazu der Name des Kartenspiels **Sechsundsechzig** (19. Jh.; nach der Zahl der zum Gewinnen nötigen Punkte).

See: Das gemeingerm. Substantiv mhd. *sē,* ahd. *sē[o]* »Binnensee, Meer«, got. *saiws* »Binnensee, Marschland«, engl. *sea* »Meer«, schwed. *sjö* »Meer, Binnensee« ist etymologisch unerklärt. Zu dem ursprünglich männlichen Geschlecht kam in den westgerm. Sprachen das weibliche. Die Unterscheidung nach der Bedeutung hat sich erst im Nhd. voll ausgebildet, doch ist schon mnd. *sē* in der Bedeutung »Meer« meist weiblich. – Zus.: **Seemann** (nhd. im 17. Jh.; älter ist niederl. *zeeman*); **Seehund** (frühnhd. für mnd. *sēlhunt,* das mit engl. *seal* »Robbe, Seehund« verwandt ist); **seekrank** (17. Jh.). Dagegen gehört **Seerose** (18. Jh.; entsprechend mhd. *sēbluome*) zur Bedeutung »Binnensee«.

Seele: Das altgerm. Wort mhd. *sēle,* ahd. *sē[u]la,* got. *saiwala,* niederl. *ziel,* engl. *soul* ist wahrscheinlich eine Ableitung von dem unter ↑See behandelten Wort mit der Grundbedeutung »die zum See Gehörende«. Nach alter germanischer Vorstellung wohnten die Seelen der Ungeborenen und der Toten im Wasser. Der heutige Inhalt des Wortes ist stark vom Christentum geprägt worden. In übertragenem Sinn steht ›Seele‹ für »Inneres eines Dings«, z. B. in der Bedeutung »Inneres des Laufs oder Rohrs einer Feuerwaffe« (18. Jh.).

Seestern ↑Stern.

Segel: Das altgerm. Substantiv mhd. *segel,* ahd. *segal,* niederl. *zeil,* engl. *sail,* schwed. *segel* gehört wahrscheinlich im Sinne von »abgeschnittenes Tuchstück« zu der unter ↑Säge behandelten Wortgruppe, vgl. die verwandten Wörter aisl. *segi* »Fleischstreifen«, *sǣgr* »losgerissenes Stück«. – Abl.: **segeln** (mhd. *sigelen,* mnd. *sēgelen, seilen;* vgl. engl. *to sail,* schwed. *segla*), dazu **Segler** (spätmhd. *segeler,* mnd. *sēgeler* »Schiffer«, seit dem 18. Jh. für »Segelschiff«). Zus.: **Segelflug** (im 20. Jh. für den motorlosen Flug); **Segelschiff** (seit dem 16. Jh. Gegenwort zu ›Ruderschiff‹, jetzt zu ›Dampfschiff‹ und ›Motorschiff‹); **Segeltuch** »grobes Leinen für Segel« (18. Jh.; mhd. *segeltuoch* bedeutete »Segel«).

Segment »Kreis- oder Kugelabschnitt; Körperabschnitt«: Der hauptsächlich mathematische Terminus wurde im 16. Jh. aus lat. *segmentum* »Schnitt; Einschnitt; Abschnitt« entlehnt. Dies gehört zu lat. *secare* »schneiden, abschneiden« (vgl. *sezieren*).

segnen: Das altgerm. Verb mhd. *segenen* »das Zeichen des Kreuzes machen, bekreuzigen, segnen«, ahd. *seganōn,* niederl. *zegenen,* aengl. *segnian,* aisl. *signa* beruht auf einer frühen Entlehnung aus lat.-kirchenlat. *signare* »mit einem Zeichen versehen, [be]zeichnen, siegeln, versiegeln; das Zeichen des Kreuzes machen«, das von lat. *signum* »Zeichen, Merkzeichen, Kennzeichen; (kirchenlat.:) Zeichen des Kreuzes« abgeleitet ist. Über weitere etymologische Zusammenhänge vgl. den Artikel *Signum.* – Eine alte Rückbildung aus dem Verb ›segnen‹ ist das Substantiv **Segen** (mhd., mnd. *segen* »Zeichen des Kreuzes, Segen, Segensspruch; Gnade«, ahd. *segan;* vgl. entsprechend niederl. *zegen*). Zu ›segnen‹ gehört ferner das abgeleitete Substantiv **Segnung** (mhd. *segenunge*).

sehen: Das gemeingerm. starke Verb mhd. *sehen,* ahd. *sehan,* got. *saiƕan,* engl. *to see,* schwed. *se* beruht mit verwandten Wörtern in anderen idg. Sprachen auf der idg. Wurzel **sekᵘ̯-* »bemerken, sehen«. Deren eigentliche Bedeutung »[mit den Augen] verfolgen« ergibt sich aus den verwandten Sippen von lat. *sequi* »[nach]folgen, verfolgen« (s. die Fremdwortgruppe um *konsequent*), aind. *sácatē* »er begleitet, folgt« und lett. *sekt* »folgen, spüren, wittern«. Wahrscheinlich liegt ein alter Jagdausdruck zugrunde, der sich auf den verfolgenden und spürenden Hund bezog. Aus der Bedeutung »bemerken« hat sich weiterhin über »zeigen, ankündigen« die Bedeutung »sagen« entwickelt, die in der unter ↑sagen behandelten Wortgruppe erscheint. Siehe auch den Artikel *seltsam.* – Abl.: **Seher** (von Luther für »Prophet« gebraucht, aber erst seit dem 18. Jh. eingebürgert; mhd. *sternseher* bedeutet »Astronom«; im Nhd. steht ›Seher‹ in Zusammensetzungen wie ›Hell-, Fern-, Schwarzseher‹); **Sicht** (s. d.; s. auch *Gesicht*). Zus.: **sehenswürdig** (18. Jh.), dazu **Sehenswürdigkeit** (nach 1800); **Sehkraft** (im 17. Jh. ›Sehenskraft‹). Die verbalen Zusammensetzungen haben wie das einfache Verb viele übertragene Bedeutungen entwickelt, z. B.: **absehen** (frühnhd. für »abmessen, -schätzen«, besonders »mit der Büchse zielen«; daher die Wendung ›es auf jemanden abgesehen haben‹), dazu **absehbar** »überschaubar« (18. Jh.) und **Absicht** »Bestreben, Wollen« (im 17. Jh. für älteres ›Absehen‹, eigentlich »Zielrichtung, -punkt«), dazu **absichtlich** »mit Absicht, vorsätzlich« (18. Jh.) und **beabsichtigen** (18. Jh.; daneben auch die heute nicht mehr gebräuchliche Form *beabsichten*); **ansehen** (mhd. *anesehen,* ahd. *anasehan*), dazu **Ansicht** (mhd. *anesiht,* ahd. *anasiht* »Anblick«, im 18. Jh. aus dem Niederd. wieder aufgenommen; jetzt meist übertragen für »geistige Auffassung« und für »Wiedergabe eines Anblicks«, z. B. in **Ansichtskarte,** Ende des 19. Jh.s); eine andere Bedeutung entwickelten **Ansehen** (frühnhd. für »Achtung, Wertschätzung«; mhd. *ansehen* bedeutete nur »Anblick, Angesicht«) sowie die Adjektive **angesehen** »geachtet« (18. Jh.) und **ansehnlich** »auffallend, bedeutend« (16. Jh.); **aufsehen** (mhd. *ūfsehen,* ahd. *ūfsehan* »emporblicken«, frühnhd. für »auf etwas achten«), dazu im 16. Jh. **Aufsehen** »öffentliche Beachtung«, **Aufseher** »jemand, der auf etwas achtet, aufpasst« und **Aufsicht** »das Achten auf etwas« (schon im 15. Jh. **beaufsichtigen**); **aussehen** (mhd. *ūȥsehen* »hinaussehen«, nhd. für »sich den Augen zeigen«), dazu **Aussehen** »äußere Erscheinung« (17. Jh.) und **Aussicht** »Blick nach draußen, in die Zukunft« (um 1700 in der Gartenkunst gebraucht); **einsehen** (zu mhd. *īnsehen* »geistiges Hineinblicken«; im 18. Jh. für »erkennen«), dazu **Einsicht** »das Einsehen; Erkenntnis« und **einsichtig** »vernünftig, verständnisvoll« (18. Jh.); **nachsehen** (in der Bedeutung »gewähren lassen, nicht tadeln« erst im 16. Jh.), dazu **Nachsicht** »verzeihendes Verständnis« und **nachsichtig** »voller Nachsicht« (18. Jh.); **vorsehen** (mhd. *vürsehen* »vorwärts sehen«, reflexiv »Vorsorge tragen«), dazu **Vorsehung** (mhd. *vürsehunge* »Aufsicht, Schutz«; im 18. Jh. eingeengt auf die Bedeutung »nicht beeinflussbare, nicht berechenbare über die Welt herrschende göttliche Macht«) und die Wörter **Vorsicht** »aufmerksames, besorgtes Verhalten (zur Verhütung eines möglichen Schadens)« (mhd. *vürsiht,* ahd. *foresiht* »Vorsorge«) und **vorsichtig** »mit Vorsicht« (mhd. *vür-, vorsihtic,* ahd. *foresihtīg*), die sich jetzt an ›sich vorsehen‹ »behutsam sein« angeschlossen haben. – Die Präfixbildung [sich] **versehen** (mhd. *versehen,* ahd. *far-, firsehan*) hat mehrere Bedeutungen, jetzt besonders »[stellvertretend] verwalten« (16. Jh.), »ausstatten, versorgen« (mhd.), »sich irren, etwas falsch machen« (nhd.; schon mhd. für »verwechseln«), dazu **Versehen** »Fehler« (17. Jh.). Schon im Ahd. steht *sich firsehan* für »hoffend erwarten, vertrauen« (daher nhd. ›ehe man sichs versieht‹ »unerwartet«); dazu gehört das Substantiv **Zuversicht** (mhd. *zuoversiht,* ahd. *zuofirsiht* »Vertrauen, Hoffnung«).

Sehne: Das altgerm. Substantiv mhd. *sen[e]we, sene,* ahd. *sen[a]wa,* niederl. *zenuw, zeen,* engl. *sinew,* schwed. *sena* gehört mit verwandten außergerm. Wörtern, z. B. awest. *hinu-* »Band, Fessel«, mir. *sin* »Kette, Halsband«, zu der unter ↑Seil dargestellten Wortgruppe. Bis in die Neuzeit hinein wurden oft auch Adern, Nerven und Muskeln als Sehnen bezeichnet, daher bedeutet das Adjektiv **sehnig** (im 15. Jh. *synnig, senicht*) oft auch »muskulös«. Als mathematischer Begriff geht ›Sehne‹ schon in mhd. Zeit von der Vorstellung der Bogensehne aus, wird aber erst im 16. Jh. neben lat. *chorda* (eigentlich »Darmsaite«) als Fachwort benutzt. Als verdunkeltes Grundwort kann ›Sehne‹ in den Wörtern ›Hachse‹ und ›Ochsenziemer‹ (s. d.) enthalten sein.

sehnen, sich: Das auf das dt. Sprachgebiet beschränkte Verb (mhd. *senen* »sich härmen, liebend verlangen«) ist unbekannter Herkunft. An den alten Gebrauch ohne Reflexiv erinnern noch Fügungen wie ›sehnende Liebe‹ und die transitive Präfixbildung **ersehnen** »sehnsüchtig erwarten, verlangen« (18. Jh.). – Abl.: **sehnlich** »sehnsüchtig verlangend« (mhd. *sen[e]lich* »schmachtend, schmerzlich«). Zus.: **Sehnsucht** »inniges, schmerzliches Verlangen« (mhd. *sensuht*).

sehnig ↑Sehne.

sehr: Das Adverb dient in der nhd. Schriftsprache zur Bezeichnung des hohen Grades bei Verben und Adjektiven und ist auch im Mhd. schon so gebraucht worden. Mhd. *sēre wunt* bedeutet aber eigentlich »schmerzhaft wund«, denn mhd. *sēre* »schmerzlich, gewaltig, heftig«, ahd. *sēro,* aengl. *sāre* »schmerzlich« ist das Adverb des altgerm. Adjektivs mhd., ahd. *sēr* »wund, verwundet, schmerzlich«, niederl. *zeer,* engl. *sore,* norw. *sår* »wund«. Neben diesem steht ein gemeingerm. Substantiv mhd., ahd. *sēr,* got. *sair* »Schmerz«, engl. *sore,* schwed. *sår* »Wunde«. Im Dt. ist die Bedeutung »wund« nur noch im Verb ↑versehren erhalten. Die germ. Wörter sind wahrscheinlich mit lat. *saevus* »wütend, schrecklich, grausam« und air. *sāeth* »Leid, Krankheit« verwandt.

seicht: Das Adjektiv ist nicht sicher erklärt. Ursprünglich bedeutete es wohl »sumpfig, feucht« (so aengl. *sīhte*). Mhd. *sīht[e]* wird wie das nhd. Adjektiv von Furten und flachen Stellen im Wasser gesagt. Die Übertragung auf geistige Flachheit ist erst nhd.

Seide: Die Bezeichnung für das aus dem Gespinst der Raupen verschiedener Seidenspinner, dann auch künstlich hergestellte Gewebe (mhd. *side,* ahd. *sīda*) beruht auf einer Entlehnung aus gleichbed. mlat. *seta* bzw. aus einem roman. Abkömmling von diesem, in dem das -t- zu -d- erweicht ist (vgl. z. B. aprov. *seda* »Seide«). Die weitere Herkunft des mlat. Wortes, das auch die Quelle ist für entsprechend it. *seta,* span. *seda* und frz. *soie,* ist nicht sicher geklärt.

Seife: Das westgerm. Substantiv mhd. *seife,* ahd. *seifa, seipfa,* niederl. *zeep,* engl. *soap,* das im Ahd. und Aengl. auch »[tropfendes] Harz« bedeutete, gehört mit mhd. *sīfen,* aengl. *sīpian* »tröpfeln, sickern« zu der unter ↑Sieb behandelten Wortgruppe. Außerhalb des Germ. ist z. B. lat. *sebum* »Talg« verwandt. Die germanische Seife wurde nach römischem Zeugnis (lat. *sapo* »Seife« ist germ. Lehnwort) in fester oder flüssiger Form aus Talg, Asche und Pflanzensäften bereitet und diente vor allem zum rituellen Rotfärben der Haare vor dem Kampf. Erst später ist sie auch als Reinigungsmittel bezeugt. – Abl.: **seifen** »mit Seife behandeln« (frühnhd.; dafür jetzt meist ›ab-, einseifen‹); **einseifen** bedeutet ugs. seit dem 19. Jh. auch »übervorteilen, betrunken machen« (vielleicht unter dem Einfluss von rotw. *beseibeln, besefeln* »betrügen«, die zu jidd. *sewel* »Mist, Kot« gehören). Zus.: **Seifenblase** (17. Jh., oft bildlich gebraucht); **Seifenoper** (Mitte des 20. Jh.s; Lehnübersetzung von engl. *soap opera,* wohl weil solche Produkte ursprünglich oft über Werbung für Waschmittel finanziert wurden). Seit der 2. Hälfte des 20. Jh.s findet sich in der oben genannten Bedeutung auch das engl. Wort **Soapopera** oder die Kurzform **Soap.**

seihen: Mhd. *sīhen,* ahd. *sīhan,* aengl. *sīon* »seihen; ausfließen«, ähnlich aisl. *sīa* »seihen« stehen in grammatischem Wechsel mit mhd. *sīgen,* ahd., aengl. *sīgan* »tröpfelnd fallen, sinken« (nhd. veraltet *seigen;* dazu ↑versiegen). Als Iterativum gehört ↑sickern zur gleichen Sippe. Die Wortgruppe beruht mit verwandten Wörtern in anderen idg. Sprachen, z. B. aind. *sécatē* »gießt aus, begießt«, auf der idg. Wurzel **seikᵘ̯-* »ausgießen; rinnen, träufeln«. Das Verb ›seihen‹ (mit der häufigeren Zusammensetzung **durchseihen**) bezeichnet im Gegensatz zu dem Verb sieben (↑Sieb) das Klären und Reinigen von Flüssigkeiten, z. B. von frisch gemolkener Milch.

Seil: Das altgerm. Substantiv lautet mhd., ahd. *seil,* niederl. *zeel,* aengl. *sāl,* aisl. *seil* »Seil, Strick, Fessel«. Von ihm abgeleitet ist das Verb mhd., ahd. *seilen,* got. *in-sailjan* »anseilen, herablassen«, aengl. *sǣlan* »mit Seilen binden« (nhd. in **anseilen, abseilen**). Aus anderen idg. Sprachen gehören z. B. lit. *saĩlas* »Band, Eimerschnur« und russ. *silo* »Schlinge« (aus **si-dlo*) hierher. Die zugrunde liegende idg. Wurzel **sēi-* »binden« erscheint mit anderen Weiterbildungen auch in den dt. Wörtern ↑Sehne, ↑Saite und wahrscheinlich auch in ↑Sitte. – Abl.: **Seiler** »jemand, der Seile herstellt« (spätmhd. *seiler*); **Seilschaft** »Bergsteigergruppe an gemeinsamem Seil« (20. Jh.). Zus.: **Seiltänzer** (im 17. Jh. für älteres *Seilgänger,* spätmhd. *seilgenger, -ganger*).

Seim, seimig ↑sämig.

sein: Die Formen des Hilfszeitworts werden in allen germ. Sprachen aus drei verschiedenen Stämmen gebildet: 1. Das Präteritum nhd. *war, waren* (mhd. *was, wāren*, ahd. *was, wārun*, entsprechend got. *was*, engl. *was* usw.) und das zweite Partizip *gewesen* (mhd. Neubildung) gehören zu dem unter ↑Wesen dargestellten gemeingerm. Verb ahd. *wesan*, got. *wisan* »sein«; 2. Die Präsensformen nhd. *ist, sind, seid* (Indikativ), *sei, seist, seien, seiet* (Konjunktiv) werden in allen germ. Sprachen von der idg. Wurzel **es-* »sein« gebildet, die auch den Präsensformen von lat. *esse* (s. die Fremdwörter um *Essenz*) und griech. *eĩnai* »sein« zugrunde liegt. Beachte besonders die Übereinstimmung von mhd., ahd., got. *ist*, engl. *is*, aisl. *es* mit lat. *est*, griech. *estí*, aind. *ásti* »er ist« und von mhd., ahd. *sint*, got., aengl. *sind* mit lat. *sunt*, aind. *sánti* »sie sind«. Deutsche Neubildungen zu diesem Stamm sind der Infinitiv mhd., ahd. *sīn*, nhd. *sein*, das erste Partizip mhd. *sīnde*, nhd. *seiend* und der Imperativ mhd. *bis* (s. unter 3), *sīt*, nhd. *sei, seid*. Hier galten früher nur Formen von ahd. *wesan*; 3. Ursprünglich wurden auch die 1. und 2. Person des Indikativs mit Formen der idg. Wurzel **es-* gebildet (z. B. engl. *I am*, got. *im*, aisl. *em* »ich bin«, entsprechend griech. *eimí*, aind. *ásmi*). In den westgerm. Sprachen hat hier jedoch die Wurzel **bheu-* »wachsen, werden, sein« eingewirkt, die z. B. in engl. *to be* »sein«, aber auch in lat. *fui* »bin gewesen« zugrunde liegt (vgl. *bauen*). So kam es zu den Mischbildungen nhd. *bin* (mhd., ahd. *bin*, älter *bim*, entsprechend aengl. *bēom*) und nhd. *bist* (mhd., ahd. *bis[t]*, aengl. *bis*). Der substantivierte Infinitiv **Sein** wird erst in nhd. Zeit gebräuchlich und bezeichnet im Unterschied zu dem ursprünglich gleichbedeutenden Wort ›Wesen‹ (s. d.) vor allem die Tatsache oder Art des Vorhandenseins von Lebewesen und Dingen. Siehe auch den Artikel *Dasein*.

seit: Die dt. Konjunktion und Präposition mhd. *sīt*, ahd. *sīd* bedeutet eigentlich »später als«. Sie hat sich in ahd. Zeit aus dem komparativischen Adverb ahd. *sīd[ōr]* (mhd. *sīt, sider*) »später« entwickelt, dem aengl. *sīđ* »spät[er]«, aisl. *sīđr* »weniger, kaum« entsprechen. Das vorausliegende germ. Adjektiv (vgl. got. *seiþus* »spät«) erscheint im Westgerm. nur gesteigert: aengl. *sīđra* »der spätere«, *sīđest* »der späteste«. Die germ. Wortgruppe stellt sich mit verwandten Wörtern in anderen idg. Sprachen zu der unter ↑säen dargestellten Wortgruppe, vgl. z. B. lat. *setius* »später, weniger [gut]«. In Zeitsätzen steht ›seit‹ als unterordnende Konjunktion, während als nebenordnende Konjunktion oder Adverb **seitdem** gebraucht wird (wohl verkürzt aus mhd. *sīt dem māle* »seit der Zeit«). Ein zweites Adverb, nhd. **seither**, ist zusammengerückt aus mhd. *sīt her*, z. T. aber auch aus dem Komparativ mhd. *sider* (s. o.) umgedeutet worden.

Seite: Das altgerm. Substantiv mhd. *sīte*, ahd. *sīta*, niederl. *zij[de]*, engl. *side*, schwed. *sida* ist die Substantivierung eines alten Adjektivs mit der Grundbedeutung »schlaff herabfallend«, vgl. aisl. *sīđr*, aengl. *sīd* »herabhängend, lang, weit, geräumig«, afries., mnd. *sīde* »niedrig«, als Adverb ahd. *sīto* »schlaff«. Es bezeichnete ursprünglich wohl die unter dem Arm abfallende Flanke des menschlichen Körpers, danach auch die Flanke von Tieren (dazu ›Speckseite‹), und gehört mit der Sippe von ↑seit und verwandten außergerm. Wörtern (z. B. mir. *sith-* »lang, andauernd«) wahrscheinlich zu der unter ↑säen dargestellten Wortgruppe. Das Wort bezeichnet übertragen auch die Seitenflächen von Dingen und ist schließlich zur allgemeinen Richtungsangabe geworden. Im Buchwesen bezeichnet es die beschriebene oder bedruckte Blattseite (spätmhd.; die **Seitenzahl** gibt es neben der älteren Blattzählung etwa seit 1500). In der Fachsprache der Geometrie bedeutet ›Seite‹ »begrenzende Gerade einer Figur« (15. Jh.; Lehnübersetzung für lat. *latus*). – Abl.: **seitens** (Präposition mit Genitiv, im 19. Jh. neben das ältere ›von Seiten‹ getreten); **...seits** (nhd. in adverbialen Zusammensetzungen wie ›einer-, ander[er]seits, dies-, jenseits‹, deren -s- sekundär an mhd. akkusativische Formen wie *ein-, ander-, dis-, jensīt* getreten ist); **seitlich** (als Adjektiv erst im 19. Jh.; beachte aber mhd. *sītelīchen* »nach der Seite hin«); **beseitigen** (nach 1800 für »zur Seite stellen« wohl aus der oberd. Kanzleisprache aufgenommen, zum Adverb älter nhd. *beseit*, mhd. *besīt* »beiseite«; heute nur übertragen für »wegschaffen«, verhüllend für »ermorden«).

Seite

jmdm. zur Seite springen/treten
»jmdm. helfen, jmdn. unterstützen«
Diese Wendung geht auf einen alten Rechtsbrauch zurück. Wer vor Gericht zugunsten eines Angeklagten sprechen wollte, musste sich dazu an dessen Seite stellen.

Sekante: Die mathematisch-fachsprachliche Bezeichnung für jede Gerade, die eine Kurve schneidet, beruht auf einer Entlehnung des 16. Jh.s aus lat. *secans (secantis)*, dem Partizip Präsens von lat. *secare* »[ab]schneiden« (vgl. *sezieren*).

Sekretär: Das Fremdwort wurde im 15. Jh. (spätmhd. *secrētāri*) im ursprünglichen Sinne von »Geheimschreiber« (dann allgemein »Schreiber«) aus gleichbed. mlat. *secretarius* entlehnt. Zugrunde liegt lat. *secretus* »abgesondert; geheim« (vgl. *Dezernent*). Etwa seit dem 18. Jh. macht sich der Einfluss von entsprechend frz. *secrétaire* auf unser Wort geltend. – Abl.: **Sekretärin** (20. Jh.); **Sekretariat** »Kanzlei, Geschäftsstelle; Schriftführeramt« (17. Jh.; aus mlat. *secretariatus* »Amt eines Geheimschreibers«).

Die technische Entwicklung und ihr Wortschatz

Der Wissenschaft war schon im 18. Jahrhundert die elektrische Energie (französisch *énergie,* aus lateinisch *energia,* altgriechisch *enérgeia* »wirkende Kraft«) bekannt. Allerdings wurde sie erst von der Mitte des 19. Jahrhunderts an verstärkt eingesetzt. Schon früher war beim Bernstein die geheimnisvolle Kraft beobachtet worden, nach Reibung andere Stoffe anzuziehen. So benannte man dann auch nach dem griechischen Namen des Bernsteins (altgriechisch *ḗlektron*) bestimmte Anziehungs- und Abstoßungskräfte von verschieden geladenen Elementarteilchen und prägte das Adjektiv *elektrisch.* Später wurde dann hierzu *Elektrizität* (nach französisch *électricité*) und auch *elektrisieren* gebildet.

Ebenfalls – als Sache und als Wort – auf die Fachsprache beschränkt war das *Gas* (niederländisch *gas;* Neuschöpfung des Brüsseler Chemikers van Helmont [1577–1644] zu altgriechisch *cháos* = leerer Raum, Luftraum [im Niederländischen mit anlautendem Ach-Laut gesprochen]). Erst mit dem Aufkommen der Gasbeleuchtung im 19. Jahrhundert wurde das Wort allgemein üblich.

Die industrielle Revolution

Gegen Ende des 18. Jahrhunderts gewann die gewerbliche Fabrikation von halb fertigen oder fertigen Produkten aus Rohstoffen immer mehr an Bedeutung. Der Aufbau und Ausbau der *Industrie* (französisch *industrie,* ursprünglich »Fleiß, Betriebsamkeit«, dann »Gewerbe; Produktivität in einem bestimmten Gewerbe«, dann gegen Ende des 18. Jahrhunderts in der heutigen Bedeutung) begann. Der Prozess der *Industrialisierung* (zum Verb *industrialisieren,* erst im 20. Jahrhundert entlehnt aus französisch *industrialiser*) setzte zuerst gegen Ende des 18. Jahrhunderts in Großbritannien ein und griff zu Beginn des 19. Jahrhunderts auf Deutschland über. Das Zeitalter der modernen Technik begann. Das Wort *Technik* war bereits im 18. Jahrhundert aus dem neulateinischen Begriff *technica* »Kunst[wesen], Anweisung zur Ausübung einer Kunst oder Wissenschaft« gebildet worden (zugrunde liegt letztlich altgriechisch *technikós* »kunstvoll, sachverständig«, das zu altgriechisch *téchnē* »Handwerk; Kunstfertigkeit« gehört und im frühen 18. Jahrhundert über neulateinisch *technicus* unser Fremdwort *technisch* ergab).

Die größte Bedeutung für die industrielle Entwicklung hatte die Erfindung der *Dampfmaschine* (wohl 1819 von dem deutschen Publizisten und Gelehrten Joseph von Görres für englisch *steam engine* geprägt). *Maschine* war im Deutschen bereits seit dem 17. Jahrhundert als militärisches Fachwort bekannt und bedeutete »Kriegs-, Belagerungsmaschine«. Das Wort ist über französisch *machine* zu uns gekommen, das seinerseits auf lateinisch *machina* (altgriechisch *machaná*, Dialektform von *mēchanḗ*) zurückgeht.

Mit Dampf, Strom und Tempo

Der Einsatz der Dampfmaschine bedeutete nicht nur in der industriellen Fertigung den großen Schritt nach vorne. Auch das Transportwesen erlebte durch den Einsatz des *Dampfschiffs* (nach englisch *steamship;* kurz auch *Dampfer,* über niederdeutsch *Damper* nach englisch *steamer*) und die Erfindung der *Lokomotive* (englisch *locomotive engine,* eigentlich »Maschine, die sich von der Stelle bewegt«, zu lateinisch *locus* »Ort, Stelle«) einen ungeheuren Aufschwung. Die *Eisenbahn* (seit etwa 1820 in dieser Bedeutung) verdrängte mehr und mehr die Postkutsche. Ihr Fachwortschatz lieferte eine große Zahl von Wörtern, die bald auch allgemein Verwendung fanden, z. B. *Bahnhof, Lore* (englisch *lorry*), *Puffer* (zu *puffen* »stoßen, schlagen«), *Schranke* (für *Barriere*), *Tender* (englisch *tender*), *Tunnel* (englisch *tunnel*), *Waggon* (englisch *waggon*), *Weiche* (ursprünglich »Ausweichstelle in der Flussschifffahrt«), *Zug* (nach englisch *train*). *Lokomotive, Tunnel* und *Waggon* erhielten – obwohl aus dem Englischen übernommen – die französische Endbetonung. Für die direkt aus dem Französischen stammenden Fremdwörter *Billet, Coupé* und *Perron* setzten sich erst seit der Zeit des Ersten Weltkriegs die deutschen Bezeichnungen *Fahrkarte, Abteil, Bahnsteig* durch. Der *Schaffner* (ursprünglich Bezeichnung für einen Beamten des einfachen Dienstes bei Bahn und Post) heißt heute noch in der Schweiz *Kondukteur* (französisch *conducteur*).

Moderne Nachrichtenübermittlung: Telegrafie und Telefon

Wie der Verkehr, so nahm in der 2. Hälfte des 19. Jahrhunderts auch der Bereich der Nachrichtenübermittlung modernere Formen an. Bereits seit dem frühen 16. Jahrhundert war das Postwesen in Deutschland bekannt. Die Familie Taxis, später das Haus Thurn und Taxis, betrieb ab etwa 1500 die ersten größeren durch die deutschen Länder führenden Postlinien. Diese wurden im 17. und 18. Jahrhundert zu einem weiten Netz ausgebaut, das nach der Reichsgründung von 1871 einem *Reichspostamt* unterstellt wurde.

Für die Vereinheitlichung und Neuordnung des Postwesens war der Generalpostmeister Heinrich von Stephan (1831–1897) zuständig. Von den im Laufe der Zeit vor allem aus dem Französischen entlehnten Fachwörtern ersetzte er weit über 700 durch Ausdrücke, von denen die meisten noch heute gebraucht werden, wie z. B. *Briefumschlag* (für *Couvert*), *Eilbrief* (von F. J. Jahn gebildet, 1875 amtlich für *Expressbrief*), *eingeschrieben* (für französisch *recommandé*), *Postanweisung, Postkarte, postlagernd* (für französisch *poste restante*). Älter sind *Briefkasten* (seit 1824) und *Briefmarke* (dafür zuerst *Freimarke*).

Mit dem zunehmenden Einsatz der elektrischen Energie und mit der Erfindung des *Schreibtelegrafen* (französisch *télégraphe,* Ende des 18. Jahrhunderts; aus altgriechisch *tẽle* »fern, weit« und altgriechisch *gráphein* »schreiben«) übernahm die *Telegrafie* (französisch *télégraphie*) eine wichtige Rolle in der Nachrichtenübermittlung. Nachdem sogar Telegrafenkabel auf dem Meeresboden verlegt waren (das erste Seekabel zwischen Europa und Nordamerika 1857/1858), konnte man auch nach Übersee Nachrichten in kürzester Zeit übermitteln. Statt eines Briefes, der lange unterwegs war, schickte man ein *Telegramm* (französisch *télégramme,* englisch *telegram,* aus altgriechisch *tẽle* »fern, weit« und altgriechisch *grámma* »Geschriebenes«.

Das erste Gerät zur elektrischen Tonübertragung stellte der deutsche Physiker Johann Philipp Reis 1861 der Öffentlichkeit vor. In den 70er-Jahren des 19. Jahrhunderts entwickelte der Amerikaner Alexander Graham Bell das elektromagnetische *Telefon* (aus altgriechisch *tẽle* »fern, weit« und altgriechisch *phō̃nḗ* »Stimme«), das durch das Kohlemikrophon von Thomas Alva Edison entscheidend verbessert und 1876 patentiert wurde.

Die drahtlose Telegrafie war Voraussetzung für die Entwicklung des Rundfunks. Das Wort *Rundfunk* prägte 1923 der deutsche Funktechniker H. Bredow (1879–1959). Seit 1924 wurde es amtlich gebraucht für das etwas ältere *Radio* (Kurzform von englisch *radiotelegraphy* »Übermittlung von Nachrichten durch Ausstrahlung elektromagnetischer Wellen«, zu lateinisch *radius* »Strahl«). Bereits zu Ende des 19. Jahrhunderts hatte man sich damit befasst, Bilder auf elektrischem Wege zu übertragen. So wurde das Wort *Fernsehen* bereits in dieser Zeit gebildet, es wurde aber erst zu Ende der 20er-Jahre des vergangenen Jahrhunderts allgemein bekannt.

Stadtleben

Mit der immer schneller verlaufenden Entwicklung von Wirtschaft und Technik ging ein rasches Wachstum der Städte Hand in Hand. Mehr und mehr vergrößerten sie sich, ein *Vorort* nach dem anderen wurde eingemeindet. Immer mehr Bewohner drängten sich in den Stadtvierteln, in den Großstädten reihte sich bald eine *Mietskaserne* an die andere. Als neue Baustoffe, die für die rege Bautätigkeit des letzten Drittels des 19. Jahrhunderts – die so genannte *Gründerzeit* (auch: *Gründerjahre*) – kennzeichnend wurden, verwendete man *Beton* (französisch *béton*) und *Zement* (französisch *cément*). Neben das alte Kopfsteinpflaster trat als neuer Straßenbelag jetzt der *Asphalt* (französisch *asphalte,* eigentlich »der Unzerstörbare«). Der Verkehr in den Straßen wurde immer dichter, und die Fußgänger waren nur noch auf dem *Trottoir* (französisch *trottoir,* zu: *trotter* »traben, trotten«) sicher. Anstelle dieses Fremdwortes setzte sich erst später *Bürgersteig* durch.

In den Bürgerwohnungen der Städte nannte man jetzt das »gewisse Örtchen« verhüllend *Toilette.* Dieses Wort war schon im 18. Jahrhundert aus dem Französischen entlehnt worden und bezeichnete ursprünglich Frisur, Kleidung sowie das Sichzurechtmachen der vornehmen Dame. Für die gleiche Örtlichkeit wurde die englische Bezeichnung *water-closet* entlehnt und zum heutigen *Klosett* verkürzt. Das Wort erhielt allerdings die eigentlich für Fremdwörter aus dem Französischen typische Endbetonung. In vielen Badezimmern gab es bereits eine *Dusche* (französisch *douche,* ursprünglich im Sinne von »Gießbad« ein medizinisches Fachwort). Wem Treppen zu beschwerlich waren, der konnte in Hotels oder Geschäftshäusern den *Aufzug* (neben dem aus dem Englischen entlehnten *Lift*) benutzen.

In den großen Städten wurden immer mehr *Warenhäuser* gebaut. In ihren Schaufenstern lagen *Modeartikel* mit dem entsprechenden modischen *Schick.* An Straßenecken und auf Plätzen sah man jetzt immer häufiger *Litfaßsäulen* (nach dem Drucker E. Litfaß, 1855 erstmals in Berlin aufgestellt). Große Plakate waren darauf geklebt, die *Reklame* (aus französisch *réclame,* ursprünglich »bezahlte Buchbesprechung«) für die neuesten Artikel der industriellen Produktion machten, mit deren Hilfe jetzt vieles *maschinell* erledigt werden konnte: für *Schreibmaschinen, Waschmaschinen* und *Nähmaschinen* (Lehnübersetzung von englisch *sewing-machine*).

Pferdestärken statt Pferd – das Auto

Die Anfänge des modernen motorisierten Verkehrs fielen in die beiden letzten Jahrzehnte des 19. Jahrhunderts. Nach der Erfindung der Dampflokomotive wurden bald auch mit Dampf betriebene Fahrzeuge erprobt, die ohne Gleise auf der Straße fahren sollten. Doch die Entwicklung von Straßenfahrzeugen, die nicht mehr von Pferden gezogen wurden, sondern von einem *Motor* (aus lateinisch *motor* »Beweger«) angetrieben und vorwärts bewegt wurden, nahm erst mit der Erfindung des Benzinmotors ihren Aufschwung. 1885 baute Carl Benz seine dreirädrige »Motorkutsche« (mit einem Zylinder und einer Leistung von 1 PS), Gottlieb Daimler folgte ihm 1886 mit einem vierrädrigen Gefährt.
Bereits im Jahre 1908 begann Henry Ford in den USA mit der ersten Fließbandfertigung eines *Automobils* (wörtlich »Selbstbeweger«, aus altgriechisch *autós* »selbst« und lateinisch *mobilis* »beweglich«).

Mit der Ausweitung des Straßenverkehrs wuchs auch der Fachwortschatz dieses Bereichs immer weiter an. Wörter wie *Fahrgestell, Gang, Getriebe, Kühler, Kotflügel, Kupplung, Vergaser* (kurz für *Spritzdüsenvergaser*), *Windschutzscheibe, Zündung* (kurz für *Kerzenzündung*) wurden bald auch in der Alltagssprache bekannt. In der ersten Hälfte des 20. Jahrhunderts kamen aus dem Englischen Wörter wie *parken, Parkplatz,* in neuerer Zeit *Parkhaus, Tank, tanken, Tankstelle, Tankwart* hinzu. Englisch *tanker* lieferte später unser Fremdwort *Tanker* »Tankschiff«.

Wenn die Limousine eine Panne hat

Begriffe aus der guten, alten Pferdekutschenzeit wurden auf Personenwagen übertragen, so z. B. *Kabriolett* (französisch *cabriolet* »leichter, einspänniger Wagen«), *Coupé* (französisch *coupé* »geschlossene zweisitzige Kutsche«) oder *Limousine* (französisch *limousine,* eigentlich »weiter Mantel, wie er von den Kutschern besonders in der französischen Landschaft Limousin getragen wurde«; man verglich wohl die geschlossene Autokarosserie mit einem vor Regen und Wind schützenden Mantel). Die seit dem Ende des 18. Jahrhunderts für eine Mietkutsche mit Kutscher gebrauchte Bezeichnung *Droschke* (aus russisch *drožki* »leichter Wagen«) wurde jetzt auch auf mietbare Kraftwagen mit Chauffeur übertragen und so noch bis in die zweite Hälfte des 20. Jahrhunderts verwendet. Aus dem Französischen wurden *Garage* (ursprünglich

»Ausweichstelle«), *Chauffeur* (ursprünglich »Heizer«) und *Volant* (= Lenkrad, eigentlich »Bewegliches«) entlehnt. Auch das Wort *Panne* wurde am Anfang des 20. Jahrhunderts aus dem Französischen übernommen. Das französische *panne* bedeutete eigentlich »Segel, Takelage«. Aus der Wendung *mettre (les voiles) en panne* »(die Segel, die Maschinen) so einstellen, dass das Schiff keine Fahrt macht« entwickelte sich bald die übertragene Bedeutung »nicht mehr weiterkönnen, in der Patsche sitzen«. Im Sinne von »das Steckenbleiben beim Vortrag« wurde das Wort zunächst in die Bühnensprache übernommen und später dann allgemein im Sinne von »Missgeschick« verwendet. Weitere Entlehnungen aus dem Französischen sind *Chassis* (= Fahrgestell, französisch *châssis* »Einfassung, Rahmen«) und *Karosserie* (französisch *carosserie*, zu französisch *carosse* »Prunkwagen«, daraus schon im 17. Jahrhundert unser gleichbedeutendes Fremdwort *Karosse*).

Bis heute ist die Antriebsart unserer Kraftfahrzeuge im Wesentlichen die gleiche geblieben. Sie haben entweder einen *Ottomotor* (nach dem Ingenieur Nikolaus Otto, 1832–1891) und fahren mit *Benzin* (19. Jahrhundert; über das Mittellateinische aus dem Arabischen), oder sie haben einen *Dieselmotor* (nach dem Ingenieur Rudolf Diesel, 1858–1913) und fahren mit *Diesel* (kurz für *Dieselkraftstoff*). Eine weitere Antriebsart, der *Wankelmotor* (nach dem Ingenieur Felix Wankel, 1902–1988), ging zwar 1964 erstmals in die Serienproduktion, hat sich bisher aber nicht durchsetzen können.

Über den Wolken

Zu Anfang des 20. Jahrhunderts gelang einer weiteren entscheidenden Entwicklung im Verkehrswesen der Durchbruch. Am 17. Dezember 1903 glückte den amerikanischen Brüdern Wright der erste Motorflug; das Zeitalter der *Luftfahrt* begann. Die ersten *Flugzeuge* (gebildet nach dem Vorbild von *Fahrzeug*) waren noch sehr primitive Konstruktionen. Aber schon 1914 wurden erstmals Stahl und Aluminium verwendet. Mit dem Ersten Weltkrieg trat der Flugzeugbau in eine stürmische Phase, ebenso beschleunigte der Zweite Weltkrieg die flugtechnische Entwicklung: *Bomber* und *Düsenjäger* waren die ersten hoch technisierten Flugzeuge. Die ersten großen Passagierflugzeuge der Nachkriegszeit waren umgebaute *Langstreckenbomber*.

Sekt »Schaumwein«: Der früheste Beleg des Wortes in dt. Texten stammt aus dem Jahre 1647. Es erscheint hier in der ursprünglichen Form *Seck* und bezeichnet eine Art süßen Likörweines. Die Form *Sekt* mit unorganischem -t ist jünger (zuerst 1663 *Sect*). Die Herkunft des Wortes ist eindeutig gesichert. Ausgangspunkt ist it. *vino secco* »trockener Wein« (zu lat. *siccus* »trocken«), das ursprünglich einen süßen, schweren, aus Trockenbeeren gekelterten Wein bezeichnete. Über entsprechend frz. *vin sec* gelangte diese Bezeichnung als Kurzform in andere europäische Sprachen: dt. *Seck, Sekt,* niederl. *sek,* schwed. *seck* und engl. *sack.* Der Bedeutungswandel von »süßer Trockenbeerwein« zu »Schaumwein« (etwa um 1830) geht wahrscheinlich von einer Episode in der Weinstube von ›Lutter und Wegner‹ in Berlin aus, in der sich der Schauspieler L. Devrient, indem er die Rolle des Falstaff aus Shakespeares ›König Heinrich IV.‹ weiterspielte, mit den Worten *a cup of sack* ein Glas Champagner bestellt haben soll.

Sekte: Die Bezeichnung kleinerer, meist von einer größeren christlichen Kirche abgespaltener religiöser Gemeinschaften (mhd. *secte*) beruht auf einer gelehrten Entlehnung aus lat.-mlat. *secta* »befolgter Grundsatz, Richtlinie; Partei; philosophische Lehre; Sekte«. Das lat. Substantiv gehört vermutlich zu lat. *sequi (secutum)* »folgen« (vgl. *konsequent*), wohl aufgrund eines alten Partizips **sectum* »befolgt«. – Dazu das Substantiv **Sektierer** »Anhänger einer Sekte« (Anfang des 16. Jh.s, unmittelbar abgeleitet von einem älteren Verb ›sektieren‹ »eine Sekte bilden«).

Sektion ↑ sezieren.

Sektor »Kreis- oder Kugelausschnitt« (Mathematik), auch allgemein gebraucht im Sinne von »Bezirk, Gebiet; Sachgebiet«, beachte dazu die junge Zusammensetzung **Sektorengrenze** (20. Jh.): Das Fremdwort wurde als mathematischer Terminus im 16. Jh. aus lat. *sector* »Kreisausschnitt« (eigentlich »[Ab]schneider«) entlehnt, das seinerseits zu lat. *secare* »schneiden, abschneiden« (vgl. *sezieren*) gehört.

Sekunda: Die Bezeichnung für die fünfte Klasse der Unterstufe einer höheren Schule geht zurück auf lat. *secunda classis* »zweite Klasse« (über die Bedeutungsentwicklung vgl. den Artikel *Sexta*), das zu lat. *secundus* »(der Zeit, der Reihe nach) folgend; Zweiter« (vgl. *Sekunde*) gehört.

sekundär: Das Adjektiv mit der Bedeutung »zur zweiten Ordnung gehörend; in zweiter Linie in Betracht kommend; nachträglich hinzukommend; Neben…«, auch als Bestimmungswort von Zusammensetzungen wie **Sekundärliteratur,** wurde im 18. Jh. über entsprechend frz. *secondaire* aus gleichbed. lat. *secundarius* entlehnt und in der Lautung relatinisiert. Zugrunde liegt lat. *secundus* »(der Zeit, der Reihe nach) folgend; Zweiter« (vgl. *Sekunde*).

Sekunde: Die seit dem 15. Jh. bezeugte Bezeichnung für den 60. Teil einer ↑ Minute als Grundeinheit der Zeit wurde verselbstständigt aus der lat. Fügung *pars minuta secunda,* mit der im Sexagesimalsystem des Ptolemäus (2. Jh. n. Chr.) der zweite Teil (das ist der Teil, der entsteht, wenn der ›erste verminderte Teil‹ [1 Minute] durch 60 geteilt wird) bezeichnet worden war. Das zugrunde liegende Adjektiv lat. *secundus* »(der Reihe oder der Zeit nach) folgend; Zweiter«, das auch Ausgangspunkt für die Fremdwörter ↑ Sekunda und ↑ sekundär ist, ist eigentlich ein altes Partizip *(*sequondos)* von lat. *sequi* »folgen« (vgl. *konsequent*).

selb: Das gemeingerm. Pronomen mhd. *selp* (Genitiv *selbes*), ahd. *selb,* got. *silba,* engl. *self,* schwed. *själv* ist etymologisch nicht sicher erklärt. In der einfachen Form erscheint ›selb‹ heute nur noch in **derselbe, dieselbe, dasselbe** (getrennt: am selben Tag, zur selben Zeit), in ugs. **selber** »selbst«, dem schon im Mhd. erstarrten starken Nominativ Singular und in der Zusammensetzung **selbständig** (und nach neuer Rechtschreibung auch verdeutlichend ›selbstständig‹; im 16. Jh. zu frühnhd. *selbstand* »Person« gebildet, dafür spätmhd. *selbstēnde* »für sich bestehend«). Die gewöhnliche Form des Pronomens ist **selbst** (aus dem früh erstarrten Genitiv Singular mit frühnhd. t-Auslaut wie in ›Papst‹, ›Obst‹). Dazu die Substantivierung **Selbst** »das seiner selbst bewusste Ich« (18. Jh.; nach dem Vorbild von engl. *the self;* zuerst in religiös-moralischem Sinn). – Abl.: **selbstisch** »egoistisch« (18. Jh.; nach engl. *selfish*). Zus.: **selbstbewusst** »voller Selbstbewusstsein« (18. Jh.), dazu **Selbstbewusstsein** »das Überzeugtsein von seinen Fähigkeiten, von seinem Wert als Person« (18. Jh.); **selbstgefällig** »sehr von sich überzeugt, eitel« (18. Jh.); **Selbstlaut** »Vokal« (im 18. Jh. neben älterem ›Selbstlauter‹, Gegenbildung zur Lehnübersetzung ›Mitlaut[er]‹ für ›Konsonant‹ [16. Jh.]); **selbstlos** »ohne Selbstsucht« (nach 1800); **Selbstmord** (Lehnübersetzung von nlat. *suicidium,* 17. Jh.), älter bezeugt ist **Selbstmörder** (16. Jh.); **Selbstsucht** »auf den eigenen Vorteil bedachte Einstellung«, **selbstsüchtig** »voller Selbstsucht« (18. Jh.); **selbstverständlich** »sich aus sich selbst verstehend; ohne Frage, natürlich« (18. Jh.), dazu **Selbstverständlichkeit; Selbstverwaltung** (Anfang des 19. Jh.s nach engl. *self-government*); **Selbstbedienung** (Mitte des 20. Jh.s, nach engl. *self-service).*

selig: Das Adjektiv mhd. *sælec,* ahd. *sālig* »wohlgeartet, gut, glücklich; gesegnet; heilsam«, niederl. *zalig* »selig«, aengl. *sǣlig,* aisl. *sǣlligr* »glücklich« ist die altgerm. Weiterbildung eines älteren Adjektivs, das noch in got. *sēls* »tauglich, gütig«, schwed. *säll* »glückselig« und aengl. *un-sǣle* »boshaft« erscheint. Als abgeleitetes Substantiv steht daneben mhd. *sælde* »Güte, Glück, Segen,

Heil« (ahd. *sālida*, aengl. *sǣld*, aisl. *sǣld*), das im Nhd. durch **Seligkeit** (mhd. *sǣlec-*, ahd. *sālicheit*) abgelöst wurde. Außerhalb des Germ. ist vielleicht lat. *solari* »trösten« verwandt; weitere Beziehungen bleiben ungewiss. Nicht verwandt ist das unter ↑Seele behandelte Wort. Die heutige Bedeutung des Wortes ist entscheidend vom Christentum geprägt worden. – Abl.: **beseligen** »beglücken« (16. Jh.). Von den zahlreichen Zusammensetzungen mit dem Grundwort **-selig** enthalten nur wenige das Adjektiv, so **glückselig** (↑Glück), **gottselig** (16. Jh.), **leutselig** (↑Leute). Meist sind sie in Analogie zu den Ableitungen von Substantiven auf ↑...sal gebildet (›Mühsal – mühselig‹, danach z. B. ›feind-, red-, rührselig‹). Doch empfindet das Sprachgefühl diese Herkunft nicht mehr.

Sellerie: Der seit dem 17. Jh. bezeugte Name der Gemüsepflanze ist wie entsprechend frz. *céleri* aus der Pluralform *selleri* von nordit. *sellero* »Sellerie« entlehnt, das eine Dialektform von gleichbed. it. *sedano* darstellt. Letzte bekannte Quelle des Wortes ist griech.(-lat.) *sélīnon* »Eppich; Sellerie«. Siehe auch *Petersilie.*

selten: Das altgerm. Adverb mhd. *selten*, ahd. *seltan*, niederl. *zelden*, engl. *seldom*, schwed. *sällan* ist nicht sicher erklärt. Im Got. erscheint es nur in der Zusammensetzung *silda-leiks* »wunderbar« (aengl., asächs. *seld-līc*, eigentlich »von seltener Gestalt«, ähnlich wie dt. ↑seltsam). Als Adjektiv hat sich ›selten‹ erst seit dem 15. Jh. entwickelt, dabei ist die gewöhnliche Bedeutung »nicht häufig« zu »außergewöhnlich, vortrefflich« erweitert worden. – Abl.: **Seltenheit** »etwas selten Vorkommendes« (um 1500).

Selters, Selterswasser ↑Salz.

seltsam: Das nur dt. Adjektiv ist erst im Nhd. an die Bildungen auf -sam (heil-, wachsam usw.) angelehnt worden. Mhd. *seltsǣne*, ahd. *seltsāni* »fremdartig, wunderbar, kostbar; befremdlich« enthält als ersten Bestandteil das unter ↑selten behandelte Wort. Der zweite Bestandteil ist ein germ. Verbaladjektiv, das zu dem unter ↑sehen behandelten Verb gehört und das verneint in ahd. *un-sāni* »ungestalt« erscheint, vgl. dazu auch got. *anasiuns*, aengl. *ge-sīene*, aisl. *synn* »sichtbar« (beachte schwed. *sällsynt* »selten«). Die Grundbedeutung von ›seltsam‹ ist also »nicht häufig zu sehen«. Heute bedeutet es nur »verwunderlich, merkwürdig, eigenartig«. – Abl.: **Seltsamkeit** (spätmhd. *selzenkeit*).

Semester »Studienhalbjahr«: Das Wort ist eine gelehrte Substantivbildung des 16. Jh.s zu lat. *semestris* (< **sex-mens-tris*) »sechsmonatig« in der Fügung *semestre tempus* »Zeitraum von sechs Monaten«. Bestimmungswort ist lat. *sex* »sechs« (vgl. *sechs*), Grundwort lat. *mensis* »Monat« (vgl. *menstruieren*).

semi..., Semi...: Das aus dem Lat. stammende Bestimmungswort von Zusammensetzungen mit der Bedeutung »halb«, wie in ›Semifinale‹ »Halbfinale« und ↑Semikolon, ist entlehnt aus lat. *semi...* »halb« (in Zusammensetzungen), das seinerseits urverwandt mit gleichbed. griech. *hē̆mi...* (↑hemi..., Hemi...) ist.

Semikolon »Strichpunkt« (Zeichen ;): Der Name des am Ende des 15. Jh.s eingeführten Interpunktionszeichens für die Gliederung von Satzperioden ist eine gelehrte hybride Neubildung aus lat. *semi...* »halb« (vgl. *semi..., Semi...*) und griech. *kō̆lon* in dessen übertragener Bedeutung »Glied einer Satzperiode« (über die eigentliche Bedeutung von griech. *kōlon* »Körperglied; gliedartiges Gebilde« vgl. den Artikel *Kolik*).

Seminar: Lat. *seminarium* »Pflanzschule, Baumschule«, das von lat. *semen* »Samen; Setzling; Sprössling« (urverwandt mit dt. ↑Same[n]) abgeleitet ist, gelangte im 16. Jh. ins Deutsche. In übertragenem Gebrauch entwickelte das Wort im schulischen und akademischen Bereich die neue Bedeutung »vorbereitende Bildungsanstalt«. Davon ausgehend gilt ›Seminar‹ heute einerseits im Sinne von »Anstalt zur Vorbereitung auf den geistlichen Stand« (beachte die Zusammensetzungen ›Priesterseminar‹ und ›Predigerseminar‹), andererseits bezeichnet es ein für wissenschaftliche Arbeit und Forschung eingerichtetes Hochschulinstitut oder die an einem solchen Institut im Rahmen des akademischen Unterrichts abgehaltenen Übungen. – Über die idg. etymologischen Zusammenhänge des lat. Wortes vgl. den Artikel *säen.*

Semmel: Lat. *simila* »fein gemahlenes Weizenmehl« wurde früh ins Dt. entlehnt (mhd. *semel[e]*, ahd. *semala*). Im Mhd. entwickelte sich dann die Bedeutung »Brot aus Weizenmehl; Brötchen«. Diese Bezeichnung für das nordd. und mitteld. Brötchen wird heute besonders im Bayr. und Österr. sowie teilweise auch im Ostmitteld. gebraucht.

Senat: Lat. *senatus*, abgeleitet von lat. *senex* »alt, bejahrt; Greis« (vgl. *Senior*), bedeutet wörtlich etwa »Rat der Alten«. Im antiken Rom bezeichnete es eine Art Staatsrat (als Träger des Volkswillens), bestehend aus erfahrenen, durch Alter und Weisheit ausgezeichneten Männern, die über das Wohl des Staates zu wachen hatten. In mhd. Zeit gelangte das Wort als Fremdwort ins Dt. (mhd. *senāt* »Staatsrat«). Heute lebt es in verschiedenen staats- und verwaltungspolitischen Anwendungsbereichen. In Amerika z. B. ist der Senat die erste Kammer des Kongresses. In der Bundesrepublik Deutschland heißen die Regierungsbehörden in Berlin, Hamburg und Bremen ›Senat‹. Ferner bezeichnet Senat das Organ der Selbstverwaltung an Hochschulen. Im juristischen Sinne schließlich versteht man unter ›Senat‹ ein Richterkollegium an Obergerichten. – Abl.: **Senator** »Vertreter, Mitglied des Senats; Ratsherr« (in mhd. Zeit aus lat. *senator* »Mitglied des römischen Senats« entlehnt).

Sendbrief ↑Brief.

senden »schicken; ausstrahlen«: Das gemeingerm. Verb mhd. *senden,* ahd. *senten,* got. *sandjan,* engl. *to send,* schwed. *sända* gehört als Veranlassungswort mit der Grundbedeutung »reisen machen« zu einem unbezeugten germ. Verb **sinÞan* »reisen« (vgl. *Sinn*). Im Präteritum stehen seit ahd. Zeit Formen mit und ohne Umlaut nebeneinander. Um ›senden‹ gruppieren sich ›absenden‹ (dazu ›Absender‹ »absendende Person; Adresse der absendenden Person«), ›aussenden, entsenden‹ und ›versenden‹ (s. u.). – Abl.: **Sender** (spätmhd. für »Absender«; jetzt für »sendende Funkanlage«, dazu die Zusammensetzungen ›Rundfunk-, Fernsehsender‹); **Sendung** (mhd. *sendunge, sandunge* »Übersendung; gesandtes Geschenk«, ahd. *santunga;* jetzt für »Paket, Brief« und »Funk- und Fernsehdarbietung«, übertragen seit dem 18. Jh. für »Berufung, [göttlicher] Auftrag«, ähnlich wie ↑Mission); **Gesandter** (s. d.). Zur Präfixbildung **versenden** »verschicken« (mhd. *versenden*) gehört kaufmännisch **Versand** »das Versenden von Waren; Abteilung, die für das Versenden von Waren zuständig ist« (19. Jh.).

Senf: ›Senf‹ heißen zunächst verschiedene, zu den Kreuzblütlern gehörende Futter-, Gewürz- und Ölpflanzen. Im speziellen Sinn bezeichnet das Wort ein scharfes, breiiges, aus den zerriebenen Samenkörnern des so genannten ›weißen Senfs‹ mit Weinessig oder Most bereitetes Gewürz, den ›Tafelsenf‹ oder ›Mostrich‹ (↑Most). Die Zubereitung von Tafelsenf lernten die Germanen von den Römern kennen und übernahmen von diesen auch die Bezeichnung (vgl. hierzu auch das Kapitel zur Sprachgeschichte *Römischer Kultureinfluss*). Ahd. *senef,* mhd. *sen[e]f,* asächs. *senap,* aengl. *senap, senep* gehen zurück auf lat. *sinapi* »Senf«, das seinerseits Lehnwort aus gleichbed. griech. *sínapi* ist. Das Wort ist vielleicht ägypt. Ursprungs.

sengen »leicht an der Oberfläche brennen«: Das westgerm. Verb mhd. *sengen,* ahd. *bi-sengen,* niederl. *zengen,* engl. *to singe* bedeutete ursprünglich »brennen, dörren«. Es ist u. a. verwandt mit mhd. *senge* »Trockenheit«, *sungen* »anbrennen«, niederd. *sangeren* »prickeln« und norw. mdal. *sengla* »brenzlig riechen«. Außerhalb des Germ. ist vielleicht die Sippe von kirchenslaw. *(prě)sǫčiti* »trocknen« verwandt. An die alte umfassendere Bedeutung des Wortes erinnert noch die Fügung ›sengen und brennen‹ »plündern und durch Brand zerstören«. Häufiger ist heute **versengen** (mhd. *versengen*).

senil »greisenhaft«: Das Adjektiv wurde im 19. Jh. aus gleichbed. lat. *senilis* entlehnt. Dies gehört zu lat. *senex* »alt, bejahrt; Greis« (vgl. *Senior*).

Senior »Ältester, Vorsitzender; Sportler einer bestimmten, der Juniorenklasse folgenden Altersstufe«: Das seit dem ausgehenden 17. Jh. bezeugte Fremdwort geht zurück auf lat. *senior* »älter, bejahrter, reifer; erwachsener Mann (von 45–60 Jahren)«, die Komparativform von lat. *senex* »alt, bejahrt; der Alte, der Greis« (urverwandt u. a. mit griech. *hénos* »nicht mehr neu, alt« und gleichbed. aind. *sána-ḥ*). Dazu auch lat. *senatus* »Rat der Alten, Ratsversammlung« (s. die Fremdwörter *Senat, Senator*) und lat. *senilis* »greisenhaft« (↑senil). – Vgl. in diesem Zusammenhang noch die folgenden auf lat. *senior* (Ablativ: *seniore*) beruhenden roman. Wörter frz. *seigneur* »Herr«, gleichbed. it. *signore,* span. *señor,* port. *senhor* (dazu als Femininbildungen it. *signora,* span. *señora* »Herrin, Frau« und it. *signorina* »Fräulein«, gleichbed. span. *señorita,* port. *senhora, senhorita*), ferner mit Possessivpronomen frz. *monseigneur* = it. *monsignore* »gnädiger Herr; Euer Gnaden, Euer Hochwürden« (als Anrede für hohe Geistliche); von einer vlat. Kurzform **seior* (für *senior*) geht frz. *sire* »Herr« (veraltet), *Sire* »Majestät« aus (dazu als alter Akkusativ *sieur,* noch erhalten in *monsieur* »mein Herr; Herr«) und das aus dem Afrz. vermittelte Substantiv engl. *sir* »Herr« (in der Anrede). Fast alle diese roman. Wörter werden im Dt. gelegentlich als Fremdwörter gebraucht.

Senkel »Schnürriemen«: Das zu ↑senken gebildete Substantiv bezeichnete in alter Zeit den Anker und das steinbeschwerte Fischnetz (mhd. *senkel,* ahd. *senchil*), seit dem 16. Jh. auch das Senkblei der Bauleute und Schiffer. Besonders hieß im Mhd. das herabhängende, oft kostbar verzierte Ende des Gürtels *senkel.* Diese Bezeichnung wurde bald auf den ganzen Gürtel und weiter auf die (mit Metallspitzen versehenen) Bänder und Schnüre der Kleidung übertragen. – Zus.: **Schnürsenkel** »Schuhband«.

senken: Als gemeingerm. Veranlassungswort zu dem unter ↑sinken behandelten Verb bedeutet mhd., ahd. *senken,* got. *sagqjan,* aengl. *sencan,* schwed. *sänka* eigentlich »sinken machen, versenken«. – Abl.: **Senke** (mhd. *senke* »Vertiefung, Tal«); **Senker** »in die Erde gesenktes Reis« (18. Jh.; heute meist **Absenker**); **Senkung** (17. Jh.; »das Senken«, auch für »unbetonte Silbe im Vers«). Zus.: **senkrecht** (im 17. Jh. für ›perpendikular‹ [< lat. *perpendicularis,* zu *perpendiculum* »Richt-, Senkblei«]). Das Wort knüpft wie das lat. Adjektiv an die Vorstellung des Senkbleis an, beachte die veralteten Ausdrücke ›blei-, senkelrecht‹, dazu **Senkrechte** (im 19. Jh. für ›senkrechte Linie‹). Beachte ferner die Präfixbildung **versenken** »bewirken, dass etwas untergeht, nach unten gelangt«, reflexiv »sich vertiefen, sich ganz auf etwas konzentrieren« (mhd. *versenken,* ahd. *far-, firsenken*), dazu **Versenkung** (16. Jh.).

Senn, (auch:) **Senner:** Die bayr., österr. und schweiz. Bezeichnung für den Almhirten, der auf der Alm die Milch zu Butter und Käse verarbeitet (mhd. *sennære,* zu gleichbed. ahd. *senno*), ist wohl im Schweizer Alpengebiet aus einem kelt.

**sanịon-* »Melker« entlehnt worden, das seinerseits zu einem Verb mit der Bedeutung »melken« gebildet ist (urverwandt mit dem unter ↑Spanferkel genannten idg. Wort für »Zitze«).

Sensation »Aufsehen erregendes Ereignis; Riesenüberraschung; verblüffende Leistung«: Das Fremdwort wurde im 18. Jh. – zunächst in der Bedeutung »Empfindung, Sinneseindruck« – aus gleichbed. frz. *sensation* entlehnt. Später (18./19. Jh.) übernahm es dann die im Frz. entwickelten Bedeutungen »Erregung, lebhaftes Interesse (an einer Begebenheit)« und (mit Umkehrung des Aspektes) »Ereignis, das Aufsehen erregt«. Frz. *sensation* geht auf mlat. *sensatio* »das Empfinden; das Verstehen« zurück. Das zugrunde liegende Adjektiv spätlat. *sensatus* »mit Empfindung, Verstand begabt« ist abgeleitet von lat. *sensus* »Wahrnehmung; Empfindung usw.«. – Abl.: **sensationell** »Aufsehen erregend, verblüffend« (19. Jh.; aus gleichbed. frz. *sensationnel*).

Sense: Die ursprünglich mitteld. Form des Gerätenamens hat sich gegen zahlreiche andere Mundartformen in der Schriftsprache durchgesetzt. Mhd. *segens[e], seinse, sēnse,* ahd. *segensa* gehört mit anders gebildeten germ. Bezeichnungen (z. B. asächs. *segisna,* niederl. *zeis[en]* und mnd. *sichte,* engl. *scythe,* aisl. *sigđ[r]*) zu der idg. Wurzel **sek-* »schneiden« (vgl. *Säge*). Aus anderen idg. Sprachen ist z. B. lat. *sacena (*saces-na)* »Spitzhacke des Oberpriesters« verwandt. – Zus.: **Sensenmann** (im 17. Jh. sinnbildliche Bezeichnung des Todes, der schon im späten Mittelalter als Schnitter dargestellt wird).

sensibel »feinfühlig, empfindsam; empfindlich«: Das Adjektiv wurde im 17. Jh. über gleichbed. frz. *sensible* aus lat. *sensibilis* »der Empfindung fähig« entlehnt. Dies gehört zu lat. *sentire (sensum)* »fühlen, empfinden; wahrnehmen«.

sentimental »[übertrieben] gefühlvoll; rührselig«: Das Adjektiv wurde im 18. Jh. (zunächst in der Bedeutung »empfindsam«) aus gleichbed. engl. *sentimental* entlehnt. Das ihm zugrunde liegende Substantiv engl. *sentiment* »Gefühl, Empfindung; gefühlvolle Stimmung« geht über entsprechend afrz. *sentement* (= frz. *sentiment*) auf gleichbed. mlat. *sentimentum* zurück. Dies gehört zu lat. *sentire* »fühlen, empfinden; wahrnehmen«.

separat »abgesondert; einzeln«: Das Wort wurde im 17. Jh. aus lat. *separatus* »abgesondert, getrennt« entlehnt, einem Partizipialadjektiv von lat. *separare* »absondern, trennen« (eigentlich etwa »etwas für sich gesondert bereiten«; zu lat. *se[d]* »für sich; beiseite« und lat. *parare* »bereiten«, vgl. *parat*). – Abl.: **Separatismus** »Streben nach Absonderung, nach Abtrennung« (zuerst im kirchlichen Bereich; 18. Jh.); beachte auch den Artikel *Separatist.* – Gleichen Ausgangspunkt wie das Adjektiv (lat. *separare*) hat das Fremdwort **Séparée** »Sonderraum; Nebenraum in einer Gaststätte«. Es hat sich im späten 19. Jh. aus der dem Frz. entstammenden vollständigen Bezeichnung *Chambre séparée* herausgelöst (zu frz. *séparer* »trennen, absondern« < lat. *separare*).

Separatist: Die Bezeichnung für »Anhänger, Verfechter einer Abtrennung, einer Loslösungsbewegung« wurde zu Anfang des 18. Jh.s aus gleichbed. engl. *separatist* entlehnt, das ursprünglich im kirchlich-religiösen Bereich »Abtrünniger, Sektierer« bedeutete. Das engl. Wort gehört zu engl. *to separate* »trennen« (< lat. *separare,* s. *separat*).

Séparée ↑separat.

September: Der schon mhd. bezeugte Name für den neunten Monat des Jahres, der im Ahd. *witumānōt* »Holzmonat« (zu ahd. *witu* »Brennholz«) und später *herbistmānōt* »Herbstmonat« genannt wurde, ist aus lat. *(mensis) September* entlehnt, dem lat. *septem* »sieben« (verwandt mit dt. ↑sieben) zugrunde liegt. Im altrömischen Kalenderjahr, das mit dem Monat März begann, war der September der »siebte Monat«. Dieser Name wurde auch nach der Kalenderreform beibehalten. (Vgl. zum Sachlichen den Artikel *Januar.*)

Serenade »Abendmusik; Ständchen«: Der musikalische Fachausdruck wurde im 17. Jh. über entsprechend frz. *sérénade* aus gleichbed. it. *serenata* entlehnt. Das it. Wort, das zu it. *sereno* »heiter« (lat. *serenus*), *serenare* »aufheitern« gehört, bedeutet eigentlich etwa »heiterer Himmel«. Durch sekundären Anschluss an it. *sera* »Abend« entwickelte es die neue Bedeutung »Abendständchen (das der Liebhaber seiner Geliebten bei schönem Wetter unter dem geöffneten Fenster darbringt)«.

Sergeant »Unteroffizier«: Die heute im deutschen Heerwesen nicht mehr übliche Dienstgradbezeichnung wurde bereits im Anfang des 17. Jh.s aus frz. *sergent* »Gerichtsdiener; Unteroffizier« entlehnt. In jüngster Zeit begegnet das Wort infolge erneuter Übernahme aus engl. *sergeant,* das selbst aus dem Frz. stammt, häufig auch in engl. Aussprache. – Frz. *sergent,* das im Afrz. ganz allgemein »Diener«, daneben auch schon »bewaffneter Mann« bedeutete (daraus mhd. *sarjant, serjant* »Knappe«), geht seinerseits zurück auf lat. *serviens* (Akkusativ: *servientem*) »Dienender«, dem Partizip Präsens von lat. *servire* »dienen« (vgl. *servieren*).

Serie »Reihe, Folge (gleichartiger Dinge)«: Das seit mhd. Zeit als *serje* »Reihen[folge]; Streifen; Zeitlauf« bezeugte Fremdwort ist aus lat. *series* »Reihe, Reihenfolge« entlehnt. Stammwort ist das lat. Verb *serere (sertum)* »fügen, reihen, knüpfen«, das sich mit dem verwandten Substantiv lat. *sors (sortis)* »Los, Losstäbchen; Schicksal; Stand, Rang; (spätlat. auch:) Art und Weise« (ursprünglich wohl »Reihe von Losstäbchen für das Orakel«), im außeritalischen Bereich z. B. mit griech. *eírein* »aneinander reihen«, unter einer idg. Wurzel *ser- »aneinander reihen, verknüpfen« vereinigen lässt. – Von dem schwundstufigen lat. *sors (sortis)* oder von dem davon abgeleiteten Verb lat. *sortiri* »losen, erlosen; auswählen« gehen die Fremdwörter ↑Sorte, sortieren und Sortiment aus, dazu auch lat. *con-sors* »gleichen Loses teilhaftig; Gefährte, Genosse« in ↑Konsorten, Konsortium. Beachte ferner die zu lat. *serere* gehörenden Zusammensetzungen lat. *de-serere* »abreihen, abtrennen; verlassen«, lat. *dis-serere* »auseinander reihen; erörtern; entwickeln« (dazu das Intensiv lat. *dis-sertare* »auseinander setzen, entwickeln«) und lat. *in-serere* »einfügen, einschalten« in den Fremdwörtern ↑Deserteur, desertieren, ↑Dissertation und ↑inserieren, Inserat.

seriös »ernsthaft, ernst gemeint; gediegen, anständig; würdig«: Das Adjektiv wurde im späten 17. Jh. über gleichbed. frz. *sérieux* aus entsprechend mlat. *seriosus* entlehnt, das seinerseits zu lat. *serius* »ernsthaft, ernstlich« gehört.

Serpentine »in Schlangenlinie ansteigender Weg an Berghängen; Windung, Kehrschleife«: Das Fremdwort ist eine gelehrte Bildung des 19. Jh.s zu spätlat. *serpentinus* »von Schlangen, Schlangen-« (Adjektiv), das hier in der Bedeutung »schlangenförmig (sich windend)« aufgefasst wird. Das dem Adjektiv zugrunde liegende Substantiv lat. *serpens (serpentis)* »Schlange« ist von lat. *serpere* »kriechen« abgeleitet.

Serum »wässriger Bestandteil des Blutes und der Lymphe; Impfstoff«: Das Fremdwort ist eine gelehrte Entlehnung des späten 17. Jh.s aus lat. *serum* »wässriger Teil der geronnenen Milch, Molke« (verwandt mit den unter ↑Strom genannten Wörtern).

[1]**Service:** Die Bezeichnung für »zusammengehörendes Tafelgeschirr« wurde im 17. Jh. aus gleichbed. frz. *service* entlehnt. Das frz. Wort bedeutet – entsprechend seiner Herkunft aus lat. *servitium* »Sklavendienst« (zu lat. *servire* »dienen«, vgl. *servieren*) – eigentlich »Dienst, Dienstleistung, Bedienung«. Erst durch Rückanlehnung an das Stammwort frz. *servir* »dienen; aufwarten; die Speisen auftragen, servieren« entwickelte es die sekundäre Bedeutung »Tafelgeschirr (in dem serviert wird)«. – Die Grundbedeutung des frz. Wortes ist uns noch fassbar in dem jungen Fremdwort [2]**Service** »Kundendienst, Kundenbetreuung« (20. Jh.), das aus dem Engl. entlehnt ist (engl. *service* stammt seinerseits aus dem Afrz.).

servieren »bei Tisch bedienen, Speisen und Getränke auftragen«: Das Verb wurde im 18. Jh. aus gleichbed. frz. *servir* (eigentlich allgemein »dienen«) entlehnt, das auf lat. *servire* »Sklave sein; dienen« zurückgeht. Stammwort ist lat. *servus* »Sklave, Diener«. – Zu lat. *servire* oder frz. *servir* gehören auch die Fremdwörter ↑[1]Service, [2]Service, ↑Serviette und ↑Dessert.

Serviette: Die Bezeichnung »Mundtuch« wurde im 16. Jh. aus gleichbed. frz. *serviette* entlehnt. Das frz. Wort ist von frz. *servir* »dienen; aufwarten, die Speisen auftragen, servieren« abgeleitet (vgl. *servieren*), bedeutet also ursprünglich etwa »Gegenstand, der beim Servieren benötigt wird«.

Sessel: Das gemeingerm. Substantiv mhd. *sezzel*, ahd. *sezzal*, got. *sitls*, aengl. *seotul*, (mit anderer Bedeutung) aisl. *sjǫtull* »jemand, der etwas zum Stehen bringt, Beendiger« gehört zu der unter ↑sitzen dargestellten idg. Wurzel. Es ist verwandt mit außergerm. Wörtern wie lat. *sella* »Sitz«, griech. *hellá* »Sitz«, russ. *sedlo* »Sattel«. Neben der allgemeinen Bedeutung wird das germ. Wort schon im Got. auch für den Fürstenthron, im Ahd. für den Richtersitz verwendet (der ursprünglich neben den üblichen Bänken der einzige Stuhl war).

Set: Das Substantiv mit der Bedeutung »Satz gleichartiger oder sich ergänzender Gegenstände« ist in der 1. Hälfte des 20. Jh.s aus engl. *set* »Satz, Garnitur, Kreis von Personen«, älter »religiöse Gemeinschaft, Sekte« entlehnt worden. In dieser älteren Bedeutung handelt es sich um eine Entlehnung aus gleichbed. afrz. *secte*. Lat. *secta*, auf das es zurückgeht, steht für »Grundsätze, die jemand befolgt; Denk- und Handlungsweise; Lehre; Schule; Sekte« (vgl. *Sekte*) und gehört zu dem Verb *sequi* »folgen«. Die Übertragung im Engl. von Personen auf Gegenstände könnte sich unter dem Einfluss des Verbes *to set* »stellen, setzen« vollzogen haben.

setzen: Das gemeingerm. Verb mhd. *setzen*, ahd. *sezzen*, got. *satjan*, engl. *to set*, schwed. *sätta* bedeutet als Veranlassungswort zu dem unter ↑sitzen behandelten Verb eigentlich »sitzen machen«. Außergerm. ist es z. B. verwandt mit aind. *sādayati* »er setzt« und russ. *sadit'* »setzen, pflanzen«. Die alte Bedeutung »bestimmen, anordnen« (14.–18. Jh.; eigentlich »Recht setzen«, dazu ↑Gesetz und *Satzung* [↑Satz]) bewahrt noch die Zusammensetzung **festsetzen** (Zusammenschreibung seit dem 19. Jh.). – Abl.: **Satz** (s. d.); **Setzer** (mhd. *setzer* »Aufsteller, Taxator«, ahd. *sezzari* »Stifter«; nhd. in Zusammensetzungen wie ›Ofen-, Steinsetzer‹, auch ›Tonsetzer‹ »Komponist«; besonders aber seit dem 16. Jh. Bezeichnung des Schriftsetzers im Druckgewerbe); **Setzling** »junge Pflanze; Zuchtfisch« (mhd. *setzelinc*, im Weinbau); **gesetzt** (als Adjektiv für »ruhig, ernst« seit dem 18. Jh.; als Partizip z. B. in der seit dem 16. Jh. bezeugten Wendung ›gesetzt, [dass] ...‹ »wir wollen einmal annehmen, dass ...«). – Zus.: **absetzen** »heruntersetzen; von einem Amt entfernen« (mhd. *abesetzen*, eigentlich »vom Amtssessel setzen«), »verkaufen« (15. Jh., ursprünglich wohl »vom Frachtwagen heruntersetzen«), »ab-, unterbrechen; sich zurückziehen« (17. Jh.), dazu **Absatz** (mhd. *abesaz* »Verringerung«; kaufmännisch im Sinne von »Warenverkauf« seit dem 16. Jh. bezeugt, häufiger seit dem 18. Jh., heute auch im Sinne von »Unterbrechung im Text; Abschnitt« und »erhöhter Teil der Schuhsohle unter der Ferse« gebräuchlich) und **Absetzung** (15. Jh.); **aufsetzen** (mhd. *ūfsetzen*, ahd. *ūfsezzan;* seit dem 18. Jh. auch »schriftlich entwerfen«), dazu **Aufsatz** (z. B. ›Tafelaufsatz‹; seit dem 18. Jh. besonders »aufgesetzter Text; schriftliche Darstellung«; mhd. *ūfsaz* bedeutete »[Auflegen von] Steuern; Verordnung, Plan usw.«); **aussetzen** »hinaussetzen; preisgeben; beanstanden« (in der letzten Bedeutung eigentlich »bei der Warenprüfung als fehlerhaft aus der Reihe setzen«, 15. Jh.; s. auch *Ausschuss*), intransitiv »unterbrechen, aufhören« (18. Jh.); zu mhd. *ūzsetzen* in der Bedeutung »absondern« gehört **Aussatz** (s. d.); **beisetzen** (im 17. Jh. für »neben anderes setzen, Geld zuschießen«, auch in der Bedeutung »einen Sarg neben andere in die Gruft setzen«, daher heute noch gehobener Ausdruck für »begraben«), dazu **Beisetzung** »Bestattung« (Ende des 19. Jh.s); [1]**durchsetzen** »gegenüber Widerständen verwirklichen« (18. Jh.); [2]**durchsetzen** »vollständig besetzen, durchdringen« (mhd. *durchsetzen*); **einsetzen** »hineinsetzen; bestimmen, ernennen; verpfänden; zweckbestimmt verwenden«, reflexiv »für etwas eintreten«, intransitiv »beginnen« (mhd. *īnsetzen* »hineinsetzen, -legen«), dazu **Einsatz** »das Einsetzen; Eingesetztes; einsetzbarer Teil; das Sicheinsetzen, Anstrengung« (mhd. *īnsaz*); **nachsetzen** (in der Bedeutung »nachjagen, verfolgen« seit dem 17. Jh.; beachte schon spätmhd. *nāchsetzig* »nachstellend« [von der Schlange]); [1]**übersetzen** »über ein Wasser bringen« (mhd. *übersetzen*, ahd. *ubarsezzen*); [2]**übersetzen** »in eine andere Sprache übertragen« (17. Jh.; wohl nach gleichbed. lat. *traducere, transferre;* mhd. *übersetzen* bedeutete hingegen »übermäßig besetzen, überlasten; bedrängen«), dazu **Übersetzung** (eines Buches und dgl., 17. Jh.; in technischem Sinn, z. B. beim Fahrrad, erst um 1900); **umsetzen** »an einen andern Ort setzen« (mhd. *umbesetzen*, 14. Jh.; die kaufmännische Bedeutung »auf dem Waren- und Geldmarkt um-, eintauschen« wurde im 17. Jh. aus dem Niederd. aufgenommen [mnd. *ummesetten* »tauschen«], ebenso das Substantiv **Umsatz** »Gesamtwert oder Gesamtmenge abgesetzter Waren, erbrachte Leistungen o. Ä. in einem bestimmten Zeitraum« [mnd. *ummesat* »Tausch«]); [1]**untersetzen** »darunter setzen« (mhd. *undersetzen*), dazu **Untersatz** »etwas, was untergesetzt, untergestellt wird« (mhd. *undersaz*); zu veraltet [2]**untersetzen** »stützen« (mhd. *undersetzen*) gehört das adjektivische Partizip **untersetzt** »gedrungen, kräftig« (16. Jh., eigentlich »gestützt, gefestigt«); **vorsetzen** (mhd. *vürsetzen*, ahd. *furisezzen* »vor Augen setzen, voranstellen«; in der Bedeutung »sich etwas vornehmen« zuerst mhd.), dazu das substantivierte Partizip **Vorgesetzte** (17. Jh.) und die Bildung **Vorsatz** »Vorgesetztes; Vorhaben, Plan« (mhd. *vür-, vorsaz*, wohl nach lat. *propositum*); **zusetzen** »hinzufügen; bedrängen« (mhd. *zuosetzen* »auf jemanden eindringen, ihn verfolgen« [zuerst wohl auf den Schwertkampf bezogen]), dazu **Zusatz** »Hinzugefügtes« (spätmhd. *zuosaz*). – Präfixbildungen: **besetzen** »auf etwas setzen; mit etwas versehen; belegen, reservieren; an jemanden vergeben; (ein Gebiet o. Ä.) erobern und darin Truppen stationieren; in seine Gewalt bringen; dafür sorgen, dass bestimmte Tiere in einem Bereich sind« (mhd. *besetzen*, ahd. *bisezzen*), dazu **Besatz** »das Besetzen; Borte, Spitze; Wild-, Fischbestand« (18. Jh.), **Besatzung** »Truppen, die ein Gebiet besetzt halten; Mannschaft eines Schiffes, Flugzeugs o. Ä.« (spätmhd. *besatzunge* »Befestigung«, seit dem 16. Jh. in der heutigen Bedeutung); **entsetzen** (s. d.); **ersetzen** »an die Stelle setzen, erstatten« (mhd. *ersetzen*, ahd. *irsetzen*), dazu **Ersatz** »das Ersetzen, Erstatten; an die Stelle von etwas anderem gesetzte Person oder Sache« (18. Jh.); **versetzen** (mhd. *versetzen*, ahd. *firsezzen;* zu den mhd. Bedeutungen »hinsetzen, verpfänden, versperren, abwehren usw.« traten im Nhd. zahlreiche weitere Verwendungen, so um 1600 »entgegnen, erwidern« und »einen Schlag geben«; die Bedeutung »an einen anderen Platz bringen«, besonders auf Beamte und Schüler bezogen, lebt verblasst auch in Fügungen wie ›in Furcht, in die Notwendigkeit versetzen‹); **zersetzen** »[sich] auflösen, verderben« (im 18. Jh. bergmännisch für »zerschlagen«; erst seit dem 19. Jh. im heutigen Sinn).

Seuche: Mhd. *siuche*, ahd. *siuhhī*, got. *siukei* sind Substantivbildungen zu dem unter ↑ siech behandelten Adjektiv mit der Grundbedeutung »Krankheit, Siechtum« (vgl. das anders gebildete niederl. *ziekte* »Krankheit«; s. a. *Sucht*). Im Dt. bezeichnet ›Seuche‹ seit dem 17./18. Jh. die »ansteckende Epidemie« und gilt in dieser Bedeutung besonders im amtlichen Bereich (beachte dazu die Zus. ›Seuchenpolizei‹) und in der Tierheilkunde.

seufzen: Das in dieser Form nur hochd. Wort (mhd. *siufzen*) ist unter dem Einfluss von Wörtern ähnlicher Bedeutung wie ›ächzen‹, ›lechzen‹ umgebildet worden aus älterem mhd. *siuften*, ahd. *sūft[e]ōn* (vgl. mnd. *suften, suchten*, niederl. *zuchten* »seufzen«). Dieses Verb gehört zu einer noch in mhd. *sūft* »Seufzer« bewahrten Ableitung von ahd. *sūfan* »schlürfen« (vgl. *saufen*): Mit ›seufzen‹ wird also das hörbare Einziehen des Atems bezeichnet.

Sex »Geschlecht, Geschlechtstrieb; Erotik«: Das Wort wurde im 20. Jh. aus gleichbed. engl. *sex* übernommen, das wie entsprechend frz. *sexe* auf lat. *sexus* »(männliches oder weibliches) Geschlecht« zurückgeht. Aus dem Engl.-Amerik. stammen auch die Zusammensetzung **Sexappeal** »erotische Anziehungskraft auf das andere Geschlecht« (20. Jh.; der zweite Bestandteil engl. *ap-*

peal bedeutet »Appell; Anziehungskraft, Reiz«) sowie die substantivische Ableitung **Sexismus** »Haltung, Grundeinstellung, die darin besteht, jemanden aufgrund seines Geschlechts zu benachteiligen und zu diskriminieren; insbesondere das diskriminierende Verhalten Frauen gegenüber« (engl. *sexism*). Ebenfalls engl. Herkunft ist das Adjektiv **sexy** ugs. für »erotisch-attraktiv« (engl. *sexy*). – Beachte in diesem Zusammenhang auch die Adjektive **sexual** und **sexuell** »geschlechtlich«, die spätlat. *sexualis* »zum Geschlecht gehörig« fortsetzen. Sie erscheinen als Fremdwörter im 18. Jh., wobei Letzteres unmittelbar aus entsprechend frz. *sexuel* entlehnt ist. Dazu als nlat. Bildung das Substantiv **Sexualität** »Geschlechtsleben; geschlechtliches Verhalten« (19. Jh.).

Sexbombe ↑Bombe.

Sexta »die erste Klasse der Unterstufe einer höheren Schule«: Die Bezeichnung stammt aus der Reformationszeit, in der die Einteilung und Benennung der Unterrichtsklassen nach römischen Ordinalzahlen allgemein üblich wurde. Man zählte damals von der obersten Klasse der Oberstufe (der *Prima* [↑prima]) abwärts. Die unterste Klasse, die *sexta classis* (daraus die Kurzform), war also ursprünglich, wie der lat. Name besagt, die »sechste Klasse«. Diese wie auch die anderen entsprechenden Bezeichnungen (↑Quinta, ↑Quarta usw.) behielt man später bei, als man in umgekehrter Folge von der Unterstufe aufwärts zählte. Die zugrunde liegende Ordinalzahl lat. *sextus* »sechster« entspricht der lat. Kardinalzahl *sex* »sechs« (urverwandt mit dt. ↑sechs).

sezieren: Der medizinische Fachausdruck für »einen Leichnam öffnen und anatomisch zerlegen« wurde Anfang des 18. Jh.s aus lat. *secare (sectum)* »[ab]schneiden; mähen; zerschneiden, zerlegen; operieren« (urverwandt mit dt. ↑Säge) entlehnt. – Dazu gehört auch das Substantiv **Sektion** »kunstgerechte Leichenöffnung« (18. Jh.; aus lat. *sectio* »das [Zer]schneiden, das Zerlegen«). Letzteres wird auch allgemeinsprachlich mit einer seit dem 18. Jh. bezeugten, von entsprechend frz. *section* übernommenen neuen Bedeutung »Abteilung, Gruppe, Zweig[verein]« verwendet. – Zu lat. *secare* als Stammwort gehören auch die Fremdwörter ↑Segment, ↑Sektor, ↑Insekt, ferner das Lehnwort ↑Sichel.

S

Shampoo: Das Fremdwort mit der Bedeutung »flüssiges Haarwaschmittel« wurde in der 1. Hälfte des 20. Jh.s aus gleichbed. engl. *shampoo* entlehnt. Dieses ist eine Bildung zum Verb *to shampoo* »das Haar waschen«, eigentlich »massieren«, welches auf Hindi *chhāmpō* »knete!« zurückgeht. – Abl.: **shampoonieren.**

Shorts »kurze, sportliche (Damen- oder Herren)hose«: Das Fremdwort gehört zu den zahlreichen, im 20. Jh. aus dem Engl. übernommenen Bezeichnungen für Kleidungsstücke wie ↑Bluejeans, ↑Petticoat, ↑Pullover u. a. (vgl. hierzu auch das Kapitel zur Sprachgeschichte *Amerikanismen und Anglizismen*). Engl. *shorts* bedeutet wörtlich »die Kurzen«. Es ist der substantivierte Plural des Adjektivs *short* »kurz«, das gleichbed. ahd. *scurz* (vgl. *Schurz*) entspricht.

Show: Das im Sinne von »Schau, Darbietung; buntes, aufwendiges Unterhaltungsprogramm« gebräuchliche Fremdwort wurde im 20. Jh. aus gleichbed. engl. *show* entlehnt, einer Substantivbildung zu engl. *to show* »zeigen, darbieten, zur Schau stellen« (verwandt mit dt. ↑schauen). – Zus.: **Show-down** »Entscheidungskampf (im Western), offene Konfrontation« (2. Hälfte des 20. Jh.s); **Showmaster** »Unterhaltungskünstler, der eine Show präsentiert« (2. Hälfte des 20. Jh.s, anglisierend, wahrscheinlich in Analogie zu *Quizmaster* [↑Quiz]).

sich: Das germ. Reflexivpronomen (mhd. *sich*, ahd. *sih*, got. *sik*, anord. *sik*) geht zurück auf idg. **se-* »sich«. Außergerm. Ableitungen hiervon sind z. B. lat. *se* (Akkusativ), *sibi* (Dativ) »sich« und altkirchenslaw. *sę* (Akkusativ), *sebě* (Dativ) »sich«.

Sichel: Der westgerm. Gerätename (mhd. *sichel*, ahd. *sihhila*, niederl. *sikkel*, engl. *sickle*) beruht auf einer frühen Entlehnung aus einer vlat. Form von lat. *secula* »kleine Sichel«. Dies gehört im Sinne von »Werkzeug zum Mähen« zum Stamm von lat. *secare* »[ab]schneiden; mähen« (vgl. *sezieren*).

sicher: Das westgerm. Adjektiv mhd. *sicher*, ahd. *sichur*, niederl. *zeker*, aengl. *sicor* ist schon früh aus lat. *securus* »sorglos, unbekümmert, sicher« entlehnt worden, einer Bildung zu lat. *cura* »Sorge; Pflege« (vgl. *Kur*; lat. *se[d]* bedeutet »ohne; beiseite, weg«, vgl. *separat*). Ursprünglich wurde ›sicher‹ in der Rechtssprache mit der Bedeutung »frei von Schuld, Pflichten, Strafe« gebraucht. – Abl.: **Sicherheit** (mhd. *sicherheit*, ahd. *sichurheit*); **sicherlich** »gewiss« (nur als Adverb; mhd. *sicherlīche*, ahd. *sichurlīcho*); **sichern** »sicher machen, sicherstellen« (mhd. *sichern*, ahd. *sihhurōn*; ursprünglich Rechtswort mit der Bedeutung »rechtfertigen«), dazu **Sicherung** (mhd. *sicherunge* »Bürgschaft, Schutz«; heute besonders im technischen Sinn »Vorrichtung, mit der etwas gesichert, im Notfall blockiert wird«); das Präfixverb **versichern** (mhd. *versichern* »sicher machen; erproben; versprechen«) bedeutet heute »beteuern, garantieren, sicherstellen« und besonders »gegen Schaden vertraglich sichern« (in dieser Bedeutung seit dem 17. Jh. zuerst im Seehandel neben dem Fremdwort ›assekurieren‹ [it. *assicurare*] gebraucht; doch hatte ›versichern‹ im Dt. schon vorher den ähnlichen Sinn »für etwas bürgen« entwickelt), dazu **Versicherung** »Beteuerung; vertraglicher Risikoschutz« (mhd. *versicherunge* »Sicherstellung, Sicherheit«; im 18. Jh. für »Assekuranz«). Seit der 2. Hälfte des 20. Jh.s taucht ›sicher‹ häufig als zweiter Bestandteil von Zusammensetzungen auf, wie z. B. ›diebstahlsicher, waschsicher, kindersicher‹, die wohl nach dem Vorbild der engl. Bildungen mit *-proof* und *-safe* entstanden sind.

Sicherheitscheck ↑Check.

Sicht: Die westgerm. Substantivbildung zu dem unter ↑sehen behandelten Verb (mhd., ahd. *siht,* niederl. *zicht,* engl. *sight*) bezeichnet wie Gesicht (s. d.) eigentlich sowohl das Sehen und Anblicken wie auch das Gesehene. So steht es in nhd. Zusammensetzungen wie ›Fern-, Rund-, Rücksicht‹ und in zahlreichen Ableitungen zu den verbalen Zusammensetzungen von ›sehen‹ (s. d.). In der heutigen Hauptbedeutung »Sehweite« (mnd. *sicht,* 15. Jh.) wurde das Wort erst im 19. Jh. aus der Seemannssprache ins Hochd. übernommen. Auch als Fachwort des Wechselverkehrs stammt ›Sicht‹ aus dem Niederd. (›auf, bei Sicht zahlbar‹; mnd. *[ge]sicht,* 15. Jh., ist in dieser Bedeutung Lehnübersetzung von it. *vista*). Dazu auch die Wendung ›auf lange Sicht‹ »für lange Zeit, Dauer« (eigentlich »Laufzeit des Wechsels«, 18. Jh.). – Abl.: **sichtbar** »mit den Augen wahrnehmbar; deutlich, offenkundig« (16. Jh.); **sichtlich** »deutlich, offenbar« (mhd. *sihtlich* bedeutete »sichtbar«); [1]**sichten** »erblicken« (im 19. Jh. aus der Seemannssprache); älter ist **besichtigen** (16. Jh.; weitergebildet aus älterem ›besichten‹ »in Augenschein nehmen«), dazu **Besichtigung** (16. Jh.).

[1]**sichten** ↑Sicht.

[2]**sichten** »auswählen, ausscheiden«: Das ursprünglich niederd. Verb bedeutet eigentlich »durch Sieben reinigen«. Mnd. *sichten* »sieben« ist wie gleichbed. niederl. *ziften,* engl. *to sift* von dem unter ↑Sieb behandelten Substantiv abgeleitet (zu niederd. -cht- statt hochd. -ft- vgl. den Artikel *Gracht*). Durch Luther, der das Wort auch schon bildlich gebrauchte, ist ›sichten‹ in die nhd. Schriftsprache gelangt.

sickern: Das in dt. Mundarten als *sikern, sickern* weit verbreitete Verb gelangte erst im 17. Jh. in die Schriftsprache. Es entspricht aengl. *sicerian* »tröpfeln, einsickern« und gehört als alte Iterativbildung zu dem unter ↑seihen behandelten Verb in dessen intransitiver Bedeutung »ausfließen«.

sie: Die im Ahd. noch unterschiedenen Formen des weiblichen Personalpronomens der 3. Person Singular (Nominativ *siu, sī,* Akkusativ *sīa*) und der 3. Person Plural aller drei Geschlechter (Nominativ, Akkusativ *sie, sio, siu*) sind im Mhd. zu *sī, si, sie* vereinfacht worden und im Nhd. in der Form ›sie‹ zusammengefallen. In anderen germ. Sprachen entspricht nur got. *si* »sie« (Nominativ Singular), außerhalb des Germ. gleichbed. air. *sī* und der Akkusativ aind. *sīm.* Das nhd. *Sie* der Anrede stand ursprünglich als Pronomen der 3. Person neben einem der im 16. Jh. für hoch gestellte Personen aufgekommenen pluralischen Titel (z. B. ›Euer Gnaden haben ..., sie haben ...‹). Seit dem 17. Jh. wird ›Sie‹ auch ohne vorherige Nennung des Titels gebraucht, im 18. Jh. ist es als Anrede unter Adligen und Bürgern von Stand neben dem älteren ›Ihr‹ allgemein üblich geworden und wird seitdem großgeschrieben. – Dazu **siezen** »mit Sie anreden« (17. Jh.; s. auch *duzen* [↑du]).

Sieb: Das westgerm. Substantiv mhd. *sip,* ahd. *sib,* niederl. *zeef,* engl. *sieve* bezeichnet seit alters ein Flechtwerk zum Reinigen von Getreide, Mehl und dgl. Aus Rosshaaren geflochtene Haarsiebe (aengl. *hǣrsife*) waren schon in germ. Zeit bekannt. Als alte Ableitung gehört ↑[2]sichten »auswählen« (eigentlich »sieben«) zu ›Sieb‹. Die zugrunde liegende idg. Wurzel **seip-* »ausgießen, seihen« ist auch in serb. *sipiti* »rieseln, fein regnen« enthalten; zu ihrer Nebenform **seib-* gehört die Sippe von ↑Seife. – Abl.: [1]**sieben** (spätmhd. *si[e]ben* »durch ein Sieb schütten«, nhd. ugs. auch für »aussondern, untaugliche Personen entfernen«, ähnlich wie ↑[2]sichten).

[2]**sieben:** Das gemeingerm. Zahlwort mhd. *siben,* ahd. *sibun,* got. *sibun,* engl. *seven,* schwed. *sju* geht mit Entsprechungen in den meisten anderen idg. Sprachen auf idg. **septm̥* »sieben« zurück, vgl. lat. *septem* »sieben« (↑September), griech. *heptá* »sieben« und aind. *saptá* »sieben«. – In den Ableitungen ist ›sieb...‹ jetzt an die Stelle der alten Form ›sieben...‹ getreten: **siebte** (Ordnungszahl; mhd. *sibende, sib[en]te,* ahd. *sibunto;* mit verwandten Bildungen in vielen idg. Sprachen, z. B. lat. *septimus*). Zus.: **Siebtel** (im 16. Jh. *siebenteil;* vgl. *Teil*); **siebzehn** (mhd. *sibenzehen*); **siebzig** (mhd. *sibenzec,* ahd. *sibunzug;* zum zweiten Bestandteil vgl. *...zig*).

sieben

eine böse Sieben
(ugs.) »ein zanksüchtiges Weib«
Der Ausdruck rührt aus dem Karnöffelspiel her, wo die höchste Karte zunächst das Bild des Teufels und dann das eines bösen Weibes trug.

siech: Das gemeingerm. Adjektiv mhd. *siech,* ahd. *sioh,* got. *siuks,* engl. *sick,* schwed. *sjuk* »krank« ist in spätmhd. Zeit aus seiner allgemeinen Bedeutung durch das jüngere Wort ›krank‹ (s. d.) verdrängt worden, nachdem es schon vorher besonders für den ansteckenden Zustand der Aussätzigen gebraucht worden war. Im Nhd. bedeutet es »schwer leidend, hinfällig«. Zusammen mit dem gleichfalls alten Verb **siechen** »lange Zeit krank sein« (mhd. *siechen,* ahd. *siuchan, siuchēn;* vgl. got. *siukan* »krank sein«, aisl. *sjukask* »erkranken«; nhd. meist in der Zusammensetzung **dahinsiechen**) und den Substantiven ↑Seuche und ↑Sucht bildet ›siech‹ eine germ. Wortsippe, deren außergerm. Beziehungen unklar sind.

siedeln: Mhd. *sidelen,* ahd. *gi-sidalen* »einen Sitz anweisen, ansässig machen« ist eine nur hochd. Ableitung zu dem westgerm. Substantiv mhd. *sedel,* ahd. *sedal,* asächs. *seđal,* aengl. *seđel* »Sitz, Wohnsitz« (vgl. *sitzen*). Das Verb wird erst im Nhd. intransitiv gebraucht; häufiger sind die nhd. Zusammensetzungen ›an-, über-, umsiedeln‹ und das ältere **besiedeln** »ein Gebiet bebauen und bewohnen« (mhd. *besidelen*). – Abl.: **Siedler** »jemand, der siedelt« (im 17. Jh. [Land]siedler, spätmhd. in der Zusammensetzung *sidlerguot;* dazu Bildungen wie ›An-, Um-, Neusiedler‹; das ahd. Substantiv *sidilo* »Landbauer«, zu ahd. *sedal* »Sitz« gebildet, liegt in der Zusammensetzung ahd. *einsidilo* dem Wort ↑Einsiedler voraus); **Siedlung** (spätmhd. in der Zusammensetzung *sidlungrecht* »Siedlungsabgabe«; im 19. Jh. allgemein für »bewohnter Ort«).

sieden: Das altgerm. starke Verb mhd. *sieden,* ahd. *siodan,* niederl. *zieden,* engl. *to seethe,* schwed. *sjuda* »kochen, aufwallen« ist etymologisch nicht sicher erklärt. Als ablautende Substantive gehören dazu got. *sauÞs* »Opfer«, aisl. *sauđr* »Schaf«, eigentlich »etwas, was zum Opfer gekocht wird«, ferner das heute im Dt. veraltete Wort Sod, das unter ↑Sodbrennen behandelt ist, sowie **Sud** und **Absud** (siehe unter *sudeln*). – In übertragenem Sinne bedeutet **hartgesotten** (18. Jh.) »seelisch verhärtet«.

Siedler, Siedlung ↑siedeln.

Sieg: Das gemeingerm. Substantiv mhd. *sic, sige,* ahd. *sigi, sigu,* got. *sigis,* aengl. *sige,* schwed. *seger* geht auf die idg. Wurzel **seĝh-* »festhalten, im Kampf überwältigen; Sieg« zurück, vgl. z. B. aind. *sáhatē* »er bewältigt, vermag, erträgt« (mit dem Substantiv *sáhas-* »Gewalt, Sieg«) und griech. *échein (íschein)* »halten, besitzen, haben« (vgl. den Artikel *hektisch*). – Abl.: **siegen** »den Sieg davontragen« (mhd. *sigen,* ähnlich ahd. *ubarsiginōn, -sigirōn*), dazu **Sieger** »jemand, der den Sieg errungen hat« (16. Jh.; rhein. im 13. Jh. *segere*). Zus.: **siegreich** »den Sieg errungen habend; oft siegend, erfolgreich« (mhd. *sigerīche*).

Siegel »Stempelabdruck (als Verschluss von Briefen u. a. oder zur Beglaubigung von Urkunden und dgl.)«, auch übertragen im Sinne von »Bekräftigung«: Das Substantiv mhd. *sigel,* mnd. *seg[g]el* beruht wie z. B. auch entsprechend niederl. *zegel* auf einer Entlehnung aus lat. *sigillum* »kleine Figur, Bildchen; Abdruck des Siegelrings«, das als Verkleinerungsbildung (Grundform **signolom*) zu lat. *signum* »Zeichen, Kennzeichen; Bildnis; Siegel« gehört (vgl. das Fremdwort *Signum*). – Abl. und Zus.: **siegeln** »mit einem Siegel versehen« (mhd. *sigelen*), dazu die Präfixbildungen **besiegeln** »durch ein Siegel bekräftigen; unabdingbar festsetzen, entscheiden« (mhd. *besigelen*) und **versiegeln** »mit einem Siegel verschließen« (mhd. *versigelen*).

S

Siegel

jmdm./für jmdn. ein Buch mit sieben Siegeln sein »jmdm. dunkel und unverständlich bleiben«
Die Wendung bezieht sich auf die Offenbarung Johannes' 5, 1, wo das Lamm ein rätselhaftes Buch empfängt: ›Und ich sah in der rechten Hand des, der auf dem Thron saß, ein Buch ... versiegelt mit sieben Siegeln.‹

Siel: Das niederd. Wort für »kleine Schleuse, Abwasserkanal« (mnd., afries. *sīl;* entsprechend mniederl. *sīle*) ist verwandt mit schwed. *sil* »Sieb, Filter[tuch]« und geht auf ein germ. **sihwila* »Gerät zum Seihen« zurück (entlehnt in finn. *siivilä* »Sieb, Filter[tuch]«). Dies gehört zu der unter ↑seihen genannten idg. Wurzel.

sielen ↑saufen.

Siesta: Die Bezeichnung für »Mittagsruhe, -schläfchen«, auch allgemein »Ruhe, Entspannung« wurde im 17. Jh. aus gleichbed. span. *siesta* entlehnt, das auch in andere europäische Sprachen gelangte (it. *siesta,* engl. *siesta,* frz. *sieste*). Das span. Wort geht auf lat. *sexta (hora)* zurück und bezeichnet demnach eigentlich »die sechste Tagesstunde« nach Sonnenaufgang, also die (in südlichen Gegenden) besonders heiße und darum für die Arbeit ungeeignete Mittagszeit. – Die zugrunde liegende lat. Ordinalzahl *sextus* »sechster« entspricht der Kardinalzahl lat. *sex* »sechs« (urverwandt mit dt. ↑sechs).

siezen ↑sie.

Signal »Zeichen mit festgelegter Bedeutung; Warnzeichen, Startzeichen«: Das Fremdwort wurde im 16. Jh. aus gleichbed. frz. *signal* (afrz. *seignal*) entlehnt, das seinerseits auf spätlat. *signale,* dem substantivierten Neutrum von lat. *signalis* »bestimmt, ein Zeichen zu geben«, beruht. Dies gehört zu lat. *signum* »Zeichen« (vgl. *Signum*).

Signatur: Die Bezeichnung für »Kurzzeichen (als Unterschrift, Namenszug usw.); Künstlerzeichen; Kenn-, Bildzeichen; [Buch]nummer« wurde im 16. Jh. aus mlat. *signatura* »Siegelzeichen, Unterschrift« entlehnt. Dies gehört zu lat. *signum* »Zeichen« (vgl. *Signum*) oder dem davon abgeleiteten Verb lat. *signare* »mit einem Zeichen versehen, besiegeln, unterzeichnen«. Letzteres lieferte im 15. Jh. unser Fremdwort **signieren** »mit einer Signatur versehen; unterzeichnen, abzeichnen«.

Signum »Zeichen; Siegel; Unterschrift in Form einer Abkürzung«: Das Fremdwort ist im 16. Jh. aus lat. *signum* »Zeichen, Kennzeichen, Vorzeichen« übernommen worden, das seinerseits vermutlich im Sinne von »(auf Holzstäben) eingekerbtes, eingeschnittenes Zeichen« zum Stamm von lat. *secare* »schneiden« und damit zu der unter ↑Säge dargestellten Wortsippe der idg. Wurzel **sek-* »schneiden« gehört. – Verschiedene Ableitungen von lat. *signum* sind in diesem Zusammenhang von Interesse, soweit sie Ausgangspunkt für Lehn- oder Fremdwörter sind. Beachte im Einzelnen: lat. *signare* »mit einem Zeichen versehen; bezeichnen« im Lehnwort ↑segnen und in dem jüngeren Fremdwort *signieren* (↑Signatur), dazu die Bildungen lat. *de-signare* »im Abriss zeichnen; abgrenzen« (↑Design) und lat. *re-signare* »entsiegeln; ungültig machen; verzichten« (↑resignieren, Resignation); lat. *signalis* »bestimmt, ein Zeichen zu geben« (↑Signal); mlat. *signatura* »Siegelzeichen« (↑Signatur); die Verkleinerungsbildung lat. *sigillum* (< **signolom*) »kleine Figur, kleines Bildnis; Abdruck des Siegelrings« (in ↑Siegel usw.); lat. *in-signis* »ausgezeichnet; auffallend«, dazu lat. *insignia* »die Abzeichen« (↑Insignien).

Silbe: Das Substantiv mhd. *silbe, sillabe,* ahd. *sillaba* wurde im Bereich der klösterlichen Schulsprache aus lat. *syllaba* »Silbe« entlehnt, das selbst aus gleichbed. griech. *syl-labḗ* stammt. Das griech. Wort bedeutet eigentlich »das Zusammenfassen, das Zusammengefasste«, im speziellen Sinne als grammatischer Terminus demnach etwa »die zu einer Einheit zusammengefassten Laute«. Es gehört zu griech. *syl-lambánein* »zusammennehmen, -fassen« (*lambánein* »nehmen, fassen, ergreifen«).

Silber: Der gemeingerm. Metallname mhd. *silber,* ahd. *sil[a]bar,* got. *silubr,* engl. *silver,* schwed. *silver* ist wahrscheinlich ebenso wie die baltoslaw. Wörter lit. *sidãbras,* russ. *serebro* »Silber« ein sehr altes Lehnwort aus einer unbekannten nichtidg. Sprache. – Abl.: **silb[e]rig** »silberfarben« (älter nhd. neben *silbericht* in der Bedeutung »silberhaltig« [von Erzen]); **silbern** »aus Silber; hell schimmernd« (mhd. *silberīn,* ahd. *silbarīn;* vgl. got. *silubreins,* engl. *silvern*); **versilbern** »mit Silber überziehen« (mhd., ahd. *silber[e]n;* in der jetzt ugs. Bedeutung »zu Geld machen« schon im 15. Jh. bezeugt). Zus.: **Silberblick** ugs. scherzhaft für »leicht schielender Blick« (im 19. Jh. ursprünglich Bezeichnung für den eigenartigen Schimmer des flüssigen Silbers zu Ende des Schmelzprozesses kurz vor dem Erstarren); **Silberhochzeit** (im 18. Jh. für den 50. Jahrestag der Eheschließung, jetzt für den 25.); **Silberpappel** (18. Jh.; nach der hellen Unterseite der Blätter).

Sild ↑Hering.

Silhouette: Die Bezeichnung für »Umriss[linie], Kontur«, in der bildenden Kunst für »Schattenriss, Scherenschnitt« ist aus gleichbed. frz. *silhouette* entlehnt. Das frz. Wort geht zurück auf den Namen des französischen Politikers Etienne de Silhouette (1709–1767), der in seinem Schloss statt kostbarer Gemälde selbst gefertigte Scherenschnitte aufhängte.

Silo: Die Bezeichnung für »Großspeicher (für Getreide, Erz u. a.); Gärfutterbehälter« wurde im 19. Jh. aus span. *silo* »Getreidegrube« entlehnt, dessen weitere Herkunft unsicher ist. Ursprünglich waren diese Lagerbehälter unterirdisch angelegt.

Silvester: Der letzte Tag des Jahres ist nach dem Tagesheiligen des 31. Dezembers, dem Papst Silvester I. (314–335 n. Chr.), benannt.

simpel »einfach; einfältig«: Das Adjektiv (mnd., spätmhd. *simpel* »einfältig«) ist aus frz. *simple* »einfach« entlehnt, das auf lat. *simplex* (Akkusativ *simplicem*) »einfach« beruht (vgl. *sammeln*).

simpeln ↑fachsimpeln.

Sims »vorspringende Baukante, Rand, Leiste«: Die Herkunft des nur dt. Wortes mhd. *sim[e]ẓz,* ahd. verdeutlichend *simiẓzstein* »Säulenknauf« ist nicht gesichert. Es hängt vermutlich irgendwie mit lat. *sima* »Rinnleiste, Glied des Säulenkranzes« zusammen. – Dazu stellt sich als Kollektivbildung **Gesims** »waagerecht vorspringender Mauerstreifen an Gebäuden« (14. Jh.).

simulieren »[eine Krankheit] vortäuschen; sich verstellen«: Das Verb wurde im 16. Jh. aus lat. *simulare* »ähnlich machen, nachbilden; nachahmen; etwas zum Schein vorgeben, sich den Anschein von etwas geben, etwas vortäuschen« entlehnt, das von lat. *similis* »ähnlich« abgeleitet ist. Über weitere etymologische Zusammenhänge vgl. den Artikel *sammeln.* – Abl.: **Simulant** »jemand, der eine Krankheit vortäuscht« (aus *simulans [simulantem],* dem Part. Präs. von lat. *simulare*). – Vgl. auch die zum gleichen Stammwort gehörenden Fremdwörter ↑assimilieren, Assimilation und ↑Faksimile. – In neuester Zeit wird das Verb auch fachsprachlich in der Bedeutung »(zu Übungs-, Erkenntniszwecken) modellhaft nachahmen, wirklichkeitsgetreu im Modell nachvollziehen« gebraucht. Dazu die substantivische Ableitung **Simulator** »Gerät, Anlage zur modellhaften Nachahmung wirklichkeitsgetreuer Vorgänge«.

Sinfonie, (auch:) Symphonie »mehrsätziges, auf das Zusammenklingen des ganzen Orchesters hin angelegtes Instrumentaltonwerk«: ›Sinfonia‹ hießen im 17. Jh. selbstständige Vor- oder Zwischenspiele einer Oper, Kantate oder Suite. Ihren musikalischen Eigencharakter als vollendete Instrumentalkomposition entwickelte die Sinfonie erst im 18. Jh. Die Bezeichnung selbst wurde im 17. Jh. aus gleichbed. it. *sinfonia* entlehnt, das auf lat. *symphonia* »Zusammenstimmen, Einklang; mehrstimmiger musikalischer Vortrag« zurückgeht. Dies war schon im 13. Jh. – wohl über gleichbed. afrz. *symphonie, sinfonie* – in der Bedeutung »Wohlklang, Harmonie« übernommen worden. Lat. *symphonia* seinerseits stammt aus gleichbed. griech. *sym-phōnía,* einer Bildung zu griech. *sým-phōnos* »zusammentönend«. Über das Stammwort griech. *phōnḗ* »Stimme; Ton, Klang usw.« vgl. den Artikel *Phonetik*. Lat. *symphonia* wurde bereits im 13. Jh. (wohl über das Afrz.) entlehnt als mhd. *symphonīe* »Einklang, Wohlklang«.

singen: Das gemeingerm. starke Verb mhd. *singen,* ahd. *singan,* got. *siggwan,* engl. *to sing,* schwed. *sjunga* geht auf idg. **seng^uh-* »mit feierlicher Stimme vortragen« zurück, vgl. griech. *omphḗ (*song^uhā)* »Stimme, Prophezeiung«. Es bezeichnete ursprünglich wohl das feierliche Sprechen von Weissagungen und religiösen Texten, in christlicher Zeit zuerst das Vorlesen der heiligen Schriften und den liturgischen Gesang.

Single: Das Fremdwort wurde in der 2. Hälfte des 20. Jh.s aus gleichbed. engl. *single* entlehnt, wobei das deutsche Substantiv nicht den großen Bedeutungsreichtum des engl. Wortes aufweist, sondern nur drei Bedeutungen übernommen hat; nämlich »allein lebender Mensch«, »kleine Schallplatte« und »Einzelspiel (im Tennis o. Ä.)«. Engl. *single* ist eine Substantivierung des Adjektivs *single* »einfach, einzeln«, welches über das afrz. *sengle* auf lat. *singulus* »je einer, einzeln, einer allein« zurückgeht. Dieses gehört zur selben Wortfamilie wie *singularis,* von dem das deutsche Adjektiv ↑singulär entlehnt ist.

singulär »vereinzelt [vorkommend]; selten«: Das Adjektiv wurde im 17. Jh. – zuerst in der Form ›singular‹ und auch mit der heute unüblichen Bedeutung »sonderbar« – aus lat. *singularis* »zum Einzelnen gehörig; vereinzelt; eigentümlich« entlehnt. Dies gehört seinerseits zu lat. *singulus* »jeder Einzelne; je einer, einzeln«. – Gleichen Ausgangspunkt (lat. *singularis*) hat der grammatische Terminus **Singular** »Einzahl«, der im 18. Jh. aus lat. *numerus singularis* gekürzt worden ist.

sinken: Das gemeingerm. starke Verb mhd. *sinken,* ahd. *sinkan,* got. *sigqan,* engl. *to sink,* schwed. *sjunka* bildet mit seinem unter ↑senken dargestellten Veranlassungswort eine germ. Wortgruppe, deren weitere Beziehungen nicht geklärt sind. Die Präfixbildung **versinken** bedeutete schon zu mhd. Zeit auch übertragen »sich in etwas vertiefen«.

Sinn: Das auf das dt. und niederl. Sprachgebiet beschränkte Substantiv (mhd., ahd. *sin,* niederl. *zin*) wurde schon in ahd. Zeit wie heute auf Verstand und Wahrnehmung bezogen. Auf eine ältere Bedeutung weist das starke Verb ›sinnen‹ (s. d.), das im Ahd. »streben, begehren«, ursprünglich aber »gehen, reisen« bedeutete. Diese Grundbedeutung »Gang, Reise, Weg« hat ein anderes gemeingerm. Substantiv, das z. B. als mhd. *sint,* ahd. *sind* »Reise, Weg« und als got. *sinþs* »Gang; Mal« (in Zahladverbien) erscheint und auch das Stammwort des Substantivs ↑Gesinde (eigentlich »Begleitung, Gefolgschaft«) ist. Zu ihm gehört ein unbezeugtes germ. Verb mit der Bedeutung »reisen«, dessen Veranlassungswort ↑senden (eigentlich »reisen machen«) ist. Die gesamte germ. Wortgruppe beruht auf der idg. Wurzel **sent-* »gehen, reisen, fahren«, deren ursprüngliche Bedeutung wohl »eine Richtung nehmen, eine Fährte suchen« war. Zu dieser Wurzel gehören außerhalb des Germ. z. B. air. *sēt* »Weg« und die Sippe von lat. *sentire* »fühlen, wahrnehmen«, *sensus* »Gefühl, Sinn, Meinung«, deren Bedeutungsgehalt dem der dt. Wörter ›Sinn‹ und ›sinnen‹ entspricht. Vergleiche auch lit. *sintéti* »denken«. Zahlreiche Zusammensetzungen mit Adjektiven, z. B. ›Scharf-, Stumpf-, Leicht-, Eigen-, Froh-, Tief-, Blöd-, Schwach-, Wahnsinn‹ bestimmen Teile des Gesamtbegriffs von ›Sinn‹ näher. Sie sind meist erst im Nhd. aus entsprechenden Adjektiven wie ›scharf-, blöd-, tiefsinnig‹ rückgebildet worden. Aus dem alten **unsinnig** (mhd. *unsinnec,* ahd. *unsinnig* »verrückt, töricht, rasend«) entstand die Rückbildung **Unsinn** (mhd. *unsin* »Unverstand, Torheit, Raserei«), die im 18. Jh. unter dem Einfluss von engl. *nonsense* ihre jetzige Bedeutung »Albernheiten« bekam. – Abl.: **sinnig** (das Adjektiv mhd. *sinnec* »verständig, besonnen, klug«, ahd. *sinnig* »empfänglich, gedankenreich« wurde Ende des 18. Jh.s wieder belebt und bedeutet heute »sinnreich, sinnvoll«, oft mit ironischem Nebenton); **sinnlich** (mhd. *sin[ne]lich* wurde meist auf die Empfindung der Sinne bezogen und entwickelte sich zum Gegenwort von ›geistig‹; im Nhd. bedeutet es vor allem »auf geschlechtlichen Genuss ausgerichtet; begehrlich«), dazu **Sinnlichkeit** (mhd. *sin[ne]līcheit*) und **übersinnlich** »über die Sinne hinausgehend« (18. Jh.), **gesinnt** (s. d.). Zus.: **Sinnbild** (im 17. Jh. für ›Emblem‹ »allegorisches Bildzeichen« geprägt, heute für »bedeutsames Zeichen, Symbol« gebraucht); **sinnlos** (mhd., ahd. *sinnelōs* »wahnsinnig; bewusstlos, von Sinnen«; heute nur noch im Sinne von »ohne Sinn, ohne Vernunft; zwecklos« und »übermäßig, maßlos« gebraucht); **sinnreich** (mhd. *sinnerīche* »verständig, scharfsinnig«); **sinnvoll** (im 18. Jh. »gehaltvoll«, jetzt auch »zweckdienlich«).

sinnen: Mhd. *sinnen,* ahd. *sinnan* bedeutete »die Gedanken auf etwas richten; streben, begehren; gehen, sich begeben«, aengl. *sinnan* auch »Acht haben, für etwas sorgen«. Die unter ↑Sinn dargestellte Grundbedeutung »gehen, reisen« kam in frühmhd. Zeit außer Gebrauch, doch behielt das Verb neben der vorherrschenden Bedeutung »nachdenken« bis heute den richtungsbestimmten Sinn »streben, planen, vorhaben« (z. B. ›auf Abhilfe, auf Flucht sinnen, [veraltet:] Verderben sinnen‹), entsprechend bedeutet ›gesonnen sein‹ »etwas vorhaben« (s. aber *gesinnt*). Auf mhd. *ansinnen* »begehren, zumuten« beruht das frühnhd. Substantiv **Ansinnen.** Unter den Präfixbildungen ist neben sich **entsinnen** (mhd. für »in den Sinn aufnehmen, erkennen, sich erinnern«) und **ersinnen** (mhd. für »erforschen, erdenken, erwägen«) besonders sich **besinnen** wichtig (mhd. *besinnen* bedeutete transitiv »über etwas nachdenken, etwas ausdenken«, reflexiv »sich bewusst werden, überlegen«; heute wird das Verb nur reflexiv gebraucht: ›sich auf etwas besinnen‹,

›sich eines Besseren besinnen‹), dazu das adjektivische 2. Part. **besonnen** (mhd. *besunnen* »verständig, klug«), die Ableitung **besinnlich** »nachdenklich« (spätmhd. *besinlich* »verständig«) und das Substantiv **Besinnung** »ruhige Überlegung, Bewusstsein« (18. Jh.). Aus untergegangenen Präfixbildungen stammen ↑Gesinnung und ↑versonnen.

Sinnesorgane ↑Organ.

Sinter »poröses, aus Ablagerungen von fließendem Wasser entstandenes [Kalk]gestein«: Das altgerm. Wort bezeichnete ursprünglich die glühende, beim Schmelzen und ersten Schmieden ausgeschiedene Metallschlacke sowie den so genannten Hammerschlag. Diese Bedeutungen haben mhd. *sinder, sinter,* ahd. *sintar,* mniederl. *sinder,* aengl. *sinder* (auf gleichbed. engl. *cinder* hat frz. *cendre* »Asche« eingewirkt) und aisl. *sindr.* Da dann auch die erstarrte Metallschlacke so bezeichnet wurde, konnte ›Sinter‹ im 17. Jh. auf die fest gewordenen mineralischen Ausscheidungen von Quellen, Kalkgestein usw. übertragen werden (dazu die Zusammensetzungen ›Kalk-, Kieselsinter, Sinterterrasse‹). Nur in diesem fachsprachlichen Sinn gilt das Wort heute. Außerhalb des Germ. ist vielleicht die Sippe von aslaw. *sędra* »geronnene Flüssigkeit« (serbokroat. *sedra* »Kalksinter«) urverwandt. – Abl.: **sintern** »Sinter bilden« (16. Jh.; jetzt auch für ein technisches Verfahren in der Metallverarbeitung).

Sintflut: Das Substantiv mhd., ahd. *sin[t]vluot* (mit eingeschobenem Gleitlaut -t-) bezeichnet die »große, allgemeine Überschwemmung«, in der nach biblischem Bericht die sündige Menschheit unterging. Gebildet ist es mit der gemeingerm. Vorsilbe mhd. *sin[e]-*, ahd. *sin[a]-*, got. *sin-*, aengl. *sin[e]-*, aisl. *sī-* »immer während, durchaus, gewaltig«, die wie z. B. lat. *sem-per* »immer« zu der unter ↑sammeln dargestellten Wortgruppe gehört. Seit mhd. Zeit wurde das Wort auch zu **Sündflut** (spätmhd. *süntvluot*) umgedeutet, die ältere Form setzte sich erst im 20. Jh. wieder durch. Da die Sintflut (lat. *diluvium*) seit dem 17. Jh. auch in der zeitlichen Einteilung der Erdgeschichte eine Rolle spielte, wurde das Adjektiv **vorsintflutlich** (um 1800, für ›antediluvianisch‹) zuerst in geologischem Sinn gebraucht. Heute steht es ugs. für »uralt, unmodern«.

Sippe: Das Substantiv mhd. *sippe,* ahd. *sipp[e]a* bezeichnete in erster Linie das Verhältnis der Blutsverwandtschaft und die darauf aufgebauten vaterrechtlichen Gruppen, die in german. Zeit von großer politischer Bedeutung waren. Es entspricht got. *sibja* »Verwandtschaftsverhältnis«, aengl. *sibb* »Verwandtschaft, Freundschaft, Liebe, Friede« und aisl. *sifjar* (Plural) »Verwandtschaft«. Das gemeingerm. Wort bedeutete ursprünglich »eigene Art« und beruht auf einer Bildung zu der idg. Wurzel **se-* »abseits, getrennt, für sich«. Heute ist es in den meisten germ. Sprachen untergegangen. Im Nhd. wurde ›Sippe‹ erst seit Anfang des 19. Jh.s wieder belebt. Es bezeichnet heute die Gruppe der entfernten Verwandten im Gegensatz zur engeren ›Familie‹ (s. d.). – Abl.: **Sippschaft** (mhd. *sippeschaft* »Verwandtschaft[sgrad]«; seit dem 16. Jh. für »Gesamtheit der Verwandten«, jetzt meist abwertend gebraucht).

Sirene »Warnvorrichtung, Alarmanlage; Warnsignal«: Die Sirene in ihrer ursprünglichen Verwendung als Dampfpfeife (in Fabriken) und als Nebelhorn (auf Schiffen) ist eine französische Erfindung des beginnenden 19. Jh.s. Erst im 20. Jh. wird die Sirene auch speziell für den zivilen [Luft]warndienst entwickelt. Das Wort selbst wurde im 19. Jh. aus entsprechend frz. *sirène* entlehnt. Dies ist im Grunde eins mit dem aus griech. *Seirḗn* (> spätlat. *Siren[a]*) entlehnten, schon afrz. (als *syrene*) bezeugten frz. *sirène* (= mhd. *sirēn[e], syrēn[e]*), dem Namen jener aus Homers ›Odyssee‹ bekannten sagenhaften Meerfrauen in der altgriechischen Mythologie, die durch ihren betörenden Gesang dem Seefahrer zum Verhängnis wurden. Dieses Bild vom »hell tönenden, betörenden Gesang« schwebte dem französischen Erfinder bei der Benennung der Sirene vor.

Sirup »eingedickter brauner Zuckerrübenauszug; dickflüssiger Fruchtsaft«: Das seit mhd. Zeit belegte Substantiv (mhd. *sirup, syrop*) galt zuerst im Bereich der Medizin und Pharmazie als Bezeichnung für einen schwerflüssigen, süßen Heiltrank. Quelle des Wortes ist arab. *šarāb* »Trank«, das den europäischen Sprachen durch mlat. *siropus, sirupus* vermittelt wurde (beachte z. B. gleichbed. frz. *sirop,* it. *s[c]iroppo*). Unmittelbar aus dem Arab. stammt entsprechend span. *jarope.*

Sitcom: Das seit der 2. Hälfte des 20. Jh.s im Deutschen gebräuchliche Fremdwort für eine »komödienartige Fernsehserie« stammt aus dem amerik. Engl. Es ist durch die Wortmischung aus *situation* und *comedy* (vgl. auch *Situation* und *Komödie*) entstanden und bezeichnet demnach eine »Situationskomödie«.

Sitte: Das gemeingerm. Substantiv mhd. *site,* ahd. *situ,* got. *sidus,* aengl. *sidu,* aisl. *siđr* (schwed. *sed*) bezeichnete ursprünglich die Gewohnheit, den Brauch, die Art und Weise des Lebens. Wahrscheinlich gehört es mit der Grundbedeutung »Bindung« zu der unter ↑Seil dargestellten Wortgruppe und steht dann mit ↑Saite im Ablautverhältnis. Mhd. *site* wird meist im Plural gebraucht, was die Entstehung des nhd. Femininums begünstigte (zuerst mitteld. im 14. Jh.). Aus dem Gemeinschaftscharakter der Sitte ergab sich schon früh die Bedeutung »Anstand, geziemendes Verhalten«, die dann in neuerer Zeit ›Sitte‹ und ›Sittlichkeit‹ zu moralischen Begriffen werden ließ. Beachte dazu das Gegenwort **Unsitte** (mhd. *unsite* »üble Sitte, unfeines Benehmen«) und die Ableitungen **sittlich** (mhd. *sitelich,* ahd. *situlīh* »dem

Brauch gemäß«; seit dem 15. Jh. für »moralisch«) und **unsittlich** (mhd. und ahd. für »unziemlich, ungesittet«; seit dem 18. Jh. in moralischem, besonders in sexuellem Sinn), ferner **sittsam** »gesittet« (im 15. Jh. für »ruhig«; ahd. *situsam* bedeutete »geschickt«).

Situation »[Sach]lage, Stellung, [Zu]stand«: Das Fremdwort wurde im späten 16. Jh. – zuerst in der heute veralteten Bedeutung »geographische Lage; Lageplan; Gegend« – aus gleichbed. frz. *situation* entlehnt, einer Substantivbildung zu frz. *situer* »in die richtige Lage bringen«. Diesem voraus liegt gleichbed. mlat. *situare*, das zu lat. *situs* »Lage, Stellung« gehört. Das frz. Verb lieferte im 19. Jh. unser Fremdwort **situieren** »in einen Zusammenhang stellen« und aus seinem Partizipialadjektiv *situé* wurde schon im 17. Jh. unser Wort **situiert** »in bestimmter Weise gestellt, lebend« entlehnt (heute fast nur in Verbindung mit Adjektiven, wie in ›gut situiert‹).

sitzen: Das gemeingerm. starke Verb mhd. *sitzen*, ahd. *sizzen*, got. *sitan*, engl. *to sit*, schwed. *sitta* gehört mit verwandten Wörtern in anderen idg. Sprachen zu der idg. Wurzel **sed-* »sich setzen; sitzen«, vgl. z. B. lit. *sedéti*, russ. *sidet'* »sitzen«, griech. *hézesthai* »sitzen, sich setzen« (s. die Fremdwörter *Katheder* und *Kathedrale*) und lat. *sedere* »sitzen« (s. die Fremdwörter um *Assessor* und den Artikel *residieren*). Auf einem Bedeutungsübergang von »sitzen« zu »gehen« beruht u. a. griech. *hodós* »Weg« (s. die Fremdwörter um *Periode*). Zahlreiche alte Nominalbildungen der idg. Wurzel bezeichnen den Platz, auf dem man sitzt, oder den Ort, wo man sich aufhält. Germ. Substantive mit dieser Bedeutung und Ableitungen davon leben in mehreren nhd. Wörtern fort, s. im Einzelnen die Artikel *Sessel, siedeln, Gesäß, ansässig, aufsässig, Sattel, Insasse* (↑in). Auch zwei schon sehr früh verdunkelte Zusammensetzungen mit Bildungen der idg. Wurzel gehören hierher, nämlich ↑Ast (eigentlich »was [am Stamm] ansitzt«) und ↑Nest (eigentlich »Niedersetzung«). Veranlassungswort zu ›sitzen‹ ist ↑setzen. Eine dt. Substantivbildung zu ›sitzen‹ ist **Sitz** (mhd., ahd. *siz*). Das jüngere Substantiv **Sitzung** (im 15. Jh. für »Sichniedersetzen«) bezeichnet meist die Versammlung einer Körperschaft, seit dem 18. Jh. auch das Modellsitzen für ein Porträt und dgl. Als Zusammensetzungen sind besonders **Sitzfleisch** (im 17. Jh. ›Sitzefleisch‹) und **vorsitzen** zu nennen (im 15. Jh. für »obenan sitzen, eine Versammlung leiten«), dazu das substantivierte 1. Part. **Vorsitzende** (18. Jh.) und die Ableitungen **Vorsitz** (17. Jh.) und **Vorsitzer** (16. Jh.). Die Präfixbildung **besitzen** (mhd. *besitzen*, ahd. *bisizzan;* vgl. aengl. *besittan*, got. *bisitan*) bedeutete ursprünglich »um etwas sitzen« (daher mhd. auch »belagern«), dann »sich auf etwas setzen; etwas in Besitz nehmen, haben« (mhd.; als Rechtswort z. T. unter dem Einfluss von lat. *possidere* »besitzen«), dazu **Besitz** »das, was man besitzt, worüber man verfügt« (im 15. Jh. für mhd. *besez*), **Besitztum** »Gesamtheit dessen, was man besitzt« (17. Jh.), **Besitzung** (mhd. *besitzunge* »Besitznahme, Eigentum«) und **Besitzer** (spätmhd.); das 2. Part. **besessen** wird schon im Mhd. selbstständiges Adjektiv (mhd. *besezzen* »besetzt, bewohnt; ansässig«; im 13. Jh. erscheint die Bedeutung »vom Teufel bewohnt« (nach lat. *possessus* »besessen, beherrscht«), die auf antikchristlicher Vorstellung beruht und heute zu »leidenschaftlich, fanatisch« abgeschwächt ist.

Skala »Maßeinteilung auf Messinstrumenten«: Das Wort ist eine gelehrte Entlehnung des 17. Jh.s aus gleichbed. it. *scala*, das aus lat. *scalae* (Plural) »Treppe, Leiter« stammt. Dies gehört mit einer Grundform **scand-sla* »Steiggerät« zu lat. *scandere* »[be]steigen« (verwandt mit griech. *skándalon* »Fallstrick; Anstoß, Ärgernis« in ↑Skandal). – Siehe auch den Artikel *transzendent*.

Skalpell: Der Fachausdruck für »kleines chirurgisches Messer« wurde im 18. Jh. aus gleichbed. lat. *scalpellum* entlehnt, einer Verkleinerungsbildung zu lat. *scalprum* »scharfes Schneidewerkzeug, Messer«. Dies gehört zu lat. *scalpere (scalptum)* »kratzen, ritzen, schneiden, meißeln«, das zusammen mit lat. *sculpere (sculptum)* »schnitzen, meißeln« (↑Skulptur) zu den p-Erweiterungen der unter ↑Schild dargestellten idg. Wurzel **[s]kel-* »schneiden, spalten« gehört.

Skandal »Ärgernis; Aufsehen«: Das Fremdwort wurde Ende des 16. Jh.s aus gleichbed. frz. *scandale* entlehnt, das auf kirchenlat. *scandalum* zurückgeht. Dies stammt aus griech. *skándalon* »Fallstrick; Anstoß, Ärgernis«, von dem griech. *skandálēthron* »Auslösevorrichtung in einer Tierfalle« abgeleitet ist, das sich in der Bedeutung mit *skándalon* vermischt hat. Das griech. Wort ist mit lat. *scandere* »steigen, besteigen« etymologisch verwandt (vgl. *Skala*) und bedeutet wohl eigentlich »losschnellendes Gerät«.

skandieren: Das Verb mit der Bedeutung »Verse mit starker Betonung der Hebungen sprechen, rhythmisch und abgehackt sprechen« wurde im 16. Jh. aus gleichbed. lat. *scandere*, eigentlich »besteigen, emporsteigen« entlehnt. Der Aspekt der steigenden Fortbewegung wurde also auf das Lesen eines metrisch gegliederten Textes übertragen.

Skat: Das seit dem Ende des 18. Jh.s bekannte Kartenspiel ist nach den zwei beiseite gelegten Karten benannt, die der Solospieler in sein Blatt aufnehmen und gegen andere, schlechtere Karten austauschen darf. Quelle des Wortes ist it. *scarto* »das Wegwerfen der Karten; die abgelegten, gedrückten Karten«, das von it. *scartare* »Karten wegwerfen, ablegen« abgeleitet ist, einer Präfixbildung zu it. *carta* (< lat. *charta*) »Papier; Karte; Spielkarte« (vgl. das Lehnwort *Karte*). Die ursprüngliche Form des Lehnwortes ist in der in Tirol gebräuchlichen Zusammensetzung ›Skart-

S

karte‹ bewahrt. Die r-lose Form beruht auf Erleichterung der Konsonanz. – Abl.: **skaten** »Skat spielen« (19. Jh.).

Skelett »Knochengerüst, Gerippe«: Das Fremdwort wurde im 16. Jh. – zuerst in der Form *Skeleton* – aus griech. *skeletón* (ergänze: *sōma*) »Mumie« entlehnt, das wörtlich »ausgetrockneter Körper« bedeutet. Das zugrunde liegende Adjektiv griech. *skeletós* »ausgetrocknet, ausgedörrt« ist von griech. *skéllein* »austrocknen, dörren; vertrocknen« abgeleitet (verwandt mit dem dt. Adjektiv ↑schal).

Skepsis »Zweifel, Bedenken (aufgrund sorgfältiger Überlegung)«: Das Fremdwort ist eine gelehrte Entlehnung des späten 17. Jh.s aus griech. *sképsis* »Betrachtung, Untersuchung, Prüfung; Bedenken«. – Dazu: **skeptisch** »zweifelnd, misstrauisch; kühl abwägend« (18. Jh.; aus griech. *skeptikós* »zum Betrachten, Bedenken gehörig«) und **Skeptiker** »Zweifler, misstrauischer Mensch« (18. Jh.). Allen zugrunde liegt das griech. Verb *sképtesthai* (< **spékịesthai*) »schauen, spähen; betrachten«, das mit dt. ↑spähen urverwandt ist. – Ablautend gehören hierher verschiedene o-stufige Bildungen, die von griech. *skopeīn* »schauen, beobachten« ausgehen. Vgl. hierzu im Einzelnen die Fremd- und Lehnwörter ↑Horoskop, ↑Kaleidoskop, ↑Mikroskop und ↑Bischof (griech. *epískopos* »Aufseher«).

Sketch: Die Bezeichnung für eine besonders im Kabarett oder Varieté aufgeführte kurze, effektvolle Szene mit Schlusspointe wurde im 19. Jh. aus gleichbed. engl. *sketch* (eigentlich »Skizze; Entwurf; Stegreifstudie«) entlehnt, das seinerseits aus niederl. *schets* »Entwurf« stammt. Letzteres ist seiner Herkunft nach mit unserem Fremdwort ↑Skizze identisch.

Ski »Schneeschuh (als Sportgerät)«: Das Substantiv wurde im 19. Jh. aus gleichbed. norw. *ski* (eigentlich »Scheit«) entlehnt, das seinerseits anord. *skīđ* »Scheit; Schneeschuh« fortsetzt (vgl. *Scheit*).

Skizze »[erster] Entwurf; flüchtig entworfene Zeichnung«: Das seit dem 17. Jh. – zuerst in der Form *scizzo* – bezeugte Fremdwort ist aus it. *schizzo* »Spritzen, Spritzer; Skizze« entlehnt. Gleicher Herkunft ist z. B. niederl. *schets* »Skizze«. Aus Letzterem stammt engl. *sketch* »Skizze«, das unserem Fremdwort ↑Sketch zugrunde liegt. – It. *schizzo* bedeutet ursprünglich »Spritzen, Spritzer«, woraus sich über »Spritzer mit der Feder« usw. die Bedeutung »Entwurf, Skizze« entwickelte. It. *schizzo* ist lautnachahmender Herkunft. – Abl.: **skizzieren** »entwerfen; in den Umrissen zeichnen; andeuten« (18. Jh.; nach it. *schizzare* »spritzen; skizzieren«).

Sklave »Leibeigener; unfreier, entrechteter Mensch«: Das Substantiv mhd. *slave*, spätmhd. *sclave* ist aus gleichbed. mlat. *slavus, sclavus* entlehnt. Das auch in den roman. Sprachen lebendige Wort (vgl. z. B. gleichbed. frz. *esclave*, span. *esclavo* und it. *schiavo*) geht zurück auf mgriech. *sklábos* »Slawe; Sklave« (zu gleichbed. *sklabēnós*). Es ist letztlich identisch mit dem Volksnamen der ›Slawen‹. Die appellativische Bedeutung »Sklave« geht auf den Sklavenhandel im mittelalterlichen Orient zurück, dessen Opfer vorwiegend Slawen waren.

Skonto »Preisnachlass bei Barzahlung«: Das Fremdwort wurde im 17. Jh. als kaufmännischer Terminus aus gleichbed. it. *sconto* entlehnt, einer Substantivbildung zu it. *scontare* »abrechnen, abziehen«. Das zugrunde liegende einfache Verb it. *contare* »zählen, rechnen« stammt wie entsprechend frz. *compter* aus lat. *computare* »berechnen« (vgl. *Konto*).

Skorbut: Die Herkunft der auch in zahlreichen anderen europäischen Sprachen üblichen Bezeichnung einer durch Mangel an Vitamin C hervorgerufenen Krankheit (beachte z. B. entsprechend frz. *scorbut*, it. *scorbuto*, span. *escorbuto* und engl. *scurvy*) ist nicht sicher geklärt.

Skorpion: Der schon im Ahd. bezeugte Name (ahd. [Akk.] *scorpiōn*, mhd. *sc[h]orpiōn*, mnd. *schorpie*) des tropischen und subtropischen giftigen Spinnentieres ist aus gleichbed. lat. *scorpio (scorpionis)* entlehnt, das seinerseits aus gleichbed. griech. *skorpíos* übernommen ist. Das griech. Wort stammt wohl aus einer Mittelmeersprache.

Skrupel »ängstliche Bedenken; Gewissensbisse«: Das Fremdwort ist eine gelehrte Entlehnung des 16. Jh.s aus lat. *scrupulus* »spitzes Steinchen« (Verkleinerungsbildung zu lat. *scrupus* »scharfer, spitzer Stein«) in dessen übertragener Bedeutung »stechendes, ängstliches Gefühl, Besorgnis; Bedenken, peinigender Zweifel«.

Skulptur: Der Fachausdruck für »Bildhauerkunst; Bildhauerarbeit« wurde im 17. Jh. aus gleichbed. lat. *sculptura* entlehnt. Dies gehört zu lat. *sculpere* »(durch Graben, Stechen, Schneiden usw.) etwas schnitzen, bilden, meißeln«, das mit lat. *scalpere* »ritzen, schneiden usw.« verwandt ist (vgl. *Skalpell*).

skurril »absonderlich anmutend«: Das Adjektiv wurde im 17. Jh. in der Form *skurrilisch* aus gleichbed. lat. *scurrilis* entlehnt, das zu dem wohl aus dem Etrusk. stammenden Substantiv lat. *scurra* »Spaßmacher, Witzbold« gehört.

Slalom: Die Bezeichnung für »Torlauf« im Ski- und Kanusport wurde im 20. Jh. aus gleichbed. norw. *slalåm* (eigentlich »abschüssige Skispur«) entlehnt.

Slibowitz ↑Schlehe.

Slip: Das Fremdwort wurde in der 2. Hälfte des 20. Jh.s aus engl. *slip* entlehnt. Von den zahlreichen Bedeutungen, die das Substantiv im Engl. aufweist, wurde im Deutschen nur die Bedeutung »Unterhose« übernommen. Das Substantiv *slip* gehört zum Verb *to slip* »gleiten, [ent]schlüpfen«, das mit dt. ↑[1]schleifen verwandt ist.

Slipper: Die Bezeichnung für einen bequemen, nicht zu schnürenden Halbschuh mit flachem Absatz wurde im 20. Jh. aus engl. *slipper* »Hausschuh, Pantoffel« entlehnt. Das zugrunde liegende Verb engl. *to slip* »gleiten, [ent]schlüpfen« ist verwandt mit dt. ↑[1]schleifen.

Slogan: Das Fremdwort für »Werbespruch; Schlagwort« wurde im 20. Jh. aus dem Engl. übernommen. Engl. *slogan* stammt seinerseits aus gälisch *sluaghghairm* »Kriegsgeschrei«.

Smaragd: Der Name des grünen Edelsteins mhd. *smaragt, smarāt,* ahd. *smaragdus* führt über gleichbed. lat. *smaragdus* auf griech. *smáragdos* »Smaragd« zurück. Die weitere Herkunft des Wortes ist dunkel.

smart »clever, geschäftstüchtig; weltmännisch, elegant«: Das Adjektiv wurde im 19. Jh. aus gleichbed. engl. *smart* entlehnt. Dies gehört als Ableitung zu engl. *to smart* (aengl. *smeortan*) »schmerzen, verletzen« (verwandt mit dt. *schmerzen;* vgl. *Schmerz*) und bedeutete demnach ursprünglich »schmerzend, schmerzlich«, danach auch »scharf, beißend, schneidend; streng, tatkräftig, rührig«.

Smiley: Bei dem seit der 2. Hälfte des 20. Jh.s gebräuchlichen Fremdwort handelt es sich um eine Entlehnung aus dem Engl. mit der Bedeutung »Emoticon in der Form eines lächelnden Gesichtes«. Das gleichbed. engl. *smiley* ist eine Substantivierung des Adjektivs *smiley* »lächelnd, fröhlich«, das vom Verb *to smile* »lächeln« abgeleitet ist.

Smog: Das Substantiv mit der Bedeutung »mit Abgasen, Rauch u. a. gemischter Dunst oder Nebel über Industriestädten« ist seit der Mitte des 20. Jh.s im Deutschen gebräuchlich. Es wurde entlehnt aus gleichbed. engl. *smog,* einer Wortmischung aus *smoke* »Rauch« und *fog* »Nebel«.

Smoking »(meist schwarzer) Gesellschaftsanzug«: Das am Ende des 19. Jh.s aufkommende Fremdwort ist als Kurzform aus engl. Bezeichnungen wie *smoking-suit* oder *smoking-jacket* »Rauchjackett, Rauchanzug« hervorgegangen. Gemeint ist ein Jackett (oder Anzug), das man in England nach dem Mittagsmahl zum ›Rauchen‹ anzog, um den Frack zu schonen. – Das zugrunde liegende Verb engl. *to smoke* »rauchen« ist verwandt mit dt. ↑schmauchen.

S

Snob: Die Bezeichnung für »vornehm tuender, eingebildeter Mensch; Geck; Protz« wurde im 19. Jh. aus gleichbed. engl. *snob* übernommen. Die Herkunft des engl. Wortes ist dunkel.

so: Die gemeingerm. Partikel lautet mhd., ahd. *sō,* niederl. *zo,* engl. *so,* schwed. *så.* Außerhalb des Germ. ist z. B. alat. *suad* »so« verwandt. Ursprünglich ist ›so‹ nur Adverb mit der Bedeutung »in dieser Weise«, die sich weiter zu »derartig, folgendermaßen, in diesem Grade; etwa« entwickelte. Schon früh wurde es zur Konjunktion, besonders mit der Bedeutung »dann, deshalb«, oft in der Zusammensetzung ↑also. Siehe auch die Artikel *sofort, sogar.* Eine verdunkelte Zusammensetzung ist ↑solch.

Soapopera ↑Seife.

Socke, landsch. auch: Socken »kurzer Strumpf«: Das Substantiv mhd., ahd. *soc* ist wie entsprechend niederl. *sok* und engl. *sock* aus lat. *soccus* »leichter griechischer Schlupfschuh (besonders des Komödienschauspielers)« entlehnt. Das lat. Wort stammt aus dem Griech. (vgl. griech. *sykchís, sýkchos* »eine Art Schuh«) und wurde wohl im Bereich des Theaters von dort aufgenommen. – Vgl. auch den Artikel *Sockel.*

Sockel »Unterbau, Fußgestell (z. B. für Statuen); unterer Mauervorsprung«: Der Terminus der Baukunst wurde im 18. Jh. aus gleichbed. frz. *socle* entlehnt, das seinerseits aus entsprechend it. *zoccolo* stammt. Quelle des Wortes ist lat. *socculus* »kleiner Schuh, leichte Sandale«, eine Verkleinerungsbildung zu lat. *soccus* »leichter griechischer Schuh« (daraus unser Lehnwort ↑Socke), dessen Bedeutung ins Roman. übertragen wurde.

Soda: Die Bezeichnung für »Natriumkarbonat« wurde im 18. Jh. aus gleichbed. span. *soda,* it. *soda* entlehnt, dessen Herkunft umstritten ist.

Sodbrennen: Das erste Glied der zuerst im 16. Jh. bezeugten verdeutlichenden Zusammensetzung geht zurück auf frühnhd. *sod,* mhd. *sōt[e], sōdem* »heißes Aufwallen, Sodbrennen«, vgl. aengl. *sēađa* »Sodbrennen«. Es gehört ablautend zu dem unter ↑sieden behandelten Verb.

Sodomie: Die Bezeichnung für »Geschlechtsverkehr von Menschen mit Tieren« ist eine gelehrte Entlehnung des 16. Jh.s aus gleichbed. spätlat. *sodomia.* Zugrunde liegt der Name der biblischen Stadt Sodom, die zusammen mit der Stadt Gomorrha nach 1. Mos. 18f. berüchtigt für das lasterhafte und ausschweifende Leben ihrer Einwohner war (beachte dazu ›Sodom und Gomorrha‹ »Zustand der Lasterhaftigkeit und Verworfenheit«). Ursprünglich wurde der Begriff auch auf »Päderastie« und »Onanie« angewendet.

Sofa: Quelle dieses seit dem Ende des 17. Jh.s bezeugten Fremdwortes ist arab. *ṣuffa* »Ruhebank«, das mit einer erweiterten Bedeutung »gepolsterte Sitzbank« in die europäischen Sprachen gelangte (beachte gleichbed. it. *sofà,* frz. *sofa,* span. *sofá* und russ. *sofa*).

sofort: Mnd. *vōrt* »vorwärts« (vgl. *fort*) bedeutete auch »alsbald«. Verstärktes *[al]so vōrt* wurde dann im 16. Jh. nordd. zu ›sofort‹ zusammengerückt. – Abl.: **sofortig** (Adjektiv; 19. Jh.).

Software: Das Fremdwort für die »zum Betrieb einer Datenverarbeitungsanlage nötigen Programme« wurde in der 2. Hälfte des 20. Jh.s aus dem gleichbed. engl. Substantiv *software* übernommen, das analog zu *hardware* (↑Hardware) gebildet ist.

sogar: Die frühnhd. (16. Jh.) Fügung *so gar* »so vollständig, so sehr« (vgl. *gar*) erscheint seit dem 17. Jh. auch zusammengerückt und hat sich im 18. Jh. zu einer bloß steigernden Partikel entwickelt.

Sohle: Das ursprünglich nur dt. und niederl. Substantiv (mhd., mnd. *sole,* ahd. *sola,* niederl. *zool*) beruht auf einer Entlehnung aus vlat. **sola,* dem als Femininum Singular aufgefassten Neutrum Plural von lat. *solum* »Unterfläche, Grundfläche; Grund, Boden; Fußsohle; Schuhsohle«. – Abl.: **sohlen** »Schuhwerk mit (neuen) Sohlen versehen« (im 13. Jh. niederrheinisch *solen*), dafür meist **besohlen.** In der Umgangssprache weit verbreitet ist das Präfixverb **versohlen** mit der übertragenen Bedeutung »verprügeln« (18. Jh.; wohl eigentlich »mit der Schuhsohle oder mit dem Pantoffel verprügeln«).

Sohn: Wie die anderen Verwandtschaftsnamen für die engsten Familienangehörigen (s. besonders *Tochter, Mutter*) ist auch ›Sohn‹ ein Wort idg. Alters. Das gemeingerm. Substantiv mhd. *sun, son,* ahd. *sun[u], son,* got. *sunus,* engl. *son,* schwed. *son* ist verwandt mit gleichbed. aind. *sū́nu-ḥ,* lit. *sūnùs,* russ. *syn* und beruht mit diesen auf idg. *sū̆nú-s* »Sohn«, einer Bildung zu der Verbalwurzel **seu-,* **sū̆-* »gebären« (vgl. aind. *sūtē, sūyatē* »gebiert, zeugt«).

Soja, verdeutlichend **Sojabohne:** Der Name der zu den südostasiatischen Schmetterlingsblütlern gehörenden Nutzpflanze stammt wie die Pflanze selbst aus China. Er gelangte aber erst im 18. Jh. durch Vermittlung der Japaner ins Dt. (jap. *shōyu* »Sojasoße«).

solch: Das gemeingerm. hinweisende Pronomen mhd. *solch,* ahd. *solīh,* got. *swaleiks,* aengl. *swelc, swylc* (engl. *such*), schwed. *slik* ist eine Zusammensetzung aus dem unter ↑so dargestellten Adverb und dem Grundwort germ. **-līka-z* »die Gestalt habend« (vgl. *...lich;* s. auch *welch*). Die Grundbedeutung »so gestaltet, so beschaffen« zeigt das Pronomen noch heute.

Sold »Entlohnung, Entgelt des Soldaten«: Das Substantiv (mhd. *solt* »Lohn für geleistete [Kriegs]dienste«) ist aus afrz. *solt* »Goldmünze; Sold« entlehnt, das seinerseits wie entsprechend it. *soldo* »Münze; Sold« (dazu it. *soldare* »in [Wehr]sold nehmen«, s. das Fremdwort *Soldat*) auf spätlat. *sol[i]dus (nummus)* »gediegene Goldmünze« zurückgeht. Über das zugrunde liegende Adjektiv lat. *solidus* »gediegen, fest; echt« vgl. den Artikel *solid[e].* – Dazu: **solden** »entlohnen, bezahlen« (mhd. *solden*), heute nur mehr in dem gleichbedeutenden Präfixverb **besolden** gebräuchlich; **Söldner** »Berufssoldat in fremdem Kriegsdienst« (mhd. *soldenære, soldenier*).

Soldat: Das seit dem 16. Jh. bezeugte Fremdwort ist wie entsprechend frz. *soldat* aus it. *soldato* »Soldat« (eigentlich »der in Wehrsold genommene Mann«) entlehnt, dem substantivierten Part. Perf. von it. *soldare* »in Sold nehmen« (vgl. den Artikel *Sold*).

Söldner ↑Sold.

Sole »salzhaltiges Quellwasser, [Koch]salzlösung«: Das im 16. Jh. aus mnd. *sole* ins Hochd. aufgenommene Wort (entsprechend spätmhd. *sul, sol* »Salzbrühe zum Einlegen«) steht neben gleichbed. niederd. *Sale* (mnd. *zalen* »Salzwasser«, 14. Jh.). Es ist mit dem unter ↑Salz behandelten Wort verwandt und geht wahrscheinlich auf ein zur Sippe von russ. *sol'* »Salz« gehöriges westslaw. Wort zurück, das im Gebiet der Lüneburger Salzquellen entlehnt und in der Fachsprache der Salinen weitergegeben wurde.

solidarisch »gemeinsam; miteinander übereinstimmend, füreinander einstehend, eng verbunden«, häufig in der Wendung ›sich mit jemandem solidarisch erklären‹: Das seit dem Anfang des 19. Jh.s bezeugte Adjektiv (ursprünglich Rechtswort, dann politisches Schlagwort) ist mit dt. Suffix aus entsprechend frz. *solidaire* »wechselseitig für das Ganze haftend, solidarisch« umgebildet. Das frz. Wort selbst ist eine juristensprachliche Neubildung zu lat. *solidus* »gediegen, echt; fest, unerschütterlich; ganz« (vgl. *solid[e]*) in Fügungen wie *in solidum (deberi)* »für das Ganze verantwortlich sein, als Gesamtschuldner haften«.

solid[e] »fest, haltbar; gediegen; zuverlässig; ordentlich, anständig«: Das Adjektiv wurde in der 2. Hälfte des 17. Jh.s aus gleichbed. frz. *solide* entlehnt, das seinerseits auf lat. *solidus* »gediegen, echt; fest, unerschütterlich; ganz« beruht. – Das lat. Wort, das auch Ausgangspunkt ist für die Fremdwörter ↑solidarisch, ↑Sold, Söldner, ↑Soldat, ↑Saldo und ↑konsolidieren, ist mit lat. *salvus* »heil, gesund« verwandt (vgl. den Artikel *Salve*).

Solist ↑Solo.

sollen: Die dt. u. niederl. Formen des Modalverbs (mhd. *soln, suln,* mnd. *solen,* niederl. *zullen*) sind durch Vereinfachung der alten gemeingerm. Form mit sk- entstanden: ahd. *sculan,* got. *skulan* »schuldig sein, sollen, müssen«, engl. *shall,* schwed. *skola* »sollen, werden«. Zu dieser alten Form gehört die Substantivbildung ↑Schuld (eigentlich »Verpflichtung«). Aus anderen idg. Sprachen ist nur die balt. Sippe von lit. *skelėti* »schuldig sein« mit der germ. Wortgruppe verwandt. – Als Vollverb mit der alten Bedeutung »schuldig sein« war ›sollen‹ bis Ausgang des 18. Jh.s noch in der Kaufmannssprache üblich (›er soll mir 10 Taler‹). Dies ist auch der eigentliche Sinn des in der Kaufmannssprache üblichen substantivierten **Soll** (nach der seit dem 16. Jh. bezeugten Seitenüberschrift ›[ich] soll‹, d. h. »bin schuldig«, ›[Cassa] soll‹ u. Ä. in kaufmännischen Rechnungsbüchern).

Solo »Einzelgesang, Einzelspiel, Einzelvortrag«: Der zunächst nur in der Fachsprache der Musik verwendete Terminus ist gerade in jüngster Zeit auf andere Bereiche übertragen worden (z. B. im Sport für »Alleinspiel, Dribbling«). Das Wort wurde im Anfang des 18. Jh.s aus dem it. Adjektiv und Adverb *solo* (< lat. *solus*) »allein; einzig« entlehnt. Seine substantivische Verwendung verdankt es dabei vermutlich it. Fügungen wie ›musica a solo‹. Das in unserer Umgangssprache weit verbreitete Adverb **solo** bedeutet »allein, unbegleitet, ohne Partner«. – Abl.: **Solist** »Künstler (Musiker oder Sänger), der einen Solopart [mit Orchesterbegleitung] vorträgt« (19. Jh.; aus gleichbed. frz. *soliste,* it. *solista*).

Sommer: Die altgerm. Bezeichnung der Jahreszeit (mhd. *sumer,* ahd. *sumar,* niederl. *zomer,* engl. *summer,* schwed. *sommar*) geht mit verwandten außergerm. Wörtern wie aind. *sámā* »[Halb]jahr, Jahreszeit«, awest. *ham-* »Sommer«, air. *sam[rad]* »Sommer« auf idg. **sem-* »Sommer« zurück. – Abl.: **sommerlich** (mhd. *sumerlich,* ahd. *sumarlīh*); **sommers** (Adverb; mhd. [des] *sumers*). Zus.: **Sommersprosse** (verdeutlichende Zusammensetzung des 16. Jh.s für gleichbed. frühnhd. *sprusse,* mnd. *sprote[le];* das Grundwort gehört zur Sippe von ↑sprießen und bedeutet wahrscheinlich »aufsprießender Hautfleck«).

somnambul »schlafwandelnd«: Das Adjektiv wurde im 18. Jh. aus gleichbedeutend frz. *somnambule* entlehnt. Das frz. Wort ist eine gelehrte Bildung zu lat. *somnus* »Schlaf« (urverwandt mit griech. *hýpnos* in ↑Hypnose) und *ambulare* »herumgehen«; vgl. *ambulant.*

Sonate: Der musikalische Fachausdruck für »Instrumentaltonstück aus drei oder vier Sätzen« wurde in der 1. Hälfte des 17. Jh.s aus gleichbed. it. *sonata* entlehnt. Das it. Wort seinerseits ist eine gelehrte Ableitung von it. *sonare* »tönen, klingen usw.« (vgl. *sonor*) und bedeutet eigentlich etwa »Klingstück« (zum Unterschied von der als »Singstück« benannten ↑Kantate).

Sonde: Das seit dem Anfang des 18. Jh.s bezeugte Fremdwort erscheint zuerst einerseits mit einer eigentlichen Bedeutung »Lot, Senkblei«, andererseits als medizinischer Terminus zur Bezeichnung eines stab- oder schlauchförmigen Instrumentes, das der Arzt zu diagnostischen und therapeutischen Zwecken in Körperöffnungen oder Hohlorgane einführt. Im letzteren Sinne spielt das Wort heute eine wichtige Rolle. Daneben wird es aber auch vielfach übertragen im Bereich der Technik gebraucht (beachte z. B. die bergmännische Bedeutung »Erdbohrer« sowie die Zusammensetzung **Raumsonde** »unbemannter Flugkörper für wissenschaftliche Messungen im Weltraum« [20. Jh.]). Das Wort ist in allen Bedeutungen aus entsprechend frz. *sonde* entlehnt, dessen weitere Herkunft nicht gesichert ist. Neben dem Substantiv findet sich das Verb **sondieren** »mit einer Sonde untersuchen; (allgemein übertragen:) vorsichtig erkunden, vorfühlen, ausforschen«, das aus entsprechend frz. *sonder* bereits im 17. Jh. entlehnt wurde.

sonder: Das gemeingerm. Adverb mhd. *sunder,* ahd. *suntar,* got. *sundrō,* engl. *a-sunder,* schwed. *sönder* bedeutet »abseits, für sich, auseinander«. Außerhalb des Germ. entsprechen ihm aind. *sanu-tár* »abseits, weit weg« und griech. *áter* »ohne«. Zugrunde liegt idg. **sn̥-tér* »für sich, abgesondert«, eine Bildung zu gleichbed. idg. **seni-* (vgl. z. B. lat. *sine* »ohne«). Als Adverb ist ›sonder‹ im älteren Nhd. untergegangen (beachte noch die Fügung ›samt und sonders‹), an seine Stelle trat das Adverb ›besonders‹ (s. *besonder*). Auch das mhd. Adjektiv *sunder* »abgesondert, eigen« ist durch ↑besonder abgelöst worden. Es lebt aber noch in zahlreichen Zusammensetzungen wie ›Sonderrecht, -[ab]druck, -zug‹ (die z. T. das Fremdwort ↑extra übersetzen) und in der Ableitung **Sonderling** (16. Jh.). Die Weiterbildung [1]**sondern** (mitteld. im 14. Jh. *sundern* »ohne, außer, aber«) steht nhd. als Konjunktion nach einem verneinten Satzteil. Noch voll gebräuchlich sind die folgenden Ableitungen: **sonderbar** (mhd. *sunderbǣre, -bar* »besonder, ausgezeichnet«, spätahd. *sundirbǣr, -bāre* »abgesondert«; seit Anfang des 19. Jh.s meist für »seltsam, merkwürdig«); **sonderlich** (mhd. *sunderlich,* ahd. *suntarlīh* »abgesondert«, später »ungewöhnlich«; nhd. meist verneint gebraucht); [2]**sondern** (das Verb mhd. *sundern,* ahd. *suntarōn* [vgl. engl. *to sunder,* schwed. *söndra*] bedeutete »trennen, unterscheiden«; im Nhd. sind **absondern** [mhd. *abesundern*] und **aussondern** [mhd. *ūȥsundern*] gebräuchlicher).

sondieren ↑Sonde.

Sonett: Die Bezeichnung für eine in Italien entstandene Gedichtform ist seit dem ausgehenden 16. Jh. bezeugt. Sie ist aus gleichbed. it. *sonetto* entlehnt, das eigentlich etwa »Klinggedicht« bedeutet. Dies ist eine Bildung zu it. *s[u]ono* (< lat. *sonus*) »Klang, Ton«, das zu lat. *sonare* »tönen, klingen« (vgl. *sonor*) gehört.

Song: Das im 20. Jh. aus dem Engl. entlehnte Fremdwort bezeichnet eine von dem Dichter Bertolt Brecht (1898–1956) eingeführte Sonderform des Liedes (verwendet werden besonders Elemente des Kabarettliedes, des Bänkelsangs und der Moritat mit sozialkritischem Inhalt, musikalisch dem Jazz nahe stehend). Engl. *song* »Lied; Gesang«, das dt. ↑Sang entspricht, steht im Ablaut zu engl. *to sing* »singen« (↑singen).

Sonnabend: Der besonders mitteld. und nordd. Name des letzten Wochentags (s. auch *Samstag*) beruht auf einer aengl. Bildung, die mit der angelsächsischen Mission (Bonifatius) auf das Festland kam. Aengl. *sunnan-ǣfen* bezeichnete unter Einsparung des Grundwortes *-dæg* von aengl. *sunnandæg* »Sonntag« den »Vorabend vor Sonntag« (s. den Artikel *Abend*). Auf diesem Wort beruhen ahd. *sunnūnāband,* mhd. *sun[nen]ābent.* Die Bezeichnung wurde früh auf den ganzen Tag ausgedehnt. Gegenüber dieser christlichen Bezeichnung des Tages hat sich sein lat. Name *Saturni dies* »Tag des Saturn« in niederl. *zaterdag* und engl. *Saturday* erhalten.

Sonne: Das gemeingerm. Substantiv mhd. *sunne,* ahd. *sunna,* got. *sunnō,* engl. *sun,* aisl. *sunna* setzt einen idg. n-Stamm fort, während got. *sauil* »Sonne« und schwed. *sol* »Sonne« einen idg. l-Stamm fortsetzen. Zugrunde liegt idg. *sāu̯el-* »Sonne«, vgl. z. B. aus anderen idg. Sprachen lat. *sol,* lit. *sáulė* und griech. *hḗlios* (↑Helium). In den germ. Sprachen ist ›Sonne‹ gewöhnlich weiblich (beachte aber die männlichen Nebenformen mhd. *sunne,* ahd. *sunno,* aengl. *sunna*). – Abl.: **sonnen** »der Sonne aussetzen« (mhd. *sunnen;* oft reflexiv gebraucht); **sonnig** (im 18. Jh. neben ›sönnig‹ und älterem ›sonnicht‹; mhd. dafür *sunneclich*). Zus.: **Sonnabend** (s. d.); **Sonnenblume** (16. Jh.; nach der Gestalt der großen Blütenköpfe und weil die Pflanze sich stets zur Sonne kehrt); **Sonnenfinsternis** (16. Jh.; mhd. *sunnenvinster*); **Sonnenfleck** »Gebiet auf der Oberfläche der Sonne, das sich durch dunklere Färbung von der Oberfläche abhebt« (Astronomie; 17. Jh.); **Sonnenschein** (mhd. *sunne[n]schīn*); **Sonnenstich** (im 16. Jh. für »stechende Sonnenhitze«, im 18. Jh. auf die Bedeutung »Hitzschlag« eingeengt); **Sonnenstrahl** (17. Jh.; ↑Strahl); **Sonnenwende** (erst mhd. als *sunne[n]wende* »Umkehr der Sonne« bezeugt, aber als Jahres- und Fruchtbarkeitsfest uralt; besonders der Johannistag [24. Juni] wurde mit dem **Sonnwendfeuer,** mhd. *sunnewentviur,* gefeiert, das der Sonne neue Kraft geben sollte); **Sonntag** (s. d.).

Sonntag: Wie andere Wochentagsnamen (s. den Artikel *Dienstag*) ist auch der des Sonntags eine altgerm. Lehnübersetzung. Ahd. *sunnūn tag,* mhd. *sun[nen]tac,* niederl. *zondag,* engl. *Sunday,* schwed. *söndag* sind eine Wiedergabe des lat. *dies Solis,* das selbst eine Lehnübersetzung von griech. *hēmérā Hēlíou* ist (die Alten rechneten die Sonne zu den Planeten). Die roman. Sprachen haben dagegen mit it. *domenica,* frz. *dimanche* (aus lat. *dominica [dies]* »Tag des Herrn«) den kirchlichen Ersatz des heidnischen Namens übernommen (s. auch *Mittwoch, Samstag*). – Zus.: **Sonntagskind** (16. Jh.; der am Sonntag Geborene hat nach altem Glauben Glück). Siehe auch *Sonnabend.*

sonor »klangvoll, volltönend«: Das Adjektiv wurde im 18. Jh. über entsprechend frz. *sonore* aus lat. *sonorus* »schallend, klingend, klangvoll« entlehnt, das von lat. *sonor (sonoris)* »Klang, Ton« abgeleitet ist. Stammwort ist das lat. Verb *sonare* (älter *sonere*) »[er]tönen, schallen, klingen usw.« (wohl verwandt mit dt. ↑Schwan), das auch Ausgangspunkt für die Fremdwörter ↑Sonate, ↑Sonett, ↑Dissonanz, ↑Konsonant und ↑Resonanz ist.

sonst: Die heutige Bedeutung »in anderen Fällen, zu anderer Zeit; außerdem« des Adverbs hat sich schon im späteren Mhd. entwickelt aus der Fügung *sō ne ist* »wenn es nicht so ist« (s. *so*), die zu *sunst,* mitteld. *sonst* zusammengezogen worden ist. Beeinflusst wurden diese kontrahierten Formen wohl von mhd. *sus[t],* ahd. *sus* »so«, die ihrerseits vielleicht aus einer gleichbedeutenden Form mit anderem Anlaut umgebildet worden sind, die in asächs. *thus,* engl. *thus* »so« erscheint (vgl. niederl. *zus* »so«) und zu dem unter ↑der genannten Pronominalstamm gehört. Das unverwandte ↑so mag dabei eingewirkt haben. – Die mitteld. Form ›sonst‹ setzte sich seit dem 15. Jh. infolge der Bibelübersetzungen Luthers im Nhd. durch. Seit der gleichen Zeit ist auch die Weiterbildung zum heute nicht mehr gebräuchlichen **sonsten** bezeugt, die im 17. und 18. Jh. sehr häufig war. Ein verstärktes ›sonst‹ ist das seit dem 18. Jh. verbreitete **ansonsten** (bis zum 19. Jh. auch als ›ansonst‹). – Abl.: **sonstig** (Adjektiv; im 18. Jh. oberd.). Zus.: **umsonst** (mhd. *umbe sus* bedeutete »um, für ein So«, d. h. »für nichts« [wobei man sich eine wegwerfende Handbewegung vorzustellen hat]; daraus entwickelte sich einerseits die Bedeutung »kostenlos«, andererseits die Bedeutung »ohne Erfolg; zweck-, grundlos«).

Sopran: Die Bezeichnung für »höchste [weibliche] Stimmlage« wurde Anfang des 18. Jh.s als musikalische Bezeichnung aus gleichbed. it. *soprano* entlehnt. Das it. Wort ist das substantivierte Adjektiv it. *soprano* »darüber befindlich; oberer«, das ein mlat. Adjektiv *superanus* »darüber befindlich; überlegen« fortsetzt. Dies gehört zu lat. *super* (Adverb und Präposition) »oben, auf, über« (vgl. *super..., Super...*).

Sorge: Das gemeingerm. Substantiv mhd., mnd. *sorge,* ahd. *sorga,* got. *saúrga,* engl. *sorrow,* schwed. *sorg* geht von der Grundbedeutung »Kummer, Gram« aus, die im Niederd., Schwed. und Engl. noch erhalten ist. Außerhalb des Germ. sind wahrscheinlich air. *serg* »Krankheit« und die baltoslaw. Sippe von lit. *sir̃gti* »krank sein«, russ. *soroga* »mürrischer Mensch« verwandt. Im Dt. hat das Wort seit ahd. Zeit zwei Hauptbedeutungen: Einerseits bedeutet es als Schattierung der oben genannten Grundbedeutung »Unruhe, Angst, quälender Gedanke« und wird so oft im Plural gebraucht (›Sorgen haben‹). – Dazu gehören Zusammensetzungen wie **sorgenfrei** (mhd. *sorgenvrī*), **sorgenvoll** (17. Jh.), **Sorgenkind** (20. Jh.). Andererseits hat es die Bedeutung »Bemühung um Abhilfe«, so besonders in dem Verb ›sorgen‹ und seinen Präfixbildungen (s. u.) sowie in **Vorsorge** (17. Jh.) und **Fürsorge** (mhd. *vürsorge* »Besorgnis vor Zukünftigem«; seit dem 16. Jh. im heutigen Sinne von »tätige Bemühung um jemanden, der ihrer bedarf«; die Ableitungen **Fürsorger** »amtlicher Pfleger« [16. Jh.] und **Fürsorgerin** [Anfang des 19. Jh.s] beruhen auf dem veralteten frühnhd. Verb *fürsorgen*). In dieser Richtung haben sich auch die Adjektive **sorglich** (mhd. *sorclich,* ahd. *sorglīh*) und **sorgsam** (mhd. *sorcsam,* ahd. *sorgsam*) entwickelt, die beide ursprünglich »Sorge erregend, bedenklich; besorgt« bedeuteten, aber früh den Sinn »fürsorgend, aufmerksam, genau« zeigen. Ähnliches gilt für **sorgfältig** (spätmhd. *sorcveltic,* mnd. *sorchvoldich* »sorgenvoll, bekümmert«, eigentlich wohl »mit Sorgenfalten auf der Stirn«), das seit dem 14. Jh. zuerst im Niederd. und Mitteld. für »achtsam, genau« gebraucht wird. Rückbildung dazu ist **Sorgfalt** (17. Jh.). – Das gemeingerm. Verb **sorgen** (mhd., mnd. *sorgen,* ahd. *sorgēn,* got. *saúrgan,* engl. *to sorrow,* schwed. *sörja*) entspricht in seinen Bedeutungen dem Substantiv. Die Präfixbildung **besorgen** (mhd. *besorgen,* ahd. *bisorgēn* »befürchten; für etwas sorgen«) wird heute fast nur für »betreuen, beschaffen« gebraucht; den älteren Sinn zeigen noch die Ableitungen **besorgt** »ängstlich« (mhd. *besorget*) und **Besorgnis** (18. Jh.). Auch **versorgen** bedeutet im Nhd. nur noch »betreuen, sicherstellen, mit etwas versehen« (mnd. auch »sich in Sorge verzehren«).

Sorte »Art, Gattung; Güteklasse, Qualität«: Bei der Entlehnung dieses seit dem 16. Jh. allgemein üblichen Handelswortes sind frz. *sorte* »Art; Qualität« und entsprechend it. *sorta,* das selbst wohl aus dem Frz. stammt, gleichermaßen beteiligt. Ersteres gelangte bereits im 14. Jh. durch niederl. Vermittlung in den niederd. Sprachraum, während Letzteres seit dem 15. Jh. vom Oberd. her eindrang. – Quelle des frz. Wortes ist lat. *sors (sortis)* »Los[stäbchen]; Stand, Rang« mit seiner im Spätlat. entwickelten Bedeutung »Art und Weise«. Über die etymologischen Zusammenhänge des lat. Wortes vgl. den Artikel *Serie.* – Dazu: **sortieren** »in [Güte]klassen einteilen, auslesen, sondern, ordnen« (16. Jh.; aus gleichbed. it. *sortire,* das seinerseits lat. *sortiri* »[er]losen; auswählen« fortsetzt); **Sortiment** »Warenauswahl, Warenangebot« (Anfang 17. Jh.; aus gleichbed. älter it. *sortimento*), häufig auch als Kurzform für ›Sortimentsbuchhandel‹ »Buchhandelszweig, der ein Sortiment von Büchern aus den verschiedensten Verlagen bereithält« gebraucht, und **Sortimenter** »Buchhändler im Sortimentsbuchhandel« (19. Jh.).

Soße »Brühe, Tunke«, zuweilen auch in der frz. Schreibung **Sauce:** Das aus dem Frz. entlehnte Fremdwort ist im dt. Sprachbereich bereits für das 15. Jh. mit den Formen *soß, sosse, so[o]s, soes* bezeugt. Frz. *sauce* (älter *sausse*) »Tunke, Brühe« geht auf vlat. *salsa* zurück (daraus, unabhängig vom Frz., mhd. *salse* »Brühe«), das im Grunde nichts anderes bedeutet als »die Gesalzene (nämlich: Brühe)«. Es handelt sich um das substantivierte Femininum von lat. *salsus* »gesalzen«. Über weitere etymologische Zusammenhänge vgl. den Artikel *Saline.*

soufflieren »den Rollentext der Schauspieler flüsternd vorsprechen«: Das Verb wurde im 18. Jh. als Terminus der Bühnensprache aus gleichbed. frz. *souffler* entlehnt. Das frz. Wort, das eigentlich »blasen, hauchen usw.« bedeutet (die übertragene Bedeutung ist etwa als »flüsternd zuhauchen« zu verstehen), geht auf lat. *suf-flare* »[an]blasen, hineinblasen« zurück, eine Bildung aus lat. *sub* »unter« (vgl. *sub..., Sub...*) und lat. *flare* »wehen, blasen« (vgl. *Inflation*). – Abl.: **Souffleur** »Mitarbeiter des Theaters, der dem Schauspieler den Rollentext souffliert« (18. Jh.; aus gleichbed. frz. *souffleur*). Dazu als entsprechende weibliche Form **Souffleuse** (20. Jh.; aus gleichbed. frz. *souffleuse*).

Soundcheck ↑Check.

Souper: Die Bezeichnung für »festliches Abendessen« wurde im 18. Jh. aus gleichbed. frz. *souper* entlehnt (anfangs auch in den Schreibungen *Soupe[e], Soupé[e]*). Das frz. Wort ist von frz. *soupe* »Fleischbrühe, Suppe« abgeleitet (vgl. *Suppe*).

Soutane »langes, enges, talarähnliches Oberbekleidungsstück des katholischen Geistlichen«: Das Fremdwort wurde Anfang des 19. Jh.s aus gleichbed. frz. *soutane* entlehnt, das seinerseits aus entsprechend it. *sottana* (eigentlich »Untergewand«) stammt. Zugrunde liegt das it. Adjektiv *sottano* »unter, unterst«, das von it. *sotto* (< lat. *subtus*) »unten, unterwärts« abgeleitet ist.

Souterrain: Die Bezeichnung für »Kellerwohnung, Kellergeschoss« wurde Anfang des 18. Jh.s aus gleichbed. frz. *souterrain* entlehnt. Das frz. Wort ist eigentlich Adjektiv mit der Bedeutung »unterirdisch«. Es geht auf gleichbed. lat. *subterraneus* zurück, das zu lat. *sub* »unter, unterhalb« (vgl. *sub..., Sub...*) und lat. *terra* »Erde« (vgl. *Terrain*) gehört.

Souvenir »Andenken, Erinnerungsstück«: Das Fremdwort wurde im 19. Jh. aus gleichbed. frz. *souvenir* (eigentlich »Erinnerung«) entlehnt, einer Ableitung vom frz. Verb *souvenir* »sich erinnern«. Dies geht auf lat. *subvenire* »in den Sinn kommen« zurück, einer Bildung aus lat. *sub* »unter« (vgl. *sub..., Sub...*) und lat. *venire* »kommen« (vgl. den Artikel *Advent*).

souverän »die staatlichen Hoheitsrechte uneingeschränkt ausübend«, auch allgemein übertragen gebraucht im Sinne von »jeder Situation gewachsen, überlegen«: Das Adjektiv wurde im 17. Jh. aus gleichbed. frz. *souverain* entlehnt, das seinerseits ein mlat. Adjektiv *superanus* »darüber befindlich; überlegen« fortsetzt. Zugrunde liegt lat. *super* (Adverb und Präposition) »oben, auf, darüber« (vgl. *super..., Super...*). Das substantivierte Adjektiv frz. *souverain* »Herrscher, Fürst« lieferte im 17. Jh. unser gleichbedeutendes Fremdwort **Souverän.**

Sozia ↑Sozius.

sozial »das Zusammenleben der Menschen in Staat und Gesellschaft betreffend; auf die menschliche Gemeinschaft bezogen; gesellschaftlich; gemeinnützig, wohltätig, menschlich«: Das Adjektiv wurde im 18. Jh. – wohl unter dem Einfluss von entsprechend frz. *social* – aus gleichbed. lat. *socialis* entlehnt. Das zugrunde liegende Stammwort lat. *socius* »gemeinsam (Adjektiv); Genosse, Gefährte, Teilnehmer (Substantiv)« gehört vermutlich mit einer ursprünglichen Bedeutung »mitgehend; Gefolgsmann« zum Stamm von lat. *sequi* »[nach]folgen, begleiten usw.« (vgl. *konsequent*). Als Stammform für *socius* wäre dann ein **soq^{u}ios* anzusetzen. – Abl.: **asozial** »außerhalb der menschlichen Gemeinschaft stehend, sich nicht in sie einfügend« (gelehrte Gegenbildung des 20. Jh.s; über das Präfix vgl. [2]*a..., A...*). Das Substantiv **Sozialismus** wurde im 19. Jh. aus gleichbed. engl. *socialism*, frz. *socialisme* übernommen, einer nlat. Bildung zur Bezeichnung jener antikapitalistischen Bewegung, die durch Vergesellschaftung der Produktionsmittel und gesellschaftliche Kontrolle der Warenproduktion und -verteilung eine Verbesserung der sozialen Verhältnisse im Staat erstrebt. – Dazu: **Sozialist** »Anhänger des Sozialismus« (18. Jh.; aus entsprechend engl. *socialist*, frz. *socialiste*); **sozialistisch** »den Sozialismus betreffend« (19. Jh.). – Beachte in diesem Zusammenhang noch die Fremdwörter ↑Soziologie, ↑Sozius und ↑assoziieren, Assoziation, die gleichfalls zu lat. *socius* gehören.

Soziologie »Wissenschaft, Lehre vom Zusammenleben der Menschen in einer Gemeinschaft, einer Gesellschaft; Gesellschaftslehre«: Das Fremdwort wurde aus gleichbed. frz. *sociologie* entlehnt, einer 1830 von dem französischen Philosophen und Begründer dieser Wissenschaft Auguste Comte (1798–1857) geprägten Bildung zu lat. *socius* »Genosse, Gefährte« (s. *sozial*) und griech. *lógos* »Lehre, Wissenschaft« (s. *Logik*).

Sozius: Das seit dem Anfang des 18. Jh.s bezeugte Fremdwort, das auf lat. *socius* »Gefährte, Genosse, Teilnehmer« (vgl. *sozial*) zurückgeht, bezeichnet im wirtschaftlichen Bereich den »Geschäftsteilhaber«. Die spezielle Bedeutung »Beifahrer auf einem Motorrad« (auch übertragen »Beifahrersitz«) erscheint erst im 20. Jh. (beachte auch die Bildung **Sozia** »Beifahrerin«; 20. Jh.), ebenso der ugs. scherzhafte Gebrauch des Wortes im Sinne von »Genosse, Kumpel«.

Spachtel ↑Spatel.

Spaghetti: Die Bezeichnung der stäbchenförmigen Teigware wurde im 20. Jh. aus dem It. übernommen. Gleichbed. it. *spaghetti* gehört als Verkleinerungsbildung zu it. *spago* »dünne Schnur«, dessen weitere Herkunft unbekannt ist.

spähen »scharf hinsehen, Ausschau halten«: Das nur im Dt. und Niederl. altbezeugte Verb (mhd. *spehen*, ahd. *spehōn*, niederl. [mit d-Einschub] *spieden*) geht mit verwandten Wörtern in anderen idg. Sprachen auf die idg. Wurzel **spek̂-* »scharf hinsehen, spähen« zurück. Verwandt sind u. a. lat. *specere* »[hin]sehen«, lat. *speculum* »Spiegel« (s. die Fremdwortgruppe um *Spiegel*) und griech. *sképtesthai* »schauen, betrachten« (mit Umstellung der Anfangssilbe; s. die unter *Skepsis* genannten Lehn- und Fremdwörter). Das germ. Verb ist früh in roman. Sprachen entlehnt worden, s. den Artikel *Spion*.

Spalier »Lattengerüst zum Hochziehen und Anbinden von [Obst]pflanzen«, auch übertragen gebräuchlich im Sinne von »Ehrenformation beiderseits eines Weges«: Das seit dem 17. Jh. bezeugte Fremdwort ist in beiden Bedeutungen aus it. *spalliera* entlehnt. Das it. Wort, das von it. *spalla* »Schulter« (< lat. *spatula* »Rührlöffel; Schulterblatt«, vgl. *Spatel*) abgeleitet ist, bedeutet eigentlich »Schulterstütze, Rückenlehne«, dann allgemein »Stütze, Stützwand« und schließlich »Pflanzenteppich entlang einer Stützwand«.

spalten: Das nur im Dt. und Niederl. altbezeugte Verb (mhd. *spalten*, ahd. *spaltan*, mniederl. *spalden, spouden*, niederl. *spouwen*) steht neben ablautenden germ. Substantiven wie got. *spilda* »[Schreib]tafel«, mhd. *spelte* »[Lanzen]splitter«, aengl. *speld* »Holzstück, Fackel«. Es gehört mit verwandten Wörtern in anderen idg. Sprachen zu der idg. Wurzel **[s]p[h]el-* »platzen, bersten, splittern, [sich] spalten«, vgl. z. B. griech. *spholássein* »spalten; stechen« und aind. *phálati* »birst, springt entzwei«. Dazu stellt sich wahrscheinlich auch das unter ↑Spule behandelte Wort. Nächstverwandt mit ›spalten‹ ist wohl der alte Getreidename ↑Spelt. – Abl.: **Spalt** »durch Spaltung entstandene Öffnung« (mhd., ahd. *spalt*), dazu die Nebenform **Spalte** (15. Jh.; im 13. Jh. mitteld. *spalde;* seit dem 17. Jh. auch für »Kolumne einer Druckseite«); vom Verb ist auch das zweite Glied von **zwiespältig** abgeleitet (spätmhd. *zwispeltic*, ahd. *zwispaltig* »in zwei Teile gespalten«; zum ersten Glied vgl. *zwei*); dazu die Rückbildung **Zwiespalt** (16. Jh.).

Span: Das altgerm. Wort mhd., ahd. *spān* »[Holz]span«, niederl. *spaan* »Span; Butterstecher; Ruderblatt«, engl. *spoon* »Löffel«, schwed. *spån* »Span; Schindel« bezeichnete ursprünglich ein flaches, lang abgespaltenes Holzstück, wie es bei der Holzbearbeitung abfällt oder zu Schindeln, Löffeln und dgl. zugeschnitten wird. Es ist vielleicht mit griech. *sphḗn* »Keil« verwandt und gehört zu idg. **sp[h]ē-* »langes, flaches Holzstück«, auf dem auch das unter ↑Spaten »schaufelähnliches Grabwerkzeug« behandelte Wort beruht. Vgl. auch den Artikel *Spat*.

Span

Späne machen

(ugs.) »sich widersetzen, Schwierigkeiten machen«

In dieser Wendung ist ›Span‹ auf das mhd. Wort *span* zurückzuführen, das so viel wie »Zerwürfnis, Streit, Spannung« bedeutet.

S

Der Einfluss des Englischen im 19. und im frühen 20. Jahrhundert

Die immer stärker werdende Rolle Großbritanniens und der USA im 19. Jahrhundert in vielen Bereichen des modernen Lebens beeinflusste zunehmend die deutsche Sprache. Bereits im 18. Jahrhundert waren einige Wörter wie z. B. *Bowle, boxen, Frack, Golf* (als Name eines Spiels), *Klub, Mob, Parlament* (schon Ende des 17. Jahrhunderts), *Pudding* (schon Ende des 17. Jahrhunderts), *Spleen* (englisch *spleen* »Zorn, Wut«, auch »Milz«, aus lateinisch *splen,* altgriechisch *splḗn,* also eigentlich »durch Erkrankung der Milz hervorgerufene Missmutigkeit«) entlehnt worden. Im 19. Jahrhundert folgten dann *Baby, Boykott, Bunker* (zuerst nur in der Bedeutung »großer Behälter zur Aufnahme von Massengütern«), *chartern, Clown, Detektiv, Express, fair, Farm, Film* (zuerst in der Bedeutung »dünne Schicht«), *Fußball* (als Lehnübersetzung von englisch *football*), *Gentleman, Globetrotter, Humbug, international, Klosett, Komfort, komfortabel, konservativ, Lift, Paddel, Partner, Rowdy, Safe, Scheck, Snob, Sport, Standard, Start, Streik, Tennis, trainieren* (zuerst im Pferdesport), *Trick, Veranda.* In der Journalistensprache wurden *Reporter* (englisch *reporter,* zu *to report* »berichten«) und *Interview* (aus dem Amerikanischen, aus französisch *entrevue* »Verabredung, Treffen«, dazu *interviewen, Interviewer*) entlehnt und ebenso wie das dem englischen *leading article* nachgebildete *Leitartikel* bald allgemein bekannt.

Die Sportsprache: Tennis, Fußball und Boxen

Im späten 19. Jahrhundert und zu Anfang des 20. Jahrhunderts war es vor allem der Sport, der eine Fülle von Fremdwörtern ins Deutsche brachte. Auch das Wort *Sport* selbst gehörte dazu. Es bedeutete ursprünglich »Zeitvertreib, Spiel« und ist eine Kurzform von englisch *disport* »Vergnügen« (über das Französische zu lateinisch *deportare* »wegbringen« in einer vulgärlateinischen Bedeutung »amüsieren«).

Die von den Briten übernommenen Sportarten Tennis, Fußball und Boxen behielten zunächst ihren englischen Fachwortschatz bei. Nach und nach wurden aber viele englische Begriffe durch Umformungen, Übersetzungen oder Neubildungen ersetzt, z. B. *Aufschlag* (für englisch *service*), *Einstand* (für englisch *deuce*), *Schläger* (für englisch *racket*), *Vorteil* (für englisch *advantage*). Der Deutsche Fußballbund übernahm zu Anfang des 20. Jahrhunderts als offizielle Bezeichnungen die Verdeutschungen *abseits* (für englisch *offside*), *Aus* (Lehnübersetzung von englisch *out*), *Ecke* (für englisch *corner*), *Halbzeit* (Lehnübersetzung von englisch *halftime*), *Stürmer* (für englisch *forward*), *Tor* (für englisch *goal*, zuerst mit *Mal* wiedergegeben), *Verteidiger* (für englisch *back*). Bis heute sind dagegen als Fremdwörter *trainieren, Trainer* und *Training* erhalten geblieben.

Auch im Boxsport wurden zunehmend die englischen Fachausdrücke übersetzt, so z. B. die Bezeichnungen für die Gewichtsklassen *Federgewicht* (englisch *featherweight*), *Mittelgewicht* (englisch *middleweight*), *Schwergewicht* (englisch *heavyweight*). Der Ausdruck *knock-out* »nach einem Niederschlag kampfunfähig und besiegt« (auch in der abgekürzten Form *k. o.*) blieb allerdings unübersetzt, ging aber schon bald in die Allgemeinsprache über und wurde auch auf nicht sportliche Bereiche übertragen.

In der Leichtathletik stammen Wörter wie *Sprint, Sprinter, sprinten* und *Spurt, spurten* aus dem Englischen. Auch sie wurden bald auch über ihre sportliche Bedeutung hinaus übertragen verwendet.

Pferdesport

Im Pferderennsport waren schon seit dem 18. Jahrhundert Begriffe wie *Derby* (= Pferderennen als alljährliche Zuchtprüfung für die besten dreijährigen Vollblutpferde; nach Edward Stanley, dem 12. Earl of Derby, der 1780 die ersten derartigen Rennen veranstaltete), *Tattersall* (= Reitbahn, -halle; nach englisch *Tattersall's [horse market]*, der Bezeichnung für die Londoner Pferdebörse und Reitschule des britischen Stallmeisters R. Tattersall) bekannt. Ihnen folgten später *Oxer* (= ein Hindernis beim Springreiten, englisch *oxer*, zu: *ox* »Ochse«, wohl nach der Form), *Sulky* (englisches Wort mit unsicherer Herkunft) und *Turf* (= Pferderennbahn, eigentlich »Rasen« und verwandt mit unserem Wort *Torf*). Das Substantiv *Rekord* bedeutete ursprünglich »urkundliche Bestätigung einer sportlichen Leistung (besonders von Trabrennpferden)« und wurde gegen Ende des 19. Jahrhunderts aus englisch *record* »Aufzeichnung, Urkunde, (gerichtliches) Zeugnis« entlehnt. Lehnübersetzungen wie *Buchmacher* (= Vermittler von Rennwetten, englisch *bookmaker*) oder *Steher* (= Pferd, das auf langer Distanz seine besten Leistungen zeigt, englisch *stayer*) traten bald an die Stelle der entsprechenden englischen Wörter. Diese Fachausdrücke blieben aber auf den Reitsport beschränkt. Dagegen wurden Lehnübersetzungen wie *Außenseiter* (eigentlich »Pferd, auf das nicht gewettet wird«, englisch *outsider*) und *Schrittmacher* (eigentlich »Pferd, das beim Rennen das

Tempo des Feldes bestimmt«, englisch *pacemaker* [dazu auch die deutsche Mischform *Pacemacher*], zu englisch *pace* »Tempo«, eigentlich »Schritt«) schnell bekannt und in der Alltagssprache übertragen verwendet. Das Fremdwort *Handicap* (englisch *handicap,* die weitere Herkunft ist nicht sicher geklärt) bezeichnete ursprünglich nur ein Pferderennen, bei dem die Gewinnchancen für alle dadurch ziemlich gleich waren, dass die leistungsschwächeren Teilnehmer einen Vorsprung erhielten. Die Besseren waren also benachteiligt. Daraus entwickelte sich die allgemeine Bedeutung »Hindernis, Benachteiligung«.

Mit Frack und Trenchcoat: Englisches in der Mode

Der Fachwortschatz der Damenmode war auch im 19. Jahrhundert noch durch französische Fremdwörter bestimmt. Im Bereich der Herrenbekleidung aber begann jetzt das Englische den französischen Einfluss zurückzudrängen. Der modebewusste Mann trug jetzt z. B. am Abend einen *Frack* (schon im 18. Jahrhundert entlehnt aus englisch *frock* »Jacke«) und zog im Urlaub in den vornehmen Badeorten Italiens und Südfrankreichs *Shorts* an (eigentlich »die Kurzen«, englisch *short* »kurz«). Kehrte man ins kühlere Nordeuropa zurück, schützte vor Nässe und Kälte ein *Trenchcoat* (= ein leichter [Regen]mantel, englisch *trench coat,* eigentlich »Schützengrabenmantel [für die britischen Soldaten des Ersten Weltkriegs]«, aus englisch *trench* »Schützengraben« und *coat* »Mantel«).

Seefahrt

Für die deutsche Handelsschifffahrt und auch die Kriegsmarine war das britische Seewesen Vorbild. Daher wurden aus dem Englischen auch seemannssprachliche Ausdrücke wie *Log* (= Gerät zur Messung der Schiffsgeschwindigkeit, englisch *log,* eigentlich »Klotz, der an einer Leine hinter dem Schiff hergezogen wurde«), *Pier* (= Hafendamm, Landungsbrücke), *Steward* (ursprünglich »Schiffskellner«, später dazu auch die weibliche Form *Stewardess*) übernommen. Als Lehnübersetzungen wurden gebildet *halbmast* (für englisch *halfmast*) und *überholen* (= [ein Schiff] auf technische Mängel überprüfen; englisch *to overhaul*). Die Bezeichnung *Lotse* (gekürzt aus älter *Lootsmann,* älter englisch *lodes-, loadsman*) für jemanden, der ein Schiff durch schwierig zu befahrende Gewässer lenken kann, ist bereits im 17. Jahrhundert über niederdeutsche und niederländische Vermittlung aus dem Englischen entlehnt worden. Unser Wort *Brecher* als Bezeichnung für eine sich überschlagende hohe Meereswelle, eine Sturzsee, ist Lehnübersetzung von englisch *breaker,* ebenso wie *Landratte* englisch *landrat* wiedergibt.

Spanferkel: In der nur dt. und niederl. Bezeichnung des jungen, noch saugenden Ferkels (mitteld. im 15. Jh. *spenferkel,* mhd. *spenvarch, spünne verkelīn,* ahd. *spen-, spunnifarah,* niederl. *speenvarken;* s. auch *Ferkel*) lebt eine sonst im Dt. untergegangene altgerm. Bezeichnung der Zitze fort: mhd. *spen, spünne,* ahd. *spunni* »Mutterbrust, Muttermilch«, niederl. *speen* »Zitze; Schnuller«, aengl. *spane* »Mutterbrust«, schwed. *spene* »Zitze«. Diese Wörter gehen mit gleichbed. air. *sine* und lit. *spenỹs* auf idg. **speno-* »Zitze« zurück.

Spange: Das Substantiv mhd. *spange,* ahd. *spanga* bezeichnete ursprünglich die Halt gebenden Querbalken (Riegel) im Holzbau, dann auch Eisenbänder und Beschläge an Bauteilen und Waffen (dazu der Handwerkername ↑Spengler). In mhd. Zeit übertrug man die Bezeichnung auf Schnallen und Armringe, auf die Heftnadeln zum Schließen der Kleidung und auf andere, oft als Schmuck gestaltete Stücke. Dem dt. Wort entsprechen niederl. *spang* »Spange« und schwed. *spång* »schmale Brücke, Steg«, vgl. auch das weitergebildete engl. *spangle* »Metallplättchen, Flitter«. Die germ. Wortgruppe gehört wahrscheinlich zu der unter ↑spannen behandelten Sippe (beachte mnd. *span[n]* und schwed. *spänne* »Spange«).

Spaniel: Die im 19. Jh. aus dem Engl. übernommene Rassenbezeichnung für einen langhaarigen kleinen Jagd- und Haushund (engl. *spaniel*) stammt aus gleichbed. afrz. *espagneul* (= frz. *épagneul*), das auf span. *español* (über das Vlat. aus lat. *Hispanus* »hispanisch; iberisch«) »spanisch« zurückgeht. Das Wort bedeutet also eigentlich »Spanier« (= »spanischer Hund«).

spannen: Das früher starke Verb mhd. *spannen,* ahd. *spannan* »[sich] dehnen; ziehend befestigen« (entsprechend aengl. *spannan* »spannen, befestigen«) ist im Frühnhd. mit seinem Veranlassungswort mhd. *spennen* (entsprechend schwed. *spänna* »[an]spannen, schnallen«) zusammengefallen. Nahe mit ihm verwandt ist mhd. *spanen,* ahd. *spanan* »locken« (eigentlich »anziehen«), von dem ↑Gespenst und ↑abspenstig abgeleitet sind (anders ›widerspenstig‹, s. d.). Die genannten Wörter, zu denen wahrscheinlich auch ↑Spange gehört, gehen auf die vielfach weitergebildete und erweiterte idg. Wurzel **sp[h]e-* »ziehen, spannen, sich ausdehnen« zurück, vgl. griech. *spáein* »ziehen, zerren, verrenken« und griech. *spasmós* »Ziehen, Zuckung, Krampf« (beachte das medizinische Fachwort Spasmus »Krampf«). Aus dem germ. Sprachbereich gehören vor allem noch die unter ↑spinnen (eigentlich »Fäden ziehen«) behandelte Wortgruppe und wahrscheinlich auch die unter ↑sparen genannten Wörter (s. dort über *spät* und *sputen*) hierher. – Die häufige übertragene Verwendung von ›spannen‹ geht ursprünglich vom Bild des gespannten Jagdbogens aus; schon mhd. *spannen* bedeutete auch »voller Verlangen sein; freudig erregt sein«. Heute liegt eher die Vorstellung der Stahlfeder oder der gespannten Muskeln zugrunde, besonders im adjektivischen Gebrauch der Partizipien **spannend** »erregend« und **gespannt** »erwartungsvoll« (seit dem 19. Jh.); beachte auch **angespannt** »aufmerksam«, **abgespannt** »ermüdet« (18. Jh.), **überspannt** »geistig überreizt« (18. Jh.) und die Präfixbildung [sich] **entspannen** »die Spannung lösen, [sich] ausruhen« (mhd. *entspannen* »losmachen«), ferner auch ›spannen‹ im Sinne von »seine Aufmerksamkeit auf etwas richten, etwas genau verfolgen; neugierig oder heimlich beobachten«, woran sich ›Spanner‹ im Sinne von »Voyeur« anschließt. – Dagegen beziehen sich **einspannen** »für seine Zwecke verwenden« (mhd. *īnspannen* »in Fesseln legen«) wohl auf das Einspannen in den Schraubstock und **ausspannen** »sich erholen« (16. Jh.) auf das Absträngen der Zugtiere. Zu dem ähnlich gebrauchten **vorspannen** gehört das Substantiv **Vorspann** »[zusätzlich] vorgespannte Pferde« (17. Jh.; heute übertragen für »Titel und Verzeichnis der Mitwirkenden eines Films o. Ä.«); s. auch den Artikel *Gespann.* – Ableitungen von ›spannen‹ sind: **Spann** »obere Fußwölbung, Rist« (so im 18. Jh.; zu mhd. *span* ↑widerspenstig); **Spanne** »Maß der ausgespannten Hand zwischen Daumen und Zeigefinger oder kleinem Finger« (mhd. *spanne,* ahd. *spanna,* vgl. engl. *span,* schwed. *spann;* seit dem 18. Jh. auch für »kurzer Zeitabschnitt«); **Spannung** (17. Jh., meist für »Zustand des Gespanntseins«, auch für »gespannte Neugier, erregte Erwartung« und »gespanntes Verhältnis, Missstimmung«; seit dem 19. Jh. vielfach in technischer Verwendung, besonders bei Dampf und elektrischem Strom), dazu **Hochspannung** »elektrische Spannung über 1 000 Volt« (20. Jh.; oft bildlich gebraucht). Zus.: **Spannkraft** (im 18. Jh. für ›Elastizität‹; meist auf den Menschen bezogen).

sparen: Das altgerm. Verb mhd. *sparn,* ahd. *sparēn, -ōn,* niederl. *sparen,* engl. *to spare,* schwed. *spara* hatte ursprünglich den Sinn »bewahren, unversehrt erhalten, schonen«, der in anderen germ. Sprachen bis heute fortlebt. Daraus ist besonders im Dt. die Bedeutung »für später zurücklegen; nicht gebrauchen; weniger ausgeben« entstanden, die seit dem 16. Jh. üblich wird und heute vorherrscht. Das Verb ist von einem altgerm. Adjektiv abgeleitet, das in ahd. *spar* »sparsam, knapp«, engl. *spare* »spärlich«, aisl. *sparr* »sparsam, karg« erscheint und ursprünglich wohl »weit-, ausreichend« bedeutet hat. Das zeigen die außergerm. Entsprechungen älter russ. *sporyj* »reichlich« (eigentlich »lang ausreichend«) und aind. *sphirá-ḥ* »feist, reichlich«. Mit ihnen beruht das germ. Adjektiv auf der vielfach weitergebildeten und erweiterten idg. Wurzel **sp[h]ē[i]-* »sich ausdehnen, gedeihen, vorwärts kommen«

(s. auch den Artikel *Speck*). Zu dieser Wurzel gehören auch die lat. Wörter *spatium* »Raum, Strecke, Dauer« (s. das Lehnwort *spazieren*), *spes* »Erwartung, Hoffnung« und *sperare* »hoffen« sowie die unter ↑sputen (eigentlich »gelingen«) und ↑spät (eigentlich »sich hinziehend«) behandelten germ. Wörter. Weiterhin besteht wohl ein Zusammenhang mit der unter ↑spannen dargestellten Wortgruppe. – Abl.: **Sparer** (16. Jh.); **spärlich** »knapp, kümmerlich« (das Adverb mhd. *sperlīche*, ahd. *sparalīhho* »auf karge Weise« gehört zum Adjektiv ahd. *spar* [s. o.] und wird erst seit dem 16. Jh. selbst als Adjektiv gebraucht, anfangs in der Bedeutung »sparsam, geizig«); **sparsam** »haushälterisch; knapp« (16. Jh.), dazu **Sparsamkeit** (16. Jh.). Zus.: **Sparbüchse** (mhd. *sparbuchse, -buss*); **Sparkasse** (Ende des 18. Jh.s).

Spargel: Der Name der Gemüsepflanze wurde im 15. Jh. (spätmhd. *sparger*, frühnhd. *spargen, sparg[e], spargel*) durch roman. Vermittlung (vgl. it. *sparagio*, älter *sparago*, frz. *asperge*, afrz. *sparge*, mlat. *sparagus*) aus gleichbed. lat. *asparagus* entlehnt, das seinerseits Lehnwort aus griech. *asp[h]áragos* »Spargel; junger Trieb« ist. Die weitere Herkunft des Wortes ist nicht gesichert.

Sparren: Das altgerm. Substantiv mhd. *sparre*, ahd. *sparro*, niederl. *spar*, engl. *spar*, schwed. *sparre* gehört zu der unter ↑Speer behandelten Wortgruppe. Es bezeichnet einen Schrägbalken oder eine Stange, vor allem die paarweise gegeneinander stehenden Balken des Dachgerüsts, die das eigentliche Dach tragen (so genanntes Sparrendach). Eine alte Ableitung von dem Substantiv ist ↑sperren.

Sparren

einen Sparren [zu viel/zu wenig] haben
(ugs.) »nicht recht bei Verstand sein, ein wenig verrückt, verschroben sein«
Dieser Wendung liegt die Gleichsetzung des menschlichen Kopfes mit dem Dach eines Hauses zugrunde, vgl. auch die Wendung ›eins aufs Dach bekommen/kriegen‹ (↑Dach). Ein Fehler im Sparrenwerk, in der Dachkonstruktion steht hier für eine Schädigung des Gehirns.

spartanisch »streng und hart gegen sich selbst, genügsam, einfach, anspruchslos«: Das im 18. Jh. aufgekommene Adjektiv bezieht sich auf die sprichwörtlich strenge und anspruchslose Lebensweise der Einwohner der altgriech. Stadt Sparta.

Sparte: Die Herkunft des seit dem 19. Jh. bezeugten Fremdwortes mit der Bedeutung »spezieller [Wissenschafts]bereich; Spalte in einer Zeitung; Rubrik« ist nicht sicher geklärt. Vielleicht geht es auf eine nlat. Wendung *spartam nancisci* »ein Amt erlangen« zurück, die ihrerseits auf griech. *ēn élaches Spártēn, kósmei* »dir wurde Sparta zugeteilt, [jetzt] verwalte [es]« beruhen soll, einem Vers aus Euripides' Drama »Telaphos«.

Spaß »Scherz, Vergnügen, Jux«: Das seit dem 16./17. Jh. zuerst als ›Spasso‹ bezeugte Substantiv ist aus it. *spasso* »Zerstreuung, Zeitvertreib, Vergnügen« entlehnt, einer Substantivbildung zu it. *spassare* »zerstreuen, unterhalten« (*spassarsi* »sich zerstreuen, sich vergnügen«). Das it. Wort setzt ein vlat. Verb **ex-passare* »ausbreiten; zerstreuen« voraus, das zu lat. *ex-pandere (expassum)* »auseinander spannen, ausbreiten« gehört, einer Bildung aus lat. *ex* »aus« (vgl. [1]*ex..., Ex...*) und lat. *pandere (passum)* »ausspannen, ausbreiten, ausspreizen« (vgl. *Pass*). – Abl.: **spaßen** »Spaß machen, scherzen« (18. Jh.); **spaßig** »lustig, vergnüglich« (17. Jh.). Zus.: **Spaßvogel** »witziger, lustiger Mensch« (18. Jh.).

spät: Das Adjektiv mhd. *spæte*, ahd. *spāti*, niederl. *spa[de]* ist außerhalb des Dt. und Niederl. nur in den got. Steigerungsformen *spēdiza* »der spätere« und *spēd[um]ists* »der späteste« bezeugt. Neben ihm steht das umlautlose, heute nur noch landsch., sonst veraltete Adverb **spat** (mhd. *spāt[e]*, ahd. *spāto*). Mit der Grundbedeutung »sich hinziehend« gehört ›spät‹ wahrscheinlich zu der unter ↑sparen dargestellten idg. Wortgruppe. – Abl.: **Spätling** »spät geborenes Tier; späte Frucht« (16. Jh.; oft übertragen gebraucht); sich **verspäten** »zu spät kommen« (mhd. *verspæten*, reflexiv »verweilen«).

Spat: Das leicht spaltbare, weil blättrige Mineral (besonders als ›Feld-, Fluss-, Kalkspat‹ bekannt) heißt mhd. im 12. Jh. *spāt* (frz. *spath*, älter engl. *spat*, schwed. *spat* sind aus dem Dt. entlehnt). Das mhd. Wort, das auch »Splitter« bedeutet, beruht wohl auf einer germ. Weiterbildung zu der unter ↑Span dargestellten idg. Wurzel **sp[h]ē-* »langes, flaches Stück«.

Spatel, Spachtel: Die Bezeichnung des kleinen schaufel- oder messerförmigen Werkzeugs, spätmhd. *spatel* »schmales und flaches Schäufelchen«, frühnhd. *spattel, spathel* (daneben mit eingeschobenem, unorganischem -ch- wie in ↑Schachtel die frühnhd. Form *Spachtel*), beruht auf einer Entlehnung aus lat. *spatula* »kleiner Rührlöffel; Spatel; Schulterblatt« (s. auch *Spalier*). Dies gehört als Verkleinerungsbildung zu lat. *spatha* »länglicher, breiter Rührlöffel, Spatel; breites, flaches Weberholz« (< griech. *spáthē* »breites, flaches Weberholz; breites Unterende am Ruder; Schulterblatt«).

Spaten: Spätmhd. *spat[e]* ist trotz seiner späten Bezeugung ein alter Gerätename, wie gleichbed. mnd. *spade*, asächs. *spado*, aengl. *spada* (engl. *spade*) zeigen. Der Spaten war ursprünglich ein hölzernes schaufelähnliches Werkzeug zum Graben. Mit der Grundbedeutung »langes, flaches Holzstück« gehört das Substantiv zu der unter ↑Span dargestellten Wortgruppe. Das n der heutigen Nominativform stammt aus den flektierten Formen.

Spatz: Mhd. *spaz, spatze* »Sperling« ist eine Koseform zu gleichbed. mhd. *spare,* ahd. *sparo* (vgl. *Sperling*), die mit demselben z-Suffix gebildet ist wie die Personennamen ›Heinz, Fritz‹ (zu ›Heinrich, Friedrich‹). Schwäb. **Spätzle** als Bezeichnung einer Art kleiner, länglicher Mehlklöße ist zuerst im 18. Jh. in der Form ›Wasserspatzen‹ bezeugt.

spazieren: Das seit dem 13. Jh. bezeugte Verb (mhd. *spacieren, spazieren*) ist aus it. *spaziare* in seiner älteren Bedeutung »sich räumlich ausbreiten; sich ergehen« entlehnt, das auf lat. *spatiari* »einherschreiten, sich ergehen, lustwandeln« zurückgeht.

Specht: Der Vogelname ist ursprünglich nur im Dt. und in den nord. Sprachen bezeugt. Mhd., ahd. *speht,* dem aisl. *spettr,* schwed. *hackspett* (eigentlich »Hackspecht«) entspricht, ist aus gleichbed. mhd. *spech,* ahd. *speh* (ähnlich schwed. mdal. *hackspik*) weitergebildet. Die germ. Wörter sind wahrscheinlich verwandt mit lat. *picus* »Specht« und lat. *pica* »Elster«. Welche Vorstellung diesen Benennungen zugrunde liegt, ist unklar.

Speck: Das altgerm. Substantiv mhd. *spec,* ahd. *spek,* niederl. *spek,* aengl. *spic,* aisl. *spik* ist wohl verwandt mit aind. *sphik* »Hinterbacke, Hüfte« und gehört vielleicht im Sinne von »Dickes, Feistes« zu der unter ↑sparen behandelten idg. Wortgruppe. Das Wort bezeichnet seit alters vor allem das feste Fett unter der Schwarte des Schweines. – Abl.: **speckig** »speckartig; wie Speck glänzend; schmutzig« (im 17. Jh. *speckicht* »fett«); **spicken** (s. d.).

Spediteur »Transportunternehmer«: Das seit dem Anfang des 18. Jh.s bezeugte Kaufmannswort ist eine französierende Bildung zu dem heute nur noch selten gebrauchten Verb **spedieren** »Güter abfertigen und versenden« (um 1600), das seinerseits aus dem It. entlehnt ist. It. *spedire* »abfertigen, versenden« setzt lat. *ex-pedire* »losmachen, entwickeln, aufbereiten« fort und ist somit im Grunde identisch mit unserem Fremdwort ↑expedieren. – Dazu stellt sich: **Spedition** »Transportunternehmen« (17. Jh.; aus entsprechend it. *spedizione* »Absendung, Beförderung«, das seinerseits lat. *expeditio* »Erledigung, Abfertigung« fortsetzt; vgl. *Expedition* [↑expedieren]).

Speer: Das altgerm. Substantiv mhd. *sper, spar[e],* ahd. *sper,* niederl. *speer,* engl. *spear,* aisl. *spjǫr* »Speer« ist nahe verwandt mit dem unter ↑Sparren »Balken« behandelten Wort und dessen Ableitung ↑sperren. Zugrunde liegt die idg. Wurzel **[s]per-* »Sparren, Stange, Speer«, die außerhalb des Germ. z. B. in lat. *sparus* »kurzer Jagdspeer« erscheint. Im 18. Jh. wurde das Wort durch die Ritterdichtung neu belebt.

Speiche: Das westgerm. Substantiv mhd. *speiche,* ahd. *speihha,* niederl. mdal. *speek,* engl. *spoke* bezeichnet die Radspeiche, ursprünglich wohl als »langes zugespitztes Holzstück«. Es gehört wie das ablautend verwandte engl. *spike* »Nagel« (↑Spikes) zu der unter ↑spitz behandelten idg. Wortgruppe. Auf den Unterarmknochen wurde ›Speiche‹ erst im 18. Jh. übertragen, wohl in Anlehnung an lat. *radius* in den Bedeutungen »Rad-, Armspeiche«.

Speichel: Das auf den dt. und niederl. Sprachbereich beschränkte Wort (mhd. *speichel,* ahd. *speihhil[a],* mniederl. *spēkel,* niederl. mit anderer Endung *speeksel*) ist eine Substantivbildung zu dem unter ↑speien behandelten Verb. – Zus.: **Speichellecker,** abschätzig für »unterwürfiger Mensch; Kriecher« (18. Jh.).

Speicher »Lagerraum, Vorratshaus; Dachboden; Vorrichtung an elektronischen Rechenanlagen zum Speichern von Daten«: Das auf das dt. und niederl. Sprachgebiet beschränkte Substantiv, mhd. *spīcher,* ahd. *spīhhāri,* älter niederl. *spijker,* ist aus spätlat. *spicarium* »Getreidespeicher« entlehnt (zu lat. *spica* »Ähre«, eigentlich »Spitze«, etymologisch verwandt mit dt. ↑spitz). – Abl.: **speichern** »lagern, [Vorräte] sammeln, aufhäufen; [Daten] ablegen« (18. Jh.).

speien: Das gemeingerm. starke Verb mhd. *spī[w]en,* ahd. *spī[w]an,* got. *speiwan,* engl. *to spew,* schwed. *spy* geht mit verwandten Wörtern in anderen idg. Sprachen auf die idg. Wurzel **[s]p[h]i̯ēu-* »speien, spucken« zurück, vgl. z. B. die gleichbed. Verben lat. *spuere* (dazu das medizinische Fachwort ›Sputum‹ »Auswurf«), griech. *ptýein* und lit. *spiáuti.* Im germ. Sprachbereich gehören besonders die unter ↑spucken und (mit abweichender Bedeutung) ↑spotten behandelten Verben hierher. Von mehreren alten Substantivbildungen zu ›speien‹ hat sich im Nhd. nur ↑Speichel erhalten. Das Verb selbst ist gegenüber dem allgemein üblichen Wort ›spucken‹ auf die gehobene Sprache eingeschränkt worden; z. T. steht es verhüllend für »sich erbrechen«.

Speise: Das Substantiv mhd. *spīse* »feste Nahrung, Kost, Lebensmittel; Lebensunterhalt«, ahd. *spīsa* (entsprechend niederl. *spijs*) wurde im klösterlichen Bereich aus mlat. *spe[n]sa* »Ausgaben, Aufwand; Nahrung« entlehnt, das seinerseits lat. *expensa (pecunia)* »Ausgabe, Aufwand« fortsetzt. Letzteres lieferte durch it. Vermittlung auch unser Fremdwort ↑Spesen. Im Mhd. erhält ›Speise‹ die fachsprachliche Bedeutung »zum Guss verwendete Metalllegierung«, beachte dazu die Zusammensetzung mhd. *glockenspīse* »Glockenspeise«. Seit frühnhd. Zeit wird das Wort dann auch für »Mörtel« gebraucht. Diese Bedeutung hat in südd. und westmd. Umgangssprache das Maskulinum **Speis** bis heute bewahrt. – Abl.: **speisen** »essen, dinieren; zu essen geben, nähren; versorgen« (mhd. *spīsen*), dazu die Zusammensetzung **abspeisen** »jemanden mit weniger als erhofft abfertigen, kurz abweisen« (17. Jh.; im 16. Jh. ursprünglich »jemandem zu essen geben«), die Präfixbildung **verspeisen** »aufessen, verzehren«

und das Substantiv **Speisung** »Verköstigung« (mhd. *spīsunge*, auch im Sinne von »Proviant«).

Spektakel: Lat. *spectaculum* »Schauspiel«, das von lat. *spectare* »schauen« abgeleitet ist (vgl. hierzu das Lehnwort *Spiegel*), gelangte im 16. Jh. als Fremdwort ins Deutsche (frühnhd. *spectacul*), ohne sich jedoch auf die Dauer in seiner eigentlichen Bedeutung neben der schon älteren dt. Bezeichnung ›Schauspiel‹ halten zu können. Gleichwohl ging das Fremdwort als solches nicht unter. Es entwickelte im 18. Jh. – besonders wohl unter dem Einfluss der Studentensprache – die Bedeutung »Lärm, Krach, Gepolter, lautes Sprechen und dgl.«. In diesem Sinne hat sich das Wort ugs. fest eingebürgert. Für den Genuswechsel (zum Maskulinum) war wohl entsprechend frz. *le spectacle* Vorbild.

Spekulatius: Die Herkunft der Bezeichnung für das flache, zu Figuren geformte Gebäck aus gewürztem Mürbeteig ist nicht sicher geklärt. Vielleicht liegt, vermittelt durch ostfries. und niederrhein. Formen, gleichbed. älter niederl. *speculatie* zugrunde. Dessen Herkunft ist aber in dieser Bedeutung ebenfalls dunkel.

spekulieren: Das schon mhd. bezeugte Fremdwort ist aus lat. *speculari* »spähen, beobachten; sich umsehen, ins Auge fassen« entlehnt, das seinerseits zu lat. *specere* »sehen, schauen« gehört (vgl. das Lehnwort *Spiegel*). Gegenüber dem lat. Verbum hat ›spekulieren‹ im Laufe der Zeit andere Bedeutungen entwickelt. Es ist ugs. im Sinne von »auf etwas rechnen« und »mutmaßen« gebräuchlich, andererseits gilt es seit dem 18. Jh. als kaufmännischer Terminus mit der Bedeutung »riskante [Börsen]geschäfte tätigen«. – Vorwiegend kaufmännisch-wirtschaftliche Geltung haben auch die zu ›spekulieren‹ gehörenden abgeleiteten Fremdwörter **Spekulant** »jemand, der sich in gewagte Geschäfte einlässt« (18. Jh.; aus lat. *speculans, -antis*, dem Part. Präs. von *speculari*) und **Spekulation** »auf Gewinne aus Preisveränderungen abzielende Geschäftstätigkeit« (18. Jh.; aus lat. *speculatio* »das Ausspähen, Auskundschaften; Betrachtung«).

Spelt, Spelz: Die westgerm. Bezeichnung der Weizenart (mhd. *spelte, spelze*, ahd. *spelta, spelza*, niederl. *spelt*, [a]engl. *spelt*) gehört wohl zu der unter ↑spalten behandelten Wortgruppe. Sie würde sich dann darauf beziehen, dass die Ähren beim Dreschen in einzelne Teile zerfallen (deren Körner in ihren Hülsen bleiben). Wie bei anderen Getreidebezeichnungen (z. B. ›Korn‹) wäre dann der Name der Frucht auf die ganze Pflanze übertragen worden. Gleichbed. spätlat. *spelta* (Anfang des 4. Jh.s; daher it. *spelta*, frz. *épeautre* »Spelt«) ist wahrscheinlich ein Lehnwort aus westgerm. Sprachen, hat aber seinerseits die Erhaltung der unverschobenen Form ›Spelt‹ im Hochd. bewirkt. In ihrem südwestdeutschen und schweizerischen Anbaugebiet heißt die Weizenart meist ↑Dinkel. Dasselbe Wort ist **Spelze** »Getreidehülse; Hüllblatt der Gräserblüten« (im 17. Jh. *Speltz, Spälze;* der Spelt ergab sehr viel Dreschabfall).

Spelunke (abwertende Bezeichnung für:) »verrufene Kneipe; unsaubere, elende Behausung«: Das seit dem 15. Jh. (zuerst am Niederrhein) bezeugte Fremdwort ist aus lat. *spelunca* »Höhle, Grotte« entlehnt. Dies stammt seinerseits aus gleichbed. griech. *spēlygx* (Akkusativ *spḗlygga*), das dem Lat. möglicherweise durch das Etrusk. vermittelt worden ist.

Spelz, Spelze ↑Spelt.

spenden: Das schwache Verb mhd. *spenden* »als Geschenk austeilen, Almosen geben«, ahd. *spentōn, spendōn* (vgl. entsprechend mniederl. *spinden* und engl. *to spend* »ausgeben, aufwenden«) beruht auf Entlehnung aus mlat. *spendere* »ausgeben, aufwenden«, das seinerseits lat. *ex-pendere* »gegeneinander aufwägen; (Gold oder Silber) auf der Waage abwiegen; auszahlen, ausgeben; aufwenden« fortsetzt, eine Bildung aus lat. *ex* »aus« (vgl. [1]*ex..., Ex...*) und lat. *pendere (pensum)* »wägen; erwägen; schätzen; zahlen usw.« (vgl. hierzu den Artikel *Pensum*). – Dazu: **Spende** (mhd. *spende* »Geschenk, Gabe, Almosen«, ahd. *spenta, spenda;* nach gleichbed. mlat. *spenda, spenta*); **Spender** »Schenker, Geber, Stifter« (mhd. *spendære*, ahd. *spentāri*); **spendieren** »schenken, zur Verfügung stellen, ausgeben, freihalten« (Anfang 17. Jh.; mit roman. Endung gebildet); **spendabel** »freigebig, großzügig« (18. Jh.; mit roman. Endung gebildet). – Vgl. noch die auf Substantivbildungen zu lat. *expendere* beruhenden Lehn- und Fremdwörter ↑Spesen, ↑Speise, ↑Spind.

Spengler: Wie andere Bezeichnungen des Installateurs (z. B. ›Klempner, Blechner‹) galt auch das im südd., schweiz., österr. und westmitteld. Gebiet verbreitete Wort ›Spengler‹ ursprünglich für ein Spezialgewerbe, die Verfertigung von Spangen und Beschlägen verschiedener Art. Spätmhd. *speng[e]ler* ist abgeleitet von mhd. *spengel[īn]* »kleine Spange« (vgl. *Spange*).

Sperber: Der Raubvogel ist wohl nach seiner häufigsten Beute (Sperlinge und Finken) als »Sperlingsaar« benannt. Mhd. *sperwære*, ahd. *sparwǎri*, niederl. *sperwer* gehen wahrscheinlich zurück auf eine Zusammensetzung aus den unter ↑Sperling und ↑Aar genannten Wörtern. Ähnlich heißt der Vogel im Engl. *sparrow-hawk* »Sperlingshabicht«.

Sperling: Der dt. Vogelname mhd., (mitteld.) *sperlinc*, ahd. *sperilig*, mnd. *sper-, sparlink* bezeichnete ursprünglich wohl den jungen Sperling (ähnlich wie das verwandte ↑Spatz). Das Wort ist abgeleitet von dem gemeingerm. Namen des gleichen Vogels (mhd. *spar[e], sparwe*, ahd. *sparo*, got. *sparwa*, engl. *sparrow*, schwed. *sparv*). Dieser ist z. B. verwandt mit griech. *sparásion* »sperlingartiger Vogel«, ferner mit griech. *spérgoulos* »klei-

S

ner Vogel« und apreuß. *spurglis* »Sperling« (beachte auch spätahd. *sperch* »Sperling«).

sperren: Das altgerm. Verb mhd. *sperren,* ahd. *sperran,* niederl. *sperren,* schwed. *spärra* ist von dem unter ↑Sparren behandelten Substantiv abgeleitet und bedeutete daher ursprünglich »mit [Dach]sparren versehen« (so mhd. und aisl. bezeugt) sowie »mit Balken abschließen, verrammeln«. Schon früh erhielt es den übertragenen Sinn »ein-, ab-, verschließen«. Im Buchdruck bedeutet ›sperren‹ seit dem 18. Jh. »mit Zwischenräumen setzen und drucken« (meist: ›gesperrt drucken‹). – Abl.: **Sperre** »Sperrung, Sperrvorrichtung« (mhd. *sperre* »Klammer, Buchverschluss, Riegel«); **sperrig** »unhandlich, sich schlecht transportieren lassend« (mhd. *sperric* »was beschlagnahmt werden kann; widersetzlich«). Zus.: **sperrangelweit** »sehr weit« (von geöffneten Türen; im 18. Jh. neben älterem ›sperrweit‹, 17. Jh.; s. auch *Angel*); **Sperrholz** »aus Holzschichten unter Kreuzung der Faserrichtung zusammengeleimtes Holz« (das sich gegen Verwerfung sperrt; Ende des 19. Jh.s); **Sperrsitz** »bestimmter Theatersitzplatz« (Anfang des 19. Jh.s; früher abgesperrt und nur dem Mieter zugänglich).

Spesen »Auslagen, Unkosten«: Das Fachwort der Kaufmannssprache wurde zu Beginn des 17. Jh.s aus gleichbed. it. *spese,* dem Plural von it. *spesa* »Ausgabe, Aufwand«, entlehnt. Das it. Wort seinerseits beruht auf gleichbed. lat. *expensa (pecunia),* das auch die Quelle für unser Lehnwort ↑Speise ist. Über das zugrunde liegende Verb lat. *ex-pendere* »gegeneinander aufwägen, abwägen; auszahlen; (Geld) ausgeben« vgl. den Artikel *spenden.*

Spezerei: Die heute veraltete Bezeichnung für »[überseeisches] Gewürz« ist seit dem 14. Jh. bezeugt (mhd. *specierīe, spezerīe*). Sie ist entlehnt aus gleichbed. it. *spezieria,* das seinerseits aus mlat. *specieria* »Gewürze, Gewürzhandel« stammt. Dies gehört zu lat. *species* »Art, einzelnes Stück (einer Gattung), Sorte« (s. *spezial*), dessen Plural im Spätlat. die Bedeutung »Gewürze (zum Einmachen, für Arzneien)« angenommen hat.

spezial »von besonderer Art; eigentümlich; einzeln; eingehend«: Das seit dem 15. Jh. (zuerst in Zusammensetzungen) bezeugte Adjektiv, das wie entsprechend frz. *spécial* auf lat. *specialis* »besonder; eigentümlich« zurückgeht, ist heute weitgehend durch das im 18. Jh. mit französierender Endung hinzugebildete **speziell** ersetzt. Es lebt aber noch als Bestimmungswort in zahlreichen Zusammensetzungen wie ›Spezialgebiet, Spezialarzt‹ u. a. – Lat. *specialis* ist von lat. *species* »Aussehen, Erscheinung; Vorstellung, Begriff; Art; Eigenheit« abgeleitet, das seinerseits zum Stamm von lat. *specere* »sehen, schauen« gehört (über weitere etymologische Zusammenhänge vgl. den Artikel *Spiegel*). – Abl.: **Spezial** veraltet für »vertrauter Freund«, dafür heute die aus dem Oberd. vorgedrungene Kurzform **Spezi; Spezialität** »Besonderheit; besondere Fähigkeit, Fachgebiet; Liebhaberei« (Anfang 17. Jh.; aus spätlat. *specialitas* »besondere Beschaffenheit«, vgl. entsprechend frz. *spécialité*); **spezialisieren** »gliedern, sondern, einzeln anführen« (19. Jh.; aus frz. *spécialiser*), in jüngster Zeit vorwiegend reflexiv gebraucht im Sinne von »sich [beruflich] einem Spezialgebiet widmen, um darin besondere Fähigkeiten zu entwickeln« (nach entsprechend frz. *se spécialiser*); **Spezialist** »Fachmann, Facharbeiter, Facharzt« (19. Jh.; aus frz. *spécialiste* übernommen). – Ferner stellt sich in diesen Zusammenhang **spezifisch** »einer Sache ihrer Eigenart nach zukommend, kennzeichnend«, das im 18. Jh. aus gleichbed. frz. *spécifique* übernommen wurde. Dies geht auf spätlat. *specificus* »von besonderer Art, eigentümlich« zurück (dessen Grundwort zu lat. *facere* »machen, tun« gehört). Siehe auch den Artikel *Spezerei.*

Sphäre: Griech. *sphaĩra* »Ball, Kugel, Himmelskugel«, das die Quelle unseres Fremdwortes ist, gelangte bereits in ahd. Zeit über gleichbed. lat. *sphaera* ins Dt. (beachte ahd. *himelspēra,* mhd. *sp[h]ēre*). Humanisten stellten im 16. Jh. auf gelehrtem Weg die relatinisierte Form her. Seit dem 18. Jh. ist das Fremdwort allgemein üblich, sowohl im Bereich der Astronomie als auch (nach entsprechend frz. *sphère*) allgemeinsprachlich im übertragenen Sinne von »[Geschäfts]bereich, Wirkungskreis, Machtbereich usw.«. – Abl.: **sphärisch** »die [Himmels]kugel betreffend« (18. Jh.; nach entsprechend griech. *sphairikós,* lat. *sphaericus*). – Beachte noch Fremdwörter wie ↑Atmosphäre, in denen ›Sphäre‹ als Grundwort erscheint.

Sphinx: In der griechischen Mythologie war die Sphinx ein sagenhaftes Ungeheuer mit dem Leib eines geflügelten Löwen und dem Kopf einer Frau. Sie saß vor den Toren der Stadt Theben. Jedem Vorüberkommenden gab sie ein Rätsel auf und tötete ihn, wenn er es nicht lösen konnte. Von daher wurde der Name Sphinx zum Sinnbild des rätselhaften Geheimnisses. Das Wort wurde ins Dt. im 16. Jh. entlehnt aus gleichbed. lat. *Sphinx,* das seinerseits aus griech. *Sphígx* stammt, dessen Herkunft nicht sicher geklärt ist. Vielleicht ist es eine Bildung zu griech. *sphíggein* »(durch Zauber) festbinden«.

Spickaal »geräucherter Aal«: Das niederd. Wort ist seit Ende des 18. Jh.s im Hochd. bezeugt. Schon im 13. Jh. kommt mnd. *spic-herinc* »Bückling« vor. Das erste Glied dieser Zusammensetzungen hat nichts mit ›Speck‹ zu tun. Vielmehr liegt das Adjektiv mnd. *spik* »geräuchert« zugrunde, das verwandt ist mit schwed. *spicken* »gesalzen, geräuchert«, norw. mdal. *spikjen* »dürr, geräuchert« (beachte schwed. *spickelax* »Räucherlachs«) und wahrscheinlich selbst aus dem Nordischen kommt. Die weiteren Beziehungen des Adjektivs sind ungeklärt.

spicken: Das von dem unter ↑Speck behandelten Substantiv abgeleitete Verb mhd. *spicken,* mnd. *specken,* niederl. *spekken* bedeutet im eigentlichen Sinn »mageres Fleisch mit Speckstreifen bestecken« (dazu **Spicknadel,** 16. Jh.), im älteren Nhd. auch »Speisen mit Füllung versehen«. Man spricht daher übertragen von einer gespickten (gut gefüllten) Brieftasche und gebraucht ›spicken‹ auch für »bestechen« (17. Jh.). In der Bedeutung »eine Rede oder schriftliche Arbeit mit Zitaten schmücken« wird ›spicken‹ schon frühnhd. bildlich gebraucht. Ein Plagiator (der sich ›mit fremden Federn schmückt‹) wird im 17. Jh. als ›Spicker‹ bezeichnet. Das Schülerwort **spicken** »heimlich abgucken, abschreiben« (Anfang des 18. Jh.s bezeugt, ähnlich schon im 17. Jh. ›nachspicken‹) kann von hier ausgegangen sein, es kann aber auch eine Intensivbildung zu dem unter ↑spähen behandelten Verb sein.

Spiegel: Das auf das dt. und niederl. Sprachgebiet beschränkte Substantiv mhd. *spiegel,* ahd. *spiagal,* mnd. *spēgel,* niederl. *spiegel* (die nord. Sippe von entsprechend schwed. *spegel* stammt unmittelbar aus dem Niederd.) ist aus einer roman. Folgeform von lat. *speculum* »Spiegel; Spiegelbild, Abbild« entlehnt (vgl. mlat. *speglum* und älter it. *speglio*). Das lat. Substantiv, das gleichbed. griech. *kát-optron* (zum Stamm *op-* »sehen«) wiedergibt, gehört als Ableitung zu dem mit dt. ↑spähen urverwandten Verb lat. *specere (spectum)* »sehen, schauen«. Das Verb ist in der klassischen Zeit als Simplex nicht bezeugt. Es findet sich hingegen in zahlreichen Bildungen wie lat. *a-spicere* »hinsehen, anblicken« (s. das Fremdwort *Aspekt*), *in-spicere* »hin[ein]blicken, besehen, in Augenschein nehmen« (s. die Fremdwörter *inspizieren, Inspizient; Inspektion, Inspektor, Inspekteur*), *per-spicere* »mit dem Blick durchdringen, deutlich sehen, besehen« (↑Perspektive), *pro-spicere* »aus der Ferne herabschauen, von fern besehen; sich umsehen; überblicken« (↑Prospekt) und lat. *re-spicere* »zurücksehen; Rücksicht nehmen« (↑Respekt, respektieren). – Auch einige andere Bildungen zu lat. *specere* spielen in unserem Fremdwortschatz eine Rolle. Vgl. hierzu im Einzelnen die Artikel *spezial* (Spezialität, speziell, spezialisieren, Spezialist, Spezi, spezifisch), *spekulieren* (Spekulant, Spekulation) und *Spektakel.* – Ableitungen und Zusammensetzungen von ›Spiegel‹: **spiegeln** »ein Spiegelbild geben, abbilden; (reflexiv:) sich abbilden« (mhd. *spiegeln* »wie ein Spiegel glänzen; hell wie einen Spiegel machen«), davon das Substantiv **Spiegelung** »glänzender Widerschein« (mhd. *spiegelunge*) und das zusammengesetzte Verb **vorspiegeln** »vortäuschen« (18. Jh.; eigentlich etwa »ein Scheinbild von etwas geben, wie in einem Spiegel«); **Spiegelbild** (16. Jh.); **Spiegelei** (18. Jh.; nach dem spiegelnden Glanz des Dotters); **Spiegelfechten** »Scheinkampf, leeres Getue« (Anfang 16. Jh.; der ursprüngliche Sinn des Wortes ist nicht ganz klar, vielleicht ist eigentlich der Scheinkampf mit dem eigenen Spiegelbild gemeint, den ein Fechter zum Training vor einem Spiegel aufführt); **Eulenspiegel** (↑Eule); **Rückspiegel** (20. Jh.).

Spiel: Die Herkunft des Substantivs mhd., ahd. *spil,* niederl. *spel* und des zugehörigen Verbs ›spielen‹ (s. u.) ist unbekannt. Das Substantiv bewahrte seine vermutliche Grundbedeutung »Tanz, tänzerische Bewegung« (s. unten *Spielmann*) bis in mhd. Zeit, doch bedeutete es von Anfang an meist »Kurzweil, unterhaltende Beschäftigung, fröhliche Übung«. Länger als das Substantiv bewahrte das Verb **spielen** (mhd. *spiln,* ahd. *spilōn,* niederl. *spelen,* aengl. *spilian*) seine älteste Bedeutung »sich lebhaft bewegen, tanzen«, die freilich vom heutigen Sprachgefühl als »sich spielerisch bewegen« empfunden wird (z. B. von Muskeln, Wellen, Lichtern, beachte die Zusammensetzung **Spielraum,** 18. Jh., eigentlich in technischem Sinn »Bewegungsraum eines Körpers in einem Hohlkörper«). Meist jedoch bedeutet ›spielen‹ »ein Spiel treiben, musizieren, mimisch darstellen«, es wird wie seine Zusammensetzungen vielfach übertragen gebraucht. Beachte besonders: **spielend** »leicht, mühelos«, sich **abspielen** »vor sich gehen«, sich **aufspielen** »großtun« (beides vom Bühnenspiel stammend, 19. Jh.), ›jemandem etwas in die Hand spielen‹, **zuspielen** (»heimlich verschaffen«, 17. Jh., wohl vom Kartenspiel), auf etwas **anspielen** »leicht andeuten« (18. Jh., wohl eine Lehnübersetzung von lat. *alludere;* dazu **Anspielung** »Andeutung«, 18. Jh., wohl eine Lehnübersetzung von lat. *allusio*). – Abl.: **Spieler** (mhd. *spilære* »[Würfel]spieler«, ahd. *spilāri* »Handpaukenschläger, Mime«, nhd. besonders für »gewohnheitsmäßiger Glücksspieler«), dazu **Spielerei** »unnützes oder leichtes Spielen; aus Spieltrieb geformter Gegenstand« (16. Jh.) und **spielerisch** »tändelnd, verspielt« (17. Jh.). Zum Substantiv ›Spiel‹ gehört u. a. die Zusammensetzung **Spielmann** (mhd. *spilman,* ahd. *spiliman,* Plural mhd. *spilliute;* das Wort bezeichnete ursprünglich den Schautänzer und Gaukler [zu ahd. *spil* »Tanz«], später den fahrenden Sänger und Musikanten des Mittelalters; seit dem 18. Jh. hießen besonders die Trommler und Pfeifer beim Militär ›Spielleute‹). Zu ›spielen‹ stellen sich **Spielart** (18. Jh.), **Spielsachen, Spielwaren** (18. Jh.), **Spielzeug** (17. Jh.; frühnhd. *spilzög* bedeutete »Brettspiel, Würfel und Karten«).

[1]Spieß »Bratspieß«: Der Name des alten Küchengeräts ist erst im Nhd. mit dem der Waffe zusammengefallen. Mhd., ahd. *spiz,* niederl. *spit* »Bratspieß«, engl. *spit* »Bratspieß«, schwed. *[stek]spett* »[Brat]spieß« beruhen auf einer Bildung zu dem

S

unter ↑spitz behandelten Adjektiv und bedeuten eigentlich »Spitze, spitze Stange« (der Bratspieß war ursprünglich ein zugespitzter Holzstab). Zum Unterschied von der Waffe wird das Gerät im Nhd. meist **Bratspieß** (frühnhd. *bratspiß*) genannt. Siehe auch den Artikel *Spießrute*.

[2]**Spieß** »Kampf-, Jagdspieß«: Die Herkunft des Substantivs mhd. *spieȥ*, ahd. *spioȥ*, mniederl. *spit*, schwed. *spjut* ist nicht geklärt. Der Spieß war eine Wurf- und Stoßwaffe, die erst im 13. Jh. durch den Speer des Ritters zurückgedrängt wurde, jedoch als typische Waffe der Landsknechte, Stadtbürger (s. u.) und Bauern weiterlebte. Die soldatensprachliche Bezeichnung ›Spieß‹ für den [Kompanie]feldwebel (um 1900) bezieht sich auf den Offizierssäbel, den dieser früher trug. – Abl.: **spießen** »auf den Spieß stecken, durchbohren« (im 17. Jh. vermengt aus spätmhd. [mitteld.] *spīzen* »aufspießen« und mhd. *spiȥȥen* »an den Bratspieß stecken« [zu ↑[1]Spieß], heute meist in der Zusammensetzung ›aufspießen‹). Zus.: **Spießbürger** »engstirniger Mensch« (zuerst im 17. Jh. als studentisches Scheltwort bezeugt, ursprünglich wohl, ähnlich wie Schildbürger [↑Schild], spöttische Bezeichnung des bewaffneten Stadtbürgers; seit dem 18. Jh. im heutigen Sinn), dafür jetzt meist die Kurzform **Spießer** (Ende des 19. Jh.s mdal.); **Spießgeselle** »Mittäter eines Verbrechers« (im 16. und 17. Jh. soldatensprachlich für »Waffengefährte, Kamerad«, aber wegen der Zuchtlosigkeit der damaligen Soldaten seit dem 17. Jh. meist im heutigen Sinn gebraucht).

Spießrute: Als Bezeichnung eines biegsamen spitzen Zweiges, der als Reitgerte und zur Züchtigung diente, gehörte älter nhd. *spiß-*, *spießrute* (17. Jh., ähnlich mhd. *spiȥholz*) zu dem unter ↑[1]Spieß behandelten Wort.

Spießrute

Spießruten laufen
»sich Spott, herber Kritik, Verachtung o. Ä. aussetzen«
Das Spießrutenlaufen bezeichnete ursprünglich eine harte militärische Strafe (17.–19. Jh.), wobei der Verurteilte durch eine Gasse seiner Kameraden laufen musste, die ihn mit Spießruten schlugen. In übertragenem Sinn bedeutete die Wendung früher auch »verleumdet, durchgehechelt werden«, seit dem 19. Jh. findet sich aber nur noch die oben genannte Bedeutung.

Spikes: Die Bezeichnung für »Rennschuhe« wurde im 20. Jh. aus dem Engl. übernommen. Engl. *spikes* (Plural von *spike*) bedeutet eigentlich »lange Nägel, Bolzen, Stacheln, Dornen usw.«. Es gehört etymologisch zu den unter ↑Speiche genannten Wörtern. Der Rennschuh ist also nach seinen charakteristischen, auf der Sohle angebrachten spitzen Stahldornen benannt.

Spill ↑Spindel.

Spinat: Die Heimat der Gemüsepflanze liegt im Orient, vermutlich in Persien. Die Araber brachten die Pflanze im 11. Jh. mit ihrem pers.-arab. Namen (pers. *ispanāǧ*, arab. *isbānaẖ*) nach Spanien (hispanoarab. *ispināch*, span. *espinaca*). Von dort aus gelangte sie in die anderen europäischen Länder (vgl. z. B. frz. *épinard*, it. *spinace*, *spinacio*, niederl. *spinazie*, engl. *spinach*). Die roman. und germ. Abkömmlinge des Wortes (im Dt. zuerst im 12. Jh. mhd. *spināt*) zeigen dabei lautlichen Anschluss an die Sippe von lat. *spina* »Dorn« (wohl wegen der spitz auslaufenden Blätter der Pflanze).

Spind: Das durch die Soldatensprache verbreitete Wort für »Kleider-, Vorratsschrank« stammt aus dem Niederd. Es geht zurück auf mnd. *spinde* »Schrank« (vgl. entsprechend niederl. mdal. *spinde* »Speiseschrank«), das seinerseits aus mlat. *spinda*, *spenda* »Gabe, Spende; Vorrat zum Austeilen; Vorratsbehälter« entlehnt ist. Das mlat. Wort ist eine Substantivbildung zu dem unter ↑spenden entwickelten Verb mlat. *spendere* (< lat. *ex-pendere*) »ausgeben, aufwenden«.

Spindel »Vorrichtung zum Verdrillen der Fasern beim Spinnen«: Das westgerm. Substantiv mhd. *spinnel*, *spindel*, ahd. *spin[n]ala*, afries. *spindel*, engl. *spindle* ist von dem unter ↑spinnen behandelten Verb abgeleitet (d ist als Gleitlaut zwischen n und l entstanden). Eine Nebenform ahd. *spilla*, mhd. *spille* »Spindel« lebt noch mdal. und in seemännisch **Spill** »Seil-, Kettenwinde«.

Spinett: Das bei uns seit dem 16. Jh. bekannte cembaloartige Musikinstrument trägt seinen aus dem It. entlehnten Namen (it. *spinetta*) vermutlich nach seinem Erfinder, einem Venezianer namens G. Spinetto.

Spinne: Der auf das dt. und niederl. Sprachgebiet beschränkte Name des Tieres (mhd. *spinne*, ahd. *spinna*, niederl. *spin*) gehört zu dem unter ↑spinnen (eigentlich »Fäden ziehen«) behandelten Verb und bedeutet »die Spinnende, Fadenziehende«. Auch die anders gebildeten Wörter engl. *spider* (aengl. *spīđra*) »Spinne« und schwed. *spindel* (aschwed. *spinnil*) »Spinne« gehören zum gleichen Verb. Demnach hat also der Faden, nicht das Netz, die Germanen zur Namengebung veranlasst. – Zus.: **Spinn[en]gewebe, Spinnwebe**, landsch., besonders österr. **Spinnweb** »Spinnennetz« (mhd. *spinne[n]weppe*, ahd. *spinnunweppi*; zum Grundwort vgl. *Gewebe*).

spinnefeind

jmdm. spinnefeind sein
(ugs.) »mit jmdm. tödlich verfeindet sein«
Diese seit dem 16. Jh. belegte Wendung beruht auf der Beobachtung, dass eine Spinne die andere anfällt und tötet.

spinnen: Das gemeingerm. starke Verb mhd. *spinnen,* ahd. *spinnan,* got. *spinnan,* engl. *to spin,* schwed. *spinna* ist verwandt mit der unter ↑spannen dargestellten idg. Wortgruppe und bezeichnet wohl das Ausziehen und Dehnen der Fasern, das dem Drehen des Fadens vorangeht. Bildungen zu ›spinnen‹ sind die unter ↑Spinne und ↑Spindel genannten Substantive; außerhalb des Germ. sind lit. *spęsti* »spannen, Fallstricke legen« und (ohne s-Anlaut) lit. *pìnti* »flechten« zu vergleichen. Das Spinnen von Wolle, Flachs, Hanf und dgl. war seit alters vor allem Frauenarbeit. Seit dem 17. Jh. gab es Spinnhäuser als Strafanstalten, daher bedeutete ›spinnen‹ früher ugs. »im Zuchthaus sitzen«. Auf die Spinnarbeit beziehen sich bildliche Wendungen wie ›Gedanken, Ränke spinnen‹, seemännisch ›ein Garn spinnen‹ (»fantasievoll erzählen«; ↑Garn) und das ugs. ›er spinnt‹ für ›spinnen‹ »verrückt« (im 19. Jh. mdal., eigentlich »jemand spinnt Gedanken«, d. h. »jemand grübelt zu viel«). Siehe auch den Artikel *versponnen.* – Abl.: **Gespinst** (s. d.); **Spinner** (im 15. Jh. »Spinnender«, seit dem 18. Jh. Bezeichnung bestimmter Schmetterlinge, deren Raupen Fäden spinnen, z. B. des Seidenspinners). Zus.: **Spinnrad** (zuerst im 15. Jh. als *spinnredlain* bezeugt).

Spion »Späher, Horcher; Person, die verbotene Informationen heimlich übermittelt«: Das seit dem Anfang des 17. Jh.s bezeugte Fremdwort ist aus gleichbed. it. *spione* entlehnt. Dies gehört als Ableitung zu it. *spia* »Späher, Beobachter« und damit weiter zu it. *spiare* »spähen; heimlich erkunden« (wie entsprechend frz. *espion* »Spion« zu afrz. *espier* »ausspähen«). Die roman. Wörter stammen ihrerseits aus dem Germ. und beruhen letztlich auf dem unter ↑spähen genannten Verb. – Abl.: **spionieren** »für eine fremde Macht als Spion tätig sein; aushorchen, auskundschaften« (18. Jh.; nach gleichbed. frz. *espionner*), dazu seit dem 18. Jh. **Spionage** »Tätigkeit eines Spions« (nach gleichbed. frz. *espionnage*).

Spirale »ebene Kurve, die in unendlich vielen, immer weiter werdenden Windungen einen festen Punkt umläuft; Uhrfeder«: Das Wort ist eine Neubildung des 18. Jh.s zu mlat. *spiralis* »schneckenförmig sich windend«. Als Bestimmungswort tritt es bereits (in unterschiedlicher Schreibweise) seit dem 16. Jh. auf, vor allem in der Zusammensetzung **Spirallinie** (17. Jh.). Das zugrunde liegende Substantiv lat. *spira* »gewundene Linie, in Schneckenlinie gewundener Körper« geht auf griech. *speĩra* »Windung; Spirale« zurück.

Spirituosen »alkoholische Getränke«: Das Fremdwort ist eine Bildung des 18. Jh.s (zuerst in der Form ›Spirituosa‹) nach dem Vorbild von gleichbed. frz. *spiritueux* (Plural) zu dem aus dem Frz. übernommenen und relatinisierten Adjektiv *spirituos* »Weingeist enthaltend« (frz. *spiritueux*), das heute nicht mehr gebräuchlich ist. Das frz. Adjektiv beruht auf einer gelehrten Bildung zu dem unter ↑Spiritus genannten Alchimistenwort (*spiritus* »Weingeist«).

Spiritus ist die volkstümliche Bezeichnung für vergällten Äthylalkohol, der zu technischen und medizinischen Zwecken verwendet wird; demgegenüber ist ›Spiritus‹ in der Apothekerfachsprache die übliche Bezeichnung für »Weingeist, Alkohol«: Das auf lat. *spiritus* »Hauch, Lufthauch; Atem; Leben; Seele; Geist usw.« beruhende Fremdwort gelangte im 16. Jh. in die Sprache der Alchimisten und wurde dort zur Bezeichnung einer aus Pflanzen oder anderen Stoffen destillierten Flüssigkeit. Von da aus ging das Wort im 17. Jh. in allgemeinen Sprachgebrauch über. Die spezielle Bedeutung »Weingeist« findet sich seit dem 18. Jh. – Lat. *spiritus,* das auch die Quelle für das aus dem Frz. aufgenommene Fremdwort ↑Esprit ist, gehört als Substantivbildung zu lat. *spirare* »blasen; hauchen, atmen; leben« (beachte dazu die auf Zusammensetzungen von *spirare* beruhenden Fremdwörter ↑Aspirant und ↑Inspiration, inspirieren).

Spital ↑Hospital.

spitz: Das ursprünglich nur hochd. Adjektiv mhd. *spiz, spitze,* ahd. *spizzi* ist nahe verwandt mit dem unter ↑[1]Spieß »Bratspieß« (eigentlich »Spitze«) behandelten altgerm. Substantiv. Beide Wörter gehen mit verwandten Wörtern in anderen idg. Sprachen auf die vielfach erweiterte und weitergebildete idg. Wurzel **[s]p[h]ĕi-* »spitz, spitzes Holzstück« zurück, vgl. z. B. aind. *sphyá-ḥ* »Holzspan, Stab«, lat. *spina* »Dorn, Rückgrat« und lat. *spica* »Ähre« (s. das Lehnwort *Speicher*). Aus dem germ. Bereich stellen sich noch die unter ↑Speiche behandelten Substantive hierher. – Abl.: **Spitz** »Hunderasse mit spitzer Schnauze und spitzen Ohren« (im 18. Jh. zuerst in Pommern bezeugt, wohl das substantivierte Adjektiv ›spitz‹); **Spitze** »spitzes Ende« (mhd. *spitze,* ahd. *spizza, spizzī;* in der Bedeutung »Garngeflecht«, eigentlich »in Zacken auslaufende Borte«, zuerst im 17. Jh.; das Substantiv ist im 20. Jh. auch in adjektivischen Gebrauch übergegangen und wird als ›spitze‹ »großartig, ausgezeichnet« verwendet; vgl. dazu auch ›klasse‹ unter *Klasse*); **Spitzel** »Aushorcher, Spion« (zuerst in Wien Anfang des 19. Jh.s, eigentlich wohl Verkleinerungsform der Hunderassenbezeichnung ›Spitz‹; der Spitz ist besonders wachsam), dazu das Verb **[be]spitzeln** (19. Jh.) und die Zusammensetzung **Lockspitzel** (↑[2]locken); **spitzen** »spitz machen« (mhd. *spitzen,* ahd. *gispizzan*); **spitzig** veraltend für »schmal zulaufend; abgezehrt; anzüglich« (mhd. *spitzec*). Zus.: **Spitzbube, Spitzbüberei, spitzbübisch** (↑Bube); **spitzfindig** (↑finden); **Spitzmaus** (mäuseähnlicher Insektenfresser mit spitzer Schnauze; mhd. *spitz-,* spätahd. *spizzimūs;* dafür ahd. *spizza* »die spitze [Maus]«); **Spitzname** »scherzhafter oder spottender Name« (17. Jh.; ursprünglich als »beleidigender Name« empfunden, zu ›spitz‹ in der Bedeutung »verletzend«).

Spleen »verrückter Einfall; wunderliche Angewohnheit; Verschrobenheit; Eingebildetheit«: Das seit dem 18. Jh. bezeugte Fremdwort ist aus dem Engl. entlehnt. Engl. *spleen,* das auf griech.-lat. *splēn* »Milz« beruht, bedeutet wie dieses zunächst »Milz«, dann auch etwa »Milzsucht« und schließlich im übertragenen Sinne »(durch Erkrankung der Milz verursachte) Gemütsverstimmung, Misslaune« usw.

spleißen: Das nur im mitteld.-niederd. und im niederl. Sprachgebiet gebräuchliche Verb mhd. *splīȥen* »bersten, [sich] spalten«, mnd. *splīten,* niederl. *splijten* »spalten« erscheint mit mehreren Nebenformen, z. B. gleichbed. niederd., mniederl. *splitten* (daraus engl. *to split* »spalten« mit dem neuerdings ins Dt. entlehnten ↑Splitting) und jünger niederd. *splissen,* niederl. *splitsen* (s. u.). Landsch. ist es veraltend noch in der Bedeutung »in feine Späne spalten« üblich. Als Substantivbildungen gehören die unter ↑Splint, ↑Splitt und ↑Splitter behandelten Wörter zu dieser Sippe, die sich weiterhin an die unter ↑spalten dargestellte idg. Wortgruppe anschließt. Verwandt sind wahrscheinlich auch die unter ↑Fliese und ↑Flinte genannten germ. Substantive (ohne s-Anlaut). In der dt. Seemannssprache erscheinen ›spleißen‹ und ›splissen‹ seit Anfang des 18. Jh.s mit der Bedeutung »Stränge kunstgerecht ineinander flechten«. Ursprünglich war damit wohl das Auflösen des Taues in seine Stränge gemeint, das dem Flechten vorausgeht.

Splint »gespaltener Vorsteckstift«: Das ursprünglich niederd. Wort erscheint seit dem 18. Jh. in hochd. Texten. Niederd. *splint* »Eisenstift«, mnd. *splinte* »flacher Eisenkeil (z. B. in Mauerankern)« entspricht norw., schwed. *splint* »Splitter« (norw. mdal. für »Holznagel, Keil«) und gehört wie schwed. *splinta* »spalten« zu der unter ↑spleißen behandelten Wortgruppe. Siehe auch den Artikel *Splitter.*

Spliss ↑Splitt.

Splitt »beim Straßenbau verwendetes Material aus grobkörnig zerkleinertem Stein«: Das ursprünglich nordd. Fachwort ist mit der Sache erst im 20. Jh. allgemein bekannt geworden. Niederd. *Splitt* ist eine Substantivbildung zu niederd. *splitten* »spalten« (vgl. *spleißen*) und bedeutet eigentlich »abgeschlagenes Stück, Splitter«, im 18. Jh. besonders »Schindel«. Im Hochd. entspricht das landsch. **Spliss** »Splitter« (16. Jh.).

Splitter »abgespaltenes oder abgesprungenes Stück«: Das Substantiv mhd. *splitter,* mnd. *splittere* gehört zu der unter ↑spleißen behandelten Wortgruppe. Es wurde erst durch die Lutherbibel gemeinsprachlich. – Abl.: **splittern** »in Splitter zerbrechen« (16. Jh.). Zus.: **splitternackt** ugs. verstärkend für »völlig nackt« (mnd. im 15. Jh. *splitternaket*); **Gedankensplitter** »Aphorismus« (20. Jh.).

Splitting: Das Fremdwort hat im Deutschen zwei unterschiedliche Bedeutungen: Es bezeichnet zum einen eine »Form der Haushaltsbesteuerung bei Ehegatten«, zum anderen die »Verteilung der Erst- und Zweitstimme auf verschiedene Parteien (bei Wahlen)«. Engl. *splitting,* von dem es übernommen wurde, ist eine Substantivierung des Verbs *to split* »spalten, aufteilen«, das mit dem deutschen Verb ↑spleißen verwandt ist. In der ersten Bedeutung handelt es sich möglicherweise um eine Kurzform von engl. *income splitting,* die zweite, auf das spezielle deutsche Wahlsystem bezogene Bedeutung findet sich im Engl. nicht. Dazu findet sich das Verb **splitten** in der Bedeutung »aufteilen, teilen, das Splitting anwenden«.

Sponsor: Das Fremdwort bezeichnet einen »Förderer, Geldgeber«, aber auch eine »Person oder Gruppe, die Rundfunk- oder Fernsehsendungen (zu Werbezwecken) finanziert«. Es wurde in der Mitte des 20. Jh.s aus gleichbed. engl. *sponsor* übernommen. Lat. *sponsor* »Bürge«, auf das es zurückgeht, ist eine Ableitung des Verbs *spondere* »feierlich versprechen, geloben, sich verbürgen«. Aus dem engl. Verb *to sponsor* entlehnt wurde in der 2. Hälfte des 20. Jh.s **sponsern** »als Sponsor fördern«.

spontan »aus eigenem innerem Antrieb, einer plötzlichen Eingebung folgend; unmittelbar; freiwillig; von selbst«: Das Adjektiv ist eine gelehrte Entlehnung des frühen 19. Jh.s aus spätlat. *spontaneus* »freiwillig; frei«. Dies ist eine Bildung zu lat. *spons (spontis)* »[An]trieb, freier Wille«. – Spätlat. *spontaneus* liegt auch dem frz. Adjektiv *spontané* »spontan« zugrunde. Dessen substantivische Ableitung *spontanéité* wurde im 18. Jh. als **Spontan[e]ität** »spontane Art, Handlung; Impulsivität« ins Dt. entlehnt. Wie das frz. Wort bedeutete es, besonders in der Fachsprache der Philosophie, ursprünglich auch »Selbstbestimmung; freie Willensäußerung«.

sporadisch »vereinzelt [vorkommend]; verstreut; gelegentlich; selten«: Das Adjektiv wurde im 18. Jh. aus gleichbed. frz. *sporadique* entlehnt, das seinerseits auf griech. *sporadikós* »verstreut« zurückgeht. Dies gehört zu griech. *speírein* »streuen; säen; sprengen, spritzen« (verwandt mit dt. ↑sprühen). Das Wort trat anfangs besonders im medizinischen Bereich auf, wo es in Fügungen wie ›sporadische Krankheiten‹ als Gegensatz von ›epidemisch‹ verwendet wurde.

Spore: Die fachsprachliche Bezeichnung für »ungeschlechtliche Fortpflanzungszelle von Pflanzen« und »Dauerform von Bakterien« ist eine gelehrte Entlehnung des 19. Jh.s aus griech. *sporá* »das Säen, die Saat; der Same«. Dies gehört zu griech. *speírein* »streuen; säen usw.« (verwandt mit dt. ↑sprühen).

Sporn: Das altgerm. Substantiv mhd. *spor[e]*, ahd. *sporo*, niederl. *spoor*, engl. *spur*, schwed. *sporre* gehört zu der unter ↑Spur dargestellten Wortgruppe. Das -n der nhd. Form ist aus den flektierten Formen in den Nominativ eingedrungen (beachte den Plural ›Sporen‹). An die alte Stachelform des Sporns erinnert u. a. noch die Übertragung des Wortes auf die Blütenfortsätze bestimmter Pflanzen (z. B. des Rittersporns, ↑Ritter). – Abl.: **spornen** »dem Pferd die Sporen geben« (17. Jh., dafür älter nhd. und mhd. *sporen;* die frühere zweite Bedeutung »mit Sporen versehen« ist noch in der Fügung ›gestiefelt und gespornt‹ erhalten), dazu **anspornen** »antreiben, ermuntern« (im 17. Jh. ›ansporen‹, fast immer übertragen gebraucht) mit der Rückbildung **Ansporn** »Antrieb zu tatkräftigem Handeln« (19. Jh.).

Sporn

sich die Sporen verdienen
»ersten Erfolg, erste Anerkennung erringen«
Die Wendung bezieht sich darauf, dass beim mittelalterlichen Ritterschlag den jungen Rittern zum Zeichen ihrer neuen Würde goldene Sporen angeschnallt wurden. Erst durch die Bewährung in einem Turnier oder in einer Schlacht ›verdienten‹ sie sich diese Sporen im Nachhinein.

Sport: Die großen sportlichen Bewegungen im Europa des 19. und 20. Jh.s sind nicht denkbar ohne die entscheidenden Einflüsse und Impulse, die von England und den angelsächsischen Ländern, in jüngster Zeit gerade auch von den USA ausgegangen sind und die für die strukturelle Entwicklung des Sports als Ausgleichs- und Leistungssport in den anderen Nationen maßgebend geworden sind. Diese Situation spiegelt sich wider in der Fülle von Fremdwörtern auf dem Gebiet des Sports, die im 19. und 20. Jh. aus dem Engl. und Amerik. gerade auch ins Deutsche übernommen wurden und weiterhin übernommen werden (vgl. das Kapitel zur Sprachgeschichte *Der Einfluss des Englischen im 19. und frühen 20. Jahrhundert*). Es sind dies nicht nur allgemeine Sportausdrücke wie ↑fair, Fairness, ↑trainieren, Training, Trainer, ↑Rekord u. a. Es sind vor allem Fachausdrücke aus den verschiedensten sportlichen Disziplinen wie ↑foul, foulen, ↑dribbeln, Dribbling, ↑kicken, ↑stoppen, Stopper (Fußball; beachte auch Lehnübersetzungen wie *Aus* [↑aus] und *Halbzeit* [↑halb]), ↑boxen, Boxer (Boxsport), ↑Sprint, sprinten, Sprinter, ↑Spurt, ↑Start, starten (Leichtathletik), ↑Jockei, ↑Box (Pferdesport), ↑[1]kraulen, ↑Kanu, ↑Paddel (Schwimmen u. Wassersport) und zahlreiche andere mehr. – Zu den allgemeinen Sportausdrücken, die aus dem Engl. aufgenommen wurden, gehört auch das Wort ›Sport‹ selbst. Es wurde in den Zwanzigerjahren des 19. Jh.s als umfassende Bezeichnung für alle mit der planmäßigen Körperschulung und mit der körperlichen Betätigung im Wettkampf und Wettspiel zusammenhängenden Belange aus gleichbed. engl. *sport* entlehnt. Das engl. Wort seinerseits, das eigentlich »Zerstreuung, Vergnügen, Zeitvertreib, Spiel« bedeutet und das seine spezielle Bedeutung mit der Entwicklung des modernen Wettkampfes und Leistungssports erlangte, ist eine Kurzform von engl. *disport* »Zerstreuung, Vergnügen«. Dies ist entlehnt aus gleichbed. afrz. *desport*, einer Substantivbildung zu afrz. *[se] de[s]porter* »[sich] zerstreuen, [sich] vergnügen«. Dessen Quelle ist lat. *de-portare* »fortbringen« (zu lat. *portare* »tragen, bringen«, vgl. *Porto*) mit einer im Vlat.-Roman. entwickelten Spezialbedeutung »zerstreuen, vergnügen, amüsieren«.

spotten: Das altgerm. Verb mhd. *spotten*, ahd. *spottōn*, niederl. *spotten*, schwed. *spotta* »spucken« steht mit ausdrucksbetonter Konsonantenverdoppelung neben gleichbed. ahd. *spotōn, spotisōn* mit einfachem t. Es ist sehr wahrscheinlich verwandt mit dt. Mundartwörtern für »speien« wie westmitteld. *spützen* (14. Jh., entsprechend engl. *to spit*) und oberd. *speuzen* (16. Jh.), bedeutet also eigentlich »vor Abscheu ausspucken«. Zur Bedeutungsentwicklung vgl. lat. *despuere* »ausspucken; verabscheuen«. Neben ›spotten‹ steht das Substantiv **Spott** »Hohn« (mhd., ahd. *spot*, niederl. *spot*, schwed. *spott*). Abl. zum Verb: **spötteln** »leicht, ironisch spotten« (16. Jh.); **Spötter** (mhd. *spottære* »Spottender«, spätahd. *spottari* »gewerbsmäßiger Spaßmacher«; seit dem 18. Jh. auch Bezeichnung verschiedener Vögel, die die Stimmen anderer Vögel nachahmen); **spöttisch** (16. Jh.; als Adverb spätmhd. *spöttischen*).

Sprache: Das westgerm. Wort mhd. *sprāche*, ahd. *sprāhha*, niederl. *spraak*, aengl. *sprǣc* ist eine Substantivbildung zu dem unter ↑sprechen behandelten Verb. Es bezeichnet eigentlich den Vorgang des Sprechens und das Vermögen zu sprechen. Die noch im Mhd. vorhandenen Bedeutungen »Rede; Beratung, Verhandlung« sind im Nhd. auf Zusammensetzungen wie ›An-, Aus-, Mit-, Rücksprache‹ beschränkt, die meist von verbalen Zusammensetzungen mit ↑sprechen abgeleitet sind; s. auch den Artikel *Gespräch*. – Abl.: **sprachlich** »die Sprache betreffend« (19. Jh.). Zus.: **sprachlos** »im Augenblick unfähig zu sprechen; sehr überrascht« (mhd. *sprāchlos*, ahd. *sprāhhalōs*).

Spray «Sprühflüssigkeit«: Das Wort wurde im 20. Jh. aus gleichbed. engl. *spray* entlehnt, zunächst im Sinne von »Dusche«, dann »Flüssigkeitszerstäuber«. Die heutige Bedeutung entwickelte sich über »durch einen Zerstäuber erzeugter Flüssigkeitsnebel«. Neben dem Substantiv steht das Verb engl. *to spray* »[be]spritzen; sprühen, zerstäuben«, das unser gleichbedeutendes **sprayen** (20. Jh.) lieferte. Über wei-

S

tere etymologische Zusammenhänge vgl. den Artikel *sprühen.*

sprechen: Das westgerm. starke Verb, zu dem als Substantive ↑Sprache, ↑Spruch und die Zusammensetzung ↑Sprichwort gehören, lautet mhd. *sprechen,* ahd. *sprehhan,* niederl. *spreken,* aengl. *sprecan.* Es ist nicht sicher erklärt; möglicherweise besteht Verwandtschaft mit aisl., schwed. *spraka* »knistern, prasseln«, sodass ›sprechen‹ ursprünglich vielleicht ein lautmalendes Wort war. Unklar bleibt auch das Verhältnis zu den r-losen Verben ahd. *spehhan,* aengl. *specan,* engl. *to speak* »sprechen«. – Abl.: **Sprecher** »Sprechender; Wortführer einer Gruppe« (mhd. *sprechære,* spätahd. *sprehhari;* die ältere Bildung ahd. *[furi]sprehho* lebt noch in schweiz. **Fürsprech** »Rechtsanwalt« fort), dazu der Gerätename **Lautsprecher** (↑laut). – Zus.: **absprechen** (spätmhd. für »aberkennen«; »verabreden, vereinbaren«), dazu **Absprache** »Vereinbarung« (18. Jh.), und **absprechend** »ungünstig urteilend« (18. Jh.); **ansprechen** »anreden, bitten; gefallen« (mhd. *anesprechen,* ahd. *anasprehhan*), dazu **Ansprache** »kurze Rede« (älter nhd. für »Anspruch, Anklage«, wie mhd. *ansprāche,* ahd. *anasprāhha*), **Anspruch** »rechtliche Forderung« (mhd. *anspruch*) und **ansprechend** »wohlgefällig« (um 1800); zu veraltetem **einsprechen** »hineinreden, widersprechen« (spätmhd. *īnsprechen*) stellt sich **Einspruch** »Widerrede« (16. Jh.), »gerichtliche Beschwerde« (18. Jh.); **zusprechen** »trösten, ermuntern, beruhigen; gerichtlich zuerkennen; (Trank und Speise) genießen« (mhd. *zuosprechen* »zu jemandem sprechen, anklagen«), dazu **Zuspruch** »Trost; Zulauf« (17. Jh.). Präfixbildungen: **besprechen** »über etwas beratend reden« (im 20. Jh. ›ein Buch, eine Aufführung besprechen‹ »rezensieren«), dazu **Besprechung** (18. Jh.); **entsprechen** »gemäß sein« (mhd. *entsprechen* »entgegnen, antworten«; im 16. Jh. südwestd. [wohl nach dem Vorbild von frz. *répondre*] »gemäß sein«, im 18. Jh. in dieser Bedeutung schriftsprachlich), dazu das adjektivische 1. Part. **entsprechend** (19. Jh.); **versprechen** »zusichern; hoffen, erwarten lassen«, reflexiv »versehentlich falsch sprechen« (mhd. *versprechen,* ahd. *farsprehhan* in teilweise abweichenden Bedeutungen), dazu **Versprechen** »Zusicherung« (substantivierter Infinitiv, 16. Jh.) und gleichbedeutend **Versprechung** (spätmhd. *versprechunge;* heute meist im Plural gebraucht).

spreizen: Das nur dt. Verb ist die entrundete Form von älter nhd., spätmhd. *spreutzen* (mhd. *spriuȥen, spriuzen,* ahd. *spriuȥan*) und bedeutete ursprünglich »stemmen, mit einem Strebebalken stützen«. Erst im Nhd. hat es die Bedeutung »auseinander strecken, breiten«, reflexiv übertragen »sich sperren, sich zieren; großtun« entwickelt. Das Wort gehört zu dem unter ↑sprießen dargestellten Verb; es geht wohl von der Vorstellung des gewachsenen Zweiges aus.

Sprengel »Amtsbezirk [eines Bischofs oder Pfarrers]«: Mhd., mnd. *sprengel* »Weihwasserwedel« gehört als Gerätename zu ↑sprengen in dessen Bedeutung »spritzen«. Das Gerät galt als Amtszeichen und Sinnbild der geistlichen Gewalt, sein Name wurde daher im Mnd. des 15. Jh.s auf den kirchlichen Amtsbezirk übertragen (eigentlich »so weit der Bischof Weihwasser spenden darf«). Durch Luther wurde das Wort in dieser Bedeutung im Nhd. üblich, wo es später auch für weltliche Bezirke (Gerichtssprengel) gebraucht werden konnte.

sprengen: Das altgerm. Verb mhd., ahd. *sprengen,* niederl. *sprengen,* aengl. *sprengan,* schwed. *spränga* bedeutet als Veranlassungswort zu dem unter ↑springen behandelten Verb eigentlich »springen machen«. Im Dt. hat es drei verschiedene Bedeutungen ausgebildet: Intransitiv steht es für »galoppieren« (früher in der Wendung ›das Pferd sprengen‹; schon mhd. oft unter Weglassung des Objekts). Transitiv bedeutet ›sprengen‹ einerseits »spritzen« (›Wasser sprengen‹, mit Objektswechsel ›die Wäsche, den Rasen sprengen‹; dazu **besprengen** [mhd. *besprengen]* und **aussprengen** »versprühen« mit der Wendung ›Lügen, Gerüchte aussprengen‹ »verbreiten«, 16. Jh.; s. a. *Sprengel*). Andererseits hat das Wort die Bedeutung »bersten lassen, mit Gewalt auseinander treiben, zerstreuen« entwickelt, wobei seit dem 17. Jh. besonders das Sprengen mit Pulver und anderen ›Sprengstoffen‹ gemeint ist; dazu **zersprengen** »durch Sprengen zerstören«, übertragen »auseinander treiben, zerstreuen« (in dieser Bedeutung schon mhd.) und **versprengen** »auseinander jagen, abseits treiben« (16. Jh.) mit dem adjektivischen 2. Part. **versprengt** (besonders von Herden und Soldaten).

Sprenkel »Fleck«: Das auf das dt. und niederl. Sprachgebiet beschränkte Substantiv (mhd. *sprinkel,* mitteld. *sprenkel,* niederl. *sprenkel* »Tupfen, Spritzfleck«) steht als nasalierte Form neben gleichbed. mhd. *spreckel,* dem außerhalb des Dt. z. B. schwed. mdal. *spräkkel* »kleiner Fleck« entspricht. Häufiger ist das abgeleitete Verb **sprenkeln** »durch Flecken bunt machen« (17. Jh.; niederl. *sprenkelen;* älter nhd. auch *spreckeln*) mit dem adjektivischen 2. Part. **gesprenkelt** »getupft« (zum entsprechenden engl. *to sprinkle* »besprengen« gehört das Fremdwort **Sprinkler** »Berieselungsgerät« [aus gleichbed. engl. *sprinkler*]). Diese germ. Wörter gehören wohl zu der unter ↑sprühen dargestellten idg. Wortgruppe.

Spreu »Getreidehülsen, Abfall beim Dreschen«: Das nur dt. Wort (mhd. *spriu,* ahd. *spriu*) gehört zu der unter ↑sprühen dargestellten idg. Wortgruppe und bedeutet eigentlich »Stiebendes, Sprühendes«. Das gedroschene Korn wurde ursprünglich in den Wind geworfen, wobei die leichte Spreu verstob und die Körner zu Boden fielen. Die übertragene Bedeutung »Wertloses«

(schon mhd.) schließt vor allem an den Gebrauch des Wortes in biblischen Gleichnissen an.

Sprichwort: Das erste Glied der Zusammensetzung mhd. *sprichwort* »geläufiges Wort, sprichwörtliche Redensart, Sprichwort« gehört zu dem unter ↑sprechen behandelten Verb; doch ist die Entstehung der Zusammensetzung nicht sicher erklärt. Die jetzt veraltete Form ›Sprüchwort‹ (16. Jh.) war irrtümlich an ›Spruch‹ angelehnt worden; gleichbed. niederl. *spreekwoord* (15. Jh., eigentlich »Sprechwort«) ist anders gebildet. Ursprünglich bezeichnete ›Sprichwort‹ wie die älteren mhd. Fügungen *altsprochen wort, gemeinez wort* eine geläufige Redewendung, erst in neuerer Zeit wurde es eingeengt auf die Bedeutung »kurzer, volkstümlicher Satz, der eine praktische Lebensweisheit enthält« (z. B. ›Gelegenheit macht Diebe‹).

sprießen: Neben dem starken Verb mhd. *spriezen* »auseinander wachsen, emporwachsen« stehen ablautend mit gleicher Bedeutung mhd. *sprūzen*, asächs. *sprūtan*, niederl. *spruiten*, engl. *to sprout*, mit anderer Bedeutung schwed. *spruta*, dän. *sprude* »spritzen« (älter dän. auch »sprießen«). Dazu treten die unter ↑Sprosse und ↑Spross behandelten Substantive sowie die unter ↑spritzen und ↑spreizen dargestellten Verben. Mit der Grundbedeutung »aufspringen, schnell hervorkommen« gehört ›sprießen‹ zu der unter ↑sprühen dargestellten idg. Wortgruppe. – Das Adjektiv **ersprießlich** »gedeihlich, förderlich« (zu mhd. *erspriezen* »aufsprießen, frommen, helfen«) ist eine Bildung der frühnhd. Kanzleisprache (16. Jh.).

springen: Das altgerm. Verb mhd. *springen*, ahd. *springan*, niederl. *springen*, engl. *to spring*, schwed. *springa* bedeutete ursprünglich »aufspringen, hervorbrechen«. Es ist verwandt mit griech. *spérchesthai* »einherstürmen, eilen« und gehört mit der unter ↑Sprung behandelten Substantivbildung zu der unter ↑Spur dargestellten idg. Wortgruppe. Im Dt. wurde ›springen‹ zuerst von Quellen gesagt (wie heute noch ›entspringen‹, s. u.). Die Bedeutung »bersten« (schon im Aisl. bezeugt) zeigt sich erst im 17. Jh. (z. B. ›ein Glas springt‹, ›Knospen springen [auf]‹). – Zusammensetzungen und Präfixbildungen: **beispringen** »helfen« (17. Jh.); **überspringen** »überholen, übergehen, auslassen« (mhd. *überspringen* »über etwas springen«, schon ahd. *ubarspringan* wurde bildlich gebraucht); **vorspringen** »nach vorn springen; [weit] hervorstehen« (mhd. *vor-, vürspringen* »besser springen, vortanzen«; in der Bedeutung »[weit] hervorstehen« erst im 18. Jh.), dazu **Vorsprung** »Raumgewinn im Wettlauf; Hervorstehendes« (in der ersten Bedeutung mhd. *vorsprunc*); **bespringen** »begatten« (von Tieren, 18. Jh.; älter nhd. auch für »angreifen, belagern«); **entspringen** »hervorquellen; entlaufen« (mhd. *entspringen*, ahd. *intspringan;* im Mhd. auch für »hervorsprießen«). – Abl.: **Springer** (mhd. *springer* »Tänzer, Gaukler«; seit dem 17. Jh. Name einer Schachfigur). – Nominale Zusammensetzungen: **Springbrunnen** (im 17. Jh. für »Quelle«; nach 1700 als Verdeutschung für ›Fontäne‹, s. d.); **Springflut** »besonders hohe Flut bei Neu- oder Vollmond« (17. Jh.).

Sprinkler ↑Sprenkel.

Sprint: Die sportsprachliche Bezeichnung für »Kurzstreckenlauf« wurde im 20. Jh. aus gleichbed. engl. *sprint* entlehnt. Das Verb engl. *to sprint* »schnell rennen; über eine Kurzstrecke laufen« lieferte gleichzeitig unser gleichbedeutendes Fremdwort **sprinten.** Dazu als Substantivbildung **Sprinter** »Kurzstreckenläufer« (20. Jh.; aus gleichbed. engl. *sprinter*).

Sprit: Das Wort ist eine im 19. Jh. zuerst in Norddeutschland aufgekommene volkstümliche Umbildung von ↑Spiritus »Weingeist, Alkohol« und formal stark an frz. *esprit* »Geist, Weingeist« angelehnt. Heute ist das Wort in der allgemeinen Umgangssprache als Bezeichnung für »Treibstoff, Benzin« weit verbreitet.

spritzen: Das nur dt. Verb ist die entrundete Form (seit dem 16. Jh.) von älter nhd., mhd. *sprützen* (entsprechend niederd. *sprütten*). Es gehört mit der Grundbedeutung »hervorschießen« zu der unter ↑sprießen behandelten Wortgruppe (spätmhd. *sprutzen* bedeutet auch »sprossen«). – Abl.: **Spritze** »Gerät zum Spritzen« (mhd. *sprütze, sprutze;* seit dem 15. Jh. in der Bedeutung »Feuerspritze«, seit dem 17. Jh. für ärztliche Instrumente gebraucht, jetzt auch für »Injektion«); **Spritzer** »angespritzter Fleck« (19. Jh.; älter nhd. für »Spritzender; Spritzgerät«); **spritzig** »prickelnd, anfeuernd« (im 17. Jh. *spritzicht*). Zus.: **Spritzfahrt, Spritztour** ugs. für »kleiner Ausflug« (vor 1850, studentensprachlich).

spröde: Das erst Ende des 15. Jh.s bezeugte, nur dt. Adjektiv bedeutet »unbiegsam, brüchig, leicht springend« (besonders im Hüttenwesen von Metallen gesagt). Es ist wohl verwandt mit fläm. *sprooi* »gebrechlich«, mengl. *sprēþe* »gebrechlich«, weiterhin vielleicht mit der unter ↑sprühen dargestellten Wortgruppe. Von Anfang an oft übertragen gebraucht, bedeutet ›spröde‹ sowohl »unbildsam, schwer zu bearbeiten« (von [literarischen] Stoffen) wie »unfreundlich, abweisend« (vom menschlichen Charakter). – Abl.: **Sprödigkeit** (17. Jh.).

Spross »Pflanzentrieb«: Das ursprünglich von ↑Sprosse nicht klar geschiedene dt. Wort erscheint im 15. Jh. als *spruß, sproß* mit der heutigen Bedeutung. Im 18. Jh. kommt die übertragene Bedeutung »Kind, Nachkomme« auf. – Abl.: **sprossen** »Sprossen treiben, wachsen« (16. Jh.); **Sprössling** scherzhaft für »Sohn« (im 15. Jh. *sprossling* »Pflanzenschössling«, *sprüssling* »heranwachsender Knabe«).

Sprosse »Querholz der Leiter«, (weidmännisch

für:) »Ende am Hirschgeweih oder Rehgehörn«: Das altgerm. Substantiv mhd. *sproȥȥe*, ahd. *sproȥȥo* »Leitertritt«, mniederl. *sprote* (niederl. *sport*) »Leitertritt«, aengl. *sprota* »Zweig, Spross, Pflock, Nagel«, aisl. *sproti* »Zweig, Stab« ist eine Bildung zu dem unter ↑sprießen behandelten Verb. Das Wort bewahrt vielleicht die Erinnerung an die älteste Form der Leiter, den Baumstamm mit Aststümpfen; doch kann ihm auch der Begriff »kurze Stange« zugrunde liegen. Die Nebenform ↑Spross wird erst seit dem 18. Jh. von ›Sprosse‹ getrennt. Die weidmännische Bedeutung »Geweihende« zeigt ›Sprosse‹ (seltener ›Spross‹) ebenfalls erst im 18. Jh., sie kann als »Querstange« oder als »Zweig« verstanden werden. Beachte auch den Artikel *Sprotte*.

Sprotte: Der kleine, heringsartige Fisch (besonders geräuchert als ›Kieler Sprotte[n]‹ bekannt) heißt niederd. *sprot* (entsprechend niederl. *sprot*, engl. *sprat*, aengl. *sprot*). Sein Name erscheint seit dem 16. Jh. in hochd. Texten. Die eigentliche Heimat des Wortes ist ungewiss; es könnte mit den unter ↑Sprosse genannten Wörtern verwandt sein und ursprünglich »Jungfisch« bedeutet haben (beachte besonders aengl. *sprot*, *sprota* »Zweig, Spross«).

Spruch: Das auf das dt. und niederl. Sprachgebiet beschränkte Wort (mhd. *spruch*, mniederl. *sproke*, *spröke*, niederl. *spreuk*) ist eine Substantivbildung zu dem unter ↑sprechen behandelten Verb und bedeutete zunächst »Gesprochenes« (heute in Zusammensetzungen wie ›Funkspruch‹ und abgeleiteten Bildungen wie ›An-, Ein-, Zuspruch‹). Gewöhnlich aber bezeichnet es einen einmaligen Ausspruch (z. B. ›Trinkspruch‹, juristisch ›Schieds-, Urteilsspruch‹) oder eine in bestimmter Form gefasste [lehrhafte] Aussage (›Wahl-, Sinn-, Bibelspruch, Zauberspruch‹ usw.). Als literaturwissenschaftliches Fachwort (schon mhd. *spruch* bedeutete auch »gesprochenes Gedicht«) meint ›Spruch‹ ein lyrisches Gedicht mit politischem oder moralischem Inhalt. Die ugs. Wendung ›Sprüche machen‹ für »leere oder prahlende Reden führen« stammt aus der südd. Soldatensprache um 1900.

sprudeln: Das seit Ende des 17. Jh.s bezeugte hochd. Verb bedeutet »heftig aufwallen« (von kochendem Wasser, Quellen und dgl.), übertragen auch »schnell, überhastet reden«. Es ist wohl unter Einwirkung von landsch. *prudeln* »brodeln« aus ↑sprühen weitergebildet worden. Dazu stellt sich das Substantiv **Sprudel** »[Heil]quelle; kohlensaures Mineralwasser« (18. Jh.; besonders Name der Hauptquelle in Karlsbad).

sprühen: Das dt. Wort, dem niederl. *sproeien* »besprengen« entspricht, ist erst im 16. Jh. bezeugt (beachte aber das früh entlehnte afrz. *esproher* »besprengen«). Es steht ablautend neben mhd. *sprǣjen* »spritzen, stieben« und gleichbed. mniederl. *spraeien* (daraus wohl engl. *to spray*, ↑Spray). In den nord. Sprachen ist z. B. schwed. mdal. *språ* »sprießen, sich öffnen, bersten« verwandt. Die genannten germ. Verben gehören mit verwandten Wörtern in anderen idg. Sprachen zu der vielfach weitergebildeten und erweiterten idg. Wurzel **sp[h]er[ə]-* »streuen, sprengen, sprühen, spritzen«, vgl. z. B. griech. *speírein* »streuen, säen, spritzen« (s. die Fremdwörter *Spore* und *sporadisch*). Aus dem germ. Sprachbereich stellt sich u. a. das unter ↑Spreu (eigentlich »Stiebendes«) dargestellte Substantiv in diesen Zusammenhang, vielleicht auch die unter ↑Sprenkel (eigentlich »Spritzer«) und ↑spröde (eigentlich »leicht springend«) behandelten Wörter. Ferner gehört die unter ↑sprießen (s. dort über ›spritzen, spreizen, Spross, Sprosse‹) behandelte Wortsippe zu der genannten idg. Wurzel. Diese ist wahrscheinlich identisch mit der unter ↑Spur dargestellten idg. Wurzel **sp[h]er[ə]-* »zucken, schnellen«. Siehe auch den Artikel *sprudeln*.

Sprung: Das auf den dt. und niederl. Sprachbereich beschränkte Wort (mhd., spätahd. *sprunc*, niederl. *sprong*) ist eine Substantivbildung zu dem unter ↑springen behandelten Verb. Die Bedeutung »aufgesprungener Spalt« (in Glas, Porzellan und anderen harten Stoffen) erscheint erst zu Anfang des 18. Jh.s. – Abl.: **sprunghaft** »unstet; jäh« (19. Jh.). Zus.: **Gedankensprung** (Ende des 18. Jh.s). Zur mhd. Bedeutung »Quelle« s. den Artikel *Ursprung*.

spucken: Das zuerst im 16. Jh. im Ostmitteld. bezeugte Verb hat im neueren Sprachgebrauch das alte ↑speien verdrängt, zu dessen großer Sippe es, wohl als Intensivbildung, gehört. – Abl.: **Spucke** ugs. für »Speichel« (18. Jh.).

Spuk »Gespenst[ererscheinung], gespenstiges Treiben«: Das ursprünglich nur niederd. und niederl. bezeugte Wort (mnd. *spōk*, *spūk*, niederl. *spook*) wurde erst im 17. Jh. ins Hochd. übernommen. Seine Herkunft ist nicht geklärt. Das zugehörige Verb **spuken** (um 1600 hochd. aus mnd. *spōken*, niederl. *spoken*) bedeutet »als Geist umgehen«, übertragen auch »sein Unwesen treiben«.

Spule: Die germ. Substantive mhd. *spuol[e]*, ahd. *spuolo*, *spuola*, niederl. *spoel*, schwed. *spole* bezeichneten ursprünglich eine Art flaches, langes Holzstück zum Aufwickeln der Webfäden. Sie gehören wahrscheinlich im Sinne von »Span, abgespaltenes Holzstück« zu der unter ↑spalten dargestellten Wortgruppe. – Zus.: **Spulwurm** »parasitärer Fadenwurm im Darm von Säugetieren und Menschen« (15. Jh., nach der Gestalt).

spülen: Herkunft und Verwandtschaft des westgerm. Verbs (mhd. *spüelen*, ahd. *ir-spuolen*, niederl. *spoelen*, aengl. *ā-spylian*) sind nicht geklärt.

Spur: Das altgerm. Substantiv mhd. *spur*, *spor*, ahd. *spor*, niederl. *spoor*, aengl. *spor*, schwed. *spår* ist im Sinne von »Tritt, Fußabdruck« verwandt mit ahd. *spurnan* »spornen«, aengl. *spurnan* »anstoßen, verschmähen« und aisl. *sporna, sperna* »treten, fortstoßen« sowie mit der Sippe von ↑Sporn. Außerhalb des Germ. sind z. B. lat. *spernere* »zurückstoßen, verschmähen« und griech. *spaírein* »zucken, zappeln« verwandt. Zugrunde liegt die vielfach weitergebildete und erweiterte idg. Wurzel **sp[h]er[ə]-* »zucken, zappeln, mit dem Fuß ausschlagen oder treten, schnellen«. Zu ihr gehört auch die unter ↑springen dargestellte Wortsippe. Vgl. weiterhin den Artikel *sprühen.* Das Substantiv ›Spur‹ war ursprünglich ein Jägerwort (beachte Wendungen wie ›auf die Spur bringen‹, die sich auf den Jagdhund beziehen). Schon früh entwickelte sich die übertragene Bedeutung »hinterlassenes Zeichen«, die sich im Nhd. mit dem Begriff des Geringen, kaum Merkbaren verband ›keine Spur von Leben‹. Ferner bezeichnet das Wort die Wagengleise auf Wegen und übertragen den Querabstand der Wagenräder (auch: **Spurweite;** dazu ›Schmal-, Normalspur‹ und das Adjektiv **großspurig** »prahlerisch«). – Abl.: **spuren** »Spur halten« (Anfang des 19. Jh.s von Wagen, danach ugs. für »sich einordnen«) und »(mit Skiern) eine Spur legen« (20. Jh.); **spüren** (mhd. *spürn,* ahd. *spurian* »eine Spur suchen, ihr folgen«; seit dem 13. Jh. im Sinne von »wahrnehmen« gebraucht, seit dem 18. Jh. für »empfinden, fühlen«), dazu **spürbar** »fühlbar, merklich« (18. Jh.), **Spürhund** »Jagdhund zur Fährtensuche« (mhd. *spürhunt,* ahd. *spurihunt*), **Spürsinn** (18. Jh.). Zus.: **spurlos** »keine Spur, keinen Anhaltspunkt hinterlassend« (18. Jh.).

Spurt: Das Fachwort aus dem Bereich des Sports (insbesondere der Leichtathletik), das heute auch ugs. im Sinne von »schneller Lauf« verwendet wird, wurde im 20. Jh. aus dem Engl. übernommen. Es bezeichnet die vorübergehende Steigerung der Geschwindigkeit innerhalb eines Rennens (›Zwischenspurt‹) oder zum Schluss eines Rennens (›Endspurt‹). Das engl. Substantiv *spurt* »Spurt« gehört zu engl. *to spirt* (Nebenform: *to spurt*) »hervorspritzen, aufspritzen«, dessen Herkunft zweifelhaft ist.

sputen, sich »sich beeilen«: Das im 17. Jh. aus dem Niederd. ins Hochd. übernommene Verb geht zurück auf mnd. *spōden,* dem niederl. *spoeden* »beeilen«, engl. *to speed* »eilen; (veraltet:) fördern« und ahd. *gi-spuoten* »gelingen lassen, sich eilen« entsprechen. Dieses westgerm. Verb ist abgeleitet von dem Substantiv mhd., ahd. *spuot* »glückliches Gelingen, Schnelligkeit«, niederl. *spoed* »Eile«, engl. *speed* »Eile«, einer Bildung zu dem im Nhd. untergegangenen Verb mhd., ahd. *spuon* »vonstatten gehen, gelingen, gedeihen«, vgl. das gleichbed. aengl. *spōwan.* Über die weiteren Zusammenhänge vgl. den Artikel *sparen.*

Staat: Das seit dem frühen 15. Jh. bezeugte Substantiv (spätmhd. *sta[a]t* »Stand; Zustand; Lebensweise; Würde«, vgl. entsprechend mnd. *stāt* »Stand; Ordnung; hohe Stellung; Pracht, Herrlichkeit« und gleichbed. mniederl. *staet,* niederl. *staat;* s. auch *stattlich*) ist aus lat.-mlat. *status* »das Stehen; Stand, Stellung; Zustand, Verfassung; Rang; (im Mlat. auch:) Stand der Rechnungsführung« (zu lat. *stare* »stehen«, vgl. *stabil;* siehe auch *Status*) entlehnt worden. Im 17. Jh. entwickelte ›Staat‹ nach dem Vorbild von frz. *état,* das gleicher Herkunft ist, die heute vor allem gültige politische Bedeutung; beachte dazu die abgeleiteten und zusammengesetzten Bildungen **staatlich** »den Staat betreffend; vom Staat ausgehend« (18./19. Jh.), **verstaatlichen** »in Staatseigentum überführen« (19. Jh.) und **Staatsmann** »hoch gestellter Politiker (von großer Bedeutung)« (17. Jh.), **Staatsanwalt** »Jurist, der die Interessen des Staates wahrnimmt (besonders als Ankläger in Strafverfahren)« (2. Hälfte des 19. Jh.s; s. *Anwalt*). An die schon ältere Verwendung von ›Staat‹ im Sinne von »kostspieliger Aufwand in der Hofhaltung eines Fürsten; Pracht, Prunk, prunkvolle äußere Aufmachung« schließen sich die Zusammensetzung **Hofstaat** (17. Jh.) und die Wendung ›[keinen] Staat mit etwas machen‹ »mit etwas [keinen] Eindruck machen« an. – Siehe auch *Etat.*

Staatsräson ↑Räson.

Stab: Das gemeingerm. Substantiv mhd. *stap,* ahd. *stab,* got. *stafs,* engl. *staff,* schwed. *stav* geht mit verwandten Wörtern wie ahd. *stabēn* »starr sein« und ostfries. *staf* »steif, lahm« auf die idg. Wurzel **stĕb[h]-* »stehen machen, aufstellen, stützen, versteifen« zurück. Auf dieser Wurzel beruhen in mehreren idg. Sprachen Wörter für »Ständer, Pfosten«, beachte besonders lit. *stãbas* »Pfosten« und aus dem germ. Sprachbereich das unter ↑Stapel behandelte Wort sowie seemännisch **Steven** »vordere und hintere Verlängerung des Schiffskiels«, ein Nordseewort, das ursprünglich »Pfosten« bedeutete. Mit der Bedeutungswendung »treten, stampfen« und »Tritt, Fußspur, Stufe« schließen sich weitere Verben und Substantive an. Zu ihnen gehören im germ. Sprachschatz die Wortgruppen um ↑Stapfe, ↑Staffel und ↑Stufe sowie (zu einer nasalierten Wurzelform **stemb[h]-*) die Sippe von ↑stampfen (mit Stempel). Siehe auch den Artikel *Stumpf.* Das Wort ›Stab‹ zeigt nur im Aisl. die Bedeutung »Pfosten, Pfeiler«, sonst bezeichnet es einen glatten, meist runden Stock, der besonders als Stütze oder Amtsabzeichen verwendet wird (Hirten-, Bischofsstab, Zepter und dgl.). Nach dem Befehlsstab des Feldherrn (Marschallstab) heißt seit dem 17. Jh. auch der Kreis der führenden Offiziere einer Truppe ›Stab‹ (entsprechend engl. *staff*). Die Zusammensetzung **Stabreim** wurde als Bezeichnung der altgermanischen Reimformen mit gleichem Anlaut (Stab) betonter Silben in der 1. Hälfte des 19. Jh.s unter dem Einfluss einer aisl. Verslehre des 13. Jh.s gebildet. Vgl. auch den Artikel *Buchstabe.*

Stab

den Stab über jmdn. brechen
(geh.) »jmdn. verdammen, verurteilen«
Diese Wendung geht auf einen alten Rechtsbrauch zurück. Als Zeichen der richterlichen Gewalt hielt der Richter den so genannten Gerichtsstab während der Verhandlung in der Hand. Wurde über den Angeklagten die Todesstrafe verhängt, so wurde kurz vor der Hinrichtung über seinem Kopf der Gerichtsstab zerbrochen. Dies bedeutete, dass nun auch die Macht des Richters dem Delinquenten nicht mehr helfen konnte.

stabil »beständig, dauerhaft, fest, haltbar; widerstandsfähig«: Das Wort wurde im 18. Jh. aus lat. *stabilis* »fest stehend, standhaft, dauerhaft usw.« entlehnt. Das lat. Adjektiv gehört mit zahlreichen anderen verwandten Wörtern (vgl. hierzu im Einzelnen die Artikel *assistieren, Distanz, etablieren, Instanz, konstant, Rest, Etage, Staat, Station, Statist, Stativ, Statue, Statur, Statut, Institut, Konstitution, prostituieren* und *Substanz* [↑*Substantiv*]) zur Sippe von lat. *stare* »stehen«, das urverwandt ist mit dt. ↑stehen.

Stachel: Die auf das dt. Sprachgebiet beschränkte Substantivbildung aus der Sippe von ↑Stich (mhd. *stachel*, spätahd. *stachil*, ähnlich ahd. *stachilla*) bezeichnete ursprünglich spitze Geräte, z. B. den alten Stock zum Viehtreiben mit Eisenspitze (↑löcken), dann aber vor allem stechende Spitzen bei Pflanzen und Tieren. – Abl.: **stach[e]lig** »voller Stacheln« (im 16. Jh. *stachlich[t]*); **stacheln** »antreiben« (eigentlich mit dem Stachel des Treibstocks; meist übertragen in ›an-, aufstacheln‹ gebraucht). Zus.: **Stachelbeere** (17. Jh.); **Stacheldraht** (Ende des 19. Jh.s); **Stachelschwein** (16. Jh.; dafür mhd. *dornswīn*, Lehnübertragung von mlat. *porcus spinosus;* das Nagetier ist so benannt, weil es wie ein Schwein grunzt).

Stadel: Das oberd. Wort für »Scheune, kleines [offenes] Gebäude« (mhd. *stadel*, ahd. *stadal*) hat Entsprechungen in aengl. *staðol* »Grundlage, Stellung, Platz« und aisl. *stǫdull* »Melkplatz« und bedeutete ursprünglich »Stand[ort]«. Die germ. Wörter gehören mit ähnlichen Bildungen in anderen idg. Sprachen zu der unter ↑stehen dargestellten idg. Wortgruppe.

Stadion »mit Zuschauerrängen versehenes ovales Sportfeld; Kampfbahn«: Das Fremdwort beruht auf einer gelehrten Entlehnung des 19. Jh.s aus griech. *stádion* »Rennbahn, Laufbahn«. Das griech. Wort ist eigentlich Bezeichnung für ein Längenmaß (zwischen 179 m und 213 m). Die spezielle Bedeutung »Rennbahn« geht zurück auf die berühmte Rennbahn der altgriechischen Kampfstätte in Olympia, die gerade die Länge eines ›Stadions‹ (etwa 185 m) hatte. – Aus der gleichen Quelle wie ›Stadion‹ stammt das seit dem 18. Jh. bezeugte Fremdwort **Stadium** »Entwicklungsstufe, Abschnitt; Zustand«, das uns durch Vermittlung von lat. *stadium* »Rennbahn, Laufbahn« zuerst übertragen als medizinisches Fachwort zur Bezeichnung vorübergehender symptomatischer Zeitabschnitte im Verlauf einer Krankheit begegnet *(stadium morbi)*. Aus der medizinischen Fachsprache gelangte das Wort in den allgemeinen Sprachgebrauch.

Stadt: Das unter ↑Statt behandelte Substantiv mhd., ahd. *stat* »Ort, Stelle« entwickelte schon früh die spezielle Bedeutung »Wohnstätte, Siedlung«, die meist in den alten Ortsnamen auf ›-stadt, -statt, -städt[en], -stett[en]‹ steckt. Erst im 12. Jh. wurde mhd. *stat* zur Bezeichnung des mittelalterlichen Rechtsbegriffs ›Stadt‹ (der u. a. mit dem Marktrecht und dem Recht einer Siedlung auf eigene Verwaltung und persönliche Freiheit ihrer Insassen verbunden war). Das Wort löste in dieser Bedeutung die ältere Bezeichnung ›Burg‹ (s. d.) ab. Zuerst im 16. Jh., durchgängig seit dem 18. Jh. wurde ›Stadt‹ dann auch durch die Schreibung von ›statt‹ abgehoben. – Abl.: **Städter** »Stadtbewohner« (mhd. *steter;* anders als das ältere Wort *Bürger* [↑Burg] ohne politischen Sinn gebraucht), dazu **verstädtern** »städtische Art annehmen« (19. Jh.); **städtisch** »die Stadt betreffend, ihr entsprechend« (15. Jh.).

Staffage ↑staffieren.

Staffel: Das hochd. Wort, dem niederd. ↑Stapel lautlich entspricht, gehört zu der unter ↑Stab dargestellten Wortgruppe. Mhd. *staffel, stapfel* »Stufe, Grad«, ahd. *staffal, staphal* »Grundlage, Schritt« gehen wohl von einer Grundbedeutung »erhöhter Tritt« aus (beachte die verwandten Wörter ›Stapfe‹ und ›Stufe‹). In der Bedeutung »Truppenabteilung« (›Gefechts-, Fliegerstaffel‹) verdeutscht ›Staffel‹ seit Ende des 19. Jh.s das Fremdwort Echelon (frz. *échelon* »Sprosse, Stufe; gestaffelte Truppenaufstellung«). In der Sportsprache trat ›Staffel‹ seit den Zwanzigerjahren unseres Jh.s für älteres ›Stafette[nlauf]‹ ein und bezeichnet hier sowohl die Wettkampfart wie die beteiligte Mannschaft. – Abl.: **Staffelei** »Arbeitsgestell des Malers mit verstellbarem Stufenbrett« (17. Jh.); **staffeln** »abstufen, in Staffeln aufstellen« (19. Jh., meist übertragen).

staffieren »ausrüsten, ausstatten (insbesondere mit Wäsche, Kleidungsstücken usw.)«: Das heute nur noch in der Zusammensetzung **ausstaffieren** übliche Verb erscheint in frühnhd. Texten seit dem 16. Jh. Es beruht auf afrz. *estoffer* (= frz. *étoffer*) »mit Stoff oder Zubehör versehen; ausstatten« (vgl. das Lehnwort *Stoff*), das unserer Schriftsprache durch entsprechend mniederl. *stofféren* und mnd. *stoffēren, staffēren* (15. Jh.) vermittelt wurde. – Dazu: **Staffage** »Ausschmückung; nebensächliches Beiwerk« (18. Jh.; mit französierender Endung gebildet).

Stahl: Die altgerm. Bezeichnung des schmied- und härtbaren Eisens mhd. *stāl, stahel*, ahd. *stahal*,

S

niederl. *staal,* engl. (anders gebildet) *steel,* schwed. *stål* ist eigentlich die Substantivierung eines Adjektivs mit der Bedeutung »fest, hart«, das mit awest. *staxra* »stark, fest« verwandt ist. Bildlich steht ›Stahl‹ für »Härte«, besonders in Zusammensetzungen wie **stahlhart** (Anfang des 19. Jh.s) und den Ableitungen **stählen** »stahlhart machen« (mhd. *stehelen, stælen;* ursprünglich von Eisengeräten, seit dem 16. Jh. auch übertragen gebraucht) und **stählern** »aus Stahl« (im 17. Jh. für älteres *stählin,* mhd. *stehelin*).

Stall: Das altgerm. Substantiv mhd., ahd. *stal,* niederl. *stal,* engl. *stall,* schwed. *stall* bedeutet eigentlich »Standort, Stelle« (z. T. bis in frühnhd. Zeit; s. auch die Artikel *installieren* und *Gestell*). Von ihm ist das unter ↑stellen behandelte Verb abgeleitet (vgl. dort die verwandten germ. und außergerm. Wörter). ›Viehstall‹ bezeichnet also eigentlich den ›Standort‹ der Haustiere.

Stamm: Das nur im dt. und niederl. Sprachgebiet altbezeugte Substantiv (mhd., ahd. *stam,* niederl. *stam*) gehört wahrscheinlich im Sinne von »Ständer« zu der unter ↑stehen dargestellten idg. Wortgruppe, vgl. z. B. aus anderen idg. Sprachen griech. *stamī́nes* (Plural) »Schiffsrippen, Ständer«, air. *tamun* »Baumstamm« und tochar. A *ṣtām* »Baum«. ›Stamm‹, das zunächst den Baumstamm bezeichnete, wurde schon früh auch übertragen gebraucht. Nach dem Bild des Äste und Zweige treibenden Baumes entstanden die Bedeutungen »Geschlecht« (schon in ahd. *liutstam* »Volksstamm«) und »Grundstock« (zuerst mhd.; heute z. B. in Zusammensetzungen wie ›Stammkapital, -mannschaft‹, für die auch einfaches ›Stamm‹ eintreten kann). In der Sprachwissenschaft meint ›Stamm‹ den Grundkörper eines Wortes ohne die Flexions- und Wortbildungssilben. – Abl.: **stammen** »seinen Ursprung haben« (mhd. *stammen*), dazu **abstammen, Abstammung** (17. Jh.) sowie das adjektivische 2. Part. **angestammt** »ererbt, überkommen« (im 16. Jh. niederd. *ahngestemmet*); **stämmig** »nach Art eines Baumstamms; fest, gedrungen« (17. Jh.; von Bäumen nur in Zusammenbildungen wie ›hochstämmig‹ »mit hohem Stamm« gebraucht). Zus.: **Stammbaum** »baumartig gestaltetes Verzeichnis der Nachkommen eines Stammvaters« (17. Jh.; Lehnübertragung von mlat. *arbor consanguinitatis,* im Anschluss an das biblische Bild der ›Wurzel Jesse‹, Jesaja 11, 1); **Stammbuch** (im 16. Jh. für »Geschlechtsregister«, dann »Gedenkbuch, in das sich Verwandte [und Freunde] eintragen«); **Stammhalter** »erstgeborener männlicher Nachkomme« (18. Jh.).

stammeln »stockend sprechen, stottern«: Die Verben mhd. *stammeln, stamelen,* ahd. *stam[m]alōn,* niederl. *stamelen* gehören zu einem untergegangenen Adjektiv, das in ahd. *stam[m]al* »stammelnd« erhalten ist. Dieses ahd. Adjektiv ist eine Bildung zu dem gemeingerm., bereits im Mhd. untergegangenen Adjektiv ahd. *stam,* got. *stamms,* aengl. *stamm,* aisl. *stamr* »stammelnd, stotternd« (dazu das schwed. Verb *stamma* »stammeln«), das ablautend mit dem unter ↑stumm behandelten Adjektiv verwandt ist und zu der unter ↑stemmen dargestellten Wortgruppe gehört. Als Grundbedeutung von ›stammeln‹ ergibt sich somit »anstoßen, gehemmt sein«.

stampfen: Das altgerm. Verb mhd. *stampfen,* ahd. *stampfōn,* niederl. *stampen,* engl. *to stamp,* schwed. *stampa* bedeutet eigentlich »mit einem Stoßgerät im Mörser zerstoßen«, dann auch »mit den Füßen stampfen« (z. B. von Pferden). Es steht neben einem Substantiv, das in ahd. *stampf,* asächs. *stamp* »Stoßgerät« erscheint. Eine alte dt. Ableitung ist das unter ↑Stempel behandelte Substantiv. Die germ. Wörter gehören als nasalierte Formen zu der unter ↑Stab behandelten idg. Wortgruppe; außergerm. ist z. B. griech. *stémbein* »stampfen, misshandeln, schmähen« verwandt. – Abl.: **Stampfer** »Stampfwerkzeug« (17. Jh.; besonders in der Zusammensetzung ›Kartoffelstampfer‹).

Stand: Die Substantive mhd. *stant* »Stehen, Ort des Stehens« (14. Jh.), ahd. *firstand* »Verstand«, *urstand* »Auferstehung«, aengl. *stand* »Aufenthalt, Verzug«, niederl. *stand* »Stand, Standort« sind Bildungen zu dem gemeingerm. starken Verb mhd. *standen,* ahd. *stantan,* got. *standan,* engl. *to stand,* aisl. *standa* »stehen«, das sich aus einer Form mit präsentischer Nasalierung der unter ↑stehen behandelten Verbalwurzel entwickelt hat. Dazu stellen sich die unter ↑Stunde und ↑Ständer behandelten Wörter. Als Verbalsubstantiv bildet ›Stand‹ meist Ableitungen zu den verbalen Zusammensetzungen von ›stehen‹ (s. d.). – Abl.: **Ständchen** »Musik, die jemandem aus einem besonderen Anlass vor seinem Haus, seiner Wohnung dargebracht wird« (im 17. Jh. studentensprachlich); **standhaft** »fest zu seinem Entschluss stehend, nicht nachgebend« (um 1500); **ständig** »fortdauernd, stets wiederkehrend« (16. Jh.); **ständisch** »einen [Berufs]stand betreffend« (18. Jh.). Zus.: **Standbild** (Ende des 18. Jh.s, Lehnübertragung für ↑Statue); **Standesamt** »Behörde zur Beurkundung des Personen- und Familienstandes« (Ende des 19. Jh.s); **Standort** (erstmals im 17. Jh. belegt; s. auch *Standarte*); **Standpauke** ugs. für »kräftige Strafrede« (im 19. Jh. zuerst studentensprachlich verstärkend für gleichbedeutend **Standrede,** 18. Jh., eigentlich eine im Stehen angehörte Grabrede; s. auch *Pauke*); **Standpunkt** (18. Jh., meist übertragen gebraucht); **Standrecht, Standgericht** (seit dem 16. Jh. für kurze, ursprünglich im Stehen durchgeführte Gerichtsverfahren, besonders im Krieg).

Standard »Normalmaß, Richtschnur; herkömmliche Normalausführung (z. B. einer Ware)«, vorwiegend in Zusammensetzungen wie ›Standardmodell, Standardwert‹ u. a.: Das als Terminus der Kaufmannssprache seit dem 19. Jh. allgemein übliche Fremdwort ist aus gleichbed. engl. *standard* entlehnt. Die eigentliche Bedeutung des engl. Wortes ist »Standarte, Fahne« (danach dann die Übertragung etwa im Sinne von »Festgelegtes, Vorgeschriebenes«), im Engl. bezeichnet es auch den [gesetzlich] festgelegten Münzfuß. Es geht auf afrz. *estandart* (= frz. *étendard*) »Standarte, Flagge« zurück (vgl. *Standarte*). – Abl.: **standardisieren** »(nach einem Muster) vereinheitlichen, normen« (20. Jh.; nach entsprechend engl. *to standardize*).

Standarte »Banner; Feldzeichen; Fahne berittener und motorisierter Truppen«: Das seit mhd. Zeit bezeugte Substantiv (mhd., mnd. *stanthart*) ist aus afrz. *estandart* »Sammelplatz der Soldaten; Fähnlein; Flagge usw.« entlehnt. Quelle des Wortes ist vermutlich afränk. **standōrd* »Aufstellungsort«. – Siehe auch *Standard*.

Ständer: Das Wort bezeichnet seit dem 18. Jh. Gestelle verschiedener Art. Es geht zurück auf spätmhd. *stander, stentner,* spätahd. *stanter* »Stellfass«, eine Bildung zu ahd. *stantan* »stehen« (vgl. *Stand*). In der Bedeutung »Pfosten« ist das Wort ursprünglich niederd. (mnd., mniederl. *stander, stender,* entsprechend niederl. *stander* »Pfosten«).

Standpauke ↑Stand.

Stange: Das altgerm. Substantiv mhd. *stange,* ahd. *stanga,* niederl. *stang,* älter engl. *stang,* schwed. *stång* (daneben anders gebildet niederd. *Stenge,* niederl. *steng* »Verlängerung des Schiffsmastes«) ist verwandt mit dem starken Verb engl. *to sting,* schwed. *stinga* »stechen« und mit Substantiven wie schwed. *stagg* »stechendes Gras« und engl. *stag* »Hirsch« (eigentlich »Stecher«). Die germ. Wortgruppe, zu der auch das unter ↑Stängel behandelte Substantiv gehört, geht mit verwandten außergerm. Wörtern (z. B. griech. *stóchos* »aufgerichtetes Ziel«) auf die idg. Wurzel **ste[n]gh-* »stechen; Stange, Spitze« zurück.

Stange

jmdm. die Stange halten
1. (ugs.) »jmdn. in Schutz nehmen, für jmdn. eintreten«
2. (schweiz.) »es jmdm. gleichtun«
Die erste Bedeutung dieser Wendung ist auf einen alten Rechtsbrauch zurückzuführen: Wurde ein Rechtsstreit durch einen Zweikampf der Kontrahenten ausgetragen, so stand jedem der Kämpfer ein Sekundant zur Seite, der eine Stange schützend vor oder über ihn halten konnte, wenn er sich für überwunden erklärte.

bei der Stange bleiben
(ugs.) »weitermachen, nicht aufgeben«
In dieser Wendung ist mit ›Stange‹ wohl ursprünglich die Stange der Fahne, der Standarte gemeint, die für die kämpfenden Soldaten die Truppeneinheit anzeigte und den Ort des Sammelns, den eigenen Standort bezeichnete.

Stängel: Mhd. *stengel,* ahd. *stengil* ist eine nur dt. Ableitung von dem unter ↑Stange behandelten Wort. Sie bezeichnet seit alters vor allem den Blatt- oder Blumenstiel.

Stank ↑Gestank.

Stänker (ugs. für:) »Nörgler, Streitsüchtiger«: Das seit dem 17. Jh. bezeugte Wort bedeutete ursprünglich »Gestankmacher« und gehört zu dem untergegangenen Verb mhd. *stenken,* ahd. *stenchen* »stinken machen« oder zu dem heute seltenen Substantiv **Stank** »Gestank; Zank« (s. *Gestank*). Zu Weiterem vgl. den Artikel *stinken.*

stänkern ↑stinken.

stanzen: Die Herkunft der mdal. Bildungen oberd., mitteld. *stanzen,* niederd. *stenzen* »stoßen, schlagen; hart aufsetzen« (17./18. Jh.) ist nicht sicher geklärt. Außerhalb des Dt. vergleicht sich dän. mdal. *stunte* »stoßen« (vom Pferd gesagt). Seit dem 19. Jh. wird ›stanzen‹ in der Fachsprache der Metallbearbeitung im Sinne von »unter Druck in eine bestimmte Form pressen, in einer bestimmten Form ab-, heraustrennen« verwendet.

Stapel: Das altgerm. Substantiv mnd., niederl. *stapel,* älter engl. *staple,* schwed. *stapel,* dem hochd. ↑Staffel lautlich entspricht, gehört zu der unter ↑Stab behandelten Wortgruppe und bedeutete ursprünglich »Pfosten, Block, Stütze, Säule«, dann auch (aengl., niederl., mnd.) »geschichteter Haufen; Warenlager, Verkaufsplatz«. In diesen übertragenen Bedeutungen kam das Wort im 15. Jh. aus der Sprache der niederdeutschen Hansekaufleute ins Hochd., wo es heute meist im Sinn von »aufgeschichteter Haufen« gebraucht wird (dazu die nhd. Zusammensetzungen **Stapelplatz** und **Stapelware** »Massenware«; s. a. den Artikel *Etappe*). – Die mnd. Bedeutung »Stütze, Unterlage« wurde später eingeengt zu »Gerüst aus Blöcken als Unterlage zum Bau eines Schiffes«. So kommt das Wort seit dem 17. Jh. auch in hochd. Texten vor (das Schiff wird ›auf Stapel gelegt‹, ›läuft vom Stapel‹). Dazu die Zusammensetzung **Stapellauf** (19. Jh.). – Abl.: **stapeln** »in Haufen schichten« (18. Jh., auch in der Zusammensetzung ›aufstapeln‹), hierzu auch **Gabelstapler.** Ein anderes ›stapeln‹ steckt in **Hochstapler** (s. d.).

Stapfe, (auch:) **Stapfen** »Fußabdruck«: Die Substantivbildungen mhd. *stapfe,* ahd. *stapfo* »Schritt, Fußspur, Stufe«, niederl. *stap,* engl. *step* »Schritt« (↑Stepp) stehen neben einem Verb, das in nhd. **stapfen** »fest auftretend gehen« (mhd. *stapfen,* ahd. *stapfōn*) und niederl. *stappen* »schreiten« erscheint. Die Wörter gehören wie die unter ↑Staffel und ↑Stufe behandelten Substantive zu der unter ↑Stab dargestellten Wortgruppe. Zu der Zusammensetzung ›Fuß[s]tapfe‹ s. den Artikel *Fuß.*

[1]Star: Die germ. Bezeichnungen des Singvogels (mhd. *star,* ahd. *stara,* älter engl. *stare* [mit der heute allein gebrauchten Verkleinerungsform *starling,* vgl. die Bildung von dt. *Sperling*], schwed. *stare*) sind verwandt mit niederl. *stern* »Seeschwalbe«, älter engl. *starn* »Seeschwalbe« und weiterhin mit lat. *sturnus* »Star«. Die genannten Wörter ahmten ursprünglich wohl die Stimmen der Vögel nach.

[2]**Star:** Der dt. Name der Augenkrankheit ist erst in frühnhd. Zeit aus dem zusammengesetzten Adjektiv **starblind** (mhd. *starblint,* ahd. *staraplint;* vgl. mniederl. *staerblint,* aengl. *stærblind*) verselbstständigt worden. Das erste Glied der Zusammensetzung geht wahrscheinlich auf ein germ. Adjektiv mit der Bedeutung »starr blickend« zurück, das zu der unter ↑starren dargestellten idg. Wurzel gehört (vgl. noch mnd. *star* »Starrheit des Auges« und mniederl. *te stāre staen* »gebrochen sein«, von den Augen eines Toten).

[3]**Star:** Die im 19. Jh. aus dem Engl. übernommene Bezeichnung für eine gefeierte Bühnen- oder Filmgröße hat in jüngster Zeit große Popularität erlangt und wurde auch auf den Bereich des Sports ausgedehnt (beachte Zusammensetzungen wie ›Fernseh-, Film-, Fußball-, Schlager-, Tennisstar‹). Engl. *star* bedeutet eigentlich »Stern«. Es ist etymologisch mit dt. ↑Stern verwandt. – Abl.: **Starlet[t]** »Nachwuchs[film]schauspielerin mit den Ambitionen, dem Benehmen eines Stars« (20. Jh.; aus engl. *starlet* »Sternchen«).

stark: Das altgerm. Adjektiv mhd. *starc,* ahd. *star[a]ch,* niederl. *sterk,* engl. *stark,* schwed. *stark* ist ablautend verwandt mit den Verben ahd. *gistorchanēn* »erstarren«, got. *gastaúrknan* »verdorren«, aisl. *storkna* »steif werden« und gehört zu der unter ↑starren dargestellten idg. Wortgruppe. Die wahrscheinliche Grundbedeutung »steif, starr« ist im Engl. bis heute erhalten, in den anderen germ. Sprachen hat sie sich früh zu »fest, kraftvoll« gewandelt, wobei vor allem die Körperkräfte gemeint sind. – Abl.: [1]**Stärke** »Kraft, Dicke, Heftigkeit, Zahl, Gehalt« (mhd. *sterke,* ahd. *starchī, sterchī*); **stärken** »stark machen« (mhd. *sterken,* ahd. *sterchen;* beachte auch die Zusammensetzungen ›be- und verstärken‹). Zu der vereinzelt schon mhd. bezeugten Bedeutung von ›stärken‹ »Wäsche steif machen« gehört als Rückbildung [2]**Stärke** »Weizen-, Kartoffel- oder Reismehlbrei zum Steifen« (Anfang des 17. Jh.s, beachte schon mhd. im 13. Jh. *sterke* »Stärkemehl« und *sterc-chlei* »Stärkekleie«; das Wort bezeichnet heute fachsprachlich einen Vorratsstoff bestimmter Pflanzen).

S

starren: In dem nhd. Verb *starren* »steif sein, strotzen« und »unbeweglich blicken« sind zwei im Mhd. noch getrennte Verben zusammengefallen: 1. Mhd. *starren, sterren* »steif sein« (dazu ablautend ahd. *storrēn* »steif hervorstehen« und die unter ↑störrisch genannten Wörter) ist verwandt mit dem Adjektiv mhd. *sterre* »steif, starr« (vgl. gleichbed. aisl. *starr*). Aus diesem Verb ist das nhd. Adjektiv **starr** »steif« (17. Jh.; dazu **Starrheit,** 17. Jh.) rückgebildet worden; beachte auch frühnhd. *starrig* in **halsstarrig** (16. Jh.). 2. Mhd. *star[e]n,* ahd. *starēn* »unbeweglich blicken« (entsprechend aengl. *starian,* aisl. *stara*) ist wahrscheinlich abgeleitet von einem germ. Adjektiv mit der Bedeutung »starr blickend«, das in der Zusammensetzung ahd. *staraplint* »starblind« enthalten ist (↑[2]Star). Beide Verben gehen auf eine gemeinsame idg. Wurzel **[s]ter-, *[s]terə-* »starr, steif, hart« zurück, die ohne den s-Anlaut auch dem unter ↑Dorn behandelten Wort zugrunde liegt. Auf dieser vielfach weitergebildeten und erweiterten Wurzel beruht eine große Zahl germ. Wörter, die auch im dt. Wortschatz lebendig sind. Sie gruppieren sich um Bedeutungswendungen wie »steif, fest sein oder werden; steif gehen« und »steif emporstehen, prall sein«. Zur ersten Gruppe gehören z. B. die Sippen von ↑sterben (eigentlich »erstarren«), ↑derb (eigentlich »steif, fest«), ↑stark (eigentlich »steif, fest«), ↑stracks (eigentlich »straff«, dazu ↑strecken) und ↑Storch (eigentlich »Stelzer«), zur zweiten Gruppe z. B. die Sippen von ↑Sterz »Schwanz« (mit ›stürzen‹), ↑strotzen (mit ›[1]Strauß, [2]Strauß‹ und ›[2]Drossel‹) und ↑sträuben (mit ›struppig, Gestrüpp‹ usw.), vielleicht auch die unter ↑Strauch, ↑Strunk und ↑Strumpf (eigentlich »Baumstumpf, Reststück«) behandelten Wörter. Schließlich lässt sich eine Bedeutungsentwicklung zu »angespannt, widerspenstig sein« erkennen, zu der sich wohl die unter ↑Streit, ↑stramm, ↑streben und ↑straff behandelten Wörter stellen; s. auch den Artikel *strafen.*

Start »Ablauf[stelle], Abfahrt, Abflug, Absprung; Beginn, Anfang«: Das Fremdwort wurde im 19. Jh. aus gleichbed. engl. *start* entlehnt. Das zugrunde liegende Verb engl. *to start* »fortstürzen, auffahren, losgehen, ablaufen; beginnen usw.«, das mit dt. ↑stürzen verwandt ist, lieferte etwa gleichzeitig unser Zeitwort **starten** »ein Rennen, einen Flug, einen Wettkampf usw. beginnen oder beginnen lassen«. – Dazu: **Starter** »jemand, der ein Rennen startet« (19. Jh.; aus gleichbed. engl. *starter*). ›Starter‹ wird in jüngster Zeit häufig auch im motortechnischen Bereich mit der Bedeutung »Anlasser (eines Motors)« gebraucht.

Station »Haltestelle, Bahnhof; Haltepunkt; Aufenthalt; Bereich, Krankenhausabteilung; Ort, an dem sich eine technische Anlage befindet, Sende-, Beobachtungsstelle«: Das Fremdwort wurde im 15. Jh. aus lat. *statio* »das Stehen, das Stillstehen; Standort, Aufenthaltsort; Aufenthalt; Quartier, Bereich usw.« entlehnt, einer Substantivbildung zum Stamm von lat. *stare (statum)* »stehen« (vgl. *stabil*). – Abl.: **stationär** »an einem Standort verbleibend, ortsfest; den Aufenthalt und die Behandlung in einem Krankenhaus betreffend« (18. Jh.; nach frz. *stationnaire,* spätlat. *stationarius* »stillstehend; am Standort verbleibend; zum Standort gehörig«); **stationieren** »an bestimmten Plätzen aufstellen; Truppen an einen bestimmten Standort verlegen« (18. Jh.).

Statist: Das Fachwort der Bühnensprache für einen Darsteller, der als stumme Figur mitwirkt, der gleichsam nur »herumsteht«, ist eine nlat. Bildung des 18. Jh.s zu lat. *stare (statum)* »stehen« (vgl. *stabil*). Das Wort wird übertragen auch im Sinne von »unbedeutende Person, Nebenfigur« gebraucht.

Statistik »Wissenschaft von der zahlenmäßigen Erfassung, Untersuchung und Auswertung von Massenerscheinungen; Zusammenstellung von Untersuchungsergebnissen in Tabellenform o. Ä.«: Das Fremdwort ist seit dem 17. Jh. in der Bedeutung »Staatswissenschaft« bezeugt. Es ist eine Bildung zu veraltet ›Statist‹ »Staatsmann«, die wohl von nlat. *statisticus* »staatswissenschaftlich« beeinflusst ist (über das zugrunde liegende lat. *status* »Zustand, Stand [der Dinge]« vgl. *Staat*). Die heutige Bedeutung erlangte das Wort im ausgehenden 18. Jh.

Stativ »dreibeiniges Gestell zum Aufstellen von Geräten«: Das Fremdwort ist eine gelehrte Entlehnung des 18. Jh.s aus lat. *stativus (-vum)* »stehend, fest stehend, still stehend«. Dies gehört zu lat. *stare (statum)* »stehen« (vgl. den Artikel *stabil*).

Statt: Das gemeingerm. Substantiv mhd., ahd. *stat*, got. *staþs*, engl. *stead*, schwed. *stad* ist eine Bildung zu der unter ↑stehen dargestellten idg. Verbalwurzel und bedeutet »[Stand]ort, Stelle«, eigentlich »das Stehen«. Verwandte Wörter aus anderen idg. Sprachen sind z. B. griech. *stásis* »Stellung« und lat. *statio* »Standort« (↑Station). Im Dt. hat ›Statt‹ im 12. Jh. die Bedeutung »Ortschaft« (eigentlich »Wohnstätte«) erhalten, die später durch die abweichende Schreibung ↑Stadt ausgedrückt wurde. Heute erscheint ›Statt‹ in der Bedeutung »Stelle« fast nur noch als Grundwort in Zusammensetzungen wie ›Werk-, Lager-, Ruhestatt‹, in denen es aber mit der gleichbedeutenden Weiterbildung **Stätte** konkurriert (spätmhd. *stete*, entstanden aus den flektierten Formen von mhd. *stat*). Auch steht ›Statt‹ noch – nach den neuen amtlichen Rechtschreibregeln jedoch kleingeschrieben – in bestimmten Fügungen wie ›an meiner statt‹, ›an Kindes, an Eides statt‹, die eine Stellvertretung bezeichnen. Daraus hat sich im 15. Jh. die Präposition **anstatt** ergeben (zusammengerückt aus mhd. *an-stat, an-stete*). Sie wird seit dem 17. Jh. meist zu **statt** verkürzt und in den Verbindungen ›[an]statt zu‹, ›[an]statt dass‹ auch als Konjunktion gebraucht. Eine Ableitung von ›Statt‹ »Stelle« ist das im Frühnhd. untergegangene Verb mhd. *staten* »an eine Stelle bringen«, das fortlebt in den Zusammensetzungen und Präfixbildungen **abstatten** (17. Jh., besonders ›einen Besuch abstatten‹), **bestatten** (s. d.) und **erstatten** (mhd. *erstaten* »ersetzen«, nhd. auch für »leisten«, besonders in der Fügung ›Bericht erstatten‹). Dagegen gehören die unter ↑gestatten behandelten Wörter zu einem anders gebildeten Substantiv mhd. *stat[e]*, ahd. *stata* »rechter Ort, Gelegenheit«, das im Spätmhd. mit *stat* »Stelle« lautlich zusammenfiel. Auch die erst nhd. zusammengerückten Verben **stattfinden** »vor sich gehen« (so im 19. Jh.; eigentlich »eine Stelle finden«, mhd. *stat, state vinden*) und **stattgeben** »Raum, Gelegenheit geben« (16. Jh.) gehen wohl vor allem auf dieses mhd. *state* zurück. Die Zusammensetzung **Statthalter** »Stellvertreter (eines Fürsten)« (spätmhd. *stathalter*) ist eine Lehnbildung nach mlat. *locum tenens* »der die Stelle (des Abwesenden) Innehabende« (s. auch den Artikel *Leutnant*).

statthaft ↑gestatten.

stattlich »ansehnlich, prächtig«: Das in dieser Bedeutung nhd. erst seit dem 17. Jh. bezeugte Adjektiv geht wohl zurück auf mnd. *statelik* »ansehnlich« (entsprechend gleichbed. niederl. *statelijk*, engl. *stately*), eine Ableitung von dem unter ↑Staat behandelten Wort in seiner Bedeutung »Prunk, äußere Aufmachung«.

Statue »Standbild«: Das Wort wurde im 16./17. Jh. aus gleichbed. lat. *statua* entlehnt, das zum Stamm von lat. *stare (statum)* »stehen« gehört (vgl. *stabil*).

Statur »[Körper]gestalt, Wuchs«: Das Fremdwort ist eine Entlehnung des 16. Jh.s aus gleichbed. lat. *statura*. Dies gehört zum Stamm von lat. *stare (statum)* »stehen« (vgl. *stabil*).

Status »[Zu]stand, Lage, Verfassung«: Das Fremdwort wurde im 16. Jh. aus lat. *status* »Stand [der Dinge]« entlehnt (vgl. *Staat*). Näher verwandt sind ↑Etage, ↑Etat, ↑Staat, ↑Statist, ↑Statistik, ↑Stativ, ↑Statue, ↑Statur. Über weitere Verwandte vgl. den Artikel *stabil*.

Statut »Satzung«: Das Fremdwort wurde in mhd. Zeit aus dem substantivierten Neutrum des Partizips Perfekt von lat. *statuere (statutum)* »[auf]stellen; errichten; festsetzen, bestimmen« entlehnt, das zum Stamm von lat. *stare (statum)* »stehen« (vgl. *stabil*) gehört. – Auf Zusammensetzungen von lat. *statuere* beruhen die Fremdwörter ↑Institut, Institution, ↑Konstitution, ↑prostituieren.

Staub: Mhd., ahd. *stoup* ist eine nur dt. Substantivbildung zu dem unter ↑stieben behandelten Verb (anders gebildet sind niederl. *stof* »Staub« und das untergegangene mhd. *stüppe*, ahd. *stuppi* »Staub«, vgl. got. *stubjus* »Staub«). ›Staub‹ bedeutet demnach »das Stieben[de]«. – Abl.: **staubig** »voll Staub, mit Staub bedeckt« (mhd. *stoubec*). Zus.: **Staubfaden, Staubgefäß** (Teile der Blüte, die den Pollen oder Blütenstaub tragen; 18. Jh.). Die Verben **stauben** »Staub aufwirbeln« (meist unpersönlich ›es staubt‹) und **stäuben** »Staub absondern; zerstieben« werden vom Sprachgefühl zu ›Staub‹ gezogen, beruhen aber wohl beide auf mhd. *stouben, stöuben*, ahd. *stouben* »stieben machen, Staub erregen, aufscheuchen«, dem Veranlassungswort zu dem unter

↑stieben behandelten Verb (entsprechend mnd. *stöven*, ↑stöbern). Unmittelbar zum Substantiv gehören Zusammensetzungen und Präfixbildungen wie **abstauben** »Staub entfernen« (16. Jh.; zuerst häufiger in der umgelauteten Form ›abstäuben‹; jetzt ugs. auch für »entwenden, ergattern«), **verstauben** »von Staub ganz bedeckt werden« (im 18. Jh. neben gleichbed. ›verstäuben‹; das 2. Part. **verstaubt** bedeutet auch »überholt, altmodisch«) und **bestäuben** »Blüten befruchten« (1. Hälfte des 19. Jh.s; mhd. *bestouben* »mit Staub bedecken«). Dagegen gehört **zerstäuben** »versprühen« (18. Jh.; mhd. *zerstouben* »auseinander scheuchen«) enger zur Bedeutung »stieben machen«.

stauchen ↑verstauchen.

Staude »strauchartige Pflanze«: Das nur im Dt. bezeugte Wort (mhd. *stūde*, ahd. *stūda* »Staude, Strauch, Busch«) gehört wahrscheinlich zu der unter ↑stauen behandelten Wortgruppe. Beachte vor allem die unter ↑stützen genannten ablautenden Substantive.

stauen: Das Verb, das im Sinne von »(Wasser) im Lauf hemmen« und »(Waren) fest schichten« (*verstauen*, s. u.) verwendet wird, wurde im 17. Jh. aus dem Niederd. ins Hochd. übernommen. Es beruht auf mnd. *stouwen*, dem niederl. *stouwen* »hemmen, fest schichten«, engl. *to stow* »verstauen«, das in frühnhd. Zeit untergegangene mhd., ahd. *stouwen* »anklagen, schelten«, (mhd. auch:) »Einhalt tun, gebieten« und got. *stōjan* »richten, urteilen« (eigentlich wohl »festsetzen«) entsprechen. Mit der Grundbedeutung »stehen machen, stellen« (vgl. z. B. das verwandte russ. *stavit'* »stellen, setzen«) gehören diese Verben zu der unter ↑stehen dargestellten idg. Wortgruppe. Von nahe stehenden Bedeutungen wie »festmachen, versteifen; starr sein« gehen wohl die verwandten unter ↑stützen, ↑Staude und ↑staunen behandelten Wörter aus, vielleicht auch der Krankheitsname ↑Staupe. Mit der Grundbedeutung »Stütze, Pfahl« gehören die beiden Substantive ↑[1]Steuer und ↑[2]Steuer hierher. Zu ›stauen‹ »Wasser hemmen« stellt sich die Rückbildung **Stau** »Stillstand des Wassers« (18. Jh.; heute auch in der Bedeutung »gestautes Wasser« und »Stillstand des Verkehrs«) und Zusammensetzungen wie ›Staudamm, -mauer, -see‹ (19. Jh.). Die Präfixbildung **verstauen** »fest einpacken« wurde im 19. Jh. aus der Seemannssprache übernommen.

staunen »sich wundern, verwundert blicken«: Das erst im 18. Jh. aus dem Schweiz. in die hochd. Schriftsprache übernommene Verb (aleman. *stūnen* »träumend vor sich hin starren«) bedeutet eigentlich »starr sein« und entspricht mnd., mniederl. *stūnen* »sich widersetzen«. Die Wörter gehören wohl zu der unter ↑stauen dargestellten Wortgruppe. Schon im 16. Jh. ist, gleichfalls zuerst schweiz., die Präfixbildung **erstaunen** bezeugt, die im älteren Nhd. auch »erstarren« bedeuten kann. Dazu das Adjektiv **erstaunlich** »zum Staunen bringend« (17. Jh.).

Staupe »ansteckende Hundekrankheit«: Das Substantiv wurde seit dem 17. Jh., besonders in mitteld. Umgangssprache, im allgemeinen Sinn von »Krankheitsanfall, Epidemie bei Menschen und Vieh« gebraucht. Die ursprüngliche Bedeutung zeigt wohl der älteste Beleg mniederl. *stuype* »Krampf-, Schüttelanfall« (Ende des 16. Jh.s; niederl. *stuip* »Krampf; Grille, Laune«). Vielleicht lässt sich das Wort mit der Grundbedeutung »Starrheit, Steifwerden« an die unter ↑stauen behandelte Wortgruppe anschließen.

Steak: Die Bezeichnung für »kurz gebratene Fleischschnitte«, häufig als Grundwort in Zusammensetzungen wie ↑Rumpsteak, wurde im 20. Jh. aus gleichbed. engl. *steak* entlehnt. Das engl. Wort stammt seinerseits aus aisl. *steik* »Braten« (eigentlich wohl »an den Spieß gestecktes Fleisch«). Dies gehört seinerseits zu aisl. *steikja* »braten« (ursprünglich »an den Bratspieß stecken«), das mit dt. ↑stechen verwandt ist.

stechen: Das starke Verb mhd. *stechen*, ahd. *stehhan*, niederl. *steken*, afries. *steka* gehört zu der unter ↑Stich dargestellten idg. Wurzel **[s]teig-* »stechen«. Zu diesem (in die e-Ablautreihe übergetretenen) Verb stellen sich die unter ↑stecken behandelten Verben. – Bei den mittelalterlichen Turnieren versuchten die Gegner einander aus dem Sattel zu stechen (beachte dazu die Zusammensetzung **ausstechen** in der Wendung ›jemanden ausstechen‹ »übertreffen, verdrängen«, 17. Jh.). Daher wird auch heute noch ›stechen‹ im Sinne von »(bei Punktegleichheit in einem Wettkampf) durch Wiederholung eine Entscheidung herbeiführen« verwendet (häufig als substantivierter Infinitiv, z. B. in Verbindungen wie ›ins Stechen kommen‹); auch im Kartenspiel ›sticht‹ eine Karte die andere (nimmt sie weg; 16. Jh.). Siehe auch den Artikel *bestechen*. – Abl.: **Stecher** »Gerät zum Stechen; Kupferstecher« (mhd. *stechære* »Mörder; Turnierkämpfer; Stichwaffe«; s. auch *Feldstecher* [↑Feld]). Zus.: **Stechapfel** (Giftpflanze; 16. Jh. nach den stachligen Früchten); **Stechmücke** (19. Jh.); **Stechpalme** (16. Jh.; nach den häufig dornigen Blättern); **abstechen** »herunterstechen; schlachten; sich auffällig unterscheiden« (mhd. *abestechen;* in der letzten Bedeutung seit dem 17. Jh.); zu veraltetem seemännischem *abstechen* »ein Boot mit der Stange abstoßen« (niederl. *afsteken*) gehört **Abstecher** »kleinerer Ausflug zu einem abseits von der Reiseroute gelegenen Ziel« (eigentlich »kurze Fahrt mit dem Beiboot eines Schiffes«; 18. Jh.); **anstechen** »in etwas stechen; (ein Fass) anzapfen« (schon spätmhd. *den Wein anstechen*; ahd. *anastehhan* »durchstechen«), dazu **Anstich** »Anzapfen eines Fasses« (18. Jh.).

stecken: In der nhd. Form ›stecken‹ sind zwei im Ahd. noch getrennte Verben zusammengefallen:

ein duratives ahd. *stecchēn* »fest haften, stecken bleiben« (ähnlich wohl in ↑ersticken) und ein Veranlassungswort ahd. *stecchen* »stechend befestigen«. Beide gehören zu dem unter ↑stechen behandelten starken Verb. Erst seit dem 16. Jh. hat ›stecken‹ in der Bedeutung »fest haften« auch starke Formen angenommen (›ich stak‹ neben ›ich steckte‹). – Abl.: **Stecker** (17. Jh.; seit der 1. Hälfte des 20. Jh.s in der Bedeutung »Steckvorrichtung zum Herstellen elektrischer Kontakte«); **Steckling** »zur Bewurzelung in die Erde gesteckter Pflanzenteil« (18. Jh.). Zus.: **Steckbrief** »öffentliche Aufforderung zur Festnahme eines gesuchten Verbrechers« (16. Jh., ursprünglich für »Haftbefehl«; beachte die Wendung ›ins Gefängnis stecken‹ »verhaften«); **Steckdose** (20. Jh.); **Stecknadel** (15. Jh.); **Steckrübe** (16. Jh.; die jungen Pflanzen werden umgesetzt, »gesteckt«). Verbale Zusammensetzungen und Präfixbildungen: **abstecken** »(eine Entfernung) durch gesteckte Pflöcke u. Ä. bezeichnen« (16. Jh.; mniederd. im 14. Jh.); **anstecken** »an etwas befestigen; anzünden, in Brand stecken; eine Krankheit übertragen« (mhd. *anestecken* »anzünden«, eigentlich wohl »Feuer daran stecken«; seit dem 16. Jh. in der Bedeutung »eine Krankheit übertragen«, beachte das adjektivische 1. Part. **ansteckend**); **aufstecken** »auf etwas befestigen« (mhd. *ūfstecken;* beachte die Wendung ›jemandem ein Licht aufstecken‹ »jemanden aufklären« [nordd. *Licht* »Kerze«]; die ugs. Bedeutung »aufhören, verzichten«, seit dem 19. Jh. bezeugt, meint eigentlich wohl »eine unfertige Handwerksarbeit am Feierabend hochstecken«); **bestecken** »darauf stecken, hineinstecken« (mhd. *bestecken*), dazu **Besteck** »Essgerät« und »Satz Werkzeuge oder Instrumente« (17. Jh.; eigentlich Bezeichnung eines Werkzeugfutterals und seines Inhalts); **verstecken** »wegstecken, verbergen« (so seit dem 16. Jh. bezeugt, beachte gleichbed. mnd. *vorstēken*), dazu **Versteck** (im 18. Jh. aus dem Niederd. aufgenommen, ursprünglich besonders »Hinterhalt«; mnd. *vorstecke* »Heimlichkeit, Hintergedanke«).

Stecken: Die Substantive mhd. *stecke,* ahd. *stecko* (daneben mhd. *steche,* ahd. *stehho*), mniederl. *stecke* können einerseits verwandt sein mit mhd. *stake* »langer Stock, Stange« und mit der baltoslaw. Wortgruppe von lit. *stãgaras* »dürrer Stängel oder Ast«. Andererseits können sie mit engl. *stick* »Stock« und schwed. *sticka* »Span, Splitter« zu der Wortgruppe von ↑Stich gehören. – Zus.: **Steckenpferd** (seit dem 17. Jh. für das Kinderspielzeug; in der übertragenen Bedeutung »Liebhaberei; [kindische] Neigung« zuerst in der 2. Hälfte des 18. Jh.s im Anschluss an gleichbed. engl. *hobby-horse*).

Steg: Das altgerm. Substantiv mhd. *stec* »Steg, schmaler Fußpfad«, ahd. *steg* »Steg, Aufstieg«, niederl. *steg* »schmaler Weg, Pfad«, älter schwed. *stegh* »Pfad« gehört zu dem unter ↑steigen behandelten Verb und bezeichnete zunächst einen schmalen, erhöhten Übergang über ein Gewässer, auf den man meist hinaufsteigen musste. Die reimende Fügung ›Weg und Steg‹ ist schon mhd. bezeugt. In ihr bedeutet ›Steg‹ bereits »Pfad«.

Stegreif: In Wendungen wie ›aus dem Stegreif (d. h. ohne Vorbereitung) dichten, reden und dgl.‹ und in Zusammensetzungen wie **Stegreifspiel** »improvisiertes Schauspiel« (20. Jh.) lebt eine alte, im Dt. bis ins 18. Jh. übliche Bezeichnung des Steigbügels fort. Die Zusammensetzung mhd. *steg[e]reif,* ahd. *stegareif* (anders gebildet: aengl. *stigrāp,* engl. *stirrup,* aisl. *stigreip* »Steigbügel«) gehören mit dem ersten, nicht eindeutig bestimmbaren Glied zur Sippe von ↑steigen. Das zweite Glied ist das unter ↑[1]Reif behandelte Substantiv in seiner alten Bedeutung »Strick«: Das Wort ›Stegreif‹ bezeichnete demnach wohl ursprünglich eine Seil- oder Riemenschlinge am Sattel. Die oben genannte Fügung ›aus dem (älter: im) Stegreif‹ kam im 17. Jh. auf und meinte ursprünglich so viel wie »ohne vom Pferd zu steigen, schnell entschlossen«.

stehen: Die Verben mhd., ahd. *stān, stēn,* niederl. *staan,* schwed. *stå* beruhen mit verwandten Wörtern in den meisten anderen idg. Sprachen auf der idg. Wurzel **st[h]ā-* »stehen, stellen«, vgl. besonders lat. *stare* »stehen, stellen« (s. die Fremdwortgruppe um *stabil*) und griech. *histánai* »stellen« (s. die Fremdwörter *Ekstase* und *System*), ferner lit. *stóti* »sich hinstellen, stehen bleiben« sowie russ. *stat'* »werden, anfangen, sich stellen« und russ. *stojat'* »stehen«. Germ. Nominalbildungen aus der gleichen, vielfach weitergebildeten Wurzel sind vor allem die unter ↑Statt (mit Stadt, Stätte), ↑gestatten und ↑Gestade genannten Wörter mit der Grundbedeutung »Standort, Stelle« sowie das Adjektiv ↑stet »beständig«, ferner ↑Stuhl (eigentlich »Gestell«) und vielleicht auch das unter ↑Stamm behandelte Substantiv; s. auch den Artikel *Stute.* Als zweiter Bestandteil ist die idg. Wurzel in den unter ↑First (eigentlich »Hervorstehendes«) genannten verdunkelten Zusammensetzungen enthalten. Eine erweiterte Wurzelform **st[h]āu-* »stehen; stehen machen, stützen« liegt der unter ↑stauen behandelten Wortgruppe zugrunde, eine Wurzelform **st[h]eu-* »fest stehend, dick, groß« dem Adjektiv ↑stur. Andere Erweiterungen sind unter ↑stellen und ↑Stab mit ihren zugehörigen Wortgruppen dargestellt. Möglicherweise gehört auch die Sippe von ↑stemmen (eigentlich »zum Stehen bringen, hemmen«) hierher. – Die Präsensformen mhd., ahd. *stēn, stān* sind wahrscheinlich durch die entsprechenden Formen mhd., ahd. *gēn, gān* (von ↑gehen) beeinflusst. Die Formen des Präteritums (nhd. *stand, gestanden*) gehören dagegen zu dem gemeingerm. Verbalstamm **stand-* »stehen«, der im Artikel ↑Stand behandelt ist (s. dort auch über *Stunde*). – Zus.: **abstehen** »ablassen, verzichten;

von etwas entfernt stehen« (mhd. *abestēn* »absteigen, abtreten«; in der 2. Bedeutung seit dem 17. Jh.), dazu **Abstand** »Verzichtleistung; Entfernung zwischen zwei Punkten« (16. Jh.; in der 2. Bedeutung verdeutscht es seit dem 17. Jh. das Fremdwort ↑Distanz); **anstehen** (↑Anstand); **auferstehen** (mhd. *ūferstēn*, ahd. *ūfarstēn* »sich erheben, vom Tode erstehen«; erst nhd. auf den religiösen Sinn eingeengt, s. auch *aufstehen* und *erstehen*), dazu **Auferstehung** (16. Jh.); **aufstehen** »sich erheben; sich empören« (mhd., ahd. *ūfstēn;* in der 2. Bedeutung seit dem 17. Jh.), dazu **Aufstand** »Aufruhr, Empörung« (17. Jh.) und **aufständisch** »aufrührerisch, rebellisch« (im 19. Jh. neben jetzt veraltetem ›aufständig‹); **ausstehen** »aushalten, ertragen, überstehen« (16. Jh.), kaufmännisch für »noch nicht eingetroffen sein« (spätmhd. *ūzstēn* »ausbleiben«), dazu **Ausstand** (spätmhd. *ūzstant* »ausstehendes Geld«, wofür heute meist **Außenstände** gilt; in der Bedeutung »Streik« wurde ›Ausstand‹ Ende des 19. Jh.s aus oberd. Mundart aufgenommen, wo ›ausstehen‹ u. a. »aus dem Dienst gehen« bedeutete); **beistehen** »Hilfe leisten« (mhd., ahd. *bīstēn*, eigentlich »im Kampfe bei jemandem stehen«), dazu **Beistand** (spätmhd. *bīstant* »Hilfeleistung«; als Bezeichnung einer Person in nhd. Rechtsbeistand, 19. Jh.); **einstehen** »sich verbürgen« (16. Jh.; die Wendung ›seinen Einstand geben‹ »als Neuling die Kollegen bewirten« bezog sich ursprünglich [17. Jh.] auf eine Abgabe beim Antritt eines Amtes und dgl.); **umstehen** (↑Umstand); **[1]unterstehen** »unter einem Schutzdach stehen« (16. Jh.; auch mhd. *understēn* bedeutete »sich unter etwas stellen«), dazu **Unterstand** »Obdach, Unterkunft« (mhd. *understant;* Ende des 19. Jh.s militärisch für »gedeckter Schutzraum«); **[2]unterstehen** »jemandem unterstellt sein« (17. Jh.), reflexiv »etwas unternehmen, wagen« (spätmhd.; heute meist in der Wendung ›untersteh dich nicht ...!‹); **vorstehen** »nach vorn ragen; ein Amt oder Unternehmen leiten« (mhd. *vorstēn* »bevorstehen; sorgen für, regieren«; im älteren Nhd. auch in der Bedeutung »vorn, vor etwas stehen«, daher bedeutet das adjektivische Part. **vorstehend** auch »in einem Schriftstück weiter vorn stehend«. Ableitungen von ›vorstehen‹ sind **Vorsteher** »Leiter« (16. Jh.) und **Vorstand** »[Gesamtheit der] Vorsteher; geschäftsführendes Gremium« (im 16. Jh. in der Bedeutung »Vorsitz«, später persönlich gefasst als »Bürge, Verteidiger« [17. Jh.], seit Anfang des 19. Jh.s im heutigen Sinn); **widerstehen** »entgegen sein« (mhd. *widerstēn*, ahd. *widarstēn*), dazu **Widerstand** »das Sichwidersetzen; etwas, was entgegenwirkt, hinderlich ist« (mhd. *widerstant*); **zustehen** »zugehören, gebühren« (mhd. *zuostēn* »geschlossen sein; beistehen, zuteil werden, zukommen, angehören, zuständig sein«), dazu **Zustand** »Art und Weise des Bestehens« (16. Jh.; seit dem 17. Jh. im heutigen Sinn), **zuständig** (16. Jh. für »zugehörig«; seit dem 19. Jh. für »kompetent«, d. h. ›zuständig‹ ist, »wem die Entscheidung zusteht«). – Präfixbildungen: **bestehen** »vorhanden sein, existieren; fest bleiben; (aus etwas) zusammengesetzt sein; etwas erfolgreich durchstehen« (mhd. *bestēn,* ahd. *bistān*), dazu **Bestand** »Fortdauer, Vorrat« (15. Jh.), **beständig** »festbleibend, ausdauernd« (mhd. *bestendec*) und die Zusammensetzung **Bestandteil** (18. Jh.); **entstehen** »werden, zu sein beginnen« (älter nhd. auch »fernbleiben, mangeln«; mhd. *entstēn* »wegtreten, entgehen, sich erheben, werden«); **erstehen** »kaufen; auferstehen« (in der 1. Bedeutung seit dem 17. Jh., eigentlich bezogen auf das lange Stehen bei Versteigerungen; mhd. *erstēn* »sich erheben, [vom Tode] aufstehen, entstehen, vor Gericht stehend erwerben«, ahd. *irstēn* »aufstehen«); **gestehen** »bekennen« (eigentlich »zur Aussage vor Gericht treten«; mhd. *gestēn,* ahd. *gistān* war verstärktes ›stēn‹, es bedeutete in der mhd. Rechtssprache auch »beipflichten, bekennen, einräumen«; beachte die Zusammensetzungen **eingestehen** »bekennen« und **zugestehen** »einräumen«), dazu **geständig** »seine Schuld bekennend« (16. Jh.; mhd. *gestendec* »beständig, beistehend, zustimmend«) und **Geständnis** »das Eingestehen einer Schuld, eines Vergehens« (17. Jh.); **verstehen** (s. d.).

stehlen: Die Herkunft des gemeingerm. Verbs mhd. *steln,* ahd. *stelan,* got. *stilan,* engl. *to steal,* schwed. *stjäla* ist nicht sicher geklärt. Es bezeichnet von Anfang an das heimliche Wegnehmen einer Sache (im Gegensatz zum offenen Raub). Die Vorstellung der Heimlichkeit zeigt sich auch in dem seit mhd. Zeit bezeugten reflexiven Gebrauch des Verbs für »unbemerkt weggehen« (jetzt gewöhnlich ›sich davon-, sich wegstehlen‹). Vgl. dazu aengl. *stalgang* »heimlicher Gang«, s. auch den Artikel *verstohlen.* Eine alte Substantivbildung zu ›stehlen‹, ahd. *stāla* (anders gebildet aengl. *stalu*) ist in der Zusammensetzung **Diebstahl** enthalten (↑Dieb).

steif: Das westgerm. Adjektiv mnd., mitteld. *stīf,* niederl. *stijf,* engl. *stiff* ist wohl verwandt mit dem unter ↑[1]Stift behandelten Wort, außerhalb des Germ. z. B. mit lat. *stipes* »Pfahl, Stamm«, lat. *stipare* »dicht zusammendrücken« und lat. *stipula* »Getreidehalm« (↑Stoppel) sowie mit der balt. Sippe von lit. *stìpti* »steif oder starr werden«. Das Adjektiv ›steif‹ hatte die Grundbedeutung »unbiegsam, starr, aufrecht« und wurde ursprünglich wohl von Holzpfählen und dgl. gebraucht (vgl. mhd., mnd. *stivel* »Stütze, Reben-, Bohnenstange«). Das ursprünglich niederd. Adjektiv hat sich seit dem 14. Jh. auch im Hochd. durchgesetzt. – Abl.: **versteifen** »(mit Stützen) festmachen«, auch: »steif werden«, reflexiv »auf etwas beharren« (Anfang des 19. Jh.s; beachte gleichbed. mnd. *vorstīven,* niederl. *verstijven*). Zus.: **steifleinen** »aus steifem Leinen«, seltener ist heu-

S

te die auf Personen übertragene Bedeutung »langweilig, unzugänglich« (19. Jh.); **stocksteif** ugs. für »völlig steif« (17. Jh.).

steigen: Das gemeingerm. starke Verb mhd. *stīgen,* ahd. *stīgan,* got. *steigan,* aengl. *stīgan,* schwed. *stiga* geht mit verwandten Wörtern in anderen idg. Sprachen auf die idg. Wurzel **steigh-* »schreiten, steigen« zurück, vgl. z. B. aind. *stighnōti* »steigt« und griech. *steíchein* »schreiten«. Die Bedeutung »schreiten« ist in den germ. Sprachen nur resthaft erhalten, z. B. in **Steig** »Fußweg« (mhd. *stīc,* ahd. *stīg*), das Verb hat hier von Anfang an die Bedeutung »hinauf-, hinabschreiten, klettern«. Germ. Nominalbildungen sind besonders die unter ↑Steg, ↑Stiege und ↑steil behandelten Wörter; s. auch den Artikel *Stegreif.* Die dt. Zusammensetzungen des Verbs (z. B. ›ab-, an-, auf-, einsteigen‹) bilden männliche Verbalsubstantive auf ›-stieg‹ (beachte schon ahd. *ufstic, nidarstic*). Siehe auch den Artikel ↑steigern. – Zus.: **Steigbügel** »seitlich vom Sattel herabhängende Fußstütze für den Reiter« (17. Jh.); **Steigeisen** »am Schuh befestigtes, mit Zacken versehenes Eisen zum Schutz gegen Abrutschen« (18. Jh.). Die Präfixbildung sich **versteigen** »zu weit, falsch steigen« (16. Jh.) wird meist übertragen gebraucht, s. den Artikel *verstiegen.*

steigern: Spätmhd. *steigern* »erhöhen« ist eine Weiterbildung des im Nhd. untergegangenen Verbs mhd. *steigen* »steigen machen, erhöhen, aufrichten«. Dieses ist das Veranlassungswort zu dem unter ↑steigen (mhd. *stīgen*) behandelten Verb. In der allgemeinen Bedeutung »an Menge, Grad oder Wert zunehmen lassen« ist ›steigern‹ besonders seit dem 18. Jh. gebräuchlich und dient seit der gleichen Zeit auch als grammatisches Fachwort. – Präfixbildungen: **ersteigern** »durch Steigern erwerben« (so im 19. Jh.; beachte gleichbed. mhd. *ersteigen*); **versteigern** »durch eine Auktion verkaufen« (oberd. im 18. Jh.), dazu das schon vorher bezeugte Substantiv **Versteigerung** (17. Jh.).

steil: Das Adjektiv mit der bed. »stark ansteigend oder abfallend« spätmhd., mnd. *steil* (15. Jh.), [m]niederl. *steil* ist zusammengezogen aus einer älteren Form, die als mhd. *steigel,* ahd. *steigal,* ähnlich aengl. *stǣgel* »steil« erscheint und ablautend zu dem unter ↑steigen behandelten Verb gehört. Vgl. auch asächs. *stēgili* »abschüssige Stelle«. ›Steil‹ bedeutet also eigentlich »(auf- oder ab)steigend«. Es ist in der verkürzten Form zuerst am Niederrhein aufgetreten.

Stein: Das gemeingerm. Substantiv mhd., ahd. *stein,* got. *stains,* engl. *stone,* schwed. *sten* beruht wie die slaw. Sippe von russ. *stena* »Wand, Mauer«, serbokroat. *stena* »Felswand, Stein« auf einer Bildung zu der idg. Wurzel **stāi-* »[sich] verdichten, gerinnen« (vgl. aind. *styā́yatē* »gerinnt, wird hart«). Aus anderen idg. Sprachen sind z. B. griech. *stéār* »stehendes Fett, Talg« und griech. *stía* »Steinchen« verwandt. Der Stein ist demnach wohl als »der Harte« benannt worden. Als bloße Verstärkungen werden Zusammensetzungen wie ›steinhart, -alt, -reich‹ empfunden, doch bedeutete z. B. spätmhd. *steinrīche* eigentlich »reich an Edelsteinen«. – Abl.: **steinern** »aus Stein« (16. Jh., dafür mhd., ahd. *steinīn*); **steinig** »mit vielen Steinen« (mhd. *steinec,* ahd. *steinag*); **steinigen** »mit Steinwürfen töten« (15. Jh., dafür mhd. *steinen,* ahd. *steinōn*); **versteinern** »zu Stein werden oder machen« (17. Jh., oft übertragen gebraucht; dafür älter nhd. auch *versteinen,* mhd. *versteinen*), dazu **Versteinerung** (18. Jh.). Zus.: **Steinadler** (17. Jh.); **Steinbock** (mhd. *steinboc;* beide Tiere sind nach ihrem Leben auf den Felsen benannt); **Steinbrech** (Pflanzenname, mhd. *steinbreche,* nach gleichbed. lat. *saxifraga* gebildet; der Name bezieht sich darauf, dass die Pflanze früher zur Heilung von Blasen- und Nierensteinleiden verwendet wurde); **Steinbruch** (15. Jh., s. auch [1]*Bruch*); **Steingut** »porzellanartige Tonware« (18. Jh.); **Steinmetz** »Handwerker, der Steine behaut und bearbeitet« (mhd. *steinmetze,* ahd. *steinmezzo;* der zweite Bestandteil ist aus dem Galloroman. entlehnt; das vorausliegende vlat. *matio, macio* »Maurer, Steinmetz« [vgl. frz. *maçon* »Maurer«] gehört aber letztlich zur germ. Sippe von ↑machen in dessen alter Bedeutung »bauen, errichten«); **Steinpilz** (Anfang des 18. Jh.s, nach dem festen Fleisch oder dem steinähnlichen Aussehen der jungen Pilze).

Stein

bei jmdm. einen Stein im Brett haben
(ugs.) »bei jmdm. [große] Sympathien genießen«
Diese Wendung geht auf das Tricktrackspiel zurück, bei dem es darauf ankommt, die Spielsteine gut auf dem Brett zu platzieren. Wer einen [guten] Stein im Brett hat, hat Aussicht auf Erfolg.

Stein und Bein schwören
(ugs.) »etwas nachdrücklich versichern«
In der seit dem 16. Jh. bezeugten Wendung stehen die Substantive wohl nur bekräftigend als Sinnbilder der Härte (↑Bein bedeutet hier noch »Knochen«).

Steiß: Das auf das dt. und niederl. Sprachgebiet beschränkte Wort (mhd., ahd. *stiuȥ,* niederl. *stuit*) bezeichnet das Hinterteil von Vögeln und Menschen. Auf entsprechendem mnd. *stūt* »dicker Teil des Oberschenkels« beruht niederd. *Stuten* »längliches (schenkelförmiges) Weißbrot« (mnd. *stute[n]*). Die Wörter gehören mit der Grundbedeutung »abgestutzter Körperteil« ablautend zur Sippe von ↑stoßen. Im Nhd. hat die entrundete mitteld. Form ›Steiß‹ seit dem 17. Jh. älter nhd. *steuß* verdrängt. – Zus.: **Steißbein** »unterstes Ende der Wirbelsäule« (18. Jh.; zum zweiten Bestandteil vgl. *Bein*).

stellen: Das westgerm. Verb mhd., ahd. *stellen*, niederl. *stellen*, aengl. *stiellan* ist abgeleitet von dem unter ↑Stall behandelten altgerm. Substantiv und bedeutet eigentlich »an einen Standort bringen, aufstellen«. Doch wird es allgemein als Veranlassungswort zu ›stehen‹ gebraucht, besonders in den Bedeutungen »stehen machen, richten, festsetzen«. Die zugrunde liegende idg. Wurzel **stel-* »stehen machen, [auf]stellen; stehend, unbeweglich, steif; Stand[ort], Ständer, Pfosten, Gestell« ist wahrscheinlich eine Erweiterung der unter ↑stehen dargestellten idg. Wurzel. Zu dieser vielfach weitergebildeten und erweiterten Wurzel **stel-* gehören aus dem germ. Sprachbereich Nominalbildungen wie die unter ↑still (eigentlich »stehend«), ↑Stollen (eigentlich »Pfosten, Stütze«) und ↑Stelze (eigentlich »Pfahl, Holzbein«; s. dort über *stolz*) behandelten Wörter sowie die unter ↑stolpern und ↑stülpen (mit der Grundbedeutung »steif sein«) dargestellten Verben. Von verwandten außergerm. Wörtern sind zu nennen griech. *stéllein* »aufstellen, ausrüsten, senden« und lat. *locus* »Stelle, Ort« (alat. *stlocus;* s. die Fremdwörter um *lokal*). Auf den alten Präteritumstamm von ›stellen‹ (älter nhd., mhd. *stalte* »stellte«, mhd. *gestalt* neben *gestel[le]t*) gehen Bildungen wie die unter ↑Anstalt, ↑Gestalt und ↑verunstalten behandelten zurück. – Abl.: **Stelle** »Ort, Platz; Amt, Behörde« (wahrscheinlich junge Rückbildung zum Verb, die im 16. Jh. mit der Bedeutung »Ort des Stehens« für gleichbed. mhd. *stal* [↑Stall] eintrat; mit anderer Bedeutung mhd. *stelle* »Gestell«, das in nhd. **Bettstelle** fortlebt; beachte auch den Artikel *Gestell*); **Stellung** »Art des Stehens, Haltung; Amt, Posten; befestigter Standort« (spätmhd. *stellung*). Zus.: **abstellen** »niedersetzen; (Übelstände) beseitigen; (Maschinen) anhalten, elektrische Geräte abschalten« (mhd. *abestellen* »absetzen, entfernen«; die letzte Bedeutung seit dem 19. Jh.); **anstellen** »an etwas stellen; in eine Stelle einsetzen, in einem Betrieb beschäftigen; ins Werk setzen, unternehmen« (mhd. *anestellen* »aufschieben«; die zweite Bedeutung zuerst oberd. im 18. Jh.), dazu **Angestellter** »jemand, der in einem vertraglichen Arbeitsverhältnis mit monatlicher Gehaltszahlung steht« (19. Jh., substantiviertes 2. Part.), **Anstellung** »das Anstellen, Einstellung« (19. Jh.; im 16. Jh. für »Einrichtung, Verrichtung«, s. auch *Anstalt*) und **anstellig** »geschickt« (im 18. Jh. aus dem Schweizerischen aufgenommen); **ausstellen** »ausfertigen; zur Schau stellen; tadeln« (zuerst im 16. Jh. für »herausgeben«; zu der letzten Bedeutung vgl. *aussetzen* [↑setzen]), dazu **Ausstellung** (18. Jh.); **darstellen** »vor Augen stellen, zeigen, schildern« (im 15. Jh. »offen aufstellen«), dazu **Darsteller** »Schauspieler« (18. Jh.) und **Darstellung** »Schilderung« (17. Jh.; im 16. Jh. »öffentliches Zeigen«); **herstellen** »an einen Ort setzen« (16. Jh.), »anfertigen« (so erst um 1900, entwickelt aus der älteren Bedeutung »restaurieren, reparieren«, in der ›herstellen‹ aus **wiederherstellen** gekürzt war [18. Jh.]), dazu **Hersteller** »jemand, der etwas herstellt, Produzent« (im 19. Jh. für »Restaurator«) und **Herstellung** »das Herstellen, Anfertigung« (im 19. Jh. aus **Wiederherstellung** gekürzt, dessen Bedeutung es zuerst hatte); **nachstellen** »verfolgen« (16. Jh., eigentlich vom Fallenstellen des Jägers gesagt), dazu **Nachstellung; vorstellen** »nach vorn rücken; vorführen, bekannt machen; geistig vor Augen stellen« (seit dem 16. Jh. neben jetzt veraltetem ›fürstellen‹), dazu **Vorstellung** »Vor-, Aufführung; geistiges Bild, Gedanke, Begriff; Einwand, Vorhaltung« (17. Jh.). – Präfixbildungen: **bestellen** »an einen Ort bringen; in Auftrag geben, kommen lassen; einsetzen; (den Acker) bearbeiten« (mhd. *bestellen* »rings umstellen, besetzen; bringen; anordnen; einrichten, ordnen«, ahd. *bistellen* »umstellen, umgeben«, s. auch *bestallen*), dazu **Bestellung** (mhd. *bestellunge*); **entstellen** »verunstalten« (mhd. *entstellen*, eigentlich »aus der rechten Stelle oder Gestalt bringen«); **erstellen** »auf-, herstellen« (19. Jh.); **verstellen** »weg-, umstellen, versperren«, reflexiv »heucheln« (mhd. *[sich] verstellen* bedeutete auch »[sich] unkenntlich machen«), dazu **Verstellung** »Heuchelei« (17. Jh.).

Stelze: Die Substantive mhd. *stelze*, ahd. *stelza* »Holzbein, Krücke«, niederl. *stelt* »Stelze, Stelzbein«, anders gebildet engl. *stilt* »Stelze«, schwed. *stylta* »Stelze« bedeuten ursprünglich »Pfahl, Stütze«. Sie beruhen wie das zweite Glied des Vogelnamens ↑Bachstelze und das unter ↑stolz behandelte Adjektiv auf der unter ↑stellen dargestellten idg. Wurzel. Die heutige Bedeutung von ›Stelze‹ »Stange mit Trittklötzen zu erhöhtem Gehen«, ist im Nhd. erst seit dem 16. Jh. bezeugt. – Abl.: **stelzen** »steif gehen« (15. Jh.; eigentlich »auf einem Holzbein gehen«).

stemmen: Das altgerm. Verb mhd. *stemmen*, mniederl. *stemmen*, aengl. *forstemman*, schwed. *stämma* bedeutet eigentlich »zum Stehen bringen, hemmen«, auch »steif machen«. Es steht neben mhd. *[ge]stemen*, ahd. *gistemēn, gistemōn* »Einhalt tun« (dazu ↑ungestüm) und ist verwandt mit den unter ↑stammeln und ↑stumm genannten Wörtern, vielleicht auch mit der unter ↑stehen dargestellten idg. Wortgruppe. Im älteren Nhd. (seit dem 15. Jh.) bedeutete ›stemmen‹ besonders »Wasser stauen«, heute nur noch »gegen etwas drücken«, bildlich »sich widersetzen«, in der Sportsprache seit Anfang des 19. Jh.s »drückend hochheben«. ›Ein Loch stemmen‹ bedeutet »ein Loch herausstoßen« (dazu **Stemmeisen**, 16. Jh.).

Stempel: Die Gerätebezeichnung mhd. *stempfel* »Stößel, [Münz]prägestock«, spätahd. *stemphil* »Stößel« gehört zu der unter ↑stampfen behandelten Wortgruppe. Im Nhd. drang Ende des 17. Jh.s die niederd. Form durch (mnd. *stempel*, entsprechend niederl. *stempel*). In der Bedeutung »aufgedrücktes Zeichen« wird das Wort erst seit dem 18. Jh. gebraucht, heute besonders für den Abdruck des Gummistempels. Seit dem 18. Jh. heißt auch das weibliche Organ der Pflanzenblüte nach seiner Stößelform ›Stempel‹. Eine Sonderbedeutung »kurzer Stützpfosten« hat ›Stempel‹ seit Anfang des 14. Jh.s in der Bergmannssprache. – Abl.: **stempeln** »einen Stempel aufdrücken« (im 16. Jh. *stempffeln*, mnd. *stempeln;* oft übertragen gebraucht; dazu um 1930 die Wendung ›stempeln gehen‹ »auf Grund eines amtlichen Stempels Arbeitslosenunterstützung beziehen« und **Stempelgeld** »Arbeitslosengeld, -hilfe«).

Stenografie »Kurzschrift«: Die Stenografie ist eine englische Erfindung des ausgehenden 16. Jh.s. Am Ende des 18. Jh.s gelangte das System zusammen mit der Bezeichnung nach Deutschland. Seit der 1. Hälfte des 20. Jh.s ist auch die Kurzform **Steno** üblich. Engl. *stenography* ist eine gelehrte Neubildung aus griech. *stenós* »eng, schmal« und griech. *gráphein* »schreiben« (vgl. *Grafik*).

Stepp »artistischer Tanz, bei dem der Rhythmus durch Klappen mit den Fußspitzen und Hacken hörbar gemacht wird«: Das Wort wurde im 20. Jh. aus gleichbed. engl. *step* (eigentlich »Schritt, Tritt«) entlehnt, das mit dt. ↑Stapfe verwandt ist. – Abl.: **[1]steppen** »einen Stepp tanzen« (20. Jh.; aus gleichbed. engl. *to step*).

Steppe: Die Bezeichnung für eine weite, meist baumlose, mit Gras oder Sträuchern spärlich bewachsene Ebene wurde im 18. Jh. aus gleichbed. russ. *step'* entlehnt.

[1]steppen ↑Stepp.

[2]steppen »Stofflagen zusammennähen«: Mhd. *steppen* »stellenweise stechen, reihenweise nähen, durchnähen, sticken« stammt aus dem mitteld.-niederd. Sprachgebiet, vgl. asächs. *steppōn* »(Vieh) durch Einstiche kennzeichnen«. Die Grundbedeutung ist »stechen«. – Zus.: **Steppdecke** (19. Jh.). – Nahe verwandt mit ›steppen‹ ist **stippen** nordd. ugs. für »tupfen, [ein]tauchen« (mnd. *stippen* »stechen, in etwas stoßen, punktieren«). Zu dessen Ableitung **Stipp** »Punkt; kleiner (eingetauchter) Happen; Augenblick« gehört die Zusammensetzung **Stippvisite** ugs. für »kurzer Besuch« (18. Jh.). Die gleichbedeutende Nebenform **Stippe** wird besonders nordd. auch im Sinne von »Tunke, pikante Soße« verwendet.

Steppke ↑stopfen.

sterben: Das westgerm. Verb mhd. *sterben*, ahd. *sterban*, niederl. *sterven*, aengl. *steorfan* »sterben« (engl. *to starve* »verhungern, erfrieren«) war ursprünglich ein verhüllender Ausdruck, der »erstarren, steif werden« bedeutete. Es gehört zu der unter ↑starren dargestellten idg. Wortgruppe; vgl. die verwandten Wörter norw. mdal. *starva* »mühsam gehen, frieren, dem Tode nahe sein« und mnd. *starven* »starr werden«. Die Fügung ›kein sterbendes Wörtchen‹ (18. Jh., im Sinne von »schwach, vergehend«) wurde im 19. Jh. zu ›kein Sterbenswörtchen‹ (d. h. »nichts«) zusammengezogen. – Abl.: **sterblich** »vergänglich« (mhd. *sterblich*), dazu **Sterblichkeit** (spätmhd. *sterblīcheit;* jetzt als Fachwort der Statistik für »Zahl der Todesfälle«) und die Gegenwörter **unsterblich** (mhd. *unsterbelich*) und **Unsterblichkeit** (mhd. *unsterbelīcheit*). Zusammensetzungen und Präfixbildungen: **absterben** »eingehen« (16. Jh.; besonders von Pflanzen und Körperteilen); **aussterben** »untergehen« (spätmhd. *ūȥsterben;* besonders von Familien, Völkern, Pflanzen- und Tiergattungen); **ersterben** »vergehen« (nur übertragen gebraucht; mhd. *ersterben* »absterben«); **versterben** »sterben« (nur von Menschen gesagt, mhd. *versterben*), dazu das substantivierte 2. Part. **Verstorbene** (16. Jh.).

Stereophonie, Kurzform: **Stereo**: Die Bezeichnung für eine elektroakustische Schallübertragung über zwei oder mehr Kanäle, die ein räumliches Hören gestattet (z. B. bei Breitwandfilmen, in der Rundfunk- und Schallplatten- und Fernsehtechnik) wurde in der 1. Hälfte des 20. Jh.s aus gleichbed. engl. *stereophony* entlehnt, einer Bildung zu griech. *stereós* »fest, starr, körperhaft« und griech. *phōnḗ* »Klang, Ton, Stimme« (vgl. *Phonetik*). – Dazu gehört die adjektivische Ableitung **stereophon[isch],** Kurzform: **stereo** »über zwei oder mehr Kanäle elektroakustisch übertragen; räumlich klingend« (nach gleichbed. engl. *stereophonic*). – Das griech. Adjektiv *stereós* »fest, starr« tritt auch als Bestimmungswort **stereo...,** **Stereo...** mit der Bedeutung »räumlich« in fachsprachlichen Zusammensetzungen auf wie z. B. **Stereometrie** »Lehre von der Berechnung der geometrischen Körper« (dazu **stereometrisch**), **Stereoskopie** »Gesamtheit der Verfahren zur Aufnahme und Wiedergabe von raumgetreuen Bildern« (dazu **stereoskopisch**) und ↑stereotyp.

stereotyp: Das zu Beginn des 19. Jh.s aus frz. *stéréotype* entlehnte Adjektiv erscheint zuerst als Fachwort des Buchdrucks in der Bedeutung »mit feststehender Schrift gedruckt«. Später übernimmt es aus dem Frz. auch die übertragenen Bedeutungen »feststehend, sich ständig wiederholend; leer, abgedroschen«. Frz. *stéréotype* ist eine gelehrte Neubildung zu griech. *stereós* »starr, fest« (vgl. *Stereophonie*) und griech. *týpos* »Schlag; Eindruck; Muster, Modell« (vgl. *Typ*).

steril »unfruchtbar; keimfrei«: Das Adjektiv wurde im 18. Jh. aus gleichbed. frz. *stérile* entlehnt, das auf lat. *sterilis* »unfruchtbar, ertraglos« zurückgeht. Es erscheint zuerst als »unfruchtbar« im medizinischen Bereich, dann auch übertragen im Sinne von »geistig unfruchtbar, unschöpferisch«. – Abl.: **sterilisieren** »unfruchtbar, zeugungsunfähig machen; (Nahrungsmittel, Obst usw.) keimfrei und dadurch haltbar machen« (20. Jh.; aus gleichbed. frz. *stériliser*).

Stern: Mhd. *stern[e],* ahd. *sterno,* got. *stairnō,* schwed. *stjärna* »Stern« stehen neben anders gebildetem mhd. (mitteld.) *sterre,* ahd. *sterro,* niederl. *ster,* engl. *star* (↑[3]Star). Außergerm. sind z. B. verwandt griech. *astḗr, ástron* »Stern« (s. den Artikel *Aster*) und lat. *stella* (aus **ster-la;* ↑Konstellation). Die genannten Wörter beruhen auf idg. *stĕ̄r-* »Stern«, das möglicherweise im Sinn von »am Himmel Ausgestreutes« zu der unter ↑Strahl behandelten Wortgruppe gehört. Deutsche Bildungen zu ›Stern‹ sind ↑Gestirn und ↑gestirnt. – Zus.: **Sternbild** »als Bild zusammengefasste Sterngruppe« (16. Jh., dafür spätmhd. *himelzaichen*); **Sternfahrt** »Wertungsfahrt, meist mit dem Auto oder Motorrad, bei der die Teilnehmer von verschiedenen Richtungen aus nach einem gemeinsamen Ziel fahren« (1. Hälfte des 20. Jh.s); **Sternschnuppe** (↑Schnuppe); **Sternstunde** »Schicksalsstunde« (um 1800 ›Sternenstunde‹); **Sternwarte** (18. Jh., für ›Observatorium‹); **Seestern** (im Meer lebender sternförmiger Stachelhäuter, 18. Jh.); **Unstern** »Unheil bringender Stern« (17. Jh., für älteres ›Unglücksstern‹).

Sterz »Schwanz«: Das altgerm. Substantiv mhd., ahd. *sterz,* niederl. *staart,* älter engl. *start,* schwed. *stjärt* bezeichnet den Tierschwanz, auch das hervorstehende Hinterteil (Steiß, Bürzel) von Vögeln. Es bedeutet eigentlich »Starres, Steifes« und gehört zu der unter ↑starren dargestellten idg. Wortgruppe (s. auch *stürzen*).

stet »beständig, gleichmäßig fortdauernd«: Das nur dt. Adjektiv (mhd. *stæt[e],* ahd. *stāti,* »fest[stehend], beständig«) ist eine Bildung zu der unter ↑stehen dargestellten idg. Wurzel. Im Nhd. häufiger ist die gleichbedeutende Ableitung **stetig** (mhd. *stætec,* ahd. *stātīg*) mit dem Substantiv **Stetigkeit** (mhd. *stætecheit,* ahd. *stātckheit*) und dem Verb **bestätigen** (s. d.). Das Adverb **stets** (mhd. *stætes*) ist der erstarrte Genitiv des Adjektivs *stet.*

[1]Steuer »Abgabe«: Das Substantiv mhd. *stiure,* ahd. *stiura* »Stütze, Unterstützung; Steuerruder« (beachte mniederl. *sture* »Unterstützung«) ist nächstverwandt mit den unter ↑[2]Steuer behandelten Wörtern und bedeutete wie diese ursprünglich »Stütze, stützender Pfahl« (vgl. das ablautend verwandte aisl. *staurr,* schwed. *stör* »Stange, Pfahl«). Die Wörter gehören zu der unter ↑stauen »stehen machen« behandelten Wortgruppe. Schon in ahd. Zeit wurde ›[1]Steuer‹ übertragen gebraucht, zunächst in der Bedeutung »Unterstützung, Hilfe, Beistand«, dann auch im Sinne von »materielle Unterstützung, Gabe; befohlene Abgabe«. In der letzten Bedeutung war das Wort eng mit der Entwicklung der Geldwirtschaft im Mittelalter verbunden; es bezeichnet im neueren Sprachgebrauch ausschließlich die Abgaben an die öffentliche Hand. Das abgeleitete Verb **steuern** (mhd. *stiuren,* ahd. *stiurren* »stützen, lenken«, s. unter *[2]Steuer*) hat seine zuerst im Mhd. bezeugte übertragene Bedeutung »ausstatten, beschenken« heute nur in den Zusammensetzungen **beisteuern** »zu etwas beitragen« (18. Jh.; dazu **Beisteuer,** 18. Jh.; südd.) und **aussteuern** »eine Zuwendung zur Einrichtung des Hausstandes bei der Heirat eines Kindes geben« (mhd. *ūzstiuren,* dazu **Aussteuer,** 18. Jh.) erhalten. Die Präfixverben **besteuern** »Steuern auferlegen« (spätmhd. *besteuern*) und **versteuern** »Steuern für etwas zahlen« (spätmhd. *verstiuren*) sind Bildungen zu ›[1]Steuer‹.

[2]Steuer »Lenkvorrichtung«: Das Wort erscheint als Neutrum zuerst in nordd. Texten des 17. Jh.s und ist von daher in der Schriftsprache üblich geworden (das Femininum [↑[1]Steuer] war in seiner alten Bedeutung »Steuerruder, Schiffsheck« im Hochd. schon vorher nicht mehr gebräuchlich). Das nordd. Wort beruht auf mnd. *stur[e]* (mitteld. *stūr* [um 1300] »Steuerruder«), dem gleichbed. niederl. *stuur,* schwed. *styre* entsprechen; beachte auch aengl. *stēorrōđor* »Steuerruder«. Diese west- und nordgerm. Substantive sind nächstverwandt mit dem unter ↑[1]Steuer behandelten Wort und gehören wie dieses mit der ursprünglichen Bedeutung »Stütze, Pfahl« zur Sippe von ↑stauen. Aus einer langen Stange, mit der ein Schiff in flachem Wasser fortgestoßen und gelenkt werden kann, hat sich zunächst ein langes Ruder an der rechten hinteren Schiffsseite (Steuerbord, s. u.) und schließlich die heutige Form des Steuers am Schiffsheck entwickelt. – Abl.: **steuern** »[ein Schiff] lenken« (mhd. *stiuren,* ahd. *stiur[r]en,* mnd. *stūren* »stützen; lenken; abwehren«, vgl. niederl. *sturen* »lenken, nach etwas schicken«, got. *stiurjan* »[Behauptungen] aufstellen«, engl. *to steer* »lenken«, schwed. *styra* »lenken, regieren«; das Verb ist im Dt. von ›steuern‹ »ausstatten; Abgaben zahlen« [↑[1]Steuer] nicht geschieden; die übertragene Bedeutung »abwehren« meint eigentlich wohl »in die gewünschte Richtung lenken«). Zus.: **Steuerbord** »rechte Schiffsseite (von hinten gesehen)« (im 17. Jh.; nhd. entsprechend mnd. *sturbord,* niederl. *stuurbord,* engl. *starboard,* schwed. *styrbord;* benannt nach dem ursprünglich an dieser Seite angebrachten Steuerruder; s. auch *Backbord*); **Steuermann** (mhd. *stiur[e]man,* mnd. *sturman*); **Steuerruder** (mhd. *stiurruoder,* ahd. *stiurruodar;* ↑Ruder).

Steven ↑Stab.

Steward: Die Berufsbezeichnung für den offiziellen Betreuer von Passagieren auf Schiffen (später auch in Flugzeugen u. a.) wurde in der 1. Hälfte des 19. Jh.s aus dem Engl. übernommen. Engl. *steward* »Verwalter, Aufwärter, Steward« setzt aengl. *stig-weard* »Hauswart« fort (vgl. *Wart*). – Dazu die entsprechende weibliche Bezeichnung **Stewardess** (Ende des 19. Jh.s; aus engl. *stewardess*).

stibitzen: Das ugs. Wort für »auf listige Weise entwenden, an sich bringen« ist seit dem 18. Jh.

S

bezeugt und stammt wohl aus der Studentensprache. Die weitere Herkunft ist nicht sicher geklärt.

Stich: Das altgerm. Substantiv mhd. *stich,* ahd. *stih,* got. *stiks,* niederl. *steek,* engl. *stitch* beruht auf einer Bildung zu der idg. Verbalwurzel **[s]teig-* »stechen«, auf die im germ. Sprachbereich auch die unter ↑stechen (s. dort über ›stecken‹ und ›ersticken‹) und ↑sticken behandelten Verben zurückgehen. Weitere germ. Substantive gleicher Herkunft sind unter ↑Stichel und ↑Stachel genannt. Ohne den s-Anlaut ist die Wurzel auch im Pflanzennamen ↑Distel enthalten. Verwandte Wörter in anderen idg. Sprachen sind z. B. griech. *stízein* »stechen, tätowieren«, griech. *stígma* »Stich, Punkt«, lat. *instigare* »anstacheln« und lat. *stinguere* »stechen« (↑Instinkt). – Fügungen wie ›hieb- und stichfest‹, ›im Stich lassen‹ (eigentlich »im Kampf verlassen«, um 1500) und ›Stich halten‹ »sich bewähren« (16. Jh.; dazu Anfang des 19. Jh.s die Zusammenbildung **stichhaltig**) gehen wohl auf alte Turnier- und Fechterausdrücke zurück. – Zus.: **Stichentscheid, Stichwahl** (19. Jh.; zu ›stechen‹ [s. d.] in der Bedeutung »eine Entscheidung herbeiführen«); **Stichprobe** (ursprünglich als Fachwort des Hüttenwesens »herausgestochene Probe« [eigentlich »beim Anstich des Hochofens entnommene Metallprobe«], 16. Jh.); **Stichwort** (15.–19. Jh. »verletzendes [eigentlich stechendes] Wort, Beleidigung«, seit dem 18. Jh. »Endwort eines Schauspielers, nach dem ein anderer einsetzt oder auftritt«, Ende des 19. Jh.s »behandeltes Wort in Nachschlagewerken« und [Plural] »Leitwörter für den Aufbau einer Rede und dgl.«, in diesen letzten Bedeutungen wohl eigentlich »herausgestelltes, -gegriffenes [herausgestochenes] Wort«).

Stichel: Das altgerm. Substantiv mhd. *stichel,* ahd. *stihhil,* niederl. *stekel,* aengl. *sticel* »Stachel, Dorn, Spitze«, aisl. *stikill* »Spitze eines Trinkhorns« gehört zu der unter ↑Stich behandelten Wortgruppe, vgl. ahd. *stehhal,* got. *stikls* »Becher« (eigentlich »Spitzbecher zum Einstecken in die Erde«). Gewöhnlich bezeichnet das Wort ein spitzes Gerät, im Nhd. besonders den **Grabstichel** der Graveure und Kupferstecher (16. Jh.; ähnlich spätmhd. *grabstickel*). Beachte auch den abgeleiteten Fischnamen **Stichling** (spätmhd. *stichelinc,* vgl. mengl. *stikeling,* älter schwed. *stickling,* nach den Stacheln des Fisches). Das Verb **sticheln** »wiederholt stechen«, übertragen »reizen, ärgern« (mhd. [aleman.] *stichelin* »umgraben«) kann von ›Stichel‹ abgeleitet oder eine Iterativbildung zu ↑stechen sein.

sticken »farbige Muster oder Figuren nähen«: Das westgerm. Verb mhd. *sticken* »heften, stecken, sticken; mit Pfählen versehen«, ahd. *sticken* »fest zusammenstecken«, niederl. *stikken* »steppen, sticken«, engl. *to stitch* »nähen, sticken« beruht auf der unter ↑Stich dargestellten idg. Wurzel und bedeutet eigentlich »stechen«. Die heutige Bedeutung ist seit mhd. Zeit bezeugt.

stickig ↑Stickstoff.

Stickstoff: Das in der 2. Hälfte des 18. Jh.s als Bestandteil der Luft entdeckte Gas wurde zuerst Stickluft oder -gas und schließlich Stickstoff genannt, weil es brennende Flammen erstickt und rein nicht geatmet werden kann. Der erste Bestandteil des Namens gehört zu dem im 16. Jh. aus ↑ersticken rückgebildeten, heute veralteten Verb *sticken* »ersticken«. Beachte auch das Adjektiv **stickig** »dumpf, dick« (von der Luft in einem Raum, Qualm u. Ä.; 18. Jh.).

stieben: Das auf das dt. und niederl. Sprachgebiet beschränkte starke, im Nhd. auch schwach gebeugte Verb (mhd. *stieben,* ahd. *stioban,* niederl. *stuiven*) ist verwandt mit den unter ↑Staub, stäuben und ↑stöbern behandelten Wörtern. Die weitere Herkunft dieser germ. Wortgruppe ist unbekannt. Übertragen bedeutet ›stieben‹ schon mhd. »sich schnell bewegen, fliegen« (besonders von Pferden und Vögeln; hierher wahrscheinlich das Grundwort von ›Nasenstüber‹, ↑Nase). Beachte auch nhd. Zusammensetzungen wie ›davonstieben‹ und die Präfixbildung **zerstieben** »auseinander stiebend verschwinden, sich zerstreuen« (mhd. *zerstieben*).

Stief...: Beziehungen innerhalb der Familie, die durch Wiederverheiratung eines Elternteils entstanden sind, drücken die germ. Sprachen durch Zusammensetzungen aus. Deren Bestimmungswort mhd. *stief-,* ahd. *stiof-, stiuf-,* niederl. *stief-,* engl. *step-,* schwed. *styv-* (beachte auch aisl. *stjūpr* »Stiefsohn«) bedeutet ursprünglich wohl »abgestutzt, beraubt, verwaist«, vgl. die abgeleiteten Verben aengl. *ā-, be-stiepan* »berauben«, ahd. *ar-, bi-stiufan* »(der Eltern oder Kinder) berauben«. Die Wörter gehören wohl zu der unter ↑stoßen dargestellten idg. Wortgruppe, vgl. mit anderem Stammauslaut niederd. *Stubben* »Baumstumpf« (mnd. *stubbe,* engl. *stub,* schwed. *stubbe*). Als Beispiel für die Zusammensetzungen seien besonders genannt: **Stiefkind** (mhd. *stiefkind,* ahd. *stiufchint;* nhd. auch übertragen für »vernachlässigter Gegenstand«, z. B. der Gesetzgebung, der Bildungspolitik) und **Stiefmutter** (mhd., ahd. *stiefmuoter,* seit alters als Typ der bösen Frau angesehen), dazu **stiefmütterlich** (15. Jh.) und der Blumenname **Stiefmütterchen** (16. Jh.; die zugrunde liegende Vorstellung ist nicht eindeutig geklärt).

Stiefel: Die Bezeichnung des hochgeschlossenen Schuhs (mhd. *stival, stivel,* ahd. *stival,* mnd., mniederl. *stevel*) ist aus dem Roman. entlehnt, vgl. z. B. gleichbed. afrz. *estivel,* it. *stivale* und (veraltet:) span. *estival.* Die Herkunft der roman. Wörter selbst ist umstritten. – Abl.: **stiefeln** ugs. für »mit weit ausgreifenden [und schweren] Schritten gehen« (18. Jh.; älter im Sinne von »Stiefel anziehen«).

Der deutsche Wortschatz von 1914 bis 1945

Militärischer Wortschatz im Ersten Weltkrieg

Im Ersten Weltkrieg, der 1914 ausbrach, wurden Wörter, die zum Teil schon früher in der Soldatensprache gebildet worden waren, durch die Berichte von der Front schnell allgemein bekannt, so z. B. *Drahtverhau, Gasangriff, Gasgranate, Gasmaske, Schützengraben* (früher »Stadtgraben, in dem die Mitglieder der Schützengilde üben konnten«), *Stellungskrieg, Unterstand.* Das schon vorher aus dem Englischen entlehnte *Bunker* im Sinne von »Behälter für Massengüter« wurde jetzt in der Bedeutung »Schutzraum« verwendet.

In diesem Krieg wurden erstmals Flugzeuge militärisch eingesetzt. Fachwörter wie *Jagdgeschwader, Kampfstaffel* kamen in Gebrauch. Die Marine kämpfte auf See mit *U-Booten* (Abkürzung für *Unterseeboot,* gebildet nach englischen Ausdrücken mit *under-sea* »unter [der] See«).

Von den Briten wurde 1916 in der Sommeschlacht (nach dem nordfranzösischen Fluss Somme) zum ersten Mal ein mit Gleisketten angetriebenes Kampffahrzeug eingesetzt, der *Panzer.* Er wurde damals *Tank* genannt. Das Wort bedeutete eigentlich »Flüssigkeitsbehälter« und war in dieser Bedeutung schon im 18. Jahrhundert aus dem Englischen als Fremdwort übernommen worden. Um den Bau dieses neuen Kampfwagens geheim zu halten, wurde den Arbeitern in den Rüstungsfabriken wohl gesagt, sie würden Stahlteile für Flüssigkeitsbehälter zusammenfügen. Die heute im Deutschen dafür übliche Bezeichnung *Panzer* wurde in mittelhochdeutscher Zeit aus altfranzösisch *pancier* »Rüstung, Brustpanzer« entlehnt. Im 19. Jahrhundert wurde das Wort zuerst für die Stahlverkleidung eines Schiffes gebraucht (besonders in Zusammensetzungen wie *Panzerplatte, Panzerschiff*).

Die Weimarer Republik: Reparationen und Inflation

Die Zeit nach dem Ersten Weltkrieg war durch politische Unruhen und eine große Wirtschaftskrise gekennzeichnet. Im November 1918 kam es zu einer Revolution in Deutschland. Die Monarchie wurde gestürzt, Kaiser Wilhelm II. ging in die Niederlande ins Exil. Eine parlamentarische Republik wurde ausgerufen. Träger dieser Revolution waren die so genannten *Arbeiter-und-Soldaten-Räte.* Das Wort *Rat* ist hier Übersetzung für russisch *sovet* (als Fremdwort im Deutschen *Sowjet*), das in der Sowjetunion eine Behörde oder ein Organ der Selbstverwaltung bezeichnete. In mehreren Teilen des Deutschen Reiches musste jetzt die Bevölkerung in einem *Volksentscheid* darüber abstimmen, ob das betreffende Gebiet Teil Deutschlands bleiben oder einem Nachbarstaat angegliedert werden sollte.

Die schwierige wirtschaftliche Lage zwang zu Anfang der Zwanzigerjahre die deutsche Regierung dazu, immer mehr Geld in Umlauf zu bringen, um die Kriegsschulden, die so genannten *Reparationen* (französisch *reparations*) und die öffentlichen Ausgaben bezahlen zu können. Je mehr neues Geld aber in Umlauf kam, um so mehr verlor es an Wert. Die *Inflation* (= Geldentwertung; aus lateinisch *inflatio,* schon im 19. Jahrhundert als medizinisches Fachwort im Sinne von »das Aufschwellen« verwendet, dann übertragen verwendet für die »Aufblähung der Währung«) nahm immer schlimmere Ausmaße an. Gleichzeitig versuchten die Regierungen dieser Zeit, die schwierige Situation der Bevölkerung, besonders der Arbeitnehmer, durch eine entsprechende Sozialgesetzgebung zu verbessern. Zum Schutz der Arbeitskraft der Arbeitnehmer wurden nach und nach der *Achtstundentag* und der jährliche *Erholungsurlaub* eingeführt. Zur bereits vorhandenen Kranken-, Unfall- und Altersversicherung wurde jetzt auch die gesetzliche *Arbeitslosenversicherung* eingeführt. *Betriebsräte* wurden in den Unternehmen gebildet, damit die Interessen der Arbeitnehmer gegenüber den Arbeitgebern besser vertreten werden konnten.

Mit der Schaffung einer neuen Währung wurde versucht, die Inflation zu stoppen. Die *Rentenmark* wurde eingeführt. Eine Rentenmark entsprach einer Billion Papiermark und konnte gegen einen *Rentenbrief* (= staatliche Schuldverschreibung) eingelöst werden, der von der Bank in Gold auszuzahlen war. Die Rentenmark wurde dann 1924 durch die neue *Reichsmark* ersetzt. Die deutsche Wirtschaft erlebte jetzt wieder einen neuen Aufschwung.

Die Herrschaft der Nationalsozialisten: Wortschatz aus dem Wörterbuch des Unmenschen

Der wirtschaftliche Aufschwung in der 2. Hälfte der Zwanzigerjahre hielt nicht lange an. Deutschland geriet durch seine enge Verflechtung mit der Weltwirtschaft und durch seine hohe Auslandsverschuldung sehr bald in den Strudel der Weltwirtschaftskrise. Die Arbeitslosigkeit nahm bisher nie da gewesene Ausmaße an. Zu Anfang der Dreißigerjahre waren fast sechs Millionen Menschen ohne Arbeit.

Diese schwierige Situation trieb immer mehr Wähler den radikalen Parteien zu. Der *Nationalsozialismus* erschien vielen Leuten, die der jungen deutschen Demokratie innerlich ablehnend gegenüberstanden und sich nach einer starken Führerpersönlichkeit sehnten, als einziger Ausweg. Am 30. Januar 1933 wurde die zentrale Gestalt der nationalsozialistischen Bewegung, Adolf Hitler, zum Reichskanzler ernannt. Zwölf Jahre, von 1933 bis zum Ende des Zweiten Weltkriegs im Jahre 1945, konnten die Nationalsozialisten den deutschen Wortschatz beeinflussen. Dabei wurden viele alte Begriffe der deutschen Sprache wieder belebt. Sie bekamen eine neue, ideologisch geprägte Bedeutung und sollten so die Verbundenheit der nationalsozialistischen Machthaber mit dem Volk demonstrieren und gleichzeitig nationalistische Gefühle bei der Bevölkerung wachrufen. Solche Wörter waren z. B. *Gefolgschaft* (jetzt besonders verwendet im Sinne von »Belegschaft«), *Gau* (= bestimmter Bezirk als Organisationseinheit der NSDAP), *Ostmark* (für Österreich; *Mark* bedeutete im Mittelalter »Grenzgebiet«).

Das *Volksganze* hatte Vorrang vor allem, und jeder hatte dem *Volkswohl* zu dienen. Tat er es nicht, war er ein *Volksschädling*. Der nationalsozialistische Staat und die NSDAP (= Nationalsozialistische Deutsche Arbeiterpartei) waren bemüht, das deutsche Volk nach ihren Vorstellungen zu erziehen und jeden Einzelnen bis in kleinste Lebensbereiche hinein zu kontrollieren.

Möglichst alle Jungen und Mädchen zwischen dem 10. und 18. Lebensjahr sollten in der Nachwuchsorganisation der NSDAP, der *HJ* (= Hitlerjugend), erfasst werden. Ein Reichsgesetz von 1936 erklärte die HJ zur Staatsjugend, die Mitgliedschaft wurde somit jedem Jugendlichen zur Pflicht gemacht.

Für alle Frauen und Männer zwischen 18 und 25 Jahren wurde eine halbjährige *Arbeitsdienstpflicht* eingeführt, die im *Reichsarbeitsdienst* (*RAD*, kurz auch: *Arbeitsdienst*), einer eigens hierfür geschaffenen Organisation, abzuleisten war.

Immer wieder wurde der Zusammenhalt der *Volksgemeinschaft* beschworen, der gefestigt werden sollte durch Institutionen wie das *Winterhilfswerk* (= Hilfswerk zur Beschaffung von Kleidern, Heizmaterial und Nahrungsmitteln für Bedürftige), durch die *Kinderlandverschickung* oder durch den *Eintopfsonntag* (= Sonntag, an dem in allen Haushalten nur ein einfaches, preiswertes Eintopfgericht gegessen werden sollte). In fast jedem Haus stand ein *Volksempfänger* (= Radiogerät, das zu einem verbilligten Preis verkauft wurde, damit jeder die Propagandasendungen der Regierung hören konnte). Jeder sollte sich auch in Zukunft einen *Volkswagen* leisten können (= billiges Auto, das ebenso wie der Volksempfänger auf Anregung der Regierung gebaut wurde). Der *Volkssturm* schließlich sollte gegen Ende des Zweiten Weltkriegs an der so genannten *Heimatfront* die Wehrmacht unterstützen. Halbwüchsige und Greise sollten retten, was längst nicht mehr zu retten war.

Den menschenverachtenden Zynismus der Machthaber im *Tausendjährigen Reich* zeigen Bildungen aus dem *Wörterbuch des Unmenschen* (so der Titel eines 1957 erschienenen Buchs von D. Sternberger, G. Storz und W. E. Süßkind, das sich kritisch mit der Sprache des Nationalsozialismus auseinander setzt) wie *entartete Kunst, Endlösung, Sonderbehandlung.*
Bereits in den Dreißigerjahren entstand die abwertende Kurzform *Nazi* für »Nationalsozialist«: Sie ist der älteren Bezeichnung *Sozi* für »Sozialdemokrat« nachgebildet, wurde auch bald verboten, die große Zahl der Deutschen im Exil sorgte aber für eine rasche Verbreitung des Worts im Ausland.

Der Bombenkrieg

Der Zweite Weltkrieg wurde vor allem durch die Überlegenheit der britischen und der amerikanischen *Luftwaffe* entschieden. Kriegswichtige Industrie- und Verkehrsanlagen, Millionen von Wohnungen und Häusern, Kunstdenkmäler und Kirchen sanken unter dem *Bombenteppich,* mit dem die *Langstreckenbomber* die deutschen Städte bedeckten, in Trümmer. Hunderttausende von Menschen wurden getötet. In den Jahren von 1942 bis zum Kriegsende im Mai 1945 gehörten Wörter wie *Luftschutzbunker, Luftschutzhelfer, Luftschutzraum, Luftschutzwart, Luftwarnung, Verdunklung* und *Entwarnung* zum alltäglichen Wortschatz.

Auch im Fernen Osten tobte dieser Krieg. Der Versuch der USA, Japan zur Einstellung seines Kriegs gegen China zu zwingen, hatte 1941 zum Kriegsausbruch im Pazifik geführt. Aber schon im Sommer 1942 kam der japanische Vormarsch zum Stehen. Den letzten Widerstand brachen die USA durch den Einsatz einer neuen, furchtbaren Waffe, der *Atombombe* (englisch *atomic bomb* oder *atom bomb*), die sie am 6. und 9. August 1945 auf die japanischen Städte Hiroshima und Nagasaki abwarfen.

Stiefel

einen Stiefel [zusammen]schreiben/[zusammen]reden/[zusammen]spielen o. Ä.
(ugs.) »schlecht, in unsinniger Weise schreiben/reden/spielen«
Die Wendung geht von der (monotonen) Arbeit des Schuhmachers aus, der immer wieder Stiefel macht. Aus der Vorstellung des ›Routinemäßigen‹ enwickelte sich der Begriff des ›Schlechten‹.

Stiege: Das Substantiv mhd. *stiege* »Treppe, Leiter, Stufe«, ahd. *stiega* »Anstieg, Treppe« ist eine nur dt. Bildung zu dem unter ↑steigen behandelten Verb, die heute besonders im Oberd. für »Treppe« gebraucht wird.

Stieglitz: Der seit dem 13. Jh. bezeugte, weit verbreitete Name des Distelfinks (mhd. *stigeliz*) ist aus dem Slaw. ins Deutsche entlehnt worden, vgl. tschech. *stehlík* »Stieglitz«. Das slaw. Wort ist wohl lautmalenden Ursprungs.

Stiel: Das Substantiv mhd., ahd. *stil* bedeutet seit alters sowohl »Handhabe, Griff an Geräten« wie »Pflanzenstängel«. Es ist entweder urverwandt mit dem unter ↑Stil genannten lat. *stilus* »spitzer Pfahl, Gartengerät, Pflanzenstängel«, oder aber das lat. Wort ist als gärtnerischer Fachausdruck ins Dt. entlehnt worden.

stier ↑stieren.

Stier: Das gemeingerm. Wort (mhd. *stier,* ahd. *stior,* got. *stiur,* engl. *steer,* aisl. *stjörr*) bezeichnete ursprünglich, wie heute noch im Engl., das Jungtier (Stierkalb). Außergerm. ist z. B. awest. *staora-* »Großvieh« verwandt. Weiterhin verwandt sind wahrscheinlich gleichbedeutende Wörter ohne s-Anlaut wie aisl. *þjórr,* schwed. *tjur* »Stier«, griech. *taũros,* lat. *taurus* »Stier« (↑Torero), mir. *tarb* »Stier« und lit. *taũras* »Büffel, Auerochse«. Der Ursprung dieser Wörter ist unklar. Siehe auch die Artikel [1]*Bulle* und *Ochse.*

stieren »starr, ausdruckslos blicken«: Das seit Ende des 18. Jh.s bezeugte, nur dt. Verb ist abgeleitet von dem Adjektiv **stier** »starr, ausdruckslos blickend« (17. Jh.). Dieses Adjektiv ist wahrscheinlich eine Umbildung des unter ↑stur behandelten niederd. und niederl. Wortes unter dem Einfluss des Substantivs ↑Stier. Schon mniederl. *stuur* »streng, barsch« wird um 1600 im Sinne von »wild, drohend, nach Art eines Stieres blickend« verwendet.

[1]**Stift** »länglicher [zugespitzter] Gegenstand; Nagel [ohne Kopf]«: Das ursprünglich auf das hochd. Sprachgebiet beschränkte Wort (mhd. *stift, steft* »Stachel, Dorn, Stift«, ahd. *steft* »Stachel; Zapfen; Radnabe«) gehört wahrscheinlich zu der unter ↑steif dargestellten idg. Wortgruppe. Die heute vorherrschende Bedeutung »Schreib-, Zeichen- oder Malgerät« ist seit dem 17. Jh. bezeugt, beachte Zusammensetzungen wie ›Farb-, Kopier-, Lippenstift‹. Erst im 20. Jh. erscheint **Stiftzahn** »künstliche, mit einem Stift befestigte Zahnkrone«. Mit ›[1]Stift‹ identisch ist wohl [2]**Stift** ugs. für »halbwüchsiger Junge, Lehrling« (eigentlich »etwas Kleines, Geringwertiges« oder – Pars pro toto – »[kleiner] Penis« zuerst im 17. Jh. als rotw. *Stifftgen* »Knäblein« bezeugt).

[3]**Stift** ↑stiften.

stiften: Das nur im Dt. und Afries. bezeugte Verb (mhd., ahd. *stiften,* mnd. *stiften* »gründen, ins Werk setzen, einrichten«, afries. *stifta* »gründen, erbauen, in Ordnung bringen«) ist unbekannter Herkunft. Das gleichbed. mnd. *stichten,* niederl. *stichten* kann damit identisch sein (vgl. den Artikel *Gracht*), es kann aber auch mit aengl. *stiht[i]an* »regieren, ordnen, einrichten« zur Sippe von ↑steigen gehören (eigentlich »auf eine Unterlage stellen«). ›Stiften‹ gilt seit alters besonders im kirchlichen Bereich im Sinne von »gründen« (›ein Kloster, eine Kirche stiften‹) und »schenken« (›eine Messe stiften‹). Beides wurde in nhd. Zeit auf den weltlichen Bereich übertragen (›eine Schule, einen Verein stiften‹, scherzhaft ›eine Flasche Wein stiften‹ u. Ä.). In der alten Bedeutung »ins Werk setzen« wird das Verb heute noch in Wendungen wie ›Frieden, Unheil, Verwirrung stiften‹ gebraucht; beachte auch die Zusammensetzung **anstiften** »verursachen, anrichten, verleiten« (16. Jh.). – Abl.: [3]**Stift** »gestiftete geistliche oder weltliche Einrichtung; zugehöriges Gebäude« (mhd. *stift,* vgl. mnd. *sticht[e],* niederl. *sticht, stift;* in der Bedeutung »Bistum« [auch: Hoch-, Erzstift] zuerst im 15. Jh.).

stiften gehen: Die Herkunft des ugs. Ausdrucks für »unauffällig verschwinden, sich absetzen, weglaufen« ist – trotz aller Deutungsversuche – unklar.

Stil »Eigenart der sprachlichen Ausdrucksmittel; Darstellungsweise; Einheit der [besonderen] Ausdrucksformen eines Kunstwerks«: Das seit dem 15. Jh. bezeugte Substantiv geht wie entsprechend it. *stile* und frz. *style* auf lat. *stilus* »spitzer Pfahl; Stiel, Stängel; Schreibgerät, Griffel« zurück in dessen übertragener Bedeutung »Schreibart, Ausdrucksform«. – Abl.: **Stilistik** »Stilkunde« (Ende 18. Jh.; nach entsprechend frz. *stylistique*); **stilisieren** »einheitlich durchformen; natürliche Strukturen in künstlerisch vereinfachten Formen darstellen« (17. Jh.; französierende Neubildung). – Vgl. auch *Stiel.*

still: Das westgerm. Adjektiv mhd. *stille,* ahd. *stilli,* niederl. *stil,* engl. *still* ist eine Bildung zu der unter ↑stellen dargestellten idg. Wurzel und bedeutete ursprünglich »stehend, unbeweglich« (so in den erst nhd. zusammengerückten Verbindungen ›stillstehen, -sitzen, -halten‹ usw.). Schon im Ahd. wird das Adjektiv auch in der Bedeutung »ruhig, schweigend, verborgen« gebraucht (beachte Fügungen wie ›stillschweigen, stillschweigend‹ (↑schweigen) und ›im Stillen‹ »unbemerkt« [17. Jh.]). – Abl.: **Stille** »das Stillsein, Ruhe« (mhd. *stille,* ahd. *stillī*); **stillen** (mhd., ahd. *stillen* »still machen, beruhigen, zum Schweigen bringen«;

vgl. niederl. *stillen,* engl. *to still,* schwed. *stilla;* im Nhd. gilt seit dem 16. Jh. ›ein Kind stillen‹ für »säugen«, eigentlich »ein Kind zum Schweigen bringen, wenn es vor Hunger schreit«). Zus.: **Stillleben** »künstlerische Darstellung von Gruppen lebloser Gegenstände« (als Malerfachwort in der 2. Hälfte des 18. Jh.s aus niederl. *stilleven* entlehnt, z. T. unter Einfluss des gleichfalls aus dem Niederl. entlehnten engl. *still life*).

Stimme: Die Herkunft des altgerm. Substantivs mhd. *stimme,* ahd. *stimma, stimna,* got. *stibna,* niederl. *stem,* aengl. *stefn, stemn* ist unbekannt. – In der Bedeutung »abgegebenes Urteil, Votum« erscheint ›Stimme‹ seit dem 14. Jh., beachte dazu Wendungen wie ›jemandem seine Stimme geben‹ (mnd. um 1500), ›Sitz und Stimme haben‹ (18. Jh.) und Zusammensetzungen wie **Stimmrecht** (18. Jh.), **Stimmenmehrheit** (18. Jh.). – Abl.: **stimmen** (mhd. *stimmen* bedeutete »seine Stimme hören lassen, rufen« [vgl. nhd. ›ein Lied anstimmen‹], »festsetzen, benennen« [↑bestimmen] und »gleich stimmend, gleich lautend machen«; aus der ersten Bedeutung entwickelte sich im 16. Jh. der Sinn »sein Votum abgeben« [dazu Zusammensetzungen wie ›ab-, bei-, zustimmen‹]; die dritte Bedeutung gilt besonders von Musikinstrumenten, übertragen vom menschlichen Gemüt [dazu **umstimmen, verstimmen,** auf etwas **abstimmen,** 19. Jh.; ursprünglich von Musikinstrumenten gesagt]; hierher gehört auch die intransitive Bedeutung »in Einklang stehen, passend, richtig sein« [16. Jh., dazu **übereinstimmen**]). Von ›stimmen‹ abgeleitet ist **Stimmung** (seit dem 16. Jh. von Musikinstrumenten, seit dem 18. Jh. vom Menschen im Sinne von »Gemütszustand«; beachte die Zusammensetzung **stimmungsvoll** (19. Jh.). Zu veraltetem **stimmig** »eine Stimme habend« (17. Jh.) gehören Zusammensetzungen wie **einstimmig** (18. Jh.; schon ahd. *einstimme* »einstimmig«), **mehrstimmig** (19. Jh.) usw., heute wird das Adjektiv im Sinne von »übereinstimmend, zusammenpassend« verwendet.

stinken: Mhd. *stinken,* ahd. *stincan* »stinken, riechen«, niederl. *stinken* »üblen Geruch verbreiten«, aengl. *stiṅcan* »Geruch, Duft verbreiten; Geruch wahrnehmen; stieben; dampfen«, engl. *to stink* »stinken« entsprechen genau got. *stigqan* »[zusammen]stoßen« und aisl. *støkkva* »springen, bersten, spritzen«. Das gemeingerm. Verb bedeutete demnach ursprünglich »stoßen, puffen«, woraus sich im Westgerm. die Bedeutung »stieben, dampfen, ausdünsten« entwickelte. Die außergerm. Beziehungen des Verbs sind unklar. Schon in mhd. Zeit überwiegt die Bedeutung »übel riechen«. Im Ablaut zu ›stinken‹ stehen die unter ↑Gestank behandelten Substantive und das Substantiv **Stunk** ugs. für »Zank, Nörgelei« (Ende des 19. Jh.s aus Berliner und obersächs. Mundart). Zum alten Veranlassungswort mhd. *stenken,* ahd. *stenchen* »stinken machen« gehören **Stänker** (s. d.) und die Weiterbildung **stänkern** ugs. für »die Luft verpesten; nörgeln, Unfrieden stiften« (17. Jh.; dazu die Ableitung **Stänkerer** »Nörgler, Streitsüchtiger«).

Stipendium »Stiftung; Geldbeihilfe (insbesondere für Studierende)«: Das seit dem 16. Jh. bezeugte Fremdwort wurde im Bereich der Schulsprache aus lat. *stipendium* »Steuer, Abgabe; Sold; Unterstützung« übernommen. Es handelt sich bei dem lat. Wort um eine zusammengesetzte Bildung (ursprünglich wohl **stipi-pendium*) zu lat. *stips (stipis)* »Geldbeitrag, Spende« und lat. *pendere* »wägen, zuwägen« (vgl. *Pensum*). Die ursprüngliche Bedeutung von lat. *stipendium* wäre dann etwa »das Geldzuwägen«.

Stipp[e], stippen, Stippvisite ↑[2]steppen.

Stirn[e]: Das auf das dt. und niederl. Sprachgebiet beschränkte Substantiv mhd. *stirn[e],* ahd. *stirna,* mnd. *sterne,* mniederl. *stern[e]* ist verwandt mit aengl. *steornede* »dreist« (eigentlich »mit breiter Stirn«, beachte nhd. ›die Stirn bieten‹ »offen entgegentreten«, ›die Stirn haben‹ »sich erdreisten«). Mit der Grundbedeutung »ausgebreitete Fläche«, die auch das verwandte griech. *stérnon* »Brust« zeigt, stellt sich ›Stirn‹ zu der unter ↑Strahl dargestellten Wortgruppe. Die Vorstellung »[breite] Vorderfläche« liegt übertragen auch den nhd. Zusammensetzungen **Stirnfläche** (eines Gegenstands, 17. Jh.) und **Stirnwand** (18. Jh.) zugrunde. Beachte noch die junge Zusammenbildung **engstirnig** »in Vorurteilen befangen, borniert« (20. Jh.).

stöbern: In der nhd. Form sind zwei verschiedene Verben zusammengefallen. Intransitives ›stöbern‹ »aufwirbeln, flockenartig umherfliegen« (18. Jh.; dafür im 16. Jh. *stobern*) ist eine Iterativbildung zu niederd. *stöwen, stöben* »stieben« (= hochd. *stäuben,* s. d.). – Dazu gehört die Bildung **Gestöber** (spätmhd. *gestobere, gestöber;* z. B. in ›Schneegestöber‹).

stochern »in etwas herumstechen, (Feuer) schüren«: Das seit dem 16. Jh. gebräuchliche Verb ist eine Iterativbildung zu dem heute veralteten Verb *stochen* »Feuer schüren«, das wohl auf mnd. *stōken* »stochern, schüren« beruht (vgl. entsprechend niederl. *stoken,* engl. *to stoke* »schüren, einheizen«). Mit der Grundbedeutung »stoßen, stechen« gehören diese Verben wahrscheinlich zu der unter ↑stoßen dargestellten Wortgruppe, s. auch *verstauchen.* Ebenfalls von ›stochen‹ abgeleitet ist **Stocher** »Gerät zum Stochern« (z. B. **Zahnstocher,** 17. Jh.).

Stock: Das altgerm. Substantiv mhd., ahd. *stoc,* niederl. *stok,* engl. *stock,* schwed. *stock* bezeichnet seit alters sowohl den Baumstumpf (Wurzelstock oder Klotz) wie den Knüttel. Es gehört wahrscheinlich im Sinne von »abgeschlagener Stamm oder Ast« zu der unter ↑stoßen dargestellten idg. Wortgruppe. Als Bezeichnung des ausschlagenden Wurzelstocks oder des Haupttriebs einer Pflanze steht ›Stock‹ z. B. in Zusammensetzungen wie ›Wein-, Rosen-, Blumenstock‹, übertragen in **Grundstock** »Fonds, Grundbestand« (Ende des 18. Jh.s; vgl. engl. *stock* »Kapital«). Einen »ausgehöhlten Klotz« bezeichnete es ursprünglich z. B. in **Bienenstock** (↑Biene). Auch die seit dem 16. Jh. bezeugten verstärkenden Zusammensetzungen ›stockdumm, -taub, -steif‹ usw. (heute ugs.) gehen von der Bedeutung »Klotz« aus. Schon mhd. *stoc* hat aus der Bedeutung »Balken« auch den kollektiven Sinn »Geschoss eines Hauses«, eigentlich »Balkenwerk«, entwickelt (daher noch die Zählung ›erster, zweiter Stock‹ usw.). Es wurde in diesem Sinn um 1500 durch die Zusammensetzung **Stockwerk** verdeutlicht. Von der Bedeutung »Pfahl, Ast« geht die Bedeutung »Stab« (z. B. in ›Prügel-, Spazier-, Taktstock‹) aus. Hierher gehören auch die Zusammensetzungen **Stockfisch** »gedörrter Kabeljau« (spätmhd. im 14. Jh. aus mnd. *stokvisch*, wohl nach dem Trocknen auf Stangengerüsten so benannt) und **Stöckelschuh** (19. Jh.; zu der Verkleinerungsbildung **Stöckel** »hoher Absatz«, um 1700). Siehe auch den Artikel *stocken*.

stocken »nicht weiterkommen«: Das nur dt. Verb bedeutete ursprünglich »fest, dickflüssig werden, gerinnen« und wurde zuerst im 16. Jh. als medizinisches Fachwort vom Blut und den Körpersäften gebraucht (beachte die Zusammensetzung **Stockschnupfen,** 18. Jh.). Es gehört wohl zu dem unter ↑Stock behandelten Substantiv und bedeutet eigentlich etwa »steif wie ein Stock, fest wie ein Klotz werden«. Schon spätmhd. erscheint gleichbed. ›verstocken‹ mit dem noch heute adjektivisch gebrauchten 2. Part. **verstockt** »verhärtet, unempfindlich« (›ein verstocktes Herz‹). Zu ›stocken‹ im Sinne von »durch Feuchtigkeit verderben« (16. Jh.; eigentlich wohl »unter der Einwirkung stockender Dünste faulen«) gehören die Ableitung **stockig** »dumpf, verdorben« und die Zusammensetzung **Stockfleck** »heller oder bräunlicher, muffig riechender Fleck auf Papier oder Textilien« (um 1800).

Stockfisch ↑Stock.

Stockfleck ↑stocken.

Stoff »Gewebe, Tuch; Material; Gegenstand der Betrachtung und Untersuchung«: Das Substantiv wurde im 17. Jh. wohl durch niederl.-niederd. Vermittlung (vgl. entsprechend niederl. *stof*) aus afrz. *estoffe* (= frz. *étoffe*) »Gewebe; Tuch; Zeug« entlehnt, das auch die unmittelbare Quelle für entsprechend span. *estofa* und it. *stoffa* ist. Das frz. Wort gehört wohl als Substantivbildung zu frz. *étoffer* (afrz. *estoffer*) »versehen mit etwas, ausstaffieren«, das ursprünglich »ausstopfen, verstopfen« bedeutete. Die weitere Herkunft des frz. Wortes ist umstritten. Vielleicht beruht es auf einem afränk. **stopfōn*, das mit ahd. *stopfōn* »ausstopfen« identisch ist (vgl. *stopfen*). – Zus.: **Stoffwechsel** als Bezeichnung für die im Organismus stattfindenden chemischen Umwandlungsprozesse (19. Jh.). – Siehe auch den Artikel *staffieren*.

stöhnen: Die seit dem 16. Jh. bezeugte nhd. Form geht zurück auf mitteld. (14. Jh.) *stenen*, mnd. *stenen* »mühsam atmen, ächzen«, dem die gleichbedeutenden starken Verben mniederl. *stenen*, aengl. *stenan* entsprechen; vgl. auch ablautend niederl. *steunen*, schwed. *stöna* »stöhnen«. Die germ. Verben sind z. B. verwandt mit griech. *sténein* »dröhnen, ächzen, jammern« und der baltoslaw. Sippe von russ. *stenat'* »stöhnen«. Sie gehören damit zu der unter ↑Donner behandelten idg. Wortgruppe.

stoisch »von unerschütterlicher Ruhe, gleichmütig«: Das seit dem 15. Jh. bezeugte Adjektiv ist aus lat. *stoicus* entlehnt, das seinerseits aus griech. *stōikós* »die Philosophie der Stoa betreffend« stammt. Die Stoa, um 308 v. Chr. von dem Philosophen Zenon in einer Säulenhalle Athens (der berühmten *stoà poikílē*) begründet und in der Folge nach dieser Säulenhalle benannt, verlangte von ihren Anhängern als oberste und wichtigste Regel die unerschütterliche Ruhe der Seele in allen Lebenslagen. Hier ist der Ausgangspunkt für den späteren allgemeinen Gebrauch des Wortes, der zuerst in den roman. Sprachen einsetzt (beachte entsprechend frz. *stoïque*). – Dazu das Substantiv **Stoiker** »Anhänger der Stoa; stoischer Mensch« (17. Jh.).

Stola: Die Bezeichnung für den langen, schmalen, mit Ornamenten versehenen Stoffstreifen als Teil der liturgischen Bekleidung besonders des katholischen Geistlichen (mhd. *stōl[e]*, ahd. *stola*) ist aus gleichbed. mlat. *stola* entlehnt, das klass.-lat. das über der Tunika getragene lange Gewand der verheirateten römischen Frau bezeichnete. Das lat. Wort stammt aus griech. *stolḗ* »Kleid, Gewand; Rüstung«, einer Bildung zu *stéllein* »(mit Kleidern, Waffen) ausrüsten; fertig machen« (vgl. den Artikel *Apostel*).

Stollen: Das nur dt. Wort (mhd. *stolle*, ahd. *stollo*) bedeutet eigentlich »Pfosten, Stütze« und gehört wohl zu den Nominalbildungen des unter ↑stellen dargestellten Verbs. Außergerm. ist z. B. griech. *stḗlē* »Säule« verwandt. Heute bezeichnet ›Stollen‹ u. a. ein längliches (eigentlich »pfostenähnliches«) Gebäck (im 14. Jh. ostmitteld. *stollen* (Plural), seit dem 18. Jh. auch **Stolle** genannt, besonders **Christstolle[n]**) und einen waagerechten Gang in Bergwerken (mhd. um 1300; vielleicht nach der Abstützung mit Pfosten). Siehe auch den Artikel *Stulle*.

stolpern »mit dem Fuß anstoßen, beinahe fallen«: Das im Hochd. seit dem 16. Jh. bezeugte Verb ist eine Iterativbildung zu dem gleichbedeutenden, später untergegangenen *stolpen, stölpen* (16. Jh.), vgl. norw. *stolpre* »stolpern«, dän. *stolpe*, norw. mdal. *stolpa* »mit steifen Schritten gehen, stolpern«. Weiterhin ist wohl die Sippe von ↑stülpen verwandt; die Wörter gehören im Sinne von »steif sein« zu der unter ↑stellen behandelten Wortgruppe.

stolz: Das auf den dt. und niederl. Sprachbereich beschränkte Adjektiv mhd. *stolz*, mnd. *stolt*

»stattlich, prächtig, hochgemut«, spätahd. *stolz* »hochmütig«, [m]niederl. *stout* »verwegen, kühn, hochmütig« bedeutete ursprünglich wohl »steif aufgerichtet« und gehört demnach ablautend zu der unter ↑Stelze behandelten Wortgruppe (vgl. die verwandten Verben mniederl. *stulten* »steif werden, gerinnen«, schwed. *stulta* »tappen, trollen«, eigentlich »steif gehen«).

stopfen: Das westgerm. Verb mhd. *stopfen,* ahd. *(bi-, ver)stopfōn* »dicht machen, verschließen«, niederl. *stoppen* »[ver]stopfen, flicken; anhalten«, engl. *to stop* »[ver]stopfen, aufhalten« ist wohl aus mlat. *stuppare* »mit Werg verstopfen« entlehnt. Dies gehört zu lat. *stuppa* »Werg«. – Im Dt. haben sich aus der ursprünglichen Bedeutung »ein Loch verschließen« die Bedeutungen »füllen« und »hineinstecken« entwickelt, wobei wohl ein einheimisches Verb (mhd. *stopfen,* ahd. *stopfōn* »stechen«) eingewirkt hat. Die Bedeutung »mit Nadel und Faden ausbessern« zeigt ›stopfen‹ erst im 18. Jh. Siehe auch den Artikel *stoppen.* – Abl.: **Stopfen** landsch. für »Korken« (18. Jh.), dazu **Steppke** ugs., besonders berlin. für »kleiner Kerl« (19. Jh.; niederd. Verkleinerungsbildung); **Stöpsel** (s. d.). Zusammensetzungen und Präfixbildungen: **ausstopfen** (17. Jh.); **vollstopfen** (16. Jh.); **verstopfen** (schon ahd., s. o.), dazu **Verstopfung** (15. Jh.; seit dem 16. Jh. Bezeichnung für die Darmverstopfung). – Siehe auch den Artikel *Stoff.*

Stoppel »Halmstumpf«: Das im germ. Sprachbereich nur dt. und niederl. Wort (mhd. *stupfel,* ahd. *stupfala,* mnd., niederl. *stoppel*) hat sich im Nhd. in der von Luther gebrauchten niederd.-mitteld. Form ›Stoppel‹ durchgesetzt. Es ist wahrscheinlich aus spätlat. *stupula* »Strohhalm« entlehnt, einer Nebenform von lat. *stipula* »Halm« (vgl. *steif*). In der Bedeutung »kurzes Barthaar« ist ›Stoppel‹ seit dem 17. Jh. gebräuchlich.

stoppen »anhalten, Halt machen«: Die niederd.-mitteld. Form von ↑stopfen bedeutet seit dem 16. Jh. auch »im Lauf aufhalten« (eigentlich »durch ein Hindernis sperren«) und wird so seit dem 18. Jh. in der Jagd (›die Meute stoppen‹) und besonders im Seewesen gebraucht (›ein Tau, eine Maschine stoppen‹). Hier und in der neueren Sportsprache (beachte die Ableitung **Stopper** »Mittelläufer im Fußballspiel«) hat auch das entsprechende engl. *to stop* »anhalten« eingewirkt. Die Befehlsform **stopp!** »halt!« (engl. *stop!*) ist als seemännischer Zuruf seit Anfang des 19. Jh.s bezeugt, ihre Substantivierung **Stopp** »Einhalt« schon im 18. Jh. Die Zusammensetzung **Stoppuhr** »Uhr zum genauen Messen von Zeitspannen« erscheint Anfang des 19. Jh.s als Lehnübersetzung von engl. *stop-watch* (18. Jh.).

Stöpsel »Flaschenverschluss aus Glas, Holz, Kork und dgl.«: Das ursprünglich nordd. Wort (18. Jh.) ist eine Substantivbildung zu dem unter ↑stopfen (niederd., mitteld. *stoppen*) dargestellten Verb. In der Umgangssprache wird ›Stöpsel‹ auch im Sinne von »kleines [dickliches] Kind« gebraucht.

Stör: Die Herkunft des altgerm. Fischnamens mhd. *stör[e], stür[e],* ahd. *stur[i]o,* niederl. *steur,* aengl. *styria,* schwed. *stör* ist nicht geklärt.

Storch: Der altgerm. Vogelname mhd. *storch[e], storc,* ahd. *stor[a]h,* niederl. mdal. *stork,* engl. *stork,* schwed. *stork* gehört zu der unter ↑starren dargestellten idg. Wortgruppe. Näher verwandt sind die bei ↑stark genannten germ. Verben für »steif werden, erstarren«; der Storch ist nach seinem steifen Gang als »Stelzer« benannt worden. Die gleiche Vorstellung zeigen noch die ugs. Wendung ›gehen wie der Storch im Salat‹ (1. Hälfte des 19. Jh.s) und das gleichfalls ugs. Verb **storchen** »steif gehen« (um 1900).

stören: Mhd. *stœren,* ahd. *stōr[r]en,* niederl. *storen* bedeuteten ursprünglich »verwirren, zerstreuen, vernichten« und stehen im Ablaut zu mhd. *stürn* »stochern, antreiben«, engl. *to stir* »aufrühren«. Weiterhin verwandt sind aisl. *styrr* »Tumult, Kampf« und wohl auch das unter ↑Sturm behandelte Substantiv. Außergerm. Beziehungen der Wortgruppe sind nicht gesichert. – Präfixbildungen: **entstören** »Störungen [des Funkempfangs], etwas als Störungsquelle beseitigen« (1. Hälfte des 20. Jh.s); **verstört** »verwirrt« (16. Jh.; eigentlich 2. Part. zu dem heute veralteten *verstören* [mhd. *verstœren* »vertreiben; beunruhigen, verwirren; vernichten«]) und **zerstören** »verwüsten, vernichten« (mhd. *zerstœren*), dazu **Zerstörer** (spätmhd. *zerstœrer;* seit dem 19. Jh. Bezeichnung eines schnellen Kriegsschiffstyps). Beachte noch die Zusammenrückung **Störenfried** (16. Jh.; eigentlich ›[ich] störe den Frieden‹).

störrisch »mürrisch, widerspenstig«: Das seit dem 16. Jh. neben seltenerem **störrig** bezeugte Adjektiv ist eine Ableitung von dem heute nur mdal. gebräuchlichen *Storren* »Baumstumpf« (mhd. *storre,* ahd. *storro*), das ablautend zur Sippe von ↑starren gehört. Das Adjektiv bedeutet also eigentlich »starr wie ein Baumstumpf«.

Story: Die Bezeichnung für »[Kurz]geschichte, Erzählung« wurde im 20. Jh. aus gleichbed. engl.-amerik. *story* (bzw. *short story* »Kurzgeschichte«) entlehnt. Dies steht mit anderer lautlicher Entwicklung neben *history* und geht wie dieses auf lat. *historia* (vgl. *Historie*) zurück, vermittelt durch afrz. *estoire* (entsprechend frz. *histoire*).

stoßen: Die germ. starken Verben mhd. *stōzen,* ahd. *stōzan,* got. *stautan,* niederl. *stoten,* aisl. (schwach) *stauta* sind eng verwandt mit lat. *tundere* »stoßen, schlagen, hämmern« und aind. *tudáti* »stößt, schlägt, sticht«. Sie gehören mit diesen zu der vielfach weitergebildeten und erweiterten idg. Wurzel **[s]teu-* »stoßen, schlagen«. Aus dem germ. Sprachbereich stellen sich zu dieser Wurzel z. B. die unter ↑Steiß (eigentlich »Abgestutztes«), ↑[1]stutzen (eigentlich »anstoßen«), ↑[2]stutzen »beschneiden« und ↑stottern (eigentlich »wiederholt anstoßen«), ferner die unter ↑Stief... (eigentlich »abgestutzt, beraubt«) und ↑Tüpfel (eigentlich »[leich-

S

ter] Stoß, Schlag«) und wohl auch die unter ↑verstauchen (eigentlich »gewaltsam stoßen, zerren«), ↑stochern (eigentlich »stoßen, stechen«), ↑Stück (eigentlich »Abgeschlagenes«) und ↑Stock (eigentlich »abgeschlagener Ast oder Stamm«) behandelten Wörter. Außergerm. sind z. B. verwandt griech. *týptein* »schlagen«, griech. *týpos* »Schlag, Eindruck« (↑Typ) und lat. *stupere* »betäubt, starr sein« (↑stupid[e]). – Abl.: **Stoß** (mhd., ahd. *stōz* »Stoß, Stich«; seit dem 15. Jh. auch »aufgeschichteter [Holz]haufen«); **Stößel** »Stoßgerät« (mhd. *stœzel,* ahd. *stōzil*); **Stößer** »Stößel; Sperber« (15. Jh.; im 16. Jh. *stosser* »Habicht«). Zusammensetzungen und Präfixbildungen: **abstoßen** »weg-, zurückstoßen; verkaufen; (das Schiff) vom Ufer lösen« (mhd. *abestōzen,* ahd. *abastōzan* »hinabstoßen, entfernen«), dazu das adjektivische 1. Part. **abstoßend** »Abscheu erregend« (Ende des 18. Jh.s, eigentlich wie ›anziehend‹ vom Magneten gesagt); **anstoßen** »an etwas stoßen; die Gläser klingen lassen« (mhd. *anestōzan;* ahd. *anastōzan;* in der zweiten Bedeutung seit dem 18. Jh. bezeugt), dazu **Anstoß** »Anregung; Ärgernis« (mhd. *anstōz* »Angriff, Anfechtung«) und **anstößig** »Ärgernis erregend« (16. Jh.; spätmhd. für »strittig«); **verstoßen** »forttreiben; zuwiderhandeln« (mhd. *verstōzen,* ahd. *firstōzan*), dazu **Verstoß** »Fehler, Vergehen« (17. Jh.); **vorstoßen** »nach vorn stoßen, angreifen« (ahd. *furistōzan,* mhd. nicht belegt; als militärisches Fachwort erst im 19. Jh.), dazu **Vorstoß** »Angriff (19. Jh.; älter in der Bedeutung »Kleid-, Uniformbesatz«).

stottern: Das im 16. Jh. aus niederd. *stotern, stötern* ins Hochd. übernommene Verb ist eine Iterativbildung zu niederd. *stōten* »stoßen« (vgl. *stoßen*) und bezeichnet eigentlich das wiederholte Anstoßen mit der Zunge beim Sprechen (als Sprachfehler oder in Erregung, Trunkenheit und dgl.). Mit scherzhafter Übertragung gilt ›stottern‹, besonders in der Zusammensetzung **abstottern,** auch ugs. für »ratenweise [ab]zahlen« (20. Jh.). – Abl.: **Stotterer** (17. Jh.).

stracks »geradeaus, sofort«: Das dt. Adverb, dem niederl. *straks* »vorhin; bald, gleich« entspricht, ist der erstarrte Genitiv des heute veralteten und nur noch mdal. gebräuchlichen Adjektivs *strack* »gerade; straff«, auch »völlig betrunken«. Es hat sich schon in mhd. Zeit (mhd. *strackes*) verselbstständigt, wahrscheinlich durch Kürzung von Fügungen wie ›stracks laufs‹ »in geradem Laufe«, ›stracks wegs‹ »geradewegs«, die seit dem 15. Jh. bezeugt sind. In räumlichem Sinn wird heute meist die Zusammensetzung ›schnurstracks‹ (↑Schnur) gebraucht.

strafen: Das Verb mhd. *strāfen* »tadelnd zurechtweisen, schelten« (ähnlich mnd. *straffen,* [m]niederl. *straffen* »tadeln, bestrafen«, afries. *straffia* »anfechten, schelten«) ist nicht sicher erklärt. Möglicherweise besteht ein Zusammenhang mit den unter ↑straff genannten Wörtern. Die Bedeutungen »mit einer [gerichtlichen] Strafe belegen« und »züchtigen« treten erst im 13. Jh. auf. Neben dem Verb steht das Substantiv **Strafe** »etwas, womit jemand bestraft wird, was jemandem zur Sühne, als Buße für ein Unrecht, eine schlechte Tat o. Ä. auferlegt wird« (mhd. *strāfe* »Schelte, Tadel, Züchtigung«, entsprechend mnd. *straffe,* niederl. *straf*). Abgeleitete Bildungen sind **strafbar** »gegen das Gesetz verstoßend und unter Strafe gestellt« (15. Jh.), **sträflich** »verantwortungslos, unverzeihlich« (mhd. *stræflich* »tadelnswert«) und **Sträfling** »Strafarbeiter, Strafgefangener« (18. Jh.). – Beachte auch die Präfixbildung **bestrafen** »mit einer Strafe belegen« (mhd. *bestrafen* »tadeln, zurechtweisen«).

strafen

jmdn., etwas Lügen strafen
»nachweisen, dass jmd. lügt, dass etwas nicht wahr ist; widerlegen«
In dieser Wendung bewahrt das Wort ›strafen‹ die ältere Bedeutung »schelten«. Auch die Verbindung mit dem Genitiv ist heute veraltet.

straff »angespannt, stramm; gut durchorganisiert«: Das auf das dt. und niederl. Sprachgebiet beschränkte Adjektiv (spätmhd. *straf* »streng, hart«, niederl. *straf*) ist wohl verwandt mit mnd. *stref* »angespannt« (von der Bogensehne) und ostfries. *strabben* »ausdehnen«, weiterhin vielleicht mit der unter ↑starren behandelten Wortgruppe; s. auch *streben* und *strafen.*

Strahl: Das westgerm. Substantiv mhd. *strāl[e],* ahd. *strāla,* niederl. *straal,* aengl. *strǣl* wurde in den älteren Sprachzuständen in der Bedeutung »Pfeil« gebraucht. Es ist verwandt mit der baltoslaw. Sippe von russ. *strela* »Pfeil« und gehört im Sinne von »Streifen, Strich« zu der idg. Wurzel **ster[ə]-* »über etwas hinwegstreifen, -streichen; ausbreiten, hinstreuen«. Ursprünglich »Streifen, Strich« bedeuteten auch die unter ↑Strieme und ↑Strähne behandelten verwandten Wörter. Zu der vielfach weitergebildeten und erweiterten idg. Wurzel stellen sich aus dem germ. Sprachbereich ferner die Sippen von ↑streichen, ↑streifen und ↑streuen (mit ›Streu‹ und ↑Stroh) sowie die unter ↑Stirn[e] (eigentlich »ausgebreitete Fläche«) und ↑Strand (eigentlich »Streifen«) behandelten Substantive. Als »Ausgestreutes« gehört vielleicht auch ↑Stern hierher. Außergerm. sind z. B. verwandt aind. *str̥ṇā́ti* »streut hin, bestreut«, russ. *pro-steret'* »ausbreiten, -dehnen«, lat. *sternere* »hinbreiten, -streuen«, dazu *strata via* »gepflasterter Weg« (↑Straße), lat. *stramen* »Streu« und lat. *struere* »aufschichten, übereinander legen« (↑Struktur). – Die Bedeutung »Pfeil« hat ›Strahl‹ im Dt. bis ins 16. Jh. bewahrt, aber schon in ahd. Zeit wurde es, wohl unter dem Einfluss antiker Vorstellungen, auf den Blitz (ahd. *donarstrāla,* eigentlich »Donnergeschoss«) übertragen. Auch in der Bedeutung »Sonnen-, Lichtstrahl« (seit dem 16. Jh.) war das

Wort zunächst bildlich gemeint. Heute ist dieser Ursprung vergessen, der allgemeine wie der fachsprachliche Gebrauch des Wortes geht nur noch von der Vorstellung des geradlinigen Lichtstrahls aus, so besonders in der Physik (seit dem 18. Jh.).

Strähne: Das auf das dt. und niederl. Sprachgebiet beschränkte Wort (mhd. *stren[e],* ahd. *streno,* älter niederl. *streen*) bezeichnet einen Streifen oder eine Flechte von Haar, Garn und dgl., das entsprechende schwed. mdal. *strena* einen Striemen auf der Haut. Die Wörter gehören mit der Grundbedeutung »Streifen« zu der unter ↑Strahl dargestellten idg. Wortgruppe.

stramm »gespannt, prall, kräftig; streng«: Das zu Anfang des 18. Jh.s aus dem Niederd. ins Hochd. übernommene Wort wurde erst im 19. Jh. durch die preußische Militärsprache allgemeiner verbreitet. Es geht zurück auf mnd. *stram* »gespannt, steif, aufrecht« (vgl. niederl. *stram* »steif«). Die Wörter sind vielleicht verwandt mit norw. mdal. *stremba* »ausspannen«, *stremben* »aufgebläht« und gehören wohl zu der unter ↑starren dargestellten Wortgruppe.

strampeln »mit den Beinen zappeln« (besonders von Kleinkindern): Das im Hochd. seit dem 15. Jh. bezeugte Verb ist wohl eine Iterativbildung zu mnd. *strampen* (oberd. *strampfen*) »mit den Füßen stampfen«. Vgl. auch mnd. *strumpeln,* niederl. *strompelen* »stolpern«. Die weitere Herkunft der Wörter ist ungewiss.

Strand: Die Bezeichnung des flachen Uferstreifens am Meer (seltener des Fluss- und Seeufers) ist ursprünglich ein nordgerm. Wort (aisl. *strǫnd,* schwed. *strand*), das ins Aengl. (engl. *strand*) und Ende des 13. Jh.s ins Dt. und Niederl. entlehnt worden ist (mhd., mnd. *strant,* niederl. *strand*). Es ist ablautend verwandt mit aisl. *strind* »Seite, Rand« und gehört wahrscheinlich im Sinne von »Streifen« zu der unter ↑Strahl behandelten Wortgruppe. – Abl.: **stranden** »mit dem Schiff auf den Strand geraten; scheitern« (15. Jh.; seit dem 17. Jh. oft übertragen gebraucht). Zus.: **Strandbad** (20. Jh.); **Strandgut** »am Strand angetriebene Sachen« (17. Jh.).

Strang »Strick«: Das altgerm. Substantiv mhd., ahd. *stranc,* niederl. *streng* »Strähne, Strang«, engl. *string* »Schnur, Saite«, schwed. *sträng* »Saite, Bogensehne, Strang« gehört mit verwandten Wörtern in anderen idg. Sprachen zu einer Wurzelform **stren-k-, *stren-g[h]-* »straff, beengt, zusammengedreht«, vgl. z. B. griech. *straggós* »gedreht«, *straggaláein* »erdrosseln« (↑strangulieren), ir. *sreang* »Strang« und lett. *stringt* »stramm werden«. Im germ. Sprachbereich ist z. B. das unter ↑streng behandelte Adjektiv verwandt.

strangulieren »erdrosseln«: Das Wort wurde im 16. Jh. aus gleichbed. lat. *strangulare* entlehnt, das seinerseits aus gleichbed. griech. *straggaláein* stammt. Das griech. Wort ist mit dt. ↑Strang verwandt.

Strapaze »große Anstrengung, Beschwerlichkeit«: Das seit dem 16. Jh. als ›Strapat‹, dann seit dem 17. Jh. als ›Strapatz‹ bezeugte Fremdwort (Genuswandel wohl nach deutschen Synonymen wie ›Mühe‹, ›Anstrengung‹) ist aus gleichbed. it. *strapazzo* entlehnt. Dies gehört zu it. *strapazzare* »überanstrengen«, dessen Herkunft unklar ist.

Straße: Das westgerm. Substantiv mhd. *strāze,* ahd. *strāz[z]a,* niederl. *straat,* engl. *street* beruht auf einer frühen Entlehnung aus spätlat. *strata (via)* »gepflasterter Weg, Heerstraße«. Das lat. Wort, das auch in roman. Sprachen weiterlebt (vgl. z. B. it. *strada* »Straße, Weg« und span. *estrada* »Landstraße«), ist eine Bildung zu lat. *sternere (stratum)* »ausbreiten, hinbreiten, hinstreuen; ebnen; bedecken, bestreuen« (etymologisch verwandt mit dt. ↑streuen) bzw. sinngemäß zu *sternere viam* »einen Weg (mit Steinen) bestreuen, pflastern«. – Beachte in diesem Zusammenhang auch die Bildung lat. *con-sternere* »hin-, ausbreiten; niederstrecken«, dessen Intensivum lat. *consternare* »scheu, stutzig machen, verwirren« unserem Fremdwort ↑konsterniert zugrunde liegt.

Stratege »Feldherr, [Heer]führer«: Das Fremdwort wurde im 19. Jh. nach dem Vorbild von gleichbed. frz. *stratège* aus griech. *strat-ēgós* »Heerführer, Feldherr; Leiter« entlehnt, das seinerseits zu griech. *stratós* »Heer« und griech. *ágein* »führen« (vgl. *Achse*) gehört. – Dazu: **Strategie** »Kunst der Heerführung, Feldherrnkunst; [geschickte] Kampfplanung« (Ende 18. Jh.; nach entsprechend frz. *stratégie* aus griech. *strat-ēgía* »Heerführung; Feldherrnkunst«).

sträuben: Das nur dt. Verb (mhd. *strūben,* ahd. *strūbēn*) gehört zu dem Adjektiv älter nhd. *straub,* mhd. *strūp* »emporstarrend, rau« (vgl. niederl. *stroef* »schroff, trotzig«), das im 17. Jh. durch das verwandte ↑struppig abgelöst wurde (s. auch *strubb[e]lig*). Die Wortgruppe stellt sich mit verwandten außergerm. Wörtern (z. B. lit. *strùbas* »kurz, abgestutzt«) zu der idg. Wurzel **[s]ter-* »starr« (vgl. *starren*). Im Nhd. bedeutet ›sträuben‹ zunächst »(Federn oder Haare) emporrichten« (wie es angegriffene Tiere tun), danach reflexiv übertragen »sich gegen etwas wehren« (seit dem 14. Jh.). Beachte die Zusammensetzung **haarsträubend** »entsetzlich« (19. Jh.).

Strauch: Das zuerst im mitteld. und niederd. Sprachgebiet bezeugte Wort (mhd. *strūch,* mnd. *strūk;* entsprechend niederl. *struik)* bezeichnet ein niedriges, verzweigtes Holzgewächs (z. B. den Brombeer-, Rosenstrauch). Es ist wahrscheinlich verwandt mit lit. *strùgas* »kurz, verstümmelt«, weiterhin mit der unter ↑starren dargestellten idg. Wortgruppe. – Abl.: **Gesträuch** »Gebüsch« (spätmhd. *gestriuche*); **strauchig** (16. Jh.). Die Zusammensetzung **Strauchdieb** (mnd. *strūkdēf*) bezeichnete ursprünglich den Straßenräuber, der sich im Gebüsch versteckt; sie wird heute noch abschätzig oder scherzhaft gebraucht.

straucheln »stolpern, einen Fehltritt tun«:

Spätmhd. (mitteld.) *strūcheln,* niederl. *struikelen* sind wahrscheinlich Intensivbildungen zu dem allerdings nur oberd. bezeugten Verb mhd. *strūchen,* ahd. *strūchōn* »anstoßen, stolpern, stürzen«, dessen Herkunft nicht geklärt ist. In der übertragenen Bedeutung »eine [sittliche] Verfehlung begehen« ist ›straucheln‹ zuerst durch die Lutherbibel üblich geworden.

[1]**Strauß** »Kampf, Streit«: Das heute nur noch übertragen gebrauchte Wort (mhd. *strūʒ*), dem außerhalb des Deutschen nur engl. mdal. *strout* »Streit, Hader« entspricht, ist verwandt mit dem im Nhd. untergegangenen Verb mhd. *striuʒen* »sträuben, spreizen« und bezeichnete ursprünglich den heftigen, plötzlich entstehenden Streit. Über weitere Beziehungen vgl. den Artikel *strotzen.*

[2]**Strauß** »[Blumen]büschel«: Das nur dt. Wort ist zuerst im 16. Jh. bezeugt und bedeutete anfangs »Federbusch« (bei Vögeln und auf Helmen), z. T. auch »Strauch« (beachte die schon mhd. Kollektivbildungen *gestriuʒe, striuʒah* »Buschwerk«). Die heutige Hauptbedeutung »zusammengebundener Blumenstrauß« begegnet seit Ende des 16. Jh.s. Wahrscheinlich gehört das Wort im Sinne von »Hervorstehendes« zu der unter ↑strotzen behandelten Wortgruppe (vgl. aisl. *strūtr* »kegelförmige Hutspitze«).

[3]**Strauß:** Der Name des flugunfähigen Laufvogels mhd. *strūʒ[e],* ahd. *strūʒ* (vgl. entsprechend niederl. *struis[vogel]* und aengl. *strūta, strȳta*) beruht auf sehr früher Entlehnung aus einer vlat. Form von lat. *struthio* »Strauß«, das seinerseits Lehnwort aus gleichbed. griech. *strouthíōn* ist. Letzteres steht für griech. *stroũthos (mégas)* »großer Vogel; Strauß«. Die weitere Herkunft des Wortes ist nicht gesichert.

streben: Das auf das dt. und niederl. Sprachgebiet beschränkte Verb (mhd. *streben,* ahd. *strebēn,* niederl. *streven*) bedeutete ursprünglich »sich [angestrengt] bewegen, kämpfen« und geht auf ein gleichbedeutendes, resthaft noch im Mhd. erhaltenes starkes Verb zurück. Daneben zeigt sich in älteren Sprachzuständen die Bedeutung »steif sein, sich strecken«, die auf Verwandtschaft mit mnd. *stref* »straff, ausgespannt« weist (s. auch den Artikel *straff*). Beide Bedeutungen legen die Verknüpfung mit der unter ↑starren dargestellten idg. Wortgruppe nahe. – Schon in mhd. Zeit wurde ›streben‹ von der körperlichen Bewegung her auf die Anspannung der Gedanken und des Willens übertragen. Die alte Vorstellung der Bewegung im Sinne von Schub und Druck zeigen noch die bautechnischen Fachwörter **Strebe** »schräge Stütze« (16. Jh.; dazu **verstreben** »mit Streben versteifen«, 19. Jh.), **Strebebogen** »Stützbogen« (16. Jh.) und **Strebepfeiler** (15. Jh.); sie werden erst seit dem 18. Jh. als »emporragende« Stützen aufgefasst. Sonst schließen sich die Ableitungen und Zusammensetzungen an die übertragene Bedeutung des Verbs an: **Streber** (im 16. Jh. »jemand, der sich widersetzt«, später »jemand, der nach etwas trachtet«; seit der 2. Hälfte des 19. Jh.s abschätzig für »ehrgeiziger, übertrieben fleißiger Mensch«); **strebsam** »fleißig, zielbewusst« (Anfang des 19. Jh.s); **zielstrebig** (Ende des 19. Jh.s). Schon mhd. erscheint **widerstreben** »Widerstand leisten«.

Strecke

auf der Strecke bleiben
»scheitern, unterliegen«
Diese Wendung stammt wohl aus dem Bereich des Sports, meint also eigentlich »bei einem [Lauf]wettbewerb nicht das Ziel erreichen«.

jmdn./etwas zur Strecke bringen
»jmdn. fangen/etwas erlegen«
Die Wendung stammt wahrscheinlich aus der Jägersprache. Mit ›Strecke‹ bezeichnet der Jäger die nach der Jagd auf dem Sammelplatz auf dem Boden aufgereihten erlegten Tiere.

strecken: Das westgerm. Verb mhd. *strecken,* ahd. *strecchen,* niederl. *strekken,* engl. *to stretch* ist das Bewirkungswort zu dem unter ↑stracks behandelten Adjektiv und bedeutet eigentlich »gerade, strack machen«, dann »ausdehnen, recken« und »ausgestreckt hinlegen«. Zu der letzten Bedeutung gehört die Wendung ›die Waffen strecken‹ »sich ergeben« (18. Jh.). – Abl.: **Strecke** »Linie oder Weg von bestimmter Länge« (17. Jh.; mhd. in *zilstrecke* »Strecke Wegs«), bergmännisch für »waagerechter Grubenbau« (17. Jh.), weidmännisch für »Gesamtheit des auf einer Jagd erlegten Wildes« (das nach bestimmten Regeln in Reihen ›gestreckt‹ wird, 19. Jh.). Zus.: **niederstrecken** »zu Boden werfen; töten« (Ende des 18. Jh.s; mhd. *niderstrecken* »ausgestreckt hinlegen«); **vollstrecken** (↑voll); **vorstrecken** »nach vorn strecken; leihen« (mhd. *vürstrecken,* ahd. *furistrecchen;* in der zweiten Bedeutung seit dem 16. Jh. bezeugt). Die Präfixbildung **erstrecken** (mhd. *erstrecken* »ausstrecken, ausdehnen«) wird heute nur reflexiv im Sinne von »eine bestimmte Ausdehnung, Dauer haben, umfassen« gebraucht.

Streich: Das Substantiv mhd. *streich* »Schlag, Hieb«, dem gleichbed. engl. *stroke* entspricht, ist eine Bildung zu dem unter ↑streichen behandelten Verb in dessen heute veralteter Bedeutung »schlagen«; beachte die Zusammensetzungen **Backenstreich** (15. Jh.) und **Zapfenstreich** (↑Zapfen). Seit dem 17. Jh. bezeichnet das Wort unerwartete Schläge und Unternehmungen (z. B. **Handstreich,** ↑Hand), vor allem mutwillige, lustige oder [hinter]listige Handlungen, wobei man jemandem einen Schlag versetzt, jemanden täuscht oder hereinlegt (beachte die Wendung ›jemandem einen Streich spielen‹).

streicheln: Zu dem unter ↑streichen (mhd. *strīchen*) behandelten starken Verb gehört das westgerm. schwache Verb mhd. *streichen,* ahd. *streih-*

S

hōn, mnd. *strēken,* aengl. *strācian* (engl. *to stroke*) »leicht berühren, streicheln«. Es ist im Nhd. mit seinem Grundverb lautlich zusammengefallen und durch die gleichbedeutende Weiterbildung ›streicheln‹ (16. Jh.) ersetzt worden.

streichen: Das westgerm. starke Verb mhd. *strīchen,* ahd. *strīhhan,* niederl. *strijken,* engl. *to strike* (↑Streik) geht mit verwandten Wörtern in anderen idg. Sprachen auf die unter ↑Strahl dargestellte idg. Wurzel **ster[ə]-* »streifen, streichen« zurück, vgl. z. B. lat. *stringere* »[ab]streifen«, lat. *striga* »Strich, Streifen« und lat. *strigilis* »Schabeisen« (daher unser Lehnwort **Striegel** »Pferdekamm«, mhd. *strigel,* ahd. *strigil*), ferner die baltoslaw. Sippe von russ. *strič'* »scheren«. Nahe mit ›streichen‹ verwandt sind die ablautenden unter ↑Streich, ↑streicheln und ↑Strich behandelten dt. Wörter. – Abl.: **Streicher** »Spieler eines Streichinstruments (im Orchester)« (19. Jh.; Neubildung zu der jetzt veralteten Fügung ›die Geige streichen‹, beachte schon mhd. *strīchen* in der Bedeutung »musizieren«; älter nhd. *Streicher,* spätmhd. *strīcher* bezeichnete verschiedene Handwerker und Kontrollbeamte; s. auch ›Landstreicher‹ unter *Land*). Zusammensetzungen und Präfixbildungen: **Streichholz** »Zündholz« (19. Jh.; mit anderem Sinn seit dem 15. Jh. Name eines Geräts zum Abstreichen von Maßgefäßen, die ›gestrichen voll‹ sein sollten); **abstreichen** »Überflüssiges abstreifen und entfernen« (mhd. *abestrīchen*), dazu **Abstrich** »unreiner Schaum beim Erzschmelzen« (16. Jh.), »Probe von Körperabsonderungen« (medizinisches Fachwort, 20. Jh.), »Kürzung [von Geldmitteln]« (19. Jh.); **anstreichen** »durch Striche bezeichnen; anmalen« (mhd. *anestrīchen* »salben«), dazu **Anstreicher** landsch. für »Maler« (19. Jh.), **Anstrich** »Tünche, Bemalung« (16. Jh.; oft übertragen gebraucht; in anderem Sinn mhd. *anstrich* »Strich auf der Geige«); **verstreichen** »glatt streichen, verschmieren; vorübergehen, vergehen« (mhd. *verstrīchen* »überstreichen; vergehen«, ahd. *farstrīchan* »tilgen«).

streifen: Das nur dt. Verb (mhd. *streifen* »gleitend berühren; abhäuten; [umher]ziehen, marschieren«) gehört wie das ablautende, im Nhd. lautlich mit ihm zusammengefallene Substantiv ↑Streif[en] zu der unter ↑Strahl behandelten Wortgruppe. Es entspricht in seinen Bedeutungen dem verwandten ↑streichen, doch hat sich die Bedeutung »umherziehen, schweifen« besonders im Nhd. stärker ausgebildet. Beachte die Zusammensetzung **abstreifen** »[eine Hülle] abziehen, entfernen« (mhd. *abestreifen*).

Streif[en]: Mhd. *strīfe,* mnd., mniederl. *strīpe* »Streifen« und die nord. Sippe von schwed. *stripa* »Strähne« gehören wie das Verb ↑streifen zu der unter ↑Strahl behandelten Wortgruppe. Außerhalb des Germ. entspricht nur air. *srīab* »Streifen«. Das Wort bezeichnet im Dt. schmale, bandartige Gegenstände oder farbige Linien auf Stoffen, Fellen und dgl. – Abl.: **streifig** »mit Streifen versehen« (18. Jh.; älter nhd. *streificht,* mhd. *strīfeht,* ahd. *strīphat*); **gestreift** (frühnhd. *gestryfft, gestreifft,* zu mhd. *strīfen* »mit Streifen versehen«).

Streik »gemeinsame, meist gewerkschaftlich gelenkte Arbeitsniederlegung (als Maßnahme in einem Arbeitskampf)«: Das Substantiv wurde im 19. Jh. aus gleichbed. engl. *strike* entlehnt und zunächst auf englische Verhältnisse bezogen. Weitere Verbreitung in Deutschland fand es seit dem Streik der Buchdrucker 1865 in Leipzig, auch setzte sich jetzt langsam die eindeutschende Schreibung mit -ei- durch. Engl. *strike* gehört zum Verb engl. *to strike* »die Arbeit einstellen«, aus dem unser Verb **streiken** (19. Jh.) übernommen ist. Es bedeutet eigentlich »streichen; schlagen usw.« und ist mit dt. ↑streichen verwandt. Die übertragene Bedeutung des engl. Verbs entwickelte sich wohl aus der Fügung *to strike work* »die Arbeit streichen« (im Sinne von »die Arbeitsgeräte wegstellen«).

Streit: Das altgerm. Substantiv mhd., ahd. *strīt,* niederl. *strijd* »Kampf, Hader, Wettstreit, Rechtskonflikt, Meinungsstreit«, schwed. *strid* »Kampf, Streit« geht vermutlich von einer Grundbedeutung »Widerstreben, Starrsinn, Aufruhr« aus, die in den älteren dt. Sprachstufen und im Nord. noch auftritt (vgl. z. B. aisl. *strīđr* »hartnäckig, widerspenstig«). Es gehört also wohl zu der unter ↑starren dargestellten Wortgruppe. Als Bezeichnung des Waffenkampfes gilt ›Streit‹ heute nur dichterisch und in Namen historischer Waffen wie **Streitaxt** (spätmhd. *strītax*) und **Streitwagen** (15. Jh.); beachte noch **Streitmacht** »bewaffneter Verband« (18. Jh.). Sonst bezeichnet ›Streit‹ heute besonders den Rechts- und den Meinungsstreit (beachte dazu **Streitfall** [19. Jh.] und **Streitschrift** »polemische Abhandlung« [16. Jh.]) sowie den persönlichen Zank (z. B. in ugs. **Streithammel** »zänkischer Mensch«, nach 1800). – Abl.: **streitbar** (mhd. *strītbære* »kriegerisch, kampftüchtig«); **streitig** »umstritten« (in der Wendung ›jemandem etwas streitig machen‹ »jemandem das Anrecht auf etwas bestreiten«, 16. Jh.; mhd. *strītec,* ahd. *strītig* bedeutete u. a. »kampflustig; starrsinnig«; s. auch *strittig*), dazu **Streitigkeit** »Zwist« (17. Jh.). Das Verb **streiten** (mhd. *strīten,* ahd. *strītan,* niederl. *strijden,* mit schwacher Flexion asächs. *strīdian,* aisl. *strīđa*) entspricht in seinen Bedeutungen dem Substantiv. Zu dessen Bedeutung »Wortstreit« stellen sich im Nhd. die Zusammensetzung **abstreiten** »leugnen« (mhd. *abestrīten* »im Kampf abgewinnen«) und das adjektivische 2. Part. **umstritten** (19. Jh.) sowie die Präfixbildung **bestreiten** »für nicht zutreffend erklären; streitig machen« (so seit dem 18. Jh.; vorher wie mhd. *bestrīten* für »angreifen, bekämpfen« gebraucht; die Bedeutung »die Kosten tragen; bewältigen« hat sich im 17. Jh. aus dem übertragenen Gebrauch im Sinne von »einer Sache gewachsen sein« entwickelt).

streng: Mhd. *strenge,* ahd. *strengi* »stark, tapfer, tatkräftig«, niederl. *streng* »streng, stramm«, engl. *strong* »stark, kräftig«, aisl. *strangr* »heftig, stark, hart« (schwed. *sträng* »streng«) gehören zu der unter ↑Strang genannten Wurzelform. Die alte Hauptbedeutung »stark, kräftig« geht wohl auf eine Grundbedeutung »fest gedreht, straff« zurück. Im Dt. haben sich daraus die Bedeutungen »hart, grimmig« (›strenger Winter‹) »scharf« (›strenger Geruch‹) und seit frühnhd. Zeit besonders »unnachgiebig, unerbitterlich, genau« entwickelt. – Abl.: **Strenge** (mhd. *strenge,* ahd. *strengī;* anders gebildet engl. *strength* »Stärke«); zu veraltetem **strengen** »einengen; straff anziehen« (mhd., ahd. *strengen* »stark machen; bedrängen«) gehört wohl die Zusammensetzung [sich] **anstrengen** »[sich] bemühen, die Kräfte spannen« (im 15. Jh. für »inständig bitten; gerichtlich vorgehen«, beachte die Wendung ›einen Prozess anstrengen‹), doch hat dabei auch die Ableitung ›ansträngen‹ von ↑Strang eingewirkt, denn vom 15. bis 17. Jh. bedeutet ›anstrengen‹ auch »in der Folter befragen« (eigentlich »mit Stricken festbinden«).

Stress: Die Bezeichnung für »erhöhte Beanspruchung, starke Belastung physischer und/oder psychischer Art« wurde 1936 von dem österreichisch-kanadischen Biochemiker und Mediziner Hans Selye (1907–1982) geprägt. Zugrunde liegt engl. *stress* »Druck, Anspannung«, das aus *distress* »Sorge, Kummer« gekürzt ist. Dies geht über gleichbed. afrz. *destresse* letztlich auf lat. *distringere* »beanspruchen; einengen« (vgl. *Distrikt*) zurück.

streuen: Die heutige Form des Verbs hat sich unter einer großen Zahl mdal. Formen allein durchgesetzt. Das gemeingerm. Verb mhd. *streuwen, ströuwen, strouwen,* ahd. *strewen, strouwen,* got. *straujan,* engl. *to strew,* schwed. *strö,* zu dem sich auch das unter ↑Stroh behandelte Substantiv stellt, ist eng verwandt mit lat. *struere* »übereinander, nebeneinander breiten, aufschichten« (vgl. *Strahl*). – Abl.: **Streu** »untergebreitetes Lager des Stallviehs« (mhd. *strewe, ströu[we],* anders gebildet ahd. *gistreuui*); gleichbedeutend war ursprünglich **Streusel** (19. Jh.; mdal. für »Streu«, wie schon mnd. *strouwelse;* als »aus Butter, Zucker und Mehl zubereitetes Klümpchen zum Bestreuen von Kuchen« besonders in der Zusammensetzung **Streuselkuchen,** Anfang des 19. Jh.s). Die Präfixbildung **zerstreuen** (mhd. *zerströuwen*) wird seit dem 14. Jh. auch übertragen im Sinne von »ablenken« gebraucht; dazu das adjektivische 2. Part. **zerstreut** (das im 18. Jh. durch frz. *distrait* »abgezogen, abgelenkt« beeinflusst wurde) und das Substantiv **Zerstreuung** »Ablenkung, Träumerei, Zeitvertreib« (spätmhd. *zerströuwunge*).

Strich: Das altgerm. Substantiv mhd., ahd. *strich,* got. *striks,* niederl. *streek,* engl. *streak* (beachte auch schwed. *streck* »Strich«) gehört ablautend zu dem unter ↑streichen behandelten Verb. Ursprünglich bedeutete es »gezogene, gestrichene Linie« (besonders beim Zeichnen und Schreiben), dann auch »Vorgang und Richtung des Streichens« (als Erstreckung oder Fortbewegung). So steht ›Strich‹ für »Landschaft, Zone« (schon ahd., dazu die Zusammensetzung **Landstrich,** 17. Jh.), für »Haar-, Faserrichtung«, für »Flug, das Hinundherstreifen der Vögel« (17. Jh.) und für »das Umhergehen der Prostituierten auf einer bestimmten Straße, in einer bestimmten Gegend, um sich zur Prostitution anzubieten« (17. Jh.). – Zus.: **Beistrich** (s. d.); **Strichpunkt** (1641 von Schottel als ›Strichpünctlein‹ zur Verdeutschung von ↑Semikolon gebraucht).

Strich

auf den Strich gehen
(derb:) »sich prostituieren«
Die Herkunft dieser Wendung ist trotz aller Deutungsversuche nicht sicher geklärt. Wahrscheinlich steht sie im Zusammenhang mit dem Verb ›streichen‹ im Sinne von »entlanggehen, umherziehen«. Das Substantiv ›Strich‹ wäre dann also im Sinne von »Zugrichtung« oder allgemeiner als »Weg, Straße« zu verstehen. Möglicherweise spielt auch das jägersprachliche ›Schnepfenstrich‹ (»Balzflug der Schnepfe«) hinein, zumal ›Schnepfe‹ ein ugs. Ausdruck für ›Prostituierte‹ ist.

jmdm. gegen/wider den Strich gehen
(ugs.) »jmdm. widerstreben, jmdm. zuwider sein«
In dieser Wendung ist mit ›Strich‹ die Lage der Haare im Fell gemeint. Streichelt man z. B. die einer Katze gegen den Strich, so empfindet sie dies meist als unangenehm.

nach Strich und Faden
(ugs.) »gehörig, gründlich«
Diese Wendung stammt aus der Sprache der Weber. Ein Gewebe musste in früherem Sprachgebrauch nach Strich (= Webart) und Faden (= Material) einwandfrei sein und wurde auf diese beiden Komponenten hin gründlich überprüft.

unter dem Strich
1. »nach der Schlussrechnung, nach Abwägen der Vor- und Nachteile«
2. (ugs.) »von ungenügender Leistung«
3. (veraltet) »im Unterhaltungsteil der Zeitung«
In der ersten Bedeutung dieser Fügung ist der Strich gemeint, der bei einer Additionsaufgabe unter die untereinander aufgeführten Summanden gezogen wird. In der zweiten Bedeutung könnte der Strich gemeint sein, der in einem Leistungsdiagramm den Durchschnittswert angibt. Die dritte Bedeutung geht darauf zurück, dass früher in den Zeitungen der Feuilletonteil oft durch einen waagerechten Strich vom Nachrichtenteil getrennt war.

Strick: Die Herkunft des auf das dt. und niederl. Sprachgebiet beschränkten Wortes (mhd., ahd. *stric* »Schlinge, Fessel«, niederl. *strik* »Schleife, Schlinge, Strick«) ist nicht sicher erklärt. Aus der ältesten Bedeutung »Schlinge« (besonders zum Tierfang), die noch in **Fallstrick** (16. Jh.; heute meist übertragen gebraucht), in ›stricken‹ (s. u.) und den Präfixbildungen ↑bestricken und ↑verstricken bewahrt ist, hat sich in mhd. und frühnhd. Zeit die heutige Bedeutung »kurzes gedrehtes Seil« entwickelt. Wie ›Strang‹ (s. d.) bezeichnet ›Strick‹ das Werkzeug des Henkers, beachte das heute nur scherzhaft gebrauchte Scheltwort **Galgenstrick** (16. Jh.). – Abl.: **stricken** (mhd. *stricken,* ahd. *stricchen* »knüpfen, schnüren, flechten«; vgl. aengl. *strician* »[Netze] ausbessern«; seit dem 12. Jh. werden gestrickte Kleidungsstücke hergestellt), dazu **Stricknadel** (15. Jh.).

Striegel ↑streichen.

Strieme, auch: **Striemen:** Mhd. *strieme* »farbiger Streifen; blutunterlaufenes Hautmal«, niederl. *striem* »Strieme« gehören zu einer Gruppe gleichbed. dt. und niederl. Wörter mit verschiedenem Stammvokal, die sonst nur mdal. erhalten sind, z. B. mhd. *strām, strīme,* ahd. *strīmo,* niederl. mdal. *straam.* Die genannten Wörter gehen alle im Sinne von »Streifen, Strich« auf die unter ↑Strahl dargestellte idg. Wortgruppe zurück.

strikt »streng; genau; pünktlich«: Das seit dem 16. Jh. bezeugte Wort, das lange Zeit vorwiegend in der Adverbform **strikte** (so gelegentlich noch heute) gebräuchlich war, ist entlehnt aus lat. *strictus* »zusammengeschnürt; dicht, straff, eng; streng« (als Adverb: *stricte* »streng; genau«), dem Partizipialadjektiv von lat. *stringere (strictum)* »schnüren, zusammenziehen, straffen«. – Vgl. auch das auf einer Bildung zu lat. *stringere* beruhende Fremdwort *Distrikt.*

stringent ↑Prestige.

Strippe: Der seit dem 17. Jh. bezeugte und seit dem 19. Jh. besonders berlin. Ausdruck für »Bindfaden; Schnur«, der ugs. auch im Sinne von »Fernsprechleitung, Leitungsdraht« gebraucht wird, ist die entrundete Form von ostmitteld. *Strüppe* »Riemen, gedrehter Strick; Bindfaden«. Diesem entsprechen mniederd. *strop[p],* mniederl. *strop[pe]* und mhd. *strupfe* »Lederschlinge«, die durch roman. Vermittlung (vgl. it. *stroppo,* span. *estrobo,* frz. *étrope* »Schlaufe zur Befestigung des Ruders in der Dolle«) aus lat. *stroppus, struppus* »gedrehter Riemen; dünner Kranz« entlehnt sind. Das lat. Wort stammt seinerseits aus griech. *stróphos* »Seil, Band«, das eigentlich »Gedrehtes« bedeutet und eine Bildung zu *stréphein* »drehen« (vgl. *Strophe*) ist. Auf die niederd.-ostmitteld. Form ›Strüppe‹ hat wohl mniederd. *strippe* »Riemen; Schleife am Geldbeutel; Schlinge« eingewirkt, das mit dt. ↑streifen verwandt ist.

Striptease: Die Bezeichnung für »Tanznummer in Nachtlokalen, Varietés, bei der sich die Akteure nach und nach entkleiden« wurde in der 2. Hälfte des 20. Jh.s aus gleichbed. engl.-amerik. *striptease* entlehnt, das aus *to strip* »sich ausziehen« (verwandt mit dt. ↑streifen) und *to tease* »necken, reizen« gebildet ist.

strittig »umstritten«: Das seit dem 15. Jh. bezeugte ursprünglich oberd. Adjektiv gehört zu dem heute nur noch mdal. erhaltenen Substantiv *Stritt* »Streit«, einer Substantivbildung zu ›streiten‹ (↑Streit). Es wurde in denselben Bedeutungen wie ›streitig‹ (↑Streit) gebraucht und hat dieses Wort in der Bedeutung »umstritten« seit dem 18. Jh. weitgehend abgelöst.

strob[e]lig, strobeln ↑strubb[e]lig.

Stroh: Das altgerm. Substantiv mhd. *strō,* ahd. *strao, strō,* niederl. *stro,* engl. *straw,* schwed. *strå* (»Halm«) gehört zu der unter ↑streuen behandelten Wortgruppe und bedeutet demnach eigentlich »Ausgebreitetes, Hingestreutes«. – Abl.: **strohern** »aus Stroh« (16. Jh.; für älteres *strohen,* mhd. *strœwīn*); **strohig** »wie Stroh; trocken und ohne Geschmack« (17. Jh.). Zus.: **Strohblume** (17. Jh.); **Strohhalm** (15. Jh.); **Strohmann** (seit dem 16. Jh. für »Strohpuppe«, seit dem 19. Jh. kaufmännisch für »vorgeschobene Person«, nach frz. *homme de paille*); **Strohwitwe** »Frau, deren Mann verreist ist« (wie **Strohwitwer** seit Anfang des 18. Jh.s bezeugt; eigentlich »auf dem [Bett]stroh Alleingelassene[r]«).

strohdumm ↑dumm.

Strolch »jemand, der verwahrlost [und gewalttätig] ist«: Das ursprünglich oberd. Wort ist seit Anfang des 17. Jh.s bezeugt. Seine Herkunft ist nicht geklärt.

Strom: Das altgerm. Substantiv mhd. *stroum, strōm,* ahd. *stroum,* niederl. *stroom,* engl. *stream,* schwed. *ström* beruht auf einer Bildung zu der idg. Verbalwurzel **sreu-* »fließen«, vgl. z. B. aind. *srávati* »fließt«, griech. *rhéein* »fließen« (s. die Fremdwortgruppe um *Rhythmus*) und lit. *sravėti* »fließen, sickern«. Mit dem germ. Substantiv vergleichen sich näher griech. *rheūma* »das Fließen«, air. *srúaim* »Fluss« und russ. *strumen'* »Bach«. Auch ›Strom‹ bedeutet eigentlich »das Fließen«, doch ist die konkrete Bedeutung »fließendes Gewässer« schon alt und überwiegt in nhd. Zeit. Seit dem 19. Jh. gilt ›Strom‹ in diesem Sinne nur für große Flüsse. Die Verwendung des Wortes im Sinne von »fließende Elektrizität« (seit dem 18. Jh.) ist von der Vorstellung einer Strömung ausgegangen. – Abl.: **strömen** »mit großer, gleichmäßiger Geschwindigkeit in großen Mengen fließen« (17. Jh.), dazu **Strömung** (Ende des 18. Jh.s).

Strophe »mehrere zu einer rhythmischen Einheit zusammengeschlossene Verse; Gedicht-, Liedabschnitt«: Das Fremdwort ist eine Entlehnung des 17. Jh.s aus gleichbed. lat. *stropha,* das seinerseits aus griech. *strophḗ* übernommen ist. Das griech.

Substantiv bedeutet eigentlich »das Drehen, das Wenden, Wendung« (zu griech. *stréphein* »drehen, wenden usw.«; vgl. dazu auch die auf Bildungen zu griech. *stréphein* beruhenden Fremdwörter *Apostroph* und *Katastrophe*). Speziell bezeichnete griech. *strophḗ* die schnelle Tanzwendung des Chors in der Orchestra und das der jeweiligen Wendung entsprechende, zum Tanz vorgetragene Chorlied. Aus diesem Gebrauch des Wortes entwickelte sich dann die allgemeine Bedeutung »Strophe«.

strotzen: Mhd. *strotzen* »[an]schwellen« bedeutet eigentlich »steif emporragen, starren«. Ihm entsprechen engl. *to strut* »stolzieren« und schwed. *strutta* »trippeln, stolzieren« (eigentlich »steif, gespreizt gehen«). Weiterhin sind im germ. Sprachbereich verwandt mhd. *striuzen* »spreizen, sträuben« und aengl. *strūtian* »hervorstehen« sowie wahrscheinlich die unter ↑[1]Strauß »Streit« und ↑[2]Strauß »Büschel« behandelten Substantive, ferner ohne anlautendes s z. B. aengl. *đrūtian* »vor Zorn schwellen«, aisl. *þrūtinn* »geschwollen« und die unter ↑[2]Drossel genannten Bezeichnungen der Luftröhre. Außergerm. eng verwandt ist z. B. kymr. *trythu* »schwellen«. Alle diese Wörter gehören zu der unter ↑starren dargestellten idg. Wurzel.

strubb[e]lig (ugs. für:) »wirr, struppig«: Das auch in der Form **strob[e]lig** gebräuchliche Wort (im 15. Jh. *strobelecht, strubbelich*) ist eine Ableitung von dem Verb **strobeln** »struppig sein oder machen« (mhd. *strobelen,* ahd. *arstropolōn*), das wie das unter ↑struppig behandelte Wort zur Sippe von ↑sträuben gehört. Derselbe Verbalstamm steckt in der ursprünglich mitteld. mdal. Zusammensetzung **Struwwelpeter** »Mensch mit wirrem Haar« (im 18. Jh. *Strubbelpeter*), die besonders durch das Bilderbuch Heinrich Hoffmanns (Frankfurt 1844) bekannt wurde.

Strudel: Das zuerst spätmhd. als *strodel, strudel* »Strömung, Stromschnelle« bezeugte, nur dt. Wort gehört wie das Verb **strudeln** (spätmhd. *strodeln, strudeln* »sieden, brodeln«) zu dem untergegangenen starken Verb ahd. *stredan* »wallen, (leidenschaftlich) glühen«. Zu der seit dem 16. Jh. auftretenden, heute allein gültigen Bedeutung »Kreisdrehung, Wasserwirbel« stellt sich wahrscheinlich oberd. *Strudel* als Name einer oft schneckenförmig gedrehten Mehlspeise.

S

Struktur »Gefüge, Bau; Aufbau, innere Gliederung«: Das vereinzelt schon im Mhd. belegte, aber erst seit dem 16. Jh. allgemeiner üblich gewordene Fremdwort geht zurück auf lat. *structura* »ordentliche Zusammenfügung, Ordnung, Sicherheit, Gefüge; Bauwerk; Bau«, das von lat. *struere (structum)* »schichten, nebeneinander oder übereinander legen, zusammenfügen, aufbauen, errichten« (urverwandt mit dt. ↑streuen) abgeleitet ist. – Beachte die auf Bildungen zu lat. *struere* beruhenden Fremdwörter ↑instruieren, instruktiv, Instruktion, ↑Instrument, ↑konstruieren, konstruktiv, Konstruktion, Konstrukteur, ↑rekonstruieren, Rekonstruktion.

Strumpf: Das seit dem 13. Jh. bezeugte Wort (mhd. *strumpf,* mnd. *strump*) bedeutete ursprünglich und z. T. bis ins 18. Jh. »[Baum]stumpf, Rumpf« (vgl. norw. mdal. *strump* »schmaler Kübel«, eigentlich »ausgehöhlter Baumstamm«). Es ist mit der baltoslaw. Sippe von lit. *stram̃pas* »Knüttel, Stumpf« verwandt und gehört vielleicht im Sinne von »Steifes, Festes« zu der unter ↑starren dargestellten idg. Wortgruppe. Zur Bezeichnung eines Kleidungsstücks wurde ›Strumpf‹ erst im 16. Jh., als man die damals als Ganzes gearbeitete Bekleidung der unteren Körperhälfte (›Hose‹ genannt, s. d.) wieder teilte und nun das obere Stück als ›Hose‹, das untere als ›Strumpf‹ (eigentlich »Reststück, Stumpf«) bezeichnete. Die weitere Entwicklung der Mode hat diesen Ursprung der Bezeichnung bald vergessen lassen. Zu ›Blaustrumpf‹ s. den Artikel *blau.*

Strunk »Stumpf, dicker Stängel« (besonders von Kohl, Salat usw.): Das auf das dt. und niederl. Sprachgebiet beschränkte Wort (spätmhd. [mitteld.] *strunk,* niederl. *stronk*) ist verwandt mit norw. mdal. *strokk* »kleiner Holzkübel« (eigentlich »[ausgehöhlter] Baumstumpf«) und gehört vielleicht mit der Grundbedeutung »gestutzt, verstümmelt« zu der unter ↑starren dargestellten idg. Wortgruppe (beachte lit. *strùngas* »gestutzt, gekappt« neben gleichbed. *strùgas;* ↑Strauch).

struppig »rau, behaart«: Das ursprünglich niederd. Adjektiv (im 15. Jh. *strubbich,* älter nhd. auch *strupficht*) gehört zur Sippe von ↑sträuben. Es wird auch von wirrem, blattarmem Gesträuch gesagt (↑Gestrüpp).

Struwwelpeter ↑strubb[e]lig.

Stubben ↑Stief...

Stube: Das altgerm. Substantiv mhd. *stube,* ahd. *stuba* »heizbares Gemach, Baderaum«, niederl. *stoof* »heizbarer Fußschemel, Feuerkieke; Ofen«, engl. *stove* »Ofen«, schwed. *stuga* »Häuschen, Wohnstube« bezeichnete wahrscheinlich zunächst einen heizbaren Baderaum oder den darin befindlichen Ofen. Dieser Baderaum befand sich ursprünglich außerhalb des Hauses und wurde später in das Haus einbezogen. Das Wort ging dann auf die heizbare Wohnstube über. Die Herkunft des germ. Wortes ist umstritten, seine Ähnlichkeit mit roman. Wörtern wie frz. *étuve,* it. *stufa* »Badestube, Schwitzbad« (zu vlat. **extuphare* »mit Dämpfen erfüllen« und griech. *tȳphos* »Dampf«) ist vielleicht nur zufällig.

Stück: Das altgerm. Substantiv mhd. *stücke,* ahd. *stucki,* niederl. *stuk,* aengl. *stycce,* schwed. *stycke* gehört zu der unter ↑stoßen dargestellten Wortgruppe. Es bedeutete ursprünglich »abgeschlagener Teil eines Ganzen; Bruchstück«, danach »für sich bestehender Teil« (z. B. ›ein Stück Brot‹, ↑Frühstück) und »(gezähltes) Exemplar« (z. B.

›fünf Stück Vieh‹). Übertragene Bedeutungen sind z. B. »Kanone« (16.–18. Jh., dann veraltet, dazu noch **bestücken** »mit Geschützen ausrüsten«, 18. Jh.) und »Schauspiel, Bühnenstück« (18. Jh.). – Abl.: **stückeln** »in Stücke [auf]teilen« (spätmhd. *stückeln*), dazu **zerstückeln** (16. Jh.). Zus.: **Stückwerk** »Unvollkommenes« (so seit Luther; im 15. Jh. für »Akkordarbeit«, vgl. **Stücklohn** »Akkordlohn«, um 1600).

studieren »lernen, [er]forschen; die Hochschule besuchen«: Das seit dem 13. Jh. bezeugte Verb geht auf lat. *studere* »etwas eifrig betreiben; sich wissenschaftlich betätigen, studieren« zurück. Aus dessen Part. Präs. *studens (studentis)* stammt das in der mlat. Schulterminologie entwickelte Substantiv **Student** (schon mhd. im Sinne von »Lernender, Schüler«). – Neben dem lat. Verb wurde das dazugehörige Substantiv lat.-mlat. *studium* »eifriges Streben; intensive Beschäftigung, wissenschaftliche Betätigung« entlehnt, und zwar auf mehreren Wegen. In einer unmittelbaren gelehrten Übernahme lebt es fort in unserem Fremdwort **Studium** »wissenschaftliche [Er]forschung; intensive Beschäftigung mit einer Sache; Hochschulausbildung« (15. Jh.). Die Pluralform **Studien,** die als Vorderglied in zahlreichen Zusammensetzungen wie **Studienrat** (19. Jh.), **Studienreise** (19. Jh.) vorkommt, liefert den daraus rückgebildeten selbstständigen Singular **Studie** »Übung[sstück]; Vorarbeit, Entwurf, skizzenhafte Darstellung« (Anfang 19. Jh.). Der zweite Entlehnungsweg, der über it. *studio* »Studium; Studie; Arbeitszimmer, Atelier« führt, brachte im 18. Jh. das Fremdwort **Studio** »Künstlerwerkstatt, Atelier; Aufnahmeraum (bei Film, Funk und Fernsehen); Versuchsbühne (für moderne Kunst)«.

Stufe: Mhd. *stuofe,* ahd. *stuof[f]a* »Treppen-, Leiterstufe«, niederl. *stoep* »Haustürstufe, Freitreppe; Bürgersteig« entsprechen asächs. *stōpo* »Trift, Spur«, das wohl die älteste Bedeutung des Wortes zeigt (vgl. aengl. *stōpel* »Fußspur«). Die Wörter sind ablautend mit den unter ↑Stapfe und ↑Staffel behandelten Substantiven verwandt (vgl. *Stab*).

Stuhl: Das gemeingerm. Substantiv mhd., ahd. *stuol,* got. *stōls,* engl. *stool,* schwed. *stol* gehört zu den Nominalbildungen des unter ↑stehen dargestellten Verbs und bedeutet eigentlich »Gestell« (vgl. das verwandte lit. *pa-stõlas* »Gestell, Ständer«, weiterhin die slaw. Sippe von russ. *stol* »Tisch; Thron«). In den germ. Sprachen bezeichnete das Wort zuerst den aufgebauten Hochsitz des Fürsten (so z. B. got. *stōls* »Thron«) oder des Richters, im Dt. seit dem Mittelalter auch das Katheder des Gelehrten (**Lehrstuhl,** mhd. *lērstuol*). Die gewöhnliche Sitzgelegenheit in germanischer Zeit war die Bank (s. d.), doch ist schon früh auch der Stuhl im heutigen Sinn des Wortes bekannt. Die Zusammensetzung **Stuhlgang** (15. Jh.) bedeutet eigentlich »Gang zum [Nacht]stuhl«; das erste Glied bezieht sich auf ein Gerät für Kranke oder auf den Abortsitz. Aus der zugehörigen Wendung ›zu Stuhl gehen‹ (14. Jh.; vgl. nhd. ugs. ›zu Stuhle kommen‹ »mit etwas fertig werden, zurechtkommen«) ergab sich schon spätmhd. für ›Stuhl‹ die Bedeutung »menschliche Exkremente«, die vor allem im medizinischen Sprachgebrauch gilt.

Stulle: Die nordd., besonders berlin. Bezeichnung der [bestrichenen] Brotschnitte (im 18. Jh. ›Butterstolle‹; mdal. immer mit -u-) könnte eine Nebenform des Gebäcknamens Stolle (↑Stollen) sein oder aber auf südniederl., ostfries. *stul* »Brocken, Klumpen, Torfstück« zurückgehen. Dies ist ein Wort, das wohl mit den flämischen Siedlern des Mittelalters nach Brandenburg gelangte. Die Grundbedeutung von ›Stulle‹ wäre demnach »Brocken, derbes Stück Brot«.

stülpen »umkehren, darüber decken«: Das im Hochd. seit dem 15. Jh. bezeugte Verb (heute meist ›um-, aufstülpen‹) stammt wahrscheinlich aus dem Niederd. (mnd. *stulpen* »umstürzen«; vgl. niederl. *stolpen, stulpen* »umstürzen, darüber decken«). Es ist ablautend verwandt mit schwed. *stjälpa* »umstürzen, -kippen« und [m]niederl., mnd. *stelpen* »hemmen«. Vgl. weiterhin die unter ↑*stolpern* genannten Wörter und die Substantive mnd. *stolpe,* schwed. *stolpe* »Pfosten, Pfahl«, denen die baltoslaw. Sippe von russ. *stolb* »Pfeiler, Säule« entspricht. Alle genannten Wörter gehören zu der unter ↑stellen dargestellten idg. Wurzel **stel-* »aufstellen; steif; Pfosten«. Die Bedeutung »umstürzen« hat sich bei ›stülpen‹ wohl aus »steif sein« entwickelt. Das Substantiv **Stulpe** »Aufschlag an Ärmeln, Handschuhen, Stiefeln und dgl.« (im 16. Jh. ›Stulp‹ »Hutrand«, im 18. Jh. ›Stulpe‹, ›Stülpe‹ »Ärmelaufschlag«, aus dem Niederd.) ist wohl eine Rückbildung zu ›stülpen‹.

Stülz ↑rumpeln.

stumm: Das auf das dt. und niederl. Sprachgebiet beschränkte Adjektiv (mhd., ahd. *stum,* niederl. *stom*) bedeutete ursprünglich »sprachlich gehemmt«; es gehört mit den unter ↑stammeln genannten Wörtern zur Sippe von ↑stemmen (eigentlich »Einhalt tun«). In der Hauptbedeutung »unfähig zu sprechen« hat es das gemeingerm. Wort ›dumm‹ (s. d.) abgelöst. – Abl.: **Stummheit** (spätmhd. *stumheit*); **verstummen** »stumm werden, schweigen« (mhd. *verstummen,* neben mhd., ahd. *erstummen*). Zus.: **taubstumm** (↑taub).

Stummel: Das Substantiv mhd. *stumbel* (entsprechend [m]niederl. *stommel* »Reststück, Stumpf«) geht auf das substantivierte Adjektiv ahd. *stumbal* »verstümmelt« zurück und ist mit den unter ↑Stumpf behandelten Wörtern verwandt. Beachte die Präfixbildung **verstümmeln** »beschneiden, (ein Körperglied) abschneiden« (17. Jh.; schon mhd. *verstumeln*).

Stumpen: Neben ↑Stumpf steht eine oberd. Form *Stumpe[n]* »[Baum]stumpf, verstümmeltes Glied« (im 14. Jh. mhd. *stumpe*). Sie ist heute als

›Stumpen‹ gemeinsprachlich in den Sonderbedeutungen »Grund- oder Rohform eines Filzhutes« (19. Jh.) und »stumpf abgeschnittene, kurze Zigarre« (20. Jh.; zuerst schweiz. mdal.).

Stümper (ugs. für:) »Nichtskönner«: Das seit dem 14. Jh. zuerst im Niederd. und Mitteld. bezeugte Wort (mnd. *stumper, stümper,* entsprechend niederl. *stumper*) ist eine Ableitung von mnd. *stump* »Stumpf« (vgl. *Stumpf*) und bedeutete ursprünglich »schwächlicher, armseliger Mensch (der bemitleidet oder verachtet wird)«. Erst im 17. Jh. entwickelt sich daraus der heutige Sinn »untüchtiger Mensch, der nichts von seinem Handwerk versteht«.

stumpf: Das mit dem Substantiv ↑Stumpf eng verwandte Adjektiv war ursprünglich besonders im niederd. und niederl. Sprachgebiet verbreitet (mhd. *stumpf,* spätahd. *stumph,* mnd., mitteld. *stump,* niederl. *stomp*). Es bedeutete zunächst »verkürzt, verstümmelt«, dann »ohne Spitze und Schärfe« und »rund, breit«. Der mathematische Fachausdruck ›stumpfer Winkel‹ (von über 90°) erscheint zuerst um 1400 und ist wohl Lehnübersetzung von lat. *angulus obtusus.* – Zus.: **stumpfsinnig** »teilnahmslos; ermüdend, langweilig; dumm« (15. Jh.), dazu die Rückbildung **Stumpfsinn** (Ende des 18. Jh.s).

Stumpf: Das nur im dt. und niederl. Sprachgebiet altbezeugte Substantiv lautet mhd. *stumpf[e],* ahd. *stumph,* mnd. *stump* (↑Stümper), niederl. *stomp;* daneben steht mit abweichendem Stammauslaut oberd. *Stumpe[n]* »Stumpf« (↑Stumpen). Diese Substantive bilden mit dem nahe verwandten Adjektiv ↑stumpf und den unter ↑Stummel genannten Wörtern eine Wortgruppe, die von Bedeutungen wie »verstümmelt; steifer Rest eines Baumes oder Körperteils« ausgeht und weiterhin vielleicht mit der unter ↑Stab dargestellten idg. Wortgruppe verwandt ist. Beachte die dorthin gehörigen Wörter lit. *stam̃bas* »[Pflanzen]strunk« und aind. *stambha-ḥ* »Pfosten«. Die eigentliche Bedeutung »Baum-, Pflanzenrest« zeigt ›Stumpf‹ auch in der Wendung ›mit Stumpf und Stiel (d. h. völlig) ausrotten‹ (16. Jh.).

Stunde: Das altgerm. Wort mhd. *stunde, stunt* »Zeit[abschnitt], Zeitpunkt; Gelegenheit, Mal; Frist«, ahd. *stunta* »Zeit[punkt], Stunde«, niederl. *stond[e]* »Stunde«, aengl. *stund* »Zeitpunkt, Augenblick, Stunde«, schwed. *stund* »Weile, Augenblick« ist wahrscheinlich eine ablautende Bildung zu dem unter ↑Stand genannten gemeingerm. Verb mit der Bedeutung »stehen« (ahd. *stantan* usw.). Es bedeutete demnach ursprünglich »Stehen, Aufenthalt, Rast, Pause«, dann »Weile, [Zeit]raum, Zeit[punkt]« (vgl. den Artikel *Weile*). Zur Bezeichnung eines genau bemessenen Tagesabschnitts (60 Minuten) ist ›Stunde‹ erst im 15. Jh. geworden. – Abl.: **stunden** »Frist geben« (17. Jh.; schon mnd. *stunden* bedeutete »aufschieben«), dazu **Stundung** (17. Jh.; meist von Zahlungen gesagt; mnd. *stundinge*); **stündlich** »jede Stunde; ständig« (17. Jh.; spätmhd. *stundelich*).

Stunk ↑stinken.

stupid[e] »stumpfsinnig; beschränkt, dumm«: Das Adjektiv wurde Anfang des 18. Jh.s aus gleichbed. frz. *stupide* entlehnt, das auf lat. *stupidus* »betäubt; verdutzt, verblüfft; borniert, dumm« zurückgeht. Das zugrunde liegende Verb lat. *stupere* »starr sein, verblüfft sein« gehört zu den p-Erweiterungen der unter ↑stoßen entwickelten idg. Wurzel **[s]teu-* »stoßen, schlagen«. Für die Bedeutungsentwicklung von lat. *stupere* finden sich zahlreiche Parallelen in anderen Sprachen, beachte z. B. dt. ›betroffen sein‹ und ugs. ›bekloppt sein‹.

stupsen (ugs. für:) »[leicht] stoßen«: Das seit dem Anfang des 19. Jh.s bezeugte Verb ist eine Intensivbildung zu mitteld. *stuppen* »stoßen« (= oberd. mdal. *stupfen*) und gehört zu der unter ↑stoßen dargestellten Wortgruppe.

stur (ugs. für:) »unbeweglich, unnachgiebig, hartnäckig, stumpfsinnig«: Das erst im 19. Jh. aus dem Niederd. ins Hochd. übernommene Adjektiv geht zurück auf mnd. *stūr* »groß, schwer; störrisch, widerspenstig«, dem mniederl. *stuur* »streng, hartherzig, barsch«, ahd. *stūri, stiuri* »stattlich, stolz, wild« und aschwed. *stūr* »groß« entsprechen. Die Wörter gehören mit der Grundbedeutung »standfest; dick, breit« zu der unter ↑stehen dargestellten idg. Wortgruppe. Aus anderen idg. Sprachen ist z. B. aind. *sthūráḥ* »dick, stark« verwandt. Siehe auch den Artikel *stieren.* – Abl.: **Sturheit** »das Stursein«.

Sturm: Das altgerm. Substantiv mhd., ahd. *sturm,* niederl. *storm,* engl. *storm,* schwed. *storm* gehört wahrscheinlich zu der unter ↑stören behandelten Wortgruppe und bedeutet daher eigentlich »Verwirrung, Unruhe, Tumult«. Seit alters bezeichnet es sowohl das Unwetter wie den heftigen Kampf, militärisch seit mhd. Zeit besonders den Angriff auf eine Festung (beachte die Wendung ›gegen etwas Sturm laufen‹, frühnhd. *den sturm anlaufen*). Im Sinne von »innerer Aufruhr, geistig-seelischer Trieb« entstand Ende des 18. Jh.s das Schlagwort ›Sturm und Drang‹ als Bezeichnung der so genannten Geniezeit der deutschen Dichtung. – Abl.: **stürmen** »heftig wehen; angreifen; rennen« (mhd. *stürmen,* ahd. *sturmen*), dazu **anstürmen** »angreifen, berennen« (mhd. *anestürmen*) und die Rückbildung **Ansturm** (19. Jh.); **Stürmer** (mhd. *sturmære* »Kämpfer«; heute besonders Bezeichnung der angreifenden Spieler im Fußball, Hockey usw.); **stürmisch** »stark windig; sehr unruhig; ungestüm, leidenschaftlich; heftig« (mhd. als Adverb *stürmische*).

stürzen: Das westgerm. Verb mhd. *stürzen, sturzen,* ahd. *sturzen* »umstoßen, umstülpen; fallen«, niederl. *storten* »hineinstoßen, schütten; fallen«, aengl. *styrtan* »losstürzen, aufspringen« (dazu wahrscheinlich gleichbed. engl. *to start,* ↑Start) ist ablautend verwandt mit mhd. *sterzen* »steif emporragen« (heute nur mdal.) und dem unter ↑Sterz »Schwanz, Bürzel« behandelten Substantiv. Die Wörter gehören zu der unter ↑starren behandelten idg. Wurzel. ›Stürzen‹ bedeutete demnach ursprünglich wohl »auf den Kopf stellen oder gestellt werden« (vgl. das Verhältnis von ›purzeln‹ zu ›Bürzel‹). Aus dem intransitiven Gebrauch im Sinne von »schnell, mit Wucht fallen« hat sich im Nhd. die Bedeutung »sich schnell [fort]bewegen, ungestüm [weg]eilen« entwickelt, beachte auch den reflexiven Gebrauch im Sinne von »über jemanden herfallen, jemanden anfallen«; auf den transitiven Gebrauch im Sinne von »umstoßen« geht die Bedeutung »zu Fall bringen, aus einem Amt entfernen« zurück. – Abl.: **Sturz** »das Stürzen, Fall; Umstülpung; Übergestülptes« (mhd., ahd. *sturz;* die zweite Bedeutung z. B. in ›Kassensturz‹, die dritte in ›Glassturz, Türsturz‹). Zusammensetzungen und Präfixbildungen: **bestürzen** (s. d.); **umstürzen** »umwerfen; umfallen« (mhd. *ummesturzen;* seit dem 16. Jh. auf politische Gewaltakte bezogen), dazu **Umsturz** »Revolution« (18. Jh.).

Stuss »dummes Zeug, Unsinn«: Das seit dem 18. Jh. bezeugte Wort, das in den Mundarten und in der Umgangssprache weit verbreitet ist, beruht auf jidd. *štus,* hebr. *šẹṭûṯ* »Narrheit, Unsinn«.

Stute: Das altgerm. Wort mhd., ahd. *stuot,* mnd. *stōt,* aengl. *stōđ,* aisl. *stōđ* bezeichnete ursprünglich eine Herde von Pferden, dann speziell eine Herde von Zuchtpferden, die halb wild im Gelände gehalten wurde, wie es heute z. B. noch im westfälischen Emscherbruch üblich ist. Das Wort ist vermutlich eine Bildung zu dem unter ↑stehen behandelten Verb und bedeutet eigentlich »Stand, zusammenstehende Herde« oder »Standort (einer Herde)«. Während engl. *stud* »Gestüt« den kollektiven Sinn bis heute bewahrt hat, wurde mhd. *stuot* seit Anfang des 15. Jh.s zur Bezeichnung des einzelnen weiblichen Zuchtpferdes (ebenso schwed. *sto* »Stute«; die Herden bestanden überwiegend aus weiblichen Tieren). Für die alte Bedeutung, die z. B. auch dem Ortsnamen Stuttgart (eigentlich »Pferdegehege«) zugrunde liegt, trat im 16. Jh. die Neubildung ↑Gestüt ein.

Stuten ↑Steiß.

[1]**stutzen** »stehen bleiben, zurückschrecken, aufmerken«: Spätmhd. *stutzen* »zurückscheuen« bedeutet eigentlich »anstoßen, gehemmt werden« (vgl. ahd. *stotzōn* »heftig, stoßweise ausführen« und ahd. *erstutzen* »wegscheuchen«). Die genannten Verben sind Intensivbildungen zu dem unter ↑stoßen behandelten Wort. – Abl.: **stutzig** »bedenklich, zögernd« (16. Jh.).

[2]**stutzen** »beschneiden, verkürzen«: Das erst im 16. Jh. bezeugte dt. Verb ist wahrscheinlich von dem Substantiv **Stutz[en]** »Stumpf, verkürztes Ding« abgeleitet, einer auf das dt. Sprachgebiet beschränkten Bildung aus der Sippe von ↑stoßen. Das Substantiv erscheint seit dem 14. Jh. in mehreren Sonderbedeutungen (z. B. mhd. *stotze* »Stamm, Klotz«, mhd. *stutze* »Trinkbecher«), seit dem 18. Jh. oberd. für »kurzes Gewehr«, »Wadenstrumpf« u. Ä.

stützen: Das auf das dt. und niederl. Sprachgebiet beschränkte und als einfaches Verb im Hochd. erst seit dem 17. Jh. bezeugte Wort (mhd. *be-, ūf-, understützen,* ahd. *er-, untarstuzzen,* mnd. *stutten,* niederl. *stutten*) gehört als Intensivbildung zu einem Verb, das in ahd. *studen,* aisl. *styđja* »feststellen, stützen« erscheint. Dieses Verb ist von einem als spätmhd. *stud,* engl. *stud,* schwed. *stöd* »Stütze, Pfosten« bezeugten Substantiv abgeleitet. Über weitere Beziehungen vgl. den Artikel *stauen.* Als einfaches Verb ist ›stützen‹ im Hochd. seit dem 17. Jh. gebräuchlich. Das Verb ›stützen‹ bedeutet also eigentlich »Stützen unter etwas setzen, von unten halten«. Es wird vielfach übertragen gebraucht, besonders in der Zusammensetzung **unterstützen** »helfen; fördern« (mhd. *understützen,* ahd. *untarstuzzen*).

Style: Das Fremdwort für »Stil« wurde in der 2. Hälfte des 20. Jh.s aus gleichbed. engl. *style* übernommen. Zur weiteren Herkunft vgl. *Stil.* – Etwa zur gleichen Zeit finden sich im Deutschen **stylen** (»entwerfen, gestalten«, aus gleichbed. engl. *to style*); **Styling** (»Formgebung, äußere Gestaltung«, aus gleichbed. engl. *styling*); **Stylist** (»Formgestalter«, aus gleichbed. engl. *stylist*).

sub..., Sub..., vor Konsonanten vielfach angeglichen zu suf..., Suf..., sug..., Sug..., suk..., Suk..., sup..., Sup..., sur..., Sur...: Die aus dem Lat. stammende Vorsilbe mit den Bedeutungen »unter; unterhalb; von unten heran; nahebei«, wie z. B. in ↑subskribieren und ↑Subjekt, ist entlehnt aus lat. *sub* »unter; unterhalb; von unten heran; nahebei usw.« (Präfix und Präposition), das mit den verwandten Wörtern lat. *super* »obendrauf, darüber usw.« (↑super..., Super...), *supra* »obendrauf; darüber hinaus« und lat. *summus* (< *sup-mos) »höchster, äußerster, größter« (↑Summe) zu der unter ↑auf dargestellten idg. Wortfamilie gehört.

Subjekt »Satzgegenstand«; in der Philosophie Bezeichnung für das erkennende, mit Bewusstsein ausgestattete Ich; auch ugs. gebräuchlich für »Person« (mit verächtlichem Nebensinn): Das Fremdwort wurde im 16. Jh. aus lat. *subiectum* »Satzgegenstand; Grundbegriff« entlehnt. Dies gehört im Sinne von »das Daruntergeworfene, das (einer Aussage oder Erörterung) Zugrundegelegte« zu lat. *sub-icere* »darunter werfen, unterlegen, zugrunde legen«, einer Bildung aus lat. *sub* »unter« (vgl. *sub..., Sub...*) und lat. *iacere* »werfen usw.« (vgl. den Artikel *Jeton*). – Dazu: **subjektiv** »auf die (handelnde) Person bezogen; ichbezogen; einseitig, parteiisch« (18. Jh.; formal nach lat. *subiectivus* »zum Subjekt gehörig«).

S

subskribieren: Der Ausdruck für »ein Buch vor dem Erscheinen durch Namensunterschrift bestellen« erscheint als Fachwort des Buchhandels in diesem Sinne seit dem Ende des 18. Jh.s. Mit einer allgemeinen Bedeutung »unterschreiben« ist das Wort hingegen schon für das 16. Jh. bezeugt. Es ist aus lat. *sub-scribere* »unterschreiben«, einer Bildung aus lat. *sub* »unter« (vgl. *sub..., Sub...*) und lat. *scribere (scriptum)* »schreiben« entlehnt (vgl. den Artikel *schreiben*).

Substantiv »Hauptwort, Dingwort«: Das Fremdwort erscheint in der heutigen Form im 18. Jh. Als grammatischer Terminus wurde es im 16. Jh. aus gleichbed. spätlat. *(nomen) substantivum* entlehnt, einer Lehnübertragung von entsprechend griech. *(rhēma) hyparktikón.* Das lat. Wort bedeutet eigentlich etwa »Wort, das für sich selbst bestehen kann«. Es gehört als Ableitung zu lat. *substantia* »Bestand; Wesenheit, Existenz, Wesen, Inbegriff« (zu lat. *substare* »darunter sein, darin vorhanden sein«, einer Bildung aus lat. *sub* »unter« [vgl. *sub..., Sub...*] und lat. *stare* »stehen« [vgl. *stabil*]). Aus lat. *substantia* wurde bereits im Mittelalter in die philosophische Fachsprache **Substanz** »das Beharrende, Dauernde; Wesen einer Sache; Grundbestand« (mhd. *substancie*) übernommen. Das Adjektiv **substanziell** »stofflich, materiell; wesentlich; nahrhaft« kam im 18. Jh. unter dem Einfluss von gleichbed. frz. *substantiel* auf.

Substitut: Das Fremdwort für »Stellvertreter, Ersatzmann« wurde bereits im 14. Jh. aus lat. *substitutus* entlehnt, dem substantivierten Part. Perf. von lat. *sub-stituere* »darunter stellen; an jmds. Stelle setzen«. Dies ist eine Bildung aus lat. *sub* »unter« (vgl. *sub..., Sub...*) und lat. *statuere* »stellen« (vgl. *Statue*). Aus lat. *substituere* wurde gleichfalls bereits im 14. Jh. **substituieren** »ersetzen, austauschen« übernommen.

subtrahieren »abziehen, vermindern«: Das Fachwort der Mathematik ist eine gelehrte Entlehnung des 15. Jh.s aus lat. *sub-trahere* »unter etwas hervorziehen; entziehen, wegnehmen«, einer Bildung aus lat. *sub* »unter« (vgl. *sub..., Sub...*) und lat. *trahere (tractum)* »ziehen, schleppen« (vgl. den Artikel *trachten*). – Dazu stellt sich das Substantiv **Subtraktion** »das Abziehen (als zweite Grundrechnungsart)«, das im 16. Jh. aus spätlat. *subtractio* »das Abweichen« entlehnt worden ist.

Subvention: Der Ausdruck für »(finanzielle) Unterstützung« wurde im 18. Jh. aus lat. *subventio* »Hilfe, Unterstützung« entlehnt. Dies gehört zu lat. *sub-venire* »unterstützend hinzukommen«, einer Bildung aus lat. *sub* »unter« (vgl. *sub..., Sub...*) und lat. *venire* »kommen« (vgl. den Artikel *Advent*).

suchen: Das gemeingerm. Verb mhd. *suochen,* ahd. *suohhen,* got. *sōkjan,* engl. *to seek,* schwed. *söka* bedeutet eigentlich »suchend nachgehen, nachspüren«. Es ist z. B. verwandt mit lat. *sagire* »wittern, spüren, ahnen«, air. *saigim* »gehe nach, suche« und griech. *hēgeĩsthai* »vorangehen, führen«. Die zugrunde liegende idg. Wurzel **sāg-* »witternd nachspüren« bezog sich ursprünglich wohl auf den die Fährte aufnehmenden Jagdhund. Zu ihr gehört auch das unter ↑Sache behandelte Substantiv, das zu einem gemeingerm. Verb mit der Bedeutung »anklagen, streiten«, eigentlich »eine Spur verfolgen«, gehört. Seit ahd. Zeit wird ›suchen‹ nicht nur im Sinne von »sich bemühen, etwas Verstecktes oder Verlorenes zu finden«, sondern auch im Sinne von »[er]streben, nach etwas trachten« gebraucht. – Abl.: **Suche** »das Suchen« (mhd. *suoche,* ahd. in *hūs-suacha* »Durchsuchung«; seit dem 16. Jh. besonders weidmännisch für die Arbeit des Spürhundes); **Sucher** (mhd. *suochære,* ahd. *suochari* »Suchender«; im älteren Nhd. medizinisch für »Sonde«, heute besonders für Teile optischer Geräte); veraltetes **Suchung** (mhd. *suochunge,* ahd. *suochunga*) lebt noch in Zusammensetzungen wie ›Haus-, Heimsuchung‹. Zusammensetzungen und Präfixbildungen: **aussuchen** »auswählen« (im 16. Jh. für »durchsuchen«), dazu das adjektivische 2. Part. **ausgesucht** »erlesen« (18. Jh.); **besuchen** (mhd. *besuochen,* ahd. *bisuohhen* war ursprünglich verstärktes ›suchen‹ und galt besonders in der Rechtssprache für »untersuchen, prüfen«; schon im Mhd. wird es auch in der heutigen Bedeutung »an einen Ort, zu jemandem gehen« gebraucht), dazu **Besuch** (im 18. Jh. rückgebildet aus älterem *Besuchung,* mhd. *besuochunge;* mit anderen Bedeutungen mhd. *besuoch* »[Recht auf einen] Weideplatz«, ahd. *besuoh* »Prüfung«) und **Besucher** (18. Jh.; älter nhd. für »Aufseher, Visitator«); **ersuchen** »[dringlich, förmlich] bitten« (so zuerst im 16. Jh.; mit anderen Bedeutungen mhd. *ersuochen,* ahd. *irsuohhen*); **heimsuchen** (↑Heim); **untersuchen** »prüfen, erforschen« (spätmhd. *undersuochen*), dazu **Untersuchung** (spätmhd. *undersuochunge;* heute besonders in juristischem, medizinischem und wissenschaftlichem Sprachgebrauch); **versuchen** »erproben, sich bemühen« (mhd. *versuochen* bedeutete in weiterem Sinne »zu erfahren suchen«), dazu **Versuch** (mhd. *versuoch;* in der Bedeutung »Experiment« zuerst im 16. Jh.), **Versucher** (mhd. *versuocher* »[amtlicher] Prüfer, Probierer«; auch schon für »Satan«) und **Versuchung** »Verlockung [zur Sünde]« (mhd. *versuochunge* »das Prüfen; das Auf-die-Probe-Stellen«). Siehe auch den Artikel *Gesuch.*

Sucht »krankhafte Abhängigkeit«: Die Substantive mhd., ahd. *suht,* got. *saúhts,* niederl. *zucht,* schwed. *sot* »Krankheit« sind ablautende Bildungen zu dem unter ↑siech behandelten Verb ›siechen‹ »krank sein«. Im Nhd. steht ›Sucht‹ häufig in Zusammensetzungen (z. B. ›Bleich-, Gelb-, Wassersucht‹; s. auch *Schwindsucht* [↑schwinden]). In Wörtern wie ›Mondsucht, Tobsucht‹ konnte das Grundwort als »krankhaftes Verlangen« verstanden werden, wie es auch schon früh übertragen für »Sünde, Leidenschaft« gebraucht wurde. Das nhd. Sprachgefühl hat das etymologisch undurchsichtige Wort deshalb mit ›suchen‹ (s. d.) verknüpft, und Zusammensetzungen wie ›Gefall-, Selbst-, Herrschsucht‹ werden ebenso in diesem Sinn verstanden wie die älteren Bildungen ›Eifersucht‹ und ›Sehnsucht‹ (s. d.). Dazu das Adjektiv **süchtig** »suchtkrank« (mhd. *sühtec*, ahd. *suhtig* »krank«).

suckeln ↑saugen.

Süd: Das dt. Wort ist seit dem 12. Jh. zweimal vom Niederl. beeinflusst worden. Auf mniederl. *suut* »im, nach Süden« beruht mhd. *sūd* »Südwind« und älter nhd. *Sud* »Süden«, auf der niederl. mdal. Aussprache mit -ü- die seit dem 15. Jh. bezeugte nhd. Form ›Süd‹, die sich besonders seit dem 17. Jh. ausgebreitet hat. Die älteren Formen mhd. *sunt*, ahd. *sund, sunt* »Süd« (heute nur in Orts- und Landschaftsnamen wie ›Sonthofen, Sundgau‹ erhalten) entsprechen gleichbed. niederl. *zuid*, engl. *south* (mit lautgesetzlichem Ausfall des -n-). Zugrunde liegt ein substantiviertes germ. Raumadverb mit der Bedeutung »nach Süden«, dessen Herkunft nicht geklärt ist. Vielleicht hatte es als Gegenwort zu dem unter ↑Nord genannten Adverb ursprünglich die Bedeutung »nach oben« (d. h. in der Richtung der aufsteigenden Sonnenbahn). Es wäre dann verwandt mit lat. *super*, griech. *hypér* »über, über – hinaus«. Auch die heute üblichere Form **Süden**, die ebenfalls aus dem Niederl. stammt (mhd. *sūden, sunden*, ahd. *sundan*, entsprechend niederl. *zuiden*), geht auf ein solches Raumadverb zurück, vgl. mhd. *sunden, sūden*, ahd. *sundan[a]* »von, im Süden« und gleichbed. aengl. *sūđan*, aisl. *sunnan*. – Abl.: **südlich** (17. Jh.; aus mnd. *sutlick*, mniederl. *zuydelik*, 15. Jh.). Zus.: **Südpol** (17. Jh.).

sudeln: In ›sudeln‹ sind zwei gleich lautende frühnhd. Verben zusammengefallen. Das erste ist mit ↑sieden verwandt und gehört zu dessen Verbalsubstantiv **Sud** »das Sieden; siedende Flüssigkeit« (mhd. *sut*, heute nur mdal. und in Zusammensetzungen wie **Sudhaus** »Brauhaus« und **Absud** »Abgesottenes, Aufguss [von Kräutern]«; 17. Jh.). Dieses ›sudeln‹ bedeutete im 16. Jh. »sieden, kochen« und wurde meist für die Tätigkeit der Soldatenköche (›Sudelköche‹) gebraucht. Ein zweites ›sudeln‹ »beschmutzen, im Schmutz wühlen« (15. Jh.) gehört zu mdal. *Sudel* »Pfütze« und damit wahrscheinlich zu der unter ↑saufen dargestellten idg. Wortgruppe. Beide Wörter vereinigten sich in den Bedeutungen »schmutzige Arbeit tun; liederlich arbeiten; unsauber schreiben«. – Dazu: **Sudelei** (16. Jh.); **besudeln** »beschmutzen; in den Schmutz ziehen« (16. Jh.).

suf..., Suf... ↑sub..., Sub...

Suff (ugs. für:) »[gewohnheitsmäßiges] Trinken«: Die seit dem 16. Jh. bezeugte Substantivbildung zu ↑saufen bezeichnete ursprünglich einen guten Schluck oder Zug. – Abl.: **süffeln** ugs. für »gern trinken« (oberd. im 19. Jh.); **süffig** ugs. für »gut trinkbar, angenehm mundend« (oberd. im 19. Jh.). Siehe auch *Gesöff*.

süffisant »selbstgefällig, spöttisch«: Das Adjektiv wurde in der 1. Hälfte des 17. Jh.s – zuerst in den Bedeutungen »genügsam; genügend, ausreichend« und »fähig, geschickt« – aus frz. *suffisant* »genüglich, dünkelhaft, selbstgefällig« entlehnt. Dies ist das Part. Präs. von frz. *suffire* »genügen«, das auf gleichbed. lat. *sufficere* (eine Bildung zu lat. *facere* »machen«, vgl. *Fazit*) zurückgeht.

Suffix »Nachsilbe« (im Gegensatz zu ↑Präfix): Der sprachwissenschaftliche Terminus ist aus lat. *suffixum*, dem substantivierten Neutrum des Part. Perf. von lat. *suf-figere* »unten anheften«, entlehnt (vgl. *sub..., Sub...* und über das einfache Verb lat. *figere* »anheften« vgl. [1]*fix*).

sug..., Sug... ↑sub..., Sub...

suggerieren »gefühlsmäßig beeinflussen; etwas einreden«: Das seit dem Ende des 16. Jh.s bezeugte Verb ist entlehnt aus lat. *sug-gerere* (< * *sub-gerere*) »von unten herantragen; unter der Hand beibringen, eingeben; einflüstern«, einer Bildung aus lat. *sub* »unter« (vgl. *sub..., Sub...*) und lat. *gerere (gestum)* »tragen, bringen; zur Schau tragen usw.« (vgl. *Geste*). – Dazu: **Suggestion** »seelische Beeinflussung, gezieltes Erwecken bestimmter Vorstellungen« (17. Jh.; aus lat. *suggestio* »Eingebung; Einflüsterung); **suggestiv** »beeinflussend, einwirkend; verfänglich« (19. Jh.; nlat. Bildung nach entsprechend engl. *suggestive*, frz. *suggestif*) auch in Zusammensetzungen wie ›Suggestivfrage‹.

Suhle, suhlen, sühlen ↑saufen.

Sühne: Das nur im Dt. und Niederl. altbezeugte Substantiv mhd. *süene, suone* »Versöhnung, Schlichtung, Friede«, ahd. *suona* »Urteil, Gericht, Versöhnung«, niederl. *zoen* »Versöhnung, Buße; Kuss« ist ein altes Wort der Rechtssprache. Im Nhd. Ende des 18. Jh.s neu belebt, bedeutet es heute vor allem »Wiedergutmachung, Bußleistung, Strafe«. Die Bedeutung »Versöhnung« ist noch in dem juristischen Ausdruck **Sühneversuch** (19. Jh.) enthalten. Das zugehörige Verb **sühnen** »büßen, wieder gutmachen« (mhd. *süenen*, ahd. *suonan*, vgl. niederl. *zoenen* auch für »küssen«) ist ablautend verwandt mit norw. mdal. *svåna* »einschläfern, stillen«, *svana* »abnehmen; gelindert, gestillt werden«. Zu ihm gehört als Präfixbildung das unter ↑versöhnen behandelte Verb. Die Wortgruppe, für die weitere Beziehungen nicht gesichert sind, geht vielleicht von einer Grundbedeutung »still machen, beschwichtigen; Beschwichtigung, Beruhigung« aus.

Suite: Das im 17. Jh. aus dem Frz. übernommene Fremdwort bedeutet wörtlich »Folge«, wovon der übertragene Gebrauch ausgeht. Heute wird ›Suite‹ nur noch im Bereich der Musik zur Bezeichnung einer Kompositionsform, bestehend aus einer Folge zunächst loser, später innerlich verbundener Tanzsätze, und in der Bedeutung »Zimmerflucht in einem Hotel« gebraucht. – Frz. *suite* »Folge usw.« beruht auf einer zu lat. *sequi* »folgen« (vgl. *konsequent*) gehörenden galloroman. Form **sequita.*

suk..., Suk... ↑sub..., Sub...

sukzessiv »allmählich eintretend«: Das seit dem 15. Jh. – zuerst in der noch heute üblichen Adverbialform **sukzessive** »nach und nach« – bezeugte Adjektiv geht auf spätlat. *successivus* »nachfolgend, einrückend« (Adverb: *successive*) zurück. Das zugrunde liegende Verb lat. *suc-cedere* »von unten nachrücken, nachfolgen usw.« ist eine Bildung aus lat. *sub* »unter« (vgl. *sub..., Sub...*) und lat. *cedere* »einhergehen; vonstatten gehen usw.« (vgl. den Artikel *Prozess*).

Sultan: Der in dieser Form seit dem 16. Jh. bezeugte Titel islamischer Herrscher ist aus arab. *sulṭān* »Herrscher« (ursprünglich »Herrschaft«) entlehnt. In der Form *soldān* war das Wort bereits im 13. Jh. aus älter it. *soldano* »Sultan« übernommen worden. Zu ›Sultan‹ gehört **Sultanine** als Bezeichnung für eine besonders große kernlose Rosinenart (Beginn des 20. Jh.s). Diese große Rosinenart ist entweder als »sultanhaft, fürstlich« oder aber als »aus dem Reich des Sultans stammend« benannt.

Sülze »Fleisch oder Fisch in Gallert«: Das auf das dt. und niederl. Sprachgebiet beschränkte Wort (mhd. *sulz[e],* mitteld. *sülze,* ahd. *sulza, sulcia* »Salzwasser, Gallert«, niederl. *zult* »Sülze«) bedeutet eigentlich »Salzwasser, Sole« und steht im Ablaut zu dem unter ↑Salz behandelten Wort.

Summe »Ergebnis einer Addition; Gesamtzahl; Geldbetrag«: Das seit dem 13. Jh. bezeugte Substantiv (mhd. *summe*) geht wie entsprechend frz. *somme* »Summe« auf lat. *summa* »Gesamtheit; Gesamtzahl, Summe« (eigentlich »die an der Spitze stehende Zahl, die das Ergebnis einer von unten nach oben ausgeführten Addition ausdrückt«) zurück. Dieses gehört zu lat. *summus* »oberster, höchster, äußerster« (< **sup-mos*), einer Bildung zum Stamm von lat. *sub* »unter, unterhalb; von unten heran; von unten hinauf«, lat. *super* »obendrauf, darüber« (vgl. *sub..., Sub...*). – Abl.: **summarisch** »kurz zusammengefasst« (16. Jh.; aus gleichbed. mlat. *summarius*); **summieren** »zusammenzählen«, reflexiv »zusammenkommen, anwachsen« (mhd. *summieren*).

summen: Das seit spätmhd. Zeit bezeugte Verb ist lautnachahmenden Ursprungs.

Sumpf: Das ursprünglich nur dt. Wort mhd. *sumpf,* mnd. *sump[t],* ahd. (anders gebildet) *sunft* ist ablautend mit den unter ↑Schwamm genannten germ. Wörtern verwandt. Es steht vor allem nordd. und mitteld. neben ›[2]Bruch‹ und ›Moor‹ zur Bezeichnung nasser, grasbewachsener oder schlammiger Orte. – Abl.: **sumpfen** (im 18. Jh. für »sumpfig werden«, im 19. Jh. studentensprachlich für »liederlich leben«, dazu **versumpfen** [18. Jh.; im übertragenen Sinne von »verkommen, verwahrlosen« 19. Jh.]).

Sumpfdotterblume ↑Dotter.

Sünde: Die Herkunft des westgerm. Substantivs (mhd. *sünde, sunde,* ahd. *sunt[e]a,* niederl. *zonde,* engl. *sin*) ist dunkel. In die nord. Sprachen (dän., norw., schwed. *synd*) gelangte es wohl als Lehnwort mit dem Christentum. ›Sünde‹ bezeichnet von Anfang an einen Begriff der christlichen Kirche, nämlich die Übertretung eines göttlichen Gebotes. Etwa seit dem 16. Jh. bedeutet es im Dt. auch allgemein »Übertretung des Sittengesetzes«, in der Neuzeit (18. Jh.) kann es auch ohne besondere Wertung im Sinne von »Fehler, Irrtum, Torheit« stehen. – Abl.: **Sünder** »jemand, der sündigt« (mhd. *sündære, sünder,* ahd. *sundāre*); **sündhaft** (mhd. *sündehaft,* ahd. *sunt[a]haft* »mit Sünde behaftet, sündig«; seit dem 19. Jh. ugs. auch für »überaus«, z. B. ›sündhaft teuer‹); **sündig** »sündigend; lasterhaft« (mhd. *sündec,* ahd. *suntig*); **sündigen** »gegen göttliche Gebote, Moral, bestimmte Verhaltensnormen verstoßen« (mhd. *sundigen,* Weiterbildung des häufigeren mhd. *sünden, sunden* »sündigen« unter Einfluss des Adjektivs *sündec,* s. o.); dazu sich **versündigen** »unrecht handeln, schuldig werden« (mhd. *[sich] versündigen*). Zus.: **Sündenbock** (17. Jh.; ursprünglich nach 3. Mos. 16, 21 f. der mit den Sünden des jüdischen Volkes beladene und in die Wüste gejagte Ziegenbock, seit Ende des 18. Jh.s übertragen für »Person, die für die Schuld anderer büßen muss«); **Sündflut** (↑Sintflut).

sup..., Sup... ↑sub..., Sub...

super..., Super...: Dem aus dem Lat. stammenden Präfix mit der Bedeutung »über, über – hinaus« liegt lat. *super* »obendrauf, darüber; über – hinaus« zugrunde, das mit lat. *sub* »unter, unterhalb« verwandt ist (vgl. *sub..., Sub...*) und auch Ausgangspunkt für die Fremdwörter ↑souverän und ↑Sopran ist. Schon seit dem 16. Jh. wird ›super...‹ verstärkend im Sinne von »sehr, überaus, äußerst, höchst« verwendet (etwa ›superfein‹ oder ›superklug‹); dieser Gebrauch ist aber erst in der 2. Hälfte des 20. Jh.s unter dem Einfluss von entsprechend engl.-amerik. *super...* modisch geworden. Nach engl.-amerik. Vorbild wird **super** auch als selbstständiges Wort im Sinne von »erstklassig, großartig, toll« (etwa ›super!‹ oder ›das ist super‹) gebraucht. Viele substantivische Bildungen sind Lehnübersetzungen, z. B. **Supermacht** (engl.-amerik. *superpower*), **Supermarkt** (engl.-amerik. *supermarket*) oder **Supermann** (engl.-amerik. *superman*). Statt **Superbenzin** wird heute meist die Kurzform **Super** gebraucht. Vgl. hierzu auch das Kapitel zur Sprachgeschichte *Die Zusammensetzung unseres Wortschatzes: Erbwort – Fremdwort – Lehnwort.*

Suppe: Das im Dt. seit dem 14. Jh. bezeugte Wort bezeichnete ursprünglich eine flüssige Speise mit

Einlage oder eine eingetunkte Schnitte (vgl. aengl. *sopp* »eingeweichter Bissen«). Es steht neben Verben wie frühnhd. *suppen, supfen,* mhd. *supfen* »schlürfen, trinken« und niederl. *soppen,* aengl. *soppian* »(etwas in eine Flüssigkeit) eintauchen«, die als Intensivbildungen zu dem unter ↑saufen (eigentlich »schlürfen«) behandelten Verb gehören. Die genannten Substantive können auch unmittelbar zu den alten Formen von ›saufen‹ gebildet worden sein, beachte z. B. noch ahd. *suphili* »Süppchen«, *gasopho* »Unrat, Abfall (als Viehfutter bereitet)«. Auf die Bedeutung des dt. Wortes ›Suppe‹ hat aber zweifellos auch frz. *soupe* »Fleischbrühe mit Brot, Suppe« (12. Jh.; s. *soupieren* [↑Souper]) eingewirkt, das selbst wieder aus dem Germ. stammt (beachte galloroman. *supa* »mit Brühe übergossene Brotschnitte«, 6. Jh.).

sur..., Sur... ↑sub..., Sub...

surfen: Das Verb wurde in der 2. Hälfte des 20. Jh.s in der Bedeutung »mit einem Surfbrett Wellenreiten betreiben« aus dem gleichbed. engl. Verb *to surf* übernommen, dessen weitere Herkunft ungeklärt ist. In jüngster Zeit findet sich ›surfen‹ häufig auch im Sinne von »im Internet wahllos oder gezielt nach Informationen suchen«; eine Bedeutung, die ebenfalls auf das Engl. zurückgeht. – Dazu die Ableitung **Surfer** und die Zusammensetzungen **Surfbrett, Surfboard** »flaches, stromlinienförmiges Brett aus Holz oder Kunststoff zum Surfen«.

surren: Das Wort erscheint nhd. erst im 17. Jh. Es gehört zu der unter ↑schwirren dargestellten lautnachahmenden Wortgruppe, vgl. mnd. *surringe* »leises Sausen« und schwed. *surra* »summen, schwirren«. Vor allem bezeichnet ›surren‹ die Geräusche von Insekten und Maschinenrädern.

Surrogat »Ersatz[mittel], Behelf«: Das im 16. Jh. zuerst in der Bedeutung »Stellvertreter« bezeugte, seit dem 17. Jh. dann im Sinne von »Ersatz[mittel]« bezogen auf Genussmittel, besonders Kaffee, verwendete Fremdwort ist entlehnt aus lat. *sur-rogare* »jemanden an die Stelle eines anderen wählen lassen« (2. Part. *surrogatum*). Dies ist eine Bildung aus lat. *sub* »unter« (vgl. *sub..., Sub...*) und lat. *rogare* »bitten« und bedeutet eigentlich »als einen von unten Nachfolgenden bitten«.

suspendieren »aus einem Amt, einer Stellung entlassen, des Dienstes entheben«: Das Verb wurde in der 2. Hälfte des 15. Jh.s aus lat. *suspendere* »aufhängen; in der Schwebe lassen; aufheben, beseitigen« entlehnt. Dies ist eine Bildung aus lat. *sub* »unter« (vgl. *sub..., Sub...*) und lat. *pendere* »hängen« (vgl. den Artikel *Pensum*).

süß: Das altgerm. Adjektiv mhd. *süeze,* ahd. *suozi,* niederl. *zoet,* engl. *sweet,* schwed. *söt* geht mit verwandten Wörtern in anderen idg. Sprachen auf die idg. Wurzel **suād-* »süß, wohlschmeckend« zurück, vgl. z. B. lat. *suavis* »lieblich, angenehm«, griech. *hēdýs* »süß, erfreulich« und aind. *svādú-ḥ* »süß, lieblich«, und bezeichnete ursprünglich wohl den Geschmack süßer Fruchtsäfte. – Abl.: **Süße** »das Süßsein« (mhd. *süeze,* ahd. *suozī*); **süßen** »süß machen« (mhd. *süezen,* ahd. *suozzen* »angenehm machen«; in übertragenem Sinn gilt heute nur **versüßen** [mhd. *versüezen*]); **Süßigkeit** (mhd. *süezecheit* »Süße«, zu dem weitergebildeten Adjektiv mhd. *süezec* »süß«; im Plural ›Süßigkeiten‹ seit dem 18. Jh. für »Näscherei, Konfekt«); **süßlich** »etwas süß, widerlich süß; weichlich, geziert, fade« (mhd. *süezlich,* ahd. *suozlih* »süß, freundlich«; in übertragenem Sinn besonders seit dem 18. Jh.). Zus.: **Süßholz** (Name eines Strauches und seiner als Droge verwendeten zuckerhaltigen Wurzel, spätmhd. *süezholz*), dazu **Süßholzraspler** »Schmeichler« (19. Jh.); **Süßstoff** »Saccharin« (Ende des 19. Jh.s).

Süßholz

Süßholz raspeln
»Schmeicheleien sagen«
Die Wendung bezieht sich darauf, dass die zuckerhaltige Süßholzwurzel früher zur Herstellung von Arzneien und Süßwaren geschabt oder geraspelt wurde. Die Bedeutung ›Schmeichelei‹ schließt an ›süß‹ im Sinne von »angenehm, liebenswürdig« an.

Sweater: Die veraltete Bezeichnung für »Pullover« wurde in der 1. Hälfte des 20. Jh.s aus gleichbed. engl. *sweater* entlehnt. Dies bedeutet wörtlich »Schwitzer«. Es ist eine Bildung zu engl. *to sweat* »schwitzen« (vgl. *schweißen*), beachte das in der 2. Hälfte des 20. Jh.s übernommene gleichbed. **Sweatshirt** (aus engl. *sweatshirt*).

Swimmingpool: Die Bezeichnung für ein meist auf einem Privatgrundstück gelegenes [kleineres] Schwimmbecken wurde im 20. Jh. aus gleichbed. engl. *swimming-pool* (zu *to swim* »schwimmen« und *pool* »Teich, Tümpel«; vgl. *Pfuhl*) entlehnt.

Swinegel ↑Schwein.

Swing: Die Bezeichnung des von etwa 1930 bis 1945 charakteristischen Jazzstils ist aus engl.-amerik. *swing* entlehnt. Es bedeutet wörtlich »das Schwingen, das Schaukeln; der Rhythmus« und gehört zu engl. *to swing* »schwingen, schaukeln usw.«, das unserem Verb ↑schwingen entspricht.

sy..., Sy...; syl..., Syl...; sym..., Sym... ↑syn..., Syn...

Symbol »Sinnbild; Zeichen; Kennzeichen«: Das seit dem 15. Jh. bezeugte Fremdwort ist aus gleichbed. lat. *symbolum* entlehnt, das seinerseits aus griech. *sýmbolon* »Kennzeichen, Zeichen« übernommen ist. Das griech. Wort, das zu griech. *sym-bállein* »zusammenwerfen; zusammenfügen usw.« gehört (vgl. *syn..., Syn...* und den Artikel *ballistisch*), bezeichnet eigentlich ein zwischen Freunden oder Verwandten vereinbartes Erkennungszeichen, bestehend aus Bruchstücken (z. B. eines Ringes), die »zusammengefügt« ein Ganzes ergeben und dadurch die Verbundenheit ihrer Besitzer erweisen.

Symmetrie »Gleich-, Ebenmaß; Spiegelungsgleichheit«: Das Fremdwort wurde im 16. Jh. aus griech.-lat. *symmetría* »Ebenmaß« entlehnt, das seinerseits von griech. *sým-metros* »abgemessen, verhältnismäßig, gleichmäßig« abgeleitet ist. Dies ist eine Bildung aus griech. *sýn* »zusammen« (vgl. *syn..., Syn...*) und griech. *métron* »Maß« (vgl. den Artikel *Meter*).

Sympathie »[Zu]neigung; Wohlgefallen« (im Gegensatz zu ↑Antipathie): Das seit dem 16. Jh. – zuerst im eigentlichen Sinne von »Mitleid; Mitgefühl« – bezeugte Fremdwort ist aus lat. *sympathia* entlehnt, das seinerseits aus griech. *sym-pátheia* »Mitleiden, Mitgefühl; Einhelligkeit, gleiche Empfindung« übernommen ist. Dies gehört zu griech. *sym-pathḗs* »mitleidend, mitfühlend« (vgl. *syn..., Syn...* und zum Grundwort griech. *páthos* »Leid; Schmerz« vgl. den Artikel *Pathos*). – Abl.: **sympathisch** »zusagend, angenehm; anziehend, ansprechend« (17. Jh.; nach gleichbed. frz. *sympathique*).

Symphonie ↑Sinfonie.

Symposion: Das seit dem 16. Jh. – zunächst nur in der Bedeutung »Trinkgelage, Festschmaus, Gastmahl« – bezeugte Fremdwort ist aus gleichbed. griech. *sympósion* entlehnt, einer Bildung zu griech. *sym-pínein* »gemeinsam trinken« (zu griech. *sýn* »zusammen« [vgl. *syn..., Syn...*] und griech. *pínein* »trinken«). Erst in der 2. Hälfte des 20. Jh.s kam unter Einfluss von engl.-amerik. *symposium* die Verwendung im Sinne von »wissenschaftliches Gespräch, Tagung mit Vorträgen, [Fach]kongress« auf, nun auch in der Form **Symposium.**

Symptom »Anzeichen; Krankheitszeichen; Kennzeichen, Merkmal; Vorbote«: Das Fremdwort ist eine gelehrte Entlehnung des 16. Jh.s aus griech. *sým-ptōma* »Zufall; vorübergehende Eigentümlichkeit; zufälliger Umstand einer Krankheit«. Das zugrunde liegende Verb griech. *sym-píptein* »zusammenfallen, -treffen; sich zufällig ereignen« ist eine Bildung aus griech. *sýn* »zusammen« (vgl. *syn..., Syn...*) und griech. *píptein* »fallen« (dazu als Nominalbildung griech. *ptōma* »Fall«), das etymologisch mit dt. ↑Feder verwandt ist.

syn..., Syn..., (vor b, p und m angeglichen zu:) sym..., Sym..., (vor l zu:) syl..., Syl..., (in bestimmten Fällen verkürzt zu:) sy..., Sy...: Die aus dem Griech. stammende Vorsilbe von Fremdwörtern mit der Bedeutung »zusammen mit, gemeinsam; gleichzeitig; gleichartig usw.«, wie in ↑Synthese, synthetisch, ↑Symmetrie, ↑System u. a., stammt aus griech. *sýn,* (älter:) *xýn* »zusammen mit, gemeinsam; samt; zugleich mit usw.« (gebraucht als Adverb, Präposition und Vorsilbe), das ohne sichere außergriech. Verwandte ist.

Synagoge: Die seit mhd. Zeit bezeugte Bezeichnung für die gottesdienstlichen Versammlungsstätten der Juden ist aus gleichbed. kirchenlat. *synagoga* entlehnt, das aus griech. *synagōgḗ* »Versammlung« übernommen ist. Dies gehört zu griech. *syn-ágein* »zusammenführen«, einer Bildung aus griech. *sýn* »zusammen« (vgl. *syn..., Syn...*) und griech. *ágein* »führen« (vgl. den Artikel *Achse*).

synchron »gleichzeitig, zeitgleich; gleichlaufend«: Das junge Fremdwort (20. Jh.), das für älteres **synchronisch** (19. Jh.) steht, ist eine Neubildung zu griech. *sýn* »zusammen, zugleich« (vgl. *syn..., Syn...*) und griech. *chrónos* »Zeit, Zeitdauer« (vgl. *chrono..., Chrono...*). – Abl.: **synchronisieren** »verschiedenartige Bewegungen in zeitlichen Gleichlauf bringen« (20. Jh.), dazu das Substantiv **Synchronisation** (20. Jh.; nlat. Bildung).

Syndikus: Der Ausdruck für »bevollmächtigter Rechtsbeistand einer Körperschaft« wurde als Kanzleiwort im 15. Jh. aus lat. *syndicus* »Rechtsbevollmächtigter einer Stadt oder Gemeinde« übernommen. Das lat. Wort seinerseits stammt aus griech. *sýn-dikos* »jemandem vor Gericht beistehend; Sachverwalter, Anwalt«, einer Bildung aus griech. *sýn* »zusammen« (vgl. *syn..., Syn...*) und griech. *díkē* »Weise, Sitte; Recht; Rechtssache«. – Dazu stellt sich **Syndikat,** das im 17. Jh. – zunächst in der Bedeutung »Amt eines Syndikus« – aus mlat. *syndicatus* entlehnt wurde. Die junge Bedeutung des Wortes »Unternehmerverband, Verkaufskartell« kam gegen Ende des 19. Jh.s auf, wohl übernommen aus entsprechend frz. *syndicat.* Aus entsprechend engl.-amerik. *syndicate* stammt die Bedeutung »als geschäftliches Unternehmen getarnter Zusammenschluss von Verbrechern« (20. Jh.).

Syndrom: Das vor allem in der medizinischen Fachsprache im Sinne von »Krankheitsbild, das sich aus dem Zusammentreffen verschiedener Symptome ergibt« verwendete Fremdwort wurde im 18. Jh. aus griech. *syn-dromḗ* »das Zusammenlaufen, das Zusammenkommen« entlehnt. Dies ist eine Bildung aus griech. *sýn* »zusammen« und griech. *dromḗ* »Lauf« (vgl. *syn..., Syn...* und den Artikel *Dromedar*).

Synode: Die Bezeichnung für »Kirchenversammlung« wurde im 18. Jh. aus älterem *Synodus* eingedeutscht. Dies stammt aus gleichbed. lat. *synodus,* das aus griech. *sýn-odos* »gemeinsamer Weg; Zusammenkunft« übernommen ist. Das griech. Wort ist eine Bildung aus griech. *sýn* »zusammen« (vgl. *syn..., Syn...*) und griech. *hodós* »Weg« (vgl. den Artikel *Periode*).

Synonym »sinnverwandtes Wort«: Der sprachwissenschaftliche Terminus wurde im 15./16. Jh. aus lat. *(verbum) synonymum* entlehnt, das seinerseits aus griech. *(rhēma) synṓnymon* stammt. Griech. *syn-ṓnymos* »gleichbedeutend; gleichnamig« ist eine Bildung aus griech. *sýn* »zusammen« (vgl. *syn..., Syn...*) und griech. *ónoma* »Name, Begriff« (vgl. den Artikel *anonym*).

Syntax: Der sprachwissenschaftliche Terminus für die (korrekte) Verknüpfung der Wörter im Satz und für die Lehre vom Bau des Satzes wurde im 16. Jh. aus gleichbed. lat.-griech. *sýntaxis* entlehnt. Dies ist eine Bildung aus griech. *sýn* »zusammen« (vgl. *syn..., Syn...*) und griech. *táxis* »Ordnung« und bedeutet eigentlich »Zusammenstellung, Zusammenordnung«.

Synthese »Zusammenfügung, Verknüpfung einzelner Teile zu einem höheren Ganzen; Aufbau einer [komplizierten] chemischen Verbindung aus einfachen Stoffen«: Das seit dem 18. Jh. – zuerst als philosophischer Terminus – bezeugte Fremdwort ist eine gelehrte Entlehnung aus griech.(-lat.) *sýnthesis* »Zusammenlegen, Zusammensetzen; [logische] Verknüpfung«. Diesem liegt griech. *syn-tithénai* »zusammenstellen, -setzen, -fügen« zugrunde, eine Bildung aus griech. *sýn* »zusammen« (vgl. *syn..., Syn...*) und griech. *tithénai* »setzen, stellen, legen« (vgl. den Artikel *These*). – Abl.: **synthetisch** »zusammengesetzt; verbindend, verknüpfend; aus einfacheren chemischen Stoffen aufgebaut; künstlich hergestellt« (18. Jh.; nach griech. *synthetikós* »zum Zusammenstellen gehörig«).

Syphilis: Die seit dem 18. Jh. im Deutschen bezeugte Bezeichnung für eine bestimmte Geschlechtskrankheit geht zurück auf den Titel des im 16. Jh. verfassten lateinischen Lehrgedichts »Syphilidis seu morbi gallicis tres«, worin die Geschichte des geschlechtskranken Hirten Syphilus (Siphilus) erzählt wird.

System »Gliederung, Aufbau, Ordnungsprinzip; einheitlich geordnetes Ganzes; Regierungs-, Staatsform; Lehrgebäude«: Das in dieser Form seit dem 18. Jh. bezeugte Fremdwort, das sowohl allgemeinsprachlich als auch in verschiedenen Fachsprachen eine Rolle spielt, geht auf griech.(-lat.) *sýstēma* »das aus mehreren Teilen zusammengesetzte und gegliederte Ganze« zurück. Dies gehört zu griech. *synistánai* »zusammenstellen, -fügen, vereinigen, verknüpfen«, einer Bildung aus griech. *sýn* »zusammen« (vgl. *syn..., Syn...*) und griech. *histánai* (< **si-stánai*) »[hin]stellen, aufstellen usw.« (vgl. den Artikel *stehen*).

Szene Das Fremdwort ist in der Bedeutung »Schauplatz einer [Theater]handlung, Bühne; Auftritt (als kleinste Einheit eines Dramas)« gebräuchlich, aber auch übertragen im Sinne von »Vorgang, Hergang; Ansicht, Anblick; theatralischer Auftritt; Streiterei, Vorhaltungen«. Es wurde im 17. Jh. – wohl unter Einwirkung von gleichbed. frz. *scène* – aus lat. *scena, scaena* »Schaubühne, Schauplatz« entlehnt, das seinerseits aus griech. *skēnḗ* »Zelt; Laube, Hütte; Bühne, Szene« stammt. – Unter Einfluss von entsprechend engl.-amerik. *scene* wird ›Szene‹ in der 2. Hälfte des 20. Jh.s auch im Sinne von »Milieu, Umfeld« gebraucht, beachte Zusammensetzungen wie ›Drogenszene‹, ›Terroristenszene‹ und ›Wahlkampfszene‹. – Dazu: **szenisch** »die Szene betreffend, bühnenmäßig« (18. Jh.); **Szenerie** »Bühnenbild, Landschaftsbild; Schauplatz« (19. Jh.; zuerst als ›Scenerey‹ belegt); **inszenieren** »(ein Theaterstück) szenisch vorbereiten; in Szene setzen; vorbereiten, organisieren; (einen Streit) vom Zaun brechen usw.« (19. Jh.); **Szenario** »(in Szenen gegliederter) Entwurf eines Films«, 2. Hälfte des 20. Jh.s, aus gleichbed. engl. *scenario*).

T *t*

Tabak: Der Name der zu den Nachtschattengewächsen gehörenden Kulturpflanze, deren getrocknete und fermentierte Blätter in Form von Rauch-, Kau- oder Schnupftabak als Genussmittel dienen, ist in dt. Texten seit dem 16. Jh. bezeugt. Er stammt von gleichbed. span. *tabaco*. Die weitere Herkunft des Wortes ist unsicher. Vielleicht wurde es von den Spaniern aus einer karibischen Sprache entlehnt. Falsch ist die Herleitung vom Namen der südamerikanischen Insel Tobago. Ebenfalls aus dem Span. stammen engl. *tobacco* und frz. *tabac* (älter auch *tobac*).

Tabelle »Zahlentafel, Liste, Übersicht, Zusammenstellung«: Das Fremdwort wurde Ende des 16. Jh.s aus lat. *tabella* »Täfelchen, Brettchen, Merktäfelchen« entlehnt, einer Verkleinerungsbildung zu lat. *tabula* »Brett, Tafel usw.« (vgl. das Lehnwort *Tafel*).

Tabernakel: Die Bezeichnung für den kunstvoll gestalteten Schrein in der katholischen Kirche, worin die geweihten Hostien aufbewahrt werden, wurde in mhd. Zeit (mhd. *tabernakel*) aus mlat. *tabernaculum* »[heiliges] Zelt; Hütte« entlehnt. Dies ist eine Verkleinerungsbildung zu lat. *taberna* »Hütte, Bude«. Auf lat. *taberna* geht it. *taverna* zurück, aus dem im 20. Jh. **Taverne** »italienisches Wirtshaus, Wein- und Esslokal im Mittelmeerraum« übernommen wurde.

Tablett: Die Bezeichnung für »Servierbrett« wurde im 18. Jh. aus frz. *tablette* »Tafel; Brett, Platte zum Abstellen von Geschirr und dgl.« entlehnt. Dies ist eine Verkleinerungsbildung zu frz. *table* »Tisch; Tafel; Brett« (< lat. *tabula*, vgl. den Artikel *Tafel*) und bedeutet demnach eigentlich »Täfelchen, kleine Platte«. Damit identisch ist frz. *tablette* »in die Form eines Täfelchens, einer flachen Scheibe gepresstes Arzneimittel«, aus dem Anfang des 20. Jh.s unser **Tablette** übernommen wurde.

tabu »unantastbar, unverletzlich«, auch substantiviert gebraucht als **Tabu** »Unantastbares; (allgemein:) etwas, wovon man nicht sprechen darf«: Das im 19. Jh. bezeugte Fremdwort, das wie entsprechend engl. *taboo* und frz. *tabou* aus polynes. *tabu* (wohl »geheiligt; unberührbar«) entlehnt ist, stammt aus der Sakralsphäre. Es bezeichnet ursprünglich alle jene gottgeweihten, heiligen Dinge, die aus religiöser Scheu dem tatsächlichen oder sprachlichen Zugriff des Profanen verboten sind.

Tacheles

Tacheles reden
»unverblümt seine Meinung sagen«
›Tacheles‹ ist aus jidd. *tachles* »Zweck, zweckmäßiges Handeln« (< hebr. *taḵlît*) entlehnt. Die Wendung bedeutete ursprünglich also etwa »Zweckmäßiges reden; zur Sache kommen«.

Tachometer: Die Bezeichnung für »Geschwindigkeits-, Drehzahlmesser; Kilometerzähler« wurde im 19. Jh. aus gleichbed. engl. *tachometer* entlehnt. Dies ist eine Bildung des englischen Ingenieurs Bryan Donkin (1768–1855) aus griech. *tachýs* »schnell«, *táchos* »Geschwindigkeit« und griech. *métron* »Maß« (hier im modernen Sinne von »Messgerät«; vgl. den Artikel *Meter*).

Tadel: Die nhd. Form geht zurück auf mhd. *tadel* »Fehler, Mangel, Gebrechen«, das aus dem Mnd. übernommen ist. Im hochd. Sprachgebiet entspricht mhd. *zădel*, ahd. *zădal* »Fehler, Mangel«. Im germ. Bereich ist aengl. *tǣl* »Tadel, Vorwurf; Verleumdung, Lästerung« verwandt. Die außergerm. Beziehungen sind dunkel. – Die heute übliche Bedeutung »Vorwurf« entwickelte sich im 17. Jh. unter dem Einfluss des Verbs ›tadeln‹ (s. u.). Die alte Bedeutung ist noch bewahrt in der Wendung ›ohne Furcht und Tadel‹. – Abl.: **tadeln** (15. Jh.; zunächst in der Bedeutung »verunglimpfen«, seit dem 16. Jh. im Sinne von »vorwerfen«). Zus.: **tadellos** »fehlerfrei, ausgezeichnet« (17. Jh.).

Tafel: Die nhd. Form geht über mhd. *tavel[e]* auf ahd. *taval* zurück, das nach der Lautverschiebung durch roman. Vermittlung (vgl. it. *tavola*) aus lat. *tabula* »Brett, Tafel, Schreibtafel« entlehnt wurde (s. die Artikel *Tabelle, Tablett*). – Im heutigen Sprachgebrauch wird ›Tafel‹ außer im umfassenden Sinne von »[recht]eckige Platte aus einem festen Stoff« speziell im Sinne von »Schreibtafel« und »[festlich] gedeckter Tisch« verwendet. – Abl.: **tafeln** »speisen« (mhd. *tavelen*); **täfeln** »Wände mit [Holz]tafeln verkleiden« (mhd. *tevelen*, ahd. *tavalōn*).

Tafel

die Tafel aufheben
(geh.) »die Mahlzeit für beendet erklären, als beendet betrachten«.
In früheren Zeiten wurde die Tafel häufig nur für das Essen aufgebaut. Man legte eine oder mehrere Platten auf Holzböcke und räumte sie nach dem Essen wieder weg. Darauf geht die vorliegende Wendung zurück.

Taft: Die Bezeichnung für einen leichten Seidenstoff, früher auch in der Form ›Taffet‹ gebräuchlich, wurde im 16. Jh. aus gleichbed. it. *taffettà* entlehnt, das seinerseits aus pers. *tāftah* (eigentlich »Gewebtes«, zu pers. *tāftan* »drehen, winden, weben«) stammt.

Tag: Das gemeingerm. Wort mhd. *tac*, ahd. *tag*, got. *dags*, engl. *day*, schwed. *dag* gehört wahrscheinlich zu der idg. Wurzel **dheg[ᵘ]h-* »brennen« und bedeutet demnach eigentlich »Zeit, da die Sonne brennt«. Zu dieser Wurzel gehören aus anderen idg. Sprachen z. B. aind. *dáhati* »brennt«, *dāha-ḥ* »Brand, Hitze« und lit. *dègti* »brennen«, *dãgas* »Brennen; Sommerhitze; Ernte«. Das gemeingerm. Wort bezeichnete also ursprünglich die Zeit zwischen Sonnenaufgang und Sonnenuntergang, später dann auch den Gesamttag von 24 Stunden (vgl. zum Sachlichen den Artikel *Nacht*). Den früher – besonders in der Rechtssprache – üblichen Gebrauch von ›Tag‹ im Sinne von »festgesetzter Tag, Termin, Verhandlung« spiegeln noch Zusammensetzungen wie ›Landtag‹ und ›Reichstag‹ und ›tagen‹, ›vertagen‹ (s. u.) wider. – Abl.: **tagen** »Tag werden« (mhd. *tagen*, ahd. *tagēn*; die Bedeutung »auf einer Tagung verhandeln« kam zuerst in der älteren Rechtssprache auf [14. Jh.; s. o. unter Tag], blieb im Wesentlichen schweiz. und wurde erst im 18. Jh. gemeinsprachlich), dazu die Präfixbildungen **vertagen** »aufschieben« (mhd. *vertagen*, im Nhd. zunächst landsch. noch erhalten, dann Ende des 19. Jh.s im parlamentarischen Leben neu gebildet als Ersatz für frz. *ajourner* und danach allgemein gebraucht) und **betagt** (mhd. *betaget* »ein gewisses Alter habend«, 2. Partizip von mhd. *sich betagen* »alt werden«); **täglich** (mhd. *tagelich*, ahd. *tagalīh*); **tags** (mhd. *tages*, ahd. *dages*, adverbiell erstarrter Genitiv Singular). – Zus.: 1. mit ›Tage-‹, mit altem Stammauslaut (mhd. *tage-*, ahd. *tago-*), z. B. **Tagebau** »Abbau von der Erdoberfläche« (19. Jh.; bergmännisch), **Tageblatt** (im 19. Jh. als Ersatzwort für ›Journal‹), **Tagebuch** (17. Jh.; Ersatz für lat. *diurnum* und für ›Journal‹, zuerst kaufmännisch, dann allgemein), **Tagedieb** »Nichtstuer, Müßiggänger« (eigentlich »jemand, der dem lieben Gott den Tag stiehlt«; Ende des 17. Jh.s), **Tagegelder** (18. Jh.; Ersatzwort für ›Diäten‹), **Tagewerk** »Arbeit eines Tages« (mhd. *tagewerc*, ahd. *tagawerch*). 2. mit ›Tages-‹, z. B. **Tagesordnung** (Ende des 18. Jh.s nach frz.

ordre du jour, einem Ausdruck des französischen Revolutionsparlamentarismus, der wiederum auf engl. *order of the day* beruht).

Taifun: Die häufiger erst seit Anfang des 19. Jh.s bezeugte Bezeichnung für einen tropischen Wirbelsturm im Bereich des Indischen und Pazifischen Ozeans wurde aus gleichbed. engl. *typhoon* entlehnt, das seinerseits aus chin. (kantonesisch) *tai fung* (eigentlich »großer Wind«) stammt.

Taille »schmalste Stelle des Rumpfes; Gürtelweite; eng anliegendes Kleidoberteil«: Das Fremdwort wurde im 17. Jh. aus frz. *taille* »Schnitt; Körperschnitt, Wuchs, Figur« entlehnt, einer Substantivbildung zu frz. *tailler* »[zer]schneiden« (vgl. hierzu den Artikel *Teller*). – Siehe auch den Artikel *Detail*.

Takel: Der seemännische Ausdruck für »Segelwerk« wurde im 16. Jh. aus der niederd. Seemannssprache ins Hochd. übernommen. Er geht auf mnd. *takel* zurück, dem niederl. *takel* »Takelage« und engl. *tackle* »Ausrüstung, Zubehör« entsprechen. Die weiteren Beziehungen sind unklar. – Von ›Takel‹ abgeleitet ist das Verb **takeln** »mit Takelage versehen« (16. Jh.), dazu **abtakeln** »die Takelage von einem Schiff entfernen«, beachte auch **abgetakelt** ugs. für »ausgedient, heruntergekommen« (Anfang 19. Jh.), und **auftakeln** »mit Tagelage versehen«, ugs. auch für »sich sehr auffällig kleiden, zurechtmachen«. Eine Bildung mit französierender Endung zu ›Takel‹ ist **Takelage** »Gesamtheit der Vorrichtungen auf einem Schiff zum Setzen der Segel« (18. Jh.).

[1]**Takt** »das abgemessene Zeitmaß einer rhythmischen Bewegung, eines musikalischen Ablaufs«: Das seit dem 16. Jh. bezeugte Substantiv ist aus lat. *tactus* »das Berühren, die Berührung; das Gefühl, der Gefühlssinn« entlehnt, einer Bildung zu lat. *tangere (tactum)* »berühren« (vgl. den Artikel *Tangente*). – ›Takt‹ war zunächst wie lat. *tactus* in der allgemeinen Bedeutung »Berührung« gebräuchlich. Die spezielle Bedeutung entwickelte sich bereits im 16. Jh., wohl über »Schlag, Stoß, der den Rhythmus angibt«. – Mit ›Takt‹ ursprünglich identisch ist das seit dem 18. Jh. bezeugte Substantiv [2]**Takt** »Gefühl für Schicklichkeit und Anstand, Feingefühl, vornehme Zurückhaltung«, das in diesem speziellen Sinne jedoch unmittelbar aus gleichbed. frz. *tact* (eigentlich »Tastsinn«) übernommen ist.

Taktik: Das Wort diente ursprünglich nur im militärischen Bereich als zusammenfassende Bezeichnung für das Verhalten der Truppenführung und der Truppe auf dem Kampffeld. Diese Bedeutung des über gleichbed. frz. *tactique* aus griech. *taktikḗ (téchnē)* entlehnten und seit dem Anfang des 18. Jh.s bezeugten Fremdworts ist heute noch gültig. Davon übertragen gilt ›Taktik‹ heute auch allgemein im Sinne von »kluges, planmäßiges Vorgehen, geschicktes Ausnützen einer Situation«. Griech. *taktikḗ (téchnē)* bedeutet wörtlich »die Kunst der Anordnung und Aufstellung«. Das zugrunde liegende Adjektiv griech. *taktikós* ist abgeleitet von griech. *tássein, táttein* »auf den rechten Platz stellen, anordnen, aufstellen usw.«

Tal: Das gemeingerm. Wort mhd. *tal*, ahd. *tal*, got. *dal*, engl. *dale*, schwed. *dal* ist z. B. verwandt mit der slaw. Sippe von russ. *dol* »Tal« und griech. *thólos* »Kuppel« und geht zurück auf die idg. Wurzel **dhel-* »Biegung, Höhlung; Wölbung«. Das Wort bedeutet demnach eigentlich »Biegung, Vertiefung, Senke«. Siehe auch den Artikel *Delle*.

Talar: Die Bezeichnung für das weite, lange Amtskleid von Geistlichen, Richtern und (bei besonderen Anlässen) Hochschullehrern wurde im 16. Jh. aus gleichbed. it. *talare* entlehnt, das seinerseits auf lat. *talaris (vestis)* »knöchellanges Gewand« beruht, einer Ableitung von lat. *talus* »Fußknöchel, Fesselknochen«.

Talent »Geistesanlage, hohe Begabung«: Das seit dem 16. Jh. bezeugte Fremdwort beruht auf einer gelehrten Entlehnung aus griech. *tálanton* »Waage; das Gewogene; bestimmtes Gewicht« (> lat. *talentum*). Das griech. Wort war speziell die offizielle Handelsbezeichnung eines bestimmten Gewichts und einer diesem Gewicht entsprechenden Geldsumme. Im Neuen Testament erscheint es mit der erweiterten konkreten Bedeutung »anvertrautes Vermögen, anvertrautes Gut«, woraus sich dann die ins Geistige übertragene Bedeutung »die (einem von Gott anvertraute) geistige Anlage« entwickelte. Der gleiche Vorgang wird an der Gewichtsbezeichnung ›Pfund‹ fassbar in der Redewendung ›mit seinen (anvertrauten) Pfunden wuchern‹ »seine Begabung, seine Fähigkeiten klug anwenden«.

Taler: Der Name der heute nicht mehr gültigen Münze entstand im 16. Jh. durch Kürzung aus ›Joachimstaler‹. Die Münze ist nach dem Ort St. Joachimsthal in Böhmen benannt (heute Jáchymov), wo sie seit der 1. Hälfte des 16. Jh.s aus dem im Bergwerk gewonnenen Silber geprägt wurde. – Die Münzbezeichnung wurde in viele europäische Sprachen übernommen (vgl. auch den Artikel *Dollar*).

Talg: Das im 16. Jh. aus dem Niederd. ins Hochd. übernommene Wort geht zurück auf mnd. *talch*, das mit gleichbed. niederl. *talk*, engl. *tallow*, schwed. *talg* verwandt ist. Diese Wörter stehen vielleicht im Ablaut zu got. *tulgus* »fest«, sodass ›Talg‹ eigentlich »das Festgewordene« bedeuten würde. Beachte zu diesem Benennungsvorgang griech. *stéār* »(hart gewordenes) Fett, Talg«, das wahrscheinlich zu der Wortgruppe von ↑Stein gehört.

Talisman »Glücksbringer, Maskottchen«: Das in dt. Texten seit dem 17. Jh. bezeugte Fremdwort ist aus gleichbed. it. *talismano* entlehnt. Dies stammt seinerseits wie auch frz. *talisman*, span. *talismán* aus pers. *ṭilismāt*, dem Plural von *ṭilism* »Zauberbild«. Quelle des Wortes ist mgriech. *té-*

T

lesma »geweihter Gegenstand« (zu griech. *telein* »vollbringen; weihen«).

Talk: »Plauderei, Unterhaltung, [öffentliches] Gespräch«: Das im Jargon gebräuchliche Substantiv wurde in jüngster Zeit aus gleichbed. engl. *talk* entlehnt. Zugrunde liegt diesem engl. *to talk*, zu dem das ebenfalls im Jargon verwendete Verb **talken** »sich unterhalten« gebildet ist. Es bedeutet auch »eine Talkshow durchführen«. – Während **Talkshow** »Unterhaltungssendung, in der ein Gesprächsleiter [bekannte] Personen durch Fragen zu Äußerungen über private, berufliche u. allgemein interessierende Dinge anregt« sicher aus gleichbed. engl. *talk show* entlehnt ist, handelt es sich bei **Talkmaster** »jmd., der eine Talkshow leitet« möglicherweise um eine dt. Bildung zu engl. *talk* (s. o.) und engl. *master* »Meister« nach dem Vorbild von *Showmaster* (↑Show).

Talmi: Kurzwort für **Talmigold** »dünne, mit Walzgold überzogene Kupfer-Zink-Legierung«. Das Wort ›Talmigold‹ selbst soll entsprechend frz. *Tal. mi-or*, die Handelsabkürzung für *Tallois-demi-or* (wörtlich: »Tallois-Halbgold«), übersetzen, da die Legierung angeblich nach ihrem Erfinder, einem Pariser namens Tallois, benannt worden ist. – Im allgemeinen Sprachgebrauch wird ›Talmi‹ heute nur im übertragenen Sinn von »Unechtes« gebraucht.

Tambour »Trommler« (veraltend): Das Fremdwort wurde in mhd. Zeit in der Bedeutung »Trommel« aus frz. *tambour* (afrz. *tabour, tambor*) entlehnt. Seit dem 17. Jh. tritt es im Dt. auch in der Bedeutung »Trommler« auf, die dann alleine üblich wurde. Das frz. Wort seinerseits stammt wie entsprechend span. *tambor*, it. *tamburo* aus dem Pers.-Arab., ohne dass jedoch die genaue Quelle sicher ermittelt wäre. – Dazu: **Tamburin** »kleine Hand-, Schellentrommel« (mhd. *tamburīn*; aus frz. *tambourin*).

Tampon »[Watte-, Mull]bausch«: Das Fremdwort wurde im 19. Jh. aus gleichbed. frz. *tampon* entlehnt, einer nasalierten Nebenform von frz. *tapon* »zusammengeknüllter Stoffklumpen«. Das frz. Wort stammt seinerseits aus dem Germ., und zwar aus afränk. **tappo* »Zapfen« (vgl. den Artikel *Zapfen*).

Tamtam »marktschreierischer Lärm, aufdringliche Reklame« (ugs.): Das in diesem Sinne seit der 2. Hälfte des 19. Jh.s gebräuchliche Fremdwort, das mit seiner eigentlichen Bedeutung »asiatisches, mit einem Klöppel geschlagenes Metallbecken, Gong« schon in der 1. Hälfte des 19. Jh.s vorkommt, ist (in beiden Bedeutungen) aus dem Frz. übernommen. Frz. *tam-tam* selbst stammt letztlich aus gleichbed. Hindi *ṭamṭam*, das lautnachahmenden Ursprungs ist.

Tand ↑tändeln.

tändeln »scherzen, verspielt sein (von jungen Mädchen)«: Das seit dem 17. Jh. bezeugte Verb ist eine Iterativbildung zu spätmhd. *tenten* »Unfug, Unsinn machen«. Dieses ist abgeleitet von dem Substantiv mhd. *tant* »leeres Geschwätz, Unsinn«, nhd. **Tand** »Wertloses, wertlose Gegenstände; (veraltet für:) Kinderspielzeug« (vgl. mnd. *tant van Nurenberch* »Nürnberger Spielwaren«). Die Herkunft dieses Substantivs ist nicht sicher geklärt. Vielleicht geht es über ein roman. Kaufmannswort (vgl. span. *tanto* »Kaufpreis, Spielgeld«) auf lat. *tantum* »so viel« zurück.

Tandem: Ursprünglich bezeichnete das im 18. Jh. aus dem Engl. übernommene Fremdwort einen leichten Wagen mit zwei hintereinander gespannten Pferden. Im übertragenen Sinne versteht man heute unter ›Tandem‹ in der Technik einerseits allgemein zwei hintereinander geschaltete Antriebe, die auf die gleiche Welle wirken, andererseits speziell ein Doppelsitzerfahrrad mit zwei hintereinander angeordneten Sitzen und Tretlagern. Engl. *tandem* beruht seinerseits auf lat. *tandem* »endlich«, das im mittelalterlichen Universitätslatein die Bedeutung »der Länge nach (hintereinander)« entwickelt hat.

Tang: Die Bezeichnung der Meeresalgen wurde im 18. Jh. aus den nord. Sprachen (dän., norw. *tang*, schwed. *tång*; vgl. aisl. *þang*) ins Nhd. entlehnt. Gleichbed. mnd. *danc* (15. Jh.) ist nicht erhalten geblieben. Das Wort ›Tang‹ gehört wahrscheinlich im Sinne von »dichte Masse (von Pflanzen)« zu der unter ↑gedeihen behandelten Wortgruppe; s. auch den Artikel *dehnen*.

Tangente »Gerade, die eine Kurve in einem bestimmten Punkt berührt«: Der mathematische Fachausdruck ist eine gelehrte Entlehnung aus lat. *tangens (tangentis)* »berührend«, dem Part. Präs. von lat. *tangere (tactum)* »berühren, anfassen«, und wurde im 16. Jh. von dem dänischen Mathematiker Thomas Fincke in die Fachsprache eingeführt. Auch das seit dem 19. Jh. bezeugte Fremdwort **tangieren** »(innerlich) berühren, beeinflussen« ist aus lat. *tangere* entlehnt. – Zu lat. *tangere (tactum)* als Stammwort stellen sich neben einigen Präfixbildungen wie lat. *at-tingere* »berühren, beeinflussen« und lat. *con-tingere* »berühren, treffen; zuteil werden, zustreben« (s. die Fremdwörter *Kontingent* und *Kontakt*) u. a. die Adjektiv- und Substantivbildungen lat. *tactus* (Partizipialadjektiv) »berührt«, *intactus* »unberührt« (↑intakt), lat. *tactus* (Substantiv) »Berühren, Berührung; Gefühl[ssinn]« (s. die Fremdwörter [1]*Takt*, [2]*Takt*) und lat. *integer* (< **en-tag-ros*) »unberührt, unversehrt; ganz« (s. die Fremdwörter *integer, integrieren* usw.). Auf einer Iterativbildung zu *tangere*, lat. *taxare* »berühren, antasten; prüfend betasten, im Wert abschätzen« (davon vlat. **taxitare*), beruhen die unter ↑taxieren und ↑tasten behandelten Fremd- und Lehnwörter.

Tango: Der in Europa kurz vor dem Ersten Weltkrieg aufgekommene Gesellschaftstanz im langsamen $^{2}/_{4}$- oder $^{4}/_{8}$-Takt stammt wie auch sein Name aus Südamerika. Er wurde uns durch die Spanier vermittelt (span. *tango*).

Tank »(meist transportabler) Flüssigkeitsbehälter (z. B. für Benzin)«, früher auch in der übertragenen Bedeutung »Panzerwagen« (ursprünglich als Deckname) gebraucht: Das seit dem 17. Jh. bezeugte Fremdwort ist in beiden Bedeutungen aus engl. *tank* entlehnt, dessen weitere Herkunft umstritten ist. – Abl.: **tanken** »Treibstoff aufnehmen« (20. Jh.; nach gleichbed. engl. *to tank*).

Tanne: Der im germ. Sprachbereich nur im Dt. gebräuchliche Baumname (mhd. *tanne*, ahd. *tanna*) ist wahrscheinlich verwandt mit aind. *dhánu-ḥ* »Bogen«, eigentlich »Bogen aus Tannenholz«.

Tannenzapfen ↑Zapfen.

Tante »Mutters-, Vatersschwester; nahe Verwandte«: Die Verwandtschaftsbezeichnung wurde im 18. Jh. aus gleichbed. frz. *tante* entlehnt, das eine in der Kindersprache entstandene Spielform von gleichbed. afrz. *ante* darstellt. Quelle des Wortes ist lat. *amita* »Vatersschwester; Tante«, eine Weiterbildung des auch in lat. *amare* »lieben« (vgl. das Fremdwort *Amateur*) vorliegenden kindlichen Lallworts **am[m]a*.

Tantieme: Die Bezeichnung für »Gewinnbeteiligung; an einen Autor oder Musiker gezahlte Vergütung für die Aufführung oder Wiedergabe seiner Werke« wurde im 19. Jh. aus gleichbed. frz. *tantième* entlehnt, einer Bildung zu frz. *tant* »so (und so) viel«, das seinerseits auf lat. *tantus*, »so viel« beruht (s. auch *Tand* [↑tändeln]).

Tanz: Das seit dem 12./13. Jh. bezeugte Substantiv (mhd. *tanz*, mnd. *dans, danz*) wurde im Bereich des höfischen Rittertums aus gleichbed. (a)frz. *danse* entlehnt, wahrscheinlich durch niederl. Vermittlung. Das dem frz. Substantiv zugrunde liegende Verb *danser* (afrz. *dancier*) »tanzen« lieferte etwa gleichzeitig unser Verb **tanzen** (mhd. *tanzen*, mnd. *dansen*). – Abl.: **Tänzer** (mhd. *tenzer, tanzer*); **tänzeln** »in kleinen Tanzschritten gehen« (16. Jh.). – Die frz. Wörter, deren weitere Herkunft nicht gesichert ist, gelangten auch in die anderen Nachbarsprachen, vgl. z. B. entsprechend niederl. *dans* »Tanz«, *dansen* »tanzen«, engl. *dance* »Tanz«, *to dance* »tanzen«, it. *danza* »Tanz«, *danzare* »tanzen« und span. *danza* »Tanz«, *danzar* »tanzen«.

Tapet

aufs Tapet bringen
(ugs.) »etwas ansprechen, von etwas reden«
Unmittelbar aus lat. *tapetum* stammt das heute veraltete Fremdwort ›Tapet‹, eine alte Bezeichnung für den grünen Filzbelag des Verhandlungstisches. Das Wort steht in dieser Wendung stellvertretend für den Tisch selbst; die Wendung meint also eigentlich »etwas auf den Verhandlungstisch, zur Verhandlung bringen«. Sie kam um 1700 als Übersetzung von frz. *mettre (une affaire) sur le tapis* auf.

Tapete »Wandverkleidung«: Das Wort wurde im 16. Jh. aus mlat. *tapeta*, dem als Femininum Singular aufgefassten Neutrum Plural von lat. *tapetum* »Teppich (auf Fußböden, Tischen, Sofas, Wänden usw.)«, entlehnt. Über weitere etymologische Zusammenhänge vgl. den Artikel *Teppich*. – Zu ›Tapete‹ gehört auch das jüngere Fremdwort **tapezieren** »[Wände] mit Tapeten verkleiden« (17. Jh.), das aus gleichbed. it. *tappezzare* stammt. Die früher übliche Form *tapessieren* (16. Jh.) ist aus entsprechend frz. *tapisser* aufgenommen.

tapfer: Mhd. *tapfer* »fest, gedrungen; schwer, gewichtig; wichtig, bedeutend, ansehnlich; streitbar«, ahd. *tapfar* »schwer, gewichtig«, niederl. *dapper* »tapfer, kühn, herzhaft«, norw. *daper* »trächtig (von Stuten)« sind wahrscheinlich verwandt mit der baltoslaw. Sippe von russ. *debelyj* »dick, fett, stark«. Die weiteren Beziehungen sind unklar. – Die Verwendung von ›tapfer‹ im Sinne von »mutig, kühn«, die heute allein üblich ist, kam erst im 15. Jh. auf.

tappen »mühsam, unsicher, tastend, (auch:) ungeschickt gehen«: Das seit dem 16. Jh. bezeugte Verb ist von frühnhd. *tappe*, mhd. *tāpe* »Tatze, Pfote« abgeleitet, dessen Herkunft unklar ist. Vielleicht ist es lautnachahmenden Ursprungs oder beruht auf einer Umstellung von roman. **patta* (vgl. frz. *patte* »Pfote«). Eine verhochdeutschende Form ›Tapfe‹ fällt lautlich mit dem in ›Fußstapfe‹ aus falscher Trennung hervorgegangenen Grundwort ›Tapfe‹ (vgl. *Fuß[s]tapfe* [↑Fuß]) zusammen. Von dem Substantiv ›Tappe‹, das heute mdal. noch weiterlebt, ist **täppisch** »linkisch« abgeleitet (mhd. *tǣpisch*). Eine Präfixbildung ist **ertappen** »bei Verbotenem überraschen« (16. Jh.). Siehe auch den Artikel *Depp*.

Taps ↑Depp.

Tara: Der Ausdruck für »Gewicht der Verpackung« wurde um 1400 als Kaufmannswort aus it. *tara* »Abzug (vom Bruttogewicht einer Ware), Wertverlust, Minderung« entlehnt, das seinerseits auf arab. *ṭarḥ* »Abzug« beruht (zu arab. *ṭaraḥa* »entfernen, beseitigen«).

Tarantel: Der Name der südeuropäischen giftigen Wolfsspinne, der in dt. Texten seit dem 16. Jh. bezeugt ist, stammt aus it. *tarantola* (Nebenform: *tarantella*). Dies ist eine Bildung zum it. Ortsnamen Taranto »Tarent«, da die Spinne in der Umgebung von Tarent und im südlichen Apulien besonders häufig vorkommt. – Nach dem Spinnentier heißt ein ursprünglich neapolitanischer Volkstanz it. *tarantella*, woraus um 1700 unser Fremdwort **Tarantella** entlehnt wurde. Der Name spielt vermutlich auf die leidenschaftlichen Bewegungen der Tänzer an, die gleichsam ›wie von der Tarantel gestochen‹ herumspringen, oder bedeutet einfach »Tanz aus Tarent«.

Tarantel

wie von der Tarantel gestochen
(ugs.) »plötzlich und überaus heftig«
Nach altem Volksglauben soll der Biss der Tarantel bei dem Betroffenen wilde, veitstanzähnliche Bewegungen hervorrufen. Darauf geht diese Wendung zurück.

Tarif »Preis-, Lohnstaffel, Gebührenordnung«: Das seit dem 17. Jh. allgemein übliche Kaufmannswort stammt aus gleichbed. it. *tariffa,* das uns durch gleichbed. frz. *tarif* vermittelt wurde. Quelle des Wortes ist arab. *ta'rīf* »Bekanntmachung« (zu arab. *'arafa* »wissen«).

tarnen: Das Verb mhd. *tarnen,* ahd. *tarnan* ist abgeleitet von dem Adjektiv ahd. *tarni* »heimlich, verborgen«, das auch als erster Bestandteil in **Tarnkappe** steckt. Diese Zusammensetzung (mhd. *tarnkappe* »Tarnmantel«; zu mhd. *kappe* »Mantel mit Kapuze«; ↑Kappe) wurde zu Beginn des 19. Jh.s neu belebt. Durch die Wiederaufnahme von ›Tarnkappe‹ wurde auch das Verb ›tarnen‹, das mehrere Jahrhunderte verschollen war, wieder ins Blickfeld gerückt. Schon während des 1. Weltkriegs, besonders aber danach wurde es militärisches Ersatzwort für das aus dem Frz. stammende Fremdwort ›camouflieren‹ (frz. *camoufler*), dazu Camouflage »Tarnung« (frz. *camouflage*). Verwandt mit dem ahd. Adjektiv ist asächs. *derni* »verborgen«, aengl. *dierne* »geheim, heimlich« (dazu aengl. *diernan* »verbergen«).

Tasche: Die Herkunft des ursprünglich auf das dt. und niederl. Sprachgebiet beschränkten Substantivs (mhd. *tasche* »Tasche«, ahd. *tasca* »Ranzen, Säckchen, kleines Behältnis«, niederl. *tas* »Tasche, Mappe, Geldbeutel«) ist dunkel. – Zus.: **Taschenbuch** »Buch in Taschenformat, d. h. in einem Format, das man in die Tasche stecken kann« (18. Jh.); **Taschengeld** »(in die Tasche gegebener) kleinerer Geldbetrag, der jemandem (besonders einem Kind) regelmäßig für kleinere persönliche Ausgaben zur Verfügung gestellt wird« (18. Jh.); **Taschenlampe** (20. Jh.); **Taschenmesser** (mhd. *taschenmezzer*); **Taschenspieler** »jemand, der Gegenstände zur Überraschung der Zuschauer aus der Tasche zieht oder in sie hineinzaubert« (17. Jh.); **Taschentuch** »Schnupftuch« (19. Jh.).

Tasse: Der Name des Trinkgefäßes wurde im 16. Jh. aus gleichbed. frz. *tasse* entlehnt. Dies ist aus arab. *ṭās[a]* »Schälchen« übernommen, das seinerseits aus pers. *ṭašt* »Becken; Untertasse« stammt.

tasten »herumfühlen, befühlen, berühren«: Das seit mhd. Zeit bezeugte Verb ist aus dem Roman. entlehnt. Die entsprechenden roman. Wörter it. *tastare* und afrz. *taster* (= frz. *tâter*) beruhen ihrerseits auf einem erschlossenen Verb vlat. **tastare* (kontrahiert aus vlat. **taxitare*), einem Intensivum von lat. *taxare* »berühren, antasten; prüfend betasten« (vgl. *taxieren*). – Dazu gehört das Substantiv **Taste** »Griffsteg zum Anschlagen der Saiten eines Saiteninstruments (insbesondere eines Klaviers); Griffbrettchen«, das im 18. Jh. aus gleichbed. it. *tasto* (eigentlich »das Tasten; das Werkzeug zum Tasten«) entlehnt wurde.

Tat: Das gemeingerm. Substantiv mhd. *tāt,* ahd. *tāt,* got. *ga-dēþs,* engl. *deed,* schwed. *dåd* gehört zu der unter ↑tun dargestellten idg. Wurzel. Es ist z. B. eng verwandt mit lat. *conditio* »Gründung«, griech. *thésis* »Satzung« (↑These) und lit. *dė́tis* »Last, Ladung«. – Abl.: **Täter** (mhd. *-tæter,* nur in Zusammensetzungen, z. B. *übeltæter,* erst im 15. Jh. selbstständig und heute zu ›tun‹ gezogen); **tätig** (mhd. *-tætec,* ahd. *-tātig,* nur in Zusammensetzungen, z. B. *übeltætec,* und erst im 16. Jh. als selbstständiges Wort auftretend); **tätigen** »ausführen, vollziehen«, kaufmännisch in ›einen Abschluss usw. tätigen‹ (18. Jh.), dazu **betätigen** »tätig sein; bedienen« (17. Jh.; aus der Kanzlei- und Geschäftssprache übernommen und allgemein geworden); **tätlich** »handgreiflich, gewaltsam« (16. Jh., älter mnd. *dātlīk*). – Zus.: **Tatkraft** (18. Jh.; Ersatzwort für ›Energie‹); **Tatsache** (18. Jh.; Nachbildung von engl. *matter of fact,* das wiederum lat. *res facti* wiedergibt). Siehe auch *Missetat* [↑miss...].

Tatami: Das in jüngster Zeit ins Dt. aufgenommene Substantiv bezeichnet eine »mit Stroh gefüllte Matte, die als Unterlage für ↑Futons u. Ä. dient«. Das zugrunde liegende gleichbed. jap. *tatami* ist eigentlich die Bezeichnung für ein Flächenmaß (1,65 m^2), die dann auf eine Matte dieser Größe übertragen wurde.

tatauieren ↑tätowieren.

tätowieren »Muster, Figuren usw. mit Farbstoffen in die Haut einritzen«, dafür in der Fachterminologie der Völkerkunde die Form **tatauieren:** Das seit dem 18. Jh. bezeugte Fremdwort, durch gleichbed. engl. *to tattoo* und frz. *tatouer* vermittelt, stammt aus dem malaiopolynesischen Sprachbereich. Quelle des Wortes ist tahit. *tatau* »Zeichen, Malerei«.

tätscheln »streicheln, [mit sanften Schlägen] liebkosen«: Das seit dem 16. Jh. gebräuchliche Verb ist eine Weiterbildung zu mhd. *tetschen* »klatschen, patschen, panschen«, das lautnachahmenden Ursprungs ist.

Tatterich: Der ugs. Ausdruck für »[krankhaftes] Zittern« gehört zu dem unter ↑verdattert behandelten Verb *tattern* »schwatzen; stottern; zittern«, beachte die Adjektivbildung **tatterig** ugs. für »zittrig«. ›Tatterich‹ wurde zuerst in der Studentensprache verwendet und bezeichnete zunächst das Zittern der Hände nach starkem Alkoholgenuss. Das in Darmstädter Mundart geschriebene Lustspiel »Der Datterich« (1841) von Niebergall bezieht sich dagegen auf ›tattern‹ in der Bedeutung »stottern, stammeln, zerfahren reden«.

Tatze »Pfote der Raubtiere, besonders des Bären«: Die Herkunft des nur dt. Wortes (mhd. *tatze*) ist unklar. Vielleicht handelt es sich um eine Koseform zu einem kindersprachlichen oder lautnachahmenden ›tat‹.

[1]**Tau** »in Tropfen niedergeschlagene Luftfeuchtigkeit«: Das altgerm. Wort mhd., ahd. *tou,* niederl. *dauw,* engl. *dew,* schwed. *dagg* gehört zu der idg. Wortgruppe von ↑Dunst. – Abl.: [1]**tauen** »Tau ansetzen« (mhd. *touwen,* ahd. *touwōn*).

[2]**Tau** »starkes Seil«: Das im 16. Jh. aus dem Niederd. ins Hochd. übernommene Wort geht auf mnd. *tou[we]* »Werkzeug, [Schiffs]gerät, Tau« zurück, das zu einem im Nhd. untergegangenen Verb mit der Bedeutung »tun, machen« gehört: mhd., ahd. *zouwen* »machen, verfertigen, bereiten«, mnd. *touwen* »ausrüsten, bereiten, zustande bringen«, got. *taujan* »machen, tun« usw. Die Substantivbildung bedeutete also ursprünglich ganz allgemein »Werkzeug, mit dem etwas gemacht wird, [Schiffs]gerät«, dann speziell »[Schiffs]seil«.

taub: Das gemeingerm. Adjektiv mhd. *toup* »nicht hörend, nichts empfindend, nichts denkend, unsinnig, abgestorben, dürr«, ahd. *toub* »gehörlos, unempfindlich, ungereimt, stumpf[sinnig], dumm«, got. *daufs* »taub; verstockt«, engl. *deaf* »taub, schwerhörig«, schwed. *döv* »taub« gehört im Sinne von »benebelt, verwirrt, betäubt« zu der idg. Wortgruppe von ↑Dunst. In den alten Sprachzuständen wurde es zunächst in der Bedeutung »empfindungslos, stumpf[sinnig]« verwendet, dann aber auf den Gehörsinn eingeengt und schon früh speziell im Sinne von »gehörlos, schwerhörig« gebraucht. Aus der mhd. Bedeutung »abgestorben, dürr« entwickelte sich die Bedeutung »gehaltlos«, beachte ›taube Nuss‹ und ›Taubnessel‹ (s. u.). Die niederd. Entsprechung von hochd. *taub* ist ↑doof. Zu ›taub‹ stellen sich die unter ↑toben behandelten Verben. – Abl.: **betäuben** »schmerzunempfindlich, benommen machen« (mhd. *betouben,* eigentlich »taub machen«). Zus.: **Taubnessel** (eigentlich »taube Nessel«, d. h. »der Nessel ähnliche Pflanze, die nicht brennt«, mhd. *toupnezzel*); **taubstumm** (in der Formel ›taub und stumm‹ vom 16. bis zum 18. Jh. zurückgehend auf Mark. 7, 32 »Und sie brachten zu ihm einen Tauben, der stumm war«, in der Zusammenziehung zuerst 2. Hälfte des 18. Jh.s, heute besonders von Gehörlosen als diskriminierend empfunden).

Taube: Die Herkunft des gemeingerm. Vogelnamens (mhd. *tūbe,* ahd. *tūba,* got. *[hraiwa] dūbō,* engl. *dove,* schwed. *duva*) ist nicht sicher geklärt. Er kann auf einer Nachahmung des Taubenlauts (›dū‹) beruhen oder aber zu der Wortgruppe von ↑Dunst gehören. Im letzteren Falle wäre die Taube nach ihrem rauchfarbenen oder dunklen Gefieder benannt, vgl. die kelt. Sippe von air. *dub* »schwarz«.

tauchen: Das westgerm. Verb mhd. *tūchen,* ahd. *intūhhan,* niederl. *duiken,* engl. *to duck* ist unbekannter Herkunft. Eine Intensivbildung zu ›tauchen‹ ist ↑ducken. – Abl.: **Taucher** »jemand, der taucht; tauchender Wasservogel« (mhd. *tūcher,* ahd. *tūhhāri;* vgl. aengl. *dūce* »Ente«, eigentlich »Taucher«, daher engl. *duck*).

[1]**tauen** ↑[1]Tau.

[2]**tauen** »schmelzen«: Das altgerm. Verb mhd. *touwen,* ahd. *douwen,* niederl. *dooien,* engl. (anders gebildet) *to thaw,* schwed. *töa* gehört mit verwandten Wörtern in anderen idg. Sprachen zu der vielgestaltigen idg. Wurzel **tā̆[u]-* »schmelzen, sich auflösen, dahingehen«, vgl. z. B. russ. *tajat'* »schmelzen, tauen« und lat. *tabere* »schmelzen, hinsiechen«. – Die seit mhd. Zeit übliche Form mit anlautendem t- beruht auf Anlehnung an ›[1]Tau‹. Den alten Anlaut bewahrt die Präfixbildung ↑verdauen.

taufen: Das gemeingerm. Verb mhd. *toufen,* ahd. *toufan,* got. *daupjan,* aengl. *dīepan,* schwed. *döpa* ist von dem unter ↑tief behandelten Adjektiv abgeleitet. Es bedeutet also eigentlich »tief machen«, d. h. »ein-, untertauchen«. Die Verwendung des Verbs in christlichem Sinne (»durch Ein-, Untertauchen in Wasser in die Gemeinschaft der Christen aufnehmen«) geht von got. *daupjan* aus, das im 5. Jh. mit arianischen Glaubensboten donauaufwärts nach Bayern gelangte. Von dort breitete sich dann die christliche Verwendung des Verbs aus. – Abl.: **Taufe** »das Taufen« (mhd. *toufe,* ahd. *toufi[n];* got. *daupeins*); **Täufer** »jemand, der tauft« (mhd. *toufære,* ahd. *toufari*); **Täufling** »jemand, der getauft wird« (16. Jh.). Siehe auch die Artikel *dopen* und *tupfen.*

taugen: Das nhd. Verb geht auf mhd. *tougen, tugen* zurück, das im 12./13. Jh. aus alten Präteritopräsensformen der 1. und 3. Person (z. B. ahd. *touk,* got. *daug* [Indikativ Präsens]) entstanden ist, vgl. entsprechend niederl. *deugen,* aengl. *dugen,* schwed. *duga.* Außergerm. sind z. B. verwandt griech. *tychein* »ein Ziel erreichen«, *teúchein* »zurichten; fertigen, erbauen«. Um ›taugen‹ gruppieren sich im germ. Sprachbereich die unter ↑tüchtig und ↑Tugend behandelten Bildungen.

taumeln »benommen schwanken«: Das auf das dt. Sprachgebiet beschränkte Verb mhd. *tūmeln,* ahd. *tūmilōn* ist eine Iterativbildung zu dem im Nhd. untergegangenen Verb mhd. *tūmen,* ahd. *tūmōn* »sich im Kreise drehen, schwanken«, das zu der Wortgruppe von ↑Dunst gehört. Eine Nebenform von ›taumeln‹ ist ↑tummeln.

tauschen: Die nhd. Form ›tauschen‹ geht zurück auf mhd. *tūschen* »unwahr reden, lügnerisch versichern, anführen«, eine Nebenform von gleichbed. mhd. *tiuschen* (vgl. *täuschen*). Die heute allein übliche Bedeutung »Waren oder dergleichen auswechseln, gegen etwas anderes geben«, in der das Verb zuerst im 15. Jh. bezeugt ist, hat sich demnach aus »unwahr reden, in betrügerischer Absicht aufschwatzen« entwickelt. Aus dem Verb

T

rückgebildet ist das Substantiv **Tausch** »das Tauschen; Tauschgeschäft« (16. Jh.). Beachte dazu die Zusammensetzung **Tauschhandel** (18. Jh.) und die Präfixbildung **vertauschen** »irrtümlich oder unabsichtlich auswechseln« (mhd. *vertūschen* »umtauschen«; in der heutigen Bedeutung um 1700).

täuschen: Die nhd. Form ›täuschen‹ geht auf mhd. *tiuschen* »unwahr reden, lügnerisch versichern, anführen« zurück, neben dem gleichbed. mhd. *tūschen* steht (vgl. *tauschen*). Das Verb stammt aus dem Niederd., vgl. mnd. *tūschen* »anführen, betrügen; tauschen« und weiterhin niederl. mdal. *tuisen* »betrügen, übervorteilen; schachern«. Die weitere Herkunft ist unbekannt. – Die Präfixbildung **enttäuschen** bedeutet eigentlich »aus einer Täuschung herausreißen« und wurde um 1800 als Ersatz für ›desabusiren‹ (frz. *désabuser*) und ›detrompiren‹ (frz. *détromper*) geschaffen, dazu **Enttäuschung** (19. Jh.).

tausend: Das gemeingerm. Zahlwort mhd. *tūsunt*, ahd. *dūsunt*, got. *þūsundi*, engl. *thousand*, schwed. *tusen* ist wahrscheinlich eine verdunkelte Zusammensetzung (**þūs-hundi)* und bedeutet eigentlich »vielhundert«. Das Grundwort gehört zu dem unter ↑hundert behandelten Zahlwort, das Bestimmungswort gehört zu der unter ↑Daumen dargestellten idg. Wurzel **teu-* »schwellen« (adjektivisch: »geschwollen, dick, stark«), vgl. z. B. aind. *tarā̆ḥ* »stark, kräftig«. – Zus.: **Tausendfüß[l]er,** früher **Tausendfuß** (Name eines Gliederfüßers mit sehr vielen Beinen, 18. Jh.; Lehnübersetzung von lat. *mil[l]i-, millepeda*, das seinerseits Lehnübersetzung von griech. *chiliópous* ist); **Tausendsas[s]a** ugs. für »Schwerenöter, Alleskönner« (18. Jh.; Substantivierung der durch ›tausend‹ verstärkten Interjektion *sa, sa* [z. B. in *hopsasa!*], eines Lockrufs für Hunde, der aus dem Frz. stammt [frz. *çà*, aus lat. *ecce hac* = »hierher«]).

Taverne ↑Tabernakel.

Taxi: Die Bezeichnung für »Mietauto« wurde in der 1. Hälfte des 20. Jh.s gekürzt aus ›Taxameter‹, offenbar nach dem Vorbild von entsprechend frz. *taxi* (aus *taximètre*). Das Wort, das zusammengesetzt ist aus ›Taxe‹ »Preis; Gebühr« (s. *taxieren*) und ›...meter‹ (im Sinne von »Messgerät«; s. den Artikel *Meter*) bezeichnete ursprünglich nur die in Mietwagen angebrachte Messuhr mit Fahrpreisanzeiger. Dann ging die Bezeichnung auf den Mietwagen selbst über.

taxieren: Der Ausdruck für »schätzen, abschätzen, veranschlagen, den wahrscheinlichen Wert ermitteln« wurde als Wort der Kaufmannssprache im 14. Jh. aus gleichbed. frz. *taxer* entlehnt, das seinerseits auf lat. *taxare* »berühren, antasten; prüfend betasten, im Wert abschätzen« beruht, einer Iterativbildung von lat. *tangere* »berühren« (vgl. *Tangente*). – Siehe auch die Artikel *Taxi* und *tasten*.

Teak[holz]: Der Name des asiatischen Nutzholzes wurde im 19. Jh. aus engl. *teak* entlehnt, das seinerseits aus gleichbed. port. *teca* übernommen ist. Dies stammt aus *tekka*, einem Wort der südindischen Drawidasprache Malayalam.

Team »Arbeitsgruppe; Mannschaft«: Das Fremdwort wurde Anfang des 20. Jh.s aus gleichbed. engl. *team* entlehnt, das aengl. *tēam* »Nachkommenschaft, Familie; Gespann« fortsetzt und mit dt. ↑Zaum verwandt ist. – Dazu die Zusammensetzungen **Teamwork** »Gemeinschaftsarbeit, gemeinsam Erarbeitetes« (20. Jh.; aus gleichbed. engl. *team-work*) und **Teamgeist** »Zusammengehörigkeitsgefühl, partnerschaftliches Verhalten innerhalb eines Teams« 20. Jh., wahrscheinlich nach engl. *team spirit*).

Technik »Handhabung, [Herstellungs]verfahren, Arbeitsweise; Hand-, Kunstfertigkeit«, im speziellen Sinne zusammenfassende Bezeichnung für die Ingenieurwissenschaften: Die seit dem 18. Jh. gebräuchliche Form ›Technik‹ geht auf nlat. *technica* »Kunst, Künste; Anweisung zur Ausübung einer Kunst oder Wissenschaft« zurück. Dies ist eine gelehrte Bildung zu nlat. *technicus* »zur Kunst gehörig, kunstgemäß; wissenschaftlich, fachmännisch«, das in dieser nlat. Form seit der Mitte des 17. Jh.s bezeugt ist. An seine Stelle trat seit dem 18. Jh. unsere Adjektivbildung **technisch** »die Technik betreffend; kunstgerecht, fachgemäß«. – Nlat. *technicus* beruht seinerseits auf griech. *technikós* »kunstvoll, kunstgemäß; sachverständig, fachmännisch«. Das diesem zugrunde liegende Substantiv griech. *téchnē* (< **téksnā*) »Handwerk, Kunst, Kunstfertigkeit; Wissenschaft« stellt sich zu griech. *téktōn* »Zimmermann, Baumeister« (s. auch *Architekt*). Mit diesen Wörtern verwandt sind in anderen idg. Sprachen z. B. aind. *tákṣan* »Zimmermann«, aind. *tákṣati* »bearbeitet, verfertigt, zimmert«, lat. *texere (textum)* »flechten, weben; bauen, zimmern; kunstvoll zusammenfügen« (s. die Fremdwortgruppe um *Text*), ferner der Gerätename ahd. *dehsa[la]* »Queraxt (zur Holzbehauung)«, daraus dt. mdal. **Dechsel** »Querbeil«. Vgl. auch den Artikel *Technologie*. Ableitung von ›Technik‹: **Techniker** »Fachmann auf einem Gebiet der Ingenieurwissenschaften; technischer Facharbeiter« (18. Jh.; für älteres ›Technikus‹ [17. Jh.], aus lat. *technicus* < griech. *technikós* »in der Kunst Erfahrener; Lehrer«). Vgl. auch das Kapitel zur Sprachgeschichte *Die technische Entwicklung und ihr Wortschatz*.

Technologie »Gesamtheit der technischen Prozesse in einem Fertigungsbereich; Methodik in einem bestimmten Forschungsgebiet; technisches Verfahren«: Die seit der 1. Hälfte des 18. Jh.s gebräuchliche Form ›Technologie‹ geht auf nlat. *technologia* zurück. ›Technologie‹ wurde zuerst im Sinne von »Lehre von den Fachwörtern, Systematik der Fachwörter« verwendet. In dieser Bedeutung wurde es später durch ›Terminologie‹ (↑Termin) ersetzt. Seit der 2. Hälfte des 18. Jh.s bezeichnete es die Wissenschaft und Lehre von der handwerklich-praktischen Fertigung, seit dem 19. Jh. bildete sich dann die heutige Bedeutung heraus. – Nlat. *technologia* ist eine gelehrte Entlehnung aus griech. *technología* »Abhandlung über eine Kunst oder Wissenschaft; Kunstlehre«, einer Bildung zu griech. *téchnē* »Kunst[fertigkeit]« (s. *Technik;* zum Grundwort vgl. *Logik*). – Seit Ende des 20. Jh.s findet sich das Kurzwort **Techno** für »elektronisch erzeugte (Tanz-)Musik mit besonders schnellen Rhythmen«, das aus gleichbed. engl. *techno* übernommen wurde (eigentlich: *[technological] music*).

Techtelmechtel »Liebschaft, Verhältnis« (ugs.): Das im 19. Jh. aus Österreich eingedrungene Substantiv ist etymologisch ohne sichere Deutung.

Teckel ↑Dackel.

Teddy[bär]: Das beliebte, seit Anfang des 20. Jh.s zuerst in Deutschland hergestellte Kinderspielzeug ist in Amerika nach dem Spitznamen Teddy (Theodor) des amerikanischen Präsidenten Theodore Roosevelt (1901–1909) benannt worden (engl. *teddy bear* ist seit 1907 belegt).

Tee: Das seit dem 17. Jh. bezeugte Fremdwort stammt aus dem Chinesischen. Quelle ist ein südchin. *t'e* »Tee«, das auch in andere westeuropäische Sprachen übernommen wurde (beachte z. B. engl. *tea*, frz. *thé*, niederl. *thee*, it. *tè*).

Teenager: Die Bezeichnung für »ein Mädchen oder einen Jungen im Alter zwischen 13 und 19 Jahren« wurde in den Fünfzigerjahren des 20. Jh.s aus Amerika aufgenommen. Das in der amerik. Umgangssprache entstandene Wort *teenager* bedeutet wörtlich »jemand, der im Teenalter ist« (gemeint sind alle mit ›-teen‹ gebildeten Zehnerzahlen, also *thirteen, fourteen* usw. bis *nineteen* »13–19 Jahre«) und gehört zu engl. *ten* »zehn« (urverwandt mit dt. ↑zehn). – Dazu die Kurzformen **Teen** (engl. *teen*) und **Teenie** (engl. *teenie*).

Teer: Das im 16. Jh. aus dem Niederd. ins Hochd. übernommene Wort geht zurück auf mnd. *ter[e]*, dem im germ. Sprachbereich gleichbed. niederl. *teer*, engl. *tar*, schwed. *tjära* entsprechen (vgl. die verwandten Wörter lit. *dervà* »Teer«, lett. *dar̃va* »Teer«). Das den Bewohnern der Küsten von Nord- und Ostsee, für die der Teer ein unentbehrliches Hilfsmittel beim Schiffsbau war, gemeinsame Wort bedeutet eigentlich »der zum Baum Gehörige« und gehört zu idg. **deru-* »Eiche, Baum«, vgl. asächs. *trēo* »Baum«, got. *trin* »Holz«, engl. *tree* »Baum«. Beachte auch das germ. Baumnamensuffix *-đr[a]*, das im Dt. z. B. in ↑Flieder, ↑Rüster, ↑Holunder und ↑Wacholder bewahrt ist. Außergerm. sind z. B. verwandt griech. *dóry* »Baumstamm; Holz; Speer« und russ. *derevo* »Baum«. Zu diesem idg. Wort für »Baum, Eiche« gehört auch das unter ↑Trog (eigentlich »hölzernes Gefäß«) behandelte Substantiv und die Sippe von ↑treu (eigentlich »stark, fest, hart wie ein Baum«; s. dort über *Treue;* s. auch *trauen, Trost*). – Abl.: **teeren** »mit Teer tränken« (18. Jh.).

Teich: Das im Hochd. seit dem 13. Jh. bezeugte Wort (mhd. *tīch*) bezeichnet eigentlich ein künstlich angelegtes Gewässer für die Fischzucht. Es stammt aus dem nordd. und ostd. Sprachgebiet und war ursprünglich identisch mit dem unter ↑Deich »Damm« behandelten Wort. Das altgerm. Substantiv mnd. *dīk* »Deich, Teich«, mniederl. *dijc* »Damm, Pfuhl« (niederl. *dijk* »Deich«), aengl. *dīc* »Erdwall, Graben« (engl. *ditch* »Graben«, *dike* »Wall, Graben«), schwed. (anders gebildet) *dike* »Damm; Graben« geht zurück auf die idg. Wurzel **dhēig^u-* »stechen, stecken«, die auch der Sippe von lat. *figere* »anheften« (↑[1]fix) und der balt. Sippe von lit. *díegti* »stechen, stecken« zugrunde liegt. Die Grundbedeutung »Ausgestochenes« konnte sowohl auf einen Graben wie auf den daraus aufgeworfenen Erdwall bezogen werden; die Scheidung der Bedeutungen wurde erst mit der Ausbildung des hochd. Wortes vollzogen. Siehe auch den Artikel *Weiher.*

Teig: Das gemeingerm. Wort mhd. *teic*, ahd. *teig*, got. *daigs*, engl. *dough*, schwed. *deg* gehört mit verwandten Wörtern in anderen idg. Sprachen zu der idg. Wurzel **dheiĝh-* »Lehm kneten und damit arbeiten; Teig kneten«, vgl. z. B. lat. *fingere* »kneten, formen, bilden, gestalten; ersinnen, erdichten, vorgeben« (↑fingieren), lat. *figura* »Gebilde, Gestalt, Erscheinung« (↑Figur), aind. *dēha-ḥ, -m* »Körper«, griech. *teīchos* »Mauer« und griech. *toīchos* »Wand«. Vgl. auch das unter *Laib* behandelte engl. *Lady* (eigentlich »Brotkneterin«).

Teil: Das gemeingerm. Wort mhd., ahd. *teil*, got. *dails*, engl. *deal*, schwed. *del* ist verwandt mit der baltoslaw. Sippe von russ. *del* »Teilung«. Die weiteren Beziehungen sind unsicher. – Eine alte Ableitung von ›Teil‹ ist **teilen** (mhd., ahd. *teilen*, got. *dailjan*, aengl. *dǣlan*, schwed. *dela*), dazu **teilbar** (17. Jh.) und **Teilung** (mnd. *teilunge*, ahd. *teilunga*). Präfixbildungen und Zusammensetzungen mit ›teilen‹ sind z. B. **abteilen** (mhd. *abeteilen*), dazu **Abteilung** (mhd. *abteilunge* »das Abteilen, Abtrennen«, frühnhd. »[Erb]teilung«, der heutige Sinn »durch Abtrennen entstandener Teil« im 16. Jh.) und **Abteil** »Eisenbahnabteil« (aus ›Abteilung‹ verkürzt, in der 2. Hälfte des 19. Jh.s als Ersatzwort für ›Coupé‹); **beteiligen** (19. Jh.; ursprünglich oberd., für älteres ›beteilen‹ »Anteil geben«); **mitteilen** (mhd. *mite teilen* »etwas mit jemandem teilen, einem etwas zukommen lassen«, früher allgemein, seit dem 15. Jh. allmählich eingeschränkt auf Nachrichten, Kenntnisse u. a.), dazu **Mitteilung** (16. Jh.; die Bedeutungsentwicklung wie beim Verb); **verteilen** (mhd. *verteilen* »einen Urteilsspruch fällen«, ahd. *farteilen* »des Anteils berauben, verurteilen«, im heutigen Sinne, den bereits got. *fradailjan* zeigt, seit dem

16. Jh.). – Ableitungen von ›Teil‹: **teilhaftig**, älter **teilhaft** (mhd. *teilhaft[ic]*); **teils** (17. Jh.; ursprünglich adverbialer Genitiv). – Zusammensetzungen mit ›Teil‹: **Anteil** (mhd. *anteil;* im 18. Jh. auch übertragen als »Mitgefühl« in der Wendung ›Anteil an etwas nehmen‹), dazu **Anteilnahme** (19. Jh.; vielleicht für ein älteres *Anteilnehmung;* s. unten *Teilnahme*); **Gegenteil** (mhd. *gegenteil* »Gegenpartei im Rechtsstreit«, seit dem 16. Jh. im heutigen allgemeineren Sinn), dazu **gegenteilig** (16. Jh.); **Nachteil** (15. Jh.; Gegenwort zu ›Vorteil‹), dazu **nachteilig** (15. Jh.) und **benachteiligen** (19. Jh.); **Vorteil** (mhd. *vorteil,* ursprünglich »was jemand vor anderen im Voraus bekommt«), dazu **übervorteilen** »seinen Vorteil über jemanden erringen« (15. Jh.). Als zweiter Bestandteil steckt ›Teil‹ in Zusammensetzungen wie ›Viertel‹ usw. (mhd. *virteil,* ahd. *fiorteil*). Es dient heute als Ableitungssilbe zur Bildung jeder beliebigen Bruchzahl. – Zusammenschreibungen sind **teilhaben** (mhd. *teil haben,* ahd. *teil habēn*), dazu **Teilhaber** (18. Jh.; Ersatzwort für ›Kompagnon‹) und **teilnehmen** (mhd. *teil nemen,* ahd. *teil neman,* schon früh übertragen gebraucht), dazu **Teilnahme** (18. Jh.; für älteres *Teilnehmung;* s. oben *Anteilnahme*).

tele..., Tele...: Dem Bestimmungswort von Zusammensetzungen mit der Bedeutung »fern, weit«, wie in ↑Telefon, telefonieren, ↑Telegramm, ↑Telefax u. a., liegt das gleichbed. griech. Adverb *tēle* (daraus gleichbed. frz. *télé...,* engl. *tele...*) zugrunde.

Telefax: Bei dem Fremdwort mit der Bedeutung »Fernkopie, Fernkopierer(-System)« und seiner Kurzform **Fax** handelt es sich um eine seit der 2. Hälfte des 20. Jh.s belegte Entlehnung aus dem Engl. Das engl. Substantiv *telefax* wurde analog zu ↑Telegramm und ↑Telefon aus griech. *tēle* »fern, weit« (↑tele..., Tele...) und der Kurzform aus engl. *facsimile* (↑Faksimile) gebildet.

Telefon »Fernsprecher«: Der Name des von Ph. Reis im Jahre 1861 konstruierten Apparates zur elektromagnetischen Übermittlung der menschlichen Stimme über Drahtleitungen ist eine gelehrte Neubildung des ausgehenden 18. Jh.s zu griech. *tēle* »fern, weit« (vgl. *tele..., Tele...*) und griech. *phōnḗ* »Stimme« (vgl. den Artikel *Phonetik*).

Telegraf ↑Telegramm.

Telegramm: Die Bezeichnung für »telegrafisch übermittelte Nachricht« wurde im 19. Jh. – vermutlich vermittelt durch frz. *télégramme* – aus gleichbed. engl. *telegram* entlehnt. Dies ist eine gelehrte Neubildung des Amerikaners P. Smith aus griech. *tēle* »fern, weit« (vgl. *tele..., Tele...*) und griech. *grámma* »Geschriebenes; Buchstabe; Schreiben usw.« (vgl. *...gramm*). – Zum jeweils gleichen Etymon stellt sich **Telegraf** »Apparat zur Übermittlung von Nachrichten durch vereinbarte Zeichen, Fernschreiber«, das Ende des 18. Jh.s aus gleichbed. frz. *télégraphe* übernommen wurde. Das frz. Wort ist eine gelehrte Neubildung des französischen Diplomaten Miot de Mélito (1763–1841).

Telepathie »das Wahrnehmen der seelischen Vorgänge eines anderen Menschen ohne Vermittlung der Sinnesorgane; Gedankenlesen«: Das besonders in der Fachsprache der Parapsychologie verwendete Fremdwort wurde aus gleichbed. engl. *telepathy* entlehnt, das 1882 von dem englischen Schriftsteller F. W. Myers (1843–1901) aus griech. *tēle* »fern, weit« (vgl. *tele..., Tele...*) und griech. *páthos* »Gefühlserregung, Leidenschaft« (vgl. den Artikel *Pathos*) gebildet wurde. – Abl.: **telepathisch** »die Telepathie betreffend, auf dem Wege der Telepathie« (Anfang 20. Jh.; wohl nach gleichbed. engl. *telepathic*).

Teleskop »Fernrohr«: Das seit Ende des 17. Jh.s bezeugte Fremdwort ist eine von dem Italiener G. Galilei geschaffene nlat. Bildung *(telescopium)* zu griech. *tēle* »fern, weit« (vgl. *tele..., Tele...*) und griech. *skopeīn* »beobachten« (vgl. *Skepsis*).

Teller: Das seit dem 13. Jh. bezeugte Substantiv (mhd. *tel[l]er, telier*) ist aus dem Roman. entlehnt, vgl. afrz. *tailleor* »Vorlegeteller; Hackbrett« > frz. *tailloir* »Hackbrett«, it. *tagliere* »Hackbrett, kleine Platte«. Die roman. Wörter gehören im Sinne von »Vorlegeteller, auf dem das Fleisch für die Mahlzeiten zerlegt wird« zu den auf spätlat. *taliare* »spalten; schneiden, zerlegen« beruhenden Verben frz. *tailler* »[zer]schneiden, zerteilen« (s. auch die Fremdwörter *Taille* und *Detail*) und gleichbed. it. *tagliare.*

Tempel »einer Gottheit geweihte Stätte; [heidnisches] Heiligtum«: Das Substantiv mhd. *tempel,* ahd. *tempal* ist aus gleichbed. lat. *templum* entlehnt. Die Zugehörigkeit des lat. Wortes, das eigentlich einen vom Augur mit dem Stab am Himmel und auf der Erde zur Beobachtung und Deutung des Vogelfluges abgegrenzten Beobachtungsbezirk bezeichnet, ist umstritten.

Temperament »Wesens-, Gemütsart; Lebhaftigkeit, Schwung, Feuer«: Das Fremdwort wurde im 16. Jh. aus lat. *temperamentum* »das richtige Verhältnis gemischter Dinge, die gehörige Mischung; das rechte Maß« (wie auch entsprechend engl. *temperament,* frz. *tempérament*) entlehnt. Es wurde dann speziell in der Bedeutung »Mischungsverhältnis der vier menschlichen Körpersäfte« verwendet (zum Sachlichen vgl. den Artikel *cholerisch*). Stammwort ist lat. *temperare* »in das gehörige Maß setzen; in das richtige Mischungsverhältnis bringen«, aus dem bereits im 13. Jh. unser Verb **temperieren** »mäßigen; auf eine mäßig warme, gut abgestimmte Temperatur bringen« übernommen wurde. – Dazu das Adjektiv **temperamentvoll** »lebhaft, schwungvoll« (20. Jh.). Zum gleichen Stammwort wie ›Temperament‹ gehört das Fremdwort **Temperatur** »(in Graden gemessener) Wärmezustand eines Körpers oder der Luft« (16. Jh.). Es beruht auf einer gelehrten Entlehnung aus lat. *temperatura* »gehörige Mischung, Beschaffenheit«.

Tempo: Das Fremdwort wurde im 17. Jh. aus it. *tempo* »Zeit; Gelegenheit; Zeitmaß« entlehnt, das auf lat. *tempus* »Zeit; Zeitspanne, Frist; günstige Zeit, Gelegenheit« zurückgeht. Es wurde zunächst auch im Sinne von »Zeit; Gelegenheit« gebraucht, dann speziell im Sinne von »Zeitmaß einer Bewegung« und – seit dem 18. Jh. – »Zeitmaß eines musikalischen Vortrages; Rhythmus, Takt«. Davon geht die seit dem 19. Jh. bezeugte Verwendung im Sinne von »schnelles Zeitmaß, Schnelligkeit, Geschwindigkeit« aus. – Lat. *tempus,* das vielleicht mit einer ursprünglichen Bedeutung »Zeitspanne« zu der unter ↑dehnen genannten p-Erweiterung der idg. Wurzel **ten-* »dehnen, ziehen, spannen« gehört, lebt übrigens auch als grammatischer Terminus in unserem Fremdwort **Tempus** »Zeitstufe des Verbs« fort.

Tender: Die Bezeichnung für »Anhänger der Dampflokomotive, in dem Brennstoff und Wasser mitgeführt werden« und für »Begleitschiff, das Brennmaterial, Proviant und dgl. transportiert« wurde im 19. Jh. aus gleichbed. engl. *tender* übernommen, einer Substantivbildung zu engl. *to tend* (Kurzform für *to attend*) »Sorge tragen für, aufmerken, achten auf usw.«. Quelle des Wortes ist lat. *attendere* (> frz. *attendre*) »hinspannen, hinstrecken; seine Aufmerksamkeit auf etwas richten«, eine Zusammensetzung von lat. *tendere* »spannen, [aus]strecken« (vgl. *tendieren*).

tendieren »hinstreben, zuneigen, abzielen, auf etwas ausgerichtet sein«: Das im 19. Jh. aus dem älteren Substantiv **Tendenz** »Zweckstreben; Hang, Neigung, Zug, Strömung, Entwicklungslinie; allgemeine Grundstimmung [an der Börse]« (18. Jh.) rückgebildete Verb setzt formal lat. *tendere* (> frz. *tendre*) »spannen, [aus]strecken; abzielen; sich hinneigen« fort. Das Substantiv ›Tendenz‹ ist wohl aus gleichbed. älter engl. *tendence* (engl. *tendency*), frz. *tendance* entlehnt, die auf mlat. *tendentia* »das Bewegen in eine Richtung« zurückgehen. – Lat. *tendere,* das auch dem Fremdwort ↑Tender zugrunde liegt, ist mit zahlreichen Bildungen in unserem Fremdwortschatz vertreten, beachte im Einzelnen die Fremdwörter ↑Intendant, ↑Intensität und ↑extensiv. Es gehört mit verwandten Wörtern wie lat. *tenere (tentum)* »(gespannt) halten, festhalten, anhalten usw.« (s. die auf Bildungen dazu beruhenden Fremdwörter ↑Abstinenz, ↑impertinent, ↑Kontinent und ↑kontinuierlich) und lat. *tenor (tenoris)* »ununterbrochener Lauf, Schwung; Fortgang; Zusammenhang; Sinn, Inhalt« (s. die Fremdwörter [1]*Tenor,* [2]*Tenor*) zu der unter ↑dehnen dargestellten idg. Wortfamilie.

Tenne: Die Herkunft des auf den dt. Sprachbereich beschränkten Substantivs (mhd. *tenne,* ahd. *tenni* »Dreschplatz«) ist nicht geklärt.

Tennis: Der Name des Ballspiels wurde in der 1. Hälfte des 19. Jh.s aus gleichbed. engl. *tennis* (kurz für *lawn tennis* »Rasentennis«) entlehnt, das auf mengl. *tenes, tenetz* als Bezeichnung für ein dem Tennis ähnliches Spiel zurückgeht. Zugrunde liegt wohl [a]frz. *tenez!* »nehmt, haltet (den Ball)!«, der Imperativ Plural von *tenir* »halten«, das auf gleichbed. lat. *tenere* beruht. Die Spielbezeichnung ist vielleicht aus dem Zuruf des Aufschlägers an seinen Mitspieler entstanden.

[1]**Tenor** »Inhalt, Sinn, Wortlaut«: Das Fremdwort wurde im 17. Jh. aus lat. *tenor* »ununterbrochener Lauf; Fortgang; Zusammenhang, Sinn, Inhalt« entlehnt. Über weitere etymologische Zusammenhänge vgl. den Artikel *tendieren.* – Gleichen Ausgangspunkt hat das Homonym [2]**Tenor** »hohe männliche Stimmlage; Tenorsänger«: Es ist als musikalisches Fachwort seit dem 15. Jh. bezeugt und ist unmittelbar aus gleichbed. it. *tenore* entlehnt (eigentlich die Hauptstimme, welche die Melodie »hält« und nach der sich die anderen Stimmen richten sollen).

Teppich: Das Substantiv mhd. *tep[p]ich,* ahd. *tep[p]ih* ist mit Suffixwechsel aus einer vlat.-roman. Folgeform von lat. *tapete, tap[p]etum* »Teppich; Decke« entlehnt, das seinerseits ein griech. Lehnwort ist (vgl. griech. *tápēs* »Teppich; Decke« und gleichbed. *tápis*). Das Wort ist vermutlich südasiatischen Ursprungs. – Siehe auch den Artikel *Tapete.*

Termin »festgesetzter Zeitpunkt; Liefer-, Zahlungs-, Gerichtsverhandlungstag«: Das in Texten des hochd. Sprachbereichs seit dem Ende des 13. Jh.s bezeugte Wort (mhd. *termin*) geht über gleichbed. mlat. *terminus* auf lat. *terminus* »Grenzzeichen, Grenzstein, Grenze; Ziel, Ende« zurück. Von ›Termin‹ abgeleitet ist das Verb **terminieren** »befristen« (20. Jh.; schon mhd. *terminieren* »begrenzen« [< lat. *terminare*]). – Im Mlat. entwickelte das lat. Substantiv *terminus* die übertragene Bedeutung »inhaltlich abgegrenzter, fest umrissener Begriff«. Darauf beruht unser Fremdwort **Terminus** »Fachwort, Fachausdruck, Begriff«, beachte dazu die hybride Neubildung **Terminologie** »Gesamtheit der in einem Fachgebiet üblichen Fachwörter und Fachausdrücke« (18. Jh.; zum Grundwort vgl. den Artikel *Logik*).

Termite: Der Name des schabenähnlichen, besonders in den Tropen und Subtropen vorkommenden Insekts ist eine gelehrte Bildung des 18. Jh.s zu spätlat. *termes* (Akkusativ: *termitem*) »Holzwurm« (für klass.-lat. *tarmes*). Das Baumaterial für das Termitennest besteht u. a. aus zerkautem Holz, und in tropischen Gebieten sind einige Arten des Insekts wegen der Zerstörung von Holzgegenständen, Möbeln und sogar von ganzen Gebäuden gefürchtet.

Terpentin: Die Bezeichnung für das Harz bestimmter Nadelholzarten, die ugs. auch für ein aus diesem Harz gewonnenes Lösungsmittel verwendet wird, ist seit dem 15. Jh. bezeugt. Sie ist entlehnt aus spätlat. *(resina) ter[e]bint[h]ina* »Harz der Terebinthe« (zu lat. *terebinthinus* [< griech. *terebíntinos*] »zur Terebinthe gehörend«). Die Terebinthe (lat. *terebinthus* < griech. *terébinthos*) ist eine im Mittelmeergebiet heimische Pistazienart, aus deren Rinde ein besonders wohlriechendes Harz gewonnen wird.

Terrain »Gebiet, Gelände; Boden, Baugelände, Grundstück«: Das Fremdwort wurde im 17. Jh. aus gleichbed. frz. *terrain* entlehnt, das auf lat. *terrenum* (vlat. **terranum*) »Erdstoff; Erde, Acker« beruht. Das diesem zugrunde liegende Adjektiv lat. *terrenus* »aus Erde bestehend, erdig, irden« ist von lat. *terra* »Erde; Erdboden; Land« (ursprünglich »die Trockene«; etymologisch verwandt mit dt. ↑dürr) abgeleitet. – Zum gleichen Stammwort (lat. *terra*) gehören auch die Fremdwörter ↑Souterrain, ↑Terrasse, ↑Terrine, ↑Territorium, territorial.

Terrasse »Stufe, Absatz; stufenförmige Erderhöhung; nicht überdachter Austritt am Erdgeschoss eines Gebäudes«: Das Fremdwort wurde am Anfang des 18. Jh.s aus gleichbedeutend frz. *terrasse* entlehnt. Das frz. Wort selbst beruht auf einem nicht bezeugten galloroman. **terracea*, einer Kollektivbildung zu lat. *terra* »Erde, Erdreich, Land« (vgl. *Terrain*). Es bedeutete ursprünglich etwa »Erdaufhäufung«.

Terrine: Die Bezeichnung für »[Suppen]schüssel« wurde im 18. Jh. aus gleichbed. frz. *terrine* entlehnt, das aus afrz. *terrin* »irden« substantiviert ist, also eigentlich »irdene Schüssel« bedeutet. Zugrunde liegt ein vlat. Adjektiv **terrinus* »irden«, eine Ableitung von lat. *terra* »Erde« (vgl. *Terrain*).

Territorium »Grund (und Boden); Bezirk; Staats-, Hoheitsgebiet«: Das Fremdwort wurde Ende des 16. Jh.s nach entsprechend frz. *territoire* aus lat. *territorium* »zu einer Stadt gehörendes Ackerland; Stadtgebiet« entlehnt. Dies gehört seinerseits zu lat. *terra* »Erde; Land« (vgl. *Terrain*). – Abl.: **territorial** »zu einem [Staats]gebiet gehörend, es betreffend« (18./19. Jh.; aus frz. *territorial*).

Terror »Schreckensherrschaft, rücksichtsloses Vorgehen, Unterdrückung«: Das Fremdwort wurde im 19. Jh. (wohl unter dem Einfluss von entsprechend frz. *terreur*) aus lat. *terror* »Schrecken, Angst und Schrecken bereitendes Geschehen« entlehnt. Dies gehört zu lat. *terrere* »schrecken, erschrecken«. Vgl. auch den Artikel *Terrorismus*. – Abl.: **terrorisieren** »Terror ausüben, Schrecken verbreiten; unterdrücken, einschüchtern« (19. Jh.; aus gleichbed. frz. *terroriser*).

Terrorismus: Die Bezeichnung für »Schreckensherrschaft; das Verbreiten von Terror zur Durchsetzung politischer Ziele« wurde Ende des 18. Jh.s aus gleichbed. frz. *terrorisme* entlehnt, einer Bildung zu frz. *terreur* »Angst, Schrecken«, das auf gleichbed. lat. *terror* (s. *Terror*) beruht. Das Wort wurde zuerst meist auf das gewaltsame Vorgehen Robespierres und der Jakobiner während der Französischen Revolution bezogen.

Tertia: Die Bezeichnung für die vierte Klasse der Unterstufe einer höheren Schule geht zurück auf lat. *tertia classis* »dritte Klasse« (über die Bedeutungsentwicklung vgl. den Artikel *Sexta*). Zugrunde liegt die Ordinalzahl lat. *tertius* »dritter« (vgl. *tri..., Tri...*).

Terz: Das Fremdwort bezeichnet in der Musik den »dritten« Ton vom Grundton aus, ferner ein Intervall von drei Tonstufen. In der Fechtkunst ist es der Name eines bestimmten Fechthiebs. Das zuerst (vielleicht schon mhd.) als musikalischer Terminus bezeugte Fremdwort beruht auf lat. *tertia* (ergänze: *vox*) »dritte (Stimme)«. Über die zugrunde liegende Ordinalzahl lat. *tertius* »dritter« vgl. *tri..., Tri...*

Test »Probe; experimentelle Untersuchung, Prüfung«: Das Wort wurde Anfang des 20. Jh.s aus gleichbed. engl. *test* übernommen. Das davon abgeleitete Verb engl. *to test* »prüfen, erproben, ausprobieren« lieferte unser entsprechendes Verb **testen** »durch Test feststellen, prüfen, untersuchen, erproben« (1. Hälfte des 20. Jh.s). – Das engl. Wort geht auf afrz. *test* »irdener Topf; Tiegel (für alchimistische Experimente)« zurück, das seinerseits auf lat. *testum* »Geschirr, Schüssel« beruht. Stammwort ist lat. *testa* »Platte, Deckel, Tonschale; Scherbe usw.« – Bereits in mhd. Zeit wurde aus dem Afrz. das Substantiv mhd. *test* »Topf, Tiegel usw.« entlehnt, das sich bis ins 19. Jh. in der Bedeutung »Probier-, Schmelztiegel für die Prüfung von Silber« erhalten hat.

Testament »letztwillige Verfügung«; im christlich-religiösen Bereich bezeichnet ›Testament‹ speziell die Verfügung, die Ordnung Gottes, d. h. den Bund Gottes mit den Menschen (danach das ›Alte und Neue Testament‹): Das Wort wurde in spätmhd. Zeit aus gleichbed. lat. (bzw. kirchenlat.) *testamentum* entlehnt, das zu lat. *testari* »bezeugen; als Zeugen nehmen; ein Testament machen« gehört. Stammwort ist lat. *testis* »Zeuge«. – Siehe auch die Fremdwörter *Attest* und *protestieren*.

testen ↑Test.

Tetanus: Der medizinische Fachausdruck für »Wundstarrkrampf« wurde in neuerer Zeit aus lat. *tetanus* »Halsstarre« entlehnt, das seinerseits aus griech. *tétanos* »krankhafte Verzerrung, Starre (von Körperteilen)« stammt. Die eigentliche Bedeutung des griech. Wortes ist »Spannen, Spannung«. Es gehört zu griech. *teínein* »spannen; ausdehnen« (vgl. den Artikel [2]*Ton*).

Tête-à-tête: Der Ausdruck für »vertrauliches Zwiegespräch; zärtliches Beisammensein« wurde Anfang des 18. Jh.s aus frz. *tête-à-tête* »Zwiegespräch« (wörtlich: »Kopf an Kopf«) übernommen. Das zugrunde liegende Substantiv frz. *tête* »Kopf« geht auf lat. *testa* »Platte, Deckel, Tonschale; Scherbe; (spätlat.) Hirnschale« zurück (vgl. hierüber den Artikel *Test*).

teuer: Die Herkunft des altgerm. Adjektivs (mhd. *tiure,* ahd. *tiuri,* niederl. *duur,* engl. *dear,* schwed. *dyr)* ist unbekannt. Zu ›teuer‹ gehören die unter [2]*dauern* »Leid tun« behandelten Wörter. Schon in den älteren Sprachzuständen wurde es in den heutigen Bedeutungen »lieb, wert, hoch geschätzt; viel kostend« gebraucht. – Abl.: **verteuern** (mhd. *vertiuren*). Siehe auch den Artikel *beteuern.*

Teufel: Der Name des nach der christlichen Lehre von Gott abgefallenen und zum Widersacher Gottes gewordenen Engels, mhd. *tiuvel, tievel,* ahd. *tiufal,* wurde entweder im Zuge der arianischen Mission aus got. *diabaúlus, diabulus* aufgenommen, das seinerseits über kirchenlat. *diabolus, diabulus* auf griech. *diá-bolos* »verleumdend, schmähend; Verleumder; (im A. T.:) Widersacher, Feind; (im N. T.:) Teufel« zurückgeht, oder direkt aus dem Kirchenlat. entlehnt. Das griech. Wort ist eine Bildung zu griech. *dia-bállein* »durcheinander werfen; entzweien, verfeinden; schmähen, verleumden«, eine Zusammensetzung von griech. *bállein* »werfen; treffen« (vgl. den Artikel *ballistisch*). Gleichen Ursprungs wie unser Lehnwort ›Teufel‹, das im Dt. die einheimische Bezeichnung ›Unhold‹ (ahd. *unholdo*) ablöste, sind aus den roman. Sprachen z. B. gleichbed. it. *diavolo,* span. *diablo* und frz. *diable,* die ihrerseits unmittelbar aus dem Kirchenlat. stammen. – In übertragener Verwendung begegnet das Wort ›Teufel‹ als Bezeichnung für einen boshaften, heimtückischen Menschen, beachte dazu die Ableitungen **teuflisch** »boshaft, grausam, heimtückisch« (mhd. *tiuvelisch*) und **Teufelei** »Bosheit, hinterhältige Gemeinheit, Grausamkeit« (16. Jh.). Siehe auch den Artikel *diabolisch.*

Teufel

der Teufel ist los!
(ugs.) »es gibt/herrscht große Aufregung«
Die Wendung geht wohl auf die in vielen Volkssagen verbreitete Vorstellung zurück, dass der Teufel angekettet darauf wartet, Unheil in der Welt zu verbreiten.

hol mich der Teufel!; der Teufel soll mich holen
(ugs.) Ausdruck der Bekräftigung
Mit diesem Ausruf bringt man – wörtlich genommen – zum Ausdruck, dass man dem Teufel verfallen sei, wenn man gelogen haben sollte. Es handelt sich also um eine sehr nachdrückliche Bekräftigung der eigenen Aussage.

den Teufel an die Wand malen
(ugs.) »Unheil heraufbeschwören«
Nach altem Aberglauben, der wohl auf frühzeitlichen Bilderzauber zurückgeht, wird der Teufel durch die bildliche Darstellung beschworen, herbeizitiert. Darauf bezieht sich diese Wendung.

Text »Wortlaut, Beschriftung; [Bibel]stelle«: Das Wort wurde in spätmhd. Zeit aus lat. *textus* »Gewebe, Geflecht; Verbindung, Zusammenhang; zusammenhängender Inhalt einer Rede, einer Schrift« entlehnt. Dies gehört zu lat. *texere* »weben, flechten; fügen, kunstvoll zusammenfügen«, das etymologisch verwandt ist mit griech. *téktōn* »Zimmermann, Baumeister«, griech. *téchnē* »Handwerk, Kunst, Kunstfertigkeit« (vgl. den Artikel *Technik*). – Abl.: **texten** »einen [Schlager-, Werbe]text gestalten« (20. Jh.), dazu das Substantiv **Texter** »Verfasser von [Schlager-, Werbe]texten« (20. Jh.). – Zu lat. *texere* gehören ferner die Fremdwörter ↑textil, Textilien.

textil »gewebt, gewirkt; Gewebe, Tuche oder Stoffe betreffend«, häufig in Zusammensetzungen wie ›Textilindustrie, Textilkaufmann‹ u. a.: Das Adjektiv wurde im 19. Jh. aus gleichbed. frz. *textile* entlehnt, das seinerseits auf lat. *textilis* »gewebt, gewirkt« beruht. Über das Stammwort lat. *texere (textum)* »weben, flechten; fügen« vgl. den Artikel *Text.* – Abl.: **Textilien** »gewebte, gestrickte oder gewirkte, aus Faserstoffen hergestellte Waren« (20. Jh.).

Theater »Schaubühne, Schauspielhaus; Aufführung eines Schauspiels«, ugs. auch für »Gezeter, Geschrei, Lärm; Getue«: Das Fremdwort, das bereits seit dem 16. Jh. als ›Theatrum‹ belegt ist und dann im 18. Jh. nach entsprechend frz. *théâtre* eingedeutscht wurde, ist aus lat. *theatrum* entlehnt. Dies stammt seinerseits aus griech. *théātron* »Zuschauerraum, Theater«. Stammwort ist griech. *théā* »das Anschauen, die Schau; das Schauspiel«, das als Vorderglied in griech. *theōrós* »Zuschauer« (↑Theorie) erscheint. – Dazu stellt sich das Adjektiv **theatralisch** »das Theater betreffend; schauspielerhaft, gespreizt« (18. Jh.; nach gleichbed. lat. *theatralis*).

Theke: Die Bezeichnung für »Schanktisch; Ladentisch« wurde im 19. Jh. aus lat. *theca* »Hülle, Decke; Büchse, Schachtel« entlehnt, das seinerseits aus griech. *thḗkē* »Abstellplatz; Behältnis, Aufbewahrungsort; Kasten, Kiste, Lade« stammt. Dies ist eine Bildung zum Stamm von griech. *tithénai* »setzen, stellen, legen« (vgl. den Artikel *Thema*). – Das griech. Wort erscheint auch als zweites Glied in einigen Bildungen wie griech. *apothḗkē* »Abstellplatz, Aufbewahrungsraum; Vorratslager, Magazin« (↑Apotheke und ↑Bottich), griech. *hypo-thḗkē* »Unterlage; Unterpfand« (↑Hypothek), griech. *biblio-thḗkē* »Bücherablage, -gestell; Bücherei« (↑Bibliothek). Nach dem Vorbild solcher Zusammensetzungen entstanden Neuwörter wie ›Diskothek‹ und ›Kartothek‹.

Thema: Das Fremdwort für »Aufgabe, [zu behandelnder] Gegenstand; Gesprächsstoff; Leitgedanke; Leitmotiv« wurde im 15. Jh. aus griech.-lat. *théma* »das Aufgestellte, der Satz; der abzuhandelnde Gegenstand« entlehnt. Stammwort ist das mit dt. ↑tun verwandte Verb griech. *tithé-*

nai »setzen, stellen, legen«. – Abl.: **thematisch** »zum Thema gehörend, dem Thema entsprechend« (19. Jh.); **Thematik** »Komplexität eines Themas; Aufgabenstellung« (19. Jh.). – Neben griech. *théma* sind in diesem Zusammenhang noch zwei weitere zum Stamm von griech. *tithénai* gehörende Nominalbildungen von Interesse, die in unserem Fremdwortschatz eine Rolle spielen: griech. *thésis* »das Setzen, Stellen, Legen; Ordnung, Satzung; Satz« und griech. *thḗkē* »Behältnis, Kasten, Lade«. Siehe hierzu im Einzelnen die Fremdwörter um *These* und *Theke*.

Theologie: Die Bezeichnung für die Wissenschaft von Gott und seiner Offenbarung und vom Glauben und Wesen der Kirche, von den Glaubensvorstellungen einer Religion oder Konfession ist eine gelehrte Entlehnung des 15. Jh.s aus griech.-lat. *theología* »Götterlehre, Göttersage, Lehre von den göttlichen Dingen«. Auf dem zugrunde liegenden Adjektiv und Substantiv griech. *theo-lógos* »der göttlichen Dinge kundig; Gottesgelehrter« (eigentlich »von Gott redend«), das als zusammengesetzte Bildung zu griech. *theós* »Gott, Gottheit« und griech. *légein* »reden«, *lógos* »Wort, Rede; Lehre, Kunde« (vgl. *Lexikon*) gehört, beruht unser entsprechendes Fremdwort **Theologe** »wissenschaftlicher Vertreter der Theologie; Geistlicher« (15. Jh.; vermittelt durch lat. *theologus*).

Theorie »abstrakte Betrachtungsweise; System wissenschaftlich begründeter Aussagen zur Erklärung bestimmter Erscheinungen o. Ä.«: Das seit dem 16. Jh. bezeugte Fremdwort, das gewöhnlich als Gegenwort zu ↑Praxis gebraucht wird, ist aus griech.-lat. *theōría* »das Zuschauen; Betrachtung, Untersuchung; wissenschaftliche Erkenntnis usw.« entlehnt. Zugrunde liegt das griech. Substantiv *theōrós* »Zuschauer«, das zusammengezogen ist aus **theā-(u̯)orós* »jemand, der ein Schauspiel sieht« (zu griech. *théā* »Anschauen, Schau« [vgl. *Theater*] und griech. *horáein* »sehen«). – Dazu stellen sich **theoretisch** »rein wissenschaftlich; gedanklich; gedacht, vorstellungsmäßig; ohne hinreichenden Bezug auf die Wirklichkeit« (im Gegensatz zu ›praktisch‹ [↑Praxis]), das im 17. Jh. aus lat. *theoreticus* (< griech. *theōrētikós*) »beschauend, untersuchend« übernommen wurde, und **Theoretiker** »Wissenschaftler, Gelehrter; (abschätzig für:) wirklichkeitsfremder Mensch« (18. Jh.).

Therapie: Die Bezeichnung für »Kranken-, Heilbehandlung« wurde im 18. Jh. als medizinischer Terminus aus gleichbed. griech. *therapeía* (eigentlich »das Dienen, Dienst; Pflege«) entlehnt. Stammwort ist griech. *therápōn* »Diener; Gefährte«.

thermo..., Thermo...: Dem aus dem Griech. stammenden Bestimmungswort von Zusammensetzungen mit der Bedeutung »Wärme, Wärmeenergie; Temperatur«, wie in ›Thermometer, Thermosflasche‹ und ›Thermostat‹, liegt das griech. Adjektiv *thermós* »warm, heiß« oder vielmehr das davon abgeleitete Substantiv griech. *thérmē* »Wärme, Hitze« zugrunde. – **Thermometer** »Temperaturmessgerät« (18. Jh.; nlat. Bildung; über das Grundwort vgl. den Artikel *Meter*); **Thermostat** »Vorrichtung zur Erhaltung konstanter Temperaturen« (gelehrte Neubildung des 19. Jh.s; das Grundwort ist von griech. *statós* »stehend, feststehend« genommen, vgl. den Artikel *stehen*).

These »aufgestellter [Lehr-, Leit]satz; (zu beweisende) Behauptung«: Das Fremdwort wurde im 16. Jh. aus griech.-lat. *thésis* »das Setzen, das [Auf]stellen; aufgestellter Satz; Behauptung« entlehnt (vgl. den Artikel *Thema*). – Das griech. Wort erscheint auch als Hinterglied in verschiedenen Präfixbildungen. Siehe hierzu im Einzelnen die Fremdwörter ↑Hypothese, ↑Prothese und ↑Synthese.

Thing ↑Ding.

Thriller: Die Bezeichnung für »ganz auf Spannungseffekte abgestellter [Kriminal]film, Nervenreißer« ist ein Fremdwort, das in der 1. Hälfte des 20. Jh.s aus dem Engl.-Amerik. übernommen wurde. Engl. *thriller* bedeutet wörtlich etwa »etwas, was in gespannte Erregung versetzt«. Es ist zu engl. *to thrill* »durchdringen; zittern machen; packen, fesseln« (ursprünglich »durchbohren, durchstoßen«) gebildet.

Thron »Herrschersitz, Fürstensitz«: Das seit etwa 1200 bezeugte Substantiv (mhd. *t[h]rōn*) wurde über gleichbed. afrz. *tron* (= frz. *trône*) aus gleichbed. lat. *thronus* entlehnt, das seinerseits Lehnwort aus griech. *thrónos* »Sessel, Sitz; Herrschersitz, Thron« ist.

Thunfisch: Der Name des makrelenartigen Speisefischs, der in allen warmen und gemäßigten Meeren vorkommt, ist aus lat. *thynnus, thunnus* entlehnt, das seinerseits aus griech. *thýnnos* (Wort einer Mittelmeersprache) stammt. Der Name erscheint in dt. Texten zuerst im 16. Jh. als ›Thunnfisch‹ (mit dem verdeutlichenden Grundwort Fisch, ähnlich wie in ›Walfisch‹ [s. unter *Wal*]). Gleicher Herkunft sind in anderen europäischen Sprachen z. B. entsprechend it. *tonno*, frz. *thon* und engl. *tunny*.

Thymian: Der Name der in kleinen Sträuchern mit würzig riechenden Blättern wachsenden Heil- und Gewürzpflanze, mhd. *thimean, tymian*, frühmhd. *timiām*, beruht auf einer Entlehnung aus lat. *thymum*, das seinerseits Lehnwort aus griech. *thýmon* ist. Das griech. Wort ist eine Bildung zum Verb *thýein* »ein Rauch-, Brandopfer darbringen« (ursprünglich »rauchen; räuchern«). Die Pflanze ist also nach ihrem starken Duft benannt. Griech. *thýein* stellt sich zum Substantiv griech. *thȳmós* »Geist, Mut, Sinn«, das ursprünglich »Rauch« bedeutete (urverwandt mit lat. *fumus* »Rauch« [s. den Artikel *Parfüm*], Bedeutungsentwicklung über »Rauch« zu »Hauch«, dann »Geist«). – Auf die mhd. Formen hat wohl lat. *thymiama* »Räucherwerk« eingewirkt, das seinerseits aus gleichbed. griech. *thymíama* entlehnt ist, einer Ableitung von griech. *thȳmós* in der ursprünglichen Bedeutung »Rauch«.

Tick: Der ugs. Ausdruck für »wunderliche Eigenart, Schrulle; Fimmel, Stich« wurde im 18. Jh. aus gleichbed. frz. *tic* entlehnt. Die weitere Herkunft von frz. *tic* ist nicht geklärt.

ticken: Das seit dem 18. Jh. bezeugte Verb ist von der Interjektion ›tick!‹ abgeleitet. Diese Interjektion ahmt den Laut nach, wie ihn Uhren, Holzwürmer u. a. hervorbringen; verbunden mit ›tack!‹ steht sie in **ticktack!** (18. Jh.).

Ticket »Fahrschein (besonders für Flug- und Schiffsreisen); Eintrittskarte«: Das Wort wurde bereits im 18. Jh. aus engl. *ticket* »Berechtigungsschein, Nachweiskarte; Wettschein« entlehnt. Erst im 20. Jh. wurde es im Sinne von »Fahrschein« und »Eintrittskarte« gebräuchlich und verdrängte ↑Billett. – Engl. *ticket* geht auf afrz. *e[s]tiquet[te]* »Einkerbung an einem Pflock; Zeichen; Zettel, Aufschrift« zurück (vgl. den Artikel *Etikett*).

Tide ↑Zeit.

tief: Das gemeingerm. Adjektiv mhd. *tief*, ahd. *tiuf*, got. *diups*, engl. *deep*, schwed. *djup* gehört mit verwandten Wörtern in anderen idg. Sprachen zu der idg. Wurzel **dheu-b-* »tief, hohl«, vgl. z. B. lit. *dubùs* »eingesunken, tief«. Zu dieser Wurzel stellen sich aus dem germ. Sprachbereich auch die unter ↑taufen (eigentlich »tief machen«) und ↑tupfen (eigentlich »tief machen, eintauchen«) behandelten Wörter. Auf einer nasalierten Form beruht das unter ↑Tümpel (eigentlich »Vertiefung«) dargestellte Substantiv. Siehe auch den Artikel *Topf*. – Abl.: **Tief** »Gebiet niedrigen Luftdrucks« (Anfang des 20. Jh.s); **Tiefe** (mhd. *tiefe*, ahd. *tiufi*; vgl. got. *diupei*, engl. *depth*, schwed. *djup*). Zus.: **tiefsinnig** »bemüht, in das Wesen der Dinge einzudringen; grüblerisch« (im 16. Jh. »scharfsinnig, schlau«, in der heutigen Bedeutung seit dem 18. Jh.), daraus rückgebildet **Tiefsinn** (18. Jh., aber bereits mhd. *der tiefe sin*).

Tiegel »Pfanne«: Das nhd. Wort geht über mhd. *tegel, tigel* »Tiegel« auf ahd. *tegel* »irdener Topf« zurück, dessen weitere Beziehungen nicht geklärt sind. Vielleicht beruht das Substantiv im Sinne von »geformtes irdenes Gefäß« auf einer Bildung zu der unter ↑Teig dargestellten idg. Wurzel, wobei in der Bedeutung spätlat. *tegula* »Bratpfanne« (entlehnt aus gleichbed. griech. *tḗganon*) eingewirkt haben mag. Die niederd.-niederl. Formen des Wortes haben d-Anlaut (mnd. *dēgel*, mniederl. *degel* »Pfanne, Topf«), ebenso aisl. *digull* »Tiegel«.

Tier: Das gemeingerm. Wort mhd. *tier*, ahd. *tior*, got. *dius*, engl. *deer*, schwed. *djur* bezeichnete ursprünglich das wild lebende Tier im Gegensatz zum Haustier (↑Vieh). So benennt jetzt noch weidmännisch ›Tier‹ das weibliche Stück Rotwild und engl. *deer* das Rotwild überhaupt. Das germ. Wort ist eine Bildung zu der unter ↑Dunst dargestellten idg. Wurzel **dheu-* »stieben, blasen« und bedeutet wahrscheinlich eigentlich »atmendes Wesen«, beachte das verwandte aslaw. *duša* »Atem, Seele« und das ähnliche Verhältnis von lat. *animal* »Tier« zu lat. *anima* »Lebenshauch; Seele« (↑animieren). – Abl.: **tierisch** »zum Tier gehörig; wie ein Tier, dumpf; triebhaft; roh, grausam« (16. Jh.; für mhd. *tierlich*). Zus.: **Tiergarten** »Wildpark« (zur alten Bedeutung »Wild«; mhd. *tiergarte*); **Tierkreis** (im 17. Jh. für älteres *Tierzirkel* als Lehnübertragung von lat. *zodiacus*, griech. *zōdiakós*); **Untier** »ungestaltes Tier, Ungeheuer« (mhd. *untier*, wohl mit verstärkendem Präfix, ↑un...).

Tiger: Der Name des Raubtiers (mhd. verdeutlichend *tigertier*, ebenso ahd. *tigirtior*) geht zurück auf gleichbed. griech.-lat. *tígris*, das selbst vermutlich iranischen Ursprungs ist.

tilgen: Das auf das dt. und niederl. Sprachgebiet beschränkte Verb (mhd. *tīligen, tilgen*, ahd. *tīligōn*; mniederl. *[ver]delighen*, niederl. *delgen*) wurde im Zuge der angelsächsischen Mission aus aengl. *dīlegian* »vernichten, wegschaffen; unleserlich machen, ausradieren« entlehnt, das seinerseits aus lat. *delere* »vernichten; (Geschriebenes) auslöschen« stammt. – Dazu die Zusammensetzung **austilgen** »vernichten, gänzlich tilgen« (mhd. *uztīligen, -tilgen*) und die Präfixbildung **vertilgen** »gänzlich zum Verschwinden bringen; (ugs.:) restlos aufessen« (mhd. *vertīligen, -tilgen*, ahd. *fertīligōn*).

timen, Timing ↑Zeit.

Tingeltangel: Die Bezeichnung für ein Lokal, in dem verschiedenerlei Unterhaltung ohne großes Niveau geboten wird und auch für die hier gespielte entsprechend niveaulose Unterhaltungs- und Tanzmusik, kam Ende des 19. Jh.s in der berlin. Umgangssprache auf für frz. *Café chantant* »Café mit Musik-, Gesangsdarbietung«. Das Wort ist eine lautmalende Bildung zur älteren Interjektion ›tingel tangel‹ für die in diesen Lokalen gespielte Musik. – Dazu die Rückbildung **tingeln** ugs. für »in einem Tingeltangel auftreten; an verschiedenen Orten bei Veranstaltungen unterschiedlicher Art auftreten«.

Tinktur: Die in der Fachsprache der Pharmazie gebräuchliche und seit dem 16. Jh. bezeugte Bezeichnung für dünnflüssige »gefärbte« Auszüge aus pflanzlichen oder tierischen Stoffen, (meist) in Form alkoholischer Lösungen, ist aus lat. *tinctura* »das Färben, farbig ausgezogene Flüssigkeit« entlehnt. Dies gehört zu lat. *tingere (tinctum)* »benetzen, tränken, eintauchen; färben« (vgl. das Lehnwort *Tinte* und den Artikel *tunken*).

Tinnef »Schund, wertlose Ware; dummes Zeug«: Das im 19. Jh. aus der Gaunersprache als Scheltwort in die Kaufmannssprache und von da in die allgemeine Umgangssprache gelangte Wort stammt aus hebr. *ṭinnûf* (> jidd. *tinnef*) »Kot, Schmutz«.

Tinte: Die Bezeichnung der Schreibflüssigkeit mhd. *tincte,* (mit Konsonanzerleichterung:) *tinte,* ahd. *tincta* ist aus mlat. *tincta (aqua)* »gefärbte Flüssigkeit; Tinktur« entlehnt. Zugrunde liegt das mit dt. ↑tunken urverwandte Verb lat. *tingere (tinctum)* »färben«. Vgl. auch den Artikel *Tinktur.*

Tipp »Andeutung, Wink; Hinweis auf gute Gewinnaussichten (bei Sportwetten); Voraussage des wahrscheinlichen Ergebnisses eines Sportwettkampfs (besonders im Fußballtoto)«: Das seit dem Ende des 19. Jh.s zuerst im Bereich der Börsensprache und des Pferderennsports bezeugte Wort ist entlehnt aus engl. *tip* »Anstoß, Andeutung, geheime Information, Wink; Hinweis auf eine Gewinnaussicht« (wohl zu engl. *to tip* »leicht berühren, anstoßen«). – Dazu stellt sich das Verb [1]**tippen** (20. Jh.), das einerseits im speziellen Sinne von »eine Wettvoraussage abgeben (Toto)« gilt – beachte auch die Zusammensetzung **Tippzettel** – und andererseits auch allgemein im Sinne »auf jemanden oder etwas setzen; annehmen, vermuten« (vorwiegend ugs.) verwendet wird (nach engl. *to tip* »einen [Gewinn]hinweis geben«). Vgl. aber [2]*tippen.*

[1]**tippen** ↑Tipp.

[2]**tippen** »[mit einer Spitze] leicht berühren; Maschine schreiben«: Das seit dem 16. Jh. bezeugte, ursprünglich niederd.-mitteld. Verb ist vermutlich lautnachahmenden Ursprungs, hat sich aber früh mit den niederd.-mitteld. Formen *dippen, tippen* des unter ↑tupfen behandelten Verbs vermischt.

Tisch: Das westgerm. Substantiv mhd. *tisch* »Speisetafel; Ladentisch«, ahd. *tisc* »Schüssel; Tisch«, niederl. *dis* »Tisch«, engl. *dish* »Platte, Schüssel; Gericht, Speise« (die nord. Sippe von schwed. mdal. *disk* »Teller; Ladentisch« stammt wohl unmittelbar aus dem Aengl. oder Asächs.) beruht auf einer frühen Entlehnung aus lat. *discus* »Wurfscheibe; flache Schüssel, Platte«, das seinerseits aus griech. *dískos* »Wurfscheibe; scheibenförmiger Gegenstand; Teller, Schüssel« stammt. Dies bedeutete ursprünglich »Wurfscheibe« und gehört zu griech. *diskeĩn* »werfen«; s. das Fremdwort *Diskus.* Der Bedeutungswandel von »flache Schüssel« zu »Tisch« (so auch im Roman.; vgl. z. B. it. *disco* »[Wurf]scheibe« neben it. *desco* »[Ess]tisch«, beide aus lat. *discus*) erklärt sich aus der Tatsache, dass in alter Zeit zu den Mahlzeiten jede einzelne Person ihren eigenen Esstisch, der zugleich Essschüssel war, vorgesetzt bekam (für germanische Verhältnisse von dem römischen Schriftsteller Tacitus überliefert). – Abl.: **tischen** »tafeln; den Tisch decken, zu essen geben« (16. Jh.; heute veraltet), dafür heute die Zusammensetzung **auftischen** (18. Jh.); **Tischler** »Holzhandwerker, Möbelschreiner« (eigentlich »Tischmacher«, spätmhd. *tischler, tischer*), dazu **Tischlerei** »Tischlerhandwerk; Tischlerwerkstatt« (18. Jh.).

Tisch

am grünen Tisch/vom grünen Tisch aus
»lediglich von der Planung ausgehend, ohne Kenntnis der Praxis«
Die Wendung rührt daher, dass die Verhandlungstische früher oft mit grünem Leder oder Tuch bezogen waren.

von Tisch und Bett getrennt sein/leben
»in einer gescheiterten Ehe in Trennung leben«
Hier handelt es sich um eine alte Rechtsformel; Tisch und Bett stehen für die wirtschaftliche und sexuelle Gemeinschaft der Ehe.

Titel »Überschrift, Aufschrift; Name eines Buches; Amts-, Dienstbezeichnung; Ehrenbezeichnung, Anredeform«: Das Substantiv mhd. *tit[t]el,* ahd. *titul[o]* ist aus gleichbed. lat. *titulus* entlehnt. Die weitere Herkunft des lat. Wortes, das auch die Quelle für entsprechend frz. *titre* ist, ist nicht gesichert. – Abl.: **titeln** »einen Titel geben, mit einem Titel versehen« (spätmhd. *titelen*), dafür heute nur mehr das Präfixverb **betiteln; titulieren** »[mit dem Titel] anreden; bezeichnen, nennen, heißen; mit einem Schimpfnamen belegen« (14. Jh.; aus gleichbed. spätlat. *titulare*).

Toast »geröstete Weißbrotschnitte; Trinkspruch«: Das in beiden Bedeutungen aus engl. *toast* entlehnte Fremdwort erscheint in dt. Texten im 18. Jh. Der Bedeutungswandel von »geröstete Brotschnitte« zu »Trinkspruch« erklärt sich wohl aus einer früher in England geübten Trinksitte, wonach derjenige, der einen Trinkspruch anbringen wollte, zuvor eine Scheibe geröstetes Brot in sein Glas eintauchte. – Engl. *toast* gehört zum Verb engl. *to toast* »rösten«, das aus gleichbed. afrz. *toster* stammt; dies beruht auf lat. *tostus* »gedörrt, getrocknet«, dem Part. Perf. des mit dt. ↑dürr etymologisch verwandten Verbs lat. *torrere* »dörren, trocknen«.

toben: Mhd. *toben,* ahd. *tobōn, tobēn,* aengl. *dofian* gehören zu dem unter ↑taub behandelten Adjektiv und bedeuten eigentlich »taub, dumm, unsinnig werden« (vgl. über die weiteren Zusammenhänge den Artikel *Dunst*). – Zus.: **Tobsucht** »ungezügelte Wut« (mhd. *tobesuht* »Wahnsinn; Raserei«), dazu **tobsüchtig** (mhd. *tobesühtic* »wahnsinnig; rasend«).

Tochter: Die gemeingerm. Verwandtschaftsbezeichnung mhd., ahd. *tohter,* got. *daúhtar,* engl. *daughter,* schwed. *dotter* beruht mit Entsprechungen in anderen idg. Sprachen auf idg. **dhug[h]əter-* »Tochter«, vgl. z. B. gleichbed. aind. *duhitár-*, griech. *thygátēr,* lit. *duktẽ.* Zur Bildung vgl. den Artikel *Mutter.*

Tod: Das gemeingerm. Substantiv mhd. *tōd,* ahd. *tōt,* got. *dauÞus,* engl. *death,* schwed. *död* gehört zu dem unter ↑tot behandelten Verb. – Abl.: **tödlich** (mhd. *tōtlich,* ahd. *tōdlih;* entsprechend niederl. *dodelijk,* engl. *deadly*). Zusammensetzungen (als erstes Glied seit mhd. Zeit oft übertragen in verstärkender Bedeutung »sehr, überaus«): **Todfeind** (mhd. *tōtvīent*); **todkrank** »bis auf den Tod krank« (16. Jh.); **todmüde** »sehr müde« (18. Jh.); **Todsünde** »schwere, den Verlust der ewigen Seligkeit bewirkende Sünde (katholische Kirche)« (mhd. *tōtsünde*); **Todesangst** (17. Jh.); **Todesfall** (16. Jh.); **Todesstrafe** (17. Jh.).

Todeskandidat ↑Kandidat.

todschick ↑Schick.

Tohuwabohu »Wirrwarr, Durcheinander«: Das Wort wurde übernommen aus dem hebr. Urtext der Bibel 1. Mos. 1, 2 *tohû wạ vohû* »Wüste und Öde« (von Luther übersetzt »[die Erde war] wüst und leer«).

Toilette: Das frz. *toilette,* eine Verkleinerungsform zu frz. *toile* »Tuch« (< lat. *tela* »Tuch«) mit der ursprünglichen Bedeutung »Tüchlein«, bezeichnete vom 16. Jh. an das auf den Tisch gebreitete Tuch, worauf man Waschzeug und Gegenstände zur Haarpflege legte. Später bezeichnete es die Tätigkeit des Sichwaschens und Kämmens sowie die Ausstattung (Kleidung, Haartracht usw.) einer Dame der Gesellschaft. Im 18. Jh. wurde das Wort in diesen Bedeutungen aus dem Frz. entlehnt. Seit dem Ende des 19. Jh.s bezeichnet es auch verhüllend einen Waschraum mit Klosettbecken (frz. *cabinet de toilette*) oder das Klosettbecken selbst.

toi, toi, toi!: Die Interjektion, mit der man jemandem Glück und Erfolg besonders für einen künstlerischen Auftritt wünscht oder mit der man ausdrückt, dass man etwas nicht berufen will, gibt lautmalend ein dreimaliges Ausspucken wieder, das nach altem Volksglauben dämonenbannend wirkt.

tolerieren »dulden, gewähren lassen«: Das Verb wurde im 16. Jh. aus lat. *tolerare* »tragen, ertragen, erdulden« (etymologisch verwandt mit dt. ↑dulden) entlehnt. Dazu stellt sich das Adjektiv **tolerant** »duldsam, nachsichtig; großzügig, weitherzig« (18. Jh.; wohl über gleichbed. frz. *tolérant* aus dem Part. Präs. lat. *tolerans*) mit der Gegenbildung **intolerant** »unduldsam; keine andere Meinung, Weltanschauung usw. gelten lassend als die eigene« (18. Jh.; nach entsprechend frz. *intolérant*), ferner das Substantiv **Toleranz** »Duldsamkeit, großzügige Geisteshaltung« (16. Jh.; aus lat. *tolerantia* »Ertragen, Erdulden, Geduld«) mit der Gegenbildung **Intoleranz** »Unduldsamkeit« (18. Jh.; nach entsprechend frz. *intolérance*).

toll: Das westgerm. Adjektiv mhd. *tol, dol,* ahd. *tol* »dumm, töricht«, niederl. *dol* »toll, ausgelassen«, engl. *dull* »stumpf, unempfindlich; schwerfällig« gehört im Sinne von »getrübt, umnebelt, verwirrt« zu der unter ↑Dunst behandelten Wortgruppe. Verwandt sind z. B. got. (ablautend) *dwals* »einfältig, töricht« und weiterhin lett. *duls* »betäubt, dunkel«, air. *dall* »blind« und griech. *tholerós* »trübe, verwirrt«. Schon mhd. tritt das Adjektiv in der Bedeutung »ansehnlich, bewundernswert« auf, im Frühnhd. wurde es dann auch im Sinne von »erstaunlich; sehr, stark« verwendet (dafür heute ugs. meist die landsch. Nebenform **doll**). – Abl.: [1]**tollen** (15. Jh.; ursprünglich »toll sein«, heute eingeengt auf Kinder: »ausgelassen umherspringen«); **Tollheit** (mhd. *tolheit*). Zus.: **Tollhaus** »psychiatrische Klinik« (17. Jh.; heute veraltet); **Tollkirsche** (17. Jh.; der Genuss der mit Kirschen verglichenen glänzend schwarzen Beeren des Nachtschattengewächses ruft wegen der darin enthaltenen Alkaloide beim Menschen Erregungs- und Verwirrtheitszustände hervor); **tollkühn** »in toller Weise kühn« (17. Jh.); **Tollwut** (Hundekrankheit, Ende des 18. Jh.s, Zusammenrückung aus älterem *tolle Wut*).

Tolle (ugs. für:) »Büschel, Haarschopf, Quaste«: Das besonders nordd. und mitteld. Wort ist eine Nebenform von mhd. *tolde* »Pflanzenkrone, Quaste« (vgl. *Dolde*), die zuerst im 16. Jh. als *tollen* »Baumwipfel«, *doln* »Quaste« erscheint.

[2]**tollen** »kräuseln, fälteln«: Das mittel- und nordd. Wort lautet ostpreuß. *tullen, tüllen.* Mit dem Tolleisen (mnd. *duliser,* ostpreuß. *Tull-, Tülleisen*) werden röhrenförmige Wäschefalten oder Haarlocken gepresst, somit ist ↑Tülle verwandt.

Tollpatsch »ungeschickter, tapsiger Mensch; Tölpel«: Das in der Umgangssprache weit verbreitete Substantiv ist in dt. Texten seit dem Ende des 17. Jh.s bezeugt (zuerst in der Form ›Tolbatz‹). Es war ursprünglich Neckname für den ungarischen Fußsoldaten und wurde in diesem Sinne aus ung. *talpas* »breitfüßig; breiter Fuß, Infanterist; Bär; Tollpatsch« (zu ung. *talp* »Sohle, Fuß«) entlehnt.

Tollwut ↑Wut.

Tölpel: Der seit dem 16. Jh. bezeugte abwertende Ausdruck für »plumper, ungeschickter Mensch« ist durch Luther gemeinsprachlich geworden. Das Verhältnis von ›Tölpel‹ zu den älteren Formen *dörpel, törpel* und anklingenden Mundartformen gleicher Bedeutung und die weitere Herkunft sind nicht sicher geklärt. Beachte den Artikel *übertölpeln.*

Tomate: Der Name der zu den Nachtschattengewächsen gehörenden, aus Mittelamerika eingeführten Kulturpflanze wurde Anfang des 17. Jh.s über frz. *tomate* aus span. *tomate* entlehnt, das seinerseits aus gleichbed. *tomatl,* einem Wort aus dem Nahuatl, der Sprache der Azteken in Mexiko, stammt.

Tombola »Warenlotterie (besonders bei Festveranstaltungen)«: Das Fremdwort wurde in der 1. Hälfte des 19. Jh.s aus gleichbed. it. *tombola* entlehnt, einer Bildung zu it. *tombolare* »purzeln, kullern« (nach dem »Purzeln« der Lose in der Lostrommel).

Amerikanismen und Anglizismen

Die unmittelbaren Auswirkungen des Zweiten Weltkriegs auf den Wortschatz erkennen wir in Bildungen wie *Ausgebombter* (= jemand, der durch einen Bombenangriff seine Wohnung und seinen Besitz verloren hat), *Heimatvertriebener, Spätheimkehrer* (= Kriegsgefangener, der erst lange nach Kriegsende entlassen wird), *entnazifizieren* (= einen ehemaligen Nationalsozialisten politisch überprüfen und ihn [durch Sühnemaßnahmen] entlasten), *Lastenausgleich* (= Entschädigung für Schäden und Verluste während der Kriegs- und Nachkriegszeit), *Suchdienst* (= Organisation, die sich mit Nachforschungen über den Verbleib vermisster Personen befasst), *Trümmerfrau* (= Frau, die sich nach dem Zweiten Weltkrieg an der Beseitigung der Trümmer der zerbombten Häuser beteiligte).

Einen entscheidenden Einfluss auf den deutschen Wortschatz übte die politische Entwicklung in den Jahren nach 1945 aus. Im Jahre 1949 wurden die Bundesrepublik Deutschland und die Deutsche Demokratische Republik gegründet. Die engere Bindung der Bundesrepublik Deutschland an den Westen, besonders an die USA, führte dazu, dass eine sehr große Zahl von Wörtern aus dem Englischen, besonders aus dem amerikanischen Englisch, übernommen wurde, die so genannten **Amerikanismen** und **Anglizismen.**

Die Vormachtstellung der USA in den Bereichen Wissenschaft und Technik begünstigte dabei das Eindringen englischer Wörter in die Fachsprachen. Die wichtigste Fachliteratur war in Englisch geschrieben, und der Einfachheit halber übernahmen die Ingenieure und Wissenschaftler die meisten Fachwörter unverändert. So konnten sich Fachleute aus verschiedensprachigen Ländern ohne größere Probleme auf ihrem Fachgebiet verständigen. Die Zahl der Wörter, die mit der fortschreitenden Spezialisierung und der stetigen Weiterentwicklung von Wissenschaft und Technik einherging, ist nahezu unübersehbar. Durch Rundfunk und Presse, später auch durch das Fernsehen, wurden viele Neuwörter in der Allgemeinsprache bekannt. Sie fanden schnell weite Verbreitung und wurden oftmals gar nicht mehr als so sehr fremd empfunden, auch wenn ihre Schreibweise nicht dem Deutschen angeglichen worden war. So kannte und verwendete fast jeder bald Wörter wie *Automation* (zu englisch *automatic* »automatisch«), *Computer* (zu englisch *to compute* »zusammenzählen«, hinzugekommen sind neuere Bildungen wie

Homecomputer, Personalcomputer), Container (eigentlich »Behälter«, zu englisch *to contain* »enthalten«), *Job, Know-how* (eigentlich »wissen, wie«), *Laser, Management* (zu englisch *to manage* »leiten, verwalten«), *Pipeline* (aus englisch *pipe* »Rohr« und *line* »Leitung«), *Radar, Team* (eigentlich »Gespann«).

Werbung und Mode

Über die Sprache der Werbung gelangten ebenfalls viele englische Wörter ins Deutsche. So glaubte die Kosmetikindustrie, dass Warenbezeichnungen wie *Aftershave* (englisch *after shave* »nach der Rasur«), *Eyeliner* (aus englisch *eye* »Auge« und *to line* »liniieren«), *Lotion* oder *Spray* werbewirksamer seien als die entsprechenden deutschen Wörter. Und da auch die Modeleute großen Wert auf *Marketing* legten, übernahmen auch sie mehr und mehr englische Ausdrücke. Das Französische, das bisher in der Modesprache führend war, wurde weitgehend zurückgedrängt. *Designer* (zu englisch *to design* »zeichnen, entwerfen«) und *Stylisten* (zu englisch *to style* »entwerfen, gestalten«) waren bemüht, immer wieder einen neuen *Look* (englisch *look* »Aussehen«) zu präsentieren (beachte dazu die Zusammensetzungen *Freizeit-, Safari-, Westernlook*).

In den Auslagen der Schuhgeschäfte sah man jetzt *Boots* (englisch *boot* »Stiefel«, häufig auch in der Zusammensetzung *Moonboots*), *Clogs* (englisch *clog* »Holzschuh«), *Mokassins* (englisch *moccasin*, eigentlich »Wildlederschuh der nordamerikanischen Indianer«) und *Slipper* (englisch *slipper* »Pantoffel«). Die Schaufenster der Bekleidungsgeschäfte zeigten modische *Blazer, Sweatshirts* (aus englisch *sweat* »Schweiß« und *shirt* »Hemd, Trikot«) und *T-Shirts* (wohl nach dem T-förmigen Schnitt). Wer könnte sich noch ein Leben ohne *Bluejeans* (aus englisch *blue* »blau« und *jeans*, Plural von *jean* »Baumwolle«) vorstellen? Sie sind längst nicht mehr nur ein Kleidungsstück für *Teenager* (aus englisch *-teen* »-zehn« in den Zahlwörtern von 13 bis 19 und *age* »Alter«), sondern fester Bestandteil der Kleidung nahezu aller Altersklassen geworden.

Rundfunk und Fernsehen

Rundfunk, Fernsehen (jetzt auch kurz *TV* für englisch *television*) und Presse haben ebenfalls eine kaum zu überblickende Anzahl von englischen Wörtern in ihren Fachjargon aufgenommen, entsprechend ihrer Ausrichtung nach den amerikanischen Vorbildern, so z. B. *CD-Platte* (= Kompaktschallplatte, gekürzt aus englisch *compact disc*), *Charts* (= Hitlisten), *Comics* (amerikanisch für *comic strips,* zu englisch *comic* »komisch« und *strip* »[Bilder]streifen«), *Jingle* (= kurze, einprägsame Melodie als Bestandteil einer Rundfunk- oder Fernsehwerbung, eigentlich »Geklingel«), *Headline* (= Überschrift, Schlagzeile, aus englisch *head* »Kopf, Überschrift« und *line* »Zeile«), *Hit* (eigentlich »Schlag, Treffer«, dazu *Hitparade*), *live* (eigentlich »lebend«, meist in der Zusammensetzung *Live-Sendung*), *LP* (= Langspielplatte, gekürzt aus englisch *long-playing record*), *News* (= Nachrichten, eigentlich »Neues«), *Playback* (eigentlich »das Abspielen, Wiedergabe«), *Serial* ([Fernseh]serie), *Show* (eigentlich »Schau«), *Single* (= kleine Schallplatte), *Special* (= Sendung, in der ein Künstler im Mittelpunkt steht), *Spot* (= Werbefilm, Werbetext, eigentlich »kurzer Auftritt«), *Trailer* (= aus einigen Szenen eines Films zusammengestellter Vorfilm, der als Werbung für diesen Film vorgeführt wird). Die Bezeichnung *Seifenoper* für eine oftmals rührselige Hörspiel- oder Fernsehspielserie ist eine Lehnübersetzung von englisch *soap opera,* da solche Sendungen meist im Werbefernsehen oder -funk – häufig von Waschmittelfirmen finanziert – laufen (auch in der Kurzform *Soap* oder als *Daily Soap* »täglich gesendete Serie« als Fremdwort gebraucht).

Videoclips aus dem Internet

In neuester Zeit ist es der Bereich der Videotechnik gewesen, der einen weiteren Fremdwortschub aus dem Englischen zu uns brachte. Zugrunde liegt englisch *video,* das als Bestimmungswort vieler Zusammensetzungen auftritt und zu lateinisch *videre* »sehen« gebildet ist. Hier hat sich schnell ein ziemlich großes Fremdwörterfeld gebildet, wie man leicht sehen kann, wenn man verschiedene Auflagen z. B. der Duden-Rechtschreibung unter dem Stichwort *Video-* vergleicht.

Das letzte Jahrzehnt des 20. Jahrhunderts war geprägt vom Bestreben nach weltweiter Kommunikation: Die *Informationsgesellschaft* stürzte sich auf die *Datenautobahn* (nach englisch *data highway*), das *Internet* (englisch *internet,* aus *inter-* = untereinander, zwischen und *net* = Netz[werk]) bot jetzt die Möglichkeit des Austauschs von sehr großen Datenmengen und vielfältigsten Informationen innerhalb kürzester Zeit. Begriffe wie *Browser, Cookie, Download, E-Mail, Homepage, Link, Provider, Server, Website* sind nahezu allgemein bekannt gewordene Fachwörter dieser neuen *virtuellen Realität* (= vom Computer simulierte Wirklichkeit; Lehnübersetzung von englisch *virtual reality*).

Tie-Break und Golden Goal

Auch in die Sportsprache sind nach 1945 vermehrt englische Wörter entlehnt worden. Dies gilt besonders für Sportarten, die in den letzten vierzig Jahren immer populärer geworden sind. Typische Beispiele hierfür sind z. B. aus dem Golfsport *Hole* (= Loch, in das der Golfball geschlagen werden muss), *Tee* (= Abschlag, Abschlagspunkt des Golfballes, nach der T-förmigen Markierung der Stelle), *Bunker* (= Sandhindernis); aus dem Tennissport *Tie-Break* (= besondere Zählweise, um ein unentschieden stehendes Spiel schneller zu beenden, aus englisch *tie* »unentschiedenes Spiel« und *break* »Durchbruch«), *Topspin* (= Ball mit starkem Aufwärtsdrall und der entsprechende Schlag, eigentlich »Kreiseldrall«); aus dem Eishockey *Bodycheck* (= erlaubtes Rempeln des Gegners), *Icing* (= Befreiungsschlag, zu englisch *to ice* »in Sicherheit bringen«), *Penalty* (= Strafstoß, eigentlich »Strafe«, auch in anderen Sportarten verwendet), *Play-off* (= System von Ausscheidungsspielen, eigentlich »Ausscheidungsspiel«) und schließlich aus dem Fußball das spielentscheidende *Golden Goal.* Neuere Entlehnungen sind *Bodybuilding, Bowling, Bungee-Jumping, Inlineskate, Jogging* (dazu *Jogger*), *Skateboard, Squash, Surfing.*

Scheinentlehnungen

Von den direkt aus dem Englischen übernommenen Entlehnungen müssen diejenigen Bildungen unterschieden werden, die zwar englische Bestandteile enthalten, in der englischen Sprache aber in dieser Form nicht vorkommen. Es handelt sich um so genannte **Scheinentlehnungen,** z. B. *Bordcase* (aus *Bord* »Flugzeuginneres« und englisch *case* »Behälter, Koffer«), *Dressman* (= männliches Mannequin, aus englisch *dress* »Kleidung« und *man* »Mann«), *Dribbling* (für englisch *dribble*), *Handy* (anglisierende Bildung zu englisch *hand* = Hand), *Happy End* (für englisch *happy ending* »glückliches Ende«), *Pullunder* (gebildet nach *Pullover* mit englisch *under* »unter [das Jackett]«), *Showmaster* (aus *Show* und englisch *master* »Meister«, wohl nach dem Vorbild von englisch *quizmaster*) und das diesem nachgebildete *Talkmaster* (= Leiter einer Talkshow) sowie *Twen* (zu englisch *twenty* »zwanzig«).

Lehnbildungen

Viele englische Wörter sind Glied für Glied übersetzt worden, sind also **Lehnübersetzungen,** z. B. *brandneu* (englisch *brand-new*), *Flutlicht* (englisch *floodlight*), *Froschmann* (englisch *frogman*), *Gehirnwäsche* (englisch *brain-*

washing), *Gipfelkonferenz* (englisch *summit conference*), *Raumfähre* (englisch *space shuttle*), *Selbstbedienung* (englisch *self-service*), *Umweltschutz* (englisch *environment protection*).

In neuerer und neuester Zeit entstandene **Lehnübertragungen** aus dem Englischen sind z. B. *Luftbrücke* (für englisch *airlift*), *Marschflugkörper* (für englisch *cruise missile*, eigentlich »langsam fliegender, gelenkter Flugkörper«), *Schlafstadt* (für englisch *dormitory town*), *Titelgeschichte* (für englisch *cover story*).

Eine Veränderung der Bedeutung des englischen Wortes liegt vor z. B. bei *City* (= Innenstadt, englisch *city* »Stadt, Großstadt«) und *Slip* (= Schlüpfer, englisch *slip* »weites Kleidungsstück; Unterrock«).

Die Erweiterung der Wortbedeutung durch die Übernahme der Bedeutung eines im Englischen lautlich ähnlichen Wortes, also eine **Lehnbedeutung**, liegt vor z. B. bei *feuern* »entlassen, hinauswerfen« (entsprechend englisch *to fire*) oder *kontrollieren* im Sinne von »beherrschen« (so in *den Markt beherrschen*, entsprechend englisch *to control*). Unser Adjektiv *vital* bedeutet neben »voller Lebenskraft« auch »lebenswichtig« (vergleiche englisch *vital interests*), und *hässlich* im Sinne von »böse« in Verbindung mit Nationalitätsbezeichnungen ist beeinflusst von englisch *ugly*.

Aus dem Englischen stammende **Lehnwendungen** (= feste Wendungen, mit denen fremdsprachliche feste Wendungen Glied für Glied übersetzt werden) sind z. B. *im gleichen Boot sitzen* (englisch *to be in the same boat*), *jemandem die Schau stehlen* (englisch *to steal the show from somebody*), *etwas macht keinen Sinn* (englisch *it doesn't make [any] sense*), *Schmetterlinge im Bauch [haben]* (englisch *have butterflies [in one's stomach]*).

[1]Ton (verwittertes Sedimentgestein): Die nhd., durch die Lutherbibel verbreitete Form des Wortes ist durch Verdumpfung der frühnhd. Form *tahen, than* entstanden. Das auslautende n stammt aus den flektierten Formen des ursprünglich weiblichen Wortes. Das altgerm. Substantiv mhd. *tāhe, dāhe* (Genitiv *dāhen*), ahd. *dāha,* got. *þāhō,* mnd. *dā,* aengl. *dō[he]* bedeutet eigentlich »(beim Austrocknen) dicht Werdendes« und gehört zu der unter ↑gedeihen behandelten Wortgruppe (beachte z. B. steirisch *dahen* »trocknen, dorren«). Vom Lehm wird der Ton als feinerer Stoff erst in neuerer Zeit unterschieden. – Abl.: **tönern** »aus [gebranntem] Ton« (17. Jh.; für frühnhd. *thenen*); **tonig** »tonhaltig, -artig« (17. Jh.).

[2]Ton »Klang, Laut, Hall; Akzent; Farbton; Umgangston«: Das Substantiv mhd. *tōn, dōn* »Melodie, Lied; Laut, Ton, Stimme«, ahd. *tonus* ist aus lat. *tonus* »das [An]spannen; die Spannung der Saiten; Ton, Laut, Klang« entlehnt, das seinerseits aus gleichbed. griech. *tónos* übernommen ist. Das griech. Substantiv steht im Ablaut zu dem mit dt. ↑dehnen urverwandten Verb griech. *teínein* (< * *tén-i̯ein*) »spannen, anspannen, dehnen usw.« – Ableitungen und Zusammensetzungen: **betonen** »mit Nachdruck sprechen, akzentuieren; hervorheben« (18. Jh.), dazu das Substantiv **Betonung** »Nachdruck, Akzent« (18. Jh.); **vertonen** »die Musik zu einem Text komponieren« (19./20. Jh.); **Tonart** (18. Jh.); **Tonleiter** »Abfolge von Tönen innerhalb einer Oktave« (18. Jh.); **tönen** »[er]klingen, hallen; laut [prahlend] reden« (mhd. *dœnen, tœnen* »singen, spielen; [er]klingen«; heute meist im Präfixverb **ertönen,** 16. Jh.), in neuerer Zeit auch übertragen gebraucht im Sinne von »im Farbton abstufen, abschattieren; färben« (beachte auch das zusammengesetzte Verb **abtönen,** 19. Jh.). – Siehe auch die Fremdwörter *Bariton* und *monoton.*

Tonne »größeres Fass; Boje, verankertes, schwimmendes Seezeichen«, auch Bezeichnung eines Gewichtsmaßes (1000 kg): Das Substantiv mhd. *tunne, tonne,* ahd. *tunna* (vgl. entsprechend niederl. *ton* und engl. *tun*) ist aus mlat. *tunna* »Fass« entlehnt, das vermutlich kelt. Ursprungs ist. – Das mlat. Wort lebt auch in den roman. Sprachen fort, vgl. z. B. frz. *tonne* »Tonne, großes Fass« mit den Ableitungen *tonneau* »Fass, Gewichtstonne«, *tonnelle* »Tonnengewölbe«. Letzteres lieferte durch engl. Vermittlung unser Lehnwort ↑Tunnel.

top..., Top...: Dem Präfix, das in der 2. Hälfte des 20. Jh.s modisch geworden ist, liegt engl. *top* »oberst..., höchst...« (↑Top) zugrunde. Vor Adjektiven wird es ugs. emotional verstärkend im Sinne von »sehr, überaus, äußerst, höchst« verwendet (z. B. in **topfit**), vor Substantiven bedeutet es »hervorragend, [qualitativ] erstklassig« (z. B. in ›Topangebot, Topathlet‹). Einige substantivische Bildungen sind wohl Lehnübersetzungen, z. B. **Topform** (engl. *top form*), **Topqualität** (engl. *top quality*).

Top: Der Name für ein »einem T-Shirt ähnliches Oberteil ohne Ärmel, aber mit Trägern« wurde in der 2. Hälfte des 20. Jh.s aus engl. *top* »Oberteil; oberes Ende« übernommen. – Dazu gehört das ugs. Adjektiv **top** »hervorragend; hochmodern«, das auf engl. *top* »oberst..., höchst...« zurückgeht.

Topas: Der seit mhd. Zeit bezeugte Edelsteinname (mhd. *topāze,* daneben mhd. *topasius*) geht auf gleichbed. lat. *topazus* (Nebenform: *topazius*) zurück, das seinerseits aus gleichbed. griech. *tópazos* (Nebenformen: *topázios* und *topázion*) stammt. Die weitere Herkunft des Wortes ist dunkel.

Topf: Die Herkunft des im 16. Jh. durch den Einfluss der lutherschen Bibelübersetzung aus dem Ostmitteld. in die Schriftsprache gelangten Substantivs (mhd. [mitteld.] *topf*) ist nicht sicher erklärt. Vielleicht gehört es im Sinne von »trichterförmige Vertiefung« zu der unter ↑tief dargestellten Wortgruppe, vgl. mnd. *dop (top),* das »Topf«, aber auch »Schale, Kappe, Kapsel, Deckel, Kelch von Eicheln oder Eckern, Knauf« bedeutet. – Abl.: **Töpfer** »jemand, der Tonwaren herstellt« (14. Jh.).

topp!: Der zur Bekräftigung einer Abmachung, Wette oder dgl. meist einen Handschlag begleitende Ausdruck gelangte im 17. Jh. aus dem Niederd. in die Schriftsprache. In der alten niederd. Rechtssprache bezeichnete das Substantiv ›topp‹ die feierliche, die Rechtsgültigkeit symbolisierende und bekräftigende Berührung. Seine Herkunft ist unklar.

Topp ↑Zopf.

[1]Tor »große Tür«: Das altgerm. Substantiv mhd., ahd. *tor,* got. *daúr* »Pforte«, asächs. *dor,* engl. *door* gehört zu dem unter ↑Tür behandelten Wort.

[2]Tor »Dummkopf«: Das Substantiv mhd. *tōre* ist eigentlich ein substantiviertes Adjektiv, dessen r aus altem s entstanden ist. Dieser so genannte grammatische Wechsel wird bezeugt durch verwandte Wörter wie z. B. ↑dösen, ↑Dusel, aengl. *dysig* »töricht, unwissend«, aisl. *dos* »Stille«, aisl. *dūsa* »still sein«, engl. *to doze* »schlummern, dösen«. Das zugrunde liegende Adjektiv bedeutete etwa »umnebelt, verwirrt« und gehört zu der unter ↑Dunst behandelten Wortgruppe. – Abl.: **Torheit** »Dummheit, Unvernunft« (mhd. *tōrheit*); **töricht** »dumm, unvernünftig« (mhd. *tōreht*); **betören** »in sich verliebt machen, verführen« (mhd. *betœren* »zum Toren machen, betrügen; betäuben«.

Torero »Stierkämpfer«, gegenüber dem **Toreador** »berittener Stierkämpfer«: Beide Fremdwörter wurden im 19./20. Jh. aus dem Span. übernommen. Die span. Wörter selbst, *torero* und *toreador,* gehören zu dem auf lat. *taurus* »Stier« (etymologisch verwandt mit dt. ↑Stier) zurückgehenden

Substantiv span. *toro* »Stier«. Während jedoch *toreador* eine span. Bildung zu dem von span. *toro* abgeleiteten Verb span. *torear* »mit dem Stier kämpfen« ist, setzt *torero* unmittelbar lat. *taurarius* »Stierkämpfer« fort.

Torf »Brennstoff aus vermoderten Pflanzenresten«: Das im 16. Jh. aus dem Niederd. ins Hochd. übernommene Wort geht auf mnd. *torf* »Rasen[stück], Torf« zurück, vgl. asächs. *turf* »Rasen; Torf«, ahd. *zurf, zurba* »Rasen[stück]«, niederl. *turf* »Torf«, engl. *turf* »Rasen« und schwed. *torv* »Torf«. Damit verwandt ist z. B. die slaw. Sippe von russ. *dërn* »Rasen«. Diese Wörter gehören zu der idg. Wurzel **der-* »spalten, reißen«. ›Torf‹ bedeutet also eigentlich das »Abgestochene, Losgelöste«. Zu ›Torfmull‹ vgl. den Artikel *Müll.*

Torheit, töricht ↑[2]Tor.

torkeln »(besonders von einem Betrunkenen) taumeln, schwankend gehen«: Das nur dt. Verb (spätmhd. *torkeln*) ist aus mlat. *torculare* »keltern« entlehnt, einer Bildung zu lat. *torculum* (mlat. *torcula*) »Kelter«. Dies gehört zu lat. *torquere* »[ver]drehen« (↑Tortur). Das stampfende Hin- und Hergehen beim Keltern (zum Sachlichen vgl. den Artikel *Kelter*) wurde also mit dem schwankenden Gang eines Betrunkenen verglichen.

Törn: Der seemannssprachliche Ausdruck für »Fahrt mit einem Segelboot« wurde im ausgehenden 19. Jh. aus gleichbed. engl. *turn* entlehnt. Die der deutschen Orthographie angepasste Schreibung gibt dabei den Klang des engl. Wortes wieder, das auf afrz. *torn, to(u)r* (↑Tour) zurückgeht.

Tornado: Die Bezeichnung für einen tropischen Wirbelsturm in Nordamerika und Westafrika wurde im 18. Jh. aus span. *tornado* »Wirbelsturm« entlehnt, einer Bildung zu span. *tornar* (< lat. *tornare*) »drehen«. Über weitere etymologische Zusammenhänge vgl. den Artikel *Turnus.*

Tornister: Die zu Beginn des 18. Jh.s aus der Soldatensprache in die Gemeinsprache gelangte Bezeichnung für den Fell- oder Segeltuchranzen (speziell der Soldaten) ist aus gleichbed. *Tanister* umgebildet, das im ostmitteld. Sprachbereich bereits für das 17. Jh. bezeugt ist. Das aus dem Slaw. entlehnte Wort (vgl. die mdal. Formen tschechoslowak., poln. *tanistra* »Ranzen« und weiterhin älter ung. *tanisz[t]ra* »Ranzen«, deren Quelle mgriech. *tágistron* »Futtersack« ist) hat die ältere einheimische Bezeichnung ›Habersack‹ (beachte das daraus entlehnte frz. *havresac* »Tornister«) abgelöst.

Torpedo »Unterwassergeschoss«: Der Torpedo ist eine Erfindung des 19. Jh.s. Die Bezeichnung ist übertragen vom lat. Namen des Zitterrochens (der seinen Gegner bei Berührung durch elektrische Schläge »lähmt«): lat. *torpedo.* Dies bedeutet eigentlich »Erstarrung, Lähmung« und gehört zu lat. *torpere* »erstarrt sein«.

Torso: Die Bezeichnung für »Bruchstück, insbesondere einer Bildhauerarbeit; (übertragen:) unvollendetes Werk« wurde im 18. Jh. aus gleichbed. it. *torso* entlehnt. Das it. Wort bedeutet eigentlich »Kohlstrunk, Fruchtkern«. Es beruht auf spätlat. *tursus,* das für klass.-lat. *thyrsus* »Stängel (eines Gewächses), Strunk« steht. Quelle des Wortes ist griech. *thýrsos* »Bacchusstab (ein leichter mit Efeu und Weinblättern umwundener Stab, in einen Pinienzapfen auslaufend)«.

Torte: Der Name des Feingebäcks wurde im 16. Jh. aus gleichbed. it. *torta* entlehnt, das u. a. mit entsprechend frz. *tourte* »Fleischtorte; Ölkuchen« und span. *torta* »Torte« auf spätlat. *torta* »rundes Brot, Brotgebäck« beruht. Die weitere Herkunft des Wortes ist dunkel.

Tortur »Folter, Qual, Quälerei«: Das Fremdwort wurde im 16. Jh. aus gleichbed. mlat. *tortura* entlehnt, das auf lat. *tortura* »die Krümmung; das Grimmen; die Verrenkung« zurückgeht. Dies gehört zu lat. *torquere (tortum)* »drehen, verdrehen; martern«, das etymologisch verwandt ist mit dt. ↑drechseln. – Siehe auch den Artikel *Retorte.*

tosen: Das bis zum 16. Jh. selten bezeugte Verb (mhd. *dōsen,* ahd. *dōsōn*) ist im germ. Sprachbereich z. B. verwandt mit aengl. (in Zusammensetzungen) *đyssa* »Tos[end]er«, aisl. *Þysja* »stürzen, stürmen«, *Þyss* »Getümmel«, norw. *tosa* »rasseln«. Die Wörter gehören zu der unter ↑Daumen dargestellten idg. Wurzel **teu-* »schwellen, anschwellend rauschen«. Nhd. t für altes d tritt seit dem 16. Jh. auf und herrscht seit dem Ende des 18. Jh.s.

tot: Das gemeingerm. Adjektiv mhd., ahd. *tōt,* got. *dauÞs,* engl. *dead,* schwed. *död* ist eine alte Partizipialbildung zu dem im Mhd. untergegangenen Verb ahd. *touwen,* asächs. *dōian,* aisl. *deyja* »sterben« (beachte das aus dem Nord. entlehnte engl. *to die*). Dieses Verb gehört im Sinne von »betäubt, bewusstlos werden; hinschwinden« zu der unter ↑Dunst behandelten Wortgruppe. – Abl.: **töten** (mhd. *tœten,* ahd. *tōden,* entsprechend got. *dauÞjan;* Bewirkungswort zu ›tot‹, also eigentlich »totmachen«), dazu **abtöten** »Kleinstlebewesen u. a. vernichten« (15. Jh.; schon got. *afdauÞjan,* aber ahd. und mhd. nicht bezeugt). Das substantivierte Adjektiv zu ›tot‹ ist **Tote** (mhd. *tōte,* ahd. *tōto*); dazu stellen sich Zusammensetzungen wie **Totenbahre** (mhd. *tōtenbāre*), **Totenbett** (mhd. *tōt[en]bette*), **Totensonntag** (17. Jh.; ursprünglich der Sonntag Lätare, an dem der Tod ausgetrieben wurde, später evangelischer Feiertag zur Erinnerung an die Toten, meist der letzte Sonntag des Kirchenjahres) und **Totentanz** (16. Jh.; im 14. Jh. aufkommende allegorische Darstellung des Tanzes, zu dem der Tod als Spielmann die Menschen sammelt und zu dem er ihnen aufspielt).

total »ganz und gar, vollständig, restlos; Gesamt...«: Das Adjektiv wurde im 16. Jh. aus gleichbed. frz. *total* übernommen, das auf mlat. *totalis*

T

»gänzlich« beruht; Stammwort ist lat. *totus* »ganz; gänzlich«. – Zu ›total‹ gehören folgende Bildungen: **Totalisator** »amtliche Wettstelle auf Pferderennplätzen« (19. Jh.), übernommen und dann latinisiert aus frz. *totalisateur* »Zählwerk, Registriermaschine« (> engl. *totalizator* »Maschine zum Registrieren der Zahl und des Betrages der abgeschlossenen Wetten bei Pferderennen«). Frz. *totalisateur* ist eine Bildung zum Verb frz. *totaliser* »alles zusammenzählen, addieren« (beachte ›totalisieren‹ veraltet für »zusammenzählen«). – Aus ›Totalisator‹ ist die junge Kurzbezeichnung **Toto** (20. Jh.; heute vorwiegend im Sinne von ›Fußballtoto‹ verstanden) hervorgegangen, die lautliche Anlehnung an das dem gleichen Bereich (des Glücksspiels) angehörende Wort ↑Lotto zeigt. – Ein Staat, in dem alle Bürger mit ihrem Leben und ihrem Eigentum ohne Sicherung durch Grundrechte einem diktatorischen Regime unterworfen sind, wird **totalitär** genannt. Das Wort, im 20. Jh. mit französierender Endung gebildet, bedeutet wörtlich etwa »alles erfassend, alles beanspruchend«. Dazu gebildet ist **Totalitarismus** »totalitäre Machtausübung« (20. Jh.).

Tour »Umlauf, [Um]drehung (z. B. eines Maschinenteils); Ausflug, Wanderung; [Geschäfts]reise; Fahrt, Strecke; Art und Weise, [mit Tricks] etwas zu erreichen, Manier«: Das seit dem 17. Jh. bezeugte Fremdwort ist in allen Bedeutungen aus frz. *tour* (»Dreheisen«, unter Anschluss an das Verb frz. *tourner* »drehen, wenden« auch »Drehung, Wendung; Ausflug, Fahrt usw.«) entlehnt. Das frz. Wort (afrz. *torn, tor*) beruht auf griech.-lat. *tornus* »Dreheisen« (vgl. *Turnus*). – Dazu: **Tourismus** »Reiseverkehr in organisierter Form, Fremdenverkehr« (19. Jh.; vgl. gleichbed. frz. *tourisme*, engl. *tourism*); **Tourist** »Urlaubsreisender; Ausflügler, Wanderer« (18. Jh.; wohl unmittelbar aus gleichbed. engl. *tourist* übernommen, einer Neubildung zu engl. *tour* »Ausflug« < [a]frz. *tour*), dazu **Touristik** »Reiseverkehr, Reisewesen« (19. Jh.). Siehe auch den Artikel *Tournee*.

Tour

eine krumme Tour
(ugs.) »eine Betrügerei«
Das Wort ›Tour‹ ist aus dem Frz. entlehnt, *tour* bedeutet dort ursprünglich »Dreheisen, Drehung«. An die spätere Bedeutung »Dreh; Art und Weise, mit Tricks etwas zu erreichen; [nicht ganz rechtmäßiges] Vorhaben« schließt sich diese Wendung an.

Tournee: Die Bezeichnung für »Rundreise, Gastspielreise (von Künstlern)« wurde im 19. Jh. aus gleichbed. frz. *tournée* entlehnt. Dies ist eigentlich das substantivierte 2. Partizip von frz. *tourner* »drehen, wenden; einen Ausflug, eine Fahrt machen« (< lat. *tornare* »drechseln«, vgl. *Turnus*).

Trabant »abhängiger, unselbstständiger Begleiter einer einflussreichen Persönlichkeit, Gefolgsmann; künstlicher Erdmond, Satellit«; der Plural ›Trabanten‹ gilt daneben in der Umgangssprache als scherzhafte Bezeichnung für »lebhafte Kinder, Rangen«: Die Herkunft des in dt. Texten seit dem 15. Jh. zuerst als *drabant* »Krieger zu Fuß; Landsknecht« (später auch »Leibwächter«) bezeugten Substantivs ist bis heute nicht sicher geklärt. Als mögliche Quelle kommt gleichbed. tschech. *drabant* infrage, das dann im Verlauf der Hussitenkriege übernommen worden wäre.

traben »Trab reiten«: Das im 12. Jh. aus dem Niederd. ins Hochd. übernommene Verb (mhd. *draben*, mnd. *draven*, asächs. *thrabōn*) gehört zu der idg. Wurzel **trep-* »trampeln, treten«, die wahrscheinlich lautnachahmenden Ursprungs ist. [Elementar]verwandt sind z. B. griech. *trapeīn* »keltern, die Trauben austreten« und die slaw. Wortgruppe von russ. *tropat'* »stampfen«. – Das Verb wurde zunächst im Sinne von »laufen (von vierfüßigen Tieren, besonders von Pferden)« gebraucht, seit dem 16. Jh. dann auf die mittelschnelle Gangart des Pferdes zwischen Schritt und Galopp festgelegt. – Abl.: **Trab** »mittelschnelle Gangart, besonders des Pferdes« (mhd. *drap*); **Traber** (14. Jh.; im Sinne von »Rennpferd, das Trab läuft« erst seit Ende des 19. Jh.s).

Tracht »Kleidung«: Das auf das dt. und niederl. Sprachgebiet beschränkte Substantiv (mhd. *traht[e]*, ahd. *draht[a]*, niederl. *dracht* [dän. *dragt*, norw. *drakt*, schwed. *dräkt* sind Entlehnungen aus dem Mnd.]) gehört zur Wortgruppe von ↑tragen und bedeutete ursprünglich ganz allgemein »das Tragen; das Getragenwerden; das, was getragen wird«. Von den früher üblichen Bedeutungen sind heute noch bewahrt »Kleidung« (15. Jh.) und »Honigeinbringen« (von Bienen). – Abl.: **trächtig** (mhd. *trehtec* »Leibesfrucht tragend«, zum heute veralteten ›Tracht‹ »Last, Leibesfrucht, Schwangerschaft«, früher auch von Frauen, heute nur noch von Säugetieren und im Sinne von »mit etwas angefüllt, von etwas erfüllt« gebraucht). Siehe auch den Artikel *Eintracht* (mit ›Zwietracht‹ und ›zwieträchtig‹) sowie ›Niedertracht‹ (mit ›niederträchtig‹) unter *nieder*.

Tracht

eine Tracht Prügel
»[reichlich] Prügel«
›Tracht‹ steht in dieser Wendung in der heute veralteten Bedeutung »aufgetragene Speisen«. Prügel, die man jemandem verabreicht, wurden früher oft mit Gerichten, die jemand serviert, verglichen.

trachten: Das Verb mhd. *trahten* »an etwas denken, über etwas nachdenken; auf etwas achten; erwägen; nach etwas streben; bedenken, aussinnen«, ahd. *trahtōn* (entsprechend niederl. *trachten*) ist aus lat. *tractare* »herumzerren; behandeln, sich mit etwas beschäftigen, bearbeiten, untersuchen, erwägen usw.« entlehnt, einer Intensivbildung zu lat. *trahere (tractum)* »ziehen, schleppen usw.«. Auf einer Entlehnung des 15.Jh.s aus lat. *tractare* beruht das in der Umgangssprache gebräuchliche Fremdwort **traktieren** »plagen, quälen, misshandeln« (s.d.). Eine wichtige Präfixbildung zu ›trachten‹ ist ↑betrachten. – Verschiedene Bildungen zu lat. *trahere* spielen in unserem Fremdwortschatz eine Rolle, vgl. hierzu im Einzelnen die Artikel *abstrahieren* (abstrakt, Abstraktion), *Attraktion* (attraktiv), *Extrakt, kontrahieren* (Kontrahent, Kontrakt), *Porträt* (porträtieren), *subtrahieren* (Subtraktion), *trainieren* (Training, Trainer) und *Traktor.*

Tradition »Überlieferung, Herkommen; Brauch, Gepflogenheit«: Das Fremdwort wurde im 16.Jh. aus lat. *traditio* »Übergabe; Überlieferung« entlehnt. Dies gehört zu lat. *tradere* »übergeben; überliefern«, einer Bildung zu lat. *dare* »geben« (vgl. den Artikel *Datum*).

träg[e]: Das auf das dt. und niederl. Sprachgebiet beschränkte Adjektiv (mhd. *træge,* ahd. *trāgi,* niederl. *traag*) steht im Ablaut zu aisl. *tregr* »widerstrebend, langsam« und got. *trigō* »Trauer«. Außergerm. verwandt ist wahrscheinlich die balt. Sippe von lit. *drìžti* »schwach, elend werden; fürchten, erschrecken«. – Abl.: **Trägheit** (mhd., ahd. *trācheit,* mit Umlaut seit dem 15.Jh.).

tragen: Das gemeingerm. Verb mhd. *tragen,* ahd. *tragan* »tragen«, got. *ga-dragan* »ziehen«, engl. *to draw* »ziehen«, aisl. *draga* »ziehen« hat keine außergerm. Beziehungen. Im germ. Sprachbereich gehören dazu die unter ↑Tracht und ↑Getreide behandelten Wörter. – Abl.: **Trage** »Transportgerät, Tragbahre« (15.Jh.); **tragbar** »was getragen werden kann« (18.Jh.), dazu **untragbar** (18.Jh.); **Träger** (mhd. *trager,* ahd. *tragari,* seit dem 14.Jh. mit Umlaut). Zus.: **Tragweite** (Anfang des 19.Jh.s; ursprünglich von Geschützen, Lehnübersetzung von frz. *portée;* seit der Mitte des 19.Jh.s auch übertragen gebraucht). Präfixbildungen und verbale Zusammensetzungen: **abtragen** (mhd. *abetragen*); **antragen** (mhd. *anetragen,* ahd. *anatragan* »herantragen«), daraus rückgebildet **Antrag** »Gesuch, Forderung; Formular für einen Antrag; Vorschlag; Angebot« (mhd. *antrac* »Anschlag«, in der heutigen Bedeutung seit dem 16.Jh., ein Wort der Rechts- und Verwaltungssprache), von dem **beantragen** »die Gewährung, die Durchführung von etwas verlangen« (19.Jh.; für älteres ›antragen‹) abgeleitet ist; **auftragen** (mhd. *ūftragen,* seit dem 17.Jh. in der Bedeutung »einen Auftrag geben«), daraus rückgebildet **Auftrag** »übertragene Aufgabe, Weisung; Bestellung« (17.Jh.), von dem **beauftragen** »jemandem einen Auftrag erteilen« (Anfang des 19.Jh.s) abgeleitet ist; **betragen** (mhd. *betragen,* im Sinne von »ausmachen« seit dem 17.Jh., reflexiv im Sinne von »sich aufführen, sich benehmen« seit dem 18.Jh.), daraus rückgebildet **Betrag** »bestimmte Geldsumme« (mhd. *betrac* »Vergleich«, in der heutigen Bedeutung seit dem 18.Jh.); **eintragen** (mhd. *īn tragen* »hineintragen«, in der Bedeutung »Gewinn bringen« seit dem 16.Jh., im Sinne von »einen Eintrag machen« seit dem 17.Jh.), dazu **Eintrag** (mhd. *īntrac* »Schaden, Nachteil« [noch in ›Eintrag tun‹, wozu **beeinträchtigen,** 17.Jh., aus der ostmitteld. Form ›Eintracht‹ für ›Eintrag‹], dann auch, seit dem 16.Jh., »Gewinn«), wozu **einträglich** »Gewinn bringend«; **ertragen** (im Sinne von »einbringen, Nutzen abwerfen« 16.Jh., heute veraltet, daraus aber rückgebildet **Ertrag** [17.Jh.], im Sinne von »aushalten« [16.Jh.], dazu **erträglich** »sich ertragen lassend; leidlich« [17.Jh.], **unerträglich** [16.Jh.]); **vertragen** (mhd. *vertragen,* ahd. *fartragan* im Sinne von »ertragen«, dazu **verträglich** [mhd. *vertregelich*]; im Sinne von »etwas abmachen, einen Vertrag abschließen« heute veraltet, daraus aber rückgebildet **Vertrag** »rechtsgültige Abmachung« [15.Jh.]); **zutragen** [sich] »zu jemandem hintragen, bringen; sich ereignen« (16.Jh.), dazu **Zuträger** »jemand, der einem etwas heimlich berichtet« (mhd. *zuotrager*) und **zuträglich** »nicht schädlich« (17.Jh.; zu ›zutragen‹ in der heute veralteten Bedeutung »nützen« oder zu dem veralteten Substantiv ›Zutrag‹ »Nutzen«).

Tragikomödie: Die literaturwissenschaftliche Bezeichnung für ein Drama mit sich durchdringenden tragischen und komischen Elementen wurde im 16.Jh. aus gleichbed. lat. *tragicomoedia* entlehnt, einer Bildung aus lat. *tragicus* »schicksalhaft, tragisch« (s. *tragisch* [↑Tragödie]) und lat. *comoedia* »Lustspiel« (vgl. *Komödie*). – Dazu: **tragikomisch** »tragisch und komisch zugleich« (18.Jh.); **Tragikomik** »Vermischung von Tragik und Komik; Tragik, die auch Komisches aufweist« (19.Jh.).

Tragödie »Trauerspiel« (eine der Hauptgattungen des Dramas); auch übertragen gebraucht im Sinne von »schreckliches Geschehen, Unglück«: Das seit dem 16.Jh. belegte Fremdwort ist aus lat. *tragoedia* entlehnt, das seinerseits aus gleichbed. griech. *trag-ǭdía* übernommen ist. Das griech. Wort, eine Bildung aus griech. *trágos* »Bock« und griech. *ǭdḗ* »Gesang« (vgl. den Artikel *Ode*), bedeutet wörtlich »Bocksgesang«. Über die Entstehung der Bezeichnung gibt es verschiedene Theorien, die sich auf den Ursprung der Tragödie aus den kultischen Feiern zu Ehren des Fruchtbarkeitsgottes Dionysos beziehen. Nach der wahrscheinlichsten sollen bei den kultischen Chorgesängen, aus denen sich im Laufe der Zeit die Tragödie als Drama entwickelt hat (durch Einführung des Dialogs zwischen Chorführer und Chor und durch Einführung eines, später mehrerer Schauspieler), die Mitglieder des Chors ursprünglich in Bocksfellen als Satyrn verkleidet aufgetreten sein. Mit der Ausgestaltung des kultischen Chorgesangs zur dramatischen Form empfing die Bezeichnung *trag-ǭdía* ihren neuen Sinn. – Dazu: **tragisch** »schicksalhaft; erschütternd, ergreifend« (18. Jh.; aus lat. *tragicus* < griech. *tragikós*).

Tragweite ↑tragen.

trainieren: Das seit dem 19. Jh. bezeugte, zuerst im Bereich des Pferdesports übliche Fremdwort bedeutet »sich oder andere systematisch auf einen Wettkampf vorbereiten; üben«. Es ist aus gleichbed. engl. *to train* entlehnt. Das engl. Verb, das eigentlich »ziehen; aufziehen, erziehen; abrichten« bedeutet, stammt aus frz. *traîner* »ziehen, nachziehen, nachschleppen«, das auf ein vlat. Verb **traginare* »ziehen, schleppen« zurückgeht. Dies ist eine Bildung zu vlat. **tragere*, das für klass.-lat. *trahere* »ziehen, schleppen usw.« steht (vgl. das Lehnwort *trachten*). – Dazu: **Training** »systematische Wettkampfvorbereitung; Übung« (19. Jh.; aus gleichbed. engl. *training*), **Trainingsanzug** (19./20. Jh.); **Trainer** »Sportlehrer« (19. Jh; aus gleichbed. engl. *trainer*); **Trainee** »jmd., der für eine bestimmte Aufgabe vorbereitet wird« (2. Hälfte des 20. Jh.s, aus gleichbed. engl. *trainee*).

Trakt: Die Bezeichnung für »Gebäudekomplex«, die in der medizinischen Fachsprache auch im Sinne von »Strang, Ausdehnung in die Länge« verwendet wird (beachte z. B. ›Magen-Darm-Trakt‹), wurde im 15. Jh. in der Bedeutung »Gegend, Gebirgszug« aus lat. *tractus* »das [Sichhin]ziehen; Ausdehnung, Gegend« entlehnt. Das lat. Substantiv ist eine Bildung zu lat. *trahere (tractum)* »ziehen, schleppen usw.« (vgl. das Lehnwort *trachten*). Siehe auch *Trasse.*

traktieren »plagen, quälen, misshandeln« (ugs.): Das Verb wurde im 15. Jh. aus lat. *tractare* »behandeln, bearbeiten« entlehnt. Dies ist eine Intensivbildung zu lat. *trahere (tractum)* »ziehen, schleppen« (vgl. das Lehnwort *trachten*), die im Mlat. neben »bewirten, verpflegen« auch im Sinne von »misshandeln« verwendet wurde. Diese Bedeutung ist für unser Fremdwort seit dem 16. Jh. bezeugt. – Auf lat. *tractare* geht auch frz. *traiter* »behandeln, umgehen« zurück, das in ↑malträtieren enthalten ist.

Traktor: Die Bezeichnung für eine Zugmaschine (»Schlepper«), die besonders in der Landwirtschaft eingesetzt wird, ist eine Entlehnung der 1. Hälfte des 20. Jhs. aus gleichbed. engl. *tractor,* einer Bildung zu lat. *trahere (tractum)* »ziehen, schleppen« (vgl. das Lehnwort *trachten*). Siehe auch *Trecker* (↑trecken).

trällern: Das erst seit dem 18. Jh. bezeugte Verb ist eine Ableitung von der lautnachahmenden Bildung ›tralla‹, die so oder in ähnlicher Form als Liedanfang, Liedende oder Kehrreim auftritt und eine Melodie ohne Worte trägt. ›Trällern‹ bedeutet also eigentlich ›tralla singen‹, dann »eine Melodie ohne Worte singen«. Vielleicht hat das unverwandte *trillern* (↑Triller) eingewirkt.

trampeln »derb auftreten«: Das seit spätmhd. Zeit bezeugte Verb ist eine Iterativbildung zu dem heute veralteten *trampen* »derb, geräuschvoll auftreten«, einer Nebenform mit ausdrucksbetonter Nasalierung zu ↑trappen (wie ›pantschen‹ aus ›patschen‹). Verwandt sind engl. *to tramp* »derb auftreten, wandern«, *tramp* »Landstreicher«, die aus dem Engl. ins Deutsche als **trampen** »ein Auto anhalten und sich mitnehmen lassen« (1. Hälfte des 20. Jh.s; dazu **Tramper** [2. Hälfte des 20. Jh.s]) und als **Tramp** »Landstreicher« (2. Hälfte des 19. Jh.s) entlehnt wurden. – Aus dem Verb ›trampeln‹ rückgebildet ist **Trampel** »plumpe, schwerfällige Person« (17. Jh.).

Trampolin: Die Bezeichnung für ein von Artisten und auch im Sport verwendetes stark federndes Sprunggerät wurde im 19. Jh. aus gleichbed. it. *trampolino* entlehnt, das seinerseits wohl von it. *trampoli* »Stelzen« abgeleitet ist. Weitere Anknüpfungen sind unsicher.

Tramway, Kurzform: **Tram:** Die im Österr. und Schweiz. übliche Bezeichnung für »Straßenbahn« wurde im 19. Jh. aus engl. *tramway* »Straßenbahn[schienen, -strecke]« entlehnt. Das engl. Wort ist eine Bildung aus engl. *tram* »[Holz]schiene; Schienenstrecke (einer Grubenbahn); Grubenbahnwagen (< mniederd., mniederl. *trame* »[Quer]balken«; die ältesten Schienen bestanden aus Holzbalken) und engl. *way* »Weg« (verwandt mit dt. ↑Weg).

Tran: Das im 16. Jh. aus dem Niederd. ins Hochd. übernommene Substantiv (mnd. *trān;* niederl. *traan*) gehört zu der unter ↑Träne behandelten Wortgruppe. Grundbedeutung ist »[durch Auslassen von Fischfett gewonnener] Tropfen«.

Tran

im Tran

1. »geistesabwesend«

2. »[durch Alkoholgenuss, Schläfrigkeit o. Ä] völlig benommen«

Das Wort ›Tran‹ bedeutet eigentlich »Tropfen« und ist in den Mundarten auch im Sinne von »Alkohol[tropfen]« gebräuchlich. Daran schließt sich vermutlich diese Wendung an.

Trance »schlafähnlicher Bewusstseinszustand«: Das Fremdwort wurde im 20. Jh. aus gleichbed. engl. *trance* entlehnt, das seinerseits aus afrz. *transe* »das Hinübergehen (in den Todesschlaf); Angstzustand« übernommen ist. Das zugrunde liegende Verb (a)frz. *transir* »hinübergehen; verscheiden« geht auf lat. *transire* »hinübergehen« zurück, eine Bildung aus lat. *trans* »hinüber« (vgl. *trans..., Trans...*) und lat. *ire* »gehen« (vgl. hierzu den Artikel *Abiturient*).

tranchieren »Fleisch und Geflügel kunstgerecht in Stücke schneiden, zerlegen«: Das Verb aus dem Bereich der Kochkunst wurde am Anfang des

17. Jh.s aus frz. *trancher* »abschneiden, zerschneiden, zerlegen« entlehnt. Die Herkunft des frz. Wortes selbst ist unsicher.

Träne: Mhd. *trēne*, worauf die heutige Form beruht, ist eigentlich eine starke Pluralform von ›tran‹, die im 15. Jh. nicht mehr als solche verstanden und als Singular aufgefasst wurde. Zu dieser Form wurde dann ein neuer schwacher Plural ›trenen‹ gebildet. Mhd. *tran* ist zusammengezogen aus *trahen*, ahd. *trahan* »Träne, Tropfen«. Das nur deutsche Wort geht zusammen mit verwandten außergerm. Wörtern, z. B. griech. *dákryon* »Träne, Harz[tropfen]« und lat. *lacrima* (alat. *dacruma*) »Träne«, auf idg. **d(r)akru-* »Träne« zurück. Ob die engere Bedeutung »Träne« oder die allgemeinere »Tropfen« die ursprüngliche ist, ist nicht zu entscheiden. – Abl.: **tränen** »Tränen absondern« (mhd. *trahenen*, kontrahiert *trēnen*).

Trank: Das altgerm. Wort mhd. *tranc*, ahd. *trank*, got. *dragk*, niederl. *drank*, engl. *drench* ist eine Bildung zu dem unter ↑trinken behandelten Verb. Es ist im heutigen Sprachgebrauch durch die Kollektivbildung ↑Getränk zurückgedrängt, ist aber in Zusammensetzungen wie **Liebestrank** (17. Jh.), **Zaubertrank** (16. Jh.) usw. noch gebräuchlich.

tränken: Das gemeingerm. Verb mhd. *trenken*, ahd. *trenkan*, got. *dragkjan*, engl. *to drench*, schwed. *dränka* ist das Veranlassungswort zu dem unter ↑trinken behandelten Verb und bedeutet demnach eigentlich »trinken machen«. Dazu: **ertränken** (mhd. *ertrenken*, ahd. *irtrenchen*; Veranlassungswort zu ›ertrinken‹, vgl. *trinken*).

trans..., Trans...: Die in zahlreichen Zusammensetzungen auftretende Vorsilbe mit der Bedeutung »hindurch, hinüber, durch; über – hinaus«, wie in den Fremdwörtern ↑Transaktion, ↑Transfer, ↑Transfusion, ↑transparent, ↑transzendent u. a., ist aus dem Lat. entlehnt. Lat. *trans* (Präposition und Präfix) »hinüber, hindurch; darüber hinaus, jenseits usw.« ist etymologisch verwandt mit dt. ↑durch.

Transaktion »größere [riskante] geschäftliche Unternehmung«: Das Fremdwort wurde Anfang des 20. Jh.s entlehnt aus lat. *trans-actio* »das Hinüberführen, Vollendung, Abschluss«, einer Bildung zu *trans-igere* (< **trans-agere*) »zu Ende bringen« (vgl. *trans..., Trans...* und *agieren*).

T

Transfer »Zahlung ins Ausland in fremder Währung; Überführung, Weitertransport im Reiseverkehr; Wechsel eines Berufsspielers zu einem anderen Verein; Übertragung«: Das Fremdwort ist bereits im 18. Jh. mit der heute unüblichen kaufmännischen Bedeutung »Übertragung des Eigentumsrechts einer Aktie«, im 19. Jh. auch im Sinne von »Überweisung, Übertrag; Auszahlung« bezeugt. Die anderen Bedeutungen sind jung (20. Jh.). Das Wort ist aus engl. *transfer* »Übertragung; Überweisung; Umbuchung usw.« entlehnt, einer Bildung zu engl. *to transfer* (< lat. *transferre*, aus lat. *trans* »hinüber« [vgl. *trans..., Trans...*] und lat. *ferre* »tragen, bringen« [vgl. *gebären*]) »übertragen; überweisen; umbuchen usw.«.

Transformator: Die seit dem Anfang des 20. Jh.s bezeugte Bezeichnung für »Gerät zur Umformung von Stromspannungen« ist eine nlat. Bildung nach entsprechend frz. *transformateur* zu lat. *trans-formare* »umformen, verwandeln« (vgl. die Artikel *trans..., Trans...* und *Form*).

Transfusion: Der medizinische Fachausdruck für »Blutübertragung«, meist in der verdeutlichenden Zusammensetzung ›Bluttransfusion‹, wurde Ende des 18. Jh.s aus lat. *transfusio* »das Hinübergießen« entlehnt. Dies ist eine Bildung zu lat. *trans-fundere* »hinübergießen«, das aus lat. *trans* »hinüber« (vgl. *trans..., Trans...*) und lat. *fundere (fusum)* »gießen, fließen lassen« (vgl. *Fusion*) zusammengesetzt ist.

Transistor »Teil eines Verstärkers (z. B. für Fernsprechanlagen, Rechenmaschinen u. a.)«: Das Fachwort aus dem Bereich der Elektronik wurde in den Fünfzigerjahren des 20. Jh.s aus dem Engl.-Amerik. übernommen. Engl. *transistor*, das zusammengezogen ist aus engl. *transfer* »Übertragung« (von lat. *transferre* »hinübertragen«; vgl. *Transfer*) und nlat. *resistor* »Widerstand« (von lat. *re-sistere* »sich widersetzen«) bedeutet wörtlich »Übertragungswiderstand«. – Dazu die Zusammensetzung **Transistorradio** »Rundfunkgerät mit Transistoren (statt Röhren)«.

Transit »Durchgang, Durchfuhr [von Waren]«, meist in Zusammensetzungen wie ›Transithandel, Transitverkehr, Transitvisum‹ u. a.: Das Wort wurde im 16. Jh. aus gleichbed. it. *transito* eingedeutscht; dies geht auf lat. *transitus* »Übergang, Durchgang« zurück. Das lat. Substantiv gehört zu lat. *trans-ire* »hinübergehen«, einer Bildung aus lat. *trans* »hinüber, hindurch« (vgl. *trans..., Trans...*) und lat. *ire* »gehen« (vgl. *Abiturient*).

transitiv (in Bezug auf Verben:) »ein Akkusativobjekt nach sich ziehend und ein persönliches Passiv bildend; zielend«: Der grammatische Terminus ist aus spätlat. *transitivus* entlehnt, einer Bildung zu lat. *trans-ire* »hinübergehen« (vgl. *Transit*). – Dazu stellt sich die Gegenbildung **intransitiv** (< spätlat. *intransitivus*).

transparent »durchscheinend, durchsichtig (auch übertragen)«: Das Adjektiv wurde im Anfang des 18. Jh.s aus gleichbed. frz. *transparent* entlehnt, das auf mlat. *transparens* zurückgeht. Dies gehört zu mlat. *trans-parere* »durchscheinen«, einer Bildung aus lat. *trans* »hinüber, hindurch« (vgl. *trans..., Trans...*) und lat. *parere* »erscheinen, sichtbar werden, sich zeigen; Folge leisten« (vgl. [3]*parieren*). – Dazu gehören die Substantive **Transparent** »durchscheinendes Bild; Spruchband« (18. Jh.) und **Transparenz** »Durchsichtigkeit, Lichtdurchlässigkeit« (1. Hälfte des 19. Jh.s; heute besonders übertragen gebraucht im Sinne von »Durchschaubarkeit, Erkennbarkeit« in Bezug auf Vorgänge und Entscheidungsprozesse im Bereich von Politik und Wirtschaft).

transportieren »befördern, versenden; fortschaffen«: Das Verb wurde im 16. Jh. aus gleichbed. frz. *transporter* entlehnt, das auf lat. *transportare* »hinüberbringen« zurückgeht. Dies ist eine Bildung aus lat. *trans* »hindurch« (vgl. *trans..., Trans...*) und lat. *portare* »tragen, bringen« (vgl. den Artikel *Porto*). – Dazu stellen sich **Transport** »Versendung, Beförderung (von Menschen, Tieren oder Sachen); Fracht« (17. Jh.; aus gleichbed. frz. *transport;* auch it. *trasporto* hat eingewirkt); **Transporter** »Transportflugzeug, -schiff« (20. Jh.; aus engl. *transporter*); **Transporteur** »jemand, der etwas transportiert« (19. Jh.; aus gleichbed. frz. *transporteur*); **transportabel** »so beschaffen, dass man es transportieren kann« (18. Jh.; aus gleichbed. frz. *transportable*).

transzendent »die Grenzen der Erfahrung und des sinnlich Erkennbaren übersteigend, übersinnlich, übernatürlich«: Der von dem Philosophen Kant aus der scholastischen Philosophie übernommene Terminus beruht auf lat. *transcendens (transcendentis),* dem Part. Präs. von lat. *transcendere* (< *trans-scendere*) »hinübersteigen; übersteigen, überschreiten«, einer Bildung mit der lat. Präposition *trans* »hinüber« (vgl. *trans..., Trans...*). Über das zugrunde liegende einfache Verb lat. *scandere* »[be]steigen« vgl. den Artikel *Skala.*

Trapez »Viereck mit zwei parallelen, aber nicht gleich langen Seiten (Geom.); Schaukelreck (Artistik)«: Das seit dem 15. Jh. zuerst als geometrischer Terminus bezeugte Fremdwort ist aus gleichbed. spätlat. *trapezium* entlehnt, das seinerseits aus griech. *trapézion* »ungleichseitiges Viereck« (eigentlich »Tischchen«) stammt. Dies ist eine Verkleinerungsbildung zu griech. *trápeza* »Tisch, Tafel.«

trappen »laut auftreten, stampfen«: Das im 17. Jh. aus dem Niederd. ins Hochd. übernommene Verb geht auf gleichbed. mnd. *trappen* zurück, das mit niederl. *trappen* »treten« und schwed. mdal. *trappa* »trippeln« verwandt ist. Diese Sippe ist – wie auch das unter ↑trippeln behandelte Verb – lautnachahmenden Ursprungs. Weiterbildungen von ›trappen‹ sind **trappeln** (16. Jh.) und **trapsen** (19. Jh.); eine nasalierte Nebenform ist ↑trampeln. Zur gleichen Wortfamilie gehören das unter ↑Treppe behandelte Wort und das afränk. Substantiv **trappa* »(Fuß-, Tret)falle«, das frz. *trappe* »Falle« (↑Attrappe) zugrunde liegt.

Trasse: Der fachsprachliche Ausdruck für »im Gelände abgesteckte Linienführung eines Verkehrswegs, einer Versorgungsleitung o. dgl.« wurde im 19. Jh. aus gleichbed. frz. *tracé* entlehnt, einer Ableitung vom Verb frz. *tracer* »vorzeichnen, entwerfen«. Das frz. Verb geht über afrz. *tracier* »eine Spur ziehen« auf vlat. **tractiare* »ziehen« zurück, eine Bildung zu lat. *tractus* »Ziehen, Zug; Verlauf« (↑Trakt).

tratschen, landsch. auch: **trätschen:** »spritzen; klatschen, schwatzen; schwerfällig gehen«: Das seit dem 17. Jh. bezeugte Verb ist – wie z. B. auch ›klatschen‹ und ›patschen‹ – lautnachahmenden Ursprungs. – Dazu gehört das Substantiv **Tratsch** ugs. für »übles Gerede« (16. Jh.).

Traube: Die Herkunft des nur dt. und niederl. Wortes (mhd. *trūbe,* ahd. *thrūbo,* niederl. *druif*) ist nicht sicher geklärt. Vielleicht hängt es mit ostfries. *drūv[e]* »Klumpen« und niederd. *drubbel* »Klumpen« zusammen. Es würde dann eigentlich »Büschel, Klumpen« bedeuten. – Zus.: **Traubenzucker** (19. Jh.; natürliche Zuckerart, ursprünglich aus Trauben gewonnen).

trauen: Das gemeingerm. Verb mhd. *trūwen,* ahd. *trū[w]ēn,* got. *trauan,* engl. *to trow,* schwed. *tro* gehört im Sinne von »fest werden« zu der unter ↑treu behandelten Wortgruppe. Aus dem ursprünglichen Wortgebrauch im Sinne von »glauben, hoffen, zutrauen« entwickelte sich die Bedeutung »Vertrauen schenken« und aus reflexivem »sich zutrauen« die Bedeutung »wagen«. Seit dem 13. Jh. bedeutet das Verb auch »ehelich verbinden«, ursprünglich »dem Manne zur Frau geben«. Diese Bedeutung hat sich aus »anvertrauen« entwickelt. – Abl.: **Trauung** »Eheschließung« (spätmhd. *trūunge* »Vertrauen«, im heutigen Sinne im 16. Jh.). Zus.: **Trauring** »Ehering« (16. Jh.); **Trauzeuge** »Zeuge bei einer Eheschließung« (19. Jh.). Präfixbildungen und Zusammensetzungen: **betrauen** »mit Wichtigem beauftragen« (im 17. Jh. »anvertrauen«), beachte besonders das 2. Partizip **betraut; vertrauen** »glauben, Vertrauen schenken« (ahd. *fertrūēn,* mhd. *vertrūwen*), dazu der substantivierte Infinitiv **Vertrauen** (mhd. *vertrūwen*), das Adjektiv **vertraulich** »intim, diskret« (16. Jh.) und die Verbalbildung **anvertrauen** »vertrauensvoll der Obhut eines anderen übergeben« (im 16. Jh. im Sinne von »zutrauen, vertrauen«); **zutrauen** »etwas von jemandem erwarten« (16. Jh.), dazu **Zutrauen** (18. Jh.) und **zutraulich** »Vertrauen, Zutrauen habend, vertrauend« (18. Jh.). – Wohl in Analogie zu der Entsprechung ›vertraulich – vertraut‹ wurde im 18. Jh. das Adjektiv **traulich** »gemütlich, anheimelnd« zu dem unverwandten ›traut‹ (s. d.) gebildet. In der Bedeutung ist diese Bildung stark von ›traut‹, ›vertraulich‹ und ›zutraulich‹ beeinflusst.

trauern: Das Verb mhd. *trūren,* ahd. *trūrēn* (niederl. *treuren* ist aus dem Dt. entlehnt) ist wahrscheinlich verwandt mit got. *driusan* »fallen«, aengl. *dreosan* »[nieder]fallen« und aengl. *drūsian* »sinken; matt, kraftlos werden«. Seine eigentliche Bedeutung wäre demnach etwa »den Kopf sinken lassen« oder »die Augen niederschlagen« als typische Trauergebärde des Menschen. Zu ›trauern‹ stellen sich das Adjektiv **traurig** »von Trauer erfüllt, betrübt; betrüblich, schmerzlich; jämmerlich« (mhd. *trūrec,* ahd. *trūrac*) und das Substantiv **Trauer** »seelischer Schmerz über einen Verlust oder ein Unglück« (mhd. *trūre*), das in zahlreichen Zusammensetzungen erscheint, z. B. **Trauerspiel** (17. Jh.; Ersatzwort für ↑Tragödie, nach dem Vorbild von ›Lustspiel‹ für ↑Komödie) und **Trauerweide** »Weide mit herabhängenden Ästen« (18. Jh.).

Traufe »Unterkante des Dachs; das von der Unterkante des Dachs ablaufende Wasser«: Das auf das dt. Sprachgebiet beschränkte Wort (mhd. *trouf[e]*, ahd. *trouf*) ist eine Bildung zu dem unter ↑triefen behandelten Verb und bedeutet demnach eigentlich »die Triefende«.

> **Traufe**
>
> **vom Regen in die Traufe kommen**
> »aus einer unangenehmen Lage in eine andere [noch unangenehmere] geraten«
> Aus der Dachtraufe läuft das vom Dach abfließende Regenwasser gesammelt nach unten. Wer also beim Unterstellen unter ein Dach nicht aufpasst und sich genau unter die Traufe stellt, wird erst recht nass.

träufeln: Das seit dem 16. Jh. bezeugte Verb ist eine Iterativbildung zu dem heute veralteten **träufen** »tropfen« (mhd. *tröufen*, ahd. *troufan*), das das Veranlassungswort zu dem unter ↑triefen behandelten Verb ist.

traulich ↑trauen.

Traum »im Schlaf auftretende Vorstellungen; sehnlicher Wunsch; traumhaft Schönes«: Das altgerm. Substantiv mhd., ahd. *troum*, niederl. *droom*, engl. *dream*, schwed. *dröm* gehört zu der unter ↑trügen behandelten Wortgruppe. – Abl.: **träumen** »einen Traum haben« (mhd. *tröumen, troumen*, ahd. *troumen*), dazu die Ableitung **Träumer** »weltfremder Mensch« (mhd. *troumære*), wovon wiederum **träumerisch** »versonnen« (18. Jh.) gebildet ist; **Träumerei** »Wunsch-, Fantasievorstellung« (16. Jh.) und die Präfixbildung **verträumen** »das Leben nutzlos vertun« (17. Jh.) mit dem 2. Partizip **verträumt** »gedankenverloren«.

Trauma: Die fachsprachliche Bezeichnung für »Verletzung, Wunde« (Medizin) und »seelischer Schock, starke seelische Erschütterung« (Psychologie) ist eine gelehrte Entlehnung des 19. Jh.s aus griech. *traûma* »Wunde«.

Trauring ↑trauen.

traut »innig zugeneigt, geliebt«: Das auf das dt. und niederl. Sprachgebiet beschränkte Adjektiv (mhd., ahd. *trūt*, mniederl. *druut*) ist wahrscheinlich verwandt mit ir. *drūth* »unkeusch«. Die weiteren Beziehungen sind unklar. Vom heutigen Sprachgefühl wird ›traut‹ mit ›trauen‹ verbunden, mit dem es jedoch nicht verwandt ist.

Trauung, Trauzeuge ↑trauen.

Trebe: Das Substantiv ist nur in Wendungen wie ›auf [der] Trebe sein‹ »sich herumtreiben« oder ›auf [die] Trebe gehen‹ »ausreißen, davonlaufen und sich herumtreiben« und als erster Bestandteil in der Zusammensetzung **Trebegänger** »Ausreißer, Herumtreiber« gebräuchlich. Seine Herkunft ist nicht sicher geklärt. Vielleicht gehört es zu jidd. *tre[i]fe, trebe* (< hebr. *ṭaref*) »nicht koscher«.

Treber »Rückstand beim Keltern oder Bierbrauen«: Das altgerm. Substantiv mhd. *treber* (Plural), ahd. *trebir* (Plural), niederl. *draf*, engl. *draff*, schwed. *drav* gehört zu der unter ↑trüb[e] behandelten Wortgruppe. Außergerm. eng verwandt sind z. B. mir. *drab* »Treber, Hefe« und die slaw. Sippe von russ. *droba* »Bodensatz, Bierhefe, Treber«.

trecken »von einer Gegend in eine andere ziehen, ein Schiff mit einem Tau längs des Ufers ziehen«: Das auf das dt. und niederl. Sprachgebiet beschränkte Verb (mhd. *trekken*, mnd. *trekken*, niederl. *trekken*) ist eine Intensivbildung zu dem heute veralteten Verb *trechen* »ziehen« (mhd. *trechen*, vgl. das 2. Partizip ahd. *pi-trohhan*), dessen weitere Herkunft unsicher ist. Das Verhältnis von ›trechen‹ zu ›trecken‹ entspricht dem von ›stechen‹ zu ›stecken‹. - Abl.: **Treck** »Zug; Flucht« (mnd. *trek* »Zug, Kriegszug, Prozession«); **Trecker** (im 15. Jh. »Zapfen«; im 17. Jh. »Schiffszieher«; die heutige Bedeutung »Zugmaschine, Schlepper« seit der 1. Hälfte des 20. Jh.s; eine entsprechende Bildung ist das gleichbedeutende ↑Traktor). Eine alte Präfixbildung mhd. *vertrecken* »verziehen, verzerren, verwirren« ist noch erhalten in dem adjektivisch gebrauchten 2. Partizip **vertrackt** ugs. für »verzwickt, unangenehm« (17. Jh.).

treffen: Das altgerm. Verb mhd. *treffen*, ahd. *trefan*, mniederl. *drepen*, aengl. *drepan*, aisl. *drepa* bedeutete ursprünglich »schlagen, stoßen« und ist im germ. Sprachbereich mit der Sippe von got. *gadraban* »aushauen« verwandt. Außergerm. ist verwandt die slaw. Sippe von russ. *drobit'* »zerstückeln«, russ. *drob'* »Bruch[teil]; Schrot«. – Der substantivierte Infinitiv **Treffen** in der Bedeutung »kleines Gefecht« – im Anschluss an die alte Bedeutung von ›treffen‹ »dem Feind begegnen, ein Gefecht liefern« – ist seit dem 15. Jh. bezeugt (beachte die übertragen gebrauchte Wendung ›ins Treffen führen‹ »als Beweis anführen«); die Verwendung im Sinne von »Begegnung, Zusammenkunft« kam in der 1. Hälfte des 20. Jh.s auf. – Abl.: **Treffer** »Schuss, der trifft; Gewinnlos« (16. Jh.); **trefflich** »vorzüglich, ausgezeichnet« (15. Jh.; für mhd. *treffe[n]lich*). Zus.: **Treffpunkt** »Versammlungsplatz« (18. Jh.). Präfixbildungen und Zusammensetzungen: **betreffen** »ertappen, überraschen« (16. Jh.), beachte das 2. Partizip **betroffen** »unangenehm berührt, betreten« (18. Jh.), dazu **Betroffenheit; eintreffen** »ankommen, in Erfüllung gehen« (16. Jh.); **übertreffen** »besser sein« (mhd. *übertreffen*, ahd. *ubartreffan*), dazu

unübertroffen »nicht besser vorhanden« (19. Jh.) und **unübertrefflich** »nicht besser möglich« (2. Hälfte des 18. Jh.s); **zutreffen** »einer Sache gemäß sein« (16. Jh.), dazu **zutreffend** »angemessen, richtig« (adjektivisch gebrauchtes 1. Partizip). Siehe auch den Artikel *vortrefflich*.

treiben: Das gemeingerm. Verb mhd. *trīben*, ahd. *trīban*, got. *dreiban*, engl. *to drive*, schwed. *driva* hat keine außergerm. Entsprechungen. Zu ›treiben‹ stellen sich die unter ↑Trift, ↑Trieb und ↑Getriebe behandelten Wörter. Außer im allgemeinen Sinne von »in Bewegung setzen« wird ›treiben‹ vielfach speziell verwendet, so z. B. auf Pflanzen bezogen im Sinne von »wachsen lassen« (s. unten ›Treibhaus‹). – Abl.: **Treiber** (mhd. *trīber*, ahd. *trīpāri*, heute meist »Helfer bei der Treibjagd«). Zus.: **Treibeis** »auf dem Wasser treibendes Eis« (18. Jh.); **Treibhaus** »heizbares Glashaus zum Treiben von Pflanzen« (18. Jh.); **Treibjagd** »Jagd, bei der das Wild auf die Schützen zugetrieben wird« (18. Jh.); **Treibriemen** »Riemen zur Übertragung einer Bewegung« (19. Jh.); **Treibstoff** (18. Jh.; im heutigen Sinne von »Brennstoff für Verbrennungskraftmaschinen« seit der 1. Hälfte des 20. Jh.s). Präfixbildungen und Zusammensetzungen: **abtreiben** »aus der Richtung bringen oder geraten«, auch »entfernen«, veraltet für »durch Treiben ermüden« (mhd. *abetrīben* »ab-, wegtreiben«; zur zweiten Bedeutung gehört **Abtreibung** »Schwangerschaftsabbruch« (16. Jh.), zur dritten Bedeutung **abgetrieben** »erschöpft [von Zugtieren]«); **antreiben** »vorwärts treiben; in Bewegung setzen; anstacheln« (mhd. *anetrīben*), dazu **Antrieb** »antreibende Kraft, Anreiz« (16. Jh.); **auftreiben** (mhd. *ūftrīben*, ahd. *ūftrīban;* die Bedeutung »ausfindig machen« seit dem 16. Jh.), dazu **Auftrieb** »nach oben wirkender Druck von Flüssigkeiten oder Gasen« (als physikalischer Fachausdruck seit dem 19. Jh., dann auch übertragen als »Belebung, Aufschwung«); **betreiben** »sich mit etwas beschäftigen« (17. Jh.), dazu **Betrieb** »kaufmännisches oder gewerbliches Unternehmen; lebhaftes Treiben« (18. Jh.), davon wieder **betriebsam** »emsig, unternehmend« (18. Jh.); **durchtrieben** (s. d.); **vertreiben** »forttreiben, verjagen; mit etwas handeln, etwas verkaufen« (mhd. *vertrīben*, ahd. *fartrīban*), dazu **Vertrieb** »Verkauf« (16. Jh.).

Trenchcoat »Wettermantel«: Der Name des Kleidungsstückes wurde im 20. Jh. aus gleichbed. engl. *trench coat* entlehnt. Dies ist eine Bildung aus engl. *trench* »[Schützen]graben« und engl. *coat* »Mantel« (vgl. den Artikel [1]*Kotze*) und bedeutet wörtlich »Schützengrabenmantel«. Der Trenchcoat wurde im 1. Weltkrieg als wetterfester Gabardinemantel für die britischen Frontsoldaten geschaffen.

Trend Das Substantiv, dessen Bedeutung mit »Grundrichtung einer statistisch erfassten Entwicklung, [wirtschaftliche] Entwicklungstendenz« wiedergegeben werden kann, wurde im 20. Jh. aus gleichbed. engl. *trend* entlehnt, das zu engl. *to trend* »sich neigen, sich erstrecken, in einer bestimmten Richtung verlaufen« gehört (< aengl. *trendan* in der Zusammensetzung *fortrendan* »durch Davorrollen eines Steins verschließen«). Das engl. Verb gehört zu der unter ↑zehren behandelten Wortgruppe. – Dazu auch **Trendsetter** »jmd., der einen Trend bestimmt; alles, was einen Trend auslöst« (2. Hälfte des 20. Jh.s, aus gleichbed. engl. *trendsetter*) und **trendy** »modisch, dem vorherrschend Trend entsprechend» (2. Hälfte des 20. Jh.s, aus gleichbed. engl. *trendy*).

trennen: Das auf das dt. und niederl. Sprachgebiet beschränkte Verb (mhd. *trennen*, ahd. *en-*, *zatrennen*, niederl. *tornen*) gehört zu der unter ↑zehren dargestellten idg. Wortgruppe. Eng verwandt sind im germ. Sprachbereich z. B. ahd. *antrunneo* »Flüchtling«, ahd. *ab[a]trunnig* »treulos« (↑abtrünnig), mhd. *trünne* »Schar, Herde, Schwarm« (eigentlich »Teil, Abteilung«) und schwed. mdal. *trinna* »Zaunstange« (eigentlich »abgespaltenes Stück Holz«).

Trense »leichter Pferdezaum« (gegenüber der ↑Kandare): Das seit dem 16. Jh. bezeugte Fremdwort wurde durch Vermittlung von älter niederl. *trensse* (heute: *trens*) aus span. *trenza* »Flechte, Seil« entlehnt.

Treppe »Stiege, Aufgang aus Stufen«: Das dt. und niederl. Wort (mhd. *treppe*, mnd. *treppe*, niederl. *trap*) gehört zu der unter ↑trappen behandelten Wortgruppe und ist z. B. mit aengl. *treppan* »treten« verwandt. Es bedeutet demnach eigentlich »Tritt«. Das Wort war dem Oberd. ursprünglich fremd und wurde in mhd. Zeit aus dem Mnd. übernommen. Es bezeichnete zunächst die einzelne Stufe; die Verwendung im Sinne von »Gesamtheit der Stufen, von Stufen gebildeter Aufgang« setzte sich erst im 16. Jh. durch. – Zus.: **Treppenhaus** »abgeschlossener Teil eines Hauses, in dem sich die Treppe befindet« (19. Jh.; ursprünglich wohl Bezeichnung für einen eigenen Gebäudeteil, der einen Treppenaufgang umschloss); **Treppenwitz** (19. Jh.; Wiedergabe von frz. *esprit d'escalier*, das einen Einfall bezeichnet, der einem zu spät kommt, d. h., wenn man nach einem Besuch die Treppe wieder hinuntergeht; der Fügung »Treppenwitz der Weltgeschichte« liegt der Titel des 1882 erschienenen Buches von W. L. Hertslet zugrunde; die Bedeutung entwickelte sich über »verspäteter Einfall, versäumte Gelegenheit« zu »wie ein alberner Witz wirkende Begebenheit, die zu einem sie begleitenden historisch bedeutsamen Vorgang in keinem angemessenen Verhältnis steht«).

Tresor »Panzerschrank, Stahlkammer (zur Aufbewahrung von Geld und Wertsachen)«: Das bereits in mhd. Zeit mit der Bedeutung »Schatz, Schatzkammer« bezeugte Fremdwort, das aber erst im 19. Jh. mit seiner modernen Bedeutung üblich wird, ist aus gleichbed. frz. *trésor* entlehnt (daraus engl. *treasure*). Das frz. Wort beruht auf lat. *thesaurus*, das aus griech. *thēsaurós* »Schatz, Schatzkammer, Vorratskammer; Geldkasten« stammt.

Tresse »Litze, Borte«: Das Wort wurde im 18. Jh. aus frz. *tresse* »Haarflechte, gewebtes Band« entlehnt. Die weitere Herkunft des frz. Wortes ist ungewiss.

Trester: Die Bezeichnung für den Rückstand beim Keltern (mhd. *trester*, ahd. *trestir*) gehört zu der unter ↑trüb[e] dargestellten Wortgruppe. Eng verwandt ist aengl. *dræst* »Hefe; Bodensatz; Abfall«.

treten: Das westgerm. Verb (jüngere Neubildung) mhd. *treten*, ahd. *tretan*, niederl. *treden*, engl. *to tread* steht neben gleichbedeutend got. *trudan* und aisl. *troða*. Die Herkunft dieser Wortgruppe ist unbekannt. Eine Substantivbildung zu ›treten‹ ist ↑Tritt. – Zus.: **Tretmühle** (15. Jh.; ursprünglich die von Menschen oder Tieren durch Treten in Gang gesetzte Mühle; seit dem 19. Jh. übertragen ugs. für »einförmige tägliche Berufsarbeit«). Präfixbildungen und Zusammensetzungen: **abtreten** »beiseite treten, wegtreten; überlassen« (mhd. *abetreten*), dazu **Abtritt** (16. Jh.; in der Bedeutung »Abort« seit dem 17. Jh.); **antreten** »anfangen, übernehmen; sich aufstellen« (mhd. *anetreten*), dazu **Antritt** (mhd. *anetrit* »das Antreten, Angriff; Schemel, Stufe«); **auftreten** »auf den Boden treten, sich öffentlich zeigen« (mhd. *ūftreten* »aufgehen; sich erheben«), dazu **Auftritt** (mhd. *ūftrit* »Höhe«; die Bedeutung »Szene eines Bühnenstückes« seit dem 18. Jh.); **austreten** (mhd. *ūʒtreten* »heraus-, hervortreten; abweichen, ausweichen«; die seit dem 19. Jh. bezeugte verhüllende Bedeutung »seine Notdurft verrichten« beruht auf der alten Bedeutung »aus dem Zimmer gehen«), dazu **Austritt** »Verlassen eines Vereins« (mhd. *ūʒtrit* »Ausgang, Entweichung«); **betreten** (mhd. *betreten* »antreffen, überraschen, ergreifen«), dazu das adjektivisch gebrauchte 2. Partizip **betreten** »überrascht, verlegen« (16. Jh.); **übertreten** »gegen eine Vorschrift verstoßen; sich einer anderen Gemeinschaft anschließen; über die Ufer fließen« (mhd. *übertreten* in teilweise anderen Bedeutungen), dazu **Übertritt** (mhd. *übertrit* »Fehltritt, Vergehen«, auch schon »Lossagung, Abfall«); **vertreten** (mhd. *vertreten*, ahd. *fartretan* »niedertreten, zertreten«; die Bedeutung »an jemandes Stelle treten« ist schon mhd.), davon **Vertreter** »jemand, der einen anderen vertritt; jemand, der etwas repräsentiert, verkörpert; Handelsvertreter« (mhd. *vertreter*); **vortreten** »nach vorn treten; herausragen« (mhd. *vortreten*), dazu **Vortritt** »das Recht, vorauszugehen« (mhd. *vortrit* »das Vortreten«); zu einem heute veralteten Verb ›zutreten‹ »heran-, herzutreten« ist **Zutritt** »Zugang, Eintritt« gebildet (mhd. *zuotrit*).

treu: Die heutige Form geht auf mhd. *triuwe* zurück, das im 14. Jh. neben gleichbedeutendes älteres mhd. *getriuwe*, ahd. *gitriuwi* (daraus nhd. **getreu**) trat. Vgl. aus anderen germ. Sprachen got. *triggws* »treu, zuverlässig«, aengl. *[ge]trīewe* »treu, ehrlich« (engl. *true* »treu, wahr, richtig, echt«) und schwed. *trygg* »sicher, getrost«. Außergerm. ist z. B. lit. *drūtas* »stark, fest, dick« verwandt. Die Wortgruppe gehört zu dem unter ↑Teer dargestellten idg. **deru-* »Eiche, Baum«, zu dem auch die unter ↑Trost (eigentlich »[innere] Festigkeit«) und ↑trauen (eigentlich »fest werden«) behandelten Wörter gehören. Das Adjektiv ›treu‹ bedeutet demnach eigentlich »stark, fest wie ein Baum«. Zu ›treu‹ gebildet ist **Treue** (mhd. *triuwe*, ahd. *triuwa*, got. *triggwa*, niederl. *trouw*, aengl. *trēow*, dazu im Ablaut die nord. Sippe von schwed. *tro* »Treue, Glauben«). Zum Substantiv stellt sich das Verb **betreuen** (mhd. *betriuwen* »in Treue erhalten, schützen«). – Zus.: **Treuhänder** »Person, der etwas zu treuen Händen übergeben worden ist« (13. Jh.; ein Begriff der alten Rechtssprache).

tri..., Tri...: Das aus dem Lat. oder Griech. stammende Bestimmungswort von Zusammensetzungen mit der Bedeutung »drei« in Fremdwörtern wie ↑Triangel, ↑trivial oder **Trigonometrie** (»Dreiecksberechnung«; 16. Jh., zu griech. *trígōnon* »Dreieck« und *...metrie* [↑Meter]) ist entlehnt aus lat. *tres (tria)* »drei« (davon auch das Fremdwort ↑Trio) bzw. aus gleichbed. griech. *treĩs (tría)*. Über die idg. Zusammenhänge vgl. den Artikel *drei*. – Beachte noch das von der zu lat. *tres* gehörenden Ordnungszahl lat. *tertius* »dritter« ausgehende Fremdwort ↑Tertia.

Triangel »Schlaginstrument in Form eines dreieckig gebogenen, frei hängenden Stahlstabes«: Das seit dem 15. Jh. bezeugte Fremdwort ist aus lat. *triangulus* »dreieckig; Dreieck« entlehnt, einer Bildung aus lat. *tres* »drei« (vgl. *tri..., Tri...*) und lat. *angulus* »Winkel, Ecke« (verwandt mit dt. ↑Angel).

Tribunal »[hoher] Gerichtshof«: Das Fremdwort ist aus lat. *tribunal* »Hochsitz der Tribunen; erhöhte Feldherrnbühne; Gerichtshof« entlehnt (vgl. hierzu *Tribut*). Es erscheint zuerst in mhd. Zeit mit der Bedeutung »Richterstuhl« in einer unmittelbaren Übernahme aus dem Lat. Im 16. Jh. wurde es im heutigen Sinne neu über entsprechend frz. *tribunal* entlehnt. – Gleichen Ausgangspunkt wie ›Tribunal‹ hat das Fremdwort **Tribüne** »Rednerbühne, Empore; erhöhtes Zuschauergerüst« (18. Jh.), das aus frz. *tribune* (< it. *tribuna*) »Rednerbühne; Galerie usw.« übernommen ist.

Tribut: Das in spätmhd. Zeit aus lat. *tributum* »öffentliche Abgabe, Steuer, Beitrag usw.« aufgenommene Fremdwort erscheint zuerst mit der heute veralteten Bedeutung »Steuer, Abgabe«. Heute ist das Wort nur mehr in der übertragenen

Bedeutung »Opfer; pflichtschuldige Verehrung« gebräuchlich – vorwiegend in festen Wendungen wie ›Tribut zollen‹. – Lat. *tributum* ist das substantivierte Neutrum des Part. Perf. von lat. *tribuere* »[zu]teilen, zuwenden; einteilen«, das seinerseits zu lat. *tribus* »Gau, Bezirk für die Steuererhebung und Aushebung« gehört. Lat. *tributum* bedeutet demnach eigentlich etwa »die den einzelnen Bürgern zugeteilte Abgabeleistung«. Ebenfalls zu lat. *tribus* stellen sich die Bildungen lat. *tribunus* »Gauvorsteher; Zahlmeister; Oberst« und lat. *tribunal* »Hochsitz der Tribunen; erhöhte Feldherrnbühne; Gerichtshof«. Letzteres liegt unseren Fremdwörtern ↑Tribunal, Tribüne zugrunde. – Siehe auch den Artikel *Attribut.*

Trichter: Das westgerm. Substantiv mhd. *trahter, trehter, trihter,* spätahd. *trahtare, trahter, træhter,* aengl. *tracter,* niederl. *trechter* beruht auf einer frühen Entlehnung im Rahmen der Übernahme römischer Weinkultur (s. den Artikel *Wein*) aus lat. *traiectorium* »Trichter« (eigentlich »Gerät zum Hinüberschütten«). Das zugrunde liegende Verb lat. *tra-icere (traiectum)* »hinüberwerfen; hinüberbringen; hinübergießen, -schütten« ist eine Bildung zu lat. *iacere* »werfen, schleudern« (vgl. den Artikel *Jeton*). – Dazu **eintrichtern** »jemandem etwas mühsam beibringen« (18. Jh.; eigentlich etwa »wie durch einen Trichter Wissen in jemanden hineinschütten«. In seiner konkreten Bedeutung »Flüssigkeit durch einen Trichter einfüllen« erscheint das Verb schon im 16. Jh.).

Trichter

jmdn. auf den [richtigen] Trichter bringen
(ugs.) »jmdn. auf die richtige Lösung des Problems bringen«
Der Trichter ist ein Gerät zum Ab- oder Einfüllen einer Flüssigkeit; in bildhafter Sprache wird damit auch Wissen in den Kopf eines Menschen gefüllt, daher hat ›Trichter‹ auch die ältere Bedeutung »Lernmethode«, vgl. das Verb ›eintrichtern‹.

auf den [richtigen] Trichter kommen
(ugs.) »die Lösung eines Problems finden; etwas herausfinden«
Vgl. die vorangehende Wendung.

Trick »Kniff, Kunstgriff«: Das Wort wurde im 19. Jh. aus gleichbed. engl. *trick* entlehnt, das seinerseits aus dem Frz. stammt, und zwar aus einem Mundartwort [a]norm. *trique* »Betrug, Kniff«. Das zugrunde liegende Verb norm. *trekier,* das frz. *tricher* »beim Spiel betrügen, mogeln« entspricht, setzt ein etymologisch ungeklärtes vlat. Verb **triccare* voraus. – Dazu stellen sich die Zusammensetzung **Trickfilm** (20. Jh.) und das in der Umgangssprache entwickelte Verb **tricksen** »einen Gegner geschickt ausmanövrieren, ausspielen, umspielen« (20. Jh.; Sportjargon), beachte auch die Zusammensetzung **austricksen.**

Trieb »innere treibende Kraft; Keimkraft; Keim, Schössling«: Das Substantiv (mhd. *trīp*) ist eine Bildung zu dem unter ↑treiben behandelten Verb und bedeutet demnach eigentlich »das Treiben«, früher und landsch. noch heute »Treiben des Viehs oder des Wildes; Viehweg; Trift«. Es ersetzte allmählich das ältere ↑Trift in dessen allgemeiner Bedeutung. – Abl.: **triebhaft** »sinnlich, leidenschaftlich« (18. Jh.).

triefen »in Tropfen fallen; ganz nass sein«: Das altgerm. Verb mhd. *triefen,* ahd. *triufan,* niederl. *druipen,* aengl. *drēopan* (daneben gleichbed. *dryppan,* engl. *to drip*), schwed. *drypa* hat keine sicheren außergerm. Entsprechungen. Um dieses Verb gruppieren sich im germ. Sprachbereich die unter ↑Traufe, ↑träufeln, ↑Tropf, ↑Tropfen und ↑Tripper behandelten Bildungen.

triezen (ugs. für:) »quälen, necken«: Das aus dem Niederd. ins Hochd. übernommene Verb geht auf mnd. *tritzen* »aufziehen, hochwinden« zurück, das von mnd. *tritzen* »Winde[block], Flaschenzug« abgeleitet ist. Früher wurde häufig auf Segelschiffen als Strafe für ein Vergehen der Verurteilte an einem unter den Armen durchgeschlungenen Seil an der Rahe hochgezogen.

Trift »Weide; Holzflößung; Meeresströmung«: Das altgerm. Substantiv mhd. *trift,* mnd. *drift,* niederl. *drift,* engl. *drift,* schwed. *drift* ist eine Bildung zu dem unter ↑treiben behandelten Verb und bedeutet demnach eigentlich »das Treiben« (vgl. den Artikel *Trieb*).

triftig »beweisend, stichhaltig«: Das seit dem 15. Jh. bezeugte Adjektiv ist eine Bildung zu dem unter ↑treffen behandelten Verb und bedeutete ursprünglich »[zu]treffend«.

Trigonometrie ↑tri..., Tri...

Triller »schnelle Wiederholung nebeneinander liegender Töne«: Das seit dem 17. Jh. bezeugte Substantiv ist durch österr. Vermittlung aus gleichbed. it. *trillo* entlehnt, das selbst wohl lautnachahmenden Ursprungs ist. Davon abgeleitet ist das Verb **trillern** »mit Trillern, Trillern ähnlichen Tönen singen oder pfeifen«. (17. Jh.; nach entsprechend it. *trillare*).

Trillion ↑Million.

trimmen: Das Ende des 19. Jh.s aus engl. *to trim* »in Ordnung bringen, zurechtmachen; schmücken« entlehnte Verb gehörte zunächst der Seemannssprache an. Es bedeutet dort einerseits allgemein »das Schiff und seine Teile in Ordnung, in einen gepflegten Zustand bringen«, andererseits speziell »die Schiffsladung (besonders die Kohlenladung) sachgemäß im Schiffsraum verstauen (um ein Verrutschen der Ladung zu verhindern)« und als ›Kohlen trimmen‹ »Kohlen ordnungsgemäß in Kohlenbunkern unterbringen« bzw. »Kohlen von den Bunkern zur Feuerung schaffen«. Aber auch im binnenländischen Bereich spielt ›trimmen‹ eine Rolle, z. B. als ›Hunde trimmen‹ im Sinne von »Hunden durch Scheren und Ausdünnen des Fells das für ihre Rasse übliche, der Mode entsprechende Aussehen geben«. Übertragen wird das Verb dann auch ugs. in der Bedeutung »zu einem bestimmten Aussehen, zu einer bestimmten Verhaltensweise, in einen bestimmten Zustand bringen« verwendet. Seit der 2. Hälfte des 20. Jh.s schließlich ist ›trimmen‹ im Sinne von »durch sportliche Betätigung, körperliche Übung leistungsfähig machen« verbreitet.

trinken: Das gemeingerm. Verb mhd. *trinken,* ahd. *trinkan,* got. *drigkan,* engl. *to drink,* schwed. *dricka* hat keine sicheren außergerm. Beziehungen. Um das Verb gruppieren sich die unter ↑Trank, ↑tränken, ↑Trunk und ↑trunken behandelten Wörter. – Abl.: **Trinker** »jemand, der gewohnheitsmäßig große Mengen Alkohol trinkt« (mhd. *trinker,* ahd. *trinkari*). Zus.: **Trinkgeld** »kleines Geldgeschenk für Dienstleistungen« (14. Jh.; ursprünglich zum Vertrinken bestimmt); **Trinkspruch** »kurze Rede auf jemandes Wohl oder zu Ehren eines festlichen Ereignisses, wozu [angestoßen und] getrunken wird« (17. Jh.). Präfixbildungen: **betrinken,** sich »zu viel Alkohol trinken« (mhd. *betrinken* »aus etwas trinken«; die jetzige Bedeutung seit dem 18. Jh.), dazu das adjektivisch gebrauchte 2. Partizip **betrunken** »stark berauscht«; **ertrinken** »im Wasser umkommen« (mhd. *ertrinken,* ahd. *irtrinkan*), dazu das Veranlassungswort **ertränken** (s. unter *tränken*).

Trio »Musikstück für drei Instrumente«, auch Bezeichnung für die drei ausführenden Musiker; daneben in allgemeiner Verwendung im Sinne von »Dreizahl [von Menschen]«: Das Wort wurde Anfang des 18. Jh.s als musikalischer Fachausdruck aus gleichbed. it. *trio* entlehnt, einer Substantivbildung zu lat.-it. *tri-* »drei-« (vgl. *tri...*, *Tri...*).

Trip: Das aus gleichbed. engl. *trip* entlehnte Substantiv ist im Dt. seit dem 19. Jh. belegt. Die auch schon im Engl. vorliegende eigentliche Bedeutung »Reise, Fahrt; Ausflug« hängt zusammen mit dem Verb engl. *to trip* »trippeln«, das dem engl. Substantiv zugrunde liegt. Im Jargon hat das Wort in der 2. Hälfte des 20. Jh.s seine Bedeutung zu »Rauschzustand nach dem Genuss von Rauschgift, Drogen« erweitert, von dort ausgehend wird es jetzt auch abwertend in der Bedeutung »Phase, in der sich jmd. mit etw. Bestimmtem besonders intensiv beschäftigt« verwendet.

trippeln »kleine, schnelle Schritte machen«: Das seit dem 15. Jh. bezeugte, auf das dt. und niederl. Sprachgebiet beschränkte Verb ist lautnachahmenden Ursprungs wie ›trappen‹ und ›trappeln‹ (s. d.).

Tripper »Gonorrhö«: Das seit dem 17. Jh. bezeugte Substantiv ist eine Bildung (mit verhochdeutschtem Anlaut) zu niederd. *drippen* »tropfen, in Tropfen fallen«, das zu der unter ↑triefen behandelten Wortgruppe gehört. Das Wort bedeutet demnach eigentlich »Tropfer« (nach dem bei der Krankheit auftretenden eitrigen Ausfluss aus der Harnröhre).

trist »traurig, trostlos; öde; langweilig«: Das bereits in mhd. Zeit bezeugte Adjektiv (mhd. *triste*), das jedoch erst seit dem Ende des 18. Jh.s durch die Studentensprache allgemeinere Geltung erlangte, ist aus gleichbed. frz. (bzw. afrz.) *triste* entlehnt. Quelle des Wortes ist lat. *tristis* »traurig; finster gestimmt«.

Tritt: Das auf das dt. und niederl. Sprachgebiet beschränkte Substantiv mhd. *trit,* niederl. *tred* ist eine Bildung zu dem unter ↑treten behandelten Verb. Der formelhafte Ausdruck ›Schritt und Tritt‹ (17. Jh.) kehrt in vielen Redensarten wieder und setzt ›Schritt‹ und ›Tritt‹ in der Bedeutung gleich. – Zus.: **Trittbrett** »Fläche, Stufe vor der Tür eines Fahrzeugs, die das Ein- und Aussteigen erleichtert« (19. Jh.; ursprünglich aus Holz gefertigt).

Triumph »Siegesfreude, -jubel; Sieg, Erfolg; Genugtuung«: Das seit dem 15. Jh. bezeugte Fremdwort ist aus lat. *triumphus* »feierlicher Einzug des siegreichen Feldherrn, Siegeszug; Sieg« entlehnt. Das aus ›Triumph‹ hervorgegangene Wort ↑Trumpf zeigt eine für die Volkssprache charakteristische Vereinfachung in der Lautung. – Dazu: **triumphieren** »als Sieger einziehen; in Siegesjubel ausbrechen, frohlocken; Erfolg haben über jmdn.« (15. Jh.; aus entsprechend lat. *triumphare*); **triumphal** »sieghaft, herrlich« (19. Jh.; für älteres ›triumphalisch‹; aus entsprechend lat. *triumphalis*).

trivial »platt, abgedroschen, alltäglich, niedrig«: Das Adjektiv wurde im 17. Jh. aus gleichbed. frz. *trivial* entlehnt, das auf lat. *trivialis* »jedermann zugänglich, allbekannt, gewöhnlich« zurückgeht. Das zugrunde liegende Substantiv lat. *trivium* »Ort, wo drei Wege zusammenstoßen, Wegkreuzung; öffentlicher Weg« ist eine Bildung zu lat. *tri-* »drei-« (vgl. *tri...*, *Tri...*) und lat. *via* »Weg, Straße«.

trocken: Die auf das dt. Sprachgebiet beschränkte Adjektivbildung (mhd. *trucken,* ahd. *truckan*) ist im germ. Sprachbereich verwandt mit dem anders gebildeten niederl. *droog* »trocken« und mit engl. *dry* »trocken«. Die weiteren außergerm. Entsprechungen dieser Sippe sind unsicher. In der Ableitung **trocknen** sind zwei ursprünglich verschiedene Verben zusammengefallen, nämlich intransitives mhd. *truckenen,* ahd. *truckanēn* »trocken werden« und transitives mhd. *trücke[ne]n,* ahd. *trucknen* »trocken machen« (Bewirkungswort zu ›trocken‹). Beachte dazu auch **austrocknen** (16. Jh.) und **vertrocknen** (mhd. *vertruckenen*). Im heutigen Sprachgebrauch ist ›trocken‹ vor allem Gegenwort zu ›nass‹, wird aber auch vielfach übertragen verwendet, beachte z. B. ›trocken Brot, trockener Humor, trockener Husten‹. – Zus.: **Trockenbeere** »an der Rebe eingetrocknete Beere« (19. Jh.); **Trockendock** (s. unter *Dock*). Siehe auch den Artikel *Droge.*

Troddel »Quaste, Fransenbündel«: Das seit dem 15. Jh. bezeugte Wort beruht auf einer Bildung zu dem in mhd. Zeit untergegangenen Substantiv ahd. *trădo* »Franse, Quaste«, das außerhalb des Dt. keine Entsprechungen hat.

Trödel: Die Herkunft des seit dem 15. Jh. bezeugten Wortes für »Kleinhandel; Kleinkram, Altwaren« ist dunkel. – Abl.: [1]**trödeln** »mit altem Kram handeln« (16. Jh.), dazu **Trödler** »Altwarenhändler« (15. Jh.). Unklar ist das Verhältnis zu dem seit dem 16. Jh. bezeugten Verb [2]**trödeln** »Zeit verschwenden, langsam sein; sich langsam, ohne festes Ziel irgendwohin bewegen« (beachte dazu auch die Präfixbildung **vertrödeln** »[Zeit] trödelnd verbringen«).

Trog: Das altgerm. Substantiv mhd. *troc,* ahd. *trog,* niederl. *troch,* engl. *trough,* schwed. *tråg* gehört im Sinne von »hölzernes Gefäß, [ausgehöhlter] Baumstamm« zu dem unter ↑Teer behandelten idg. Wort für »Baum, Eiche«. Die Zusammensetzungen mit dem Wort weisen auf den jeweiligen Verwendungszweck hin, beachte z. B. ›Backtrog, Futtertrog, Waschtrog‹.

Troll »Kobold, Dämon«: Das im 17. Jh. aus dem Nord. (vgl. gleichbed. schwed. *troll*) entlehnte Substantiv hat sich mit einem heimischen Wort älter nhd. *Troll* (mhd. *troll* »grober, ungeschlachter Kerl«) vermischt, das wohl zu dem unter ↑trollen behandelten Verb zu stellen ist.

trollen, sich (ugs. für:) »fortgehen, sich entfernen«: Die Herkunft des seit mhd. Zeit bezeugten Verbs (mhd. *trollen*), das wahrscheinlich mit engl. *to troll* »umhergehen, hin und her gehen, rollen« verwandt ist, ist nicht sicher geklärt. Vielleicht gehört es zu der unter ↑zittern behandelten idg. Wortgruppe.

Trommel: Die nhd. Form geht auf gleichbed. mhd. *trumel* zurück, das von dem lautnachahmenden mhd. *trum[m]e* »Schlaginstrument« abgeleitet ist. – Zus.: **Trommelfell** »über die Trommel gespanntes Fell« (17. Jh.), »Häutchen, das den Gehörgang des Ohres abschließt« (18. Jh.); **Trommelfeuer** »anhaltendes, starkes Artilleriefeuer« (seit dem 1. Weltkrieg).

Trompete: Der Name des Blasinstrumentes (mhd. *trum[p]et*) ist aus gleichbed. frz. *trompette* entlehnt, einer Weiterbildung von (a)frz. *trompe* »Trompete«. Das Wort ist sehr wahrscheinlich germ. Ursprungs (vgl. ahd. *trumba,* mhd. *trumbe* »Posaune, Trompete«).

Tropen: Die seit dem Beginn des 19. Jh.s bezeugte geographische Bezeichnung für die heißen Zonen zwischen den Wendekreisen ist eine zuerst im Engl. vorkommende (beachte engl. [veraltet:] *trope* »Wende der Sonne am Sonnenwendkreis«) gelehrte Entlehnung aus griech. *tropḗ* (bzw. aus dem Plural *tropaí*) »Wende« (hier im Sinne von »Sonnenwende«). Dies gehört zu griech. *trépein* »wenden«. – Abl.: **tropisch** »die Tropen betreffend; südlich, heiß« (18. Jh.; von gleichbed. engl. *tropic*).

Tropf »einfältiger Mensch«: Das seit dem 15. Jh. gebräuchliche Substantiv gehört zu der unter ↑triefen behandelten Wortgruppe. Diese Bezeichnung eines einfältigen Menschen geht von der Vorstellung »nichtig, unbedeutend wie ein Tropfen« aus.

Tropfen: Das altgerm. Wort mhd. *tropfe,* ahd. *tropfo,* niederl. *drop,* engl. *drop,* schwed. *droppe* ist eine Bildung zu dem unter ↑triefen behandelten Verb. – Abl.: **tropfen** (mhd. *tropfen,* ahd. *tropfōn*), dazu die Weiterbildung **tröpfeln** (15. Jh.).

Tropfen

steter Tropfen höhlt den Stein
»Geduld und Hartnäckigkeit beseitigen auch unüberwindlich scheinende Hindernisse«
Das Sprichwort ist eine Übertragung von lat. *gutta cavat lapidem.*

Trophäe »Siegeszeichen; Jagdbeute«: Das seit dem 16. Jh. bezeugte Fremdwort wurde – wohl unter dem Einfluss von entsprechend frz. *trophée* – aus gleichbed. lat. *tropaeum* (< spätlat. *trophaeum*) entlehnt. Dies stammt seinerseits aus griech. *trópaion* »Siegeszeichen«, das zu griech. *trépein* »wenden; sich umwenden, die Flucht ergreifen« oder unmittelbar zu griech. *tropḗ* »Wendung; Flucht« gehört und ursprünglich wohl im Sinne von »Fluchtdenkmal« (d. h.: Denkmal, das an der Stelle, wo die Feinde geschlagen wurden und die »Flucht ergriffen«, errichtet wurde) zu verstehen ist.

Tross: Der früher in der militärischen Fachsprache verwendete Ausdruck für »die Truppe mit Munition und Verpflegung versorgender Wagenpark«, der heute auch im Sinne von »Gefolge, Anhang, Begleitung« verwendet wird, wurde in mhd. Zeit aus frz. *trousse* »Bündel, Gepäckstück« entlehnt. Dies gehört zu frz. *trousser* »aufladen (und festschnüren)«, das auf ein vlat. **forsare* »drehen« (zu lat. *torquere* »drehen, winden«; vgl. *Tortur*) zurückgeht. Die Bedeutungsentwicklung des frz. Verbs erklärt sich daraus, dass Lasten auf Tragtieren mit Seilen umwunden und so gesichert wurden. Siehe auch den Artikel *Trosse.*

Trosse »starkes Tau aus Hanf oder Draht«: Das seit dem Anfang des 19. Jh.s im Hochd. bezeugte Wort stammt aus dem Niederd. Das gleichbedeutende mnd. *trosse* (14. Jh.) ist entweder entlehnt aus frz. *trousse* »Bündel, Paket« (s. *Tross*) oder aus frz. *drosse* »Ruder-, Steuertau«, das über das Roman. (vgl. gleichbed. it. *trozza*) vielleicht auf lat. *tradux* »Weinranke, Reis« zurückgeht.

Trost: Das altgerm. Substantiv mhd., ahd. *trōst,* niederl. *troost,* schwed. *tröst* gehört mit dem anders gebildeten got. *trausti* »Vertrag, Bündnis« zu der unter ↑treu dargestellten idg. Wortgruppe.

Das Wort bedeutet demnach eigentlich »[innere] Festigkeit«, vgl. aisl. *traustr* »stark, fest«. – Abl.: **trösten** »Trost spenden« (mhd. *trœsten,* ahd. *trōsten*), dazu die Ableitung **Tröster** (mhd. *trœster* »Tröster; Helfer; Bürge« und in spezieller Bedeutung »Heiliger Geist«) und die Präfixbildung **vertrösten** »durch das Erwecken von Hoffnung hinhalten« (mhd. *vertrœsten,* ahd. *fertrōsten* »Bürgschaft leisten«); **tröstlich** »Trost gewährend« (mhd. *trœstelich*). Zus.: **trostlos** »ohne Trost« (mhd. *trōst[e]lōs,* ahd. *drōstolōs*). Siehe auch den Artikel *Trust.*

Trott »Trab«: Das seit dem 16. Jh. bezeugte Substantiv stammt wahrscheinlich aus dem Roman., vgl. ital. *trotto* »Trab« und frz. *trot* »Trab«, die zu it. *trottare* »traben« und frz. *trotter* »traben« gehören. Die roman. Wörter können ihrerseits zu der germ. Wortgruppe von ↑treten gehören. – Abl.: **trotten** »sich langsam, schwerfällig fortbewegen« (16. Jh.), dazu die Weiterbildung **trotteln** »mit kleinen Schritten langsam und unaufmerksam gehen« (16. Jh.). Siehe auch den Artikel *Trottel.*

Trottel »Schwachsinniger, Dummkopf«: Das im 19. Jh. aus dem Oberd. in die Schriftsprache gelangte Wort gehört wahrscheinlich im Sinne von »Mensch mit täppischem Gang« zu den unter ↑Trott behandelten Verben ›trotten, trotteln‹ (beachte das Verhältnis von ›Trampel‹ zu ›trampeln‹).

Trotz »Widersetzlichkeit, Unfügsamkeit, Widerspruchsgeist«: Das nur dt. Wort (mhd. *traz,* oberd. *truz,* mitteld. *trotz*) ist dunklen Ursprungs. Während ›Tratz‹ zu Beginn des 17. Jh.s ausstarb, sind ›Trotz‹ und ›Trutz‹ – in der Bedeutung differenziert – heute noch gebräuchlich, ›Trutz‹ allerdings nur noch in bestimmten Verbindungen wie ›zu Schutz und Trutz‹ und ›Schutz-und-Trutz-Bündnis‹. Aus Wendungen wie ›Trotz sei ...‹, ›zu[m] Trotz‹ entwickelte sich seit dem 16. Jh. die Verwendung von ›Trotz‹ als Präposition **trotz,** der Entstehung gemäß ursprünglich mit dem Dativ, dann mit dem Genitiv (18. Jh.), beachte aber **trotzdem** (19. Jh.; als unterordnende Konjunktion entstanden aus ›..., trotz dem, dass ...‹) sowie die festen Fügungen ›trotz allem‹ und ›trotz alledem‹.

trüb[e]: Das auf das dt. und niederl. Sprachgebiet beschränkte Adjektiv (mhd. *trüebe,* ahd. *truobi,* niederl. *droef;* beachte das anders gebildete aengl. *drōf*) ist wahrscheinlich eine Rückbildung aus dem altgerm. Verb **trüben** (mhd. *trüeben* »trüb machen, betrüben«, ahd. *truoben* »verwirren, in Unruhe bringen«, got. *drōbjan* »irremachen, aufwiegeln«, mniederl. *droeven* »trüb sein«, aengl. *drēfan* »Unruhe machen«). Das Adjektiv bedeutete demnach ursprünglich »aufgerührt, aufgewühlt«. Das altgerm. Verb gehört mit verwandten Wörtern in anderen idg. Sprachen zu der idg. Wrzel **dher[ə]-* »trüber Bodensatz einer Flüssigkeit, Schmutz«, vgl. z. B. russ. *drožži* »Hefe« und lit. *dérgti* »beschmutzen«; es bedeutete demnach ursprünglich »den Bodensatz aufrühren«. Zu dieser Wurzel gehören auch die unter ↑Treber und ↑Trester behandelten Wörter. – Zusammensetzungen mit ›trüb‹: **Trübsinn** »krankhafte Schwermut« (18. Jh.; entweder aus ›trübsinnig‹ rückgebildet oder in Analogie zu älteren Bildungen mit ›Sinn‹); **trübsinnig** (18. Jh.). – Ableitungen von ›trüben‹: **Trübsal** »Leiden, Kummer« (mhd. *trüebesal,* ahd. *truobisal;* dazu **trübselig** (16. Jh.; älter bezeugt ist die Ableitung **Trübseligkeit,** 15. Jh.). Präfixbildung zu ›trüben‹: **betrüben** »Kummer bereiten« (mhd. *betrüeben* auch »verdunkeln, trübe machen«), dazu das adjektivisch gebrauchte 2. Partizip **betrübt** und das Adjektiv **betrüblich** (16. Jh.).

trüb[e]

im Trüben fischen
»unklare Zustände zum eigenen Vorteil ausnutzen«
Die Wendung ist wohl von der früheren Gewohnheit der Fischer herzuleiten, den Schlamm am Ufer aufzuwühlen, um Fische, vor allem Aale, aufzuscheuchen und in ihre Netze zu treiben.

Trubel »lärmendes Treiben; wirres Durcheinander«: Das Wort wurde im 17. Jh. aus frz. *trouble* »Verwirrung; Unruhe« entlehnt. Dies gehört zu frz. *troubler* »trüben; verwirren, beunruhigen«, das auf vlat. **turbulare* (für lat. *turbidare* »trüben«) beruht. Zugrunde liegt lat. *turba* »Verwirrung; Lärm, Schar, Haufe« bzw. das davon abgeleitete Adjektiv lat. *turbidus* »verwirrt, unruhig«. Über weitere etymologische Zusammenhänge vgl. *turbulent.*

Trübsal

Trübsal blasen
(ugs.) »in trauriger Stimmung sein«
Die Herkunft der Wendung ist nicht sicher geklärt. Vielleicht steht ›Trübsal blasen‹ für das landschaftlich gebräuchliche ›Trauer blasen‹ und meint eigentlich »Trauermusik (bei jemandes Tod) blasen«.

Truchsess »[oberster] Hofbeamter, der den Tafeldienst am Hofe versieht« (im Mittelalter): Die auf das dt. Sprachgebiet beschränkte Bildung (mhd. *truh[t]sæȥe,* ahd. *truh[t]sāȥ[ȥ]o*) enthält als Bestimmungswort mhd., ahd. *truht* »Schar« (entsprechend aengl. *dryht* »Volk, Menge«, aisl. *drōtt* »Schar, Gefolge«). Das Grundwort, das u. a. heute noch in dem Wort ›Insasse‹ bewahrt ist, gehört zu der unter ↑sitzen behandelten Wortgruppe. ›Truchsess‹ bezeichnete demnach ursprünglich einen Mann, der in einer Schar, in einem Gefolge einen Sitz hat und zu den nächsten Vertrauten

T

gehört. Mit der Zeit wurde das Amt des Truchsessen, das ursprünglich die gesamte Hausverwaltung des Fürsten umfasste, abgewertet und auf die Aufsicht und Bedienung bei der Tafel beschränkt.

trudeln »langsam und ungleichmäßig rollen; sich um sich selbst drehend langsam fallen«: Die Herkunft des seit dem 18. Jh. zuerst im Niederd. bezeugten Verbs ist dunkel. Vielleicht besteht eine Beziehung zu dem unter ↑Trödel behandelten Verb [2]trödeln »sich langsam und ohne festes Ziel irgendwohin bewegen«. Die landsch. Verwendung im Sinne von »würfeln« bezieht sich auf die »trudelnde« Bewegung des rollenden Würfels.

Trüffel: Der seit dem 18. Jh. bezeugte Name des zu den Schlauchpilzen gehörenden essbaren Erdschwamms ist aus einer Nebenform *truffle* von gleichbed. frz. *truffe* entlehnt. Das frz. Wort geht durch it. oder aprovenz. Vermittlung auf vlat. *tufera* zurück, das auf einer italischen Dialektform (oskisch-umbrisch) **tūfer* von klass.-lat. *tuber* »Höcker, Beule, Geschwulst; Wurzelknollen; Erdschwamm, Trüffel« beruht. Die Trüffel ist also nach ihrem unterirdischen, knollenartigen (kartoffelförmigen) Fruchtkörper benannt. – Siehe auch den Artikel *Kartoffel.*

trügen »irreführen, täuschen«: Das auf das dt. und niederl. Sprachgebiet beschränkte Verb (mhd. *triegen,* ahd. *triugan,* mniederl. *driegen*) ist im germ. Sprachbereich eng verwandt mit aisl. *draugr* »Gespenst« und weiterhin mit dem unter ↑Traum (eigentlich etwa »Trugbild«) behandelten Substantiv. Außergerm. sind z. B. verwandt aind. *drúhyati* »sucht zu schaden, tut zuleide«, awest. *druj-* »Lüge, Trug« und mir. *aur-ddrach* »Gespenst«. Zum Verb gebildet ist das Substantiv **Trug** (16. Jh.; für älteres mhd. *trüge,* ahd. *trugī;* heute nur noch in der Fügung ›Lug und Trug‹), dazu die Zusammensetzung **Trugbild** (mhd. *trugebilde* »Teufelsbild, Gespenst«, ahd. *trugebilde* »täuschendes Bild«, im 18. Jh. wohl neu gebildet als Ersatz für ›Phantom‹) und **Trugschluss** »irreführender Schluss« (18. Jh.). Von dem heute veralteten Substantiv ›Trüger‹ ist das Adjektiv **trügerisch** »irreführend, täuschend, unwirklich« (16. Jh.) abgeleitet. Präfixbildung zu ›trügen‹: **betrügen** »bewusst täuschen; hintergehen« (mhd. *betriegen,* ahd. *bitriugan*), dazu **Betrug** »bewusste Täuschung« (16. Jh.; für mhd. *betroc*). Das ü in ›trügen‹ und ›betrügen‹ hat sich erst im 19. Jh. völlig durchgesetzt (zuvor *[be]triegen*).

Truhe »kastenartiges Möbelstück mit aufklappbarem Deckel«: Mhd. *truhe, truche,* ahd. *truha, trucha* ist mit ↑Trog verwandt und gehört wie dieses im Sinne von »hölzernes Gefäß« zu dem unter ↑Teer behandelten idg. Wort für »Baum, Eiche«.

Trümmer »[Bruch]stücke«: Das Wort ist die Pluralform (seit dem 15. Jh.) zu dem heute nur noch ugs. und mdal. gebräuchlichen **Trumm** »Ende, Stück; Fetzen; kleiner Erzgang« (mhd., ahd. *drum* »Endstück, Splitter«, entsprechend niederl. *drom* »Menge, Haufen«, engl. *thrum* »Stück, Ende, Saum«, schwed. mdal. *trum* »Klotz, Strunk«). Die weitere Herkunft dieses altgerm. Wortes ist unklar. Die nhd. Form mit t- ist seit dem 15. Jh. bezeugt.

Trumpf: Das seit dem 16. Jh. bezeugte Substantiv, das aus dem Fremdwort ↑Triumph durch (in der Volkssprache vollzogene) Lautvereinfachung hervorgegangen ist, ist von Anfang an ein Ausdruck der Kartenspieler. Es bezeichnet dabei eine der [wahlweise] höchsten Karten eines Spiels, mit denen Karten anderer Farbe gestochen werden können. Diese spezielle Bedeutung hat das Wort von dem unserem Fremdwort ›Triumph‹ entsprechenden frz. Wort *triomphe* übernommen. Gelegentlich wird ›Trumpf‹ aber auch in einem übertragenen Sinne gebraucht, ohne dass dabei jedoch der unmittelbare Bezug zum Kartenspiel verloren geht. Beachte z. B. Wendungen wie ›seine Trümpfe gegen jemanden ausspielen‹. Noch deutlicher wird dieser bildliche Gebrauch an den Zusammensetzungen **auftrumpfen** »sich stark machen, nachdrücklich seinen Standpunkt vertreten« (18. Jh.; im eigentlichen Sinne bereits für das 16. Jh. bezeugt) und **übertrumpfen** »eine mit Trumpf gestochene Karte überstechen; jemanden überbieten, ausstechen« (19. Jh.). Beide Zusammensetzungen gehören zu dem von ›Trumpf‹ abgeleiteten einfachen Verb **trumpfen** »Trumpf ausspielen, mit Trumpf stechen« (16. Jh.).

Trunk »Getränk (das man gerade zu sich nimmt); gewohnheitsmäßiger Genuss von Alkohol«: Das altgerm. Substantiv mhd. *trunc,* ahd. *trunk,* niederl. *dronk,* engl. *drink* (beachte das Fremdwort ›Drink‹ »alkoholisches [Misch]getränk«), schwed. *dryck* ist eine Bildung zu dem unter ↑trinken behandelten Verb. – Abl.: **Umtrunk** »gemeinsames Trinken in einer Runde« (17. Jh.).

trunken »stark berauscht; rauschhaft von etwas erfüllt«: Das gemeingerm. Wort mhd. *trunken,* ahd. *trunchan, trunkan,* got. *drugkans,* engl. *drunk[en],* aisl. *drukkenn* ist ein altes Partizipialadjektiv zu dem unter ↑trinken behandelten Verb. – Abl.: **Trunkenheit** »Rausch, Betrunkensein« (mhd. *trunkenheit,* ahd. *drunkanheit*); **Trunkenbold** »Trinker, Säufer« (mhd. *trunkenbolt, zum* zweiten Bestandteil vgl. den Artikel *bald*).

Trupp »Schar, Haufen, Gruppe (besonders von Soldaten)«: Das Wort wurde im 17. Jh. aus gleichbed. frz. *troupe* entlehnt. Aus dem gleichen frz. Wort, jedoch unabhängig von ›Trupp‹ entlehnt, stammt das Lehnwort **Truppe** »[größerer] militärischer Verband, Heeresabteilung, das Landheer im Kampfeinsatz« (17. Jh.), in dem das feminine Geschlecht von frz. *troupe* bewahrt ist. Die Herkunft des frz. Wortes ist nicht gesichert.

Trust: Die Bezeichnung für einen »Zusammenschluss von wirtschaftlichen Unternehmungen zum Zwecke der Monopolisierung, wobei die einzelnen Unternehmen ihre rechtliche und wirtschaftliche Selbstständigkeit aufgeben« wurde im ausgehenden 19. Jh. aus gleichbed. engl.-amerik. *trust* entlehnt, das als Kurzbezeichnung für ›trust-company‹ (wörtlich etwa »Treuhandgesellschaft«) steht. Zugrunde liegt engl. *trust* »Vertrauen; Treuhand usw.«, das aus dem mit dt. ↑Trost verwandten Substantiv aisl. *traust* »Zuversicht« stammt.

Truthahn: Die seit dem 17. Jh. bezeugte Bezeichnung für den Puter, der im 16. Jh. aus Amerika eingeführt wurde, enthält als ersten Bestandteil den Ruf ›trut!‹, mit dem man den Vogel anlockte, vgl. den Lockruf ›put!‹, zu dem ↑*Pute* gebildet ist.

Tschako: Die Bezeichnung für den früher im Heer und dann auch bei der Polizei getragenen zylinderartigen Helm wurde im 18. Jh. aus gleichbed. ung. *csákó* entlehnt.

tschilpen ↑schilpen.

tschüs!, (auch:) **tschüss!** Der Abschiedsgruß ist gekürzt aus der im Niederd. seit dem Anfang des 20. Jh.s bezeugten Form *atschüs!,* die durch Erweichung des j aus niederd. *adjüs* (dafür auch kurz: *tjüs*) entstanden ist. Diesem liegt wohl der früher bei Seeleuten beliebte span. Abschiedsgruß *adiós* zugrunde (= *a diós* »zu Gott«). Über weitere etymologische Zusammenhänge vgl. den Artikel *adieu!*

T-Shirt: »kurzärmeliges Oberteil aus Trikot«: Das Substantiv wurde in der 2. Hälfte des 20. Jh.s aus gleichbed. engl. *T-shirt* entlehnt. Dort wurde es vermutlich nach dem T-förmigen Schnitt benannt.

Tube »röhrenförmiger, biegbarer Behälter (für Farben, Salben u. a.)«: Das Wort wurde im 19. Jh. aus gleichbed. engl. *tube* entlehnt, das über frz. *tube* auf lat. *tubus* »Röhre« zurückgeht. Beachte dazu den medizinischen Fachausdruck **Tubus** »Röhrchen, das [für Narkosezwecke] in die Luftröhre eingeführt wird« und **Intubation** »das Einführen eines Tubus«. – Neben dem Maskulinum lat. *tubus* steht das Femininum lat. *tuba* »Röhre; Kriegstrompete«, aus dem im 18. Jh. **Tuba** »Kriegstrompete«, dann auch »tief tönendes Blasinstrument« übernommen wurde.

Tuberkel: Die medizinisch-fachsprachliche Bezeichnung für »knötchenförmige, umschriebene Zellwucherung im Organismus, hervorgerufen durch Bazillen« ist eine gelehrte Entlehnung des 19. Jh.s aus lat. *tuberculum* »kleiner Höcker, kleine Geschwulst«, einer Verkleinerungsbildung zu lat. *tuber* »Höcker, Beule, Geschwulst«. – Dazu stellen sich das Adjektiv **tuberkulös** »mit Tuberkeln durchsetzt; an Tuberkulose leidend, schwindsüchtig« (19. Jh.; nach entsprechend frz. *tuberculeux*) und die Krankheitsbezeichnung **Tuberkulose** »durch Tuberkelbazillen hervorgerufene chronische Infektionskrankheit« (19. Jh.; nlat. Bildung).

Tuch: Das auf das dt. und niederl. Sprachgebiet beschränkte Wort (mhd., ahd. *tuoch,* niederl. *doek*) ist dunklen Ursprungs. Die im Dt. üblichen verschiedenen Pluralformen ›Tuche‹ »Tucharten« und ›Tücher‹ »Tuchstücke (für einen bestimmten Zweck)« sind erst im 19. Jh. bedeutungsmäßig streng geschieden worden.

Tuchfühlung

mit jmdm. Tuchfühlung aufnehmen/halten (ugs.) »mit jmdm. Verbindung aufnehmen/in Verbindung bleiben«
Diese und die folgende Wendung gehen auf die Soldatensprache zurück: ›auf Tuchfühlung‹ heißt dort (von den in Reih und Glied stehenden Soldaten) »so dicht, dass das Tuch der Uniform das des Nebenmannes berührt«.

[mit jmdm.] auf Tuchfühlung gehen/kommen (ugs., scherzh.) »[mit jmdm.] in engeren [körperlichen] Kontakt kommen«
Vgl. die vorangehende Wendung.

tüchtig »fähig, wertvoll; viel«: Das Adjektiv mhd. *tühtic* ist eine Bildung zu dem im Nhd. untergegangenen Substantiv mhd., ahd. *tuht* »Tüchtigkeit, Tapferkeit, Gewalt«, das zu der unter ↑taugen behandelten Wortgruppe gehört. Dt. *tüchtig* entsprechen niederl. *duchtig* »tüchtig; gehörig« und engl. *doughty* »tapfer, tüchtig«. – Abl.: **Tüchtigkeit** (mhd. *tühtecheit*). Für die vereinzelt auftretende verbale Ableitung ›tüchtigen‹ wird heute **ertüchtigen** »leistungsfähig machen, stählen« (19. Jh.) gebraucht.

Tücke: Mhd. *tücke, tucke* »Handlungsweise, Benehmen, Tun, Gewohnheit; Arglist, Tücke« ist entweder eine Femininbildung zu dem Maskulinum mhd. *tuc* »Schlag, Stoß, Streich; schnelle Bewegung, Gebärde; Handlungsweise, Benehmen, Tun, Gewohnheit; listiger Streich, Kunstgriff, Arglist« oder hat sich aus dem Plural dieses Wortes verselbstständigt. Seine heutige abschätzige Bedeutung erhielt das Substantiv durch die Zusammenstellung mit abwertenden Adjektiven.

tuckern ugs. für: »[schmerzhaft] pochen, zucken; ein gleichmäßig aufeinander folgendes dumpfes Geräusch von sich geben«: Die Herkunft des aus dem Niederd. stammenden Verbs ist nicht sicher geklärt. Wahrscheinlich sind darin ein Wort lautnachahmenden Ursprungs – wie z. B. ›ticken‹ und ›tacken‹ – und ein Wort, das zu der unter ↑zucken behandelten Wortgruppe gehört, zusammengeflossen.

tüfteln »schwierige, kleinliche Arbeit leisten; grübeln«: Das erst seit dem 18. Jh. bezeugte Verb ist dunkler Herkunft. – Abl.: **Tüftelei** »Arbeit, die besondere Geschicklichkeit erfordert, schwierige Überlegung« (19. Jh.); **Tüft[e]ler** »jemand, der gerne tüftelt«, (18. Jh.); **tüft[e]lig** »kleinlich, übergenau bei der Arbeit« (19. Jh.). Beachte auch die Zusammensetzungen **austüfteln** »herausfinden«

(19. Jh.), **herumtüfteln** »an einer Sache langwierig arbeiten« (20. Jh.).

Tugend: Das westgerm. Substantiv mhd. *tugent,* ahd. *tugund,* niederl. *deugd,* aengl. *dugud* gehört mit dem anders gebildeten schwed. *dygd* zu dem unter ↑taugen behandelten Verb und bedeutete ursprünglich »Tauglichkeit, Kraft, Vortrefflichkeit«. Unter dem Einfluss der Anschauungen des Christentums bekam das Wort einen sittlichen Sinn (als Gegensatz zu ›Laster‹).

Tüll »netzartiges Gewebe«: Das Wort wurde im 19. Jh. aus gleichbed. frz. *tulle* entlehnt. Die Bezeichnung beruht auf dem Namen der französischen Stadt Tulle, in der solches Gewebe zuerst hergestellt wurde.

Tülle: Die landsch. Bezeichnung für die kleine Röhre zum Ausgießen an einer Kanne oder einem Krug und für den röhrenartigen Teil eines Gerätes oder dergleichen (mhd. *tülle,* ahd. *tulli* »röhrenförmige Verlängerung der Pfeil- oder Speerspitze«) gehört zu der unter ↑Tal behandelten idg. Wurzel **dhel-* »Biegung, Höhlung, Wölbung« und ist verwandt mit ↑Delle und ↑²tollen.

Tulpe: Der Name der im 16. Jh. aus dem Vorderen Orient nach Europa eingeführten Blume taucht zuerst in Reiseberichten des 16. Jh.s als ›Tulipa[n]‹ auf. Durch niederl. Vermittlung erscheint im 17. Jh. die Form ›Tulpe‹, die später allgemein üblich wurde. Der aus dem Türk. stammende Pflanzenname ist in fast allen europäischen Sprachen vertreten, vgl. z. B. entsprechend it. *tulipano,* frz. *tulipe* (älter: *tulipan*), span. *tulipán,* port. *tulipa,* engl. *tulip,* niederl. *tulp[e],* schwed. *tulpan* u. a. Diese alle gehen letztlich auf pers.-osmanisch *tülbant, tülbent* »Turban« zurück. Die Pflanze ist also (von Europäern) nach ihrem turbanförmigen Blütenkelch benannt worden.

...tum: Das altgerm. Suffix mhd., ahd. *-tuom,* niederl. *-dom,* engl. *-dom,* schwed. *-dom* war ursprünglich ein selbstständiges Wort, das erst im Nhd. unterging: mhd., ahd. *tuom* »Macht; Würde, Besitz; Urteil«, got. *dōms* »Urteil, Ruhm«, aengl. *dōm* »Urteil, Gesetz«, schwed. *dom* »Urteil«. Dieses gemeingerm. Wort gehört zu der unter ↑tun dargestellten idg. Wurzel. – Beachte z. B. die Bildungen ›Altertum‹ (↑alt), ›Königtum‹ (↑König), ›Irrtum‹ (↑irr[e]), ›Eigentum‹ (↑eigen).

tummeln »lebhaft bewegen; (veraltet:) ausreiten«: Das auf das dt. Sprachgebiet beschränkte Verb mhd., ahd. *tumelen* gehört zu dem unter ↑taumeln behandelten Wort. – Zus.: **Tummelplatz** »Vergnügungsplatz« (16. Jh.; zuerst als »Reitbahn«, dann als »Kampfplatz«, seit dem 17. Jh. auch übertragen). Siehe auch die Artikel *Tümmler* und *Getümmel.*

Tümmler: Der Name des delphinähnlichen Säugetiers ist seit dem 18. Jh. zuerst im Niederd. belegt. Das Wort gehört zum Verb ↑tummeln in dessen heute veralteter Bedeutung »tanzen, springen, Purzelbaum schlagen« und bezieht sich auf das lebhafte Gebaren des Tieres im Wasser. Auch eine Rassengruppe von Haustauben, von denen die Vertreter mancher Rassen sich im Fluge mehrmals rückwärts überschlagen können, wird seit dem 18. Jh. als ›Tümmler‹ bezeichnet (beachte dazu gleichbed. engl. *tumbler* [zu engl. *to tumble* »sich heftig, lebhaft hin und her bewegen«] bzw. niederl. *tuimelaar* [zu niederl. *tuimelen* »purzeln, stürzen«]).

Tumor: Der medizinisch-fachsprachliche Ausdruck für »Geschwulst« ist eine gelehrte Entlehnung neuerer Zeit aus lat. *tumor* »das Anschwellen, die Geschwulst«. Dies gehört seinerseits zu lat. *tumere* »geschwollen sein«, das mit lat. *tumultus* »Unruhe, Lärm; Aufruhr« (s. *Tumult*) verwandt ist und im außeritalischen Sprachraum z. B. mit dt. ↑Daumen.

Tümpel »Wasserlache, Pfütze«: Die heute gemeinsprachliche, ursprünglich mitteld. Form *Tümpel,* die sich erst im 19. Jh. in der Schriftsprache allgemein durchgesetzt hat, entspricht älterem hochd. *Tümpfel* (mhd. *tümpfel,* ahd. *tumphilo*). Die auf das dt. Sprachgebiet beschränkte Substantivbildung gehört im Sinne von »Vertiefung« zu der Wortgruppe von ↑tief und ist z. B. verwandt mit engl. *dump* »tiefes, mit Wasser gefülltes Loch«, engl. *dimple* »Wangengrübchen« und norw. *dump* »Vertiefung in der Erde«, außergerm. z. B. mit lit. *dumburỹs* »Einsenkung, Grube, Wasserloch«.

Tumult »Lärm, Unruhe; Auflauf, Aufruhr«: Das seit dem 15. Jh. bezeugte Fremdwort ist aus gleichbed. lat. *tumultus* entlehnt. Dies ist mit lat. *tumere* »geschwollen sein« verwandt. Siehe auch den Artikel *Tumor.*

tun: Das westgerm. Verb mhd., ahd. *tuon,* niederl. *doen,* engl. *to do* gehört mit verwandten Wörtern in anderen idg. Sprachen zu der vielfach weitergebildeten idg. Wurzel **dhē-* »setzen, legen, stellen«, vgl. z. B. aind. *dádhāti* »setzt, stellt, legt«, griech. *tithénai* »setzen, stellen, legen«, griech. *théma* »hinterlegtes Geld, aufgestellte Behauptung, Satz« (↑Thema), griech. *thésis* »Satzung, Satz, Ordnung« (↑These), griech. *thḗkē* »Kiste, Behältnis« (↑Theke), lat. *addere* »hinzufügen« (↑addieren), lat. *facere* »tun, machen« (s. die Fremdwortgruppe um *Fazit*). Aus dem germ. Sprachbereich gehören ferner zu dieser Wurzel die unter ↑Tat und ↑...tum behandelten Wörter (s. auch *Ungetüm*). – Abl.: **tunlich** »zu tun, zum Tun geeignet, möglich« (16. Jh.). Präfixbildungen und Zusammensetzungen: **abtun** »ablegen, erledigen« (mhd. *abetuon* »eine Sache aufgeben«); **antun** »anlegen; zufügen« (mhd. reflexiv für »sich ankleiden«, ahd. *anatuon* »auferlegen, zufügen«); zu einem heute veralteten Verb ›betun‹, sich »sich geschäftig zeigen« stellt sich das Adjektiv **betulich** »in umständlicher Weise freundlich und geschäftig« (18. Jh.); **umtun** »umlegen«; reflexiv für »sich umsehen, bemühen« (16. Jh.);

T

vertun »vergeuden« (mhd. *vertuon,* ahd. *fertuon*); **zutun** »hinzufügen« (mhd., ahd. *zuotuon*), dazu der substantivierte Infinitiv **Zutun** »Beihilfe« (seit dem 14. Jh.) und das Substantiv **Zutat** (im 16. Jh. »zweckvolles Tun«; in der Bedeutung »das Hinzugetane« heute meist im Plural **Zutaten** [18. Jh.]). Siehe auch den Artikel *Witwe.*

tünchen: Das schwache Verb mhd. *tünchen,* ahd. *(mit kalke) tunihhōn* »mit Kalk bestreichen, verputzen« bedeutet eigentlich etwa »bekleiden, verkleiden« und ist eine Ableitung von ahd. *tunihha* »Gewand, Kleid«. Dies ist aus lat. *tunica* »Untergewand; Haut, Hülle« entlehnt (über weitere etymologische Zusammenhänge vgl. den Artikel *Kattun*).

tunken landsch. für »(in eine Flüssigkeit) eintauchen«: Das auf das dt. Sprachgebiet beschränkte Verb mhd. *tunken,* ahd. *thunkōn* gehört mit verwandten Wörtern in anderen idg. Sprachen zu der idg. Wurzel **teng-* »benetzen, anfeuchten«, vgl. z. B. lat. *tingere, tinctum* »benetzen, anfeuchten; färben« (↑Tinte), lat. *tinctura* »Färben« (↑Tinktur) und griech. *téggein* »benetzen, befeuchten«.

Tunnel »unter der Erde angelegter, durch einen Berg führender Verkehrsweg«: Das Wort wurde im 19. Jh. aus engl. *tunnel* »unterirdischer Gang, Stollen; Tunnel« entlehnt, das seinerseits aus afrz. *tonnel* (= frz. *tonnelle*) »Tonnengewölbe; Fass« stammt. Dies ist eine kollektive Femininbildung zu frz. *tonneau* »Fass, Tonne« (vgl. den Artikel *Tonne*).

Tüpfel »Punkt, runder Fleck«: Das seit dem 15. Jh. bezeugte Wort ist eine Verkleinerungsbildung zu dem noch im Oberd. gebräuchlichen **Tupf** »Punkt, Fleck« (mhd. *topfe,* ahd. *topho*). Dieses Substantiv gehört im Sinne von »[leichter] Stoß, Schlag« zu der unter ↑stoßen dargestellten idg. Wurzel **[s]teu-* »stoßen, schlagen«. Es hat sein u im Nhd. durch Anlehnung an das unverwandte ›tupfen‹ erhalten. Die Verkleinerungsbildung **Tüpfelchen** »kleiner Punkt« ist besonders in der Redewendung ›das Tüpfelchen auf dem i‹ »die Zutat, die einer Sache noch die letzte Abrundung gibt« gebräuchlich.

tupfen »benetzen, sprenkeln; leicht stoßen«: Das westgerm. Verb ahd. *tupfen,* niederl. *dippen,* engl. *to dip* gehört mit der nord. Sippe von schwed. *doppa* »[ein]tauchen, tunken« zu der unter ↑tief behandelten Wortgruppe und bedeutet demnach eigentlich »tief machen, eintauchen«. In der Bedeutung wurde ›tupfen‹ schon früh von ›stupfen‹ »[an]stoßen« beeinflusst, sodass die beiden Wörter in ihrer Bedeutung nicht mehr streng geschieden werden können. Beachte die Präfixbildung **betupfen** »tupfend berühren« (18. Jh.). Siehe auch den Artikel [2]*tippen.*

Tür: Das altgerm. Substantiv mhd. *tür,* ahd. *turi,* niederl. *deur,* aengl. (u-Stamm) *duru,* schwed. *dörr* beruht mit verwandten Wörtern in anderen idg. Sprachen auf idg. **dhu̯ĕr-, *dhur-* »Tür«, vgl. z. B. griech. *thýrā* »Tür, Torflügel« und lit. *dùrys* »Tür, Pforte«. Mit ›Tür‹ eng verwandt ist im germ. Sprachbereich das unter ↑[1]Tor behandelte Wort. – Zus.: **Türangel** »Drehzapfen, an dem die Tür hängt« (15. Jh.; zum zweiten Bestandteil s. *Angel*).

Turban: Die Bezeichnung für die aus einem in bestimmter Weise um den Kopf geschlungenen langen, schmalen Tuch [mit kleiner, eng anliegender Kappe darunter] bestehende Kopfbedeckung besonders der Moslems und Hindus wurde während der Türkenkriege des 16. Jh.s – zuerst als ›Tulban[t], Turban[t]‹ – aus gleichbed. türk. *tülbent* entlehnt, das seinerseits aus gleichbed. pers. *dulband* stammt.

Turbine: Die Bezeichnung für »Kraftmaschine, die Strömungsenergie mithilfe eines Schaufelrades unmittelbar in Drehenergie umsetzt« wurde im 19. Jh. aus gleichbed. frz. *turbine* übernommen. Dies ist eine gelehrte Entlehnung aus lat. *turbo, turbinis* »Wirbel; Sturm; Kreisel«, das mit lat. *turba* »Verwirrung; Lärm; Gedränge« verwandt ist (vgl. *turbulent*).

turbulent »stürmisch, lärmend«: Das seit dem 15. Jh. vereinzelt bezeugte, seit dem 18. Jh. gebräuchliche Adjektiv ist aus lat. *turbulentus* »unruhig, bewegt, stürmisch usw.« entlehnt. Stammwort ist lat. *turba* »Verwirrung; Lärm; Gedränge; Schar, Haufe«, das zusammen mit lat. *turbo (turbinis)* »Wirbel; Sturm; Kreisel« (↑Turbine) zu der unter ↑Quirl genannten idg. Wortfamilie gehört. Beachte auch das Lehnwort *Trubel.*

Türkenbund: Die Lilienart wird im 17. Jh. nach ihrer Blüte benannt, die einem Turban (älter nhd. *Türkenbund,* s. *Bund*) ähnelt.

Türkis: Der Name des blauen bis blaugrünen Edelsteins erscheint in dt. Texten seit mhd. Zeit (mhd. *turkīs, turkoys*). Er ist aus frz. *turquoise* entlehnt, dem substantivierten Femininum des afrz. Adjektivs *turquois* »türkisch« und bedeutet demnach eigentlich »türkischer (Edelstein)«. Vermutlich fand man die ersten Türkise in der Türkei und benannte sie dementsprechend. Der gleiche Name ist auch in anderen europäischen Sprachen üblich, beachte z. B. entsprechend it. *turchina,* span. *turquesa,* niederl. *turkoois* und engl. *turquoise.*

Turm: Das Substantiv mhd. *turn,* jünger: *turm,* spätahd. *torn* ist durch Vermittlung von afrz. **torn* »Turm« (das man wegen der Verkleinerungsbildung frz. *tournelle* »Türmchen« voraussetzen muss) aus dem Akkusativ *turrim* von lat. *turris* »Turm« entlehnt. Auf einer älteren Entlehnung unmittelbar aus dem Lat. beruhen demgegenüber die untergegangenen Formen ahd. *turri, turra.* – Abl.: [1]**türmen** »turmähnlich aufbauen« (mhd. *turnen, türnen;* jünger: *turmen* »mit einem Turm versehen«), dafür heute das zusammengesetzte Verb **auftürmen** (auch reflexiv gebraucht). – Damit nicht verwandt ist das in der Umgangssprache weit verbreitete, aus der Gaunersprache stammende Verb [2]**türmen** »weglaufen, ausreißen, abhauen« (20. Jh.).

turnen: Das zu Beginn des 19. Jh.s von Fr. L. Jahn als angeblich urdeutsches Wort in die Sportsprache eingeführte Verb ist eine Bildung zu dem in ahd. *turnēn* »drehen, wenden« und auch in frühnhd. *Turner* »junger Soldat; munterer Geselle« vorliegenden Wortstamm. In Wirklichkeit handelt es sich bei diesen Wörtern um Lehnwörter: Ahd. *turnēn* stammt aus lat. *tornare* »mit dem Dreheisen runden, drechseln« (vgl. den Artikel *Turnus* und das Kapitel zur Sprachgeschichte *Der deutsche Wortschatz im 18. und 19. Jahrhundert*). – Abl.: **Turner** »jemand, der turnt« (19. Jh.).

Turnier »sportlicher Wettkampf«: Das seit mhd. Zeit bezeugte Substantiv, mhd. *turnier, turnīr* »ritterliches Waffenspiel, Kampfspiel, Wettkampf«, ist eine Bildung zu mhd. *turnieren* »die Pferde bewegen, im Kreis laufen lassen; am ritterlichen Kampfspiel teilnehmen«. Dies ist entlehnt aus afrz. *torn[e]ier, tourn[o]ier* »Drehungen, Bewegungen machen; die Pferde bewegen, im Kreis laufen lassen; am ritterlichen Kampfspiel teilnehmen«, das von afrz. *torn* »Dreheisen; Drehung, Wendung« (< lat. *tornus* »Dreheisen«, vgl. *Turnus*) abgeleitet ist.

Turnus »festgelegte, bestimmte Wiederkehr, regelmäßiger Wechsel; Reihenfolge«: Das Wort wurde im 17./18. Jh. aus mlat. *turnus* »Wechsel; Reihenfolge« entlehnt, das im übertragenen Sinne lat. *tornus* »Dreheisen; Grabstichel« fortsetzt. Dies stammt aus griech. *tórnos* »Zirkel; Dreheisen; Kreisbewegung«, das etymologisch mit dt. ↑drehen verwandt ist. – Auf lat. *tornus* und auf dem davon abgeleiteten Verb lat. *tornare* »mit dem Dreheisen runden, drechseln« beruhen letztlich auch die Lehn- und Fremdwörter ↑turnen, ↑Turnier, ↑Tour, Tourismus, Tourist, ↑Tournee und ↑Kontur.

Turteltaube: Der erste Bestandteil der westgerm. Zusammensetzung mhd. *turteltūbe,* ahd. *turtul[a]tūba,* niederl. *tortelduif,* engl. *turtledove* ist aus lat. *turtur* »Turteltaube« (mit Dissimilation des r zu l) entlehnt. Lat. *turtur* ist lautnachahmenden Ursprungs. Zum zweiten Bestandteil vgl. *Taube.*

Tusch: Die Bezeichnung für eine von einer Musikkapelle schmetternd gespielte, kurze, markante Folge von Tönen wurde im 18. Jh. – wohl unter Einfluss von frz. *touche* »das Anschlagen eines Musikinstrumentes« – rückgebildet aus landsch. *tuschen* »schlagen, stoßen; stoßartig dröhnen (besonders von Schlaginstrumenten)«, das lautmalenden Ursprungs ist.

Tusche »Zeichentinte«: Das seit dem Anfang des 18. Jh.s bezeugte Substantiv ist eine Rückbildung aus dem Verb **tuschen** »mit Tusche zeichnen« (17. Jh.; zuerst im Sinne von »einfarbig ausgestalten, darstellen«). Dies ist aus frz. *toucher* »streichend berühren; Farbe auftragen« entlehnt. Das frz. Wort ist vermutlich lautmalenden Ursprungs. – Dazu: **retuschieren** »eine Fotografie, Druckvorlage o. dgl. nachbessern, nachzeichnen« (18. Jh.; aus gleichbed. frz. *retoucher*).

tuscheln »flüstern«: Das seit dem 18. Jh. bezeugte Verb ist eine Weiterbildung zu dem heute nur noch mdal. gebrauchten *tuschen* »zum Schweigen bringen, stillen« (mhd. *tuschen*), das wahrscheinlich lautnachahmender Herkunft ist. Zur Bildung beachte z. B. das Verhältnis von ›zischeln‹ zu ›zischen‹.

Tüte »[trichterförmiger] Papierbeutel«: Das im 16. Jh. aus dem Niederd. ins Hochd. übernommene Wort geht zurück auf mnd. *tute* »Trichterförmiges« (entsprechend mniederl. *tute*), dessen Herkunft dunkel ist. Das Substantiv ist eine umgelautete Nebenform des heute nicht mehr gebräuchlichen ›Tute‹, das zunächst ganz allgemein etwas Horn- oder Trichterförmiges bezeichnete, aber dann – seit dem 17. Jh. – unter Anlehnung an ↑tuten »blasen« die Bedeutung »Blashorn, Blasrohr« annahm. Heute sind ›Tüte‹ »Papiertüte« und ›Tute‹ »trompetenähnliches Blasinstrument (für Kinder); Signalhorn« geschieden.

tuten: Das im 14. Jh. aus dem Niederd. ins Hochd. übernommene Verb beruht auf mnd. *tūten,* dem mniederl. *toeten, tuten,* niederl. *tuiten* entspricht. Engl. *to toot,* dän. *tude,* schwed. *tuta* »tuten« stammen aus dem Mnd. Die Wörter sind lautnachahmenden Ursprungs. Über ›Tute‹ »Blasinstrument; Signalhorn« s. den Artikel *Tüte.*

Tweed: Die Warenbezeichnung für ein gemischtes Wollgewebe wurde in der 1. Hälfte des 20. Jh.s aus engl. *tweed* übernommen. Das engl. Wort resultiert vermutlich aus einer Verlesung von schott. *tweel* (= engl. *twill*) »Köper«, die wohl durch Anlehnung an den Flussnamen Tweed begünstigt wurde.

Twist: Dem Namen des zu Beginn der Sechzigerjahre des 20. Jh.s aus Amerika übernommenen Modetanzes im $^4/_4$-Takt liegt engl. *twist* zugrunde, das wörtlich etwa »das Drehen, das Verrenken (der Glieder)« bedeutet. Es ist substantiviert aus engl. *to twist* »drehen; flechten, winden; verrenken« (etymologisch verwandt mit dt. ↑Zwist).

Typ, auch: **Typus** »Urbild, Grundform, Muster; durch bestimmte gemeinsame Merkmale, die einer Gruppe von Individuen in vergleichbarer Weise eigentümlich sind, ausgeprägtes Persönlichkeits- oder Erscheinungsbild; Gattung, Bauart, Modell«: Das seit dem 16. Jh. bezeugte und seit dem 18. Jh. sowohl fachsprachlich als auch gemeinsprachlich gebräuchliche Fremdwort ist aus lat. *typus* »Gepräge, Figur, Bild; Muster« entlehnt, das seinerseits aus griech. *týpos* »Schlag; Gepräge, Form, Gestalt, Abbild; Vorbild, Muster, Modell« übernommen ist. Dies gehört zu dem mit dt. ↑stoßen etymologisch verwandten Verb griech. *týptein* »schlagen, hauen«. – Dazu stellen sich: **Type** »gegossener Druckbuchstabe, Letter«, ugs. auch – häufig in der Form **Typ** – »Mensch von ausgeprägt absonderlicher, schrulliger Eigenart; männliche Person, zu der man irgendwie in einer Beziehung steht« (18. bzw. 19. Jh.; nach dem Vorbild von entsprechend frz. *type* »Typ; Type« aus der Pluralform ›Typen‹ rückgebildet); **typisch** »einen Typus kennzeichnend; ausgeprägt, mustergültig; eigentümlich; bezeichnend; unverkennbar« (18. Jh.; nach spätlat. *typicus* < griech. *typikós* »figürlich, bildlich«).

Typhus: ›Typhus‹ ist die in der Allgemeinsprache übliche Kurzbezeichnung für ›Typhus abdominalis‹, den medizinischen Namen einer mit schweren Bewusstseinsstörungen verbundenen fieberhaften Infektionskrankheit des Unterleibs. Die Bezeichnung kam im 19. Jh. auf, auch in anderen europäischen Sprachen, vgl. z. B. gleichbed. engl., frz. *typhus,* schwed. *tyfus,* it. *tifo.* Sie ist eine gelehrte Entlehnung (mit latinisierender Endung) aus griech. *tȳphos* »Qualm, Rauch, Dampf; Umnebelung der Sinne« (zu griech. *tȳ́phein* »dampfen; Qualm, Rauch machen«), das bereits in der antiken Medizin auch als Krankheitsname bezeugt ist.

Typus ↑Typ.

Tyrann »unumschränkter Gewaltherrscher«, heute vorwiegend übertragen gebraucht im Sinne von »Gewaltmensch, herrschsüchtiger Mensch, Bedrücker, Peiniger«: Das Fremdwort wurde in mhd. Zeit (mhd. *tyranne*) aus lat. *tyrannus* »Gewaltherrscher« entlehnt, das seinerseits aus griech. *týrannos* »Herr, Gebieter; Alleinherrscher, Gewaltherrscher« stammt. Das griech. Wort ist selbst wohl kleinasiatischer Herkunft. – Dazu: **Tyrannei** »Gewaltherrschaft; Willkür[herrschaft]« (2. Hälfte des 14. Jh.s; zuerst im Niederd. nachweisbar; Denominativbildung nach entsprechend frz. *tyrannie* = engl. *tyranny* zur Wiedergabe von gleichbed. griech. *tyrannís*).

U *u*

übel »schlecht, böse, schlimm; arg, furchtbar; unangenehm; unwohl«: Die Herkunft des altgerm. Adjektivs mhd. *übel, ubel,* ahd. *ubil,* got. *ubils,* niederl. *euvel,* engl. *evil* ist nicht sicher geklärt. Vermutlich gehört es mit den unter ↑über, ↑[1]ob und ↑obere behandelten Wörtern zu der idg. Wortgruppe von ↑auf. Es bedeutete demnach ursprünglich etwa »über das Maß hinausgehend, überheblich« (vgl. ahd. *uppi* »bösartig«). – Substantivierung: **Übel** (mhd. *übel,* ahd. *ubil*). Abl.: **Übelkeit** »Neigung zum Erbrechen« (18. Jh.); **verübeln** »übel nehmen« (17. Jh.). Zus.: **Übeltäter** (mhd. *übeltæter,* zu dem heute veralteten ›Übeltat‹ [mhd. *übeltāt,* ahd. *ubiltāt*]; ursprünglich »Verbrecher«, heute meist nur noch scherzhaft für jemanden, der etwas Unrechtes getan hat).

üben: Das auf das dt. Sprachgebiet beschränkte Wort (mhd. *üeben, uoben* »bebauen; hegen, pflegen; ausüben, ins Werk setzen; beständig gebrauchen«, ahd. *uoben* »Landbau treiben; die Gewohnheit haben, etwas Bestimmtes zu tun, pflegen; verehren«) ist im germ. Sprachbereich verwandt mit den anders gebildeten Verben niederl. *oefenen* »üben«, aengl. *efnan* »ausführen, vollbringen, tun« und aisl. *efna* »ausführen, leisten«. Zu ›üben‹ stellen sich im Dt. z. B. ahd. *uobo* »Landbauer«, ahd. *uoba* »Feier« und mhd. *uop* »Landbau; Gebrauch, Sitte«. Diese germ. Wortgruppe geht mit verwandten Wörtern in anderen idg. Sprachen auf die idg. Wurzel **op-* »verrichten, ausführen« (speziell Feldarbeit und gottesdienstliche Handlungen) zurück, vgl. z. B. aind. *ápas-* »Werk, heilige Handlung«, lat. *opus* »Arbeit, Werk« (↑Opus), lat. *operari* »arbeiten, mit etwas beschäftigt sein; opfern« (↑operieren und ↑opfern), lat. *opera* »Arbeit, Mühe, Tätigkeit« (↑Oper) und lat. *ops* »Reichtum, Vermögen« (↑opulent). – Die heutige Hauptbedeutung des dt. Verbs »etwas zum Erwerben einer Fähigkeit wiederholt tun« erscheint im 15. Jh. – Abl.: **üblich** »den allgemeinen Gewohnheiten entsprechend, immer wieder vorkommend« (16. Jh., eigentlich »was geübt wird«); **Übung** »das Üben; das Geübtsein, Erfahrung; öfter wiederholte Handlung, Folge von Bewegungen« (mhd. *üebunge,* ahd. *uobunga*).

über: Das gemeingerm. Wort (Adverb, Präposition) mhd. *über,* ahd. *ubar* (Adverb: *ubiri*), got. *ufar,* engl. *over,* schwed. *över* gehört mit den unter ↑[1]ob, ↑obere und ↑offen behandelten Wörtern zu der Wortgruppe von ↑auf. Außergerm. eng verwandt sind z. B. griech. *hypér* »über, über – hinaus« und lat. *super* »über [– hin], über – hinaus«, die in zahlreichen aus dem Griech. und Lat. entlehnten Wörtern als erster Bestandteil stecken (↑hyper..., Hyper...; ↑super..., Super...). – Die nhd. Form ›über‹ (mit Umlaut) geht auf das Adverb ahd. *ubiri* zurück. Groß ist die Zahl der festen und unfesten Zusammensetzungen von ›über‹ mit Verben, beachte z. B. ›ụ̈bersetzen‹ »über einen Fluss, See fahren«, aber ›übersẹtzen‹ »in eine andere Sprache übertragen«, der Zusammensetzungen mit Substantiven, beachte z. B. ›Übergang, Übermut‹, und mit Adjektiven, beachte z. B. ›übereifrig, überreif‹. – Abl.: **übrig** »als Rest vorhanden, verbleibend, restlich«, älter »überschüssig, über das erforderliche Maß hinaus vorhanden« (mhd. *überec*), dazu **übrigens** »nebenbei bemerkt, außerdem« (17. Jh.; gebildet nach ›erstens‹ usw.) und **erübrigen** »übrig behalten, einsparen; überflüssig sein« (das im 16. Jh. in der Kanzleisprache ein älteres ›erübern‹ ersetzte).

überantworten »(der Gerechtigkeit) ausliefern«: Das seit dem 15. Jh. bezeugte zusammengesetzte Verb hat die Bedeutung »übergeben, überlassen« bewahrt, die das einfache Verb ›antworten‹ bis in frühnhd. Zeit hatte (vgl. *Antwort*). Es erscheint von Anfang an häufig als Wort der Rechtssprache, ist heute jedoch kaum noch gebräuchlich.

Überbein »verhärtete Sehnengeschwulst an den Gelenken«: Die Zusammensetzung mhd. *überbein* (entsprechend niederl. *overbeen*, schwed. *överben*) bedeutet eigentlich »oben liegender Knochen«. Man hielt in früherer Zeit diese Geschwulst fälschlich für einen Knochenauswuchs. Zum zweiten Bestandteil des Wortes vgl. den Artikel *Bein*.

überbrücken ↑Brücke.

Überdruss »Übersättigung, Unlust, Widerwillen«: Der zweite Bestandteil des seit dem 16. Jh. bezeugten Wortes gehört zu dem starken Verb mhd. *-drieȥen*, ahd. *-driuȥan*, das im Nhd. in der Präfixbildung ↑verdrießen bewahrt ist.

übereinkommen, Übereinkunft ↑kommen.

übereinstimmen ↑Stimme.

überflügeln ↑Flügel.

Überfluss: Mhd. *übervluȥ* »große Fülle, Reichlichkeit«, das lat. *abundantia* »Überfluss, reicher Ertrag« oder mlat. *superfluitas* »das Überflüssige« wiedergibt, gehört zu dem zusammengesetzten Verb nhd. *überfließen*, mhd. *übervlieȥen*, ahd. *ubarvlioȥan* (vgl. den Artikel *fließen*). Es bedeutet demnach wie das lat. und mlat. Wort eigentlich »das Überquellen, -strömen«. – Abl.: **überflüssig** (mhd. *übervlüȥȥec* »überströmend; überreichlich«, nach lat. *superfluus*; seit dem 16. Jh. nur noch im Sinne von »überreichlich«, woraus sich seit dem 18. Jh. die Bedeutung »nutzlos, zwecklos« entwickelte).

überfordern ↑fordern.

Übergabe ↑geben.

Übergang ↑gehen.

übergeben ↑geben.

übergehen ↑gehen.

Übergewicht ↑Gewicht.

überhand nehmen ↑Hand.

Überhang ↑hängen.

überhaupt »aufs Ganze gesehen, im Allgemeinen; ganz und gar (bei Negationen)«: Mhd. *über houbet* »ohne die Köpfe der einzelnen Tiere nochmals zu zählen« war ein Ausdruck des Viehhandels, in dem ›houbet‹ (vgl. *Haupt*) ein Stück Vieh bezeichnete. Noch im 17. Jh. drückte ›überhaubt kaufen oder verkaufen‹ den Gegensatz zu ›stückweise, einzeln kaufen oder verkaufen‹ aus, bis sich dann im 18. Jh. die heutige Bedeutung durchsetzte.

überholen, Überholung ↑holen.

überhören ↑hören.

überirdisch ↑irden.

überkommen ↑kommen.

überlassen ↑lassen.

überlaufen, Überläufer ↑laufen.

überleben ↑leben.

[1]**überlegen**: Das seit dem 16. Jh. im Sinne von »stärker, leistungsfähiger« verwendete Wort ist das in adjektivischen Gebrauch übergegangene zweite Partizip des zusammengesetzten Verbs frühnhd. *überliegen* »überwinden«, mhd. *überligen* »im Ringkampf oben zu liegen kommen; überlagern, besetzen« (vgl. den Artikel *liegen*). – Abl.: **Überlegenheit** (18. Jh.).

[2]**überlegen, Überlegung** ↑legen.

überliefern ↑liefern.

übermächtig ↑machen.

übermannen ↑Mann.

Übermensch ↑Mensch.

übermitteln ↑mittel.

Übermut, übermütig ↑Mut.

übernachten ↑Nacht.

überraschen »mit etwas Unerwartetem in Erstaunen versetzen«: Das seit dem 16. Jh. bezeugte, seit dem 18. Jh. häufiger verwendete Verb ist eine Bildung zu dem Adjektiv ↑rasch und bedeutete ursprünglich »plötzlich über jemanden herfallen, (im Krieg) überfallen«.

überrumpeln »überraschend überfallen, unvermutet erwischen, überwinden«: Das seit dem Anfang des 16. Jh.s bezeugte Verb hat sich in der Bedeutung vom einfachen Verb ↑rumpeln »poltern, rasseln, dumpf schallen« gelöst. Es bedeutete ursprünglich »mit Getöse überfallen«.

überschlagen ↑schlagen.

überschneiden ↑schneiden.

überschreiten ↑schreiten.

Überschuss: Das seit dem 14. Jh. bezeugte Substantiv (mhd. *überschuȥ* »das über etwas Hinausragende«, besonders »der über die senkrechte Linie hinausragende Teil eines Gebäudes«) ist eine Bildung zu dem zusammengesetzten Verb mhd. *überschieȥen* »über etwas hinwegschießen; über etwas hinausragen, überragen« (vgl. den Artikel *schießen*). Es bedeutet demnach eigentlich »das Überschreiten eines erwarteten Maßes«. In der Kaufmannssprache des 16. Jh.s ist es erstmals bezeugt als »ein bestimmtes Maß übersteigender Betrag; Gewinn«. Dann wurde das Wort auch im Sinne von »Rest« gebräuchlich.

Überschwang: Mhd. *überswanc* »Überfließen, -strömen; Ent-, Verzückung« ist eine Bildung zu dem zusammengesetzten Verb mhd. *überswingen* »überwallen (vom Gemüt)« (vgl. den Artikel *schwingen*). In der Sprache der mhd. Mystiker bedeutete es »Ekstase«, heute ist es beschränkt auf allzu starke Gefühle. – Abl.: **überschwänglich** (mhd. *überswenclich* »übermäßig groß, übermächtig«).

überschwemmen, Überschwemmung ↑schwemmen.

übersetzen, Übersetzung ↑setzen.

übersinnlich ↑Sinn.

überspannt ↑spannen.

überspringen ↑springen.

übertölpeln »in grober Weise betrügen, übervorteilen«: Das seit dem 16. Jh. bezeugte Verb ist wohl eine Bildung zu dem unter ↑Tölpel behandelten Substantiv und bedeutet eigentlich »zum Tölpel machen«. Beeinflusst kann die Bildung von der vom 16. bis 18. Jh. häufig verwendeten Redensart ›über den Tölpel werfen‹ »anführen, übervorteilen« sein.

übertreffen ↑treffen.

übertreten, Übertritt ↑treten.

übertrumpfen ↑Trumpf.

übervorteilen ↑Teil.

überwältigen ↑Gewalt.

überweisen, Überweisung ↑weisen.

überwerfen ↑werfen.

überwinden »besiegen«: Das zusammengesetzte Verb, mhd. *überwinden, überwinnen,* ahd. *ubarwintan, ubarwinnan,* enthält als zweiten Bestandteil das im Nhd. untergegangene einfache Verb mhd. *winnen,* ahd. *winnan* »kämpfen, sich abmühen, erobern« (vgl. den Artikel *gewinnen*). Mit ›winden‹ hatte es also ursprünglich nichts zu tun, das -d- (mhd. *-d-,* ahd. *-t-*) ist sekundär. Volksetymologisch wurde das Verb dann an ›winden‹ angelehnt. Ein ähnliches Schicksal erlitt das Präfixverb **verwinden** »über etwas hinwegkommen« (mhd. *verwinden, verwinnen*).

Überwurf ↑werfen.

überzeugen, Überzeugung ↑Zeuge.

überziehen, Überzieher, Überzug ↑ziehen.

überzwerch ↑zwerch.

üblich ↑üben.

übrig, übrigens ↑über.

Übung ↑üben.

Ufer: Das westgerm. Wort mhd. *uover,* mnd. *ōver,* niederl. *oever,* aengl. *ōfer* ist verwandt mit griech. *ḗpeiros* »Küste«. Zugrunde liegt diesen Wörtern wahrscheinlich eine alte Komparativbildung zu dem unter ↑ab dargestellten idg. **ap[o]-* »ab, weg«. Die Komparativbildung bedeutete etwa »weiter rückwärts gelegener Teil« (vom Binnenland aus gesehen). – Im oberd. Sprachraum war ›Ufer‹ ursprünglich nicht heimisch (s. den Artikel *Gestade*). Es hat sich von Norddeutschland ausgehend erst allmählich im dt. Sprachgebiet durchgesetzt. – Zus.: **uferlos** (18. Jh.).

U

Ufo, UFO: Das Kurzwort ist in der 2. Hälfte des 20. Jh.s aus gleichbed. engl. *ufo unidentified flying object* (»nicht identifiziertes Flugobjekt«) übernommen worden. Es bedeutet »[für ein Raumschiff außerirdischer Lebewesen gehaltenes] unbekanntes und nicht identifiziertes Flugobjekt«. Der Terminus wurde 1953 von der amerikanischen Luftwaffe eingeführt, die offiziell alle Sichtungen von nicht identifizierbaren Erscheinungen am Himmel bis 1969 registrierte. Wegen der zumeist runden Form der Flugobjekte werden diese ugs. auch ›fliegende Untertasse‹ genannt.

Uhr: Das seit mhd. Zeit bezeugte Substantiv ist durch roman. Vermittlung aus dem Lat. entlehnt worden. Lat. *hora* »Zeit, Jahreszeit; Tageszeit, Stunde; (Plural *horae:*) Uhr«, das seinerseits aus griech. *hṓra* »Jahreszeit; Tageszeit; Stunde« (urverwandt mit dt. ↑Jahr) stammt, wurde im Roman. zu afrz. *[h]ore, eure* (= frz. *heure*), it. *ora,* span. *hora.* In unmittelbarer Übernahme aus dem (A)frz., das auch die Quelle für entsprechend engl. *hour* »Stunde« ist, erscheint das Wort im 14. Jh. am Niederrhein (mnd. *ūr[e]* »Stunde«), von wo es sich allmählich über das gesamte dt. Sprachgebiet ausgebreitet hat (mhd. *ūr[e], [h]ōre* »Stunde«). Die alte Bedeutung des Wortes (nämlich »Stunde«) ist bewahrt in Fügungen wie ›Es ist zwei Uhr‹ oder ›Wie viel Uhr ist es?‹. Demgegenüber hat das Substantiv in selbstständiger Verwendung in neuerer Zeit die spezielle Bedeutung »Stundenmesser« entwickelt, beachte dazu Zusammensetzungen wie ›Taschenuhr, Armbanduhr, Uhrwerk‹ u. a.

Uhu: Der seit dem 16. Jh. bezeugte Name der größten Eulenart ist lautmalend und beruht auf der Nachahmung des diesem Vogel eigentümlichen Rufes, vgl. z. B. lat. *bubo* »Uhu«, griech. *býas* »Uhu«, armen. *bu* »Eule«. Unter vielen lautmalenden Bildungen im dt. Sprachbereich (z. B. ›Schuhu, Buhu‹) hat sich ostmitteld. *Uhu* gegenüber frühnhd. *Huhu* durchgesetzt.

Ulan: Die seit dem 18. Jh. bezeugte Bezeichnung für einen leichten Lanzenreiter ist aus gleichbed. poln. *ułan* entlehnt, das seinerseits aus türk. *oğlan* »Knabe, Bursche« stammt.

Ulk »harmloser Unfug«: Das seit dem 17. Jh. gebräuchliche Wort, das aus den Mundarten über die Studentensprache in die Umgangssprache gedrungen ist, stammt aus dem niederd.-ostfries. Raum, vgl. mnd. *ulk* »Lärm, Unruhe, Händel«. Es handelt sich um eine Rückbildung aus dem Verb niederd. *ulken* »sich auffallend herausputzen«, ostfries. *ulken* »sein Unwesen treiben, schreien, spotten«, das verwandt ist mit schwed. mdal. *alken* »knurren, keifen« und mit norw. mdal. *alka* »Händel anfangen«. Diese Sippe ist lautnachahmenden Ursprungs. – Abl.: **ulken** »spotten, Unsinn treiben« (19. Jh.), dazu **verulken** »jemanden auf gutmütige Weise anführen oder aufziehen« (19. Jh.); **ulkig** »scherzhaft, komisch« (19. Jh.).

Ulme: Die seit dem 15. Jh. bezeugte, heute gebräuchliche Form des Baumnamens (älter ist die Zusammensetzung mhd. *ulmboum* »Ulmenbaum«, 12. Jh.) ist entweder mit lat. *ulmus* »Ulme« urverwandt oder daraus entlehnt. Die nicht entlehnten, heimischen Bezeichnungen des Baumes, die im Ablaut zu ›Ulme‹ stehen könnten, spielen im Nhd. nur noch in Namen eine Rolle, beachte den Bergnamen ›Elm‹ und den Fluss- und Stadtnamen ›Ilmenau‹. Sie lauten mhd.

elm[boum], ilm[boum], mnd. *elm,* ahd. *elm[boum],* vgl. dazu im germ. Sprachbereich engl. *elm* und schwed. *alm.* Die germ. Bezeichnungen und der lat. Name gehören zu der idg. Wurzel **el-, ol-* »[rötlich, bräunlich] glänzend«. Der Baum wurde demnach nach der rotbraunen Farbe seines Holzes benannt.

Ultimatum »letzte, äußerste Aufforderung (zur befriedigenden Lösung einer schwebenden Angelegenheit innerhalb einer bestimmten Frist)«: Das seit dem 18. Jh. gebräuchliche Fremdwort ist eine gelehrte Entlehnung der Diplomatensprache aus gleichbed. mlat. *ultimatum,* dem substantivierten Part. Perf. von kirchenlat. *ultimare* »zu Ende gehen, zum Ende kommen, im letzten Stadium sein«. Dies ist eine Bildung zu lat. *ultimus* »der Äußerste, Letzte« (vgl. *ultra..., Ultra...*). – Abl.: **ultimativ** »in Form eines Ultimatums; nachdrücklich« (20. Jh.). Vgl. auch den Artikel *Ultimo.*

Ultimo: Der Ausdruck für »Monatsletzter, Monatsende« war ursprünglich ein Fachwort der Kaufmannssprache, das heute auch in der Umgangssprache allgemein gebräuchlich ist. Das Wort wurde Anfang des 16. Jh.s aus gleichbed. it. *ultimo* entlehnt, wohl aus Fügungen wie it. *a dì ultimo* »am letzten Tag«. It. *ultimo* geht auf lat. *ultimus* »der Äußerste, der Letzte« zurück (vgl. *ultra..., Ultra...*). Siehe auch den Artikel *Ultimatum.*

ultra..., Ultra...: Die aus dem Lat. stammende Vorsilbe mit der Bedeutung »jenseits von; über – hinaus«, wie z. B. in den Bildungen **Ultrakurzwelle** (dafür meist die Abkürzung **UKW**), **Ultraschall** und **ultraviolett,** ist entlehnt aus lat. *ultra* (Adverb und Präposition) »jenseits; über – hinaus«. Dies ist ursprünglich der erstarrte Ablativ Femininum des Adjektivs lat. *ulter* »jenseitig«, das seinerseits von lat. *uls* (Präposition) »jenseits« abgeleitet ist. Als Superlativ von lat. *ulter* fungiert lat. *ultimus* »der am weitesten jenseits Gelegene; der Entfernteste, Äußerste, Letzte« (s. die Artikel *Ultimatum* und *Ultimo*). Das Substantiv **Ultra** »Vertreter des äußersten Flügels einer Partei, [Rechts]extremist« wurde im 19. Jh. aus gleichbed. frz. *ultra* entlehnt, das vermutlich aus *ultraroyaliste* »Verfechter des Ancien Régime« gekürzt ist.

um: Das altgerm. Wort (Adverb, Präposition) mhd. *umbe,* ahd. *umbi,* niederl. *om,* aengl. *ymb[e],* schwed. *om* geht mit Entsprechungen in anderen idg. Sprachen auf idg. **ambhi* »um – herum, zu beiden Seiten« zurück. Verwandt sind z. B. griech. *amphí* »um« und lat. *am[b]...* »[her]um, ringsum«, die in zahlreichen aus dem Griech. und Lat. entlehnten Wörtern als erster Bestandteil vorkommen (↑amphi..., Amphi... und ↑amb..., Amb...). Zu diesem idg. **ambhi* gehören auch die unter ↑bei und ↑beide behandelten Wörter. Die ursprünglich räumliche Bedeutung von ›um‹ »rings, um – herum« hat sich bis heute erhalten. Daneben wird es in vielfacher Weise übertragen verwendet. In Zusammensetzungen behält es die räumliche Vorstellung des Umfassens bei (z. B. in ›umarmen, umzingeln‹), oder es gibt die Änderung einer Richtung, Haltung oder eines Standpunktes an (wie in ›umkehren, umstürzen, umziehen‹) oder die Veränderung der Gestalt (wie in ›umformen‹).

umarmen ↑Arm.

umbringen ↑bringen.

umfangen »umarmen, umschließen«: Die heute übliche Form ›umfangen‹ hat sich im Frühnhd. gegenüber der älteren Form ›umfahen‹ (mhd. *umbevāhen,* ahd. *umbifāhan)* durchgesetzt, wie auch beim einfachen Verb die jüngere Form ›fangen‹ die ältere Form ›fahen‹ verdrängt hat (vgl. *fangen*). Das Verb ist eine Zusammensetzung aus ↑um und ↑fangen in dessen alter Bedeutung »fassen«. – Abl.: **Umfang** (Rückbildung aus dem Verb, mhd. *umbevanc* »umschließende Linie, Kreis; Umarmung«, nhd. übertragen für »Ausdehnung«).

Umgang ↑gehen.

umgarnen ↑Garn.

umgeben, Umgebung ↑geben.

umgehen ↑gehen.

umhalsen ↑Hals.

Umhang ↑hängen.

umkommen ↑kommen.

ummodeln ↑Modell.

umnachten ↑Nacht.

umnebeln ↑Nebel.

umringen ↑Ring.

umrühren ↑rühren.

umsatteln ↑Sattel.

Umsatz ↑setzen.

umschichtig ↑Schicht.

Umschlag, umschlagen ↑schlagen.

Umschweife ↑Schweif.

umsetzen ↑setzen.

umsonst ↑sonst.

Umstand »Sachverhalt«, im Plural »besondere Verhältnisse«: Das Substantiv (mhd. *umbestant*) ist eine Bildung zu dem zusammengesetzten Verb **umstehen** »um etwas herumstehen« (mhd. *umbestēn,* ahd. *umbistēn;* vgl. *stehen*) und bedeutete zunächst »das Herumstehen, die Herumstehenden«. Daraus entwickelte sich der heutige allgemeine Wortgebrauch. In der Bildung und in der Bedeutungsgeschichte vergleichen sich lat. *circumstantia,* das in frz. *circonstance* »Umstand« weiterlebt, und griech. *perístasis* »Umstand, Verhältnis«. Die Wendung ›in anderen Umständen sein‹ wird seit dem 18. Jh. verhüllend für »schwanger sein« gebraucht. – Abl.: **umständlich** »viele Einzelheiten berücksichtigend, zeitraubend« (16. Jh.).

umstimmen ↑Stimme.

umstritten ↑Streit.

Umsturz, umstürzen ↑stürzen.

Umtrunk ↑Trunk.

Die sprachliche Entwicklung in der DDR 1949–1990

1949 entstanden auf dem Boden des alten Deutschen Reichs zwei neue Staaten. Während sich die Bundesrepublik Deutschland nach ihrer Gründung ganz auf die westlichen Länder und die USA ausrichtete, orientierte sich die DDR an der Sowjetunion und deren gesellschaftlichem System.
Diese Orientierung führte zu Wortbildungen im Bereich der staatlichen Organisation, der Verwaltung und der Kulturpolitik, die dem bundesrepublikanischen Deutsch weitgehend fremd blieben. Einige der neuen Wörter sind Lehnübersetzungen aus dem Russischen. Die Zahl dieser Entlehnungen ist aber – gemessen an der Flut von Amerikanismen und Anglizismen im heutigen Deutsch – sehr gering.

Die unmittelbar aus dem Russischen übernommenen Wörter sind meistens aus lateinischen und altgriechischen Bestandteilen gebildet und hätten als Internationalismen auch im Deutschen entstehen können. Hierzu gehören z. B. *Aktiv* (= Gruppe, die an der Erfüllung gesellschaftspolitischer oder wirtschaftlicher Aufgaben arbeitet, russisch *aktiv,* aus lateinisch *activus* »tätig, wirksam«), *Kollektiv* (= Arbeitsgemeinschaft, russisch *kollektiv,* zu lateinisch *collectivus* »angesammelt«), *Kombinat* (= aus mehreren Betrieben gebildeter Großbetrieb, russisch *kombinat,* zu lateinisch *combinare* »vereinigen«), *Kosmonaut* (= Raumfahrer, russisch *kosmonavt,* aus altgriechisch *kósmos* »Weltall« und *naútēs* »Seefahrer«), *Politbüro* (= oberstes Führungsorgan einer kommunistischen Partei, russisch *politbjuro,* aus lateinisch *politicus* »zur Staatsverwaltung gehörend« und französisch *bureau* »Büro«). Direkt aus dem Russischen entlehnt wurde *Datsche* (= Wochenend-, Landhaus, russisch *dača*). Lehnübersetzungen sind die Auszeichnung *Held der Arbeit* (russisch *geroj truda*), *Kulturhaus* (= Gebäude für öffentliche Veranstaltungen, russisch *dom kultury*), *Volkswirtschaftsplan* (russisch *narodnochozjajstvennyj plan*).

In der DDR war zunächst der Einfluss des Englischen wesentlich geringer als in der Bundesrepublik. Einige englische Wörter sind über das Russische entlehnt worden, z. B. *Dispatcher* (russisch *dispetčer* »leitender Angestellter in der Industrie«, aus englisch *dispatcher,* zu: *to dispatch* »erledigen«), *Kombine* (= Maschine, die verschiedene Arbeitsgänge gleichzeitig ausführt, russisch *kombajn,* aus englisch *combine,* zu: *to combine* »zu einer Einheit zusammenstellen«). Diese Wörter waren in der Bundesrepublik nicht gebräuchlich, ebenso wenig *Broiler* (= Brathähnchen, englisch *broiler,* zu: *to broil* »grillen, braten«) und die dazu gebildeten Wörter *Broilermast* und *Goldbroiler.* Aus englisch *plastics* (zu englisch *plastic* »weich, verformbar«) entstand im Deutschen das Fremdwort *Plastik,* das so aber nur in der alten Bundesrepublik, in Österreich und in der Schweiz verwendet worden ist. In der DDR sagte man *Plast* und umgangssprachlich auch *Plaste,* entsprechend auch *plastbeschichtet, Plasterzeugnis, Plastindustrie, Plastetüte.*

In den Jahren nach 1990 sind viele dieser Bezeichnungen aus dem Sprachgebrauch verschwunden. Eine Reihe von Wörtern sind jedoch weiter im Gebrauch geblieben, so z. B. Zusammensetzungen mit *Feinfrost-* (für »Tiefkühl-«), *Plast/Plaste, rekonstruieren* (für »sanieren, renovieren«), *Zielstellung* (für »Zielsetzung«, entsprechend auch *[sich] ein Ziel stellen* für »[sich] ein Ziel setzen«), ebenso die Bezeichnungen *Einraum-, Zweiraum-, Dreiraumwohnung* usw. für »Einzimmer-, Zweizimmerwohnung« usw.) In der Jugendsprache hat *urst* (= großartig, toll) weiter seinen Platz, und die Wendung *sich einen/keinen Kopf machen* (= sich Gedanken/keine Gedanken machen) ebenso wie die Fügung *sich einbringen* haben auch im übrigen bundesrepublikanischen Sprachraum Aufnahme gefunden. Zum einen zeigt sich hier eine regionale Unterschiedlichkeit, wie sie auch für andere Gebiete des deutschen Sprachraums kennzeichnend ist (z. B. norddeutsch *Kohl* – süddeutsch *Kraut;* norddeutsch *fegen* – süddeutsch *kehren;* pfälzisch *heben* – standardsprachlich *halten;* österreichisch *Karfiol* für »Blumenkohl«, *Trafik* für »Tabakwarenhandlung«, *Sessel* für »Stuhl«; schweizerisch *Großkind* für »Enkel[in]«, *Abdankung* für »Trauerfeier, -gottesdienst«, *Innenausbau* für »Inneneinrichtung«). Zum anderen liegt hier bei einer großen Gruppe von Bürgern der ehemaligen DDR sicherlich auch ein bewusster Gebrauch dieses Wortschatzes vor, um so gegen bestimmte politische, ökonomische und soziokulturelle Begleiterscheinungen im Zusammenhang mit der Vereinigung von alter Bundesrepublik und DDR Stellung zu beziehen.

umtun ↑tun.

Umwelt: Das seit 1800 bezeugte Wort ist eine Lehnübersetzung von dän. *omverden* »umgebendes Land; umgebende Welt«. In der 2. Hälfte des 19. Jh.s wurde ›Umwelt‹ als Ersatzwort für frz. *milieu* gebräuchlich. Im biologischen Sinne von »Umgebung eines Lebewesens, die auf es einwirkt und seine Lebensbedingungen beeinflusst«, wurde es zuerst 1909 von dem deutschen Biologen V. Uexküll (1864–1944) verwendet. Zu ›Umwelt‹ stellen sich in der 2. Hälfte des 20. Jh.s zahlreiche Bildungen wie ›Umweltbelastung, umweltfreundlich, Umweltschutz‹.

umwinden ↑²winden.

umzäunen ↑Zaun.

umziehen, Umzug ↑ziehen.

un...: Die gemeingerm. verneinende Vorsilbe mhd., ahd. *un*, got. *un*, engl. *un*, schwed. *o* geht mit Entsprechungen in anderen idg. Sprachen auf die idg. Wortnegation **n̥-* zurück. Verwandt sind z. B. griech. *a[n]...* und lat. *in...*, die in zahlreichen aus dem Griech. und Lat. entlehnten Wörtern als erster Bestandteil stecken (↑²a..., A... und ↑²in..., In...). Die idg. Wortnegation **n̥-* steht im Ablaut zu der idg. Satznegation **nĕ̄*, **nei*, die im germ. Sprachbereich z. B. bewahrt ist in den unter ↑nein, ↑nicht, ↑nie und ↑nur behandelten Wörtern. Das besonders häufig mit Partizipien und Adjektiven verbundene Präfix verneint einen Begriff und verkehrt ihn dadurch in sein Gegenteil, beachte z. B. ›ungesäuert, unrein‹ oder ›unmenschlich‹, aus dem ›Unmensch‹ rückgebildet ist. Es kann aber auch das Abweichen von einer Idealvorstellung angeben, von dem, was sein sollte, beachte z. B. ›unangebracht‹. In Zusammensetzungen, in denen das Grundwort einen negativen Begriff enthält, konnte ›un-‹ vielfach als Steigerung empfunden (beachte z. B. ›Ungewitter, Unkosten‹) und daher auch verstärkend und nachdrücklich gebraucht werden (beachte z. B. ›Unsumme, Unmenge‹).

unabdingbar ↑dingen.

unablässig ↑lassen.

unbändig ↑bändigen.

unbedarft »unerfahren, harmlos, ungeschickt«: Das erst zu Beginn des 20. Jh.s ins Hochd. übernommene Adjektiv niederd. *unbedarft* geht auf mnd. *unbederve, unbedarve* »untüchtig« zurück, das Gegenwort zu mnd. *bederve* »bieder, tüchtig« (= hochd. *bieder*, s. d.). Die Form des niederd. Adjektivs ist wohl vom 2. Part. *bedarft* des verwandten mnd. *bedarven*, einer Nebenform von ↑bedürfen, beeinflusst.

unbedingt ↑bedingen.

unbefangen, Unbefangenheit ↑befangen.

unbeholfen ↑helfen.

unbekümmert ↑Kummer.

unbenommen ↑nehmen.

unbeschadet »ohne Rücksicht auf, ungeachtet, trotz; ohne Schaden, ohne Nachteil für«: Das seit dem 17. Jh. bezeugte, in der Kanzleisprache aufgekommene Wort ist eigentlich das verneinte 2. Partizip zu dem heute veralteten Verb *beschaden* »Schaden bringen, beschädigen«. Als Präposition im Sinne von »trotz« wird ›unbeschadet‹ seit dem 18. Jh. verwendet.

unbescholten ↑schelten.

unbewusst ↑bewusst.

Unbill »Unrecht«, Plural: **Unbilden** (besonders der Witterung): In den Formen des Singulars und des Plurals liegen zwei verschiedene, wenn auch etymologisch eng verwandte Wörter vor. Der Singular ›Unbill‹ erscheint im 16. Jh. in der Schriftsprache. Er ist ursprünglich schweiz. und die Substantivierung des Adjektivs mhd. *unbil* »ungemäß« (vgl. *billig*). Der Plural ›Unbilden‹ dagegen gehört zu einem Singular ›Ungebild[e]‹ (mhd. *unbilde* »Unrecht«, ahd. *unpilide* »Unförmigkeit«), der heute unüblich geworden ist und der wahrscheinlich eine Bildung zu dem oben aufgeführten Adjektiv mhd. *unbil* »ungemäß« ist.

unbillig ↑billig.

und: Die westgerm. Konjunktion mhd. *und[e]*, ahd. *unta, unti*, älter *enti, anti*, niederl. *en*, engl. *and*, die im germ. Sprachbereich mit aisl. *en[n]* »auch, und, aber« verwandt ist, ist unbekannter Herkunft. Vielleicht besteht Verwandtschaft mit aind. *átha* »darauf, dann«.

unendlich ↑Ende.

unentgeltlich ↑gelten.

unentwegt »beharrlich, stetig«: Das ursprünglich schweiz. Wort ist die Verneinung des ebenfalls schweiz. *entwegt* »unruhig«, dem 2. Partizip von schweiz. *entwegen* »von der Stelle rücken« (mhd. *entwegen* »auseinander bewegen, scheiden, trennen«, vgl. *bewegen*). Als schweiz. Modewort der Vierziger-Jahre des 19. Jh.s fand das Wort auch in Deutschland Eingang und wurde hier im letzten Drittel des 19. Jh.s ebenfalls zum Modewort.

unerfindlich ↑finden.

unerhört ↑hören.

unerlässlich ↑lassen.

unerschöpflich ↑schöpfen.

unerträglich ↑tragen.

Unfall: Das seit dem 15. Jh. bezeugte Wort (spätmhd. *unval* »Unglück, Missgeschick«) enthält als zweiten Bestandteil das unter *Fall* (↑fallen) behandelte Substantiv, dessen konkrete Bedeutung – wie z. B. auch in den Zusammensetzungen ›Anfall, Notfall, Zufall‹ – völlig verblasst ist. ›Un-‹ steht in dieser Bildung im Sinne von »übel, schlecht, miss...«.

unfassbar ↑fassen.

unfehlbar ↑fehlen.

Unflat »ekelhafter Schmutz«: Das seit dem 12. Jh. bezeugte Substantiv (mhd. *unvlāt* »Schmutz, Unsauberkeit«) ist eine Bildung aus der verneinenden Vorsilbe ↑un... und dem Substantiv mhd. *vlāt*, ahd. *flāt* »Sauberkeit, Schönheit«. Dies gehört zu dem im Nhd. untergegangenen Verb mhd.

vlæjen, ahd. *flāwen* »spülen, waschen, säubern« und bedeutet demnach eigentlich »Unsauberkeit«. – Abl.: **unflätig** »unanständig; abscheulich« (mhd. *unvlætic* »schmutzig, unsauber«).

Unfug ↑fügen.

ungefähr: Die nhd. Form hat sich über frühnhd. *ongefer* aus mhd. *āne gevære* »ohne böse Absicht, ohne Betrug« (vgl. *Gefahr*) entwickelt. Die heutige Bedeutung »etwa« (16. Jh.) erklärt sich daraus, dass man in der alten Rechtssprache besonders bei der Angabe von Zahlen und Maßen häufig die Erklärung abgab, dass eine eventuelle Ungenauigkeit »ohne böse Absicht« gewesen sei. – Das Zusammenwachsen der beiden Wörter zu einem Wort begann im 15. Jh. Durch mdal. Kürzung des langen ā in *āne* zu kurzem u oder o und durch Anlehnung an das un- eines gleichbedeutenden ›ungefährlich‹ (mhd. *ungeværliche*) wurde die Präposition ›ohne‹ langsam zur Vorsilbe ›un...‹ umgedeutet. Seit dem 16. Jh. wird ›ungefähr‹ auch als Adjektiv verwendet.

ungefüge ↑fügen.

ungeheuer, Ungeheuer, ungeheuerlich ↑geheuer.

ungelenk ↑Gelenk.

Ungemach ↑Gemach.

ungeniert ↑genieren.

ungenießbar ↑genießen.

ungeschlacht »roh, grob«: Das nur dt. Adjektiv mhd. *ungeslaht* »von anderem, niedrigem Geschlecht; unartig, böse; roh«, ahd. *ungislaht* »entartet« ist die Verneinung des im Nhd. untergegangenen mhd. *geslaht*, ahd. *gislaht* »wohlgeartet, fein, schön«. Dies gehört zu mhd. *slahte*, ahd. *slahta* »Geschlecht, Herkunft, Art«, einer Substantivbildung zu dem unter ↑schlagen behandelten Verb in dessen Bedeutung »arten«.

ungeschoren ↑[1]scheren.

ungestalt ↑verunstalten.

ungestüm »heftig, wild«: Das Adjektiv mhd. *ungestüeme*, ahd. *ungistuomi* ist die Verneinung der im Nhd. untergegangenen Adjektivbildung mhd. *gestüeme* »sanft, still, ruhig«. Dieses Adjektiv stellt sich zu mhd. *[ge]stemen* »Einhalt tun, besänftigen« und gehört zu der unter ↑stemmen behandelten Wortgruppe.

Ungetüm »riesiges, ungeschlachtes Wesen, übergroßes Gebilde«: Das seit dem 16. Jh. bezeugte Wort, dem im Nord. genau aisl. *ūdœmi* »Gräuel; beispiellose Begebenheit« entspricht, enthält als zweiten Bestandteil eine im germ. Sprachbereich als selbstständiges Wort untergegangene Substantivbildung (germ. **ga-dōmia-*), die sich zu mhd., ahd. *tuom* »Macht, Herrschaft, Würde, Stand; Besitz; Zustand, Art« stellt (vgl. *...tum*). ›Ungetüm‹ bedeutet demnach eigentlich etwa »etwas, was nicht seine rechte Stelle hat«.

Ungeziefer: Das auf das dt. Sprachgebiet beschränkte Wort (mhd. *ungezĭbere*) enthält als zweiten Bestandteil eine Bildung zu dem in mhd. Zeit untergegangenen Substantiv ahd. *zebar* »Opfertier«, dem aengl. *tīber* »Opfer« und aisl. *tīvurr* »Opfer« entsprechen. Die Herkunft dieser Wörter ist nicht geklärt. ›Ungeziefer‹ bezeichnete demnach ursprünglich alles das, was sich nicht als Opfertier eignete. Nach dem Schwinden der alten heidnischen Vorstellungen engte sich der Begriff immer mehr auf kleinere schädliche oder lästige Tiere, besonders Insekten ein. – Das Wort **Geziefer** (17. Jh.), landsch. früher als Bezeichnung für kleinere Haustiere wie Ziegen, Schafe u. a. gebraucht, ist erst eine Rückbildung aus ›Ungeziefer‹.

ungezogen ↑ziehen.

ungezwungen ↑zwingen.

Unglimpf ↑glimpflich.

unglücksschwanger, unheilschwanger ↑schwanger.

Unhold ↑hold.

uni »einfarbig, nicht gemustert«: Das Adjektiv wurde im 18. Jh. aus gleichbed. frz. *uni* (eigentlich »einfach; eben«) entlehnt, dem adjektivisch gebrauchten Part. Perf. von frz. *unir* »verbinden, vereinigen; ebnen, glätten, vereinfachen«. Dies geht auf kirchenlat. *unire* »vereinigen« (vgl. den Artikel *Union*) zurück.

Uniform »einheitliche Dienstkleidung (besonders des Militärs)«: Das Fremdwort wurde im 18. Jh. aus gleichbed. frz. *uniforme* entlehnt. Dies ist eine Substantivierung des Adjektivs frz. *uniforme* »einförmig, gleichförmig, einheitlich«, das auf lat. *uni-formis* »einförmig« zurückgeht, einer Bildung aus lat. *unus* »einer, ein Einziger« (vgl. *Union*) und lat. *forma* »Form, Bild, Gestalt usw.« (vgl. *Form*).

Unikum »einziges Exemplar, Einzelstück (eines Drucks, einer Münze u. a.)«: Das Fremdwort, das in der Umgangssprache auch im Sinne von »origineller Mensch, Kauz« gebräuchlich ist, wurde im 19. Jh. aus lat. *unicum* entlehnt, dem Neutrum von lat. *unicus* »der Einzige; einzig in seiner Art; ungewöhnlich«. Dies gehört zu lat. *unus* »einer, ein Einziger«.

Union »Bund, Vereinigung, Verbindung (besonders im politischen und kirchlichen Bereich)«: Das Fremdwort wurde im 16. Jh. aus kirchenlat. *unio* »Einheit; Vereinigung« entlehnt. Dies ist eine Bildung zu lat. *unus* »einer, ein Einziger«, das etymologisch mit dt. ↑[1]ein verwandt ist. Andere wichtige Ableitungen von lat. *unus* sind kirchenlat. *unire* »vereinigen« (↑uni) und lat. *unicus* »der Einzige; einzig in seiner Art, ungewöhnlich« (↑Unikum). Als Bestimmungswort erscheint lat. *unus* in zahlreichen Zusammensetzungen. Unter diesen sind für uns von Interesse: lat. *uniformis* »einförmig« (↑Uniform) und lat. *universus* »in eins gekehrt; ganz, sämtlich; umfassend; allgemein« (s. die Fremdwörter *universal, Universität, Universum*).

universal »allgemein, gesamt, umfassend; weltweit«: Das Adjektiv wurde im 16. Jh. aus spätlat. *universalis* »zur Gesamtheit gehörig, allgemein«

entlehnt. Dies ist eine Bildung zu lat. *universus* »in eins gekehrt, zu einer Einheit zusammengefasst; ganz, sämtlich; allgemein; umfassend«, einer Zusammensetzung aus lat. *unus* »einer, ein Einziger« (vgl. *Union*) und lat. *versus* »gewendet« (vgl. *Vers*). Neben ›universal‹ tritt seit dem 18. Jh. gleichbedeutend das Adjektiv **universell,** das aus entsprechend frz. *universel* übernommen ist, auf. – Um ›universal‹ gruppieren sich die Bildungen **Universalismus** »Denkart, Lehre, die den Vorrang des Allgemeinen, des Ganzen gegenüber dem Besonderen und Einzelnen betont« (19. Jh.) und **Universalität** »umfassender Charakter von etwas; umfassende Bildung, schöpferische Vielseitigkeit« (17. Jh.; aus lat. *universalitas* »Gesamtheit«). Vgl. auch die Artikel *Universität* und *Universum.*

Universität: Die Bezeichnung für »Hochschule« wurde im 14. Jh. (mhd. *universitēt*) aus lat. *universitas (magistrorum et scolarium)* »Gesamtheit (der Lehrenden und Lernenden)« entlehnt. Lat. *universitas* »Gesamtheit; gesellschaftlicher Verband; Rechtskollegium« ist eine Bildung zu lat. *universus* »ganz, gesamt, allgemein« (vgl. *universal*). Im 20. Jh. wird statt ›Universität‹ häufig die Kurzform **Uni** gebraucht.

Universum »Weltall«: Das Fremdwort wurde im 17. Jh. aus lat. *universum* »das Ganze als Inbegriff aller Teile; die ganze Welt, das Weltall« entlehnt. Dies ist das substantivierte Neutrum von lat. *universus* »ganz, gesamt, allgemein« (vgl. *universal*).

Unke: Die nhd. Form beruht auf der Verschmelzung dreier verschiedener Wörter, nämlich von mhd., ahd. *unc* »Schlange« (verwandt mit lat. *anguis* »Schlange«) mit mhd. *ūche,* ahd. *ūcha* »Kröte« und älter nhd. *eutze* »Kröte« (vgl. gleichbed. mnd. *ūtze*). Die Verschmelzung erklärt sich daraus, dass die Kröte wie die Schlange früh in den abergläubischen Vorstellungen der Menschen als etwas Unheimliches und Ekelhaftes eine große Rolle spielte. Erst seit Ende des 18. Jh.s setzt sich aufgrund des weiblichen Geschlechts von ›uche‹ die weibliche Form ›Unke‹ als volkstümliche Bezeichnung für ›Kröte‹ durch. – Abl.: **unken** ugs. für »[immer wieder] Unheil, Schlimmes voraussagen« (18. Jh.).

Unkosten ↑Kosten.

Unkraut ↑Kraut.

unlängst ↑lang.

unlogisch ↑Logik.

Unmensch ↑Mensch.

unparteiisch ↑Partei.

unpässlich ↑passen.

Unperson ↑Person.

Unrat: Mhd. *unrāt* »schlechter Rat; Mangel, Schaden; nichtige Dinge; Unkraut«, ahd. *unrāt* »übler Rat« enthält als zweiten Bestandteil das unter ↑Rat behandelte Wort in dessen alter Bedeutung »Mittel, die zum Lebensunterhalt notwendig sind«. Es bedeutet demnach ursprünglich »Mangel, Not [an Mitteln, die zu Gebote stehen sollten], Hilflosigkeit« und dann »der daraus entstehende Nachteil, Schaden«, auch »Unheil« (vgl. die Wendung ›Unrat wittern‹). Über »Wertloses« entwickelte sich die jetzige Bedeutung »Schmutz, Kot«.

Unruh, Unruhe ↑Ruhe.

Unruheherd ↑Herd.

uns: Der gemeingerm. Dativ und Akkusativ Plural des Personalpronomens der 1. Person mhd., ahd. *uns,* got. *uns,* engl. *us,* schwed. *oss* ist z. B. verwandt mit lat. *nos* »wir« und aind. *naḥ* »uns, unser«. – Abl.: **unser** (Possessivpronomen, mhd. *unser,* ahd. *unsēr,* entsprechend got. *unsar,* engl. *our*), dazu **unsrig** (16. Jh.). Siehe auch *Vaterunser* (↑Vater).

unsagbar, unsäglich ↑sagen.

unsauber, Unsauberkeit ↑sauber.

unscheinbar ↑scheinen.

Unschuld, unschuldig ↑Schuld.

Unsinn, unsinnig ↑Sinn.

Unsitte, unsittlich ↑Sitte.

unsterblich, Unsterblichkeit ↑sterben.

Unstern ↑Stern.

unter: In dem gemeingerm. Wort (Adverb, Präposition) mhd. *under,* ahd. *untar,* got. *undar,* engl. *under,* schwed. *under* sind zwei ursprünglich verschiedene Wörter zusammengefallen: 1. ein z. B. mit aind. *antár* »zwischen« und mit lat. *inter* »zwischen« (↑inter..., Inter...) verwandtes Wort (vgl. den Artikel *in*); 2. ein z. B. mit lat. *infra* »unter[halb]« (↑infra..., Infra...) verwandtes Wort, das auf idg. **n̥dheri* »unter« beruht. Beide Bedeutungen leben noch heute in ›unter‹ weiter. Das Adverb dient häufig als Verbzusatz in festen und unfesten Zusammensetzungen mit Verben, z. B. ›unterbrechen, unterbringen‹, erscheint aber auch als erster Bestandteil in zusammengesetzten Substantiven, z. B. **Unterseeboot** (19. Jh.), und Partizipien, z. B. ›unterernährt, unterentwickelt‹. – Abl.: **untere** (zur Präposition ›unter‹ gebildetes Adjektiv, mhd. *under,* ahd. *untaro*), dazu Zusammensetzungen wie **Unterwelt** (16. Jh.); **Unter** »Spielkarte« (15. Jh.; ursprünglich ›der Untere‹; vgl. *Ober* [↑obere]).

Unterbewusstsein ↑bewusst.

unterbinden ↑binden.

unterbreiten ↑breit.

Untergang ↑gehen.

untergeben, Untergebener ↑geben.

untergehen ↑gehen.

Untergrund ↑Grund.

Unterhalt, unterhalten, Unterhaltung ↑halten.

unterhandeln, Unterhändler ↑handeln.

unterirdisch ↑irden.

unterjochen ↑Joch.

unterkommen, Unterkunft ↑kommen.

unterkühlen ↑kühl.

Unterlage ↑legen.

Unterlass, unterlassen ↑lassen.

unterlegen ↑legen.

unterliegen ↑liegen.
untermauern ↑Mauer.
unternehmen, Unternehmen, Unternehmer ↑nehmen.
Unterpfand ↑Pfand.
Unterricht, unterrichten ↑richten.
untersagen ↑sagen.
Untersatz ↑setzen.
unterscheiden, Unterschied ↑scheiden.
unterschlagen ↑schlagen.
unterschwellig ↑Schwelle.
untersetzen, untersetzt ↑setzen.
Unterstand, unterstehen ↑stehen.
unterstützen ↑stützen.
untersuchen, Untersuchung ↑suchen.
untertan: Das Adjektiv mhd. *undertān*, ahd. *untartān* »unterjocht; verpflichtet« ist eigentlich das 2. Partizip des zusammengesetzten Verbs mhd. *undertuon*, ahd. *untartuon* »unterwerfen« (vgl. *tun*). Die Substantivierung **Untertan** (mhd. *undertān[e]*) ist durch den Kampf gegen den Obrigkeitsstaat zurückgedrängt worden und wird heute meist nur noch spöttisch oder abwertend gebraucht. Eine Weiterbildung zu ›untertan‹ ist **untertänig** (mhd. *undertǣnec*).
unterweisen, Unterweisung ↑weisen.
Unterwelt ↑unter.
unterwerfen, unterwürfig ↑werfen.
unterzeichnen, Unterzeichnung ↑zeichnen.
Untier ↑Tier.
untragbar ↑tragen.
unübertrefflich, unübertroffen ↑treffen.
unumwunden ↑²winden.
unverbindlich ↑verbinden.
unverblümt ↑Blume.
unverbrüchlich ↑¹Bruch.
unverdrossen ↑verdrießen.
unverfroren »keck, frech, unverschämt«: Das seit der 2. Hälfte des 19. Jh.s gebräuchliche Wort ist wahrscheinlich eine auf Anlehnung an ›verfrieren‹ beruhende volksetymologische Umbildung des nicht mehr verstandenen niederd. *unverfehrt* (mnd. *unvorvērt* »unerschrocken«). Dieses Wort ist eigentlich das verneinte 2. Partizip von mnd. *[sik] vorvēren* »erschrecken«, einer Bildung zu mnd. *vāre* »Gefahr, Angst« (vgl. *Gefahr*). – Abl.: **Unverfrorenheit** (19. Jh.).
unverhofft ↑hoffen.
unverhohlen ↑hehlen.
unverschämt ↑Scham.
unversehrt, Unversehrtheit ↑versehren.
unwirsch: Die seit dem 18. Jh. übliche Form *unwirsch* hat sich über frühnhd. *unwirdsch* aus mhd. *unwirdesch* »unwert, verächtlich, schmählich, unwillig, zornig« entwickelt. Dies ist eine Ableitung von dem Substantiv mhd. *unwirde* »Unwert« (↑wert, ↑Würde). Seit dem 19. Jh. wird ›unwirsch‹ gewöhnlich im Sinne von »unfreundlich, mürrisch« gebraucht.
unwirtlich ↑Wirt.
Unze: Der Name des früher üblichen Gewichts (mhd. *unze*, ahd. *unze, unza*) ist aus lat. *uncia* »12. Teil eines römischen Asses« entlehnt. Das Gewicht entsprach etwa 32 Gramm. – Lat. *uncia* ist eine Bildung zu lat. *unus* »einer« (vgl. den Artikel *Union*). Als Bezeichnung eines englischen Gewichts (28,35 Gramm), nach dem z. B. das Gewicht von Boxhandschuhen festgelegt wird, ist ›Unze‹ aus entsprechend engl. *ounce* (< afrz. *once* < lat. *uncia*) übernommen.
Unzucht, unzüchtig ↑Zucht.
üppig: Die Herkunft des Adjektivs mhd. *üppic*, ahd. *uppīg* »überflüssig, unnütz, nichtig, übermütig« ist nicht gesichert. Vielleicht ist es mit den unter ↑über und ↑übel behandelten Wörtern verwandt und bedeutet demnach eigentlich »über das Maß hinausgehend«. Diese Bedeutung führte negativ gesehen zu der in älterer Zeit häufigeren Bedeutung »nichtig, eitel«, positiv gesehen zu der heute üblichen von »überquellend, strotzend«. Siehe auch den Artikel *auf*.
Ur ↑Auerochse.
ur..., Ur...: Das gemeingerm. Präfix mhd., ahd. *ur-*, got. *us-, uz-*, aengl. *or-*, aisl. *ōr-* wird, außer im Got., nur in nominalen Zusammensetzungen gebraucht. Vor Verben erscheint es im Dt. als ↑er... (z. B. in ›erlauben‹ neben ↑Urlaub). Das im Got., Aisl. und Ahd. auch als Präposition in der Bedeutung »aus, von – her« auftretende Wort gehört zu dem unter ↑aus behandelten idg. Adverb. Die Grundbedeutung »[her]aus« zeigt ›ur...‹ noch in Wörtern wie ↑Ursprung »Quelle« und ↑Ursache »Veranlassung«. Heute bezeichnet das Präfix vor allem den Anfangszustand einer Sache oder den ersten Vertreter einer Gattung: ›Urwald, Urmensch‹. In **Urabstimmung** »Abstimmung aller Mitglieder einer [gewerkschaftlichen] Organisation zur Entscheidung grundsätzlicher Fragen« (20. Jh.), das eigentlich »unmittelbare, direkte Abstimmung« bedeutet, bezeichnet ›ur...‹ das Unmittelbare, das Erste, Grundlegende. In ›uralt‹, ›urgemütlich‹, ›urplötzlich‹ u. ä. Wörtern wirkt es nur noch verstärkend. – Abl.: **urig**, schweiz. **urchig** »urwüchsig, echt«, auch »originell« (mhd. *urich*); **urtümlich** (im 18. Jh. rückgebildet aus ›Urtümlichkeit‹, einer Lehnbildung nach ›Originalität‹). Siehe auch den Artikel *urbar*.
Uran: Das im ausgehenden 18. Jh. entdeckte radioaktive Schwermetall erhielt seinen fachsprachlichen Namen (nlat. *Uranium*) nach dem einige Jahre zuvor entdeckten Planeten Uranus.
urban: Das Adjektiv wurde im 18. Jh. aus lat. *urbanus* »fein, vornehm, gebildet« entlehnt. Dies ist von lat. *urbs* »Stadt« abgeleitet und bedeutet eigentlich »zur Stadt gehörend«. Das Adjektiv wurde zunächst nur im Sinne von »gebildet und weltgewandt« gebraucht, im 20. Jh. – vielleicht unter dem Einfluss von entsprechend frz. *urbain*, engl. *urban* – dann im Sinne von »städtisch, für städtisches Leben charakteristisch«.

urbar (meist nur noch in der Fügung ›urbar machen‹): Das seit dem 17. Jh. gebräuchliche Wort stammt aus dem Niederd. Das zugrunde liegende mnd. Adjektiv ist zwar nicht bezeugt, wird aber durch das Substantiv mnd. *orbarheit* »Nutzen, Vorteil« und das Verb mnd. *orbaren* »Land durch Bearbeitung Ertrag bringend machen« vorausgesetzt (vgl. mniederl. *orbare* »nützlich«). Es hat sich aus dem Substantiv mnd. *orbor, orbar* »Ertrag, Nutzen, Vorteil« entwickelt, vgl. mhd. *urbor* »Zins tragendes Grundstück, Einkünfte, Rente«, auf dem **Urbar** »Güter- und Abgabenverzeichnis mittelalterlicher Grundherrschaften« (15./16. Jh.) beruht. Das mnd. Substantiv ist eine Bildung zu dem im Nhd. untergegangenen Präfixverb mhd. *erbern,* ahd. *urberan* »hervorbringen« (vgl. *gebären*). Die Grundbedeutung von ›urbar‹ ist demnach »ertragreich«; die heutige Bedeutung ist eingeschränkt auf die erste Bestellung eines Bodens, der dann »zum Anbau geeignet« ist.

Urbild ↑Bild.

urchig ↑ur..., Ur...

Urheber »jemand, der für eine Tat verantwortlich ist, von dem etwas ausgeht; Verfasser, Erfinder«: Das seit dem 15. Jh. bezeugte Substantiv ist eine Ableitung von mhd. *urhap,* ahd. *urhab* »Anfang, Ursache, Ursprung« (vgl. *heben*). Bei der Herausbildung der Bedeutung wirkte vor allem lat. *auctor* mit, als dessen Übersetzung ›Urheber‹ verwendet wurde.

urig ↑ur..., Ur...

Urin »Harn«: Das Fremdwort ist eine gelehrte Entlehnung des 16. Jh.s aus gleichbed. lat. *urina.* Das lat. Wort gehört im Sinne von »Feuchtigkeit, Wasser« zu der unter ↑Wasser dargestellten idg. Wortfamilie.

Urkunde »rechtskräftiges Schriftstück«: Das auf das dt. und niederl. Sprachgebiet beschränkte Wort (mhd. *urkünde,* ahd. *urchundi,* niederl. *oorkonde*) ist eine Bildung zu dem unter ↑erkennen behandelten Präfixverb. Es bedeutete demnach ursprünglich »Erkenntnis«. In der Rechtssprache wurde es dann im Sinne von »Bekundung, Beweis« verwendet. Dies wurde entscheidend für den Übergang zur heutigen Bedeutung. – Abl.: **beurkunden** »durch Urkunde bezeugen« (19. Jh.); **urkundlich** »durch Urkunde beglaubigt« (17. Jh.).

Urlaub: Das Substantiv (mhd., ahd. *urloup*) ist eine Bildung zu dem unter ↑erlauben behandelten Präfixverb und bedeutete ursprünglich ganz allgemein »Erlaubnis«. In der höfischen Sprache der mhd. Zeit bezeichnete es dann die Erlaubnis wegzugehen, die ein Höherstehender oder eine Dame dem Ritter zu geben hatte. In der Neuzeit bezeichnet ›Urlaub‹ die [offizielle] vorübergehende Freistellung von einem Dienstverhältnis, allgemeiner dann die dienst- oder arbeitsfreien Tage, die der Erholung dienen. – Abl.: **Urlauber** »jemand, der Urlaub macht« (im 19. Jh. »vom [Militär]dienst vorübergehend Freigestellter«, wahrscheinlich ursprünglich österr.); **beurlauben** »Urlaub gewähren« (15./16. Jh.; Präfixbildung zu dem heute untergegangenen Verb ›urlauben‹).

Urne: Die Bezeichnung »Ton- oder Metallgefäß, vornehmlich zur Aufbewahrung von Totenasche« wurde im 16. Jh. auf gelehrtem Wege aus lat. *urna* »Wasserkrug; Topf, Krug; Aschenkrug; Lostopf« entlehnt. Lat. *urna* war zuvor schon übernommen worden: mhd. *urn* »Flüssigkeitsmaß (besonders für Wein)«. – Heute wird ›Urne‹ auch häufig kurz für ›Wahlurne‹ gebraucht.

Ursache: Das aus der Rechtssprache stammende Wort ist eine Bildung aus dem unter ↑ur..., Ur... dargestellten Präfix und dem unter ↑Sache behandelten Substantiv in dessen alter Bedeutung »Streitsache, Rechtshandel«. ›Ursache‹ bedeutete also demnach ursprünglich »erster, eigentlicher Anlass zu einem gerichtlichen Vorgehen«. Anfänglich neben und für ›Sache‹ gebraucht, das schon früh im allgemeinen Sinne verwendet wurde, teilt es bald mit diesem das Schicksal der Verallgemeinerung und wurde zum mehr oder weniger fest umrissenen Begriff der Kausalität (vgl. lat. *causa,* das den gleichen Weg gegangen ist und die Bedeutungen von ›Sache‹ und ›Ursache‹ wesentlich mit beeinflusst hat). – Abl.: **ursächlich** »die Ursache bildend, kausal« (15. Jh.); **verursachen** »die Ursache, der Urheber von etwas sein« (16. Jh.).

Ursprung: Das Substantiv mhd. *ursprunc,* ahd. *ursprung* (niederl. *oorsprong,* schwed. *ursprung* sind aus dem Dt. entlehnt) ist eine Bildung zu dem im Nhd. untergegangenen Präfixverb mhd. *erspringen,* ahd. *irspringan* »entsprießen, entstehen, entspringen« und bedeutete ursprünglich »das Hervorspringen (besonders von Wasser), Quelle«. Die konkrete Bedeutung hielt sich bis weit ins Nhd., während umgekehrt die übertragene Verwendung bis ins Ahd. hinaufreicht. – Abl.: **ursprünglich** »anfänglich, zuerst; echt, unverfälscht« (mhd. *ursprunclich,* ein Wort der Mystik, das aber erst im 18. Jh. unter dem Einfluss von gleichbed. frz. *original* gebräuchlich wird).

Urständ

fröhliche Urständ feiern

(veraltend, aber noch scherzh.) »aus der Vergessenheit wieder zum Vorschein kommen«

Das nur noch in dieser Wendung gebräuchliche Substantiv ›Urständ‹ geht zurück auf mhd., spätahd. *urstende* »Auferstehung«, eine Bildung zu ahd. *erstān* »aufstehen, sich erheben; auferstehen« (vgl. *stehen*).

Urteil: Das Substantiv mhd. *urteil,* ahd. *urteil[i]* ist eine Bildung zu dem Präfixverb ›erteilen‹ und bedeutete ursprünglich »das, was man erteilt«. Diese allgemeine Bedeutung wurde früh eingeengt auf »Wahrspruch, den der Richter erteilt; richterliche Entscheidung in einem Rechtsstreit«. Erst in jüngerer Zeit wird das Wort auch im Sinne von »Äußerung einer Ansicht; abwägende Stellungnahme« verwendet. – Abl.: **urteilen** »seine Meinung äußern; sich ein Urteil bilden« (mhd. *urteilen,* die Bedeutungsentwicklung wie beim Substantiv), dazu **aburteilen** »verurteilen« (17. Jh.), **beurteilen** »zu etwas Stellung nehmen, seine Meinung äußern« (18. Jh.) und **verurteilen** »durch Gerichtsbeschluss mit einer Strafe belegen; völlig ablehnen, verdammen« (mhd. *verurteilen*).

urtümlich ↑ur..., Ur...

urwüchsig ↑Wuchs.

usurpieren »sich widerrechtlich aneignen; widerrechtlich die Staatsgewalt an sich reißen«: Das Verb wurde im 16. Jh. aus lat. *usurpare* »in Anspruch nehmen, in Besitz nehmen; sich widerrechtlich aneignen« entlehnt. Das lat. Wort ist zusammengezogen aus *usu rapere* »durch Gebrauch rauben« (d. h. »durch tatsächlichen Gebrauch eine Sache in seinen Besitz bringen«).

Usus »Brauch, Gewohnheit, Herkommen, Sitte«: Das Fremdwort wurde im 17. Jh. in die Studentensprache aus lat. *usus* »Gebrauch; Übung, Praxis« aufgenommen und gelangte von dort in die Umgangssprache. Lat. *usus* gehört zu lat. *uti (usum)* »von etwas Gebrauch machen, etwas anwenden, benutzen usw.« – Das Adjektiv **usuell** »üblich, gebräuchlich« wurde im 18. Jh. aus gleichbed. frz. *usuel* entlehnt. Es verdrängte älteres, heute nicht mehr gebräuchliches ›usual‹, das direkt aus lat. *usualis* »zum Gebrauch dienend; gewöhnlich« übernommen worden war. Siehe auch den Artikel *Utensilien.*

Utensilien: Der Ausdruck für »Gebrauchsgegenstände; Hilfsmittel; Zubehör« wurde im 17. Jh. aus lat. *utensilia* »brauchbare Dinge, Gebrauchsgegenstände«, dem substantivierten Neutrum Plural von lat. *utensilis* »brauchbar«, entlehnt. Dies ist eine Bildung zu lat. *uti* »gebrauchen, anwenden, benutzen« (vgl. den Artikel *Usus*).

Utopie »als undurchführbar geltender Plan, nicht realisierbare Idee; Zukunfts-, Wunschtraum, Hirngespinst«: Das seit dem frühen 19. Jh. gebräuchliche Fremdwort ist – vermutlich unter dem Einfluss von gleichbed. frz. *utopie* – aus älterem **Utopia** (auch: Utopien) »erdachtes Land, Traumland, in dem ein gesellschaftlich-politischer Idealzustand herrscht« aufgekommen. ›Utopia‹ wurde im 16. Jh. aus gelehrtenlat. *Utopia* übernommen, nach dem Titel eines 1516 erschienenen Werkes des englischen Humanisten Thomas Morus (1478–1535), in dem das Bild eines republikanischen Idealstaates entworfen wird. Das Wort ist eine Bildung zu griech. *ou* »nicht« und griech. *tópos* »Ort, Stelle, Land« und bedeutet demnach eigentlich »Nichtland, Nirgendwo«. – Abl.: **utopisch** »nicht realisierbar, fantastisch« (17. Jh.; wohl nach gleichbed. frz. *utopique*).

uzen »hänseln, necken«: Das seit dem 16. Jh. bezeugte, in der Umgangssprache gebräuchliche Verb ist vermutlich eine Ableitung von **Uz,** der im südwestdeutschen Raum gebräuchlichen Koseform zu ›Ulrich‹, die zur Bezeichnung eines Menschen geworden war, den man verspottet oder verächtlich behandelt.

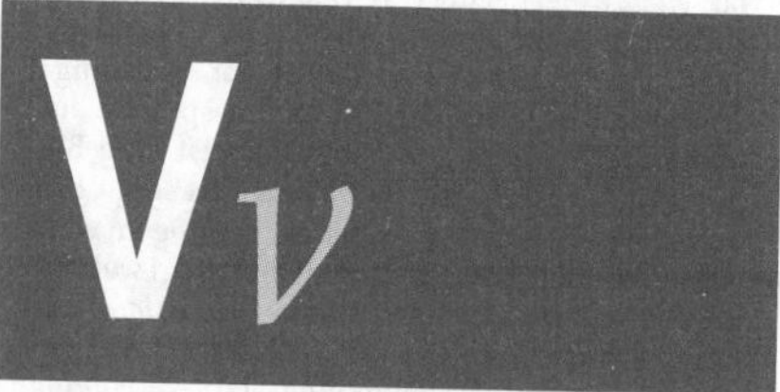

va banque

va banque spielen
»alles aufs Spiel setzen; alles wagen, um alles zu gewinnen oder alles zu verlieren«
Die Wendung ist seit dem 18. Jh. gebräuchlich. Frz. *va banque* stammt aus dem Jargon der Glücksspieler und bedeutete zunächst konkret »es gilt die Bank«, d. h., das Spiel geht um die gesamte in der Bank des Bankhalters befindliche Summe. Frz. *va* ist die 3. Pers. Sing. von *aller* »gehen«, das zurückgeht auf gleichbedeutend lat. *vadere* (↑Invasion), während frz. *banque* »Bank« aus it. *banca* (↑ 2Bank) entlehnt ist.

Vagabund »Landstreicher, Herumtreiber«: Das seit dem 17. Jh. zuerst in der Form ›Vagabond‹ bezeugte Fremdwort ist unter dem Einfluss von gleichbed. frz. *vagabond* (Adjektiv und Substantiv) aus spätlat. *vagabundus* »umherschweifend; unstet« entlehnt (vgl. den Artikel *vag[e]*). Die heutige, seit dem Ende des 18. Jh.s übliche Form ›Vagabund‹ ist relatinisiert.

vag[e] »unbestimmt, unsicher; dunkel, verschwommen«: Das seit dem 18. Jh. zuerst auch in der ursprünglichen Bedeutung »umherschweifend; unstet« bezeugte Adjektiv ist – unter dem Einfluss von gleichbed. frz. *vague* – aus lat. *vagus* »umherschweifend; unstet« entlehnt. Dazu gehört das lat. Verb *vagari* »umherschweifen« mit dem abgeleiteten Adjektiv spätlat. *vagabundus* »umherschweifend; unstet« (↑Vagabund) und u. a. der Bildung mlat. *extra-vagari* »ausschweifen« (↑extravagant).

Vagina ↑Vanille.

vakant »frei, leer; unbesetzt, offen«: Das seit dem 17. Jh. bezeugte, zunächst in der Verwaltungssprache gebräuchliche Adjektiv ist aus lat. *vacans (-antis),* dem Part. Präs. von lat. *vacare* »leer sein; frei sein von etwas; unbesetzt sein«, entlehnt. – Dazu stellt sich das Substantiv **Vakanz** »freie Stelle; das Unbesetztsein« (15. Jh.; aus mlat. *vacantia*

»Ruhetage«). – Zum gleichen Stamm gehören ↑Vakuum und ↑evakuieren.

Vakuum »luftverdünnter, d.h. nahezu luftleerer Raum; Leere«: Das seit dem 17. Jh. bezeugte Fremdwort ist aus lat. *vacuum* »leerer Raum; Leere«, dem substantivierten Neutrum von lat. *vacuus* »leer; entblößt; frei«, entlehnt. Dies gehört zu lat. *vacare* »leer sein« (vgl. *vakant*).

Valuta: Die Bezeichnung für »Wert, Gegenwert; Geld, Zahlungsmittel ausländischer Währung« wurde im 16. Jh. in der Kaufmannssprache aus gleichbed. it. *valuta* entlehnt. Dies ist eine Bildung zu it. *valere (valuto)* »gelten, wert sein«, das auf lat. *valere* »stark sein; gelten, vermögen; wert sein« (etymologisch verwandt mit dt. ↑walten) beruht. – Zum gleichen Stamm (lat. *valere*) gehört u.a. das lat. Adjektiv *validus* »stark, gesund«, dessen Gegenbildung lat. *in-validus* »kraftlos, schwach« unserem Fremdwort ↑invalid[e] zugrunde liegt. Vgl. auch den Artikel *Rekonvaleszent.*

Vamp: Die Bezeichnung für eine verführerische, oft kühl berechnende Frau wurde im 20. Jh. aus gleichbed. engl.-amerik. *vamp* entlehnt. Dies ist eine Kürzung aus engl. *vampire* »Vampir«, das – wie unser **Vampir** (18. Jh.) – aus serbokroat. *vampir* »Verstorbener, der nachts aus dem Grab steigt, um Lebenden Blut auszusaugen« stammt.

Vanille: Die im tropischen Amerika beheimatete, auf Bäumen wachsende Orchideenpflanze ist nach ihren Fruchtschoten benannt, die nach Fermentation ein wertvolles Gewürz liefern. Die seit dem ausgehenden 17. Jh. (zuerst als ›Vanilla‹) bezeugte Bezeichnung beruht wie gleichbed. frz. *vanille,* das die Form unseres Wortes beeinflusst hat, auf Entlehnung aus gleichbed. span. *vainilla.* Das span. Wort bedeutet eigentlich »kleine Scheide; kleine Schote«. Es ist eine Verkleinerungsbildung zu span. *vaina* »Scheide; [Samen]hülse; Schote«, das aus lat. *vagina* »Schwertscheide; Scheide; Ährenhülse« stammt, aus dem auch **Vagina** »weibliche Scheide« entlehnt ist.

variabel, Variante, Variation ↑variieren.

Varieté »Theater mit bunt wechselndem Programm artistischer, tänzerischer und gesanglicher Darbietungen«: Die im 19. Jh. aufkommende Bezeichnung hat sich als Kurzform für ›Varietétheater‹ durchgesetzt, das nach gleichbed. frz. *théâtre des variétés* gebildet ist. Das zugrunde liegende Substantiv frz. *variété* »Abwechslung, bunte Vielfalt« beruht auf gleichbed. lat. *varietas.* Stammtwort ist lat. *varius* »verschiedenartig; mannigfaltig, bunt; wechselnd« (vgl. den Artikel *variieren*).

variieren »verschieden sein, abweichen; verändern, abwandeln«: Das seit dem 16. Jh. bezeugte Verb führt – wohl unter dem Einfluss von gleichbed. frz. *varier* – auf lat. *variare* »mannigfaltig machen; verändern; wechseln; verschieden sein, bunt schillern« zurück. Stammwort ist das lat. Adjektiv *varius* »verschiedenartig; mannigfaltig, bunt; wechselnd«. – Dazu stellen sich: **variabel** »veränderlich, abwandelbar; schwankend« (17. Jh.; aus gleichbed. frz. *variable,* spätlat. *variabilis*); **Variante** »Abweichung, Abwandlung; Spielart; verschiedene Lesart« (18. Jh.; aus gleichbed. frz. *variante;* dies ist das substantivierte Femininum von frz. *variant,* dem Part. Präs. von frz. *varier* »variieren«); **Variation** »Abwechslung; Abwandlung; melodische Veränderung eines musikalischen Themas« (16. Jh.; unter dem Einfluss von gleichbed. frz. *variation* aus lat. *variatio* »Verschiedenheit; Veränderung«). Vgl. auch den Artikel *Varieté.*

Vasall: Die historische Bezeichnung für einen durch Treueid dem Lehnsherrn verpflichteten Gefolgsmann wurde in mhd. Zeit (mhd. *vassal*) aus gleichbed. afrz. *vassal* (mlat. *vas[s]alus*) entlehnt. Dies stammt aus dem Kelt., vgl. walisisch *gwasawl* »dienend« zu walisisch *gwes* »Diener«.

Vase »Ziergefäß (meist für Schnittblumen)«: Das bereits im 16. Jh. bezeugte, aber erst seit dem 18. Jh. allgemein übliche Wort ist aus gleichbed. frz. *vase* entlehnt, das auf lat. *vas (vasis)* »Gefäß, Geschirr« zurückgeht.

Vater: Die gemeingerm. Bezeichnung für »Haupt der Familie, Erzeuger, Ernährer« (mhd. *vater,* ahd. *fater,* got. *fadar,* engl. *father,* schwed. *fader*) geht mit Entsprechungen in anderen idg. Sprachen auf idg. **pətḗr* »Vater, Haupt der Familie« zurück, vgl. z. B. aind. *pitár* »Vater«, griech. *patḗr* »Vater« (↑Patriot und ↑Patriarch), lat. *pater* »Vater« (s. die Fremdwortgruppe um *Pater*). Die Deutung des idg. Wortes ist unsicher. Der alte idg. Verwandtschaftsname, der mit demselben Suffix gebildet ist wie die Verwandtschaftsbezeichnungen ›Mutter‹, ›Bruder‹ und ›Tochter‹, ist möglicherweise eine Bildung zu einem alten Lallwort der Kindersprache wie ›Papa‹ (vgl. auch griech. *páppas,* lat. *papa*) oder gehört zur idg. Wurzel **pō[i]-* »hüten, schützen«. Eine alte Bildung zu ›Vater‹ ist das unter ↑Vetter behandelte Wort. Siehe auch den Artikel *Gevatter.* – Abl.: **väterlich** »vom Vater stammend; fürsorglich und voller Zuneigung« (mhd. *veterlich,* ahd. *faterlīh*). Zus.: **Vaterland** (12. Jh., mhd. *vaterlant* »Heimat, Himmel«; freie Übertragung von lat. *patria* »Vaterland«), dazu **vaterländisch** (18. Jh.); **Vatermörder** ugs. für »hoher, steifer Stehkragen« (19. Jh.; wohl volksetymologische Umdeutung von frz. *parasite* »Mitesser« [an den langen, nach oben gerichteten Ecken blieben leicht Speisereste hängen] zu *parricide* »Vatermörder«, ein Wort also, das einem Missverständnis seine Existenz verdankt); **Vaterunser** (nach den Anfangsworten des Gebetes, das Jesus in Matth. 6, 9 spricht, mit nachgestelltem Possessivpronomen, mhd. *vater unser,* ahd. *fater unser,* got. *atta unsar,* nach lat. *pater noster,* vgl. den Artikel *Paternoster*).

V

Vegetarier »jemand, der sich [ausschließlich] von pflanzlicher Kost ernährt«: Die im 20. Jh. aufgekommene Form ›Vegetarier‹ ist aus älterem ›Vegetarianer‹ gekürzt, das im 19. Jh. aus gleichbed. engl. *vegetarian* entlehnt worden ist. Dies ist eine Bildung zu engl. *vegetable* »pflanzlich« (< lat. *vegetabilis* »belebend« zu lat. *vegetare* »beleben«, vgl. den Artikel *Vegetation*).

Vegetation »Pflanzenwuchs; gesamte Pflanzenwelt eines Gebietes«: Das Fremdwort ist eine gelehrte Entlehnung des 17. Jh.s aus mlat. *vegetatio* »Wachstum«, das auf lat. *vegetatio* »Belebung, belebende Bewegung« zurückgeht. Dies ist eine Bildung zu lat. *vegetare* »in Bewegung setzen, beleben«, das zu lat. *vegetus* »rührig, lebhaft, munter« und weiter zu lat. *vegere* »munter, lebhaft sein« (etymologisch verwandt mit dt. ↑wecken) gehört. – Auf lat. *vegetare* beruht formal unser Verb **vegetieren** »kümmerlich, kärglich [dahin]leben«, das im 18. Jh. aus mlat. *vegetare* »nähren, hegen« übernommen wurde. Gleichen Ausgangspunkt hat das Fremdwort ↑Vegetarier.

vehement »heftig, stürmisch, ungestüm«: Das Adjektiv wurde Anfang des 18. Jh.s – wohl unter dem Einfluss von frz. *véhement* – aus gleichbed. lat. *vehemens (-entis)* entlehnt oder aber zu ›Vehemenz‹ (s. u.) gebildet. Das lat. Adjektiv gehört wahrscheinlich mit einer ursprünglichen Bedeutung »einherfahrend, auffahrend« zu lat. *vehere* »fahren« (vgl. den Artikel *Vehikel*). – Das Substantiv **Vehemenz** »Heftigkeit, Wildheit; Schwung« wurde Anfang des 18. Jh.s aus gleichbed. lat. *vehementia* entlehnt.

Vehikel: Der Ausdruck für »klappriges, altmodisches Fahrzeug« wurde im 17. Jh. aus lat. *vehiculum* »Fahrzeug, Transportmittel« entlehnt. Dies ist eine Bildung zu lat. *vehere (vectum)* »fahren; führen usw.«, das mit dt. ↑bewegen etymologisch verwandt ist. Zu lat. *vehere* gehört wahrscheinlich auch ↑vehement »heftig, stürmisch« (ursprünglich wohl »einherfahrend, auffahrend«).

Veilchen: Der in der heute üblichen Form seit dem 16. Jh. bezeugte Blumenname ist eine Verkleinerungsbildung zu gleichbed. älter nhd. *Vei[e]l* (mhd. *vīel*, frühmhd. *vīol[e]*, ahd. *viola*). Der Name der Blume ist aus lat. *viola* »Veilchen« entlehnt (s. auch das Fremdwort *violett*), das seinerseits mit gleichbed. griech. *íon* (↑Levkoje und ↑Jod) zusammenhängt. Beide stammen vermutlich in unabhängiger Entlehnung aus einer gemeinsamen Quelle, vielleicht aus einer nichtidg. Mittelmeersprache.

Veitstanz: Die seit dem 16. Jh. bezeugte Krankheitsbezeichnung ist eine frühnhd. Lehnübersetzung von mlat. *chorea sancti Viti*. Der hl. Vitus, hochd. Veit, wurde als Helfer bei dieser Krankheit, die sich in nervösen Muskel- und Gliederzuckungen äußert, angerufen. Weshalb gerade der hl. Vitus, ein sizilianischer Märtyrer des 4. Jh.s, angerufen wurde, ist nicht sicher geklärt.

Velours: Die Bezeichnung für das samtartige Gewebe mit gerauter, weicher Oberfläche wurde in neuerer Zeit aus frz. *velours* »Samt« entlehnt, das für älteres *velous* steht. Das frz. Wort stammt aus gleichbedeutend aprov. *velos* (eigentlich »zottig, haarig«), das auf lat. *villosus* »zottig, haarig« beruht. Dies gehört seinerseits zu lat. *villus* »zottiges Tierhaar« und weiter zu lat. *vellus* »abgeschorene, noch zusammenhängende Schafwolle« (etymologisch verwandt mit dt. ↑Wolle). – Siehe auch den Artikel [2]*Flor*.

Vene »Blutader«: Das Fremdwort wurde im 17. Jh. als medizinischer Fachausdruck aus lat. *vena* »Blutader« entlehnt.

Ventil »Luft-, Dampfklappe; Absperrvorrichtung«: Das Fremdwort ist eine gelehrte Entlehnung des 16. Jh.s aus mlat. *ventile* »Schleuse eines Wasserkanals«. Dies gehört zu lat. *ventus* »Wind« (vgl. den Artikel *ventilieren*).

ventilieren »lüften, die Luft erneuern«, auch übertragen gebraucht im Sinne von »sorgfältig erwägen, von allen Seiten durchdenken, eingehend erörtern«: Das mit seiner eigentlichen Bedeutung »lüften« schon im 16. Jh. bezeugte Verb (die übertragene Verwendung setzte erst im 18. Jh. nach entsprechend frz. *ventiler* ein) ist aus lat. *ventilare* »in die Luft schwenken, schwingen; Luft fächeln; eingehend erörtern« entlehnt. Dies ist eine Bildung zu dem mit dt. ↑Wind urverwandten Substantiv lat. *ventus* »Wind«. – Abl.: **Ventilation** »Lufterneuerung, Lüftung, Luftwechsel« (18. Jh.; aus gleichbedeutend frz. *ventilation* < lat. *ventilatio* »das Lüften«); **Ventilator** »Gerät zum Absaugen und Bewegen von Luft; Lüfter« (18. Jh.; aus gleichbedeutend engl. *ventilator*, einer gelehrten Bildung zu lat. *ventilare*).

ver...: In dem Präfix ›ver...‹ (mhd. *ver-*, ahd. *fir-*, *far-*, mnd. *vör-*, *vor-*) sind mehrere Vorsilben zusammengeflossen, die im Got. als *faír-* »heraus-«, *faúr-* »vor-, vorbei-« und *fra-* »weg-« noch getrennt sind, vgl. z. B. die außergerm. Entsprechungen lat. *per-*, *por-*, *pro-*, griech. *peri-*, *par-*, *pro-* und aind. *pári-*, *pr̥-*, *prá-*. Die zugrunde liegenden idg. Formen **per[i]-*, **pr̥-*, **pro-* gehören zu dem idg. Wurzelnomen **per-*, das etwa »das Hinausführen über ...« bedeutete und die Grundlage zahlreicher Adverbien, Präpositionen und Präfixe bildet. Außer den oben Genannten (s. die Artikel *per...*, *Per...*, *peri...*, *Peri...*, *pro...*, *Pro...*) gehören hierher z. B. noch lat. *prae* »vor, voraus« (↑prä..., Prä...), dt. ↑für (mit ›Fürst‹), ↑vor (mit ›vorn, vorder, fordern‹; nahe verwandt mit griech. *pará* »entlang, über – hinaus«, ↑para..., Para...), ↑fort (mit ›fördern‹), ↑früh (mit ›Frühling‹) und ↑fern. Darüber hinaus liegt idg. **per-*, vielfach weitergebildet und erweitert, zahlreichen Nominalbildungen in fast allen idg. Sprachen zugrunde. Aus dem dt. Wortschatz gehören hierher die unter ↑Frau (mit ›Fron‹), ↑fremd und ↑fromm behandelten Wörter, ferner die verdunkelte Zusammensetzung ↑First (eigentlich »Hervorstehendes«) und das ähnlich gebildete Wort ↑Frist (eigentlich »Bevorstehendes«), dem griech. *présbys* »alt« (s. den Artikel *Priester*) nahe steht. Zu der gleichen großen Sippe stellen sich schließlich die unter ↑fahren (eigentlich »hinüberführen, -kommen, übersetzen«) und ↑Gefahr (zu *per- in der Bedeutung »unternehmen, wagen«) behandelten idg. Wortgruppen, deren Bedeutungen sich schon sehr früh selbstständig ausgebildet haben. – Die heutige Verwendung des Verbalpräfixes ›ver...‹ ist sehr vielseitig und mit den Bedeutungen der drei got. Präfixe kaum zu verbinden. Am ehesten entspricht ›ver...‹ got. *fra-* »weg« in den Verben, die ein Verarbeiten, Verbrauchen, Verderben oder Verschwinden bezeichnen. Dem stehen die Begriffe des »Verschließens« (in ›verkleben, verbauen‹), des »Hinbringens der Zeit« (in ›verschlafen, versäumen‹) und des »Irregehens oder -führens« (in ›verlaufen, verführen‹) nahe. Zu Adjektiven bildet ›ver...‹ Bewirkungsverben (z. B. ›vergüten, verschönern‹), zu Substantiven Verben des Verwandelns (z. B. ›versklaven, verfilmen‹) und Versehens (z. B. ›vergolden, verschalen‹). Zu Weiterem s. die folgenden Artikel. Ugs. und mdal. ist ›ver...‹ oft an die Stelle von ›er...‹ und ›zer...‹ getreten (›verzählen‹ für ›erzählen‹, ›verreißen‹ für ›zerreißen‹).

verachten, verächtlich ↑²Acht.

veralten ↑alt.

Veranda: Die Bezeichnung für einen gedeckten und an den Seiten verglasten Anbau oder Vorbau an [Land]häusern wurde im 19. Jh. aus gleichbedeutend engl. *veranda[h]* übernommen. Das engl. Wort seinerseits stammt aus port. *varanda* »Geländer; Balustrade; Balkon«. Die weitere Herkunft des Wortes ist ungewiss.

verankern ↑Anker.

veranlassen ↑lassen.

veranschaulichen ↑schauen.

veranschlagen ↑schlagen.

veranstalten ↑Anstalt.

verantworten: Das seit mhd. Zeit gebräuchliche Verb (mhd. *verantwürten, verantworten*) bedeutete zunächst verstärkt »antworten«, dann speziell »vor Gericht antworten, eine Frage beantworten«, danach »für etwas einstehen, etwas vertreten« und reflexiv »sich rechtfertigen«. Um das Verb gruppieren sich u. a. die Bildungen **verantwortlich** »für etwas die Verantwortung tragend; Rechenschaft schuldend« (17. Jh.) und **Verantwortung** »das Verantworten; Verpflichtung, für etwas einzutreten oder die Folgen zu tragen« (15. Jh.).

V

veräppeln: Die Herkunft des ugs. Ausdrucks für »veralbern, zum Besten halten«, der erst in der 1. Hälfte des 20. Jh.s Verbreitung fand, ist unklar. Vielleicht gehört er im Sinne von »mit [faulen] Äpfeln bewerfen« zu ›Appel‹, der niederd. Entsprechung von hochd. ↑Apfel.

verargen ↑arg.

verarmen ↑arm.

verarschen ↑Arsch.

verarzten ↑Arzt.

Verb, Verbum »Zeitwort«: Der grammatische Fachausdruck ist eine gelehrte Entlehnung des 16. Jh.s aus lat. *verbum* »Wort, Ausdruck; Zeitwort«, das mit dt. ↑Wort urverwandt ist. – Dazu stellt sich **verbal** »das Zeitwort betreffend; wörtlich, mit Worten, mündlich«, das im 18. Jh. aus spätlat. *verbalis* »das [Zeit]wort betreffend« übernommen wurde. Siehe auch den Artikel *Adverb*.

verballhornen »(besonders ein Wort, einen Namen) aus Unkenntnis entstellen«: Das seit Beginn des 19. Jh.s bezeugte Verb ist von dem Namen des Lübecker Buchdruckers Joh. Ballhorn abgeleitet, bei dem im 16. Jh. eine fehlerhaft korrigierte Ausgabe des lübischen Rechtes erschien.

Verband ↑binden.

verbannen ↑bannen.

verbauern ↑³Bauer

verbergen ↑bergen.

verbiestern »verwirren, verstören; verärgern«, reflexiv »sich verirren; in eine falsche Richtung geraten; krampfhaft an etwas festhalten«: Das vor allem in der nordd. Umgangssprache gebräuchliche Verb geht zurück auf mnd. *vorbīsteren* »umherirren«. Dies gehört zu mnd. *bīster* ([m]niederl. *bijster*) »umherirrend; gereizt«.

verbieten ↑bieten.

verbilligen ↑billig.

verbimsen ↑Bimsstein.

verbinden, verbindlich, Verbindlichkeit, Verbindung ↑binden.

verbittern, Verbitterung ↑bitter.

verblassen ↑blass.

verbläuen ↑²bläuen.

verbleichen »bleich, farblos werden«: Das Verb (mhd. *verblīchen*, ahd. *farblīchan*) ist eine Präfixbildung zu dem im Nhd. außer in ›verbleichen‹ und ↑erbleichen nicht mehr erhaltenen altgerm. einfachen starken Verb mhd. *blīchen*, ahd. *blīchan* »glänzen«, niederl. *blijken* »klar, deutlich sein, sich zeigen«, aengl. *blīcan* »glänzen, leuchten; erscheinen«, aisl. *blīkja* »glänzen, scheinen«. Dies ist eng verwandt mit dem unter ↑bleich behandelten Adjektiv und gehört mit diesem zu der unter ↑Blei dargestellten idg. Wurzelform. Im Gegensatz zu ↑erbleichen hat sich bei ›verbleichen‹ die starke Beugung erhalten, beachte besonders das substantivierte 2. Partizip **Verblichene** (altertümlich verhüllend für:) »Verstorbene«.

verblöden ↑blöd[e].

verblüffen: Das Verb gelangte im 18. Jh. aus dem Niederd. ins Hochd. und wurde schriftsprachlich. Mnd. *vorblüffen* »überraschen, überrumpeln«, dem niederl. *verbluffen* »einschüchtern« entspricht, gehört zu dem einfachen Verb niederd. *bluffen* »jemandem einen Schrecken einjagen«, [m]niederl. *bluffen*, engl. *to bluff* »prahlen, großtun« (vgl. den Artikel *Bluff*), das wohl lautnachahmenden Ursprungs ist.

verblümt ↑Blume.
verbohrt ↑bohren.
Verbot ↑bieten.
verbrämen »[ein Kleidungsstück] mit einem Rand (besonders aus Pelz) verzieren; (Negatives) verdecken«: Das Verb mhd. *verbremen* ist eine Präfixbildung zu dem einfachen Verb mhd. *bremen* »verbrämen«, das von dem Substantiv mhd. *brem* »Einfassung, Rand« abgeleitet ist. Verwandt sind z. B. niederl. *braam* »Rand« und engl. *brim* »Rand«. Die Herkunft der Wortgruppe ist ungewiss.
Verbrauch, verbrauchen, Verbraucher ↑brauchen.
verbrechen, Verbrechen, Verbrecher, verbrecherisch ↑brechen.
verbriefen ↑Brief.
verbringen ↑bringen.
verbrüdern ↑Bruder.
verbrühen ↑brühen.
Verbum ↑Verb.
verbünden ↑Bund.
Verdacht: Das zuerst im 16. Jh. bezeugte Substantiv (beachte aber schon mnd. *vordacht* »Argwohn«) ist eine Bildung zu dem unter ↑denken behandelten Präfixverb ›verdenken‹ in dessen alter Bedeutung »Übles von jemandem denken, jemanden in Verdacht haben«. – Abl.: **verdächtig** (mhd. *verdæhtic* »überlegt, vorbedacht«, dann »argwöhnisch, Verdacht hegend«, die passivische Bedeutung »mit Verdacht behaftet« erst seit dem 17. Jh.).
verdammen »für strafwürdig erklären, verurteilen, verwerfen«: Das nur dt. Verb (mhd. *verdam[p]nen*, ahd. *firdamnōn*) ist aus lat. *damnare* »büßen lassen, verurteilen, verwerfen« entlehnt, das von lat. *damnum* »[Geld]buße; Verlust, Schaden, Nachteil« abgeleitet ist. Dass das Verb ›verdammen‹ ursprünglich in der Kirchensprache im Sinne von »aus der göttlichen Gnade ausstoßen, verfluchen« eine besondere Rolle spielte, zeigt einerseits das zum Fluchwort gewordene 2. Partizip **verdammt!**, andererseits das abgeleitete Substantiv **Verdammnis** »ewige Verworfenheit vor Gott, ewige Strafe« (mhd. *verdam[p]nisse*).
verdattert: Der seit dem 18. Jh. gebräuchliche ugs. Ausdruck für »verwirrt« ist das 2. Partizip von dem in mannigfachen Formen vorliegenden Verb *dattern, fattern, taddern* »schwatzen, stottern; zittern«. Dieses Verb ist wahrscheinlich lautnachahmenden Ursprungs. Vgl. auch den Artikel *Tatterich.*
verdauen »genossene Speisen im Körper verarbeiten«: Das auf das dt. und niederl. Sprachgebiet beschränkte Präfixverb (mhd. *verdöu[we]n*, ahd. *firdouwen*, niederl. *verduwen*) gehört vermutlich zu dem unter ↑[1]Tau behandelten Verb und bedeutet eigentlich »verflüssigen, auflösen«. – Abl.: **verdaulich** »bekömmlich« (mhd. *verde[u]wlich*); **Verdauung** »das Verdauen« (15. Jh.).
Verdeck ↑Deck.
verdenken ↑denken.
verderben »schlecht werden, zugrunde gehen, beschädigen, zugrunde richten«: Das seit mhd. Zeit bezeugte starke intransitive Verb (mhd. *verderben* »zunichte werden, umkommen, sterben«), mit dem sich das zugehörige schwache Veranlassungswort (mhd. *verderben* »zu Schaden bringen, zugrunde richten, töten«) im Nhd. vermischt hat, ist im germ. Sprachbereich z. B. verwandt mit aengl. *deorfan* »sich anstrengen; arbeiten; in Gefahr sein; umkommen«, asächs. *đerbi* »kräftig, böse« und aisl. *djarfr* »kühn«, außergerm. z. B. mit der balt. Sippe von lit. *dìrbti* »arbeiten«. – Abl.: **Verderben** (mhd. *verderben*, substantivierter Infinitiv); **verderblich** »Schaden bringend, nicht haltbar (von Speisen)« (15. Jh.); das adjektivisch gebrauchte 2. Partizip des starken Verbs **verdorben** bedeutet »schlecht, unbrauchbar; verkommen«.
verdeutlichen ↑deuten.
verdeutschen ↑deutsch.
verdienen, Verdienst ↑dienen.
verdonnern ↑Donner.
verdoppeln ↑doppelt.
verdorben ↑verderben.
verdorren ↑dorren.
verdrehen ↑drehen.
verdreschen ↑dreschen.
verdrießen »Unwillen erregen«: Die Präfixbildung (mhd. *verdriezen* »Überdruss, Langeweile erregen«) enthält ein im Dt. untergegangenes einfaches Verb, das sich in Präfixbildungen wie mhd. *be-, er-, verdriezen*, ahd. *ar-, bidriuzan* erhalten hat, vgl. got. *us-þriutan* »beschwerlich fallen«, aengl. *đrēotan* »plagen, ermüden«, aisl. *þrjōta* »ermüden, mangeln«. Dieses Verb gehört mit verwandten Wörtern in anderen idg. Sprachen zur idg. Wurzelform **treu-d-* »quetschen, stoßen, drücken«, vgl. z. B. lat. *trudere* »stoßen, drängen« (↑abstrus) und die slaw. Sippe von russ. *trudit'sja* »sich mühen«. Siehe auch den Artikel *Überdruss.* – Adjektivisch gebraucht wird das 2. Partizip **verdrossen** »missmutig und lustlos« (mhd. *verdrozzen*) mit der Verneinung **unverdrossen** (mhd. *unverdrozzen*). Zu ›verdrießen‹ stellen sich die Bildungen **Verdruss** »Missmut, Ärger« (mhd. *verdruz*) und **verdrießlich** »missmutig; ärgerlich« (15. Jh.).
verdrücken ↑drücken.
verdummen ↑dumm.
verdunkeln ↑dunkel.
verdünnen ↑dünn.
verdunsten ↑Dunst.
verdutzt: Das 2. Partizip von mnd. *vordutten* »verwirren« erscheint in hochd. Texten im 17. Jh. als ›verduttet‹, im 18. Jh. als ›vertutzt‹. Das mnd. Verb gehört wie mniederl. *dutten* »verrückt sein«, engl. mdal. *to dudder* »erschauern, zittern«, norw. mdal. *dudra* »zittern« zu der unter ↑Dunst dargestellten idg. Wortgruppe.
verebben ↑Ebbe.
verehelichen ↑Ehe.

Verein ↑[1]ein.

vereinbaren: Das Verb mhd. *vereinbæren* »einträchtig machen, vereinigen, übereinkommen« ist eine Präfixbildung zu mhd. *einbæren*, das von dem Adjektiv mhd. *einbære* »einhellig, einträchtig« (zu ↑[1]ein und ↑...bar) abgeleitet ist.

vereinen ↑[1]ein.

vereinigen ↑[1]einig.

verenden ↑Ende.

verengen ↑eng.

vererben ↑[1]Erbe.

verfahren: Das Verb (mhd. *vervarn*, mnd. *vorvāren*, ahd. *firfaran*, aengl. *forfaran*) ist eine westgerm. Präfixbildung zu dem unter ↑fahren behandelten Verb. Es bedeutete zunächst »vorüberziehen, weggehen (sterben, verderben); irrefahren«, dann auch – zuerst in der mnd. Rechtssprache – »(in einer bestimmten Weise) vorgehen; etwas behandeln«. Die Bedeutung »irrefahren« lebt in ›sich verfahren‹ und in der Wendung ›eine verfahrene Situation‹ fort. – Abl.: **Verfahren** »Behandlungsweise; Prozess« (18. Jh.).

Verfall, verfallen ↑fallen.

verfangen, verfänglich ↑fangen.

verfassen, Verfasser, Verfassung ↑fassen.

verfehlen, Verfehlung ↑fehlen.

verfeinden, sich ↑Feind.

verfemen ↑Feme.

verfilzen ↑Filz.

verflechten ↑flechten.

verflixt ↑fluchen.

verfluchen, verflucht ↑fluchen.

verflüchtigen ↑[2]Flucht.

verfolgen, Verfolger, Verfolgung ↑folgen.

verfremden ↑fremd.

verfügen: Das Präfixverb mhd. *vervüegen* »passen, anstehen« hat wie mnd. *vorvȫgen* auch die Bedeutung »veranlassen; bestimmen, was geschehen soll; anordnen« (eigentlich »einrichten«) und ist in dieser Bedeutung im Nhd. ein typisches Behördenwort geworden. Frühnhd. bedeutete es auch »schicken«, daher noch jetzt das papierdeutsche ›sich an einen Ort verfügen‹ »sich irgendwohin begeben«. Als ›über etwas verfügen‹ (19. Jh.) bedeutet es »etwas besitzen, haben, sich einer Sache uneingeschränkt bedienen«. – Abl.: **verfügbar** »zur Verfügung stehend« (19. Jh.; als Übersetzung des Fremdwortes ›disponibel‹); **Verfügung** (im 17. Jh. für »Anordnung«; auch »das Verfügenkönnen, -dürfen«, besonders in den Wendungen ›zur Verfügung stellen‹ und ›zur Verfügung stehen‹).

verführen, Verführer, verführerisch ↑führen.

vergällen ↑Galle.

vergattern »vor der Wachablösung zusammenrufen und zur Einhaltung der Vorschriften verpflichten«, heute auch ugs. im Sinne von »jemanden zu etwas [dienstlich] verpflichten« verwendet: Das Grundwort der mhd. Präfixbildung *vergatern* »versammeln« entspricht mnd. *gāderen* »sammeln, zusammenbringen« und engl. *to gather* »sammeln«. Es ist eng verwandt mit den unter ↑Gatte, ↑Gatter und ↑Gitter behandelten Wörtern (vgl. den Artikel *gut*). – Abl.: **Vergatterung** »das Vergattern« (mhd. *vergaterunge* »Vereinigung, Versammlung«).

vergeben, vergebens, vergeblich ↑geben.

vergegenwärtigen ↑gegen.

vergehen, Vergehen ↑gehen.

vergeistigen ↑Geist.

vergelten ↑gelten.

vergessen: Das westgerm. Präfixverb mhd. *vergeȥȥen*, ahd. *firgeȥȥan*, niederl. *vergeten*, aengl. *forgietan* enthält – wie auch got. *bigitan* »finden« – als Grundwort ein einfaches Verb, das in aisl. *geta* »erreichen, erlangen« (aus dem Nord. entlehnt engl. *to get* »bekommen, erhalten«) vorliegt. Dies geht mit verwandten Wörtern in anderen idg. Sprachen auf die idg. Wurzel **ghed-* »fassen, ergreifen« zurück, zu deren nasalierter Form **ghend-* z. B. auch lat. *praehendere* »fassen, ergreifen« (↑Prise) gehört. Die Grundbedeutung von ›vergessen‹ ist also, da die Vorsilbe ↑ver... die Bedeutung des Verbs in ihr Gegenteil verkehrt, »aus dem [geistigen] Besitz verlieren«. Das Veranlassungswort zu dem einfachen Verb steckt in dem unter ↑ergötzen behandelten Verb. – Abl.: **Vergessenheit** »das Vergessensein« (mhd. *vergeȥȥenheit*); **vergesslich** »leicht und immer wieder etwas vergessend« (mhd. *vergeȥȥe[n]lich*, die heutige kürzere Form seit dem 15. Jh.), dazu **Vergesslichkeit** (16. Jh.). Siehe auch den Artikel *Vergissmeinnicht*.

vergeuden »nutzlos vertun«: Mhd. *vergiuden* ist eine Präfixbildung zu dem im Nhd. untergegangenen einfachen Verb mhd. *giuden* »prahlen, großtun; verschwenderisch leben«. Dieses Verb gehört vermutlich im Sinne von »den Mund aufreißen« zu der unter ↑gähnen behandelten idg. Wortgruppe.

vergewaltigen ↑Gewalt.

vergewissern ↑gewiss.

vergilben ↑gelb.

Vergissmeinnicht: Der Blumenname ist seit dem 15. Jh. bezeugt. Er setzt sich aus der verneinten Befehlsform von ↑vergessen und ihrem Objekt, dem heute veralteten Genitiv Singular des Personalpronomens der 1. Person, zusammen. Liebende pflegten die Blumen einander beim Abschied zu schenken, um die Erinnerung wach zu halten.

vergittern ↑Gitter.

verglasen ↑[1]Glas.

Vergleich, vergleichen ↑gleich.

vergnügen: Das Verb mhd. *vergenüegen* ist von dem mhd. Adjektiv *genuoc* »hinreichend« (vgl. den Artikel *genug*) abgeleitet. Es bedeutete zunächst »zufrieden stellen, befriedigen«, dann »jemandem eine Freude machen« und seit dem 18. Jh. auch »fröhlich machen, ergötzen«. Die ursprüngliche Bedeutung ist in niederl. *vergenoe-*

gen »zufrieden stellen« bewahrt. Sehr gebräuchlich ist das adjektivisch verwendete 2. Partizip **vergnügt** »heiter und zufrieden; fröhlich«. Der substantivierte Infinitiv **Vergnügen** »Freude, Belustigung« war ursprünglich ein Wort der Geschäfts- und Rechtssprache (mhd. *vergenüegen* »Bezahlung, Zufriedenstellung«), lehnte sich jedoch in der Bedeutungsentwicklung an das Verb an. – Abl.: **vergnüglich** »besinnlich, heiter« (17. Jh.).

vergolden ↑Gold.

vergöttern ↑Gott.

vergreifen ↑greifen.

vergreisen ↑greis.

vergriffen ↑greifen.

vergrößern ↑groß.

vergüten ↑gut.

verhaften, verhaftet ↑haften.

verhallen ↑Hall.

verhalten, Verhalten, Verhältnis ↑halten.

verhandeln, Verhandlung ↑handeln.

Verhängnis: Mhd. *verhencnisse* »Zulassung, Einwilligung, Schickung« ist eine Substantivbildung zu dem zusammengesetzten Verb mhd. *verhengen* »hängen lassen oder schießen lassen; nachgeben, geschehen lassen; ergehen lassen« (vgl. *hängen*). In der Reformationszeit wurde ›Verhängnis‹ im Sinne von »[göttliche] Fügung«, in der Aufklärungszeit im Sinne von »Schicksal« gebraucht. Heute bedeutet das Wort besonders »schlimmes Schicksal, Unheil, Unglück«.

verhaspeln, sich (ugs. für:) »sich [dauernd] versprechen; die Worte durcheinander bringen«: Das seit dem 16. Jh. bezeugte Wort ist eine Präfixbildung zu dem heute wenig gebräuchlichen Verb **haspeln** »[auf]winden, -spulen; hastig sprechen« (spätmhd. *haspelen* »Garn wickeln«). Es wurde von Anfang an nur übertragen im Sinne von »verwirren« gebraucht. Der reflexive Gebrauch im Sinne von »sich [dauernd] versprechen« ist seit dem 18. Jh. belegt.

verhätscheln ↑hätscheln.

Verhau, verhauen ↑hauen.

verheddern, [sich] (ugs. für:) »[sich beim Sprechen] verwirren«: Das seit dem Ende des 18. Jh.s bezeugte ursprünglich niederd. Verb ist von niederd. ↑Hede »Werg, in der Hechel zurückbleibendes Gewirr kürzerer Fasern« abgeleitet.

verheeren »verwüsten, zerstören«: Das Verb mhd. *verhern,* ahd. *farheriōn* »mit einer Heeresmacht überziehen, verwüsten, verderben« ist eine verstärkende Präfixbildung zu dem im Nhd. untergegangenen einfachen Verb mhd. *her[e]n, herjen,* ahd. *heriōn* »verwüsten, raufen, plündern«, engl. *to harry,* (älter:) *to harrow* »verwüsten, plündern, berauben«, aisl. *herja* »einen Raubzug unternehmen«. Dieses Verb ist von dem unter ↑Heer behandelten Substantiv abgeleitet. Beachte dazu das adjektivisch verwendete 1. Partizip **verheerend** »furchtbar; scheußlich« und die Substantivbildung **Verheerung** »das Verheeren, Zerstörung« (spätmhd. *verherunge*).

verhehlen ↑hehlen.

verheimlichen ↑heimlich.

verheißen, Verheißung ↑heißen.

verhexen ↑Hexe.

verhoffen ↑hoffen.

verhohnepipeln: Der ugs. Ausdruck für »verspotten, ins Lächerliche ziehen« ist unter volksetymologischer Anlehnung an ↑Hohn aus obersächs. *hohlhippeln* »verspotten, schmähen« entstellt. Dies geht auf mhd. *holhipen* »schelten, schmähen« zurück, eine Ableitung von mhd. *holhipe* »dünnes Gebäck, Waffel«, das wohl zunächst »›holhipen‹ ausrufen und verkaufen« bedeutete.

verholen ↑holen.

Verhör, verhören ↑hören.

verhunzen ↑hunzen.

verhüten ↑[2]Hut.

verhütten, Verhüttung ↑Hütte.

verifizieren »durch Überprüfen die Richtigkeit einer Sache bestätigen«: Das Verb wurde im 17. Jh. aus mlat. *verificare* »prüfen« entlehnt, einer Bildung aus lat. *verus* »wahr, richtig« (vgl. *wahr*) und lat. *facere* »machen« (vgl. *Fazit*). – Dazu: **Verifikation** (19. Jh.; aus gleichbedeutend mlat. *verificatio*).

verirren ↑irr[e].

verjubeln ↑jubilieren.

verjüngen ↑jung.

verkapseln ↑Kapsel.

verkarsten ↑Karst.

Verkauf, verkaufen, Verkäufer ↑kaufen.

verkehren: Das Verb mhd. *verkēren* »umkehren, umwenden, verdrehen, ins Entgegengesetzte verändern, eine falsche Richtung geben« ist eine Präfixbildung zu dem unter ↑[1]kehren »[um]wenden« behandelten einfachen Verb. Die ursprüngliche Bedeutung ist besonders noch im adjektivisch gebrauchten 2. Partizip **verkehrt** »entgegengesetzt, falsch« bewahrt. Die jetzt vorherrschende Bedeutung des Verbs »Umgang mit jemandem haben« entwickelte sich erst im 18. Jh. vielleicht aus der Verwendung im Sinne von »in Austausch bringen, Handel treiben«, vgl. bereits mnd. *vorkēren* »in Handelsverkehr treten; unterwegs sein, um Handel zu treiben«. Dies wird gestützt durch die Substantivbildung **Verkehr** (18. Jh.), deren ursprüngliche Bedeutung »Handel[sverkehr], Umsatz, Vertrieb von Waren« war. Aus ihr hat sich die allgemeinere Bedeutung »Umgang, gesellschaftlicher Kontakt« entwickelt. Die heute vorherrschende Verwendung des Wortes im Sinne von »Bewegung, Beförderung von Personen, Gütern, Fahrzeugen auf dafür vorgesehenen Wegen« kam in der 2. Hälfte des 19. Jh.s auf, beachte dazu Zusammensetzungen wie ›Verkehrsampel, Verkehrshindernis, Verkehrsunterricht‹ und ›Straßenverkehr, Schienenverkehr‹. Verhüllend wird ›Verkehr‹ auch für ›Geschlechtsverkehr‹ ge-

braucht. – Vom 2. Partizip abgeleitet ist **Verkehrtheit** (spätmhd. *verkērtheit* »Arglist«; die heutige Bedeutung seit der 2. Hälfte des 18. Jh.s).
Verkehrsampel ↑Ampel.
verkennen ↑kennen.
verketten ↑[2]Kette.
verklagen ↑klagen.
verklären ↑klar.
verknacken ↑knacken.
verknacksen ↑Knacks.
verknallen ↑Knall.
verkneifen, verkniffen ↑kneifen.
verknöchern, verknöchert ↑Knochen.
verknorpeln ↑Knorpel.

verknusen

jmdn., etwas nicht verknusen können
ugs. »jmdn., etwas nicht leiden können«
Das Verb ›verknusen‹ ist heute nur noch in der vorliegenden Wendung gebräuchlich. Es ist eine Präfixbildung zu einem im Hochd. untergegangenen einfachen Verb, das in niederd. *knusen* »zerdrücken, mit den Zähnen zermalmen« vorliegt, beachte dazu mhd. *verknüsen* »zerreiben« und ahd. *firknussan* »zermalmen«. Verwandt sind z. B. aengl. *cnyssan* »[zer]schlagen, zermalmen, überwältigen« und niederl. *kneuzen* »quetschen«. Das Wort gehört zu einer umfangreichen Gruppe germ. Wörter, die mit kn- anlauten und von einer Bedeutung »zusammendrücken, ballen, pressen, klemmen« ausgehen (vgl. den Artikel *Knust*). Demnach hatte ›verknusen‹ zunächst den Sinn »verdauen« und wurde dann übertragen im Sinne von »innerlich verarbeiten, mit etwas fertig werden« verwendet.

verkohlen ↑[2]Kohl.
verkommen, Verkommenheit ↑kommen.
verkorksen: Die Herkunft des ugs. Ausdrucks für »falsch, schlecht machen; verderben« ist nicht sicher geklärt. Vielleicht handelt es sich dabei um eine Präfixbildung zu einem nur noch mdal. gebräuchlichen Verb *gork[s]en* »gurgelnde o. ä. Laute hervorbringen«, die dann volksetymologisch an ›verkorken‹ als »falsch korken« angelehnt wurde.
verkörpern ↑Körper.
verkrachen ↑krachen.
verkraften ↑Kraft.
verkrümeln ↑Krume.
verkühlen ↑kühl.
verkümmern ↑Kummer.
verkünden, verkündigen ↑kund.
verkuppeln ↑[2]kuppeln.
Verlag ↑legen.
verlagern ↑Lager.
verlanden ↑Land.
verlangen »begehren, fordern«: Mhd. *verlangen* »sehnlichst begehren« ist eine Präfixbildung zu dem einfachen Verb mhd. *langen*, ahd. *langēn* »verlangen, gelüsten«, dem engl. *to long* »sich sehnen« und aisl. *langa* »sich sehnen« entsprechen. Die Verben sind von dem unter ↑lang behandelten Adjektiv abgeleitet. ›Verlangen‹ wurde ursprünglich unpersönlich gebraucht. Die Bedeutung »begehren« entwickelte sich aus »(zeitlich) lang dünken«. Der substantivierte Infinitiv **Verlangen** ist seit dem 16. Jh. bezeugt.
verläppern ↑läppern.
Verlass, verlassen, verlässlich ↑lassen.
Verlaub: Die im Hochd. seit dem 16. Jh. belegte Formel ›mit Verlaub‹ setzt mnd. *mit vorlōve* »mit Erlaubnis« fort, das ebenfalls schon zur Einführung einer freimütigen Bemerkung diente. Mnd. *vorlōf* ist eine Substantivbildung zu mnd. *verlȭven* »erlauben, genehmigen«, einer Nebenform zu dem unter ↑erlauben behandelten Verb.
Verlauf, verlaufen ↑laufen.
verlautbaren, verlauten ↑laut.
verleben, verlebt ↑leben.
[1]verlegen »befangen, leicht verwirrt, beschämt, unsicher«: Das Adjektiv mhd. *verlegen* ist eigentlich das 2. Partizip zu einem heute nicht mehr gebräuchlichen Verb mhd. *verligen* »durch Liegen Schaden nehmen, durch zu langes Liegen in Trägheit versinken« (vgl. *liegen*). Die Bedeutungsgeschichte führt von »träge, untätig« über »unschlüssig, zweifelhaft, ratlos« zu dem heutigen, seit dem 18. Jh. geltenden Sinn. – Abl.: **Verlegenheit** (mhd. *verlegenheit* »schimpfliche Untätigkeit«; erst im 18. Jh. – im Anschluss an die heutige Bedeutung von ›verlegen‹ – kam die Verwendung im Sinne von »Befangenheit, Unsicherheit« auf).
[2]verlegen, Verleger ↑legen.
verleiden ↑leid.
verleiten ↑leiten.
verlernen ↑lernen.
verlesen ↑lesen.
verletzen ↑letzen.
verleugnen ↑leugnen.
verleumden, Verleumder, verleumderisch, Verleumdung ↑Leumund.
verlieren: Das Präfixverb mhd. *verliesen*, ahd. *farliosan* (beachte auch got. *fraliusan* und aengl. *forlēosan*) enthält ein im germ. Sprachbereich untergegangenes einfaches Verb, das zu der unter ↑los behandelten Wortgruppe gehört. Das r von ›verlieren‹ (gegenüber mhd. *verliesen*) stammt aus Formen mit grammatischem Wechsel; die alten s-Formen kamen erst in frühnhd. Zeit völlig außer Gebrauch, sie sind aber bewahrt in den dazugehörigen Bildungen ↑Verlies und ↑Verlust.
Verlies: Das im 18. Jh. durch die Ritterromane in die Schriftsprache gelangte niederd. Wort ist eine Substantivbildung zu dem unter ↑verlieren behandelten Verb. Ursprünglich bedeutete es auch noch »Verlust« (vgl. niederl. *verlies* »Verlust«), dann »das Sichverlieren; Zustand, in dem man für andere nicht mehr sichtbar ist«, schließlich

»unterirdischer Raum, der sich verliert oder in dem man sich verliert; unterirdischer Kerker«.
verloben, Verlöbnis, Verlobung ↑loben.
verlogen ↑lügen.
verlohnen ↑Lohn.
verlosen ↑Los.
verlottern ↑lottern.
verludern ↑Luder.
verlügen ↑lügen.
Verlust: Die Substantive mhd. *verlust*, ahd. *farlust*, got. *fralusts* sind Bildungen zu dem unter ↑verlieren behandelten Verb. Zur Bildung vgl. das Verhältnis von ›Frost‹ und ›frieren‹. – Abl.: **verlustig** (mhd. *verlustec* »Verlust erleidend«, heute fast nur in festen Verbindungen wie ›jemanden einer Sache verlustig erklären‹ und ›einer Sache verlustig gehen‹).
vermachen, Vermächtnis ↑machen.
vermählen: Das seit dem 15. Jh. bezeugte Verb (spätmhd. *vermehelen*) ist eine Präfixbildung zu dem einfachen Verb mhd. *mehelen* »versprechen, verloben, vermählen«, ahd. *mahelen* »vermählen«, einer Ableitung von dem Substantiv mhd. *mahel*, ahd. *mahal* »Versammlung[sort], Gericht[sstätte]; Vertrag; Ehevertrag« (vgl. den Artikel *Gemahl*). In der Bedeutung »heiraten« wird das Verb reflexiv gebraucht und gehört heute dem gehobenen Sprachgebrauch an.
vermehren ↑mehr.
vermeiden ↑meiden.
vermeinen, vermeintlich ↑meinen.
Vermerk ↑merken.
vermessen, Vermessenheit ↑messen.
vermieten ↑[2]Miete.
vermindern ↑minder.
vermissen ↑missen.
vermitteln ↑mittel.
vermöbeln ↑Möbel.
vermögen, Vermögen, vermögend ↑mögen.
vermummen ↑mummen.
vermuten, vermutlich, Vermutung ↑Mut.
vernachlässigen ↑lassen.
vernarben ↑Narbe.
vernarren ↑Narr.
vernebeln ↑Nebel.
vernehmen, vernehmlich, Vernehmung ↑nehmen.
verneigen, Verneigung ↑neigen.
verneinen ↑nein.
Vernunft: Das nur dt. Substantiv mhd. *vernunft*, ahd. *vernumft* ist eine Bildung zu dem unter ↑nehmen behandelten Präfixverb *vernehmen* in dessen veralteter Bedeutung »erfassen, ergreifen« (beachte zur Bildung z. B. das Verhältnis von ›Zukunft‹ zu ›Zukommen‹). ›Vernunft‹ bedeutete zunächst »Erfassung, Wahrnehmung«, dann, auf Geistiges übertragen, »Erkenntnis[kraft], Einsicht«. – Abl.: **vernünftig** »voller Vernunft; einsichtig und besonnen; sinnvoll, klug« (mhd. *vernünftic*).
veröffentlichen ↑offen.
verpassen ↑passen.
verpatzen ↑patzen.
verpesten ↑Pest.
verpetzen ↑petzen.
verpfänden ↑Pfand.
verpfeifen ↑pfeifen.
verpflegen, Verpflegung ↑pflegen.
verpflichten ↑Pflicht.
verpfuschen ↑pfuschen.
verpichen ↑erpicht.
verplempern ↑plempern.
verpönt »verrufen, allgemein abgelehnt«: Das Wort ist das in adjektivischen Gebrauch übergegangene zweite Partizip des heute veralteten Verbs ›verpönen‹ (mhd. *verpēnen*) »mit einer Geldstrafe bedrohen, bei Strafe verbieten; missbilligen«. Das Verb ist von mhd. *pēn[e]* »Strafe« abgeleitet, das wie das Lehnwort ↑Pein auf lat. *poena* »Buße, Sühnegeld; Strafe; Kummer« zurückgeht.
verprassen ↑prassen.
verproviantieren ↑Proviant.
verpuppen ↑Puppe.
Verputz, verputzen ↑putzen.
verquicken: Das seit dem 17. Jh. bezeugte Wort war ein Fachausdruck der Alchimisten und Goldmacher und bedeutete ursprünglich »Metalle mit Quecksilber legieren« (vgl. *Quecksilber*). Seit dem 18. Jh. wird das Verb nur noch allgemein im Sinne von »fest vereinigen, vermengen« gebraucht.
verramschen ↑[1]Ramsch.
verraten: In dem westgerm. Präfixverb mhd. *verrāten*, ahd. *farrātan*, niederl. *verraden*, aengl. *forrǣdan* gibt die Vorsilbe ↑ver... dem Grundwort ↑raten die negative Bedeutung »durch falschen Rat irreleiten; auf jemandes Verderben sinnen«. Daraus entwickelten sich die Bedeutungen »etwas zu jemandes Verderben unternehmen« und später dann »durch die Preisgabe von Geheimnissen verderben; etwas, worüber nicht gesprochen werden sollte, weitersagen«. Diese negative Bedeutung, die in der Verwendung des Verbs im Sinne von »etwas erkennen lassen« vollständig verloren gegangen ist, ist im Substantiv **Verrat** (17. Jh.) erhalten. Die Zusammensetzung **Hochverrat**, in der ›hoch‹ eine Steigerung des Grundwortes bezeichnet, ist seit dem 17. Jh. bezeugt.
verräuchern ↑Rauch.
verrechnen ↑rechnen.
verrecken: Der derbe Ausdruck für »jämmerlich sterben, krepieren« (mhd. *verrecken* »die Glieder starr ausstreckend sterben«) ist eine Präfixbildung zu dem Verb *recken* (»aufrichten; gerade richten«; mhd. *recken*, ahd. *recchen*). Er konnte ursprünglich ohne verächtlichen Nebensinn das Sterben des Menschen bezeichnen, wurde aber seit dem 17. Jh. fast nur noch auf das Vieh angewandt.
verreißen ↑reißen.
verrenken ↑renken.

verrennen ↑rennen.

verrichten ↑richten.

verrotten »durch Fäulnis mürbe werden und zerbröckeln«: Das im 17. Jh. aus dem Niederd. ins Hochd. übernommene Verb geht auf mnd. *vorrotten* »verfaulen« zurück, eine Präfixbildung zu dem einfachen Verb mnd. *rotten* »faulen« (vgl. entsprechend mniederl. *rotten* »faulen«). Damit sind im germ. Sprachbereich verwandt z. B. ahd. *rozēn* »faulen«, engl. *to rot* »faulen«, schwed. *rutten* »verfault«, *ruttna* »verfaulen«, weiterhin mnd. *rōten* »Flachs rösten«, niederl. *roten* »Flachs rösten«, schwed. *röta* »Fäulnis, Eiterung verursachen; rösten« und mhd. *rœzen* »Flachs rösten«. Die außergerm. Beziehungen sind unklar.

verrucht »verbrecherisch, verworfen«: Das Adjektiv mhd. *verruochet* »achtlos, sorglos; ruchlos« ist eigentlich das 2. Partizip zu mhd. *verruochen* »sich nicht kümmern, vergessen«, dessen Präfix das Grundwort mhd. *ruochen* »sich kümmern, Sorge tragen« ins Gegenteil verkehrt. Verwandt sind die unter ↑geruhen und ↑ruchlos behandelten Wörter. Die heute übliche Bedeutung hat sich aus »achtlos gegenüber dem, was als geheiligt gilt« entwickelt.

verrückt »überspannt, närrisch«: Das seit dem 16. Jh. gebräuchliche Adjektiv ist eigentlich das 2. Partizip von **verrücken** (mhd. *verrücken* »von der Stelle rücken; aus der Fassung bringen, verwirren«; vgl. *rücken*).

Verruf, verrufen ↑rufen.

Vers »Gedichtzeile; kleinster Abschnitt des Bibeltextes«: Das Substantiv mhd., ahd. *vers* »Vers; Strophe« ist wie entsprechend niederl. *vers* und aengl. *fers* aus lat. *versus* »das Umwenden; die gepflügte Furche; Reihe, Linie, Zeile; Vers« entlehnt. Das lat. Wort bedeutete ursprünglich »das Umwenden der Erde durch den Pflug und die dadurch entstandene Erdfurche« und ist eine Bildung zu lat. *vertere (versum,* älter auch: *vorsum)* »kehren, wenden, drehen«. Dies gehört mit lat. *vertex* »Wirbel, Scheitel« (↑vertikal) zu der unter ↑Wurm dargestellten idg. Wortsippe. Groß ist die Zahl der lat. Bildungen zu lat. *vertere,* die in unserem Fremdwortschatz eine Rolle spielen. Vgl. hierzu im Einzelnen die Artikel *versiert, Version, Aversion, Konversation, Konvertit, Kontroverse, pervers, Prosa, Revers, universal, Universität* und *Universum.*

Vers

sich einen/keinen Vers auf etwas machen können (ugs.) »sich etwas erklären/nicht erklären können«
Die Wendung bezog sich ursprünglich vielleicht auf die Moritatensänger, die zu den vorgezeigten Bildtafeln jeweils einen Vers dichteten, der das abgebildete Geschehen erläuterte.

versachlichen ↑Sache.

versacken »versinken, untergehen; sich senken«: Das seit dem 19. Jh. zuerst in der Seemannssprache bezeugte Wort ist eine Präfixbildung zu dem ursprünglich niederd. Verb ²**sacken** »sich senken« (mnd. *sik sacken,* entsprechend niederl. *zakken,* beachte auch gleichbedeutend engl. *to sag*), das seinerseits wahrscheinlich eine Intensivbildung zu dem unter ↑sinken behandelten Verb ist. Seit Anfang des 20. Jh.s wird ›versacken‹ ugs. für »eine liederliche, unsolide Lebensweise annehmen« gebraucht. Beachte auch **absacken** »sich nach unten senken; nachlassen, schlechter werden; herunterkommen, verkommen« (19. Jh.; ugs.).

versaften ↑Saft.

versagen, Versager ↑sagen.

versalzen ↑Salz.

Versand ↑senden.

versauen ↑Sau.

versauern ↑sauer.

versaufen ↑saufen.

versäumen, Versäumnis ↑²säumen.

verschalen ↑²Schale.

verschämt ↑Scham.

verscherzen ↑Scherz.

verschieden: Das zuerst im 17. Jh. in der Bedeutung »unterschiedlich, voneinander abweichend« bezeugte Adjektiv bedeutet eigentlich »sich getrennt habend« und ist das 2. Partizip zu **verscheiden** (mhd. *verscheiden* »weggehen, verschwinden; sterben«; vgl. *scheiden*).

Verschlag, verschlagen ↑schlagen.

verschleiern ↑Schleier.

verschleißen »abnutzen«: Mhd. *verslīzen,* ahd. *farslīzan* »abfasern [machen], abnutzen, aufbrauchen« ist eine verstärkende Präfixbildung zu mhd. *slīzen,* ahd. *slīzan* »spalten, reißen, abschälen« (entsprechend aengl. *slītan,* schwed. *slita*), das früher wie das Präfixverb gebraucht wurde, dann aber nur noch begrenzt als ›Federn schleißen‹ »den Flaum vom Kiel der Vogelfeder lösen« üblich war und schließlich nur noch landsch. veraltend für »Holz in feine Späne spalten« verwendet wird. Mhd. *slīzen* gehört zu der unter ↑Schild behandelten idg. Wurzel **[s]kel-* »schneiden, zerspalten, aufreißen« (siehe auch *Schlitz*). Beachte auch das adjektivische 2. Partizip **verschlissen** »zerfasert, abgenutzt« (besonders von Kleidern).

verschlingen ↑²schlingen.

verschlissen ↑verschleißen.

verschlüsseln ↑Schlüssel.

verschmachten ↑schmachten.

verschmähen ↑schmähen.

verschmitzt: Das Adjektiv ist eigentlich das 2. Partizip zu frühnhd. *verschmitzen* »mit Ruten schlagen«. Es entwickelte im 16. Jh. die Bedeutung »listig, schlau«, eigentlich »durch Schlagen klug geworden« (vgl. *verschlagen* [↑schlagen]). Das einfache Verb mhd. *smitzen* kann aus **smick[e]zen* entstanden sein und zu mhd. *smicke* »Rute, Peitschenende« oder aber unmittelbar zu mhd. *smīʒen* in seiner Bedeutung »schlagen« (vgl. *schmeißen*) gehören.

verschneiden, Verschnitt, Verschnittener ↑schneiden.

verschollen: Das Adjektiv ist eigentlich das 2. Partizip des wenig gebräuchlichen starken Verbs **verschallen** »verklingen« (vgl. den Artikel *Schall*). Es bedeutet also eigentlich »verhallt, verklungen« und gilt seit dem Ende des 18. Jh.s als gerichtlicher Ausdruck: Verschollen ist, von wem man seit langem nichts mehr gehört hat und wer sich auf wiederholte öffentliche Aufforderung nicht meldet.

verschöne[r]n ↑schön.

verschränken ↑schränken.

verschreiben ↑schreiben.

verschreien, verschrie[e]n ↑schreien.

verschroben »seltsam, wunderlich«: Das seit dem 18. Jh. bezeugte Adjektiv ist eigentlich das im Niederd. und Mitteld. stark flektierte 2. Partizip des Verbs **verschrauben** »falsch schrauben«, einer nicht mehr gebräuchlichen Präfixbildung zu dem Verb ›schrauben‹, das von dem unter ↑Schraube behandelten Substantiv abgeleitet ist.

verschrotten ↑Schrott.

verschrumpeln ↑schrumpfen.

verschüchtert ↑schüchtern.

verschwägern, verschwägert ↑Schwager.

verschweigen ↑schweigen.

verschwenden: Das Präfixverb mhd., ahd. *verswenden* »verschwinden machen, vernichten, vertilgen, aufbrauchen« ist das Veranlassungswort zu dem unter ↑schwinden behandelten starken Verb *verschwinden.* Aus der ursprünglichen Bedeutung »verschwinden machen« hat sich die heutige Bedeutung »leichtsinnig und nutzlos vertun«, positiv gesehen im gehobenen Sprachgebrauch »in reicher Fülle austeilen, verschenken« entwickelt.

verschwiegen, Verschwiegenheit ↑schweigen.

verschwimmen ↑schwimmen.

verschwinden ↑schwinden.

verschwistert ↑Schwester.

verschwitzen ↑schwitzen.

verschwommen ↑schwimmen.

verschwören, Verschwörer, Verschwörung ↑schwören.

versehen, Versehen ↑sehen.

versehren (veraltet für:) »verletzen, beschädigen«: Mhd. *versēren* »verletzen, verwunden« ist eine verstärkende Präfixbildung zu dem im Nhd. untergegangenen Verb mhd. *sēren* »verwunden«, das von dem Substantiv mhd., ahd. *sēr* »Schmerz« abgeleitet ist (vgl. den Artikel *sehr*). Die Grundbedeutung ist also »Schmerz verursachen«. Allgemein gebräuchlich sind heute noch das verneinte 2. Partizip **unversehrt** (mhd. *unversēret*), dazu **Unversehrtheit** (18. Jh.) und das substantivierte 2. Partizip **Versehrter** »Körperbehinderter« (vor dem 2. Weltkrieg; ursprünglich »durch Wehrdienstbeschädigung körperlich beeinträchtigter Soldat«).

versenden ↑senden.

versengen ↑sengen.

versenken, Versenkung ↑senken.

Versenkung

aus der Versenkung auftauchen
(ugs.) »plötzlich wieder in Erscheinung treten«
Vgl. die folgende Wendung
in der Versenkung verschwinden
(ugs.) »plötzlich nicht mehr in Erscheinung treten«
Diese und die vorangehende Wendung stammen aus dem Theater und beziehen sich auf die Bühnenmaschinerie, mit deren Hilfe Figuren auf der Bühne auftauchen oder im Boden versinken.

versessen ↑sitzen.

versessen

auf jmdn., auf etwas versessen sein
»jmdn., etwas gern haben, unbedingt haben wollen«
Die Wendung begegnet erst Anfang des 18. Jh.s. ›Versessen‹ gehört zu veraltetem ›sich versitzen‹ »hartnäckig auf etwas bestehen«.

versetzen ↑setzen.

versichern, Versicherung ↑sicher.

versiegeln ↑Siegel.

versiegen »aufhören hervorzuquellen, vertrocknen«: Das seit dem 17. Jh. bezeugte schwache Verb geht aus von dem 2. Partizip ›versiegen‹ des heute veralteten starken Verbs frühnhd. *verseigen, verseihen* (mhd. *versīhen,* 2. Partizip *versigen*) »vertrocknen«, einer Präfixbildung zu dem unter ↑seihen behandelten einfachen Verb.

versiert »erfahren, bewandert, beschlagen, gewitzt«: Das Adjektiv ist eigentlich das 2. Partizip des heute veralteten Verbs ›versieren‹ »sich aufhalten, verkehren; sich mit etwas beschäftigen«. Vorbild war entsprechend frz. *versé* »versiert«. Quelle des Verbs ist lat. *versari* »sich irgendwo herumbewegen; sich aufhalten, verweilen; sich mit einer Sache abgeben, sich beschäftigen« (eigentlich etwa »sich herumdrehen«), dessen 2. Partizip *versatus* gleichfalls schon im Sinne von »versiert« galt. Zugrunde liegt lat. *versare* »drehen, wälzen«, eine Intensivbildung zu lat. *vertere (versum)* »kehren, wenden, drehen« (vgl. den Artikel *Vers*).

versilbern ↑Silber.

versimpeln ↑fachsimpeln.

versinken ↑sinken.

Version »Lesart; Fassung, Wiedergabe, Darstellung«: Das Fremdwort ist in dt. Texten bereits für das 16. Jh. mit der Bedeutung »Übersetzung (eines Textes)« bezeugt. Es ist aus frz. *version* »Übersetzung; Lesart, Fassung« entlehnt, das auf einer nlat. Bildung *(versio, versionis)* zu lat. *vertere (versum)* »kehren, wenden, drehen« beruht (vgl. den Artikel *Vers*).

versoffen ↑saufen.

versohlen ↑Sohle.

versöhnen: Die nhd. Form mit ursprünglich mdal. -ö- hat sich im 19. Jh. gegenüber älterem ›versühnen‹ durchgesetzt. Mhd. *versüenen, versuonen* »sühnen, gutmachen; aussöhnen, versöhnen« ist eine verstärkende Präfixbildung zu dem unter ↑Sühne behandelten Verb ›sühnen‹. – Abl.: **versöhnlich** »zur Versöhnung bereit; tröstlich, erfreulich« (spätmhd. *versüenlich*).

versonnen »in sich gekehrt, gedankenverloren«: Das Adjektiv ist eigentlich das 2. Partizip zu dem heute nicht mehr gebräuchlichen Verb ›sich versinnen‹ »sich in Gedanken verlieren« (vgl. *sinnen*). Mhd. *sich versinnen* bedeutete noch »sich besinnen, verständig sein«, das 2. Partizip *versunnen* »wohl bedacht, besonnen«.

versorgen ↑Sorge.

verspäten ↑spät.

verspeisen ↑Speise.

versponnen »in sich gekehrt, verträumt«: Das Adjektiv ist eigentlich das 2. Partizip des heute nur selten gebrauchten Verbs ›sich verspinnen‹ (vgl. *spinnen*), von dessen Bedeutung »sich [wie ein Seidenwurm] durch Einspinnen verbergen« der heutige Wortgebrauch ausgeht.

versprechen, Versprechen, Versprechung ↑sprechen.

versprengen, versprengt ↑sprengen.

verstaatlichen ↑Staat.

verstädtern ↑Stadt.

Verstand »Auffassungsgabe, Denkfähigkeit, rechnende Klugheit«: Das vereinzelt schon in älterer Zeit vorkommende Wort (mhd. *verstant,* ahd. *firstand* »Verständigung, Verständnis«) hat seine heutige Bedeutung erst seit dem 16. Jh. entwickelt und besonders im 18. Jh. ausgeprägt. Es ist eine Bildung zu ahd. *firstantan* »verstehen« (vgl. *verstehen*). Zum Substantiv gebildet ist das Adjektiv **verständig** »mit Verstand begabt, klug« (mhd. *verstendic* »verständig, aufmerkend«), davon abgeleitet ist das Verb [sich] **verständigen** »mitteilen, sich verständlich machen; sich einigen« (17. Jh.). Das Adjektiv **verständlich** »gut zu verstehen« (mhd. *verstentlich,* ahd. *firstantlīh*) ist dagegen vom Verb ahd. *firstantan* abgeleitet, ebenso das Substantiv **Verständnis** »Verstehen; Einfühlungsvermögen« (mhd. *verstentnisse,* ahd. *firstantnissi,* entsprechend mniederl. *verstandenisse*), das im Mhd. und Ahd. auch in der Bedeutung von nhd. *Verstand* (s. o.) gebraucht wurde.

verstauben, verstaubt ↑Staub.

verstauchen »(ein Gelenk) durch eine gewaltsame oder unglückliche Bewegung verletzen«: Das im 17. Jh. aus dem Niederd. ins Hochd. übernommene Verb (niederd. *verstūken,* entsprechend niederl. *verstuiken*) ist eine Präfixbildung zu dem heute nur noch fachsprachlich gebrauchten **stauchen** »stoßen« (16. Jh.; niederd. *stūken,* entsprechend niederl. *stuiken*). Das einfache Verb, zu dem auch ugs. **zusammenstauchen** »energisch zurechtweisen« gehört, stellt sich wohl zu der unter ↑stoßen dargestellten Wortgruppe. Siehe besonders den Artikel *stochern.*

verstauen ↑stauen.

Versteck, verstecken ↑stecken.

verstehen: Mhd. *verstēn, verstān,* ahd. *firstān,* niederl. *verstaan,* anders gebildet ahd. *firstantan,* aengl. *forstanden* sind westgerm. Präfixbildungen zu dem unter ↑stehen behandelten Verb. Sie zeigen schon im Ahd. und Aengl. die übertragene Bedeutung »wahrnehmen, geistig auffassen, erkennen«, deren Entstehung nicht sicher geklärt ist. Dazu tritt in mhd. Zeit die Bedeutung »klare Vorstellungen von etwas haben, etwas können« (z. B. ›[sich auf] sein Handwerk verstehen‹). Eine Substantivbildung zu ›verstehen‹ ist ↑Verstand. Zu einem veralteten zusammengesetzten Verb ›sich einverstehen‹ »übereinstimmen« (18. Jh.) gehören **einverstanden** »billigend, zustimmend« und **Einverständnis** »Billigung, Zustimmung; Übereinstimmung« (18. Jh.).

versteifen ↑steif.

versteigen ↑steigen.

versteigern, Versteigerung ↑steigern.

versteinern, Versteinerung ↑Stein.

verstellen, Verstellung ↑stellen.

versterben ↑sterben.

versteuern ↑¹Steuer.

verstiegen »überspannt; wirklichkeitsfern«: Das seit dem 17. Jh. bezeugte Adjektiv ist eigentlich das 2. Partizip des Verbs (sich zu etwas) **versteigen** »(in etwas) zu weit gehen«. Dies ist eine Präfixbildung zu ↑steigen.

verstimmen ↑Stimme.

verstockt ↑stocken.

verstohlen »heimlich, unbemerkt«: Das schon seit mhd. Zeit bezeugte Adjektiv (mhd. *verstoln*) ist eigentlich das 2. Partizip zu mhd. *versteln* »heimlich wegnehmen« (vgl. *stehlen*).

verstopfen, Verstopfung ↑stopfen.

Verstorbener ↑sterben.

verstört ↑stören.

Verstoß, verstoßen ↑stoßen.

verstreben ↑streben.

verstreichen ↑streichen.

verstricken »in etwas verwickeln«: Das Verb mhd. *verstricken* »mit Stricken umschnüren, verflechten« ist eine verstärkende Präfixbildung zu mhd. *stricken* »knüpfen, schnüren, flechten« (vgl. den Artikel *Strick*).

verstümmeln ↑Stummel.

verstummen ↑stumm.

Versuch, versuchen, Versucher, Versuchung ↑suchen.
versumpfen ↑Sumpf.
versündigen, sich ↑Sünde.
versüßen ↑süß.
vertagen ↑Tag.
vertauschen ↑tauschen.
verteidigen: Zu dem unter ↑Ding behandelten Substantiv in seiner alten Bedeutung »Gericht[sversammlung]« gehört die Zusammensetzung mhd. *tage-dinc, teidinc,* ahd. *taga-ding* »Verhandlung [an einem bestimmten Tage]« (vgl. den Artikel *Tag*). Davon ist das Verb mhd. *tagedingen, teidingen* »tagen, gerichtlich verhandeln« abgeleitet, das mit dem Präfix ›ver...‹ die Bedeutung »vor Gericht vertreten, verteidigen« erhielt. Diese Bedeutung wurde seit dem 14. Jh. verallgemeinert. Danach wurde ›verteidigen‹ im Sinne von »[vor Angriffen] schützen« gebräuchlich. – Abl.: **Verteidiger, Verteidigung** (16. Jh.).
verteilen ↑Teil.
verteuern ↑teuer.
vertikal »senkrecht, lotrecht«: Das Adjektiv wurde im 17. Jh. aus gleichbedeutend spätlat. *verticalis* (wörtlich etwa »scheitellinig«), einer Bildung zu lat. *vertex (verticis)* »Wirbel, Scheitel«, gebildet. Stammwort ist lat. *vertere (versum)* »kehren, wenden, drehen« (vgl. den Artikel *Vers*).
Vertiko: Der mit einem Aufsatz versehene Zierschrank soll nach einem Berliner Tischler namens Vertikow benannt sein (19. Jh.).
vertilgen ↑tilgen.
vertonen ↑²Ton.
vertrackt ↑trecken.
Vertrag, vertragen ↑tragen.
vertrauen, Vertrauen, vertraulich ↑trauen.
verträumen ↑Traum.
vertreiben ↑treiben.
vertreten, Vertreter ↑treten.
Vertrieb ↑treiben.
vertrocknen ↑trocken.
vertrösten ↑Trost.
vertun ↑tun.
vertuschen »einen peinlichen Vorfall nicht öffentlich bekannt werden lassen; etwas geflissentlich verbergen«: Die Herkunft des Präfixverbs (mhd. *vertuschen* »bedecken, verbergen, verheimlichen«), das im heutigen Sprachgefühl fälschlich mit dem unter ↑Tusche behandelten Wort verbunden wird, ist unklar.
verübeln ↑übel.
verulken ↑Ulk.
verunglimpfen ↑glimpflich.
verunreinigen ↑rein.
verunstalten »entstellen«: Das seit dem 16. Jh. bezeugte Verb gehört zu dem Adjektiv **ungestalt** »übel beschaffen, hässlich« (mhd. *ungestalt,* ahd. *ungistalt*). Das Adjektiv entstand als Gegenwort zu mhd. *gestalt,* ahd. *gistalt* »beschaffen, eingerichtet« (vgl. die Artikel *Gestalt* und *stellen*).
verursachen ↑Ursache.
verurteilen ↑Urteil.
vervielfältigen ↑viel.
vervollkommnen ↑voll.
verwahrlosen: Das auf das dt. und niederl. Sprachgebiet beschränkte ursprünglich transitive Verb (mhd. *verwarlōsen* »unachtsam behandeln oder betreiben«, niederl. *verwaarlozen* »vernachlässigen, verwahrlosen«) ist von dem Adjektiv mhd. *warlōs* »unbewusst«, ahd. *waralōs* »achtlos« abgeleitet (vgl. den Artikel *wahren*). Die heute übliche intransitive Verwendung des Verbs findet sich seit dem 16. Jh.
verwaisen ↑Waise.
verwalten ↑walten.
verwandeln, Verwandlung ↑wandeln.
verwandt »zur Familie gehörig; innere Übereinstimmungen oder Beziehungen aufweisend«: Das seit dem 15. Jh. bezeugte Adjektiv (spätmhd. *verwant* »zugewandt, zugehörig, verwandt«, entsprechend niederl. *verwant*) ist eigentlich das 2. Partizip von mhd. *verwenden* in der Bedeutung »hinwenden« (vgl. den Artikel *wenden*). Beachte auch die Substantivierung **Verwandter** (16. Jh.). – Abl.: **Verwandtschaft** »das Verwandtsein; Gesamtheit der Verwandten« (16. Jh.).
verwarnen ↑warnen.
verwässern ↑Wasser.
verwechseln, Verwechslung ↑Wechsel.
verwegen »[toll]kühn, draufgängerisch, dreist«: Das seit mhd. Zeit bezeugte Adjektiv (mhd. *verwegen* »frisch entschlossen«) ist eigentlich das 2. Partizip zu dem starken Verb mhd. *sich verwegen* »sich frisch zu etwas entschließen«. Dies ist eine Präfixbildung zu dem einfachen Verb mhd. *[sich] wegen* »die Richtung wohin nehmen, sich wohin bewegen« (vgl. *wägen*).
verwehren ↑wehren.
verweichlichen ↑weich.
verweilen ↑Weile.
¹verweisen: Mhd. *verwīzen,* ahd. *farwīzan* »strafend oder tadelnd vorwerfen«, got. *fraweitan* »Recht verschaffen, rächen«, niederl. *[ver]wijten* »vorwerfen« sind Präfixbildungen zu dem im Nhd. untergegangenen einfachen Verb mhd. *wīzen,* ahd. *wīzan* »strafen, peinigen«. Dieses Verb gehört im Sinne von »wahrnehmen« zu der unter ↑wissen dargestellten idg. Wurzel **u̯eid-* »erblicken, sehen«. Die heutige Bedeutung »tadeln, vorwerfen« hat sich aus dem Wortgebrauch im Sinne von »eine Schuld wahrnehmen, ein Vergehen bemerken« entwickelt (vgl. die gleiche Bedeutungsentwicklung bei lat. *animadvertere* »wahrnehmen, bemerken; rügen, ahnden, strafen«). Eine Rückbildung aus dem Verb ist **¹Verweis** »Rüge, Tadel« (spätmhd. *verwīz*). – Verwandt mit ›¹verweisen‹ ist **²verweisen** »hinweisen; an eine andere Stelle weisen; verbannen« (mhd. *verwīsen;* vgl. *weisen*). Die beiden heute gleich lautenden Verben sind seit dem 15. Jh. for-

mal zusammengefallen. Eine Rückbildung aus ›²verweisen‹ ist **²Verweis** »Hinweis auf eine andere Textstelle«.

verwelken ↑welk.

verweltlichen ↑Welt.

verwenden, Verwendung ↑wenden.

verwerfen, verwerflich, Verwerfung ↑werfen.

verwerten ↑wert.

verwesen »verfaulen, vermodern«: In dem Verb mhd. *verwesen* sind zwei in ahd. Zeit noch getrennte Verben zusammengefallen, nämlich ein schwaches intransitives Verb ahd. *firwesenen* »verfallen, vergehen« und ein starkes transitives Verb ahd. *firwesan* »aufbrauchen, verzehren« (eigentlich »verschmausen«, beachte z. B. aengl. *wesan* »schmausen«). Die heute allein gültige Bedeutung »vermodern« ist seit dem Ende des 15. Jh.s bezeugt.

Verweser »Stellvertreter, Verwalter eines Amtes oder Landes«: Das Substantiv mhd. *verweser* »Stellvertreter, Verwalter« ist eine Bildung zu dem Verb mhd. *verwesen,* ahd. *firwesan* »jemandes Stelle vertreten«, dessen Grundwort ›wesen‹ »sein« bedeutet (vgl. den Artikel *Wesen*). Das Präfix ›ver...‹ hat hier den Sinn von »vor, für, anstelle von«.

verwichsen ↑wichsen.

verwickeln, verwickelt, Verwicklung ↑wickeln.

verwildern ↑wild.

verwinden ↑überwinden.

verwirken, verwirklichen ↑wirken.

verwirren: Das Verb mhd. *verwirren, verwerren,* ahd. *farwerran* ist eine verstärkende Präfixbildung zu dem heute veralteten einfachen Verb ›wirren‹, älter nhd., mhd. *werren,* ahd. *werran* »verwickeln, durcheinander bringen«. Dies beruht vielleicht auf einer Erweiterung der unter ↑Wurm behandelten idg. Wurzel und bedeutete ursprünglich »drehen, [ver]wickeln«. Hierher kann auch das unter ↑Wurst behandelte Substantiv gehören. – Eine Bildung zu ›wirren‹ ist das bis ins 16. Jh. gebräuchliche Substantiv mhd. *werre,* ahd. *werra* »Krieg, Verwirrung«, das dem Fremdwort ↑Guerilla zugrunde liegt. In der 1. Hälfte des 19. Jh.s kam das Substantiv **Wirren** »[politische] Verwicklungen« auf. Eine Rückbildung aus ›wirren‹ ist das Adjektiv ↑wirr. Das Adjektiv **verworren** »unklar, unübersichtlich« (mhd., ahd. *verworren*) ist das 2. Partizip des ehemals starken Verbs ›verwirren‹. Eine weitere Präfixbildung zu ›wirren‹ ist **entwirren** »ordnend auflösen, überschaubar machen« (mhd. *entwirren*), beachte auch die Bildung **Gewirr** »Durcheinander; wirre Ungeordnetheit« (mhd. *gewerre*). Eine lautspielerische Reduplikationsbildung zu ›wirren‹ ist **Wirrwarr** »Durcheinander, heillose Unordnung« (Ende des 15. Jh.s). – Abl.: **Verwirrung** »Durcheinander; Verstörtheit« (15. Jh.).

verwittern »durch Witterungseinwirkung zerfallen, zerbröckeln«: Das Verb gehört zu dem Substantiv ›Witterung‹, das in der alten Bergmannssprache »Dämpfe, die sich über Erzgängen lagern« bedeutete (vgl. den Artikel *wittern*). ›Verwittern‹ ist als bergmännisches Wort zuerst im 18. Jh. bezeugt und wurde ursprünglich nur auf den Verfall von Mineralien bezogen.

verwöhnen: Mhd. *verwenen* »in übler Weise an etwas gewöhnen; verwöhnen« ist eine Präfixbildung zu dem im Nhd. untergegangenen einfachen Verb mhd. *wenen* »gewöhnen«, das auch in den unter ↑gewöhnen und ↑entwöhnen behandelten Verben steckt (vgl. *gewinnen*). Die Form mit -ö- tritt seit dem 16. Jh. auf. ›Verwöhnen‹ bedeutete ursprünglich ganz allgemein »zu schlechten Gewohnheiten veranlassen«, dann (meist mit Beziehung auf Kinder) »verziehen, verzärteln, verweichlichen«. In adjektivischen Gebrauch übergegangen ist das Partizip **verwöhnt** »verzogen, anspruchsvoll« (mhd. *verwenet* »verwöhnt, bevorzugt, köstlich«).

verworren ↑verwirren.

verwunden ↑wund.

verwundern ↑Wunder.

verwurzeln ↑Wurzel.

verwüsten ↑wüst.

verzagen ↑zag.

verzahnen ↑Zahn.

verzärteln ↑zart.

verzaubern ↑Zauber.

Verzehr, verzehren ↑zehren.

verzeichnen, Verzeichnis ↑zeichnen.

verzeihen ↑zeihen.

verzerren, Verzerrung ↑zerren.

¹verzetteln »vertun, vergeuden«: Das seit dem 16. Jh. bezeugte Verb ist eine Iterativbildung zu dem heute veralteten *verzetten* »aus-, verstreuen, vereinzelt fallen lassen, verlieren« (mhd. *verzetten*). Dieses Verb ist eine Präfixbildung zu mhd. *zetten* »[ver-, aus]streuen, vereinzelt fallen lassen«, ahd. *zetten* »ausbreiten«, das mit der nord. Sippe von aisl. *teđja* »düngen« (eigentlich »Mist streuen«) verwandt ist (vgl. *¹Zettel*).

²verzetteln ↑²Zettel.

Verzicht: Das Substantiv mhd. *verziht* »Verzichtleistung, Entsagung«, das ursprünglich vorwiegend in der Rechtssprache verwendet wurde, ist eine Bildung zu dem unter ↑zeihen behandelten Präfixverb ›verzeihen‹. Auszugehen ist von ›zeihen‹ in der ursprünglichen Bedeutung »sagen«, die bei der Präfixbildung ›verzeihen‹ zu der im 18. Jh. veraltenden Bedeutung »versagen, verzichten« führte. Diese Bedeutung hat sich im Substantiv ›Verzicht‹ erhalten. Das seit dem Ende des 18. Jh.s bezeugte, von ›Verzicht‹ abgeleitete Verb **verzichten** »einen Anspruch aufgeben« löste das bis dahin gebräuchliche Verb ›verzeihen‹ in der entsprechenden Bedeutung ab.

verziehen ↑ziehen.

verzieren, Verzierung ↑Zier.

verzinsen ↑Zins.

verzögern, Verzögerung ↑zögern.
verzollen ↑[1]Zoll.
verzücken, verzückt ↑entzücken.
Verzug ↑ziehen.
verzweifeln ↑Zweifel.
verzweigen ↑Zweig.
Vesper »Abendandacht, Abendgottesdienst«, in Süddeutschland und Österreich auch für »Zwischenmahlzeit (besonders am Nachmittag); Abendbrot«: Das Wort mhd. *vesper,* ahd. *vespera* »die vorletzte kanonische Stunde (6 Uhr abends)« wurde im Bereich des Klosterwesens aus lat.-kirchenlat. *vespera* »Abend, Abendzeit; die Zeit von sechs Uhr abends« entlehnt. Dies ist urverwandt mit griech. *hespéra* »Abend[zeit]« (vgl. den Artikel *Westen*).
Veteran »altgedienter Soldat; im Dienst ergrauter, bewährter Mann«: Das Fremdwort wurde im 18. Jh. aus gleichbedeutend lat. *veteranus* entlehnt, einer Bildung zu lat. *vetus* »alt«. Über weitere etymologische Zusammenhänge vgl. den Artikel *Widder.*
Veterinär »Tierarzt«: Die Anfang des 19. Jh.s im Heereswesen als Amtsbezeichnung aufgekommene Bezeichnung ist aus gleichbedeutend frz. *vétérinaire* entlehnt, das auf lat. *veterinarius* »Tierarzt« zurückgeht. Dies gehört zu lat. *veterinae* (oder *veterina,* Neutrum Plural) »Zugvieh« und weiter zu lat. *veterinus* »zum Lastziehen geeignet (vom Zugvieh)«. Die Verbindung der Wörter mit lat. *vetus* »alt« (vgl. den Artikel *Veteran*) erklärt sich wohl aus der Tatsache, dass die »alten« und schwächeren Tiere im Heerestross als Zugvieh verwendet wurden, während die jungen und kräftigen Tiere im eigentlichen militärischen Einsatz waren.
Veto »Einspruch[srecht]«: Das seit dem 18. Jh. bezeugte, dem politischen und parlamentarischen Bereich angehörende Fremdwort ist aus gleichbedeutend frz. *veto* entlehnt. Dies ist substantiviert aus lat. *veto* »ich verbiete«, der ersten Person Singular Präsens von lat. *vetare* »verbieten«.
Vetter: Die westgerm. Verwandtschaftsbezeichnung mhd. *veter,* ahd. *fetiro,* mnd. *vedder[e], vēdere,* aengl. *fædera* ist eine Bildung zu dem unter ↑Vater behandelten Wort und bedeutete ursprünglich »Vatersbruder«. Die Bezeichnung wurde dann auf den Bruder der Mutter und später auf alle männlichen Verwandten übertragen. Heute bezeichnet ›Vetter‹ nur noch den Sohn des Onkels oder der Tante. Beachte auch den Bedeutungswandel von ↑[1]Base und ↑Neffe.
Vexierbild »Suchbild, das eine nicht sofort erkennbare Figur enthält« (1. Hälfte des 20. Jh.s): Das Bestimmungswort dieser Zusammensetzung gehört zu dem heute veralteten Verb **vexieren** »plagen; necken, zum Besten haben, irreführen« (16. Jh.), das aus lat. *vexare* »stark bewegen, schütteln; plagen; quälen« entlehnt ist.
vibrieren »schwingen; zittern, beben«: Das Verb wurde im 18. Jh. aus lat. *vibrare* »in zitternde Bewegung versetzen; sich zitternd bewegen, schwingen, zittern« entlehnt. – Dazu stellen sich **Vibration** »das Vibrieren; Schwingung« (18. Jh.; aus spätlat. *vibratio* »schnelle, zitternde Bewegung«) und die Neubildung **Vibraphon** »dem Xylophon ähnliches Schlaginstrument, das schwingende Töne hervorbringt« (20. Jh.; aus gleichbed. engl.-amerik. *vibraphone;* zum 2. Bestandteil vgl. den Artikel *Phonetik*).
Video...: Der erste Bestandteil von Zusammensetzungen wie ›Videoband, Videoclip, Videokassette, Videorekorder‹ wurde in der 2. Hälfte des 20. Jh.s aus engl.-amerik. *video-* »Fernseh-« übernommen, einer Bildung zu lat. *videre* »sehen« (vgl. den Artikel *Vision*). Als selbstständiges Substantiv ist **Video** auch als Kurzform für ›Videotechnik‹ und im Sinne von »kurze, optische Präsentation eines Musiktitels in Videotechnik« gebräuchlich.
Vieh: Das gemeingerm. Substantiv mhd. *vihe* »Vieh«, ahd. *fihu* »Vieh«, got. *faíhu* »Vermögen, Geld«, aengl. *feoh* »Vieh; Eigentum, Geld« (vgl. engl. *fee* »Eigentum, Besitz; Gebühr«), schwed. *fä* »Vieh« beruht auf idg. **pék̂u-* »[Klein]vieh«. Dieses idg. Wort gehört zu der idg. Verbalwurzel **pek̂-* »Wolle, Haare rupfen; zausen«, vgl. z. B. griech. *pékein* »kämmen«, *pékos, pókos* »[Schaf]fell, Vlies«, lat. *pectere* »kämmen«, lit. *pèšti* »rupfen« (s. auch *fechten*). Die Grundbedeutung des idg. Wortes war demnach »Rupftier, Wolltier« (= »Schaf«). Im außergerm. Sprachbereich sind mit ›Vieh‹ z. B. verwandt aind. *paśú-ḥ* »Vieh« und lat. *pecu[s]* »Vieh«. Die Bedeutung des Wortes entwickelte sich von »Schaf« zu »Gesamtheit nützlicher Haustiere«. Da das als Tauschmittel wie als Götteropfer gleich wertvolle Vieh den Hauptbesitz ausmachte, erklärt sich leicht der sowohl in germ. wie in anderen idg. Sprachen vorliegende Bedeutungsübergang zu »Vermögen, Besitz«, beachte z. B. das germ. Lehnwort mlat. *feum, feudum* »Lehen, Lehngut« (dazu ↑feudal) und das von lat. *pecu[s]* »Vieh« abgeleitete Substantiv *pecunia* »Geld« (↑pekuniär). – Abl.: **viehisch** »verroht« (mhd. *vihisch*). Die mdal. Form **Viech** (mhd. *vich*) ist in der Umgangssprache meist als abschätzige Bezeichnung für ein Tier gebräuchlich. Davon abgeleitet ist **Viecherei** ugs. für »große Strapaze, Schinderei; Gemeinheit«.
viel: Das gemeingerm. Wort mhd. *vil,* ahd. *filu,* got. *filu,* aengl. *fela,* aisl. *fjǫl-* ist das substantivierte Neutrum eines im germ. Sprachbereich untergegangenen Adjektivs und beruht mit verwandten Wörtern in anderen idg. Sprachen auf idg. **pelu* »viel«, vgl. z. B. aind. *purú-ḥ* »viel« und griech. *polýs* »viel«. Zugrunde liegt die vielfach weitergebildete und erweiterte idg. Verbalwurzel **pel[ə]-* »gießen, schütten, füllen«. Zu ihr stellen sich aus dem germ. Sprachbereich noch die Wortgruppen

von ↑voll (eigentlich »gefüllt«), ↑Fülle (Substantivbildung zu ›voll‹), ↑füllen (eigentlich »voll machen«) und wahrscheinlich auch das unter ↑*Volk* behandelte Substantiv, auf dem die slaw. Wortgruppe von russ. *polk* »Regiment, Schar (Soldaten)« beruht (↑Pulk). Aus dem außergerm. Bereich gehören hierher z. B. lat. *plebs* »Volksmenge« (↑Plebs), lat. *plenus* »voll« (s. die Fremdwortgruppe um *Plenum*) und lat. *mani-pulus* »eine Hand voll« (↑Manipulation). Von der aus »gießen, schütten« entwickelten Bedeutung »triefen, fließen, sich im Wasser bewegen, schwimmen, strömen, treiben« geht die Wortgruppe um ↑fließen (mit *Fluss, Flut, Floß, flößen, Flosse, flott, Flotte*) aus. Auf der Bedeutungswendung »treiben, schweben, fliegen, flattern« beruht die Wortgruppe um ↑fliegen (mit *Fliege, Flug,* [1]*Flucht, Flügel, flügge;* s. auch *Flitzbogen* und *Flocke*) und die um ↑flattern (mit *Fledermaus, Falter* und *flittern;* s. auch den Artikel *Pavillon*). – Abl.: **vielerlei** (16. Jh.; zur Bildung vgl. *...lei*); **vielfach** (16. Jh.; vgl. *...fach* [↑Fach]); **Vielfalt** »große Mannigfaltigkeit« (18. Jh.; als Gegenwort zu ↑Einfalt gebildet), dazu **vielfältig** (16. Jh.; Erweiterung des älteren, heute untergegangenen Adjektivs ›vielfalt‹) und **vervielfältigen** (17. Jh.; anstelle eines älteren, heute nicht mehr gebrauchten ›vielfältigen‹). Zus.: **vielleicht** (im 15. Jh. zusammengerückt aus mhd. *vil līhte* »sehr leicht, vermutlich, möglicherweise«); **Vielweiberei** (17. Jh.; nach gleichbedeutend griech. *polygamía*).

Vielfraß: Mnd. *vilvrāȥ*, ahd. *vilifrāȥ* »der Gefräßige« ist eine Zusammensetzung mit ahd. *frāȥ* »Fresser« (vgl. *fressen*). Zum Namen der nordischen Marderart wurde das Wort wohl durch hansische Pelzhändler des 15. Jh.s, die den älteren norw. Namen des Tieres, *fjeldfross* »Bergkater« (zum ersten Glied vgl. *Fels*), zu mnd. *vēlvratze, velevras* »Vielfresser« umdeuteten.

vielleicht ↑viel.

vier: Das gemeingerm. Zahlwort mhd. *vier,* ahd. *fior,* got. *fidwōr,* engl. *four,* schwed. *fyra* beruht mit verwandten Wörtern in anderen idg. Sprachen auf idg. **k$^{u̯}$etu̯er-* »vier«, vgl. z. B. aind. *cátur-* »vier«, russ. *četyre* »vier«, lat. *quattuor* »vier« (s. die Fremdwortgruppe um *Quader*). Vgl. auch den Artikel *acht.* – Abl.: **Geviert** »Rechteck, Quadrat« (16. Jh.); **vierte** (mhd. *vierde,* ahd. *fiordo*); **vierzig** (mhd. *vierzec,* ahd. *fiorzug;* zum zweiten Bestandteil vgl. *...zig*). Zus.: **Viereck** (16. Jh.; substantiviert aus dem untergegangenen Adjektiv mhd. *vierecke,* ahd. *fiorecki,* einer Lehnübersetzung von lat. *quadrangulus* »viereckig«; vgl. *Ecke*), dazu **viereckig** (mhd. *viereckeht;* die heutige Form seit frühnhd. Zeit); **Viertel** (mhd. *viertel,* ahd. *fiorteil;* zum zweiten Bestandteil vgl. *Teil*); **vierzehn** (mhd. *vierzehen,* ahd. *fiorzehan*).

vierschrötig ↑Schrot.

Vikar »Stellvertreter in einem geistlichen Amt in der katholischen Kirche; Kandidat der evangelischen Theologie nach der ersten theologischen Prüfung«: Das in älteren Sprachzuständen noch im allgemeinen Sinne von »Stellvertreter; Verweser« (so mhd. *vicār[i]*) gebräuchliche Substantiv ist aus lat. *vicarius* »stellvertretend; Stellvertreter; Statthalter« entlehnt. Dies ist eine Bildung zu lat. *vicis* »Wechsel; Wechselseitigkeit; Platz, Stelle, Rolle« (vgl. *Vize...*).

Villa: Die Bezeichnung für »Landhaus, vornehmes Einfamilienhaus, Einzelwohnhaus« wurde im 17. Jh. aus gleichbedeutend it. *villa* entlehnt, das auf lat. *villa* »Landhaus, Landgut« beruht. Das lat. Wort stellt sich wohl als **vicsla* zu lat. *vicus* »Gehöft, Häusergruppe; Dorf, Flecken« (vgl. hierüber den Artikel *Weichbild*). – Beachte in diesem Zusammenhang noch das von lat. *villa* abgeleitete Adjektiv lat. *villaris* »zum Landgut gehörig«, das Ausgangspunkt für unser Lehnwort ↑Weiler ist.

violett »veilchenblau«: Das bereits in spätmhd. Zeit als *fiolet* bezeugte, aber erst seit dem 18. Jh. häufiger gebrauchte Farbadjektiv ist aus gleichbedeutend frz. *violet* entlehnt. Dies ist von frz. *violette* »Veilchen« abgeleitet, einer Verkleinerungsbildung zu gleichbedeutend afrz. *viole* (< lat. *viola*). Über weitere etymologische Zusammenhänge vgl. das Lehnwort *Veilchen.*

Violine: Der Name des Streichinstruments wurde im 17. Jh. mit Genuswandel aus it. *violino* »Geige« entlehnt. Das it. Wort ist eine Verkleinerungsbildung zu it. *viola* »Bratsche«, das vermutlich wie entsprechend frz. *viole* und span. *viola* auf aprov. *viola, viula* beruht. Die weitere Herkunft des Wortes ist nicht gesichert.

Viper »Giftschlange, Otter«: Das Wort wurde bereits in mhd. Zeit (mhd. *viper[e], vipper*) aus gleichbedeutend lat. *vipera* entlehnt. Dies geht wohl auf **vivipera* (aus lat. *vivus* »lebendig« und *-pera* zu *parere* »gebären«) zurück und bedeutet demnach eigentlich »die Lebendgebärende«, weil die meisten Vipern lebend gebärend sind.

Virtuose »jemand, der eine [künstlerische] Technik mit vollendeter Meisterschaft beherrscht«: Das Fremdwort wurde Anfang des 18. Jh.s aus gleichbedeutend it. *virtuoso* entlehnt. Dies ist die Substantivierung des it. Adjektivs *virtuoso* »tugendhaft, tüchtig, gut« und bedeutet demnach eigentlich »tugendhafter, tüchtiger Mensch«. It. *virtuoso* gehört zu it. *virtù* »Tugendhaftigkeit, Tüchtigkeit«, das auf lat. *virtus* (Akkusativ: *virtutem*) »Mannhaftigkeit; Tüchtigkeit; Tugend« beruht. Stammwort ist lat. *vir* »Mann« (etymologisch verwandt mit ahd. *wer* »Mann« in ↑Werwolf).

Virus: Der Fachausdruck wurde im 19. Jh. – vielleicht vermittelt durch gleichbedeutend frz. und engl. *virus* – aus lat. *virus* »Schleim, Saft, Gift« entlehnt, das u. a. mit griech. *īós* »Gift« und aind. *viṣá-m* »Gift« etymologisch verwandt ist. – In der Biologie und Medizin bezeichnet man mit ›Virus‹

(Plural ›Viren‹) sehr kleine, zum großen Teil aus Eiweiß bestehende Körper, die ausschließlich in lebenden Zellen existieren und häufig als Krankheitserreger bei Mensch, Tier und Pflanze auftreten. Allgemeinsprachlich wird ›Virus‹ im Sinne von »Krankheitserreger« gebraucht.

Visage: Der abwertende Ausdruck für »Gesicht« wurde im 17. Jh. mit Genuswechsel aus frz. *(le) visage* »Gesicht, Antlitz« entlehnt. Das frz. Wort ist von dem im Frz. untergegangenen Substantiv afrz. *vis* »Gesicht« abgeleitet, das noch im Adverb *vis-à-vis* »gegenüber« erhalten ist (daraus wurde im 18. Jh. **vis-à-vis** »gegenüber« übernommen). – Afrz. *vis* »Gesicht« beruht auf lat. *visus* »Anblick, Erscheinung; Gesicht«, das zu lat. *videre (visum)* »sehen« gehört (vgl. *Vision*). – Siehe auch den Artikel [1]*Visier.*

[1]Visier »beweglicher, das Gesicht bedeckender Teil des [mittelalterlichen] Helms«: Das Fremdwort wurde im 15. Jh. aus frz. *visière* »Helmgitter« (eigentlich etwa »Gesichtseinfassung, Gesichtsschutz«) entlehnt, das von afrz. *vis* »Gesicht« (vgl. *Visage*) abgeleitet ist.

[2]Visier: Die Bezeichnung für »Zielvorrichtung an Handfeuerwaffen« wurde im 16. Jh. im militärischen Bereich aus gleichbedeutend frz. *visière* entlehnt. Dies ist wortgeschichtlich von frz. *visière* »Helmgitter« (↑[1]Visier) zu trennen, da es eine Bildung zu frz. *viser* »aufmerksam hinblicken; ins Auge fassen, nach etwas zielen« ist. Daraus wurde im 17. Jh. unser Verb **visieren** »aufs Korn nehmen, zielen« übernommen, beachte dazu **anvisieren** »als Ziel nehmen; anstreben«. Quelle von frz. *viser* ist ein vlat. Verb **visare*, ein Intensivum zu lat. *videre (visum)* »sehen« (vgl. den Artikel *Vision*).

Vision »Erscheinung; Trugbild«: Das seit mhd. Zeit bezeugte Fremdwort (mhd. *vision, visiun* »Traumgesicht; Erscheinung«) ist aus lat. *visio (visionis)* »das Sehen, der Anblick; die Erscheinung« entlehnt. Dies gehört zu dem mit dt. ↑wissen urverwandten Verb lat. *videre (visum)* »sehen«. – Groß ist die Zahl der Bildungen zu lat. *videre,* die in unserem Fremdwortschatz eine Rolle spielen. Siehe hierzu im Einzelnen die Artikel ↑Visage, ↑[1]Visier, ↑[2]Visier, visieren, ↑Visite, visitieren, Visitation, ↑Visum, ↑Voyeur, ↑Provision, Provisor, provisorisch, ↑improvisieren, Improvisation, ↑revidieren, Revision, ↑Revue und ↑Interview, interviewen. – Zu ›Vision‹ stellen sich **visionär** »in der Art einer Vision; seherisch« und das seltenere **Visionär** »jemand, der [Zukunfts]visionen hat; seherisch begabter Mensch«, die beide im 18. Jh. aus gleichbedeutend frz. *visionnaire* (Adjektiv und Substantiv) übernommen wurden (zu frz. *vision* < lat. *visio,* s. o.).

Visite »Besuch (veraltet, aber noch scherzhaft); Krankenbesuch des Arztes«: Das Fremdwort wurde im 17. Jh. aus gleichbed. frz. *visite* entlehnt, das von frz. *visiter* »besuchen; besichtigen; durchsuchen« (s. u.) abgeleitet ist. – Dazu stellt sich die Zusammensetzung **Visitenkarte** »Karte mit aufgedrucktem Namen und aufgedruckter Adresse, die man jemandem [bei einem Besuch] aushändigt« (Anfang 18. Jh.; früher bei Antrittsbesuchen überreicht). – Aus dem [a]frz. Verb *visiter* (bzw. aus mlat. *visitare*), das auf lat. *visitare* »oft sehen; besichtigen« zurückgeht (zu lat. *videre, visum* »sehen«; vgl. *Vision*), wurde bereits in mhd. Zeit unser Verb **visitieren** »durchsuchen; zur Überprüfung besichtigen« entlehnt. Dazu stellt sich das Substantiv **Visitation** »Durchsuchung«, das gleichfalls bereits in mhd. Zeit aus afrz. *visitation* bzw. aus mlat. *visitatio* (< lat. *visitatio* »Besichtigung«) übernommen wurde.

Visum: Die seit dem Beginn des 20. Jh.s gebräuchliche Bezeichnung für »Sichtvermerk im Reisepass« ist entweder aus lat. *visum* »gesehen« (zu lat. *videre* »sehen«, vgl. *Vision*) substantiviert oder aber aus älterem ›Visa‹ relatinisiert. Dies war im 18. Jh. aus frz. *visa* »amtlicher Vermerk, Siegel, Beglaubigung« (eigentlich auch »Gesehenes«) übernommen worden.

vital »lebenskräftig; lebensvoll, wendig, munter, unternehmungsfreudig; lebenswichtig«: Das Adjektiv wurde im 19. Jh. – wohl unter dem Einfluss von entsprechend frz. *vital* – aus lat. *vitalis* »zum Leben gehörig; Leben enthaltend, Lebenskraft habend« entlehnt. Dies ist eine Bildung zu lat. *vita* »Leben«, das zum Stamm von lat. *vivere (victum)* »leben« gehört (vgl. den Artikel *Weiher*). Im Sinne von »lebenswichtig« ist das Adjektiv Bedeutungslehnwort aus gleichbedeutend engl. *vital.* – Dazu stellt sich das Substantiv **Vitalität** »Lebenskraft, Lebensfülle, Lebendigkeit« (19. Jh.), das nach gleichbedeutend frz. *vitalité* oder lat. *vitalitas* »Lebenskraft« gebildet ist. Vgl. auch den Artikel *Vitamin.*

Vitamin: Die Bezeichnung für den die biologischen Vorgänge im Organismus regulierenden, lebenswichtigen, vorwiegend in Pflanzen gebildeten Wirkstoff wurde in der 1. Hälfte des 20. Jh.s aus gleichbedeutend engl.-amerik. *vitamin* entlehnt. Dies ist eine gelehrte Bildung des amerikanischen Biochemikers polnischer Herkunft Casimir Funk (1884–1967) aus lat. *vita* »Leben« (vgl. *vital*) und engl. *amin[e]* »organische Stickstoffverbindung, Amin«.

Vitrine: Die Bezeichnung für »gläserner Schaukasten, Glasschrank« wurde im 19. Jh. aus gleichbedeutend frz. *vitrine* entlehnt. Das frz. Wort ist nach frz. *vitre* »Glas-, Fensterscheibe« umgebildet aus frz. *verrine* »Glaskasten«, das auf spätlat. *vitrinus* »gläsern, aus Glas« beruht (zu lat. *vitrum* »Glas«).

Vize...: Das Bestimmungswort von Zusammensetzungen mit der Bedeutung »anstelle von ..., stellvertretend«, wie z. B. ›Vizekanzler‹ oder ›Vizepräsident‹, ist aus lat. *vice* »anstelle von« entlehnt. Dies ist der zum Adverb erstarrte Ablativ Singular von lat. *vicis* »Wechsel, Wechselseitigkeit; Platz, Stelle«, das mit dt. ↑Wechsel etymologisch verwandt ist. – Siehe auch den Artikel *Vikar.*

Vlies »[Schaf]fell, Rohwolle«: Während mhd. *vlius, vlus* »Schaffell« (vgl. *Flaus*) früh untergegangen ist, wurde seit dem 16. Jh. die niederl. Form *vlies* übernommen, vor allem als Name des 1429 in Brügge gestifteten burgundischen (später habsburgischen) Ordens vom Goldenen Vlies und des damit symbolisch erneuerten goldenen Widderfells der griechischen Argonautensage. Erst im 18. Jh. wurde das Wort, zunächst literarisch, allgemein für »Schaffell« gebräuchlich; bei den Schafzüchtern bezeichnet es die zusammenhängende Wolle nach der Schur, in der Spinnerei eine breite Faserschicht.

Vogel: Das gemeingerm. Substantiv mhd. *vogel,* ahd. *fogal,* got. *fugls,* engl. *fowl,* schwed. *fågel* hat keine außergerm. Entsprechungen. Seine Herkunft ist nicht sicher geklärt. Vielleicht gehört es zu der unter ↑fliegen behandelten Wortgruppe. Der Ausfall des l wäre dann durch Dissimilation bewirkt. Die Übertragung auf den Menschen (›ein lockerer, seltsamer usw. Vogel‹) ist seit frühnhd. Zeit üblich. – Abl.: **vögeln** (mhd. *vogelen,* ahd. *fogalōn* »Vögel fangen«; die Bedeutung »begatten [vom Vogel]« ist bereits in mhd. Zeit vorhanden, in derber Redeweise auch übertragen vom Menschen). Zus.: **Vogelbauer** (mhd. *vogelbūr;* zum zweiten Bestandteil vgl. *²Bauer*); **Vogelbeere** (17. Jh.; so benannt, weil die rote Frucht der Eberesche als Köder beim Vogelfang verwendet wurde); **vogelfrei** (15. Jh., »völlig frei von Diensten wie die Vögel«; in der heutigen Bedeutung »rechtlos, geächtet«, eigentlich »den Vögeln [zum Fraß] freigegeben wie ein Gehenkter«, seit dem 16. Jh.); **Vogelperspektive** »Sicht von einem sehr hoch gelegenen Punkt aus, bei der man einen Überblick gewinnt« (19. Jh.; für frz. *à vue d'oiseau,* dafür auch **Vogelschau**); **Vogelscheuche** (15. Jh.; zum zweiten Bestandteil vgl. den Artikel *scheuchen*).

Vogel

den Vogel abschießen
(ugs.; oft iron.) »den größten Erfolg haben«
Die Wendung bezieht sich darauf, dass früher bei volkstümlichen Schützenfesten auf einen Holzvogel auf einer Stange geschossen wurde. Wer den Vogel von der Stange herunterschoss, wurde Schützenkönig, war also der erfolgreichste Schütze.

einen Vogel haben
(ugs.) »nicht recht bei Verstand sein«
Diese Wendung geht wahrscheinlich auf den alten Volksglauben zurück, dass Geistesgestörtheit durch Tiere (Vögel) verursacht wird, die im Gehirn des Menschen nisten.

Vogelherd ↑Herd.

Vogt: Die historische Bezeichnung für »Verwalter, Schirmherr« (mhd. *vog[e]t,* ahd. *fogāt*) ist aus mlat. *vocatus* entlehnt, das für lat. *advocatus* »der Herbeigerufene« (vgl. den Artikel *Advokat*) steht.

Vokabel »[Einzel]wort«: Das Fremdwort ist eine gelehrte Entlehnung frühnhd. Zeit aus lat. *vocabulum* »Benennung, Bezeichnung; Nomen, Substantiv«. Dies gehört zu lat. *vocare* »nennen, rufen« (vgl. den Artikel *Vokal*). Zu lat. *vocabulum* gehört mlat. *vocabularium* »Wörterverzeichnis, Wortschatz«, aus dem im 16. Jh. unser gleichbedeutendes Fremdwort **Vokabular** entlehnt worden ist.

Vokal »Selbstlaut«: Der grammatische Fachausdruck ist eine gelehrte Entlehnung frühnhd. Zeit aus gleichbedeutend lat. *vocalis (littera).* Das zugrunde liegende Adjektiv lat. *vocalis* »stimmreich, tönend« ist von lat. *vox (vocis)* »Laut, Ton, Schall; Stimme; Wort; Rede« abgeleitet, das etymologisch zu der unter ↑erwähnen behandelten idg. Sippe gehört. – Zu lat. *vox* als Stammwort bzw. zu dem abgeleiteten Verb lat. *vocare* »nennen, rufen; anrufen« gehören auch die Fremdwörter ↑Vokabel, ↑Vokativ, ↑Advokat und ↑provozieren. Vgl. auch den Artikel *Vogt.*

Vokativ: Der Name des Kasus der Anrede ist eine gelehrte Entlehnung aus lat. *(casus) vocativus,* eigentlich »zum Rufen, Anreden dienender Fall«. Lat. *vocativus* gehört zu lat. *vocare* »rufen« (vgl. den Artikel *Vokal*).

Volk: Die Herkunft des altgerm. Substantivs mhd. *volc* »Leute, Volk; Kriegsschar«, ahd. *folc* »Haufe, Kriegerschar; Volk«, niederl. *volk* »Volk«, engl. *folk* »Leute, Angehörige«, schwed. *folk* »Leute, Volk« ist nicht sicher geklärt. Wahrscheinlich gehört es zu der unter ↑viel behandelten idg. Wurzel, sodass lat. *plebs* »Volksmenge« verwandt wäre. Eine der ältesten Bedeutungen des germ. Substantivs »Kriegerschar, Heerhaufen« liegt sowohl in Personennamen wie ›Volkhart‹ und ›Volkmar‹ (dazu der Familienname Fol[t]z, Vol[t]z) als auch in Zusammensetzungen wie ›Fußvolk, Kriegsvolk‹ vor. Die Bedeutung »Gesamtheit der durch Sprache, Kultur und Geschichte verbundenen (und zu einem Staat vereinten) Menschen« hat sich eigentlich erst mit dem Erwachen eines Nationalbewusstseins im Zeitalter des Humanismus herausgebildet. Die Romantik erweiterte den Begriff um eine gefühlsmäßige Nuance, von der Wörter wie ›Volkslied‹ (s. unten) und ›Volkstum‹ (s. unten) zeugen. Daneben bezeichnete ›Volk‹ schon früh die Masse der Bevölkerung (im Gegensatz zu einer Oberschicht). – Überaus groß ist die Zahl teils alter, teils neuer Zusammensetzungen mit ›Volk‹, beachte z. B. ›Volksabstimmung, -demokratie, -fest, -genosse, -mund, -musik, -seele, -vertreter, -weisheit‹ und ›Völkerball, -freundschaft, -recht, -verständigung‹. – Abl.: **be-**

völkern »bewohnen, besiedeln; in großer Zahl füllen, scharenweise beleben« (17. Jh.), dazu **Bevölkerung** »alle Einwohner eines Gebietes« (18. Jh.); **völkisch** (15. Jh., älter ›volckisch‹; zunächst für lat. *popularis* »zum Volk gehörend, volkstümlich« gebräuchlich, dann [veraltet] im Sinne von »national«, in der rassistischen Ideologie des Nationalsozialismus mit der Bedeutung »ein Volk als vermeintliche Rasse betreffend«); **Volkstum** »Eigenart eines Volkes, wie sie sich in seinem Leben, in seiner Kultur ausprägt« (Anfang des 19. Jh.s), dazu **volkstümlich** »dem Denken und Fühlen eines Volkes entsprechend; populär, gemeinverständlich«. Zus.: **Volkslied** »volkstümliches, im Volk gesungenes Lied« (18. Jh.; wahrscheinlich nach engl. *popular song*); **Volksschule** »allgemein bildende öffentliche Pflichtschule« (18. Jh.; ursprünglich »Schule für die Kinder der niederen Stände«); **Volkswirtschaft** »Gesamtwirtschaft eines Volkes; Betriebswirtschaftslehre« (19. Jh.; für engl. *national economy*). Vgl. auch den Artikel *Pulk*.

voll: Das gemeingerm. Adjektiv mhd. *vol*, ahd. *fol*, got. *fulls*, engl. *full*, schwed. *full* beruht auf einer alten Partizipialbildung zu der unter ↑viel dargestellten idg. Verbalwurzel und bedeutet eigentlich »gefüllt«. Verwandt ist z. B. lat. *plenus* »voll« (vgl. den Artikel *Plenum*). – Abl.: **vollends** »völlig, ganz und gar« (mhd. *vollen* »völlig«, erscheint im 16. Jh. mit d und seit dem 17. Jh. mit adverbialem s); **völlig** »ganz, ohne Einschränkung« (mhd. *vollic*). Zus.: **Vollblut** »reinrassiges Pferd, das aus englischer oder arabischer Zucht stammt« (19. Jh.; für engl. *full blood*); **vollkommen** »vollständig, gänzlich; ohne Fehler, unübertrefflich« (mhd. *volkomen* »ausgebildet, vollständig«, eigentlich das 2. Partizip zu mhd. *volkomen* »zu Ende führen, vollendet werden«), dazu **vervollkommnen** (16. Jh.); **Vollmacht** (14. Jh.; Lehnübersetzung von lat. *plenipotentia*); **vollständig** »völlig, alles umfassend« (16. Jh.; zu mhd. *volstān* »bis zu Ende stehen, ausharren«, dann im Sinne von »vollen Stand, d. h. alle nötigen Teile habend«); **vollstrecken** (15. Jh.; eigentlich »bis zu Ende strecken«, dann »[zeitlich] verlängern, ausdehnen« und »ins Werk setzen, durchführen«). Siehe auch die Artikel *Fülle* und *füllen*.

Volleyball: Der Name des Ballspiels wurde zu Beginn des 20. Jh.s aus engl.-amerik. *volleyball* entlehnt. Bestimmungswort ist engl. *volley* »Flugball« (bzw. das Verb engl. *to volley* »aus der Luft schlagen oder spielen, ohne dass der Ball aufspringt«), das aus frz. *volée* »Flug« (zu frz. *voler* »fliegen«) stammt.

voll kotzen ↑kotzen.

voll stopfen ↑stopfen.

vollwertig ↑wert.

vollziehen, Vollzug ↑ziehen.

Volontär »jemand, der sich ohne oder gegen eine nur kleine Vergütung in die Praxis eines (insbesondere journalistischen oder kaufmännischen) Berufs einarbeitet«: Das seit dem 17. Jh. bezeugte Fremdwort erscheint zuerst im Militärwesen als Bezeichnung für einen »freiwillig« ohne Sold dienenden Soldaten. In die Kaufmanns- und Handelssprache gelangt das Wort erst im 18. Jh. im Sinne von »unbesoldeter Handlungsgehilfe«. Entlehnt ist das Fremdwort aus frz. *volontaire* »freiwillig; Freiwilliger; Volontär«, das auf lat. *voluntarius* »freiwillig« beruht. Dies gehört zu lat. *voluntas* »Wille« und weiter zu dem mit dt. ↑[2]wollen etymologisch verwandten Verb lat. *velle* (1. Pers. Sing. *volo*) »wollen«.

Volt: Die 1898 in Deutschland gesetzlich eingeführte Einheit der elektrischen Spannung ist zu Ehren des italienischen Physikers A. Volta (1745–1827) benannt, dessen Arbeiten auf dem Gebiet der Elektrizitätslehre bahnbrechend waren.

Volumen: Das seit dem 16. Jh. bezeugte Fremdwort erscheint zuerst in der heute nur noch fachsprachlich vorhandenen Bedeutung »Schriftrolle, Band«. Es ist aus lat. *volumen* »etwas, was gerollt, gewickelt oder gewunden wird; Schriftrolle, Buch, Band« entlehnt. Seit dem 18. Jh. ist ›Volumen‹ unter dem Einfluss von entsprechend frz. *volume* im Sinne von »Rauminhalt« gebräuchlich (aus »Umfang, Ausdehnung«). Lat. *volumen* ist eine Bildung zu lat. *voluere (volvere), volutum* »rollen, wälzen; drehen, wirbeln«, das zu der unter ↑[1]wallen »sprudeln« dargestellten Wortsippe der idg. Wurzel **u̯el-* »drehen, winden, wälzen« gehört. Vgl. noch die auf einer Bildung zu lat. *voluere* beruhenden Fremdwörter *Revolver, Revolte, revoltieren, Revolution*.

von: Die Herkunft der auf das dt. und niederl. Sprachgebiet beschränkten Präposition (mhd. *von*, ahd. *fon*, niederl. *van*) ist nicht gesichert. Vielleicht ist sie verwandt mit lat. *po-*, z. B. in *positus* »ab-, weggelegt« (↑Position) und der russ. Präposition *po* »auf, nach, weg«. Dann gehörte sie zu idg. **[a]po-* »ab, weg« (vgl. *ab*). Die Präposition gibt die Trennung, den Ausgangspunkt in Raum und Zeit, die Herkunft und die Ursache an. Außerdem dient sie zur Angabe von Quantitäts- und Qualitätsbestimmungen.

vonstatten ↑gestatten.

vor: Das gemeingerm. Wort (Adverb, Präposition) mhd. *vor*, ahd. *fora*, got. *faúr[a]*, aengl. *for*, schwed. *för[e]* beruht mit verwandten Wörtern in anderen idg. Sprachen auf der unter ↑ver... dargestellten idg. Wurzel **per-* »über etwas hinaus« und ist z. B. eng verwandt mit griech. *pará* »an etwas entlang, über etwas hinaus« (↑para..., Para...). Eine Komparativbildung zu ›vor‹ ist ↑vorder, davon abgeleitet ist ↑fordern. Vgl. auch die Wortgruppe um ↑fort. – Im Dt. wird ›vor‹ seit alters in räumlichem und zeitlichem Sinn gebraucht (über das Verhältnis zu ›für‹ s. d.); Gegenwörter sind ›hinter‹ und ›nach‹. Aus der räumlichen hat sich

V

schon im Ahd. die kausale Bedeutung abgezweigt (z. B. ›den Wald vor lauter Bäumen nicht sehen‹, entsprechend ›vor Schreck, Freude‹). Als Adverb ist ›vor‹ durch ›davor, hervor, voran, voraus, vorher‹ u. a. Zusammensetzungen verdrängt worden, vor allem aber durch ↑vorn (s. auch *bevor*). Ein Rest ist die Fügung ›nach wie vor‹. Auch in zahlreichen verbalen und nominalen Bildungen ist ›vor‹ Adverb (s. die folgenden Artikel).

Voranschlag ↑schlagen.

vorbauen ↑bauen.

Vorbild ↑Bild.

vorbringen ↑bringen.

vorder: Das Adjektiv mhd. *vorder*, ahd. *fordaro* »vorn befindlich, früher« ist eine allein im Dt. erhaltene germ. Komparativbildung zu ↑vor, die heute nur räumlich gebraucht wird. Als Gegenwort zu ↑hinter bildet es Zusammensetzungen mit Substantiven, z. B. **Vorderfuß** (17. Jh.), **Vordergrund** (18. Jh.), **Vordermann** (18. Jh.). Eine Ableitung von ›vorder‹ ist ↑fordern.

Vorderlader ↑[1]laden.

vorerst ↑erst.

Vorfahr ↑fahren.

Vorgang, Vorgänger, vorgehen ↑gehen.

Vorgesetzter ↑setzen.

vorhanden ↑Hand.

Vorhang ↑hängen.

Vorhaut ↑Haut.

Vorhut ↑[2]Hut.

vorknöpfen ↑Knopf.

vorkommen, Vorkommnis ↑kommen.

vorladen ↑[2]laden.

vorlaut: Das seit dem 16. Jh. bezeugte Adjektiv war ursprünglich ein Wort der Jägersprache und bezeichnete einen Hund, der zu früh anschlägt, also »vor der Zeit laut« wird (vgl. *laut*). Später wurde es auf den Jäger übertragen, der voreilig das Wild erkennen und beurteilen will, dann allgemein auf Menschen, die sich vorschnell zu einer Sache äußern.

vorlieb nehmen: Der Ausdruck für »sich mit etwas zufrieden geben« steht für älteres *fürlieb nehmen* »(mangels einer besseren Möglichkeit) als lieb, angenehm akzeptieren« (vgl. den Artikel *für*).

Vormittag ↑Mittag.

Vormund »rechtlicher Vertreter minderjähriger oder entmündigter Personen«: Mhd. *vormunde* »Beschützer, Fürsprecher, Vormund«, ahd. *foramundo* »Beschützer, Fürsprecher« ist eine Bildung zu dem Substantiv älter nhd. *Mund* »Schutz, Vormundschaft«, mhd., ahd. *munt* »[Rechts]schutz, Schirm« (s. die Artikel *Mündel*, *mündig* und *mundtot*), vgl. entsprechend aengl. *mund* »Schutz, Vormundschaft; Hand« und aisl. *mund* »Hand«. Außergerm. ist z. B. verwandt lat. *manus* »Hand« (s. die Fremdwortgruppe um *manuell*). Das Wort wandelt früh seine Bedeutung von »(schützend über jemanden gehaltene) Hand« zu »Schutz« oder »Macht«, besonders »Macht über Sippenangehörige ohne rechtliche Selbstständigkeit«. – Abl.: **bevormunden** »jemanden an der freien Willensentscheidung hindern; gängeln« (16. Jh.; anstelle eines älteren mhd. *vormunden* »Vormund sein, sich als Vormund betätigen«).

vorn, auch: **vorne:** Das Adverb mhd. *vorn[e]* »vorn, vorher«, ahd. *forna* »vorn« ist eine nur dt. Bildung zu dem unter ↑vor behandelten Wort, das es als Raumadverb ersetzt hat.

vornehm: Der Bildung mhd. *vürnæme* »wichtig, hauptsächlich, vorzüglich, ausgezeichnet« liegt ein zu ↑nehmen gebildetes Verbaladjektiv zugrunde, das auch in ›angenehm‹ und ›genehm‹ (s. d.) steckt. Grundbedeutung des Wortes ist also »[aus einer weniger wichtigen oder wertvollen Menge] hervor-, herauszunehmen«. Im Nhd. wurde sie auf den Vorzug durch Geburt, Rang, Stand, Gesinnung eingeengt, erhielt sich aber im Superlativ des Adjektivs im Sinne von »hauptsächlich« und im Adverb **vornehmlich** »vorzugsweise, hauptsächlich«. Über das Verhältnis von ›vor‹ und ›für‹ siehe den Artikel *für*.

Vorrat: Das auf das dt. Sprachgebiet beschränkte Substantiv (mhd. *vorrāt* »Vorrat; Vorbedacht, Überlegung«) ist eine Bildung zu dem unter ↑Rat behandelten Wort, das in der alten Bedeutung »das, was an Mitteln zur Befriedigung der Bedürfnisse zu Gebote steht« auch ↑Gerät, *Hausrat* (↑Haus) und ↑Unrat zugrunde liegt, vgl. auch den Artikel *Heirat*.

vorrichten, Vorrichtung ↑richten.

Vorsatz ↑setzen.

Vorschlag, vorschlagen ↑schlagen.

vorschreiben, Vorschrift ↑schreiben.

Vorschuss ↑schießen.

vorschützen ↑schützen.

vorsehen, Vorsehung ↑sehen.

vorsetzen ↑setzen.

Vorsicht, vorsichtig ↑sehen.

vorsintflutlich ↑Sintflut.

Vorsitz, vorsitzen, Vorsitzender, Vorsitzer ↑sitzen.

Vorsorge ↑Sorge.

Vorspann, vorspannen ↑spannen.

vorspiegeln ↑Spiegel.

vorspringen, Vorsprung ↑springen.

Vorstand, vorstehen, vorstehend, Vorsteher ↑stehen.

vorstellen, Vorstellung ↑stellen.

Vorstoß, vorstoßen ↑stoßen.

vorstrecken ↑strecken.

Vorteil ↑Teil.

vortrefflich: Das seit dem 16. Jh. bezeugte Adjektiv trat an die Stelle des älteren ›fürtrefflich‹, das sich noch bis ins 19. Jh. hielt und zu einem untergegangenen Verb mhd. *vürtreffen* »vorzüglicher, mächtiger sein«, ahd. *furitreffan* »sich auszeichnen, übertreffen, hervorragen« (vgl. *treffen*) gehört.

vortreten, Vortritt ↑treten.

Vorwand »vorgeschützter Grund«: Das seit dem 15. Jh. vorwiegend als Wort der Rechtssprache bezeugte Substantiv ist zu dem heute veralteten Verb *vorwenden* »vorbringen, einwenden« gebildet (vgl. *wenden*). Es hatte ursprünglich die neutrale Bedeutung »etwas, was jemand zu seiner Rechtfertigung vorbringt; Einwand«. Daher ist die Annahme, es handle sich um eine Lehnübersetzung von lat. *praetextus* »Vorwand«, zweifelhaft.

vorwärts ↑...wärts.

vorwerfen ↑werfen.

vorwiegend ↑²wiegen.

Vorwitz: Das westgerm. Wort mhd. *virwiz, vorwiz,* ahd. *firiwizzi, furewizze,* mniederl. *veurwitte,* aengl. *fyrwit* ist eine Bildung aus dem unter ↑Witz behandelten Substantiv in dessen alter Bedeutung »Kenntnis, Wissen« und einer alten Nebenform der unter ↑ver... behandelten Vorsilbe im Sinne von »hinüber, über etwas hinaus«. Die Grundbedeutung von ›Vorwitz‹ ist also »das über das übliche Wissen Hinausgehende; Wunder«. Der tadelnde Sinn »ungehörige Neugier, Naseweisheit, unpassendes Besserwissen« ist schon in ahd. Zeit vorhanden, aber hier zunächst noch religiös bestimmt. Das Adjektiv **vorwitzig** »neugierig; vorlaut« (mhd. *vir-, vür-, vorwitzec,* ahd. *fir[i]wizic)* ist nicht von ›Vorwitz‹ abgeleitet, sondern die Weiterbildung eines untergegangenen Adjektivs (mhd. *virwiz,* ahd. *firiwizi* »neugierig«).

Vorwurf: Bei diesem Substantiv handelt es sich um zwei verschiedene Bildungen: 1. Als »tadelnde Vorhaltung« ist es eine seit dem 16. Jh. bezeugte Bildung zu ›vorwerfen‹ in dessen übertragener Bedeutung »vorbringen, geltend machen, tadelnd vorhalten« (vgl. *werfen*). 2. In der Bedeutung »Gegenstand künstlerischer Bearbeitung« ist es eine seit dem 14. Jh. bezeugte Lehnübersetzung (mhd. *vür-, vorwurf*) von lat. *obiectum* »Gegenstand« (vgl. das Fremdwort *Objekt*), das seinerseits griech. *próblēma* wiedergibt. Das Wort bezeichnete in der Sprache der Mystiker zunächst »das vor die Sinne Geworfene, das den Sinnen, dem Subjekt Gegenüberstehende«, später den »Gegenstand seelischer Anteilnahme« oder »wissenschaftlicher Betrachtung« und seit dem 18. Jh. »Stoff, Thema, Motiv der Literatur, Musik oder bildenden Kunst«.

Vorzeichen ↑Zeichen.

vorziehen, Vorzug, vorzüglich ↑ziehen.

Votum »Gelübde; Urteil, Stimmabgabe; [Volks]-entscheid; Gutachten«: Das Fremdwort wurde im 16. Jh. aus mlat. *votum* »Gelübde; Stimme, Stimmrecht« entlehnt. Klass.-lat. *votum* »feierliches Versprechen, Gelöbnis; Gelübde; Wunsch, Verlangen« gehört zu lat. *vovere (votum)* »feierlich versprechen, geloben; wünschen«. – Dazu stellt sich die Ableitung **votieren** »für etwas stimmen; entscheiden«. Siehe auch den Artikel *devot.*

Voyeur »jemand, der als Zuschauer bei sexuellen Betätigungen anderer Lust empfindet«: Das Fremdwort wurde zu Beginn des 20. Jh.s aus gleichbed. frz. *voyeur* (< afrz. *veor, véeur* »Beobachter, Späher«) entlehnt. Es gehört zu frz. *voir* »sehen, betrachten«, das auf lat. *videre* »sehen« zurückgeht (vgl. den Artikel *Vision*).

vulgär »gewöhnlich; gemein, niedrig«: Das Adjektiv wurde im 18. Jh. aus gleichbed. frz. *vulgaire* entlehnt, das auf lat. *vulgaris* »allgemein; alltäglich, gewöhnlich; gemein, niedrig« beruht. Dies ist eine Bildung zu lat. *volgus (vulgus)* »die Menge, das gemeine Volk«. – Abl.: **vulgarisieren** »vereinfachen, verständlich machen; unter das Volk bringen«; **Vulgarität** »vulgäre Art; Trivialität« (19. Jh.; wohl unter dem Einfluss von gleichbed. engl. *vulgarity* aus lat. *vulgaritas*).

Vulkan: Die Bezeichnung für »Feuer speiender Berg« wurde im 17. Jh. aus lat. *Vulcanus* »Gott des Feuers; Flamme, Feuer« entlehnt. Siehe auch *vulkanisieren.*

vulkanisieren »Rohkautschuk mithilfe bestimmter Chemikalien zu Gummi verarbeiten; Gegenstände aus Gummi reparieren«: Das Verb wurde im 19. Jh. aus gleichbed. engl. *to vulcanize* entlehnt. Dies bedeutet eigentlich »dem Feuer übergeben«, weil bei dem Verfahren Hitze angewendet wird. Es gehört zu Vulcan, dem engl. Namen des Gottes des Feuers (vgl. den Artikel *Vulkan*).

W *w*

Waage: Das altgerm. Substantiv mhd. *wāge,* ahd. *wāga,* niederl. *waag,* aengl. *wǣg,* schwed. *våg* gehört zu der unter ↑¹bewegen behandelten idg. Wurzel **u̯eĝh-* »sich bewegen, schwingen, fahren, ziehen«. Es bedeutet eigentlich »das (auf und ab) hin und her Schwingende«. Daraus entstand die germ. Grundbedeutung »Gewicht, Gerät zum Wiegen«. Die im Ahd. verbreitete Bedeutung »Gewicht« war schon im Mhd. fast ganz verschwunden. Eine Ableitung von mhd. *wāge,* das auch die übertragene Bedeutung »Wagnis« hatte, ist ↑wagen. Vgl. auch den Artikel *wägen.* – Zus.: **waag[e]recht** »horizontal« (16. Jh.; eigentlich »wenn die Waage recht steht, wenn der Waagebalken in der Ausgangsstellung steht«); **Waagschale** (15. Jh.).

Wabe: Das Substantiv (mhd. *wabe,* ahd. *waba, wabo*) gehört zu dem unter ↑weben behandelten Verb und bedeutet also eigentlich »Gewebe (der Bienen)«. Vgl. die ähnliche Bedeutungsentwicklung bei ↑Wachs. Siehe auch den Artikel *Waffel.*

wach: Das seit dem 16. Jh. bezeugte Adjektiv hat sich

aus dem unter ↑Wache behandelten Substantiv entwickelt, und zwar in Sätzen wie ›er ist (in) Wache‹, d. h. er befindet sich im Zustand des Wachens.

Wache: Das altgerm. Substantiv mhd. *wache*, ahd. *wacha*, niederl. *waak*, engl. *wake*, aisl. *vaka* ist eine Ableitung von dem unter ↑wachen behandelten Verb. Diese Bildung ist wohl jünger als das ebenfalls zu ›wachen‹ gebildete ↑Wacht. Aus ›Wache‹ hat sich das Adjektiv ↑wach entwickelt. – Abl.: **wachsam** »vorsichtig, gespannt, sehr aufmerksam« (17. Jh.; heute auf ›wachen‹ bezogen), dazu **Wachsamkeit** (17. Jh.).

wachen: Das gemeingerm. Verb mhd. *wachen*, ahd. *wachēn*, got. *wakan*, engl. *to wake*, schwed. *vaka* gehört zu der unter ↑wecken behandelten idg. Wurzel. Es bedeutet eigentlich »frisch, munter sein«. Zu ›wachen‹ gebildet sind ↑Wache und ↑Wacht. – Präfixbildungen: **bewachen** »über etwas wachen, auf etwas aufpassen« (mhd. *bewachen*); **erwachen** »wach werden« (mhd. *erwachen*, ahd. *irwachen*).

Wacholder: Das Substantiv mhd. *wecholter*, ahd. *wechalter* ist mit dem germ. Baumnamensuffix *-đr[a]-* (vgl. *Teer*) gebildet. Der erste Wortteil gehört wahrscheinlich zu der unter ↑wickeln dargestellten idg. Wurzel. Danach würde sich die Benennung auf die Zweige des Baumes beziehen, die zum Flechten benutzt worden sind.

Wachs: Das altgerm. Substantiv mhd., ahd. *wahs*, niederl. *was*, engl. *wax*, schwed. *vax* gehört zu der unter ↑wickeln dargestellten idg. Wurzel. Vgl. auch die urverwandten Wörter lit. *vãškas* »Wachs«, russ. *vosk* »Wachs«. Das Wort bedeutet eigentlich »Gewebe (der Bienen)«. Eine ähnliche Bedeutungsentwicklung liegt bei ↑Wabe vor. Eine Ableitung von ›Wachs‹ ist das heute nur mdal., mhd. nicht belegte Verb **wächsen** »mit Wachs bestreichen« (ahd. *wahsen*), das von seiner Nebenform ↑wichsen seit dem 18. Jh. verdrängt worden ist. Die Bedeutung »mit Wachs glätten« ist heute nur noch mit **¹wachsen** (15. Jh.) verbunden.

wachsam, Wachsamkeit ↑Wache.

¹wachsen ↑Wachs.

²wachsen: Das gemeingerm. Verb mhd. *wahsen*, ahd. *wahsan*, got. *wahsjan*, engl. (veraltet) *to wax*, schwed. *växa* geht mit den nahe verwandten Verben aind. *vakṣáyati* »lässt wachsen« und griech. *aéxein* »mehren«, *aéxesthai* »wachsen« auf die idg. Wurzel **[a]u̯eg-*, **aug-* »vermehren, zunehmen« zurück. Aus dem germ. Bereich gehören zu dieser Wurzel noch got. *aukan* »sich mehren« und die unter ↑auch genannten Substantive sowie das unter ↑Wucher behandelte Wort. Vgl. im außergerm. Bereich z. B. lat. *augere* »vermehren« (↑Autor) und lit. *áugti* »wachsen«. Bildungen zu ›wachsen‹ sind ↑Wuchs und ↑Gewächs. – Abl.: **Wachstum** »das Wachsen« (mhd. *wahstuom*). Präfixbildungen und Zusammensetzungen: **erwachsen** »heranwachsen, entstehen; sich für jemanden ergeben« (mhd. *erwahsen*, ahd. *irwahsan*), beachte besonders das in adjektivischen Gebrauch übergegangene 2. Partizip **erwachsen** »dem Jugendalter entwachsen; volljährig«; **nachwachsen** »wieder wachsen« (17. Jh.), dazu **Nachwuchs** »das Nachwachsen; Kinder; junge, heranwachsende Kräfte« (1. Hälfte des 19. Jh.s); **zuwachsen** »überwuchert werden; sich schließen; jemandem zufallen, zuteil werden« (16. Jh.), dazu **Zuwachs** »Zunahme, Vermehrung« (Ende des 16. Jh.s).

Wachsfigurenkabinett ↑Kabinett.

Wacht: Das nur im Dt. und Niederl. bezeugte Substantiv mhd. *wachte*, ahd. *wahta*, niederl. *wacht* (vgl. dazu das anders gebildete got. *wahtwō* »Wache«) ist eine Bildung zu dem unter ↑wachen behandelten Verb. Es ist wohl älter als das ebenfalls zu ›wachen‹ gebildete ↑Wache. Mit Ausnahme des poetischen Bereiches ist ›Wacht‹ heute meist durch ›Wache‹ verdrängt worden. – Abl.: **Wächter** »jemand, der über etwas wacht, etwas bewacht« (mhd. *wahtære*, ahd. *wahtāri*). Zus.: **Wachtmeister** (spätmhd. *wache-*, *wachtmeister* »mit der Einteilung der städtischen Nachtwachen beauftragter Zunftmeister«, seit dem 16. Jh. als Bezeichnung des Befehlshabers der Wachen, des Feldwebels, ins Kriegswesen übernommen, später auf die reitenden Truppen eingeschränkt; dann auch als Bezeichnung für den Polizisten des untersten Dienstgrades verwendet).

Wachtel: Der Vogelname mhd. *wahtel[e]*, ahd. *wahtala* (entsprechend niederl. mdal. *wachtel*) ist eine Bildung zu einem lautmalenden ›wak‹, das den Ruf des Vogels wiedergibt.

wackeln: Das seit dem 14. Jh. bezeugte Verb ist eine Iterativbildung zu dem bis ins 16. Jh. gebräuchlichen Verb ›wacken‹ »sich hin und her bewegen«, mhd. *wacken* (vgl. den Artikel *watscheln*). Das untergegangene Verb ist seinerseits eine Intensivbildung zu mhd. *wagen*, ahd. *wagōn* »sich hin und her bewegen«, das wohl eine Ableitung von dem zu ↑bewegen gehörenden Substantiv mhd. *wage*, ahd. *waga* »Bewegung« ist. Das Verb ›wackeln‹ bedeutet demnach eigentlich »sich wiederholt (oder ein wenig) hin und her bewegen«.

wacker: Das altgerm. Adjektiv mhd. *wacker* »wach, wachsam, frisch, tüchtig, tapfer«, ahd. *wacchar* »wach, wachsam«, niederl. *wakker* »wach, munter, tüchtig«, aengl. *wacor* »wach, wachsam«, schwed. *vacker* »schön« gehört zu der unter ↑wecken behandelten idg. Wortgruppe. Es bedeutet eigentlich »frisch, munter«.

Wade: Das Substantiv mhd. *wade*, ahd. *wado* »Muskelbündel des Unterschenkels«, mniederl. *wade* »Kniekehle, Kniescheibe«, aisl. *vǫđvi* »(dicke) Muskeln (an Armen und Beinen)« ist wahrscheinlich verwandt mit lat. *vatax* »krumm- oder schiefbeinig« und lat. *vatius* »einwärts gebogen, krumm[beinig]«. Das Wort bedeutet demnach wohl eigentlich etwa »Krümmung, Biegung (am Körper)«.

Waffe: Die gemeingerm. Bezeichnung für »Kampfgerät« mhd. *wāfen*, ahd. *wāf[f]an*, got. *wēpn*, engl. *weapon*, schwed. *vapen* ist ohne sichere außergerm. Anknüpfungen. Im Mhd. bedeutet das Wort auch »Schildzeichen, Wappen« (eigentlich »Zeichen auf der Waffe«), eine Bedeutung, die vom 16. Jh. an der Nebenform ↑Wappen zufällt. – Abl.: **waffnen** [sich] »mit Waffen ausrüsten; sich wappnen« (mhd. *wāfenen*, ahd. *wāffanen* »Waffen anlegen«), dazu die Präfixbildungen **bewaffnen** »mit Waffen ausrüsten« (18. Jh.), **entwaffnen** »die Waffen abnehmen; in Staunen versetzen« (mhd. *entwāfenen*).

Waffel: Die Bezeichnung für ein flaches Gebäck mit wabenähnlichem Aussehen erscheint im 17. Jh. im Hochd. Sie geht auf niederl. *wafel* (mniederl. *wāfel*) zurück. Das Wort bezeichnete sowohl das Gebäck als auch die Eisenplatte, mit der es gebacken wurde. Es gehört zu der unter ↑weben behandelten idg. Wurzel. Das Wort bedeutete demnach ursprünglich »Gewebe, Geflecht«, dann »Wabe, Wabenförmiges«.

wagen: Das Verb mhd. *wāgen* ist eine Ableitung von dem unter ↑Waage behandelten Substantiv. Es bedeutet eigentlich »etwas auf die Waage legen, ohne zu wissen, wie sie ausschlägt«, dann übertragen »etwas riskieren, dessen Ausgang ungewiss ist«. – Abl.: **Wagnis** »gewagtes Vorhaben; Gefahr« (16. Jh.).

wägen: Das gemeingerm. Verb mhd. *wegen* »sich bewegen; Gewicht haben, wiegen«, ahd. *wegan* »bewegen, wiegen«, got. *[ga]wigan* »(sich) bewegen«, aengl. *wegan* »bewegen, wiegen«, engl. *to weigh* »wiegen«, aisl. *vega* »schwingen, heben; wiegen« ist mit dem unter ↑[1]bewegen behandelten Verb (vom Präfix ›be...‹ abgesehen) identisch. Im Nhd. wurde das Wort zunächst im Sinne von »Gewicht haben, auf die Waage legen« verwendet, wofür heute fast ausschließlich die Neubildung ↑[2]wiegen gebraucht wird. In Anlehnung an das nächstverwandte Substantiv ↑Waage setzte sich seit dem 16. Jh. die Schreibung mit -ä- durch. Heute gilt ›wägen‹ in der Schriftsprache nur noch übertragen im Sinne von »vorsichtig bedenken«. – Zusammensetzungen und Präfixbildungen: **abwägen** »prüfend bedenken« (15. Jh.); **erwägen** »überlegen, bedenken; ins Auge fassen« (mhd. *erwegen* »bewegen, erheben; bedenken«). Um ›wägen‹ gruppieren sich die unter ↑Gewicht, ↑verwegen, ↑wagen und ↑Wucht behandelten Wörter.

Wagen: Das altgerm. Substantiv mhd. *wagen*, ahd. *wagan*, niederl. *wagen*, engl. (dichterisch) *wain*, schwed. *vagn* gehört zu der unter ↑bewegen dargestellten idg. Wurzel. Das Wort bedeutet eigentlich »das sich Bewegende, Fahrende«. Vgl. aus anderen idg. Sprachen aind. *váhana-m* »eine Art Wagen«, griech. *óchos* »Wagen«, lat. *vehiculum* »Fahrzeug« (s. das Fremdwort *Vehikel*), russ. *voz* »Wagen«. Vgl. auch den Artikel *Waggon*.

Wagenpark ↑Park.

Waggon: Die Bezeichnung für »Eisenbahnwagen, Güterwagen« wurde im 19. Jh. mit anderen Fachwörtern aus dem Bereich des Eisenbahnwesens wie ↑Lokomotive, ↑Lore und ↑Tender aus dem Engl. entlehnt. Die bei uns übliche frz. Aussprache von ›Waggon‹ hat sich in Analogie zu anderen Fremdwörtern auf -on wie ›Salon, Perron‹ u. a. herausgebildet. Engl. *waggon* seinerseits ist aus niederl. *wagen* (vgl. *Wagen*) übernommen.

Wagnis ↑wagen.

Wahl: Das Substantiv mhd. *wal[e]*, ahd. *wala* ist eine Bildung zu dem unter ↑wählen behandelten Verb.

wählen: Das gemeingerm. Verb mhd. *weln*, ahd. *wellan*, got. *waljan*, schwed. *välja* gehört zu der unter ↑[2]wollen behandelten idg. Wurzel. Eine Bildung zu ›wählen‹ ist ↑Wahl. Beachte auch die Präfixbildung **erwählen** »aussuchen, auswählen« (mhd. *erweln*, ahd. *irwellen*), dazu **auserwählen** (mhd. *ūzerweln*), üblich ist vor allem das adjektivisch gebrauchte 2. Partizip **auserwählt** (mhd. *ūzerwelt*). – Abl.: **Wähler** »jemand, der an einer Wahl teilnimmt« (mhd. *welære*), dazu **wählerisch** »anspruchsvoll« (Ende des 17. Jh.s).

Wahn: Das gemeingerm. Substantiv mhd., ahd. *wān* »Meinung, Hoffnung, Verdacht«, got. *wēns*, aengl. *wēn*, aisl. *vān* »Hoffnung« gehört zu der unter ↑gewinnen behandelten idg. Wurzel. Die Bedeutung »krankhafte Einbildung« hat sich erst in neuester Zeit entwickelt. Beachte auch die Zusammensetzung ↑Argwohn (mhd. *arcwān*). ›Wahn‹ ist schon früh mit dem unter ↑Wahnwitz behandelten Kompositionsglied ›wahn-‹ in Beziehung gebracht worden, ist aber damit nicht verwandt. – Abl.: **wähnen** »irrigerweise annehmen« (mhd. *wænen*, ahd. *wān[n]en*).

Wahnsinn »psychische Störung, die von Wahn (u. Halluzinationen) begleitet wird; grenzenlose Unvernunft«: Das ugs., nur dt. Substantiv ist im 16. Jh. aus dem älteren Adjektiv **wahnsinnig** »in seinen geistig-seelischen Funktionen stark eingeschränkt; unvernünftig; übermäßig groß oder stark; sehr« (15. Jh.) rückgebildet worden.

Wahnwitz »völliger Unsinn; abwegiges, unvernünftiges Verhalten«: Das seit dem 16. Jh. belegte Substantiv ist eine Bildung zu dem im Frühnhd. untergegangenen Adjektiv ›wahnwitz‹ »wahnwitzig« (mhd. *wanwiz*, ahd. *wanawizzi*), das eigentlich »ohne Verstand, des Verstandes mangelnd« bedeutet. Der erste Bestandteil ›wahn-‹ (mhd., ahd. *wan* »leer«, got. *wans* »mangelnd«), der mit griech. *eũnis* »ermangelnd«, lat. *vanus* »leer« urverwandt ist, gehört zu der unter ↑wüst dargestellten idg. Wurzel. Über den zweiten Bestandteil vgl. den Artikel *Witz*.

wahr: Das Adjektiv mhd., ahd. *wār* (vgl. niederl. *waar*) ist mit lat. *verus* »wahr« und air. *fīr* »wahr« urverwandt. Alle diese Wörter gehören im Sinne von »vertrauenswert« zu der idg. Wurzel **u̯er-* »Gunst, Freundlichkeit [erweisen]«, vgl. griech. *ēra phérein* »einen Gefallen tun« und die slaw. Sippe von russ. *vera* »Glaube« (davon der weibliche Vorname Vera). Vgl. dazu auch mhd. *wāre*, ahd. *wāra* »Vertrag, Treue«. Zu der genannten idg. Wurzel gehören aus dem germ. Sprachbereich auch der zweite Bestandteil des unter ↑albern behandelten Adjektivs und die unter ↑gewähren und ↑Wirt behandelten Wörter, beachte auch **bewähren** »beweisen, zeigen; sich als geeignet erweisen« (mhd. *bewæren* »als wahr, richtig erweisen«). – Abl.: **wahrhaft** »echt, wirklich« (mhd., ahd. *wārhaft*), dazu **wahrhaftig** »wahr; wirklich, tatsächlich, fürwahr« (mhd. *wārhaftic*); **Wahrheit** »das Wahrsein; richtige Erkenntnis« (mhd., ahd. *wārheit*); **wahrlich** »in der Tat, wirklich« (mhd. *wærlich*, ahd. *wārlīh*). Zus.: **Wahrsager** »jemand, der mithilfe bestimmter Praktiken Vorhersagen macht« (frühnhd.; dafür mhd. *wārsage* »Wahrsager«, asächs. *wārsago* »Prophet«; der zweite Bestandteil gehört zu ›sagen‹, beachte auch das Verb **wahrsagen** [mhd. *wārsagen* »prophezeien«]); **wahrscheinlich** »mit ziemlicher Sicherheit« (17. Jh.; vermutlich nach dem Vorbild des gleichbed. niederl. *waarschijnlijk;* das niederl. Adjektiv ist wohl eine Lehnübertragung von lat. *verisimilis* »wahrscheinlich« [aus lat. *verus* »wahr« und lat. *similis* »ähnlich«]).

wahren: Das altgerm. Verb mhd. *war[e]n*, ahd. *biwarōn*, mniederl. *waren*, aengl. *warian*, aisl. *vara* gehört zu dem untergegangenen Substantiv ›Wahr‹ (mhd. *war*, ahd. *wara* »Aufmerksamkeit, Acht, Obhut, Aufsicht«), einem Wort, das in ↑wahrnehmen (eigentlich »in Wahr [= Obhut] nehmen«) und in ↑verwahrlosen (eigentlich »wahrlos [= aufsichtslos] werden«) weiterlebt. Demnach bedeutet ›wahren‹ eigentlich »beachten, in Obhut nehmen«. Damit verwandt ist auch das Adjektiv got. *war[s]*, aengl. *wær*, aisl. *varr* »behutsam«, das in der Präfixbildung ↑gewahr steckt. Ferner hängen damit zusammen die unter ↑warnen und ↑Warte behandelten Wörter. Vgl. im außergerm. Bereich griech. *(epì) órontai* »sie achten (darauf), sie sehen (danach)«, lat. *vereri* »verehren, fürchten« (s. *Reverenz*), lett. *vērties* »beachtet werden«. Alle genannten Wörter gehören zu der unter ↑wehren behandelten idg. Wurzel und bedeuten eigentlich »hüten, aufpassen, schützen«.

währen »dauern«: Das Verb mhd. *wern*, ahd. *werēn* gehört zu dem unter ↑Wesen behandelten Verb mhd. *wesen*, ahd. *wesan* »sein, aufhalten, dauern«. Es bedeutet eigentlich »dauernd sein«. Vgl. auch *langwierig* (↑lang). Aus dem ersten Partizip von ›währen‹ hat sich seit dem 18. Jh. **während** als Präposition und Konjunktion entwickelt.

wahrhaft, Wahrheit, wahrlich ↑wahr.

wahrnehmen: Das Verb (mhd. *war nemen*, ahd. *wara neman*) enthält als ersten Bestandteil das unter ↑wahren behandelte Substantiv ›Wahr‹ »Aufmerksamkeit, Acht, Obhut, Aufsicht«. Es bedeutet demnach eigentlich »in Aufmerksamkeit nehmen, einer Sache Aufmerksamkeit schenken«.

Wahrsager ↑wahr.

wahrscheinlich ↑scheinen, ↑wahr.

Währung: Das Substantiv mhd. *werunge* ist eine Bildung zu mhd. *wern* »gewähren« (vgl. *gewähren*). Es bedeutete ursprünglich »Gewährleistung (eines Rechts, einer Qualität, eines Maßes, eines Münzgehalts)«.

Wahrzeichen: Die Zusammensetzung mhd. *warzeichen* (ahd. *wortzeichen* ist wohl durch ›Wort‹ beeinflusst) enthält als ersten Bestandteil das unter ↑wahren behandelte Substantiv ›Wahr‹ »Aufmerksamkeit, Acht, Obhut, Aufsicht«. ›Wahrzeichen‹ bedeutet demnach eigentlich »Zeichen zur Aufmerksamkeit«.

Waise: Das auf das dt. und niederl. Sprachgebiet beschränkte Wort mhd. *weise*, ahd. *weiso*, niederl. *wees* ist verwandt mit mhd. *entwisen* »verlassen von, leer von«, ahd. *wīsan* »meiden« und gehört wahrscheinlich zu der unter ↑Witwe entwickelten idg. Wurzel **u̯eidh-, *u̯idh-* »trennen«. Eine Ableitung von ›Waise‹ ist **verwaisen** »die Eltern durch Tod verlieren; einsam, menschenleer werden« (mhd. *verweisen*).

Wal, volkstümlich dafür: **Walfisch:** Die Herkunft des altgerm. Namens des großen, im Meer lebenden Säugetiers mhd., ahd. *wal*, niederl. *walvis*, engl. *whale*, schwed. *val* ist nicht sicher geklärt. Vielleicht besteht Verwandtschaft mit apreuß. *kalis* »Wels« und mit lat. *squalus* »Meersau« (= ein größerer, plump aussehender Mittelmeerfisch). Siehe auch den Artikel *Walross*.

Wald: Das altgerm. Substantiv mhd., ahd. *walt*, niederl. *woud* »Wald«, engl. *wold* »Hügelland«, schwed. *vall* »Weide« bezeichnete ursprünglich das nicht bebaute Land. Es ist vielleicht mit der Wortgruppe von lat. *vellere* »rupfen, zupfen, raufen« (vgl. *Walstatt*) verwandt und bedeutet dann eigentlich »gerupftes Laub« (vgl. zum Sachlichen den Artikel *Laub*). Mit ›Wald‹ können auch die unter ↑wild behandelten Wörter verwandt sein. – Abl.: **waldig** »mit Wald bestanden, bewaldet« (16. Jh.). Zus.: **Waldmeister** (15. Jh.; die im Walde wachsende Pflanze ist vielleicht wegen ihrer großen [»meisterhaften«] Heilkraft so benannt).

Walhall »Aufenthalt der im Kampf Gefallenen«: Das nhd. Substantiv ist eine im 18. Jh. aufgekommene Nachbildung des gleichbedeutenden aisl. *valhǫll*. Der erste Bestandteil ist das unter ↑Walstatt behandelte ›Wal-‹ (aisl. *valr* »Toter auf dem Kampfplatz«), der zweite Bestandteil entspricht dem unter ↑Halle behandelten Substantiv. ›Walhall‹ bedeutet demnach eigentlich »Halle der auf dem Kampfplatz Gefallenen«.

walken: Das altgerm. Verb mhd. *walken* »walken; prügeln«, ahd. *walchan* »kneten«, niederl. *walken* »walken«, mengl. *walken* »[sich] wälzen, gehen«, engl. *to walk* »gehen«, schwed. *valka* »walken« ist z. B. verwandt mit aind. *válgati* »hüpft, springt« (eigentlich »dreht sich«) und gehört zu der unter ↑[1]wallen dargestellten Wortgruppe. – Das Verb ›walken‹ spielt seit alters in der Tuch- und Lederverarbeitung eine Rolle. Der Walker trat oder stampfte die Wolle ursprünglich mit den Füßen oder wälzte sie in einem Trog und knetete die Häute mit den Händen, um sie geschmeidig zu machen. Auch die übertragene Verwendung im Sinne von »durchprügeln, verbläuen« ist alt, beachte dazu ›durchwalken‹ und ›verwalken‹.

Walküre »Botin Wotans, die die Gefallenen nach Walhall geleitet« (germanische Mythologie): Das nhd. Substantiv ist eine seit dem 18. Jh. auftretende Nachbildung des aisl. *valkyria* »Walküre«, deren erster Bestandteil das unter ↑Walstatt behandelte ›Wal-‹ (aisl. *valr* »Toter auf dem Kampfplatz«) ist. Der zweite Bestandteil gehört zu ↑Kür »Wahl[übung]«. ›Walküre‹ bedeutet eigentlich »Wählerin der Toten auf dem Kampfplatz«.

Wall: Das Substantiv mhd. *wal,* niederl. *wal,* engl. *wall* wurde von den Germanen aus lat. *vallum* entlehnt, das in der römischen Militärsprache »Pfahlwerk auf dem Schanzwall« bedeutete und zu lat. *vallus* »[Schanz]pfahl« gehört.

Wallach »kastriertes männliches Pferd«: Das seit dem Ende des 15. Jh.s bezeugte Substantiv bezeichnete ursprünglich das aus der Walachei eingeführte kastrierte Pferd. Der Volksname ›Walachen‹ stammt aus dem Slaw., vgl. bulgar. *vlach* »Walache«. Das slaw. Wort ist seinerseits aus dem unter ↑welsch behandelten Wort entlehnt.

[1]**wallen** »sprudeln, bewegt fließen«: Das westgerm. Verb mhd. *wallen,* ahd. *wallan,* mniederl. *wallen,* aengl. *weallan* gehört zur idg. Wurzel **u̯el* »drehen, winden, wälzen«. Vgl. aus anderen idg. Sprachen aind. *válati* »wendet sich, dreht sich«, griech. *eileīn* »drehen, winden«, lat. *voluere* »rollen, wälzen, drehen« (↑Volumen), russ. *volna* »Welle«. Zu dieser auch weitergebildeten und erweiterten idg. Wurzel gehören ferner die unter ↑Welle und ↑wühlen behandelten Wörter, vermutlich auch ↑Wulst, weiterhin ↑[2]walzen, ↑Walze und ↑walken sowie der zweite Bestandteil des unter ↑Wurzel behandelten Substantivs. Vgl. auch den Artikel *Wolle.*

[2]**wallen** »gehen, pilgern«: Das westgerm. Verb mhd. *wallen,* ahd. *wallōn,* mniederl. *wallen,* aengl. *weallian* geht wohl auf germ. **wađlōjan* zurück und ist dann mit dem unter ↑Wedel behandelten Substantiv näher verwandt (vgl. *wehen*). Es bedeutete ursprünglich etwa »[umher]schweifen, unstet sein«. – Zus.: **Wallfahrt** »aus religiösen Motiven unternommene Reise (zu einer heiligen Stätte)« (mhd. *wallevart*).

Walnuss: Das im Hochd. seit dem 18. Jh. bezeugte Wort stammt aus dem Niederd. (vgl. mnd. *walnut* »Walnuss«). Der erste Bestandteil der Zusammensetzung geht auf das unter ↑welsch behandelte germ. Substantiv zurück. Die Frucht, die aus Italien zu uns kam, hieß deshalb auch bis ins 18. Jh. ›welsche Nuss‹.

Walross: Der Tiername ist aus niederl. *walrus* entlehnt, das auf Umstellung und Vermischung von aisl. *hrosshvalr* »eine Art Wal« und aisl. *rosmhvalr* »Walross« beruht. Der zweite Bestandteil der beiden aisl. Wörter *-hvalr* ist das unter ↑Wal behandelte Wort. Der erste Bestandteil *hross-* ist das unter ↑Ross behandelte Wort. Der Bestandteil *rosm-,* der mit ahd. *rosamo* »Röte, Rost« näher verwandt ist, gehört zu der unter ↑[2]Rost behandelten Wortgruppe. ›Walross‹ ist demnach eigentlich eine Mischung von ›Rosswal‹ und ›Ro[s]twal‹. Das Tier hat eine leicht rotbraune Farbe.

Walstatt »Kampfplatz, Schlachtfeld«: Der erste Bestandteil der Zusammensetzung (mhd. *walstat*) ist das im Nhd. untergegangene Substantiv mhd., ahd. *wal* »Kampfplatz«, aengl. *wæl* »Walstatt; Gefallene«, aisl. *valr* »Toter auf dem Kampfplatz«. Es ist verwandt mit tochar. A *wäl-* »sterben« und mit der balt. Sippe von lit. *vė̃lės* »geisterhafte Gestalten der Verstorbenen«. Weiterhin gehören diese Wörter wohl zu der idg. Wurzel **u̯el-* »[an sich] reißen, rauben; ritzen, verwunden; töten«, vgl. lat. *vellere* »[aus]rupfen«, *vulnus* »Wunde«, air. *fuil* »Blut«, mir. *fuili* »blutige Wunden«. Weitere Zusammensetzungen mit demselben ersten Bestandteil sind ↑Walhall und ↑Walküre. Es ist möglich, dass auch ↑Wolle (eigentlich »die Gezupfte«) und ↑Wolf (eigentlich »der Reißer«) zu der obigen idg. Wurzel gehören.

walten: Das gemeingerm. Verb mhd. *walten,* ahd. *waltan,* got. *waldan,* aengl. *wealdan,* älter schwed. *vålla* (heute = »verursachen«) gehört zu idg. **u̯al-dh-* »stark sein, beherrschen«, vgl. z. B. lit. *valdýti* »regieren« und russ. *vladet'* »besitzen, [be]herrschen«. Idg. **u̯al-dh-* ist seinerseits eine Erweiterung zu idg. **u̯al-* »stark sein«, vgl. z. B. lat. *valere* »stark sein« (↑Valuta). Bildungen zum Verb ›walten‹ sind die unter ↑Anwalt und ↑Gewalt behandelten Wörter. – Präfixbildung: **verwalten** »ordnungsgemäß führen, betreuen, in Ordnung halten« (mhd. *verwalten* »in Gewalt haben, für etwas sorgen«).

Walze: Die Substantive spätmhd. *walze* »Seilrolle«, ahd. *walza* »Falle, Schlinge«, mnd. *walte* »Walze«, aengl. *wealte* »Ring«, aisl. *vǫlt* »Walze, Rolle, Winde« sind Bildungen zu den unter ↑[2]walzen behandelten Verben und bedeuten eigentlich »Gedrehtes«. Im Nhd. ist die Bedeutung »zylindrische Rolle« (z. B. ›Ackerwalze‹) seit dem 16. Jh. bezeugt. – Abl.: [1]**walzen** »mit der Walze bearbeiten« (18. Jh.).

Walze

auf die Walze gehen

(ugs., veraltend) »auf Wanderschaft gehen«

Das Wort ›Walze‹ in dieser und der folgenden Wendung gehört zu dem Verb [2]walzen, das früher besonders mdal. auch im Sinne von »auf der Wanderschaft sein« verwendet wurde.

auf der Walze sein

(ugs., veraltend) »auf Wanderschaft sein«

Vgl. die vorangehende Wendung.

Der Wortschatz der unmittelbaren Gegenwart

Nach 1945 hat sich die Hochsprache (Standardsprache) immer mehr der Umgangssprache gegenüber geöffnet. Der formvollendete Stil der Dichter des 19. Jahrhunderts wurde jetzt nicht mehr als Norm gesetzt. Das zeigt sich vor allem in der gesprochenen Standardsprache, in die zunehmend umgangssprachliche Formen und landschaftliche Eigenheiten in den letzten 40 Jahren eingeflossen sind. Auch in Rundfunk, Fernsehen und Film wurde nach 1945 in eher zwangloser, salopper Art und Weise gesprochen.

Journalistendeutsch

In der gesprochenen Standardsprache sind heute umgangssprachliche Wörter wie *kaputt[machen], rasant, bekloppt, doof* (diese beiden letzten Adjektive sind ursprünglich mundartlich) in einem Ausmaß zu finden, wie es vor 50 Jahren noch kaum denkbar gewesen wäre. Die Ausdrucksweise der Journalisten hat ebenfalls viel zu dieser salopperen Handhabung der Standardsprache beigetragen. Dies zeigen Zeitungsüberschriften wie »Grieche beschoss Helikopter« (gemeint ist ein griechisches Schiff) oder »In den USA und Europa sind die Messer schon wieder gewetzt« (bezogen auf einen erneuten Handelskonflikt zwischen der Europäischen Gemeinschaft und den USA).

Jugendsprache

Die heutige Standardsprache hat sich auch Bereichen gegenüber geöffnet, die ihr früher verschlossen waren, so z. B. der Sprache der Jugendlichen. Wörter wie *astrein, klasse/Klasse, spitze/Spitze, stark, super* und wie *absolut, echt, geil, krass, tierisch, total, unheimlich, wahnsinnig* sind längst nicht mehr nur auf die Ausdrucksweise von Schülern und Jugendlichen beschränkt. Dies gilt auch für Verben wie *anmachen, checken, frustrieren, nerven, schlauchen* oder Substantive wie *Chaot, Frust* (gekürzt aus *Frustration*), *Typ* und Wendungen wie *cool bleiben, das ist nicht mein Bier/mein Ding, weg vom Fenster sein, in/out sein.*

Fachsprachen

Ein weiteres Kennzeichen unseres gegenwärtigen Sprachstadiums ist die zunehmende Verwissenschaftlichung des standardsprachlichen Wortschatzes. Dies wird sicherlich dadurch gefördert, dass viele, bedingt durch Ausbildung und Beruf, täglich eine große Zahl von Fachwörtern z. B. aus dem Bereich der Datenverarbeitung *(Input, Output, Speicher, speichern, Back-up, CD-Brenner)* oder der Elektrotechnik und Elektronik *(Mikrochip, Mikroprozessor, Generator, Feldstärke, Gleichrichter, Linearbeschleuniger, Energiesparleuchte)* verwenden oder zumindest kennen. Presse, Rundfunk und Fernsehen tragen mit dazu bei, dass Fachwörter aus dem Bereich der Wirtschaft, der Naturwissenschaften und der Medizin immer weitere Verbreitung finden.

Wortbildung durch Komposition

Das Wortgut, das heute neu in unsere Sprache gelangt, besteht zum einen aus Fremdwörtern, ein fast noch größerer Teil wird durch Ableitungen und durch Zusammensetzungen vorhandener Wörter gebildet. Neue Wortzusammensetzungen werden vor allem dort gebildet, wo möglichst viel Information auf kleinstem Raum gegeben werden soll. Besonders bei Zeitungsüberschriften wird dies deutlich, wenn wir Schlagzeilen lesen wie »Kanzlerbesuch abgesagt« oder »Lehrstellenangebot weiter zurückgegangen« oder »Politikverdrossenheit wirkt sich auf Landtagswahlbeteiligung negativ aus«. Die Fachsprachen der Technik und der Naturwissenschaften und die Behördensprache bilden ebenfalls häufig solche Zusammensetzungen wie *Wasserdurchlauferhitzer, Nervenberuhigungsmittel, Kindergeldänderungsgesetz, Arbeitnehmerüberlassungsgesetz, Atomsperrvertrag, Arbeitslosenprogramm.* Sehr häufig finden wir heute – besonders in der Werbesprache – Zusammensetzungen mit Adjektiven wie *back-, brat-, kochfertig, ernte-, garten-, ofenfrisch, arbeits-, gehalts-, leistungsmäßig, produktions-, sicherheits-, verwaltungstechnisch.*

Euphemismen

Unangenehme Sachverhalte werden gerne verhüllend dargestellt. Sie werden hinter einem **Euphemismus** versteckt, sie werden *schöngeredet.* Man setzt dazu vor ein eigentlich neutrales Grundwort ein verneinendes Bestimmungswort oder eine verneinende Vorsilbe. Soll etwa ein Mietshaus modernisiert werden, um seinem Besitzer mehr Gewinn zu bringen, müssen die Leute, die noch in diesem Haus wohnen, erst einmal dazu gebracht werden, dass sie ausziehen. Alle Maßnahmen, die zur Erreichung dieses Zieles angewendet werden, umschreibt man mit dem Wort *Entmietung.* Wo irgendetwas nicht zunimmt, nicht wächst, kann man eigentlich nicht von Wachstum sprechen.

Eine geschickte Öffentlichkeitsarbeit verkauft uns das aber als *Nullwachstum* oder bei noch geringerem Ergebnis als *Minuswachstum*.

Eine weitere Möglichkeit sind beschönigende oder mildernde Umschreibungen. So werden Arbeitnehmer nicht »entlassen«, sondern *freigesetzt* und eine »Preiserhöhung« wird zur *Preisanpassung*. Wenn heute während der Sommerferien der Politiker und des Parlaments nichts, absolut nichts auf der politischen Bühne geschieht, spricht die Presse vom *Sommerloch*.

Bei Berufsbezeichnungen verwendet man heute immer öfter Wörter, die aus werbepsychologischen Gründen den jeweiligen Beruf und denjenigen, der ihn ausübt, sozial aufwerten sollen. So stellen Firmen heute nicht mehr Vertreter oder Reisende ein, sondern in den Stellenanzeigen werden *Außendienstmitarbeiter, Verkaufsberater, Kundenbetreuer* oder auch *Repräsentanten* gesucht. Man kauft einen neuen Wagen nicht mehr einfach beim Autohändler, sondern beim *Vertragspartner* einer großen Automarke. Nicht mehr im Friseursalon, sondern im *Haarstudio* lassen wir uns von einem *Hair-Stylisten* einen neuen, dynamischen Schnitt verpassen.

Unter den Talaren der Muff von tausend Jahren

Mit dieser Parole erhob sich an der Freien Universität in Westberlin 1966 der Protest der Studenten gegen die verkrusteten Strukturen an den Hochschulen, weitete sich in Verbindung mit anderen oppositionellen Gruppen zur so genannten *außerparlamentarischen Opposition (APO)* aus. Der Protest, vorwiegend von der jungen Generation getragen, war vom Aufkommen eines neuen Lebensgefühls getragen und richtete sich gegen alle überkommenen Autoritäten in Schule, Elternhaus und Staat. Ohne Zustimmung in breiten Kreisen der Bevölkerung und der Arbeitnehmerschaft zu finden, verebbte die Studentenbewegung Ende der 60er-Jahre. Ihr bleibendes Ergebnis war eine nachhaltige Veränderung der politischen Kultur in Westdeutschland. Im Wortschatz fest geworden sind aus dieser Zeit Begriffe wie *antiautoritär, hinterfragen, Kommune (»Wohngemeinschaft«), Konsumterror, kritische Öffentlichkeit, Schreibtischtäter, Systemkritik.*

Gesellschaftliche und politische Entwicklung im Spiegel des Wortschatzes

Eine große Zahl von Wörtern, die in den letzten drei Jahrzehnten des 20. Jahrhunderts neu gebildet worden sind, spiegeln das politische Geschehen im

In- und Ausland deutlich wider, z. B. *Autobombe, freipressen, Luftpirat, Rasterfahndung, Selbstmordkommando, Sympathisant.* Die innenpolitische Situation wird deutlich in Wörtern wie *Ellenbogengesellschaft, Neidsteuer, Mauerfall, Wende, aussitzen,* in Fügungen wie *gläserne Taschen, heißer Herbst, neue Armut, schwarze Kasse* und in dem seit Ende 1982 mit speziellem politischen Bedeutungsinhalt versehenen Wort *Wende.* Kennzeichnend für die gesellschaftspolitische Entwicklung sind auch Wörter wie *Ausstieg, Aussteiger, Leihmutter, Pillenknick, Retortenbaby, Samenbank, Sterbehilfe.*

Umwelt und Umweltschutz

Die Erkenntnis, dass die Erde kein Selbstbedienungsladen ist, brachte am Ende der 70er-Jahre und in den 80er-Jahren eine Fülle neuer Wortbildungen, die sich um den Begriff *Umwelt* gruppierten. Auch hier zeigt der vergleichende Blick in verschiedene Auflagen eines Wörterbuchs das Anwachsen des Wortschatzes in diesem Bereich.

Bereits zu Anfang der 80er-Jahre war es in bestimmten Gegenden kaum noch zu übersehen: Der *saure Regen* (= Regen, in dem Schwefeldioxid gelöst ist und der schweflige Säure enthält, die an Pflanzen und Gebäuden erhebliche Schäden verursachen kann) hat in den meisten unserer Wälder zum verstärkten Absterben von Bäumen geführt.

Zur Entlastung der Umwelt soll die Aufbereitung und Wiederverwendung bereits benutzter Rohstoffe dienen, das so genannte *Recycling* (zu englisch *to recycle* »wieder aufbereiten«, zu englisch *cycle* »Zyklus, Kreislauf«, also eigentlich »das Zurückführen in den [Natur]kreislauf«), ebenso wie die vermehrte Nutzung *nachwachsender Rohstoffe* und *regenerativer Energien.*

[1]walzen ↑Walze.

[2]walzen: Das ehemals starke Verb älter nhd., mhd. *walzen* »[sich] rollen, drehen«, spätahd. *walzan* »rollen; erwägen« steht im Ablaut zu aisl. *velta* »sich wälzen« und gehört zu der unter ↑[1]wallen dargestellten Wortgruppe. Im Oberd. wird ›walzen‹ seit der 2. Hälfte des 18. Jh.s in der Bedeutung »mit drehenden Füßen auf dem Boden schleifen, tanzen« gebraucht. Zu dieser Bedeutung gehört die Bildung **Walzer** »Drehtanz« (Ende des 18. Jh.s). Entsprechend gilt ›walzen‹ ugs. für »Walzer tanzen« (veraltend). Die gleichfalls ugs. Bedeutung »auf der Wanderschaft sein« tritt im 19. Jh. zuerst in der Handwerkersprache auf und beruht wohl auf mdal. *walzen* »müßig hin und her schlendern«. Siehe auch den Artikel *wälzen.*

wälzen: Das gemeingerm. Verb mhd., ahd. *welzen,* got. *waltjan,* aengl. *wieltan,* schwed. *välta* ist das Veranlassungswort zu dem in aisl. *velta* »sich wälzen« bewahrten starken Verb (vgl. *[2]walzen*). – Abl.: **Wälzer** »unhandliches Buch« (Ende des 18. Jh.s; eigentlich »Ding, das so schwer ist, dass man es nur durch Wälzen fortbewegen kann«; wahrscheinlich scherzhafte Lehnübersetzung von lat. *volumen* »Schriftrolle, Band«, das zu lat. *voluere* »drehen, wälzen« gehört; ↑Volumen).

Wamme »vom Hals herabhängende Hautfalte (z. B. bei Rindern); Bauchseite der Felle (Kürschnerei); Schmer-, Hängebauch (landsch.)«: Das gemeingerm. Substantiv mhd. *wamme, wambe,* ahd. *wamba* »Bauch, Mutterleib, -schoß; Bauchseite, Eingeweide«, got. *wamba* »Bauch, Leib«, engl. *womb* »Mutterschoß; Gebärmutter«, schwed. mdal. *våmm* »Wanst; Pansen« ist unbekannter Herkunft.

Wams: Das Substantiv mhd. *wams* ist aus afrz. *wambais* »Wams« entlehnt. Dies geht auf mlat. *wambasium* zurück, dem das unter ↑Bombast behandelte griech. *pámbax* »Baumwolle« zugrunde liegt.

Wand: Das dt. und niederl. Substantiv (mhd., ahd. *want,* niederl. *wand*) gehört zu dem unter ↑[2]winden behandelten Verb. Es bedeutet also eigentlich »das Gewundene, das Geflochtene«. Wände wurden ursprünglich geflochten; vgl. das Kapitel zur Sprachgeschichte *Kulturgeschichtliche Entwicklung und Wortschatz.*

wandeln: Das Verb mhd. *wandeln,* ahd. *wantalōn* (entsprechend niederl. *wandelen*) ist – ähnlich wie ↑wandern – eine Iterativbildung zu ahd. *wantōn* »wenden«, das seinerseits zu dem unter ↑[2]winden behandelten Verb gehört. Es bedeutet demnach eigentlich »wiederholt wenden«. Die Bedeutung »hin und her gehen« kam im 14. Jh. auf. Die Bedeutung »[sich] ändern« ist schon ahd. bezeugt. – Abl.: **Wandel** »das Sichwandeln; Veränderung« (mhd. *wandel,* ahd. *wandil*); **wandelbar** »dem Wandel unterworfen, veränderlich« (mhd. *wandelbære*); **Wandlung** »das Sichwandeln« (mhd. *wandelunge,* ahd. *wantalunga*). Präfixbildung: **verwandeln** »völlig verändern, anders erscheinen lassen; umformen, umwandeln« (mhd. *verwandeln,* ahd. *farwantalōn*), dazu **Verwandlung** (mhd. *verwandelunge*). Beachte auch **anwandeln** »befallen, überkommen« (17. Jh., zunächst in der Bedeutung »sich nähern«, dann »sich jemandem nähern, jemanden überkommen, erfassen«).

wandern: Das westgerm. Verb mhd. *wanderen,* mniederl. *wanderen,* engl. *to wander* ist – ähnlich wie ↑wandeln – eine Iterativbildung und stellt sich zu ahd. *wantōn* »wenden« und den unter ↑[2]winden und ↑wenden behandelten Verben. Es bedeutet demnach eigentlich »wiederholt wenden«. Daraus entwickelten sich die Bedeutungen »hin und her gehen, irgendwohin gehen, seinen Standort ändern«. – Abl.: **Wand[e]rer** »jemand, der [gerne] wandert« (14. Jh.); **Wanderschaft** »das Wandern, Umherziehen« (um 1500); **Wand[e]rung** (spätmhd. *wanderunge*). Das adjektivisch verwendete 2. Partizip **bewandert** »aus eigener Erfahrung kennend«, eigentlich »viel gereist« (17. Jh.), gehört zu einem ungebräuchlichen Verb ›bewandern‹.

Wange: Das altgerm. Substantiv mhd. *wange,* ahd. *wanga,* niederl. *wang,* aengl. *wange,* aisl. *vangi* ist wahrscheinlich verwandt mit bayr.-österr. *Wang* »Wiesenabhang«, got. *waggs* »Paradies« (eigentlich »Wiese«), aengl. *wang* »Feld, Ebene, Land«, aisl. *vangr* »Feld, eingefriedeter Platz«. Allen diesen Substantiven ist wahrscheinlich die Grundbedeutung »Biegung, Krümmung« gemeinsam, vgl. z. B. aengl. *wōh (*wanha-)* »krumm, verkehrt«.

Wankelmut: Das Substantiv mhd. *wankelmuot* ist eine Zusammensetzung mit dem heute nicht mehr gebräuchlichen Adjektiv ›wankel‹ »schwankend, unbeständig« (mhd. *wankel,* ahd. *wanchal,* entsprechend niederl. *wankel,* aengl. *wancol* »schwankend, unbeständig, schwach«). Dieses Adjektiv ist von dem unter ↑wanken behandelten Substantiv ›Wank‹ abgeleitet. Zum zweiten Bestandteil vgl. den Artikel *Mut.*

wanken: Das altgerm. Verb mhd. *wanken,* ahd. *wankōn,* mniederl. *wanken,* aisl. *vakka* ist vermutlich eine Ableitung von dem veralteten Substantiv ›Wank‹ »Bewegung nach einer Richtung hin, Schwanken; Zweifel« (mhd., ahd. *wanc,* mniederl. *wanc*). Dieses Substantiv gehört zu der unter ↑winken behandelten Wortgruppe.

wann, wenn: Mhd. *wanne, wenne,* ahd. *hwanne, hwenne,* engl. *when* (vgl. auch got. *han* »wann«) gehören zu dem unter ↑wer, was behandelten idg. Stamm. Die schriftsprachliche Scheidung zwischen ›wann‹ als Adverb und ›wenn‹ als Konjunktion hat sich erst im 19. Jh. durchgesetzt.

Wanne »Becken, Gefäß«: Das Substantiv mhd. *wanne* »Wanne; Getreide-, Futterschwinge«, ahd. *wanna* »Getreide-, Futterschwinge« ist aus lat. *vannus* »Getreide-, Futterschwinge« entlehnt.

Die Bezeichnung der Getreideschwinge wurde zusammen mit dem Gegenstand von den Römern übernommen. Erst im 14. Jh. wurde das Wort ›Wanne‹ auf das wie eine Getreideschwinge geformte Gefäß zum Baden übertragen.

Wanst: Das Substantiv mhd. *wanst,* ahd. *wanast* steht im Ablaut zu der anders gebildeten Sippe von isl. *vinstr* »Blättermagen«. Außergerm. lassen sich damit vergleichen aind. *vaniṣṭú-ḥ* »Mastdarm«, griech. *ḗnystron* »Labmagen«, lat. *ve[n]sica* »Blase«.

Wanze: Der auf das dt. Sprachgebiet beschränkte Insektenname (mhd. *wanze*) ist eine vom ersten Wortteil aus gebildete Kurzform zu mhd., ahd. *wantlūs* »Wanze«, eigentlich »Wandlaus«. Seit dem 20. Jh. findet sich ›Wanze‹ auch übertragen im Sinne von »Minispion, winziges Abhörgerät«. Es folgt damit der Bedeutungsübertragung von engl. *bug,* ursprünglich ebenfalls »Wanze«, die wohl aufgrund des gemeinsamen semantischen Merkmals der Kleinheit entstanden ist.

Wappen: Die nhd. Form geht auf mhd. *wāpen* »Waffe, Wappen« zurück, das in der Blütezeit des flandrischen Rittertums aus mniederl. *wāpen* »Waffen, Wappen« (= hochd. *Waffe,* s. d.) entlehnt wurde. ›Wappen‹ wurde früher als Nebenform von ›Waffe‹ verwendet. Es bedeutete im Dt. zunächst »Waffe«, vom Ende des 12. Jh.s an auch »Schildzeichen, Wappen«. Erst im 16. Jh. vollzieht sich die Scheidung zwischen ›Waffe‹ als »Kampfgerät« und ›Wappen‹ als »[Schild]zeichen«. Von der Bedeutung »Waffe« von ›Wappen‹ ist auch für das abgeleitete, heute noch übertragen und dichterisch verwendete Verb **wappnen** (mhd. *wāpenen*) auszugehen, das zunächst »[sich] mit Waffen versehen« bedeutete, dann »gerüstet sein, bestehen können, sich einstellen«.

Ware: Das altgerm. Substantiv mhd. *war[e],* niederl. *vaar,* engl. *ware,* schwed. *vara* ist unsicherer Herkunft. Vielleicht gehört es zu dem unter ↑wahren behandelten Substantiv ›Wahr‹ »Aufmerksamkeit, Acht, Obhut, Aufsicht«. ›Ware‹ würde demnach eigentlich »das, was man in Verwahrung nimmt« bedeuten.

warm: Das altgerm. Adjektiv mhd., ahd. *warm,* niederl. *warm,* engl. *warm,* schwed. *varm* (vgl. got. *warmjan* »warm machen«) gehört wohl zur idg. Wurzel **u̯er-* »[ver]brennen, schwärzen«. Vgl. aus anderen idg. Sprachen armen. *varem* »zünde an«, russ. *varit'* »kochen«, hethit. *u̯ar-* »[ver]brennen«. – Abl.: **Wärme** »das Warmsein; Warmherzigkeit« (mhd. *werme,* ahd. *warmī*).

warnen: Das altgerm. Verb mhd. *warnen,* ahd. *warnōn,* mniederl. *warnen,* engl. *to warn,* schwed. *varna* gehört zu der unter ↑wahren entwickelten germ. Wortgruppe. Die eigentliche Bedeutung ist »[sich] vorsehen«. Aus dem germ. Sprachbereich stammt die roman. Sippe von frz. *garnir,* eigentlich »zum Schutz mit etwas versehen« (↑garnieren). – Präfixbildung: **verwarnen** »zurechtweisen, jemandem Konsequenzen androhen« (16. Jh.).

Wart: Mhd., ahd. *wart,* got. *daúra-wards* (»Türhüter«), aengl. *weard* (↑Steward), aisl. *vǫrðr* gehören mit der unter ↑Warte behandelten Substantivbildung zu der Wortgruppe von ↑wahren. Im heutigen dt. Sprachgebrauch ist ›Wart‹ hauptsächlich in Zusammensetzungen gebräuchlich, beachte z. B. ›Haus-, Tank-, Torwart‹.

Warte »Ort der Ausschau«: Das altgerm. Substantiv mhd. *warte,* ahd. *warta* »Ausschauen, Lauern; Ausguck, Wachtturm«, mniederl. *waerde* »Wacht[turm]«, engl. *ward* (veraltet) »Wache, Obhut, Verwahrung«, aisl. *varða* »Steinhaufen (als Wegzeichen)« gehört zu der unter ↑wahren behandelten germ. Wortgruppe. Eine Ableitung von ›Warte‹ ist das Verb ↑warten.

warten: Das altgerm. Verb mhd. *warten,* ahd. *wartēn* »ausschauen, aufpassen, erwarten«, mniederl. *waerden* »wachen, [er]warten«, aengl. *weardian* »warten, hüten; bewohnen«, schwed. *vårda* »pflegen« ist von dem unter ↑Warte behandelten Substantiv abgeleitet. Es bedeutet also eigentlich »Ausschau halten«. Heute ist es auf die Bedeutung »Kommendem entgegensehen« eingeschränkt. Eine zweite Bedeutung »pflegen« hat sich in mhd. Zeit aus »auf etwas Acht haben« entwickelt; sie lebt besonders in den Ableitungen **Wärter** »jemand, der auf jemanden, etwas aufpasst, jemanden oder etwas betreut« (mhd. *werter,* ahd. *wartari*) und **Wartung** »Pflege, Betreuung« (15. Jh.). Das Adjektiv **gewärtig** »erwartend« (mhd. *gewertec*) ist von der heute veralteten Präfixbildung mhd. *gewarten,* ahd. *giwartēn* »beobachten, erwarten« abgeleitet. Siehe auch den Artikel *Anwärter.* – Weitere Zusammensetzungen und Präfixbildungen: **abwarten** »auf etwas, auf das Ende von etwas warten« (16. Jh.); **aufwarten** »anbieten, vorsetzen; zu bieten haben; jemandem einen Höflichkeitsbesuch abstatten« (mhd. *ūfwarten*), dazu **Aufwartung** »das Aufwarten; Höflichkeitsbesuch« (17. Jh.); **erwarten** »auf jemanden, etwas warten, einer Sache entgegensehen; für wahrscheinlich halten; erhoffen, sich versprechen« (mhd. *erwarten,* ahd. *erwartēn*). Siehe auch den Artikel *Garde.*

...wärtig ↑...wärts.

...wärts: Das seit alters nur in Zusammensetzungen auftretende Wort (mhd., ahd. *wertes*) ist der adverbiale Genitiv des nur in der Zusammensetzung vorkommenden Adjektivs mhd., ahd. *-wert,* vgl. entsprechend got. *-wairþs,* aengl. *-weard,* aisl. *-verðr.* Dieses gemeingerm. Adjektiv bedeutet eigentlich »auf etwas hin gewendet oder gerichtet« und gehört zu der unter ↑werden behandelten Wortgruppe, vgl. außergerm. z. B. lat. *versus, adversus* »in die Richtung von, gegen«. Am gebräuchlichsten sind Bildungen wie **aufwärts** (mhd. *ūfwert[es]*), **vorwärts** (mhd. *vorwert*), **rückwärts** (17. Jh.). Aus mhd., ahd. *-wert* weitergebildet ist nhd. **...wärtig** (mhd. *-wertec,* ahd. *-wertig*). Siehe auch *gegenwärtig* (↑gegen) und *widerwärtig* (↑wider).

warum ↑wo.

Warze: Das altgerm. Substantiv mhd. *warze,* ahd. *warza,* niederl. *wrat,* engl. *wart,* schwed. *vårta* gehört zu einer Erweiterung der idg. Wurzel **u̯er-* »erhöhte Stelle (im Gelände oder in der Haut)«. Vgl. dazu aus anderen idg. Sprachen aind. *várṣiṣṭha-* »höchst...«, lat. *verruca* »Warze«, russ. *vered* »Geschwür, Eiterbeule«.

was ↑wer.

waschen: Das altgerm. Verb mhd. *waschen, weschen,* ahd. *wascan,* niederl. *wassen,* engl. *to wash,* schwed. *vaska* gehört wahrscheinlich zu der unter ↑Wasser behandelten idg. Wurzel **[a]u̯ed-* »benetzen, befeuchten, fließen«. – Abl.: **Wäsche** »Gesamtheit der Textilien, die gewaschen werden; Gesamtheit der Kleidungsstücke, die man unter anderen Kleidungsstücken trägt« (mhd. *wesche,* ahd. *wesca*). Zus.: **Waschlappen** (in der Bedeutung »Lappen, der zum Waschen von Gesicht und Körper dient« Ende des 17. Jh.s; in der Bedeutung »schwacher, willenloser Mensch« seit der Mitte des 19. Jh.s); **Waschzettel** »als separater Zettel oder als Klappentext einem Buch vom Verlag beigegebene kurze, Werbezwecken dienende Ausführung zum Inhalt des Buches« (in dieser Bedeutung seit dem 19. Jh. gebräuchlich; ursprünglich »Liste, Verzeichnis der in die Wäscherei gegebenen Stücke«, dann allgemein »Verzeichnis, Zusammenstellung«). Vgl. den Artikel *Gewäsch.*

Wasser: Das gemeingerm. Substantiv mhd. *waȥȥer,* ahd. *waȥȥar,* got. *watō,* engl. *water,* schwed. *vatten* geht auf idg. **u̯édōr, *u̯ódōr,* Genitiv **udnés* »Wasser« zurück. Vgl. aus anderen idg. Sprachen griech. *hýdōr* »Wasser« (↑hydro..., Hydro... und die darunter erwähnten Fremdwörter) und russ. *voda* »Wasser«. Dazu stellt sich auch der unter ↑^{1}Otter (eigentlich »der zum Wasser Gehörige«) behandelte Tiername. Das idg. Wort gehört zu einer idg. Wurzel **[a]u̯ed-* »benetzen, befeuchten, fließen«, vgl. z. B. aind. *undati* »quellt, benetzt« und lat. *unda* »Woge«, ferner das unter ↑waschen behandelte Verb. Ob auch das unter ↑Winter (vielleicht eigentlich »nasse Jahreszeit«) behandelte Wort dazu gehört, ist unsicher. Neben idg. **[a]u̯ed-* steht idg. **[a]u̯er-,* vgl. z. B. aind. *vā́r* »Wasser« und lat. *urina* »Harn« (s. das Fremdwort *Urin*). Zu dieser Wurzelform gehört wahrscheinlich auch der erste Bestandteil des unter ↑Auerochse (eigentlich »Befeuchter, [Samen]spritzer«) behandelten Wortes. – Abl.: **wässerig, wässrig** »Wasser enthaltend; hell und farblos« (mhd. *weȥȥeric,* ahd. *waȥȥirig*); **wässern** »längere Zeit in Wasser einlegen; mit Wasser begießen« (mhd. *weȥȥeren*), dazu die Präfixbildung **verwässern** »mit zu viel Wasser versetzen, verdünnen; abschwächen« (16. Jh.). Zus.: **Wasserfall** (spätmhd. *waȥȥerval*); **Wasserfarbe** (zum Malen; 15. Jh.); **Wasserhose** »Wasser mitführender Wirbelsturm« (18. Jh.; vgl. *Hose*); **Wasserkopf** (18. Jh.; wohl Lehnübersetzung von nlat. *hydrocephalus* aus griech. *hydroképhalos* »Wasserkopf«); **Wassermann** (mhd. *waȥȥerman* »Schiffer; Wasserungetüm«, ahd. *waȥȥirman* »Wasserträger«; als Bezeichnung des elften Sternbildes im Tierkreis [lat. *aquarius*] seit dem 15. Jh. gebräuchlich); **Wasserratte** (16. Jh.; seit dem 19. Jh. auch übertragen für »[guter] Seemann« und »jemand, der gerne schwimmt«); **Wasserstoff** (Ende des 18. Jh.s; für frz. *hydrogène* »Wasserstoff«).

Wasser

jmdm. das Wasser abgraben
(ugs.) »jmdn. seiner Wirkungsmöglichkeiten berauben; jmdm. die Existenzgrundlage nehmen«
Diese Wendung bezog sich wahrscheinlich ursprünglich auf den Betrieb der Wassermühle. Wer den Wasserzulauf verändert (z. B. durch das Graben eines neuen Bachbetts), sodass das Mühlrad nicht mehr oder mit weniger Kraft angetrieben wird, kann die Mühle stilllegen.

jmdm. nicht das Wasser reichen können
(ugs.) »an jmds. Fähigkeiten, Leistungen o. Ä. nicht heranreichen«
Im Mittelalter wurde vor den Mahlzeiten Wasser zur Reinigung der Hände herumgereicht. Die vorliegende Wendung meinte ursprünglich, dass jemand es nicht einmal wert sei, diese niedrige Tätigkeit auszuüben.

kein Wässerchen trüben können
(ugs.) »völlig harmlos sein«
Diese Wendung geht auf eine äsopische Fabel vom Wolf und dem Lamm zurück. Darin frisst der Wolf das Lamm mit der Begründung, es habe sein Trinkwasser verunreinigt (getrübt). In Wahrheit war das ausgeschlossen, da das Lamm weiter unten am Bach getrunken hatte als der Wolf.

mit allen Wasser gewaschen sein
(ugs.) »sehr gerissen sein, alle Tricks kennen«
Diese Wendung bezog sich ursprünglich auf Seeleute, die schon mit dem Wasser verschiedener Ozeane in Berührung gekommen waren, also weit gereist und daher sehr erfahren waren.

Wasserstelz[er] ↑Bachstelze.

wässrig ↑Wasser.

waten: Das altgerm. Verb mhd. *waten* »gehen«, ahd. *watan* »gehen«, niederl. *waden* »waten«, engl. *to wade* »waten«, schwed. *vada* »waten« ist verwandt mit lat. *vadere* »gehen, schreiten« (s. das Fremdwort *Invasion*), *vadum* »Furt«. Eine Bildung zu ›waten‹ ist ↑^{1}Watt.

watscheln: Das seit dem 16. Jh. bezeugte Verb ist eine Verkleinerungsbildung zu dem Verb spätmhd.

wakzen »hin und her bewegen« und bedeutet demnach eigentlich »sich ein wenig hin und her bewegen«. Das spätmhd. Verb ist seinerseits eine Intensivbildung zu dem unter ↑wackeln behandelten Verb ›wacken‹.

[1]**Watt** »seichter, von Prielen durchzogener Streifen des Meeresbodens aus Sand und Schlick, der bei Ebbe nicht überflutet ist«: Das im 17. Jh. aus dem Niederd. in die hochd. Schriftsprache übernommene Wort geht zurück auf gleichbedeutend mnd. *wat,* vgl. entsprechend ahd. *wat* »Furt«, niederl. *wad* »Watt«, aengl. *wæd* »Furt; Wasser, See«, schwed. *vad* »Furt«. Dieses altgerm. Wort gehört zu dem unter ↑waten behandelten Verb und bedeutet eigentlich »Stelle, die sich durchwaten lässt«.

[2]**Watt** ↑Kilowatt.

Watte: Das seit Ende des 17. Jh.s belegte Wort wurde über niederl. *watten* (Plural) »Watte« aus gleichbedeutend mlat. *wadda* entlehnt. Die weitere Herkunft des Wortes, das auch in den roman. Sprachen lebendig ist (vgl. z. B. entsprechend frz. *ouate* und it. *ovatta*), ist dunkel.

weben: Das altgerm. Verb mhd. *weben,* ahd. *weban,* niederl. *weven,* engl. *to weave,* schwed. *väva* beruht mit verwandten Wörtern in anderen idg. Sprachen auf der idg. Wurzel **u̯ebh-* »weben, flechten, knüpfen; sich hin und her bewegen, wimmeln«, vgl. z. B. aind. *ū́rṇa-vábhi-ḥ* »Spinne« (eigentlich »Wollweber«), griech. *hýphos* »das Weben«, lit. *vebždė́ti* »wimmeln, durcheinander bewegen«. Eine alte Bildung zu dieser Verbalwurzel ist der unter ↑Wespe behandelte Insektenname. Um ›weben‹ gruppieren sich die Bildungen ↑Wabe (eigentlich »Gewebe, Geflecht«) und ↑Waffel (eigentlich »Gewebe, Geflecht«). – Zus.: **Webstuhl** »[stuhlartiges] Gestell oder Maschine zum Weben« (Beginn des 16. Jh.s). Siehe auch den Artikel *Gewebe.*

Wechsel: Das westgerm. Substantiv mhd. *wehsel,* ahd. *wehsal,* niederl. *wissel,* aengl. *wrixl* (aus **wixl* unter dem Einfluss von aengl. *wrīgian* »sich wenden«) ist mit dem unter ↑[2]weichen behandelten Verb verwandt. Es bedeutet eigentlich »das Weichen, Platzmachen«. Daraus entwickelten sich Bedeutungen wie »Tausch, Abwechslung, Reihenfolge«. Besonders nah ist ›Wechsel‹ mit ↑Woche (eigentlich »Wechsel, Reihenfolge«) verwandt. Außergerm. lässt sich lat. *vicis* »Wechsel, Reihenfolge, Stelle, Rolle« vergleichen (s. das Fremdwort *Vikar*). Im Dt. gehört ›Wechsel‹ seit ältester Zeit der Sprache des Handels an, zuerst in der Bedeutung »Austausch von Waren oder Geld« (s. unten *Wechsler*). Seit dem 14. Jh. tritt es als Lehnübersetzung von it. *cambio,* mlat. *cambium* »Wechselzahlung« auf; zu seiner heutigen Bedeutung »Urkunde mit Zahlungsanweisung an Dritte« ist das Wort seit Ende des 16. Jh.s durch Kürzung der Zusammensetzung ›Wechselbrief‹ (spätmhd. *wehselbrief*) gelangt. – Abl.: **wechseln** »ersetzen, neu wählen; in Scheine, Münzen von geringerem Wert umtauschen; in eine andere Währung umtauschen; sich verändern« (mhd. *wehseln,* ahd. *wehsalōn*), dazu **abwechseln** »im Wechsel aufeinander folgen; sich ablösen« (15. Jh.; dazu **Abwechslung,** 16. Jh.), **verwechseln** »nicht unterscheiden; vertauschen« (mhd. *verwehseln,* ahd. *farwehsalōn*), dazu **Verwechslung** (16. Jh.); **Wechsler** »jemand, der Geld wechselt« (mhd. *wehselære,* ahd. *wehselari*). Zus.: **Wechselbalg** »fehlgebildetes oder untergeschobenes Kind« (mhd. *wehselbalc, wehselkint,* dafür ahd. *wihseling;* nach german. Volksglauben stehlen Zwerge oder Geister neugeborene Menschenkinder und tauschen sie gegen ihre eigenen hässlichen Kinder aus; zum Grundwort vgl. den Artikel *Balg*); **Wechselfieber** »Malaria« (17. Jh.; weil das Fieber periodisch auftritt); **wechselseitig** (Mitte des 18. Jh.s); **Wechselwähler** »Wähler, der nicht für immer auf eine bestimmte Partei festgelegt ist« (2. Hälfte des 20. Jh.s; Lehnübersetzung von engl. *floating voter*).

Wechte »Schneeanwehung«: Das seit dem 19. Jh. belegte, ursprünglich schweizerische Wort ist eine Bildung zu dem unter ↑wehen behandelten Verb. Es bedeutet eigentlich »[An]gewehtes«.

Weck, auch: **Wecken** »Weizenbrötchen«: Das altgerm. Substantiv mhd. *wecke,* ahd. *wecki* »Keil; keilförmiges Gebäck«, niederl. *wegge* »Weizenbrötchen«, älter »Keil«, engl. *wedge* »Keil«, aisl. *veggr* »Keil« ist vielleicht urverwandt mit lit. *vãgis* »hölzerner Haken«. Das Gebäck ist also nach seiner keilartigen Form benannt worden. Die ursprüngliche Bedeutung »Keil«, die mdal. noch weiterlebt, schwand in der Schriftsprache im 17. Jh.

wecken: Das gemeingerm. Verb mhd. *wecken,* ahd. *wecchen,* got. *us-wakjan,* aengl. *weccan,* schwed. *väcka* ist das Veranlassungswort zu einem nicht bezeugten Verb germ. **wekan* »munter sein«, das zur idg. Wurzel **u̯eĝ-* »frisch, stark sein« gehört. Vgl. aus anderen idg. Sprachen aind. *vāja-ḥ* »Kraft, Schnelligkeit«, lat. *vegere* »munter sein« (s. das Fremdwort *Vegetation*). Das Verb ›wecken‹ bedeutet demnach »frisch, munter machen«. Zu dieser Wurzel gehören auch die unter ↑wachen (eigentlich »frisch, munter sein«) und ↑wacker (eigentlich »frisch, munter«) behandelten Wörter. – Abl.: **Wecker** »Weckuhr« (17. Jh.). Präfixbildung: **aufwecken** »wach machen« (16. Jh.).

Wecken ↑Weck.

Wedel »Gerät mit einem Büschel (zum Sprengen, Wischen oder dgl.), Quaste; Schwanz«: Das Substantiv mhd. *wedel,* ahd. *wadil* (vgl. aisl. *vēli* »Vogelschwanz«) gehört zu der unter ↑wehen dargestellten idg. Wurzel und bedeutet wohl eigentlich »[Hinundher]schwingendes«, vgl. die unter ↑[2]*wallen* (eigentlich »schweifen, unstet sein«) behandelten verwandten Wörter und ahd. *wadal,* mhd. *wadel* »schweifend, unstet«, ahd. *wadalōn,* mhd. *wadelen* »schweifen, schwanken«.

weder: Die Partikel geht zurück auf das Fragepronomen mhd. *weder,* ahd. *hwedar* »welcher von beiden«, dem älter engl. *whether* »welcher von beiden« und mit anderem Stammvokal gleichbedeutend got. *hvaþar,* aisl. *hvađarr* entsprechen. Zugrunde liegt idg. *k^{u}*o-tero-* »wer von zweien«, eine Ableitung aus dem unter ↑wer, was behandelten idg. Stamm. Vgl. aus anderen idg. Sprachen z. B. aind. *katará-ḥ* »wer von zweien«, griech. *póteros* »wer von beiden« und russ. *kotoryj* »welcher«. Dem schon mhd. verneinenden Konjunktionspaar ›weder – noch‹ geht ein gleichbedeutendes mhd. *ne-weder (enweder) – noh,* ahd. *nihwedar – noch* voraus, dessen Verneinungspartikel mhd. *ne-, en-,* ahd. *ni-* »nicht« (›entweder‹ bedeutet eigentlich »nicht einer von beiden«) ausgefallen ist. Die zusammengesetzte Partikel **entweder** geht zurück auf mhd. *entweder, eintweder* »eins von beiden, entweder«, ahd. *ein weder* »eins von beiden« und bedeutet so viel wie »eine von zwei Möglichkeiten«.

Weekend ↑Woche.

Weg: Das gemeingerm. Substantiv mhd., ahd. *wec,* got. *wigs,* engl. *way,* schwed. *väg* gehört zu der unter ↑[1]bewegen dargestellten idg. Wurzel **u̯egh-* »sich bewegen, schwingen, fahren, ziehen«. Ursprünglich dasselbe Wort wie das Substantiv ›Weg‹ ist das mit kurzem e ausgesprochene Adverb **weg** »von einem Ort entfernt oder sich entfernend; fort« (entstanden aus mhd. *enwec, in wec* »auf den Weg«; vgl. nhd. ›sich auf den Weg machen, weggehen‹ und engl. *away* »weg« aus aengl. *on weg* »auf den Weg«). – Eigentlich der Dativ Plural von ›Weg‹ ist die Präposition **wegen.** Sie ist durch Kürzung aus mhd. *von – wegen* »vonseiten« entstanden. Als erster Bestandteil tritt ›Weg‹ auch in dem Pflanzennamen ↑Wegerich auf.

Wegerich: Der auf das hochd. Sprachgebiet beschränkte Pflanzenname mhd. *wegerīch,* ahd. *wegarīh* enthält als ersten Bestandteil das unter ↑Weg behandelte Wort (die Pflanze wächst häufig auf Wegen). Er ist wohl nach dem Muster der altdeutschen Personennamen auf -rich (z. B. ›Dietrich, Heinrich‹) gebildet, vgl. das ähnlich gebildete Wort ›Wüterich‹ (↑Wut).

Wegzehrung ↑zehren.

weh!: Die gemeingerm. Interjektion mhd., ahd. *wē,* got. *wai,* engl. *woe,* schwed. *ve* ist z. B. [elementar] verwandt mit awest. *vayōi* »wehe!«, lat. *vae* »wehe!« und lett. *var* »wehe!, ach!«. Eine Bildung zu ›weh‹ ist das unter ↑weinen (eigentlich »weh rufen«) behandelte Verb. Die Interjektion wird seit ahd. Zeit als Adverb gebraucht (z. B. in der Wendung ›wehtun‹, mhd., ahd. *wē tuon*). Die Verwendung von ›weh‹ als Adjektiv findet sich erst im 18. Jh. Die Substantivierung geht dagegen auf ahd. Zeit zurück: **Weh** »Schmerz, Leid« (mhd. *wē,* ahd. *wē[wo]*), beachte dazu das meist im Plural gebrauchte Substantiv **Wehe** »[Geburts]schmerz« (mhd. *wēwē* »Schmerz, Leid; Geburtswehe«). – Zus.: **Wehklage** »laute Klage« (16. Jh.; dazu **wehklagen,** 16. Jh.). Das Adjektiv **wehleidig** »überempfindlich« (17. Jh.; zuerst mdal.) ist wohl aus der früher geläufigen Fügung ›Weh und Leid‹ zusammengebildet.

wehen: Mhd. *wǣjen,* ahd. *wāen,* niederl. *waaien,* daneben (reduplizierend) got. *waian,* aengl. *wāwan* gehören zur idg. Wurzel **[a]u̯ē-* »wehen, blasen, hauchen«, vgl. z. B. aus anderen idg. Sprachen aind. *vāyati, vāti* »weht« und russ. *vejat'* »wehen«. Zu dieser Wurzel gehören auch die unter ↑Wind (eigentlich »der Wehende«) und ↑Wetter (eigentlich »das Wehen«), ferner die unter ↑[2]wallen (eigentlich »[umher]schweifen, unstet sein«) und ↑Wedel (eigentlich »[hin und her] Schwingendes«) behandelten Wörter. Eine Bildung zu ›wehen‹ ist ↑Wechte.

Wehmut: Das Substantiv (spätmhd. *wēmuot*) wurde im 15. Jh. aus mnd. *wēmōd* ins Hochd. übernommen. Das mnd. Wort ist seinerseits eine Rückbildung aus dem Adjektiv mnd. *wēmōdich* (nhd. im 16. Jh. **wehmütig,** beachte schon spätmhd. *wēmüetecheit* »Zorn«). – Der erste Bestandteil von ›Wehmut‹ ist das unter ↑weh! behandelte Wort. Zum zweiten Bestandteil vgl. den Artikel *Mut.* Im 16. Jh. hatte das Wort noch die Bedeutung »Zorn«. Seit Ende des 17. Jh.s bedeutet es nur noch »innerer Schmerz, Trauer«.

[1]**Wehr**: Das Substantiv mhd. *wer[e],* ahd. *werī, warī* »Befestigung, Verteidigung, Schutzwaffe«, niederl. *weer* »Verteidigung«, aisl. *verja* »Verteidigung« (schwed. *värja* »Degen«) ist eine Bildung zu dem unter ↑wehren behandelten Verb. Damit ist vielleicht ↑[2]Wehr »Stauwerk« identisch. Eine Kollektivbildung zu ›[1]Wehr‹ ist das unter ↑Gewehr behandelte Substantiv. – Abl.: **wehrhaft** (mhd. *werehaft*); **wehrlos** (mhd. *werlōs*).

[2]**Wehr** »Stauwerk«: Das Substantiv mhd. *wer* (vgl. aengl. *wer* »Stauwerk, Wehr; Fischfang, Zug«) kann mit ↑[1]Wehr identisch sein und bedeutet dann eigentlich »Befestigung gegen das Wasser«. Andererseits kann es im Sinne von »Flechtwerk, Geflecht« unmittelbar zu der unter ↑wehren dargestellten Wortgruppe gehören und bezeichnete dann ursprünglich das Fischwehr.

wehren: Das gemeingerm. Verb mhd. *wern,* ahd. *werian,* got. *warjan,* aengl. *werian,* schwed. *värja* gehört z. B. mit aind. *vr̥ṇ̥oti* »umschließt, wehrt«, griech. *érysthai* »abwehren, bewahren« zu der idg. Wurzel **u̯er-* »mit einem Flechtwerk, Zaun, Schutzwall umgeben, verschließen, bedecken, schützen« (vgl. über die weiteren Zusammenhänge den Artikel *Wurm*). Mit ›wehren‹ ist die unter ↑wahren behandelte Wortgruppe verwandt. Bildungen zu ›wehren‹ sind die unter ↑[1]Wehr und ↑[2]Wehr behandelten Wörter. Zu ›wehren‹ gehört auch der zweite Bestandteil von ↑Bürger (eigentlich »Burgverteidiger«). Urverwandt mit ›wehren‹ ist das unter ↑Kuvert genannte lat. Verb *ope-*

rire (< **op-uerire*) »bedecken, verschließen«. – Um ›wehren‹ gruppieren sich die Bildungen **abwehren** »erfolgreich abwenden, vereiteln; zurückschlagen« (16.Jh.), dazu **Abwehr** (18.Jh.) und **verwehren** »nicht zu tun erlauben, verweigern« (mhd. *verwern*, ahd. *firwerian*).

wehrhaft ↑[1]Wehr.

wehrlos ↑[1]Wehr.

Weib: Das altgerm. Substantiv mhd. *wīp*, ahd. *wīb*, niederl. *wijf*, engl. *wife*, schwed. *viv* ist unsicherer Herkunft. Vielleicht gehört es zu idg. **uei-b-*, **uei-p-* »drehen, umwinden, umhüllen; sich drehend, schwingend bewegen«, vgl. z. B. aind. *vēpatē* »regt sich, zittert«, lat. *vibrare* »zittern« (s. das Fremdwort *vibrieren*), lett. *vìepe* »Decke, Umschlagtuch der Frauen«, lett. *viebt* »sich drehen« (vgl. über die weiteren Zusammenhänge den Artikel [1]*Weide*). ›Weib‹ würde demnach eigentlich »die sich hin und her bewegende, geschäftige [Haus]frau« bedeuten (vgl. das unter *Feldwebel* [↑Feld] genannte ahd. *weibōn* »schwanken, unstet sein; sich hin und her bewegen«). Es wäre auch möglich, dass ›Weib‹ ursprünglich die »umhüllte Braut« bezeichnete (vgl. die zur obigen Wurzelform gehörenden Verben got. *biwaibjan* »umwinden«, aisl. *vīfa* »umhüllen«). Siehe auch die Artikel *Wimpel, Wipfel* und *wippen*.

Weibsbild ↑Bild.

weich: Das altgerm. Adjektiv mhd. *weich*, ahd. *weih*, niederl. *week*, aengl. *wāc* (engl. *weak* »schwach, dünn«), schwed. *vek* gehört zu dem unter ↑[2]weichen behandelten Verb. Es bedeutet eigentlich »nachgebend«. – Abl.: [1]**Weiche** (mhd. *weiche*, ahd. *weihhī* »Weichheit«, seit frühnhd. Zeit auch übertragen verwendet; im Sinne von »weicher Körperteil« seit dem 16. Jh. gebräuchlich); [1]**weichen** (mhd., ahd. *weichen* »weich werden oder machen«), dazu **erweichen** »weich machen; rühren, milde stimmen« (mhd. *erweichen*, ahd. *irweichen*); **Weichheit** »das Weichsein, weiche Beschaffenheit« (mhd. *weichheit*); **weichlich** »ein wenig weich; verzärtelt« (mhd. *weichlich*), dazu **verweichlichen** »verzärteln« (2. Hälfte des 18.Jh.s). Zus.: **Weichteile** »knochenlose Teile des Körpers« (1.Hälfte des 19.Jh.s); **Weichtier** (1.Hälfte des 19.Jh.s; für frz. *mollusque* »Weichtier«).

Weichbild »Ortsgebiet«: Das ursprünglich niederd.-mitteld. Wort (mhd. *wīchbilde*, mnd. *wīkbelde*, entsprechend mniederl. *wijcbelt*) enthält als erstes Glied das Substantiv mhd. *wīch-*, ahd. *wīh*, mnd., asächs. *wīk* (mniederl. *wīk*, aengl. *wīc*) »Wohnstätte, Siedlung«, das in die westgerm. Sprachen aus lat. *vicus* »Dorf, Gehöft« entlehnt worden ist. Das lat. Wort, mit dem auch lat. *villa* »Landgut« (↑Villa) zusammenhängt, ist urverwandt mit griech. *oĩkos* »Haus« (↑Ökumene) und got. *weihs* »Dorf, Flecken«. Das zweite Glied der Zusammensetzung ›Weichbild‹ ist vielleicht das unter ↑Bild behandelte Wort, dann hätte ›Weichbild‹ ursprünglich ein Marktkreuz oder ein anderes Sinnbild des Ortsrechts bezeichnet. Doch ist ›...bild‹ wohl eher eine Substantivbildung mit der Bedeutung »Recht« und gehört dann zu den unter ↑Unbill behandelten Wörtern. ›Weichbild‹ würde demnach ursprünglich »Ortsrecht« bedeutet haben. Die Bedeutung »[Rechts]gebiet einer Siedlung« ist auf jeden Fall erst durch Übertragung entstanden.

[1]**Weiche** ↑weich.

[2]**Weiche:** Das seit dem 18.Jh. belegte Wort bezeichnet ursprünglich eine Ausweichstelle in der Flussschifffahrt. Seit der 1.Hälfte des 19.Jh.s wird es für die Umstellvorrichtung bei Eisenbahngleisen verwendet. Das Wort kann auf [m]niederd. *wīk* »Bucht« zurückgehen oder aber eine Bildung zu ↑[2]weichen sein.

[1]**weichen** ↑weich.

[2]**weichen** »sich entfernen, weggehen; Platz machen«: Das altgerm. Verb mhd. *wīchen*, ahd. *wīchan*, niederl. *wijken*, aengl. *wīcan*, schwed. *vika* ist eng verwandt mit den unter ↑Wechsel (eigentlich »Weichen, Platzmachen«) und ↑Woche (eigentlich »Wechsel, Reihenfolge«) behandelten Wörtern. Außergerm. sind z.B. aind. *vijátē* »flieht« und griech. *eíkein* »weichen« verwandt. Diese Wörter gehören im Sinne von »ausbiegen, nachgeben« zu der unter ↑[1]Weide dargestellten idg. Wurzel. – Zu ›weichen‹ gehören die unter ↑weich und ↑[2]Weiche behandelten Wörter, ferner **abweichen** (15. Jh.), dazu **Abweichung** (16. Jh.); **ausweichen** (Anfang des 16.Jh.s) und **entweichen** (mhd. *entwīchen*, ahd. *entwīchan*).

Weichheit, weichlich ↑weich.

Weichsel: Die landsch. Bezeichnung für die Sauerkirsche mhd. *wīhsel*, ahd. *wīhsela* ist verwandt mit der slaw. Sippe von russ. *višnja* »Kirsche« und weiterhin mit griech. *ixós* »Vogelleim«, lat. *viscum* »Vogelleim« (Kirschbaumharz diente als Vogelleim).

Weichteile, Weichtier ↑weich.

[1]**Weide:** Der altgerm. Baumname mhd. *wīde*, ahd. *wīda*, mnd. *wīde*, engl. *withy*, schwed. *vide* ist eng verwandt mit griech. *itéā* »Weide«, lat. *vitis* »Ranke, Rebe«, apreuß. *witwan* »Weide« und russ. *vitvina* »Rute, Zweig«. Diese Wörter gehören zu der vielfach weitergebildeten und erweiterten idg. Wurzel **uei-*, **ueiə-* »biegen, winden, drehen«, vgl. z. B. aind. *váyati* »flicht, webt«, lat. *viere* »binden, flechten«, russ. *vit'* »winden«, vgl. auch griech. *īris* »Regenbogen« (↑Iris). Zu dieser Wurzel gehören auch die Wortgruppen von ↑[2]weichen (eigentlich »ausbiegen, nachgeben«) und ↑Wisch (eigentlich »[zusammengedrehtes] Büschel«) sowie die unter ↑Weib behandelten Wörter. – Die Weide ist also nach ihren biegsamen, zum Flechten dienenden Zweigen benannt.

[2]**Weide** »Grasland«: Mhd. *weide*, ahd. *weida* »Jagd, Fischfang, Nahrungserwerb; Futter, Speise; Weideplatz; Unternehmung, Fahrt, Tagereise, Weg«, niederl. *weide* »Grasland, Weideplatz«, aengl.

wāđ »Jagd, Verfolgung; Unternehmung, Reise«, aisl. *veiđr* »Jagd« gehören mit verwandten Wörtern in anderen idg. Sprachen zu der idg. Wurzel **u̯ei-, *u̯ei̯ə-* »auf Nahrungssuche, auf die Jagd gehen, nach etwas trachten«, vgl. z. B. aind. *vēti, váyati* »verfolgt, strebt«, griech. *híemai* »eile, strebe, trachte, begehre« und die baltoslaw. Sippe von lit. *výti* »nachjagen, verfolgen«. Von ›Weide‹ im Sinne von »Futter, Speise« geht ↑Eingeweide aus (s. dort über ›ausweiden‹ und ›weidwund‹). An ›Weide‹ im Sinne von »Unternehmung, Fahrt, Tagereise, Weg, Mal« schließt sich der zweite Bestandteil von ›anderweitig‹ (vgl. *ander*) an. Die alte Bedeutung »Jagd« bewahren z. B. die Zusammensetzungen **weidgerecht** »der Jagd und dem jagdlichen Brauchtum gemäß« (Ende des 18. Jh.s), **Weidmann** »weidgerechter Jäger« (mhd. *weideman* »Jäger; Fischer«), dazu **weidmännisch** (16. Jh.), **Weidwerk** »Jagd[kunst]« (mhd. *weidewerc* »Jägerei; die zur Jagd gehörigen Tiere«). In der Jägersprache wird hier die Schreibung mit ai bevorzugt, obwohl diese Schreibung sprachgeschichtlich nicht begründet ist. Sie erklärt sich vermutlich daraus, dass die Schreibweise mit ai in einigen alten bayrischen und österreichischen Quellen vorkommt. – Abl.: **weiden** »auf die Weide führen, grasen lassen; hüten«, reflexiv »sich laben, sich erfreuen« (mhd. *weiden,* ahd. *weidōn,* daneben mhd. *weidenen,* ahd. *weidanōn* »jagen, Futter suchen; weiden«, vgl. niederl. *weiden* »grasen lassen, weiden«, aengl. *wǣđan* »wandern, streifen, jagen«, aisl. *veiđa* »jagen, erbeuten«). Zus.: **Augenweide** »was den Augen gefällt« (mhd. *ougenweide,* eigentlich »Speise, Labsal für die Augen«, beachte die Bildung ›Ohrenschmaus‹). Siehe auch den Artikel *weidlich.*

weidlich »gehörig, sehr«: Das Adjektiv mhd. *weide[n]lich* ist wahrscheinlich eine Bildung zu mhd. *weiden, weidenen,* ahd. *weidōn, weidanōn* »jagen, weiden« (vgl. [2]*Weide*). Es bedeutet demnach eigentlich »dem Jagen gemäß«. Aus der Bedeutung »jagdgemäß« entwickelte sich die Bedeutung »sehr, gehörig«, die sich in adverbieller Verwendung (z. B. ›sich weidlich freuen‹) am längsten gehalten hat.

Weidmann, weidmännisch, Weidwerk ↑[2]Weide.

weidwund ↑Eingeweide.

weigern: Das Verb mhd. *weigeren,* ahd. *weigarōn* ist eine Ableitung von dem Adjektiv mhd. *weiger,* ahd. *weigar* »widerstrebend, tollkühn«, das zu dem Verb mhd. *wīgen* »streiten«, aengl. *wīgan* »streiten« gehört, vgl. got. *weihan* »kämpfen«. Diese Wörter sind z. B. verwandt mit lat. *vincere* »[be]siegen«, air. *fichid* »kämpft« und lit. *apveĩkti* »bezwingen«.

weihen: Das Verb mhd., ahd. *wīhen* ist eine Bildung zu dem im 16. Jh. ausgestorbenen Adjektiv *weich* »heilig« (mhd. *wīch,* ahd. *wīh,* got. *weihs;* vgl. *Weihnacht* und *Weihrauch* sowie das Kapitel zur Sprachgeschichte *Das Althochdeutsche*) und bedeutet demnach eigentlich »heilig machen«. – Dazu stellt sich im außergerm. Bereich lat. *victima* »Opfer[tier]« (eigentlich »das für das Opfer Geweihte«). Zu dem ausgestorbenen Adjektiv *weich* »heilig« ist das Substantiv **Weihe** »das Weihen« (mhd. *wīhe,* ahd. *wīhī* »Heiligkeit«) gebildet.

Weiher: Das Substantiv mit der Bedeutung »kleiner, flacher See« (mhd. *wī[w]ære,* ahd. *wī[w]āri*) ist aus lat. *vivarium* »Fischteich; Behälter oder Gehege für lebende Tiere« entlehnt. Dies gehört zu lat. *vivere* »leben«. Über die weiteren Zusammenhänge vgl. den Artikel *keck.*

Weihnacht: Die seit der 2. Hälfte des 12. Jh.s belegte Zusammensetzung mhd. *wīhenaht* besteht aus dem unter ↑weihen behandelten, untergegangenen Adjektiv ›weich‹ »heilig« und dem Substantiv ↑Nacht. Die Form **Weihnachten** (mhd. *wīhennahten*) beruht auf einem alten Dativ Plural mhd. *ze wīhen nahten* »in den heiligen Nächten«. Damit waren ursprünglich die schon in germanischer Zeit als heilig gefeierten Mittwinternächte gemeint.

Weihrauch: Die Zusammensetzung mhd. *wī[h]rouch,* ahd. *wīhrouch* enthält als ersten Bestandteil das unter ↑weihen behandelte, untergegangene Adjektiv ›weich‹ »heilig«, bedeutet also »heiliger Rauch«. Der aus Arabien und Äthiopien stammende Weihrauch wurde im 7. Jh. vom Christentum nach dem Westen gebracht. Eine ähnliche Zusammensetzung ist das Substantiv **Weihwasser** (mhd. *wī[c]hwaʒʒer*).

weil ↑Weile.

Weile: Das altgerm. Substantiv mhd. *wīl[e],* ahd. *[h]wīla,* got. *ƕeila,* engl. *while,* beruht auf einer Bildung zu der idg. Wurzel **kᵘei̯ə-* »ruhen«. Vgl. aus anderen idg. Sprachen z. B. aind. *cirá-ḥ* »lang [dauernd]«, lat. *quietus* »ruhig« (↑quitt). ›Weile‹ bedeutete also ursprünglich »Ruhe, Rast, Pause«, woraus sich die Bedeutung »Zeit[raum]« entwickelt hat. Die Konjunktion **weil** (spätmhd. *wīle* »während«, vgl. engl. *while* »während«) ist eigentlich der Akkusativ Singular des Substantivs; sie ist durch Kürzung der Fügung mhd. *die wīle,* ahd. *dia wīla so* »in der Zeitspanne [, als]« entstanden. Seit dem 18. Jh. wird das bis dahin temporale ›weil‹ nur noch als kausale Konjunktion verwendet. – Abl.: **weilen** »sich irgendwo aufhalten, irgendwo anwesend sein« (mhd. *wīlen,* ahd. *wīlōn*), dazu **verweilen** »irgendwo bleiben; innehalten« (spätmhd. *verwīlen*). Zus.: **Langeweile** (↑lang).

Weiler »keine eigene Gemeinde bildende kleine Ansiedlung«: Das Substantiv mhd. *wīler,* ahd. *-wīlāri* (nur in zusammengesetzten Ortsnamen) ist aus mlat. *villare* »Gehöft« entlehnt, das von lat. *villa* »Landhaus, Landgut« abgeleitet ist (vgl. den Artikel *Villa*).

Wein: Das gemeingerm. Substantiv mhd., ahd. *wīn,* got. *wein,* engl. *wine,* schwed. *vin* ist aus lat. *vinum* »Wein« entlehnt. Lat. *vinum* stammt wahr-

W

scheinlich aus einer pontischen Sprache, vgl. georgisch *ġwino* »Wein«. Der Pontus war die Heimat der Weinkultur. Die Germanen lernten die Weinkultur durch die Römer kennen und übernahmen außer ›Wein‹ auch die Wörter ↑Kelch, ↑Kelter, ↑²Kufe, ↑Most, ↑Presse, ↑Trichter (s. das Kapitel zur Sprachgeschichte *Römischer Kultureinfluss*). Vgl. auch *Winzer.*

weinen »Tränen vergießen«: Das altgerm. Verb mhd. *weinen,* ahd. *weinōn,* niederl. *wenen,* aengl. *wānian,* aisl. *veina* ist eine Bildung zu dem unter ↑weh! behandelten Wort. Es bedeutet demnach eigentlich »Weh rufen«.

weise: Das altgerm. Adjektiv mhd., ahd. *wīs,* niederl. *wijs,* engl. *wise,* schwed. *vis* gehört zu der unter ↑wissen dargestellten idg. Wortgruppe und bedeutet eigentlich »wissend« (s. auch den Artikel *weismachen*). – Abl.: **weisen** (s. d.); **Weisheit** »einsichtsvolle Klugheit; weiser Rat« (mhd., ahd. *wīsheit*), dazu **Weisheitszahn** (17. Jh.; so benannt, weil der Zahn in einem Alter wächst, in dem der Mensch klug, weise geworden ist).

Weise: Das altgerm. Substantiv mhd. *wīs[e],* ahd. *wīsa,* niederl. *wijs,* engl. *wise* (veraltet), schwed. *vis* gehört zu der unter ↑wissen behandelten idg. Wortgruppe und bedeutet eigentlich »Aussehen, Erscheinungsform«. Daraus hat sich die Bedeutung »Art und Weise« entwickelt, die sich auch in dem seit frühnhd. Zeit gebräuchlichen Adverbialsuffix **-weise** (wie in ›glücklicherweise‹) findet. Die Verwendung von ›Weise‹ im Sinne von »Melodie, Lied« (schon ahd.) hat sich wohl unter dem Einfluss von lat. *modulatio* »Modulation, taktmäßiges Singen, melodisches Spielen« (zu lat. *modus* »Art und Weise«, ↑Modus) herausgebildet.

Weisel: Das im heutigen Sprachgebrauch im Sinne von »Bienenkönigin« verwendete Wort geht auf mhd. *wīsel* »[An]führer, Oberhaupt; Bienenkönigin« zurück, das zu dem unter ↑weisen behandelten Verb gebildet ist. Die Bienenkönigin ist demnach als »[An]führer« benannt worden. Ihr weibliches Geschlecht hat man erst später erkannt.

weisen: Das altgerm. Verb mhd., ahd. *wīsen,* niederl. *wijzen,* aengl. *wīsan,* schwed. *visa* ist eine Ableitung von dem unter ↑weise behandelten Adjektiv. Das Verb, das bis ins 16. Jh. schwach flektierte, bedeutet eigentlich »wissend machen«. Siehe auch den Artikel *Weisel.* – Präfixbildungen und Zusammensetzungen: **anweisen** »zuteilen, zuweisen; beauftragen; anleiten; die Auszahlung von etwas veranlassen« (16. Jh.), dazu **Anweisung; ausweisen** »des Landes verweisen; seine Identität nachweisen; rechnerisch nachweisen, belegen« (mhd. *ūzwīsen*), dazu **Ausweis** (17. Jh.); **beweisen** »als wahr, richtig nachweisen; zeigen« (mhd. *bewīsen*), dazu **Beweis** (15. Jh.); **überweisen** »zu jemandem, an jemanden schicken; einen Geldbetrag auf jemandes Konto einzahlen« (in frühnhd. Zeit aus mnd. *overwīsen* »[Geld] überweisen« übernommen), dazu **Überweisung** (16. Jh.); **unterweisen** »lehren, unterrichten« (mhd. *underwīsen*), dazu **Unterweisung** (mhd. *underwīsunge*); **verweisen** »hinweisen« (↑²verweisen).

Weisheit ↑weise.

weismachen »vorschwindeln«: Das Verb (mhd. *wīs machen* »klug machen, belehren, kundtun«) enthält als ersten Bestandteil das unter ↑weise behandelte Adjektiv. Die heutige abwertende Bedeutung »vormachen, vorschwindeln« tritt seit dem 16. Jh. auf.

weiß: Das gemeingerm. Adjektiv *wīȥ,* ahd. *(h)wīȥ,* got. *hweits,* engl. *white,* schwed. *vit* gehört mit dem unter ↑Weizen behandelten Wort zu der idg. Wurzel **k̯uei-* »leuchten, glänzen; leuchtend, licht, hell«, vgl. z. B. aind. *śvindatē* »glänzt« und griech. *Píndos* (Bergname, eigtl. »der Weiße«), ferner z. B. aind. *śvētá-ḥ* »weiß«, lit. *šviẽsti* »leuchten«, russ. *svet* »Licht«.

weissagen »prophezeien, Künftiges vorhersagen«: Das auf das deutsche Sprachgebiet beschränkte Verb lautete in ahd. Zeit ursprünglich *wīȥagōn.* Diese Form wurde durch volksetymologische Anlehnung an ahd. *wīs* (vgl. *weise*) und ahd. *sagēn* (vgl. *sagen*) in *wīssagen* umgedeutet, woraus sich über mhd. *wīssagen* dann nhd. *weissagen* entwickelte. – Ahd. *wīȥagōn* ist eine Ableitung von ahd. *wīȥago* »Prophet« (vgl. aengl. *wīt[e]ga* »Weiser, Prophet« und aisl. *vitki* »Zauberer«) und bedeutet demnach eigentlich »als Prophet wirken«. Das ahd. Wort ist eine Substantivierung des Adjektivs ahd. *wīȥ[ȥ]ag* »merkend, sehend, wissend«, das zu der unter ↑wissen dargestellten idg. Wortgruppe gehört.

weit: Das altgerm. Adjektiv mhd., ahd. *wīt,* niederl. *wijd,* engl. *wide,* schwed. *vid* beruht auf der alten Zusammensetzung idg. **u̯i-itós* »auseinander gegangen«. Der erste Bestandteil **u̯i-* »auseinander« steckt auch in ↑wider, wieder und ↑Witwe, vgl. dazu aind. *vi-* »auseinander«, lat. *vitium* »Fehler« (eigentlich »Abweichung«). Der zweite Bestandteil **itós* gehört zu der unter ↑eilen dargestellten idg. Wurzel. Seit der 2. Hälfte des 20. Jh.s taucht ›weit‹ häufig auch als zweiter Bestandteil von Zusammensetzungen mit Substantiven auf, in denen das Substantiv das Ausmaß der Erstreckung angibt, z. B. ›landesweit, europaweit, weltweit‹. Diese Bildungen sind analog zu den engl. Zusammensetzungen mit *-wide* entstanden. – Abl.: **Weite** »das Weitsein; weiter Raum« (mhd. *wīte,* ahd. *wītī*); **weiten** »weiter machen« (mhd., ahd. *wīten*); **erweitern** »in seiner Ausdehnung, in seinem Umfang vergrößern« (Anfang des 16. Jh.s; Präfixbildung zu dem heute veralteten einfachen Verb ›weitern‹, mhd. *wītern*). Zusammenbildungen: **weitläufig** »weit ausgedehnt, geräumig; umständlich; entfernt« (16. Jh.); **weitsichtig** (16. Jh.).

weitschweifig ↑schweifen.

Weizen: Das gemeingerm. Substantiv mhd. *weize,* ahd. *[h]weizi,* got. *hvaiteis,* engl. *wheat,* schwed. *vete* gehört zu der unter ↑weiß behandelten idg. Wortgruppe. Das Getreide ist nach der weißen Farbe des daraus gewonnenen Mehls benannt.

welch: Das Pronomen mhd. *wel[i]ch,* ahd. *[h]welīch* (vgl. auch got. *hvileiks* »wie beschaffen«, engl. *which* »welcher«, schwed. *vilken* »welcher«) beruht auf einer Zusammensetzung. Der erste Bestandteil gehört zu dem unter ↑wer, was behandelten idg. Stamm, der zweite ist das unter ↑...lich behandelte Wort. Das Pronomen ›welch‹ bedeutet demnach eigentlich »was für eine Gestalt habend«.

Welf ↑Welpe.

welk: Das auf das dt. und niederl. Sprachgebiet beschränkte Adjektiv mhd. *welc,* ahd. *welk* »feucht; milde; welk«, mniederl. *welc* »verwelkt« gehört zu der unter ↑Wolke behandelten Wortgruppe. Die ursprüngliche Bedeutung des Adjektivs ist also »feucht«. Der Bedeutungswandel von »feucht« zu »nicht feucht« vollzog sich bereits in ahd. Zeit, vermutlich unter dem Einfluss von ahd. *arwelkēn* »die Feuchtigkeit, die Säfte verlieren«. Die Bedeutung dieses Präfixverbs hat sich dann auf das einfache Verb **welken** (mhd. *welken,* ahd. *welkēn*) und auf das Adjektiv ›welk‹ übertragen. Neben dem einfachen Verb ›welken‹ steht seit mhd. Zeit die Präfixbildung **verwelken.**

Welle: Das Substantiv mhd. *welle* »Reisigbündel; zylindrischer Körper; Wasserwoge«, ahd. *wella* »Wasserwoge« (vgl. mniederl. *welle* »Walze«) ist eine Bildung zu dem heute veralteten Verb *wellen* »wälzen« (mhd. *wellen,* ahd. *wellan*). Dies gehört zu der unter ↑[1]wallen behandelten idg. Wortgruppe. An ›Welle‹ in der Bedeutung »Wasserwoge« schließen sich an die junge Ableitung **wellen** »wellig formen; wellenförmige Erhebungen aufweisen« (19. Jh.; z. B. vom Haar) und die Zusammensetzungen **Wellblech** (19. Jh.) und **Wellensittich** (19. Jh.; nach den Wellenlinien auf dem Gefieder). Das Adjektiv **wellig** (mhd. *wellec*) bedeutete zunächst »rund, zylindrisch«, dann »wellenförmig«.

Welpe »Junges von Hunden, Füchsen, Wölfen«: Das Wort ist die niederd. Entsprechung von gleichbed. hochd. *Welf* (mhd. *welf[e],* ahd. *welph;* entsprechend niederl. *welp,* engl. *whelp,* schwed. *valp*). Die Herkunft des altgerm. Substantivs ist nicht sicher geklärt. Vielleicht gehört es im Sinne von »Heulendes, Winselndes« zu aengl. *hwelan* »brüllen«, aisl. *hvellr* »gellend«.

Wels: Der seit dem 15. Jh. belegte Fischname ist mit dem unter ↑Wal behandelten Wort verwandt.

welsch: Das altgerm. Adjektiv mhd. *walhisch, welsch,* ahd. *wal[a]hisc* »romanisch«, niederl. *Waals* »wallonisch«, engl. *Welsh* »walisisch«, schwed. *välsk* »romanisch« geht auf ein germ. Substantiv zurück, das ursprünglich die keltischen Bewohner westeuropäischer Gebiete bezeichnete und dem der keltische Stammesname lat. *Volcae* zugrunde liegt. Dieses Substantiv ist in mhd. *walch,* ahd. *walah,* aengl. *wealh* »Welscher« erhalten. Nach der Besetzung der keltischen Gebiete durch die Römer ging die Bezeichnung auf die dortige romanische Bevölkerung über, besonders auf diejenige in Gallien und Italien. Mit ›welsch‹ verwandt ist auch ↑Wallach und das erste Glied der Zusammensetzung ↑Walnuss. In der Bezeichnung der Gaunersprache **Rotwelsch** bedeutet ›-welsch‹ so viel wie »fremde, unverständliche Sprache«. Siehe auch den Artikel *kauderwelsch.*

Welt: Das altgerm. Substantiv mhd. *we[r]lt,* ahd. *weralt* »Zeitalter; Welt; Menschengeschlecht«, niederl. *wereld,* engl. *world,* schwed. *värld* »Welt« ist eine alte Zusammensetzung, deren erster Bestandteil das unter ↑Werwolf behandelte germ. Wort für »Mann, Mensch« ist. Der zweite Bestandteil ist ein z. B. in got. *alds* »Menschenalter, Zeit«, aisl. *ǫld* »Menschheit, Zeit« bewahrtes germ. Substantiv, das zu der unter ↑alt entwickelten idg. Wurzel gehört. Demnach bedeutet ›Welt‹ eigentlich »Menschenalter, Menschenzeit«. – Abl.: **weltlich** »der Welt angehörend, irdisch; nicht kirchlich« (mhd. *wereltlich,* ahd. *weraltlīh*), dazu **verweltlichen** (Mitte des 17. Jh.s). Zus.: **Weltall** »Universum« (18. Jh.; vgl. *all*); **Weltanschauung** »Gesamtheit der Anschauungen von der Welt und der Stellung des Menschen in der Welt; Einstellung gegenüber der Welt, geistige Grundhaltung« (18. Jh.; zunächst in der Bedeutung »subjektive Vorstellung von der Welt«); **Weltkrieg** »Krieg, an dem viele Länder beteiligt sind« (19. Jh.); **Weltmann** (mhd. *werltman* »weltlich Gesinnter«, ahd. *weraltman* »irdischer Mensch«; seit dem 16. Jh. »weltgewandter und erfahrener Mann, der Überlegenheit ausstrahlt«), dazu **weltmännisch; Weltschmerz** »tiefe Traurigkeit über die Unzulänglichkeit der Welt« (1. Hälfte des 19. Jh.s); **Weltwunder** »etwas ganz Außergewöhnliches, das Bewunderung erregt« (17. Jh.; nach lat. *mirabilia mundi* oder *miraculum orbis*). – Siehe auch den Artikel *Umwelt.*

Weltall ↑all.

Weltraum ↑Raum.

Wendeltreppe: Die seit dem 16. Jh. bezeugte Zusammensetzung hat das frühnhd. *Wendelstein* »gewundene steinerne Treppe« (mhd. *wendelstein*) verdrängt. Das Bestimmungswort beider Zusammensetzungen gehört zu dem Verb ↑wenden.

wenden: Das gemeingerm. Verb mhd. *wenden,* ahd. *wenten,* got. *wandjan,* engl. *to wend* »sich wenden, gehen« (veraltet; vgl. engl. *went* »ging«), schwed. *vända* ist das Veranlassungswort zu dem unter ↑[2]winden behandelten Verb und bedeutet eigentlich »winden machen«. Siehe auch die Artikel *bewenden, gewandt, verwandt* und *Vor-*

wand. – Abl.: **Wende** (mhd. *wende,* ahd. *wentī*), dazu die Zusammensetzungen **Wendekreis** (Lehnübersetzung von griech. *tropikòs kýklos;* 17. Jh.) und **Wendepunkt** (2. Hälfte des 18. Jh.s); **wendig** »sich leicht steuern lassend; [geistig] beweglich« (16. Jh.; mit ganz anderer Verwendung mhd. *wendec,* ahd. *wendīg*), dazu wohl **auswendig** »aus dem Gedächtnis« (mhd. *ūʒwendec* »äußerlich, auf der Außenseite«; die heutige Bedeutung seit dem 16. Jh.) und **inwendig** »innen, auf der Innenseite« (mhd. *in[ne]wendic*). Präfixbildungen und Zusammensetzungen: **anwenden** »beziehen; gebrauchen« (mhd. *an[e]wenden,* ahd. *anawenten* »auf etwas hinwenden«), dazu **Anwendung; Anwender** »jmd., der etw., besonders ein Computerprogramm, anwendet«; **aufwenden** »(Kosten) aufbringen« (17. Jh.), dazu **Aufwand** (18. Jh.); **einwenden** »[kritisch] gegen etwas vorbringen« (17. Jh.), dazu **Einwand** (17. Jh.); **entwenden** »wegnehmen, stehlen« (mhd. *entwenden* »abwendig machen, entziehen«); **verwenden** »benutzen, gebrauchen« (mhd. *verwenden* »abwenden, umwenden, seit dem 16. Jh. »aufwenden, gebrauchen; nutzen, verwerten«), dazu **Verwendung** (16. Jh.).

wenig: Das Adjektiv mit der Bedeutung »nicht viel, eine geringe Anzahl bezeichnend« mhd. *weinic, wēnec* »klein, gering, schwach, beklagenswert«, ahd. *wēnag* »bejammernswert«, got. *wainahs* »geplagt, elend«, niederl. *weinig* »wenig« ist eine Bildung zu dem unter ↑weinen behandelten Verb und bedeutet demnach eigentlich »beweinenswert«. Daraus entwickelte sich die Bedeutung »schwach, gering«. Eine Bildung zu ›wenig‹ ist das unter ↑winzig behandelte Adjektiv.

wenn ↑wann.

wer, was: Das Pronomen mhd. *wer, waʒ,* ahd. *[h]wer, [h]waʒ* (vgl. got. *ƕas, ƕa,* engl. *who, what,* schwed. *vem, vad*) gehört zum idg. Pronominalstamm *$*k^{u}o$-, *$*k^{u}e$-* »wer, was«. Vgl. aus anderen idg. Sprachen aind. *kaḥ* »wer«, lat. *qui* »wer«, *quod* »was«, lit. *kàs* »wer, was«. Zu diesem indogermanischen Pronominalstamm gehören auch ↑wann, ↑wie und ↑wo. Siehe dazu auch den Artikel *welch.*

werben: Das gemeingerm. Verb mhd. *werben,* ahd. *hwerban* »sich drehen; sich bewegen; sich umtun, bemühen«, got. *ƕairban* »wandeln«, aengl. *hweorfan,* aisl. *hverfa* »sich wenden, gehen« ist z. B. verwandt mit griech. *karpós* »Handwurzel« (Drehpunkt der Hand) und tochar. A *kārp* »sich wenden nach, gehen«. – Die Bedeutung »sich um jemanden bemühen, jemanden für etwas zu interessieren, zu gewinnen suchen« hat sich also aus »sich drehen, sich [um jemanden] bewegen« entwickelt; beachte die speziellen Verwendungsweisen ›Rekruten, Soldaten (zum Militärdienst) werben‹, ›um einen Partner werben‹ und ›Käufer werben‹ (= Reklame für etwas machen), an die sich die Bildungen **Werber** (mhd. *werbære*) und **Werbung** (mhd. *werbunge*) anschließen. Weitere Bildungen zu ›werben‹ sind die unter ↑Wirbel, ↑Werft (eigentlich »Ort, wo man geschäftig hin und her geht«) und ↑Gewerbe behandelten Wörter. – Präfixbildungen: **bewerben,** sich (mhd. *bewerben* »erwerben, anwerben«, ahd. *bihwerban* »erwerben«; unsere heutige Bedeutung »sich bemühen [besonders um ein Amt, eine Stellung]« hat sich seit dem 17. Jh. entwickelt); **erwerben** (mhd. *erwerben,* ahd. *irhwerban* »durch tätiges Bemühen erreichen«).

werden: Das gemeingerm. Verb mhd. *werden,* ahd. *werdan,* got. *waírþan,* aengl. *weorðan,* schwed. *varda* ist z. B. verwandt mit aind. *vártati* »dreht«, lat. *vertere (verti, versum)* »kehren, wenden, drehen« (↑Vers), lat. *vertex* »Wirbel, Scheitel« (↑vertikal) und lit. *ver̃sti* »drehen, wenden, kehren«. Es bedeutet eigentlich »[sich] drehen, wenden«, woraus sich die Bedeutung »sich zu etwas wenden, etwas werden« entwickelt hat. Das Verb ›werden‹ ist schon im Got. als Hilfsverb verwendet worden. Alle diese Wörter gehören zu der unter ↑Wurm behandelten Wortgruppe. Vielleicht lassen sich hier auch die unter ↑wert und ↑Wurst genannten Wörter anschließen. Siehe auch den Artikel *...wärts.* – Zus.: **Werdegang** »Vorgang, Verlauf einer Entwicklung; berufliche Entwicklung eines Menschen« (19. Jh.).

werfen: Das gemeingerm. Verb mhd. *werfen,* ahd. *werfan,* got. *waírpan,* engl. *to warp* »sich werfen, krümmen«, schwed. *värpa* »Eier legen« ist verwandt mit lit. *ver̃pti* »spinnen« (eigentlich »drehen«), russ. *vérba* »Weide« (nach den biegsamen, zum Flechten dienenden Zweigen benannt). Das Verb ›werfen‹ bedeutet demnach eigentlich »drehen, winden«, woraus sich die Bedeutung »mit drehend geschwungenem Arm schleudern« entwickelt hat. Alle erwähnten Wörter gehören zu der unter ↑Wurm dargestellten idg. Wortgruppe. Bildungen zu ›werfen‹ sind ↑Wurf und ↑Würfel. Seit mhd. Zeit wird ›werfen‹ auch im Sinne von »Junge zur Welt bringen« verwendet; beachte auch den reflexiven Gebrauch im Sinne von »uneben werden, sich verziehen«. – Präfixbildungen und Zusammensetzungen: **abwerfen** »herabfallen lassen; von sich werfen; ablegen; als Ertrag einbringen« (mhd. *ab[e]werfen*); **anwerfen** »an etwas werfen; in Gang setzen« (mhd. *an[e]werfen,* ahd. *anawerfan*), dazu **Anwurf** (in der Bedeutung »Schmähung« 2. Hälfte des 19. Jh.s); **aufwerfen** (mhd. *ūfwerfen;* im Sinne von »eine Frage aufwerfen« seit dem 16. Jh.); **auswerfen** »nach außen schleudern; irgendwohin werfen; (Schleim) absondern und ausspucken; produzieren; zur Ausgabe bestimmen« (mhd. *ūʒwerfen,* ahd. *ūʒwerfan*), dazu **Auswurf** (im 14. Jh. *auʒwurf*); **einwerfen** »in etwas werfen, fallen lassen; durch einen Wurf zertrümmern; einwenden« (mhd. *īnwerfen,* ahd. *inwerfan*), dazu **Einwurf** (in der Bedeutung »Einwand« frühnhd.); **entwerfen** (s. d.); **überwer-**

fen »über etwas werfen, lose umhängen« (mhd. *überwerfen*, ahd. *ubarwerfan;* ›sich mit jemandem überwerfen‹ im Sinne von »mit jemandem in Streit geraten« seit dem 16. Jh., eigentlich »sich mit jemandem am Boden rollen«, dazu **Überwurf** (in der Bedeutung »Kleidungsstück« seit dem 17. Jh.); **unterwerfen** »in seine Gewalt, unter seine Herrschaft bringen; sich in jemandes Herrschaft stellen; sich beugen, sich fügen; sich unterziehen« (mhd. *underwerfen*, ahd. *untarwerfan*), dazu mhd. *underwurf* »Unterwerfung«, das dem Adjektiv **unterwürfig** »knechtisch, hündisch ergeben, devot« (15. Jh.) zugrunde liegt; **verwerfen** »als unbrauchbar, nicht gut o. ä. aufgeben; als unberechtigt ablehnen; sich werfen, sich verziehen« (mhd. *verwerfen*, ahd. *farwerfan*), dazu **verwerflich** »schlecht, unmoralisch und daher tadelnswert« (17. Jh.) und **Verwerfung** (mhd. *verwerfunge*); **vorwerfen** »nach vorne werfen; vor jemanden hinwerfen; tadelnd vor Augen führen« (mhd. *vürwerfen*, ahd. *furiwerfan;* in der Bedeutung »tadeln« seit dem 15. Jh.), dazu **Vorwurf** (mhd. *vürwurf* »Gegenstand, Objekt«; in der Bedeutung »Tadel« seit dem 16. Jh.).

Werft »Schiffsbauplatz«: Das im 17. Jh. aus dem Niederd. ins Hochd. übernommene Wort stammt aus niederl. *werf* »Schiffszimmerplatz«. Es gehört zu dem unter ↑werben behandelten Verb und bedeutet wohl eigentlich »Ort, wo man geschäftig ist«. Das t ist sekundär hinzugetreten (wie z. B. in ↑Saft).

Werg »Flachs-, Hanfabfall«: Das Substantiv (mhd. *werc*, ahd. *werich*) war ursprünglich identisch mit dem unter ↑Werk behandelten Wort. Es bedeutet eigentlich »das, was bei jemandem durch Werk (= Arbeit) abfällt«.

Werk: Das altgerm. Substantiv mhd. *werc*, ahd. *werc[h]*, niederl. *werk*, engl. *work*, schwed. *verk* ist – wie das unter ↑wirken behandelte Verb – verwandt mit griech. *érgon* »Arbeit, Werk« (↑Energie) und armen. *gorc* »Arbeit«, weiterhin wahrscheinlich mit aind. *vrajá-ḥ* »Hürde, Umhegung«, awest. *varəz-* »absperren«, griech. *eírgein* »einschließen«, air. *fraig* »Wand«. Alle diese Wörter bedeuten wahrscheinlich »flechten, mit Flechtwerk umgeben« und gehören damit zu der unter ↑Wurm behandelten idg. Wortgruppe. Siehe auch den Artikel *Wurst*. – Eine Bildung zu ›Werk‹ ist das heute veraltete **Gewerke** (mhd. *gewerke* »Handwerks-, Zunftgenosse; Teilhaber an einem Bergwerk«). Dazu trat im 16. Jh. die Ableitung **Gewerkschaft** »Angehörige eines bestimmten Berufes«, besonders aber »bergbauliche Genossenschaft«; die Verwendung im Sinne von »Zusammenschluss von Industriearbeitern; Organisation der Arbeitnehmer zur Durchsetzung ihrer sozialen Interessen« kam in der 2. Hälfte des 19. Jh.s auf, beachte dazu die Bildungen **Gewerkschafter, Gewerkschaftler** und **gewerkschaftlich.** Eine weitere Bildung zu ›Werk‹ ist das Verb **bewerkstelligen,** das Ende des 17. Jh.s die Fügung ›werkstellig machen‹ »ins Werk setzen« verdrängte. – Abl.: **werken** »handwerklich arbeiten, praktisch tätig sein« (mhd. *werken*, ahd. *werkōn*), dazu **werkeln** »(als Nichtfachmann) handwerklich arbeiten, tätig sein« (17. Jh.; vielleicht in Anlehnung an veraltetes ›Werkeltag‹ »Werktag«). Zus.: **Werkstatt** »(handwerkliche) Arbeitsstätte« (spätmhd. *wercstat*); **Werkstoff** (als Ersatzwort für ›Material‹ zu Beginn des 19. Jh.s geschaffen); **Werktag** »Arbeitstag« (mhd. *werctac*); **werktätig** »arbeitend, einen Beruf ausübend« (16. Jh.), dazu **Werktätige** »jemand, der werktätig ist« (1. Hälfte des 20. Jh.s); **Werkzeug** »handwerkliches Gerät« (mhd. *wercziug*, für älteres *[ge]ziuc*).

Wermut: Der westgerm. Pflanzenname mhd. *wermuot*, ahd. *wer[i]muota*, mniederl. *wermoede*, aengl. *vermōd* ist dunklen Ursprungs. Das Wort bezeichnet heute auch ein mit Wermut angesetztes alkoholisches Getränk.

wert: Das gemeingerm. Adjektiv mhd. *wert*, ahd. *werd*, got. *wairþs*, engl. *worth*, schwed. *värd* gehört vielleicht zu der unter ↑werden behandelten idg. Wortgruppe. Es würde dann eigentlich »gegen etwas gewendet« bedeuten, woraus sich die Bedeutung »einen Gegenwert habend« ergeben hätte. Das Adjektiv ›wert‹ erscheint auch in substantivierter Form als **Wert** »positive Bedeutung, Gewichtigkeit, besondere Qualität; [Kauf-, Markt]preis; Ergebnis einer Messung« (mhd. *wert*, ahd. *werd*). Siehe auch die Artikel *unwirsch* und *Würde*. – Abl.: **werten** »einen bestimmten Wert beimessen, einschätzen« (mhd. *werden*, ahd. *werdōn*), dazu **abwerten** »im Wert herabsetzen« (18. Jh.), **bewerten** »den Wert von etwas einschätzen oder festlegen« (2. Hälfte des 19. Jh.s), **entwerten** »den Wert nehmen, ungültig machen« (ahd. *antwerdōn* »verachten, zurückweisen«; im heutigen Sinne seit der Mitte des 19. Jh.s), **verwerten** »nutzen, verwenden« (19. Jh.) und das Substantiv **Wertung** »Einschätzung, Würdigung« (19. Jh.). Zusammensetzungen mit ›Wert‹: **wertlos** »ohne Wert« (Anfang des 19. Jh.s); **Wertpapier** »Urkunde über ein privates Vermögensrecht« (19. Jh.); **Werturteil** »wertendes Urteil« (19. Jh.); **wertvoll** »von hohem Wert, kostbar« (1. Hälfte des 19. Jh.s). Beachte auch **...wertig** in Zusammenbildungen wie ›gleichwertig, minderwertig, vollwertig‹ (alle 19. Jh.).

Werwolf »Mensch, der sich zeitweise in einen Wolf verwandelt«: Das Wort (mhd. *werwolf;* vgl. niederl. *weerwolf*, aengl. *wer[e]wulf*, schwed. *varulv*) ist eine Zusammensetzung, deren Grundwort der unter ↑Wolf behandelte Tiername ist. Das Bestimmungswort ist das gemeingerm. Substantiv ahd. *wer*, got. *waír*, aengl. *wer*, aisl. *verr* »Mann, Mensch«, das auch als erster Bestandteil in ↑Welt steckt. Es ist z. B. verwandt mit aind. *vīrá-ḥ* »Mann, Held«, lat. *vir* »Mann« (s. das Fremdwort

Virtuose) und lit. *výras* »Mann«. ›Werwolf‹ bedeutet also eigentlich »Mannwolf, Menschenwolf«. Der Volksglaube, dass ein Mensch Wolfsgestalt annehmen könne, war in alter Zeit weit verbreitet.

Wesen: Das Substantiv (mhd. *wesen*, ahd. *wesan* »Sein; Aufenthalt; Hauswesen; Wesenheit, Ding«) ist die Substantivierung des im Nhd. veralteten gemeingerm. Verbs *wesen*, mhd. *wesen* »sein, sich aufhalten, dauern, geschehen«, ahd. *wesan* (vgl. aber den Artikel *sein*), got. *wisan*, aengl. *wesan*, aisl. *vesa*. Es gehört zur idg. Wurzel **u̯es-* »verweilen, wohnen, übernachten«. Vgl. aus anderen idg. Sprachen z. B. aind. *vásati* »verweilt, wohnt, übernachtet«, *vástu-ḥ* »Aufenthalt, Übernachten«. Eine Bildung zu dem gemeingerm. starken Verb ist das unter ↑während behandelte Verb. Siehe auch die Artikel *abwesend*, *Abwesenheit*, *Verweser*, *Anwesen* und *hiesig*. – Abl.: **wesentlich** »besonders wichtig; grundlegend« (mhd. *wesen[t]lich*, ahd. als Adverb *wesentliho* »wesentlicherweise«).

Wesen

viel/kein Wesen[s] um jmdn. machen
»jmdm. besonders viel/keine besondere Aufmerksamkeit widmen«
Diese und die beiden folgenden Wendungen gehen von ›Wesen‹ in der heute veralteten Bedeutung »Tun, geschäftiges Treiben« aus.
viel/kein Wesen[s] von etwas machen
»einer Sache große/keine besondere Bedeutung beimessen«
Vgl. die vorangehende Wendung.
sein Wesen treiben
»sich aufhalten, sich betätigen«
Vgl. die Wendung ›viel/kein Wesen[s] um jmdn. machen‹.

Wespe: Der altgerm. Insektenname mhd. *wespe*, *wefse*, ahd. *wefsa*, *wafsi*, niederl. *wesp*, engl. *wasp*, dän. *hveps* beruht mit verwandten Wörtern in anderen idg. Sprachen auf idg. **u̯obhsā* »Wespe«, einer Bildung zu der unter ↑weben behandelten idg. Wurzel. Wegen seines gewebeartigen Nestes wurde das Insekt wohl als »die Webende« benannt. Vgl. aus anderen idg. Sprachen russ. *osa* »Wespe«, lit. *vapsvà* »Wespe« und lat. *vespa* »Wespe«. Es ist möglich, dass lat. *vespa* die Formentwicklung des dt. Substantivs ›Wespe‹ beeinflusst hat.

Weste: Der Name des Kleidungsstücks wurde im 17. Jh. aus frz. *veste* in dessen älterer Bedeutung »ärmelloses Wams« entlehnt. Das frz. Wort selbst stammt aus it. *veste* »Kleid, Gewand«, das auf lat. *vestis* »Kleid, Gewand« zurückgeht. – Beachte auch lat. *vestire* »bekleiden«, dazu lat. *investire* »einkleiden«, aus dem unser ↑investieren übernommen ist.

Weste

einen Fleck[en] auf der [weißen] Weste haben
(ugs.) »nicht mehr unbescholten sein«
Die weiße Weste, im 19. Jh. ein beliebtes Kleidungsstück, steht in dieser Wendung als Symbol für Unbescholtenheit und Redlichkeit.

Westen: Der Name der Himmelsrichtung mhd. *westen*, ahd. *westan* ist das substantivisch gebrauchte altgerm. Richtungsadverb mhd. *westen[e]* »von, nach, im Westen«, ahd. *westana*, aengl. *westan[e]*, aisl. *vestan* »von, nach, im Westen«. Die kürzere Form **West** – in Analogie zu ›Nord‹ und ›Süd‹ gebildet – ist erst seit dem 15. Jh. gebräuchlich. Daneben wurde früher auch das Richtungsadverb und Adjektiv mhd. *wester*, ahd. *westar* »nach Westen; westlich« verwendet, das z. B. im Namen des Westerwaldes erhalten ist; beachte auch engl. *western* »auf den Westen bezogen«, engl.-amerik. *western* »Film, Geschichte o. Ä. über den Wilden Westen«, aus dem im 20. Jh. **Western** »Wildwestfilm« übernommen wurde. In den anderen germ. Sprachen sind als Bezeichnung der Himmelsrichtung gebräuchlich niederl. *west[en]*, engl. *west*, schwed. *väster*. Die germ. Wortgruppe ist wahrscheinlich verwandt mit griech. *hésperos* »Abend« und lat. *vesper* »Abend« und gehört vielleicht zu der unter ↑öd[e] behandelten idg. Wurzel mit der Bedeutung »von etwas weg, fort«, vgl. z. B. aind. *áva* »von etwas herab«. ›Westen‹ würde demnach den Ort (oder die Zeit) bedeuten, wo die Sonne fort-, untergeht.

wett »quitt«: Das Adjektiv hat sich in formelhaften Verbindungen aus dem unter ↑Wette behandelten Substantiv in mhd. Zeit entwickelt. Bereits im Mhd. wird das Substantiv *wette* (↑Wette) als Artangabe verwendet, und zwar in der Bedeutung »abbezahlt, beendet«. Die ältere Form des Adjektivs ist dementsprechend ›wette‹. Die Form ohne Schluss-e setzte sich im 17. Jh. durch.

Wette: Das gemeingerm. Substantiv mhd. *wet[t]e* »Wette; Pfand, Einsatz, Preis; Bezahlung, Vergütung; Geldbuße«, ahd. *wet[t]i*, got. *wadi* »Pfand«, aengl. *wed* »Pfand«, aisl. *veđ* »Pfand, Einsatz, Spiel« ist mit lat. *vas* (Genitiv: *vadis*) »Bürge« und lit. *vãdas* »Pfand, Bürge« verwandt. Das Wort bedeutete ursprünglich »Pfand«. Daraus entstand die Bedeutung »Pfand oder Einsatz beim Spiel, Wette« (vgl. den Artikel *wett*). – Abl.: **wetten** »eine Wette abschließen« (mhd. *wetten*, ahd. *wettōn*). Zus.: **Wettbewerb** (im 19. Jh. als Ersatz für ›Konkurrenz‹ gebildet); **Wettkampf** (16. Jh.); **Wettlauf** (15. Jh.); **Wettrennen** (16. Jh.); **Wettstreit** (Ende des 17. Jh.s). Siehe auch den Artikel *Gage*.

Wetter: Das altgerm. Substantiv mhd. *weter*, ahd. *wetar*, niederl. *weder*, engl. *weather*, schwed. *väder* gehört zu der unter ↑wehen dargestellten idg. Wurzel. Das Wort bedeutet eigentlich »Wehen,

Wind, Luft«. Eng verwandt ist die slaw. Sippe von russ. *vëdro* »schönes Wetter«. Bildungen zu ›Wetter‹ sind die unter ↑Gewitter und ↑wittern behandelten Wörter. – Abl.: **wettern** (mhd. *wetern* »an der Luft trocknen«; in der Bedeutung »donnern und blitzen«, übertragen »fluchen, schimpfen« seit dem 16. Jh.). Zus.: **Wetterleuchten** (s. d.); **wetterwendisch** »unbeständig, wankelmütig« (eigentlich »sich wie das Wetter wendend«; 16. Jh.).

Wetterleuchten: Das nur dt. Wort entstand in frühnhd. Zeit durch Umdeutung des mhd. Substantivs *weterleich* »Blitz« (noch aleman. mdal., vgl. norweg. *vederleik* »Blitzstrahl, Nordlicht«) unter dem Einfluss von ›leuchten‹. Der zweite Bestandteil des mhd. Wortes ist das unter ↑Leich behandelte Substantiv in seiner älteren Bedeutung »Tanz, Spiel« (vgl. mhd. *leichen* »hüpfen, spielen«); mhd. *weterleich* bedeutet also eigentlich »Wettertanz, -spiel«.

Wettkampf, Wettlauf ↑Wette.

Wettrennen, Wettstreit ↑Wette.

wetzen: Das altgerm. Verb mhd. *wetzen,* ahd. *wezzen,* niederl. *wetten,* engl. *to whet,* aisl. *hvetja* ist das Bewirkungswort zu einem in ahd. *hwaz̧* »scharf«, aengl. *hwæt* »scharf, lebhaft, munter«, aisl. *hvatr* »rasch, feurig« vorliegenden germ. Adjektiv und bedeutet demnach eigentlich »scharf machen«. Außerhalb des Germ. ist wahrscheinlich lat. *tri-quetrus* »dreispitzig« verwandt.

Whisky »aus Getreide (Roggen oder Gerste) oder Mais hergestellter Trinkbranntwein«: Der Name des alkoholischen Getränks wurde im 18. Jh. aus gleichbed. engl. *whisky* übernommen. Das engl. Wort selbst steht als Kurzform für älter *whiskybae* (gälisch *uisge-beatha*) »Lebenswasser«. Es entspricht also in der Bildung der Bezeichnung ↑Aquavit. Stammwort ist das mit dt. ↑Wasser verwandte Substantiv air. *uisce* »Wasser«.

wichsen: Das seit dem 15. Jh. belegte dt. Verb ist eine Nebenform von mdal. *wächsen* »mit Wachs bestreichen« (vgl. *Wachs*), das es seit dem 18. Jh. verdrängt hat. Es bedeutet meist »blank machen, putzen«, seit dem 18. Jh. ugs. auch »prügeln« (dafür heute **verwichsen,** 19. Jh.); im 20. Jh. wird ›wichsen‹ ugs. auch im Sinne von »onanieren« verwendet, woran sich **Wichser** (auch derbes Schimpfwort) anschließt; beachte auch das adjektivisch gebrauchte zweite Partizip **gewichst** ugs. für »schlau, aufgeweckt, flink« (19. Jh.). Eine Bildung zu ›wichsen‹ ist **Wichse** »Putzmittel«, ugs. »Prügel« (18. Jh.), das seit dem Ende des 18. Jh.s auch in der kürzeren Form **Wichs** »Festkleidung von Korpsstudenten« (eigentlich »Putz, Staat«) erscheint.

Wicht »Wesen, Kobold; elender Kerl«: Das gemeingerm. Substantiv mhd., ahd. *wiht* »Ding, Sache; Wesen, Kreatur; Kobold«, got. *waíhts* »Ding, Sache«, engl. (veraltet) *wight* »Wicht, Kerl«, schwed. *vätte* »Erdgeist, Wicht, Heinzelmännchen« ist vermutlich mit der slaw. Sippe von russ. *vešč'* »Ding, Sache« verwandt. In der ursprünglichen Bedeutung »Sache, Ding« ist das Substantiv auch in der Negation ↑nicht enthalten. Für die Verwendung von ›Wicht‹ im Sinne von »Kobold« und »elender Kerl« ist von »Wesen; Kreatur« auszugehen. – Dazu: **Wichtelmännchen** »Heinzelmännchen« (16. Jh.; verdeutlichende Zusammensetzung für mhd. *wihtel[īn]* »kleiner Wicht«).

wichtig: Das Adjektiv geht über mhd. (mitteld.) *wihtec* auf mnd. *wichtich[t]* zurück, eine Ableitung von mnd. *wicht[e]* »Gewicht« (vgl. den Artikel *Gewicht*). Das Adjektiv hatte ursprünglich den konkreten Sinn »abgewogen, volles Gewicht besitzend«. Vom 16. Jh. an wandelte sich die konkrete Bedeutung zu der abstrakten »bedeutend, wesentlich«.

Wicke: Der auf das dt. und niederl. Sprachgebiet beschränkte Pflanzenname mhd. *wicke,* ahd. *wicca,* niederl. *wikke* ist aus lat. *vicia* »Wicke« entlehnt.

Wickel

jmdn. am/beim Wickel packen/kriegen/haben/nehmen

1. »jmdn. fassen und festhalten«
2. »jmdn. heftig zurechtweisen«
Mit ›Wickel‹ bezeichnete man früher das Band, das den [Männer]zopf zusammenhält. Diese und die folgende Wendung gehen also in ähnlicher Weise wie ›jmdn. am Kragen packen‹ auf eine konkrete Situation zurück.

etwas beim Wickel haben

(ugs.) »sich mit etwas eingehend beschäftigen«
Vgl. die vorangehende Wendung.

wickeln: Das Verb (mhd. *wickeln*) ist eine Ableitung von dem Substantiv **Wickel** (mhd., ahd. *wickel* »Faserbündel«). Dieses Substantiv ist wie ahd. *wicchilīn* eine Verkleinerungsbildung zu ahd. *wich[a],* mhd. *wicke* »Faserbündel, Docht«, das im germ. Sprachbereich z. B. mit engl. *wick* »Docht« verwandt ist. Zugrunde liegt die idg. Wurzel **u̯eg-* »weben, knüpfen; Gespinst«. Vgl. aus anderen idg. Sprachen aind. *vāgurā́* »Fangstrick, Netz zum Wildfang, Garn«, lat. *velum* »Segel, Hülle, Tuch«, air. *figim* »webe«. Zu derselben Wurzel gehören das unter ↑Wachs (eigentlich »Gewebe der Bienen«) behandelte Substantiv und wahrscheinlich auch der erste Bestandteil der unter ↑Wacholder behandelten Zusammensetzung. Das abgeleitete Verb ›wickeln‹ bedeutet eigentlich »ein Faserbündel um einen Rocken winden«, aber schon in den ersten Belegen tritt es in der allgemeinen Bedeutung »um etwas winden« auf. Diese Bedeutung hat sich dann vom 15. Jh. an auch auf das Substantiv ›Wickel‹ ausgedehnt, das seitdem »etwas zum Wickeln, etwas Gewickeltes« bedeutet. – Abl.: **Wick[e]lung** (16. Jh.). Präfixbildungen und Zusammensetzungen: **abwickeln** (16. Jh.; seit dem 18. Jh. auch übertragen »zum Abschluss bringen, erledigen«); **einwickeln** (16. Jh.); **entwickeln** (im 17. Jh. für »auf-, auseinander wickeln«, seit dem Ende des 18. Jh.s im übertragenen Sinne von »[sich] entfalten; [sich] stufenweise herausbilden«, seit der 2. Hälfte des 19. Jh.s auch als fototechnischer Ausdruck »ein Bild auf einem Film sichtbar werden lassen«), dazu **Entwicklung** (17. Jh.); **verwickeln** »verwirren, durcheinander bringen; einbeziehen, hineinziehen; durcheinander geraten« (spätmhd. *verwickeln*), dazu **verwickelt** (im Sinne von »kompliziert«, 18. Jh.) und **Verwicklung** (Anfang des 16. Jh.s; in der Bedeutung »Komplikation, Schwierigkeit« seit dem 18. Jh.).

Widder: Die altgerm. Bezeichnung des Schafbocks (mhd. *wider,* ahd. *widar,* niederl. *we[d]er,* engl. *wether* »Hammel«, schwed. *vädur*) gehört wie das anders gebildete Wort got. *wiþrus* »Lamm« zu idg. **u̯et-* »Jahr« (vgl. dazu aind. *vatsará-ḥ* »Jahr«, griech. *étos* »Jahr« und lat. *vetus* »alt, bejahrt« [↑Veteran]). Ähnliche außergerm. Bildungen sind z. B. aind. *vatsá-ḥ* »Jährling, Kalb, Rind« und griech. *ételon* »Jährling von Haustieren«. Das Substantiv ›Widder‹ bedeutet also eigentlich »einjähriges Tier, Jährling«.

wider, wieder: Das gemeingerm. Wort (Präposition, Adverb) mhd. *wider,* ahd. *widar[i],* got. *wiþra,* aengl. *wiđer,* aisl. *viđr* geht auf einen idg. Komparativ **u̯i-t[e]ro-* »mehr auseinander, weiter weg« zurück, vgl. aind. *vítaram* »weiter, ferner«, wohl auch russ. *vtoroj* »der Zweite« (eigentlich »der, der weiter weg ist«). Dieses Komparativ ist eine Bildung zu dem unter ↑weit behandelten idg. **u̯i-* »auseinander«. Aus der Bedeutung »weiter weg« entwickelte sich »gegenüber, gegen«, dann »hin und zurück, zurück, abermals«. Die unterschiedliche Schreibung der Präposition ›wider‹ »gegen« und des Adverbs ›wieder‹ »abermals« geht auf Gelehrte des 17. Jh.s zurück. Als Adverb wird ›wider‹ heute nur in verbalen Zusammensetzungen (s. u.) und in **zuwider** »jemandes Wünschen entgegengesetzt; nicht günstig; entgegen« (16. Jh.) gebraucht. – Abl.: **widerlich** »Ekel hervorrufend, abstoßend, unsympathisch« (16. Jh.); **widern** veraltet für »jemandem ekelhaft sein« (mhd. *wider[e]n,* ahd. *widarōn* »entgegen sein, entgegentreten, sich sträuben«), dazu **anwidern** »zuwider sein, ekeln« (um 1800) und **erwidern** (mhd. *erwideren* »entgegnen, antworten«, mit anderer Bedeutung ahd. *irwidarōn* »verwerfen«), dazu **Erwiderung** »Entgegnung, Antwort« (17. Jh.); **widrig** »ungünstig, hinderlich« (16. Jh.). Zus.: **Widerhall** (spätmhd. *widerhal,* Ersatzwort für ›Echo‹); **widerlegen** (mhd. *widerlegen* »ersetzen, vergelten«; seit dem 16. Jh. in der Bedeutung »als unrichtig erweisen«), dazu **Widerlegung** (mhd. *widerlegunge* »Gegengabe«; seit dem 16. Jh. im heutigen Sinn); **widerrufen** (mhd. *widerruofen* »zurückrufen; für ungültig erklären«), dazu **Widerruf** (mhd. *widerruof[t]* »Widerspruch, Weigerung«); **Widersacher** (s. d.); **widerspenstig** (s. d.); **widersprechen** (mhd. *widersprechen,* ahd. *widarsprechan* »Einspruch erheben; ablehnen, leugnen; sich lossagen«, im Nhd. auch »im Widerspruch stehen, nicht übereinstimmen«), dazu **Widerspruch** (spätmhd. *widerspruch*); **widerstehen** (mhd. *widerstēn,* ahd. *widarstēn* »entgegentreten, sich widersetzen; zuwider sein«), dazu **Widerstand** (spätmhd. *widerstant* »das Entgegentreten, das Sichwidersetzen«, seit der 1. Hälfte des 19. Jh.s auch als elektrotechnischer Terminus verwendet); **widerwärtig** »hinderlich; höchst unangenehm« (mhd. *widerwertec,* ahd. *widarwartīg* »entgegengesetzt, feindlich«; Ableitung von einem im Nhd. untergegangenen Adverb mhd. *widerwert,* ahd. *widarwert* »entgegen; verkehrt«, vgl. *...wärts;* mhd. auch schon für »unangenehm, abstoßend«); **Widerwille** »heftige Abneigung« (mhd. *widerwille* »Ungemach, Widersetzlichkeit«; seit dem 16. Jh. für »Abscheu, Ekel«), dazu **widerwillig** »widerstrebend, höchst ungern; voller Unmut«; **wiederholen** (mhd. nicht bezeugt, ahd. *widarholōn* »zurückrufen; seit dem 15. Jh. für »noch einmal sagen oder tun« neben unfestem ›wiederholen‹ »zurückholen«, 16. Jh.), dazu **Wiederholung** (17. Jh.).

widerborstig ↑Borste.

Widerpart ↑Part.

Widersacher »persönlicher Gegner«: Das Wort ist eine seit dem 14. Jh. bezeugte Bildung zu dem Verb mhd. *widersachen* »widerstreben«, ahd. *widarsachan* »rückgängig machen«. Der erste Teil dieses zusammengesetzten Verbs ist das unter ↑wider behandelte Wort in der Bedeutung »gegen«, der zweite Teil gehört zu mhd. *sachen,* ahd. *sahhan* »streiten, anklagen« (vgl. den Artikel *Sache*). ›Widersacher‹ bezeichnete also ursprünglich den Gegner in einem gerichtlichen Streitfall.

widerspenstig »widersetzlich, widerstrebend«: Das seit dem 15. Jh. bezeugte Adjektiv hat gleichbedeutende ältere Bildungen wie mhd. *widerspæne[c], -spen[n]ic* verdrängt. Es gehört zu ↑spannen (beachte die Bildungen mhd. *span, spān* »Spannung, Streitigkeit«, *widerspān* »Streit, Zank; Härte des Holzes«), wurde aber früher vom Sprachgefühl auch mit ›Span‹ »Holzspan« verbunden. Siehe auch den Artikel *abspenstig.*

widersprechen, Widerspruch ↑wider.

Widerstand, widerstehen ↑stehen.

widerstreben ↑streben.

widerwärtig, Widerwille, widerwillig ↑wider.

widmen: Das Verb mhd. *widemen,* ahd. *widimen* ist von dem Substantiv mhd. *wideme,* ahd. *widimo* »Brautgabe, Kirchengut« abgeleitet. Es bedeutet eigentlich »mit einer Schenkung ausstatten«. Daraus entwickelte sich in nhd. Zeit die Verwendung im Sinne von »[feierlich] zueignen, für jemanden oder etwas bestimmen«. – Abl.: **Widmung** (spätmhd. *widemunge* »Ausstattung«; in der Bedeutung »Zueignungstext« seit dem 18. Jh.).

widrig ↑wider.

wie: Das Wort mhd. *wie*, ahd. *[h]wio*, got. *ƕaiwa* (vgl. auch engl. *how* »wie«) gehört zu dem unter ↑wer, was behandelten idg. Stamm. – Zus.: **wieso** »warum« (16. Jh.).

Wiedehopf: Der Vogelname mhd. *witehopf[e]*, ahd. *witihopfa* ist lautnachahmenden Ursprungs. Zugrunde liegt etwa **wudhup*, das den Paarungsruf des Vogels wiedergibt, vgl. gleichbed. lat. *upupa*, griech. *épops* und lett. *pupuķis*.

wieder ↑wider.

wiederherstellen, Wiederherstellung ↑stellen.

wiederholen, Wiederholung ↑wider.

wiederkäuen, Wiederkäuer ↑kauen.

Wiege: Das auf das dt. und niederl. Sprachgebiet beschränkte Wort (mhd. *wige, wiege*, spätahd. *wīga, wiega*, niederl. *wieg*) gehört wahrscheinlich zu der unter ↑[1]bewegen entwickelten idg. Wurzel *u̯eĝh-* »sich bewegen, schwingen, fahren, ziehen«. Es würde dann eigentlich »das sich Bewegende, Schwingende« bedeuten. Ablautend verwandt sind z. B. aisl. *vagga* »Wiege« und engl. *to wag* »schütteln, bewegen«. – Abl.: [1]**wiegen** (15. Jh.; das Verb bedeutete anfänglich nur »ein Kind in der Wiege wiegen«; seit dem 18. Jh. wird es auch übertragen im Sinne von »[sich] sanft hin und her bewegen« verwendet). Siehe auch den Artikel *gewiegt*.

[1]**wiegen** ↑Wiege.

[2]**wiegen** »ein bestimmtes Gewicht haben; [mithilfe einer Waage] das Gewicht von etwas bestimmen«: Das Verb ist eine Neubildung des 16. Jh.s zu ↑wägen, und zwar aus den Formen der 2. und 3. Person Singular ›du wiegst, er wiegt‹ dieses Verbs. Beachte auch das seit dem 19. Jh. gebräuchliche **vorwiegend**, das wahrscheinlich aus einer Kreuzung von ›vorherrschend‹ und ›überwiegend‹ hervorgegangen ist.

wiehern: Das Verb mhd. *wiheren* ist eine Iterativbildung zu mhd. *wihen* »wiehern«, das zusammen mit den verwandten Bildungen ahd. *[h]weiōn*, mhd. *weien* »wiehern« lautnachahmenden Ursprungs ist.

wienern: Der seit dem 19. Jh. bezeugte, aus der Soldatensprache in die Umgangssprache gedrungene Ausdruck für »polieren, blank machen« ist eine Ableitung von ›Wiener ([Putz]kalk)‹, dem veralteten Namen eines Poliermittels.

Wiese: Die Herkunft des auf das dt. Sprachgebiet beschränkten Worts (mhd. *wise*, ahd. *wisa*) ist nicht sicher geklärt. Einerseits könnte es zu der idg. Wurzel **u̯eis-* »sprießen, wachsen« gehören, vgl. dazu auch aengl. *wīse* »Spross, Stängel«, aisl. *vīsir* »Keim, Spross«. Außergerm. stellen sich zu dieser Wurzel lat. *viridis* »grün« (↑Wirsing), lit. *veĩstis* »sich vermehren«. Andererseits kann das Wort aber auch – zusammen mit dem anders gebildeten engl. *ooze* »Schlamm« und dem ablautenden aisl. *veisa* »Schlamm« – auf der idg. Wurzel **u̯eis-* »[zer]fließen (besonders von faulenden Pflanzen und stinkenden Flüssigkeiten)« beruhen. Vgl. dazu aind. *vḗṣati* »zerfließt«, aind. *viṣá-m* »Gift«, griech. *ī́ós* »Gift«, lat. *virus* »Schleim, Gift« (↑Virus). Zu dieser Wurzel gehören vielleicht auch die unter ↑Wiesel und ↑Wisent behandelten Wörter.

Wiesel: Die Herkunft des altgerm. Tiernamens mhd. *wisele*, ahd. *wisula*, niederl. *wezel*, engl. *weasel*, schwed. *vessla* ist nicht sicher geklärt. Vielleicht beruht er auf der unter ↑Wiese dargestellten idg. Wurzel **u̯eis-* »[zer]fließen (besonders von faulenden Pflanzen und stinkenden Flüssigkeiten)«. ›Wiesel‹ würde dann eigentlich »Stinker« bedeuten. Vgl. den Artikel *Wisent*. Die vermutete Verwandtschaft mit dem zweiten Kompositionsglied der unter ↑Iltis behandelten Zusammensetzung ist ebenfalls fraglich.

wild: Das gemeingerm. Adjektiv mhd. *wilde*, ahd. *wildi*, got. *wilþeis*, engl. *wild*, aisl. *villr* ist unsicherer Herkunft. Vielleicht gehört es zu der unter ↑Wald genannten Wortsippe. Dann könnte es ursprünglich »im Wald wachsend, nicht angebaut« bedeutet haben. Siehe auch den Artikel *Wild*. – Abl.: **Wildheit** (17. Jh.); **verwildern** »überwuchern, zur Wildnis werden; verwahrlosen; wieder als Wildtier leben« (17. Jh.; für älteres ›verwilden‹); **Wildnis** »unbebautes, nicht besiedeltes Gebiet« (mhd. *wiltnisse*). Zus.: **Wildbret** »Fleisch von Wild« (mhd. *wildbræ̅te, wildbrāt;* der zweite Teil gehört zu dem unter ↑Braten behandelten Wort, das ursprünglich »Fleisch« bedeutete); **Wildfang** (spätmhd. *wiltvanc* »eingefangene Person, die umherirrte«; die ursprüngliche Bedeutung ist »eingefangenes, wildes Tier«; die heutige Bedeutung »lebhaftes Kind« ist bereits im 17. Jh. belegt); **Wildwest** (20. Jh.; Lehnübersetzung aus amerik.-engl. *Wild West*, Bezeichnung des westlichen Teils der Vereinigten Staaten zur Zeit der Landnahme und des Goldrausches, als dort noch Gesetzlosigkeit herrschte; heute auch übertragen gebraucht).

Wild: Das westgerm. Substantiv mhd. *wilt*, ahd. *wild*, niederl. *wild*, aengl. *wild, wildor* ist unsicherer Herkunft. Vielleicht ist es eine Kollektivbildung zu dem unter ↑wild behandelten Adjektiv. – Abl.: **Wilderer** (mhd. *wilderæ̅re* »Jäger«; seit dem 16. Jh. »Wilddieb«), dazu **wildern** »unbefugt jagen; herumstreunen« (Ende des 18. Jh.s).

Wille: Das gemeingerm. Substantiv mhd. *wille*, ahd. *willio*, got. *wilja*, engl. *will*, schwed. *vilja* ist eine Bildung zu dem unter ↑[2]wollen behandelten Verb. – Abl.: **willig** »gerne bereit, etwas zu tun« (mhd. *willec*, ahd. *willig*), dazu **willigen** veraltet für »sich einverstanden erklären« (mhd. *willigen* »willig machen; bewilligen; einwilligen«) mit **bewilligen** »gewähren, zugestehen« (15. Jh.) und **einwilligen** »sich einverstanden erklären« (17. Jh.). Siehe auch die Artikel *willkommen* und *Willkür*.

Willensakt ↑Akt.

willkommen: Die Zusammensetzung mhd. *willekomen,* spätahd. *willechomen* enthält als zweiten Bestandteil das 2. Partizip von ›kommen‹. Der erste Bestandteil ist das Substantiv ↑Wille. Die Zusammensetzung bedeutet demnach etwa »(du bist) nach Willen (d. h. nach Wunsch) gekommen«.

Willkür: Das Substantiv (mhd. *wil[le]kür*) ist eine Zusammensetzung aus den unter ↑Wille und ↑Kür behandelten Wörtern. Es bedeutet demnach eigentlich »Entschluss, Beschluss des Willens«, d. h. »freie Wahl oder Entschließung«. Die abwertende Bedeutung »Handeln nach eigenem Gutdünken ohne Rücksicht auf andere« (wie in ›Willkürherrschaft‹), die in Ansätzen schon im Mhd. vorhanden war, gilt seit der 2. Hälfte des 18. Jh.s fast ausschließlich.

wimmeln: Das Verb mhd. *wimelen* ist eine Iterativbildung zu mhd. (mitteld.) *wimmen* »sich schnell hin und her bewegen«. Vgl. dazu auch das ahd. Verb *wimidōn* »sprudeln, zittern«. Die außergerm. Beziehungen sind unsicher.

wimmern: Das seit dem 16. Jh. bezeugte Verb ist eine Ableitung von mhd. *wimmer* »Gewinsel«, das lautnachahmenden Ursprungs ist. Vgl. dazu engl. *to whimper* »wimmern«.

Wimpel: Das altgerm. Substantiv mhd. *wimpel* »Binde zum Zusammenhalten des Haares, Kopfschutz«, ahd. *wimpal* »Frauengewand, Schleier«, niederl. *wimpel* »[Schiffs]wimpel«, engl. *wimple* »Schleier; Wimpel«, aisl. *vimpill* »Schleier« bedeutete ursprünglich wohl »Hülle, Binde«. Die Herkunft des Wortes ist nicht sicher geklärt. Es beruht vielleicht auf einer nasalierten Form der unter ↑Weib entwickelten idg. Wurzelform in ihrer Bedeutung »umhüllen«. Seit dem 15. Jh. breitete sich die heutige Bedeutung »Schiffswimpel, Fähnlein« vom Niederdeutschen her aus.

Wimper: Das Substantiv mhd. *wintbrā[we],* ahd. *wintbrāwa* ist eine Zusammensetzung, deren zweiter Teil das unter ↑Braue behandelte Wort ist. Die Herkunft des ersten Bestandteils (mhd., ahd. *wint-*) ist unsicher. Vielleicht ist er mit griech. *íonthos* »junger Bart, Flaum« und mir. *find* »Haupthaar« verwandt. ›Wimper‹ würde dann eigentlich »Haarbraue« bedeuten. Es ist aber auch möglich, dass das Wort zu dem unter ↑[1]winden behandelten Verb gehört. In diesem Falle würde ›Wimper‹ eigentlich »die gewundene Braue« oder »die sich windende (= sich auf und ab bewegende) Braue« bedeuten.

Wind: Das gemeingerm. Substantiv mhd. *wint,* ahd. *wind,* got. *winds,* engl. *wind,* schwed. *vind* gehört mit Entsprechungen in anderen idg. Sprachen zu der unter ↑wehen dargestellten idg. Wurzel, vgl. z. B. tochar. A *wänt* »Wind«, lat. *ventus* »Wind« (↑Ventil) und die kelt. Sippe von kymr. *gwynt* »Wind«. Es bedeutet demnach eigentlich »der Wehende«. Nicht zu ›Wind‹ gehört der erste Bestandteil von ↑Windhund und ↑windschief. – Abl.: **[1]winden** »wehen« (spätmhd. *winden*); **windig** »stark wehend, windreich; nicht zuverlässig; zweifelhaft« (mhd. *windic*). Zus.: **Windbeutel** (18. Jh.; eigentlich »mit Luft gefüllter Beutel«; heute nur übertragen gebraucht im Sinne von »hohles Gebäck«, ugs. für »leichtfertiger Mensch«); **Windjammer** (s. d.).

Wind

von etwas Wind bekommen
(ugs.) »von etwas, das geheim bleiben sollte, erfahren«
Diese Wendung stammt aus der Jägersprache. Sie bezieht sich auf die Witterung, die das Wild bekommt, wenn der Wind ihm den Geruch des Jägers zuträgt.

jmdm. den Wind aus den Segeln nehmen
»einem Gegner den Grund für sein Vorgehen oder die Voraussetzungen für seine Argumente nehmen«
Die Wendung stammt aus der Seemannssprache. Vor allem bei Seegefechten kam es früher darauf an, durch geschickte Manöver das gegnerische Schiff in den Windschatten zu bekommen.

etwas in den Wind schlagen
(ugs.) »etwas [gut Gemeintes] nicht beachten«
Der Wind als etwas, was nicht fassbar, nicht von Dauer ist, steht in dieser Wendung als Bild für Leere, Vergeblichkeit, Verlust; auch zum Ausdruck der Geringschätzigkeit, die einer Sache gegenüber deutlich wird. Bei der Vorstellung »ins Leere schlagen« kann auch die Handbewegung mitgewirkt haben, mit der man etwas von sich weist, abtut.

Windel: Das Substantiv mhd. *windel,* ahd. *windila* ist eine Bildung zu dem unter ↑[2]winden behandelten Wort und bedeutet eigentlich »Binde zum Winden, Wickeln«. – Zus.: **windelweich** (19. Jh.; eigentlich »weich wie eine zarte Windel«, dann »sehr weich«).

[1]winden ↑Wind.

[2]winden: Das gemeingerm. Verb mhd. *winden,* ahd. *wintan,* got. *bi-windan* »umwinden«, engl. *to wind,* schwed. *vinda* gehört mit verwandten Wörtern in anderen idg. Sprachen zu der idg. Wurzelform **u̯endh-* »drehen, winden, wenden, flechten«, vgl. z. B. aind. *vandhúra-ḥ* »Wagensitz« (ursprünglich »geflochtener Wagenkorb«) und griech. *kánnathron* »geflochtener Wagen[korb]«. Um ›winden‹ gruppieren sich die Bildungen ↑Wand (eigentlich »Gewundenes, Geflochtenes«), ↑Windel, das Bestimmungswort von ↑Wendeltreppe und ↑Gewinde. Das Veranlassungswort zu ›winden‹ ist ↑wenden. Das Verb ›winden‹ steckt auch in ↑windschief und vielleicht in ↑Wimper. Die Verben ›überwinden‹ und ›verwinden‹ haben ursprünglich nichts mit ›winden‹ zu tun (vgl. *überwinden*). – Abl.: **Win-**

de (als Bezeichnung einer Hebevorrichtung mhd. *winde*, ahd. *wazzar-winda* »Wasserwinde«; als Pflanzenname mhd. *winde*, ahd. *winda*, eigentlich »die sich Windende«); **Windung** »gewundene Linie, Bogen« (16. Jh.). Zus.: **umwinden** (15. Jh.), dazu das verneinte 2. Partizip **unumwunden** »offen, freiheraus« (Ende des 18. Jh.s).

Windhose ↑Hose.

Windhund: Die seit dem 16. Jh. bezeugte verdeutlichende Zusammensetzung ist an die Stelle des einfachen Substantivs älter nhd. *Wind* »Windhund« (mhd., ahd. *wint*) getreten, das nichts mit dem unter ↑Wind behandelten Wort zu tun hat, sondern wohl zur slawischen Völkerbezeichnung ›Wenden‹ gehört. Demnach würde ›Windhund‹ eigentlich »wendischer Hund« bedeuten.

windig ↑Wind.

Windjammer: Der seemannssprachliche Ausdruck für ein großes Segelschiff wurde im 20. Jh. aus gleichbed. engl. *windjammer* (eigentlich etwa »Windpresser«) übernommen. Der erste Bestandteil ist engl. *wind* »Wind«, der zweite Bestandteil gehört zu engl. *to jam* »pressen«.

windschief: Das seit dem 18. Jh. bezeugte Adjektiv hat nichts mit dem Substantiv ↑Wind zu tun, sondern gehört zu dem unter ↑²winden behandelten Verb. Es bedeutet eigentlich »gewunden schief« und bezog sich ursprünglich auf Bäume mit Drehwuchs.

Windung ↑²winden.

Winkel: Das westgerm. Substantiv mhd. *winkel*, ahd. *winkil*, niederl. (veraltet) *winkel*, aengl. *wincel* gehört zu der unter ↑winken behandelten idg. Wortgruppe. Es bedeutet demnach eigentlich »Biegung, Krümmung, Knick«. – Abl.: **wink[e]lig** »voller Winkel« (19. Jh.; für älteres ›winklicht‹); **winkeln** »zu einem Winkel beugen« (15. Jh.; beachte dazu ›an-, abwinkeln‹). Zus.: **Winkeladvokat** (1. Hälfte des 19. Jh.s; eigentlich der »unbefugte, heimlich im ›Winkel‹ arbeitende Advokat«; heute meist »schlechter, mit fragwürdigen Mitteln arbeitender Rechtsanwalt oder Rechtsberater«); **Winkelzug** »schlaues Vorgehen, Trick« (16. Jh.; zuerst im Niederd. bezeugt).

winken »mit der Hand oder einem Gegenstand ein Zeichen geben«: Das Verb mhd., ahd. *winken* »schwanken; winken« (entsprechend engl. *to wink* »blinzeln«) gehört – wie das unter ↑wanken behandelte ablautende Verb – zu idg. **u̯e-n-g-* »sich biegen, schwankende Bewegungen machen«. Vgl. aus anderen idg. Sprachen aind. *váŋgati* »geht, hinkt«, alban. *vank* »Felge«, lit. *véngti* »meiden« (eigentlich »ausbiegen«). Zur gleichen idg. Wurzel gehört auch das unter ↑Winkel behandelte Substantiv. – Abl.: **Wink** »Zeichen mit der Hand o. Ä., Hinweis; Fingerzeig« (mhd. *wink*, ahd. *winch*).

winseln: Das Verb mhd. *winseln* ist eine Weiterbildung zu dem untergegangenen gleichbedeutenden Verb mhd. *winsen*, ahd. *winsōn*, das wohl lautmalender Herkunft ist.

Winter: Das gemeingerm. Substantiv mhd. *winter*, ahd. *wintar*, got. *wintrus*, engl. *winter*, schwed. *vinter* gehört vielleicht zu der unter ↑Wasser entwickelten idg. Wurzel **[a]u̯ed-* »benetzen, befeuchten, fließen«. Das Wort würde dann eigentlich »feuchte Jahreszeit« bedeuten. Zum Sachlichen vgl. den Artikel *Jahr*.

Winzer: Das Substantiv spätmhd. *wīnzer*, mhd. *wīnzürl*, ahd. *wīnzuril* ist aus lat. *vinitor* »Weinleser« (zu lat. *vinum* »Wein«, vgl. *Wein*) entlehnt. Das lat. Wort wurde bei der Übernahme in der Form an Berufsnamen auf ahd. *-il* (wie in ↑Büttel) angeglichen. Das Suffix ging später wieder verloren.

winzig: Das nur dt. Adjektiv (mhd. *winzic*) ist eine intensivierende Bildung zu dem unter ↑wenig behandelten Wort.

Wipfel: Das nur dt. Substantiv (mhd. *wipfel*, ahd. *wiphil*) ist eine Bildung zu dem im Nhd. untergegangenen Verb mhd. *wipfen* »sich schwingend bewegen, hüpfen, springen« (vgl. *wippen*). Es bedeutet also eigentlich »das hin und her Schwingende«.

wippen: Das im 16. Jh. aus dem Niederd. ins Hochd. übernommene Verb geht auf mnd. *wippen* »springen, hüpfen« zurück, vgl. niederl. *wippen* »schaukeln, wippen«, engl. *to whip* »sich bewegen, springen«, schwed. *vippa* »wippen, kippen« (vgl. über die weiteren Zusammenhänge den Artikel *Weib*). Das entsprechende oberd. Verb mhd. *wipfen* »hüpfen, springen« (dazu ↑Wipfel) ist untergegangen. – Abl.: **Wippe** »Schaukel« (im 17. Jh. aus niederd. *wippe* übernommen, dort seit dem 14. Jh. als Rückbildung zu ›wippen‹ bezeugt).

Wippsterz ↑Bachstelze.

Wirbel: Das altgerm. Substantiv mhd. *wirbel*, ahd. *wirbil*, niederl. *wervel*, schwed. *virvel* ist eine Bildung zu dem unter ↑werben behandelten Verb in dessen alter Bedeutung »sich drehen«. Es bedeutete zunächst »schnelle Drehung, kreisförmige Bewegung« (besonders der Luft und des Wassers), dann auch »spiraliger oder kreisförmiger Gegenstand; drehbarer Stift«. Die Bedeutung »Haarwirbel« ist seit dem 12. Jh., die Bedeutung »Knochenwirbel« seit dem 16. Jh., die Bedeutung »Trommelwirbel« (von der wirbelnden Bewegung der Trommelstöcke) seit dem 18. Jh. bezeugt. In der Umgangssprache ist ›Wirbel‹ auch im Sinne von »Aufregung, Trubel« gebräuchlich.

wirken: Das westgerm. Verb mhd., ahd. *wirken*, niederl. *werken*, aengl. *wircan* ist wahrscheinlich eine Ableitung von dem unter ↑Werk behandelten Substantiv. Es steht neben dem älteren gemeingerm. Verb ahd. *wurchen*, mhd. *würken* (nhd. veraltet: *würken*), got. *waúrkjan*, aengl. *wyrc[e]an* (engl. *to work*), schwed. *yrka*, das zu der unter ↑Werk dargestellten idg. Wurzel gehört. – Abl.: **wirklich** »real, wahr, tatsächlich« (mhd. *würke[n]lich*, *würklich*, 13. Jh.; spätmhd. *wirkelich* »tätig, wirksam, wirkend«; die heutige Bedeutung ist zuerst im 15. Jh. bezeugt), dazu **Wirklichkeit** »das als Gegebenheit oder Erscheinung Fassbare« (spätmhd. *wirkelicheit*) und **verwirklichen** »in die Tat umsetzen, realisieren« (2. Hälfte des 18. Jh.s); **wirksam** »mit Erfolg wirkend« (16. Jh.), dazu **Wirksamkeit** (17. Jh.); **Wirkung** »Einfluss, erzielte Veränderung, Effekt« (spätmhd. *wirkunge*). Präfixbildungen: **bewirken** »verursachen, herbeiführen« (mhd. *bewirken* »umfassen«; die heutige Bedeutung seit dem 18. Jh.); **verwirken** »einbüßen« (mhd. *verwirken* »einfassen, verlieren«, ahd. *firwirken* »verlieren«).

wirr: Das seit dem 17. Jh. bezeugte Adjektiv ist eine Rückbildung aus dem unter ↑verwirren behandelten Verb ›wirren‹.

Wirren, Wirrwarr ↑verwirren.

Wirsing: Das in dieser Form seit dem 17. Jh. bezeugte Substantiv beruht auf einer Entlehnung aus lombardisch *verza* »Wirsingkohl«, das auf lat. *viridia* »grüne Gewächse« (zu lat. *viridis* »grün«, vgl. *Wiese*) zurückgeht.

Wirt: Mhd., ahd. *wirt* »Ehemann, Gebieter, Gastfreund, Gastwirt«, got. *waírdus* »Gastfreund«, niederl. *waard* »[Gast]wirt« (vgl. aisl. *verđr* »Mahlzeit, Speise«) gehören wohl zu der unter ↑wahr behandelten idg. Wurzel **u̯er-* »Gunst, Freundlichkeit [erweisen]«. Eine Bildung zu ›Wirt‹ ist ↑Wirtschaft. – Abl.: **wirten** schweiz. mdal. für »den Wirtsberuf ausüben« (mhd. *wirten* »bewirten«), dazu **bewirten** »einem Gast zu essen und zu trinken geben« (mhd. *bewirten*); **wirtlich** (mhd. *wirtlich* »einem Wirt angemessen«; in der heute veraltenden Bedeutung »gastlich, einladend« seit dem 17. Jh.), dazu **unwirtlich** (18. Jh.).

Wirtel »scheiben- oder kugelförmiges Schwunggewicht an der Spindel des Spinnrads« und »ringförmiger Mauerstein am Schaft einer Säule, der sie mit der Wand verbindet« (Architektur): Das seit spätmhd. Zeit bezeugte Substantiv ist eine Bildung zu dem unter ↑werden behandelten Verb in dessen alter Bedeutung »[sich] drehen«.

Wirtschaft: Das auf das dt. und niederl. Sprachgebiet beschränkte Wort (mhd. *wirtschaft*, ahd. *wirtscaft*, niederl. mdal. *waardschap* »Besuch; Gastmahl«) ist von dem unter ↑Wirt behandelten Substantiv abgeleitet und bezeichnete zunächst die Tätigkeit des Hausherrn und Wirtes, die Bewirtung, dann bedeutete es auch »Gastmahl« und seit dem 16. Jh. auch »Gastwirtschaft«. Im 17. Jh. kam die Verwendung im Sinne von »Verwaltung (eines Hauses, Hofes), Hauswesen, Haushalt« auf. Daraus entwickelte sich der Gebrauch von ›Wirtschaft‹ als Bezeichnung für die Gesamtheit der Einrichtungen und Maßnahmen zur Deckung des menschlichen Bedarfs an Gütern und persönlichen Leistungen. – Abl.: **wirtschaften** »rationell mit etwas umgehen, verwenden; im Haushalt tätig sein« (mhd., ahd. *wirtscheften*); **wirtschaftlich** »die Wirtschaft betreffend; haushälterisch, sparsam« (in der heutigen Bedeutung seit der 1. Hälfte des 18. Jh.s).

Wisch: Das altgerm. Substantiv mhd. *wisch*, ahd. *ars-wisc* »Arschwisch«, mniederl. *wisch*, engl. *whisk*, aisl. *visk* ist z. B. näher verwandt mit aind. *vēṣká-ḥ* »Schlinge« und lat. *viscus* »Gekröse, Eingeweide« (vgl. [1]*Weide*). Es bedeutete ursprünglich »zusammengedrehtes Bündel, Strohbüschel«, dann »Mittel zum Wischen« und übertragen »wertloses Zeug«. Siehe auch den Artikel *Flederwisch*. – Abl.: **wischen** »reiben; säubern; entfernen« (mhd. *wischen* »wischen; sich schnell bewegen«, ahd. *wisken* »wischen«), dazu **entwischen** »entkommen« (mhd. *entwischen*, ahd. *intwisken*); **Wischer** (15. Jh.; heute meist kurz für ›Scheibenwischer‹).

Wisent: Der westgerm. Tiername mhd. *wisent*, ahd. *wisant*, mniederl. *wesent*, aengl. *wesand* gehört vielleicht zu der unter ↑Wiese behandelten idg. Wurzel **u̯eis-* »[zer]fließen« (besonders von faulen Pflanzen und stinkenden Flüssigkeiten). Das Tier würde dann nach seinem eigentümlichen Moschusgeruch während der Brunstzeit benannt worden sein. Siehe auch den Artikel *Wiesel*. Beachte auch das aus lat. *bison* »Auerochse« übernommene **Bison**. Das lat. Wort seinerseits ist aus einer dem Tiernamen ›Wisent‹ zugrunde liegenden germ. Form entlehnt.

Wismut: Die Herkunft der seit dem 14. Jh. bezeugten Metallbezeichnung ist unklar. Vielleicht bezieht sich der Name auf den ersten Mutungsort ›in den *Wiesen*‹ bei St. Georgen (Schneeberg, Erzgebirge). Vgl. *muten* (↑Mut).

wispern: Das seit dem 16. Jh. bezeugte Verb ist lautnachahmenden Ursprungs, vgl. engl. *to whisper* »wispern«.

wissen: Das gemeingerm. Verb (Präteritopräsens) mhd. *wiʒʒen*, ahd. *wiʒʒan*, got. *witan*, aengl. *witan*, schwed. *veta* gehört mit verwandten Wörtern in anderen idg. Sprachen zu der idg. Wurzel **u̯eid-* »erblicken, sehen«, dann auch »wissen« (eigentlich »gesehen haben«). Vgl. z. B. griech. *ideīn* »sehen, erkennen«, *eidénai* »wissen«, *idéa* »Erscheinung, Gestalt, Urbild« (s. die Fremdwortgruppe um *Idee*), lat. *videre* »sehen« (s. die Fremdwortgruppe um *Vision*) und russ. *videt'* »sehen«. Aus dem germ. Sprachbereich gehören ferner zu dieser Wurzel die unter ↑weise, ↑weissagen, ↑[1]verweisen, ↑Witz und ↑gewiss behandelten Wörter. Von der ursprünglichen Bedeutung »erblicken, sehen« geht die Substantivbildung ↑Weise (eigentlich »Aussehen, Erscheinung«) aus. Im Dt. gruppieren sich um ›wissen‹ die Bildungen ↑Gewissen und ↑bewusst. – Abl.: **Wissenschaft** (mhd. *wiʒʒen[t]schaft* »Wissen; Vorwissen; Genehmigung«; seit dem 16./17. Jh. als Entsprechung für lat. *scientia* »geordnetes, in sich zusammenhängendes Gebiet von Erkenntnissen; forschende Tätigkeit«); **wissentlich** »bewusst« (mhd. *wiʒʒen[t]lich* »bewusst, bekannt, offenkundig«). Beachte auch die Zusammenbildung **Besserwisser** (19. Jh., aus ›[wer alles] besser weiß‹).

wittern: Das Verb mhd. *witeren* »ein bestimmtes Wetter sein oder werden«, weidmännisch »Geruch in die Nase bekommen« ist eine Bildung zu dem unter ↑Wetter behandelten Wort. Im heutigen Sprachgebrauch wird ›wittern‹ auch übertragen im Sinne von »ahnen« verwendet. – Abl.: **Witterung** »Wetter; Geruch, Geruchssinn« (16. Jh.). Siehe auch *verwittern.*

Witwe: Das altgerm. Substantiv mhd. *witewe,* ahd. *wituwa,* got. *widuwō,* niederl. *weduwe,* engl. *widow* beruht mit Entsprechungen in anderen idg. Sprachen auf idg. **u̯idheu̯ā* »Witwe«, vgl. z. B. aind. *vidhávā* »Witwe«, lat. *vidua* »Witwe«, russ. *vdova* »Witwe«. Das idg. Wort gehört wahrscheinlich zu der idg. Wurzel **u̯eidh-, *u̯idh-* »trennen« (wohl aus **u̯i-* »auseinander« [↑weit] und **dhē-* »setzen« [↑tun] entstanden), vgl. aind. *vídhyati* »durchbohrt«, lat. *di-videre* »trennen« (↑dividieren). Es würde demnach etwa »die (ihres Mannes) Beraubte« bedeuten. Hierher gehört vielleicht auch das unter ↑Waise behandelte Wort. – Abl.: **Witwer** (mhd. *witewǣre*).

Witz: Das Substantiv mhd. *witz[e],* ahd. *wizzī* (entsprechend engl. *wit*) gehört mit der anders gebildeten nord. Sippe von schwed. *vett* »Verstand« zu der unter ↑wissen dargestellten idg. Wurzel und bedeutete ursprünglich »Wissen«, woraus sich die Bedeutung »Verstand, Klugheit, Schlauheit« entwickelte. Im 17. Jh. kam im Dt. die Verwendung im Sinne von »Esprit, Gabe des geistreichen Formulierens« unter dem Einfluss von frz. *esprit* »Geist, Witz« und engl. *wit* »Geist, Witz« auf. Die Bedeutung »Spott, Scherz; scherzhafte Äußerung; kurze Geschichte mit Pointe« erscheint seit dem 18. Jh. – Abl.: **witzeln** »spötteln« (Ende des 16. Jh.s für »klug reden«; im heutigen Sinne seit dem 18. Jh.), dazu **Witzelei** (18. Jh.); **witzig** »voller Witz; einfallsreich; spaßig; komisch« (mhd. *witzec* »kundig, verständig, klug«, ahd. *wizzīg*), dazu **gewitzigt** »erfahren« (mhd. *gewitziget,* 2. Part. zu jetzt veraltetem *witzigen,* mhd. *witzegen* »klug machen«). Beachte auch **Witzbold** (im 16. Jh., seit dem Anfang des 19. Jh.s »Spaßmacher, Spötter«; zum zweiten Bestandteil vgl. den Artikel *bald*).

wo: Das westgerm. Ortsabverb mhd. *wā,* ahd. *[h]wār,* niederl. *waar,* engl. *where* (vgl. auch mit Kürze got. *ƕar,* schwed. *var* »wo«) gehört zu dem unter ↑wer, was behandelten idg. Stamm. Es bedeutet eigentlich »an was (für einem Ort), zu was (für einem Ort)«. Das schon im Mhd. geschwundene r hat sich in Zusammensetzungen mit anlautendem Vokal gehalten: **woran, worin, worüber.** Das a des Mhd. und Ahd. hat sich in **warum** (mhd. *warumbe*) erhalten.

Woche: Das gemeingerm. Substantiv mhd. *woche,* ahd. *wohha, wehha* »Woche«, got. *wikō* »(an jemanden kommende) Reihenfolge«, engl. *week* »Woche« (beachte das Fremdwort **Weekend** »Wochenende«), schwed. *vecka* »Woche« ist mit dem unter ↑weichen behandelten Verb verwandt. Besonders nah ist es mit dem unter ↑Wechsel behandelten Substantiv verwandt und bedeutet wie dieses eigentlich »das Weichen, Platzmachen«. Daraus entwickelte sich die Bedeutung »Reihenfolge (in der Zeit), regelmäßig wiederkehrender Zeitabschnitt«. Als die Germanen von den Römern den Begriff des kalendarischen Abschnitts von sieben Tagen kennen lernten, verwendeten sie als Bezeichnung dafür das heimische Wort ›Woche‹. – Beachte auch den Plural ›Wochen‹ im Sinne von »Wochenbett, Kindbett«; gemeint sind die sechs Wochen, während deren die junge Mutter Bett und Zimmer zu hüten pflegte. Daran schließen sich die Substantive **Wöchnerin** (17. Jh.; gekürzt aus älterem ›Sechswöchnerin‹) und **Wochenbett** an (16. Jh.). – Abl.: **wöchentlich** (mhd. *wochenlich*).

Woge: Das aus dem Niederd. in das Mitteld. eingedrungene Substantiv (mnd., mitteld. *wage*) ist durch Luthers Bibelübersetzung in der Form ›Woge‹ schriftsprachlich geworden. Es ist verwandt mit mhd. *wāc,* ahd. *wāg* »[bewegtes] Wasser, Fluss, See«, got. *wēgs* »Sturm, Brandung«, aengl. *wǣg* »Woge, Flut«, aisl. *vāgr* »Meer«. Alle diese Wörter gehören zu der unter ↑[1]bewegen dargestellten idg. Wortgruppe. ›Woge‹ bedeutete also ursprünglich »bewegtes Wasser«. – Abl.: **wogen** »Wellen schlagen« (18. Jh.).

wohl: Das altgerm. Adverb mhd. *wol[e],* ahd. *wola, wela,* niederl. *wel,* engl. *well,* schwed. *väl* (vgl. auch got. *waila* »wohl«) gehört zu der unter ↑[2]wollen dargestellten idg. Wurzel. Es bedeutet demnach eigentlich »erwünscht, nach Wunsch«. Es tritt auch in der Zusammensetzung ↑Wollust auf. Seit dem 15. Jh. ist die substantivierte Form **Wohl** »Wohlergehen, guter, glücklicher Zustand« gebräuchlich. – Abl.: **wohlig** »Wohlbehagen ausdrückend, angenehm« (Anfang des 18. Jh.s). Zus.: **wohlauf** »gesund, munter; wohlan, los« (17. Jh.; zusammengerückt aus ›wohl‹ und ›auf‹); **Wohlfahrt** (↑Hoffart); **wohlfeil** (↑feil); **wohlgemut** (↑Mut); **wohlhabend** »reich begütert« (14. Jh.; zu mhd. *wol haben* »sich wohl befinden«); **Wohlstand** »gute Vermögensverhältnisse, hoher Lebensstandard« (16. Jh.); **Wohltat** »gute Handlung zum Wohle eines anderen; Annehmlichkeit, Erleichterung« (mhd. *woltāt,* ahd. *wolatāt;* Lehnübersetzung von lat. *beneficium*), dazu **Wohltäter** (mhd. *woltǣter*) und **wohltätig** (mhd. *woltǣtic* »rechtschaffen; milde«); **Wohlwollen** »freundliche Gesinnung« (16. Jh.; Lehnübersetzung von lat. *benevolentia*).

wohnen: Mhd. *wonen,* ahd. *wonēn* »sich aufhalten, bleiben, wohnen; gewohnt sein«, got. *unwunands* »sich nicht freuend« (verneintes erstes Partizip), aengl. *wunian* »bleiben, wohnen; gewohnt sein«, aisl. *una* »Behagen empfinden, zufrieden sein; bleiben« gehören zu der unter ↑gewinnen dargestellten idg. Wurzel. Die eigentliche Bedeutung des Verbs ist demnach »nach etwas trachten, gern haben«, woraus sich die Bedeutungen »Gefallen finden, zufrieden sein, sich gewöhnen« (vgl. *gewohnt*) und schließlich die heute allein bestehende Bedeutung »wohnen, sich aufhalten« entwickelt haben. – Abl.: **Wohnung** (mhd. *wonunge* »Wohnung, Unterkunft; Gegend; Gewohnheit«); **wohnhaft** (mhd. *wonhaft* »ansässig, bewohnbar«).

Wohnmobil ↑mobil.

wölben: Das altgerm. Verb mhd. *welben*, niederl. *welven* »bogenförmig gestalten, wölben«, aengl. *be-hwielfan* »bedecken«, schwed. *välva* »wölben« ist das Veranlassungswort zu einem z. B. in aschwed. *hvälva* »sich wölben« vorliegenden starken Verb. Außergerm. ist z. B. verwandt griech. *kólpos* »Busen«, eigentlich »Rundung« (s. das Fremdwort [1]*Golf*). Siehe auch den Artikel *Gewölbe*.

Wolf: Der gemeingerm. Tiername mhd., ahd. *wolf*, got. *wulfs*, engl. *wolf*, schwed. *ulv* beruht mit verwandten Wörtern in anderen idg. Sprachen auf idg. **u̯l̥ko-s* »Wolf«, vgl. z. B. lat. *lupus* »Wolf«, griech. *lýkos* »Wolf«. Das idg. Wort ist wahrscheinlich eine Bildung zu einer k-Erweiterung der unter ↑Walstatt dargestellten idg. Wurzel **u̯el-* »[an sich] reißen«. Der Wolf wäre dann als der »Reißer« benannt worden. In übertragenem Sinne bezeichnet nhd. ›Wolf‹ auch reißende (wie ein Wolf gierig fressende) Geräte und Maschinen (z. B. ›Fleischwolf, Reißwolf‹; vgl. die ähnlichen Bedeutungsübertragungen bei ↑*Kran* und ↑*Ramme*). Als Bezeichnung einer schmerzhaften Hautkrankheit, besonders der Entzündung zwischen den Beinen bei langem Reiten oder Marschieren ist ›Wolf‹ seit dem Ende des 15. Jh.s bezeugt.

Wolfram: Das zuerst im 16. Jh. belegte Substantiv bezeichnete bis zum 19. Jh. das Wolframerz, seitdem das chemische Element Wolfram. Es enthält als ersten Bestandteil den Tiernamen ›Wolf‹ (weil eine Beimischung von Wolframerz das Zinn in der Schmelze verringerte, sozusagen auffraß). Der zweite Bestandteil ist das landsch. noch vorkommende Wort ›Rahm‹ »Ruß, Schmutz« (mhd., ahd. *rām*; vgl. aind. *rāmá-h* »dunkelfarbig, schwarz«; nicht mit ›Rahm‹ »Sahne« verwandt); es bezieht sich auf die schwärzliche Farbe und die leichte Zerreibbarkeit des Wolframs. Der Metallname ist also ursprünglich ein Scheltwort mit der Bedeutung »Wolfsschmutz«.

Wolke: Das Substantiv mhd. *wolke*, ahd. *wolka*, niederl. *wolk* ist eine jüngere Form des gleichbed. westgerm. Substantivs mhd. *wolken*, ahd. *wolkan*, mniederl. *wolken*, aengl. *wolcen* (vgl. engl. *welkin* »Wolkenhimmel«). Die Wörter gehören wie das unter ↑welk (eigentlich »feucht«) behandelte Adjektiv zu idg. **u̯elg-* »feucht, nass«, vgl. z. B. lit. *vìlgyti* »befeuchten« und russ. *vologa* »Feuchtigkeit«. ›Wolke‹ bedeutet also eigentlich »die Feuchte« (d. h. »die Regenhaltige«). – Abl.: **wolkig** »mit Wolken bedeckt« (15. Jh.). Präfixbildungen: **bewölken**, sich »sich mit Wolken bedecken« (17. Jh., meist im 2. Part. **bewölkt** gebräuchlich), dazu **Bewölkung** (Anfang des 19. Jh.s); **Gewölk** »größere Anzahl Wolken« (mhd. *gewülke*). Zus: **Wolkenkratzer** (Mitte des 20. Jh.s, Lehnübertragung aus engl. *skyscraper*).

Wolle: Das gemeingerm. Substantiv mhd. *wolle*, ahd. *wolla*, got. *wulla*, engl. *wool*, schwed. *ull* beruht mit Entsprechungen in anderen idg. Sprachen auf idg. **u̯l̥nā́* »Wolle«, vgl. z. B. aind. *ū́rṇa* »Wolle«, lit. *vìlna* »Wollfaser« und russ. *volna* »Wolle«. Damit verwandt sind z. B. aind. *valká-ḥ* »Bast«, lat. *villus* »zottiges Tierhaar« (↑Velours), kymr. *gwlan* »Wolle« (↑Flanell), russ. *volokno* »Faser«. Die eigentliche Bedeutung von ›Wolle‹ ist unklar. Vielleicht gehört das Wort zu der unter ↑Walstatt dargestellten idg. Wurzel **u̯el-* »[an sich] reißen, rupfen« oder aber zu der unter ↑[1]wallen dargestellten idg. Wurzel **u̯el-* »drehen, winden«. Je nachdem könnte ›Wolle‹ ursprünglich »das Ausgerissene, Gerupfte« oder »das Gedrehte, Gekräuselte« bedeutet haben. – Abl.: [1]**wollen** »aus Wolle« (mhd. *wullīn*, ahd. *wullinen*).

[1]**wollen** ↑Wolle.

[2]**wollen:** Das gemeingerm. Verb mhd. *wollen, wellen*, ahd. *wellen*, got. *wiljan*, engl. *will*, schwed. *vilja* gehört zu der idg. Wurzel **u̯el-* »wollen, wählen«. Vgl. aus anderen idg. Sprachen z. B. aind. *vára-ḥ* »Wunsch«, lat. *velle* »wollen« (↑Volontär), russ. *velet'* »befehlen«. Zu dieser Wurzel gehören auch die unter ↑wählen und ↑wohl behandelten Wörter. Eine Bildung zu ›wollen‹ ist ↑Wille.

Wollust: Das Wort mhd., spätahd. *wollust* »Wohlgefallen, Freude, Genuss« (entsprechend niederl. *wellust* »Wonne, Sinnenlust«) ist eine Zusammensetzung aus den unter ↑wohl und ↑Lust behandelten Wörtern. Die Verwendung des Wortes im erotischen Sinne begegnet schon im Mhd.

Wonne: Das Substantiv mhd. *wünne, wunne*, ahd. *wunn[i]a*, aengl. *wynn* gehört zu der unter ↑gewinnen dargestellten idg. Wurzel **u̯en[ə]-* »umherziehen, streifen, nach etwas suchen oder trachten«. ›Wonne‹ bedeutete zunächst »Verlangen, Lust, Freude, Genuss«, dann »was Genuss, Freude bereitet«, anfänglich mehr in materiellem Sinne, später auch in geistigem. Schon in ahd. Zeit konnte ›Wonne‹ auch für das damit verwandte, bereits damals absterbende ahd. *winne* »Weide[platz]« in dessen Bedeutung eintreten. Vgl. dazu den Artikel *Wonnemonat*.

Wonnemonat »Mai«: Die heute veraltete Monatsbezeichnung wurde im 16. Jh. aus der Monatsliste Karls des Großen wieder aufgenommen. Im Ahd. sind die beiden Formen *winnimānōd, wunnimānōd* »Weidemonat« belegt. Die erste Form enthält als Bestimmungswort ahd. *winne* »Weide[platz]«, dem got. *winja* »Weide, Futter« und aisl. *vin* »Weideplatz« entsprechen. Diese Wörter beruhen auf einer Bildung zu der unter ↑gewinnen dargestellten idg. Wurzel *u̯en[ə]- »umherziehen, streifen, nach etwas suchen oder trachten«. Die zweite Form *wunnimānōd* enthält als Bestimmungswort das verwandte Substantiv ahd. *wunnia* (↑Wonne), das das bereits damals veraltende *winne* ersetzte. Dieser Austausch bewirkte, dass bei der Neuaufnahme des Wortes im 16. Jh. ›Wonnemonat‹ als »Monat der Freude« und nicht als »Weidemonat« verstanden wurde.

Wonneproppen ↑Pfropfen.

Wort: Das gemeingerm. Substantiv mhd., ahd. *wort*, got. *waúrd*, engl. *word*, schwed. *ord* ist z. B. verwandt mit lat. *verbum* »Wort« (↑Verb) und lit. *var̃das* »Name« und gehört mit diesen zu der idg. Wurzel *u̯er- »feierlich sprechen, sagen« (vgl. griech. *eírein* »sagen« [↑Rhetorik] und russ. *vrat'* »lügen, faseln«). Siehe auch den Artikel *Antwort*. – Abl.: **wörtlich** »dem [Original]text entsprechend; in der eigentlichen Bedeutung« (mhd. *wortlich*, ahd. als Adverb *wortlīcho*). Zus.: **Wortbildung** (18. Jh.); **Wörterbuch** (1. Hälfte des 17. Jh.s); **Wortführer** »Sprecher einer Gruppe oder Richtung« (16. Jh.); **Wortschatz** (17. Jh.); **Wortwechsel** »Disput, Wortgefecht« (17. Jh.); **wortwörtlich** »Wort für Wort, ganz genau« (19. Jh.).

Wrack: Das am Anfang des 18. Jh.s aus dem Niederd. ins Hochd. übernommene Wort geht auf mnd. *wrack* zurück, vgl. niederl. *wrak* »Wrack«, engl. *wrack* »Strandanschwemmung von Algen, Tang, Unrat«, schwed. *vrak* »Wrack«. Dieses altgerm. Substantiv gehört zu der unter ↑rächen behandelten Wortgruppe. Es bedeutet eigentlich »herumtreibender Gegenstand«. – Dazu gehört das Verb **abwracken** »ein unbrauchbares Schiff verschrotten« (Ende des 19. Jh.s für älteres gleichbed. *wracken*).

wriggeln, wriggen ↑Rist.

wringen »nasse Wäsche auswinden«: Das aus dem Niederd. stammende Verb geht auf mnd. *wringen* »zusammendrehen, winden, drücken, pressen« zurück, vgl. gleichbed. niederl. *wringen*, engl. *to wring*. Dieses Verb beruht auf einer nasalierten Nebenform der unter ↑würgen behandelten idg. Wurzelform. Eng verwandt ist es auch mit dem unter ↑renken behandelten Verb. In Gebieten, in denen wr- am Wortanfang nicht vorkommt, hat sich ›wringen‹ z. T. mit dem unverwandten ↑ringen vermischt.

Wucher: Das altgerm. Substantiv mhd. *wuocher*, ahd. *wuochar* »Frucht, Nachwuchs, [Zins]gewinn«, got. *wōkrs* »Zins«, niederl. *woeker* »Wucher«, aengl. *wōcor* »Zuwachs, Nachkommen« gehört zu der unter ↑[2]wachsen behandelten idg. Wurzel und bedeutet eigentlich »Vermehrung, Zunahme«. Das Wort wurde zunächst neutral im Sinne von »Zinsgewinn« verwendet, seit mhd. Zeit dann abwertend im Sinne von »unverhältnismäßig hoher Gewinn von ausgeliehenem Geld«. – Abl.: **Wucherer** »jemand, der Wucher treibt« (mhd. *wuocherære*, ahd. *wuocherari;* das Wort könnte auch vom Verb ›wuchern‹ abgeleitet sein); **wuchern** »überaus üppig wachsen; Wucher treiben« (mhd. *wuochern*, ahd. *wuocherōn* »Gewinn erstreben; Frucht bringen, sich vermehren«); **Wucherung** »krankhaft vermehrte Bildung von Gewebe; Geschwulst« (mhd. [mitteld.] *wocherunge*, ahd. *wuocherunga;* in medizinischer Bedeutung seit der 1. Hälfte des 19. Jh.s).

W

Wuchs: Das seit Beginn des 18. Jh.s bezeugte Substantiv ist eine Bildung zum Verb ↑[2]wachsen. – Abl.: **wüchsig** »gut wachsend« (forstliches Fachwort des 17. Jh.s, seit der Mitte des 18. Jh.s meist in Zusammenbildungen wie ›hoch-, schnellwüchsig‹), beachte auch **urwüchsig** »naturhaft, ursprünglich, echt« (19. Jh.).

Wucht: Das seit dem 17. Jh. bezeugte Substantiv beruht auf einer mdal. Form von niederd. *wicht* »Gewicht« (↑Gewicht). Es erlangte erst im 19. Jh. allgemeine Verbreitung.

wühlen: Das auf das dt. und niederl. Sprachgebiet beschränkte Verb mhd. *wüelen*, ahd. *wuol[l]en*, niederl. *woelen* gehört zu der unter ↑[1]wallen behandelten idg. Wurzel. Es bedeutet eigentlich »[um]wälzen«.

Wulst »gerundete Verdickung, wurstförmiges Gebilde«: Die Herkunft des Substantivs mhd. *wulst[e]*, ahd. *wulsta* ist unsicher. Vielleicht gehört es zu der unter ↑[1]wallen behandelten Wortgruppe. Es würde dann eigentlich »das Gedrehte, das Gewundene« bedeuten. – Abl.: **wulstig** (18. Jh.).

wund: Das altgerm. Adjektiv mhd., ahd. *wunt*, got. *wunds*, niederl. *wond*, aengl. *wund* beruht auf einer Partizipialbildung zu der idg. Verbalwurzel *u̯en- »schlagen, verletzen«. Die eigentliche Bedeutung des Adjektivs ist »geschlagen, verletzt«. Vgl. das verwandte Substantiv engl. *wen* »Geschwulst« (eigentlich »geschlagene Beule«) und die kelt. Sippe von mittelkymr. *gweint* »ich durchbohrte«. Zu einem im 17. Jh. untergegangenen Verb *wunden* »verletzen« (mhd. *wunden*, ahd. *wuntōn*) gehört die Präfixbildung **verwunden** »verletzen, eine Wunde beibringen« (mhd. *verwunden*). Das altgerm. Substantiv **Wunde** (mhd. *wunde*, ahd. *wunta*, niederl. *wond*, engl. *wound*, aisl. *und*) ist wohl eine selbstständige Bildung zu der oben genannten idg. Wurzel und bedeutet eigentlich »Schlag, Verletzung«.

Wunder: Das altgerm. Substantiv mhd. *wunder*, ahd. *wuntar*, niederl. *wonder*, engl. *wonder*, schwed. *under* ist außerhalb des Germ. ohne sichere Anknüpfung. – Abl.: **wunderbar** »wie ein Wunder; schön, entzückend« (mhd. *wunderbære*); **wunderlich** »ungewöhnlich, absonderlich, seltsam« (mhd. *wunderlich*, ahd. *wuntarlīh* »wunderbar«); **wundern** »in Erstaunen versetzen«, reflexiv »erstaunt, überrascht sein« (mhd. *wundern*, ahd. *wuntarōn*), dazu [sich] **verwundern** (mhd. *[sich] verwundern*).

Wunderkur ↑Kur.

Wundmal ↑ ²Mal.

Wunsch: Das altgerm. Substantiv mhd. *wunsch,* ahd. *wunsc,* mniederl. *wonsc,* aengl. *wūsc-,* aisl. *ōsk* gehört im Sinne von »Trachten, Streben« zu der unter ↑ gewinnen dargestellten idg. Wortgruppe. Eine Ableitung von ›Wunsch‹ ist wohl ↑ wünschen.

Wünschelrute: Die seit dem 13. Jh. bezeugte Zusammensetzung (mhd. *wünschelruote*) enthält als ersten Bestandteil das nicht selbstständig vorkommende mhd. *wünschel-,* eine Bildung zu dem unter ↑ wünschen behandelten Verb, die etwa »Mittel, einen Wunsch zu erfüllen« bedeutet. Die Verwendung von Wünschelruten zum Aufspüren von Erzen und Wasseradern ist seit dem 16. Jh. bezeugt.

wünschen »einen Wunsch hegen«: Das altgerm. Verb mhd. *wünschen,* ahd. *wunsken,* niederl. *wenschen,* engl. *to wish,* aisl. *œskja* ist wohl eine Ableitung von dem unter ↑ Wunsch behandelten Substantiv. Eine Bildung zu ›wünschen‹ ist der erste Bestandteil der Zusammensetzung ↑ Wünschelrute.

Würde »Achtung gebietender Wert, der einem Menschen innewohnt«: Das Substantiv mhd. *wirde,* ahd. *wirdī* ist eine Bildung zu dem unter ↑ wert behandelten Adjektiv. – Abl.: **würdig** »voller Würde, Achtung gebietend; der Ehrung wert« (mhd. *wirdec,* ahd. *wirdīg*), dazu **würdigen** »ehren, anerkennen; für wert halten« (mhd. *wirdigen*) mit der Präfixbildung **entwürdigen** (um 1800).

Wurf: Das westgerm. Substantiv mhd., ahd. *wurf,* niederl. *worp,* aengl. *wyrp* ist eine Bildung zu dem unter ↑ werfen behandelten Verb und bedeutet »das Werfen«, häufig speziell »das Werfen, Rollenlassen des Würfels«, beachte auch die Verwendung im Sinne von »Gesamtheit der auf einmal geworfenen Jungen eines Muttertieres«.

Würfel: Das Substantiv mhd. *würfel,* ahd. *wurfil* ist eine Bildung zu dem unter ↑ werfen behandelten Verb. Es bedeutet eigentlich »Mittel zum Werfen« und bezeichnete in mhd. und ahd. Zeit den Spielwürfel, besonders den sechsflächigen. Erst seit frühnhd. Zeit bezeichnet ›Würfel‹ den von sechs Quadraten begrenzten geometrischen Körper.

würgen: Das Verb mhd. *würgen,* ahd. *wurgen* (entsprechend aengl. *wyrgan*) ist verwandt mit lit. *ver̃žti* »einengen, schnüren, pressen«, russ. *otverzat'* »öffnen« (eigentlich »los-binden«). Die Bedeutung »die Kehle zusammendrücken« hat sich also aus »drehend [zusammen]pressen, schnüren« entwickelt. Die genannten Wörter gehören zu der Erweiterung **u̯er-ĝh* der unter ↑ Wurm dargestellten idg. Wurzel. Auf einer nasalierten Nebenform dieser Erweiterung beruht das unter ↑ wringen behandelte Wort. – Präfixbildung und Zus.: **abwürgen** »unterbinden, unmöglich machen« (mhd. *ab[e]würgen*); **erwürgen** »durch Würgen töten« (mhd. *erwürgen,* ahd. *erwurgen*).

Wurm: Das gemeingerm. Substantiv mhd., ahd. *wurm* »Kriechtier, Schlange, Insekt«, got. *waúrms* »Schlange«, engl. *worm* »Wurm«, schwed. *orm* »Schlange« beruht mit verwandten Wörtern in anderen idg. Sprachen auf einer Bildung zu der idg. Wurzel **u̯er-* »drehen, biegen, winden, flechten«, vgl. z. B. lat. *vermis* »Wurm« und aruss. *vermie* »Würmer, Heuschrecken«. ›Wurm‹ bedeutet demnach eigentlich »der sich Windende«. Zu der vielfach weitergebildeten und erweiterten idg. Wurzel gehören auch die Sippen von ↑ werfen (eigentlich »mit drehend geschwungenem Arm schleudern«; s. dort über *Wurf, Würfel*), ↑ werden (eigentlich »[sich] drehen, wenden«; s. dort über *Wirtel, ...wärts;* dazu können auch ↑ wert, ↑ Würde und ↑ unwirsch gehören), ↑ würgen (eigentlich »drehend [zusammen]pressen, schnüren; s. dort über *wringen*), auch ↑ *Rist* (eigentlich »Dreher, Drehpunkt der Hand, des Fußes«), ↑ renken (»drehend hin und her bewegen«; s. dort über *Ränke*). Verwandt sein können ferner die unter ↑ Werk, ↑ Wurst, ↑ reiben und ↑ verwirren behandelten Wörter. – Aus anderen idg. Sprachen gehören zu der genannten Wurzel z. B. aind. *várjati* »wendet, dreht«, *vártati* »dreht«, griech. *rémbein* »im Kreis herumdrehen«, *ratánē* »Rührlöffel«, lat. *vertere* »kehren, wenden, drehen« (↑ Vers, ↑ vertikal), *vergere* »sich neigen«, lit. *ver̃pti* »spinnen«, *ver̃sti* »wenden, drehen«, russ. *verba* »Weide«, *vertet'* »drehen«. – Weiterhin verwandt sind die umfangreichen Wortgruppen von ↑ wehren und ↑ wahren, die auf einem alten Bedeutungsübergang von »flechten, mit einem Flechtwerk, mit einem Zaun umgeben« zu »verschließen, bedecken, schützen« und weiter zu »hüten, aufpassen, beobachten« beruhen. Eine Kollektivbildung zu ›Wurm‹ ist **Gewürm** (mhd. *gewürme* »Menge von Würmern, Schlangen«). – Abl.: **wurmen** (15. Jh.; besonders in der Bedeutung »Würmer haben«; die heute übliche Bedeutung »ärgern« [eigentlich »wie ein Wurm nagen, bohren«] tritt seit der 2. Hälfte des 18. Jh.s auf). Zus.: **Wurmfortsatz** »wurmförmiger Fortsatz am Blinddarm« (Anfang des 19. Jh.s; Übersetzung von gleichbed. lat. *processus vermiformis*); **wurmstichig** (16. Jh.; eigentlich »vom Wurm gestochen«).

Wurm

jmdm. die Würmer [einzeln] aus der Nase ziehen
(ugs.) »jmdm. etwas [mühsam] nach und nach durch Fragen entlocken«
Diese Redensart erklärt sich aus der alten Volksmedizin; man glaubte, dass Krankheiten von wurmförmigen Dämonen verursacht werden. Jahrmarktquacksalber behaupteten im 17. Jh., sie könnten depressive Menschen dadurch heilen, dass sie ihnen den ›Gehirnwurm‹ aus der Nase ziehen.

Wurst: Das auf das dt. und niederl. Sprachgebiet beschränkte Substantiv (mhd., ahd. *wurst,* niederl. *worst*) ist unsicherer Herkunft. Folgende drei Deutungen sind möglich: 1. ›Wurst‹ gehört im Sinne von »etwas Gemischtes, Vermengtes« zu der unter ↑verwirren behandelten Wortgruppe um ›wirren‹; 2. ›Wurst‹ gehört im Sinne von »etwas Gemachtes« zur Wortsippe von ↑Werk; 3. ›Wurst‹ gehört im Sinne von »etwas Gedrehtes« zur Wortsippe von ↑werden.

Wurst

Wurst wider Wurst
(ugs.) »so wird Gleiches mit Gleichem vergolten«
Die Wendung bezieht sich auf den früheren Brauch, beim Schlachten dem Nachbarn etwas Wurst und Fleisch abzugeben.

es geht/jetzt geht es um die Wurst
(ugs.) »es geht um die Entscheidung, es ist jetzt wichtig sich einzusetzen«
Diese Wendung rührt daher, dass bei ländlichen Wettspielen früher häufig eine Wurst als Preis ausgesetzt war.

[jmdm.] Wurst/Wurscht sein
(ugs.) »[jmdm.] gleichgültig sein«
Die Herkunft der Wendung ist trotz aller Deutungsversuche unklar. Am ehesten ist von der Vorstellung auszugehen, das ›Wurst‹ hier – im Gegensatz zum Braten – für etwas nicht besonders Wertvolles, etwas Alltägliches steht.

mit der Wurst nach dem Schinken/nach der Speckseite werfen
(ugs.) »mit kleinem Einsatz Großes zu erreichen suchen«
Die Wendung bezieht sich darauf, dass eine Wurst einen geringeren Wert hat als ein Schinken bzw. eine Speckseite.

Wurz »Wurzel, Pflanze«: Das gemeingerm. Substantiv mhd., ahd. *wurz,* got. *waúrts,* engl. *wort,* schwed. *ört* beruht auf idg. **u̯[e]rād-* »Zweig, Rute; Wurzel«. Vgl. aus anderen idg. Sprachen z. B. lat. *radix* »Wurzel« (↑Radieschen, ↑radikal und ↑Rettich). ›Wurz‹ wurde seit dem 17. Jh. in der Hochsprache durch ↑Wurzel verdrängt. Bildungen zu ›Wurz‹ sind die unter ↑Würze behandelten Wörter.

Würze: Das Substantiv (mhd. *würze*) ist eine Bildung zu dem unter ↑Wurz behandelten Wort. Es wurde inhaltlich von mhd. *wirz* »Bierwürze«, das unsicherer Herkunft ist, beeinflusst. – Abl.: **würzig** »kräftig schmeckend oder duftend« (Ende des 18. Jh.s). Das Verb **würzen** »schmackhaft oder wohlriechend machen« (mhd. *würzen* »mit wohlschmeckenden oder wohlriechenden Kräutern versehen«) ist eine Ableitung von ↑Wurz, die seit frühnhd. Zeit auf ›Würze‹ bezogen wurde.

W

Wurzel: Das westgerm. Substantiv mhd. *wurzel,* ahd. *wurzala,* niederl. *wortel,* aengl. *wyrtwalu* beruht auf einer Zusammensetzung **wurt-walu-,* die etwa »Krautstock« bedeutet. Der erste Bestandteil ist das unter ↑Wurz behandelte Wort. Dem zweiten entsprechen z. B. got. *walus* »Stab« und aisl. *vǫlr* »Stab«, die zu der unter ↑¹wallen entwickelten idg. Wurzel gehören und eigentlich »Gewundenes, Rundes« bedeuten. – Abl.: **wurzeln** »Wurzeln schlagen; seinen Ursprung in etwas haben« (mhd. *wurzeln,* ahd. *wurzellōn*), dazu **verwurzeln** (14. Jh.).

würzig ↑Würze.

wüst »öde, unbebaut; unbewohnt, einsam; wild, ungezügelt; hässlich, widerwärtig«: Das westgerm. Adjektiv mhd. *wüeste,* ahd. *wuosti,* niederl. *woest,* aengl. *wēste* gehört mit den eng verwandten lat. *vastus* »leer, öde, wüst« und air. *fās* »leer« zur idg. Wurzel **eu-, *eu̯ə-* »mangeln; leer«. Zu dieser Wurzel gehört auch der erste Bestandteil von ↑Wahnwitz. – Abl.: **Wüste** »vegetationsloses Gebiet, heißes, trockenes Sandgebiet« (mhd. *wüeste,* ahd. *wuostī*); **wüsten** »verschwenderisch mit etwas umgehen, vergeuden« (mhd. *wüesten,* ahd. *wuosten*), dazu **verwüsten** »zerstören« (mhd. *verwüesten*); **Wüstling** »ausschweifender Mensch« (17. Jh.). Siehe auch den Artikel *Wust.*

Wust »Durcheinander, ungeordnete Menge«: Das Substantiv (mhd. *wuost*) ist eine Rückbildung aus dem unter ↑wüst behandelten Adjektiv und dem davon abgeleiteten Verb ›wüsten‹. ›Wust‹ bedeutet demnach eigentlich »Wüstes, Verwüstetes«.

Wut: Das Substantiv mhd., ahd. *wuot* ist eine Bildung zu dem gemeingerm. Adjektiv ahd. *wuot* »unsinnig«, got. *wōds* »wütend, besessen«, aengl. *wōd,* aisl. *ōđr* »rasend«. Daneben steht das anders gebildete Substantiv aengl. *wōđ* »Ton, Stimme, Dichtung«, aisl. *ōđr* »Dichtung, Dichtkunst«. Damit ist wohl der Göttername ahd. *Wuotan,* aengl. *Wōden,* aisl. *Ođinn* verwandt, der wahrscheinlich eigentlich »rasender Gott, Dämon« bedeutet. Die germ. Wörter sind wohl verwandt mit lat. *vates* »Wahrsager, Seher« und air. *fāith* »Seher, Prophet«. – ›Wut‹ tritt als erster Bestandteil des Wortes **Wüterich** (mhd. *wüeterīch,* ahd. *wuoterīch*) auf, das nach dem Muster der Personennamen auf -rich gebildet ist. Das Wort diente schon frühzeitig als Übersetzung von griech.-lat. *tyrannus* »Tyrann«. In dieser Bedeutung ist es heute völlig von ›Tyrann‹ und ›Despot‹ verdrängt worden. – Abl.: **wüten** »toben, (rasend) zerstören« (mhd. *wüeten,* ahd. *wuoten,* dazu das seit der 2. Hälfte des 18. Jh.s als Adjektiv verselbstständigte 1. Partizip **wütend** »voller Wut, zornig«); **wütig** »wütend, zornig« (mhd. *wuotic,* ahd. *wuotac,* veraltet). Zus.: **Tollwut** (eine Tierkrankheit; Anfang des 19. Jh.s zusammengerückt aus älterem ›tolle Wut‹, 18. Jh.).

Xx

Xanthippe »zanksüchtige Frau«: Die Bezeichnung geht auf den Namen der Ehefrau des altgriechischen Philosophen Sokrates (griech. *Xanthíppē)* zurück, die in der griechischen Literatur (speziell in Xenophons ›Gastmahl‹) als zanksüchtig geschildert wird.

Xylophon: Der seit dem Ende des 19. Jh.s bezeugte Name des Schlaginstruments, bei dem auf einem Holzrahmen befestigte Holzstäbe mit zwei Holzschlägeln angeschlagen werden, ist eine künstliche Bildung aus griech. *xýlon* »Holz« und griech. *phōnḗ* »Stimme; Klang, Ton« (vgl. *Phonetik*).

Yy

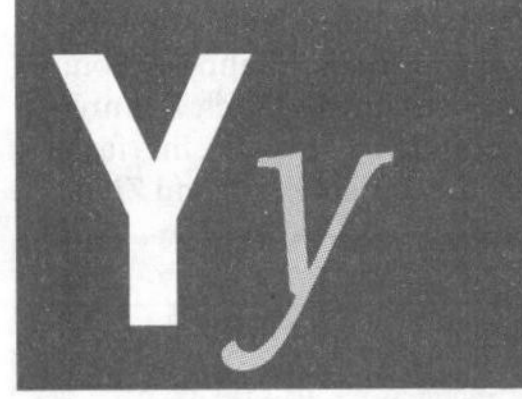

Yard: Der Name des in Großbritannien und in den USA gebräuchlichen Längenmaßes (91,44 cm) wurde im 19. Jh. aus gleichbedeutendem engl. *yard* übernommen. Das engl. Wort bedeutet eigentlich »Gerte; Messrute«. Es ist etymologisch verwandt mit dt. ↑Gerte.

Yoga: Der Name der indischen Lehre von der Selbsterlösung durch völlige Beherrschung des Körpers und Befreiung des Geistes ist aus aind. *yōga-ḥ* entlehnt. Das aind. Wort bedeutet eigentlich »Verbindung, Vereinigung« und gehört zu aind. *yugá-m* »Joch«, das mit den gleichbedeutenden Wörtern lat. *iugum,* griech. *zygón* und nhd. ↑Joch urverwandt ist. – Der Anhänger des Yoga heißt **Yogi.**

Yucca: Die Bezeichnung für eine Art Palmlilie stammt aus gleichbed. span. *yuca.* Das Wort wurde wahrscheinlich im 17. Jh. aus einer zentralamerikan. Indianersprache ins Spanische entlehnt.

Yuppie »junger, karrierebewusster, großen Wert auf seine äußere Erscheinung legender Stadtmensch, Aufsteiger«: Das Substantiv wurde in der 2. Hälfte des 20. Jh.s aus gleichbed. engl. *yuppie* übernommen. Dieses ist aus den Anfangsbuchstaben von ***y**oung **u**rban **p**rofessional* (***p**eople)* »junge, städtische Berufstätige« gebildet, an die das engl. Diminutivsuffix -ie getreten ist, das beispielsweise auch in ›Hippie‹ vorliegt.

Zz

Zack

auf Zack sein

1. (ugs.) »seine Sache gut machen, reaktionsschnell, energisch sein«

2. »bestens funktionieren, in optimalem Zustand sein«

Für diese Wendung ist von der Interjektion ›zack [zack]‹ auszugehen, mit der ausgedrückt wird, dass etwas ohne jede Verzögerung, in Sekundenschnelle abläuft oder auszuführen ist.

Zacke, (auch:) **Zacken:** Mhd. (mitteld.) *zacke* »vorragende Spitze, Zinke«, mnd. *tacke* »Spitze, Zacke; Zweig«, niederl. *tak* »Zweig, Ast«, engl. *tack* »Stift, kleiner Nagel« stehen neben mnd. *tagge* »Spitze, Zacke«, engl. *tag* »Stift«, schwed. *tagg* »Zinke, Zacke, Stachel, Dorn«. Die außergerm. Beziehungen dieser Wortgruppe sind unklar. Unsicher ist auch, ob mit diesen Wörtern seemännisch ↑Takel zusammenhängt. – Abl.: **zackig** »viele Zacken habend« (18. Jh., für älteres *zackicht,* 16. Jh.; die ugs. Bedeutung »schneidig« [1. Hälfte des 20. Jh.s] stammt aus der Soldatensprache und geht wohl von der Bedeutung »schroff« aus, wird aber auf die Interjektion ›zack, zack‹ bezogen).

zag: Das auf das dt. Sprachgebiet beschränkte Adjektiv ist seit mhd. Zeit (mhd. *zage* »feige, furchtsam«) gebräuchlich. Älter bezeugt ist das Verb **zagen** (mhd. *zagen* »feige, furchtsam sein«, ahd. in: *er-zagēn* »furchtsam werden«), zu dem sich das Substantiv mhd. *zage,* ahd. *zago* »Feigling, furchtsamer Mensch« stellt. Die weiteren Beziehungen sind unklar. Üblicher als ›zagen‹ ist die Präfixbildung **verzagen** »den Mut verlieren« (mhd. *verzagen*). Zum Substantiv gehört die Ableitung **zaghaft** »furchtsam zögernd« (mhd. *zag[e]haft*).

zagen, zaghaft ↑zag.

zäh »fest (zusammenklebend); hart, widerstandsfähig; ausdauernd; langsam, mühsam, schleppend«: Die Herkunft der westgerm. Adjektive mhd. *zæhe,* ahd. *zāhi,* niederl. *taai,* anders gebildet mhd., ahd. *zāch,* engl. *tough* ist unsicher. Vielleicht sind sie verwandt mit ahd. *gizengi* »eindringend, beharrend«, aengl. *getenge* »drückend, auf etwas ruhend«. Sie könnten dann im Sinne von »fest anliegend« zu der unter ↑Zange behandelten idg. Wortgruppe gehören.

Zahl: Das altgerm. Substantiv mhd. *zal,* ahd. *zala* »Zahl; Menge; Aufzählung; Bericht, Rede«, niederl. *taal* »Sprache«, engl. *tale* »Erzählung«, dän. *tale* »Rede« gehört wahrscheinlich zur idg. Wurzel **del[ə]-* »spalten, kerben, schnitzen, behauen«, vgl. z. B. aind. *dā̆láyati* »spaltet«, lat. *dolare* »behauen«, lit. *dìlti* »sich abnutzen, abschleifen«. ›Zahl‹ würde demnach eigentlich »Eingekerbtes, Einschnitt« bedeuten. Man pflegte früher Merkstriche auf Holz einzukerben, vgl. dazu armen. *tał* »Einprägung, Eindruck, Zeichen, Vers«. Die so genannten Kerbhölzer (zum Zählen, Abrechnen usw.) waren noch im Mittelalter gebräuchlich. Aus der Bedeutung »eingekerbtes Merkzeichen« entwickelte sich die Bedeutung »Zahl, Zählen«, daraus dann »Aufzählung, Erzählung, Rede, Sprache«. Zu derselben idg. Wurzel gehört auch die Maßbezeichnung ↑²Zoll, eigentlich »abgeschnittenes Holz«. Zu ›Zahl‹ stellt sich das unter ↑zählen behandelte Verb. Eine dt. Ableitung vom Substantiv ist **zahlen** »einen Preis, eine Geldschuld begleichen« (mhd. *zal[e]n,* ahd. *zalōn* »zählen, [be]rechnen«), das seine Bedeutung »eine Geldsumme hingeben« (16. Jh.) gewann, weil das mittelalterliche Zahlbrett zugleich ein Rechengerät war. Dazu gehören die Ableitungen **zahlbar** kaufmännisch für »zu [be]zahlen« (18. Jh.) und **Zahlung** (15. Jh.), ferner Zusammensetzungen wie ›ab-, an-, aus-, einzahlen‹ und die Präfixbildung **bezahlen** (mhd. *bezaln*). Zusammensetzung mit dem Substantiv: **Anzahl** (spätmhd. *anzal[e]* »zukommende Zahl, Anteil«; später auch für »bestimmte Menge«); **Zahlwort** (17. Jh., Übersetzung von lat. *nomen numerale*).

zählen: Das altgerm. Verb mhd. *zel[le]n,* ahd. *zellan* »zählen; rechnen; aufzählen, berichten, sagen«, niederl. *tellen* »zählen«, engl. *to tell* »erzählen, zählen«, aisl. *telja* »zählen, erzählen« stellt sich zu dem unter ↑Zahl behandelten Substantiv. Im Nhd. ist die Verwendung von ›zählen‹ wie die des Substantivs ›Zahl‹ auf das Rechnerische eingeschränkt, während die Bedeutung »berichten, mitteilen« der Präfixbildung ↑erzählen zugefallen ist. – Abl.: **Zähler** (mhd. *zel[l]er* »Zählender, Rechner«; in der mathematischen Bedeutung »Zahl über dem Bruchstrich« [die die Bruchteile »zählt«] zuerst um 1400 als Lehnübersetzung von mlat. *numerator;* seit dem 19. Jh. auch für mechanische Geräte mit einem Zählwerk, beachte z. B. ›Kilometerzähler‹).

Zahlung, Zahlwort ↑Zahl.

zahm »an den Menschen gewöhnt, nicht wild; zutraulich; brav«: Das altgerm. Adjektiv mhd., ahd. *zam,* niederl. *tam,* engl. *tame,* schwed. *tam* ist entweder eine Rückbildung aus einem untergegangenen, nur in mhd. *zamen* »zähmen, vertraut werden«, ahd. *zamōn* »zähmen« bezeugten Verb oder gehört unmittelbar zu der unter ↑zähmen dargestellten idg. Wurzel.

zähmen: Das gemeingerm. Verb mhd. *zem[m]en,* ahd. *zemmen,* got. *ga-tamjan,* aengl. *temian,* schwed. *tämja* gehört zu der idg. Wurzel **dem[ə]-* »zähmen, bändigen«, die wahrscheinlich mit der unter ↑ziemen behandelten idg. Wurzel **dem[ə]-* »zusammenfügen, bauen« identisch ist und demnach wohl eigentlich »ans Haus fesseln, domestizieren« bedeutet. Vgl. aus anderen idg. Sprachen z. B. aind. *damyáti* »ist zahm; zähmt«, griech. *damnā́nai* »bezwingen« (↑Diamant < griech. *a-dámas* »unbezwingbar«), lat. *domare* »bändigen, zähmen« (↑Dompteur). Siehe auch den Artikel *zahm.*

Zahn: Das altgerm. Substantiv mhd. *zant, zan,* ahd. *zand, zan,* niederl. *tand,* engl. *tooth,* schwed. *tand* (vgl. das ablautende got. *tunþus* »Zahn«) geht auf ein idg. Substantiv **[e]dont-* »Zahn« zurück, das eine Partizipialbildung zu der unter ↑essen entwickelten idg. Wurzel **ed-* »kauen, essen« ist. Vgl. aus anderen idg. Sprachen griech. *odṓn* »Zahn«, lat. *dens* »Zahn« (beachte das Fremdwort **Dentist** als früher übliche Bezeichnung für »Zahnarzt ohne Hochschulbildung«) und lit. *dantìs* »Zahn«. Das Substantiv bedeutet demnach eigentlich »der Kauende«. Siehe auch den Artikel *zanken.* – Abl.: **zahnen** »Zähne bekommen« (16. Jh.), dazu **verzahnen** »durch Zahnreihen, zahnartig verbinden« (im 18. Jh. fachsprachl.). Siehe auch die Artikel *Zinke* und *Zinne.*

Zahn

einen Zahn draufhaben
1. »sich mit hoher Geschwindigkeit [fort]bewegen«
2. »sehr schnell arbeiten«
Diese Wendung bezog sich ursprünglich wahrscheinlich auf die aus einem Zahnkranz bestehende Arretierung des Handgashebels im Auto, mit dem die Fahrgeschwindigkeit geregelt wurde.

jmdm. auf den Zahn fühlen
»jmdn. ausforschen, überprüfen«
Der Zahnarzt versuchte früher an der Reaktion des Patienten zu erkennen, welcher Zahn der kranke war, indem er mit den Fingern die infrage kommenden Zähne beklopfte oder befühlte. Hierauf geht die vorliegende Wendung zurück.

Zange: Das altgerm. Substantiv mhd. *zange,* ahd. *zanga,* niederl. *tang,* engl. (Plural) *tongs,* schwed. *tång* ist eine Bildung zu der idg. Wurzelform **denḱ-* »beißen«, vgl. aind. *dáśati* »beißt«, griech. *dáknein* »beißen«. Das Wort bedeutete also ursprünglich »Beißerin«. Nimmt man eine alte Bedeutungsverschiebung zu »die Kneifende, Zusammendrückende« an (vgl. die Zusammensetzung ›Beißzange‹ neben ›Kneifzange‹, beide 17. Jh.), so lassen sich vielleicht die unter ↑zäh (eigentlich »fest anliegend«) behandelten Wörter anschließen.

zanken: Die Herkunft des seit dem 15. Jh. bezeugten Verbs (spätmhd. *zanken* »sich mit jemandem streiten«) ist nicht sicher geklärt. Es kann zu dem unter ↑Zahn behandelten Substantiv gehören und bedeutet dann eigentlich »mit den Zähnen reißen«, andererseits kann es von mhd. *zanke* »Spitze«, einer Nebenform des unter ↑Zacke behandelten Wortes, abgeleitet sein. – Abl.: **Zank** »Streit, (gehässige) Auseinandersetzung« (Ende des 15. Jh.s), dazu **zänkisch** »zum Zanken neigend, streitsüchtig« (16. Jh.). Zus.: **Zankapfel** (16. Jh.; Lehnübertragung aus lat. *pomum Eridos;* nach der griechischen Sage warf Eris, die Göttin der Zwietracht, einen Apfel mit der Aufschrift »der Schönsten« unter die Gäste bei der Hochzeit der Thetis und des Peleus, was zum Streit und schließlich zum Trojanischen Krieg führte).

Zapfen: Das altgerm. Substantiv mhd. *zapfe,* ahd. *zapho,* niederl. *tap,* engl. *tap,* isl. *tappi* (ähnlich schwed. *tapp*) bezeichnet einen spitzen Holzpflock, der ein Loch verschließt und herausgezogen werden kann. Es ist verwandt mit den unter ↑Zipfel und ↑Zopf behandelten Wörtern. Außergerm. Anknüpfungen fehlen. Nach ihrer länglich spitzen Gestalt sind Gebilde wie der **Eiszapfen** (16. Jh.) und der **Tannenzapfen** (15. Jh.) benannt. – Abl.: **Zäpfchen** (18. Jh.; älter ›Zäpflein‹, in den Bedeutungen »Halszäpfchen« und »Arzneizäpfchen« seit dem 16. Jh.); **zapfen** »mithilfe eines Zapfens, Hahns herausfließen lassen, einschenken« (mhd. *zapfen, zepfen*), dazu **anzapfen** (15. Jh.). Zus.: **Zapfenstreich** (17. Jh.; eigentlich »Streich [= Schlag] auf den Zapfen des Fasses, um den Soldaten das Ende des Ausschanks bekannt zu geben«, dann die »Begleitmusik dazu«, schließlich »militärisches Abendsignal zur Rückkehr in die Unterkunft«).

zappeln: Das seit dem 16. Jh. bezeugte ursprünglich oberd. Verb steht neben gleichbed. mdal. *zabbeln* (mhd. *zabelen,* ahd. *zabalōn*). Die Herkunft dieser Wörter ist unklar.

zappen (ugs. für:) »mit der Fernbedienung den Kanal wechseln, auf einen anderen Kanal umschalten«: Das Verb wurde in der 2. Hälfte des 20. Jh.s aus dem ebenfalls umgangssprachlichen engl. Verb *to zap* »verschwinden lassen« entlehnt. Dieses geht auf die lautmalende Interjektion *zap* zurück. – Abl.: **Zapping** »das Zappen« (engl. *zapping*).

Zar ↑Kaiser.

zart: Das ursprünglich auf das hochd. Sprachgebiet beschränkte Adjektiv mhd. *zart* »lieb, geliebt, wert, vertraut; lieblich, fein, schön; zart, weich, schwächlich«, ahd. *zart* »schwächlich« ist dunklen Ursprungs. – Abl.: **zärtlich** »liebevoll [und sanft]« (mhd. *zertlich, zartlich* »anmutig, liebevoll, weich«, ahd. *zartlich*), dazu **Zärtlichkeit** (spätmhd. *zertlîcheit* »Anmut«); **verzärteln** »übertrieben fürsorglich behandeln, verweichlichen« (16. Jh., für mhd. *verzerten*). Zus.: **Zartgefühl** »Einfühlungsvermögen, Taktgefühl« (18. Jh.; als Ersatzwort für ›Delikatesse‹).

Zaster: Der aus dem Rotwelschen stammende Ausdruck für »Geld«, der von Berlin und Mitteldeutschland ausgehend in die Umgangssprache gelangte, beruht auf *sáster* »Eisen«, einem Wort aus der Sprache der Sinti und Roma.

Zauber: Das altgerm. Substantiv mhd. *zouber,* ahd. *zaubar* »Zauberhandlung, -spruch, -mittel«, mniederl. *tôver* »Zauberei«, aengl. *tēafor* »rote Farbe, Ocker, Rötel«, aisl. *taufr* »Zauber[mittel]« ist dunklen Ursprungs. Die Bedeutung des aengl. Wortes erklärt sich daraus, dass Zauberzeichen (Runen) mit roter Farbe versehen wurden. – Im Nhd. wird ›Zauber‹ außer in der Bedeutung »magische Kraft, magische Handlung« auch übertragen im Sinne von »Ausstrahlung, geheimnisvolle Wirkung, Reiz« verwendet. – Abl.: **Zauberei** (mhd. *zouberīe*); **Zaub[e]rer** (mhd. *zouberære,* ahd. *zaubarari;* vom Sprachgefühl heute gewöhnlich zum Verb gestellt); **zauberhaft** »entzückend« (18. Jh.); **zauberisch** »zauberkräftig; unwirklich« (16. Jh.); **zaubern** »mit übernatürlichen Kräften bewirken; Tricks, Zauberkunststücke vollführen« (mhd. *zoubern,* ahd. *zouberōn*), dazu die Präfixbildungen **bezaubern** »mit seinem Reiz gefangen nehmen, entzücken« (mhd. *bezoubern,* ahd. *bizouberōn*) und **verzaubern** »durch Zauberei verwandeln; bezaubern, entzücken« (mhd. *verzoubern,* ahd. *firzaubirōn*). Zus.: **Zaubertrank** (↑Trank).

zaudern »zögern«: Das zu Beginn des 16. Jh.s im ostmitteld. Sprachgebiet aufkommende Verb ist eine Iterativbildung zu dem untergegangenen starken Verb mhd. (mitteld.) *zūwen* »[weg]ziehen, sich hinwegbegeben«. Dieses hängt wohl mit dem ablautenden mhd. *zouwen,* ahd. *zawēn* »vonstatten gehen, eilen« zusammen. Ähnlich wie bei ›zögern‹ (s. d.) wurde aus der Vorstellung eines wiederholten schnellen Tuns die des langsamen Vorankommens entwickelt. – Abl.: **Zauderer** (17. Jh.).

Zaum »Riemenwerk und Trense, die einem Reit- und Zugtier, besonders einem Pferd, am Kopf angelegt werden«: Das altgerm. Substantiv mhd. *zoum,* ahd. *zaum* »Seil; Riemen; Zügel«, niederl. *toom* »Zaum; Zügel«, aengl. *tēam* »Gespann (Ochsen); Stamm, Familie« (engl. *team* »Gespann; Gruppe«; s. das Fremdwort *Team*), schwed. *töm* »Zügel, Leine« ist eine Bildung zu dem unter ↑ziehen behandelten Verb. Es bedeutet eigentlich – wie das anders gebildete ↑Zügel – »das, womit man zieht«. – Abl.: **zäumen** »den Zaum anlegen« (mhd. *zöumen, zoumen*), dazu **aufzäumen** (16. Jh.).

Zaun: Das altgerm. Substantiv mhd., ahd. *zūn* »Umzäunung, Hecke, Gehege«, niederl. *tuin* »Garten«, engl. *town* »Stadt« (aengl. *tūn* »Zaun; Garten; Hof; Dorf, Ortschaft«), aisl. *tūn* »eingezäuntes Land, Hof, Ortschaft« ist verwandt mit air. *dūn* »Burg« und gallisch *-dūnum,* das als zweites Glied in Städtenamen auftritt, vgl. lat. *Noviodunum* (»Neuenburg«, Name mehrerer keltischer Städte). Weitere Anknüpfungen sind unsicher. – Abl.: **zäunen** (mhd. *ziunen,* ahd. *zūnen* »einen Zaun errichten«, jetzt meist in Zusammensetzungen wie ›ein-, umzäunen‹). Zus.: **Zaunkönig** (Vogelname; im 15. Jh. mitteld. *czune künnyck* neben mhd. *zūnslüpfel* »Zaunschlüpfer«; der Vogel heißt mhd. auch *küniclīn,* ahd. *kuningilīn* »Königlein«, das eine Lehnübersetzung von lat. *regulus* [eigentlich Name des Goldhähnchens] ist und an die schon antike Sage von der Königswahl der Vögel anschließt, bei der der Zaunkönig gewinnen wollte, indem er sich im Gefieder des Adlers verbarg und noch höher flog als dieser).

zausen »zupfen, zerren«: Das einfache Verb kommt erst seit dem 16. Jh. vor. Aus älterer Zeit sind nur Präfixbildungen wie **zerzausen** (mhd. *zerzūsen,* ahd. *zerzūsōn*) belegt. In anderen germ. Sprachen sind engl. mdal. *to touse* »zausen« und schwed. mdal. *tösa* »Heu ausbreiten« verwandt. Außergerm. Beziehungen sind unsicher.

Zebra: Der in dt. Texten seit dem 17. Jh. bezeugte Tiername ist – vielleicht vermittelt durch frz. *zèbre* oder engl. *zebra* – aus gleichbed. span. *cebra* entlehnt. Dies bezeichnete zuvor den Wildesel und geht über das Vlat. auf lat. *equiferus* »Wildpferd« (aus *equus* »Pferd« und *ferus* »wild«) zurück. – Beachte die Zus. **Zebrastreifen** »durch Streifen markierter Fußgängerüberweg« (2. Hälfte des 20. Jh.s).

Zeche: Das erst seit mhd. Zeit bezeugte Substantiv (mhd. *zeche* »reihum gehende Verrichtung; Anordnung; Reihenfolge; Einrichtung; Gesellschaft, Genossenschaft«) steht neben dem älter bezeugten Verb mhd. *zechen* »anordnen, veranstalten«, ahd. *[gi]zehōn* »in Ordnung bringen, [wieder]herstellen, färben«. In anderen germ. Sprachen sind verwandt aengl. *tiohh* »Geschlecht, Schar, Gesellschaft«, *tiohhian, tiogan* »bestimmen, vorschlagen, urteilen«, vielleicht auch aisl. *tē* (aus **tehwa*) »Erlaubnis«. Außergerm. Beziehungen der Wortgruppe sind nicht gesichert. Das Substantiv ›Zeche‹ scheint ursprünglich »Ordnung, geordneter Kreis, Versammlung« bedeutet zu haben. In mhd. Zeit konnte es Genossenschaften, Zünfte und Bruderschaften aller Art bezeichnen. Die heutige Hauptbedeutung »Wirtshausrechnung« (seit dem 15. Jh.) hat sich aus der älteren Bedeutung »Beitrag zu gemeinsamem Gelage einer Gesellschaft« entwickelt. Mit der seit dem 13. Jh. bezeugten Bedeutung »Bergwerk, Grube« (jetzt besonders für »Kohlengrube«) war ursprünglich die an einer solchen Grube beteiligte bergmännische Genossenschaft gemeint. Das Verb **zechen** »[in Gesellschaft] trinken« (spätmhd. *zechen*) setzt wohl nicht das alte Verb (s. o.) fort, sondern ist eine jüngere Ableitung von mhd. *zeche* in der Bedeutung »gemeinsamer Schmaus«.

Zechpreller, Zechprellerei ↑prellen.

Zecke »Milbe, die sich auf der Haut von Menschen und Tieren festsetzt; Holzbock«: Das westgerm. Substantiv mhd. *zecke,* ahd. *cecho,* niederl. *teek,* engl. *tick* hat keine sicheren außergerm. Entsprechungen. Vielleicht ist es mit lit. *dĕgti* »stechen« verwandt und bedeutet dann eigentlich »stechendes, zwickendes Insekt«.

Zeder: Der Baumname (mhd. *zēder, cēder[boum],* ahd. *cēdarboum*) ist aus lat. *cedrus* »Zeder[wacholder]« entlehnt, das seinerseits aus griech. *kédros* »Wacholder; Zeder« stammt.

Zehe, auch: **Zeh:** Das altgerm. Substantiv mhd. *zēhe,* ahd. *zēha,* niederl. *teen,* engl. *toe,* schwed. *tå* gehört vermutlich zu der unter ↑zeihen dargestellten idg. Wurzel **deiḱ-* »zeigen«. Es würde dann eigentlich »Zeiger« bedeuten und wäre ursprünglich eine Bezeichnung des Fingers gewesen, die auf die Zehe als »Finger des Fußes« erst übertragen wurde. Vgl. die entsprechende Bedeutungsübertragung bei lat. *digitus* »Finger, Zehe«, das vielleicht auf die gleiche Wurzel zurückgeht.

zehn: Das gemeingerm. Zahlwort mhd. *zehen,* ahd. *zehan,* got. *taíhun,* engl. *ten,* schwed. *tio* geht mit Entsprechungen in den meisten anderen idg. Sprachen auf idg. **deḱm̥* »zehn« zurück, vgl. z. B. aind. *dáśa* »zehn«, griech. *déka* »zehn« (↑deka..., Deka...), lat. *decem* »zehn« (↑Dezi...). Siehe auch den Artikel *...zig.* – Abl.: **zehnte** Ordnungszahl (mhd. *zehende,* ahd. *zehanto*), dazu die Substantivierung **Zehnt[e],** früher für »Abgabe im Betrag des zehnten Teiles der Einnahmen« (mhd. *zehende, zehent,* ahd. *zehanto*); beachte auch die Zus. **Jahrzehnt** (im 18. Jh. ›Jahrzehend‹, wohl nach ›Jahrhundert‹ gebildet). Zus.: **Zehntel** (mhd. *zehenteil;* die heutige Form seit dem 18. Jh.; zum zweiten Bestandteil ↑Teil).

zehren: Das nur dt. und niederl. Verb (mhd. *zern* »für Essen und Trinken aufwenden; sich nähren; [essend] verbrauchen«, niederl. *teren* »zehren«) gehört zu dem in mhd. Zeit untergegangenen starken Verb ahd. *zeran* »zerreißen; kämpfen«, dem got. *(ga-, dis-)taíran* »zerreißen« und engl. *to tear* »[zer]reißen« entsprechen. Die germ. Verben gehen mit verwandten Wörtern in anderen idg. Sprachen auf die idg. Wurzel **der-* »schinden, [ab]spalten« zurück, vgl. z. B. griech. *dérein* »schinden, abhäuten«, *dérma* »Haut«, eigentlich »das Abgezogene«. Aus dem germ. Sprachbereich gehört auch das unter ↑zerren behandelte Verb hierher, ferner die Sippen von ↑trennen (eigentlich »abspalten«) und möglicherweise auch von ↑Zorn. – Die Bedeutung »[essend] verbrauchen« hat sich demnach aus »vertilgen, vernichten, zerreißen« entwickelt. – Gebräuchlich als ›zehren‹ ist heute die Präfixbildung **verzehren** »essen und trinken; aufbrauchen; (reflexiv:) sich sehnen« (mhd. *verzern* »aufzehren, verbrauchen«, vgl. ahd. *firzeran* »zerreißen, vernichten«), dazu die Rückbildung **Verzehr** »Verbrauch, Einnahme von

Speisen [und Getränken]« (18. Jh.). Zu dem heute veralteten **Zehrung** »Nahrung, Zehrgeld« (mhd. *zerunge*) gehört die Zusammensetzung **Wegzehrung** »Reiseproviant« (16. Jh.).

Zeichen: Das gemeingerm. Substantiv mhd. *zeichen*, ahd. *zeihhan* »[An]zeichen, Merkmal; Sinnbild; Sternbild; Vorzeichen; Wunder«, got. *taikn, taikns* »[Wunder]zeichen«, engl. *token* »Zeichen, Merkmal«, schwed. *tecken* »Zeichen« gehört zu der unter ↑zeihen entwickelten idg. Wurzel. Eine gemeingerm. Bildung dazu ist das Verb ↑zeichnen. – Zus.: **Abzeichen** »Anstecknadel; Plakette; Merkmal« (17. Jh.); **Anzeichen** »Vorzeichen, Symptom; Kennzeichen« (17. Jh.); **Kennzeichen** (↑kennen); **Vorzeichen** (mhd. *vorzeichen* »Vorzeichen, Sinnbild«, ahd. *forazeihhan* »Wunderzeichen, Sinnbild«; seit dem 19. Jh. auch für »vorgesetztes Zeichen [in der Mathematik und Musik]«).

zeichnen: Das gemeingerm. Verb (mhd. *zeichenen*, ahd. *zeihhannen, zeihhonōn*, got. *taiknjan*, aengl. *tǣcnan*, schwed. *teckna* ist eine Ableitung von dem unter ↑Zeichen behandelten Substantiv. Es ist seit alters in den beiden Hauptbedeutungen »mit einem Zeichen ausdrücken, anzeigen, darstellen« und »mit einem Zeichen, mit einer Markierung versehen« überliefert. Von der ersten Bedeutung gehen die Verwendungen von ›zeichnen‹ im Sinne von »mit Linien und Strichen [künstlerisch] darstellen« (16. Jh.) aus, ferner im Sinne von »niederschreiben« (spätmhd.; jetzt nur in ›auf-, einzeichnen‹ und in ›verzeichnen‹, s. u.) und im Sinne von »rechtsgültig unterschreiben, seine Unterschrift unter etwas setzen« (seit dem 17. Jh. kaufmännisch, sonst meist in ›unterzeichnen‹, s. u.). Die zweite Bedeutung erscheint z. B. in Fügungen wie ›Wäsche, Vieh zeichnen‹ oder in der Wendung ›vom Tode gezeichnet sein‹ (dazu noch ›aus-, bezeichnen‹, s. u.). – Abl.: **Zeichner** »jemand, der [künstlerisch] zeichnet, technische Zeichnungen verfertigt« (17. Jh.; in der älteren Bedeutung »Zeichengeber, -macher« wie mhd. *zeichenære* »Wundertäter« vom Substantiv ›Zeichen‹ abgeleitet); **Zeichnung** (mhd. *zeichenunge*, ahd. *zeichenunga* »Bezeichnung, Kennzeichnung«, seit dem 17. Jh. besonders für »zeichnerische Darstellung«). Zusammensetzungen und Präfixbildungen: **abzeichnen** »zeichnend wiedergeben; mit seinem Namenszug versehen; sich abheben, erkennbar werden« (15. Jh.); **auszeichnen** »kennzeichnen; mit einem Preisschild versehen; herausheben, hervorheben; bevorzugt behandeln, ehren«, reflexiv »sich hervortun« (mhd. *ūzzeichenen* »mit einem Zeichen versehen, herausheben«), dazu **ausgezeichnet** »hervorragend« (18. Jh.) und **Auszeichnung** »das Auszeichnen; Ehrung; Orden; Preis« (18. Jh.); **bezeichnen** »mit Zeichen kenntlich machen, benennen« (mhd. *bezeichenen*, ahd. *bizeichanōn* »bildlich vorstellen, bedeuten«), dazu **Bezeichnung** »Kennzeichnung, Benennung« (mhd. *bezeichenunge*, ahd. *pizeihinunga* »Vorzeichen, Symbol«); **unterzeichnen** »unterschreiben« (17. Jh.), dazu **Unterzeichnung** (17. Jh.); **verzeichnen** »listenmäßig aufschreiben; eintragen« (15. Jh.), dazu **Verzeichnis** »listenmäßige Zusammenstellung« (15. Jh.).

Zeigefinger ↑Finger.

zeigen: Das Verb mhd. *zeigen*, ahd. *zeigōn* ist eine nur dt. Bildung zu dem unter ↑zeihen behandelten Verb. – Abl.: **Zeiger** (mhd. *zeiger* »Zeigefinger; An-, Vorzeiger«, seit dem 14. Jh. auch »Uhrzeiger«, ahd. *zeigari* »Zeigefinger«). Zusammensetzungen und Präfixbildungen: **anzeigen** »zeigen, angeben; bekannt geben; ankündigen; Strafanzeige erstatten« (16. Jh.), dazu **Anzeige** »das Anzeigen; Bekanntgabe; Annonce; Meldung einer Straftat« (um 1500); **bezeigen** »erweisen« (mhd. *bezeigen* »kundtun«); **erzeigen** (mhd. *erzeigen* »dartun, erweisen«).

zeihen: Das gemeingerm. Verb mhd. *zīhen*, ahd. *zīhan* »be-, anschuldigen«, got. *ga-teihan* »anzeigen«, aengl. *tēon* »anklagen«, aisl. *tjā* »zeigen« gehört mit verwandten Wörtern in anderen idg. Sprachen zu der idg. Wurzel **deik(-ĝ-)* »zeigen«, vgl. z. B. aind. *diśáti* »zeigt«, griech. *deiknýnai* »zeigen«, lat. *dicere* »sagen« (↑diktieren). Das Verb ›zeihen‹ bedeutete ursprünglich »[an]zeigen, kundtun«, dann speziell »auf einen Schuldigen hinweisen, anzeigen, beschuldigen«. Das einfache Verb ›zeihen‹ kommt heute nur noch in dichterischer Sprache vor. Zu derselben idg. Wurzel gehört wahrscheinlich ↑Zehe (eigentlich »Zeiger, Finger«). Ferner gehört dazu (mit auslautendem -ĝ-) das unter ↑Zeichen behandelte Wort. Eine dt. Bildung zu ›zeihen‹ ist ↑zeigen. Eine Präfixbildung ist **verzeihen** »Verschuldetes nicht anrechnen« (älter nhd. »einen Anspruch aufgeben«; mhd. *verzīhen* »versagen, abschlagen, sich lossagen«, ahd. *farzīhan* »versagen, verweigern«; dazu ↑Verzicht).

Zeile: Das auf das dt. Sprachgebiet beschränkte Substantiv mhd. *zīle*, ahd. *zīla* »Reihe, Linie« gehört wahrscheinlich zu der unter ↑Zeit behandelten Wortgruppe. Es bedeutet wohl eigentlich »abgeteilte Reihe«. Früher wurde ›Zeile‹ auch in der Bedeutung »Häuserreihe, Straße« gebraucht, beachte den Straßennamen ›Zeil[e]‹. Seit dem 16. Jh. wird ›Zeile‹ gewöhnlich im Sinne von »geschriebene oder gedruckte Wortreihe« verwendet.

Zeisig: Der Vogelname mhd. *zīse* ist aus dem gleichbedeutenden älteren tschech. *číž* entlehnt, das lautnachahmenden Ursprungs ist, vgl. auch russ. *čiž* »Zeisig«. Die heutige Form (spätmhd. *zīsic*) beruht auf der tschech. Verkleinerungsform *čížek*.

Zeit: Das altgerm. Substantiv mhd., ahd. *zīt* »Zeit; Tages-, Jahreszeit; Lebensalter«, niederl. *tijd* »Zeit«, engl. *tide* »Gezeiten«, schwed. *tid* »Zeit« gehört im Sinne von »Abgeteiltes, Abschnitt« zu der idg. Wurzel **dā[i]-* »teilen; zerschneiden; zerreißen«, vgl. z. B. aus anderen idg. Sprachen aind. *dấti* »schneidet ab; mäht; trennt; teilt«, *díti-ḥ* »das Verteilen«, armen. *ti* »Lebenszeit, Alter, Jahre« und griech. *daíesthai* »[ver]teilen« (↑Dämon). Zu derselben Wurzel gehört auch das anders gebildete Wort engl. *time* (aengl. *tīma*) »Zeit« (entsprechend schwed. *timme* »Stunde«), das sich im Engl. durchgesetzt hat, während engl. *tide* auf die Bedeutung »Gezeiten (des Meeres)« eingeschränkt wurde (vgl. dazu niederd. *Tide* »Gezeiten«; s. auch den Artikel *Gezeiten*). Mit engl. *time* – beachte dazu *to time* »zeitlich abstimmen«, *timing* »zeitliche Abstimmung, woraus unsere Fremdwörter **timen** und **Timing** übernommen sind – ist z. B. griech. *dēmos* »Volk, Gau« (eigentlich »Volksabteilung«; ↑demo..., Demo...) näher verwandt. Germ. Bildungen zur Wurzel **dā[i]-* sind u. a. wahrscheinlich das unter ↑Zeile (eigentlich »abgeteilte Reihe«) und vielleicht das unter ↑Ziel (eigentlich »Eingeteiltes, Abgemessenes«) behandelte Wort. Siehe auch den Artikel *Zeitung*. – Abl.: **zeitig** »früh« (mhd. *zītig*, ahd. *zītec* »zur rechten Zeit geschehend«, mhd. auch »reif«), dazu **zeitigen** »hervorbringen; reifen lassen« (mhd. *zītigen* »reifen«); **zeitlich** »die Zeit betreffend; vergänglich« (mhd. *zītlīch*, ahd. *zītlīh*). Zus.: **Zeitalter** »größerer Zeitraum in der Geschichte, Ära« (18. Jh.); **Zeitgenosse** »mit jemandem in der gleichen Zeit lebender Mensch; Mitmensch« (16. Jh.); **Zeitlose** (der Blumenname mhd. *zītelōse*, ahd. *zītelōsa* bezeichnete ursprünglich sehr frühe Frühlingsblumen [Krokus u. a.] und bedeutet eigentlich »nicht zur richtigen Zeit blühende Blume«; seit dem 16. Jh. wurde der Name auf die spät blühende Herbstblume übertragen, die seit dem Anfang des 18. Jh.s genauer **Herbstzeitlose** genannt wird); **Zeitschrift** (18. Jh.); **Zeitwort** (17. Jh.; Übersetzung für lat. *verbum* in der Grammatik).

Zeitung: Das zuerst um 1300 als *zīdunge* »Nachricht, Botschaft« im Raum von Köln bezeugte Wort stammt aus mnd.(-mniederl.) *tīdinge* »Nachricht«. Dieses Substantiv ist eine Bildung zu mnd., mniederl. *tīden* »streben, gehen« (in der Bedeutungswendung »vor sich gehen, vonstatten gehen, sich ereignen«), vgl. das zu aengl. *tīdan* »vor sich gehen, sich ereignen« gebildete *tīdung* »Ereignis, Nachricht«. Das Verb ist von dem unter ↑Zeit behandelten Substantiv im Sinne von »Begebenheit[en], Ereignis[se]« abgeleitet. – Bis ins 19. Jh. hinein wurde ›Zeitung‹ im Sinne von »Nachricht von einer Begebenheit« gebraucht. Der heutigen Verwendung des Wortes als Bezeichnung für ein Druck-Erzeugnis, das einen breiten Leserkreis in regelmäßiger Folge über allgemeine [Tages]ereignisse unterrichtet, geht der Gebrauch des Wortes im Plural im Sinne von »periodisch ausgegebene Zusammenstellung der neuesten Nachrichten« voraus.

Zelle: Das Substantiv ist in ahd. Zeit aus lat. *cella* »Vorratskammer, enger Wohnraum« entlehnt worden, und zwar in dessen kirchenlat. Sonderbedeutung »Wohnraum eines Mönches, Klause«. Es ist zuerst in ahd. Ortsnamen wie ›Hupoldes-, Eberhardescella‹ (nach dem Namen des ersten Bewohners) bezeugt, in mhd. Zeit dann als selbstständiges Wort: mhd. *zelle* »Kammer, Zelle, kleines Kloster«. Zur Zeit der Entlehnung von lat. *cella* wurde lat. c vor e, i schon wie z gesprochen. Die älteren Lehnwörter ↑Keller und ↑Kellner (zu dem von *cella* abgeleiteten lat. *cellarium* »Vorratskammer«) beruhen dagegen auf der alten lat. k-Aussprache von c. Die lat. Substantive gehören mit ihrer ursprünglichen Bedeutung »Vorratskammer« zu den unter ↑okkult genannten Verben mit der Bedeutung »verbergen« und weiterhin zu der unter ↑hehlen dargestellten idg. Wortgruppe. Seit dem 14. Jh. bezeichnet ›Zelle‹ auch die Bienenzelle (nach gleichbed. lat. *cella*), seit dem 18. Jh. auch die Gefängniszelle. Als biologisches Fachwort wird ›Zelle‹ seit der 1. Hälfte des 19. Jh.s gebraucht, nachdem schon im 17. Jh. das Pflanzengewebe mit den Bienenzellen verglichen worden war. Vgl. auch *Zellulose*.

Zellulose: Der fachsprachliche Ausdruck für »Zellstoff« ist eine gelehrte Bildung zu lat. *cellula* »kleine Kammer, kleine Zelle«, einer Verkleinerungsbildung zu lat. *cella* (s. den Artikel *Zelle*). – Zu der engl. Entsprechung *cellulose* wurde von dem amerikanischen Fabrikanten John Wesley Hyatt (1837–1920) engl.-amerik. *celluloid* (zweiter Bestandteil griech. *-oeidḗs* »ähnlich«) gebildet, aus dem in der 2. Hälfte des 19. Jh.s **Zelluloid** »Kunststoff aus Zellulosenitrat« übernommen wurde.

Zelt: Das altgerm. Substantiv mhd., ahd. *zelt*, mniederl. *telt*, aengl. *teld*, aisl. *tjald* gehört zu einem noch in aengl. *be-teldan* »überdecken, umgeben« bewahrten germ. starken Verb, dessen außergerm. Beziehungen unklar sind. ›Zelt‹ bedeutet demnach eigentlich »Decke, Hülle«. – Abl.: **zelten** »ein Zelt aufschlagen, im Zelt übernachten« (Anfang des 17. Jh.s).

Zement: Das Wort erscheint mhd. als *zīment[e]*, das aus afrz. *ciment* »Zement« entlehnt ist. Das afrz. Wort geht zurück auf spätlat. *cimentum* < klass.-lat. *caementum* »Bruchstein«, das zu lat. *caedere* »[mit dem Meißel] schlagen« gehört. Bruchstein wurde, mit Kalkmörtel und Lehm vermischt, als Bindemasse beim Bauen verwendet. Im Spätmhd. wurde dann mhd. *zīment[e]* zu *cēment*, wohl in Anlehnung an frz. *cément* »Zementierpulver«, das auf dem oben genannten klass.-lat. *caementum* beruht.

Zenit »senkrecht über dem Beobachtungspunkt gelegener höchster Punkt des Himmelsgewölbes, Scheitelpunkt« (Astronomie), häufig auch übertragen gebraucht im Sinne von »Gipfelpunkt, Höhepunkt«: Das seit dem 15. Jh. bezeugte Fremdwort ist aus gleichbed. it. *zenit[h]* entlehnt. Das it.

Wort selbst stammt aus arab. *samt (ar-ra's)* »Weg, Richtung« (des Kopfes). Bei der Übernahme wurde das m des arab. Wortes zu ni verschrieben.

zensieren »prüfen, beurteilen; bewerten, benoten«: Das Verb wurde im 16. Jh. aus lat. *censere* »begutachten, schätzen, taxieren, beurteilen« entlehnt. – Dazu stellt sich **Zensur** »behördliche Prüfung und Überwachung von Druckschriften; Bewertung einer Leistung, Note«, das im 16. Jh. aus [m]lat. *censura* »Prüfung; Beurteilung« übernommen wurde. Ferner gehören hierher das Lehnwort ↑Zins (lat. *census* »Abschätzung, Vermögensschätzung; Vermögenssteuer«) und das Fremdwort ↑rezensieren (lat. *re-censere* »sorgfältig prüfen; kritisch besprechen«).

Zentimeter ↑Meter.

Zentner: Der Name der Maßeinheit (mhd. *zentenære,* ahd. *centenāri*) ist entlehnt aus spätlat. *centenarium* »Hundertpfundgewicht« (zu klass.-lat. *centenarius* »aus hundert bestehend«, einer Bildung zu lat. *centum* »hundert«, vgl. den Artikel *hundert*). Vgl. auch *Zentimeter* (↑Meter).

Zentrum »Mittelpunkt«, meist übertragen gebraucht im Sinne von »innerster Bezirk; Brennpunkt; Innenstadt«: Das seit mhd. Zeit (zuerst in der eingedeutschten Form ›zenter‹) bezeugte Wort ist – wie entsprechend frz. *centre* – aus lat. *centrum* »Mittelpunkt« entlehnt. Dies stammt seinerseits aus griech. *kéntron* »Stachel, Stachelstab; ruhender Zirkelschenkel; Mittelpunkt eines Kreises«, das zu griech. *kenteīn* (älter **kéntein*) »stechen« gehört. – Um ›Zentrum‹ gruppieren sich folgende Bildungen: **zentrisch** »mittig, im Mittelpunkt befindlich« (19. Jh.); **zentral** »im Zentrum befindlich, vom Zentrum ausgehend: bedeutend, entscheidend, wichtig; Haupt..., Sammel... usw.« (17. Jh., zunächst als erster Bestandteil von Zusammensetzungen, seit dem 19. Jh. als selbstständiges Wort; nach lat. *centralis* »in der Mitte befindlich«); **Zentrale** »Mittel-, Ausgangspunkt; Hauptort; Hauptgeschäft[sstelle]; Hauptfernsprechvermittlung eines Betriebs« (20. Jh.); **zentralisieren** »zusammenziehen, zentraler Leitung unterwerfen, straff organisieren« (Anfang 19. Jh.; aus gleichbed. frz. *centraliser*); **Zentralismus** »Festigung der Staatsgewalt durch Konzentration der politischen Macht, Streben nach Konzentration aller Befugnisse in einer obersten Instanz« (19. Jh.); **zentrieren** »in den Mittelpunkt stellen, um den Mittelpunkt gruppieren« (19. Jh.); **zentrifugal** »vom Mittelpunkt wegstrebend« (18. Jh.; nlat. Neubildung, deren Grundwort zu lat. *fugere* »fliehen, meiden« gehört), meist in der Zusammensetzung **Zentrifugalkraft** »Fliehkraft« (18./19. Jh.); dazu die Substantivbildung **Zentrifuge** »Schleudergerät zur Trennung von Stoffgemischen« (19. Jh.; aus gleichbed. frz. *centrifuge* übernommen). – Vgl. ferner das Fremdwort *exzentrisch* und die Fremdwortgruppe um *konzentrieren.*

Zeppelin: Das Luftschiff ist nach seinem Erfinder Ferdinand Graf von Zeppelin (1838–1917) benannt (Anfang des 20. Jh.s).

Zepter »Herrscherstab«: Das Substantiv (mhd. *cepter*) ist aus lat. *sceptrum* »Zepter« entlehnt, das seinerseits aus griech. *skēptron* »Stab, Zepter, Stütze« übernommen ist. Dies gehört zu griech. *skḗptein* »stützen« (vgl. den Artikel *Schaft*).

zer...: Das Präfix mhd. *zer-,* ahd. *zar-, zur* ist wohl eine Verquickung von ahd. *zi-, ze-* und ahd. *ir-* (vgl. *er...*). Ahd. *zi-, ze-* (vgl. entsprechend aengl. *te-* »zer...«) gehört wahrscheinlich zu dem unter ↑zwei behandelten Zahlwort. Es bedeutet »entzwei, auseinander« und ist verwandt mit griech. *diá* »durch, entzwei, auseinander« (↑dia..., Dia...) und lat. *dis-* »auseinander..., zer...« (↑dis..., Dis...).

zerbrechen, zerbrechlich ↑brechen.

Zeremonie »Gesamtheit der zu einem Ritus gehörenden äußeren Zeichen und Handlungen; feierliche Handlung; Förmlichkeit«: Das seit dem 14. Jh. bezeugte Fremdwort ist aus mlat. *ceremonia, cerimonia* (< lat. *caerimonia* »religiöse Handlung; Feierlichkeit«) entlehnt. Vom 16. Jh. an geriet es – daher auch die Endbetonung – unter den Einfluss von entsprechend frz. *cérémonie.* Das Adjektiv **zeremoniell** »feierlich; förmlich; steif, umständlich« wurde im 18. Jh. aus gleichbed. frz. *cérémonial* entlehnt, das auf spätlat. *caerimonialis* »zur Gottesverehrung gehörig; feierlich« beruht. Das Substantiv **Zeremoniell** »Gesamtheit der durch die Etikette vorgeschriebenen Regeln des höfischen und gesellschaftlichen Verkehrs« wurde um 1700 aus gleichbed. frz. *le cérémonial* übernommen.

zerfetzen ↑Fetzen.

zerfledern, auch: **zerfleddern** »auseinander reißen, zerfetzen, zerlesen«: Das erst seit dem 19. Jh. bezeugte Präfixverb gehört zu mhd. *vlederen* »flattern« (vgl. *Fledermaus*).

zerfleischen ↑Fleisch.

zergen ↑zerren.

zerklüftet ↑[2]Kluft.

zerknirscht: Das Wort ist das zweite Partizip zu dem heute veralteten Verb *zerknirschen* »zermalmen; mit Reue erfüllen«, in dem sich wohl zwei verschiedene Verben vermischt haben: mhd. *zerknürsen, zerknüs[t]en* »zerdrücken, zerquetschen« und das lautmalende ›knirschen‹ (vgl. *knirren*). In religiöser Sprache bedeutet seit frühnhd. Zeit ein ›zerknirschtes‹ Herz so viel wie ein »von Reue gebrochenes« Herz. Von da aus entwickelte sich die Bedeutung »niedergedrückt« im allgemein seelischen Bereich.

zerkratzen ↑Krätze.

zerlaufen ↑laufen.

zerlegen ↑legen.

zerlesen ↑lesen.

zerlöchern ↑Loch.

zermalmen ↑malmen.

Sprachausgleich im heutigen Deutsch

Die Standardsprache ist sehr vielen Einflüssen ausgesetzt. Auch die Mundarten wirken heute verstärkt auf sie ein. Der gesprochenen Standardsprache gehören viele Wörter an, die eigentlich an bestimmte Mundartgebiete gebunden sind und auch standardsprachlich nur in bestimmten Regionen verwendet werden, aber dennoch im gesamten Sprachraum ohne größere Schwierigkeiten zu verstehen sind. Grob gesehen kann Deutschland in einen nördlichen und einen südlichen Sprachraum aufgegliedert werden. Die Grenze zwischen beiden Teilen kann man aber nicht genau festlegen, besonders im Westmitteldeutschen ist sie fließend. Aus welchem der beiden Teile ein Sprachbenutzer stammt, erkennt man daran, wenn er einen Ausdruck benutzt, der für einen bestimmten Sprachraum kennzeichnend ist. In beiden Teilen gibt es voneinander völlig verschiedene Wörter, die aber die gleiche Bedeutung haben, also synonym sind. Die folgende Zusammenstellung soll dies verdeutlichen.

Nördlicher Sprachraum	Südlicher Sprachraum
Apfelsine	Orange
fegen	kehren
Junge	Bub
Kohl	Kraut
Schlachter/Fleischer	Metzger
Sonnabend	Samstag
Tischler	Schreiner
weg	fort
zu Hause	daheim

Schon Martin Luther hat sich im 16. Jahrhundert bemüht, seine Bibelübersetzungen in einer Sprache zu schreiben, die im ganzen deutschen Sprachraum verstanden wurde. Dieses Streben nach einem **Sprachausgleich** ist in den letzten Jahren auch in unserer Gegenwartssprache stärker geworden. Rundfunk, Fernsehen und Presse wirken mit ihrem überregionalen Wortgebrauch stark auf die regionalen Umgangssprachen ein. Besonders die Werbesprache, die ja möglichst viele Menschen ansprechen und zum Kauf bewegen will, muss allgemein verständlich sein. So bietet ein großes Versandhaus in Hamburg in seinem Katalog seinen Kunden einen *Teppichkehrer* an, der im nördlichen Sprachraum eigentlich »Teppichfeger« heißen müsste. Wer an der Nordsee Urlaub macht und sich dort eine Tageszeitung kauft, liest in einem Artikel auch schon einmal die Tagesbezeichnung *Samstag* statt des im Norden üblichen *Sonnabend.* Der im Süd- und Mitteldeutschen übliche Wochentagsname rückt langsam nordwärts vor. Die beiden großen Fernsehanstalten in Deutschland halten allerdings an den Gegebenheiten ihres jeweiligen Sprachraumes fest. Die Hamburger ARD spricht nur vom *Sonnabend,* das Mainzer ZDF verwendet dagegen den südlichen *Samstag.* Im Norden geht man ins *Einkaufszentrum,* nicht etwa ins »Einholzentrum«, obwohl ja der nördliche Sprachraum das Wort *einholen* dort verwendet, wo man im Süden *einkaufen* sagt. Die nord- und mitteldeutschen Ausdrücke *ab-* und *aufwaschen* für »Geschirr spülen« (dazu *Ab-* und *Aufwasch* für das zum Spülen zusammengestellte Geschirr und den Spülvorgang selbst) werden aufgrund der Benennungen für die modernen Spülvorrichtungen *(Geschirrspüler, Spülbecken, Spüle, Spülautomat)* allmählich von *spülen* verdrängt und bekommen dadurch umgangssprachlichen Charakter. Zu diesem Ausgleich innerhalb der Regionalsprachen hat nicht zuletzt die große Bevölkerungsumschichtung innerhalb des deutschen Sprachraums nach 1945 beigetragen.

Ausblick

Rund 1300 Jahre deutscher Wort- und Sprachgeschichte sind bis heute weder kontinuierlich noch zielgerichtet verlaufen. Die neuhochdeutsche Standardsprache ist das momentane Ergebnis dieses jahrhundertelangen Prozesses, den verschiedenste Faktoren – räumliche, soziale, politische und kulturelle – entscheidend beeinflusst haben.

zerreiben ↑reiben.

zerreißen ↑reißen.

zerren: Das Verb mhd., ahd. *zerren* gehört zu der unter ↑zehren dargestellten idg. Wurzel. Es bedeutete zunächst »[zer]reißen«, dann »(ruckweise) ziehen«, beachte das verwandte **zergen** mitteld. und nordostd. für »necken« (eigentlich »reißen, zerren«). – Präfixbildung: **verzerren** (mhd. *verzerren* »auseinander zerren«), dazu **Verzerrung** (18. Jh.). Zus.: **Zerrbild** »Darstellung, die etwas verzerrt wiedergibt« (Ende 18. Jh.; ursprünglich als Ersatz für das heute üblichere ↑Karikatur geschaffen).

zerrissen ↑reißen.

zerrütten »vollständig erschöpfen, zerstören«: Das Verb mhd. *zerrütten* ist eine Präfixbildung zu dem im Nhd. untergegangenen einfachen Verb mhd. *rütten* »erschüttern«, das im Sinne von »Bäume losrütteln« zu der unter ↑roden behandelten Wortgruppe gehört. Eine Weiterbildung zu ›rütten‹ ist das unter ↑rütteln behandelte Verb.

zerschellen »in Trümmer gehen«: Das heute schwach gebeugte und gewöhnlich intransitiv gebrauchte Verb geht zurück auf ein starkes mhd. *zerschellen* »schallend zerspringen«, hat aber schon frühnhd. die schwachen Formen von mhd. *schellen* »mit Schall zerschlagen« übernommen (vgl. [1]*Schelle*).

zerschmettern ↑schmettern.

zersetzen ↑setzen.

zersprengen ↑sprengen.

zerstäuben ↑Staub.

zerstieben ↑stieben.

zerstören, Zerstörer ↑stören.

zerstreuen, zerstreut, Zerstreuung ↑streuen.

zerstückeln ↑Stück.

Zertifikat »Beglaubigung; Bescheinigung, Zeugnis«: Das Fremdwort wurde im 18. Jh. – vielleicht unter dem Einfluss von entsprechend frz. *certificat* – aus mlat. *certificatum* »Beglaubigung« entlehnt. Dies ist das substantivierte Part. Perf. von mlat. *certificare* »gewiss machen, beglaubigen« (zu lat. *certus* »gewiss, sicher«).

Zervelatwurst: Der erste Bestandteil der seit Beginn des 18. Jh.s belegten Bezeichnung für eine Art Dauerwurst ist aus it. *cervellata* »Hirnwurst« entlehnt, das zu it. *cervello* »Gehirn« gehört (aus lat. *cerebellum,* einer Verkleinerungsform von lat. *cerebrum* »Gehirn«; zum Weiteren vgl. den Artikel *Hirn*).

zerzausen ↑zausen.

[1]**Zettel** »Längsfaden, Kette (in der Weberei)«: Das Substantiv (spätmhd. *zettel*) gehört zu dem unter ↑[1]verzetteln behandelten mhd. Verb *zetten* »ausstreuen, ausbreiten«. – Dazu: **anzetteln** »anstiften« (16. Jh.; eigentlich »ein Gewebe durch das Aufziehen der Längsfäden beginnen«).

[2]**Zettel** »kleines [rechteckiges] Stück Papier«: Das Substantiv mhd. *zedel[e]* ist aus it. *cedola* entlehnt, das über mlat. *cedula* auf älteres *schedula,* eine Verkleinerungsbildung zu lat. *scheda* »Zettel«, zurückgeht. Eine Präfixbildung zu dem von ›[2]Zettel‹ abgeleiteten, im Nhd. untergegangenen einfachen Verb mhd. *zedelen* »eine schriftliche Abmachung ausfertigen« ist das Verb [2]**verzetteln** (im 15. Jh. in der gleichen Bedeutung wie das einfache Verb; in der Bedeutung »in Zettelkarteien festhalten« seit Mitte des 18. Jh.s).

Zeug: Das altgerm. Substantiv mhd. *[ge]ziuc,* ahd. *[gi]ziuch,* niederl. *tuig,* aengl. in *sulh-getēog* »Pfluggerät«, schwed. *tyg* gehört zu dem unter ↑ziehen behandelten Verb. Es bedeutet eigentlich »das Ziehen«, dann »Mittel zum Ziehen«. Daraus entwickelten sich Bedeutungen wie »Mittel, Gerät, Stoff, Vorrat«. Seit dem 18. Jh. wird ›Zeug‹ auch abwertend im Sinne von »Kram, Plunder« gebraucht. Eine Ableitung zu ›Zeug‹ ist ↑[2]zeugen.

Zeug

jmd. hat/jmd. besitzt/in jmdm. steckt das Zeug zu etwas

(ugs.) »jmd. hat die Anlage, das Talent, etwas zu werden«

In dieser Wendung war mit ›Zeug‹ ursprünglich das Werkzeug, die Ausrüstung des Handwerkers, gemeint. Wer gutes Werkzeug hat, kann gute Arbeit leisten.

... was das Zeug hält

(ugs.) »in höchstem Maße, mit höchstem Einsatz«

In dieser Wendung steht ›Zeug‹ für das Geschirr, mit dem Pferde oder Ochsen angespannt werden. Wenn die Zugtiere hart arbeiten, wird das Geschirr stark beansprucht, muss es viel aushalten.

jmdm. etwas am Zeug flicken

(ugs.) »jmdn. in Misskredit bringen [wollen]«

In dieser Wendung ist mit ›Zeug‹ die Kleidung gemeint. Wer sich an jemandes Kleidung zu schaffen macht, verändert dessen Aussehen, beeinträchtigt – in bildlicher Übertragung – sein Ansehen.

sich ins Zeug legen

(ugs.) »sich anstrengen«

In dieser Wendung steht ›Zeug‹ für das Geschirr von Zugpferden oder -ochsen, die sich bei angestrengter Arbeit mit ihrem ganzen Gewicht in das Geschirr legen müssen.

Zeuge: Das Substantiv mhd. *[ge]ziuc, geziuge* »Zeugnis, Beweis; Zeuge« gehört zu dem unter ↑ziehen behandelten Verb. Es bedeutete ursprünglich »das Ziehen«, dann speziell »das Ziehen vor Gericht«, schließlich »die vor Gericht gezogene Person«. Eine Bildung zu ›Zeuge‹ ist **Zeugnis** »urkundliche Bescheinigung (besonders mit Bewertungen der Leistungen eines Schülers)« (mhd. *[ge]ziugnisse*). – Abl.: [1]**zeugen** »Zeugnis ablegen« (mhd. *ziugen*, ahd. *ge-ziugōn*), dazu **bezeugen** »beglaubigen, bestätigen« (mhd. *beziugen*) und **überzeugen** (mhd. *überziugen*, ursprünglich »vor Gericht durch Zeugen überführen«, seit dem 18. Jh. in allgemeiner Bedeutung »jemanden mit Beweisen dazu bringen, etwas als wahr, richtig, notwendig anzuerkennen«), dazu **Überzeugung** (16. Jh.).

[1]**zeugen** ↑Zeuge.

[2]**zeugen** »erschaffen«: Das Verb mhd. *ziugen, geziugen*, ahd. *gi-ziugōn* ist eine Ableitung von dem unter ↑Zeug behandelten Substantiv. Es bedeutete ursprünglich »Zeug, Gerät usw. anschaffen, besorgen«, dann »herstellen, erzeugen«; heute ist es nur noch in der Bedeutung »durch Geschlechtsverkehr, Befruchtung ein Kind entstehen lassen (vom Mann gesagt)« gebräuchlich. – Abl.: **Zeugung** »das Zeugen« (mhd. *ziugunge* »Machen, Tun«). Präfixbildung: **erzeugen** »entstehen lassen; herstellen, produzieren« (mhd. *erziugen*).

Zeugnis ↑Zeuge.

Zichorie: Der seit dem 16. Jh. bezeugte Name der Wegwarte, aus deren Wurzeln ein Kaffee-Ersatz hergestellt wird, ist aus gleichbed. it. *cicoria* entlehnt, das über mlat. *cichorea* auf lat. *cichorium* zurückgeht. Dies stammt aus griech. *kichṓrion*, richtiger *kichórion* »Wegwarte; Endivie«. Die weitere Herkunft des Wortes ist dunkel. – Eine veredelte Form der Zichorie findet seit dem 20. Jh. unter dem Namen **Chicorée** als Salatpflanze Verwendung. Dieser Name ist aus gleichbed. frz. *chicorée* (< mlat. *cichorea*) übernommen.

Zicke, Zickel, Zicklein ↑Ziege.

Zickzack »in abwechselnd ein- und ausspringenden Winkeln verlaufend«: Das seit dem 18. Jh. bezeugte Adverb ist eine lautmalende Doppelbildung zu der Interjektion ›zack!‹ (vgl. z. B. die Lautnachahmung ›klipp, klapp!‹ und Bildungen wie ›Mischmasch‹ oder ›Krimskrams‹).

Ziege: Der Name des Haustieres (mhd. *zige*, ahd. *ziga*) ist entweder mit griech. *díza* »Ziege« und armen. *tik* »Schlauch aus Tierfell« (wohl ursprünglich aus Ziegenfell) verwandt oder aber eine unabhängige Bildung aus einem Lockruf. – Abl.: **Zicke** (ahd. *zikkīn* »junge Ziege, [junger] Bock«, vgl. aengl. *ticcen* »junge Ziege«), dazu **Zickel, Zicklein** (mhd. *zickel[īn]*). Zus.: **Ziegenpeter** »Mumps« (19. Jh.; vielleicht kommt die Bezeichnung daher, dass eine ähnliche Krankheit bei Ziegen auftritt. Der Personenname ›Peter‹ steht hier als Gattungsname im Sinne von »Tölpel« und meint den durch die Krankheit entstellten, dumm aussehenden Menschen).

Ziegel: Das westgerm. Substantiv mhd. *ziegel*, ahd. *ziegal*, niederl. *tegel*, engl. *tile* (die nord. Sippe von schwed. *tegel* stammt wohl aus dem Niederl.) ist aus lat. *tegula* »Dachziegel« entlehnt, einer Bildung zu lat. *tegere* »decken« (vgl. *decken*).

ziehen: Das altgerm. Verb mhd. *ziehen*, ahd. *ziohan*, got. *tiuhan*, aengl. *tēon* (vgl. aisl. *togenn* »gezogen«) gehört zu einer idg. Wurzel **deuk* »ziehen«; vgl. aus anderen idg. Sprachen z. B. lat. *ducere* »ziehen, führen« (s. die Fremdwortgruppe um *Dusche*) und mittelkymr. *dygaf* »bringe«. Im germ. Sprachbereich stellen sich zu ›ziehen‹ die unter ↑Zaum, ↑Zeug, ↑Zeuge, ↑zögern, ↑Zögling, ↑Zucht, ↑zucken, ↑Zug und ↑Zügel behandelten Wörter. Auch in ↑Herzog (eigentlich »Heerführer«) steckt eine Bildung zu ›ziehen‹. Zu dem 2. Part. ›gezogen‹ von ›ziehen‹ im Sinne von »erziehen« gehört das Adjektiv **ungezogen** »unartig« (mhd. *ungezogen*, ahd. *ungazogan*). Zusammensetzungen und Präfixbildungen: **abziehen** (mhd. *abeziehen* »weg-, herunter-, zurückziehen«, ahd. *abaziohan* »herunterziehen«), dazu **Abzug** (mhd. *abezuc* »das Abziehen; Aufhören; Abbruch«, im Nhd. dann auch »Hebel an einer Schusswaffe zum Auslösen des Schusses; Vorrichtung, Öffnung, durch die etwas abziehen kann; von einem Negativ hergestelltes Positiv«, im Plural auch »Abgaben, Steuern«) und **abzüglich** »nach Abzug« (19. Jh.); **anziehen** (mhd. *aneziehen* »an sich ziehen; bekleiden; beschuldigen [eigentlich ›etwas als Beweis heranziehen‹]; beanspruchen; zu ziehen anfangen«), dazu **Anzug** (in der Bedeutung »aus Hose und Jacke bestehendes Kleidungsstück für Männer« erst seit dem 18. Jh.; spätmhd. *anzuc* bedeutete »Stellung von Zeugen; Beschuldigung, Vorwurf; Ankunft«; zu der spätmhd. Verwendung stellt sich im 17. Jh. das Adjektiv **anzüglich** »auf etwas Unangenehmes anspielend; anstößig«); **aufziehen** (mhd. *ūfziehen* »in die Höhe ziehen; auf-, erziehen; fördern; beanspruchen; verschieben«, ahd. *ūfziohan* »emporziehen«), dazu **Aufzug** (mhd. *ūfzuc* »Vorrichtung zum Aufziehen; Verzögerung, Verzug; Einfluss«; im Nhd. dann auch »das [feierliche] Aufziehen, Art und Weise, wie man vor anderen erscheint, Aufmachung, Kleidung«; seit dem 17. Jh. in der Bedeutung »Schauspielakt«, nach dem Aufziehen des Vorhangs oder nach dem feierlichen Auftreten der Schauspieler, schließlich auch für »Fahrstuhl, Lift«); **ausziehen** (mhd. *ūzziehen* »[her]ausziehen; entkleiden; ausnehmen, befreien«, ahd. *ūzziohan* »herausziehen«), dazu **Auszug** (mhd. *ūzzuc* »das Ausziehen; Einwand, Einspruch; Ausnahme«; seit dem 16. Jh. für »gekürzte Wiedergabe einer Schrift«); **beziehen** (mhd. *beziehen* »zu etwas kommen, erreichen; überziehen; an sich nehmen, einziehen«, ahd. *biziohan* »überziehen, wegziehen«; seit dem 17. Jh. reflexiv für »gerichtlich appellieren«, dann »beweisend anführen«), dazu **Beziehung** »(menschliche) Verbindung; innerer Zusammenhang« (17. Jh.), **Bezug** »Beziehung, Verbindung; das [regelmäßige] Beziehen«, im Plural »Einkünfte, Gehalt«, ferner »etwas, womit man etwas bezieht, [Bett]überzug« (18. Jh.; vgl. mhd. *bezoc* »Unterfutter«), dazu **bezüglich** »sich auf etwas beziehend« (um 1800); **erziehen** (mhd. *erziehen*, ahd. *irziohan* »zu etwas anleiten, jemandes Geist und Charakter bilden und seine Entwicklung fördern«, eigentlich »herausziehen«; nach dem Vorbild von lat. *educare* »großziehen, ernähren, erziehen« entwickelte sich in ahd. Zeit die heutige Bedeutung), dazu **Erzieher** (17. Jh.) und **Erziehung** (17. Jh.); **nachziehen** (mhd. *nāchziehen*, ahd. *nāhziohan* »hinter sich herziehen«), dazu **Nachzügler** »jemand, der verspätet [an]kommt« (Ende des 18. Jh.s zu jetzt veraltetem *Nachzug* »Nachhut eines Heeres« gebildet); **überziehen** (mhd. *überziehen* »über etwas ziehen; bedecken; überfallen; besetzen; gewinnen«), dazu **Überzieher** »Herrenmantel« (Mitte des 19. Jh.s für »Wettermantel«), **Überzug** »Hülle; Schicht« (15. Jh.); **umziehen** (mhd. *umbeziehen* »herumziehen; umzingeln, überfallen; belästigen«), dazu **Umzug** (seit dem 16. Jh. »festlicher Aufmarsch«, seit dem 19. Jh. für »Wohnungswechsel«); **verziehen** (mhd. *verziehen* »auseinander ziehen; verstreuen; hinziehen, verzögern; wegziehen; entfernen; wegnehmen, entziehen; verweigern«, ahd. *farziohan* »wegnehmen; falsch erziehen«), dazu **Verzug** »Verzögerung, Rückstand« (mhd. *verzuc, verzoc*); **vollziehen** (mhd. *vollziehen*, ahd. *follaziohan* »ausführen, vollenden«), dazu **Vollzug** (mhd. *volzuc* »das Vollenden, Ausführen«); **vorziehen** (mhd. *fürziehen*, ahd. *furiziohan* »vorziehen, hervorholen«; die Bedeutung »lieber mögen, bevorzugen« entwickelte sich im Mhd.), dazu **Vorzug** »gute Eigenschaft; Vorrang; Vorrecht« (im 15. Jh. für »bevorzugte Eigenschaft«) und **vorzüglich** »besonders gut, ausgezeichnet« (18. Jh.); **zuziehen** (mhd. *zuoziehen* »zufügen; verschließen«, ahd. *zuozihen* »anziehen«), dazu im 19. Jh. **zuzüglich** »hinzukommend, zuzurechnend« (wohl nach ›abzüglich‹ gebildet).

Ziel: Das Substantiv mhd., ahd. *zil* (vgl. got. *tilarids* »zum Ziel strebend« als Name eines Speers und aisl. *aldr-tili* »Lebensende«) gehört vielleicht zu der unter ↑Zeit behandelten Wortgruppe. Es würde demnach eigentlich »das Eingeteilte, Abgemessene« bedeuten, woraus sich dann die Bedeutung »räumlicher oder zeitlicher Endpunkt« entwickelt hätte. In anderen germ. Sprachen sind verwandt engl. *till* »bis [zu]«, schwed. *till* »bis [zu]«. – Abl.: **zielen** »auf ein Ziel richten; zum Ziel haben« (mhd. *zil[e]n*, ahd. *zilēn, zilōn*). Zus.: **ziellos** (17. Jh.; zuerst in der Bedeutung »endlos«; seit dem 19. Jh. in der Bedeutung »ohne Ziel«); **zielstrebig** (↑streben).

ziemen: Mhd. *zemen*, ahd. *zeman*, got. *gatiman*, mniederl. *temen* gehören zur idg. Wurzel **dem[ə]-* »[zusammen]fügen, bauen« und sind mit dem unter ↑Zimmer behandelten Substantiv eng verwandt. Vgl. aus anderen idg. Sprachen z. B. griech. *démein* »bauen«, *despótēs* »Herrscher« (eigentlich »Hausherr«, s. das Fremdwort *Despot*), lat. *domus* »Bau, Haus« (s. das Lehnwort *Dom*), russ. *dom* »Haus«. Das Verb ›ziemen‹ bedeutet demnach eigentlich »sich fügen, passen«. Mit der genannten idg. Wurzel ist wahrscheinlich die unter ↑zähmen behandelte Wurzel identisch. Eine Bildung zu ›ziemen‹ ist ↑Zunft. – Abl.: **ziemlich** (mhd. *zimelich* »gebührend«, ahd. *zimilīh*; das Adjektiv bedeutete ursprünglich »was sich ziemt«, die Bedeutung »maßvoll, mäßig, ausreichend« entwickelte sich im 15. und 16. Jh. Seit dieser Zeit ist das Wort auch im Sinne von »beträchtlich, in nicht geringem Maße« gebräuchlich).

Ziemer ↑Ochse.

Zier: Das Substantiv mhd. *ziere*, ahd. *ziarī* »Schönheit, Pracht, Schmuck« ist eine Ableitung von dem heute ungebräuchlichen Adjektiv *zier* »glänzend, prächtig, herrlich« (mhd. *ziere*, ahd. *ziari*); dies beruht auf einer Bildung zu der idg. Wurzel **dei-*, **deịə-* »hell glänzen, schimmern, scheinen«, vgl. im germ. Sprachbereich aisl. *tīrr* »Glanz, Ruhm, Ehre«, aengl. *tīr* »Ruhm, Ehre, Schmuck«. Außergerm. sind z. B. verwandt aind. *dídēti* »strahlt, leuchtet«, *dyáu-ḥ* »Himmel, Tag« (auch als Gottheit), eigentlich »der Leuchtende, Strahlende«, griech. *Zeús* »Himmelsgott«, lat. *deus* »Gott«, altlat. *deivos*, eigentlich »Himmlischer« (s. die Fremdwörter *adieu!* und *Diva*), lat. *Iovis*, alat. auch *Diovis* (s. das Fremdwort *jovial*), lat. *dies* »Tag« und *diurnus* »täglich« (s. das Fremdwort *Journal*). Aus dem germ. Sprachbereich gehört dazu der Göttername ahd. *Ziu* (s. den Artikel *Dienstag*). – Weitere Ableitungen vom Adjektiv ›zier‹ sind **Zierde** »Schmuck« (mhd. *zierde*, ahd. *zierida*) und **zieren** »schmücken«, reflexiv »sich gekünstelt verhalten, sich bitten lassen« (mhd. *zieren*, ahd. *ziarōn*). Zu ›zieren‹ gehören **Zierrat** »Verzierung, schmückendes Beiwerk« (mhd. *zierōt*; gebildet mit demselben Suffix wie ↑Einöde) und die Präfixbildung **verzieren** »(aus)schmücken« (15. Jh.), dazu **Verzierung** (16. Jh.).

Ziffer: Das Wort für »Zahlzeichen« (spätmhd. *zifer*) wurde im 15. Jh. aus afrz. *cifre* »Null« entlehnt, das auf mlat. *cifra* »Null« zurückgeht. Beachte auch it. *cifra*, span. *cifra*. Das mlat. Wort ist aus arab. *ṣifr* »Null« (zu arab. *ṣafira* »leer sein«) entlehnt, das seinerseits eine Lehnübertragung von aind. *śū́nya-m* »das Leere« ist. Für den Bedeutungswandel von »Null« zu »Zahlzeichen« gilt Folgendes: Als im It. das Wort it. *nulla* »Nichts« (vgl. *null*) an die Stelle von it. *cifra* »Null« trat, übernahm it. *cifra* die Aufgabe von it. *figura*, das bisher »Zahlzeichen« bedeutet hatte. Entsprechend verlor im Deutschen das Wort ›Ziffer‹ die Bedeutung »Null« und bekam die heute übliche Bedeutung »Zahlzeichen«. Vom 15./16. Jh. an treten die Ziffern in Geheimschriften anstelle von Buchstaben auf, sodass ›Ziffer‹ auch »Geheimschrift«, dann »Buchstaben (ohne geheimen Sinn)« bedeuten kann. Im Sinne von »Geheimschrift« verwendet man seit dem 17./18. Jh. das aus dem Frz. entlehnte ↑Chiffre, das denselben Ursprung hat. Das oben erwähnte [a]frz. *cifre,* das bis zum 17. Jh. »Null« und vom 15. Jh. an auch »Ziffer«, später zudem »Geheimschrift« bedeutete, war im 16. Jh. zu *chiffre* geworden, wahrscheinlich infolge lautlicher Beeinflussung durch it. *cifra* – vermutlich im Zusammenhang mit dem Geldverkehr (vgl. den Artikel [2]*Bank*). Zu ›Ziffer‹ in der Bedeutung »Geheimschrift« gehört das heute nicht mehr gebräuchliche Verb *ziffern* »Ziffern schreiben, rechnen; in Geheimzeichen schreiben; Schriftzeichen schreiben« (um 1700), dazu könnte **entziffern** »(mühsam) lesen; entschlüsseln« (18. Jh.) gehören, das aber wohl eher eine Nachbildung von frz. *déchiffrer* »entziffern, dechiffrieren« ist (s. *dechiffrieren* [↑Chiffre]).

...zig: Die für die Zehnerzahlen von zwanzig bis neunzig charakteristische Endung mhd. *-zec,* ahd. *-zig, -zug,* niederl. *-tig,* engl. *-ty,* aisl. *-tigr* (vgl. got. *tigus* »Zehner«) gehört zu dem unter ↑zehn behandelten idg. Zahlwort. Sie bedeutet eigentlich »Zehner, Zehnheit«. Zur unbestimmten Angabe von Zehnerstellen tritt ›...zig‹ ugs. auch als selbstständiges Wort in der Bedeutung »sehr viel« auf, z. B. ›er fuhr zig Kilometer‹.

Zigarre: Der Name der aus walzenförmig gerollten Tabaksblättern hergestellten Tabakware, in dt. Texten seit dem 18. Jh. (zuerst als ›Cigarr‹) bezeugt, beruht wie entsprechend frz. *cigare,* engl. *cigar,* it. *sigaro* u. a. auf gleichbed. span. *cigarro.* Die weitere Herkunft des Wortes ist unsicher. – Dazu: **Zigarette** (19. Jh., eigentlich »kleine Zigarre«; aus gleichbed. frz. *cigarette,* einer Verkleinerungsbildung zu frz. *cigare*); **Zigarillo** »kleine Zigarre, deren Spitze abgeschnitten ist« (20. Jh.; aus span. *cigarrillo,* einer Verkleinerungsbildung zu *cigarro* [heute = »Zigarette«]).

Zigeuner: Das heute als diskriminierend empfundene Substantiv bezeichnet einen »Angehörigen der Volksgruppe der Sinti und Roma«, die zum ersten Mal im 15. Jh. in Deutschland auftraten. Die Herkunft ihres Namens (vgl. it. *zingaro,* ung. *cigány,* rum. *ţigan,* bulgar. *ciганин,* mgriech. *tsigganos*) ist ungewiss.

Zikade »Zirpe«: Der seit dem 15. Jh. bezeugte Insektenname beruht mit den entsprechenden roman. Wörtern it. *cicala,* prov. *cigala* (> frz. *cigale*) und span. *cigarra* auf gleichbed. lat. *cicada,* das seinerseits einer Mittelmeersprache entstammt.

Zimmer: Das altgerm. Substantiv mhd. *zimber,* ahd. *zimbar* »Bau[holz]«, mniederl. *timmer* »Baumaterial; Gebäude«, engl. *timber* »Bauholz«, schwed. *timmer* »Bauholz« gehört zu der unter ↑ziemen entwickelten idg. Wurzel **dem[ə]-* »[zusammen]fügen, bauen«. Es bedeutete ursprünglich »Bauholz«, woraus sich im Westgerm. die Bedeutung »[Holz]gebäude« entwickelte. Auf das Dt. beschränkt ist die weitere Bedeutungsentwicklung zu »Wohnraum« (15. Jh.). Das -b- in den mhd., ahd. und engl. Formen ist der leichteren Aussprache wegen eingeschoben.

zimperlich »geziert, überempfindlich«: Das seit dem 16. Jh. bezeugte Adjektiv ist eine Ableitung vom gleichbedeutenden Adjektiv mdal. *zimper,* das dunklen Ursprungs ist.

Zimt: Der Name des Gewürzes (mhd. *zinemīn, zinment,* spätmhd. *zimet*) ist aus lat. *cinnamum* entlehnt, das seinerseits aus griech. *kínnamon* übernommen ist. Das griech. Wort stammt aus dem Semitischen, vgl. hebr. *qinnạmôn* »Zimt«.

Zink: Das seit dem 16. Jh. in den Formen ›Zinken, Zink‹ belegte Substantiv ist wohl identisch mit dem unter ↑Zinke behandelten Wort. Das Destillat des Metalls setzt sich nämlich an den Wänden des Schmelzofens in Form von Zinken, d. h. Zacken, ab.

Zinke, auch: **Zinken** »Zacke, Spitze«: Das Substantiv mhd. *zinke,* ahd. *zinko* ist vermutlich eine Bildung zu dem untergegangenen Substantiv *Zind* »Zahn, Zacke« (mhd. *zint*). Dies beruht – wie ↑Zinne – auf einer idg. Form, die zu dem unter ↑Zahn behandelten idg. **[e]dont-* »Zahn« gehört. ›Zinke‹ würde demnach eigentlich »Zahn« bedeuten. Siehe auch den Artikel *Zink.*

Zinn: Die altgerm. Metallbezeichnung mhd., ahd. *zin,* niederl. *tin,* engl. *tin,* schwed. *tenn* ist unsicherer Herkunft. Vielleicht ist sie verwandt mit dem gemeingerm., im Dt. nur noch mdal. bewahrten Wort *Zain* »Zweig, Metallstab, Rute« (mhd., ahd. *zein,* got. *tains,* engl. *-toe* in engl. *mistletoe* »Mistel[zweig]«, schwed. *ten* »Metallstäbchen«). Das Metall wurde in Stabform gegossen. ›Zinn‹ würde demnach eigentlich »Stab[förmiges]« bedeuten.

Zinne »zwischen zwei Schießscharten zahnartig emporragender Mauerteil«: Das Substantiv mhd. *zinne,* ahd. *zinna* (entsprechend niederl. *tinne*) gehört wie ↑Zinke zu der unter ↑Zahn dargestellten idg. Wortgruppe. ›Zinne‹ bedeutet eigentlich »Zahn, Zacke«.

Zinnober: Der Name des roten Minerals (mhd. *zinober*) ist aus gleichbed. afrz. *cenobre* entlehnt, das auf lat. *cinnabaris* zurückgeht. Dies stammt aus griech. *kinnábari* »Zinnober«.

Zins: Das Substantiv mhd., ahd. *zins* »Abgabe, Tribut, [Pacht-, Miet]zins« ist aus lat. *census* »Vermögensschätzung, Steuerliste, Vermögen« entlehnt (vgl. *zensieren*). Die Bedeutung »(nach Prozenten berechneter) Betrag für die Überlassung von Kapital« ist seit mhd. Zeit belegt; für sie gilt seit Ende des 18. Jh.s meist der Plural ›Zinsen‹. – Abl.: **zinsen,** veraltet für »Zins[en] zahlen« (mhd., ahd. *zinsen*), dazu **verzinsen** (mhd. *verzinsen* »Zins bezahlen«, seit dem 16. Jh. auf die Kapitalzinsen bezogen, reflexiv »Zinsen bringen«).

Zipfel: Das erst spätmhd. auftretende Substantiv ist eine Bildung zu mhd. *zipf* »spitzes Ende, Zipfel«, dem niederl. *tip* »Zipfel«, engl. *tip* »Spitze, Zipfel«, schwed. *tipp* »Spitze« entsprechen. Im germ. Sprachbereich sind die unter ↑Zapfen und

↑Zopf behandelten Wörter verwandt. Außergerm. Anknüpfungen sind unsicher.

zirka, circa »ungefähr, etwa« (Abk.: ca.): Das seit dem 18. Jh. gebräuchliche Wort ist aus lat. *circa* »ringsherum, nahe bei; ungefähr, gegen« (Adverb und Präposition) entlehnt. Das lat. Adverb ist eine Ableitung von dem lat. Substantiv *circus* »Kreis, Kreislinie« (vgl. *Zirkus*) nach dem Vorbild anderer Adverbien auf -a wie lat. *extra* »außerhalb«, *infra* »unterhalb«.

Zirkel: Das Substantiv (mhd. *zirkel,* ahd. *circil*) ist aus lat. *circinus* »Gerät zum Zeichnen von Kreisen« unter möglicher Beeinflussung durch lat. *circulus* »Kreis[linie]« entlehnt. Lat. *circinus* und lat. *circulus* sind Bildungen zu lat. *circus* »Ring, Kreis« (vgl. *Zirkus*). Aus der Bedeutung »(mit einem Zirkel gezogener) Kreis« entwickelte sich im 18. Jh. die Bedeutung »Gesellschaftskreis«, wohl unter dem Einfluss von frz. *cercle* »gesellschaftlicher Kreis« (< lat. *circulus,* das auch schon diese Bedeutung hatte; s. auch *zirkulieren*). – Abl.: **abzirkeln** »genau abmessen« (16. Jh.). Zus.: **Zirkelschluss** (18. Jh.; Übersetzung von lat. *probatio circularis* »Beweis, bei dem das zu Beweisende bereits in der Voraussetzung enthalten ist« [eigentlich »sich im Kreis drehender Beweis«]).

zirkulieren »in Umlauf sein, umlaufen, kreisen«: Das seit dem 16. Jh. bezeugte Fremdwort ist aus lat. *circulare* »im Kreis herumgehen« entlehnt. Dies ist von lat. *circulus* »Kreis, Kreislinie, Ring« abgeleitet, einer Verkleinerungsbildung zu gleichbed. lat. *circus* (vgl. *Zirkus*).

zirkum..., Zirkum...: Die Vorsilbe stammt aus lat. *circum-* »um...« (z. B. in **Zirkumflex** »Dehnungszeichen, Akzent besonders für lange Vokale oder Diphthonge« von lat. *circumflexus* »umgebogen«, zu *circumflectere;* vgl. *flektieren*). Lat. *circum-* entspricht dem Adverb lat. *circum* »rings[um]«, das eine Bildung zu lat. *circus* »Ring« (vgl. *Zirkus*) ist.

Zirkus: Das seit dem 16. Jh. bezeugte Fremdwort ist aus lat. *circus (maximus)* »Arena für Wettkämpfe und Spiele; Rennbahn« entlehnt und war zunächst in dieser Bedeutung gebräuchlich. Die heutige Bedeutung erlangte ›Zirkus‹ im 19. Jh. unter dem Einfluss von engl. *circus* und frz. *cirque* (in England und Frankreich entstand Ende des 18. Jh.s der Zirkus der Neuzeit). – Lat. *circus* bedeutet eigentlich »Kreis, Ring« und stammt aus griech. *kírkos* »Ring« (vgl. *schräg*). Zu lat. *circus* in der Bedeutung »Kreis« gehören auch die Fremdwörter *zirka, Zirkel, zirkulieren* und *zirkum..., Zirkum...*

zirpen: Das seit dem 17. Jh. belegte Verb ist lautnachahmenden Ursprungs, vgl. die ähnliche Lautnachahmung **schirpen** (entsprechend engl. *to chirp* »zirpen, zwitschern«). Siehe auch den Artikel *schilpen.*

zischen: Das seit dem 16. Jh. belegte Verb ist lautnachahmenden Ursprungs.

Z

ziselieren »Metall mit Grabstichel, Meißel, Feile u. a. bearbeiten; Figuren und Ornamente aus Gold oder Silber herausarbeiten«: Das Verb wurde im 18. Jh. aus gleichbed. frz. *ciseler* entlehnt. Dies ist von frz. *ciseau* »Meißel« abgeleitet, das ein vlat. Substantiv **cisellus* voraussetzt. Letzteres ist wohl umgebildet aus vlat. **caesellus* »Schneidewerkzeug« nach Vorbildern wie lat. *abscisus* »abgeschnitten« und spätlat. *cisorium* »Schneidewerkzeug«. Alle diese Wörter gehören zum Stamm von lat. *caedere, caesum* (in Zusammensetzungen: *-cidere, -cisum*) »(die Bäume) schneiden, stutzen; abhauen, abschlagen«.

Zitadelle: Die Bezeichnung für »Befestigungsanlage, Kernstück einer Festung« wurde im 15./16. Jh. unter Einfluss von gleichbed. frz. *citadelle* aus it. *cittadella* »Stadtfestung« entlehnt. Dies ist eine Verkleinerungsbildung zu ait. *cittade* »Stadt« und bedeutet demnach eigentlich »kleine Stadt«. Dem it. Wort liegt lat. *civitas* »Bürgerschaft« (zu lat. *civis* »Bürger«; vgl. *zivil*) zugrunde.

Zither: Der Name des Musikinstruments wurde bereits in ahd. Zeit (ahd. *zitara*) aus lat. *cithara* »Zither« entlehnt, aus dem auch niederl. *citer,* schwed. *cittra* und (durch frz. Vermittlung) engl. *zither* stammen. Das lat. Wort seinerseits ist aus griech. *kithárā* »Zither« übernommen, das unbekannter Herkunft ist. Ahd. *zitara* wurde durch mhd. *zitōl[e]* abgelöst, das aus afrz. *citole* entlehnt war. Daneben blieb lat. *cithara* bekannt, das im Anfang des 17. Jh.s erneut entlehnt wurde. Vgl. auch den Artikel *Gitarre.*

zitieren »(Geschriebenes oder Gesprochenes) wörtlich anführen; jemanden herbeirufen, vorladen«: Das bereits in der Rechtssprache des 15. Jh.s im Sinne von »vor Gericht laden« bezeugte Verb ist aus lat. *citare* »herbeirufen, vorladen; sich auf jemandes Zeugenaussage berufen; anführen, erwähnen« (eigentlich »in schnelle Bewegung setzen«) entlehnt. Dies gehört zu lat. *ciere (citum)* »in Bewegung setzen, erregen, antreiben; aufrufen, herbeirufen usw.«, das mit dt. ↑heißen urverwandt ist. – Dazu stellt sich **Zitat** »wörtlich angeführte Stelle (aus einer Schrift oder Rede); bekannter Ausspruch, geflügeltes Wort«, eine gelehrte Entlehnung des 18. Jh.s aus lat. *citatum* »das Angeführte, Erwähnte« (substantiviertes Part. Perf. von *citare*). – Siehe auch *rezitieren.*

Zitrone: Der im Deutschen seit dem 16. Jh. bezeugte Name für die Frucht des ursprünglich im indisch-malaiischen Gebiet heimischen Zitronenbaumes ist aus gleichbed. älter it. *citrone* (dafür heute it. *limone,* ↑Limonade) entlehnt. Das it. Wort selbst beruht wie gleichbed. frz. *citron* auf einer Bildung zu lat. *citrus* »Zitronenbaum, Zitronatbaum«. – Dazu: **Zitronat** »kandierte Fruchtschale einer großen Zitronenart« (16. Jh.; über gleichbed. frz. *citronnat* aus älter it. *citronata* entlehnt).

zittern: Das altgerm. Verb mhd. *zit[t]ern,* ahd. *zit-*

terōn, engl. mdal. *to titter*, aisl. *titra* ist unsicherer Herkunft. Vielleicht beruht es auf einer reduplizierenden Präsensbildung zur idg. Wurzel **der-* »laufen, sich schnell bewegen«, vgl. aus anderen idg. Sprachen aind. *drā́ti* »läuft«, griech. *apo-didrā̆skein* »weglaufen«, zu dem sich griech. *drómos* »Lauf« (↑Dromedar) stellt. Zu dieser Wurzel gehört vielleicht auch das unter ↑trollen behandelte Verb.

Zitze »Milch bildendes, paariges Organ bei weiblichen Säugetieren; (derb:) weibliche Brust«: Mhd. *zitze* ist wie niederl. mdal. *tit*, aengl. *titt*, schwed. mdal. *tiss*, *titt* »Brustwarze« ein Lallwort der Kindersprache, vgl. dazu armen. *tit* »Mutterbrust« und griech. *títthē* »Brustwarze, Mutterbrust«.

zivil »bürgerlich«: Das seit dem 16. Jh. bezeugte Adjektiv ist – vermutlich unter Einwirkung von entsprechend frz. *civil* – aus gleichbed. lat. *civilis* entlehnt. Dies ist eine Bildung zu lat. *civis* »Bürger« (ursprüngliche Bedeutung »Haus- oder Gemeindegenosse«), das u. a. verwandt ist mit den unter ↑Heirat genannten germ. Wörtern ahd. *hī[w]o* »Hausgenosse, Familienangehöriger; Gatte usw.« Von der Bedeutung »bürgerlich« geht die heute veraltete Verwendung von ›zivil‹ im Sinne von »verfeinert, höflich, umgänglich« aus, an die sich der Gebrauch im Sinne von »entgegenkommend, annehmbar, angemessen« (besonders von Preisen) anschließt. – Dazu stellen sich **Zivil** »bürgerliche Kleidung« (im Gegensatz zur militärischen ↑Uniform), im 19. Jh. aufgekommen nach gleichbed. frz. *tenue civile*, dann auch im Sinne von »Zivilpersonen« gebraucht; **Zivilist** »jemand, der nicht Soldat oder Uniformträger ist« (18. Jh.); **zivilisieren** »gesittet machen, verfeinern, kultivieren; mit der Zivilisation vertraut machen« (Anfang 18. Jh.; aus gleichbed. frz. *civiliser*); **Zivilisation** »die Gesamtheit der durch den Fortschritt von Wissenschaft und Technik geschaffenen [verbesserten] Lebensbedingungen« (18. Jh.; aus gleichbed. frz. *civilisation* bzw. engl. *civilization*).

Zobel: Die Bezeichnung der Marderart und ihres Felles (mhd. *zobel*, ahd. *zobil*) wurde im Rahmen des Fellhandels mit den Slawen aus dem Slawischen entlehnt, vgl. die gleichbed. Wörter tschech. *sobol*, russ. *sobol'*. Die Herkunft des slawischen Wortes ist unsicher.

Zofe: Das zuerst im 17. Jh. als ›Zofe, Zoffe‹ in Sachsen bezeugte Substantiv gehört wohl zu dem untergegangenen mitteld. Verb *zoffen* »zögern« (16. Jh.), das auch in frühnhd. *Zoffmagd* »der Herrin nachfolgende Magd« enthalten ist und etwa »hinterherzotteln« bedeutet. Das Verb ist eine Nebenform zu mdal. *zaufen* »zurücktreten, -gehen«. ›Zofe‹ bedeutet also eigentlich »Hinterhertrotterin«.

zögern: Das seit dem 17. Jh. belegte Verb ist eine Iterativbildung zu frühnhd. *zogen* »sich von einem Ort zum anderen bewegen«, mhd. *zogen*, ahd. *zogōn* »gehen, ziehen, [ver]zögern« (entsprechend engl. *to tow* »ziehen, schleppen«, aisl. *toga* »ziehen, zerren«). Dies gehört zu dem unter ↑ziehen behandelten Verb. Das Verb ›zögern‹ bedeutet demnach eigentlich »wiederholt hin und her ziehen«. – Abl.: **zögerlich** »langsam, schleppend« (schon im 18. Jh. belegt, aber erst in der 2. Hälfte des 20. Jh.s gebräuchlich geworden). Präfixbildung: **verzögern** »verlangsamen, hinausschieben« (17. Jh.), dazu **Verzögerung** (Ende des 17. Jh.s).

Zögling: Das im 18. Jh. als Übersetzung von gleichbed. frz. *élève* gebildete Wort ist von dem Präteritumstamm (zog-) des Verbs ↑ziehen (im Sinne von »erziehen«) abgeleitet.

¹Zoll »Abgabe«: Das Substantiv mhd., ahd. *zol*, niederl. *tol*, engl. *toll*, schwed. *tull* ist aus mlat. *telonium* entlehnt, das auf griech. *telṓnion* »Zoll[haus]« zurückgeht. Dies ist eine Bildung zu griech. *télos* »Ziel; Grenze«. Siehe auch *Zöllner*. – Abl.: **zollen** »erweisen, entgegenbringen« (mhd. *zollen* »als Zoll entrichten«), dazu **verzollen** »für etwas Zoll bezahlen« (seit 1300). Zus.: **zollfrei** (mhd. *zollvrī*).

²Zoll: Der Name des Längenmaßes (mhd. *zol* »zylinderförmiges Stück, Klotz«; entsprechend niederl. *tol* »Kreisel«) gehört zu der unter ↑Zahl dargestellten idg. Wurzel **del[ə]-* »spalten, kerben, schnitzen, behauen«. Es bedeutet demnach eigentlich »abgeschnittenes Holz«. Seit dem 16. Jh. wird das Wort als Bezeichnung für ein kleines Längenmaß gebraucht.

Zöllner »jemand, der Zoll einnimmt«: Das Substantiv (mhd. *zolnǣre*, ahd. *zolōnāri*; entsprechend niederl. *tollenaar*) ist aus gleichbed. mlat. *telanarius* entlehnt, einer Bildung zu mlat. *telonium* »Zoll[haus]« (vgl. *¹Zoll*).

Zone: Das Wort für »[Erd]gürtel; Gebiet[sstreifen]« wurde im 18. Jh. aus lat. *zona* »Gürtel; Erdgürtel« entlehnt, das seinerseits aus gleichbed. griech. *zṓnē* stammt. Dies gehört zu griech. *zōnnýnai* »sich gürten«.

Zoologie »Tierkunde«: Das seit dem Ende des 18. Jh.s bezeugte Fremdwort ist aus gleichbed. frz. *zoologie* übernommen. Dies ist eine gelehrte Bildung aus griech. *zõ̜ion* »Lebewesen; Tier« (zu griech. *zēn*, *zṓein* »leben«, etymologisch verwandt mit dt. ↑keck) und griech. *lógos* »Rede, Wort; Vernunft« (vgl. *Logik*). Griech. *zõ̜ion* »Lebewesen, Tier« liegt auch **zoo...**, **Zoo...** in anderen Bildungen zugrunde, z. B. ›zoophag‹ »Fleisch fressend«. – Dazu: **Zoo** »Tiergarten, Tierpark« (19. Jh.; Kurzwort für ›zoologischer Garten‹).

Zopf: Das altgerm. Substantiv mhd. *zopf* »Haarflechte; geflochtenes Backwerk; hinterstes Ende, Zipfel«, ahd. *zoph* »Locke«, niederl. *top* »Spitze, Gipfel, Wipfel«, engl. *top* »Spitze, Gipfel, Wipfel; oberes Ende«, schwed. *topp* »Gipfel, Wipfel, Spitze« bedeutete ursprünglich wohl »Spitze«, dann

»Gipfel, Wipfel; aufgestecktes Haar, Haarbüschel (besonders auf dem Scheitel)«. Nur im hochd. Sprachbereich hat sich daraus die Bedeutung »geflochtenes Haar« entwickelt. Beachte dagegen die niederd. Entsprechung **Topp** »oberstes Ende eines Mastes« (im 18. Jh. schriftsprachlich). Im germ. Sprachbereich sind mit ›Zopf‹ die unter ↑Zapfen und ↑Zipfel behandelten Substantive verwandt, vielleicht auch ↑zupfen. Außergerm. Anknüpfungen sind unsicher.

Zopf

ein alter Zopf
»eine völlig veraltete Idee, Einrichtung, Sache«
In dieser Wendung steht ›Zopf‹ für Überholtes, nicht mehr Zeitgemäßes. Nach der Französischen Revolution wurde die Mode des 18. Jh.s, nach der die Männer [Perücken mit] Zopf trugen, nur noch von Konservativen beibehalten; daher galt der Zopf in späterer Zeit als Sinnbild für Rückständigkeit.

Zores: Der ugs. Ausdruck für »Ärger, Krach, Durcheinander« stammt aus jidd. *zores* (Plural) »Sorgen«. Dies gehört zu hebr. *ẓarą̈* »Kummer«.

Zorn: Das westgerm. Substantiv mhd., ahd. *zorn* »Wut, Beleidigung; Streit«, niederl. *toorn* »Zorn, Grimm«, aengl. *torn* »Zorn, Grimm; Kummer, Leid, Elend« (vgl. aengl. *torn* »bitter, grausam, schmerzlich«) ist unsicherer Herkunft; vielleicht gehört es zu der unter ↑zehren dargestellten idg. Wurzel. – Abl.: **zürnen** »zornig sein, grollen« (mhd. *zürnen*, ahd. *zurnen*), dazu **erzürnen** »zornig machen« (mhd. *erzürnen*, ahd. *irzurnen*).

Zote: »unanständiger Witz«: Das seit dem Ende des 15. Jh.s, zuerst gewöhnlich im Plural ›Zot[t]en‹ auftretende Substantiv ist wahrscheinlich identisch mit ↑Zotte, das früher speziell »unsauberes Haar, Schamhaar; unsaubere Frau, Schlampe« bedeutete.

Zotte, auch: **Zottel:** Das Substantiv mhd. *zot[t]e*, ahd. *zota, zata* »herabhängendes [Tier]haar, Flausch« ist im germ. Sprachbereich verwandt mit niederl. *todde* »Fetzen, Lumpen«, engl. (veraltet) *tod* »Busch, ein bestimmtes Wollgewicht«, aisl. *toddi* »Stückchen«. Die weiteren Beziehungen sind unklar. Die Verkleinerungsform ›Zottel‹ ist erst spätmhd. belegt. Siehe auch den Artikel *Zote*. – Abl.: **zotteln** ugs. für »langsam gehen«, eigentlich »hin und her baumeln« (17. Jh.); **zottig** »struppig; wirr und kraus« (16. Jh.; für mhd. *zoteht*, ahd. *zatoht*).

zu: Das westgerm. Wort (Adverb, Präposition) mhd. *zuo, ze*, ahd. *zuo, za, zi*, niederl. *toe, te*, engl. *too, to* ist wahrscheinlich verwandt mit griech. *-de* »zu« (z. B. in griech. *oikón-de* »nach Hause«), lat. *de* »von, über, betreffs« (↑de..., De...), russ. *do* »bis«. Als Adverb steht ›zu‹ vor allem in unfest zusammengesetzten Verben, die eine Richtung, ein Schließen oder Hinzufügen bezeichnen, ferner in Zusammensetzungen wie ›nahezu, dazu‹. Als Präposition bezeichnet ›zu‹ die absichtliche, zweckhafte Bewegung auf ein Ziel hin, früher auch die Ruhelage (beachte noch ›zu Hause‹, ›zu Ostern‹). Auch als Infinitivkonjunktion ist ›zu‹ ursprünglich Präposition gewesen, ebenso als Bezeichnung des zu hohen Grades bei Adjektiven und Adverbien.

Zubehör: Das seit dem 18. Jh. gebräuchliche Wort ist wohl aus dem Niederd. übernommen (vgl. mnd. *tobehȫre*). Es gehört dann zu mnd. *[to]behȫren* »zukommen, gebühren«, dem gleichbed. älter nhd. *behören* entspricht. Diese Verben sind Präfixbildungen zu ↑hören.

Zuber »großer Bottich«: Das Substantiv mhd. *zuber*, ahd. *zubar, zwipar* ist eine Zusammensetzung, deren erster Bestandteil zu ↑zwei und deren zweiter Bestandteil zum ahd. Verb *beran* »tragen« (vgl. *gebären*) gehört. Es bedeutet eigentlich »Zweiträger, Gefäß mit zwei Henkeln«. Vgl. auch den Artikel *Eimer*.

zubilligen ↑billig.

zubuttern ↑Butter.

Zucht: Das westgerm. Substantiv mhd., ahd. *zuht*, niederl. *tucht*, aengl. *tyht* ist eine Bildung zu dem unter ↑ziehen behandelten Verb. Es bedeutet eigentlich »das Ziehen«. Daraus entwickelten sich früh die Bedeutungen »das Aufziehen, Erziehung, Nachkommenschaft (besonders von Tieren und Pflanzen)« und »Disziplin, Strafe; Anstand, Sittsamkeit«. – Abl.: **züchten** »(paarend) aufziehen« (mhd. *zühten*, ahd. *zuhten* »aufziehen, nähren«); **Züchter** »jemand, der Pflanzen, Tiere züchtet« (mhd. *zühter* »jemand, der junge Tiere aufzieht«, ahd. *zuhtari* »Lehrer, Erzieher«); **züchtig** »anständig, sittsam« (mhd. *zühtec*, ahd. *zuhtig* »wohlerzogen«), dazu **züchtigen** »durch Schläge bestrafen« (mhd. *zühtegen* »strafen«). Beachte auch die Gegenwörter **Unzucht** »gegen die sittliche u. moralische Norm verstoßendes Verhalten zur Befriedigung des Geschlechtstriebs« (veraltend; mhd., ahd. *unzuht*) und **unzüchtig** »unsittlich, pornographisch« (mhd. *unzühtec*, ahd. *unzuhtig*). Zus.: **Inzucht** »Geschlechtsverkehr, Fortpflanzung unter nahe verwandten Lebewesen« (19. Jh.); **Zuchthaus** (im 16. Jh. für »Erziehungsanstalt«, seit dem 17. Jh. auch für »Arbeitshaus; Strafvollzugsanstalt«).

zucken: Das westgerm. Verb mhd. *zucken*, ahd. *zucchōn*, mniederl. *tucken*, mengl. *tukken* gehört – wie ›zücken‹ (s. d.) – zu dem unter ↑ziehen behandelten Verb. Es bedeutet eigentlich »heftig oder wiederholt ziehen«.

zücken: Das auf das dt. Sprachgebiet beschränkte Verb mhd. *zücken*, ahd. *zucchen* gehört – wie ›zucken‹ (s. d.) – zu dem unter ↑ziehen behandelten Verb und bedeutet eigentlich »heftig ziehen oder reißen«. Bis zum 18. Jh. wurde ›zücken‹ gleichbedeutend mit ›zucken‹ verwendet, von da an nur noch transitiv, speziell auf das schnelle Ziehen einer Waffe bezogen. Beachte die Präfixbildung ↑entzücken (s. dort auch über *verzücken*).

Zucker: Das Wort für die süß schmeckende Substanz in kristalliner Form wurde bereits in mhd. Zeit (mhd. *zuker*) aus gleichbed. it. *zucchero* entlehnt, das seinerseits aus gleichbed. arab. *sukkar* übernommen ist. Das arab. Wort stammt letzten Endes – wie griech. *sákcharon* »Zucker« – aus aind. *śárkarā* »Kieselsteine; gemahlener Zucker«. – Abl.: **zuckern** »mit Zucker süßen« (17. Jh.).

Zuckerhut ↑[1]Hut.

zudringlich ↑Drang.

zuerst ↑erst.

Zufall: Das seit mhd. Zeit bezeugte Wort ist eine Bildung zum Verb **zufallen** »zuteil werden« (mhd. *zuovallen*). Mhd. *zuoval* bedeutete zunächst »das, was jemandem zufällt, zuteil wird, zustößt«, daher »Abgabe, Einnahme; Beifall, Zustimmung; Anfall« (vgl. *fallen*). Bei den Mystikern des 14. Jhs. wurde es im Anschluss an lat. *accidens, accidentia* für »äußerlich Hinzukommendes« gebraucht. Daraus entwickelte sich die heutige Bedeutung »etwas, was nicht vorauszusehen war, was unerwartet geschieht«. – Abl.: **zufällig** »auf Zufall beruhend« (spätmhd. *zuovellic*).

Zuflucht ↑[2]Flucht.

zufrieden, Zufriedenheit ↑Friede[n].

Zug: Das westgerm. Substantiv mhd., ahd. *zuc*, mnd. *toch*, aengl. *tyge* ist eine Bildung zu dem unter ↑ziehen behandelten Verb und bedeutet eigentlich »das Ziehen« (beachte dazu Zusammensetzungen wie ›Feldzug, Flaschenzug‹ und ›Zug im Brettspiel‹). In der Bedeutung »geschlossen ziehende Menschenmenge« erscheint ›Zug‹ seit dem 16. Jh., zuerst in der Heeressprache. Daran schloss sich in der 1. Hälfte des 19. Jh.s die Verwendung im Sinne von »Eisenbahnzug« (Bedeutungslehnwort von engl. *train*) an. Seit dem 16. Jh. ist ›Zug‹ auch im Sinne von »stetige Luftbewegung« gebräuchlich. – Abl.: **zugig** »der Zugluft ausgesetzt, windig« (19. Jh.); **zügig** »in einem Zuge, schnell und stetig« (16. Jh.).

Zug

Zug um Zug
»zügig, ohne Unterbrechung«
Dieser Ausdruck leitet sich von den Brettspielen (z. B. Schach) her. Er bedeutete ursprünglich »immer abwechselnd ziehend«.

in den letzten Zügen liegen
1. »mit dem Tod ringen, bald sterben müssen«
2. »bald am Ende sein«
Mit ›Zug‹ ist hier der Atemzug gemeint. Die vorliegende Wendung findet sich bereits in den apokryphischen Schriften der Bibel, im 2. Makkabäer 3, 31.

Zugabe, zugeben ↑geben.

Zügel: Das altgerm. Substantiv mhd. *zügel*, ahd. *zugil*, niederl. *teugel*, aengl. *tygel*, schwed. *tygel* ist eine Bildung zu dem unter ↑ziehen behandelten Verb. Es bedeutet eigentlich – wie das anders gebildete ↑Zaum – »Mittel zum Ziehen«, woraus sich die heutige Bedeutung entwickelt hat.

zugig, zügig ↑Zug.

Zuhälter: Das seit dem 19. Jh. bezeugte Wort ist eine Ableitung von dem zusammengesetzten Verb **zuhalten** (spätmhd. *zuohalten* »geschlossen halten; sich aufhalten; außerehelichen Geschlechtsverkehr haben«; vgl. *halten*). ›Zuhälter‹ bedeutet demnach eigentlich »Geliebte[r], außerehelicher Geschlechtspartner«, beachte das veraltete ›Zuhälterin‹ »Dirne« (15. Jh.). Daraus entwickelte sich die Bedeutung »Dirnenbeschützer«.

zuhanden ↑Hand.

zukommen ↑kommen.

Zukunft, zukünftig ↑kommen.

zulassen, zulässig ↑lassen.

zumuten, Zumutung ↑Mut.

zünden: Das ursprünglich nur oberd. Verb mhd. *zünden*, ahd. *zunden* »Feuer anzünden« stellt sich wie das anders gebildete got. *tundnan* »brennen« und die Veranlassungswörter got. *tandjan*, aengl. *on-tendan*, schwed. *tända* »anzünden, brennen machen« zu einem untergegangenen germ. starken Verb, das in mhd. *ich zinne* »glühe« vorliegt. Siehe auch den Artikel *Zunder*. Außergerm. Anknüpfungen der Wortgruppe sind nicht gesichert. – Abl.: **Zünder** »Zündvorrichtung« (18. Jh.); **Zündung** »das Zünden; Zündvorrichtung« (19. Jh.). Präfixbildung und Zusammensetzungen: **anzünden** »in Brand setzen« (mhd. *anzünden*); **entzünden** »anzünden; in Brand geraten; sich krankhaft röten und [schmerzhaft] anschwellen« (mhd. *enzünden*, ahd. *inzunden;* im medizinischen Sinne seit dem 18. Jh.), dazu **Entzündung** (18. Jh.; meist im medizinischen Sinne); **Zündholz** »Streichholz« (Anfang des 18. Jh.s).

Zunder »Zündschwamm«: Das altgerm. Substantiv mhd. *zunder*, ahd. *zuntra*, niederl. *tonder, tondel*, engl. *tinder*, älter schwed. *tunder* gehört zu dem unter ↑zünden behandelten Verb und bedeutet demnach eigentlich »Mittel zum Anzünden«.

zuneigen, Zuneigung ↑neigen.

Zunft: Das auf das dt. Sprachgebiet beschränkte Substantiv mhd. *zunft*, ahd. *zumft* ist eine Bildung zu dem unter ↑ziemen behandelten Verb (beachte zur Bildung z. B. das Verhältnis von ›Vernunft‹ zu ›vernehmen‹). Es bedeutet eigentlich »das, was sich fügt, passt oder sich schickt«. Daraus entwickelte sich die Bedeutung »Übereinkommen, Ordnung, Vertrag«, wie sie im Ahd. üblich war. In mhd. Zeit entwickelte sich daraus die Bedeutung »Ordnung, nach der eine Gesellschaft lebt; Verband, Gruppe, besonders von Handwerkern«.

Zunge: Das gemeingerm. Substantiv mhd. *zunge*,

ahd. *zunga,* got. *tuggō,* engl. *tongue,* schwed. *tunga* ist z. B. verwandt mit lat. *lingua* »Zunge« (mit l- von lat. *lingere* »lecken«, alat. *dingua*). Welche Vorstellung dieser Benennung zugrunde liegt, ist unbekannt.

zupfen: Die Herkunft des seit dem 15. Jh. bezeugten, ursprünglich nur oberd. Verbs ist nicht sicher geklärt. Vielleicht ist es mit dem unter ↑Zopf behandelten Substantiv verwandt, das mdal. auch »Flachs-, Hanfbüschel« bedeutet; es würde dann eigentlich »Flachs, Hanf raufen« bedeuten.

zuprosten ↑prosit!

zurechtschustern ↑Schuster.

zurichten ↑richten.

zürnen ↑Zorn.

zurück ↑Rücken.

Zusage, zusagen ↑sagen.

zusammen: Das Adverb mhd. *zesamen[e],* ahd. *zasamane* enthält als zweiten Bestandteil mhd. *samen,* ahd. *saman* »gesamt, zusammen«, das zu der unter ↑sammeln behandelten Wortgruppe gehört. Der erste Bestandteil ist die Präposition ›zu‹ (s. d.). Ähnlich ist **beisammen** (16. Jh.; beachte gleichbed. mhd. *besamen*) gebildet.

zusammenläppern ↑läppern.

zusammenpferchen ↑Pferch.

zusammenrotten ↑Rotte.

zusammenschustern ↑Schuster.

zusammenschweißen ↑schweißen.

zusammenstauchen ↑verstauchen.

Zusatz ↑setzen.

zuschanzen ↑¹Schanze.

zuschauen, Zuschauer ↑schauen.

zuschreiben, Zuschrift ↑schreiben.

Zuschuss ↑schießen.

zuschustern ↑Schuster.

zusetzen ↑setzen.

zuspielen ↑Spiel.

zusprechen, Zuspruch ↑sprechen.

Zustand, zuständig ↑stehen.

zustatten ↑gestatten.

zustehen ↑stehen.

zustimmen ↑Stimme.

Zutat, Zutaten ↑tun.

zutragen, Zuträger, zuträglich ↑tragen.

zutrauen, Zutrauen, zutraulich ↑trauen.

zutreffen ↑treffen.

Zutritt ↑treten.

zutun, Zutun ↑tun.

zuverlässig ↑lassen.

Zuversicht ↑sehen.

Zuwachs, zuwachsen ↑²wachsen.

zuwider ↑wider.

zuziehen, zuzüglich ↑ziehen.

Zwang: Das Substantiv mhd. *zwanc, dwanc, twanc,* ahd. *thwanga* (Plural) ist eine Bildung zu dem unter ↑zwingen behandelten Verb und bedeutet demnach eigentlich »das Zusammenpressen, das Drücken«.

zwängen: Das Verb mhd. *zwengen, twengen,* ahd. *dwengen* ist das Veranlassungswort zu dem unter ↑zwingen behandelten Verb und bedeutet eigentlich »drücken machen«. Eine Ableitung von ›zwängen‹ ist wahrscheinlich ↑quengeln.

zwanzig: Das westgerm. Zahlwort mhd. *zweinzec, zweinzic,* ahd. *zweinzug,* niederl. *twintig,* engl. *twenty* ist zusammengesetzt aus der männlichen Form des Zahlwortes ↑zwei (z. B. ahd. **zweine,* nur als *zwēne* belegt) und dem unter ↑...zig behandelten Wort; es bedeutet eigentlich »zwei Zehner« (vgl. dazu got. *twai tigus* »zwanzig«).

zwar »allerdings, wie man weiß; genauer gesagt«: Das Adverb geht auf mhd. *z[e]wāre* »fürwahr« zurück, das aus *zuo* »zu« (vgl. *zu*) und *wār* (vgl. *wahr*) zusammengerückt ist.

Zweck: Das Substantiv mhd. *zwec* »Nagel aus Holz oder Eisen«, ahd. *zwec* »Nagel« gehört zu dem unter ↑zwei behandelten Zahlwort. Es bedeutete ursprünglich – wie das näher verwandte Wort ↑Zweig – »gegabelter Ast, Gabelung«. Im 15. und 16. Jh. bezeichnete ›Zweck‹ dann den Nagel, an dem die Zielscheibe aufgehängt ist, oder den Nagel, der in der Mitte der Zielscheibe sitzt, woraus sich die Bedeutung »Zielpunkt«, übertragen »Absicht, Sinn«, entwickelte. – Abl.: **bezwecken** »einen Zweck verfolgen, beabsichtigen« (18. Jh.). Zus.: **zwecklos** »nutzlos, vergeblich« (18. Jh.); **zweckmäßig** »einem Zweck dienend, sinnvoll, nützlich« (18. Jh.). – Als sich die Bedeutung von ›Zweck‹ »Nagel« zu »Absicht, Sinn« gewandelt hatte, kam im 18. Jh. für »Nagel« die Nebenform **Zwecke** auf (beachte dazu ›Reißzwecke‹ »kleiner Nagel mit kurzem Dorn und breitem, flachem Kopf). Zu dem alten Wort ›Zweck‹ »Nagel« gehört die (heute nur noch landsch. gebräuchliche) Ableitung **zwecken** »mit Zwecken befestigen« (Anfang des 17. Jh.s), dazu **anzwecken** (18. Jh.).

Zweck

der Zweck heiligt die Mittel
»zum Erreichen eines guten Ziels sind auch unmoralische Mittel erlaubt«
Diese Redensart wird allgemein als ein moralisches Prinzip der Jesuiten angesehen; in der ›Moraltheologie‹ des Jesuitenpaters Busenbaum von 1652 ist dieser Grundsatz aber mit deutlichen Einschränkungen versehen. Es dürfte sich in der vorliegenden uneingeschränkten Form um ein altes Prinzip der Machtpolitik handeln, das sinngemäß schon bei Machiavelli auftaucht.

zwei: Die heute übliche Form geht auf die sächliche Form mhd., ahd. *zwei* zurück. Nur noch mdal. gebräuchlich sind die alte männliche Form *zween* (mhd., ahd. *zwēne)* und die alte weibliche Form *zwo* (mhd., ahd. *zwō, zwā*). Die Form ›zwo‹ wurde im 20. Jh. aus Deutlichkeitsgründen neu belebt, um Verwechslungen von ›zwei‹ mit dem gleich auslautenden ›drei‹ zu verhindern. Das Zahlwort ist gemeingerm., vgl. noch got. *twai, twōs, twa,* engl. *two,* schwed. *två.* Es beruht auf idg. **duō[u],* **duai* »zwei«. In anderen idg. Sprachen sind z. B. verwandt aind. *dvau* »zwei«, griech. *dýo* »zwei« (↑[2]di..., Di...), lat. *duo* »zwei« (s. das Fremdwort *Duo*). Wahrscheinlich gehört zu ›zwei‹ das unter ↑zer... behandelte Präfix. Bildungen zu ›zwei‹ sind die unter ↑Zuber (eigentlich »Gefäß mit zwei Henkeln«), ↑zwanzig (eigentlich »zwei Zehner«), ↑Zweck (eigentlich »Astgabel, Gabelung«), ↑Zweifel (eigentlich »zweifach[e Möglichkeit]«), ↑Zweig (eigentlich »gegabelter Ast«), ↑Zwillich (eigentlich »zweifach«), ↑Zwilling (eigentlich »Zweiling«), ↑Zwirn (eigentlich »zweifacher Faden«), ↑zwischen (eigentlich »[in der Mitte von] beiden«), ↑Zwist (eigentlich »Entzweiung«), ↑Zwitter (eigentlich »zweierlei«) und ↑zwölf (eigentlich »zwei plus [zehn]«) behandelten Wörter. Vgl. auch die unter *zwie..., Zwie...* behandelten Bildungen und ↑Zwickmühle sowie den Artikel entzwei. – Abl.: **zweite** (Ordnungszahl, 14. Jh.; anstelle von ↑ander).

Zweidecker ↑Deck.

zweideutig ↑deuten.

Zweifel: Die Substantive mhd. *zwīvel,* ahd. *zwīfal,* niederl. *twijfel,* got. *tweifls* beruhen auf einer Zusammensetzung, deren erster Teil zu dem unter ↑zwei behandelten Wort gehört und deren zweiter Teil auf der unter ↑falten behandelten idg. Wurzel **pel-* »falten« beruht. Verwandte Bildungen sind griech. *diplós* »doppelt«, lat. *duplus* »doppelt« (↑doppelt). ›Zweifel‹ bedeutet demnach eigentlich »[Ungewissheit bei] zweifach[er Möglichkeit]«. – Abl.: **zweifelhaft** »unsicher, fraglich; fragwürdig« (mhd. *zwīvelhaft*); **zweifeln** »unsicher sein, Zweifel an etwas haben« (mhd. *zwīveln,* ahd. *zwīfalen, zwīfalōn*), dazu die Präfixbildungen **bezweifeln** »infrage stellen« (mhd. *bezwīveln*) und **verzweifeln** »völlig hoffnungslos werden« (mhd. *verzwīveln*).

Zweig: Das auf das dt. und niederl. Sprachgebiet beschränkte Substantiv mhd. *zwīc,* ahd. *zwīg,* niederl. *twijg* (vgl. das anders gebildete engl. *twig* »Zweig«) gehört zu dem unter ↑zwei behandelten Wort. Es bedeutet eigentlich »der Aus-zwei-Bestehende« (= »gegabelter Ast«). Mit ›Zweig‹ ist das unter ↑Zweck behandelte Wort näher verwandt. – Abl.: **zweigen** veraltet für »Zweige treiben« (mhd. *zwīgen*); ob **abzweigen** »seitlich abgehen« (18. Jh.; davon **Abzweigung,** 1. Hälfte des 19. Jh.s) und **verzweigen** »sich in Zweige teilen« (19. Jh.) Bildungen zu ›zweigen‹ oder unmittelbar von ›Zweig‹ abgeleitet sind, ist nicht sicher zu entscheiden.

zweischläfig, zweischläfrig ↑Schlaf.

zweischneidig ↑schneiden.

zweite ↑zwei.

zweitklassig ↑Klasse.

zwerch: Das gemeingerm. Adjektiv mhd. *twerch,* ahd. *twerah, dwerah* »schräg, verkehrt, quer«, got. *þwairhs* »zornig«, aengl. *đweorh* »verkehrt, quer«, schwed. *tvär* »quer; barsch« ist nicht sicher erklärt. Wahrscheinlich bedeutet es eigentlich »verdreht« und gehört zu der idg. Sippe von ›drechseln‹ (vgl. *drehen*). Der abweichende Anlaut (germ. þw-) beruht wohl auf einer schon vorgerm. Vermischung mit Wörtern der unter ↑Quirl behandelten Sippe. Der jetzige Anlaut zw- ist zuerst im 14. Jh. bezeugt. In der Schriftsprache ist ›zwerch‹ seit dem 18. Jh. von seiner ursprünglich mitteld. Nebenform ›quer‹ (s. d.) verdrängt worden. Es steht heute fast nur in Zusammensetzungen, z. B. **überzwerch** mdal. für »quer, über Kreuz« (mhd. *übertwerch, über twerch*) und **Zwerchfell** »Trennwand zwischen Brust- und Bauchraum« (16. Jh.).

Zwerg: Das altgerm. Substantiv mhd., ahd. *twerc,* niederl. *dwerg,* engl. *dwarf,* schwed. *dvärg* ist unsicherer Herkunft. Vielleicht hängt es im Sinne von »Trugwesen« mit ahd. *gidrog* »Gespenst« zusammen. Vgl. auch den Artikel *Quarz.*

Zwetsche, oberd.: Zwetschge, Zwetschke: Der Name der Pflaumenart erscheint im 15. und 16. Jh. zuerst im dt. Südwesten in Formen wie ›tzwetzschken, zwetsch[g]en‹ und (mit ähnlicher Lautentwicklung wie bei ↑quer) ›quetzig, quetschgen‹ (daraus nhd. landsch. **Quetsche** »Zwetsche«). Diese verschiedenen Bildungen sind wohl durch Angleichung von Formen entstanden, die aus den benachbarten Mundarten Südostfrankreichs und Norditaliens entlehnt sind und über vlat. **davascena* »Zwetsche« auf lat. *damascena* »Damaszenerpflaume« zurückgehen. Das Letztere beruht auf griech. *Damaskēná* »die damaskische [Frucht]«. Als Heimat der Obstart galt schon in der Antike die Gegend von Damaskus in Syrien.

zwicken: Das Verb mhd., ahd. *zwicken* ist wohl eine Intensivbildung zu ahd. *zwīgōn* »ausreißen, rupfen, pflücken«, einer Ableitung von ahd. *zwīg* »Zweig«. In mhd. Zeit lehnte sich ›zwicken‹ an mhd. *zwec* »Nagel« (↑Zweck) an und wurde im Sinne von »mit Nägeln befestigen, einklemmen« gebräuchlich. – Abl.: **Zwicker** »Kneifer« (Mitte des 19. Jh.s; woher die Verwendung von ›Zwicker‹ als Bezeichnung eines elsässischen Weißweins rührt, ist unklar; heute wird es als »sehr trockener Wein, der zwickt« verstanden).

Zwickmühle: Die seit dem 15. Jh. belegte Zusammensetzung hat nichts mit ↑zwicken zu tun. Der Bestandteil ›Zwick-‹ gehört zu dem unter ↑zwei behandelten Wort. ›Zwickmühle‹ bedeutet demnach eigentlich »Zweimühle, Zwiemühle«, nach der Möglichkeit im Mühlespiel, durch den gleichen Zug eine Mühle zu öffnen und eine zweite zu schließen.

zwie..., Zwie...: Die als Bestimmungswort auftretenden Bildungen mhd., ahd. *zwi-,* niederl. *twee-,* engl. *twi-,* schwed. *tve-* gehören zu dem unter ↑zwei behandelten Zahlwort (siehe auch die Artikel *bi...*, *Bi...* und ²*di...*, *Di...*). Bildungen mit diesem Bestimmungwort sind z. B. **Zwieback** (eigentlich »zweimal Gebackenes«, eine Lehnübersetzung des 17. Jh.s aus it. *biscotto* oder frz. *biscuit*); **zwiefach** »zweifach« (mhd. *zwivach*); **Zwiefalt** »das Zweifache« (mhd. *zwivalt*, ahd. *als zwifaltī*), dazu **zwiefältig** »zweifach« (mhd. *zwivaltic*); **Zwiegespräch** »Gespräch zwischen zwei Personen« (Anfang des 19. Jh.s); **zwiespältig, Zwiespalt** (↑spalten); **Zwiesprache** »das Sichaussprechen mit einem imaginären Partner« (um 1800); **Zwietracht** »Uneinigkeit, Streit« und **zwieträchtig** »voller Zwietracht« (↑Eintracht).

Zwiebel: Der Pflanzenname mhd. *zwibel, zwibolle,* ahd. *zwibollo, cipolle* ist durch roman. Vermittlung aus spätlat. *cepulla* »Zwiebel« entlehnt. Dies beruht auf lat. *cepula*, das eine Verkleinerungsbildung zu lat. *cepa* »Zwiebel« ist. Das lat. Wort selbst stammt aus einer unbekannten Sprache. – Das dt. Wort wurde wohl schon im Ahd. volksetymologisch als ›zwie-bolle‹ (zweifache Bolle; ›Bolle‹ »runder Körper, Knolle«) gedeutet. Es bezeichnet auch den knollenförmig verdickten [unterirdischen] Spross der Zwiebelpflanze und anderer Pflanzen. Das seit dem 17. Jh. bezeugte, von ›Zwiebel‹ abgeleitete Verb **zwiebeln** »jemanden hart herannehmen, quälen« ist wohl als »wie eine Zwiebel abblättern, schinden« zu verstehen.

Zwiespalt, zwiespältig ↑spalten.

Zwietracht, zwieträchtig ↑Eintracht.

Zwillich: Mhd. *zwil[i]ch* ist das substantivierte Adjektiv mhd. *zwil[l]ich*, ahd. *zwilīh* »zweifach, doppelt«, eine Bildung zu dem unter ↑zwei behandelten Wort. Das mhd. Adjektiv gewann die Bedeutung »zweifädig« in Anlehnung an lat. *bilix* »zweifädig« (zu lat. *licium* »Faden«), vgl. noch aengl. *twilic* »doppelt; Zwillich«. Vgl. auch den Artikel *Drillich*.

Zwilling: Das Substantiv mhd. *zwillinc, zwinlinc, zwinelinc*, ahd. *zwiniling* ist eine Ableitung von dem ahd. Adjektiv *zwinal* »doppelt«, das zu dem unter ↑zwei behandelten Zahlwort gehört. Es bedeutet demnach eigentlich »Zweiling«. Das n ist in mhd. Zeit an l angeglichen worden. Vgl. noch die gleich gebildeten Formen schwed. *tvilling* und mengl. *tvinling*. Nach ›Zwilling‹ wurde ↑Drilling gebildet.

zwingen: Das altgerm. Verb mhd. *zwingen, twingen, dwingen*, ahd. *twingen, dwingan*, niederl. *dwingen*, mengl. *twingen*, schwed. *tvinga* bedeutet eigentlich »zusammendrücken, -pressen, einengen«. Außergerm. Beziehungen sind unsicher. Vielleicht ist die balt. Sippe von lit. *tvankùs* »drückend, schwül«, *tviñkti* »anschwellen« verwandt. Der Anlaut zw- setzte sich im Laufe des 14./15. Jh.s durch. Bildungen zu ›zwingen‹ sind ↑Zwang und ↑zwängen. Eine Verneinung des 2. Partizips ist das adjektivisch verwendete **ungezwungen**, das seit dem 18. Jh. in der Bedeutung »einfach, natürlich« auftritt. – Abl.: **zwingend** »notwendigerweise, stringent« (16. Jh.); **Zwinger** (mhd. *twingære* »Bedränger, Zwingherr«, auch »[befestigter] Raum zwischen Mauer und Graben«; die darauf beruhende Bedeutung »umzäumter Auslauf für wilde Tiere und Hunde« ist seit dem 15. Jh. belegt). Präfixbildung: **bezwingen** »überwinden, besiegen« (mhd. *betwingen*, ahd. *bidwingan*).

zwinkern »die Lider wiederholt zuckend bewegen«: Das seit dem 17. Jh. belegte Verb ist eine Iterativbildung zum veralteten Verb *zwinken* (mhd. *zwinken* »blinzeln«). Dazu stellt sich im germ. Bereich engl. *to twinkle* »zwinkern«. Weitere Anknüpfungen fehlen.

zwirbeln »(mit den Fingerspitzen) drehen«: Das seit mhd. Zeit gebräuchliche Verb (mhd. *zwirbeln*) ist eine Iterativbildung zu mhd. *zwirben* »[herum]drehen, wirbeln«, das vielleicht aus einer Vermischung von mhd. *zirben* »[herum]drehen« und mhd. *wirbel* (vgl. *Wirbel*) hervorgegangen ist.

Zwirn: Das Substantiv mhd. *zwirn* gehört zu dem unter ↑zwei behandelten Zahlwort, vgl. aisl. *tvennr, tvinnr* »doppelt«. Es bedeutet demnach eigentlich »Doppelter« (= »zweifacher Faden«). Verwandt sind im germ. Sprachbereich engl. *twine* »zweifach zusammengedrehter Faden« und niederl. *twijn* »Zwirn«, im Außergermanischen lat. *bini* »je zwei« und lett. *dvinis* »Zwilling«.

zwischen: Die Präposition (ursprünglich auch Adverb) mhd. *zwischen* ist aus einer Verkürzung der Fügung mhd. *in zwischen (enzwischen)*, ahd. *in zuisken* »in der Mitte von beiden, innerhalb von Zweifachem« entstanden. Diese Fügung enthält den Dativ Plural von mhd. *zwisc*, ahd. *zuiski* »zweifach, je zwei« (vgl. *zwei*). Vgl. das ähnlich gebildete aind. *dviká-ḥ* »zweifach«. Die mhd. Zusammenrückung *enzwischen* ergab auch das Adverb nhd. **inzwischen.**

Zwist »Streit, Zerwürfnis«: Das im 16./17. Jh. aus dem Niederd. ins Hochd. übernommene Wort geht auf mnd. *twist* zurück, das aus gleichbed. mniederl. *twist* übernommen ist. Es gehört zu dem unter ↑zwei behandelten Zahlwort und bedeutet demnach eigentlich »Zweiteilung, Entzweiung; Trennung«. Im germ. Sprachbereich sind z. B. verwandt aisl. *tvistra* »trennen« und aengl. *-twist* »Gabel«. Außergerm. lässt sich aind. *dviṣ-* »hassen« vergleichen.

zwitschern: Das in der heutigen Form seit dem 17. Jh. bezeugte Wort ist die verstärkende Form eines älteren, heute nicht mehr gebräuchlichen Verbs *zwitzern* »einen feinen Laut von sich geben« (mhd. *zwitzern*, ahd. *zwizzirōn*). Dieses Verb ist lautnachahmenden Ursprungs und verwandt mit engl. *to twitter* »zwitschern, zirpen«.

Zwitter: Das Substantiv mhd., ahd. *zwitarn* (vgl. schwed. mdal. *tvetorna*) gehört mit seinem ersten Bestandteil zwi- zu dem unter ↑zwei behandelten Zahlwort. Die Herkunft des zweiten Bestandteils ist unsicher. Das Wort bedeutet wohl eigentlich »zweifach, zweierlei«, dann »zweifacher Volkszugehörigkeit oder Abstammung«. Die Bedeutung »zweigeschlechtiges Wesen« tritt zwar schon im 13. Jh. auf, dringt aber erst im 16. Jh. durch.

zwölf: Das gemeingerm. Zahlwort mhd. *zwelf, zwelif,* ahd. *zwelif,* got. *twalif,* engl. *twelve,* schwed. *tolv* ist eine Zusammensetzung aus ↑zwei und dem unter ↑bleiben behandelten Stamm germ. **liƀ-* mit der Bedeutung »Überbleibsel, Rest«; s. dazu den Artikel *elf.* Auf der Zwölfzahl beruhen viele alte Maß- und Münzsysteme (↑Dutzend); sie hat in Astronomie und Mathematik, in der Kultur- und Religionsgeschichte wie im Volksglauben eine große Rolle gespielt. – Abl.: **zwölfte** (Ordnungszahl; mhd. *zwelft,* ahd. *zwelifto*). Zus.: **Zwölffingerdarm** »Anfangsstück des menschlichen Dünndarms« (zwölf Fingerbreiten lang; die Bezeichnung wurde im 17. Jh. nach gleichbed. griech. *dōdeka-dáktylon* gebildet, vgl. mlat. *intestinum duodenum* »zwölffacher Darm«, daraus medizinisch ›Duodenum‹ »Zwölffingerdarm«).

Zyklus »Kreislauf, periodische Folge; Ideen-, Themenkreis; in sich geschlossene Reihe inhaltlich zusammengehörender Dinge (Gedichte, Geschichten, Vorträge u. a.)«: Das seit dem 18. Jh. bezeugte Fremdwort ist aus lat. *cyclus* entlehnt, das seinerseits aus griech. *kýklos* »Kreis; Kreislauf, Ring; Rad usw.« übernommen ist. Das griech. Wort gehört zu den unter ↑Hals genannten Wörtern der idg. Wurzel **kᵘel-* »[sich] herumdrehen«.

¹Zylinder »Walze, walzenförmiger Körper; röhrenförmiger Hohlkörper«: Das in dieser Form seit dem 16. Jh. gebräuchliche Fremdwort ist aus gleichbed. lat. *cylindrus* entlehnt, das seinerseits aus griech. *kýlindros* »Walze, Rolle, Zylinder« übernommen ist. Dies ist eine Bildung zu griech. *kylíndein* »rollen, wälzen«. ›Zylinder‹ war zunächst mathematischer Fachausdruck für den geometrischen Körper, dann wurde es auch im Sinne von »walzenförmiger Körper, Walze, Rundsäule« gebräuchlich und schließlich im technischen Bereich als Bezeichnung für einen röhrenförmigen Hohlkörper (in dem sich ein Kolben bewegt) verwendet. Mit ›Zylinder‹ identisch ist das im 19. Jh. aufkommende **²Zylinder** als Bezeichnung für einen hohen, röhrenförmigen, steifen Herrenhut. Voraus geht die Zusammensetzung ›Zylinderhut‹.

zynisch »verletzend spöttisch, schamlos, bissig, giftig«: Das seit dem 16. Jh. bezeugte Adjektiv, das in seiner Verwendung von entsprechend frz. *cynique* beeinflusst worden ist, ist aus lat. *cynicus* »zur Philosophenschule der Kyniker gehörend« entlehnt. Das lat. Wort seinerseits stammt aus griech. *kynikós* »zur Philosophenschule der Kyniker gehörend«, eigentlich »hündisch« (zu griech. *kýōn* »Hund«, urverwandt mit dt. ↑Hund). Auszugehen ist für das Adjektiv von dem Namen der altgriechischen Philosophenschule der Kyniker (griech. *Kynikoí*). Der Gründer der Schule, der Philosoph Antisthenes, lehrte im Gymnasium ›Kynósarges‹. Die Anhänger der Schule waren in ihrer Haltung in gewissem Sinne »hündisch« *(kynikós),* und zwar einerseits in ihrer Bedürfnislosigkeit und gewollten Armut, andererseits hinsichtlich ihrer bissigen und schamlosen Art, mit der sie über geltende Vorstellungen und Lebensformen herfielen.

Zypresse: Der Baumname (mhd. *zipresse[nboum],* ahd. *cipresenboum*) ist aus lat. *cupressus, cypressus* »Zypresse« entlehnt, das wie gleichbed. griech. *kypárissos* wahrscheinlich aus einer Mittelmeersprache oder aus einer kleinasiatischen Sprache stammt.

Literaturverzeichnis

Althochdeutsches Wörterbuch, begr. v. Elisabeth Karg-Gasterstädt und Theodor Frings. Hg. v. Rudolf Grosse. Bearb. v. Siegfried Blum u. a. Auf mehrere Bde. ber. Berlin-Ost 1968 ff.

Anglizismen-Wörterbuch, begr. v. Broder Carstensen. Fortgef. v. Ulrich Busse. 3 Bde. Berlin 1993–1996.

Battisti, Carlo / Alessio, Giovanni: Dizionario etimologico italiano. 5 Bde. Neuausgabe Florenz 1975.

Birkhan, Helmut: Etymologie des Deutschen. Bern 1985.

Bloch, Oscar / Wartburg, Walther von: Dictionnaire étymologique de la langue française. Paris [11]1996.

Buck, Carl Darling: A dictionary of selected synonyms in the principal indo-european languages. Neuausgabe Chicago (Ill.) 1989.

Corominas, Joan: Diccionario crítico etimológico de la lengua castellana. 4 Bde. Bern 1954. Nachdruck 1974.

Corominas, Joan: Breve diccionario etimológico de la lengua castellana. Madrid [3]1973. Nachdruck 1998.

Deutsche Wortgeschichte, hg. v. Friedrich Maurer und Heinz Rupp. 3 Bde. Berlin [3]1974–1978.

Deutsches Fremdwörterbuch, begr. v. Hans Schulz. Fortgef. v. Otto Basler. Bearb. v. Gerhard Strauß u. a. Auf mehrere Bde. ber. Berlin [2]1995 ff.

Dictionnaire étymologique de l'ancien français (DEAF), hg. v. Kurt Baldinger. Auf zahlr. Bde. ber. Tübingen 1974 ff.

Drube, Herbert: Zum deutschen Wortschatz. Historische und kritische Betrachtungen. München 1968.

Ernout, Alfred / Meillet, Antoine: Dictionnaire étymologique de la langue latine. Paris [4]1959. Nachdruck 1994.

Etymologie, hg. v. Rüdiger Schmitt. Darmstadt 1977.

Das etymologische Wörterbuch. Fragen der Konzeption und Gestaltung, hg. v. Alfred Bammesberger. Regensburg 1983.

Falk, Hjalmar S. / Torp, Alf: Norwegisch-dänisches etymologisches Wörterbuch. 2 Bde. A. d. Dän. Heidelberg [2]1960.

Feist, Sigmund: Vergleichendes Wörterbuch der gotischen Sprache. Mit Einschluß des Krimgotischen und sonstiger zerstreuter Überreste des Gotischen. Leiden [3]1939.

Fraenkel, Ernst: Litauisches etymologisches Wörterbuch. 2 Bde. Heidelberg 1962–1965.

Franck, Johannes: Franck's etymologisch woordenboek der Nederlandsche taal. 2 Bde. Den Haag [1-2]1912–1936. Nachdruck Leiden 1980–1984.

Frisk, Hjalmar: Griechisches etymologisches Wörterbuch. 3 Bde. Heidelberg [2-3]1973–1991.

Grimm, Jacob / Grimm, Wilhelm: Deutsches Wörterbuch. 16 Bde. in 32 Tlen. Leipzig 1854–1960. Quellenverzeichnis Leipzig 1971. Nachdruck München 1999. Neubearbeitung Leipzig 1966 ff.

Hellquist, Elof: Svensk etymologisk ordbok. Lund [3]1966. Nachdruck 1993.

Hiersche, Rolf: Deutsches etymologisches Wörterbuch. Auf mehrere Bde. ber. Heidelberg 1986 ff.

Klein, Ernest: A comprehensive etymological dictionary of the English language. 2 Bde. Amsterdam [2]1969. Nachdruck in 1 Bd. 1986.

Kluge, Friedrich: Etymologisches Wörterbuch der deutschen Sprache, bearb. v. Elmar Seebold. Berlin [23]1995. Nachdruck 1999.

Kretschmer, Paul: Wortgeographie der hochdeutschen Umgangssprache. Göttingen [2]1969.

Lessico etimologico italiano (LEI), hg. v. Max Pfister. Auf zahlr. Bde. ber. Wiesbaden 1984 ff.

Lexer, Matthias: Mittelhochdeutsches Handwörterbuch. 3 Bde. Leipzig 1872–1878. Nachdruck Stuttgart 1992.

Mayrhofer, Manfred: Kurzgefaßtes etymologisches Wörterbuch des Altindischen. 4 Bde. Heidelberg 1956–1980.

Mittelniederdeutsches Handwörterbuch, begr. v. Agathe Lasch und Conrad Borchling. Fortgef. v. Gerhard Cordes. Auf mehrere Bde. ber. Neumünster 1956 ff.

Mühlenbach, Karl: Lettisch-deutsches Wörterbuch, fortgef. v. Jānis Endzelin. 4 Bde. Riga 1923–1932. Erg.-Bd.: Endzelin, Jānis / Hausenberg, Edith: Ergänzungen und Berichtigungen. 2 Bde. Riga 1937–1944.

The Oxford dictionary of English etymology, hg. v. Charles T. Onions u. a. Neudruck Oxford 1998.

Paul, Hermann: Deutsches Wörterbuch, bearb. v. Helmut Henne. Tübingen ^{9}1992.

Picoche, Jacqueline: Dictionnaire étymologique du français. Neudruck Paris 1997.

Pokorny, Julius: Indogermanisches etymologisches Wörterbuch. 2 Tle. Bern ^{3}1994.

Polenz, Peter von: Geschichte der deutschen Sprache. Berlin ^{9}1978. Nachdruck 1987.

Reallexikon der germanischen Altertumskunde, begr. v. Johannes Hoops. Hg. v. Heinrich Beck u. a. Auf zahlr. Bde. ber. Berlin ^{2}1973 ff.

Reichmann, Oskar: Germanistische Lexikologie. Stuttgart ^{2}1976.

Röhrich, Lutz: Lexikon der sprichwörtlichen Redensarten. 5 Bde. Freiburg im Breisgau ^{4}1999.

Schiller, Karl / Lübben, August: Mittelniederdeutsches Wörterbuch. 6 Bde. Bremen 1875–1881. Nachdruck Schaan 1983.

Schirmer, Alfred: Deutsche Wortkunde. Kulturgeschichte des deutschen Wortschatzes. Berlin ^{6}1969.

Schützeichel, Rudolf: Althochdeutsches Wörterbuch. Tübingen ^{5}1995.

Seebold, Elmar: Etymologie. Eine Einführung am Beispiel der deutschen Sprache. München 1981.

Seebold, Elmar: Vergleichendes und etymologisches Wörterbuch der germanischen starken Verben. Den Haag 1970.

Trübners deutsches Wörterbuch, begr. v. Alfred Götze. Hg. v. Walther Mitzka u. a. 8 Bde. Berlin 1939–1957. Bd. 1–4 Neudruck 1954.

Tschirch, Fritz: Geschichte der deutschen Sprache. 2 Bde. Berlin ^{3}1983–1989.

Vasmer, Max: Russisches etymologisches Wörterbuch. 3 Bde. Heidelberg ^{2}1976–1980.

Vries, Jan de: Nederlands etymologisch woordenboek. Leiden ^{5}2000.

Walde, Alois / Hofmann, Johann Baptist: Lateinisches etymologisches Wörterbuch. 3 Bde. Heidelberg ^{5}1965–1982. Nachdruck Bd. 1 und 2 1982–1995.

Weigand, Friedrich Ludwig Karl / Hirt, Herman: Deutsches Wörterbuch. 2 Bde. Gießen ^{5}1909–1910. Nachdruck Berlin 1968.